Dictionnaire
des intellectuels
français

Sous la direction de

Jacques Julliard et Michel Winock

Dictionnaire des intellectuels français

Les personnes Les lieux Les moments

Avec la collaboration de

Pascal Balmand, Christophe Prochasson

et de

Gisèle Sapiro, Danièle Voldman,
Gilles Candar, Denis Pelletier, Nicolas Roussellier

Coordination

Monique Lulin et Séverine Nikel

Éditions du Seuil
27 rue Jacob, Paris 6e

ISBN 2-02-018334-X

ONT COLLABORÉ À CET OUVRAGE

Added (Serge)
Andrieu (Claire)
Atten (Michel)
Aubey-Berthelot (Catherine)
Badré (Frédéric)
Baecque (Antoine de)
Balmand (Pascal)
Bandier (Norbert)
Barrot (Olivier)
Baubérot (Jean)
Becker (Jean-Jacques)
Bédarida (François)
Bédarida (Renée)
Bel (Monique)
Belmont (Nicole)
Belot (Robert)
Bensaude-Vincent (Bernadette)
Bernard (Jean-Pierre A.)
Bertrand Dorléac (Laurence)
Biondi (Jean-Pierre)
Blime (Laurent)
Bouchoux (Corinne)
Boudic (Goulven)
Bouffartigue (Delphine)
Bourdon (Jérôme)
Bousquet (Catherine)
Bousseyroux (Pascal)
Brayard (Florent)
Brincourt (André)
Brouzeng (Paul)
Bucher (Bernadette)
Buot (François)
Burger-Roussennac (Annie)
Burguière (André)
Candar (Gilles)
Caspard (Pierre)
Cavalin (Tangi)
Chagnollaud (Dominique)
Chambelland (Colette)
Charentenay (Pierre de)
Charle (Christophe)
Chartier (Roger)
Chaslin (François)
Chebel d'Appollonia (Ariane)
Chenaux (Philippe)
Citron (Pierre)
Clément (Bruno)
Clouet (Stéphane)
Colas (Dominique)
Colin (Pierre)
Compagnon (Antoine)
Comte (Bernard)
Condroyer (Denis)
Coq (Guy)
Courtois (Stéphane)
Cuisenier (Jean)
Dambre (Marc)
Daoud (Zakya)
Darbo-Peschanski (Catherine)
Deloche (Jean)
Delporte (Christian)
Delranc-Gaudric (Marianne)
Devillairs (Laurence)
Dibie (Pascal)
Dörries (Matthias)
Douki (Caroline)
Douzou (Laurent)
Dreyfus (Michel)
Droz (Bernard)
Duclert (Vincent)
Duhamel (Éric)
Dumoulin (Olivier)
Duranton-Crabol (Anne-Marie)
Elbaz (Sharon)
Fabiani (Jean-Louis)
Fabre (Rémi)
Feltesse (Vincent)
Ferenczi (Thomas)
Fischer (Didier)
Fischer (Jean-Louis)
Forest (Philippe)
Fouché (Pascal)
Fraisse (Geneviève)
Frémaux (Thierry)
Fulcher (Jane)
Garçon (François)
Gardinier (Laurent)
Garet (Jean-Louis)
Garrigues (Jean)
Gayme (Laurent)
Georgi (Frank)
Girault (Jacques)
Gleize (Jean-Marie)
Grandjean (Sophie)

Grémion (Pierre)
Hallsted-Baumert (Sheila)
Henry (Odile)
Homassel (Anne-Sylvie)
Homassel (Jean-François)
Ioan (Mariana)
Jacques (Jean)
Jeanneney (Jean-Noël)
Jeanpierre (Laurent)
Jennings (Jeremy)
Julliard (Jacques)
Kadouch Chassaing (William)
Karakatsoulis (Anne)
Kaspi (André)
Kaufmann (Dorothy)
Kergoat (Jacques)
Kerleroux (Françoise)
Kesler (Jean-François)
Klein (Wolfgang)
Klejman (Laurence)
Knobel (Marc)
Laguerre (Bernard)
Lapierre (Jean-Pie)
Laurent (Sébastien)
Lazar (Marc)
Le Claffotec (Philippe)
Lecerf (Éric)
Leroy (Géraldi)
Levillain (Henriette)
Lévy (Jacques)
Leymarie (Michel)
Liauzu (Claude)
Lindenberg (Daniel)
Loubet del Bayle (Jean-Louis)
Margairaz (Michel)
Martin (Sophie)
Martinière (Guy)
Marty (Éric)
Matonti (Frédérique)
Mazon (Brigitte)
Méadel (Cécile)
Mechri-Bendana (Kmar)
Mercier (Lucien)
Mercier (Pascal)
Merllié (Dominique)
Mesnil (Antoine)
Michel (Louis)
Michel (Natacha)
Milza (Pierre)
Minogue (Valérie)
Moïnfar (Moh. Djafar)
Mollier (Jean-Yves)
Monchablon (Alain)
Montremy (Jean-Maurice de)
Morange (Michel)
Morin (Gilles)
Mossé (Claude)
Muel-Dreyfus (Francine)
Naquet (Emmanuel)
Navet (Georges)
Netter (Marie-Laurence)
Nikel (Séverine)
Olivera (Philippe)
Ory (Pascal)
Oster (Daniel)
Pagès (Yves)
Paire (Alain)
Pajon (Alexandre)
Palmier (Jean-Michel)
Panné (Jean-Louis)
Paquot (Thierry)
Parinet (Élisabeth)
Paulhan (Claire)
Pelletier (Denis)
Perriault (Jacques)
Pestre (Dominique)
Picard (Jean-François)
Pinault (Michel)
Pluet-Despatin (Jacqueline)
Poirier (Jacques)
Poirrier (Philippe)
Prochasson (Christophe)
Proguidis (Lakis)
Prost (Antoine)
Proteau (Laurence)
Racine (Nicole)
Raczymow (Henri)
Rasmussen (Anne)
Revel (Jacques)
Revel (Judith)
Reynaud Paligot (Carole)
Rieffel (Rémy)
Rieuneau (Maurice)
Rioux (Jean-Pierre)
Rioux (Rémy)
Roche (Anne)
Roche (Gérard)
Rochefort (Florence)
Roman (Joël)
Roussellier (Nicolas)

Rubens (Alain)
Rupnik (Jacques)
Sand (Shlomo)
Santamaria (Yves)
Sapiro (Gisèle)
Sauverzac (Jean-François de)
Schaeffer (Jean-Marie)
Segalen (Martine)
Senelier (Arnaud)
Sernin (André)
Serry (Hervé)
Seyler (Monique)
Silve (Édith)
Simon (Yannick)
Simonin (Anne)
Slama (Alain-Gérard)
Solinís (Germán)
Tadié (Jean-Yves)
Taguieff (Pierre-André)
Tamagne (Florence)
Tesnière (Valérie)
Thiesse (Anne-Marie)
Tissier (Jean-Louis)
Toledano (Fabrice)
Tranvouez (Yvon)
Trebitsch (Michel)
Treiner (Sandrine)
Turcany (Florin)
Veillon (Dominique)
Vergez-Chaignon (Bénédicte)
Vigreux (Jean)
Villate (Laurent)
Villepin (Patrick de)
Voldman (Danièle)
Walter (Henriette)
Weiland-Bouffay (Isabelle)
Werner (Françoise)
Wieviorka (Annette)
Wieviorka (Olivier)
Willaime (Jean-Paul)
Winock (Michel)
Wolikow (Serge)
Yacine (Tassadit)

Introduction

C'est une entreprise aventureuse de proposer au public un dictionnaire des intellectuels. Quiconque énumère les noms des gens qui vivent, au moins pour partie, de leur notoriété, court le risque de mécontenter deux catégories de personnes : celles qui figurent dans sa liste ; celles qui en sont absentes. Quelques précautions qu'il prenne, le lexicographe passe toujours pour le greffier de la Renommée, et les plus mal traités sont prompts à l'accuser d'infidélité dans la transcription de ses arrêts. Tout sera donc mesuré avec une redoutable minutie : la liste des présents, les omissions, la place accordée à chacun, les adjectifs, quand il s'en trouve. C'est la loi du genre et le risque du métier.

Aussi convient-il au moins, pour éviter les malentendus les plus grossiers, de s'accorder sur le sens des mots et sur l'objet de l'entreprise. Qu'il soit clair d'emblée qu'un tel dictionnaire ne vise pas à évaluer les mérites des personnes citées dans leur champ d'activité purement professionnel. L'absence de tel prix Nobel de physique ou de médecine ne signifie pas qu'on sous-estime sa contribution à la science ou au bien-être de l'humanité, mais qu'au contraire, on a pris acte qu'il s'est toujours refusé à quitter son laboratoire pour descendre dans la rue, signer des pétitions, donner son avis sur l'avenir du socialisme, le déclin de la religion ou la férocité d'une dictature asiatique. Sartre, qui était orfèvre en la matière, l'a très bien dit. Le savant qui travaille à la mise au point d'une bombe atomique, n'est pas un intellectuel. Dès lors que, conscient du danger qu'il fait courir à l'humanité, il engage ses confrères à signer avec lui un manifeste contre l'emploi d'une telle bombe, il le devient.

Pour l'élaboration de ce dictionnaire, nous avons appliqué ce critère. Le lecteur ne trouvera donc pas dans les pages qui suivent le *Who's Who* des écrivains et des scientifiques, des artistes et des universitaires qui comptent d'abord par l'œuvre qui les a légitimés, mais ceux d'entre eux qui, à un moment ou à un autre, se sont mêlés, comme dit encore Sartre dans cette même conférence, « de ce qui ne les regarde pas[1] ».

Encore ne suffit-il pas d'entrer dans le champ de l'action publique, notamment politique, ou de faire appel à l'opinion, pour mériter le nom d'« intellectuel ». Il faut y accéder en apportant avec soi, en guise de valeur ajoutée, la notoriété que l'on s'est acquise dans un autre domaine. Quel titre particulier donne le prix Nobel ou le prix Goncourt, l'Académie française ou le Collège de France, à protester

1. J.-P. Sartre, « Plaidoyer pour les intellectuels », *Situations VIII*, Gallimard, 1972, p. 377.

contre une injustice, à recommander aux suffrages un candidat, à préconiser une réforme sociale ? Aucun, à la vérité, puisque ce transfert de notoriété n'implique aucun transfert de compétence. Le savant atomiste lui-même n'a pas de titre particulier pour se prononcer sur l'emploi de la bombe. Sa fabrication est un problème scientifique et technologique, son emploi un problème politique et moral. Il y a même dans ce transfert de notoriété une espèce de simonie politique, ou, si l'on préfère, un abus de biens moraux que les adversaires de l'intellectuel — souvent des intellectuels eux-mêmes — ne manquent pas de stigmatiser.

Mais qu'est-ce donc qu'un intellectuel ? Un homme ou une femme, nous l'avons dit, qui applique à l'ordre politique une notoriété acquise ailleurs. Mais « ailleurs » signifie-t-il n'importe où ? Quand il s'agit des lettres, des sciences et des arts, pas de difficulté. Mais un chanteur, un sportif, un couturier qui signent des pétitions, sont-ils des intellectuels ? Les responsables de ce dictionnaire en ont discuté, souvent avec passion. S'ils ont finalement écarté cette acception du vocable, c'est parce que, même sous sa forme la plus extensive, il continue d'évoquer une activité de l'esprit. Un intellectuel n'est pas seulement un signataire de pétition ; c'est un homme ou une femme qui, à travers cette activité, entend proposer à la société tout entière une analyse, une direction, une morale que ses travaux antérieurs le qualifient pour élaborer. Il n'y a donc pas extériorité totale entre sa fonction étroite et sa fonction élargie. On suppose par convention, justifiée ou non, que les activités intellectuelles citées plus haut (art, sciences, littérature, philosophie) prédisposent celui qui les exerce au maniement des idées générales concernant la société ou la façon de la gérer. Dès lors, une question, symétrique de la précédente, se pose à nous. Un homme politique qui a fait œuvre théorique, exprimant des vues d'ensemble sur le devenir social, ne pouvait-il pas à son tour être tenu pour un intellectuel ? Clemenceau ou de Gaulle ont, à des titres divers, tenu ce rôle. Si, non sans réflexion, nous avons fini par les écarter aussi, c'est qu'en proposant des analyses politiques ou des préceptes pour l'action, de tels hommes ne sont pas sortis de leur domaine professionnel ; au contraire, ils ont voulu donner à celui-ci sa véritable dimension ; ils ne se sont pas « engagés » dans l'action politique, puisque, par définition, ils s'y trouvaient déjà. En revanche, si nous avons retenu les noms de Jaurès et de Blum, c'est que ceux-ci ont été des intellectuels avant d'être — chronologiquement parlant — des hommes politiques.

La notion d'engagement, pour les raisons qu'on a indiquées, a fini par être le critère permettant d'attribuer au savant, à l'écrivain, à l'artiste la qualification d'intellectuel. Même si l'usage du mot est récent, datant des lendemains de la Seconde Guerre mondiale, la notion, elle, est beaucoup plus ancienne, et il ne saurait y avoir de débat là-dessus. Quand un certain nombre de sommités du monde des lettres, des arts et des sciences ont pris parti pour Dreyfus, elles se sont engagées. Vingt ans plus tard, quand nombre d'entre elles ont pris parti pour la défense de l'Union soviétique, elles se sont elles aussi engagées.

Mais quel engagement ? S'agit-il du même pour les deux cas ? Dans le premier, le cas Dreyfus, elles sont descendues dans l'arène en faveur d'un innocent, mais c'est avant tout un principe qu'elles défendaient : celui de la justice, ou, comme on dit depuis cette époque, des droits de l'homme. Dans le second, celui de la défense du communisme, elles ne craignaient pas de se mettre au service d'une patrie. C'est ce que leur reprochera Julien Benda dans un livre fondateur, *La Trahison des clercs* (1927). En mettant leur notoriété au service de leur passion politique particulière, les clercs, entendez les intellectuels, ont dérogé de leur noble mission, qui est de défendre les valeurs universelles, la raison et la justice. « Notre siècle aura été proprement le siècle de l'organisation intellectuelle des haines politiques. Ce sera un de ses grands titres dans l'histoire morale de l'humanité. » Ces « clercs de forum », comme il les appelait, avaient oublié la cause abstraite et désintéressée de l'universel pour « le culte du particulier » — les passions « de race » (antisémitisme, xénophobie, nationalisme juif), les passions de classes (bourgeoisisme et marxisme) et les passions nationales (nationalisme, militarisme...). Benda rappelait les exemples de Voltaire et de Zola, « officiants de la justice abstraite [qui] ne se souillaient d'aucune passion pour un objet terrestre. » Nous n'étions plus dans le champ clos où gauche et droite s'affrontaient, mais devant la régression d'une activité purement *désintéressée* qui s'abîmait en militantisme partisan.

Mais pourquoi cette mission, et qui la leur a confiée ? La réponse a été donnée trois quarts de siècle plus tôt par Tocqueville, expliquant dans *L'Ancien Régime et la Révolution* qu'en tenant les gens de lettres à l'écart de la responsabilité politique, quitte à les retenir par les chaînes dorées du mécénat, la monarchie d'Ancien Régime les a privés de l'expérience du concret, les a jetés dans le royaume des idées générales et, ce faisant, leur a livré le cœur de la foule. Superbe analyse historique, toujours actuelle, qui a institué, on l'a dit, l'intellectuel en spécialiste des généralités, et, à défaut de maroquins ministériels, leur a abandonné un seul ministère : celui de l'opinion publique. En se mettant, non au service des idées, mais au service des partis, les intellectuels du XXe siècle ont rompu une tradition.

De sorte que, si l'on suit cette double analyse, la périodisation, couramment proposée, qui fit naître les intellectuels avec Voltaire, atteindre l'âge adulte avec Zola et mourir avec Sartre, n'est guère défendable : 1917 a en effet constitué la rupture d'une tradition historique. Il faudra l'effondrement de l'idéal communiste et des illusions qu'il a engendrées pour voir les intellectuels renouer avec l'universel abstrait et se faire à nouveau les croisés des droits de l'homme. La traversée du triste XXe siècle, coextensive à la double aventure fasciste et surtout communiste, constitue donc une longue parenthèse à l'intérieur d'une tradition historique, dont Sartre ne serait pas le dernier des Mohicans, mais le fils indigne.

Ainsi, la fortune particulière en France de cette république autonome que constituent les intellectuels à l'intérieur des élites serait un des effets pervers de la centralisation française. Il arrive à beaucoup d'observateurs étrangers de déclarer, sous forme de boutade, que les intellectuels sont une spécialité française, due à l'exception monarcho-jacobine. C'est faux, naturellement : toute société, comme le montre Aron dans *L'Opium des intellectuels*, finit par sécréter un corps spécialisé dans la définition des normes et la production des valeurs. Mais il est certain que l'effervescence particulière de la corporation, sa place dans le débat politique national, sont un des traits les plus frappants de la France, du XVIIIe siècle à nos jours. Il était donc légitime de concevoir un tel dictionnaire dans le cadre national.

Mais à quel moment le faire commencer ? Si nous avons opté pour l'affaire

Dreyfus, dont nous venons de célébrer le centenaire, ce n'est pas seulement pour déférer à une tradition solidement établie. Il est bien vrai que le tournant du siècle a vu l'apparition de l'intellectuel moderne, avec une place particulière faite à l'Université et à la science ; et qu'il est aussi le moment de la mise en œuvre de nouveaux moyens d'expression qui vont du manifeste collectif à la constitution de ligues militantes, en passant par un usage intensif des médias modernes. Georges Clemenceau, pour nous en tenir à ce seul cas, n'a pas consacré, du 1er novembre 1897 au 3 novembre 1901, moins de 666 articles à l'Affaire, qui, réunis en 7 volumes, n'occupent pas moins de 3 305 pages ! Probablement la plus longue des campagnes que la presse moderne ait connue.

Le terme d'*intellectuel*, pris comme substantif, est devenu d'usage commun à la fin du XIXe siècle. On ne le trouve dans aucun des deux grands dictionnaires français qui ont été rédigés sous le Second Empire, ni dans le Littré ni dans le Larousse. C'est l'affaire Dreyfus, au moment où elle divise l'opinion en profondeur, dans l'année 1898, qui le fait entrer dans le langage commun. Au mois de janvier, au lendemain du « J'accuse » de Zola, publié par *L'Aurore*, le 13, la presse publie une pétition en faveur de la révision du procès Dreyfus qui a eu lieu en décembre 1894 devant le deuxième Conseil de guerre de Paris. Le 23 janvier, dans le même journal, Georges Clemenceau écrit : « N'est-ce pas un signe, tous ces *intellectuels*, venus de tous les coins de l'horizon, qui se groupent sur une idée et s'y tiennent inébranlables ? » Maurice Barrès, affirmant que c'est Clemenceau qui inventa le mot[2], en donnait cette définition polémique : « *Intellectuel :* individu qui se persuade que la société doit se fonder sur la logique et qui méconnaît qu'elle repose en fait sur des nécessités antérieures et peut-être étrangères à la raison individuelle[3]. »

Pourtant, le mot est beaucoup plus ancien qu'on ne le dit en général. Il apparaît pour la première fois sous la plume de Saint-Simon, en 1821, dans son livre *Du système industriel* : « J'invite les intellectuels positifs à s'unir et à combiner leurs forces pour faire une attaque générale et définitive aux préjugés, en commençant l'organisation du système industriel ; d'une autre part, je demande aux *intellectuels* qui sont les plus riches et les plus positifs, de se coaliser pour donner les moyens à leurs *intellectuels* de faire et de publier le travail scientifique dont ils ont besoin[4]. »

Que l'homme qui a donné au monde moderne le mot *industriel* et le mot *individualisme* ait également, dans le même contexte d'imagination du monde moderne, inventé le mot *intellectuel* n'est pas pour surprendre. Ce grand génie, à qui il ne manqua que le talent, avait un siècle d'avance sur son temps. Il n'est pas inintéressant non plus que la deuxième occurrence du mot se trouve sous la plume de Renan, en 1845 ou 1846 : « Il n'y a que les enfants et les esprits vides de choses qui s'ennuient. L'*intellectuel* est toujours en activité[5]. » Après l'intellectuel organique

2. M. Barrès, « La protestation des intellectuels », *Scènes et doctrines du nationalisme*, Plon, 1925, t. 1, p. 49.

3. M. Barrès, « Qu'est-ce qu'un intellectuel ? », *ibid.*, p. 48.

4. Saint-Simon, *Œuvres*, t. 3, pp. 189-191.

5. *Nephtali*, 12, *Cahier de jeunesse*, p. 199. Ces cahiers ne seront publiés qu'en 1906, après la mort de Renan, et ne peuvent donc avoir inspiré chez d'autres l'usage du mot.

de Saint-Simon, voici l'intellectuel moléculaire[6] de Renan. Il ne manque plus que l'intellectuel anti-intellectualiste, que l'affaire Dreyfus, on ne le souligne pas assez en général, a suscité en réaction à l'affirmation de l'intellectuel de gauche.

Dans cette controverse, Ferdinand Brunetière, académicien, directeur de la *Revue des Deux Mondes*, se porta en avant, dénonçant dans la démarche « intellectuelle » une prétention qui aboutissait à « l'anarchie » : « Ils ne font que déraisonner avec autorité sur des choses de leur incompétence ; et, finalement, ils ne réussissent qu'à déconcerter, à dérouter, à troubler fortement l'opinion. Parce qu'ils savent des choses que nous ne savons pas, nous leur faisons crédit de celles qu'ils ignorent. Accoutumés qu'ils sont à s'écouter complaisamment parler, leur assurance nous impose[7]. »

Cependant, il était rageant pour les antidreyfusards d'abandonner le monopole de « l'intelligence » à leurs adversaires. La Ligue de la patrie française, fondée au début de l'année 1899, visait explicitement à montrer qu'il n'en était rien, qu'à l'Université, dans les laboratoires et parmi les gens de lettres, il existait une opinion « saine », soucieuse de cohésion sociale et de patriotisme, et c'était quelques-uns des noms les plus réputés, un Barrès, un Jules Lemaître, un François Coppée, un Paul Bourget, un Jules Verne, qui, à côté de leurs cadets Charles Maurras et Léon Daudet, se regroupaient pour défendre l'Armée attaquée par les révisionnistes. Il y aurait ainsi deux sortes d'intellectuels, ceux qui défendaient les valeurs universelles de vérité et de justice, et ceux qui se proclamaient soucieux de l'unité nationale. À l'individualisme universaliste des uns s'opposait le particularisme nationaliste des autres.

À partir de l'affaire Dreyfus, les intellectuels n'allaient cesser en France de faire parler d'eux, suscitant à chaque fois la double réaction, contradictoire : 1° d'anti-intellectualisme ; 2° de regroupement d'intellectuels anti-intellectualistes pour réaffirmer leurs propres valeurs du « parti de l'intelligence ». C'est ainsi qu'en 1935, dans l'année qui suivit la formation du « Comité de vigilance des intellectuels antifascistes », le « parti de l'intelligence », assumant pleinement le terme dénominatif d'« intellectuels français », publiait un manifeste « Pour la défense de l'Occident et la paix en Europe », pour justifier et soutenir la conquête armée de l'Éthiopie par l'Italie mussolinienne. On parlerait désormais d'intellectuels de gauche — alors que l'expression était quelque peu tautologique au départ — et d'intellectuels de droite.

Cette double polarisation des intellectuels s'est fortement accentuée dans les années de Guerre froide. À gauche tout d'abord elle s'est effectuée au profit du Parti communiste. Mais bientôt cette histoire est aussi celle d'un désenchantement, au sens fort du mot, dont les principales étapes sont bien connues : le XXe congrès du PCUS et l'intervention soviétique en Hongrie en 1956, la fin du « Printemps de Prague » en 1968, la traduction de *L'Archipel du Goulag* de Soljenitsyne en 1974, la prise de Saigon et l'instauration de la dictature sanglante des Khmers rouges au Cambodge en 1975, la mort de Mao en 1976, la rupture de l'Union de la gauche en France en 1977, l'intervention soviétique en Afghanistan en 1979, jusqu'à

6. Suivant l'expression de Mannheim.
7. F. Brunetière, *Après le Procès, réponse à quelques « intellectuels »*, Perrin et Cie, 1898.

l'effondrement du Mur de Berlin en 1989, et à l'implosion du communisme en URSS en 1991. Chacun de ces événements a sapé une foi dans le communisme qui avait été portée au plus haut au lendemain de la Seconde Guerre mondiale.

De sorte que la fonction critique que Sartre imputait à l'intellectuel révolutionnaire, d'autres l'assumèrent contre celui-ci. Raymond Aron, en 1955, dénonçait *L'Opium des intellectuels*, cette vulgate marxiste qui endormait la vigilance critique de tant d'hommes de pensée, comme jadis la religion, selon Marx, anesthésiait le peuple.

La rupture avec l'idéologie marxiste et le compagnonnage de route avec le Parti communiste est un autre chapitre abondant de l'histoire des intellectuels français — rupture située à plusieurs niveaux d'activité, théorique et pratique, et selon des cheminements variés, avec des pas en arrière et des pas en avant, des démissions définitives ou des départs douloureux et hésitants : entre 1956 et 1991, un long effilochement scandé par des bris de maille réguliers.

De ce point de vue, la date symbolique à retenir est celle de 1979, quand on vit Sartre et Aron, les « petits camarades » de l'École normale supérieure devenus adversaires de quarante ans, se réconcilier sous les auspices des « Nouveaux Philosophes », pour plaider auprès du président de la République la cause des *boat people* vietnamiens, fuyant les rigueurs d'un régime totalitaire. La boucle est ainsi bouclée, la parenthèse se termine, ainsi que la fortune de la notion d'« engagement », entendue comme la mobilisation des intellectuels au service des partis et de leurs passions particulières.

Le désenchantement devait-il aboutir au « silence des intellectuels » ? Le porte-parole du gouvernement socialiste s'en inquiéta, après la victoire de la gauche de 1981 et la nouvelle présence que celle-ci offrait aux communistes à des postes de ministre. Le retour en force de la pensée libérale, symbolisé par la fondation de *Commentaire* sous les auspices de Raymond Aron, les activités de la Fondation Saint-Simon, l'historiographie renouvelée de la Révolution et du XIXe siècle, paraissaient avoir déplacé le centre de gravité de la réflexion intellectuelle sur la politique de Marx à Tocqueville. Le contexte d'opposition au socialisme gouvernant favorisait même le renouveau de la pensée contre-révolutionnaire autour de la Nouvelle Droite, désireuse de retourner l'hégémonie universaliste des droits de l'homme au bénéfice du communautarisme différentialiste.

Le début des années 90, au contraire, a été marqué par un retour des intellectuels à leur vocation traditionnelle, en partie interrompue pendant la parenthèse de l'engagement, c'est-à-dire la défense des droits de l'homme, à l'écart de toute influence des partis. Désormais, c'est la défense des peuples opprimés, non par le colonisateur, mais par leur propre gouvernement, qui les mobilise. La nouveauté, c'est que l'impulsion initiale ne vient pas d'intellectuels classiques, littéraires ou scientifiques, mais de médecins spécialisés dans l'intervention humanitaire. Les médecins sans frontières, organisés en France et dans les pays anglo-saxons en « organisations non gouvernementales » (ONG), élaborent progressivement une doctrine dite du « droit d'ingérence » qui bat en brèche le fondement des relations traditionnelles entre États : leur souveraineté absolue, y compris dans l'impunité des crimes qu'ils commettent à l'égard de leurs propres populations. Du Biafra à la

Bosnie, en passant par l'Éthiopie, Haïti, le Cambodge et la Somalie, se dessine un mouvement encore embryonnaire, fondé sur les droits de l'homme et la naissance d'une opinion publique internationale. De ce fait, en reconquérant leur autonomie, les intellectuels ont retrouvé le rôle qui fut d'emblée le leur lors de leur naissance au XVIIIe siècle : les organisateurs du tribunal de l'opinion, et les défenseurs de l'universalisme contre l'empire des passions partisanes.

Qu'il soit clair, d'emblée, que le présent dictionnaire n'entend nullement se substituer aux recherches et aux entreprises, de plus en plus nombreuses, qui ont pour objet l'étude des intellectuels. À commencer par celles de Pierre Bourdieu, dont une grande partie de l'œuvre pourrait, à la suite des grands classiques du genre, de Marx à Gramsci et à Makhaiski, de Tocqueville à Weber et à Mannheim, de Kautsky à Schumpeter, de Roberto Michels et Pareto à Edward Shils, être décrite comme une sociologie des intellectuels modernes et comme une tentative de définir et d'appréhender un « champ intellectuel » en relation avec d'autres champs. Après lui et dans son sillage, d'autres chercheurs, parmi lesquels Christophe Charle, se sont efforcés, en recourant aux méthodes les plus élaborées de la quantification, de combiner l'approche sociologique et l'approche historique pour nous faire assister à la naissance et au développement de ce qui n'est pas une classe mais qui pourrait bien devenir, au fil du temps, un groupe social. Parmi les autres historiens, on citera notamment les travaux de Pascal Ory et Jean-François Sirinelli, qui, à propos de périodes particulières (le Front populaire) ou d'objets définis (les pétitions, les khâgneux), ont enrichi le champ de nos connaissances.

Signalons enfin la place singulière qu'occupe Régis Debray dans ce champ d'études. Il est passé d'essais pénétrants, souvent polémiques *(Le Scribe)*, à une vision plus générale et plus ambitieuse des problèmes de la communication et de ses usages symboliques sous le nom de « médiologie ».

Ce ne sont là que quelques exemples, parmi les plus récents. D'une façon générale, c'est toute la recherche dans les sciences sociales qui s'est lentement déplacée, au cours des vingt dernières années, de l'étude des masses anonymes qui font l'histoire à celle des élites de tous ordres qui en sont les acteurs les plus visibles. On ne peut s'empêcher de penser qu'avec le recul de la pensée marxiste, lui-même tributaire du déclin du communisme à travers le monde, ce sont quelques-uns des postulats les plus solidement établis de l'histoire sociale récente qui se sont trouvés remis en cause, ainsi que la préférence pour l'étude des infrastructures qui se voit aujourd'hui démentie. Il est encore trop tôt pour dire s'il s'agit d'une simple inflexion — la problématique intellectuelle a ses modes et ses engouements, comme la haute couture — ou s'il s'agit d'un virage radical qui remettrait en question les certitudes les mieux ancrées, les représentations les plus constantes de nos sciences sociales.

Jacques Julliard et Michel Winock

Pour un bon usage

> « Les historiens nous proposent du passé des systèmes trop complets, des séries de causes et d'effets trop exactes et trop claires pour avoir jamais été entièrement vraies ; ils réarrangent cette docile matière morte, et je sais que même à Plutarque échappera toujours Alexandre. »
>
> Marguerite Yourcenar, *Mémoires d'Hadrien.*

Tout livre d'histoire ne devrait-il pas s'ouvrir par une évocation rapide de sa propre histoire ? Et serons-nous suspectés de nombrilisme si nous nous plaisons à souligner, en guise de préambule, à quel point ce *Dictionnaire des intellectuels* est affaire d'amitié autant que de recherche savante ? L'entreprise a reposé d'abord sur quatre personnes, Jacques Julliard, Michel Winock et nous-mêmes, qui partagions, et partageons toujours, un même point de vue : à la croisée des chemins entre, d'une part, les interrogations d'une société qui traverse une profonde mutation de sa culture politique et, d'autre part, les apports d'une historiographie des intellectuels dont divers travaux pionniers ont suscité un rapide essor depuis quelques années, il était pertinent de rassembler les acquis de la recherche en proposant une vision aussi globale que possible de l'histoire des intellectuels en France. Nous pensons en effet que cette histoire a toute sa place dans la nécessaire compréhension du mode de fonctionnement politique, culturel et social de notre XXe siècle finissant.

Nous considérons par ailleurs que, plus peut-être que par le biais de définitions préalables, c'est *en situation* que les intellectuels se laissent le mieux approcher : sans récuser *a priori* tous les travaux théoriques les concernant, ce dictionnaire se donne donc pour objectif de proposer une vision dynamique des acteurs et du fonctionnement de la vie intellectuelle en France.

C'est dans cette perspective anatomique qu'il a été élaboré. À la traditionnelle — mais toujours nécessaire — dimension *biographique*, il nous a paru opportun de joindre une présentation des *lieux*, réels ou symboliques, qui contribuent à conférer aux intellectuels leur dimension sociale, puis de compléter cette approche par l'analyse d'un certain nombre de grands débats ou *moments* jugés importants en ce qu'ils suscitèrent l'intervention des hommes de pensée et des artistes dans la vie de la Cité[1]. Ces deux aspects qui viennent enrichir une dimension purement individuelle ne règlent certes pas définitivement la question de la définition de l'intellectuel, si tant est d'ailleurs qu'il s'agisse là d'une question pertinente pour une démarche historique embrassant une durée relativement longue. Mais, à vrai dire, l'empirisme nous semble avoir tout aussi bien éclairé notre enquête que les nombreux et passionnants échanges dont résulte ce livre.

Aucun de nous n'eut en effet l'audace, à quelque moment que ce fût au cours de

1. La table thématique qui figure à la fin du dictionnaire reflète cette construction globale en trois volets.

la longue maturation de notre dictionnaire, de présenter ce qui aurait pu passer pour une image fixe de l'intellectuel français au XXe siècle. En d'autres termes, l'instrument de travail que nous avons conçu constitue moins une somme prosopographique qu'un essai, avec ses partis pris peut-être, ses contradictions sans doute, mais aussi, nous l'espérons, sa cohérence et son utilité. Les choix arrêtés sont ainsi le fruit d'un constant dialogue entre les membres d'une équipe éditoriale aux points de vue naturellement variés. L'une des premières vertus de cet ouvrage nous semble précisément résider dans son caractère pluriel, bien éloigné du lit de Procuste que formaient naguère les grands systèmes d'analyse aujourd'hui obsolètes. À cet égard, le *Dictionnaire des intellectuels* est bien de son temps. Ses collaborateurs, issus de tous les horizons des sciences sociales, ont maintenu leur indépendance de plume et leur personnalité : si une grille commune a présidé à la rédaction des notices, aucun dogme méthodologique n'a en revanche été imposé. À l'image du ou des milieux intellectuels français, l'ensemble ainsi façonné se présente sous le jour d'un lieu de rencontres entre des chercheurs que le temps, les spécialités, les opinions ou l'espace semblaient tenir séparés. Il va sans dire que ce mélange à niveaux multiples est la conséquence la plus directe de notre empirisme assumé : nous souhaitons que le lecteur — que sa quête soit utilitaire ou qu'elle soit vagabonde — y trouve à la fois son compte et son plaisir.

Car, répétons-le, notre entreprise ne saurait se réduire à son volet biographique. Nous ne sommes pas bien sûr sans présager que les critiques naîtront d'abord de celui-ci. Chacun, et c'est bien normal, aura son héros à défendre ou sa victime à vouer aux gémonies, et déplorera telle exclusion ou telle injuste « promotion ». Dans leur introduction, Jacques Julliard et Michel Winock ont, à titre d'exemple et d'illustration méthodologique, justifié quelques bannissements : nous y renvoyons le lecteur. Mais il serait regrettable que l'attention des usagers du dictionnaire ne se fixât pas avec autant de vigilance et d'intérêt sur les deux autres axes de l'ouvrage. Ceux-ci procèdent en effet d'une logique plus tangible que celle d'un vague inventaire à la Prévert pour temps de « zapping culturel ». Les *lieux* que nous avons retenus sont à la fois des « lieux de mémoire » et des lieux réels. L'historiographie récente des intellectuels, nourrie par le croisement des approches de l'histoire sociale et de l'histoire culturelle, a déjà eu recours à de telles pratiques. Ainsi, ce que nous entendons ici par « lieu » n'est pas seulement un simple décor sur le fond duquel défileraient des cohortes d'intellectuels : il ne s'agirait en ce cas que d'une rencontre illusoire en laquelle histoire sociale et histoire culturelle se contenteraient de cohabiter. L'histoire des lieux se veut plus dynamique. Elle cherche à mettre en évidence ce par quoi une institution ou un environnement définit un groupe, un milieu, une catégorie. Elle vise en cela à révéler ce en quoi le social impressionne des pratiques et des productions culturelles. Lieux de formation, lieux d'expression, lieux de rencontre, carrefours de sociabilités intellectuelles, lieux de reconnaissance à usage interne ou externe, tous en effet participent à leur manière à la régulation de l'intelligentsia, et méritent à ce titre l'attention de l'historien.

C'est pourquoi le système de renvois (au moyen d'astérisques) mis au point dans le dictionnaire représente plus qu'une simple soumission aux lois du genre encyclopédique. Il signifie également que les trois volets du livre sont intrinsèquement liés, et qu'aucun d'entre eux n'aurait pu être présenté sans les deux autres. À nos yeux, une telle affirmation équivaut aussi à une forme de dépassement des discussions infinies, et peut-être un peu vaines, sur la définition des intellectuels, dans la mesure où elle nous permet de souligner à quel point cette définition dépend étroitement de la situation historique dans laquelle elle est formulée. Diverses instances président en effet au regroupement des clercs, sans qu'aucune d'entre elles soit exclusive. L'*index* révélera ainsi la présence d'intellectuels dans bien des lieux, alors même que certains n'ont pas fait l'objet d'une notice biographique. La circulation à l'intérieur de l'ouvrage, bon reflet de la mobilité du monde intellectuel, évitera par là même les offuscations trop empressées au nom d'oublis « impardonnables » et de négligences « révélatrices ». On le sait : les biographies ne sont pas toujours pertinentes, et l'on peut parfois s'interroger sur leur bien-fondé, tant la vie de tel ou tel individu paraît terne au regard de son œuvre — ou vice-versa. Mais l'histoire des lieux postule précisément que le saisissement du savant ou de l'écrivain en des espaces précis, au sein desquels il eut l'occasion de déployer son activité, permet une définition adéquate de son rôle. Voici tel animateur de revue ou tel agitateur des coulisses de la vie intellectuelle, confinés leur vie durant derrière un bureau et l'un et l'autre délaissés par une postérité oublieuse, reprendre vie dans *leur* lieu. Des milieux mal connus, des institutions plus ou moins marginales, des entreprises éphémères, des engagements tièdes ou affadis ont bel et bien contribué à transformer des travailleurs intellectuels en intellectuels tout court car, comme l'a bien montré la sociologie historique des clercs, *l'intellectuel ne naît qu'inséré dans un milieu où il est reconnu et se présente comme tel.* Un scientifique isolé dans son laboratoire ou un artiste enfermé dans sa tour d'ivoire ne sont pas des intellectuels : seul l'espace public peut faire place à un statut d'intellectuel. Hors de cet espace, la qualification ne peut relever que de l'appréciation morale, politique ou esthétique.

L'approche historique des intellectuels par les lieux qui les définissent socialement présente donc, nous le croyons, l'intérêt d'échapper aux conceptions essentialistes sous lesquelles s'insinuent inévitablement des bribes de jugement de valeur. Elle évite en cela aux historiens de se transformer en juges d'armes, et les conduit en revanche à rappeler que certaines « médiocrités », du moins considérées comme telles aujourd'hui, ont rempli ou remplissent un rôle décisif dans la vie intellectuelle, sans qu'il soit pour autant indispensable de tenir leur œuvre pour impérissable. Les injures du temps sont d'ailleurs la dernière dimension à prendre en compte dans une entreprise telle que la nôtre, quand bien même, à notre corps défendant, nous en sommes toujours peu ou prou les victimes involontaires et inconscientes. En guise de viatique, nous nous sommes donc fondés sur une conception minimale qui reconnaît dans l'intellectuel un homme d'esprit engagé, d'une manière ou d'une autre, qu'elle soit directe ou indirecte, dans le débat civique. Il convenait à ce titre de souligner les grands *moments* de ce débat, comme autant de marques et de traces laissées par l'intervention des intellectuels *en tant que tels*. Qui y participe passe en effet pour appartenir à leur monde (il est entendu que, en bonne histoire sociale des représentations, on *passe* davantage pour un intellectuel que l'on en *est* un). Nous avons donc voulu mettre en lumière un certain nombre de temps forts de l'engagement au XXe siècle, avec le même risque d'oublis que dans les biographies. Outre la matrice évidemment décisive que constitue l'affaire Dreyfus, cinq thèmes majeurs ont ainsi guidé nos choix : la question de la responsabilité des intellectuels, la guerre et la paix comme sources de questionnements et d'affrontements, les enjeux internationaux, le problème de la citoyenneté, et enfin cette nébuleuse aussi floue peut-être que certainement fondatrice que constitue la dimension morale de l'engagement. Dans cette perspective, la démarche adoptée relève donc en partie de la métonymie, en ce sens qu'il y s'agit certes de fournir les éléments d'information et d'analyse nécessaires à la connaissance et à la compréhension d'un moment donné de l'histoire des intellectuels, mais aussi et tout autant de proposer un jeu de miroirs nourrissant la réflexion sur les modalités de l'intervention des intellectuels et sur leur évolution.

Toutefois, nous dira-t-on, pourquoi telle revue et non telle autre ? En quoi telle institution est-elle intervenue dans la vie civique ? Dans quelle mesure ce débat a-t-il vraiment pesé plus lourd que cet autre ? Chaque auteur de notice s'est efforcé de justifier la raison d'être de son propos, mais sans doute l'essentiel n'est-il pas là. Car il est un acquis que l'on pourra difficilement nous disputer : au-delà des failles hélas inévitables dans un projet scientifique d'une telle ampleur, le simple fait de rassembler autant d'informations souvent inédites sur des lieux et sur des moments dont le nom est à la clé de toute histoire culturelle nous est apparu suffisamment digne d'intérêt pour passer outre quelques coups de canif portés dans le protocole initial. Comme tous les livres, celui-ci s'enfuit parfois hors des limites que prétendaient sagement lui assigner ses auteurs. Mais, en un temps où triomphe un peu trop vite le genre encyclopédique, dont nous mesurons d'autant plus les insuffisances que nous croyons à sa fécondité, il ne faudrait pas croire qu'un savoir positif, lissé et naturellement exhaustif, soit enfin devenu accessible par les seules vertus d'une approche taxinomique. S'il revient aux maîtres d'œuvre d'un ouvrage collectif d'en pourchasser l'incomplétude et les vices de forme, il appartient au lecteur d'y lire avant tout les signes de l'inachèvement intrinsèque à toute démarche intellectuelle qui se veut vivante.

Un inachèvement assumé et même, pour partie, revendiqué. Notre souhait de prolonger ce dictionnaire jusque dans le temps présent résulte en effet d'un parti pris : nous ne pensons nullement que les intellectuels soient en voie de disparition, comme le soutiennent quelques âmes chagrines. À l'évidence, une certaine *figure* de l'intellectuel, celle de l'intellectuel en majesté, fidèle aux normes du modèle dreyfusard, achève aujourd'hui de se diluer dans l'indifférence du plus grand nombre. Mais la fonction spirituelle, au sens large du terme, qu'incarnent les intellectuels demeure nécessaire à toute société. Depuis ceux du Moyen Âge, qu'avait autrefois dépeints Jacques Le Goff, jusqu'à ceux de notre fin de siècle, les figures qu'ils dessinèrent furent en perpétuel mouvement. Notre volonté de les saisir dans leurs parcours biographiques et au travers de mille lieux et débats correspond, nous semble-t-il, à la dynamique même de la vie intellectuelle. En refusant d'enfermer les clercs dans le carcan rigide d'une définition trop étroite, nous espérons être en mesure de mieux identifier les avatars de la fonction sociale et politique qu'ils remplissent. Plus ou mieux qu'un simple dictionnaire biographique, aux usages trop rapidement détournés par une société intellectuelle dont l'on sait les petites vanités, ce livre, en cherchant à embrasser une plus vaste matière, n'aspire ni plus ni moins qu'à rendre possible, à sa place au sein des multiples travaux dont il a pu se nourrir, une histoire globale des intellectuels au XXe siècle.

Certes, une telle ambition, que d'aucuns pourront juger démesurée, ou prématurée, supposait un travail considérable, et requérait à ce titre la convergence des énergies et des talents, tant aurait été saugrenue de notre part la prétention à traiter avec compétence l'ensemble des sujets abordés dans le dictionnaire. C'est la raison pour laquelle nous avons opté pour un appel aussi large que possible à la collaboration des meilleurs spécialistes. Ce dictionnaire compte près de 240 auteurs, qui nous ont prêté leur concours avec beaucoup de bonne volonté et, parfois, de patience : qu'ils en soient ici vivement remerciés.

La dimension délibérément collective de l'entreprise ne se borne d'ailleurs pas à cette pluralité des auteurs de notices. Aussi bien sur le plan de la réflexion proprement dite, sans cesse poursuivie et jamais véritablement achevée, que dans le domaine du suivi éditorial, nous avons voulu nous entourer d'une équipe de coordination dont la richesse était pour nous gage de fécondité. Plusieurs années durant, nous avons donc cheminé avec le soutien sans faille de Gisèle Sapiro, Danièle Voldman, Gilles Candar, Denis Pelletier et Nicolas Roussellier. Nos fréquentes réunions de travail, émaillées de débats aussi chaleureux que passionnés, furent essentielles pour l'élaboration et pour l'aboutissement du dictionnaire, à la confection duquel Séverine Nikel et Monique Lulin apportèrent également tous leurs soins. Leur manifester ici notre profonde reconnaissance est aussi pour nous une manière de préciser que ce *Dictionnaire des intellectuels* leur doit une part majeure de ses mérites, cependant qu'en revanche nous sommes seuls responsables de ses limites et de ses carences.

Pascal Balmand et Christophe Prochasson

Avertissement

Par principe, les éditeurs et les auteurs du dictionnaire n'ont pas fait l'objet de notices biographiques.

La plupart des notices du dictionnaire sont suivies de courtes bibliographies indicatives — et nullement exhaustives.

Dans celles-ci, la mention *DBMOF* renvoie au *Dictionnaire biographique du mouvement ouvrier français*.

On consultera avec profit les ouvrages de référence suivants, dont nous n'avons pas jugé utile de mentionner systématiquement le titre dans les bibliographies :

Claude Bellanger, Louis Charlet et Jacques Godechot (dir.), *Histoire générale de la presse française*, t. 3 : *De 1971 à 1940*, t. 4 : *De 1940 à 1958*, t. 5 : *De 1958 à nos jours*, PUF, 1972-1976.

Roger Chartier et Henri-Jean Martin (dir.), *Histoire de l'édition française*, t. 3 : *Le Temps des éditeurs : du romantisme à la Belle Époque*, t. 4 : *Le Livre concurrencé : 1900-1950*, Promodis, 1985-1986, rééd. Fayard / Promodis / Éd. du Cercle de la Librairie.

Robert Laffont et Valentino Bompiani, *Le Nouveau Dictionnaire des auteurs*, Laffont, 1994, 3 vol.

Robert Laffont et Valentino Bompiani, *Le Nouveau Dictionnaire des œuvres de tous les temps et de tous les pays*, Laffont, 1994, 7 vol.

Jean Maitron (dir.), *Dictionnaire biographique du mouvement ouvrier français*, t. 10 à 43 : *1871-1939*, Éditions ouvrières, 1973-1993.

Pascal Ory et Jean-François Sirinelli, *Les Intellectuels en France : de l'affaire Dreyfus à nos jours*, Armand Colin, 1986.

Philippe Robrieux, *Histoire intérieure du Parti communiste*, t. 4 : *Biographies, chronologie, bibliographie (1920-1982)*, Fayard, 1984.

Dictionnaire

Abbaye de Créteil

Cette coopérative d'écrivains et d'artistes fut créée à la fin de l'année 1906 dans une propriété rustique de la rue du Moulin à Créteil. Ce lieu avait été choisi par le poète Charles Vildrac*, « le père et l'inspirateur de l'Abbaye » (Georges Duhamel*), et René Arcos, qui s'occupait de la gestion matérielle d'une entreprise qui resta financièrement très fragile. En dépit des efforts de ce dernier, elle disparut dès janvier 1908, faute de financement. S'y étaient retrouvés ceux qui condamnaient le symbolisme en raison de son « divorce avec l'homme moderne » (Jules Romains*) et partageaient les mêmes goûts littéraires en particulier pour les œuvres d'Émile Verhaeren et de Maurice Maeterlinck. Nietzsche et Richard Wagner étaient également deux grandes références. Georges Duhamel, Charles Vildrac, Georges Chennevière, Alexandre Mercereau, Luc Durtain, les peintres et dessinateurs Berthold Mahn, Albert Gleizes, René Arcos, le compositeur Albert Doyen furent les principaux membres de cette communauté. Henri Martin-Barzun avait fourni les fonds nécessaires à la création de cette entreprise. Partageant une vie commune, tous œuvraient à l'élaboration d'un art moderne susceptible de donner naissance à une civilisation et à un homme nouveaux. L'Abbaye, dotée d'un atelier d'imprimerie, dont s'occupait Lucien Linard, un ouvrier typographe, publia plusieurs œuvres, parmi lesquelles le gros recueil de poèmes de Jules Romains (qui ne fut pourtant jamais à proprement parler un « thélémite » de Créteil, où il ne résidait pas) : *La Vie unanime*. Le premier ouvrage à être publié fut *Parsiflora* de Robert de Montesquiou. Tous les coopérateurs devaient travailler à l'atelier. Face aux menaces qui pesaient sur l'Abbaye dans les derniers mois de son existence, Anatole France* proposa au groupe la publication de l'un de ses livres. Une quinzaine d'ouvrages furent en tout et pour tout publiés par la coopérative de Créteil.

Si le projet qui anima les artistes de l'Abbaye fut plus esthétique que politique, il n'en comprenait pas moins une dimension qui dépassait l'habituelle aventure de jeunes artistes désireux de bouleverser les règles de l'art. Tous avaient la volonté de changer la vie en renouvelant l'art. Proches de la gauche, mais sans engagement de parti, ils tentèrent de réconcilier l'art et le peuple. Le syndicalisme d'action directe de ces années ne fut pas sans les interroger. De l'unanimisme de Jules Romains aux grandes œuvres collectives d'Albert Doyen, l'âge des foules inspire ce milieu.

Christophe Prochasson

Abellio (Raymond) [Raymond Soulès]

1907-1986

C'est en 1945 qu'au Vieux-Colombier est représentée, en « lecture-spectacle », *Pierre Cardinal*, une pièce signée « Raymond Abellio ». Ce pseudonyme cache un ancien socialiste « compromis » dans le régime de Vichy, Raymond Soulès, polytechnicien et ingénieur des Ponts et Chaussées. Il prend, alors, le nom phénicien d'Apollon, le dieu du Soleil, en hommage à sa mère, Marie Abély, et à son père, puisque Soulès, en langue d'oc, signifie également « soleil ». Cette lumière est aussi celle de sa renaissance, après sa rencontre avec Pierre de Combas en 1943, qui va l'initier à l'ésotérisme, dont il deviendra un des plus fins interprètes.

En 1928, Raymond Abellio termine ses études d'ingénieur et s'éloigne du catholicisme de son enfance — il rompt avec l'Union sociale des ingénieurs catholiques (USIC) — et découvre le marxisme. Deux ans plus tard, il adhère au groupe parisien des Étudiants socialistes dirigé par le normalien et futur historien du mouvement social Georges Lefranc*, et y rencontre Claude Lévi-Strauss* et plus généralement les membres du mouvement Révolution constructive*. En décembre 1931, il s'inscrit au Centre polytechnicien d'études économiques (X-Crise*) et fréquente Jules Moch, Louis Vallon, Jean Coutrot et John Nicoletis qui l'introduira, en 1932, dans la loge maçonnique Lalande de la Grande Loge de France. À cette époque, il écrit un roman, inédit, *Le Grand Chelem*, dont le manuscrit disparaîtra lors d'un bombardement en 1940, et s'initie à l'écriture automatique vantée par les surréalistes. Militant révolutionnaire, planiste, proche de Jules Moch, il opte pourtant pour la « Gauche révolutionnaire » de Marceau Pivert en 1935, ce qui ne l'empêche pas d'occuper plusieurs postes importants lors du Front populaire, dont celui de membre du cabinet du ministre de l'Économie nationale, Charles Spinasse. En 1938, il confirme sa radicalité en suivant L. Zoretti dans une opposition de gauche à la gauche : le Redressement socialiste. Fait prisonnier à Calais en mai 1940, il est emprisonné en Silésie jusqu'en mars 1941. En juin de la même année, il adhère au Mouvement social révolutionnaire d'Eugène Deloncle (1890-1943), ancien organisateur de la Cagoule, en 1936, et collaborationniste, puis, à la demande de P. Laval, afin de contrer Doriot, crée avec Marcel Déat le Front révolutionnaire national, qui obtient le soutien du maréchal Pétain. De 1944 à 1952, où il sera acquitté devant le tribunal militaire de Paris grâce aux témoignages du général de Bénouville, de Jean Gemaehling et de Raymond Le Bourre, il réside clandestinement dans le Sud de la France et en Suisse parmi les « réfugiés » comme Paul Morand*, Georges Bonnet, Georges Hilaire ou Louis Rochat. Bertrand de Jouvenel* l'accueille dans sa villa. Il signe plusieurs contrats avec Le Cheval ailé (éditeur suisse) que Gallimard* rachètera en 1949.

Au cours des années 50, il rencontre André Chouraqui, Henry Corbin*, Mircea Eliade, Cioran*, Louis Pauwels* et deux jeunes, Jean Largeault et Bernard Noël, qui l'encouragent à créer le Cercle d'études métaphysiques (CEM) au sein duquel il testera les idées de la « Structure absolue ». Pour subvenir à ses besoins, il monte une société d'ingénieurs-conseils (la SOTEM), qu'il dirigera de 1953 à 1974, ce qui lui permet de poursuivre librement ses études ésotérico-philosophiques inaugurées en 1946, lorsqu'il trouva une nouvelle clé d'interprétation de la numérologie kabbalistique (*La Bible document chiffré*). En 1962, il participe, aux côtés de Paul Ricœur*, de Gilbert Durand et de René Alleau, au Congrès de la Société du symbolisme, à l'Unesco, et confirme l'originalité de sa démarche et l'impact de ses conceptions. Impact encore limité, compte tenu du silence des universitaires qui ignorent superbement ses travaux, tellement éloignés du structuralo-marxisme ambiant. Décoder les récits des origines, déchiffrer les rites des diverses croyances, saisir la *structure universelle* qui autorise la communion entre le sujet et l'objet, telles sont les préoccupations de Raymond Abellio. Ce qui l'oblige à effectuer une critique de la phénoménologie et en particulier d'un auteur qu'il apprécie beaucoup, Husserl, et à préconiser l'expérience, le vécu de sa nouvelle gnose. On le voit, il s'agit d'une tout autre attitude du sujet face à la connaissance, à la conscience et à l'éthique, visant à apprivoiser le *moi* (multiple et mobile) pour équilibrer le *nous* qui réconcilie le sacré avec l'art, la pensée et l'action.

Romancier, mémorialiste talentueux, essayiste, Raymond Abellio s'est progressivement éloigné de la politique qui l'avait tant enthousiasmé dans sa jeunesse, ce qui ne l'a pas empêché de manifester son soutien à la politique gaulliste de participation (par amitié pour Louis Vallon ?), afin d'élaborer une nouvelle théorie active de la connaissance de soi et des autres.

Thierry Paquot

■ *Vers un nouveau prophétisme*, Genève, Le Cheval ailé, 1947, rééd. Gallimard, 1950 et 1963. — *Les yeux d'Ézéchiel sont ouverts*, Gallimard, 1949. — *Assomption de l'Europe*, Le Portulan, 1954, rééd. Flammarion, 1978. — *La Fosse de Babel*, Gallimard, 1962. — *La Structure absolue*, Gallimard, 1965. — *De la politique à la gnose* (entretiens avec M.-T. de Brosses), Belfond, 1966, rééd. 1987. — *Ma dernière mémoire*, t. 1 : *Un faubourg de Toulouse*, Gallimard, 1971, t. 2 : *Les Militants*, Gallimard, 1975, t. 3 : *Sol invictus*, Pauvert / Ramsay, 1980. — *Dialogue avec Raymond Abellio* (par J.-P. Lombard), Lettres vives, 1985.
■ « Raymond Abellio » (dir. M.-T. de Brosses), revue *Question de*, 1987.

ACADÉMIE DES SCIENCES

Le 22 janvier 1980, Andreï Sakharov était assigné à résidence à Gorki, une ville interdite aux étrangers. Alors que les privations se multiplient contre le prix Nobel de la paix 1975, l'Académie des sciences de l'Institut de France décide d'en faire, le 16 février 1981, l'un de ses vingt membres associés étrangers. La décision des membres titulaires de compter désormais le physicien soviétique parmi « les savants étrangers de grand renom, [qui] contribuent à la réputation universelle de l'Académie » décrit une triple exigence. Il s'agit d'abord pour l'Académie des sciences d'affirmer la primauté de la science civile et de la recherche humaniste puisque Sakharov, père de la bombe thermonucléaire soviétique, n'a pas été reconnu digne de compter parmi les membres associés. En même temps, l'Académie souligne son rôle de défense d'une éthique de la science qui rendrait la recherche pure inséparable des fins philosophiques et qui ferait des scientifiques des intellectuels critiques de premier plan. Enfin, elle établit l'existence d'une communauté internationale se reconnaissant dans l'ordre démocratique et la solidarité scientifique. Cet acte éminemment symbolique de l'élection de Sakharov renvoie au précédent fondateur de 1933 lorsque Albert Einstein, réfugié en Belgique depuis l'avènement de Hitler et démissionnaire de l'Académie prussienne, est élu membre associé le 26 juin 1933. Ces décisions symboliques de l'Académie des sciences, inhabituelles à l'échelle de l'Institut de France, rappellent la fréquence de l'engagement intellectuel de grands académiciens. Leur choix intéresse-t-il pour autant une Académie dont le principe d'élection demeure l'excellence scientifique ? En d'autres termes, existe-t-il un lien entre le citoyen que certains académiciens décident d'être au plus haut point et le savant qu'incarne la majorité d'entre eux et qui semblerait les tenir à l'écart de la vie publique ?

L'affaire Dreyfus* a été pour l'Académie des sciences, comme pour d'autres institutions comparables (Collège de France*, Faculté des sciences de Paris, Institut Pasteur*, établissements dits « de la Montagne-Sainte-Geneviève »...), un tournant fondamental établissant un lien possible entre la pratique scientifique et la conscience de citoyenneté. L'Affaire posait non seulement le problème de la dérive technique des savoirs scientifiques, dérive incarnée par les différentes expertises dont celle d'Alphonse Bertillon, mais rappelait aussi l'usage des savoirs dans la formation d'une société démocratique et le rôle des scientifiques, véritables savants de la République pour certains et intellectuels critiques par excellence. Certes, l'Académie s'est dégagée de toute intervention officielle dans l'Affaire. Certains académiciens ont même été antidreyfusards bien que leur bref passage à la Ligue de la patrie française découlât de considérations idéologiques et ne mît pas en cause leur savoir scientifique (les mathématiciens Émile Picard et Camille Jordan, le physicien Joseph Boussinesq ou les futurs académiciens Alfred Giard ou Pierre Duhem*). Mais l'Académie a été l'un des lieux fameux de l'engagement dreyfusard des savants à travers trois académiciens, le biologiste Émile Duclaux*, continuateur des œuvres de Pasteur et premier savant à s'engager publiquement pour Dreyfus, le chimiste Édouard Grimaux, fidèle de Wurtz, révoqué de sa chaire de l'École polytechnique* pour avoir déposé au procès Zola* de février 1898 et salué par l'ensemble de la compagnie après cette sanction, enfin Henri Poincaré*, auteur avec deux autres grands mathématiciens de l'Académie, Gaston Darboux, secrétaire perpétuel, et Paul Appell, doyen de la Faculté des sciences, d'un important rapport demandé en 1904 par la Cour de cassation et statuant sur les impostures scientifiques des expertises Bertillon. Duclaux et Grimaux devinrent les premiers vice-présidents de la Ligue des droits de l'homme*, tandis que d'autres académiciens comme le chimiste Charles Friedel, le physicien Gabriel Lippmann, le biologiste Gaston Bonnier ou les mathématiciens Joseph Bertrand ou Maurice Lévy, n'hésitaient pas eux aussi à s'engager, plaçant l'Académie dans la convergence dreyfusarde et reléguant l'Académie française* aux marges de l'antidreyfusisme puis au centre de l'« Union » prônée par Ernest Lavisse* en 1899. Et si de nouvelles dynasties académiciennes se forgèrent dans l'Affaire (les Duclaux, les Friedel...), elles tenaient davantage à la transmission de l'héritage immatériel d'une morale scientifique plutôt qu'à des stratégies familiales de pouvoir. Enfin, de nombreux savants parmi les plus actifs dreyfusards entrèrent à l'Académie tout au long de la première moitié du XXe siècle, poursuivant leurs combats pour les droits de l'homme et contre l'oppression jusqu'à la lutte contre le nazisme pour certains : les médecins Émile Roux (1899), Charles Richet* (1913) et Louis Lapicque (1930), les mathématiciens Paul Painlevé* (dès 1900 à trente-sept ans), Jules Tannery (1907), Jacques Hadamard (1912), Émile Borel (1921) et Émile Cotton (1843), les physiciens Marcel Brillouin (1921), Aimé Cotton (1923), Jean Perrin* (1923) et Paul Langevin* (1934), le biologiste Maurice Caullery (1928). L'élection du physicien dreyfusard Désiré Gernez en 1906, en remplacement de Pierre Curie, témoignait de la force du courant pastorien parmi les académiciens.

Cette dimension dreyfusarde de l'Académie des sciences s'explique essentiellement par la rencontre entre les enjeux scientifiques posés par l'affaire Dreyfus et une compagnie structurée dès l'origine par le fait scientifique et la philosophie critique plus que par les logiques sociales et les nécessités institutionnelles. Les engagements les plus récents et les plus différents comme ceux du mathématicien Laurent Schwartz*, des médecins Jean Dausset et Jean Bernard, des physiciens Pierre-Gilles de Gennes et Georges Charpak, décrivent eux aussi la responsabilité qui incombe aux hommes de science et qui change leurs pratiques scientifiques. L'affaire Dreyfus permet ainsi d'approfondir les caractères originaux d'un regroupement de scientifiques et d'un lieu d'engagement caractéristique du savant de la République et de l'intellectuel critique. Cette volonté de reconstruction se heurte bien évidemment à la réalité quantitative réduite de ces engagements, au mythe d'une science pure et à l'idée qu'à l'Académie comme partout ailleurs, les options politiques reproduisent les déclinaisons de l'hémicycle parlementaire. Pourtant, des engagements comme celui des académiciens dreyfusards démontrent que l'*habitus* scientifique forge (ou renforce) des dispositions morales décisives. Ce lien ne laisse pas indifférente une histoire intellectuelle réticente aux simples inventaires et soucieuse de penser la relation entre la société et la pensée.

L'affaire Dreyfus rappelle l'histoire particulière d'une communauté libre de savants parisiens tentés par la philosophie et réunis au milieu du XVIIe siècle par Mersenne, ami de Descartes, Gassendi et Pascal. Ce groupe qui avait pris le nom d'Académie des sciences perdit sa liberté mais gagna une reconnaissance officielle en devenant en 1666, par le vœu de Colbert, l'Académie royale des sciences. Un rapport critique avec le pouvoir politique était né du souvenir de cette première fondation que la domestication n'a pas totalement effacé. L'affaire Dreyfus rend compte aussi d'un idéal de progrès scellé dans la Révolution française. Le 8 mai 1790, l'Assemblée confia à l'Académie la responsabilité de déterminer un nouveau système de poids et mesures pour la France entière et le 12 juin Sieyès la salua à travers son secrétaire perpétuel, Condorcet, « choisi pour porter la parole en son nom, un homme accoutumé depuis longtemps à la porter avec succès au monde entier, au nom de la Philosophie et des Sciences, et que nous regrettons de ne point voir assis parmi nous, lorsqu'il est si certain que son esprit n'est point étranger à nos délibérations » (cité par Élisabeth et Robert Badinter, *Condorcet. Un intellectuel en politique*, Fayard, 1988, p. 299). L'affaire Dreyfus souligne également la présence tenace d'un patriotisme exigeant dont on mesure la force avec l'arrestation par les Allemands de Paul Langevin ou l'élection le 28 juin 1943 de Frédéric

Joliot-Curie*, physicien de l'atome et résistant communiste. Quant aux trois grands biologistes de l'après-guerre (François Jacob*, Jacques Monod* et André Lwoff), la Résistance forme, avec le prix Nobel de 1965, une autre de leurs expériences communes. Elle les rapproche d'autres académiciens comme Robert Debré* élu en 1961.

Il existe donc une nécessité intellectuelle au cœur de l'Académie des sciences qui ne découle pas seulement du rapprochement fortuit d'intellectuels critiques ou de citoyens inspirés. Le statut social d'une institution qui rassemble des élites déjà largement constituées donne une indépendance publique aux académiciens et révèle un clivage avec les autres compagnies dont le conformisme social et le conservatisme politique sont plus forts. Par ailleurs, la confrontation des sciences qu'opère l'Académie nourrit des questionnements philosophiques qui renforcent les pratiques scientifiques, érigent une morale et conduisent pour certains à des engagements civiques. Ceux-ci renvoient à la position intellectuelle d'institutions scientifiques proches de l'Académie comme le Collège de France qui avait lui aussi soutenu Einstein en 1933 en lui offrant une chaire, ou l'École normale supérieure* dont les trois brillants physiciens, Henri Abraham, Eugène Bloch et Georges Bruhat disparurent dans la nuit nazie sans avoir cependant été reconnus par l'Académie des sciences. Celle-ci n'a pas toujours été en avance sur son temps ni sur les grandes luttes politiques et sociales des intellectuels. Couronnée par deux fois par le prix Nobel (physique en 1903 avec Pierre Curie, chimie en 1911), morte en 1934 d'une leucémie et de la radioactivité reçue dans son laboratoire, Marie Curie ne parviendra pas à entrer à l'Académie malgré le soutien de plusieurs de ses membres éminents comme le mathématicien Émile Borel ou les physiciens Langevin et Perrin. Au cours de la cérémonie de transfert des cendres de Pierre et Marie Curie au Panthéon le 20 avril 1995, Pierre-Gilles de Gennes a rappelé solennellement l'échec de l'Académie devant le talent d'une femme. Cette reconnaissance tardive a valeur de déclaration présente. Professeur au Collège de France, prix Nobel de physique en 1991, directeur de l'École de physique et de chimie de Paris, Pierre-Gilles de Gennes est l'un des plus brillants et des plus engagés parmi les savants de l'Académie des sciences, contribuant à son rayonnement scientifique mais aussi à sa dimension intellectuelle.

Vincent Duclert

■ C. Charle et E. Telkès, *Les Professeurs de la Faculté des sciences de Paris : dictionnaire biographique (1901-1939)*, CNRS-INRP, 1989 ; *Les Professeurs du Collège de France : dictionnaire biographique (1901-1939)*, CNRS-INRP, 1989. — R. Hahn, *The Anatomy of a Scientific Institution. The Paris Academy of Sciences (1666-1803)*, Los Angeles / Berkeley, University of California Press, 1970. — Voir aussi les annuaires et ouvrages-anniversaires publiés par Gauthier-Villars et les publications officielles de l'Académie (en particulier les éloges et notices nécrologiques).

ACADÉMIE FRANÇAISE

Fondée en 1635, par Louis XIII et Richelieu, l'Académie française est la plus ancienne des cinq académies formant l'Institut de France. Supprimée en 1793, elle fut d'abord remplacée par l'Institut (1795) puis réapparut au sein du nouvel ensemble, sous la forme d'une Section de langue et littérature française, avant d'être définitivement rétablie en 1816.

Vouée à la défense de la langue, cette institution à la fois officielle et mondaine est aujourd'hui un établissement public, placé sous le protectorat du chef de l'État et la tutelle du ministère de l'Éducation nationale. Diverses fondations, publiques ou privées, lui permettent de décerner, chaque année, une centaine de prix littéraires, dont les plus prestigieux sont le prix du Roman (1918) et le Grand Prix de littérature (1911), ainsi que de multiples « prix de mérite », comme le prix Cognacq-Jay (1919) qui récompense les familles nombreuses.

Consultée à de nombreuses reprises, depuis la fin du XIXe siècle, sur la question de la simplification de l'orthographe, elle a émis des recommandations qui ne sont pas toujours allées dans le sens du conservatisme. Comme sur d'autres problèmes toutefois, elle a évité de rendre des avis engageant la totalité de la corporation. Si l'on excepte le *Dictionnaire*, auquel sont consacrées les « séances du jeudi », son œuvre collective reste réduite.

Cette particularité s'explique par le fait que, contrairement aux autres académies de l'Institut, l'Académie française n'est pas une assemblée de spécialistes, ni même une corporation purement littéraire. Elle est, avant tout, une instance de consécration dont le prestige ambivalent tient à ce que Paul Valéry* nommait son « mystère ». Tenant à la fois du cénacle et du salon, elle se présente moins comme un cercle intellectuel que comme un conservatoire de talents. De grands noms de la littérature, des scientifiques, des universitaires, des journalistes, des hommes politiques, se sont côtoyés sous la coupole qui a, par ailleurs, toujours abrité un ou deux représentants de l'Église, de la noblesse, ou de l'armée. Revendiquée par les Quarante, cette diversité fonde leur esprit d'indépendance, finalement plus affirmé que leur esprit de corps malgré le rituel qui préside à une entrée sous la coupole (secret des élections, discours de réception en forme d'éloge du prédécesseur, port de l'habit vert et de l'épée).

Indépendance qui n'interdit pas des prises de position solidaires : si le modèle de l'écrivain engagé correspond assez mal au paradigme académique, il reste que l'Académie française a souvent été impliquée dans les grands débats du siècle. L'affaire Dreyfus* fit du quai de Conti un véritable bastion antidreyfusiste : présidée par deux académiciens, Jules Lemaître* et François Coppée*, la Ligue de la patrie française ne rallia pas moins de vingt-six Immortels et Maurice Barrès*, le contempteur des « intellectuels » dreyfusards, fit son entrée sous la coupole dès 1906. Dominée par la droite intellectuelle dès les années 20, l'Académie s'ouvrit nettement à l'influence maurrassienne au cours des années 30. Épurée à la Libération, elle dut exclure quatre académiciens. Si Abel Hermant* et Abel Bonnard* furent immédiatement remplacés, les fauteuils de Pétain et de Maurras* restèrent vacants jusqu'à leur décès.

Malgré le souhait du général de Gaulle de la voir s'ouvrir à une « fournée » d'écrivains résistants, l'Académie française resta longtemps influencée par la droite maréchaliste puis devint, au cours des années 50 et 60, un refuge pour les intellectuels de droite. L'élection de Paul Morand*, en 1968 (après l'échec de 1958 et des velléités contrariées par l'hostilité du chef de l'État), marqua l'affaiblissement des divisions héritées de la guerre et de l'épuration. En 1975, la démission de Pierre Emmanuel*, opposé à l'élection de Félicien Marceau, en fut la dernière manifestation. Les années 70 et 80 furent des années d'ouverture. L'Académie fit une place aux sciences humaines, avec l'entrée de Claude Lévi-Strauss* (1973), Georges Dumézil* (1978), Fernand Braudel* (1984), Georges Duby* (1987). Elle s'ouvrit à la francophonie avec l'élection de Léopold Sédar Senghor* (1983). Elle accueillit, enfin, une première Immortelle, Marguerite Yourcenar* (1980), suivie de Jacqueline de Romilly* (1988) et d'Hélène Carrère d'Encausse* (1990).

Catherine Aubey-Berthelot

■ J.-P. Caput, *L'Académie française*, PUF, 1986. — F. Fossier, *Au pays des Immortels*, Mazarine 1987. — M. Fumaroli, « La coupole », in P. Nora, *Les Lieux de mémoire*, vol. 2 : *La Nation*, t. 3, Gallimard, 1986.

ACTES SUD (Éditions)

Les Éditions Actes Sud furent fondées en 1978 à Arles par Hubert Nyssen. Cette petite maison provinciale et familiale s'est tournée dès ses débuts vers la littérature étrangère en publiant principalement des traductions.

Nyssen, qui est aussi écrivain, s'est imposé comme un découvreur de talents. Il a publié notamment la Russe Nina Berberova, les Scandinaves Stig Dagerman ou Torgny Lindgren, l'Américain Paul Auster, ou le Malien Hampâté Bâ. En 1981, il a passé un accord de diffusion et de distribution avec les PUF, puis, en 1991, Actes Sud a monté son propre réseau de distribution. Actes Sud a repris les Éditions de théâtre Papiers (qui ont publié Arrabal, Duras*, Pasolini, Rohmer, Schnitzler ou Wilde), et s'est implanté à Paris, tout en maintenant l'essentiel de ses activités à Arles.

Séverine Nikel

■ H. Nyssen, *L'Éditeur et son double*, Arles, Actes Sud, 1990.

ACTION

C'est en octobre 1943 qu'Emmanuel d'Astier de La Vigerie* crée dans la clandestinité *Action*, « organe social de la France combattante ». Sa raison d'être, c'est avant tout la lutte contre le STO. Sa devise, la phrase de Goethe : « Au début était l'action. »

Le 9 septembre 1944, la rédaction d'*Action*, devenu « l'hebdomadaire de l'indépendance française », affirme : « Ce qu'il faut à la France, ce n'est pas une mystique mais une pensée lucide et audacieuse ne reculant devant aucune idée neuve. » Son directeur, Maurice Kriegel-Valrimont, précise : « [Les Français] ont hâte de reprendre la parole car c'est dans la libre expression du peuple tout entier que se manifeste la volonté d'indépendance d'une nation qui a trouvé sa grandeur dans le combat. Les hommes torturés, les femmes déportées, ceux du maquis et ceux des barricades continueront leur action. Ce journal exprimera leur volonté et dira leur effort. »

Au numéro 3 de la rue des Pyramides, Pierre Courtade* est rédacteur en chef, tandis que le comité de direction réunit notamment Pierre Hervé, Victor Leduc, le général FTP Joinville, Marcel Degliame, entourés de Roger Stéphane*, Claude Roy* ou encore Roger Vailland*. Francis Ponge*, Jacques-Francis Rolland, Dominique Desanti*, et Robert Doisneau, parmi beaucoup d'autres, viendront apporter leur pierre à l'édifice.

Tous ne sont pas militants communistes, toutefois la tendance communiste prédomine largement dans la rédaction, qu'unissent avant tout une fidélité sans faille à l'esprit de la Résistance et une certaine distance par rapport au général de Gaulle. *Action*, par la qualité des talents qu'il fédère ainsi que par son esprit d'ouverture, s'impose comme le plus brillant des journaux de la mouvance communiste et séduit bien au-delà de celle-ci. De format demi-quotidien (une innovation !) sur seize pages, le titre est vendu 3 francs et avoisine rapidement un tirage de 100 000 exemplaires.

Contre le jdanovisme, contre Aragon* également, Pierre Hervé s'insurge : « Il n'y a pas d'esthétique communiste. » À l'opposé du puritanisme du Parti, *Action* proclame : « N'oubliez pas la recherche des plaisirs et du bonheur personnel, Camarades, c'est aussi pour cela que nous sommes communistes. » C'est plus que la direction du PCF ne peut en supporter. La Guerre froide* aidant, elle parvient à convaincre la plupart des intellectuels du journal de rentrer dans le rang et impose des signatures communistes orthodoxes. En janvier 1949, la transformation est réalisée. Sous la houlette d'Yves Farge, nouveau directeur politique, l'hebdomadaire devient *Action* « pour la paix et la liberté ».

Le 9 mai 1952, c'est par un billet laconique à la « une » qu'est annoncée la fin de la publication pour cause de difficultés financières. « Né sous l'Occupation, *Action* a paru d'abord clandestinement. Depuis la Libération, *Action* a soutenu bien des causes généreuses. *Action* a vécu neuf ans. » Et l'on précise que les abonnés qui le souhaitent pourront recevoir désormais, à sa place, *Les Lettres françaises**.

Sandrine Treiner

ACTION FRANÇAISE (Institut d')

Un des principaux enjeux de la conquête des esprits par l'Action française fut le monde étudiant. Henri Vaugeois, fondateur, en 1898, du premier comité d'Action française avec Maurice Pujo, n'était-il pas professeur de philosophie ? L'une des premières offensives de Charles Maurras* en 1900 n'avait-elle pas visé le grand historien protestant et dreyfusard Gabriel Monod*, accusé de fabriquer « des singes et des fous » ? Des dîners d'amis de la toute jeune AF s'étant organisés spontanément au « Bœuf à la mode », un restaurant du Palais-Royal, l'historien de l'art Louis Dimier eut l'idée de célébrer en 1905 le soixante-quinzième anniversaire de la naissance de Fustel de Coulanges. Mort en 1889, l'auteur de *La Cité antique* se trouvait ainsi récupéré de façon abusive. Mais, professeur à Strasbourg, il avait répliqué aux revendications de l'historien allemand Mommsen sur l'Alsace en 1870. Et son nom permettait de retourner les humanités classiques, chères aux fondateurs de la République, contre ceux-ci. La polémique qui ne manqua pas de s'ensuivre donna lieu à la constitution d'un comité, où figuraient Maurice Barrès*, Paul Bourget* et Jules Lemaître*. Elle donna lieu à des conférences, dont le succès incita à la création d'un « Institut d'enseignement supérieur ». Le projet fut poussé par Mme de Courville, épouse d'un sympathisant, directeur des usines Schneider au Creusot, et belle-mère d'un des militants les plus en vue de l'AF, Jean Rivain. Dirigé par Dimier, l'Institut fut inauguré en février 1906.

Il se donnait pour but de contrer « les puissants effets du silence hypocrite ou du mensonge audacieux combiné par de faux savants, des philosophes hallucinés, des historiens sportulaires et des théologiens protestants ». La chaire Sainte-Beuve, consacrée à la politique, y était détenue par Maurras lui-même ; la chaire Maurice Barrès, qui avait pour thème le nationalisme, était dévolue à un des premiers compagnons de Maurras, Lucien Moreau ; une chaire Louis XI traitait de l'histoire provinciale ; un cours de positivisme était professé par Léon de Montesquiou. L'organigramme comportait même une chaire de « politique catholique », dite du Syllabus, « type et modèle » du « génie réaliste » et de « l'esprit d'organisation du catholicisme », qui fut occupée par l'abbé Appert, vicaire d'Attigny, avant d'être reprise par un jésuite, ami de La Tour du Pin, le Père Georges de Pascal. Pierre Lasserre compta parmi les professeurs invités.

Pour diffuser les cours, Jean Rivain, propriétaire d'une confortable boutique d'objets pieux à Saint-Sulpice, fonda, à la même enseigne, une Librairie qui porta son nom avant de devenir la Nouvelle Librairie nationale — appelée à publier, entre autres, Maurras, Valois* et Bainville*. À partir de 1923, l'Institut, qui n'avait pas fermé ses portes pendant la guerre, fut prolongé par une *Revue des cours et conférences*, qui compta rapidement 2 000 abonnés. En novembre 1926, c'est le refus de l'archevêque de Paris d'accréditer des conférenciers à l'Institut, qui signifia aux dirigeants d'AF la volonté de Pie XI de condamner leur mouvement sans négociation ni compromis. Dix ans plus tard, l'Institut fut, avec le quotidien et les multiples organisations sociales d'Action française, un des organes qui permirent de rendre inopérante la dissolution de la ligue par le gouvernement. Lors de sa fondation, l'Institut s'était flatté de devenir une contre-*Encyclopédie*. C'était assurément beaucoup prétendre, mais son influence ne fut pas négligeable.

Alain-Gérard Slama

■ Y. Chiron, *La Vie de Maurras*, Perrin, 1991. — E. Weber, *L'Action française*, Stock, 1962, rééd. Fayard, 1985.

ACTION FRANÇAISE (L')

À l'origine, à partir du 10 juillet 1899, il s'agissait d'un petit bulletin bimensuel à couverture grise, que ses fondateurs, Henri Vaugeois, professeur de philosophie au collège de Coulommiers, et Maurice Pujo, jeune critique littéraire et artistique, présentèrent à un maigre public dans un petit local de la rue d'Athènes. Venus de l'Union pour l'action morale de Paul Desjardins*, ils avaient bénéficié, pour la circonstance, de l'appui d'un ancien ministre opportuniste, François de Mahy. L'idée fondatrice, appelée à un grand avenir, était la découverte de la subordination de tous les problèmes politiques et sociaux à une réalité considérée comme vitale : le fait national. L'objectif était d'organiser, autour de cette idée, des recherches et des débats.

La revue, comparable, dans ses débuts, à *La Cocarde* de Maurice Barrès*, dut sa fortune au seul de ses collaborateurs qui s'affirmait monarchiste, Charles Maurras*. Après avoir songé à reprendre les titres de la *Gazette de France*, puis du *Soleil* et de *La Libre Parole* de Drumont*, avec l'aide de Léon Daudet*, Maurras lança, fin 1907, une souscription qui lui permit de transformer la petite revue grise en quotidien. Le premier numéro de *L'Action française*, placée sous la direction d'Henri Vaugeois et la rédaction en chef de Léon Daudet, Maurras apparaissant, avec Jacques Bainville*, comme simple éditorialiste, parut le 21 mars 1908.

Bien que le journal ait mordu sur la clientèle de la presse monarchiste, il toucha surtout le public nationaliste et antisémite, venu des classes moyennes, mais aussi de la noblesse de province, de l'armée, du clergé et de la magistrature, en raison de la vigueur de ses polémiques, signées Maurras ou Daudet, sans jamais cesser pour autant de séduire la bourgeoisie cultivée par la qualité, et souvent l'éclectisme de ses rubriques littéraires. Les veillées laborieuses de Maurras dans l'imprimerie de son journal sont restées légendaires. Marcel Proust* témoigna en 1920 *(Contre Sainte-Beuve)* que, malgré son profond désaccord politique, la lecture de l'*AF* représentait pour lui « une cure d'altitude mentale ».

En situation de difficulté financière permanente, le quotidien sut aussi préserver son indépendance en refusant les subventions du pouvoir, même après 1940, et en faisant appel à la générosité de ses lecteurs. Il n'en reste pas moins que ses accents de guerre civile, même retenus par un certain sentiment de l'honneur (comme ce fut le cas, en 1936, lors de l'affaire Salengro), ont toujours effarouché le public conservateur. Sa diffusion, qui pouvait doubler dans les périodes de tension, lors des campagnes contre Malvy en 1917, contre Briand après la guerre ou contre le Cartel en 1924, n'a que très rarement atteint, abonnements compris, un maximum de 100 000 exemplaires. La condamnation de l'*AF* par Pie XI en décembre 1926 fit, jusqu'en 1933, tomber ce chiffre de plus de la moitié. Le déclin s'amorçait.

Une reprise sensible eut lieu après le 6 février 1934. Mais le manque d'organisation proverbial de Maurras la réduisit à néant en quelques semaines. Après avoir perdu une grande partie de sa clientèle catholique, *L'Action française* était abandonnée, cette fois, par ses adhérents les plus jeunes et les plus activistes, comme l'équipe de l'hebdomadaire *Je suis partout** (Brasillach*, Laubreaux, Cousteau, Rebatet*), séduite par le fascisme. C'était encore assez pour permettre à l'*AF* de demeurer une puissance, puisque son tirage — autour de 40 000 exemplaires — restait comparable à ceux du *Figaro** et du *Temps*. Mais, frappé par la dissolution de la ligue en février 1936, le journal était criblé de dettes. Le désaveu du comte de Paris en 1937 lui porta un nouveau coup.

Déchiré entre son antigermanisme et sa sympathie pour les régimes autoritaires de Mussolini et de Franco, et rendu mal à l'aise par la contradiction entre son antinazisme et son antisémitisme, Maurras préconisait un pacifisme, ou plutôt un antibellicisme en porte à faux. Repliée à Limoges après la défaite, puis à Lyon — rue de la République ! — à partir du 28 octobre 1940, *L'Action française* parut avec la célèbre devise : « La France, la France seule », choisie par Maurice Pujo. Sa ligne politique, qui rejetait à la fois le collaborationnisme et la Résistance, et qui prônait la soumission inconditionnelle à Pétain tout en s'efforçant de préserver quelque distance par rapport à la censure, ne fut pas plus heureuse. Maintenu après l'invasion de la zone libre en novembre 1942, et déconsidéré par la persistance aveugle de ses invectives contre les gaullistes, les communistes et les juifs, le quotidien sombra, avec son fondateur, à la Libération.

Relayé, sous les mêmes initiales, par un hebdomadaire de faible audience, *Aspects de la France*, le titre est reparu dans les kiosques en février 1992.

Alain-Gérard Slama

■ P. Guiral *et al.* (dir.), *Histoire générale de la presse française*, t. 3 : *De 1871 à 1940*, PUF, 1976. — F. Ogé, *Le Journal « L'Action française » et la politique intérieure du gouvernement de Vichy*, thèse, université de Toulouse, 1983. — J. Paugam, *L'Âge d'or du maurrassisme*, Denoël, 1971. — E. Weber, *L'Action française*, Stock, 1962, rééd. Fayard, 1985.

ACTION FRANÇAISE (condamnation de l')

1926

L'appui donné par Pie XI, le 5 septembre 1926, à la dénonciation de l'Action française* par le cardinal Andrieu, archevêque de Bordeaux, dans sa *Semaine religieuse* du 27 août, marque le début de la crise. Aux exigences posées par Pie XI dans son allocution *Misericordia Domini* du 20 décembre répond le « Non possumus » de l'Action française (24 décembre). Celui-ci déclenche la promulgation d'un décret de Pie X daté du 29 janvier 1914, et suspendu depuis lors par Rome, qui condamnait la revue et certaines œuvres de Charles Maurras*. Pie XI ajoute à ce décret la mise à l'Index de *L'Action française*, qu'il date du 29 septembre 1926. Si la décision pontificale s'inscrit dans le cadre d'une politique d'apaisement des relations entre Rome et la République, elle manifeste d'abord le refus de l'Église de se laisser inféoder au « politique d'abord » de Maurras. Mais elle prend à contre-pied une grande partie de l'opinion catholique française, et l'accueil réticent que lui réserve l'épiscopat ne donne que plus d'importance au débat intellectuel qu'elle provoque.

Les pièces du débat parues dans *L'Action française* sont réunies par Maurras et Léon Daudet* dans le « livre jaune » *L'Action française et le Vatican* (1927), où le premier dénonce « les hommes de l'*Osservatore [romano]* et le clan philoboche qui tourne autour d'eux », puis dans *Sous la Terreur* (1928). Dans le camp adverse, la dixième livraison des *Cahiers de la Nouvelle Journée* de Paul Archambault sonne la charge des blondéliens (*Un grand débat catholique et français. Témoignages sur l'Action française*, 1927). Il est vrai que Maurice Blondel* et l'oratorien Laberthonnière* avaient déjà polémiqué avant guerre dans les *Annales de philosophie chrétienne* contre l'alliance avec le maurrassisme. Pour ces augustiniens tenus en suspicion depuis la crise moderniste du début du siècle, le revirement de Rome est le bienvenu.

Les milieux les plus durablement secoués sont ceux qui mettent en œuvre le renouveau thomiste encouragé par Rome depuis l'encyclique *Aeterni Patris* (1879). Le thomisme spéculatif de Jacques Maritain* (*Antimoderne*, 1922) s'accommodait bien de sa proximité avec la pensée d'Action française, proximité que manifestaient concrètement la participation du philosophe à *La Revue universelle** et sa brochure *Une opinion sur Charles Maurras et le devoir des catholiques*, parue fin septembre. Le ralliement de Maritain aux positions romaines distend les liens entre les fondateurs de la collection « Le Roseau d'Or » chez Plon. Massis* y publie encore *Défense de l'Occident* (1927) puis s'éloigne, Maritain marque dans *Primauté du spirituel* (1927) son adhésion au pluralisme politique et à un thomisme ouvert à la modernité. Conçue à l'origine comme une « anti-NRF », la collection luttera désormais contre le maurrassisme, cependant que Maritain donne à Rome des gages de soumission en publiant avec cinq ecclésiastiques *Pourquoi Rome a parlé* (1927), puis *Clairvoyance de Rome* (1929) en réponse à la charge de Maurice Pujo (*Comment Rome est trompée*, 1929). L'ébranlement est le même chez les théologiens dominicains qui, tel le Père Pègues dont l'*Initiation thomiste* servait de manuel dans les couvents d'études, avaient cru pouvoir nouer une alliance entre réalisme thomiste et rationalisme maurrassien, contre l'héritage de la Réforme et des Lumières.

Le trouble dépasse à la vérité les cercles thomistes. Démissionnaire des Camelots du roi en 1919, Bernanos* défend l'AF dans la *Gazette française*, mais réserve à sa correspondance avec Massis ses critiques à l'encontre de Maurras. Ancien sillonniste, Mauriac* s'émeut pourtant des sanctions contre les partisans de Maurras. Dans *Évangile et liberté*, organe de l'Union des Églises réformées, le protestant Marc Boegner* est partagé entre son hostilité à l'AF et sa méfiance à l'égard du magistère romain. La Paroisse universitaire* connaît alors sa première crise grave.

Confirmation de convictions anciennes (Fumet*) ou motif d'une révision déchirante (Maydieu*), la condamnation de l'Action française est ainsi pour une génération d'intellectuels catholiques un événement fondateur. Le Père Chenu* y puise l'élan nécessaire à sa lecture historicisée de Thomas d'Aquin, dans le sillage d'Étienne Gilson*. Déplacé de la province dominicaine de Toulouse à celle de Paris, le Père Bernardot fonde en 1928 *La Vie intellectuelle*, qui devient le fer de lance du combat antimaurrassien, puis Le Cerf en 1929. L'Action catholique spécialisée ouvre dans le prolongement de la condamnation une nouvelle forme d'engagement qui passe par la médiation du social. Pour cette génération, le spirituel prend le pas sur le politique, frayant la voie à une présence au monde moderne dégagée de l'hypothèque du modernisme.

Denis Pelletier

■ P. Chenaux, « Le milieu Maritain », *Les Cahiers de l'IHTP*, 20, mars 1992. — A. Laudouze, *Dominicains et Action française*, Éditions ouvrières, 1989. — J. Prévotat, « À propos de *Défense de l'Occident* (1927). Deux lettres de Jacques Maritain », *L'Histoire des croyants, mémoire vivante des hommes. Mélanges Charles Molette*, 1989, pp. 769-787 ; *Catholiques français et Action française. Étude de deux condamnations*, thèse, Paris X, 1994. — « Non possumus. La crise religieuse de l'Action française », *Études maurrassiennes*, n° 5, 1986.

ACTION POPULAIRE

Créée en 1902 à Lille par le Père Henri-Joseph Leroy (1847-1917), l'Action populaire a été dominée par la personnalité du Père Gustave Desbuquois (1869-1959), qui la dirigea de 1905 à 1946. Inspirée par l'encyclique de Léon XIII *Graves de communi*, qui souhaitait une démocratie chrétienne limitée à l'apostolat social, elle fut avant tout une entreprise éditoriale jésuite mise au service des catholiques sociaux : aux « brochures jaunes » fondées en 1903 et dont le succès est immédiat (630 abonnés et 61 000 brochures écoulées au cours de la première année) s'ajoutent avant 1914 plusieurs revues et périodiques, en particulier la *Revue de l'Action populaire* (1908), *Le Mouvement social* (1909), *L'Année sociale internationale* (1910). Engagée aux côtés des syndicats chrétiens et des Semaines sociales*, étroitement liée aux *Études**, l'Action populaire doit alors se défendre contre les accusations de modernisme social formulées tant par la mouvance intégriste que par le patronat catholique libéral. C'est devant l'hostilité du patronat du Nord qu'elle s'installe en 1904 à Reims.

Bombardée en 1914, installée à Paris en 1919 puis à Vanves en 1922, l'Action populaire connaît son apogée au cours de l'entre-deux-guerres. La fondation de la Société parisienne d'éditions sociales (1923) lui assure une indépendance éditoriale qui évite l'inféodation à la démocratie chrétienne de Bloud et Gay comme à l'intégrisme de la Bonne Presse. L'appareil éditorial se renforce par la création de nouveaux périodiques : *Dossiers de l'Action populaire* (1920), *Cahiers d'action religieuse et sociale* fondés en 1933 par le Père Pierre Sauvage (1894-1974), également engagé auprès de la JOC et de la CFTC. Dans une conjoncture nouvelle marquée par le repli de l'intégrisme et l'amélioration des relations entre l'Église et la République, l'Action populaire devient un observatoire central et un laboratoire efficace de toutes les manifestations du catholicisme social en France. Elle participe aux débats qui conduiront à la condamnation de l'Action française*, s'engage auprès des syndicats au moment du conflit de Roubaix-Tourcoing notamment (1924), joue un rôle de conseil auprès de l'Action catholique réorganisée en 1931, cependant que les Éditions SPES publient la revue *Politique*.

Repliée à Lyon de l'été 1940 à septembre 1943 sous l'autorité du Père Desbuquois, qui fonde le bulletin trimestriel *Renouveaux* et la revue *Cité nouvelle*, l'Action populaire change de visage après guerre sous l'impulsion du Père Villain, qui succède en 1946 au Père Desbuquois marginalisé du fait de ses sympathies vichyssoises. À l'activité de terrain succède un engagement plus classiquement intellectuel, des débats sur le marxisme au cours des années 50 avec les Pères Henri Bigo, Henri Chambre et Jean-Yves Calvez, au tiers monde et aux problèmes de société dans les décennies suivantes. La *Revue de l'Action populaire* devient *Projet* en 1966, cependant que l'association, rebaptisée Centre de recherches et d'action sociale (CERAS), s'installe à Paris, rue d'Assas, où elle demeure encore aujourd'hui.

Jean-Pie Lapierre

■ P. Droulers, *Politique sociale et christianisme : le Père Desbuquois et l'Action populaire*, t. 1 : *1903-1918*, et t. 2 : *1919-1946*, Éditions ouvrières, 1969 et 1981.

AGATHON : voir ENQUÊTE D'AGATHON

AGULHON (Maurice)

Né en 1926

Maurice Agulhon, historien, professeur au Collège de France*, s'est imposé comme un des meilleurs spécialistes du XIXe siècle. Ancien membre du Parti communiste, il est devenu un défenseur d'un socialisme démocratique, et s'est imposé, autant par ses écrits que par ses engagements, comme un continuateur de l'esprit républicain.

Né à Uzès en 1926, de parents instituteurs, M. Agulhon, après des études secondaires au lycée d'Avignon et ses années de khâgne* au lycée du Parc à Lyon, a été admis à l'École normale supérieure* (rue d'Ulm) en 1946. Agrégé d'histoire en 1950, il commence sa carrière de professeur au lycée de Toulon. Attaché de recherches au Centre national de la recherche scientifique* de 1954 à 1957, il prépare une thèse sous la direction d'Ernest Labrousse*, qu'il soutiendra à la Sorbonne en 1969. Trois ouvrages en sont issus : *La Vie sociale en Provence intérieure au lendemain de la Révolution* (Clavreuil, 1970), *Une ville ouvrière au temps du socialisme utopique : Toulon (1815-1851)* (Mouton, 1970), *La République au village* (Plon, 1970, puis Le Seuil, 1979). Entre-temps, M. Agulhon avait été assistant, maître-assistant, puis chargé de maîtrise de conférences à la Faculté des lettres d'Aix-en-Provence. Élu professeur à Aix en 1969, il remplace en 1972 Louis Girard à l'université de Paris I (Paris-Sorbonne), où il enseigne jusqu'à son élection au Collège de France en 1986.

Auteur de nombreux ouvrages, M. Agulhon a renouvelé en profondeur l'histoire sociale et politique de la France, notamment au moyen de la notion de sociabilité *(Pénitents et francs-maçons de l'ancienne Provence, Le Cercle dans la France bourgeoise...)* et en s'attachant à l'imagerie et à la symbolique *(Marianne au combat, Marianne au pouvoir)*. Il est aussi l'auteur de grandes synthèses comme *La République de 1880 à nos jours* (Hachette, 1990).

Ses origines — le milieu des enseignants laïques, de religion réformée, de gauche et pacifistes — ainsi que le climat politique et intellectuel d'après guerre expliquent l'engagement au PCF du nouveau normalien en novembre 1946. Il s'en détachera, non comme tant d'autres lors de la crise de 1956*, mais à partir de 1958 et définitivement en 1960, sur des positions anticolonialistes. Il milite alors dans les Comités pour la paix en Algérie aux confins des réseaux de « l'aide directe ». En Mai 68, il est porté à la direction de la section SNESSup de la faculté d'Aix. Il dirige alors le mouvement (tout en gardant sa veste et sa cravate, dit-il avec humour) avec conviction, à mi-chemin entre l'avant-gardisme des anarcho-trotskistes et le freinage communiste. Il se rapproche des communistes à l'automne, en acceptant la loi Edgar Faure.

Maurice Agulhon évolue ensuite vers des positions « sociales-démocrates », manifestant des sympathies à la fois « républicaines » et rocardiennes. Très actif lors des débats du Bicentenaire de la Révolution, dont il défend la commémoration. Très attaché à la laïcité, il exprime un rejet de plus en plus net du tiers-mondisme contemporain, dont l'islam intégriste est devenu l'avant-garde (affaire des foulards). Critique des complaisances libertaires d'une certaine gauche intellectuelle sur le problème de la « sécurité », il s'en explique à plusieurs reprises. Partisan d'une Europe forte, il en souhaite la réunification le plus vite possible. Il donne son soutien au socialiste Lionel Jospin lors de la campagne présidentielle de 1995.

De ton mesuré, modeste d'allure, peu familier des médias, Maurice Agulhon n'est pas connu du grand public. Son influence est pourtant réelle au-delà même de l'horizon universitaire, grâce à ses grands ouvrages comme *La République de 1880 à nos jours*, où il esquisse *in fine* ses conceptions politiques.

Denis Condroyer

■ *1848 ou l'Apprentissage de la République*, Seuil, 1973 (constamment réédité). — *Essais d'ego-histoire* (dir. P. Nora), Gallimard, 1987. — *Histoire vagabonde* (recueil d'articles), Gallimard, 1988 et 1996, 3 vol. — *La République de 1880 à nos jours*, t. 5 de l'*Histoire de France illustrée*, Hachette, 1990, rééd. 1992 (couronné par le Grand Prix national d'histoire du ministère de la Culture en 1990 et le Grand Prix Gobert de l'Académie française en 1991). — *Marianne, les visages de la République* (avec P. Bonte), Gallimard, 1992.

Alain [Émile Chartier]

1868-1951

Émile Chartier, né à Mortagne-au-Perche le 3 mars 1868, mort au Vésinet le 2 juin 1951, avait pris dès 1900 le pseudonyme d'« Alain ». Né d'un père vétérinaire, il n'oubliera jamais ses origines paysannes. Il avait perdu la foi dès son adolescence et il ne devait s'en rapprocher qu'à partir de 1903-1912, grâce à Auguste Comte. Boursier de la République, il rencontra en 1886, en première supérieure au lycée Michelet, Jules Lagneau, qui fit de cet adolescent doué un philosophe idéaliste dans la lignée de Platon, de Descartes et de Kant. Admis avant-dernier à l'École normale supérieure* en 1889, il devient agrégé de philosophie en 1892. Professeur à Pontivy en 1889, puis à Lorient de 1893 à 1900, il se distingue par son anticléricalisme, milite en faveur d'Alfred Dreyfus et commence sa carrière de journaliste

« relevant l'entrefilet au niveau de la métaphysique ». En 1900, il est nommé au lycée de Rouen, où il rencontre sa première égérie, purement spirituelle, Mme Morre-Lambelin (1871-1941), et son premier disciple, le futur André Maurois (1885-1967). Appelé en 1903 à Condorcet, à Michelet en 1906, enfin à Henri-IV de 1908 à sa retraite en 1933, il formera des générations de khâgneux et de normaliens. C'est de 1906 à 1914 qu'il publiera dans la *Dépêche de Rouen* quelque trois mille « Propos d'un Normand », immense chronique sur les sujets les plus divers, dans un style à la fois clair et concis, qui, après 1920, cédera parfois à la tentation d'une brièveté énigmatique qui rebutera beaucoup de lecteurs.

Le plus grand événement de la vie extérieure d'Alain sera son engagement volontaire à quarante-six ans dans l'artillerie, en 1914. Pacifiste dès l'avant-guerre aux côtés de Jaurès*, il n'est pas mû par une conviction patriotique mais il « aime mieux être esclave de corps que d'esprit ». Blessé, il revient à Paris en 1917, écœuré de « ce massacre inutile ». Dès lors, le pacifisme sera l'axe de sa carrière de journaliste politique, plus encore que son « radicalisme », qui se caractérise par son hostilité de citoyen face aux pouvoirs, toujours tentés par la tyrannie.

C'est en 1920 qu'Alain commence sa carrière d'écrivain polygraphe, notamment par les futurs *Éléments de philosophie* (1917-1921-1941), *Système des beaux-arts* (1920) et *Mars ou la Guerre jugée* (1921). Cependant, il publie quelque deux mille Propos, nettement plus difficiles que les précédents, et qui ne s'adressent qu'à une élite d'intellectuels, dans la revue semi-confidentielle des *Libres propos*, financée par son élève Michel Alexandre*, et qui paraîtra, avec quelques interruptions, de 1921 à 1936. C'est dans cette revue que feront leurs débuts, entre autres, Raymond Aron* et Simone Weil*. Alain ne cesse de dénoncer le traité de Versailles et la politique nationaliste de Poincaré, il défend le Cartel des gauches et Briand, favorable à une entente avec l'Allemagne. Mais, malgré les avertissements de R. Aron, il est trop longtemps aveugle sur le danger de l'hitlérisme. Il publie en même temps de nombreux essais, qui ne sont souvent que des choix de Propos sur un sujet donné. C'est en 1925 qu'il fait paraître les *Propos sur le bonheur*, code familier de morale pratique, d'une lecture facile. Inspiré pour l'essentiel par Comte, Alain l'incroyant rend un hommage appuyé au catholicisme, comme on le voit dans *Les Dieux*, sans doute son chef-d'œuvre, paru en 1934. Ouvrage difficile dont les *Préliminaires à la mythologie* (1942) sont la version exotérique.

Après la journée du 6 février 1934, Alain — avec Paul Langevin*, communiste, et Paul Rivet*, socialiste — fait partie du triumvirat sous lequel s'organise le Comité de vigilance des intellectuels antifascistes*. Alain commence à décliner en 1936 en raison d'une très grave attaque cérébrale et de rhumatismes déformants qui le condamnent dès 1940 au fauteuil roulant. Il est aussi partagé entre son ancienne égérie et la nouvelle, celle du cœur et des sens, Gabrielle Landormy (1888-1969), qui s'est sans doute donnée à lui dès 1908, mais qui se heurte à la jalousie, très compréhensible, de la première. Gabrielle n'épousera Alain qu'en 1945, quatre ans après la mort de sa rivale, alors qu'Alain a déjà soixante-dix-sept ans. À partir de 1937, Alain remplace la rédaction des Propos par celle d'un Journal qu'il tiendra jusqu'en 1950 : ouvrage inédit pour l'essentiel et d'un intérêt inégal. Pacifiste viscéral, munichois avec Jean Giono* contre Romain Rolland* en septembre 1938, il cosigne quelques jours après la déclaration de la guerre un tract lancé par Louis Lecoin : « Paix immédiate ! » Il se tiendra à l'écart de toute politique active pendant la guerre et vivra un lent crépuscule qui s'achèvera une nuit de juin, dans le parfum des roses de son jardin du Vésinet.

Nous considérons Alain comme le premier de nos essayistes, qui résume trois siècles de pensée occidentale, comme Montaigne résume la pensée de l'Antiquité et de la Renaissance. Assez timide en métaphysique, où il ne s'écarte guère de Kant comme on le voit dans son regrettable dédain pour Einstein, il est surtout original comme moraliste. Mélangeant tous les genres, professeur anticonformiste, poète en prose, polémiste féroce, épistolier, mémorialiste, esthéticien, il est inclassable. « Penser, écrit-il, c'est dire non. » « Si j'ai des devoirs, le principal est de me croire libre. »

André Sernin

■ *Propos (1906-1936)*, Gallimard, « Pléiade », 1956-1973, 2 vol. — *Les Arts et les dieux*, Gallimard, « Pléiade », 1958. — *Les Passions et la sagesse*, Gallimard, « Pléiade », 1960. — *Propos d'un Normand*, en cours de publication intégrale ; sont déjà parues les années 1906,1907, 1908, Institut Alain, Klincksieck, 1993.
■ G. Bénézé, *Généreux Alain*, PUF, 1962. — G. Pascal, *L'Idée de philosophie chez Alain*, Bordas, 1970. — O. Reboul, *L'Homme et ses passions d'après Alain*, PUF, 1968. — A. Sernin, *Alain, un sage dans la Cité*, Laffont, 1965. — Shigeo Shirai, « Alain en 1929 », *Bulletin des Amis d'Alain*, n° 76, novembre 1993.

ALCAN (Librairie)

Sartre*, cherchant à se faire éditer et rejetant la « vieille » maison Alcan comme symbole des pesanteurs de l'Université, ne discernait pas combien quelques décennies auparavant elle avait été un foyer où des disciplines alors encore balbutiantes comme la psychologie et la sociologie avaient trouvé une tribune. Il est vrai que les questions anthropologiques étaient fort loin des préoccupations et des ambitions littéraires et philosophiques de l'auteur de *La Nausée*. Il est vrai aussi que le renom de la firme s'était étiolé après la mort de son fondateur, Félix Alcan, en 1925, et que des difficultés de gestion propres à bien des entreprises d'édition moyennes pendant la crise des années 30, contraignaient son successeur et neveu, René Lisbonne, à s'associer avec Paul Angoulvent qui présidait alors aux destinées des Presses universitaires de France. Cette évolution décisive confirmait la mainmise directe des universitaires sur la diffusion de leur propre production, trait saillant de la période de l'entre-deux-guerres, qui voit la disparition d'intermédiaires à la fois décideurs économiques et coordonnateurs des activités intellectuelles dans ce secteur.

Mais au tournant du siècle rien n'a mieux symbolisé ce lieu d'accueil pour la science en marche que la librairie du 108 boulevard Saint-Germain. Né en 1841, petit-fils d'un libraire juif de Metz, Félix Alcan est poussé par sa famille vers un cursus universitaire : il entre ainsi à l'École normale supérieure*, section mathématiques, où il se lie en particulier avec Gabriel Monod*, Théodule Ribot, Gabriel Lippmann (futur prix Nobel de chimie en 1908) et… Ernest Lavisse*, avec lequel il enseigne d'ailleurs à Nancy. La guerre de 1870 modifie ce parcours. Lorrain, choisissant la France, il aide sa famille à liquider la librairie de Metz et cherche du travail dans cette branche à Paris. Son mariage avec Marguerite Sée, parente de Camille Sée, l'introduit dans les milieux républicains. C'est alors qu'il s'associe en 1874 avec Gustave-Germer Baillière comme directeur scientifique de la librairie de celui-ci. Il reprend la totalité de l'affaire à son compte en 1883. Baillière possédait un catalogue fort intéressant en médecine, ouvert sur la psychiatrie, la biologie et l'anthropologie. Félix Alcan, universitaire reconverti dans l'édition (fait peu fréquent à l'époque), va donner toute leur mesure à des initiatives isolées de Baillière, la « Bibliothèque de philosophie contemporaine » (1863) et la « Bibliothèque d'histoire contemporaine » (1866) en accompagnant ces deux collections de revues « manifestes » animées par ses meilleurs amis et anciens condisciples de la rue d'Ulm. Gabriel Monod lance en 1876 la *Revue historique* qui assure la diffusion de l'histoire positiviste ; Théodule Ribot lance la même année la *Revue philosophique* grâce à laquelle les recherches récentes anglo-saxonnes en psychologie trouvent un écho et un prolongement en France. Enfin Félix Alcan accueille en 1896 Émile Durkheim* et *L'Année sociologique*. En 1900 se trouvent rassemblés dans un exceptionnel catalogue de plus de 1 200 titres nombre d'auteurs qui seront les futurs classiques du XXe siècle : A. Mathiez*, H. Bergson*, A. Binet, C. Bouglé*, L. Brunschvicg*, P. Janet, L. Lévy-Bruhl*, G. Tarde*... Si en histoire sont surtout édités des recueils de sources et des thèses, en revanche toute la philosophie et la « science sociale » sont systématiquement publiées chez Alcan. Parmi les plus grands succès de librairie, il faut citer l'œuvre de Bergson et de façon plus ponctuelle les ouvrages de Gustave Le Bon* (dont *La Psychologie des foules*), bien que celui-ci anime sa propre collection chez Flammarion*. La Librairie Alcan publie donc systématiquement les universitaires de talent, jeunes puis confirmés mais aussi des essais plus éclectiques de personnalités politiques.

Elle a joué aussi fort discrètement pendant l'Affaire un rôle important pour la défense du capitaine Dreyfus. Mme Alcan tient en effet un salon politique. Les époux Alcan, juifs d'Alsace-Lorraine, connaissent fort bien par ailleurs la famille Hadamard (Mme Dreyfus est née Hadamard). Ils sont d'emblée dreyfusards, poussent G. Monod à s'engager et favorisent sa rencontre avec Bernard Lazare* et les Lanessan. Yves Guyot, directeur du *Siècle* et dreyfusard, est également un de leurs proches : par leur entremise, il embauchera Arthur Giry ensuite. Or on connaît bien désormais l'engagement et le rôle décisif de ces historiens au cours du procès. Toutefois, si F. Alcan est à Rennes en 1898, jamais il ne combattra publiquement comme P.-V. Stock* les antidreyfusards. Engagement politique et édition scientifique ne doivent pas rejaillir l'un sur l'autre. Et en effet même si les comptes rendus de la *Revue historique* échappent parfois à cette règle d'objectivité, ce n'est pas le cas dans les autres revues et collections. Les remous de l'Affaire dissipés, cette étanchéité entre travail scientifique et combat politique sera encore plus manifeste entre les deux guerres si l'on excepte les brochures patriotiques publiées par de nombreux universitaires en 1914-1918, qu'Alcan n'est d'ailleurs pas le seul à imprimer. Après la guerre, les collections de sciences sociales sont plus en retrait bien que soient lancées la nouvelle série de *L'Année sociologique* (1924-1925) et la série des

« Réformateurs sociaux » (1924), toutes deux pilotées par C. Bouglé. La « Bibliothèque générale des sciences sociales », fondée en 1898, qui accueillait universitaires et politiques, a été arrêtée en 1914. La démarche prospective de F. Simiand (« Nouvelle bibliothèque économique ») demeure isolée. L'heure est aux grandes synthèses (« Peuples et civilisations », dirigée par L. Halphen et P. Sagnac à partir de 1926), aux premiers bilans (*Traité de psychologie*, dirigé par P. Janet et G. Dumas en 1923-1924) et aux séries comme « La Bibliothèque de la Revue historique » qui publie exclusivement des thèses de la Sorbonne. Les essais sont de plus en plus repris par les éditeurs de littérature générale, comme Flammarion ou Gallimard*. Le contexte économique mais aussi les réticences du milieu universitaire limitent les initiatives semblables à celles du temps désormais révolu de F. Alcan et encouragent le cloisonnement des genres.

Valérie Tesnière

■ R. Chartier et H.-J. Martin (dir.), *Histoire de l'édition française*, Promodis, 1985-1986, t. 3 : *Le Temps des éditeurs. Du romantisme à la Belle Époque*, et t. 4 : *Le Livre concurrencé (1900-1950)*. — V. Tesnière, « L'histoire aux Éditions Alcan (1874-1939) », *Vingtième siècle, revue d'histoire*, octobre-décembre 1990.

Alexandre (Michel)

1888-1952

Né à Dieppe en 1888, mort à Paris en 1952, Michel Alexandre est surtout connu pour avoir été le plus fervent des disciples d'Alain*. Coxalgique dès l'âge de quatre ans, allongé durant dix ans, boiteux toute sa vie, frêle et comme désincarné, mais agrégé de philosophie en 1912, professeur jusqu'à sa mort d'une leucémie foudroyante en décembre 1952, il est l'exemple d'une victoire toujours renouvelée de la volonté sur un destin cruel. D'une famille de la bourgeoisie israélite cultivée et libérale, il trouva son chemin de Damas par la rencontre, en juillet 1908, d'Alain dans le salon de son cousin Xavier Léon à Dieppe. Il sera un des « bons génies » d'Alain, avec sa femme Jeanne Halbwachs (1889-1980), épousée en 1916, agrégée depuis 1913. Dès 1913, il suit Alain dans sa campagne contre la Revanche. Au début de la guerre il hésite, mais dès juin 1915 la Paix sera son Dieu et Alain son prophète. C'est Michel Alexandre, aidé par sa femme (elle-même auteur de remarquables articles de critique), qui financera et dirigera le plus souvent la revue *Libres propos* d'Alain de 1921 à 1936. Il est l'auteur de la formule fameuse : « Hitler, fils naturel de Poincaré. » Il collaborera avec Mme Morre-Lambelin à l'édition des principaux livres d'Alain, notamment à la NRF.

Professeur au Puy, à Nîmes, puis en 1927 à Paris, nommé en hypokhâgne près d'Alain en 1931, surenchérissant sur le pacifisme de son maître alors à demi paralysé, il le représentera au Comité de vigilance des intellectuels antifascistes* de 1934 à 1939 et il contribuera à empêcher les communistes d'y prendre le pouvoir.

Révoqué en décembre 1940 par les lois antijuives de Vichy, il est arrêté le 26 juin 1941. Interné à Compiègne, il est libéré au bout d'un mois et il reçoit un *ausweis* pour la zone encore libre grâce notamment à Bergery. Il mourra professeur d'hypokhâgne à Louis-le-Grand et à Fénelon.

« Je suis l'âne, a-t-il écrit en 1951 — oui celui qui porte Jésus dans Jérusalem. Pas moins. Le vieil âne qui secoue les oreilles et tiendra bon... Chartier m'habite chaque jour davantage... Quarante ans avec lui, derrière lui. » Grand esprit mais surtout grande âme, il a peut-être eu, comme Marthe, la meilleure part. Il n'avait pas la puissante personnalité de son maître, mais sa veuve a publié de lui deux livres qui ne sont pas négligeables.

André Sernin

■ *Lecture de Kant*, PUF, 1961, rééd. 1978. — *Lecture de Platon*, Bordas, 1966.
▒ A. Sernin, *Alain, un sage dans la Cité*, Laffont, 1985. — *En souvenir de Michel Alexandre*, Mercure de France, 1956.

ALGÉRIE (la torture en)

1954-1962

Au lendemain des attentats du 1er novembre 1954, François Mauriac* écrit dans son « Bloc-Notes » qui paraît alors dans *L'Express** : « Coûte que coûte, il faut empêcher la police de torturer. » Vaine objurgation. La police se mit d'emblée à l'ouvrage ; l'armée prit le relais. Pratiquée déjà à Madagascar après les troubles de 1947, en Indochine et au Maroc, la torture est devenue, avec la guerre d'Algérie, une véritable institution, avec ses structures (le fameux DOP : Dispositif opérationnel de protection), ses cadres, ses exécutants, sa panoplie d'accessoires et ses règles de fonctionnement. Cette pratique quotidienne, d'une routine quasi bureaucratique, s'est longtemps heurtée aux dénégations des gouvernements successifs, pourtant parfaitement informés. Une commission de sauvegarde des droits et des libertés individuelles fut bien instituée en mai 1957, mais elle fut contrainte de remettre un rapport à ce point édulcoré que plusieurs de ses membres, tel l'ancien gouverneur Delavignette, préférèrent en démissionner. Dès lors, plus rien n'arrêta la « gangrène », et le passage d'une République à l'autre ne signifie ici aucune rupture. Contrairement à ce qu'avait affirmé, un peu vite, André Malraux*, la restauration de l'État ne mit pas fin à la torture. Elle ne connut qu'un déplacement géographique : moins fréquente en Algérie, en raison de la stabilisation des opérations militaires, elle se généralisa en métropole, où, depuis 1958, le FLN avait étendu ses activités.

Devant le silence des voix officielles, le mutisme de la radio et les réticences des partis politiques, il revint d'abord à la presse de faire entendre une protestation. *L'Humanité** signale les premiers cas de torture dès décembre 1954. *L'Express*, *Témoignage chrétien**, *France-Observateur** (Claude Bourdet*, « Votre Gestapo algérienne », février 1955) ne sont pas avares d'informations. L'engagement des intellectuels est plus tardif. Il s'ouvre avec l'article « France, ma patrie » publié dans *Le Monde** du 5 avril 1956 par Henri Marrou*, professeur d'histoire des religions à la Sorbonne, culmine en 1957 avec les débordements de la bataille d'Alger et se poursuit durant le premier semestre de 1958 avec la publication, aux Éditions de Minuit*, de *L'Affaire Audin* et de *La Question*. L'interdiction de cet ouvrage suscite, sur proposition de l'éditeur Jérôme Lindon, une protestation solennelle au président de la République de quatre écrivains de renom : Mauriac, Martin du Gard*, Malraux et Sartre*.

Dans cette « bataille de l'écrit », qui n'est pas l'un des moindres épisodes de la guerre d'Algérie, il est quelque peu hasardeux de procéder par regroupement et classification des affinités politiques. La généralisation de la torture heurtait trop les fondements de l'humanisme occidental, tout comme une certaine conception de la France « pays des droits de l'homme », pour ne pas rallier des protestataires venus de tous les horizons. À tel point que les intellectuels signataires de pétitions favorables à l'Algérie française — en avril 1956 et octobre 1960 notamment — préférèrent justifier leurs arguments en dehors de toute référence à cette pratique.

Nul doute pourtant qu'un certain nombre de chrétiens se soient trouvés en première ligne. Avec les « Quatre M » — A. Mandouze*, H. Marrou, L. Massignon* et F. Mauriac —, avec le moins médiatique mais omniprésent Centre catholique des intellectuels français*, dont l'activisme rachète en quelque sorte le silence de quelques grands noms (Maritain*, Gilson*, Gabriel Marcel*). Dans le sillage des Éditions du Seuil*, qui publient en mars 1957 *Contre la torture* de Pierre-Henri Simon*, la revue *Esprit** se montre accueillante aux témoignages d'appelés du contingent, tandis que *Témoignage chrétien* assume la publication, en février 1957, du « Dossier Jean Muller ».

Que la conscience chrétienne soit blessée par l'utilisation de moyens « intrinsèquement mauvais » — ce qui la conduit du reste à s'interroger, très normalement, sur le recours à des pratiques identiques chez les nationalistes algériens — ne signifie pas que cette condamnation soit circonscrite aux milieux catholiques et accessoirement protestants (J. Ellul*, P. Ricœur*). Plusieurs universitaires de la gauche laïque (C.-A. Julien*, P. Vidal-Naquet*, M. Crouzet), voire gaullistes (R. Capitant), et de nombreux étudiants se sont retrouvés dans cette protestation « dreyfusarde » qui conjugue la référence aux valeurs universelles et une certaine idée de la France. Signe de cet éclectisme, le Comité Maurice Audin, fondé en novembre 1957, est présidé par le mathématicien Laurent Schwartz*, issu du trotskisme, assisté du géographe Jean Dresch*, communiste, et du catholique Henri Marrou.

Le cas des intellectuels communistes est singulier. En 1956*, les chocs les plus rudes viennent du rapport Khrouchtchev et de Budapest. Nombre d'intellectuels, confortés par la tradition anticolonialiste du PCF, ne semblent pas avoir trop souffert de la prudence de la politique algérienne du Parti ni du légalisme impénitent de sa direction. Quelques agrégés d'histoire, pourtant, ne l'en tiennent pas quitte. Telle Madeleine Rebérioux*, qui fonde, au lendemain du « suicide » d'Ali Boumendjel, un Comité interlycées contre la guerre d'Algérie ; tel Jean Bruhat*, qui dit son indignation de ne voir aucun représentant du Parti lors de la soutenance *post-mortem* de la thèse d'Audin ; tel Robert Bonnaud, qui rompt avec le PC fin 1956 et se tourne vers le soutien au FLN, non sans avoir auparavant fait paraître « La paix des Nementchas », l'un des articles les plus virulents publiés par la revue *Esprit* (avril 1957).

Sartre, Aron*, Camus*, les trois figures majeures de l'intelligentsia française, ont somme toute peu abordé la pratique de la torture. Les positions de Raymond

Aron se fondent sur l'analyse, non sur l'indignation. La hardiesse des conclusions de *La Tragédie algérienne* (1957) doit moins à la condamnation du colonisateur qu'à une réflexion globale sur la décolonisation, même si l'auteur sait, au détour d'une phrase, exprimer une discrète réprobation. Camus et Sartre intègrent la torture dans la notion plus générale de *violence* à laquelle participent les deux camps. Mais là où Camus les confond dans une même répudiation et cherche à dégager l'espace d'une trêve civile, Sartre magnifie la violence du colonisé comme l'acte fondateur d'une identité retrouvée. Assez rares dans les écrits sartriens consacrés à l'Algérie *(Situations V)*, les références à la torture sont plus fréquentes dans *Les Temps modernes**, où la rédaction intègre le martyre du peuple algérien dans la cause exaltante du tiers-mondisme révolutionnaire et rédempteur.

Une telle illusion conduit à s'interroger sur la portée réelle d'une telle mobilisation. C'est peu dire que son poids a été faible sur le dénouement de la guerre. L'évolution de l'opinion vers une issue pacifique est surtout redevable à la lassitude. Et pour n'être jamais tombé, comme ses prédécesseurs, dans la dénonciation vulgaire des « chers professeurs » ou des « exhibitionnistes du cœur », le général de Gaulle n'a pas déterminé sa politique algérienne à l'aune des protestations intellectuelles. En fait, la torture a moins pesé sur l'événement qu'elle n'a influencé les intellectuels eux-mêmes. À la (bonne) conscience d'avoir sauvé l'honneur d'une nation en perdition, on préférera, avec plus de vraisemblance, y voir un apprentissage de la liberté, une rupture avec les appareils politiques, qui préfigurent, selon les cas, la contestation de Mai 68 ou la maturation de la deuxième gauche.

Bernard Droz

■ M. Crouzet, « La bataille des intellectuels », *La Nef*, numéro spécial sur la guerre d'Algérie, octobre 1962-janvier 1963. — C. Liauzu, « Les intellectuels français au miroir algérien », *Cahiers de la Méditerranée*, n° 3, 1984. — J.-P. Rioux et J.-F. Sirinelli (dir.), *La Guerre d'Algérie et les intellectuels français*, Bruxelles, Complexe, 1991. — P. Vidal-Naquet, *La Torture dans la République*, Minuit, 1972, rééd. La Découverte, 1985. — M. Winock, *La République se meurt. Chronique (1956-1958)*, Seuil, 1978, rééd. Gallimard, 1985.

ALGÉRIE : LES INTELLECTUELS AVANT LA DÉCOLONISATION

On est loin de l'intellectuel tel que le connaît l'Europe. Jusque vers le milieu du XIXe siècle, c'est la figure du *âlem*, *fqih*, *cheikh* et du *marabout* qui prévaut. Cette élite fonctionnelle, engendrée pour la production et la reproduction d'un savoir nécessaire à l'ordre social dans la tribu, est au service des intérêts collectifs du groupe. Elle constitue un canal de transmission privilégié entre le pouvoir central et le peuple. Ce sont sans doute les poètes d'expression populaire (en arabe ou en berbère) qui se rapprochent davantage de l'intellectuel, puisqu'ils sont amenés à contester l'ordre. Cependant, leur statut péjorativement connoté de *meddah* (troubadour) ne leur laisse pas la possibilité de devenir des intellectuels, excepté Si Mohand, dans l'univers restreint de la Kabylie, dont l'émergence est favorisée par l'insurrection de 1871 contre le pouvoir colonial.

L'introduction du système scolaire de Jules Ferry à partir de 1883 va concurrencer l'école religieuse musulmane, qui produisait jusque-là sa propre élite. Mais, plus que l'école, c'est le développement de la presse et surtout la révolution de l'imprimé qui vont pousser les indigènes « évolués » à rendre compte de leur propre situation et de celle de leurs compatriotes. Beaucoup des évolués, vite détachés de la masse, sans pour autant être intégrés aux dominants, adhèrent aux principes de la France républicaine. C'est la toute première génération formée à l'école française (Belkacem Bensédira, Ammar Ben Saïd Boulifa, Mohammed Bencheneb) et, plus tard, le corps des instituteurs, lesquels s'exprimeront dans des revues comme *La Voix des humbles* ou *La Voix indigène*.

Avec les ruptures sociales qu'elle introduit, la colonisation suscite un éveil de la conscience indigène. Les écoles religieuses se modernisent et l'on voit les oulémas, nouveau corps sécrété contre le colonisateur, revendiquer un changement social et de mœurs comme la scolarisation des filles, ce qui n'empêche pas les défenseurs de la civilisation occidentale et du progrès de se réclamer aussi des valeurs islamiques.

Jusque dans les années 40, le corps des intellectuels est formé par les journalistes, les instituteurs, les professeurs, les avocats, les médecins. La presse fait connaître les grandes figures « intellectuelles », qui sont aussi des figures politiques. Le développement du mouvement national encourage la naissance d'une nouvelle élite composée surtout d'écrivains (Jean Amrouche*) qui inscrivent la question de l'identité au cœur de leur œuvre. En même temps, la minorité européenne produit ses propres intellectuels qui ne sont pas sans influence sur les Algériens, qu'ils accueilleront dans des revues comme *Forge*, *Soleil*, *Simoun*.

Il faut attendre la génération plus radicalisée des années 50 représentée par les écrivains Mohammed Dib, Kateb Yacine, Mouloud Feraoun, Mouloud Mammeri pour voir apparaître un nouvel intellectuel algérien, en rupture contre la puissance coloniale. Le label nationaliste prévaut jusque vers les années 70, date à laquelle émerge une autre génération, tournée vers le devenir de la société algérienne (Rachid Boudjedra, Assia Djebbar). Plus tard viendront les déçus de la révolution (Tahar Djaout, Rachid Mimouni, Rabah Belamri) qui diront leur désillusion et leurs aspirations démocratiques dans le roman d'expression française, à côté d'autres écrivains et poètes de langue arabe (Tahar Ouettar, Abdelhamid Benheddouga) et berbère (Aït Menguellet).

Tassadit Yacine

■ C.-R. Ageron, *Les Algériens musulmans et la France*, PUF, 1968. — F. Colonna, *Instituteurs algériens*, Paris, FNSP, et Alger, Office des publications universitaires, 1975. — F. Colonna (dir.), *Lettrés, intellectuels et militants en Algérie (1880-1950)*, Alger, Office des publications universitaires, 1988. — A. Merad, *Le Réformisme musulman en Algérie, de 1925 à 1940*, Mouton, 1967. — G. Pervillé, *Les Étudiants algériens de l'Université française (1880-1962)*, CNRS, 1984. — N. Sraeb (dir.), *Pratiques et résistances culturelles au Maghreb*, CNRS, 1992.

ALLAIS (Maurice)

Né en 1911

Né le 31 mai 1911 dans une famille de petits commerçants parisiens, Maurice Allais sort major de l'École polytechnique* en 1933 et devient ingénieur de l'École des mines de Paris (1933-1936). Lors d'un voyage aux États-Unis en 1933, le spectacle de la crise l'aurait poussé vers la recherche en économie. Disciple de Léon Walras et de Vilfredo Pareto, Maurice Allais s'apparente aux économistes néo-classiques défenseurs du capitalisme libéral. Mais il présente une double originalité, que l'on retrouve chez cette génération particulière d'ingénieurs-économistes français. D'abord, il combine une réflexion sur l'analyse micro-économique, présente dans ses premiers ouvrages, et un travail de redéfinition des équilibres macro-économiques, en particulier à propos de l'économie publique. Ensuite, il s'attache dès 1945 à appliquer l'analyse mathématique à l'économie. En 1943, il publie *À la recherche d'une discipline économique*, ouvrage de synthèse sur la théorie micro-économique. Ingénieur général des Mines, il est nommé en 1944 professeur d'économie théorique à l'Institut statistique de l'université de Paris. Depuis la fin des années 40, il dirige un séminaire — le « séminaire Allais » — de mathématiques appliquées à l'économie, qui va influer pendant trois décennies sur la pensée économique française et attirer des économistes qui, à des titres divers, vont marquer le second XXe siècle, tels Gérard Debreu, Marcel Boiteux ou Edmond Malinvaud.

À partir de 1952, il amorce une série de recherches sur le choix des individus face aux risques, qui le conduisent notamment à reformuler la théorie des choix risqués et à énoncer le « paradoxe d'Allais », qui limite la préférence pour la sécurité à la zone de quasi-certitude. Parallèlement, il multiplie les travaux sur l'économie publique et l'utilisation optimale des ressources. À travers l'étude de la tarification charbonnière — *La Gestion des houillères nationalisées*, parue en 1953 — il engage une réflexion théorique sur la tension entre optimum pour le producteur et pour la collectivité. De telles approches sont poursuivies par Pierre Massé et Marcel Boiteux à propos de l'électricité. Plus tardivement, Maurice Allais généralise les résultats de ses recherches dans la *Théorie générale des surplus* (1981). Dans le même temps, il accumule les responsabilités dans le domaine de la recherche en économie. En 1953, il dirige l'Institut de recherches économiques et sociales des mines ; l'année suivante, il devient directeur de recherches au Centre national de la recherche scientifique* et, à partir de 1970, anime le Centre Clément-Juglar d'analyse monétaire de l'université de Paris X. Il s'intéresse également à la théorie du capital et des taux d'intérêt et propose de combiner approche classique et approche keynésienne pour rendre compte de la dynamique macro-économique (*Économie et intérêt*, 1977). Dans les années 70, il réexamine la théorie quantitative de la monnaie, non sans convergence avec les travaux de Milton Friedman. En 1979, il reçoit la médaille d'or du CNRS pour « ses travaux de pionnier sur la théorie des marchés et l'utilisation efficace des ressources ».

Retiré depuis 1980, mais poursuivant ses recherches à l'École des mines, Maurice Allais se signale par ses observations reprises dans la presse, notamment

*Le Figaro**. Au printemps 1987, il s'est fait remarquer pour son annonce d'une crise boursière comparable à celle de 1929.

Déjà responsable d'une chaire d'économie à l'Institut des hautes études internationales à Genève (de 1967 à 1970), il reçoit une consécration internationale par l'attribution du prix Nobel d'économie, le 10 décembre 1988. Maurice Allais appartient à cette génération pionnière d'ingénieurs-économistes propres à la France qui, au lendemain de la Seconde Guerre mondiale, a fondé l'alliance entre les statistiques, les mathématiques et l'économie théorique et qui a permis à l'école libérale française de combler son retard sur ses rivales anglo-saxonnes. Maurice Allais ne dédaigna pas le débat public. Il collabora à la *Revue socialiste* après la Seconde Guerre mondiale. En 1991, il prit également une position retentissante en faveur de la peine de mort.

Michel Margairaz

■ *À la recherche d'une discipline économique*, 1re partie : *L'Économie pure*, Ateliers Industria, 1943. — *Économie pure et rendement social*, Sirey, 1945. — *Économie et intérêt*, Imprimerie nationale et Librairie des publications officielles, 1947, 2 vol. — *La Gestion des houillères nationalisées*, Imprimerie nationale, 1953. — *Fondements d'une théorie positive des choix comportant un risque et critique des postulats et axiomes de l'école américaine*, CNRS, 1953. — *Les Fondements comptables de la macro-économie*, PUF, 1954. — *L'Europe unie, route de la prospérité*, Calmann-Lévy, 1960. — *L'Économie en tant que science*, Genève, Droz, 1968. — *Technique économique et gestion industrielle* (avec Lesourne), Dunod, 1971. — *La Libéralisation des relations économiques internationales*, Gauthier-Villars, 1972. — *L'Inflation française et la croissance. Mythologies et réalités*, Dunod, 1974. — *L'Impôt sur le capital et la réforme monétaire*, Hermann, 1976. — *La Théorie générale du surplus*, ISMEA, 1981, 2 vol. — *The Foundations of the Theory of Utility and Risk*, Dordrecht, Reidel, 1984.

▒ M. Boiteux, T. de Montbrial et B. Munier (dir.), *Marchés, capital et incertitude. Essais en l'honneur de Maurice Allais*, Économica, 1986.

ALLIANCE ISRAÉLITE UNIVERSELLE

L'Alliance israélite universelle fut créée en 1860 par des hommes comme Jules Carvallo, Isidore Cahen, Aristide Astruc, le poète Eugène Manuel, Narcisse Leven et Charles Netter, imprégnés des idéaux libéraux et républicains, confiants dans le progrès et la raison tout en marquant leur fidélité au judaïsme de leurs pères. Première organisation juive à vocation internationale exprimant la solidarité de tous les israélites et la volonté du lutter contre l'antisémitisme, elle diffuse dans le monde un modèle fait tout à la fois de fidélité au judaïsme et d'ouverture au monde. Plusieurs de ses présidents comme Adolphe Crémieux (1863-1866 et 1868-1880), Sylvain Lévi (1920-1935) ou René Cassin* (1943-1976) furent des hommes politiques ou des savants éminents.

L'AIU intercéda souvent avec succès en faveur des communautés juives, notamment d'Algérie, du Maroc et des Balkans. Elle prêta assistance aux émigrants de Roumanie et de Russie tsariste. Pour encourager la connaissance du judaïsme dans le monde, elle créa dès 1860 une bibliothèque. Mais c'est la création de tout un réseau d'écoles en Afrique du Nord, au Proche-Orient, dans les Balkans, vecteur de la diffusion de la langue française, des idéaux de la Révolution et de la conception française du judaïsme, qui est son œuvre majeure. En 1993, le réseau des écoles et écoles affiliées de l'AIU, dont le président actuel est le professeur Adolphe Steg, comprend 49 établissements qui scolarisent plus de 21 000 élèves dans huit pays : Belgique, Canada (Québec), Espagne, Iran, Israël, Maroc, Syrie et France. Dans ce dernier pays, elle gère deux lycées et un collège et assure, dans le cadre de la Section normale supérieure d'études juives, la formation des enseignants.

Depuis 1986, l'AIU a ouvert un Collège des études juives dirigé par le philosophe et sociologue Shmuel Trigano. 400 adultes, ayant pour la plupart une formation universitaire, y suivent chaque année une dizaine de séminaires hebdomadaires destinés à l'étude en français des sources traditionnelles juives : Bible, Talmud, Cabale, philosophie… Chaque année est organisé un symposium. Les actes du IVe symposium (1991) portant sur « loi et liberté » ont été publiés dans la revue *Pardès* (17/1993).

La bibliothèque de l'AIU, installée depuis 1989 dans les locaux rénovés de l'AIU au 45 rue La Bruyère dans le IXe arrondissement de Paris, est l'une des plus importantes d'Europe. Le millier de lecteurs qui la fréquente chaque année peut consulter ses 120 000 volumes, ses 2 700 titres de revue et son millier de manuscrits, pour moitié en hébreu. L'Alliance publie deux revues, *Les Cahiers de l'Alliance*, diffusés à ses adhérents et, depuis 1965, *Les Nouveaux Cahiers*, revue trimestrielle « d'études et de libres débats », dont le fondateur, Gérard Israël, est le directeur.

Annette Wieviorka

■ M. Graetz, *Les Juifs en France au XIXe siècle. De la Révolution française à l'Alliance israélite universelle*, Seuil, 1989. — A. Rodrigue, *De l'instruction à l'émancipation. Les enseignants de l'AIU et les juifs d'Orient (1860-1930)*, Calmann-Lévy, 1989.

ALQUIÉ (Ferdinand)

1906-1985

Historien de la philosophie classique et philosophe du surréalisme, rationaliste ouvert à toutes les sollicitations de l'imaginaire, Ferdinand Alquié présente un double versant. Mais cette tension est chez lui le signe d'une ouverture plus profonde, de nature métaphysique, sur l'être qui se dit de plusieurs manières.

Né à Carcassonne en 1906, Ferdinand Alquié fit des études brillantes, qui le conduisirent à être reçu premier à l'agrégation de philosophie en 1931. En 1924, il fait la connaissance de Joë Bousquet, reclus dans sa chambre à Carcassonne depuis 1917. C'est Bousquet qui l'initiera au surréalisme, et le conduira à devenir l'ami de Breton*, d'Éluard*, de Max Ernst et de Hans Bellmer. Il participe alors aux activités du groupe surréaliste, publiant dans le n° 5 de la revue *Le Surréalisme au service de la révolution* (1933) un article qui dénonce, à propos d'un film soviétique, le « vent de crétinisation qui souffle d'URSS », provoquant ainsi l'exclusion du Parti communiste de Breton, Éluard et Crevel*, qui se solidarisent avec lui. Du surréalisme, Alquié retient son insatisfaction envers le réel, et son aspiration à une autre vie, capable de réconcilier les contraires. C'est ce qui lui fait dire qu'il ne voit pas de différences notables entre les entreprises de Breton et celles de Platon, Descartes ou Kant.

À partir de 1937, il est nommé professeur à Paris et resserre ses liens avec Breton. Il s'engage pendant la guerre dans la Résistance. Puis il soutient une thèse consacrée à *La Découverte métaphysique de l'homme chez Descartes*, publiée en 1950. La thèse en est explicite : Descartes inaugure une conception métaphysique de l'homme dont la liberté est la clé. Dans les années 60 et 70, Alquié, professeur à la Sorbonne de 1962 à 1976, sera un peu considéré comme représentant une variante de l'attachement à la *philosophia perennis*. Il faudra attendre une nouvelle génération d'historiens de la philosophie, comme Jean-Luc Marion, pour que soit justice rendue à sa vision d'une histoire de la philosophie qui procède à une série d'approches successives d'un même mystère de l'être.

Éditeur de Descartes et de Kant, Ferdinand Alquié aura sans doute convaincu dans son opposition à la réduction positiviste du grand rationalisme (« l'objet n'est pas l'être », aimait-il à dire). Mais il aura vu aussi son attachement aux valeurs de ce même rationalisme le condamner à ce qu'il a appelé « la solitude de la raison ».

Joël Roman

■ *Le Désir d'éternité*, PUF, 1943, rééd. 1993. — *La Découverte métaphysique de l'homme chez Descartes*, PUF, 1950, rééd. 1991. — *Philosophie du surréalisme*, Flammarion, 1955. — *Solitude de la raison*, Le Terrain vague, 1966. — *La Nostalgie de l'être*, PUF, 1973. — *Le Cartésianisme de Malebranche*, Vrin, 1974. — *Le Rationalisme de Spinoza*, PUF, 1981.

▒ J.-L. Marion (dir.), *La Passion de la raison* (hommage à Ferdinand Alquié), PUF, 1983.

ALTHUSSER (Louis)

1918-1990

Au sein du groupe des penseurs qu'on a rassemblés très cavalièrement sous le label « structuraliste » au cours des années 60, Louis Althusser occupe une position particulière : bien que ses travaux n'aient pas eu le retentissement de ceux de Jacques Lacan*, de Roland Barthes* ou de Michel Foucault*, et qu'il n'ait pas fait de carrière universitaire, la fonction de « caïman » qu'il a exercée à l'École normale supérieure* de 1948 à 1980 lui a valu de jouer un rôle central dans la vie philosophique en France : à travers les cours de préparation à l'agrégation et le soutien, intellectuel ou affectif, qu'il a apporté à des générations d'élèves, il a puissamment orienté le débat philosophique et contribué à la transformation de ses objets. La discussion qui l'oppose en 1960 à Jean-Paul Sartre*, alors au sommet de sa gloire, dans les locaux de la rue d'Ulm, en est un bon exemple : sorti vainqueur de cette joute, au dire des témoins, parmi lesquels Georges Canguilhem* et Jean Hyppolite*, il donne le signal du déclin de l'existentialisme et favorise l'émergence, particulièrement auprès de ses élèves, d'une nouvelle humeur philosophique. Il réunit ainsi deux types de caractéristiques rarement associées : celles du « philosophe sans œuvre » qui ne survit que par le travail de mémoire auquel se livrent ses disciples, et celles du grand innovateur, capable de transformer radicalement l'analyse de l'œuvre de Marx, et de lui conférer sa pleine dignité philosophique.

Né le 16 octobre 1918 à Birmandreis, sur les hauteurs d'Alger, Althusser a eu, semble-t-il, l'enfance paisible d'un petit-bourgeois comme les autres : fils d'un cadre de banque autodidacte et d'une mère institutrice qui avait renoncé à son métier lors de son mariage, c'est un excellent élève qui pratique avec bonheur la musique et le tennis. La carrière de son père le conduisit à Marseille en 1932 : Louis y obtient le baccalauréat en 1936, avant de rejoindre la khâgne* du lycée du Parc à Lyon. Fervent catholique, il affiche alors son royalisme. Il est fortement marqué par trois professeurs catholiques de style et d'orientation pourtant différents : deux philosophes, Jean Guitton* et Jean Lacroix* qui lui succède ; un historien, Joseph Hours, qui exercera sans doute l'influence la plus profonde. Reçu à l'École normale en 1939, il est mobilisé avant la rentrée, fait prisonnier et incarcéré au stalag 10 A (Schleswig-Holstein) pour toute la durée de la guerre. C'est là qu'il connaît les premiers épisodes de la maladie dépressive qui devait marquer sa vie. Reçu second à l'agrégation de philosophie en 1948, il est nommé répétiteur à l'École normale, dont il est aussi, pendant de longues années, « secrétaire », participant de près à la vie administrative et à l'organisation pédagogique de l'établissement. C'est pendant sa scolarité à l'École qu'adviennent deux événements décisifs : sa rencontre, en 1946, avec Hélène Rytmann (dite Legotien), qui devait devenir la compagne de sa vie, et son adhésion au marxisme, explicite dès 1947, puis au Parti communiste, qu'il rejoint en 1948. Proclamant en 1952 son abandon de la religion, il manifesta cependant toute sa vie, sous des formes diverses et parfois détournées, de l'intérêt pour l'univers catholique.

La carrière de Louis Althusser s'est tout entière déroulée dans l'univers clos de l'École normale supérieure : logé à proximité immédiate de son bureau, il y vécut sans interruption, à l'exception des vacances qu'il prenait le plus souvent en Provence, et des séjours réguliers dans diverses institutions psychiatriques, jusqu'au 16 novembre 1980, jour où il étrangla sa femme à l'occasion d'une de ses crises.

Durant les années 50, Althusser est d'abord un enseignant, principalement préoccupé par l'année de l'agrégation, qui constitue la véritable occasion de développer des relations suivies avec les élèves. Il intervient aussi à travers des cours, généralement brefs et très soigneusement préparés, sur Montesquieu, Hobbes, Rousseau, Hegel, Feuerbach notamment. À cela s'ajoute une politique d'invitations très diversifiée qui donne aux normaliens l'occasion d'entendre Martial Guéroult et Jules Vuillemin, aussi bien qu'Henri Birault et Jean Baufret*. Au cours de cette période, Louis Althusser écrit peu, limitant ses contributions à quelques articles, notamment dans la *Revue de l'enseignement philosophique*. Mais de ce fait il se tient également en marge de la production marxiste officielle, caractéristique des intellectuels de parti.

Les choses changent au tournant des années 60. Le philosophe commence à publier des travaux originaux : *Montesquieu, la politique et l'histoire* en 1959 ; la traduction et la présentation des *Manifestes philosophiques* de Feuerbach en 1960. Ces textes sont suivis de la publication régulière de plusieurs articles sur ce qui constitue désormais la préoccupation centrale : la coupure qui, à ses yeux, scinde l'œuvre de Marx en deux parties, et qui passe par l'affirmation de l'anti-humanisme théorique de la maturité. C'est à ce moment qu'Althusser rassemble autour de lui un petit groupe de philosophes dans des *séminaires* qui appartiennent aujourd'hui à la légende de la vie intellectuelle française : organisées autour d'exposés sur des thèmes comme le jeune Marx, Lacan ou les origines du structuralisme, ces séances vont marquer une génération philosophique qui se reconnaîtra sans peine sous la bannière de la « pratique théorique ». Ce qui ne fut pas l'un des moindres effets de l'œuvre d'Althusser que d'avoir mis la marxologie au même niveau d'exigence intellectuelle que les autres secteurs de la philosophie universitaire, en remplaçant, si l'on peut dire, les concepts du Parti par ce que le philosophe nommait lui-même, en plaisantant à peine, le « parti du concept ». Parmi les interlocuteurs les plus proches, il faut citer Étienne Balibar, Pierre Macherey, Jacques Rancière, Alain Badiou* et Yves Duroux. Mais il y en eut beaucoup d'autres.

Le travail sur les textes de Marx est gouverné par le principe de la « lecture symptomale », qui décèle l'indécelé dans le texte même qu'elle lit, en ramenant le discours explicite au discours latent. Cette pratique est évidemment informée par la psychanalyse, dont Althusser sera indubitablement l'un des « passeurs » en direction de la communauté normalienne, mais elle s'adosse également aux résultats de l'histoire des sciences, qui permettent de distinguer des lignes de rupture épistémologique. Les thèses d'Althusser trouvent leur meilleure expression dans le recueil d'articles publié en 1965 sous le titre *Pour Marx*, et dans le séminaire collectif *Lire « Le Capital »*, paru la même année dans la collection « Théorie » qu'Althusser dirigeait chez l'éditeur François Maspero. Par la suite, il se contentera de publier de brefs textes de mise au point, comme *Lénine et la philosophie* (1969) ou *Réponse à John Lewis* (1973). Les textes de la période de forte productivité présentent un caractère très programmatique : ils n'ont pas donné lieu à l'ouverture de grands chantiers de recherche, et les disciples se sont tournés assez vite vers d'autres objectifs. En outre, le reflux du marxisme a contribué à marginaliser l'œuvre du philosophe de la rue d'Ulm. Certains ont cru voir dans la tragédie de novembre 1980 la fin d'une époque : celle-ci, mettant fin à sa carrière, a constitué en tout cas la mort philosophique de Louis Althusser. Dans un texte autobiographique d'une rare force, il a entrepris, au milieu des années 80, de rendre compte de son geste et de justifier ses choix au travers d'un parcours singulier *(L'avenir dure longtemps)* : on a découvert après sa mort, survenue le 19 octobre 1990, un écrivain sous le masque du théoricien, et une incroyable souffrance derrière la revendication des pouvoirs de la raison.

Jean-Louis Fabiani

■ *Montesquieu, la politique et l'histoire*, PUF, 1959. — *Pour Marx*, Maspero, 1965. — *Lire « Le Capital »* (avec É. Balibar, R. Establet, P. Macherey et J. Rancière), Maspero, 1965. — *Positions*, Éditions sociales, 1976. — *L'avenir dure longtemps*, suivi de *Les Faits. Autobiographies*, Stock-IMEC, 1992.

■ S. Karsz, *Théorie et politique : Louis Althusser*, Fayard, 1974. — Y. Moulier, *Louis Althusser : une biographie*, Grasset, 1992. — J. Rancière, *La Leçon d'Althusser*, Gallimard, 1974.

AMÉNAGEMENT DU TERRITOIRE

À la fin du XXᵉ siècle, la notion d'aménagement du territoire semble être un cheval de bataille de technocrates : depuis 1945, les différents gouvernements n'ont cessé de buter sur sa difficile mise en œuvre. C'est pourtant d'abord une idée de géographes, de sociologues, d'historiens et d'urbanistes, qui ont tenté d'y sensibiliser les pouvoirs publics pour qu'ils la fassent passer dans la réalité. L'expression de « décentralisation industrielle », qui a précédé celle d'« aménagement du territoire », est apparue dans les années 30. Elle est au carrefour des idées planistes, du volontarisme en matière de développement économique, de la notion de région issue des travaux d'histoire économique d'Henri Hauser et de l'École géographique de Vidal de La Blache*, Jean Brunhes et Max Sorre. Il fallait, selon ces penseurs, enrayer l'exode rural en assurant une présence industrielle sur l'ensemble du pays par une répartition équilibrée des usines, trop concentrées dans les zones traditionnelles d'activités.

Ces réflexions trouvèrent un écho favorable auprès du mouvement modernisateur, qui crut que le gouvernement de Vichy pouvait leur donner un élan décisif. Celui-ci commanda plusieurs études sur la « décongestion des centres industriels ». Elles devaient fournir des éléments de réflexion aux décideurs qui tentaient de mettre en place un système de planification économique. Les premiers résultats de ces recherches, auxquelles avaient collaboré historiens, géographes, sociologues, statisticiens et médecins, parurent en juin 1944. Tous les éléments qui présideront à la pensée de l'aménagement du territoire et à l'action régionale (DATAR) en 1963, s'y trouvent déjà réunis. Ces études se voulaient une combinaison de l'ensemble des sciences humaines, seule façon d'aboutir à une véritable compréhension d'une nouvelle organisation spatiale des activités nationales.

Après 1945, Jacques Weulersse, Alfred Sauvy*, Pierre George* et Jean-François Gravier continuèrent leur travail d'information auprès des diverses instances gouvernementales qui s'occupaient de planification, les Commissions du Commissariat au Plan en particulier, pour faire passer leurs idées. Le géographe Gravier, qui avait publié en 1942 un essai sur les régions où il s'interrogeait sur leur définition par rapport à l'ensemble national, s'est rendu célèbre en 1947 par son livre *Paris et le désert français*. Vibrant plaidoyer pour la fin de la domination parisienne, il est devenu le texte fétiche de générations de géographes, d'économistes et d'aménageurs. Pourtant, Paris continuait d'attirer les Français et son aménagement posait des problèmes insolubles. Les pouvoirs publics ont alors de nouveau fait appel aux sciences sociales pour trouver des solutions aux maux de l'agglomération parisienne, cette mégalopole des temps modernes. Aux sociologues et aux géographes est revenu le soin d'analyser les freins et les obstacles à la modernisation et celui de faire des propositions d'ordre pratique. Paul-Henry Chombart de Lauwe*, formé à l'ethnologie et à la psychosociologie, avait utilisé la socio-ethnographie pour étudier les classes ouvrières urbaines et les conditions de leur vie quotidienne. Il lança avec l'urbaniste Robert Auzelle et l'appui des pouvoirs publics une enquête sur l'agglomération parisienne. La publication en 1952 de *Paris et l'agglomération parisienne* fit date non seulement parce qu'intellectuels et décideurs pouvaient y trouver matière à réflexion, mais parce que ce travail fut pris comme un exemple réussi de l'influence bienfaisante des études sociologiques sur la décision politique. Cette même année, la revue *Économie et humanisme* publia une « Charte » de l'aménagement qui allait dans le même sens.

Au seuil des années 70, le bilan décevant des relocalisations industrielles ainsi que l'accroissement d'un mal généralisé des villes ont continué à irriguer les recherches en sciences humaines sur l'aménagement. Pourtant, comme dans la question du logement, autre domaine de prédilection de la pensée sociologique qui n'est pas abordé ici, le temps était passé où l'on croyait à la réalité de l'influence de la pensée dans ce domaine du politique.

Danièle Voldman

■ P.-H. Chombart de Lauwe, *Paris et l'agglomération parisienne*, PUF, 1952. — G. Dessus, P. George et J. Weulersse, *Matériaux pour une géographie volontaire de l'industrie française*, Armand Colin, 1949. — J.-F. Gravier, *Paris et le désert français*, Le Portulan, 1947. — M.-F. Rouge, *La Géonomie ou l'Organisation de l'espace*, Durand-Auzias, 1947.

Américains à Paris pendant l'entre-deux-guerres

C'est dans la période de l'entre-deux-guerres que les écrivains, artistes, journalistes et éditeurs américains furent les plus nombreux à Paris. Ezra Pound, Gertrude Stein et son frère Leo, et Natalie Barney s'y étaient installés au début du siècle. Ernest Hemingway, Henry Miller, la journaliste Janet Flanner (dont les « Lettres de Paris » furent publiées pendant cinquante ans dans le *New Yorker*) les rejoignirent. D'autres y séjournèrent à plusieurs reprises, comme E.E. Cummings (qui avait été ambulancier pendant la Première Guerre mondiale*), Dos Passos ou Scott Fitzgerald. Souvent critiques à l'endroit des États-Unis et de leur puritanisme, ces expatriés étaient attirés par le rayonnement intellectuel de Paris, alors la capitale internationale des arts et des lettres. Ils fuyaient la prohibition, et goûtaient dans la ville un climat de liberté morale. Sans oublier un change avantageux qui rendait faible le coût de la vie.

Ils étaient presque tous liés. Ils se retrouvaient dans les cafés de Montparnasse — où l'on buvait beaucoup —, et dans les salons, comme celui de Natalie Barney, qui, au début du siècle, avait été liée à Remy de Gourmont et au milieu du *Mercure de France**. Installé rue Jacob, ce salon international, à son apogée entre les deux guerres, était un point de rencontre entre écrivains et intellectuels. On y trouvait Gide*, Cocteau*, Colette*, Valéry*, T.S. Eliot, Pound, Joyce, Hemingway, Fitzgerald. L'une des plus célèbres lesbiennes de son temps, amie de Colette, N. Barney, y organisait aussi dans les années 20 des réunions de femmes. Autre pôle de sociabilité, l'appartement de G. Stein, arrivée à Paris en 1903, et installée avec sa compagne Alice B. Toklas rue de Fleurus, puis rue Christine. Celle qui fut, avec son frère Leo, une grande collectionneuse de l'art de son temps, était l'amie de Picasso*, Braque, Delaunay, Max Jacob, Apollinaire* et Cocteau. Mais elle était surtout proche des écrivains américains et anglais présents à Paris dans l'entre-deux-guerres, qu'elle baptisa de « génération perdue ».

Les Américains eurent leur librairie. De 1919 à 1941, la Librairie Shakespeare and Company, située dans le quartier de l'Odéon en face de celle d'Adrienne Monnier (propriétaire de la Maison des amis des livres), fut animée par sa fondatrice Sylvia Beach, arrivée à Paris en 1917. Durant deux décennies, elle fut au centre des échanges littéraires franco-américains. Ce fut une librairie et une bibliothèque de prêt, dont les clients français s'appelaient Gide, Valéry, Fargue, Larbaud, Romains* ou Beauvoir*, et les habitués et amis américains Hemingway, G. Stein, Pound, Barney, Dos Passos ou Djuna Barnes. Le photographe Man Ray, arrivé à Paris en 1921, fut, avec son assistante Berenice Abbott, le portraitiste attitré de la « Bande ». Shakespeare and Company fut également une maison d'édition : en 1922, S. Beach, qui était liée à Joyce, publia la première édition complète d'*Ulysse*. Elle organisait également des expositions, des lectures et des soirées littéraires.

Les expatriés eurent aussi leurs maisons d'édition (comme la Black Sun Press du couple Crosby qui publia Pound, D.H. Lawrence et Joyce, ou l'Obelisk Press de l'Anglais Jack Kahane, éditeur de Miller). Ceux qui ne trouvaient pas d'éditeur dans leur pays purent voir leurs ouvrages publiés à Paris, tel Miller avec *Tropique du Cancer*, qui resta interdit aux États-Unis jusque dans les années 60. Ils fondèrent leurs propres revues : la *Transatlantic Review*, de Ford Madox Ford, à laquelle collabora Hemingway, recommandé par Pound, et où l'on pouvait lire G. Stein, Dos Passos, Joyce, Hemingway ; la *New Review*, de Samuel Putnam, écrivain et traducteur, et Ezra Pound, dont Miller s'occupa pendant quelque temps, et qui publia des textes de Beckett*, Unamuno, Apollinaire, Pasternak ou Cocteau ; *The Booster* puis *Delta*, animées dans les années 30 par le même Miller et Lawrence Durrell, depuis la villa Seurat, où se réunissait un groupe d'artistes ; ou encore *Transition*, proche des milieux surréalistes, éditée par Eugène et Maria Jolas, et qui publia les écrits de Joyce en feuilleton mensuel.

La crise économique de 1929 et l'effondrement du dollar dispersèrent ces réseaux d'amitié. Nombreux furent ceux qui dès les années 30 prirent le chemin du retour. Après le conflit mondial, des grandes figures de l'entre-deux-guerres, trois femmes restèrent fidèles à Paris : G. Stein, disparue en 1946 ; S. Beach, qui avait passé pendant la guerre six mois dans un camp d'internement, et dont la librairie ne rouvrit pas (elle mourut en 1962) ; et N. Barney, restée rue Jacob jusqu'à sa mort en 1972.

Séverine Nikel

■ S. Beach, *« Shakespeare and Company »*, Mercure de France, 1962. — H. Carpenter, *Au rendez-vous des génies*, Aubier, 1987. — G. Stein, *Autobiographie d'Alice Toklas*, Gallimard, 1934, rééd. 1980. — *Americans in Paris. A Selected Annotated Bibliography* (compiled by William G. Bailey), New York, Westport (Connecticut) / Londres, Greenwood Press, 1979. — *Dictionary of Literary Biography*, t. 4 : *American Writers in Paris*, Detroit, Gale Research Company, 1980.

AMROUCHE (Jean)

1906-1962

Kabyle de naissance, catholique de religion, Jean Amrouche est né à Ighil-Ali dans une famille de notables francisés. Après des études secondaires à Tunis, où ses parents s'étaient volontairement exilés, il entre à l'École normale supérieure* de Saint-Cloud, puis devient professeur à Sousse, à Bône et à Tunis. De 1934 à 1939, il collabore aux *Cahiers de Barbarie*, où il fait paraître ses premiers poèmes (*Cendres*, 1934 ; *Étoile secrète*, 1937) et contribue à faire connaître la richesse de la poésie kabyle.

À la Libération, il fonde la revue *L'Arche** (1944-1948), dont il assure, à Alger puis à Paris, la rédaction en chef. Patronnée par André Gide*, la revue se veut ouverte aux conquêtes d'un humanisme moderne et accueille de façon éclectique les contributions françaises (Jouve, Michaux, Ponge, Supervielle) et étrangères (Max Brod, Henry Miller, Silone) les plus diverses. Mais c'est comme collaborateur de la Radio qu'il acquiert la notoriété, notamment par des entretiens remarquablement conduits avec Claudel*, Gide, Jouhandeau*, Mauriac*... dont certains ont été publiés. Il est également collaborateur à *Combat**, où il contribue avec C. Roy*, G. Fradier et R. Stéphane* à faire de l'Afrique du Nord l'un des centres d'intérêt majeurs du journal.

La guerre d'Algérie déchire cet hybride culturel, pris dans le « double étau de fidélités antagonistes ». Longtemps contenus, ses sentiments s'expriment dans un long article publié par *Le Monde** le 11 janvier 1958, « De quelques vérités amères », où il dénonce la mystification coloniale et l'horreur d'une répression qui ne peut que détacher les Algériens les mieux disposés à l'égard de la France.

Rallié quelques mois plus tard au général de Gaulle, qu'il avait rencontré quand Alger était la capitale de la France libre, Jean Amrouche est nommé un temps, et de façon évidemment symbolique, rédacteur en chef du Journal parlé. Mais le gouvernement Debré, irrité par ses prises de position trop favorables à la négociation avec le FLN, obtient sa révocation en 1959. Le choix gaullien de l'autodétermination lui rend espoir. Il en appelle désormais à un dépassement des passions antagonistes et à un rejet de l'alternative simpliste de la victoire ou de la défaite. Il meurt le 16 avril 1962, peu après la signature des accords d'Évian, mais avant la proclamation de l'indépendance algérienne.

La trajectoire intellectuelle et politique de Jean Amrouche est doublement signifiante. Avec Mouloud Feraoun ou Kateb Yacine, il est de ces intellectuels nourris de culture française mais finalement gagnés à la cause de l'indépendance par attachement au peuple algérien. Il est aussi de ces personnalités généralement situées « à gauche » sur le terrain de la décolonisation, mais ralliées au gaullisme par l'évolution de la question algérienne. François Mauriac, Maurice Clavel*, Robert Barrat se rattachent à une évolution analogue.

Bernard Droz

■ *Histoire de ma vie* (préface de V. Monteil, introduction de K. Yacine), Maspero, 1968.

Amsterdam-Pleyel

Le succès de l'appellation « Amsterdam-Pleyel » est à porter au crédit du savoir-faire communiste en matière de mobilisation d'un potentiel de sympathisants, notamment dans le monde intellectuel. Derrière cette expression apolitique se dissimule en effet une de ces « organisations de masse » dont l'impulsion est donnée dans l'entre-deux-guerres par l'Internationale communiste, en l'occurrence la filiale française du Comité mondial contre la guerre et le fascisme. Authentique trouvaille publicitaire, la juxtaposition du port néerlandais et de la salle de concert parisienne fait référence aux lieux d'accueil de deux congrès, tenus respectivement du 27 au 29 août 1932 et du 4 au 6 juin 1933. Le premier s'inscrivait dans le cadre du combat « contre la guerre impérialiste » ; le second avait vocation à rallier les partisans de l'« antifascisme ».

Pour le mouvement communiste, il s'agit, en 1932, de capitaliser l'émotion suscitée par l'aggravation de la situation en Extrême-Orient et de peser sur la politique extérieure du gouvernement français. L'appel au congrès d'Amsterdam s'adresse, « par-dessus les partis », aux individus comme aux organisations. Sur une plateforme antimilitariste, appelant à la défense de l'URSS, il vise à susciter un « rassemblement anti-Genève, rassemblement antisocialiste », comme le note alors dans ses carnets le dirigeant communiste français Marcel Cachin.

Dans ce dispositif, la place des intellectuels est définie, le 4 juin 1932, au comité central du PCF. Il s'agit de « faire surgir à travers le paravent des intellectuels de véritables formes organisées sur la base des industries de guerre, des transports, des ports ». Peut-être Henri Barbusse* envisage-t-il une extension des missions confiées à l'intelligentsia. Militant communiste, il s'attelle néanmoins à la quête des noms prestigieux nécessaires à la réussite de l'opération. À commencer par celui de Romain Rolland*, qui retrouve avec indignation sa signature au bas de l'appel du 22 mai 1932 mais finit par cautionner la manœuvre, aussitôt dénoncée par les socialistes. À ses côtés, Barbusse mobilise quelques personnalités littéraires (André Gide*, Jean-Richard Bloch*, Eugène Dabit*) et pacifistes (Félicien Challaye*, Armand Charpentier). Le syndicalisme enseignant est présent à travers le Syndicat national des instituteurs. Quant au Komintern, il assure son emprise sur l'organisation par l'intermédiaire de son agent Willi Münzenberg.

La dimension intellectuelle passe au second plan lors du congrès antifasciste de Pleyel, pour la convocation duquel le Komintern utilise le paravent syndical. Après le 6 février 1934, le Comité contre la guerre et le fascisme, issu des deux congrès, ne parvient pas à rallier les milieux intellectuels de gauche, attirés par le Comité de vigilance des intellectuels antifascistes*, dans lequel la fraction communiste ne peut faire prévaloir son point de vue. Le tournant décidé à Moscou entraîne le PCF à faire d'« Amsterdam-Pleyel » (l'appellation s'impose alors) une pièce maîtresse de son dispositif d'investissement du Front populaire. Il s'agit d'organiser des comités ouverts aux « sans-parti » et susceptibles de peser sur le décision gouvernementales. L'organisation adhère au « Rassemblement populaire » et joue un rôle important dans la préparation de la manifestation unitaire du 14 juillet 1935. Elle affirme regrouper, en 1936, 250 000 militants.

La tentative de coordination des comités, baptisés « Paix et liberté », du nom de l'organe du mouvement, se heurte aux limites de la mobilisation des masses. Elle rencontre l'opposition des partenaires socialistes et radicaux du PCF, hostiles aux adhésions individuelles au Front populaire. Après l'échec du « Congrès populaire du Grand Paris » (28 juin 1936), la direction communiste renonce à faire d'Amsterdam-Pleyel le cadre de centralisation de foyers de « double pouvoir » soviétique. La « lutte contre la guerre » s'exprime désormais dans les cadres du Rassemblement universel pour la paix. L'antifascisme trouve dans la guerre civile espagnole un terrain d'intervention à la mesure des déceptions françaises. L'organisation s'étiole. Tenue à bout de bras par le PCF, elle disparaît en 1939 au lendemain du pacte Hitler-Staline. Créée et dirigée par des communistes, elle connut une surreprésentation des intellectuels dans ses instances de direction, sans que ces derniers aient pu peser sur les orientations d'un mouvement organiquement lié à la IIIe Internationale.

Yves Santamaria

■ J. Carre-Prézeau, *Amsterdam-Pleyel (1932-1939). Histoire d'un mouvement de masse*, thèse, Paris VIII, 1993. — Y. Santamaria, *Le Parti communiste français dans la lutte pour la paix (1932-1936)*, thèse, Paris X, 1991. — « Les communistes et la lutte pour la paix », *Communisme*, n° 18-19, 1988.

ANDLER (affaires)

1908-1913

« Nous devons être de libres esprits avant d'être des socialistes », écrivait Charles Andler* au socialiste Eugène Fournière en août 1913. Deux événements illustrent à point nommé les difficultés de cet adage andlérien. Tous deux touchent aux liens complexes que nombre d'intellectuels français, de droite comme de gauche, entretinrent avec l'Allemagne dans l'immédiat avant-guerre. Ils posent aussi les conditions de possibilité de leur rapport toujours difficile avec la politique.

En mai 1908, des attaques portées contre Charles Andler vinrent de la droite. Les journaux nationalistes (*L'Autorité* et *L'Éclair*, les tout premiers) s'en prirent, avec violence et insistance, au « cuistre Andler ». On reprochait au professeur de la Sorbonne, qualifié de « théoricien notable du socialisme », d'avoir entraîné ses étudiants dans un voyage d'études en Allemagne. Ses cours furent alors régulièrement perturbés par des étudiants d'extrême droite. Des élèves venus des lycées Louis-le-Grand et Saint-Louis tentèrent d'organiser des rassemblements au pied de la statue de Strasbourg, place de la Concorde, où le nom d'Andler devait être conspué. À la fin de l'année, le cours du germaniste de la Sorbonne était toujours l'objet d'une surveillance policière. Les autorités redoutaient encore des incidents. La presse hostile était toujours enragée et, au mois de décembre, Andler avait dû compter sur le bruyant soutien d'étudiants de gauche qui s'étaient opposés aux tentatives de jeunes nationalistes à l'intérieur même de l'amphithéâtre où les cours avaient lieu. Le climat s'apaisa au début de l'année suivante.

Quelques années plus tard, en 1913, c'est sur sa gauche que Charles Andler fut attaqué. La responsabilité de l'intellectuel est ici encore en jeu. Une vive polémique l'opposa alors à Jaurès* et aux principaux dirigeants socialistes. Dans un article publié dans une revue radicale, *L'Action nationale* (novembre-décembre 1912), Andler avait dénoncé l'attitude belliqueuse de certains socialistes allemands. L'impression que suscita ce texte était qu'il n'était ni plus ni moins qu'une attaque en règle contre l'ensemble de la social-démocratie allemande, même si Andler avait eu soin de ne citer que quelques noms, parmi lesquels celui de Hildebrand, sa principale cible, qui venait d'ailleurs d'être exclu de la SPD. Le parti allemand était accusé d'hypocrisie et d'autoritarisme, et certaines de ses grandes figures (August Bebel ou Rosa Luxemburg) étaient plus qu'égratignées. Cette philippique fut abondamment reprise par la presse, en particulier par *Le Temps* et, plus encore, par *L'Éclair*, qui, en pleine campagne des « Trois Ans », opposait les « sophismes » de Jaurès à la « droiture » d'Andler. Jaurès, de son côté, répliqua vertement. La polémique prit même un tour dramatique lorsque Jaurès accusa Andler, ancien dreyfusard, d'avoir attribué une fausse citation à Bebel.

Cet épisode blessa profondément Andler, qui prit alors ses distances à l'égard de la SFIO. Il la quitta immédiatement après la guerre. En 1918, Andler regrettait encore « ce litige scolaire démesurément grossi par des colères factices ». On y retrouvera sans doute bien des traits qui marquent les polémiques qui agitent régulièrement la vie intellectuelle en France.

Christophe Prochasson

■ Charles Andler, *Le Socialisme impérialiste dans l'Allemagne contemporaine*, 1913, repris et augmenté dans une deuxième édition de 1918, *Le Socialisme impérialiste dans l'Allemagne contemporaine. Dossier d'une polémique avec J. Jaurès (1912-1913)*, Bossard. — *Correspondance entre Charles Andler et Lucien Herr (1891-1926)* (présentée par A. Blum), Presses de l'École normale supérieure, 1992.
■ E. Tonnelat, *Charles Andler. Sa vie, son œuvre*, Les Belles Lettres, 1937.

ANDLER (Charles)

1866-1933

Né dans une famille aisée d'Alsace qui n'opta pour la France qu'en 1879, Charles Andler est reçu à l'École normale supérieure* en 1884. Après avoir essuyé deux échecs à l'agrégation de philosophie, il est admis à celle d'allemand en 1889. Il franchit ensuite toutes les étapes d'une carrière universitaire classique (maître de conférences à l'École normale, professeur à la Sorbonne puis professeur au Collège de France*) qui en fait l'un des grands maîtres des études allemandes des années 20. Il est l'auteur d'un nombre considérable de travaux consacrés à la civilisation germanique, parmi lesquels se distinguent sa thèse d'État (1897), *Les Origines du socialisme d'État en Allemagne*, et de très imposants volumes sur Nietzsche. Il collabore à de nombreuses revues, parfois sous le pseudonyme de « Théodore Randal » (*Entretiens politiques et littéraires*, *La Revue blanche**, *La Revue de Paris**, *Revue de métaphysique et de morale*, etc.). Il joue en outre un rôle important dans la réorganisation de l'université de Strasbourg après la victoire française de 1918.

Tout en entretenant un rapport complexe avec la vie politique, Andler marque celle de son temps d'une empreinte qui ne laisse pas indifférent. Ami très proche de Lucien Herr*, il adhère avec celui-ci, dès 1890, au Parti ouvrier socialiste révolutionnaire que vient de fonder Jean Allemane. Non marxiste mais très intéressé par la pensée de Marx qu'il étudie avec soin, il peut se rendre en Angleterre en 1891 où il rencontre Engels. En 1901, il publie une nouvelle traduction du *Manifeste communiste* accompagnée d'un long commentaire qui provoque quelques remous dans les milieux du marxisme orthodoxe. Il y conteste l'originalité intellectuelle de Marx qui, selon lui, avait puisé bien des aspects de sa pensée dans la tradition si vivante du socialisme français.

Artisan de l'unité socialiste de 1905, à l'instar de nombreux intellectuels il devient le conseiller très écouté des animateurs de l'École socialiste recréée en 1909. C'est dans son cadre qu'il prononce, le 3 juin 1910, l'une de ses conférences les plus importantes, dans laquelle il définit sa conception éthique et juridique du socialisme *(La Civilisation socialiste)*. À la suite d'une vive polémique sur le danger allemand qui l'oppose à Jaurès et aux dirigeants socialistes français, il quitte la SFIO après la guerre.

Celle-ci est un temps fort de l'engagement civique de ce spécialiste de l'Allemagne. L'attitude de la social-démocratie allemande lors du déclenchement des hostilités semble lui donner raison. Il y trouve de quoi nourrir une hostilité à l'égard de l'Allemagne qui n'a d'égal que son ressentiment à l'endroit d'une civilisation qu'il avait passionnément analysée. Trop âgé pour pouvoir être mobilisé et après avoir proposé ses services d'interprète, il consacre tous ses travaux, à partir de 1915, à l'étude du « mal » : le pangermanisme. On imagine aisément que son socialisme républicain accueille les révolutions russes de 1917 sans sympathie aucune. Fin mai 1917, il adhère à la protestation des quarante députés socialistes qui s'élèvent contre l'organisation de la conférence de Stockholm, qui devait réunir, pour la première fois depuis la guerre, les socialistes des deux camps, et donne quelques articles à *La France libre*, organe des socialistes patriotes. Il est aussi à l'origine d'une Ligue républicaine d'Alsace-Lorraine et publie pendant l'été 1919 une petite revue éphémère, *L'Alsace républicaine*.

Accablé par des deuils répétés, rongé par la tuberculose, Andler s'éteint en mars 1933, quelques semaines après la prise du pouvoir par Hitler.

Christophe Prochasson

■ *Les Origines du socialisme d'État en Allemagne*, Alcan, 1897. — Traduction et préface de Karl Marx et Friedrich Engels, *Le Manifeste communiste*, Société nouvelle de librairie et d'édition, 1901, 2 vol. — *La Civilisation socialiste*, Rivière, 1912. — *Le Pangermanisme philosophique (1888-1914)*, Conard, 1917. — *Le Pessimisme esthétique de Nietzsche. Sa philosophie à l'époque wagnérienne*, Bossard, 1921. — *La Maturité de Nietzsche (jusqu'à sa mort)*, Bossard, 1928. — *La Dernière Philosophie de Nietzsche (le renouvellement de toutes les valeurs)*, Bossard, 1931. — *Correspondance entre Charles Andler et Lucien Herr (1891-1926)* (présentée par A. Blum), Presses de l'École normale supérieure, 1992.

▩ C. Prochasson, « Sur la réception du marxisme en France : le cas Andler (1890-1920) », *Revue de synthèse*, 1, janvier-mars 1989. — E. Tonnelat, *Charles Andler. Sa vie, son œuvre*, Les Belles Lettres, 1937.

ANNÉE 1956 (les chocs de l')

1956 est une année « inoubliable » (Jean Rony, *Trente ans de Parti : un communiste s'interroge*, 1978), qui « n'en garde pas moins le privilège d'avoir de manière fracassante inauguré le processus de décomposition du communisme... » (Annie Kriegel*). Si, à la fin de 1956, on ne peut pas encore imaginer ce qui se clôturera un quart de siècle plus tard, les fêlures sont déjà visibles à l'intérieur du système communiste. Elles se répercutent au sein du PCF, en particulier sur la plaque photosensible qu'est le milieu intellectuel. 1956 achève un cycle entamé dans les années 30 avec la montée des fascismes, les fronts populaires, la Seconde Guerre mondiale dont l'URSS sort avec l'image du bouclier et de l'épée qui ont permis le triomphe sur la barbarie nazie. Les chars soviétiques dans les rues de Budapest en novembre 1956 ternissent, voire effacent, Stalingrad en 1943.

Tout commence avec le XXe congrès du PCUS qui se tient à Moscou du 14 au 25 février, au cours duquel Khrouchtchev expose son rapport secret sur le culte de la personnalité, qui est une violente remise en cause de Staline, mort trois ans plus tôt, le 5 mars 1953. Une délégation française dirigée par Maurice Thorez participe au congrès sans toutefois être conviée à la séance à huis clos où Khrouchtchev prononce son réquisitoire. Les délégués français eurent pourtant connaissance du texte à chaud, même s'ils ne le reconnurent que longtemps plus tard. Georges Cogniot*, un proche de Maurice Thorez — qui, outre les langues anciennes, connaissait le russe —, traduisit le document, ainsi qu'il le rapporte dans le second tome de ses Mémoires, *Parti pris* (1978). Le 9 mars 1956, à un meeting salle Wagram où il rend compte du XXe congrès, Jacques Duclos fait encore applaudir le nom de Staline. Lorsque la presse qualifiée de « bourgeoise », le *New York Times* dès le 17 mars, l'Agence Reuter puis *Le Monde** dans sa version intégrale à partir du 6 juin, publie le texte, le Parti communiste dénonce la machination et la falsification. On parle du rapport « attribué » à Khrouchtchev ou du rapport dit « secret », et le débat au fond est escamoté. On évoque plus volontiers les « erreurs », les « thèses erronées » ou « excessives », que les crimes de Staline. Fin juin, une délégation française composée d'Étienne Fajon, Waldeck-Rochet et Marcel Servin se rend à Moscou où elle rencontre Khrouchtchev. Il sort de l'entrevue un texte très édulcoré en regard du rapport secret, où il apparaît que le culte a eu des effets limités, qu'il s'expliquait par les conditions historiques et qu'il avait été surmonté.

Les discussions entre intellectuels, qui avaient commencé avant le XXe congrès par la publication en janvier du livre de Pierre Hervé (vite exclu) *La Révolution et les fétiches*, sont muselées. Au XIVe congrès du Parti qui se tient au Havre du 19 au 21 juillet, Maurice Thorez avertit les intellectuels que le Parti n'est pas un club de discussion. La direction comprend que le débat sur Staline est aussi une façon de parler de la situation française et du culte de la personnalité du secrétaire général du PCF. Déjà en 1955, des articles de Maurice Thorez sur la paupérisation relative et absolue dans la classe ouvrière française avaient suscité des réserves chez certains économistes communistes (voir Jean Baby, *Critique de base*, 1960). Les polémiques autour de la contraception et le contrôle des naissances vont permettre au Parti de faire diversion, d'allumer des contre-feux devant le rapport Khrouchtchev. Le

23 février, un projet de loi était déposé à l'Assemblée par trois députés progressistes (proches du PCF), dont Emmanuel d'Astier de La Vigerie* qui proposait l'abrogation des articles de la loi de 1920 interdisant et réprimant la contraception. Le journaliste Jacques Derogy enquête sur le sujet pour *Libération* dirigé par le même d'Astier, et ses articles deviennent un livre, *Des enfants malgré tout*, publié par les Éditions de Minuit*. Jeannette Vermeersch, compagne de Maurice Thorez dont elle a eu trois enfants, monte en ligne contre le *birth-control* ainsi qu'elle s'évertue à l'appeler pour mieux en souligner l'origine anglo-saxonne, donc néfaste. En avril et en mai, Maurice Thorez d'abord, Jeannette Vermeersch ensuite interviennent sur le sujet avec beaucoup de force. Celle-ci martèle l'amour des ouvrières pour les têtes blondes : « Le socialisme s'épanouit dans le monde, comme une marguerite au soleil du matin. Demain nous aurons besoin de jeunes forces, manuelles, intellectuelles, pour faire de notre beau pays une nation libre, forte, indépendante, assurant le repos à ses vieillards et le bonheur de ses enfants » (*L'Humanité**, 1er mai 1956). Le milieu des médecins communistes ou sympathisants connaît une effervescence qui durera. Le XIVe congrès condamne le *birth-control*.

L'Algérie et la guerre qui n'en porte pas le nom provoquent aussi des remous au sein d'un Parti communiste resté attaché à la conception jacobine de la nation et sensible à la présence d'une importante communauté française en Algérie. Maurice Thorez écrit le 2 mars dans *L'Humanité* : « L'existence de liens historiques entre la France et l'Algérie est un fait, comme un fait la présence d'un million d'Algériens d'origine française et européenne, dont l'immense majorité n'a rien à voir avec le colonialisme. » Le 12 mars, les 146 députés communistes élus le 2 janvier votent les pouvoirs spéciaux sur l'Algérie au gouvernement Guy Mollet. Un certain nombre d'intellectuels communistes tels que Madeleine Rebérioux*, Jean-Pierre Vernant*, Maxime Rodinson*... se mobilisent contre la guerre d'Algérie et créeront l'année suivante le Comité de défense des libertés. D'autres, parfois en rupture de Parti, se retrouveront en pointe dans le soutien au FLN : Étienne Bolo, Jean-Louis Hurst (auteur en 1960 sous le pseudonyme de « Maurienne » du roman autobiographique *Le Déserteur*, publié par les Éditions de Minuit), l'architecte Anatole Kopp, les avocates Michèle Beauvillard et Claudine Kopp...

La tradition du Parti communiste italien s'ouvre plus volontiers aux débats que le parti français, ce qui en fait un modèle ou plutôt un épouvantail pour les communistes de ce côté-ci des Alpes. Le 16 juin, dans la revue *Nuovi argumenti*, Palmiro Togliatti, secrétaire général du PCI, répondait à neuf questions sur le stalinisme, alors qu'en France on en était encore à discuter sur l'« attribution » du rapport à Khrouchtchev. Le texte est lu à Rome, il est aussi commenté à Paris, et les thèses sur le polycentrisme (plus de centre unique dans le mouvement communiste) commencent à nourrir une tentation italienne que l'on retrouvera pendant d'assez longues années au sein d'une petite frange d'intellectuels communistes français plus sensibles à Antonio Gramsci qu'à Jean Kanapa*.

Les événements de Poznan en Pologne fin juin, avec grèves et manifestations ouvrières réprimées par les chars, en août la réhabilitation de Gomulka puis son retour au pouvoir en octobre, prolongent les interrogations des intellectuels communistes français sur le communisme réel. Octobre-novembre en Hongrie donnent une dimension tragique au débat. La solidarité avec les intellectuels hongrois au cœur de la révolte à Budapest, la condamnation sans appel par le PCF d'un mouvement associé à une contre-révolution, la brutalité de la répression soviétique cristallisent l'indignation de nombreux intellectuels engagés aux côtés du Parti souvent depuis le temps de la Résistance. Le climat anticommuniste à Paris (attaques des sièges du Parti et de *L'Humanité*), l'intervention anglo-française sur la canal de Suez engageront certains à se modérer ou les retiendront de quitter un Parti attaqué de toutes parts, vieux réflexe de solidarité devant une forteresse assiégée. Pourtant, les prises de position individuelles ou collectives (lettres, pétitions) contre l'intervention soviétique et son approbation par le PCF sont nombreuses et vont se traduire par des départs et des exclusions étalés sur les mois et les années qui viennent.

Le 5 novembre, Jean-Paul Sartre*, Vercors*, Claude Roy*, Roger Vailland*, Simone de Beauvoir*, Michel Leiris*, Jacques-Francis Rolland, Jacques Prévert*, Colette Audry*, Jean Cau*, Claude Lanzmann, Laurent Schwartz*, Claude Morgan* signent un manifeste contre l'intervention soviétique, tout en déniant le droit de s'indigner à ceux qui tolèrent les pressions des États-Unis sur l'Amérique latine ou le coup de Suez. Claude Roy (exclu en mars 1957), Roger Vailland (qui ne se rend pas à la convocation), Jacques-Francis Rolland (exclu presque aussitôt), Claude Morgan (bientôt blâmé) sont déférés devant la commission centrale de contrôle politique.

Dix intellectuels ou artistes : Georges Besson, Marcel Cornu, Francis Jourdain*, le docteur Harel, Hélène Parmelin, Pablo Picasso*, Édouard Pignon, Paul Tillard, Henri Wallon*, René Zazzo rédigent une lettre aux membres du comité central que publie *Le Monde* daté du 22 novembre. Ils demandent la convocation d'un congrès extraordinaire, tout en protestant de leur fidélité au Parti. Laurent Casanova leur répond dans *L'Humanité* du 30 novembre et le Parti réussit à obtenir la rétractation d'un certain nombre d'entre eux.

Aimé Césaire*, écrivain et député de la Martinique, démissionne du Parti. Jean-Paul Sartre, Vercors, Gérard Philipe, Yves Montand, Simone Signoret démissionnent de la direction du Mouvement de la paix ou de France-URSS. Jusqu'en 1958, l'onde de choc provoquée par Budapest résonne encore. Claude Morgan ne reprend pas sa carte du Parti, Dominique Desanti* non plus. Henri Lefebvre* quitte le comité de rédaction de *La Nouvelle Critique**, dont sont exclus Annie Kriegel, Victor Leduc, Lucien Sebag, Pierre Méren (Pierre Gaudibert), alors qu'en démissionnent Jean-Toussaint Desanti* et Gérard Vassails. Les mois et les années qui suivent l'automne 1956 connaissent une prolifération de groupes et d'organes oppositionnels à la périphérie du Parti. On voit paraître *L'Étincelle* (n° 1, décembre 1956), en référence à l'*Iskra* de Lénine, qui aspire au « redressement démocratique et révolutionnaire » du Parti. *L'Étincelle*, selon Victor Leduc, diffusera jusqu'à 1 000 exemplaires par la technique de la chaîne et fusionnera avec l'organe trotskiste (PCI) *Tribune de discussion*. On trouve aussi *Unir*, dont l'objectif est de « redresser le parti ouvrier », *La Voie communiste*, l'éphémère *Voies nouvelles* vendu dans les kiosques et dirigé par l'helléniste Louis Gernet.

Ainsi les chocs de l'année 1956 ont-ils été multiples et rudes, en particulier pour la génération d'intellectuels rassemblés autour du Parti par la guerre et la Résistance. En 1956, l'enchantement forgé dans l'Octobre russe, retrempé à Stalingrad et qui avait résisté aux dévoilements successifs, se défait. Désormais, on adhère au Parti avec ou *malgré* le XXe congrès et Budapest. Le doute idéologique succède aux certitudes même si celles-ci se déplacent, se recyclent, se renouvellent autour de Cuba, la Chine, l'Amérique latine... jusqu'en 1968 et dans les années suivantes.

Jean-Pierre A. Bernard

■ J.-P. A. Bernard, « Novembre 1956 à Paris », *Vingtième siècle, revue d'histoire*, 3, avril-juin 1991. — D. Desanti, *Les Staliniens. Une expérience politique (1944-1956)*, Fayard, 1975. — T. Judt, *Un passé imparfait. Les intellectuels en France (1944-1956)*, Fayard, 1992. — A. Kriegel, *Ce que j'ai cru comprendre*, Laffont, 1991. — V. Leduc, *Les Tribulations d'un idéologue*, Syros, 1985. — J. Verdès-Leroux, *Le Réveil des somnambules. Le Parti communiste, les intellectuels et la culture (1956-1985)*, Fayard / Minuit, 1987.

ANOUILH (Jean)

1910-1987

À la mort de Jean Anouilh, on a pu écrire que son œuvre était marquée par un « désespoir étincelant » (B. Poirot-Delpech, *Le Monde*, 6 octobre 1987). Si l'œuvre, souvent éreintée par la critique, était désespérée, elle a néanmoins rencontré un auditoire large, essentiellement bourgeois, conservateur et fidèle ; Anouilh lui livra en un demi-siècle, avec une régularité proche du métronome, une cinquantaine de pièces d'inégale valeur.

Jean Anouilh est né à Bordeaux le 23 juin 1910 d'un père tailleur et d'une mère violoniste. Après le baccalauréat il entame des études de droit, vite interrompues. Il abandonne son premier emploi dans la publicité, où il acquiert peut-être le goût de la formule choc, pour devenir le secrétaire de Jouvet ; avec qui il ne s'entend pas et qu'il quitta bientôt pour le service militaire. En 1932, sa première pièce jouée, *L'Hermine*, est un succès. Il décide alors de se consacrer au théâtre. Rapidement il est porté à la scène par de grands (ou futurs grands) noms : Georges Pitoëff (membre du Cartel, *Le Voyageur sans bagage*, 1937 ; *La Sauvage*, 1938), puis André Barsacq (scénographe de Copeau* et héritier du Cartel) qui reste durant quinze ans son metteur en scène attitré, et plus tard Jean-Louis Barrault. Giraudoux avait été pour le jeune Anouilh la révélation d'un style *(Siegfried)*, Pitoëff et Barsacq furent la révélation de l'espace scénique.

Sous l'Occupation, il s'impose par ses nouvelles pièces : *Le Rendez-vous de Senlis*, 1941 ; *Eurydice*, 1942 ; et surtout *Antigone*, 1944. Peu marqué politiquement, il accorde néanmoins des articles « non politiques » à la presse collaborationniste et publie son théâtre chez Balzac, c'est-à-dire les Éditions Calmann-Lévy* « aryanisées ». Le « choc » vient à la Libération avec l'épuration. Ayant à rendre des comptes sur ses articles, il est profondément ébranlé par la condamnation à mort de Brasillach*. Il nomme « le jeune homme bonheur » ou « l'enfant nu d'un matin de février » celui qui avait dirigé l'hebdomadaire fasciste *Je suis partout** dans sa période la plus noire. Il collecte des signatures pour obtenir sa grâce et, de cette expérience militante, garde le souvenir qu'elle lui fit franchir, à trente-cinq ans, le pas qui sépare l'adolescence de l'âge adulte. Ce que n'avaient apparemment pas fait la rafle du Vel' d'hiv, les « sections spéciales » de Vichy, ni les exécutions d'otages par les nazis.

Dès lors, l'anarchiste de droite ressasse sa rancœur contre « les épurateurs » ainsi que le thème de la collaboration, ce qui sur scène donne *Pauvre Bitos*, *La Foire d'empoigne*, *L'Alouette*, *Becket*, ou encore *Les Poissons rouges*. Issu d'un théâtre « littéraire », Anouilh, après 1945, emprunte des « recettes » au boulevard, tout en effleurant des sujets dits sérieux. Influencé par de grands auteurs (Molière, Marivaux, Pirandello), il mania ces recettes avec un métier consommé (on parla de virtuosité dans le genre). Il mit pourtant en scène le surréaliste Roger Vitrac (*Victor*, 1962) et soutint « l'absurde » Ionesco* (*Les Chaises*). Émigré en Suisse depuis déjà de nombreuses saisons théâtrales, il y mourut en octobre 1987.

Serge Added

■ Aux Éditions de la Table ronde : *Pièces grinçantes*, 1956. — *Pièces brillantes*, 1957. — *Pièces noires*, 1958. — *Pièces roses*, 1960. — *Pièces costumées*, 1960. — *Nouvelles pièces grinçantes*, 1970. — *Pièces baroques*, 1974. — *Pièces secrètes*, 1977. — *Pièces farceuses*, 1984.

▒ P. Ory, *L'Anarchisme de droite*, Grasset, 1985. — *Les Critiques de notre temps et Anouilh*, Garnier, 1977.

ANTELME (Robert)

1917-1990

Certains intellectuels exercent une influence d'autant plus considérable qu'ils semblent s'être retirés du monde. Tel est le cas de Robert Antelme dont le respect dans lequel il est unanimement tenu n'est assis que sur un seul livre, mais fondamental, relatant son expérience concentrationnaire, *L'Espèce humaine*.

Né en 1917 à Sartène, en Corse-du-Sud, dans une famille méridionale et bourgeoise — son père fut sous-préfet —, il fait ses études de droit à Paris, avant d'effectuer son service militaire de 1937 à 1939. Il rencontre la même année celle qui prendrait bientôt le nom de Marguerite Duras* et l'épouse avant d'être mobilisé en 1940. C'est avec elle qu'il s'engage en 1943 dans la Résistance, en adhérant au réseau de François Mitterrand, le Mouvement national des prisonniers de guerre (MNPDG). Il est arrêté en juin 1944 par la Gestapo et enfermé à Fresnes, puis déporté à Buchenwald. En mai 1945, il est miraculeusement découvert à Dachau par Mitterrand en mission officielle. Ses amis Dionys Mascolo* et Georges Beauchamp organisent alors une expédition à moitié légale pour le faire sortir du camp en quarantaine. À Paris, Robert Antelme se remet difficilement de son épreuve puis bientôt commence la rédaction de son récit. Celui-ci décrit la vie des camps avec une précision et une humanité qui en font, en même temps qu'un témoignage inestimable, un texte essentiel qui, selon l'expression de Perec*, « définit la vérité de la littérature et la vérité du monde ». Publié en 1947 aux éphémères Éditions de la Cité universelle fondées par Duras (d'avec qui il a divorcé l'année précédente), Mascolo et lui-même, puis repris en 1957 chez Gallimard*, et périodiquement réédité, *L'Espèce humaine* a connu une fortune critique remarquable : Maurice Blanchot*, Georges Perec ou Sarah Kofman, tous se sont attachés à commenter la volonté de Robert Antelme à voir par-delà l'horreur ou la cruauté l'unité de l'espèce humaine — indivisible et indestructible, quoique menacée.

En 1946, il adhère, à la suite de Duras, au Parti communiste, dont il sera, entre 1948 et 1950, un permanent. Mais surtout il est l'un des piliers du petit groupe informel de la rue Saint-Benoît rassemblant Duras, Mascolo, Edgar Morin*, Elio Vittorini, Claude Roy*, et Georges Bataille* parfois. Assez peu orthodoxes dans leur réflexion, les membres du « GEM », Groupe d'études marxistes, sont successivement exclus du Parti communiste — au début de 1950, pour Robert Antelme. L'année suivante, il entre à la radio comme critique des émissions littéraires, et chez Gallimard, où il restera plus de trente années, comme lecteur-correcteur de l'Encyclopédie de la Pléiade, dirigée par Raymond Queneau*. En 1958, il participe, avec Mascolo et Duras, à la fondation du Comité des intellectuels contre la poursuite de la guerre d'Algérie, qui regroupe des personnalités aussi diverses que Mauriac* et Roger Martin du Gard*. Il est de l'aventure, la même année, de la brève revue *Quatorze Juillet* à laquelle participe Louis-René des Forêts, un ami proche, et Maurice Blanchot, avec qui il restera très lié. C'est dans cette mouvance qu'est rédigée la Déclaration sur le droit à l'insoumission, bientôt connue sous le nom de « Manifeste des 121 »* et dont il est signataire. En 1968, il participe également au Comité étudiants-écrivains, et donne, anonymement comme il est de règle dans cette revue, des articles à *Comité*. En 1983, il est victime, au cours d'une opération, d'une attaque cérébrale qui atteint la mémoire antérograde et meurt le 26 octobre 1990.

Florent Brayard

■ *L'Espèce humaine*, Gallimard, 1957.

▒ M. Blanchot, *L'Entretien infini*, Gallimard, 1969. — D. Mascolo, *Autour d'un effort de mémoire*, Nadeau, 1987. — « Robert Antelme. Présence de *L'Espèce humaine* », *Lignes*, n° 21, janvier 1994.

APOLLINAIRE (Guillaume) [Wilhelm Apollinaris de Kostrowitzky]

1880-1918

Dès son entrée dans la vie, Apollinaire a été marqué par le cosmopolitisme. Né à Rome d'une mère polonaise et d'un père probablement italien, il vécut d'abord en Italie avant d'habiter la Côte d'Azur, Monaco puis Paris à partir de 1899. De là, il effectua plusieurs voyages qui le conduisirent successivement dans les Ardennes belges, surtout en Allemagne (comme précepteur) et en Europe centrale en 1901-1902. Pour des raisons sentimentales, il se rendra à Londres en 1903 et 1904. Son inspiration et ses amitiés porteront la marque de cette ouverture au monde.

Ses activités parisiennes confèrent à sa personnalité un deuxième trait fondamental : le goût pour les avant-gardes. Tout en occupant un emploi dans une banque, il collabore à *La Revue blanche**, à *La Plume*, au *Mercure de France**. Il fonde lui-même, en novembre 1903, un éphémère périodique, *Le Festin d'Ésope*. Il participe également à *La Phalange*, aux *Marges*, à *Vers et prose* et, au début de

1912, aux *Soirées de Paris*. À partir de 1910, il tient une critique d'art à *L'Intransigeant*. Dès le tournant du siècle, sa curiosité le pousse vers les artistes les plus novateurs, qu'il contribue largement à faire connaître. Il noue des relations très suivies avec les peintres du Bateau-Lavoir*, Derain, Vlaminck, Picasso* ; plus tard, il se liera aux Delaunay.

Engagé volontaire en 1914, il exprime dans sa correspondance et dans ses vers la joie du « métier de soldat ». Il est nommé sous-lieutenant en novembre 1915, quelques semaines avant sa naturalisation française. À la fin de la guerre, où il sera blessé et trépané, et à laquelle il ne survivra pas (il meurt le 9 novembre 1918 de la grippe infectieuse qui ravage Paris), il apparaît comme une espèce de mage pour les jeunes poètes (comme Breton*).

Ce rôle d'éclaireur de l'avant-garde artistique et littéraire lui était reconnu hors de France dès avant le conflit, par les futuristes italiens et par le groupe berlinois de « Der Sturm ». La notoriété d'Apollinaire repose surtout sur sa production poétique (*Alcools*, 1913 ; *Calligrammes*, 1918 ; *Il y a*, 1925…), où il a témoigné d'une grande virtuosité dans le maniement du vers, tant orthodoxe que libre, où il a introduit des innovations comme la suppression de la ponctuation, le « poème-conversation », les « calligrammes ». Mais il a laissé aussi un « drame surréaliste », *Les Mamelles de Tirésias* (1917), des contes et des romans, dont *Les Onze Mille Verges*, des compilations versées par exemple dans les notices (en collaboration) de *L'Enfer de la Bibliothèque nationale*, une œuvre critique issue de la collaboration aux revues citées. En particulier, ses chroniques d'art mettent en évidence son aptitude à discerner les formes d'avenir.

Apollinaire n'avait rien d'un auteur engagé et n'a jamais pris une part significative aux luttes politiques de son temps. Dépourvu de dogmatisme, loin d'être indifférent aux héritages, il apparaît comme un médiateur capital des nouveaux courants esthétiques du tournant du siècle.

Géraldi Leroy

■ *Œuvres poétiques*, Gallimard, « Pléiade », 1956 et 1990. — *Œuvres en prose complètes*, Gallimard, « Pléiade », 1977-1993, 3 vol.

▒ P.-M. Adéma, *Apollinaire*, La Table ronde, 1968. — C. Debon, *Apollinaire après « Alcools »*, Minard, 1981.

« Apostrophes » : voir **Télévision** (émissions littéraires)

Aragon (Louis)

1897-1982

Écrivain célébré, Aragon ne connaît pas comme intellectuel communiste la même fortune, en raison d'une fidélité de plus de cinquante ans, à un parti aligné sur l'URSS.

Louis Aragon est le fils naturel de Louis Andrieux (celui-ci joua un rôle dans la liquidation de la Commune à Lyon en 1871, fut préfet de police de Paris en 1880, puis député des Basses-Alpes) et de Marguerite Toucas (dont la famille maternelle descend de Massillon). Il ne connaîtra le secret de sa naissance qu'à vingt ans, avant de partir pour la guerre, sa mère s'étant fait passer jusque-là pour sa sœur aînée. Étudiant en médecine, il est mobilisé en 1917 dans les services de santé, termine ses études au Val-de-Grâce ; il est envoyé au front en Champagne comme médecin auxiliaire des armées et est décoré de la Croix de guerre. Avec ses amis Breton* et Soupault*, il fonde en 1919 la revue *Littérature*, qui s'ouvre à l'influence du mouvement Dada en 1920. Aragon participe au « procès » contre Barrès*, le maître de sa jeunesse, pour « crime contre l'esprit » (mai 1921). Il effectue avec Breton une démarche sans lendemain auprès du nouveau parti communiste (SFIC) en 1921. Dès cette date, il est publié aux Éditions de la NRF. Avec Breton, il rompt avec l'esprit Dada et se trouve aux origines de l'aventure surréaliste en 1924. Il est présent à toutes les étapes qui marquent le rapprochement avec le Parti communiste. Il aime la provocation, comme en témoigne sa participation au pamphlet lancé par les surréalistes après la mort d'Anatole France* en octobre 1924 ou sa polémique avec Jean Bernier de la revue communiste *Clarté** sur « Moscou-la-gâteuse ». Il s'associe à la protestation d'Henri Barbusse* contre la guerre du Rif* à l'été 1925 et signe le manifeste des jeunes avant-gardes, « La Révolution d'abord et toujours », qui scelle le ralliement des surréalistes à la révolution sociale. En janvier 1927, il est le premier des cinq membres du groupe surréaliste à adhérer au Parti communiste (avec Breton, Éluard*, Péret*, Unik).

Fin 1928, il rencontre Elsa Triolet*, qui va partager sa vie et dont l'influence sera déterminante dans sa rupture avec le surréalisme. À l'automne 1930, emmené par Elsa en URSS pour lui faire rencontrer sa sœur Lili Brik, la dernière compagne de Maïakovski, il est invité à assister à la Conférence des écrivains révolutionnaires de Kharkov, en même temps que Georges Sadoul*. Le groupe surréaliste ignore qu'Aragon et Sadoul ont signé une autocritique et désavoué ce qui, dans le *Second Manifeste du surréalisme* de 1929, est en contradiction avec le matérialisme dialectique. À son retour, Aragon publie « Front rouge », écrit à Moscou, qui provoque son inculpation pour provocation au meurtre en janvier 1932, et il est défendu par Breton dans *Misère de la poésie* au nom de la liberté d'expression ; Aragon choisit finalement la nouvelle vie qui s'ouvre à lui en rompant avec le groupe surréaliste.

Il fait l'expérience du journalisme militant, à Moscou, à l'édition française de *Littérature internationale*, du printemps 1932 au printemps 1933, puis à *L'Humanité**, d'avril 1933 à mai 1934. À la faveur du mouvement de front unique antifasciste, il trouve, avec l'appui de Maurice Thorez, une place dans la politique intellectuelle du Parti.

Secrétaire de rédaction de la revue de l'Association des écrivains et artistes révolutionnaires*, *Commune**, lancée en juillet 1933, il en assume seul la direction à partir de l'automne 1937. Il est un des organisateurs communistes les plus actifs du Congrès international des écrivains pour la défense de la culture*, réuni à Paris en juin 1935. Il se fait le défenseur d'un « réalisme social » à la française, dont il donne une illustration dans *Les Cloches de Bâle* (1934) et *Les Beaux Quartiers* (1936). En de nombreux textes, il exalte l'expérience soviétique et la politique stalinienne ; pourtant, il est au courant, dès 1938, de la répression qui frappe les intellectuels. Directeur du quotidien *Ce soir* lancé par le Parti en mars 1937, il y prend la défense du pacte germano-soviétique du 23 août 1939 jusqu'à l'interdiction du journal. Mobilisé en 1939 comme médecin auxiliaire, Aragon retrouve Elsa après sa démobilisation ; le couple se réfugie à Nice. En 1941, il a des contacts avec Jacques Decour* et le Parti. En mars 1942, il compose la brochure clandestine *Le Crime contre l'esprit*, à partir de documents sur les fusillés de Châteaubriant. Replié dans la Drôme en 1943, il participe au Front national des écrivains, écrit dans *Les Lettres françaises** clandestines, joue un rôle avec Elsa dans la création du Comité national des écrivains* en zone Sud ; en 1944, tous deux fondent *Les Étoiles*. Jusqu'en 1943, les poèmes « patriotiques » d'Aragon, dont le fameux « La rose et le réséda », ont paru sous son nom ; à la fin 1944, Aragon réunit les poèmes de la Résistance dans *La Diane française*.

À la Libération, auréolé de son prestige de poète national, il occupe des fonctions lui permettant d'assurer l'hégémonie communiste sur les organisations issues de la Résistance : Union nationale des intellectuels (UNI), Comité national des écrivains (CNE), dont il est secrétaire général. Avec Elsa Triolet, il exerce un magistère de fait sur le CNE, dont il devient officiellement président en 1957. Il s'y fait le défenseur d'une épuration sévère. Son influence est prépondérante aux *Lettres françaises*, qu'il dirige en fait à partir de 1948. Durant la période de Guerre froide*, il défend les thèses du Parti dans l'affaire Lyssenko en 1948, se fait le propagandiste du « réalisme socialiste », tout en limitant les conséquences extrême du jdanovisme, consacrant la montée puis la chute du peintre Fougeron*. Avec la mobilisation des *Communistes* (1949-1951), il tente de traduire la « continuité nationale » du Parti en 1939-1940 (il en réécrira une seconde version en 1967). Bien que faisant figure d'écrivain officiel, il se heurte au sectarisme ouvriériste d'un Lecœur ; il doit faire son autocritique après la publication d'un portrait controversé de Staline par Picasso* dans le numéro d'hommage des *Lettres françaises* du 12 mars 1953. Il faut attendre les lendemains du XXe congrès du PCUS pour qu'Aragon fasse état, dans les poèmes du *Roman inachevé* (1956), de ses déchirements face à la terreur stalinienne. Mais, à l'automne 1956, il empêche que l'on blâme au CNE l'intervention soviétique en Hongrie. Membre suppléant du comité central depuis 1950, il en devient membre titulaire en 1961.

En 1959-1960, il appuie les tentatives de Laurent Casanova gagné aux thèses de Khrouchtchev sur la déstalinisation. Son action dans le Parti s'exerce dans le sens d'une « libéralisation », et son rôle est déterminant dans la rédaction de la résolution sur les problèmes idéologiques et culturels présentée au comité central d'Argenteuil en mars 1966. Il entraîne le Parti dans la dénonciation de la condamnation à Moscou de Siniavski et Daniel (16 janvier 1966). Avec l'aide de Pierre Daix*, il appuie l'œuvre du Printemps de Prague* dans *Les Lettres françaises* ; après l'entrée des troupes du pacte de Varsovie à Prague, le 21 août 1968, il publie dans l'hebdomadaire la protestation du CNE. Il s'engage à fond contre la « normalisation », au moment où celle-ci est acceptée par le PCF, en retrait par rapport à sa protestation du 22 août ; il préface l'édition française de *La Plaisanterie* de Milan Kundera*. L'attitude des *Lettres françaises* lui vaut la résiliation de ses abonnements en provenance de l'Est. L'hebdomadaire survit trois ans ; Aragon publie, dans le dernier numéro (11 octobre 1972), « La valse des adieux », dont on retient habituellement les paroles sur sa vie « gâchée de fond en comble ». Aragon se retire alors de la politique, restant cependant fidèle au Parti et à l'URSS ; il accepte la médaille de la révolution d'Octobre pour ses soixante-quinze ans. Il se consacre à l'édition de son *Œuvre poétique* complète qui paraît depuis 1974 et meurt à l'âge de quatre-vingt-cinq ans.

Nicole Racine

■ *Œuvres romanesques croisées d'Elsa Triolet et d'Aragon*, Laffont, 1967-1971, 42 vol. — *Œuvre poétique (1917-1979)*, Livre-Club Diderot, 1974-1981, 15 vol., rééd. 1989-1990.

▒ P. Daix, *Aragon. Une vie à changer*, Seuil 1975, rééd. Flammarion, 1994. — R. Garaudy, *L'Itinéraire d'Aragon*, Gallimard, 1961. — N. Racine, « Louis Aragon », in *DBMOF*.

ARCHE (L')

En 1950 est fondé le Fonds social juif unifié, qui regroupe les « œuvres » caritatives, éducatives ou culturelles, des communautés juives de France, dans l'esprit d'unification entre familles spirituelles et géographiques qui caractérise depuis le génocide la judéité française. Le FSJU, plus proche du terrain que le CRIF, éprouve le besoin naturel de s'adresser directement à un public juif francophone : d'où la publication de FSJU, modeste bulletin mensuel destiné principalement aux « cadres ». Les choses changent considérablement en 1957, avec la fondation d'un véritable magazine mensuel, qui portera le titre hautement symbolique de *L'Arche*. Il s'agit en effet d'un symbole indiscutable du judaïsme traditionnel (« l'Arche d'Alliance »), très acceptable par ses résonances modernes pour les juifs agnostiques qui ne sont pas la moindre « cible » du nouveau périodique. Les deux animateurs de ce dernier sont Michel Salomon et Jacques Sabbath, journalistes véritables et non simples voix ou plumes des institutions communautaires. À plusieurs reprises (1966, 1980, 1993), *L'Arche* sera amenée à changer de format et de formule, elle aura des directeurs prestigieux (Adam Loss, en particulier), mais elle maintiendra une certaine volonté d'ouverture sur la communauté française, qui la mettra parfois en porte à faux, surtout après la date cruciale de 1967, par rapport à une certaine tendance au repli, au judéocentrisme, au soutien inconditionnel des dirigeants israéliens. Non pas qu'elle ait toujours résisté à ces tentations ; mais le fait même qu'elle soit liée à des notables la plupart du temps fort pondérés la mettait à l'abri des dérives les plus spectaculaires.

Une règle d'or non écrite, mais semble-t-il fort prégnante, veut que nul intellectuel juif qui n'ait été consacré sur la scène nationale n'écrive dans le périodique de la rue Georges-Berger. Sage précaution peut-être si l'on songe à la soif de notoriété existant dans les innombrables mini-groupes et conventicules de toutes sortes qui se disputent l'honneur de représenter le monde franco-juif, mais aussi peut-être frein à un véritable pluralisme, les « médiatiques » exerçant un monopole de fait. Il n'en a pas toujours été ainsi dans *L'Arche*, lorsque par exemple des bohèmes peu connus en dehors de Montparnasse et des cercles nostalgiques du Yiddishland, comme

Arnold Mandel, régnaient sur la rubrique littéraire et qu'Emmanuel Levinas* n'avait pas acquis la renommée universelle qui est la sienne aujourd'hui. D'autre part, fait rare en son genre, ce périodique juif a toujours eu, comme son prolongement radiophonique (depuis 1981) « Radio-Communauté », des collaborateurs non juifs. Il semble qu'il y ait aussi une proportion appréciable de lecteurs qui soient dans ce cas...

Dans les années 90, le tournant semble pris pour une formule qui tienne plus du magazine de luxe, de la quasi-revue, en tenant compte certainement de la nouvelle donne dans la judéité française, où à un activisme populiste, insistant sur les dimensions strictement fidéistes et nationalitaires de l'existence juive, répond de la part de beaucoup d'intellectuels juifs, même croyants, une réaction dans le sens d'un retour à des valeurs universalistes un temps quelque peu suspectes à leurs propres yeux. *L'Arche* reste bien le miroir d'une « communauté » qui est en fait un agrégat de milieux hétérogènes, que lient seulement le souvenir de la « Shoah » et une fidélité à Israël qui sera de moins en moins unificatrice dans l'avenir.

Daniel Lindenberg

ARCHIPEL DU GOULAG (L')

1974

On savait à Moscou depuis plusieurs années qu'Alexandre Soljenitsyne avait terminé une grande histoire du système concentrationnaire soviétique. Contrairement aux autres œuvres du récent prix Nobel, *L'Archipel du Goulag* était tenu secret et ne circulait pas clandestinement en Union soviétique pour protéger les témoins qui avaient participé à son élaboration. À la recherche du manuscrit depuis plus de deux ans, le KGB s'en empare le 3 septembre 1973 lors d'une perquisition. Soljenitsyne lève alors l'interdiction de publication faite à son éditeur occidental qui met immédiatement le livre sous presse. Fin décembre 1973, *L'Archipel du Goulag* paraît en langue russe à Paris et ouvre « l'extraordinaire année 1974 » (P. Robrieux).

À la recherche du mal concentrationnaire soviétique, Soljenitsyne se fait historien plus que romancier. Dans les décombres de la révolution, il cherche les signes annonciateurs du grand enfermement stalinien. Sa conclusion est claire. Textes législatifs en main, il montre dans l'*Archipel* que les camps de concentration apparaissent en Union soviétique dès 1918, non pas à l'insu de Lénine, mais par sa volonté.

Avant même la publication de la version française que préparent les Éditions du Seuil*, la polémique autour du livre se développe, nourrie par l'offensive du PCF sur le thème : « La lutte contre l'antisoviétisme est l'affaire de tous ». *L'Humanité** s'attaque à Soljenitsyne, « l'homme au couteau entre les dents, nouvelle manière », lui reprochant abusivement son soutien au traître Vlassov et son intention de nuire à l'Union soviétique en revenant sur des faits déjà condamnés par le XXe congrès. C'est cette interprétation que le socialiste Gilles Martinet dénonce avec vigueur à la télévision française. Pour lui, l'attitude du Parti communiste est « mauvaise et rappelant un mauvais passé ». S'exprime-t-il alors en tant que délégué général du Parti socialiste pour les questions idéologiques ou comme collaborateur du *Nouvel Observateur** ? Dans le doute, les communistes engagent la bataille sur les deux fronts. L'hebdomadaire de Jean Daniel* est d'abord pris pour cible : les collaborateurs du *Nouvel Observateur* sont déclarés *persona non grata* aux réunions communistes pendant que *L'Humanité* accuse Jean Daniel de vouloir diviser « les forces de progrès » et de porter atteinte à l'Union de la gauche. C'est l'ouverture du second front destiné à faire comprendre au Parti socialiste qu'il doit donner des gages de solidarité avec l'Union soviétique s'il veut continuer sa collaboration avec le PC. Très vite, les socialistes comprennent l'avertissement. Ils font savoir que les déclarations de Gilles Martinet n'engagent que lui et non le Parti socialiste. Pris d'inertie, le PC reste sourd aux explications venues de son partenaire d'Union de la gauche. L'affaire atteint alors des proportions telles que François Mitterrand est lui-même contraint d'intervenir pour tenter de mettre un terme à la crise. Il « s'étonne du coup de sang qui a donné la fièvre au PCF », en rappelant qu'il n'a pas « d'engagement particulier » avec *Le Nouvel Observateur*, qu'il désavoue en précisant que le journal de Jean Daniel est capable « d'infléchir ses analyses pour peu qu'on prît la peine de compléter son information » et qu'il « n'est pas juste de reprocher à Georges Marchais un relent de stalinisme ». C'est également pour le premier secrétaire l'occasion de prendre ses distances avec Soljenitsyne en montrant « que le plus important n'est pas ce que dit Soljenitsyne, mais qu'il puisse le dire ».

Malgré sa clarté, la mise au point de François Mitterrand ne met pas fin à l'offensive du parti de Georges Marchais. Il faut attendre avril et la mort du président Pompidou pour voir les communistes suspendre leurs attaques contre Soljenitsyne et reprendre leur stratégie d'union. Cette brutale mise entre parenthèses des attaques contre Soljenitsyne montre que, contrairement aux apparences, le PC a choisi de privilégier l'Union de la gauche à la défense de l'Union soviétique. La volte-face du PCF prouve que l'exploitation de l'affaire Soljenitsyne n'était qu'une stratégie de court terme. Elle avait essentiellement deux objectifs : obtenir du Parti socialiste un geste de solidarité envers l'Union soviétique et payer d'un tribut uniquement symbolique l'autorisation de continuer leur stratégie d'union notoirement réprouvée par Moscou.

Il semble que ce soit une série de coïncidences qui ait provoqué l'échec de ce plan. D'abord, la mort prématurée du président Pompidou a obligé le PCF à interrompre sa campagne avant terme et à dévoiler sa stratégie. Ensuite, les craintes de Moscou de voir l'Union de la gauche triompher aux élections étaient plus fortes que prévu, comme l'atteste le soutien renouvelé des Russes au candidat Giscard d'Estaing en pleine campagne électorale. Enfin, le PCF n'avait pas pensé que *L'Archipel du Goulag* serait suivi, en 1975 et 1976, de deux autres volumes qui allaient placer la question des libertés en Union soviétique sur le devant de la scène publique pendant plus de trois ans.

L'affaire Soljenitsyne est donc la chronique d'un échec pour le Parti communiste. Elle a contribué à élargir durablement le différend avec le Parti socialiste sans pour autant susciter de la part de Moscou des concessions sur la stratégie d'union. Plus grave, la crise a accéléré l'effritement de l'idéologie du PCF. Les acrobaties intellectuelles de Louis Althusser* et de Jean Elleinstein* seront de peu d'utilité à un parti privé de la caution de ses grands intellectuels. Menacé sur sa « droite » par la force d'attraction des socialistes, le PC tend la main aux gauchistes au moment où ils disparaissent, entraînés par les nouveaux penseurs de la gauche, comme André Glucksmann*, qui rejettent en bloc léninisme, maoïsme et marxisme. Les communistes sortent de cette crise idéologiquement éteints et politiquement disqualifiés par le soutien qu'ils ont accordé aux régimes « mangeurs d'hommes ».

Laurent Blime

■ Alexandre Soljenitsyne, *L'Archipel du Goulag*, Seuil, 1974.
▒ A. Glucksmann, *La Cuisinière et le mangeur d'hommes*, Seuil, 1975. — C. Lefort, *Un homme en trop*, Seuil, 1976. — P. Robrieux, *Histoire intérieure du Parti communiste*, t. 3, Fayard, 1987.

ARGUMENTS

C'est grâce à Franco Fortini, militant socialiste italien et fondateur de la revue *Ragionamenti*, qui a pour principe de publier ce qui ne peut pas l'être dans la presse de la gauche officielle, qu'Edgar Morin* peut avoir accès, tôt dans l'année 1956*, au rapport Khrouchtchev que l'on ne trouve pas encore en France. Au mois de décembre, accompagné de Colette Audry*, de Roland Barthes* et de Jean Duvignaud*, il dépose auprès des libraires parisiens la première livraison d'un périodique de 32 pages, intitulé *Arguments*, et inspiré de *Ragionamenti*. *Arguments* se présente comme « un bulletin de recherches, de discussions et de mises au point ouvert à tous ceux qui se placent dans une perspective à la fois scientifique et socialiste », qui « prend tout son sens à l'heure où l'éclatement du stalinisme incite chacun à reposer les problèmes et à rouvrir les perspectives ». Après une décennie de mainmise idéologique du Parti communiste sur les intellectuels, une brèche libère les esprits. Edgar Morin et ses trois compagnons s'y engouffrent, rejoints bientôt par Kostas Axelos, François Fejtö* et Pierre Fougeyrollas.

E. Morin, K. Axelos et J. Duvignaud, les trois piliers de la revue, ont en commun une même trajectoire, celle de la génération des communistes de guerre, et d'être, ensemble, revenus du stalinisme dès la fin des années 40. Ils n'ont pas pour autant abandonné la référence à l'idée communiste. *Arguments* n'est pas une revue militante, n'a aucune plate-forme, encore moins de programme, même si elle s'inscrit dans un projet politique global : réviser les théories politiques et chercher un au-delà du marxisme. Ses membres n'ont qu'une doctrine : ne plus en avoir et se livrer à l'exercice de la pensée et du questionnement ; ce qu'ils font sur tous les sujets que leur élaboration personnelle ou l'actualité leur suggère. La question politique garde toutefois, jusqu'en 1960, une place centrale dans leurs débats. Ils se préoccupent des pays de l'Est, du tiers monde, de la guerre d'Algérie, de la prise du pouvoir par de Gaulle et s'interrogent sur la bureaucratie et la nouvelle classe ouvrière. Mais aussi l'équipe rit, mange, et vit. Si ses membres, tous bénévoles, se retrouvent le lundi après-midi, dans un bureau des Éditions de Minuit*, qui financent la fabrication de la revue et sa distribution en province, l'essentiel se passe le soir dans les appartements d'E. Morin, de J. Duvignaud et de K. Axelos. Là, on ne fait pas la différence entre amitié et collaboration intellectuelle. La critique permanente est de rigueur, que l'on pratique avec jubilation, à table comme dans les articles de la revue. Les réunions d'*Arguments*, comme ses colonnes, sont largement ouvertes : la famille s'élargit à Serge Mallet*, Georges Balandier*, Georges Lapassade*, Lucien Goldmann*, Albert Memmi, Alain Touraine*, Georges Perec*, Pierre Naville* et quelques autres. La diffusion se stabilise autour de 5 000 exemplaires, dont 1 500 abonnements. La revue, de par ses prises de position sur l'Algérie, de par son lien avec les Éditions de Minuit, bénéficie du soutien d'un réseau de fidèles. À ceux-ci elle apporte, outre une réflexion libre et un exercice de critique radicale, des textes inédits de l'étranger : de T.W. Adorno de l'école de Francfort, de G. Lukács, de L. Kolakowski, de H. Marcuse ou de M. Heidegger.

Au fil des numéros, le propos de la revue évolue. De la révision du marxisme, on est passé, en 1960, à la révision généralisée, qui n'est pas une nouvelle doctrine, mais l'affirmation d'une méthode de pensée. Tout est désormais matière à questions : l'amour, les difficultés du bien-être, les intellectuels, l'art, la psychanalyse, l'anthropologie. Ce faisant, les intellectuels d'*Arguments* se sentent perdre pied avec le réel. À l'Université, le structuralisme tient le haut du pavé, le marxisme se referme autour d'Althusser*, tandis que les aspirations révolutionnaires se concentrent dans le soutien au FLN. Aux yeux des membres de la revue, ces tendances ne sont qu'autant de nouveaux endoctrinements et le signe d'un regel idéologique. Plusieurs d'entre eux décident alors d'aller chercher un renouveau de leur pensée et de leur expérience hors de l'hexagone : J. Duvignaud en Tunisie, E. Morin en Amérique latine, P. Fougeyrollas à Dakar. L'heure des trajectoires individuelles a sonné et *Arguments* ne suscite plus en eux le même enthousiasme. Le souffle ne passe plus. Ils tirent ensemble le bilan de leur dispersion et sabordent la revue fin 1962.

Sandrine Treiner

■ *Arguments (1956-1962)* (édition intégrale), t. I : n° 1 à 17, t. 2 : n° 18 à 28, Toulouse, Privat, 1983.

■ G. Delannoi, « *Arguments* (1956-1962) ou la parenthèse de l'ouverture », *Revue française de science politique*, 34, n° 1, février 1984. — M. Padova, « Testimonianze su *Arguments* » (entretiens en français avec R. Barthes, F. Châtelet, J. Duvignaud, F. Fejtö, P. Fougeyrollas, D. Mascolo, E. Morin), *Studi Francesi*, 73, Gennaio-Aprile 1981. — S. Treiner, *La Revue « Arguments » (1956-1962). Un lieu de rencontre d'itinéraires intellectuels et politiques*, mémoire, IEP, 1987. — « *Arguments*, 30 ans après » (entretiens avec K. Axelos, O. Corpet, J. Duvignaud, F. Fejtö, F. Fortini, P. Fougeyrollas et E. Morin), *La Revue des revues*, 4, automne 1987.

ARIANE

Cette petite revue, au format d'un journal, a paru de façon presque régulière tous les deux mois entre janvier 1953 et le courant de l'année 1972 (135 livraisons et quelques numéros spéciaux). Elle a été avant tout le porte-parole de Marguerite Grépon, forte personnalité qui a traversé tout le siècle. Née vers 1895 — elle refusait de décliner son état civil — elle est morte en 1982. Dans les années 30, elle se lie avec des personnalités aussi diverses que Roger Vitrac, Jean Paulhan*, André Malraux*, Jean Follain, Paul Gadenne, Jean Duvignaud* et Georges Duveau. Après avoir écrit pour *Esprit** et *Les Temps modernes**, elle décide en 1953 de créer des « cahiers féminins ». Le premier numéro d'*Ariane* annonce les préoccupations de sa fondatrice : trouver la place intellectuelle et sociale des femmes, qui malgré leur tout neuf droit de vote, sont toujours tiraillées entre deux rôles ancestraux, celui de la ménagère et celui de la courtisane.

L'intérêt d'*Ariane* ne réside pas dans sa diffusion très limitée ni dans les textes des collaborateurs épisodiques (Édith Thomas*, Edgar Morin*, Jean Follain...). Elle est presque entièrement rédigée par sa directrice-gérante, qui ouvre ses colonnes à des textes littéraires et poétiques, mais se réserve les articles de fond. Avec une conception toute saint-simonienne de la Femme-guide, celle-ci récuse le terme même de féminisme. La revue se donne en fait pour tâche de trouver de nouvelles valeurs pour les femmes, car si la plupart d'entre elles s'accommodent d'une situation d'infériorité, M. Grépon affirme son ambition de « faire entendre d'autres voix que celles de la majorité ». Délibérément élitiste, elle énonce et assume un rôle d'avant-garde, ne déplorant jamais sa faible audience. Plus que les questions de travail, de droits politiques ou de droits juridiques, ce sont les représentations qui intéressent *Ariane*. Représentations floues, images brisées auxquelles se heurte le combat de la « femme réfléchie », jonglant avec les différents modèles des femmes du XXe siècle. Ainsi, Colette* représente pour *Ariane* la femme galante et entretenue, jouissant d'une certaine liberté, payée cependant d'une profonde aliénation de son être propre. Simone de Beauvoir* est une figure positive, la femme de la libération, celle qui a cherché, par-delà l'obtention des droits politiques, l'essence de l'être-femme et les conditions de sa liberté. Quant à Françoise Sagan, il n'est plus question pour elle de conquérir la liberté, obtenue par son talent. À elle d'en user avec discernement, sans tomber dans une aigre concurrence avec les hommes. En mettant en avant les valeurs féminines traditionnelles revivifiées, *Ariane* entretient une polémique feutrée avec Simone de Beauvoir et Colette Audry*.

À partir de 1965, les articles consacrés à la « cause des femmes » sont de moins en moins nombreux au profit de considérations littéraires et poétiques. Le ton devient désabusé : les femmes politiques n'ont pas mieux réussi que les poétesses à trouver une voie propre. Les revendications de Mai 68, qualifiées d'infantiles, hérissent M. Grépon qui redoute une société sans distinction de sexe. Le premier numéro d'*Ariane* s'ouvrait sur une croyance pleine d'optimisme sur le changement des rapports entre les hommes et les femmes. La déception devant le nouveau féminisme des années 70, le manque d'argent aussi, ont raison de ces espérances. Fatiguée, *Ariane* cesse de paraître aux plus forts moments du nouveau MLF.

Danièle Voldman

Ariès (Philippe)

1914-1984

Intellectuellement proche d'historiens qui, longtemps, l'ont ignoré, idéologiquement fidèle à des amis qui ne comprenaient guère sa manière de faire de l'histoire : telle a été la contradiction de la vie de Philippe Ariès. Il s'en est amusé souvent et, parfois, en a souffert.

Rien, au départ, ne le prédisposait à écrire l'œuvre originale et novatrice qui est la sienne. Ariès est né en 1914 à Blois, où sa carrière d'ingénieur avait alors mené son père. Ses grands-parents, du côté de sa mère comme de celui de son père, ont quitté Saint-Pierre de la Martinique pour Bordeaux peu avant la catastrophe de 1902. Toute la famille est catholique, royaliste et traditionaliste. Après la guerre, ses parents, militants d'Action française*, s'installent à Paris. Après une année à l'université de Grenoble, Ariès poursuit ses études d'histoire à la Sorbonne. Il collabore à *L'Étudiant français*, le journal des étudiants de l'Action française, et noue avec François Léger, Raoul Girardet*, Pierre Boutang*, des amitiés que le temps ne détruira pas.

La Seconde Guerre mondiale est le moment des ruptures décisives. Rupture avec une possible carrière de professeur d'histoire puisque, après deux échecs à l'agrégation, Ariès devient en 1943 (et jusqu'à sa retraite) directeur du service de documentation de l'Institut de recherches sur les fruits et agrumes tropicaux. Rupture politique avec le militantisme d'Action française après la désillusion d'une visite à Maurras*, replié à Lyon. Rupture intellectuelle marquée par la distance prise vis-à-vis de l'œuvre historique qui avait été le « bréviaire » de son adolescence, celle de Bainville*, et la découverte enthousiaste des livres de Marc Bloch* et de Lucien Febvre*, de leur revue, les *Annales*, et, grâce à elle, des sciences sociales : la géographie régionale, la morphologie sociale d'Halbwachs*, la science politique d'André Siegfried*, la sociologie religieuse de Gabriel Le Bras*. Dès 1943, le premier essai publié d'Ariès, les *Traditions sociales dans les pays de France*, qui prend place dans les « Cahiers de la Restauration nationale » (où se retrouvent François Léger et Raoul Girardet), traduit la force de ces influences intellectuelles, peu ordinaires dans le milieu qui était le sien. Grâce à cet ouvrage, Ariès fait la rencontre de Daniel Halévy*, qui est, outre Gabriel Marcel*, connu après la Libération, le seul personnage dont il dira qu'il a vraiment exercé une influence sur lui.

Les deux livres qui suivront, l'*Histoire des populations françaises et de leurs attitudes devant la vie*, en 1948, et *Le Temps de l'Histoire*, qui paraît en 1954 mais qui a été commencé dès 1946, après une grande douleur, la mort au combat de son frère, approfondissent les malentendus. Par leur objet — l'histoire des comportements démographiques — ou leur thèse — la défense d'une « histoire existentielle » qui est histoire des « structures mentales » —, les deux ouvrages déroutent. Ils fâchent les amis monarchistes d'Ariès, choqués par sa critique de Bainville ; ils irritent les maîtres de l'Université qui demeurent fort méfiants à l'égard de Febvre et de ses entreprises ; ils sont ignorés par les *Annales* qui mettront beaucoup de temps à reconnaître comme l'un des leurs cet historien amateur, venu d'un autre monde. Durablement, Ariès restera en marge du milieu universitaire français, même après la parution, en 1960, de *L'Enfant et la vie familiale sous l'Ancien Régime*, publié dans la collection « Civilisations d'hier et d'aujourd'hui » qu'il dirigeait chez Plon depuis 1953 et où il accueillera en 1961 un livre refusé par tous les éditeurs : *Folie et déraison. Histoire de la folie à l'âge classique*, de Michel Foucault*.

Pris entre son activité professionnelle et sa passion d'historien, Philippe Ariès n'a pourtant jamais cessé, entre l'après-guerre et les années 60, d'apporter sa collaboration à des journaux de la droite nationaliste ou « littéraire » : *Paroles françaises* qu'il codirige avec Pierre Boutang et auquel participent Antoine Blondin, Raoul Girardet, François Brigneau, *La Table ronde*, créé en 1948, auquel il donne plusieurs chroniques, *Aspects de la France*, où il suit Boutang après leur commun départ de *Paroles françaises*, enfin, et surtout, la *Nation française*, hebdomadaire fondé par Boutang en 1955. Se voulant l'organe d'une rénovation de la pensée conservatrice, la *Nation française* s'engage, avec la guerre d'Algérie, dans la défense passionnée de l'Algérie française, des soldats perdus, des pieds-noirs et de l'OAS. Cette radicalisation fait éclater la rédaction du journal, les plus ultras le quittant pour fonder *L'Esprit public* ; Boutang et Ariès essayant, mais sans succès, de maintenir le titre, qui ne survit pas au dénouement de la crise algérienne.

Ce déchirement des amitiés de jeunesse et la mort du journal laissent à Ariès beaucoup d'amertume et marquent son éloignement de la politique. Tout le temps que lui laisse son métier est désormais consacré à la préparation et à la rédaction de *L'Homme devant la mort*, publié en 1977. Après cet ouvrage, Ariès, qui avait déjà un public de lecteurs vaste et divers, en particulier aux États-Unis où la traduction de *L'Enfant et la vie familiale* avait connu un grand succès, reçoit (à soixante-quatre ans) la reconnaissance universitaire. En 1978, il est élu directeur d'études à l'École des hautes études en sciences sociales* avec un programme d'enseignement intitulé « Les attitudes devant la vie et la mort ». Ariès meurt en février 1984, de maladie et, aussi, du chagrin de la mort de sa femme, Primerose, compagne de vie et de recherche.

Il n'est pas sûr que Philippe Ariès eût aimé être considéré et classé comme un « intellectuel ». Sa fidélité n'allait pas à un royalisme idéologique, « jacobin » et autoritaire, mais à la tradition des libertés locales, des sociabilités enracinées, des communautés d'existence. Sa foi chrétienne refusait les innovations liturgiques et théologiques mais elle s'accommodait mal, également, des crispations intégristes.

Ariès ne croyait guère à la toute-puissance des idéologies, toujours réductrices et éphémères, mais bien plutôt à la force des représentations communes, des expressions inconscientes des sensibilités collectives. Ce sont elles qu'il a mises au centre de son œuvre d'historien pour, comme il le disait, « comprendre le présent », c'est-à-dire repérer dans la longue durée le moment où des pratiques anciennes s'effacent et où apparaissent, dans leur nouveauté et leur originalité, les sentiments et les conduites qui sont les nôtres.

Roger Chartier

■ *Histoire des populations françaises et de leurs attitudes devant la vie depuis le XVIII*[e] *siècle*, Self, 1948, rééd. Seuil, 1971. — *L'Homme devant la mort*, Seuil, 1977, rééd. 1985, 2 vol. — *Un historien du dimanche* (avec M. Winock), Seuil, 1980. — *Images de l'homme devant la mort*, Seuil, 1983. — Codirection avec

Georges Duby de l'*Histoire de la vie privée*, Seuil, 1985-1987, 5 vol. — *Essais de mémoire (1943-1983)*, Seuil, 1993.

O. Dumoulin, « Histoire et historiens de droite », in J.-F. Sirinelli (dir.), *Histoire des droites en France*, t. 2 : *Cultures*, Gallimard, 1992, pp. 327-398. — P.H. Hutton, « Philippe Ariès : Traditionalism as a Vision of History », *Proceedings of the Annual Meeting of the Western Society for French History*, 15, 1988 ; « Collective Memory and Collective Mentalities : The Halbwachs-Ariès Connection », *Historical Reflections / Réflexions historiques*, 15, 2, été 1988 ; et « The Problem of Memory in the Historical Writings of Philippe Ariès », *History and Memory*, 4, 1, printemps-automne 1992.

ARLAND (Marcel)

1899-1986

Romancier, nouvelliste, essayiste, Marcel Arland est avant tout connu pour son rôle au sein de *La Nouvelle Revue française**, à laquelle il collabora pendant plus d'un demi-siècle. Continuateur de la grande tradition des prosateurs français (auxquels il consacra d'ailleurs une anthologie), son œuvre se situe à la charnière entre Gide* et l'avant-garde de son temps.

Né à Varennes-sur-Amance le 5 juillet 1899 dans un milieu modeste, c'est à Langres qu'il poursuivit ses études secondaires avant de venir faire sa licence ès lettres à Paris. Il y fit connaissance avec la génération montante d'écrivains : Limbour, Dhôtel, Vitrac, Crevel* et Malraux*, dont il fut, la vie durant, très proche. Dès son premier livre, *Terres étrangères* en 1923, il fut reconnu par le milieu de *La Nouvelle Revue française* alors animé par Jacques Rivière*, mais c'est seulement avec le succès de *L'Ordre*, prix Goncourt 1929, qu'il put abandonner l'enseignement et se consacrer entièrement à la littérature. Outre la *NRF* (où il prit la succession de Thibaudet* à la chronique des romans), on retrouve son nom aux sommaires de nombreuses revues et périodiques. Sous l'Occupation, il poursuivit sa collaboration à la *NRF* dirigée par Drieu La Rochelle*, et supervisa les pages littéraires de *Comœdia** du début 1942 au printemps 1944, leur donnant un ton qui tranchait nettement avec le reste des journaux de l'époque.

Après un bref passage à *La Table ronde* inspirée par Mauriac*, c'est naturellement à la *NNRF*, à côté de Jean Paulhan*, qu'il reprit sa place. Codirecteur de 1953 à 1968 (année où il entrait à l'Académie française*), il en devint, avec l'aide de Dominique Aury et de Jean Grosjean, seul directeur jusqu'en 1977. Il procéda durant cette période à une sorte d'état des lieux de la littérature et tenta un renouvellement de la revue en lançant des numéros thématiques.

Son œuvre intime, dont on trouvera la quintessence dans les *Carnets de Gilbert* (1931), est le reflet d'un esprit, selon ses propres dires, « toujours partagé entre ombre et lumière, déchiré entre révolte et bénédiction ». Après plusieurs volumes de souvenirs, dont cette *Lumière du soir* qui clôt en 1983 une longue liste de publications, il devait mourir, irréconcilié, le 12 janvier 1986.

Pascal Mercier

■ *Terre natale*, Gallimard, 1938, rééd. 1972. — *Zélie dans le désert*, Gallimard, 1944, rééd. 1974. — *Ce fut ainsi*, Gallimard, 1979.

▩ J. Duvigneau, *Arland*, Gallimard, 1962. — *Cahiers Marcel Arland*, n° 1, Nouvelle Revue des lettres françaises, 1990. — *Catalogue de l'exposition de la Bibliothèque de Vichy*, 2 juin-31 juillet 1987.

ARON (Raymond)

1905-1983

Peu d'intellectuels français de la seconde moitié du XXe siècle se sont autant « engagés » que Raymond Aron, même s'il a cherché, plus qu'un autre, à récuser les formes classiques de l'engagement de ses pairs, avec lesquels il a pourtant partagé la même éducation philosophique et les mêmes références initiales.

Engagé, R. Aron a toujours voulu l'être, mais rien ne permet de dire — hormis les reconstitutions ultérieures — qu'il ait pu définir, dès l'origine, un modèle paradoxal et complémentaire de « spectateur engagé » et qu'il ait pu s'y tenir de manière continue et fidèle depuis les années 30 jusqu'aux années 80. Par sa formation et la fréquentation de l'École normale supérieure* de la rue d'Ulm (entre 1924 et 1928), il appartient à une génération normalienne marquée par le pacifisme de gauche mais qui conduit à des formes très diverses d'engagement et de non-engagement politique dans les années 30. Plus engagé que d'autres à l'origine, inscrit au groupe des Étudiants socialistes (1926-1927), Aron fait partie ensuite du groupe des non-engagés, contrairement à son camarade Nizan*, mais à l'instar de Sartre*, dont il est, à cette époque, un ami proche. Paradoxalement, sa thèse soutenue en 1938, *Introduction à la philosophie de l'histoire*, fortement influencée par son séjour dans l'Allemagne préhitlérienne (1930-1933), présentait une méditation sur la nécessité d'un « choix » politique, d'un engagement qui soit à la fois le garant d'une objectivité du jugement consciente de ses limites et la réalisation de soi-même. Critique kantienne de la connaissance historico-politique (Aron avait décidé de « se mettre à la place » de tout décideur, ministre ou président du Conseil, quand il voulait émettre un jugement politique) et aspiration « existentialiste » (par la politique « on se fait soi-même », disait-il aussi) se rejoignaient pour appeler l'entrée dans les « combats douteux ».

Mais, pour cela, il faudra attendre juin 1940, la décision de rejoindre Londres et la participation à la revue *La France libre* dirigée par André Labarthe. D'une certaine manière, les divers engagements de l'après-1940 puis de l'après-1945 porteront la marque de l'absence d'engagement de la période précédente. Interrogé quarante ans après, Aron répond par une dénégation de nature rétrospective ; il ne pouvait s'« engager » ni en 1934, ni en 1936, ni en 1938, parce qu'il estimait n'avoir « aucun moyen d'exercer une influence quelconque sur qui que ce soit » (*Le Spectateur engagé*, p. 49). L'engagement supposait les moyens propres de l'engagement tels que le concevait le Raymond Aron des années 50-70. Il excluait la simple militance.

Les choix de l'après-1940 conservent donc quelque chose des hésitations précédentes : engagement dans la mouvance du gaullisme pendant la guerre mais refus du propagandisme, renoncement temporaire à une carrière universitaire et choix du journalisme politique à *Combat** (avril 1946-juin 1947) puis au *Figaro** (à partir de 1947) mais préférence accordée à l'analyse « glacée » sur les emportements des

« belles âmes ». À *L'Opium des intellectuels*, qui paraît en 1955 et récuse, cette fois sur le ton de la polémique, un engagement fait au nom d'une société idéale et du marxisme indépassable, s'ajoutent les essais sur les relations internationales, la Guerre froide*, la guerre moderne et le nucléaire, autant de domaines où la rigueur de l'analyse « objective » requiert aussi l'esprit de synthèse, la spéculation intellectuelle et théorique.

Faut-il en déduire que, dès ces années de culture de Guerre froide, Raymond Aron correspondait *grosso modo* à la figure de l'intellectuel de raison, prémuni contre toute tentation de déraison, qu'elle soit philocommuniste, neutraliste ou même européiste, et, de ce fait, intellectuel « isolé » contre tous les blocs ? Figure construite pour lui après coup mais qu'il n'a pas toujours démentie, notamment dans ses *Mémoires*, cette idée de la solitude d'Aron ne tient pas compte de tous les succès ni des positions acquises dans le monde universitaire et le monde politique. N'avait-il pas été élu à la Sorbonne en 1955 et publié aussi bien des cours de haute vulgarisation que de nouveaux essais philosophiques et théoriques qui lui assuraient prestige et forte situation, lui permettant de créer dès 1961, avec le soutien de la Fondation Ford, le Centre de sociologie européenne ? Ne s'était-il pas enrôlé dans le gaullisme militant au cours de la courte mais intense période du RPF (1947-1951), à travers son appartenance au Comité d'études du mouvement ? Il se reliait ainsi à tout un réseau intellectuel marqué par l'antisoviétisme, l'anticommunisme et l'opposition au régime de la IVe République — ce qui faisait beaucoup de monde ? N'avait-il pas été l'un des principaux piliers du Congrès pour la liberté de la culture* (1950) et de la revue *Preuves** et créé, avec André Malraux* et Claude Mauriac*, la revue *Liberté de l'esprit** (1949-1953) ? Il n'a rien, à ce moment, d'un « spectateur » ou d'un intellectuel isolé.

C'est l'évolution de son œuvre et de sa place dans le monde intellectuel qui, au cours des années 60 et 70, accrédite la figure de « spectateur engagé » et non l'inverse. La reconnaissance universitaire, en France et plus encore à l'étranger, crée l'assise de ses engagements pamphlétaires. Devenu une voix reconnue et écoutée, sûre de n'être confondue avec personne, il n'hésite plus ni à prendre à contre-pied les hommes de droite lors de la guerre d'Algérie en démontrant le caractère inéluctable de l'indépendance, deux ou trois ans avant les choix du général de Gaulle, ni à poursuivre sa critique de l'engagement « révolutionnaire » des intellectuels de gauche, en 1968 et au cours des années suivantes. Il est ainsi conduit à s'opposer au Programme commun de la gauche, à soutenir la candidature de Valéry Giscard d'Estaing contre François Mitterrand en 1974 comme en 1981.

Curieusement, alors que ses choix politiques l'amènent non sans un plaisir avoué après 1981 à une situation d'intellectuel d'opposition éloigné du pouvoir et de la tentation d'apparaître comme le conseiller du Prince, il devient désormais une référence obligée au sein du monde intellectuel. Certes, la présence de Raymond Aron dans l'horizon intellectuel de la décennie 1975-1985 (et au-delà) relève, pour une part, d'une « stratégie » de conquête enfin récompensée avec la fondation de la revue *Commentaire** (1978) et la nouvelle tribune de *L'Express** (1977) après la rupture avec *Le Figaro* de Robert Hersant. Mais l'ampleur de ce succès appartient plus encore à l'histoire des modalités de désengagement des intellectuels français au cours de cette période marquée par la critique du totalitarisme soviétique, la « découverte » du Goulag à travers Soljenitsyne, la défense de causes humanitaires qui a permis ses retrouvailles avec Sartre (intervention pour les *boat people** en juin 1979).

Exagérer le triomphe ou la rédemption finale de Raymond Aron autour de la publication des *Mémoires* juste avant sa mort (1983) est le meilleur moyen d'accréditer la thèse du héros intellectuel, paria et maudit, qui ne correspond pas à la réalité d'une biographie intellectuelle riche de réseaux et de soutiens fidèles, riche d'engagements assumés et d'honneurs obtenus. Plus qu'un autre et autant que celui de Sartre, l'itinéraire intellectuel de Raymond Aron est devenu ainsi, de manière presque indissociable, une histoire biographique individuelle et collective et une histoire des intellectuels français et de leurs attitudes successives devant le phénomène de l'engagement ; « contre » Aron puis « avec » Aron.

Nicolas Roussellier

■ *Introduction à la philosophie de l'histoire. Essai sur les limites de l'objectivité historique*, Gallimard, 1938, rééd. 1981. — *Le Grand Schisme*, Gallimard, 1948. — *La Tragédie algérienne*, Plon, 1957. — *Paix et guerre entre les nations*, Calmann-Lévy, 1961. — *Essai sur les libertés*, Calmann-Lévy, 1965. — *La Révolution introuvable*, Fayard, 1968. — *Le Spectateur engagé* (entretien avec J.-L. Missika et D. Wolton), Julliard, 1981. — *Mémoires*, Julliard, 1983.

■ N. Baverez, *Raymond Aron. Un moraliste au temps des idéologies*, Flammarion, 1993. — R. Colquhoun, *Raymond Aron*, t. 1 : *The Philosopher in History (1905-1955)*, t. 2 : *The Sociologist in Society (1955-1983)*, Londres, Sage Publications, 1986. — « Raymond Aron (1905-1983) », *Commentaire*, 8 (28-29), 1985.

ARON (Robert)

1898-1975

Bien que sa notoriété après la Seconde Guerre mondiale ait été due avant tout à son œuvre d'historien, Robert Aron s'est aussi voulu un intellectuel « engagé » dans les débats sociaux et politiques de son temps, que ce soit dans son engagement personnaliste des années 30 ou à travers son engagement fédéraliste après 1945.

Né en 1898 au Vésinet, fils du fondé de pouvoir d'un agent de change, Robert Aron est issu d'une vieille famille de la bourgeoisie juive originaire de l'Est de la France. Mobilisé à la fin de la Première Guerre mondiale*, il part pour le front où, officier, il est blessé en 1918. Agrégé de lettres après la guerre, il n'enseigne pas et entre aux Éditions Gallimard*. Secrétaire pendant un temps de Gaston Gallimard, il se lance aussi dans le journalisme cinématographique, à *La Revue du cinéma*, et dans le journalisme politique, au service étranger de la *Revue des Deux Mondes**. Sa fréquentation des milieux surréalistes, la création, avec Antonin Artaud* et Roger Vitrac, du Théâtre Alfred-Jarry, comme son intérêt pour le cinéma, traduisent sa curiosité pour les expressions les plus modernistes et les plus provocantes de l'avant-garde littéraire et artistique de l'après-guerre.

Toutefois, quelque peu déçu par ses premières expériences, sa vie va prendre un nouveau cours lorsqu'une rencontre fortuite l'amène, en 1927, à retrouver un ancien condisciple du lycée Condorcet, Arnaud Dandieu*. Il entreprend avec celui-ci un travail systématique de recherches philosophiques et politiques qui se traduira, au début des années 30, par la publication de trois ouvrages, dont les titres sont déjà tout un programme : *Décadence de la nation française* (1931), *Le Cancer américain* (1931) et *La Révolution nécessaire* (1933). Ces recherches constituent une des principales bases théoriques sur lesquelles se crée à partir de 1930 le groupe L'Ordre nouveau*, qui, avec *Esprit**, constitue l'une des manifestations les plus originales du courant personnaliste des « non-conformistes des années 30 ». En collaboration étroite avec Arnaud Dandieu, puis seul, après le décès brutal de celui-ci en 1933, Robert Aron prend une part très active à toutes les activités et manifestations de L'Ordre nouveau jusqu'à la disparition du mouvement en 1938. Par la suite, Robert Aron continuera à rattacher les activités qui seront les siennes à cet engagement initial.

En 1940, la mobilisation interrompt ses activités éditoriales à la NRF. En 1941, il est victime d'une des premières opérations d'arrestation collective dirigées contre les juifs et est interné au camp de Mérignac près de Bordeaux. Relâché, il est interdit de séjour à Paris et s'installe à Lyon, où il est mêlé aux préparatifs du débarquement américain en Afrique du Nord. Après celui-ci, grâce notamment à l'aide que lui apporte Jean Jardin, un ancien de L'Ordre nouveau, alors directeur de cabinet de P. Laval, il parvient à gagner Alger, où il fait partie des premières équipes administratives du général Giraud puis du général de Gaulle. Avec Lucie Faure* et Jean Amrouche*, il y fonde la revue *La Nef**, dont il restera un des animateurs jusqu'en 1952. En 1944-1945, il contribue à la création du mouvement La Fédération et restera jusqu'à sa mort un militant actif du Mouvement fédéraliste français, collaborant régulièrement au mensuel *Le XXe Siècle fédéraliste* et participant à diverses initiatives en faveur de la création d'une fédération européenne, qui l'amènent à se retrouver aux côtés de certains anciens responsables de L'Ordre nouveau, comme Alexandre Marc* ou Denis de Rougemont*.

Ayant repris après la Libération des activités éditoriales, notamment à la Librairie académique Perrin puis aux Éditions Fayard*, Robert Aron entreprend, à partir de 1950, un important travail de recherches historiques portant sur l'histoire contemporaine de la France, avec, notamment, *Histoire de Vichy* (1956), *Histoire de la Libération* (1959), *Histoire de l'épuration* (1967-1975). Par ailleurs, son agnosticisme des années 30 ayant fait place à un retour à la foi juive, Robert Aron va, après 1945, consacrer une part importante de sa réflexion aux questions religieuses et au dialogue entre juifs et chrétiens. En 1974, Robert Aron est élu membre de l'Académie française*, et c'est à la veille de sa réception qu'il meurt subitement, le 19 avril 1975.

Jean-Louis Loubet del Bayle

■ *Décadence de la nation française* (avec A. Dandieu), Rieder, 1931. — *Le Cancer américain* (avec A. Dandieu), Rieder, 1931. — *La Révolution nécessaire* (avec A. Dandieu), Grasset, 1933. — *Principes du fédéralisme* (avec A. Marc), Le Portulan, 1948. — *Histoire de Vichy*, Fayard, 1956. — *Fragments d'une vie*, Plon, 1981.

▩ P. Andreu, *Révoltes de l'esprit. Les revues des années 30*, Kimé, 1991. — A. Greilsamer, *Les Mouvements fédéralistes en France de 1945 à 1973*, Presses d'Europe, 1975. — E. Lipiansky et B. Rettenbach, *Ordre et démocratie. Deux sociétés de pensée : de L'Ordre nouveau au Club Jean-Moulin*, PUF, 1967. — J.-L. Loubet del Bayle, *Les Non-Conformistes des années 30. Une tentative de renouvellement de la pensée politique française*, Seuil, 1969.

Art Press

Art Press est fondé en 1972 par le collectionneur Hubert Goldet, Catherine Millet et le marchand d'art Daniel Templon, sur la volonté de sortir du registre convenu de la presse artistique. Convoquant « les outils de la pensée contemporaine », la revue (mensuelle) dénonce d'entrée de jeu le « mythe de la création libre, spontanée, absolue » en replaçant l'œuvre dans son histoire et dans son contexte économique et politique. Elle oppose le modernisme (idéaliste et autarcique) et les avant-gardes qui s'appuient sur des « réalités scientifiques et sociales ». Enfin, elle annonce son ouverture sur la création internationale, dans un pays « où l'information culturelle est la plus timide et en tout cas la plus xénophobe d'Europe ». À l'honneur pour de longues années : la peinture américaine et l'art conceptuel mais aussi les courants de l'avant-garde intellectuelle dans tous les domaines : littérature, philosophie, théâtre, danse, cinéma, photo, vidéo.

Un certain nombre de personnalités s'associeront au projet et à une rédaction qui demeure plutôt stable, autour de Catherine Millet : Catherine Francblin, Jacques Henric, Jean-Pierre de Kerraoul, Myriam Salomon, Guy Scarpetta rejoints récemment par Jean-Yves Jouannais. Les collaborateurs privilégiés se recrutent dans les milieux intellectuels souvent liés à la littérature et à la philosophie : Pierre Guyotat, Bernard-Henri Lévy*, Marcelin Pleynet*, Denis Roche*, Jean-Louis Schefer ou Philippe Sollers*. Sont enfin associés au travail de la rédaction : G. Banu, C. Béret, R. Durand, J.-P. Fargier, L. Louppe, D. Païni et J.-P. Salgas. La revue est indépendante financièrement, éditée par une SARL Art Publications dont la majorité des parts est détenue par des membres de l'équipe rédactionnelle ; ses revenus viennent aux deux tiers des ventes et pour un tiers de la publicité. 28 000 exemplaires de l'édition française et 6 000 exemplaires de l'édition internationale sont vendus par numéro.

Après la position militante initiale fondée sur un marxisme d'extrême gauche qui soudait les rangs, *Art Press* a vécu le temps du désengagement militant en revendiquant sa fidélité à ses thèmes et à ses pôles de prédilection, en particulier : le champ américain, les dissidences de l'Est, la pornographie, la théologie ou la critique des institutions. Soucieuse de gagner de nouveaux lecteurs, à la fin des années 80, sa maquette austère et illustrée en noir et blanc (signée Roger Tallon) laissa place à la couleur et aux rubriques « décongestionnées », même si fut réaffirmée la volonté de ne pas donner raison aux impératifs médiatiques « niveleurs » de valeurs en continuant de s'adresser aux amateurs, non aux consommateurs.

Le 15 décembre 1992, la revue fêtait son vingtième anniversaire en invitant ses fidèles et même si la parole était laissée aux monstres sacrés, Philippe Sollers* et Pierre Bourdieu*, le lectorat était mélangé, composé de générations différentes et renouvelées. De fait, *Art Press* est sans doute la seule revue *underground* des années 70 qui a réussi à négocier les tournants du temps, quitte à revendiquer « une culture hétérogène » étrangère au projet initial tout en s'attaquant violemment à l'idéologie de la petite bourgeoisie planétaire (PBP) : le post-modernisme. Luttant d'arrache-pied contre « la défection des intellectuels », la revue réaffirme régulièrement sa fonction critique et son goût des remises en question.

Laurence Bertrand Dorléac

■ *Le Narraté libérateur*, février 1980. — « *Art Press* tous azimuts » (entretien avec C. Millet), *La Revue des revues*, n° 6, automne 1986. — « 20 ans, l'histoire continue », *Art Press*, hors série, 1992.

ARTAUD (Antonin)

1896-1948

Figure météorique et singulière du mouvement surréaliste, Antonin Artaud en incarne, plus peut-être que tout autre de ses membres, les ambitions totalisantes, et c'est à ce titre que son parcours pose avec une acuité toute particulière la question du rapport du surréalisme au politique.

Né à Marseille en 1896, il s'oriente vers la comédie, et débute au théâtre en 1920, auprès de Charles Dullin : qui l'a vu dans le *Napoléon* d'Abel Gance ne peut oublier la force de sa présence, toute de fiévreuse intériorité. Mais la diversité de ses talents et de ses centres d'intérêt le mène également vers l'écriture, en laquelle il trouve à la fois un exutoire aux troubles psychiques dont il souffre depuis sa première jeunesse et le moyen d'« avoir en soi la réalité inséparable ». Après avoir publié ses premiers vers dans *Action*, il rejoint le surréalisme dès 1924, et assure dès lors la direction du Bureau central de recherches surréalistes*. Le numéro 3 de *La Révolution surréaliste* (« Fin de l'ère chrétienne », avril 1925) marque ainsi de son incandescence l'apogée de son rayonnement au sein du groupe, au point qu'Aragon* voit alors en lui le « dictateur » du mouvement...

Sa démarche personnelle ne saurait pourtant se superposer intégralement à celle d'André Breton* et de son entourage. Artaud partage certes les refus et les rejets du surréalisme, et croit donc pouvoir y trouver l'espace où vivre avec d'autres sa révolte généralisée. Mais il porte en lui une sorte de nihilisme absolu dont Breton cherche précisément à écarter l'influence, et de ce fait il se trouve rapidement, comme Pierre Naville*, marginalisé. Parce qu'il ne cache pas son peu de goût pour la gratuité des « jeux de langue » et autres « jongleries de formule », parce qu'il aspire de tout son être à une révolution totale fondée sur la communion de l'éthique et de l'esthétique, Artaud s'oppose en effet à toute réduction du surréalisme à sa seule dimension artistique (« Là où d'autres proposent des œuvres, je ne prétends pas montrer autre chose que mon esprit »). C'est bien en ce sens qu'il faut comprendre ses vives réticences à l'encontre de toute forme de rapprochement avec une organisation politique, quand bien même il s'agirait, avec le Parti communiste, d'une force révolutionnaire : le surréalisme n'a pas à s'associer, comme force d'appoint culturelle, aux hérauts de la révolution politique, puisqu'il *est* la révolution authentique, la révolution intégrale, celle de l'être…

Pareille radicalité ne pouvait en fait conduire qu'à la rupture, qui survient dès 1927. Désormais en butte aux attaques violentes et récurrentes de Breton, Artaud revient au théâtre et au cinéma, tout en poursuivant sa quête mystique : « J'ai choisi le domaine de la douleur et de l'ombre comme d'autres celui du rayonnement et de l'entassement de la matière. » Profondément marqué par un séjour mexicain durant lequel, en 1936, il fait l'expérience des hallucinogènes *(Voyage au pays des Tarahumaras)*, il doit être interné à l'hôpital psychiatrique de Sotteville-lès-Rouen, puis à la clinique de Rodez, d'où il ne sortira qu'en 1946, deux ans avant sa mort. De sa trajectoire tourmentée et douloureuse restera notamment une réflexion brûlante sur la nécessité de faire coïncider la culture et la vie, tout particulièrement dans les textes rassemblés en 1938 dans *Le Théâtre et son double*, dont l'aura rayonnera sur une large part du théâtre contemporain.

Pascal Balmand

■ *Œuvres complètes*, Gallimard, 1946-1995, 26 vol.

▒ L. Janover, *La Révolution surréaliste*, Plon, 1989. — T. Maeder, *Antonin Artaud*, Plon, 1978. — A. et O. Virmaux, *Artaud*, Belfond, 1979. — Numéro spécial « Artaud », *Europe*, n° 667-668, décembre 1984.

ARTE : voir **SEPT** (La)

ARTS

Hebdomadaire culturel, *Arts* succède en janvier 1945 à la revue *Beaux-Arts*, interdite à la Libération. Son directeur, Georges Wildenstein, qui avait dû s'exiler, prend la tête de la nouvelle publication avec la même équipe — moins ceux qui s'étaient compromis avec l'occupant — et un programme identique : « renseigner sur les grands et petits faits de la vie intellectuelle, sur les idées et sur les techniques, sur ce que les artistes font ou souhaitent faire ».

Son souci proclamé de ne pas aborder le débat politique n'empêchera pas ses prises de position : *Arts* se singularise par son ouverture à des opinions divergentes voire opposées. D'une présentation confuse jusqu'à la fin des années 50, l'hebdomadaire s'oriente vers une formule plus claire, mieux illustrée, plus volumineuse et plus dense en matière rédactionnelle. Guidée par un ballet de rédacteurs en chef (parmi les plus célèbres : Louis Pauwels*, 1952, Jacques Laurent*, 1957), la revue accroît considérablement son tirage, dès 1952, passant de 37 000 exemplaires à 63 650. André Parinaud, rédacteur en chef dans les années 50, en devient le directeur à partir de 1965 et multiplie les signatures prestigieuses ou prometteuses. À la défense d'une tradition moderne plutôt timorée succède un parti pris de découverte même si l'on y attaque régulièrement les avant-gardes. Dans les années 60, on y propulse les jeunes trublions : Jean-Luc Godard* (dès la fin des années 50, Truffaut y écrivait régulièrement), Jean-Jacques Lebel, Alain Jouffroy, Roland Topor, Michel

Butor* ou Philippe Sollers* ; on y voit débuter Jean-Louis Bory et Pierre Cabanne ; on y publie aussi Roger Peyrefitte, Jean d'Ormesson*, Roger Nimier*, Jean Dutourd* ou Rémy Chauvin.

Outre l'actualité culturelle couverte de près, c'est l'intensification des enquêtes sociétales à l'échelle internationale qui fait son originalité : la Russie et la Chine contemporaines, la jeunesse américaine ou allemande, la génération des hommes de quarante ans, le déferlement de l'érotisme, la France face à l'Europe. Très sensible au problème de la censure, *Arts* prend position à plusieurs reprises contre les pouvoirs publics, les provoquant à l'occasion, par exemple lorsque des écrivains célèbres (dont Cocteau*, Sartre* et Romain Gary), relatent leur expérience de la drogue (1961).

Sans s'attaquer directement au terrain politique, elle invite Godard à commenter son *Petit soldat*, donc la guerre d'Algérie. Sans être une revue à thèse philosophique et sociale, elle fait place à Denis de Rougemont* sur l'Europe nouvelle, à Maritain*, Jung, Huxley, Jaspers, sur l'avenir des sociétés occidentales, à Daniel Bernet sur « les profs ». Plus généralement, ses collaborateurs utilisent les objets culturels comme des symptômes de l'évolution de la société. Conception réaffirmée par André Parinaud en 1962. Selon lui, la culture est « la clé future d'une société qui établit déjà les perspectives d'un socialisme des loisirs [...]. La grande crise des arts préfigure ce que les collectivités vont connaître [...] ».

La revue s'éteint en juillet 1967, après avoir changé de titre en 1966 — elle s'appelle désormais *Arts-Loisirs* — et subi les difficultés de la grande presse culturelle française.

Laurence Bertrand Dorléac

■ *Annuaire de la presse française et étrangère et du monde politique.*

Association des écrivains et artistes révolutionnaires (AEAR)

L'histoire de l'Association des écrivains et artistes révolutionnaires (AEAR) illustre l'évolution de la politique culturelle communiste de 1932 à 1939, sous la pression d'une situation internationale dominée par les menaces de guerre et de fascisme.

Sa naissance est l'aboutissement des efforts pour créer en France une « section » de l'Union internationale des écrivains révolutionnaires, fondée à Moscou sur les mots d'ordre étroits définis par la conférence de Kharkov en 1930 ; elle ne règle pas le différend qui oppose à l'Internationale littéraire, Henri Barbusse*, durement critiqué pour le « confusionnisme » de son journal *Monde**. L'AEAR est lancée en mars 1932, sous la responsabilité de Vaillant-Couturier*. Après une période ultérieurement dénoncée comme sectaire et ouvriériste, l'AEAR, compte tenu de la nouvelle ligne définie par le Komintern, va développer une politique d'ouverture en direction des écrivains « bourgeois ». Barbusse, qui a joué un rôle déterminant dans la réunion du Congrès contre la guerre impérialiste réuni à Amsterdam en août

1932, est devenu indispensable à la réussite de la stratégie d'alliance contre la guerre : il adhère à l'AEAR.

Le succès de cet appel aux « compagnons de route » se manifeste, pour la première fois, lors de la réunion organisée par l'AEAR le 21 mars 1933 à Paris, en protestation contre l'avènement de Hitler, réunion qui se déroule sous la présidence d'André Gide*. Le souci d'attirer les « compagnons de route » se double d'exclusives sévères à l'encontre de ceux qui gardent leur libre critique vis-à-vis de l'URSS, écrivains comme Poulaille*, surréalistes (Breton*, actif dans les premiers mois de l'AEAR, en a été exclu en juillet 1933), trotskistes, oppositionnels et « non-conformistes ». Éditée par les Éditions sociales internationales, la revue *Commune**, lancée en juillet 1933 sous le patronage de H. Barbusse, A. Gide (qui refuse cependant d'adhérer à l'AEAR), R. Rolland*, Vaillant-Couturier, avec Aragon* et Nizan* comme secrétaires de rédaction, s'attache à la conquête des intellectuels mobilisables contre le fascisme, aux côtés de l'URSS. En 1935, l'AEAR peut se prévaloir de la présence de J.-R. Bloch*, J. Cassou*, A. Chamson*, É. Faure*, G. Friedmann*, J. Giono*, L. Guilloux*, V. Margueritte*, C. Vildrac*. À partir de 1935-1936, l'action de l'AEAR se confond avec la politique de « défense de la culture » mise en avant par le Parti communiste et dont une des manifestations les plus spectaculaires est, en juin 1935, la réunion à Paris du Congrès des écrivains pour la défense de la culture*. En septembre 1936, *Commune* s'intitule d'ailleurs « revue littéraire française pour la défense de la culture » ; Aragon en prend officiellement la direction en décembre 1937. Les sections de l'AEAR (littérature, peinture, théâtre) se fédèrent au sein de la Maison de la culture, dont le secrétaire général est également Aragon. L'organisation adhère à l'Association internationale des écrivains pour la défense de la culture et s'attache à défendre l'Espagne* républicaine, à dénoncer la capitulation de Munich*. Le pacte germano-soviétique cause une rupture profonde au sein des rédacteurs et amis de *Commune*, que Daladier interdit, avec toute la presse communiste, en septembre 1939.

Nicole Racine

■ W. Klein, *« Commune », revue pour la défense de la culture (1933-1939)*, CNRS, 1988. — N. Racine, « L'Association des écrivains et artistes révolutionnaires (AEAR). La revue *Commune* et la lutte idéologique contre le fascisme (1932-1936) », *Le Mouvement social*, n° 54, janvier-mars 1966.

ASTIER DE LA VIGERIE (Emmanuel d')

1900-1969

« Crypto-communiste », « marquis rouge », « anarchiste en escarpins » ? Emmanuel d'Astier appartient à cette génération intellectuelle politiquement forgée par la Résistance et qui demeure fidèle à l'esprit de la Résistance. Archétype du « clerc engagé » dans la Guerre froide*, d'Astier éclaire l'itinéraire qui a conduit bon nombre d'intellectuels du statut de résistants à celui de « compagnons de route » du PCF.

Né à Paris le 6 janvier 1900, d'Astier appartient à la noblesse ardéchoise qui l'élève dans les idées de l'Action française*. Officier de marine, il entame une carrière de journaliste à partir de 1934, d'abord à l'hebdomadaire *Marianne**, puis à *1935*, où il exprime volontiers son admiration pour Édouard Drumont*. Ses reportages sur Renault en grève et sur Nuremberg en 1936 pour les hebdomadaires *Vu* et *Lu* de Lucien Vogel le font rompre définitivement avec l'Action française. Profondément marqué par la défaite de juin 1940, Emmanuel d'Astier entre dans la clandestinité et fonde en juillet 1941 le mouvement *Libération-Sud* autour d'un mensuel du même nom. La Résistance est pour lui l'occasion de découvrir les deux pôles de référence de sa future action politique : le communisme et le gaullisme. Tandis que de Gaulle le nomme commissaire à l'Intérieur du CFLN puis du GPRF (septembre 1943-septembre 1944), son mouvement Libération se rapproche de la résistance communiste.

À la Libération, il se trouve aux côtés des minoritaires communisants du MLN et échoue dans sa tentative de fusion entre ce mouvement et le Front national d'obédience communiste. Convaincu que seule une alliance avec le « parti des 75 000 fusillés » permettra de vivifier l'esprit de la Résistance mais nullement converti au marxisme, il devient, avec la Guerre froide, un « homme public » au service du Parti dont la légitimité dans le champ intellectuel repose sur son passé de chef de la Résistance. Aux côtés de Pierre Cot, Emmanuel d'Astier devient une des figures majeures du progressisme à l'Assemblée en tant que député de l'Ille-et-Vilaine de 1945 à 1956. De manière peut-être plus significative, il s'impose dans ces années comme le chantre du Mouvement de la paix, ce qui lui vaudra le prix Lénine de la paix en 1959. Il dirige le quotidien *Libération* qui, financé exclusivement par le Parti, bénéficie du prestige de la continuité avec le titre de la Résistance.

Il s'éloigne du Parti à la suite de la divulgation du rapport Khrouchtchev et surtout de l'intervention soviétique à Budapest en 1956* et se rapproche parallèlement de De Gaulle. La rupture avec le PCF ne sera consommée qu'avec le sabordage de *Libération* en 1964 et son appel à voter de Gaulle en 1965. Désormais « gaulliste d'extrême gauche », Emmanuel d'Astier continuera son combat progressiste à travers une émission télévisée, « Le Quart d'heure », et un mensuel, *L'Événement*, créé en 1966 (où collabore notamment Bernard Kouchner*), jusqu'à sa mort le 12 juin 1969. Emmanuel d'Astier tout comme le progressisme ne parviendront pas à surmonter le paradoxe d'une volonté de « troisième voie à la française » et d'une pratique procommuniste. Il reste que des marches du communisme aux marges du gaullisme, l'itinéraire d'Emmanuel d'Astier, sous une incohérence apparente, demeure au cœur des deux grandes réponses apportées à la question récurrente depuis juin 1940 : quelle place pour la France dans le monde ?

Sharon Elbaz

■ *Avant que le rideau ne tombe*, Sagittaire, 1945. — *Sept fois sept jours*, Minuit, 1947. — *Sur Staline*, Plon, 1963. — *Entretiens avec Emmanuel d'Astier* (par F. Cremieux), Belfond, 1966.

▒ S. Elbaz, *Emmanuel d'Astier. Itinéraire d'un compagnon de route*, mémoire, IEP de Paris. — J.-P. Tuquoi, *Emmanuel d'Astier*, Arléa, 1987.

ATTALI (Jacques)

Né en 1943

Homme d'action et de réflexion, éminence grise et tête chercheuse, Jacques Attali symbolise, à travers ses multiples responsabilités et centres d'intérêt, l'image de l'intellectuel-expert des dernières décennies.

Né en 1943 à Alger, ce fils de commerçant collectionne les succès aux concours d'entrée d'écoles prestigieuses (Polytechnique*, les Mines, l'École nationale d'administration*) et les diplômes (Institut d'études politiques* de Paris, doctorat d'État de sciences économiques). Nommé en 1970 au Conseil d'État, il enseigne l'économie à l'École polytechnique et à l'université Paris-Dauphine. Ayant rejoint les rangs du Parti socialiste issu du congrès d'Épinay (1971), il mène de front une carrière universitaire et « politique », et va progressivement apparaître comme l'un des experts économiques les plus proches de François Mitterrand et comme un auteur prolifique.

Volontiers iconoclaste, il ouvre la discipline économique aux sciences sociales pour encourager une approche renouvelée des problèmes concrets du développement de nos sociétés. Ses livres, *L'Anti-Économique* (1974) écrit en collaboration avec Marc Guillaume, et *La Parole et l'outil* (1975), témoignent de cette volonté de « définir les modèles d'une société réellement autonome qui ne soit asservie ni aux sacrifices de la production, ni aux simulacres de l'information ». Véritable polygraphe accusé par certains de grappiller les idées et les formules là où elles se trouvent, il aborde ensuite l'économie politique de la musique *(Bruits)* ; du mal, à travers la vie et la mort de la médecine *(L'Ordre cannibale)* ; le temps *(Histoires du temps)* ; l'histoire *(1492)*. Il publie aussi des essais ambitieux dont le succès ne se démentira guère (*Les Trois Mondes*, 1981 ; *La Figure de Fraser*, 1984 ; *Lignes d'horizon*, 1989), ainsi que des romans (*La Vie éternelle*, 1989 ; *Le Premier Jour après moi*, 1990 ; *Il viendra*, 1994) qui sont autant de best-sellers. Défricheur d'idées talentueux selon les uns, touche-à-tout imprudent selon les autres, il ne laisse jamais indifférent.

Durant les années 70, Jacques Attali anime au sein du Parti socialiste un certain nombre de commissions de réflexion chargées d'élaborer des plates-formes d'idées en vue de l'accession de la gauche au pouvoir. Il réunit autour de lui hauts fonctionnaires, grands médecins et scientifiques, experts en sciences sociales, et intervient souvent dans la presse, notamment *Le Nouvel Observateur**. Nommé en 1981 conseiller spécial de François Mitterrand, il favorise les contacts entre le chef de l'État et certains clercs, organise des rencontres, sollicite les médias pour de grandes causes (combat contre le racisme et l'antisémitisme), et apparaît comme un agitateur d'idées jamais à court d'arguments ni de projets. Ses contacts internationaux au plus haut niveau lui assurent un rôle de premier plan dans l'organisation de sommets entre chefs d'État qui lui vaudront d'être désigné comme le « sherpa » du président. Devenu président de la BERD en 1990, il est contraint d'en démissionner en 1993 en raison d'une gestion financière publiquement contestée. Cet homme d'influence a acquis la notoriété auprès du grand public sans cesser de partager son temps entre la réflexion, l'écriture et l'action, ni de s'interroger sur le statut de l'intellectuel conseiller du Prince.

Rémy Rieffel

■ *La Parole et l'outil*, PUF, 1975. — *Bruits*, PUF, 1977. — *L'Ordre cannibale*, Grasset, 1979. — *Les Trois Mondes*, Fayard, 1981. — *Histoires du temps*, Fayard, 1984. — *Un homme d'influence : Sir Siegmund G. Warburg*, Fayard, 1985. — *Au propre et au figuré*, Fayard, 1988. — *Lignes d'horizon*, Fayard, 1989. — *1942*, Fayard, 1991. — *Verbatim (1981-1986)*, Fayard, 1993. — *Verbatim (1986-1988)*, Fayard, 1995. — *Verbatim (1988-1991)*, Fayard, 1995.

AUDRY (Colette)

1906-1990

Socialiste et féministe, Colette Audry a consacré sa vie à son idéal politique et à la littérature. Militante pendant près de soixante ans, elle est une des rares femmes à avoir accédé aux hautes instances du Parti socialiste.

Née à Orange le 6 juillet 1906, Colette Audry grandit dans un milieu athée d'origine protestante, très attaché à la République. Sévrienne, agrégée de lettres, elle fait carrière dans l'enseignement secondaire. Au lycée de Rouen, elle se lie en 1932 avec Simone de Beauvoir*, une de ses collègues, et Jean-Paul Sartre*. Séduite par l'existentialisme, elle refuse cependant l'apolitisme de ses nouveaux amis. Au contact de son père, préfet, ancien socialiste, et de son grand-oncle Gaston Doumergue, président de la République, Colette Audry baigne depuis l'enfance dans la vie politique. En 1932, influencée par les « oppositionnels » de la Fédération universitaire de l'enseignement, elle renonce à s'engager au Parti communiste pour adhérer à la SFIO au courant de la Gauche révolutionnaire puis, en 1934, au Comité de vigilance des intellectuels antifascistes*. Militant pour l'intervention française dans la guerre d'Espagne*, elle traduit en français le journal du POUM. Pendant la Seconde Guerre mondiale, elle s'installe en zone libre avec son mari, Robert Minder, et leur petit garçon, puis rejoint la Résistance dans la région de Grenoble.

Nommée à Paris au lycée Molière en 1945, elle concilie enseignement et écriture. Romancière, essayiste *(Léon Blum, Sartre)* et critique littéraire aux *Temps modernes**, elle est aussi l'auteur de plusieurs scénarios, notamment pour René Clément *(La Bataille du rail)*, et pour sa sœur, la cinéaste Jacqueline Audry. Auditrice des Séminaires de Lacan*, elle pratique volontiers l'introspection comme dans ses romans *Derrière la baignoire* (prix Médicis 1962) ou *La Statue*. En 1955, elle reprend l'action politique, adhère à la Nouvelle Gauche et participe à la fondation de la revue *Arguments**. Membre du PSU en 1960, elle se rapproche de Jean Poperen, dont elle restera la collaboratrice, et adhère avec lui en 1969 au nouveau Parti socialiste. De 1971 à 1981, elle siège au comité directeur et préside ensuite l'Institut d'études et de recherches socialistes (ISER).

De sensibilité féministe, Colette Audry est restée à l'écart de la lutte suffragiste de l'entre-deux-guerres mais contribue, dans les années 60, à l'émergence du mouvement contemporain. Avec Yvette Roudy et Thérèse Eyquem, elle crée le Mouvement démocratique féminin. Elle soutient le Planning familial et corédige le « Manifeste des 343 femmes pour la légalisation de l'avortement ». Initiatrice de la première collection féminine chez Denoël-Gonthier, elle édite des ouvrages de référence tels que *La Femme mystifiée* de l'Américaine Betty Friedan. Jusqu'à sa mort à Issy-les-Moulineaux en octobre 1990, C. Audry se montre fidèle à ses choix politiques et philosophiques, comme en témoigne son ouvrage posthume *Rien au-delà*.

Laurence Klejman et Florence Rochefort

■ *Léon Blum ou la Politique du juste*, Julliard, 1955. — *Soledad* (théâtre), Denoël, 1956. — *Derrière la baignoire*, Gallimard, 1962. — *Sartre et la Réalité humaine*, Seghers, 1966. — *La Statue*, Gallimard, 1983. — *Rien au-delà*, Denoël, 1993.

AULARD (Alphonse)
1849-1928

Associé — pour quelques rares spécialistes — à l'historiographie de la Révolution française, le nom d'Alphonse Aulard dépassa de beaucoup, pendant le quart de siècle qui précéda la Première Guerre mondiale*, cette aire un peu étroite, pour représenter un type achevé d'intellectuel républicain.

Il avait pourtant commencé fort loin, en apparence, de l'histoire et de la politique. Au moment où, entre 1877 et 1879, les républicains accédaient enfin à un pouvoir sans partage, ce jeune agrégé de lettres, né sous la IIe République (19 septembre 1849, à Montbron, Charente), s'était fait connaître de ses pairs pour ses travaux sur le grand poète italien Leopardi ; c'est à ce titre qu'il avait successivement enseigné dans les facultés d'Aix, Montpellier et Poitiers. Mais les circonstances historiques allaient lui offrir l'occasion de mettre sa carrière en accord avec ses convictions politiques. Le pas est franchi par le biais de l'histoire littéraire : en 1882 paraît le premier tome de son étude sur *Les Orateurs de la Révolution*. Ses amitiés politiques et la proximité du centenaire de la Révolution feront le reste : en mars 1886, la Ville de Paris, à l'époque très axée à gauche, ouvre en Sorbonne un enseignement d'histoire de la Révolution française, « spécialité » jusque-là exclue des programmes officiels, et le confie à Aulard.

Celui-ci va faire de cette chaire un lieu de pouvoir intellectuel non négligeable. Régent des études révolutionnaires par le biais de la revue *La Révolution française*, il anime une série de recherches fondamentales *(Recueil des actes du Comité de salut public)* et publie une épaisse *Histoire politique de la Révolution française* (1901) ; dans le même temps, le sympathisant radical multiplie, parfois sous pseudonyme, les collaborations aux journaux « avancés » (*La Justice*, *La Dépêche de Toulouse*...). Dans les années 20, il sera l'un des pères fondateurs du *Quotidien* puis de *La Lumière*. En 14-18, il avait régulièrement contribué à l'effort de guerre par des articles donnés au *Journal* et réunis sous le titre significatif *La Guerre actuelle commentée par l'histoire*.

Le choix politique d'Aulard se fixe sur la personnalité de Danton, auquel il a consacré une biographie de vulgarisation (1884) et dont il fera le héros tutélaire des radicaux. Très attaqué sur sa droite par la pensée anti- et contre-révolutionnaire, qui en a fait le repoussoir de Taine, Aulard subira petit à petit les effets, plus lourds de conséquences, d'une critique de gauche, sous les coups de boutoir d'Albert Mathiez* et de Georges Lefebvre*. Cette nouvelle génération déboulonne la statue de Danton mais reproche surtout à Aulard, outre un médiocre esprit de synthèse, une conception trop étroite du « politique ». Quand il meurt, le 23 octobre 1928, il appartient déjà à une autre époque, celle des polémiques de Charles Péguy* contre la « Nouvelle Sorbonne ».

Pascal Ory

■ *Danton*, Picard-Bernheim, 1887. — *Histoire politique de la Révolution française*, Armand Colin, 1901. — *Taine, historien de la Révolution française*, Armand Colin, 1907.

▒ G. Belloni, *Aulard, historien de la Révolution française* (préface A. Bayet), PUF, 1949. — J.L. Godfrey, « Alphonse Aulard », in *Some Historians of Modern Europe*..., The University of Chicago Press, s.d. [1942]. — « Alphonse Aulard », *Cahiers d'histoire de la Révolution française*, Sirey, 1955.

AUTREMENT (revue et Éditions)

La revue thématique *Autrement* est créée en 1975 par Henry Dougier, qui n'est pas alors à proprement parler un intellectuel : formé à l'ESSEC, il a travaillé pour Shell avant de rejoindre le groupe Express. Il y accueille des journalistes, des universitaires et des chercheurs en sciences sociales et sciences humaines — histoire, sociologie, ethnologie et philosophie — mais aussi des « gens ordinaires » (travailleurs sociaux, enseignants, infirmiers...), porté par le désir de ne pas seulement donner la parole à des experts. Publiée par l'association du même nom, *Autrement* porte le regard et l'interrogation sur le changement social, l'évolution des mœurs et des mentalités, au travers des thèmes de la famille, de l'éducation, de la santé, de la science, de la vie privée, des marges. Avec un point de vue souvent critique, la revue s'intéresse aux utopies sociales, à l'antipsychiatrie, aux écoles expérimentales, au rêve d'une médecine sans experts... Ce questionnement s'inscrit dans le cadre d'un projet social et politique. Proche de la « deuxième gauche », Henry Dougier veut encourager la vie associative et les acteurs de la transformation de la société au niveau local, ce qu'un numéro appelle les « révolutions minuscules ». De 1975 à 1982, des « ateliers d'Octobre », rencontres annuelles en province de travailleurs ou expérimentateurs sociaux, sont ainsi organisés par l'association dans le but de leur permettre de débattre de leurs expériences. Des « boutiques de gestion », destinées à leur formation économique, sont mises en place en 1979, la première dans les locaux de la revue.

À partir de 1983, ces activités d'animation sont abandonnées au profit de l'approfondissement des interrogations dans le champ des sciences humaines. *Autrement* devient une maison d'édition d'ouvrages collectifs, dont la préparation est beaucoup plus longue (de 18 à 24 mois), dont le thème est organisé en fonction d'une problématique structurée, définie en collaboration entre le directeur de l'ouvrage et celui de la collection. Les tirages varient de 5 000 à 10 000 exemplaires. Les collections se multiplient : « Mutations » (1983) s'inscrit dans la continuité de la première revue ; « Monde » (1983) offre des ouvrages collectifs, portraits ethnographiques d'une ville, d'un pays ou d'un peuple ; puis « France » (1989) se consacre aux villes et régions françaises. En histoire, la série « Mémoires », créée en 1990, se concentre sur l'étude d'un moment historique dans une ville symbole. La série philosophique « Morales » (1991) explore l'univers des valeurs. « Sciences en société » (1992) prolonge le questionnement sur l'écologie, la technique ou la bioéthique. 1993 voit l'inauguration d'une première collection de littérature.

Autrement entretient depuis sa création des liens privilégiés avec les chercheurs de l'École des hautes études en sciences sociales* et de la Maison des sciences de l'homme, du Centre national de la recherche scientifique*, du Centre d'étude des mouvements sociaux et de l'Université (Paris I, VII, VIII) qui collaborent aux ouvrages ou les dirigent. Françoise Héritier-Augé, Jacques Attali*, Jacques Le Goff*, Emmanuel Le Roy Ladurie*, Serge Moscovici*, Claude Olivenstein sont conseillers d'*Autrement* puis de « Mutations », Maurice Agulhon*, Jacques Le Goff, Jacques Revel de « Mémoires », Julia Kristeva*, Élisabeth de Fontenay*, Emmanuel Levinas* de « Morales ».

Séverine Nikel

Aveline (Claude)

1901-1992

Romancier, éditeur de l'œuvre politique et sociale d'Anatole France*, Claude Aveline a été dans les années 30, la Résistance et l'après-Libération un « compagnon de route ».

Né à Paris le 19 juillet 1901 de parents russes émigrés d'origine juive, il reçoit une éducation marquée par la libre pensée et l'amour de la littérature. Son père, abonné des *Cahiers de la quinzaine**, lui fait lire Anatole France ; en 1919, à dix-huit ans, il est présenté à l'écrivain, qui l'accueille dans son intimité. Dès le début des années 20, Claude Aveline collabore à de nombreuses revues littéraires, dont la revue anarchisante *Les Humbles*. Après la mort d'Anatole France en octobre 1924, seul de sa génération littéraire, il se donne pour tâche de défendre la mémoire de l'écrivain et son œuvre, décriée dans les milieux d'avant-garde. Chargé en 1937 par Lucien Psichari de donner une suite aux trois plaquettes *Vers les temps meilleurs*, publiées par Édouard Pelletan en 1906, il prend le parti de rassembler l'édition intégrale des textes politiques et sociaux d'Anatole France ; ainsi paraissent, de 1949 à 1973, les quatre volumes de *Trente ans de vie sociale* chez les frères Émile-Paul.

À partir de 1934, Claude Aveline prend place dans le mouvement antifasciste ; il collabore à *Commune**, revue de l'Association des écrivains et artistes révolutionnaires*, mais sans être membre de celle-ci ; il assiste en juin 1935 au procès des mineurs des Asturies, prononce des discours à Paris et à Valence (Espagne) au deuxième Congrès pour la défense de la culture* en juillet 1937. Passionné par le cinéma, il participe à la création, en 1936, de *Ciné-Liberté*, fondé par Renoir*. Après le Pacte germano-soviétique, il rompt avec le Parti communiste. Dès les débuts de l'Occupation, il appartient à un des premiers groupes de résistance à

Paris, en liaison avec le réseau du Musée de l'homme. Il rejoint la zone Sud en 1941 et trouve refuge près de Lyon chez Simone et Louis Martin-Chauffier* ; en 1942, il doit rentrer dans la clandestinité. Il écrit dans les *Cahiers de Libération* et, sous le pseudonyme de « Minervois », publie aux Éditions de Minuit* clandestines les nouvelles du *Temps mort* (1944).

Après la Libération, il organise, pour la Société Anatole France, le centenaire de l'écrivain ; en 1947, président de la Société, il inaugure le quai Anatole-France. Comme d'autres compagnons de route d'avant la guerre, il précise ses positions dans *L'Heure du choix* (1947). Il se rend en Yougoslavie en 1950 et appuie le socialisme yougoslave. Il rompt définitivement avec le communisme et l'URSS dans *La Voie libre* (1951). Il démissionne du Comité national des écrivains* en 1953 pour protester contre l'antisémitisme dans les pays de l'Est et devient secrétaire général de l'Union des écrivains pour la vérité, présidée par Martin-Chauffier. Il s'éloigne peu à peu de la politique active, se consacrant à son œuvre littéraire et artistique, qui lui a valu, en 1952, le Grand Prix de la Société des gens de lettres. Il meurt à Paris le 4 novembre 1992 et laisse des essais et des souvenirs (*Moi par un autre*, 1988).

Nicole Racine

■ *Les Devoirs de l'esprit*, Grasset, 1945 (textes écrits entre 1925 et 1939). — *Anatole France (1844-1922)*, Genève, Trois Collines, 1948. — *Le Livre d'or du centenaire d'Anatole France (1844-1944)*, Calmann-Lévy, 1949. — *Le Haut Mal des créateurs*, Bruxelles, Jacques Antoine, 1973. — D. Canciani, *L'Esprit et ses devoirs. Écrits de Claude Aveline (1933-1956)* (dir. D. Canciani), Séguier, 1993.

■ N. Racine, « Claude Aveline », in *DBMOF*. — *Hommage à Claude Aveline, pour les cinquante ans de sa vie littéraire*, Société Anatole France, 1970.

AVRIL DE SAINTE CROIX [Eugénie Adrienne Avril]

1855-1939

Journaliste et écrivain, engagée dans le féminisme, le pacifisme et la défense des prostituées, Avril de Sainte Croix fut reconnue comme une autorité morale internationale. Née à Paris en 1855, fille de Marc Glaisette, c'est sous le nom de sa mère, Savioz, qu'Eugénie Glaisette, dite de Sainte Croix, débute une carrière littéraire et journalistique *(L'Événement, L'Éclair, Gil Blas, Le Siècle)*, dans les années 1890. Ses romans de mœurs et ses livres pour enfants connaissent le succès.

La découverte du féminisme au congrès de 1896 lui fait délaisser la littérature. Elle collabore à *La Fronde**, dont elle partage l'engagement républicain et dreyfusard, et adhère à la Ligue des droits de l'homme*. Liée à la philanthropie féminine avancée, elle contribue à son rapprochement avec les féministes, qui se concrétise par la création du Conseil national des femmes françaises (CNFF, section française du Conseil international des femmes), dont elle devient secrétaire générale. En 1906, elle publie son dernier ouvrage, une histoire du féminisme, brève mais sérieuse. Elle ne reprendra la plume que pour raconter les congrès féministes, pacifistes et abolitionnistes auxquels elle participe. Une visite à la prison Saint-Lazare lui fait prendre conscience du sort des prostituées ; pour lutter contre la double morale sexuelle — celle qui autorise la licence pour les hommes et condamne la femme qui a « fauté » —, elle rejoint la Fédération abolitionniste de l'Anglaise Josephine Butler. Secrétaire générale de la section française, elle fonde toutefois en 1900 « son » Œuvre libératrice, un foyer pour prostituées qu'elle dirige toute sa vie. Sa connaissance des questions morales lui vaut d'être la première femme membre d'une commission extraparlementaire (sur la réforme des mœurs). En 1906, elle est nommée vice-présidente du Comité de la réforme du mariage. Membre de la Commission du travail féminin au ministère du Travail pendant la guerre, elle étudie la condition des munitionnettes et fonde des cantines pour les ouvrières.

Présidente du CNFF en 1922, Avril de Sainte Croix s'impose comme la représentante du féminisme modéré jusqu'à sa mort à Menton, en 1939. Instigatrice des États généraux du féminisme (1929, 1930, 1931), elle s'affirme aussi sur le terrain international en prenant la vice-présidence du Conseil international des femmes. Chargée de mission par le ministère des Affaires étrangères pour étudier la condition féminine, elle est aussi à la SDN membre de la Commission sur la traite des femmes.

Laurence Klejman et Florence Rochefort

■ *La Serve. Une iniquité sociale*, Dupont, 1901. — *Le Féminisme*, Giard et Brière, 1906. — *L'Esclave blanche*, Alençon, Imprimerie Constant, 1913.

▒ S. Hause, *Women's Suffrage and Social Politics in the French Third Republic*, Princeton University Press, 1984. — L. Klejman et F. Rochefort, *L'Égalité en marche. Le féminisme sous la IIIe République*, Presses de la FNSP / Des femmes, 1989.

AYMÉ (Marcel)

1902-1967

Homme de gauche pour certains, anarchiste de droite pour d'autres, Marcel Aymé, écrivain et journaliste prolixe et populaire, est l'un de ces intellectuels dont la trajectoire, exprimée dans une œuvre immense et ambiguë, traverse de gauche à droite l'espace politique français.

Né le 29 mars 1902 à Joigny (Yonne) dans une famille de la petite bourgeoisie locale, il connaît une enfance campagnarde chez ses grands-parents maternels, dans un milieu radical anticlérical. Bachelier, il s'installe à Paris en 1925, où il vit de petits métiers, fréquentant le monde des lettres grâce à son premier roman (*Brûlebois*, 1926). Sa véritable naissance littéraire date de *La Table-aux-Crevés* (1929, prix Renaudot). Jusqu'en 1935, il est considéré comme un homme de gauche, pour son œuvre (*La Rue sans nom*, 1930 ; *La Jument verte*, 1933) et pour ses articles antinazis et antifascistes dans *Marianne**, ou sa collaboration à *Vendredi**.

Pacifiste, il signe en octobre 1935, avec de nombreux hommes de droite (Brasillach*, Drieu La Rochelle*, Maurras*...), un « Manifeste pour la défense de l'Occident » opposé aux sanctions contre l'Italie après l'invasion de l'Éthiopie*, et passe à gauche pour un renégat. Très atteint, doutant depuis 1934 des intellectuels, de la justice et de la politique, il exprime sa suspicion dans un essai rédigé en 1936 (*Silhouette du scandale*, 1938), traversé par le thème du complot politique et par des relents d'antiparlementarisme et d'antisémitisme. De 1940 à 1943, il collabore à *Aujourd'hui*, *Les Temps nouveaux*, *Je suis partout**, où il publie l'antimoderne *Travelingue* (1941), défavorable au Front populaire. *La Vouivre*, roman paysan fantastique, paraît dans *La Gerbe** en 1943.

À la Libération, peu inquiété mais victime de l'opprobre littéraire, il livre *Le Chemin des écoliers* (1946), roman sur l'Occupation, consacré moins aux atrocités nazies qu'aux lâchetés entre Français et aux exactions de l'épuration, thème développé dans l'anticommuniste *Uranus* (1948). Défenseur de Brasillach, Bardèche* puis Céline*, antigaulliste forcené, pourfendeur des intellectuels (*Le Confort intellectuel*, 1949) et de la justice (*La Tête des autres*, 1952), mentor des « Hussards », anticolonialiste, anticapitaliste et anti-américain (*La Fille du shérif*, 1951), il atteint le sommet de sa gloire dans les années 50, avant de s'éteindre à Paris le 14 octobre 1967.

Laurent Gayme

■ *La Jument verte*, Gallimard, 1933. — *Silhouette du scandale*, Sagittaire, 1938. — *Travelingue*, Gallimard, 1941. — *La Vouivre*, Gallimard, 1943. — *Le Passe-muraille*, Gallimard, 1943. — *Le Chemin des écoliers*, Gallimard, 1946. — *Uranus*, Gallimard, 1948. — *Le Confort intellectuel*, Flammarion, 1949. — *La Fille du shérif*, 1951, rééd. Gallimard, 1987.

▒ M. Lecureur, *Marcel Aymé*, Lyon, La Manufacture, 1988. — G. Leroy et A. Roche, *Les Écrivains et le Front populaire*, Presses de la FNSP, 1986. — P. Ory, *L'Anarchisme de droite*, Grasset, 1985.

B

BACHELARD (Gaston)

1884-1962

Figure assez rare dans son genre d'universitaire issu du peuple — ses grands-parents avaient été cordonniers, ses parents tenaient un bureau de tabac —, Gaston Bachelard occupe une place originale dans la galerie des intellectuels français du XXe siècle. L'image d'un épistémologue rigoureux n'épuise nullement la vérité d'un personnage infiniment plus complexe, l'image d'un professeur Cosinus, malgré son débraillé légendaire et sa distraction proverbiale, non plus.

Bachelard, né à Bar-sur-Aube, était champenois et non « bourguignon », contrairement à la légende. Dès l'école primaire, il se révéla être un surdoué qui raflait tous les prix, et il continua à le faire au lycée. Mais après son baccalauréat de philosophie, il dut abandonner les études, faute de ressources financières, et gagner sa vie comme pion de collège, puis commis des postes. Nommé à Paris, il obtint de suivre les cours de mathématiques spéciales, le soir, et passa ses licences de mathématiques et de philosophie. Après la « coupure » de la Grande Guerre, qu'il passe entièrement dans les tranchées, sa carrière prend un tour définitivement universitaire : nomination comme professeur de lycée, agrégation de philosophie (1922), thèse d'État, sous la direction de Léon Brunschvicg*, sur la « connaissance approchée », et, lorsque le célèbre historien des sciences Abel Rey prend sa retraite, suppléance à la Faculté des lettres de Dijon (1930).

En l'absence de toute autobiographie et de toute biographie, nous ne pouvons que conjecturer l'évolution intellectuelle de l'auteur de l'*Essai sur la connaissance approchée*. Nous savons seulement par quelques allusions qu'il lisait énormément de poètes, en particulier surréalistes. Mais alors que le « surréel » était en général compris comme une insurrection contre la dictature scientiste des professeurs, Bachelard fraie une voie tout autre, qui n'est pas la destruction de la Raison, mais sa libération. « Il faut rendre à la raison humaine sa fonction de turbulence et d'agressivité. » C'est la formule clé de l'article manifeste que le professeur de la Faculté des sciences de Dijon publie sous le titre « Le surrationalisme » dans l'unique numéro de la revue *Inquisitions*. Passionné par la connaissance de la Nature, sous le double point de vue scientifique et poétique, Bachelard a l'ambition déclarée de réunir à nouveau ce que Descartes avait disjoint. Mais cela n'implique nullement que Bachelard fût un Janus de la pensée, Docteur Jekyll épistémologue et Mister Hyde *Natur philosoph*. Les deux activités de Bachelard théoricien peuvent se concevoir comme issues d'un foyer unique, à savoir une « psychanalyse » des régions obscures du psychisme humain (une psychanalyse à mi-chemin entre les « archétypes » jungiens et le « pansexualisme » freudien, une psychanalyse des « images » assurément très peu lacanienne, bien que l'ex-postier de Bar-sur-Aube ait fréquenté les mêmes milieux surréalisants que l'auteur de *La Psychose paranoïaque*).

Dans son *Lautréamont* (1939), il évoque conjointement le projet d'une « physique de la pensée » et celui d'une « psychique de la Nature ». C'était assumer d'avance dans un pays où il est mal vu d'être à la fois *Dichter* et *Denker*, au four scientifique et au moulin littéraire, une double postérité. D'un côté ceux qui avec Michel Fichant et Dominique Lecourt poursuivent, tout comme leurs illustres maîtres ou devanciers (Georges Canguilhem*, François Dagognet), le projet d'une philosophie des sciences attentive à la pratique scientifique, et d'autre part les croisés de l'Imaginaire, qui voient en Bachelard un frère dans une conception « poétique » du monde.

C'est là sans doute la source de la fascination exercée par l'œuvre du « Bourguignon » : il transcende les frontières académiques qui isolent d'ordinaire la Science de la Poétique, la Raison de l'Imaginaire, la Nature de l'Esprit, les philosophes universitaires des autodidactes non reconnus. La véritable « épistémologie existentielle » ne serait-elle pas l'apanage de Bachelard, dont les extrêmes intellectuels, althussériens « rigoureux » et théosophes échevelés, et beaucoup d'autres avec eux, de Gaston Roupnel à Michel Serres*, se sont réclamés et se réclament encore aujourd'hui ? Il n'est peut-être pas inutile de relire ce *Surrationalisme*, où Bachelard, entouré d'Aragon*, de Roger Caillois* et de Tristan Tzara*, ouvre ainsi l'unique livraison d'*Inquisitions* : « Bref il faut rendre à la raison humaine *sa fonction de turbulence et d'agressivité*. »

Daniel Lindenberg

■ *Le Nouvel Esprit scientifique*, Alcan, 1934. — *La Psychanalyse du feu*, NRF, 1939. — *La Formation de l'esprit scientifique*, Vrin, 1957. — *L'Engagement rationaliste*, PUF, 1972.

▒ G. Canguilhem, *Études d'histoire et de philosophie des sciences*, Vrin, 1968. — F. Dagognet, *Gaston Bachelard, sa vie, son œuvre, avec un exposé de sa philosophie*, PUF, 1965. — D. Lecourt, *L'Épistémologie historique de Gaston Bachelard*, Vrin, 1978.

BADIOU (Alain)

Né en 1937

Né le 17 janvier 1937 à Rabat au Maroc, ayant fait ses études à Toulouse, entré à l'École normale supérieure*de la rue d'Ulm en 1956, Alain Badiou en sort en 1961, sartrien et voulant devenir écrivain. Il sera professeur de philosophie à Reims dès 1963, en 1968 à Vincennes, puis à Saint-Denis (Paris VIII). S'il publie son premier roman, *Almagestes*, en 1964, s'il retient de Sartre* l'importance de la notion de liberté, et l'idée que la demeure de la philosophie doit être contemporaine, l'intérêt porté à Althusser*, au structuralisme et à Lacan* reconfigure le champ de ses préoccupations. Elles seront désormais politiques, mathématiques et philosophiques. Avec penchant marqué pour le platonisme, par quoi une articulation des mathématiques — étude constante de Badiou — à la philosophie est concevable.

Pour ce qui est de la politique, comme pratique et comme champ d'intellectualité, la Révolution culturelle en Chine, le maoïsme, puis la péremption du classicisme et l'idée de révolution en changent la donne. C'est dans cette perspective qu'il participera (avec Sylvain Lazarus et Natacha Michel) à la fondation de groupes militants, en particulier l'« Organisation politique » (1982). Non comme d'ordinaire ce qu'on appelle « intellectuel » le daigne : par médiation, tapage idéologique, mais comme activité et comme pensée. De 1981 à 1989, au travers d'un journal (de bec et de plume), *Le Perroquet*, codirigé avec Natacha Michel, et sans attendre la désuétude du charme attaché au chapeau noir, il mène un combat anti-mitterrandien sur, entre autres, le thème de l'abaissement des intellectuels. Suivent des conférences du Perroquet dirigées de même (jusqu'en 1993). Pas plus de mort de la politique que de glas de la philosophie, pourvu qu'elles soient sous conditions.

De 1982 à aujourd'hui : déploiement philosophique. En 1982 c'est *Théorie du sujet*, en 1988 *L'Être et l'événement*, où se constate, contre la fin de la philosophie, son existence, et celle de l'ontologie pourvu qu'elle soit mathématique, qu'elle attribue l'être au multiple, opère la séparation radicale du sens et de la vérité, et assigne cette dernière à quatre procédures, ou conditions : la politique, l'art, la science et l'amour ; tandis qu'une doctrine de l'événement va commander à la fois la nature des vérités (elles sont événementielles), le temps de leur saisie (au futur antérieur, l'événement étant toujours à la fois situé et surnuméraire) et le statut du sujet (point local d'infini). Peu après, vient le *Manifeste pour la philosophie*. Puis, développant la doctrine des conditions, *Le Nombre et les nombres*, et *Conditions* elles-mêmes. Tout dernièrement, *L'Éthique*, doctrine du bien et du possible. *L'Éthique* est aussi une charge démonstrative contre l'hégémonie des droits de l'homme et l'éthique de l'autre, péri-lévinassienne. Alain Badiou est un fier polémiste : *D'un désastre obscur* en témoigne.

Est-ce à ce don éristique qu'il faut attribuer son talent comique ? Car, dans le même temps, il forge une œuvre théâtrale : *Écharpe rouge*, tétralogie des *Ahmed*, Scapin moderne. Pour cette inspiratrice, le théâtre, il écrit une *Rhapsodie pour le théâtre*. Et pour Beckett, un *Beckett, l'increvable désir*.

Littérature, politique, mathématiques, philosophie, s'agit-il d'une somme ? Un impartial recenseur note le motif inverse : celui de l'unité sous condition de séparation stricte entre les actes. Avec Alain Badiou, l'universel se donne dans des singularités irréductibles.

Natacha Michel

■ *Almagestes*, Prose, Seuil, 1964. — *Théorie du sujet*, Seuil, 1982. — *L'Être et l'événement*, Seuil, 1988. — *Manifeste pour la philosophie*, Seuil, 1989. — *Le Nombre et les nombres*, Seuil, 1990. — *Rhapsodie pour le théâtre*, Imprimerie nationale, 1990. — *Conditions*, Seuil, 1992. — *L'Éthique*, Hatier, 1993. — *Ahmed le subtil* (farce) et *Ahmed philosophe*, suivi de *Ahmed se fâche*, Arles, Actes Sud, 1994 et 1995. — *Beckett, l'increvable désir*, Hachette, 1995.

BAINVILLE (Jacques)

1879-1936

Né à Vincennes, fils d'un négociant républicain de souche lorraine, Jacques Bainville a été converti au nationalisme par la fréquentation (brève) de la Faculté de droit de Paris, par l'influence de Maurice Barrès* et par la conscience du danger allemand, qui devait devenir l'obsession de sa vie. D'abord dreyfusard par souci de justice, il rejoignit le camp adverse par réflexe conservateur. Convaincu de la supériorité du système politique allemand, il était déjà monarchiste quand, en 1900, il rencontra Charles Maurras*, qui lui confia aussitôt la rubrique de politique extérieure de la revue *L'Action française** et une chronique à la *Gazette de France*.

Ainsi a commencé une carrière de journaliste, d'historien et d'essayiste d'une prodigieuse fécondité, menée au rythme d'un ouvrage par an et de trois articles par jour. Intellectuellement engagé au côté de l'Action française, Bainville pensait trop à la Revanche pour s'associer à ses campagnes contre la République : il soutint Delcassé et Poincaré et en appela, l'un des premiers, à l'Union sacrée. Trop journaliste pour ce qu'il avait d'historien, il s'est situé en marge de l'Université. Mais sa méthode, associant un positivisme fondamental au souci de cerner les phénomènes psychologiques et de mettre en évidence les continuités culturelles, le rattache à l'esprit nouveau dont sortit, au même moment, l'école des *Annales*.

Après plusieurs ouvrages consacrés à la menace d'une Allemagne dont l'unité aurait dû et pu, selon lui, être évitée, Bainville s'engagea en 1914, mais fut réformé par Poincaré, qui l'envoya en mission dans la Russie de 1916. L'historien en retira la conviction de la faiblesse intrinsèque de la Russie, et le refus de laisser entraîner la France dans le conflit entre le germanisme et le slavisme — prolongé, crut-il plus tard, par l'opposition entre le national-socialisme et le communisme. Hostile au traité de Versailles — « une paix trop douce pour ce qu'elle a de dur », selon la célèbre formule des *Conséquences politiques de la paix* — Bainville s'opposa à Briand et dénonça les efforts de Stresemann pour « ronger » le traité « du dedans ». Son audience dépasse alors largement les milieux monarchistes. Sa signature se retrouve dans *La Liberté*, *Le Capital*, *Le Petit Journal*, *Le Petit Parisien*, la *Revue des Deux Mondes**, *La Revue universelle** (qu'il a fondée en 1920) et *Candide**. En 1924, son *Histoire de France*, exaltation de l'œuvre capétienne, atteint 340 000 exemplaires. En 1931, son *Napoléon*, réflexion sur l'échec programmé d'un aventurier de génie, connaît un succès comparable. En 1935, il prend acte de la longévité de *La Troisième République*, qu'il explique par sa modération. Mais son admiration pour les grands hommes est ambiguë (*Les Dictateurs*, 1935). Lucide sur la gravité de la menace hitlérienne — il a prévu Munich, l'Anschluss et la crise polonaise — il en méconnaît, comme Maurras, la spécificité, dans sa critique de notre politique étrangère (pacte franco-russe, affaire éthiopienne). Il meurt d'un cancer de l'œsophage le 9 février 1936, le jour de son cinquante-septième anniversaire, trois mois après avoir été reçu à l'Académie française*, au fauteuil de Raymond Poincaré. Le 13 février, lors de ses obsèques, Léon Blum* fut agressé par des Camelots du roi. En application d'une loi contre les ligues votée un mois plus tôt, les organisations d'Action française furent dissoutes par décret dès le lendemain. Le hasard se vengeait d'un homme qui s'était fait, du déterminisme, une religion.

Alain-Gérard Slama

■ *Louis II de Bavière*, Perrin, 1900, rééd. Bruxelles, Complexe, 1985. — *Bismarck et la France*, Nouvelle librairie nationale, 1907. — *Histoire de deux peuples*, NLN, 1915. — *Histoire de trois générations*, NLN, 1915. — *Les Conséquences politiques de la paix*, NLN, 1920. — *Histoire de France*, Fayard, 1924, rééd. Marabout, 1986. — *Napoléon*, Fayard, 1931. — *La Troisième République*, Fayard, 1935. — *Les Dictateurs*, Denoël et Steele, 1935. — *Journal*, Plon, 1948.
▒ J. Montador, *Jacques Bainville, historien de l'avenir*, France-Empire, 1984.

BALANDIER (Georges)

Né en 1920

Avoir vingt ans en 1940 n'était guère enviable, l'avenir semblait une indécence tant le quotidien primait. Pourtant, Georges Balandier saura réagir aux événements : étudiant en lettres et en philosophie, fréquentant l'Institut d'ethnologie, il refuse de répondre à l'appel du Service du travail obligatoire (STO, mis en place par le régime de Vichy afin d'alimenter les usines allemandes en main-d'œuvre civile française) et rejoint la Résistance. Nourri des ouvrages de Marcel Mauss*, des enseignements de Maurice Leenhardt, de Marcel Griaule ou de Maurice Halbwachs*, Georges Balandier aborde la Libération, et ses nouveautés, avec une rare ouverture d'esprit qui le protégera de tout endoctrinement sectaire. Il vit alors la jeunesse qu'on lui avait volée et c'est Saint-Germain-des-Prés, la naissance des *Temps modernes** aux côtés de Sartre* et de Camus*, la rencontre décisive avec Michel Leiris*, etc. Il se rêve écrivain et publie, avec la complicité de Maurice Nadeau*, son seul roman, *Tous comptes faits* (Éditions du Pavois, 1947), qu'il ne verra imprimé qu'après son retour d'Afrique. Car l'*ailleurs* est déjà une exigence pour celui qui veut comprendre l'histoire en train de se faire… Un haut fonctionnaire éclairé de l'administration coloniale, Robert Delavignette, lui donnera l'envie de partir voir et sentir cette Afrique qu'il ne connaît qu'au travers des lectures, dont les beaux textes d'Ernest Psichari*, aujourd'hui oubliés. Le désert de Mauritanie, le site de Dakar, les couleurs, les odeurs, les hommes et les femmes d'Afrique, les velléités indépendantistes, tout cela l'émeut, le bouleverse, le passionne. Il découvre une Afrique active, soucieuse de son devenir et non cet ensemble de sociétés traditionnelles, figées et endormies, que l'on présente en France. Il participe activement au lancement et à la parution de la revue *Présence africaine* avec ses amis Alioune Diop et Léopold Senghor* et défend cette approche culturelle de l'Afrique et de ses diasporas noires qu'on nomme « négritude ». Il découvre également, sur le terrain, ce fameux « tiers monde » qu'il contribuera à analyser avec Alfred Sauvy* et François Perroux*. Africaniste engagé, il n'épargne pas ses efforts pour mettre en place une *décolonisation progressive et concertée*, avec les élus et les élites autochtones, des territoires colonisés par la France et apporte, un temps, son soutien au général de Gaulle.

Enseignant inventif, il impulse de nombreuses recherches et provoque des

« vocations » (Gérard Althabe, Jean Copans, Emmanuel Terray, Claude Meillassoux, Jean-Loup Amselle, notamment, furent ses élèves), anime plusieurs revues (les *Cahiers d'études africaines*, les *Cahiers internationaux de sociologie*) et dirige deux collections aux PUF. Convaincu que le dynamisme social et culturel l'emporte sur la stabilité apparente et stérile des structures, il combat le structuralisme — alors dominant dans les sciences sociales —, en témoignent ses essais : l'*Afrique ambiguë* (1957), *Sens et puissances, les dynamiques sociales* (1971) ou *Anthropo-logiques* (1974). Ce dernier ouvrage rassemble des études qui affirment la nécessité de revisiter les fondements théoriques des sciences sociales afin de mieux saisir et analyser le virtuel, le latent, le neuf, qui travaillent en profondeur les sociétés dites « traditionnelles » et y introduisent la *modernité*. Quelles sont donc les nouvelles logiques à l'œuvre dans ces sociétés traversées par des phénomènes irréversibles : l'urbanisation, le salariat, l'apport de technologies « étrangères », la remise en cause des anciennes hiérarchies (aîné / cadet, homme / femme, etc.) ?

Mais l'appréhension, là-bas, de ces éléments permet au théoricien d'ici d'effectuer un fructueux *détour* dont il résulte une autre approche de sa propre société et ainsi lui permet de mieux localiser *le politique* dans un monde aux repères brouillés, aux rythmes accidentés, aux désordres permanents. Georges Balandier se penche, dorénavant, sur l'ordre de ce tumulte, sur la cohérence de ces turbulences. Rendre « intelligibles les *passages*, identifier ces moments, éclaircir ce qui est problématique, parvenir à connaître ce qui entre dans le monde et n'était pas déjà là, c'est conduire l'expérience humaine à réduire la conscience de désordre et de déperdition du sens ». Un travail pour demain, en quelque sorte…

Thierry Paquot

■ *Sociologie actuelle de l'Afrique noire*, PUF, 1955, 4e éd. 1982. — *Anthropologie politique*, PUF, 1967, 4e éd. 1984. — *Le Pouvoir sur scènes*, Balland, 1980, rééd. 1992. — *Le Détour. Pouvoir et modernité*, Fayard, 1985. — *Le Désordre. Éloge du mouvement*, Fayard, 1988.

▒ M. Maffesoli et C. Rivière (dir.), *Une anthropologie des turbulences. Hommage à Georges Balandier*, Berg International, 1985. — E. Terray (dir.), *Afrique plurielle, Afrique actuelle. Hommage à Georges Balandier*, Karthala, 1986. — *Autour de Georges Balandier*, Fondation d'Hautvillers, 1981. — « Colloque de Cerisy. Autour de Georges Balandier », *Revue de l'Institut de sociologie*, 1988.

BARBUSSE (Henri)

1873-1935

Nom familier aux usagers du macadam de l'ex-ceinture rouge parisienne, Henri Barbusse jouit également de la reconnaissance — limitée à un bref extrait du *Feu* — des manuels de littérature du secondaire. À la confluence d'une double légitimité, partisane et littéraire, Barbusse apparaît comme l'une des personnalités marquantes du système de pénétration communiste en milieu intellectuel au cours de l'entre-deux-guerres.

Né le 17 mai 1873 à Asnières (Seine), Barbusse appartient à la génération de la défaite : celle de Marcel Proust*, Maurice Barrès* et Romain Rolland*. Il grandit au sein d'une famille protestante, athée, républicaine et praticienne des belles-lettres. Parallèlement à ses productions, d'inspiration symboliste (*Les Pleureuses*, 1895) puis naturaliste (*L'Enfer*, 1908), il collabore à des publications pacifistes telles que *La Paix par le droit*, publiée par la Société française pour l'arbitrage entre les nations. « Socialiste antimilitariste », il s'engage, à quarante et un ans, dès le 2 août 1914. De ses onze mois au front, il rapporte deux citations et la matière d'un volume, *Le Feu, journal d'une escouade*, prix Goncourt 1916. L'ouvrage, qui assoit la notoriété de Barbusse, conjugue l'évocation de l'horreur des combats et l'exaltation d'une fraternité dont l'accomplissement suppose la révolution universelle. Cet esprit préside à la création, en 1917, de l'Association républicaine des anciens combattants, aux côtés de Raymond Lefebvre* et de Paul Vaillant-Couturier*.

Henri Barbusse se rallie à l'initiative de Raymond Lefebvre : une internationale des intellectuels sympathisants, par hostilité à la guerre, de la révolution russe. C'est, en mai 1919, le mouvement Clarté*. Barbusse n'adhère toutefois officiellement au PCF qu'en 1923, après avoir réalisé (*Le Couteau entre les dents*, 1921) en direction des intellectuels un travail de propagation des thèses communistes. Dès lors se succèdent, aux Éditions Flammarion*, ouvrages littéraires (cycle des *Jésus*, 1926-1927) et publications d'« agit-prop », comme, en 1935, *Staline : un monde nouveau vu à travers un homme*. Pourtant informé de la réalité soviétique, Henri Barbusse y façonne la légitimité du chef du prolétariat mondial, censé incarner l'intellectuel de type nouveau.

Henri Barbusse bénéficie — court-circuitant la direction du PCF — d'un accès aux échelons les plus élevés du communisme international. C'est Staline en personne qui, en 1932, lui conseille d'adopter un profil bas à l'égard de la gauche non communiste et veille au déblocage des fonds nécessaires au Comité contre la guerre impérialiste, futur comité Amsterdam-Pleyel*. Ce soutien permet à Barbusse de braver l'incompréhension de nombreux secteurs kominterniens et d'acquérir une image d'ouverture auprès de l'intelligentsia.

Plus que par sa contribution au débat sur l'« art prolétarien », Barbusse a marqué son époque par son aptitude aux opérations « frontistes ». Il s'agissait, selon le commissaire à la Culture Lounatcharski, de réaliser « l'adjonction pratiquement et logiquement organisée de l'élément intellectuel et artistique à la stratégie de l'Internationale ». L'instrumentalisation supposait des outils appropriés : pétitions (guerre du Rif*, 1925), comités thématiques, voyages (Amis de l'Union soviétique, 1927), revue « non partisane » (*Monde**, 1928). Le succès le plus éclatant fut obtenu en 1932 à travers le Congrès d'Amsterdam contre la guerre, relayé par le Comité contre la guerre impérialiste, autrement dénommé « Amsterdam-Pleyel ».

Henri Barbusse éprouva certaines difficultés à négocier le tournant du Front populaire. La création, en 1934, du Comité de vigilance des intellectuels antifascistes*, dont le PCF ne put prendre la direction, fut pour lui un échec. Après sa mort, survenue le 30 août 1935 à Moscou, Barbusse fit l'objet d'un procès de canonisation, le Parti communiste transférant sur sa personne le triptyque « pacifisme », « antifascisme » et « unité ». Personnalité extrêmement controversée de son vivant, Henri Barbusse accède aujourd'hui au statut d'objet historique.

Yves Santamaria

■ *L'Enfer*, Librairie mondiale, 1908, rééd. Albin Michel, 1992. — *Le Feu*, Flammarion, 1916, rééd. Le Livre de Poche, 1988. — *Clarté*, Flammarion, 1919, rééd. 1978. — *Jésus*, Flammarion, 1927. — *Staline. Un monde nouveau vu à travers un homme*, Flammarion, 1935.

■ P. Baudorre, *Henri Barbusse : le pourfendeur de la Grande Guerre*, Flammarion, 1995. — J.-P. Morel, *Le Roman insupportable. L'Internationale littéraire et la France (1920-1932)*, Gallimard, 1985.

BARBUSSE-ROLLAND (controverse)

1921-1922

Au sortir de la guerre de 14-18, Henri Barbusse* et Romain Rolland* sont les deux figures de proue des intellectuels de gauche. La controverse qui les oppose à la fin de 1921 et au début de 1922 dans les colonnes de *Clarté** (pour Barbusse) et de *L'Art libre* (pour Rolland) est donc un débat interne, qui révèle deux conceptions de l'engagement. L'épisode vaut moins pour son retentissement immédiat, que parce qu'il est la première expression publique d'un débat promis à bel avenir : celui qui oppose « l'indépendance de l'esprit » à l'engagement « utile » derrière le Parti communiste.

La controverse intervient à mi-chemin entre les deux grands moments de la polarisation droite / gauche des intellectuels français par manifestes interposés que sont les années 1919 et 1925. En 1919, Henri Barbusse publie le « Manifeste des intellectuels combattants » (*Le Populaire*, 17 janvier 1919) et annonce dans la foulée le lancement du mouvement « Clarté » (*L'Humanité**, 10 mai 1919), tandis que Romain Rolland publie ce qui sera plus tard appelé la « Déclaration d'indépendance de l'esprit » (*L'Humanité*, 26 juin 1919). Le 19 juillet suivant, le manifeste du « parti de l'intelligence » rédigé par Henri Massis* *(Le Figaro)** est la réponse explicite des intellectuels de droite « aux Romain Rolland, aux Barbusse, qui accusent les écrivains français d'avoir avili, abaissé, dégradé la pensée en la mettant au service de la patrie et de sa juste cause ». En 1925, c'est à propos de la guerre du Rif* que reprend la bataille de manifestes et de grandes signatures : à gauche l'« Appel aux travailleurs intellectuels » (*L'Humanité*, 2 juillet), et à droite, « Les intellectuels aux côtés de la patrie » (*Le Figaro*, 7 juillet). En 1921-1922, c'est quand la tension est provisoirement retombée que Barbusse et Rolland peuvent se permettre de polémiquer publiquement au sein de leur propre « camp ».

Car juste après la guerre, ils ne sont pas seulement deux figures majeures de la gauche intellectuelle : ils sont aussi en concurrence pour incarner la juste voie au sein de cette gauche. Barbusse tire sa légitimité du *Feu*, roman « pacifiste » qui a connu un énorme succès de librairie : il prône après la guerre un mouvement de masse où les intellectuels seraient mêlés aux autres militants, au sein du mouvement « Clarté » et de l'Association républicaine des anciens combattants qu'il anime. De son côté, Rolland s'appuie sur l'écho d'*Au-dessus de la mêlée*, un texte à la fois plus directement politique et moins largement diffusé : il incarne un engagement moins « militant », moins « politique », où un cercle d'intellectuels « purs » se pose comme une conscience morale. La concurrence entre les deux hommes se manifeste dès l'après-guerre lorsque Rolland refuse d'adhérer à « Clarté » et que Barbusse refuse sa participation active au Congrès international des intellectuels que Rolland et Raymond Lefebvre* cherchent à mettre sur pied. Mais il faut attendre la fin de 1921 pour voir cette concurrence s'exprimer en public.

Tout l'intérêt de la controverse Barbusse-Rolland de 1921-1922 réside dans la fixation d'un double modèle rhétorique qui sera très largement repris par la suite. L'enjeu en est le soutien au Parti communiste et à la révolution russe que les deux hommes ont commencé par appuyer avant de diverger : Barbusse se rapproche de plus en plus d'un parti auquel il finira par adhérer en 1923, alors que Rolland prend ses distances. La polémique fait apparaître une série d'oppositions nettement structurantes. Barbusse oppose ainsi les « savants » aux « pontifes », le « politique » au « moraliste », le combat « positif » au combat « négatif », l'« action » à la « contemplation ». Rolland, lui, met en avant le « critique », le « lucide » et l'« indépendant » face au « docile », et revendique une « mystique » ou une « morale ».

La forme courtoise de la controverse montre bien les limites à ne pas franchir pour deux intellectuels qui appartiennent à la même famille. Et si c'est Barbusse qui attaque en dénonçant l'alliance « objective » des « rollandistes » avec l'ordre établi, alors que Rolland se contente de revendiquer un « partage des tâches », c'est qu'il est alors en position de faiblesse : la nouvelle revue *Clarté* échappe de plus en plus à son contrôle et le mouvement est moribond. Mais dix ans plus tard, c'est au tour de Barbusse de triompher avec le mouvement Amsterdam-Pleyel* « contre la guerre et le fascisme » qui voit Rolland se rallier à l'action de masse.

Philippe Olivera

■ Pour les textes de la controverse : Romain Rolland, *Quinze ans de combat*, Rieder, 1935.

▩ A. Cuénot, *L'Itinéraire politique et culturel de « Clarté » et des intellectuels clartéistes*, thèse, université de Besançon, s.d. [1986]. — N. Racine, « Bataille autour d'intellectuel(s) dans les manifestes et contre-manifestes de 1918 à 1939 », in D. Bonnaud-Lamotte et J.-L. Rispail (dir.), *Intellectuels des années 30 entre le rêve et l'action*, CNRS, 1989, pp. 223-238.

BARDÈCHE (Maurice)

Né en 1907

Né dans une famille modeste de Dun-sur-Auron le 1er octobre 1907, Bardèche est un produit de l'élitisme républicain. Après son certificat d'études, il obtient une bourse afin de poursuivre ses études, puis entre en hypokhâgne au lycée Louis-le-Grand. Il y rencontre un groupe d'étudiants, dont Jacques Talagrand (qui deviendra Thierry Maulnier*) et son futur beau-frère Robert Brasillach*, avec lequel il se lie d'une amitié définitive. Admis en 1928 à l'École normale supérieure*, il est reçu à l'agrégation de lettres en 1932. Il collabore dans les années 30 aux revues qu'animent Brasillach et Maulnier *(1933, 1934, 1935)* mais essentiellement dans le domaine artistique : il est chroniqueur pictural et littéraire. Sa seule œuvre politique d'avant guerre est son *Histoire de la guerre d'Espagne* où il défend le camp de l'ordre et de la violence contre la « démocratie paralysante qui était comme une malaria ».

Durant la guerre, mis à part quelques articles sur l'art dans *Je suis partout**, il se consacre à son œuvre littéraire (c'est un spécialiste des écrivains du XIXe siècle). À la Libération, il est arrêté car proche de Brasillach mais vite relâché, alors que son beau-frère est fusillé. Désormais il s'attachera à réhabiliter l'œuvre et diffuser les idées de Brasillach. Dans la *Lettre à François Mauriac* (1947), il défend les collaborateurs contre les résistants « rebelles à la légalité » ; en 1948, avec *Nuremberg ou la Terre promise*, il plaide en faveur de l'Allemagne nazie et exprime des thèses révisionnistes, ce qui lui vaut saisie et procès. Il récidive en 1952 avec *Nuremberg II ou les Faux-Monnayeurs*, où il s'appuie sur les thèses de Paul Rassinier. Plus encore que défendre Brasillach, il veut aussi diffuser ses idées fascistes et antisémites, ce qui l'amène à participer au Mouvement social européen. À Malmö en 1950, au congrès de ce mouvement, il conduit la délégation française et reçoit pour tâche de fédérer les divers groupes français. Cette entreprise dépassera Bardèche, qui n'est pas un homme d'appareil. Il préfère se consacrer à la propagande par l'écrit. Après avoir fondé Les Sept Couleurs, maison d'édition qui publie ses livres et ceux d'intellectuels fascistes, il fonde *Défense de l'Occident*, revue qui sera un lieu de rencontre de l'extrême droite de 1952 à 1982. La revue hésite entre plusieurs tendances : ultra-idéologique de 1952 à 1960, elle a davantage de prétentions intellectuelles de 1960 à 1962 et accueille Rebatet* et Déon, puis elle se repolitise de 1962 à 1967 sous l'influence de Jean Mabire, de François d'Orcival, de François Duprat, qui sera cofondateur du Front national, et de Pascal Gauchon, qui sera fondateur du Parti des forces nouvelles avant de faire carrière dans l'édition. Le journal subit la concurrence de la Nouvelle Droite et du FN et sa ligne politique se brouille. Bardèche en arrête la diffusion en 1982.

Sa revue et son œuvre d'idéologue et de polémiste sont pour l'extrême droite française un « lieu de mémoire » ; en revanche et malgré le ressassement de ses thèmes habituels (antisémitisme, racisme, anticommunisme, antidémocratie), elles ne sont pas un discours de la méthode, et Bardèche n'est pas un repère pour l'action.

Jean-François Homassel

■ *Histoire du cinéma* (avec R. Brasillach), Denoël, 1935, éd. complétée en 1943. — *Histoire de la guerre d'Espagne* (avec R. Brasillach), Plon, 1939. — *Lettre à François Mauriac*, La Pensée libre, 1947. — *Nuremberg ou la Terre promise*, Les Sept Couleurs, 1948. — *Nuremberg II ou les Faux-Monnayeurs*, Les Sept Couleurs, 1952. — *Qu'est-ce que le fascisme ?*, Les Sept Couleurs, 1961.

▒ Marie Bardèche, *Souvenirs*, Buchet-Chastel, 1993. — G. Desbuissons, *Itinéraire d'un intellectuel fasciste : Maurice Bardèche*, thèse, IEP de Paris, 1990.

BARRÈS (Maurice)

1862-1923

Né à Charmes-sur-Moselle (Vosges), lorrain par sa mère, Barrès fut d'abord, avant de retourner à ses racines, un poète révolté contre son milieu, un anticonformiste. Après ses études au lycée de Nancy, où il eut pour professeur de philosophie

Auguste Burdeau — futur ministre et président de la Chambre des députés, modèle de son Bouteiller, un des personnages clés du *Roman de l'énergie nationale* —, le jeune Barrès vient suivre ses études à Paris. En 1884, il lance *Les Taches d'encre*, revue qu'il écrit seul et qui aura quatre numéros. De 1886 à 1888, il collabore au *Voltaire*, journal de sensibilité républicaine et anticléricale. Il écrit alors contre le chauvinisme de Déroulède, prône le cosmopolitisme, et vante la culture germanique.

C'est au cours de cette période qu'il écrit la trilogie du *Culte du Moi*, remarqué par un style alternativement nerveux et désinvolte. Pourtant, l'égotiste affiché qu'il est se rallie en septembre 1887 à Boulanger. En avril de l'année suivante, il publie un article dans *La Revue indépendante*, « M. le général Boulanger et la nouvelle génération », dans lequel il fustige le régime en place. Aux élections législatives de 1889, il est élu à Nancy sous l'étiquette « socialiste révisionniste ». Il siégera jusqu'en 1893 à l'extrême gauche, en compagnie des rares députés socialistes et des boulangistes de gauche. Battu aux élections de 1893, il continue son œuvre politique dans les colonnes de *La Cocarde*, où se retrouvent des royalistes, des socialistes, des anarchistes, des antisémites, des juifs : « Tout ce monde, écrira Maurras* qui s'y trouvait, était accordé et harmonisé par l'amour — c'est le mot, il n'en est pas d'autres — l'amour d'un homme, par la passion que tous ces hommes avaient pour Barrès. »

Les idées de Barrès, profuses et confuses, sont canalisées vers le nationalisme conservateur au moment de l'affaire Dreyfus*. Dès 1897, il publie *Les Déracinés*, qui présentent la thèse de l'anti-universalisme et de l'antikantisme : on ne fait pas « avec des petits Lorrains, avec des enfants de la tradition, des citoyens de l'univers, des hommes selon la raison pure ». En 1900, *L'Appel au soldat* narre à sa façon l'épisode boulangiste, « l'état d'esprit national d'une levée en masse ». Le troisième volet du triptyque, *Leurs figures*, consacré au scandale de Panama, flétrit la corruption du régime parlementaire.

Tout au long de l'affaire Dreyfus, Barrès multiplie les appels, les interventions, les articles, contre les « révisionnistes », contre les juifs et contre les « intellectuels » — substantif qu'il est un des premiers à employer et dont il use avec ironie. Fidèle soutien de Paul Déroulède et de sa Ligue des patriotes, il est aussi un des membres prestigieux de la Ligue de la patrie française qui, à partir de 1899, rassemble l'*establishment* du nationalisme.

Battu aux élections de 1902, il évolue vers des positions de plus en plus conservatrices. Revenant au thème de l'Alsace-Lorraine, il mène aussi campagne contre le délabrement des églises de France. En 1905, il fait paraître le premier livre de sa troisième trilogie, *Les Bastions de l'Est*, avec *Au service de l'Allemagne*, suivi en 1909 de *Colette Baudoche* (« Depuis quarante ans, la pensée la plus fidèle de la France est tournée vers Metz et Strasbourg »), auquel succédera après la guerre *Le Génie du Rhin*.

L'année 1906 est pour lui glorieuse : il est élu à l'Académie française* et réélu député. Lors de la Grande Guerre, Barrès prône l'Union sacrée, ce qui le conduit à se réconcilier avec le régime en place, et à publier *Les Diverses Familles spirituelles de la France*, inspirée d'un nationalisme ouvert, réintégrant, à côté des catholiques, les protestants, les juifs et les libres-penseurs, unis par une commune passion de la patrie française.

Quand il meurt en 1923, il a pris la stature solennelle, officielle et conformiste du grand patriote, qui lui vaut une attaque en règle de la part des surréalistes. Il laisse des *Cahiers* posthumes qui, publiés entre 1929 et 1957, révèlent une personnalité plus complexe qu'on ne l'imaginait. Sa correspondance avec Anna de Noailles, parue en 1994, ajoute une nouvelle teinte à son portrait, celle d'un amoureux romantique.

L'œuvre et la pensée de Barrès peuvent se concevoir comme une évolution contradictoire : de l'individualisme anarchisant au nationalisme conservateur, en passant par les foucades de ce qu'on a pu appeler son « préfascisme ». Un « homme libre » qui se serait volontairement enchaîné au pire déterminisme — celui de la Terre et des Morts. À ses propres yeux, Barrès avait suivi une évolution logique : « Au fond, le travail de mes idées se ramène à avoir reconnu que le moi individuel était tout supporté et alimenté par la société [...] j'ai passé par les diverses étapes de cet acheminement vers le moi social. » Le nationalisme comme élargissement et aboutissement du Moi.

L'influence de Barrès est multiple. Le Barrès de la première phase, individualiste et anarchisante, a séduit toute une génération d'intellectuels de gauche, comme Lucien Herr*, Léon Blum*, et leurs amis de *La Revue blanche**. Sa période post-boulangiste de *La Cocarde* contient les germes d'un certain fascisme, moins militaire que populiste et antisémite. Son antidreyfusisme le conduit à formuler quelques-uns des thèmes majeurs d'un nouveau traditionalisme : « Notre raison, cette reine enchaînée, nous oblige à placer nos pas sur les pas de nos prédécesseurs », sans pour autant accepter l'invitation inlassable de Maurras à rallier la cause monarchiste. Barrès défend un nationalisme syncrétique, acceptant d'y intégrer « l'addition de nos morts et le produit de notre terre », — y compris le meilleur de la Révolution et de l'Empire.

Au-delà de ses variations politiques, Barrès a exercé une profonde influence d'écrivain, qu'ont reconnue parmi tant d'autres Pierre Drieu La Rochelle*, François Mauriac* aussi bien que Louis Aragon*. Barrès était un séducteur, sa personnalité fascinante, et bien des esprits se sont laissé charmer par lui. Il est notable que l'amour passionné qu'il vécut avec Anna de Noailles — une dreyfusarde notoire — transgressait allégrement les obstacles idéologiques. L'estime et le respect qu'il témoigna jusqu'à son lit de mort pour son adversaire, Jean Jaurès*, en disent long sur son ouverture d'esprit. Barrès a toujours gardé en lui un dilettantisme et un esthétisme de jeune poète, qui interdit à ses biographes de l'enfermer dans une formule réductrice. Il restera néanmoins comme un des penseurs, ou mieux encore comme un des chroniqueurs élégants, du nationalisme le plus étroit, avant de devenir le chantre de l'Union sacrée.

Michel Winock

■ *Le Culte du Moi* : *Sous l'œil des barbares*, 1888 ; *Un homme libre*, 1889 ; *Le Jardin de Bérénice*, 1891. — *Le Roman de l'énergie nationale* : *Les Déracinés*, 1897, rééd. Gallimard, 1983 ; *L'Appel au soldat*, 1900 ; *Leurs figures*, 1902. — *Scènes et doctrines du nationalisme*, 1902, rééd. Éd. du Trident, 1987. — *Les Bastions de l'Est* :

Au service de l'Allemagne, 1905 ; *Colette Baudoche*, 1909 ; *Le Génie du Rhin*, 1921. — *Mes cahiers (1896-1926)*, Plon, 1929-1957, 14 vol., éd. abrégée 1964 et 1994. — M. Barrès et C. Maurras, *La République ou le Roi* (correspondance inédite avec C. Maurras, 1888-1923), Plon, 1970.

Z. Sternhell, *Maurice Barrès et le nationalisme français* (préface de R. Girardet), Armand Colin, 1972.

BARTHÉLEMY (Joseph)

1874-1945

Joseph Barthélemy ne peut être considéré comme un intellectuel « engagé ». Il n'a pas produit une œuvre de fiction ou de pensée qui ait marqué son temps. Il n'a pas suivi les formes de l'engagement des intellectuels, ni magistère moral ni agitation d'avant-garde. Il n'en est pas moins, entre les deux guerres, un personnage important de la république des académies et de l'Université, un professeur d'influence pour des cercles politiques, mondains et intellectuels qui se croisent souvent. Sa participation au gouvernement de Vichy entre 1941 et 1943 signale l'ampleur des ralliements dont ce régime a pu bénéficier dans le monde des « modérés » et le cas de Joseph Barthélemy est, de ce point de vue, emblématique.

Issu d'une famille qui alliait républicanisme avancé et carrière universitaire — son père était professeur de la Faculté des sciences et maire radical de Toulouse —, Joseph Barthélemy a suivi un *cursus honorum* classique et prestigieux. Agrégé de droit public en 1906, il atteint dès 1913 le sommet de la carrière en devenant professeur à la Faculté de droit de Paris et titulaire d'un grand cours d'histoire parlementaire à l'École libre des sciences politiques*. À ce double titre — deux positions clés du petit monde des grands professeurs de droit —, il acquiert à partir de 1919 un véritable rôle de passeur d'idées entre le monde universitaire et celui des salons.

Dans une période de remise en cause de la démocratie libérale, on fait appel à lui comme constitutionnaliste reconnu et comme praticien direct du parlementarisme puisqu'il fut député de 1919 à 1928, ce qui le distingue de ses pairs de l'Université. Il est de tous les débats qui concernent la rénovation du travail parlementaire, il prône un renforcement du pouvoir exécutif à la suite notamment des enseignements issus de la Grande Guerre. Avec le débat sur la réforme de l'État qui occupe la première moitié des années 30, et qui touche à la fois le monde politique et tous les cercles intellectuels du « non-conformisme », son influence et son engagement se sont considérablement élargis, bien que sa carrière politique ait subi des échecs répétés (candidat malheureux aux élections législatives de 1928, 1932 et 1936). S'il est l'un des plus modérés parmi les critiques de la démocratie parlementaire, refusant par exemple la solution d'une révision brutale de la Constitution, ses écrits et ses interventions publiques contribuent à la diffusion des idées sur les faiblesses et les vices du parlementarisme.

Expert reconnu aussi en droit international, il publie en avril 1938, dans le quotidien *Le Temps*, un article qui tend à dégager la France de toute obligation juridique d'intervention isolée pour soutenir la Tchécoslovaquie contre la menace que l'Allemagne fait peser sur la région des Sudètes. Contribution au pacifisme qui triomphe au moment de la conférence de Munich* en septembre 1938, une telle position éclaire aussi l'attitude de Joseph Barthélemy après la défaite de 1940. Rallié au régime de Vichy, vouant un véritable culte à la personne de Pétain — « le sommet de ma vie, c'est évidemment ma collaboration avec le Maréchal », écrit-il en 1943 —, il est garde des Sceaux entre janvier 1941 et mars 1943, sous Darlan comme sous Laval (après avril 1942), ministre du procès de Riom et des sections spéciales.

Dénués de toute allusion à la doctrine ou à l'idéologie de la « Révolution nationale », les Mémoires qu'il écrit au lendemain de son renvoi en 1943 décrivent le parcours final d'un grand professeur d'origine libérale, devenu serviteur d'un « régime autoritaire » (selon sa propre expression) qu'il ne renie toujours pas. Emprisonné d'octobre 1944 à mars 1945, souffrant d'un cancer, il meurt au mois de mai 1945.

Nicolas Roussellier

■ *L'Introduction du régime parlementaire en France sous Louis XVIII et Charles X*, Giard et Brière, 1904. — *Valeur de la liberté et adaptation de la République*, Sirey, 1935. — *Ministre de la Justice. Vichy (1941-1943). Mémoires* (préface de J.-B. Duroselle et introduction biographique de J. Barthélemy et A. Teyssier), Pygmalion / Gérard Watelet, 1989.

BARTHES (Roland)

1915-1980

Persuadé que toute analyse et toute contestation politiques devaient nécessairement passer par une attention vigilante aux phénomènes de langage et aux systèmes de signes dont dépendent les processus d'aliénation, Roland Barthes a incarné un type de relations entre l'intellectuel et la politique très particulier.

Roland Barthes a suivi un itinéraire politique apparemment orthodoxe. Adolescent, il participe en 1934 à la fondation d'un groupe estudiantin de « Défense républicaine antifasciste ». Il vit certes la Seconde Guerre mondiale isolé du monde par de longs séjours au sanatorium, mais il se lie en post-cure à Leysin (1945) avec un militant trotskiste, Georges Fournié, sorti de déportation, qui l'initie au marxisme et lui fait rencontrer Maurice Nadeau*, directeur des pages littéraires de *Combat** où il écrira ses premiers articles.

Jusqu'aux années 60, trois grands pôles d'intervention idéologique partagent son travail. Avec *Le Degré zéro de l'écriture* (1953), Roland Barthes réinterprète le grand thème sartrien de la responsabilité de l'écrivain, mais il en renverse l'enjeu : celle-ci n'est pas appréciée en termes d'engagements historiques (Gide* et l'Afrique, Zola* et Dreyfus*), c'est à l'aune du déchirement même du langage et de la destruction de la littérature comme rituel mythologique qu'est appréciée la *responsabilité* de l'écrivain. Le second pôle de cette période se constitue autour des *Mythologies* (1957) et du travail de démystification du système idéologique présent dans les objets, les stéréotypes quotidiens. C'est aussi l'occasion, un peu plus tard, en 1959, pour Roland Barthes, dans « Sur un emploi du verbe *être* » à propos de la phrase « L'Algérie est française », d'intervenir plus directement dans l'actualité politique française et de démontrer le mécanisme mythologique par excellence qui transforme un fait d'Histoire en un fait de Nature. Cependant, Barthes refusera de signer le « Manifeste des 121 »* par défiance envers le nationalisme du FLN. L'intense engagement dans la fondation de la revue *Théâtre populaire**, au sein de laquelle le théâtre est perçu comme un lieu particulièrement dense de confrontation de l'univers artistique, social et politique, constitue le troisième pôle de cette première période, au terme de laquelle la découverte de Brecht apparaît bien comme la synthèse de la réflexion barthésienne : une critique idéologique du monde ne saurait se passer d'une réflexion sur le signe.

À cette première période, succède ce qu'on a pu appeler « l'aventure structuraliste » (1961-1970) à travers la tentative de fonder, à la suite de Saussure, une sémiologie générale. Période paradoxale puisque si, philosophiquement, elle suppose une perception déshistoricisée du monde, c'est à ce moment-là que Barthes noue des liens d'amitié et de connivence intellectuelle avec le groupe *Tel Quel** et Philippe Sollers* alors en plein engagement gauchiste. « L'écriture de l'événement » (1968) sur Mai 68 est caractéristique de cette ambivalence : opposant, aux illusions de la parole insurrectionnelle, la violence révolutionnaire de *l'écriture*, Barthes marque une certaine distance à l'égard du spontanéisme et de la mythologie estudiantine. Selon Barthes, cette parole n'offre pas de chances d'une réelle « mutation symbolique ». Dans *Le Plaisir du texte* (1973), il s'agira plus encore de combattre les risques que fait peser l'hégémonie d'un discours purement idéologique sur les chances qu'une nouvelle *textualité* offre précisément de subversion de « l'ancien système » : les notions de « jouissance », de « plaisir », de « texte » visent à combattre les antinomies conventionnelles de la vulgate marxiste qui règne alors.

Mais c'est avec *Alors, la Chine ?*, écrit en 1975 au retour du voyage en Chine fait avec le groupe *Tel Quel*, que s'opère le véritable point de rupture avec le passé militant. Étrangement — pour ses lecteurs d'alors mais aussi pour ses amis —, Barthes supprime de sa production tout discours directement politique et tente par une écriture du *neutre* de se débarrasser de tout point de vue herméneutique et idéologique. Cette mise entre parenthèses donne un texte volontairement et violemment anachronique consacré pour l'essentiel à des thèmes proprement idiosyncrasiques : la fadeur, l'absence des couleurs, les paysages, etc. Dans cette logique, les dernières œuvres de Roland Barthes *(Roland Barthes par Roland Barthes*, *Fragments d'un discours amoureux*, *La Chambre claire)* rompent avec un discours qui a pu passer pour démystificateur, au profit d'une réévaluation existentielle et phénoménologique du subjectif comme socle d'une réflexion éthique où l'écriture demeure la seule force de vérité face au monde. Sa mort, à l'aube de l'année 1980, précède de quelques années le deuil d'un certain type d'engagement politique et collectif.

Éric Marty

■ *Œuvres complètes*, t. 1 : *1942-1965*, t. 2 : *1966-1973*, t. 3 : *1974-1980*, Seuil, 1993-1995.

▒ B. Comment, *Roland Barthes, vers le neutre*, Bourgois, 1992. — P. Roger, *Roland Barthes, roman*, Grasset, 1986. — *Barthes après Barthes, une actualité en questions* (textes réunis par C. Coquio et R. Salado), Publications de l'université de Pau.

Basch (Victor)

1863-1944

Né à Bratislava d'un père journaliste qui fut correspondant du journal viennois *Die Neue Freie Press*, Victor Basch a fait ses études à Paris. Littéraire, attiré par la philosophie, il passe avec succès l'agrégation d'allemand en 1885. Sa carrière universitaire se déroule sans accroc. Il est chargé de cours à la Faculté des lettres de Nancy puis à celle de Rennes. Après avoir soutenu ses deux thèses, l'une sur la poétique de Schiller et l'autre sur l'esthétique de Kant, il peut être nommé en 1906 professeur sur la chaire de littérature allemande de la Sorbonne puis, en 1918, chargé de cours d'esthétique et de science de l'art, avant de devenir enfin, en 1921, professeur d'esthétique.

La vie de Victor Basch est loin de se réduire à ce profil de carrière bien lissé. Il incarne surtout, presque à la perfection, la figure de l'intellectuel engagé. Il a été très tôt, dès 1897, convaincu de l'innocence de Dreyfus* et a adhéré à la Ligue des droits de l'homme* peu après sa création en 1898. Il est à Rennes le fondateur de la première section de province, dont il devient le président en 1905. Il entre au comité central de la Ligue en février 1907 et en devient vice-président en juin 1909. Il est en même temps membre de la SFIO.

Comme nombre d'universitaires français, il ne marchande pas son engagement civique durant la Première Guerre mondiale*. Il est parmi ceux qui se rendent aux États-Unis pour y assurer des tournées de propagande. Dans *La Guerre de 1914 et le droit*, il accable l'Autriche-Hongrie de la responsabilité majeure dans le déclenchement des hostilités.

Devenu président de la Ligue des droits de l'homme en novembre 1926, il y prône une ligne de réconciliation avec l'Allemagne. Il manifeste néanmoins précocement une très grande lucidité face aux dangers que font peser sur l'Europe les fascismes de toute nuance. Au sein de la Ligue, il se heurte aux pacifistes, surtout à partir de 1933. Il s'oppose à la non-intervention en Espagne* et préside, avec Paul Langevin*, le Comité d'aide à l'Espagne républicaine.

C'est dans le même esprit que Basch a été l'un de ces intellectuels à travailler, à partir de janvier 1935, à l'unité des forces de gauche. Président de très nombreux meetings, prononçant d'innombrables conférences, il est l'une des hautes figures du Front populaire. Il est d'ailleurs le président du Comité national du rassemblement populaire.

L'Occupation met fin à son action. Dès leur entrée dans Paris, les Allemands saccagent l'appartement qu'il avait dû délaisser pour se réfugier à Lyon. Les miliciens font le travail que les Allemands n'avaient pu eux-mêmes accomplir : ils assassinent Victor Basch à Neyron (Ain) le 10 janvier 1944.

Christophe Prochasson

■ *L'Individualisme anarchiste, Max Stirner*, Alcan, 1904. — *La Guerre de 1914 et le droit*, Rivière, s.d. — *Les Doctrines politiques des philosophes classiques de l'Allemagne. Leibniz, Kant, Fichte, Hegel*, Alcan, 1927.

■ F. Basch, *Victor Basch ou la Passion de la justice : de l'affaire Dreyfus au crime de la Milice*, Plon, 1994. — N. Racine, « Victor Basch », in *DBMOF*.

BATAILLE (Georges)

1897-1962

Georges Bataille est né le 10 septembre 1897 à Billom dans le Puy-de-Dôme. Son père, un médecin raté devenu receveur buraliste, était syphilitique, aveugle et bientôt paralysé ; sa mère sombra après 1914 dans la dépression. Après des études au lycée de Reims (1901-1913) puis à Épernay où il obtient son premier baccalauréat (1914), il passe la guerre à Riom et termine ses études par correspondance. Converti au catholicisme et baptisé à Reims (1914), il passe quelques mois au séminaire de Saint-Flour (1917-1918), mais rompra au début des années 20 avec le christianisme. Entré à l'École des chartes en 1918, il s'y lie d'amitié avec Alfred Métraux, qui l'initiera à l'anthropologie. Deuxième de sa promotion (1922), il entre à la Bibliothèque nationale après un séjour à l'École des hautes études hispaniques de Madrid, où il découvre la corrida. Il travaille à la BN jusqu'en 1942, puis à la bibliothèque Inguimbertine de Carpentras (1949-1951), à la bibliothèque municipale d'Orléans enfin à partir de 1951. C'est en marge de cette activité régulière qu'il mène une vie tumultueuse où son œuvre s'enracine et dont elle porte témoignage.

La rencontre de Léon Chestov (1923) l'oriente vers Dostoïevski et Nietzsche, l'amitié avec Michel Leiris* et André Masson le lie au groupe de la rue Blomet. Il entame en 1925 une analyse avec André Borel, fréquente les bordels et les cours de Marcel Mauss*, collabore à la revue *Aréthuse* de Jean Babelon. Le rire et la souillure sont au cœur d'*Histoire de l'œil*, premier texte érotique paru en 1928 sous le pseudonyme de « Lord Auch ». Suivra *L'Anus solaire*, rédigé en 1927 mais publié de manière anonyme en 1931. Après le refus de Bataille de suivre la rue Blomet dans son ralliement au surréalisme en 1925, son itinéraire est marqué par la lutte de magistère avec André Breton*. Publié avec Robert Desnos* et les dissidents, *Un cadavre* s'attaque en 1930 à *La Deuxième Révolution surréaliste*, cependant que Bataille utilise la revue *Documents*, dont il est secrétaire général pour y définir un projet concurrent des exclusives surréalistes qu'incarne Breton (1929-1931). Les surréalistes s'emparent de la revue *Minotaure*, dont il a élaboré le projet avec Masson, et le rapprochement n'intervient qu'en 1935 autour du manifeste de l'Union de lutte des intellectuels révolutionnaires, que suit en 1936 l'unique *Cahier de contre-attaque*.

Entré en 1931 au Cercle communiste démocratique de Boris Souvarine*, Bataille a collaboré à *La Critique sociale** jusqu'en 1934. La question du totalitarisme est alors au cœur de sa pensée. Auditeur assidu des cours de Kojève* à l'École pratique des hautes études, il se définit en rupture avec la théorie hégélienne de la fin de l'Histoire comme une « négativité sans emploi » (1937), et tente d'élaborer un système que scandent la critique du fascisme, le refus de la démocratie parlementaire et le recours à la transgression du sacré. Fondée en 1936, *Acéphale*, à la fois société secrète et revue, expérimente sur le mode de la communauté cette pratique politique de rupture que poursuivra le Collège de sociologie*.

Le héros du *Bleu du ciel*, roman sulfureux achevé en 1935 et paru en 1957, affirmait son impuissance face à la montée d'une catastrophe que le dernier chapitre évoquait de façon prémonitoire : les années d'occupation sont pour Bataille un temps de repli et d'intense création littéraire — *Madame Edwarda* (1941, sous pseudonyme), *Le Mort* (1942, publié en 1967 par Jean-Jacques Pauvert comme la plupart des textes érotiques de Bataille), *L'Expérience intérieure* (1943), *Le Coupable* (1944). Il organise chez lui des lectures au cours desquelles se noue un dialogue durable avec Maurice Blanchot* rencontré en 1941, fréquente les chrétiens Jean Daniélou* et Marcel Moré. Après la Libération, affaibli par les suites d'une tuberculose pulmonaire déclarée en 1942 et en proie à des problèmes d'argent permanents, il n'en poursuit pas moins une œuvre multiforme, de la *Théorie de la religion* (1974) rédigée dès 1948, à *L'Érotisme* et *La Littérature et le Mal* (1957), en passant par *La Part maudite* (1949), relecture de l'économie politique à la lumière des expériences des années 30 et de la théorie maussienne du don. Il témoigne en 1956 en faveur de Pauvert mis en procès pour la publication des *120 Journées de Sodome*. La revue *Critique**, qu'il a fondée en 1946, plus encore les ouvrages sur *Lascaux* et *Manet* parus chez Skira en 1955, contribuent à élargir son audience. Par la démesure qui l'habite, par une cohérence qui se nourrit paradoxalement de l'éclatement des genres, son œuvre marque profondément plusieurs représentants de la nouvelle génération intellectuelle, de Marguerite Duras* à Roland Barthes* et Michel Foucault*. Handicapé depuis 1955 par une artériosclérose cérébrale, il meurt le 8 juillet 1962 à Paris.

Denis Pelletier

■ *Œuvres complètes*, Gallimard, 1970-1988, 12 vol.

■ J.-M. Besnier, *La Politique de l'impossible. L'intellectuel entre révolte et engagement*, La Découverte, 1988. — J.-M. Heimonet, *Le Mal à l'œuvre. Georges Bataille et l'écriture du sacrifice*, Parenthèses, 1987. — D. Hollier, *La Prise de la Concorde. Essais sur Georges Bataille*, Gallimard, 1974. — F. Marmande, *Georges Bataille politique*, Lyon, PUL, 1985 ; *L'Indifférence des ruines. Une lecture du « Bleu du ciel »*, Parenthèses, 1985. — M. Surya, *Georges Bataille, la mort à l'œuvre*, Gallimard, 1992.

BATEAU-LAVOIR

Lieu parisien de vie et d'échanges culturels pour de nombreux artistes et écrivains au début du XXe siècle, devenu avec le temps le symbole d'une époque où Paris incarnait l'art moderne et la bohème.

Vieil immeuble insalubre situé à Montmartre, place Émile-Goudeau (anciennement 13 rue Ravignan) qui, après avoir abrité une fabrique de pianos, avait été transformé vers 1860 en ateliers loués à prix modique. L'endroit ne devient à la mode qu'aux alentours de 1900, à partir de 1904 surtout, quand Picasso* s'y installe, attirant ses amis et ses compatriotes espagnols. Max Jacob trouve un nom à la vieille bâtisse : « Laboratoire de l'art », puis « Bateau-Lavoir », tant ces « invraisemblables amas de planches et de poutres [...] tellement instables font penser aux fragiles bateaux-lavoirs qui sont amarrés sur les berges de la Seine ». On y voit défiler l'avant-garde de l'époque, étrangers ou Français, peintres, critiques, poètes et marchands. Les cubistes, les fauves, les abstraits, ceux de l'école de Paris et leurs défenseurs, résidents ou simples visiteurs : Picasso (1904-1912), Braque, Juan Gris (1906-1922), Max Jacob (1911), Pierre Reverdy (1912-1913), André Salmon (1908-1909), Apollinaire*, Cocteau*, André Warnod, le Douanier Rousseau, Matisse, Vlaminck, Derain, Van Dongen, Dufy, Freundlich (1909-1911), Herbin (1909-1930), Modigliani (1908), Marie Laurencin, Ambroise Vollard, Berthe Weill, Wilhelm Uhde, Chtchoukine, Léonce Rosenberg.

C'est là que Picasso montre ses *Demoiselles d'Avignon* en 1907 à Braque, à Kahnweiler*, à Léo et Gertrude Stein. En 1908, il y organise un banquet devenu célèbre, en l'honneur du Douanier Rousseau, avec Braque, Apollinaire, Marie Laurencin, Max Jacob, Maurice Raynal, les Stein. En 1912, il quitte l'endroit qui, s'il voit passer dans l'entre-deux-guerres de nombreux artistes attirés par la symbolique du lieu, vit désormais sur sa réputation. Le Bateau-Lavoir, classé en 1969, périt dans un incendie en 1970.

Laurence Bertrand Dorléac

■ J.-P. Crespelle, *La Vie quotidienne à Montmartre au temps de Picasso (1900-1910)*, Hachette, 1978. — A. Warnod, *Les Berceaux de la jeune peinture : Montmartre, Montparnasse*, Albin Michel, 1925. — J. Warnod, *Le Bateau-Lavoir*, Mayer, 1986.

BAUDRILLARD (Jean)

Né en 1929

Né en 1929, Jean Baudrillard, germaniste de formation, s'est ensuite tourné vers la sociologie : docteur d'État, il est nommé assistant de sociologie à l'université de Nanterre en 1966. Ultérieurement, il rejoint l'Iris (Institut de recherche sur l'innovation sociale, laboratoire du Centre national de la recherche scientifique* rattaché à Paris-Dauphine). Sa notoriété est bien plus forte que sa place institutionnelle. Il fait partie de ces intellectuels français qui, dans les années 80-90, font référence sur les campus américains. Comme Lyotard* et Derrida*, avec lequel il a déclaré sa proximité à propos de l'entreprise de déconstruction d'un signifié transcendant, il a publié, depuis la fin des années 70, plusieurs ouvrages aux Éditions Galilée, après avoir été un auteur Gallimard*.

Il a traduit Brecht, dont l'influence sur les intellectuels de gauche dans les années 50-60 fut décisive, comme en témoigne aussi Barthes*. Il a osé un coup de force théorique : le rapprochement entre le signe linguistique chez Saussure et la valeur chez Marx. Ainsi, l'économie politique du signe assimile signifié et valeur d'usage, signifiant et valeur d'échange. Mais il travaille aussi à partir de Freud. Non pour proposer une synthèse de ces auteurs, comme s'y essaya Herbert Marcuse avec Freud et Marx, ni un retour, comme Lacan* ou Althusser*, mais plutôt pour les dépasser. Ainsi *L'Échange symbolique et la mort* soutient la « résidualité » de la valeur dans l'ordre économique, du fantasme dans l'ordre psychique, de la signification dans l'ordre linguistique, à quoi s'ajoute celle du social.

Baudrillard a poussé plus loin qu'Émile Benveniste* la critique de l'arbitraire du signe chez Saussure : le signe linguistique est certes immotivé, mais le lien entre le signe et le référent est arbitraire. Aussi sa sémiologie critique des objets et de la consommation, qui évoque une lecture des *Choses* de Georges Perec* par le Roland Barthes des *Mythologies*, rejoint-elle la sape de la métaphysique occidentale dans une interrogation sur la réalité du réel : l'espace moderne n'est pas celui du territoire qu'on peut représenter par une carte et il n'est pas non plus celui où la carte remplace le territoire, mais l'hyperréalité de la communication abolit le réel comme référentiel en l'exaltant comme modèle. La guerre du Golfe* a eu lieu, mais sur CNN, avec ses journalistes portant des masques à gaz et ses généraux bavards, commentant les performances invisibles d'avions furtifs.

L'article, de préférence publié dans *Les Temps modernes**, la *Nouvelle Revue de psychanalyse* ou *Libération**, est le genre favori de Baudrillard. Il y développe un style métaphorique, allusif, multipliant les signes de son intelligence à analyser un monde déserté par la raison, où il n'y a plus ni interlocuteur ni ennemi. Il le conserve dans ses essais moins universitaires que *Le Système des objets*, tels *Amérique*, *Stratégies fatales* ou *La guerre du Golfe n'a pas eu lieu*. Ce dernier essai réaffirme sa volonté polémique d'engagement dans le débat public. Car pour lui, si dans le monde moderne il n'y a plus ni positif ni négatif, quelques « défis symboliques » comme l'islam mobilisent encore les sociétés du spectacle. C'est aux intellectuels de rappeler le sens détourné de ce combat et les dangers d'un consensus fondé sur la seule défense de la consommation.

Dominique Colas

■ *Le Système des objets*, Gallimard, 1968. — *Pour une critique de l'économie politique du signe*, Gallimard, 1972. — *Le Miroir de la production*, Casterman, 1973. — *L'Échange symbolique et la mort*, Gallimard, 1976. — *De la séduction*, Galilée, 1977. — *À l'ombre des majorités silencieuses ou la Fin du social*, Utopie, 1978. — *Stratégies fatales*, Grasset, 1984. — *Amérique*, Grasset, 1986. — *Cool memories*, Galilée, 1987. — *La guerre du Golfe n'a pas eu lieu*, Galilée, 1991. — *Figures de l'Altérité* (avec M. Guillaume), Descartes, s.d., s.l.

BAYET (Albert)

1880-1961

Albert Bayet est une des personnalités qui ont défini en le colorant « à gauche » ce que Serge Berstein et Odile Rudelle appellent « le modèle républicain ». Au confluent de l'Université, de la presse, du Parti radical-socialiste et des associations laïques, il bénéficie sous la IIIe République d'une influence considérable.

Né à Paris le 1er février 1880, fils d'un directeur de l'Enseignement supérieur, il suit de brillantes études : l'École normale supérieure* en 1898, l'agrégation de lettres en 1901, qu'il couronne par un mariage en 1905 avec Andrée Aulard, fille du maître des études historiques sur la Révolution française. Il fait la guerre dans l'armée d'Orient avant de revenir enseigner à Henri-IV puis à Louis-le-Grand. Sa thèse de doctorat, soutenue en 1922, *Le Suicide et la morale*, lui permet d'accéder à l'École des hautes études, puis de devenir professeur de sociologie à la Sorbonne en 1932.

Bayet se situe à l'aile gauche du radicalisme. Militant de la Ligue des droits de l'homme*, il écrit dans *L'Œuvre* de Gustave Téry, *Le Quotidien* d'Henri Dumay,

*La Lumière** de Georges Boris*, *La République* enfin d'Émile Roche. D'abord spécialiste des questions scolaires et universitaires, promoteur de l'école unique, il joue dans les années 30 un rôle national. Il participe en effet à l'effort de rénovation du radicalisme par le courant très diversifié appelé familièrement les « Jeunes Turcs ». Il le définit dans *Le Radicalisme* comme un éclectisme fondé sur la double loi de l'évolution et de la relativité qui doit réaliser un 89 économique, un 89 international et un 89 intellectuel. La nation doit contrôler l'action des grandes entreprises par un plan, un grand ministère de l'Économie et un Conseil d'État économique élu par les travailleurs organisés. La primauté du politique, expression de la volonté nationale, doit être cependant assurée. La paix est fondée sur un renforcement de la coopération des nations dans le prolongement des idées exposées par Briand et Caillaux. L'école unique et l'éducation permanente des adultes doivent enfin réaliser l'égalité des chances promise par la République.

Albert Bayet veut « châtier, prévenir et nettoyer » pour que le Parti radical surmonte la crise provoquée par les « affaires » (congrès de Clermont-Ferrand, mai 1934). Il combat la participation radicale aux gouvernements d'« Union nationale » et prend parti pour le Front populaire. Il reste partisan de celui-ci au congrès de Biarritz (octobre 1936) et même, quoique isolé, au congrès de Marseille (octobre 1938). Membre fondateur de France-URSS, il se montre favorable aux thèses soviétiques sur les procès de Moscou (octobre 1936), intervient en faveur de l'aide à l'Espagne* républicaine, contre Munich* et contre les faiblesses de la politique extérieure de Georges Bonnet.

Révoqué par Vichy, il entre dans la Résistance en 1942, siège au comité directeur de Franc-Tireur et à l'Assemblée consultative. Président de la Fédération nationale de la presse clandestine (mars 1944), puis de la Presse française (25 août 1944) et de la Ligue de l'enseignement de 1945 à 1959, Albert Bayet est une personnalité honorée de la IVe République. Exclu avec Pierre Cot du Parti radical en avril 1946, il se retrouve parmi les républicains de tradition qui ne peuvent accepter la fin de la présence française en Algérie. Il meurt à Paris le 26 juin 1961.

Gilles Candar

■ *Les Idées mortes*, Cornély, 1908. — *Le Suicide et la morale*, Alcan, 1922. — *Notre morale*, Le Progrès civique, 1926. — *Les Morales de l'Évangile*, Rieder, 1927. — *Le Radicalisme*, Valois, 1932. — *Qu'est-ce que le rationalisme ?*, Rieder, 1939. — *Pétain et la cinquième colonne*, Franc-Tireur, 1944. — *Histoire de la libre-pensée*, PUF, 1959.

■ J.-T. Nordmann, *Histoire des radicaux*, La Table ronde, 1974. — S. Berstein, *Histoire du Parti radical*, FNSP, 1980 et 1982, 2 vol.

Bazaine (Jean)

Né en 1904

Peintre, auteur de réflexions sur l'art, Bazaine a révolutionné l'art sacré en France en introduisant des formes non figuratives dans les églises. Son engagement s'est toujours voulu constitutif de son œuvre, même s'il lui est arrivé de prendre position par écrit, dans les moments de crise.

Né le 21 décembre 1904 à Paris dans une famille d'origine lorraine, il fait des études de lettres et commence à peindre en 1924 puis à exposer chez Jeanne Castel en 1930. Au début des années 30, il rencontre Bonnard, Goerg, Lhote, Gromaire et Emmanuel Mounier* qui l'invite à écrire dans la revue *Esprit**. Proche du personnalisme, il partage la critique de Mounier sur l'art et la culture et signe son manifeste (1934) anticapitaliste, communautariste, anti-étatiste, très critique envers les expériences soviétiques et fascistes. Des positions auxquelles il restera fidèle — après avoir participé à l'élan de 36 et décoré l'une des premières auberges de jeunesse — une fois démobilisé, au sein de Jeune France*, association de décentralisation et de diffusion culturelle, placée sous l'égide de Vichy puis interdite au printemps 1942. À sa tête, il fait office de théoricien et de leader des jeunes peintres « de tradition française » qu'il y fait venir et travailler : Le Moal, Manessier, Gischia, Lautrec, Courmes, Pignon. Il met sur pied l'exposition de leurs œuvres et d'autres (galerie Braun, 1941), fer de lance d'une résistance à l'occupant fondée sur le recours à la tradition nationale moderne (art roman, Bonnard, Braque, Matisse et Picasso*). S'exprimant dans la presse (*La Nouvelle Revue française**, *Comœdia**), il dénonce à plusieurs reprises l'état des choses et, avec une rare lucidité, en décembre 1941, le projet corporatif de Vichy, y moquant la politique d'exclusion et de retour à l'ordre moral.

D'un point de vue formel, découvrant en pleine Occupation les voies de la non-figuration, il se consacre à partir de la Libération à révolutionner l'art sacré, aux côtés du Père Couturier, de Manessier et de Le Moal. Ses voyages en Europe de l'Est dans les années 60 confortent sa réflexion sur le rôle nécessairement « libertaire » de l'art et de la culture face au pouvoir nocif de l'État. En 1967, il organise avec Calder une exposition-vente en faveur de la Croix-Rouge vietnamienne (« Un milliard pour le Vietnam ») ; en Mai 68, à la Faculté des sciences de Paris, une exposition-vente en faveur des étudiants.

Toujours sensible aux marques d'intolérance, il signe en mai 1990 un manifeste contre les déclarations du maire de Nice (Jacques Médecin) — « face à la gangrène antisémite et raciste » —, s'engageant à refuser toute invitation à exposer là où l'on se serait montré complice « de l'infamie ».

Laurence Bertrand Dorléac

■ *Notes sur la peinture d'aujourd'hui*, Floury, 1948, rééd. Seuil, 1953. — *Exercice de la peinture*, Seuil, 1973. — *Le Temps de la peinture (1938-1989)*, Aubier, 1990.

▒ J. de Bengy (dir.), *Bazaine*, Genève, Skira, Paris, Centre national des arts plastiques, 1990. — J. Tardieu, J.-C. Schneider et V. Bosson Viveca, *Bazaine*, Maeght, 1975.

BAZIN (André)

1918-1958

Né à Angers dans une famille modeste, brillant élève, André Bazin intègre l'École normale supérieure* de Saint-Cloud en 1938, après une adolescence rochellaise. Là, il se consacre à la philosophie (Bergson* l'influence durablement) et au militantisme chrétien (le jeune homme est un proche de Marcel Legaut, et participe régulièrement aux réunions du groupe *Esprit**). C'est en 1943 qu'il prend conscience de son intérêt pour le septième art et fonde un ciné-club à la Maison des lettres, en compagnie de Jean-Pierre Chartier, futur directeur de *Télérama*. En 1944, il consacre ses premiers textes au cinéma, « l'événement le plus important dans le domaine des arts populaires depuis le déclin du Mystère médiéval ». Dans l'après-guerre, le critique multiplie les écrits, tenant la chronique cinéma du *Parisien libéré* (plus de 600 articles en dix ans), collaborant à de multiples revues, *Esprit*, *L'Écran français*, *Les Temps modernes**, *La Revue du cinéma*, *Radio Cinéma Télévision*. Par ailleurs, il déploie une intense activité pédagogique dans la mouvance du militantisme culturel de la gauche chrétienne, animant par exemple le ciné-club de « Travail et culture ».

Le principal apport de Bazin, très vite reconnu comme le plus important critique de cinéma de son temps, est d'avoir reposé la question fondatrice « Qu'est-ce que le cinéma ? » — titre repris pour désigner les quatre volumes qui regroupent ses articles, traduits dans de nombreuses langues —, en le définissant comme l'*art ontologique* par excellence, celui qui, après plusieurs siècles de « désir absolu et inassouvi de réel », a permis de construire des récits grâce à un « matériau enregistré dans le monde, comme arraché à lui par l'objectivité mécanique de la caméra ». Cette ontologie s'appuie chez Bazin sur l'éloge de certains auteurs, tels Rossellini, Renoir* et Welles, qu'il révéla tous trois comme les maîtres du cinéma de l'après-guerre.

En 1951, il fonde, avec Jacques Doniol-Valcroze et Joseph-Marie Lo Duca, les *Cahiers du cinéma**. C'est là qu'il rencontre et forme au regard critique une nouvelle génération de cinéphiles, parfois très opposée à lui quant aux choix d'auteurs, mais adhérant d'enthousiasme à sa générosité et à sa pensée du cinéma. Au point que l'on puisse faire de Bazin le père spirituel de la Nouvelle Vague française, ces Truffaut, Rohmer, Godard*, Chabrol, Rivette formés par l'écriture critique. André Bazin meurt à quarante ans d'une leucémie, le 11 novembre 1958, à Nogent-sur-Marne, le jour des premiers coups de manivelle des *Quatre Cents Coups*, le film phare de la Nouvelle Vague.

Antoine de Baecque

■ *Qu'est-ce que le cinéma ?*, Cerf, 1958-1962, 4 vol., rééd. en version abrégée 1981.

▒ A. de Baecque, *À l'assaut du cinéma (1951-1959). Histoire d'une revue*, t. 1, Cahiers du cinéma, 1991. — A. Dudley, *André Bazin*, L'Étoile, 1983.

BEAUFRET (Jean)

1907-1982

Professeur de philosophie dont la carrière, couronnée par une chaire de première supérieure au lycée Condorcet, s'est tout entière déroulée dans l'univers de l'enseignement secondaire, Jean Beaufret illustre au plus haut degré une figure caractéristique de la vie intellectuelle française : l'éducateur dont la notoriété ne dépasse pas quelques cercles restreints, mais auquel la succession des promotions de khâgneux permet d'exercer une influence discrète ; le maître qui écrit peu mais qui s'accomplit à travers l'interprétation renouvelée des grands penseurs. La grande originalité de Beaufret tient au fait qu'il s'est voué au commentaire d'un auteur vivant, Martin Heidegger : il en a été en France le porte-parole endurant, dans un contexte de réception qui n'était pas favorable *a priori*.

Fils unique d'un couple d'instituteurs de la Creuse, ancien élève de l'École normale supérieure* (où il est le condisciple de Thierry Maulnier*, de Robert Brasillach* et de Simone Weil*), agrégé de philosophie, Beaufret incarne le parcours social et géographique de bien des professeurs de la République, d'une « enfance en sabots » — selon les termes qu'il affectionne pour signifier un attachement à la terre qui le rapprochera de son maître jusqu'au sommet de la hiérarchie de l'univers scolaire. Au cours de ses études, il affirme son rationalisme, dans le sillage de Léon Brunschvicg*, auquel il rendra plusieurs hommages. Mais Beaufret est également attiré par les cercles littéraires : Roger Vailland*, son condisciple au lycée Louis-le-Grand, lui fait ainsi connaître les protagonistes du *Grand Jeu*. Après le succès à l'agrégation commence un itinéraire professoral classique, qui le conduit de Guéret à Paris en passant par Auxerre, Alexandrie, Grenoble et Lyon où il participe activement à la revue *Confluences**. En 1941, la lecture de Husserl est l'occasion d'une conversion philosophique : durant les années de guerre, tout en participant activement à la Résistance, il commence à déchiffrer l'œuvre de Heidegger, avec l'aide de son ami Joseph Rovan*.

En 1946, sa première rencontre avec l'auteur de *Sein und Zeit*, au cœur de la Forêt-Noire, conforte ses premières impressions de lecture : l'introduction du philosophe en France sera la grande affaire de sa vie. À l'automne de la même année, la célèbre *Lettre sur l'humanisme* qui lui est adressée en réponse à ses demandes d'éclaircissement consacre Beaufret comme destinataire de l'œuvre. Défini comme l'interprète le plus autorisé de Heidegger, ou comme « la personnification de sa *présence* dans la vie philosophique française » (Jacques Havet), il va travailler à rendre l'œuvre de son maître à la fois familière et acceptable par le public français. Le milieu universitaire de l'après-guerre était plutôt réticent, et la partie était loin d'être gagnée d'avance. Beaufret a plusieurs fois évoqué la « conjuration des médiocres » acharnés à déconsidérer Heidegger, et il a vite renoncé à faire une thèse de doctorat. Mais sa personnalité, marquée par la fermeté de son engagement contre l'occupant, ainsi que les formes originales de sociabilité qu'il a suscitées autour de la lecture du philosophe allemand, ont très fortement contribué à la reconnaissance de l'œuvre.

Le professeur de khâgne* s'est consacré à l'animation de groupes de travail réunis pour faire avancer la traduction et le commentaire du travail de Martin Heidegger. Ses élèves, qui poursuivaient avec lui des relations suivies au-delà du lycée, constituaient le premier cercle. Mais il entretint aussi des rapports avec des amis écrivains ou plasticiens, au premier rang desquels il faut citer René Char*. L'organisation du colloque consacré à Heidegger à Cerisy* en 1955 constitue le moment le plus fort de cette sociabilité ontologique : interventions fécondes et rencontres décisives marquent ainsi une date clé dans la vie intellectuelle en France. C'est incontestablement dans ce domaine d'intervention que Beaufret se sent le plus à l'aise : le dialogue dans un cadre convivial est l'instrument de travail le plus précieux pour le philosophe. Le projet de faire des livres est abandonné au profit d'interventions plus brèves. La conférence constitue le format idéal pour la mise en forme de sa pensée. Les brefs textes qui en constituent le compte rendu seront tardivement réunis en volume, parfois à titre posthume.

La compréhension de l'œuvre philosophique majeure de ce temps apparaît comme une tâche infinie, toujours à reprendre. Beaufret pousse la définition scolaire du commentaire à son extrême radicalité, en se justifiant par le fait que Heidegger, en dépassant la philosophie, continue de parler sa langue, et peut de ce fait « déporter » l'attention de l'interprète. S'opposant à la lecture intéressée que fait Sartre* de Heidegger, Beaufret lit *L'Être et le temps* comme un effort pour assurer à l'ontologie sa base fondamentale. Le surgissement de l'être se donne toujours sous l'aspect du séisme ou de la foudre. Loin d'apporter la tranquillité aux consciences, la philosophie apparaît comme une sorte de provocation à constituer le Logos comme « vérité à conquérir, voie à frayer, vie à délivrer ».

À sa mort, le 7 août 1982, Beaufret laisse une œuvre qu'on dira mineure, si l'on s'en tient aux volumes publiés. Mais pour peu que l'on considère le puissant travail d'acclimatation qu'il a effectué, on peut voir en lui une pièce majeure du jeu intellectuel français.

Jean-Louis Fabiani

■ *Introduction aux philosophies de l'existence*, Denoël-Gonthier, 1971. — *Dialogue avec Heidegger*, Minuit, 1973-1985, 4 vol. — *Jean Beaufret. Entretiens avec Frédéric de Towarnicki*, PUF, 1984. — *De l'existentialisme à Heidegger. Introduction aux philosophies de l'existence*, Vrin, 1986 (rééd. posthume et augmentée de l'ouvrage précédent sous un titre choisi par l'auteur, suivi d'une bibliographie complète établie par G. Basset).

▒ P. Bourdieu, *L'Ontologie politique de Martin Heidegger*, Minuit, 1988. — É. de Rubercy et D. Le Buhan, *Douze questions à Jean Beaufret à propos de Martin Heidegger*, Aubier-Montaigne, 1983.

BEAUVOIR (Simone de)

1908-1986

Comment la « jeune fille rangée » est-elle devenue l'auteur du *Deuxième Sexe** et l'intellectuelle la plus célèbre de son époque ? Simone de Beauvoir elle-même a entrepris le récit sans concessions de sa destinée, étroitement liée à celle de Jean-Paul Sartre*.

Née à Paris le 9 janvier 1908, Simone Bertrand de Beauvoir reçoit une éducation conventionnelle dans une famille désargentée de la bonne bourgeoisie catholique. Brillante élève du très strict cours Désir, elle se lie avec Élisabeth Lacoin (Zaza), dont la mort en 1929 la bouleverse profondément. Contre la volonté de ses parents, en particulier de son père, Simone de Beauvoir choisit de devenir professeur de philosophie. Étudiante à la Sorbonne, elle rencontre Merleau-Ponty*, Sartre, Nizan*, Herbaud, Claude Lévi-Strauss*. À vingt et un ans, elle est la plus jeune des agrégatifs de philo, classée seconde juste derrière Sartre, dont elle devient inséparable. « Le Castor », comme il la surnomme, rompt avec son milieu et jouit pleinement d'une indépendance qu'elle préservera farouchement toute sa vie. Décidée à échapper à toutes les servitudes de la vie des femmes — le travail ménager et la maternité notamment —, elle refuse la demande en mariage de Sartre. Ils instaurent une relation amoureuse et intellectuelle dont la complexité mais aussi la force et la longévité sont devenues mythiques.

Simone de Beauvoir enseigne à Paris, à Marseille puis à Rouen, avant de s'installer de nouveau dans la capitale. À partir de 1943, elle se consacre à l'écriture et publie son premier roman, *L'Invitée*. À la Libération, elle participe à la fondation des *Temps modernes** et rédige un essai, *Pour une morale de l'ambiguïté*, avant d'entreprendre la rédaction du *Deuxième Sexe*, qui fait scandale à sa sortie. Le succès lui vient par la littérature. En 1954, *Les Mandarins* sont récompensés par le prix Goncourt.

Elle a cinquante ans quand elle entreprend de rédiger ses Mémoires de jeunesse. Comment traquer la quintessence d'une existence mieux qu'en s'exposant soi-même à l'exercice ? Beauvoir poursuit cette reconstruction du passé, avec toute la rigueur et la lucidité de la philosophe. Le même souci d'authenticité l'anime quand elle fait le récit des derniers moments de la vie de Sartre dans *La Cérémonie des adieux*. Son autobiographie a autant marqué les générations de femmes révoltées contre leur sort que son œuvre théorique.

Sa célébrité, comme celle de Sartre, sert de porte-voix pour défendre les opprimés. Alors que, dans l'entre-deux-guerres, aucune cause politique n'avait retenu leur attention, Sartre et Beauvoir sont dans les années d'après guerre les types mêmes des intellectuels engagés, compagnons de route du PCF. Soutenant le FLN pendant la guerre d'Algérie, Beauvoir prend, avec Gisèle Halimi*, la défense de Djamila Boupacha, une jeune Algérienne accusée d'espionnage. Elle dénonce aussi la condition des personnes âgées dans un essai très documenté sur la vieillesse, avant de consacrer l'essentiel de son énergie à la cause féministe.

En accord profond avec la révolte tumultueuse du mouvement des femmes, Beauvoir s'engage publiquement à leurs côtés en 1971. Signataire du « Manifeste des 343 pour la liberté de l'avortement », elle aide les femmes battues, accepte la présidence de la Ligue des droits des femmes et lance, dans *Les Temps modernes*, la rubrique « Le sexisme ordinaire ». En 1981, elle soutient la campagne antisexiste du ministère des Droits de femmes d'Yvette Roudy. Jusqu'à sa mort à Paris en 1986, elle donne sans compter sa signature, son temps et son argent pour de multiples initiatives féministes.

Florence Rochefort

■ *Le Deuxième Sexe*, Gallimard, 1949. — *Les Mandarins*, Gallimard, 1954. — *Mémoires d'une jeune fille rangée*, Gallimard, 1958. — *La Force de l'âge*, Gallimard, 1960. — *Djamila Boupacha* (avec G. Halimi), Gallimard, 1962. — *La Force des choses*, Gallimard, 1963. — *Une mort très douce*, Gallimard, 1964. — *La Femme rompue*, Gallimard, 1968. — *La Vieillesse*, Gallimard, 1970. — *Tout compte fait*, Gallimard, 1972. — *La Cérémonie des adieux*, Gallimard, 1981. — *Lettres à Sartre*, Gallimard, 1990.

■ D. Bair, *Simone de Beauvoir*, Fayard, 1990. — F. Jeanson, *Simone de Beauvoir ou l'Entreprise de vivre*, Gallimard, 1966. — A. Schwartzer, *Simone de Beauvoir aujourd'hui*, Mercure de France, 1984. — « Simone de Beauvoir et la lutte des femmes », *L'Arc*, n° 61, 1975.

BECKETT (Samuel)

1906-1989

Samuel Beckett, qui a toujours refusé à l'écriture la mission de dire le monde et de le modifier, semble être le prototype de l'écrivain « non engagé ». À y regarder de plus près, pourtant, la haute tenue de sa vie intellectuelle en symbiose avec le dépouillement de sa vie en fait un écrivain totalement « compromis » en littérature, qui prend le risque d'aller jusqu'au bout d'une démarche de ressassement infinie de la mort.

Né le 13 avril 1906 à Foxrock dans la banlieue de Dublin, Samuel Beckett est issu d'une famille protestante aisée qui l'élève dans une atmosphère puritaine. Le jeune Samuel est envoyé dans un collège anglo-saxon aux méthodes d'éducation rudes puis, à dix-sept ans, entre au Trinity College de Dublin, où il étudie le français et l'italien. Après trois années d'études universitaires pendant lesquelles il se rend souvent à l'Abbey Theatre de Dublin, il gagne Paris, où il est nommé lecteur d'anglais à l'École normale supérieure*. Pendant deux ans, Beckett perfectionne sa connaissance de la langue et de la littérature françaises en se familiarisant avec le milieu libéral de l'école si éloigné des conformismes et des contraintes de son pays natal. Il se lie d'amitié avec son compatriote James Joyce, collabore en anglais à un essai collectif consacré à Dante, Bruno, Vico, Joyce, fait éditer son premier texte, un poème mi-sérieux mi-plaisant, *Whoroscope*. De retour à Dublin en 1931, Beckett semble promis à une brillante carrière universitaire et publie un essai remarqué sur Proust*. Mais vite incapable de supporter la routine et le climat de coercition qui pèsent sur la vie irlandaise — théocratie, censure morale et littéraire — il démissionne et, après la mort de son père, entreprend de voyager à travers toute l'Europe.

À Londres, il publie en anglais *Murphy*, un premier roman qui révèle un homme inquiet, insatisfait, enfermé dans son univers intérieur et qui ne peut trouver le repos que dans l'anéantissement. Installé à Paris en 1937, il est poignardé sans raison par un clochard et voit dans cette action gratuite le type d'action absurde, maîtresse de la condition humaine. Comme pour rendre plus fort le combat avec les mots, il écrit désormais la plupart de ses œuvres en français. La guerre éclate et, malgré sa nationalité irlandaise qui lui assure le bénéfice de la neutralité, Samuel Beckett se joint à un groupe de résistance par haine des nazis, « qui faisaient de la vie un enfer pour ses amis ». Après l'arrestation des membres de son réseau, il s'enfuit en zone libre, où il trouve un travail comme ouvrier agricole dans une ferme du Vaucluse. La nuit, il écrit *Watt*, dernier roman en anglais. À la Libération, Beckett travaille un moment en Irlande pour la Croix-Rouge puis, à l'automne 1945, revient en France, où il s'emploie quelques mois dans un hôpital militaire. Il obtient la croix de guerre pour faits de résistance. De retour à Paris, Samuel Beckett va vivre essentiellement de traductions, et s'insérer définitivement dans la vie littéraire française, tout en demeurant à l'écart de tous les mouvements et notamment de celui de « l'absurde » auquel on l'a abusivement associé.

En 1951, Jérôme Lindon donne la vraie chance à cet écrivain, dont l'œuvre restera liée aux Éditions de Minuit*, en publiant *Molloy* et *Malone meurt* qui avaient été refusés partout ailleurs. En 1952 paraît *En attendant Godot*, premier texte écrit pour le théâtre, qui assure très vite à Beckett une renommée internationale.

Désormais, la vie de Samuel Beckett, reclus avec Suzanne, sa femme, dans l'étrange maison que les droits de *Godot* lui ont permis de faire construire sur une colline de Seine-et-Marne, se confond avec la liste de ses ouvrages, dont il assure lui-même la traduction en anglais, signant à l'occasion une pétition (pour Vaclav Havel emprisonné, pour défendre Hubert Selby accusé d'obscénité), soutenant la candidature de François Mitterrand ou répondant à l'enquête du journal *Libération** « Pourquoi écrivez-vous ? » : « Bon qu'à ça. »

Jean Deloche

■ Toutes les œuvres de Beckett en France sont publiées aux Éditions de Minuit : *Murphy* (1947), *Molloy* (1951), *Malone meurt* (1952), *En attendant Godot* (1952), *L'Innommable* (1953), *Fin de partie* (1957), *La Dernière Bande* (1960), *Oh les beaux jours* (1963), *Comédie et actes divers* (1966), *Catastrophe et autres dramaticules* (1982).

■ L. Janvier, *Beckett par lui-même*, Seuil, 1969. — A. Bernold, *L'Amitié de Beckett*, Hermann, 1992. — A. Simon, *Beckett*, Belfond, 1989. — « Samuel Beckett », *Cahiers de L'Herne*, 1976. — « Beckett aujourd'hui », *Cahiers Renaud-Barrault*, n° 110, 1985.

BÉGUIN (Albert)

1901-1957

Albert Béguin fut l'un des plus grands écrivains-critiques de ce siècle. Sa passion de l'engagement était d'abord littéraire. Des romantiques allemands aux écrivains catholiques français, ses exercices d'admiration ne l'éloignèrent pas de son temps mais, au contraire, l'en rapprochèrent progressivement. Il ne s'assigna jamais de véritable position politique ou intellectuelle mais accepta d'ouvrir de plus en plus le champ de ses activités et de ses choix.

Suisse et jurassien, né dans la ville « rouge » de La Chaux-de-Fonds, partagée entre le souvenir de l'anarchisme et le présent du « bolchevisme » (en 1917 et 1918), il continua d'entretenir avec son pays le rapport favori de nombreux écrivains suisses : mépris et nostalgie. Sa formation est d'emblée et exclusivement littéraire. À Genève, étudiant et lecteur exceptionnel, il obtient sa licence en lettres classiques (1923) et entre à Belles-Lettres, société littéraire où sont organisées des conférences (Cocteau*, Romains*, Duhamel*, Valéry*), des lectures tout aussi bien que des blagues de potache. Le groupe est une caisse de résonance pour les idées nouvelles et les bouleversements politiques du dehors. Albert Béguin est tour à tour, entre 1919 et 1924, pacifiste rollandien, antimilitariste, partisan du mouvement Clarté* de Barbusse*, socialiste et communisant. Arrivé à Paris à l'automne 1924, riche des contacts déjà noués à Genève, il peut naviguer plusieurs années durant en marge des milieux d'avant-garde, entre surréalisme et révolution, se placer sous leur influence mais ne s'intégrer nulle part.

Un autre itinéraire, plus souterrain, commence à la même époque ; l'étude des poètes romantiques — première traduction d'E.T.A. Hoffmann en 1927 — et le début d'une quête religieuse. Son séjour en Allemagne (1929-1934) comme lecteur de l'université de Halle le place dans la situation paradoxale et cruelle de mener à bien son étude exaltée et admirable du romantisme (*L'Âme romantique et le rêve*, thèse soutenue à Genève en 1937 et publiée à Marseille aux Cahiers du Sud la même année) et d'observer la montée et les conquêtes du nazisme, qu'il dénonce dès 1933 dans le *Journal de Genève*.

S'il considère — rétrospectivement, il est vrai (lettre à Noël Delvaux, 15 février 1949) — que cette plongée dans le germanisme, cette « aventure "nocturne" », fut pour lui une « sorte d'accident » et une « déception inavouée », il lui accorde aussi la raison de son choix religieux : « C'est pour avoir connu le vertige stérile d'une poésie de désincarnation que j'ai accédé à la foi chrétienne. » Son baptême catholique par le Père Hans-Urs von Balthasar en novembre 1940 est l'aboutissement d'une approche commencée en 1924, mais hâtée par le « choc des événements » (lettre à Mme S. du 20 août 1945), la défaite de la France, le nazisme.

Professeur de littérature française à l'université de Bâle depuis 1937 où il a pris la succession de son ami Marcel Raymond, Albert Béguin trouve par le catholicisme une ouverture sur le monde et une inscription dans un itinéraire d'engagement. Par la fondation en 1942 des *Cahiers du Rhône*, édités à La Baconnière (Neuchâtel) et conçus comme un relais d'*Esprit** et de *Temps nouveau*, il publie les poètes interdits — d'Aragon* à Pierre Emmanuel* — et participe d'une résistance intellectuelle et spirituelle. Avec sa venue à Paris après la guerre, il rompt délibérément avec la vie universitaire et académique qu'il n'aimait pas, la vie « bourgeoise », et s'engage dans une série d'essais littéraires qui sont autant de manifestes d'admiration (Balzac, Léon Bloy*, Péguy*, Ramuz, Pascal et Bernanos*).

Quand il est choisi comme successeur d'Emmanuel Mounier* à la direction de la revue *Esprit*, en octobre 1950, il est encore un *outsider*. Il ne partage pas les fondements philosophiques du personnalisme, même s'il collabore à la revue depuis 1938 et s'est lié d'amitié avec Mounier. Il est affilié mais sans lignage. Il n'a pas lui-même parcouru les étapes qui mènent du catholicisme socialisant, critique de la modernité, au « progressisme » de l'après-guerre. S'il continue de 1950 à 1957 la ligne de la revue, entre rejet de l'atlantisme porteur du schisme européen et condamnation de la politique soviétique (son dernier éditorial : « Les flammes de Budapest » de décembre 1956*), il donne à son rôle de directeur un tour particulier et personnel. Ses éditoriaux politiques demeurent plutôt l'exception (critique de l'intervention américaine en Corée en 1950, critique du réarmement de l'Allemagne en 1951, rejet de la CED en 1954) et il laisse une bonne part du travail d'animation et de coordination à Jean-Marie Domenach*, qui conserve le titre de rédacteur en chef. Jusqu'à sa mort en 1957, cette période apparaît davantage comme une phase d'ouvertures nouvelles, prolongeant le domaine de la critique littéraire. Mais s'en échappant aussi : il voyage beaucoup et loin, en Europe, en Amérique du Nord et du Sud et en Inde — « les Indes », écrivait-il. Sa marque laissée à *Esprit*, il faut plutôt la chercher dans ses notes de voyage (sur l'Allemagne dévastée ou l'Inde et sa misère), son article qui prend avec véhémence la défense des prêtres-ouvriers* condamnés par la hiérarchie (mars 1954), ou encore un numéro spécial de décembre 1952 intitulé « Misère de la psychiatrie », composé notamment de textes-témoignages de médecins et d'internés. Prenant parti contre l'arriération de l'institution asilaire, Albert Béguin a placé son article d'introduction (« Qui est fou ? ») sous l'épigraphe de Nerval : « Hypocondrie mélancolique. C'est un terrible mal : elle fait voir les choses telles qu'elles sont ».

Nicolas Roussellier

■ *L'Âme romantique et le rêve*, Marseille, Cahiers du Sud, 1937, puis José Corti, 1939, rééd. 1946 et 1956. — *Léon Bloy, mystique de la douleur*, Labergerie, 1948, rééd. Seuil, 1955. — *Pascal par lui-même*, Seuil, 1952. — *Bernanos par lui-même*, Seuil, 1954.

▒ P. Grotzer, *Existence et destinée d'Albert Béguin*, Neuchâtel, La Baconnière, 1977. — « Albert Béguin », *Les Cahiers du Rhône* (96) XXX, décembre 1957. — « Albert Béguin », *Esprit*, n° 12, décembre 1958.

BELLAIS (Librairie)

Cette maison de librairie et d'édition a été fondée le 1er mai 1898 par Charles Péguy* grâce à la dot de sa femme qui estimait comme lui que la possession d'un « capital individuel » était incompatible avec des convictions socialistes. Comme Péguy était encore boursier de licence, ce commerce, installé à Paris, 17 rue Cujas, fut mis au nom d'un de ses amis, Georges Bellais.

Il s'agissait à la fois de promouvoir de jeunes auteurs (Romain Rolland*, les Tharaud*) négligés par les grands éditeurs et de donner un support à la diffusion d'ouvrages d'inspiration socialiste. Sous l'effet des circonstances, la librairie joua un autre rôle : elle fut la base du dreyfusisme militant dans le Quartier latin : les manifestations s'y préparaient comme s'y organisaient des ripostes immédiates aux expéditions nationalistes dans le secteur. Cette participation aux affrontements et les dégâts matériels qui en découlèrent compromirent la bonne marche des affaires d'autant que Péguy lui-même travaillait simultanément l'agrégation et qu'il était totalement dépourvu d'expérience commerciale. Ses choix en matière de gestion et d'édition négligeaient exagérément les critères de rentabilité et surestimaient l'attente du public en matière de publications socialistes. Au début de l'été 1899, l'affaire était en pleine déconfiture. Lucien Herr* et d'autres membres du « socialisme normalien » (Blum*, Bourgin, Roques, Simiand*...) apportèrent dans les meilleurs délais des fonds nouveaux mais exigèrent une réorganisation de la maison.

Le 2 août naissait la Société nouvelle de librairie et d'édition (SNLE) ; Péguy y était délégué à l'édition et placé sous l'autorité d'un conseil d'administration de cinq membres. Dans le nouveau capital, l'apport de la Librairie Bellais avait été évalué à 25 000 francs. D'un tempérament peu propre à subir une tutelle, Péguy ne tarda pas à se heurter au conseil qui, malgré son insistance, se refusa à publier le *Jean Coste* d'Antonin Lavergne et plus encore à éditer les *Cahiers de la quinzaine* quand le projet lui en fut soumis, redoutant que cette initiative servît à une œuvre de division fâcheuse au moment où s'esquissait l'unité socialiste. Le 26 décembre

1899, Péguy résiliait ses fonctions de délégué à l'édition ; le 28 octobre suivant, il donnait sa démission d'actionnaire, ce qui obligeait statutairement la SNLE, déjà en situation délicate, à rembourser une somme dont elle pensait qu'elle avait été consentie par pure bienveillance étant donné l'état de la trésorerie de la Librairie Bellais. D'où d'âpres polémiques qui dégénérèrent devant les tribunaux. L'affaire trouva son épilogue en décembre 1906, laissant beaucoup d'amertume de part et d'autre. Péguy et Bellais n'avaient récupéré qu'un peu plus de 10 000 francs à cause de la chute des actions de la SNLE dont le déclin fut précipité par les conséquences de cet affrontement.

Géraldi Leroy

■ C. Andler, *Vie de Lucien Herr*, Alcan, 1932. — J. Isaac, *Expériences de ma vie*, t. I : *Péguy*, Calmann-Lévy, 1959.

BELLESSORT (André)
1866-1942

Né en 1866, petit-fils d'instituteur, fils d'un professeur de collège, khâgneux au lycée Henri-IV, André Bellessort est deux fois admissible à l'École normale supérieure*. À vingt-trois ans, il est reçu à l'agrégation et, après dix ans d'enseignement dans des lycées de province, il est nommé à Paris. En 1906, il remplace Émile Mâle dans l'hypokhâgne de Louis-le-Grand, où il enseignera le français et le latin jusqu'en 1926. Professeur atypique, Bellessort écrit aussi pour la presse, s'essaie à la littérature, et publie des récits des voyages auxquels il occupe ses loisirs. Quant à ses convictions politiques, si elles ont été républicaines dans sa jeunesse, elles sont à l'âge d'homme nettement d'Action française, et il n'hésite pas à les affirmer devant ses étudiants.

Pour ses élèves, Bellessort fut un « éveilleur » (Sirinelli). Par son ouverture d'esprit et l'anticonformisme de son enseignement, il forma ses élèves au goût des lettres et développa leur esprit critique. Ses qualités intellectuelles et son esprit brillant suscitaient l'admiration, même si certains mettaient en cause sa conscience professionnelle, ou déploraient ses choix politiques. Pour ceux qui comme Brasillach* étaient accueillants à ses idées, et ils étaient loin d'être le plus grand nombre dans un auditoire majoritairement républicain, il fut aussi un maître à penser.

À sa retraite en 1926, Bellessort se consacre pleinement au journalisme et à l'écriture. Il est devenu l'une des figures intellectuelles majeures des milieux maurrassiens. Il donne des conférences à l'Institut d'Action française* et fréquente les banquets du Cercle Fustel-de-Coulanges*. Secrétaire général de la *Revue des Deux Mondes**, il tiendra une chronique littéraire puis dramatique au *Journal des débats*. En 1932, il entre à *Je suis partout** comme critique littéraire, où certains des journalistes ont été ses élèves (notamment Brasillach, qui lui rend hommage dans *Notre avant-guerre*). Il y restera jusqu'à sa mort. En 1935, il est élu à l'Académie française*, en partie grâce au patronage de Paul Bourget*. Maurrassien et germanophobe, Bellessort est à son aise parmi les académiciens de droite, fervents défenseurs de l'ordre et souvent proches de l'Action française. Il fait partie des signataires du manifeste du 4 octobre 1935 en faveur de l'Italie mussolinienne, publié dans *Le Temps*. Il meurt en 1942 ; la rédaction de *Je suis partout* annonce la mort de « notre bon maître André Bellessort ».

Séverine Nikel

■ *Virgile, son œuvre et son temps*, Perrin, 1920. — *Les Intellectuels et l'avènement de la IIIe République (1871-1875)*, Grasset, 1931. — *La Société française sous Napoléon III*, Perrin, 1932. — *Le Collège et le monde*, Gallimard, 1941.
■ P.-M. Dioudonnat, *« Je suis partout » (1930-1944). Les maurrassiens devant la tentation fasciste*, La Table ronde, 1973. — J.-F. Sirinelli, « Le cas des éveilleurs et l'exemple d'André Bellessort », in « La Biographie », *STH*, 3-4, 1985.

BENDA (Julien)

1867-1956

Né d'un père directeur d'une firme commerciale, Benda est un bon représentant de ce milieu juif laïcisé français, attaché aux valeurs léguées par la Révolution et convaincu que la science constitue le principal outil d'émancipation des juifs. Doué pour les lettres, excellent musicien, Julien Benda se prit soudain de passion pour les mathématiques et décida de préparer l'École polytechnique*. Il n'y fut pas reçu mais entra à l'École centrale. Il en démissionna en cours de scolarité pour s'engager dans une carrière littéraire et passa une licence ès lettres « section histoire ».

L'affaire Dreyfus* joua un rôle important dans cette nouvelle orientation. Dreyfusard, il publia son premier article dans *La Revue blanche** en décembre 1898. Il fréquenta alors les milieux littéraires, notamment autour des *Cahiers de la quinzaine** (même s'il s'en prit plus tard à Péguy*), et prit des habitudes de vie mondaine. En 1912, il manqua d'une voix le prix Goncourt pour son roman *L'Ordination*.

En 1916, il entra au *Figaro**, où il publia des chroniques guerrières très appréciées. Il y défendait l'innocence absolue de la France et la totale culpabilité de l'Allemagne. Il se rapprocha ainsi des cercles conservateurs jusqu'à la publication de *La Trahison des clercs* dans les colonnes de *La Nouvelle Revue française**, à laquelle il collaborait depuis 1922 en y rédigeant des articles politiques. Cette nouvelle série, parue d'août à novembre 1927, lui conféra une envergure qu'il n'avait pas encore. En août 1929, il fit paraître, dans le même périodique, une « Note sur la réaction », charge violente contre l'Action française*, mais polémiquait aussi dans le même temps assez régulièrement avec *Europe**, dont il disait ne pas apprécier le pacifisme « béat ».

Non content de collaborer aux grandes revues littéraires de l'entre-deux-guerres — il signait aussi aux *Nouvelles littéraires** —, Julien Benda fut l'auteur, entre 1933 et 1940, de près de 300 articles dans des quotidiens (principalement *La Dépêche de Toulouse* et *L'Aube*) où il dénonçait souvent l'« hitlérisme » de la bourgeoisie française. Il devint ainsi l'un des intellectuels mobilisés par la grande vague du Front populaire, prenant la parole, en juin 1935, à la Mutualité « pour la défense de la culture » et collaborant à *Vendredi**. On lui reprochait, il est vrai, les articles qu'il accordait, au même moment, au quotidien conservateur *Le Temps*.

Figurant sur la première « liste Otto »*, tous ses livres furent interdits dès 1940. Il dut se réfugier chez un universitaire à Carcassonne. En mars 1941, les Allemands pillèrent sa bibliothèque et s'emparèrent de ses notes chez Gallimard*. Le 14 octobre 1944, *Les Lettres françaises** publièrent, en première page, un article de Benda qui amorçait ainsi un compagnonnage de route avec le PCF. Il prit des positions assez intransigeantes durant l'épuration des intellectuels. Dans le numéro du 2 octobre 1947 des *Lettres françaises*, il affirma : « J'admets qu'on exalte les œuvres de Béraud*, Maurras*, Brasillach* (en tant qu'elles ne prêchent pas la trahison), cependant qu'on les fusille comme collaborateurs. »

Sans jamais adhérer au PCF, il poursuivit sa collaboration aux *Lettres françaises* durant toute la Guerre froide* en même temps d'ailleurs qu'au *Journal de Genève*, à *La Nef** et à *Europe*. Actif jusqu'en 1952, il ne cessa de multiplier les conférences et les meetings. Jamais intellectuel ne fut aussi longuement engagé. Mort le 7 juin 1956, Benda fut honoré par *L'Humanité**, qui publia sa photographie en première page.

Christophe Prochasson

■ *Le Bergsonisme ou Une philosophie de la mobilité*, Mercure de France, 1912. — *L'Ordination*, Émile-Paul, 1913. — *Belphégor. Essai sur l'esthétique de la présente société française*, Émile-Paul, 1918. — *La Trahison des clercs*, Grasset, 1927, rééd. 1990. — *La Jeunesse d'un clerc. Un régulier dans le siècle*, Gallimard, 1936-1938, rééd. 1989.

▒ L.-A. Revah, *Julien Benda. Un misanthrope juif dans la France de Maurras*, Plon, 1991. — J. Sarocchi, *Julien Benda. Portrait d'un intellectuel*, Nizet, 1968.

BENJAMIN (René)

1885-1948

Pourfendeur de la laïcité républicaine et de l'idée de « progrès », polémiste proche des milieux maurrassiens, René Benjamin est représentatif d'une élite que l'hostilité au régime démocratique et la crainte du bolchevisme conduiront à voir dans la défaite de 1940 une « délivrance », et qui formera l'entourage intellectuel de Pétain sous Vichy.

Né à Paris en 1885, fils d'un homme d'affaires, petit-fils d'un graveur, Benjamin a fait ses études au collège Rollin. Après un premier roman passé inaperçu, il entre au *Gil Blas* en 1910, collabore à *L'Écho de Paris* et publie plusieurs satires, dont *La Farce de la Sorbonne* (1911). Protégé de L. Descaves* dont il fréquente le salon du dimanche, il écrit, à l'instigation de celui-ci, le premier roman de guerre, *Gaspard*, qui lui vaut le prix Goncourt (1915). Après avoir tâté du roman et du théâtre, il compose une nouvelle série de satires du régime, dont *Valentine ou la Folie démocratique* (1924), allégorie sur le système électoral et sur la versatilité de l'opinion publique peinte sous les traits d'une femme ; *Aliborons et démagogues* (1927), féroce diatribe contre les instituteurs et les défenseurs de l'école laïque ; et *Les Augures de Genève* (1929), où il s'attaque à la SDN. Ami de L. Daudet* et d'E. Bourges, il trace aussi des portraits de Barrès*, Maurras*, Clemenceau, écrit une biographie de Balzac, collabore à la *Revue des Deux Mondes** et à *Candide**.

Signataire en 1935 du manifeste « néo-pacifiste » de droite « Pour la défense de l'Occident » qui justifiait l'invasion de l'Éthiopie*, il publie en 1937 *Mussolini et son peuple* à la gloire du Duce et du régime fasciste, qu'il tient pour le régime de vraie liberté.

L'année suivante, à son retour de Rome où il a assisté à la réception de Hitler, il est élu à l'académie Goncourt. S'imposant aussitôt comme meneur électoral, il y introduit Sacha Guitry. Ce dernier sera son allié dans les conflits internes qui agiteront la vie du jury sous l'Occupation et dans l'orientation vichyssoise que Benjamin donnera aux activités de l'assemblée. Pendant cette période, il collabore à *La Revue universelle** et au *Petit Parisien*, rédige un bilan de la défaite (*Le Printemps tragique*, 1940) et trois éloges du Maréchal, dont il passe pour avoir été le conseiller (*Le Maréchal et son peuple*, *Les Sept Étoiles de France*, *Le Grand Homme seul*). Il publie également un essai sur l'éducation où il condamne l'école unique, l'enseignement gratuit, le nivellement par le bas, sans oublier la Science, source de tous les maux puisqu'elle prétend résoudre le « mystère » qui relève du domaine de Dieu. Incarcéré à la Libération pour « intelligence avec l'ennemi », il est relâché en 1946. Écarté de l'académie Goncourt, il meurt deux ans plus tard à Tours, non sans avoir exprimé sa rancœur à l'égard de l'assemblée dans une venimeuse satire intitulée *La Galère des Goncourt* (1948).

Gisèle Sapiro

■ *Valentine ou la Folie démocratique*, Fayard, 1924. — *Mussolini et son peuple*, Plon, 1937. — *Le Maréchal et son peuple*, Plon, 1941. — *Les Sept Étoiles de France*, Plon, 1942. — *Vérités et rêveries sur l'éducation*, Plon, 1942. — *Le Grand Homme seul*, Plon, 1943.

BENOIST (Alain de)

Né en 1943

Comment peut-on être à la fois le maître à penser de la Nouvelle Droite et un philosophe auquel son non-conformisme vaut des marques de reconnaissance dans des sphères très éloignées de l'extrême droite ? L'itinéraire politique et intellectuel, la personnalité d'Alain de Benoist expliquent largement sa position originale.

Sa jeunesse — il est né en 1943 à Saint-Symphorien dans l'Indre — est marquée par la guerre d'Algérie, du côté de l'Algérie française. Au cours des années 60, il collabore donc à des publications proches de Jeune Nation dissoute — *Cahiers universitaires*, *Europe Action* —, ainsi qu'à *Défense de l'Occident*, dirigée par Maurice Bardèche*. En 1968, il participe à la fondation du Groupement de recherche et d'études pour la civilisation européenne* (GRECE) et à celle de *Nouvelle École** : à ses yeux, cette revue, qu'il n'a cessé de diriger, revêtait beaucoup plus d'importance qu'*Éléments*, dont il a cependant porté la rédaction à bout de bras.

De 1970 à 1982, A. de Benoist travaille pour *Valeurs actuelles** et le groupe Bourgine. Il y publie des critiques de livres, souvent reprises dans *Vu de droite* (1977), qui jette les contours d'une culture de droite ouverte aux sciences biologiques, élitiste, européenne et germanophile, anti-« judéo-chrétienne », tournant le dos au marxisme tout en se proclamant « gramscisme de droite ». Pour la rigueur de son érudition, ce livre a reçu, en 1978, le prix de l'essai de l'Académie française*. À cette date, et pour trois ans, A. de Benoist se consacre pleinement au *Figaro Magazine**. Si, par suite de désaccords, il n'y conserve ensuite qu'une chronique limitée, sa réputation lui vaudra de collaborer à France-Culture* de 1980 à 1992.

C'est dire qu'il échappe généralement aux accusations d'extrémisme portées contre le GRECE et qu'on ne se soucie guère des patronages sulfureux jadis obtenus par *Nouvelle École*. Dans le cas contraire — ainsi à propos du « national-communisme » dont, à l'été 1993, on le soupçonna d'être l'un des chefs d'orchestre — il recourt au droit de réponse ou au procès avec une rare obstination. Sans doute son cheminement a-t-il de quoi déconcerter : il salua la victoire « méritée » (culturellement) de la gauche en 1981 ; son horreur pour le matérialisme et l'impérialisme américains l'amena à prendre position pour le tiers-mondisme, compris comme défense de ses valeurs par chaque peuple. La revue *Krisis**, qu'il fonda en 1988, participe de cet éclectisme. S'il refuse de condamner ses amis passés au Front national, A. de Benoist s'est gardé de les suivre. Un peu isolé, il persiste à penser que l'intellectuel (de droite) doit convaincre sur le terrain des idées et non par son engagement politique.

Anne-Marie Duranton-Crabol

■ *Vu de droite*, Copernic, 1977. — *Les Idées à l'endroit*, Éditions Libres-Hallier, 1979. — *Europe, tiers monde, même combat*, Laffont, 1986.

▒ P.-A. Taguieff, « Alain de Benoist, philosophe », *Les Temps modernes*, 451, février 1984 ; *Sur la Nouvelle Droite*, Descartes & Cie, 1994.

BENOIST-MÉCHIN (Jacques)
1901-1983

Jacques Benoist-Méchin a-t-il vécu plusieurs vies sans rapport entre elles ? En le suggérant au moment du décès de l'écrivain, *Le Figaro Magazine** rejoignait la lecture de sa propre existence proposée par l'auteur d'*À l'épreuve du temps*. Né à Paris en 1901, précocement doué pour la musique, passionné de littérature, parlant plusieurs langues, écrivant avec bonheur, J. Benoist-Méchin devrait à un enchaînement de circonstances d'avoir troqué sa vocation d'homme de lettres contre un engagement politique résolu du côté de la collaboration.

Son itinéraire est celui d'une génération diversement façonnée par deux guerres successives. Pour sa part, envoyé faire son service militaire dans l'Allemagne vaincue, J. Benoist-Méchin ne partage pas l'arrogance des occupants : il éprouve, au contraire, une immense attirance pour cette terre souffrante. Son admiration pour la culture germanique se conjuguant avec sa sympathie pour le réveil national qu'il devine, il se mobilise en faveur du rapprochement franco-allemand, d'abord dans le cadre européen préconisé par Louise Weiss*. Par la suite, tout en adhérant au PPF de Doriot — dont il restera très proche — et en cultivant ses relations au sein du

Comité franco-allemand, il commence en 1936 la publication de sa monumentale *Histoire de l'armée allemande*.

Si elle l'émeut, la rapidité de la défaite française ne le surprend pas : plus que jamais, elle le persuade d'œuvrer à la réconciliation des deux pays. Engagé par Scapini pour veiller sur le sort des prisonniers de guerre, devenu secrétaire général adjoint auprès de Darlan, puis de Laval, il est associé aux tentatives de collaboration diplomatique et militaire avec l'Allemagne, des protocoles de Paris (1941) à la Légion tricolore (1942). Autant que le souci de ménager la place future de la France, c'est l'efficacité de l'ordre nazi qui convainc Benoist-Méchin : aussi déplore-t-il les « occasions manquées », les réticences de Vichy, la mollesse de Laval, dont il quitte le gouvernement en septembre 1942.

Arrêté en 1944, condamné à mort en 1947, gracié et libéré en 1954, il poursuit sa double carrière : désormais séduit par le monde arabe, dont le sursaut inspire plusieurs de ses fresques historico-romanesques renommées, il reprend, sous la présidence de G. Pompidou, son rôle politique de médiateur discret, cette fois en faveur des relations franco-arabes. Envoûté par les élites que guide l'instinct et par les nationalismes jeunes, J. Benoist-Méchin a suivi un parcours moins imprévisible qu'il ne l'affirmait.

Anne-Marie Duranton-Crabol

■ *Histoire de l'armée allemande*, Albin Michel, 1936-1938, 2 vol. — *Le Loup et le Léopard*, Albin Michel, 1954-1975, 4 vol. — *Soixante jours qui ébranlèrent l'Occident*, Albin Michel, 1956. — *Le Rêve le plus long de l'histoire*, Perrin, 1976-1980, 7 vol. — *De la défaite au désastre*, Albin Michel, 1984-1985, 2 vol. — *À l'épreuve du temps*, Julliard, 1989, 2 vol.

BENVENISTE (Émile)

1902-1976

Émile Benveniste, né le 27 mai 1902 à Alep, est un savant dont l'œuvre a influencé plusieurs générations de chercheurs et d'enseignants, débordant largement son domaine principal, la linguistique générale et la grammaire comparée de l'indo-européen.

Sa vie intellectuelle et scientifique a commencé très tôt. Agrégé de grammaire en 1922, il est déjà signalé par le maître incontesté de la linguistique générale et de la grammaire comparée de l'indo-européen, Antoine Meillet, dans son rapport à l'École des hautes études (1920-1921), « comme une recrue précieuse pour la linguistique ». C'est en pleine jeunesse qu'on note son approche du mouvement surréaliste et qu'il signe, par exemple, en 1925, la brûlante déclaration : « La Révolution d'abord et toujours », avec, entre autres, L. Aragon*, A. Breton* et P. Éluard*. En 1927, A. Meillet remet sa chaire à l'EHE à É. Benveniste, qui était considéré par la communauté scientifique comme son digne successeur. Sa thèse de doctorat ès lettres, *Origine de la formation des noms en indo-européen*, marqua une date décisive dans les études de la grammaire comparée de l'indo-européen et celles de la linguistique, ayant comme suite un autre ouvrage important, publié en 1948, *Noms d'agent et noms d'action en indo-européen*. Il fut nommé professeur au Collège de France*, en 1937, à la mort d'A. Meillet, après y avoir été son suppléant de 1934 à 1936, pour y enseigner, pendant plus de trente ans, la linguistique générale, la grammaire comparée de l'indo-européen, ainsi que l'iranien, tout en produisant un nombre important de livres et d'articles. En 1966, il réunit dans un ouvrage, *Problèmes de linguistique générale*, vingt-huit de ses articles publiés de 1939 à 1964. L'intérêt porté à cet ouvrage, rapidement traduit dans presque toutes les langues européennes, suscita un second volume. C'est ainsi qu'en 1972 sont parus les *Problèmes de linguistique générale 2*, un recueil de vingt articles publiés de 1965 à 1972, établis par M.D. Moïnfar, sous la surveillance d'É. Benveniste cloué alors sur son lit d'hôpital. Un autre de ses ouvrages importants, *Le Vocabulaire des institutions indo-européennes*, est paru en 1969. Traduit en anglais et en italien, il a eu un grand retentissement, aussi bien auprès des linguistes et des comparatistes qu'auprès des sociologues et des anthropologues.

Le 6 décembre 1969, une attaque cérébrale paralysa É. Benveniste, et, après un calvaire déchirant qui dura presque sept ans, il meurt le 3 octobre 1976, dans une clinique à Versailles, où il fut enterré.

L'œuvre scientifique qu'il a laissée est immense : 18 livres et près de 600 articles et comptes rendus. Les linguistes et les comparatistes sont, certes, au premier rang de ses bénéficiaires, mais les philosophes, les anthropologues et les psychologues, eux aussi, en tirent un grand profit.

Membre de l'Institut, il fut docteur honoris causa de plusieurs universités étrangères et membre d'honneur de nombreuses sociétés savantes. Il a été secrétaire de la Société de linguistique de Paris et de la Société asiatique, directeur de l'Institut d'études iraniennes de l'université de Paris, un des fondateurs de la revue *L'Homme*, directeur de la *Revue des études arméniennes*, et président de l'Association internationale de sémiotique.

Moh. Djafar Moïnfar

■ *Origines de la formation des noms en indo-européen*, A. Maisonneuve, 1935. — *Noms d'agent et noms d'action en indo-européen*, A. Maisonneuve, 1948. — *Problèmes de linguistique générale I et 2*, Gallimard, 1966 et 1974. — *Le Vocabulaire des institutions indo-européennes*, Minuit, 1969.

■ M.D. Moïnfar, *Bibliographie des travaux d'Émile Benveniste*, Société de linguistique de Paris, 1975 ; « L'œuvre d'Émile Benveniste », *Linx*, n° 26, 1992, 1, Nanterre. — *Mélanges linguistiques offerts à Émile Benveniste*, Société de linguistique de Paris, 1975. — *Émile Benveniste aujourd'hui* (actes du colloque international du CNRS, université François-Rabelais, Tours, 28-30 septembre 1983), 1984.

BÉRAUD (Henri)

1885-1958

Né à Lyon le 21 septembre 1885 et « monté à Paris » en compagnie de plusieurs jeunes espoirs, parmi lesquels Albert Londres*, Henri Béraud aurait pu ne laisser dans les mémoires que le souvenir d'un écrivain de la catégorie des « truculents », habile à rendre l'atmosphère de son pays natal (*La Gerbe d'or*, 1928) ou à croquer des types humains, comme dans *Le Martyre de l'obèse*, qui lui vaut en 1922 le prix Goncourt. *Qu'as-tu fait de ta jeunesse ?* (1941) est un livre de souvenirs sensible. À la veille de la Seconde Guerre mondiale, on parle de lui pour l'Académie française*.

Mais un autre démon a, dès l'origine, saisi l'homme de plume : celui du journalisme. C'est cette activité-là qui le fait vivre comme *Flâneur salarié* (1927), et d'abord comme reporter international recherché des quotidiens les plus lus, du *Petit Parisien* à *Paris-Soir (Ce que j'ai vu...)*. Et c'est surtout elle qui va orienter définitivement son destin, quand tout un public va découvrir — et applaudir — un polémiste redoutable. Dans les années 20, Béraud, jusque-là plutôt classé à gauche par sa réputation d'ancien combattant pacifiste, se fait connaître par une virulente charge contre la revue dominante du temps, *La Nouvelle Revue française**, dans laquelle il croit découvrir une camarilla de protestants puritains et pervers soutenus par les pouvoirs publics (*La Croisade des longues figures*, 1924). C'est le premier pas vers une attaque en règle, et désormais hebdomadairement alimentée, contre la culture et la politique de gauche.

À partir du 12 janvier 1934, Béraud rédigera chaque semaine l'éditorial de *Gringoire**. Il ne lâchera cette tribune qu'au printemps 1944. Plusieurs des campagnes qu'il va lancer laisseront des traces dans l'histoire de la polémique. Anglophobe, sarcastique, il pose la question : *Faut-il réduire l'Angleterre en esclavage ?* (1935) ; hostile au Front populaire (*Popu roi*, 1937), il mène en 1936 la campagne qui conduira au suicide le ministre socialiste Roger Salengro — qu'il a transformé en « Proprengro ». Le rôle intellectuel de Béraud, sous-estimé par ceux qui présupposent une plus grande efficacité au doctrinaire, façon Maurras*, qu'au pamphlétaire, se mesure à l'écho de ses diatribes, relayées, dans le cas de *Gringoire*, par un tirage qui culmine, en grande partie grâce à lui, à 650 000 exemplaires en 1937.

Sous l'Occupation, bien qu'installé en zone Sud, l'hebdomadaire et son éditorialiste ne baissent pas de ton (*Sans haine et sans crainte*, 1944) et leur anglophobie prend une signification toute particulière dans le cadre de la croisade de l'« Europe nouvelle ». À la Libération, Béraud est condamné à mort pour « intelligence avec l'ennemi ». Gracié, il est libéré dès 1950, mais c'est un homme brisé qui meurt à Saint-Clément-des-Baleines (île de Ré) le 24 octobre 1958. La sévérité de la condamnation s'explique certainement par l'extrême popularité de l'éditorialiste, auquel les juges de décembre 1944 ont ainsi reconnu un rôle de premier rang dans la formation de l'esprit public.

Pascal Ory

■ *Le Martyre de l'obèse*, Albin Michel, 1922. — *La Croisade des longues figures*, Éd. du Siècle, 1924. — *Faut-il réduire l'Angleterre en esclavage ?*, Éd. de France, 1935. — *Popu roi*, Éd. de France, 1938. — *Qu'as-tu fait de ta jeunesse ?*, 1941, rééd. Roanne, Horvath, 1980. — *Les Raisons d'un silence*, Inter-France, 1944. — *Les Derniers Beaux Jours (1918-1940)*, Plon, 1953.

■ J. Butin, *De « La Gerbe d'or » au pain noir, la longue marche d'Henri Béraud*, Roanne, Horvath, 1979.

Berdiaev (Nicolas)

1874-1948

Né à Kiev le 6/19 mars 1874 dans une famille de la haute noblesse libérale, mort à Clamart le 23 mars 1948, Nicolas Berdiaev a joué dès son arrivée à Paris en 1924 un rôle essentiel de médiation entre la culture russe et l'intelligentsia française. D'abord marxiste, ancien membre du comité social-démocrate de Kiev, et pour cela exclu de l'Université puis relégué trois ans à Vologda (1900-1903), il avait participé après 1904, à la suite de Chestov, Strouvé et Boulgakov, au mouvement de la « Nouvelle conscience religieuse » et au renouveau orthodoxe du début du siècle. Élu professeur de l'université de Moscou en 1920, il fut exilé en 1922, après deux arrestations par la Tcheka. Il transféra à Paris l'Académie religieuse et philosophique russe qu'il avait ouverte à Berlin lors de ses premiers mois d'exil, et fonda en 1925, pour le milieu de l'émigration regroupé autour de l'Institut Saint-Serge, la revue *Pout'* (La Voie).

Dès 1925, Berdiaev rencontre par Charles Du Bos et Stanislas Fumet* le groupe d'intellectuels qui gravite autour des Maritain* à Meudon. C'est au « Roseau d'Or » — collection dirigée par Jacques Maritain — que paraît en 1928 *Un nouveau Moyen Âge*, rédigé à Berlin et traduit par Aniouta Fumet, dont l'écho est considérable. Pour les catholiques confrontés à la crise de l'Action française*, l'humanisme prophétique, marqué par Nietzsche et Dostoïevski, que propose Berdiaev, sa conception du christianisme « comme une révolte contre le monde et contre sa loi », offrent alors une des rares solutions de rechange au thomisme dominant. Plus proche d'un Massignon* ou d'un Laberthonnière* que de Maritain, il n'en organise pas moins avec ce dernier des réunions interconfessionnelles — son épouse s'est convertie au catholicisme en 1917. Il participe à la séance de fondation d'*Esprit**, et publie dans le premier numéro de la nouvelle revue « Vérité et mensonge du communisme », qui le conduit à rencontrer André Gide*.

Écrivain prolixe, il imprime sa marque à l'« esprit des années 30 », d'*Esprit* dont il est un collaborateur régulier à *L'Ordre nouveau** et aux Décades de Pontigny* (1935), en particulier par sa critique de la raison technique. Après l'Occupation, qu'il a passée près d'Arcachon, puis dans sa maison de Clamart, son individualisme forcené et une conjoncture intellectuelle nouvelle contribuent à l'isoler davantage. Ainsi ne collabore-t-il pas à la revue *Dieu vivant** de Marcel Moré, dont il est pourtant philosophiquement proche. S'il participe en 1947 aux Rencontres internationales de Genève, les *Cahiers de la nouvelle époque*, qu'il fonde en 1945 avec André Philip*, Jacques Madaule* et quelques autres, n'auront que deux numéros.

Denis Pelletier

■ *Un nouveau Moyen Âge*, Plon, 1927. — « L'idée religieuse russe », in « L'Âme russe », *Cahiers de la nouvelle journée*, n° 8, 1927. — *Le Marxisme et la religion*, Je Sers, 1931. — *L'Homme et la machine*, Je Sers, 1934. — *De la destination de l'homme. Essai d'une éthique paradoxale*, Je Sers, 1935. — *De l'esclavage de l'homme à la liberté de l'homme*, Aubier, 1946. — *Essai d'autobiographie spiri-*

tuelle, Buchet-Chastel, 1958. — *Les Sources et le sens du communisme russe*, Gallimard, 1965.

▩ W.W. Cayard et T. Klépinine, *Bibliographie des études sur Nicolas Berdiaev*, Institut d'études slaves, 1992. — O. Clément, *Berdiaev. Un philosophe russe en France*, Desclée de Brouwer, 1991. — T. Klépinine, *Bibliographie des œuvres de Nicolas Berdiaev*, Institut d'études slaves, 1978.

BERGSON (Henri)

1859-1941

Philosophe français dominant des quarante premières années du siècle, Henri Bergson a été aussi en son temps l'objet d'une mode et d'un culte allant bien au-delà des lecteurs spécialistes. C'est, depuis Taine, le premier penseur dans ce cas. Ce culte reposait sur une intention polémique, voire politique, anti-scientiste et anti-sorbonnarde. Bergson lui-même, quelle qu'ait été son opposition à une réduction de la psychologie à la physiologie, n'a jamais accepté l'irrationalisme et le confusionnisme de certains de ses partisans et a mal supporté les polémiques et la futilité mondaine de certains de ses auditeurs et auditrices. Ce bergsonisme littéraire, voire religieux, a pu nuire à la philosophie bergsonienne au point de susciter contre lui des pamphlets (J. Benda*, G. Politzer*).

La réussite initiale de Bergson, c'est d'abord l'itinéraire improbable qui mène le fils de la nombreuse et pauvre famille d'un pianiste-compositeur juif polonais émigré et d'une Anglaise dans le saint des saints du système universitaire. Né à Paris, le 18 octobre 1859, élève modèle ayant connu la vie austère de la pension Springer et du lycée Condorcet, il collectionne les prix au concours général, et entre troisième à l'École normale supérieure*. La promotion de 1878, à laquelle Bergson appartient, compte une pléiade de futurs grands hommes, dont Jaurès*. De tous, c'est sans doute Bergson le plus étranger (il ne sera naturalisé qu'en 1879), par ses origines, à une culture rhétorique française où il va exceller. En 1881, il obtient, scandale resté à la postérité, la seconde place à l'agrégation de philosophie, derrière l'obscur Lesbazeilles et devant l'éloquent Jaurès. Plein de gratitude envers une institution qui l'intègre au plus haut niveau intellectuel, Bergson suit la carrière classique et sans éclat des postes de lycée : il enseigne successivement à Angers (1881-1882) et Clermont-Ferrand (à partir de 1883) et donne des cours dans la faculté de cette dernière ville, avant de revenir dans les lycées parisiens : Louis-le-Grand, le collège Rollin et le lycée Henri-IV (1890), dont il obtient en 1896 la khâgne*. Il échoue à deux reprises dans ses candidatures à la Sorbonne en 1894 et 1898, mais, en compensation, obtient la maîtrise de conférences de philosophie de l'École normale supérieure, qu'il occupe de 1898 à 1900. La même année, les professeurs du Collège de France* lui préfèrent Tarde* pour la chaire de philosophie moderne, mais se rattrapent en l'élisant, à l'unanimité, à la chaire de philosophie ancienne, qu'il avait déjà occupée comme suppléant de Charles Lévêque en 1897-1898. À cette date, il a publié trois livres qui ont attiré l'attention des spécialistes : sa thèse de doctorat, *Essai sur les données immédiates de la conscience* (1889), *Matière et mémoire* (1896) et *Le Rire* (1900). En 1904, lors de la mort de Tarde, Bergson peut enfin occuper la chaire de philosophie moderne qui convenait mieux à son projet intellectuel.

Ces quelques aléas ne doivent pas masquer qu'à quarante et un ans Bergson a déjà atteint le sommet du cursus de sa discipline. Dans les années qui suivent, il engrange tous les honneurs possibles de la république des lettres et de la République tout court : un fauteuil à l'Académie des sciences morales et politiques en 1901 et à l'Académie française* en 1914, un siège au Conseil supérieur de l'instruction publique en 1919, le prix Nobel de littérature en 1928 et le plus haut grade de la Légion d'honneur en 1930. Par son mariage avec Louise Neuburger, il était entré dans la bonne bourgeoisie juive parisienne.

Ses cours au Collège de France deviennent à la mode, sans qu'il le veuille, après *L'Évolution créatrice* (1907), quand la jeune génération littéraire et philosophique (notamment Péguy*, Psichari*, Tancrède de Visan, Jacques et Raïssa Maritain*) et certains théoriciens (comme G. Sorel*) voient en lui la justification théorique de leur refus du kantisme et du scientisme de la Sorbonne. Son nom est également invoqué dans la polémique contre la nouvelle Sorbonne en 1910-1911. Il est pris à partie au nom du classicisme (et sur fond d'antisémitisme) par l'Action française* et, au nom du cartésianisme, par Julien Benda*, ami pourtant de Péguy. Bergson, bien conscient des malentendus sur lesquels repose ce succès mondain, refuse toute polémique. Cette fièvre culmine en 1914 quand une enquête de *La Grande Revue* montre qu'il est l'auteur fétiche de la jeune littérature et qu'un journal à grand tirage, *Excelsior*, publie une photo soulignant l'affluence extraordinaire à ses cours.

Lassé de cette agitation, Bergson prendra sa retraite prématurément en 1920 sans avoir renoué avec l'enseignement. Lors de la guerre, lui qui avait refusé jusque-là les prises de position publiques comme intellectuel (notamment lors de l'affaire Dreyfus*) assume ses devoirs de penseur officiel par des conférences et des missions. Le 12 décembre 1914 notamment, en tant que président en exercice de l'Académie des sciences morales et politiques, il dénonce les prétentions aberrantes des universitaires allemands qui se sont solidarisés avec le militarisme prussien lors du « Manifeste des 93 ». Avec d'autres membres de l'Institut, il prêche la bonne parole au service de la France au cours d'une mission en Espagne en 1916. Ses deux missions aux États-Unis, en 1917 et 1918, l'amènent à jouer un rôle actif dans la construction de l'alliance franco-américaine ; il rencontre deux fois le président Wilson, philosophe comme lui. Ambassadeur officiel de la culture française, il est élu, en 1922, président de la Commission de coopération intellectuelle de la SDN. Démissionnaire de ce poste en 1925 pour raison de santé, il mène alors une vie semi-recluse consacrée à élaborer la dernière étape de sa pensée, où il se rapproche de plus en plus de la foi chrétienne, comme le montre *Les Deux Sources de la morale et de la religion* (1932). Lui dont les livres ont été mis à l'Index en 1914 n'ose pas cependant se convertir publiquement au catholicisme. En 1934, dans une adresse au Congrès juif mondial, il s'inquiète devant la montée de l'antisémitisme et les menaces que l'hitlérisme fait peser sur le monde. L'hommage public que Paul Valéry* rend à Bergson à l'Académie française, après le décès de ce dernier survenu le 3 janvier 1941 à Paris, prend en revanche l'allure d'un des premiers actes de la résistance intellectuelle, tout comme le numéro spécial de la revue des *Cahiers du*

Rhône, publié en Suisse par Albert Béguin* en 1943. Jusqu'à sa mort, Bergson, qui s'est toujours refusé à adopter la posture de l'« intellectuel » dreyfusard, aura donc été un enjeu politique involontaire des luttes entre intellectuels.

Christophe Charle

■ *L'Énergie spirituelle*, Alcan, 1909. — *Durée et simultanéité*, Alcan, 1922. — *Les Deux Sources de la morale et de la religion*, Alcan, 1932. — *La Pensée et le mouvant*, Alcan, 1934. — *Écrits et paroles* (textes rassemblés par R.-M. Mossé-Bastide), PUF, 1957-1959, 3 vol. — *Œuvres*, édition du centenaire (1959) (textes annotés par A. Robinet, introduction de H. Gouhier), rééd. PUF, 1970. — *Mélanges* (textes publiés et annotés par A. Robinet avec la collaboration de R.-M. Mossé-Bastide, M. Robinet et M. Gauthier, avant-propos de H. Gouhier), PUF, 1972. — *Cours* (édités par H. Hude).

▩ R. Arbour, *Henri Bergson et les lettres françaises*, Corti, 1955. — Bibliothèque nationale, *Bergson*, exposition du centenaire, 1959. — H. Gouhier, *Bergson dans l'histoire de la pensée occidentale*, Vrin, 1989. — L.M. Greenberg, « Bergson and Durkheim as Sons and Assimilators. The Early Years », *French Historical Studies*, IX, n° 4, automne 1976. — P.A.Y. Gunter, *Henri Bergson : A Bibliography*, Philosophy Documentation Center, Bowling Green University, Ohio, 2e éd. 1986. — H. Hude, *Bergson*, Éditions universitaires, 1989, 2 vol. — A. de Lattre, *Bergson, une ontologie de la perplexité*, PUF, 1990. — R.-M. Mossé-Bastide, *Bergson éducateur*, PUF, 1955. — C. Péguy, « Note sur M. Bergson et la philosophie bergsonienne » (1914), repris dans C. Péguy, *Œuvres en prose (1909-1914)*, Gallimard, « Pléiade », 1968, pp. 1315-1347 ; « Note conjointe sur M. Descartes et la philosophie cartésienne » (1914), *ibid.*, pp. 1359-1554. — G. Politzer, *La Fin d'une parade philosophique, le bergsonisme*, 1929, rééd. Pauvert, 1967. — P. Soulez, *Bergson politique*, PUF, 1989. — A. Thibaudet, *Trente ans de vie française*, t. 3 : *Le Bergsonisme*, NRF, 1923, 2 vol.

Berl (Emmanuel)

1892-1976

Mort le 22 septembre 1976, Emmanuel Berl fut un des esprits les plus originaux de son temps. Directeur de *Marianne**, rédacteur des premiers discours du Philippe Pétain président du Conseil, époux de la chanteuse Mireille, tour à tour pamphlétaire et écrivain délicat, il incarna, en une période où une telle attitude était difficile à tenir, la figure de l'intellectuel engagé mais refusant d'être embrigadé, du pacifiste convaincu mais conscient des limites de la position pacifiste.

Né le 2 août 1892 au sein d'une famille de la haute bourgeoisie juive apparentée aux Bergson* et aux Proust*, Emmanuel Berl suit des études de philosophie avant de s'engager comme volontaire en 1914. Réformé en 1917 pour maladie respiratoire après avoir reçu la Croix de guerre, il fréquente les surréalistes, se lie avec Aragon*, Gaston Bergery, et son ancien camarade du lycée Carnot, Pierre Drieu La Rochelle*, avec lequel, en 1927, il publie un hebdomadaire éphémère : *Les Derniers Jours*. En 1928, il participe, avec Édouard Berth*, Marcel Déat, Bertrand de Jouvenel* et Pierre Mendès France, à la rédaction des *Cahiers bleus* que vient de lancer Georges Valois*. La même année, il rencontre André Malraux* et c'est à lui que, l'année suivante, il dédie son premier grand livre : *Mort de la pensée bour-*

geoise, pamphlet brillant dans lequel Emmanuel Berl appelle à une culture et à une littérature plus engagées.

C'est durant les années 30 qu'Emmanuel Berl entre véritablement en politique, aux côtés des radicaux. Après avoir travaillé à *Monde**, il lance, en 1932, l'hebdomadaire *Marianne*, qui sera, jusqu'à l'apparition de *Vendredi** en 1935, le principal hebdomadaire français de gauche. Il y défend une ligne favorable au Front populaire mais son pacifisme intransigeant et son égal refus des totalitarismes fasciste et communiste l'incitent à adopter des positions hétérodoxes et à marquer sa curiosité, sinon toujours sa sympathie, pour le néo-socialisme et le concept de « Révolution nationale ».

En 1937, les Éditions Gallimard* vendent *Marianne*. Emmanuel Berl quitte le journal et fonde un nouvel hebdomadaire : *Le Pavé de Paris*, qu'il dirigera jusqu'à l'exode de 1940. Quand arrive celui-ci, il part dans le Sud-Ouest avant d'être appelé, le 17 juin, à Bordeaux, où Pierre Bouthillier lui demande de travailler aux discours de Philippe Pétain, alors président du Conseil. Il rédige effectivement les deux discours des 23 et 25 juin où figurent, entre autres belles formules : « Je hais les mensonges qui vous ont fait tant de mal » et « La terre, elle, ne ment pas ». Mais après un bref passage à Vichy, il se détourne du nouveau régime, rejoint à Cannes son épouse Mireille, puis s'installe, en juillet 1941, à Argentat, où il rédige son *Histoire de l'Europe* et où le rejoindront Bertrand de Jouvenel, Jean Effel et André Malraux.

Au lendemain de la guerre, il quitte la politique pour se consacrer à la littérature et à la rédaction d'ouvrages biographiques, parmi lesquels, notamment, *Sylvia*. En 1967, l'Académie française* lui décernera son Grand Prix de littérature.

Bernard Laguerre

■ *Sylvia*, Gallimard, 1952, rééd. 1972. — Emmanuel Berl-Patrick Modiano, *Interrogatoire*, Gallimard, 1976.
▒ B. Morlino, *Emmanuel Berl*, La Manufacture, 1990.

Bernanos (Georges)

1888-1948

Né à Paris, élevé dans une famille catholique (Fressin, Pas-de-Calais), éduqué aux collèges des pères, le jeune Bernanos est très tôt influencé par Édouard Drumont* et son antisémitisme anticapitaliste. Rallié à l'Action française* au moment des inventaires consécutifs à la loi de Séparation des Églises et de l'État* (1906), il en devient un militant actif, ce qui lui vaut une incarcération à la Santé, lors de l'affaire Thalamas*, en 1909. Il commence une collaboration régulière dans la presse monarchiste. Dans les années 1913-1914, il dirige, à Rouen, l'hebdomadaire royaliste *L'Avant-Garde de Normandie*, où il polémique avec Alain*, du *Journal de Rouen*.

Réformé, il s'engage volontairement au 6e dragons, où il finira comme brigadier, avec blessures et citations. Son mariage, en 1917, est béni par Dom Besse, proche de l'Action française ; son témoin est Léon Daudet*. Au retour du front, en désaccord avec la politique de Maurras*, il quitte momentanément le journalisme et devient inspecteur de la Compagnie d'Assurances. En mars 1926, encouragé par son ami Robert Vallery-Radot, il publie son premier roman, *Sous le soleil de Satan*, chez Plon. Le nom de l'auteur devient célèbre à la suite d'un article enthousiaste de L. Daudet.

Bernanos entame alors une vie d'écrivain pauvre, chargé de famille (six enfants, le dernier naît en 1933), dont l'esprit d'indépendance ne faillira jamais. C'est en 1926, l'année même de la condamnation de l'Action française* par Pie XI, qu'il se rapproche de Maurras. Continuant son œuvre romanesque (*L'Imposture* en 1927, *La Joie*, prix Femina en 1929...), il reprend sa collaboration dans la presse maurrassienne et élabore son grand essai à la gloire de Drumont*, *La Grande Peur des bien-pensants*, que Grasset* publie en 1931.

En novembre de la même année, il donne sa collaboration au *Figaro** de François Coty, qu'il est amené à défendre l'année suivante contre Maurras, duquel il se sépare alors bruyamment. Désormais, Bernanos, toujours royaliste, devient l'adversaire implacable de l'esprit maurrassien, « caricature bourgeoise et académique de l'esprit totalitaire ».

Victime d'un accident de moto en 1933, il reste infirme d'une jambe. Dans la gêne, il multiplie les articles, se fixe à Majorque, où il écrit même un roman policier, *Un crime* (1935), tout en s'attelant à la rédaction de son chef-d'œuvre, *Journal d'un curé de campagne*, publié en mars 1936, suivi de *La Nouvelle Histoire de Mouchette*. Bernanos, Grand Prix du roman en 1936, est désormais reconnu comme un des grands écrivains français.

La guerre d'Espagne* interrompt sa carrière romanesque. Témoin de la répression franquiste, il la dénonce en 1938 dans un pamphlet retentissant, *Les Grands Cimetières sous la lune*, après être rentré en France. Il gagne alors le Paraguay avec sa famille, qu'il quitte rapidement pour le Brésil*, où il vit jusqu'en 1945 à la tête d'une exploitation agricole puis d'une modeste ferme. C'est au cours de son exil brésilien qu'il écrit ses nouveaux essais politiques, *Nous autres français*, *Les Enfants humiliés*, qui expriment ses positions antimunichoises. Au lendemain de l'armistice de 1940, il écrit régulièrement dans la presse brésilienne contre Pétain, en défendant la France libre du général de Gaulle et la Résistance. En 1942 paraît au Brésil sa *Lettre aux Anglais*, un de ses livres les plus marquants, à la suite d'une commande de la *Dublin Review*.

En juillet 1945, Bernanos rentre en France à l'appel du général de Gaulle et continue à s'exprimer dans la presse. Mal à son aise dans la France de l'après-guerre, en raison notamment du rôle qu'y jouent désormais les communistes, il s'installe en 1947 en Tunisie, où il écrit sa pièce, *Dialogue des carmélites*. Il meurt à l'hôpital américain de Neuilly le 5 juillet 1948.

Georges Bernanos est resté attaché durant sa vie à un système de fidélités — le catholicisme, le royalisme, Drumont, le sentiment de l'honneur, la défense des pauvres et des humiliés... —, qui ne l'ont pas empêché de suivre un parcours politique original. Il termine sa carrière comme il l'a commencée, en « homme debout », irrécupérable.

Son antisémitisme inspiré de Drumont — qui était pour lui une sorte de « socialisme catholique » — a été rejeté par lui au cours du combat contre le nazisme, sans que Bernanos ait jamais renié son cher « vieux maître » qui l'avait éveillé à la défense des humbles à la fois contre les puissants et contre le monde moderne.

Bernanos, malgré ses contradictions, a exercé, une profonde influence — sur le milieu catholique notamment, comme en témoignent, entre autres, les travaux d'Albert Béguin*, directeur d'*Esprit** (1950-1957). Il a représenté pour beaucoup un exemple de vaillance intellectuelle, de liberté d'esprit, et un modèle longtemps imité de polémiste.

Michel Winock

■ *Essais et écrits de combat*, t. 1, Gallimard, « Pléiade », 1971. — *Essais de combat*, t. 2, à paraître. — *Œuvres romanesques*, Gallimard, « Pléiade », 1962.

▒ A. Béguin, *Bernanos*, Seuil, 1982. — M. Estève, *Georges Bernanos : un triple itinéraire*, Minard, 1987. — G. Jurt, *Essai de bibliographie des études de langue française consacrées à Georges Bernanos*, Lettres modernes, 1972-1976. — M. Winock, « Le cas Bernanos », *Édouard Drumont et Cie*, Seuil, 1982.

BERQUE (Jacques)

1910-1995

Né à Frenda en Algérie en 1910, il publie en 1990 sa traduction du Coran, couronnement d'un parcours orientaliste. Docteur ès lettres en 1955, titulaire de la chaire d'histoire sociale de l'islam contemporain au Collège de France*, il est l'auteur d'une trentaine d'ouvrages et d'une dizaine d'autres en collaboration. Hommage rarissime, certaines de ses œuvres ont été traduites en arabe. Il meurt le 27 juin 1995 à Saint-Julien-en-Born (Landes). Cursus honorum classique ? Non : il est d'abord administrateur colonial au Maroc, parce que réfractaire à la Sorbonne et supportant mal un « midi parisien sans soleil », au point d'en perdre « le goût de regarder les femmes ». C'est qu'il est d'abord un Méditerranéen, et ses *Mémoires des deux rives* montrent cette empathie avec la nature et les hommes, devenue engagement intellectuel. Pied-noir, fonctionnaire d'autorité féru d'humanités, il eût pu, dans l'Afrique de l'apogée colonial, s'ajouter à la liste des chantres de l'Algérie française. Pourquoi apprend-il l'arabe quand, dans son milieu, on le désapprend ? Sans doute l'exemple du père érudit fonctionnaire des « affaires indigènes », et ce poste dans l'*Intérieur du Maghreb* l'ont-ils préservé de la médiocrité des préfectures algériennes.

Autour de 1930, s'intéresser au colonisé, c'est se faire ethnographe : son premier ouvrage, *Les Pactes pastoraux des Béni-Meskine*, paraît à Alger en 1936. Mais ce sera de plus en plus analyser la renaissance de « nationalités assoupies ou opprimées » où J. Berque voit l'une des grandes tendances de notre temps. Curiosité incompatible avec la fonction d'expert colonial qu'il abandonne. À partir de 1956, ses voyages élargissent ses horizons à l'ensemble d'un monde arabe en effervescence. *Le Maghreb entre deux guerres*, *L'Égypte : impérialisme et révolution*, *L'Islam au temps du monde* s'efforcent de saisir le passage « du sacral à l'historique », la confrontation entre modernité occidentale et culture arabe, car *La Dépos-*

session du monde (1964) appelle une nouvelle synthèse conjuguant développement et authenticité.

Cette synthèse, elle ne semble pas près d'être élaborée. Sans doute parce que les Arabes ont réduit la modernité au technologique en oubliant qu'il y fallait encore la libération de l'individu. Sous le choc de l'islamisme, les paradigmes des années 60 s'effondrent. Fait défaut aujourd'hui une problématique adaptée. « Sans doute avais-je méconnu le rôle du religieux dans la modernité », constate J. Berque.

Du moins, cet effort pour lier les multiples dimensions d'une totalité changeante a-t-il une valeur heuristique. Et, plus encore, cet itinéraire de passeur entre mondes de l'*Orient second* (1970) à *Andalousie* (1982). Mettre en question le « provincialisme de l'universel » où Jacques Berque voit le péché majeur des intellectuels français est la condition pour penser à l'échelle de l'humanité.

Claude Liauzu

■ *Le Maghreb entre deux guerres*, Seuil, 1962. — *L'Égypte : impérialisme et révolution*, Gallimard, 1967. — *Intérieur du Maghreb*, Gallimard, 1978. — *Ulémas fondateurs, insurgés du Maghreb*, Sindbad, 1981. — *L'Islam au temps du monde*, Sindbad, 1984. — *Mémoires des deux rives*, Seuil, 1989.

BERR (Henri)

1863-1954

La longue carrière d'Henri Berr présente à bien des égards des traits contradictoires. Elle est, au départ, conforme à l'un des modèles les mieux éprouvés de la vie intellectuelle sous la IIIe République, de Durkheim* à Marc Bloch* ou à Raymond Aron*.

Né à Lunéville, Berr a suivi le brillant cursus qui a conduit bien des fils de la moyenne bourgeoisie juive à l'École normale, à l'agrégation, au doctorat (1898) et à une chaire de khâgne*. Mais il n'ira pas plus loin : ni en faculté, ni au Collège de France*, où sa candidature échoue par deux fois avant la Première Guerre mondiale*. Berr restera toute sa vie professeur au lycée Henri-IV. C'est qu'en même temps il a choisi une autre voie, moins fréquentée : il est devenu l'animateur d'une entreprise culturelle qui ne cessera de se démultiplier et de devenir plus ambitieuse et plus complexe pendant près d'un demi-siècle. Il dispose pour ce faire de ressources non négligeables : le puissant réseau normalien ; une riche palette d'alliances familiales qui lui permet d'associer les « élites de la compétence » et celles « de l'héritage », le monde intellectuel et celui de la vie économique, voire politique (G. Gemelli) ; enfin, une énergie personnelle hors du commun, tout entière consacrée à l'imagination, à la réalisation et à la gestion d'institutions culturelles. Le tout est au service d'une idée à la fois ambitieuse, ample, inlassablement reprise et détaillée, floue : la mise en œuvre de « la synthèse » — le maître mot de la pensée et de l'œuvre de Berr —, le projet auquel il aura consacré la plupart de ses livres, d'innombrables programmes, préfaces, articles, et toute sa politique culturelle.

Pour ce philosophe de formation, le temps des grandes constructions abstraites, à la Hegel mais aussi à la Comte, est passé. Néo-kantien, comme une bonne part de sa génération, il estime très tôt que le moment est venu, et que les moyens sont acquis, d'une synthèse nouvelle de connaissances scientifiques en expansion accélérée et qui sont menacées de communiquer de plus en plus mal. Il ne la situe pas, comme vient de le faire Durkheim, du côté d'une épistémologie prescriptive, mais dans l'organisation, tout ensemble souple et raisonnée, d'une confrontation entre les disciplines scientifiques. Cette confrontation a un lieu : c'est l'histoire, qui seule à ses yeux peut offrir la juste perspective sur un processus de production des connaissances qui met en cause tous les aspects de l'évolution sociale.

C'est ce programme que mettent en œuvre, successivement, la *Revue de synthèse historique* (publiée à partir de 1900 et qui deviendra en 1931 la *Revue de synthèse*), la grande collection historique « L'Évolution de l'humanité » (à partir de 1920), le Centre international de synthèse et la Fondation « Pour la science » (lancés en 1925), les célèbres « Semaines internationales de synthèse » et même le projet, bientôt avorté, d'une revue de vulgarisation scientifique, *Science*, en 1936.

À distance, le tout laisse une impression mitigée. Volontiers emphatique, souvent encline à l'autocommentaire, parfois fumeuse, la pensée de Berr a mal vieilli. Mais là n'est peut-être pas l'essentiel. L'originalité de l'entreprise, c'est bien l'entreprise elle-même. En ce qu'elle a d'unique : la réalisation, par des moyens privés, d'un réseau dense et souvent prestigieux de sociabilité scientifique, pensée pour partie sur le modèle adapté du salon littéraire — mais aussi à travers la mise en place d'une véritable organisation du savoir. En ce qu'elle aura de durable, aussi : les *Annales*, fondées en 1929, doivent probablement être comprises comme le vrai prolongement intellectuel de l'œuvre de Berr, même si elles ont été des héritières infidèles : non seulement parce que la *Revue de synthèse historique* a accueilli les premiers essais de Febvre*, de Bloch* ou de Braudel*, mais en ce qu'elles reprennent à leur compte, dans un autre contexte, la conception souple, empirique et ouverte de l'interdisciplinarité qui reste le principal legs d'Henri Berr.

Jacques Revel

■ *L'Avenir de la philosophie. Esquisse d'une synthèse des connaissances fondée sur l'histoire*, 1898. — *La Synthèse en histoire. Essai théorique et critique*, 1911.

▒ G. Gemelli, « Communauté intellectuelle et stratégies intellectuelles : Henri Berr et la fondation du Centre international de synthèse », *Revue de synthèse*, 4e série, 2, 1987. — M. Siegel, « Henri Berr's *Revue de synthèse historique* », *History and Theory*, 9, 3. — « Hommage à Henri Berr (1863-1954) », Commémoration du centenaire de sa naissance au Centre international de synthèse, *Revue de synthèse*, 3e série, 35, 1964.

BERTH (Édouard)

1875-1939

L'ami le plus proche de Georges Sorel* est né le 1er juillet 1875 à Jeumont (Nord). D'origine modeste, Berth fait de brillantes études secondaires mais interrompt brutalement ses études supérieures en refusant de passer l'agrégation de philosophie. En pleine affaire Dreyfus*, il se lance dans la politique. Il revient dans le Nord en 1898 pour s'engager dans le mouvement socialiste. Fin 1899, il retourne à

Paris pour préparer le concours de l'Assistance publique, qui lui permet de travailler à partir d'octobre 1903 dans l'administration hospitalière. Marié en 1900, il se convertit au catholicisme en 1915, auquel il reste fidèle en dépit de quelques remises en cause passagères.

Berth a pris connaissance des idées de Sorel en 1898. Il est aussi marqué par ses lectures de Marx, Proudhon, Nietzsche et Bergson*. Son premier livre *Dialogues socialistes* (1901), conteste l'idée que le socialisme soit une doctrine matérialiste, anti-esthétique et amorale. Le prolétariat est au contraire, selon lui, le représentant d'une civilisation supérieure. Entre 1899 et 1909, il publie de très nombreux articles dans *Le Mouvement socialiste**. Il collabore également à la *Revue socialiste*, *Pages libres** et *L'Avant-garde*. Il est ainsi devenu l'un des principaux théoriciens du syndicalisme révolutionnaire.

En 1909, à l'instar de Sorel, il rompt avec *Le Mouvement socialiste*. Il rejoint alors l'équipe des *Cahiers du cercle Proudhon* et défend l'idée d'une restauration monarchique. En 1914, il rassemble plusieurs de ses articles dans *Les Méfaits des intellectuels*, qui peut passer pour le manifeste de l'anti-intellectualisme de gauche qu'accompagne un hommage à Maurras*.

Combattant durant la Première Guerre mondiale*, il devient un partisan du bolchevisme après les hostilités. Convaincu de la prochaine chute de la démocratie bourgeoise, il collabore à *L'Humanité** et au groupe Clarté*. Déçu par l'Union soviétique, il revient au syndicalisme révolutionnaire et rejoint l'équipe de *La Révolution prolétarienne**. Son antifascisme le conduit à soutenir le Front populaire et à adopter des positions antimunichoises. Son dernier article, qui dénonce les accords de Munich*, ayant été refusé par Pierre Monatte, a été publié dans la revue de Georges Valois*, *Le Nouvel Âge*.

Autant et parfois plus que son maître Sorel lui-même, Édouard Berth incarne la tradition morale empruntée au syndicalisme révolutionnaire, marquée par une défiance ouvriériste à l'endroit de l'intellectuel, et un mépris « artiste » pour le bourgeois (le marchand). Mais au fond, pour lui, « bourgeois » et « intellectuel » sont deux termes presque synonymes.

Jeremy Jennings

■ *Dialogues socialistes*, Jacques, 1901. — *Les Nouveaux Aspects du socialisme*, Rivière, 1908. — *Les Méfaits des intellectuels*, Rivière, 1914. — *Les Derniers Aspects du socialisme*, Rivière, 1923. — *Guerre des États ou guerre des classes*, Rivière, 1924. — *La France au milieu du monde*, Turin, Gobetti, 1924. — *La Fin d'une culture*, Rivière, 1927. — *Du « Capital » aux « Réflexions sur la violence »*, Rivière, 1935.

BERTHELOT (Marcelin)

1827-1907

Marcelin Berthelot, à en juger par le nombre de rues de villes et de villages qui portent son nom, reste une figure emblématique de la science française, même si le fait d'avoir été deux fois ministre et libre-penseur militant n'a pas peu contribué à sa célébrité auprès des édiles de la IIIe République.

Né à Paris le 25 octobre 1827, il avait déjà noué à dix-huit ans une amitié durable avec Ernest Renan, alors « pion » au lycée Henri-IV. Après quelques hésitations, Berthelot s'engage dans une carrière de chimiste, mais d'emblée il choisit de ne pas être ordinaire. On avait longtemps admis que la synthèse des produits que fabriquent les organismes vivants, soumise à une mystérieuse « force vitale » échappant au pouvoir de la science, était irréalisable en laboratoire. Par ses expériences, Berthelot ruina définitivement une idée déjà ébranlée par le chimiste allemand Woehler en 1828, et sut donner à ses succès une importance philosophique qui assura sa gloire. Pour Michelet, Sainte-Beuve, les Goncourt ou les convives du restaurant Magny, Berthelot représentait les pouvoirs illimités de la chimie encore balbutiante mais déjà laïcisée.

Chargé en 1863 d'un cours au Collège de France* dans le cadre d'une chaire de chimie organique créée pour lui, Berthelot se tint à l'écart du grand courant d'idées qui devait conduire à la fondation de la chimie moderne. Rejetant de tout son pouvoir séculier « l'ingénieuse métaphysique » qui prétendait accéder à la connaissance intime de la matière, il fut sans doute l'un des responsables du retard de la chimie française dans la maîtrise de la « théorie atomique ».

Paradoxalement, ses positions scientifiquement réactionnaires ne l'empêchaient pas de croire et de faire croire à l'avenir radieux que la Science promet à l'humanité. À ses imprudentes formules, « le monde est aujourd'hui sans mystère » ou « la conception rationnelle… étend son déterminisme fatal jusqu'au monde moral » (1888), Brunetière* et le parti de la religion ne manquèrent pas d'opposer les pièces d'un constat de « faillite de la science » (1895).

Ministre de l'Instruction publique (1886), plus tard des Affaires étrangères (1895), mais étrangement muet au cours de l'affaire Dreyfus*, Berthelot était devenu, au début de ce siècle, le modèle même du savant laïque et républicain. Son vraisemblable suicide le 18 mars 1907, le jour même de la mort de sa femme, dans son appartement de secrétaire perpétuel de l'Académie des sciences*, ajoute une grandeur antique au mythe d'un personnage complexe, important et discutable.

Jean Jacques

■ *La Chimie organique fondée sur la synthèse*, Mallet-Bachelier, 1860. — *Essais de mécanique chimique fondée sur la thermochimie*, Dunod, 1879. — *Les Origines de l'alchimie*, G. Steinheil, 1885. — *Science et philosophie*, Calmann-Lévy, 1886. — *Science et morale*, Calmann-Lévy, 1887. — *Histoire des sciences. La chimie au Moyen Âge*, Imprimerie nationale, 1893. — *Science et éducation*, Société française d'imprimerie et de librairie, 1901. — *Science et libre-pensée*, Calmann-Lévy, 1905.

▒ J. Jacques, *Marcelin Berthelot. Autopsie d'un mythe*, Belin, 1987. — L. Velluz, *Vie de Berthelot*, Plon, 1964. — R. Virtanen, *Marcelin Berthelot. A Study of a Scientist's Public Role*, University of Nebraska Studies, 1965.

BEUVE-MÉRY (Hubert)

1902-1989

Personnage mythique de la presse française, devenu synonyme d'indépendance et d'exigence intellectuelle, Hubert Beuve-Méry est venu au journalisme un peu par hasard. De souche bretonne, le fondateur du *Monde** a été élevé par sa mère dans une grande pauvreté après le départ du père. Pour survivre, il sera tour à tour livreur à domicile, employé aux écritures au PLM, employé d'assurances, rédacteur dans une revue ecclésiastique, *Les Nouvelles religieuses*.

Sans la protection matérielle dont il a été l'objet de la part d'ecclésiastiques — sa mère fut pendant des années cuisinière intendante de l'archiprêtre de Notre-Dame de Paris — il n'aurait pu atteindre à l'instruction et au baccalauréat. C'est le Père Janvier, célèbre prédicateur à Notre-Dame, ainsi qu'Alfred Michelin, éminence grise de *La Croix*, qui l'aideront matériellement et qui auront une influence décisive sur sa carrière. Il en gardera, malgré une tendance précoce à l'agnosticisme, de la reconnaissance pour le milieu ecclésiastique, et des fréquentations auxquelles il restera fidèle sa vie durant.

Deux épisodes marquent durablement sa personnalité avant la fondation du *Monde*. Professeur à l'Institut français de Prague et correspondant du *Temps* en Tchécoslovaquie, il est témoin sur place de la corruption de la presse française, souvent subventionnée par les puissances étrangères, et surtout de la capitulation franco-anglaise devant Hitler, dont il a, par avance, dénoncé les risques. Au lendemain de Munich*, il donne sa démission à Jacques Chastenet, directeur du *Temps*, et écrit, sous le titre *Vers la plus grande Allemagne*, un petit livre clairvoyant et prophétique.

Mobilisé comme lieutenant pendant la drôle de guerre à l'état-major de Nancy au titre du contre-espionnage, il se retrouve à Lyon une fois démobilisé. Les premières prises de position dans un tract quotidien, *Poignées de vérités*, qu'il distribue dans les boîtes aux lettres de son quartier, témoignent d'une double défiance à l'égard des totalitarismes nazi et soviétique, ainsi qu'à l'égard de la démocratie libérale et du capitalisme. Des thèmes qui ne sont pas très loin de ceux de la « Révolution nationale » vichyste. Il approuve la reparution de la revue *Esprit**, au conseil de rédaction de laquelle Emmanuel Mounier* le fait entrer. Et surtout, il devient, au début de l'année 1941, responsable des études au Centre d'Uriage* fondé par le capitaine Dunoyer de Segonzac pour reconstituer des élites dans une France meurtrie par la défaite. Cette expérience ambiguë durera jusqu'en décembre 1942, date à laquelle l'école est fermée par le régime de Vichy. Ses cadres, dont Hubert Beuve-Méry, entrent dans la Résistance armée.

C'est lui auquel il est fait appel, au sein du triumvirat dans lequel il voisine avec René Coutin et Christian Funck-Brentano, pour présider aux destinées d'un nouveau journal, baptisé *Le Monde*, dont le général de Gaulle a souhaité la création pour suppléer au vide créé par la disparition, à la Libération, du « journal de référence » de l'avant-guerre, *Le Temps*. Rapidement, il s'impose comme véritable directeur du journal et, dès lors, sa biographie se confond avec l'histoire du *Monde*.

Son action et ses combats auront toujours pour but la sauvegarde de l'indépendance économique et politique du journal.

Le principal conflit, de 1949 à 1951, a pour origine les prises de position « neutralistes » d'un prestigieux collaborateur extérieur, Étienne Gilson*, professeur de philosophie médiévale, bientôt relayées par Hubert Beuve-Méry lui-même, sous le pseudonyme transparent de « Sirius ». Défiance à l'égard des États-Unis, au moment où est signé le Pacte atlantique, indépendance nationale, refus de la politique des blocs, armement national, détente, inquiétudes à l'égard d'un éventuel réarmement de l'Allemagne : tels sont les grands thèmes d'une campagne qui suscite l'émoi des milieux de la « Troisième Force », notamment du Mouvement républicain populaire (MRP). En 1951, sous des attaques conjuguées, Beuve-Méry donne sa démission, mais la mobilisation de la rédaction, bientôt relayée par les lecteurs, le réinstalle dans le célèbre bureau directorial, où se tiennent debout les conférences de rédaction.

Nouvelle alerte en 1956 avec le lancement, soutenu par une fraction du patronat, du *Temps de Paris*, dont le titre disait assez bien qu'il s'agissait de revenir à la tradition d'avant guerre de dépendance économique, voire diplomatique du journal. Le concurrent ne connaîtra que soixante-six numéros. Dès lors, en dépit de nouvelles tentatives, et de l'hostilité du président du Conseil socialiste Guy Mollet (1956-1957), l'existence et l'indépendance du *Monde* sont assurées. Il peut s'engager, prudemment mais fermement, dans la critique de la politique coloniale de la France pendant la guerre d'Algérie. Dans ces conditions, Hubert Beuve-Méry, à la surprise d'une partie de ses collaborateurs, approuve le retour au pouvoir du général de Gaulle (1958), avant d'engager contre celui-ci, par éditoriaux interposés, une campagne retentissante, qui tourne parfois à l'affrontement personnel entre deux hommes de plus en plus séparés par leurs similitudes. La ressemblance va jusqu'à la date de leur départ. C'est en effet le 21 décembre 1969, vingt-cinq ans jour pour jour après la fondation du journal, que Beuve-Méry quitte ses fonctions de directeur, pour devenir, du haut de son bureau du sixième étage, une statue du commandeur silencieuse mais obsédante pour ses successeurs. Il meurt vingt ans plus tard, en 1989.

Jacques Julliard

■ *Paroles écrites*, Grasset, 1991.

▒ A. Chatelain, *« Le Monde » et ses lecteurs sous la IVe République*, Armand Colin, 1962. — L. Greilsamer, *Hubert Beuve-Méry*, Fayard, 1990. — J.-N. Jeanneney et J. Julliard, *« Le Monde » de Beuve-Méry ou le Métier d'Alceste*, Seuil, 1979. — J. Thibau, *« Le Monde », histoire d'un journal, un journal dans l'histoire*, J.-C. Simoën, 1978.

Bibliothèque Medem

Fondée en 1928, la Bibliothèque Medem est, depuis sa création, la principale bibliothèque de littérature en langue yiddish de Paris et, actuellement, de toute l'Europe occidentale. Elle porte le nom de Vladimir Medem (1879-1923), un des principaux dirigeants du Bund (Union générale des travailleurs juifs de Russie,

Pologne et Lituanie). Fondée par une poignée d'immigrants juifs de Pologne dans la mouvance du Bund, elle a fonctionné d'abord comme bibliothèque de prêt au premier étage d'un café. Dans la tradition des mouvements révolutionnaires établie au XIXe siècle, la bibliothèque se voulait un outil au service du développement culturel, dans la langue qui était la sienne, le yiddish, de ce que l'on appelait « la classe ouvrière juive », de fait principalement des petits artisans et petits commerçants. Cette éducation se voulait émancipée de la tradition religieuse et répondait à l'idéologie du Bund qui œuvrait pour l'autonomie culturelle juive dans le cadre du socialisme.

En 1930, la Bibliothèque Medem est enrichie par le don des 800 volumes de la bibliothèque du syndicat des casquettiers juifs de Paris. Elle acquiert dans la décennie qui précède la guerre la plupart des nombreux ouvrages et une partie des revues qui paraissent, surtout à Varsovie, mais aussi aux États-Unis, en Argentine, en URSS... À côté des œuvres littéraires en yiddish, on y trouve beaucoup d'ouvrages politiques ou de sciences sociales, mais aussi les traductions des grands textes de la littérature mondiale : Tolstoï ou Dickens, Zola*, Maupassant, Romain Rolland*, Anatole France*, Barbusse*... Pendant la guerre, les ouvrages purent être cachés et, à la Libération, la bibliothèque rouvre ses portes. Le comité ouvrier juif américain lui offre 6 000 volumes. De nombreuses bibliothèques yiddish qui ne trouvent plus de lecteurs lui sont léguées par des particuliers. Aujourd'hui, elle compte environ 25 000 volumes, dont 14 000 en yiddish.

Petit à petit, le lectorat yiddishophone à qui la Bibliothèque Medem était destinée a fondu. La Bibliothèque devient peu à peu le conservatoire du yiddish, fréquentée par les chercheurs spécialisés dans ce champ qu'accueillent ses bibliothécaires, Kiva Vaisbrot, qui en fut un des fondateurs, et Itzhok Niborski, par ailleurs professeur de yiddish à l'INALCO et à l'université Paris VII. Située au 52 rue René-Boulanger, dans le Xe arrondissement de Paris, la Bibliothèque est un élément d'un ensemble plus vaste, coiffé par le Cercle amical *(arbeiter Ring)*. Outre les activités traditionnelles dans le monde juif issu de l'immigration (caveau pour ses membres au cimetière de Bagneux, mutuelle), le Cercle amical organise des cours de yiddish fréquentés annuellement par une centaine d'étudiants, anime un centre culturel, le Centre Vladimir-Medem, avec un programme régulier de conférences, et un mouvement pour la jeunesse, le Club laïc de l'enfance juive (CLEJ), donnant aux enfants, principalement dans ses colonies de Corvol-l'Orgueilleux, dans la Nièvre, une éducation juive à la fois laïque et socialiste.

Annette Wieviorka

BLANCHOT (Maurice)

Né en 1907

Romancier et essayiste dont l'engagement passe, jusqu'en 1942, par les combats militants de la Jeune Droite* ultraciste, puis, après la guerre, par une réflexion toujours aussi radicale mais bouleversée par la Shoah et désormais étrangère aux thèmes de l'extrême droite. La question du politique et de son rapport à l'écriture demeurant au centre de sa préoccupation, il influencera considérablement la génération des structuralistes frayant avec l'extrême gauche, en particulier Jacques Derrida*.

Maurice Blanchot est né en 1907 à Quain (Saône-et-Loire). Dans les années 30, il est proche des milieux monarchistes et de plusieurs revues de la Jeune Droite. Il est rédacteur de politique étrangère au *Journal des débats* et collabore à *La Revue française* de Jean-Pierre Maxence*, à *Réaction* (animée par Jean de Fabrègues* et René Vincent) qui se donne pour programme le retour à l'ordre politique, social, mais surtout « spirituel » ; enfin au *Rempart*, fondé par Paul Lévy, qui campe sur des positions antiparlementaires et anticapitalistes violentes. Sa trajectoire suit celle de la Jeune Droite qui, à partir du milieu des années 30, se radicalise et préfère, à ses prétentions spirituelles et philosophiques, une rhétorique de plus en plus percutante appliquée à l'actualité politique. Il entre à *Combat**, mensuel qui succède à la *Revue du XXe siècle*, début 1936, en regroupant les équipes de *Réaction* et de *La Revue française* sous la direction de Jean de Fabrègues et de Thierry Maulnier*.

On le retrouve à la veille de la guerre parmi les principaux rédacteurs d'*Aux écoutes* et, sous l'Occupation, à Jeune France*, association de diffusion et de décentralisation culturelle qui veut « refaire les hommes et les milieux », où il occupe la fonction de directeur littéraire et côtoie des « non-conformistes des années 30 ». Son passage dans les milieux existentialistes à la Libération (il collabore aux premiers numéros des *Temps modernes**) ne dure pas, de même que ses relations complexes avec le communisme (thème central de son œuvre) n'ont qu'une incidence incertaine sur son travail d'écrivain auquel il se consacre désormais, ainsi qu'à des textes courts dans *La Nouvelle Revue française** et *Critique**. Il n'est presque jamais revenu sur son passé de « fasciste » dans les années d'avant guerre.

Quelques exceptions à sa nouvelle règle du silence politique : il participe activement à la discussion et à la rédaction du « Manifeste des 121 »* en 1960, avant de signer l'appel à la constitution de « comités de soutien au peuple vietnamien », en 1966, et de participer aux révoltes de Mai 68.

Laurence Bertrand Dorléac

■ *Thomas l'obscur*, Gallimard, 1941. — *Faux pas*, Gallimard, 1943. — *Le Très Haut*, Gallimard, 1948. — *Lautréamont et Sade*, Minuit, 1949. — *La Part du feu*, Gallimard, 1949. — *Celui qui ne m'accompagnait pas*, Gallimard, 1953. — *L'Espace littéraire*, Gallimard, 1955. — *Le Dernier Homme*, Gallimard, 1957. — *Le Livre à venir*, Gallimard, 1959. — *L'Entretien infini*, Gallimard, 1969.

▒ F. Collin, *Maurice Blanchot et la question de l'écriture*, Gallimard, 1971. — D. Wilhem, *Maurice Blanchot : la voix narrative*, UGE, 1974. — Numéros spéciaux des revues *Critique* (juin 1966) et *Gramma* (1976).

BLOCH (Jean-Richard)

1884-1947

Écrivain, homme de revue, militant politique, Jean-Richard Bloch présente tous les traits de l'intellectuel engagé. Né le 25 mai 1884 à Paris dans une famille de bonne bourgeoisie (son père, polytechnicien, était ingénieur en chef des Ponts et

Chaussées), Bloch fit des études littéraires qui le conduisirent à l'agrégation d'histoire obtenue en 1907. Professeur à Lons-le-Saunier puis à Poitiers, il quitta ses fonctions d'enseignant en 1910 pour se consacrer tout entier à une carrière d'écrivain. En 1913, il fut nommé à l'Institut français de Florence, dépendant de l'université de Grenoble. Proche du groupe de *La Nouvelle Revue française** avant guerre mais porteur d'un projet littéraire autonome, il est l'auteur de plusieurs romans et nouvelles, de drames (*L'Inquiète* fut monté en 1911 par Antoine à l'Odéon) et d'essais politiques.

Il conféra toujours à sa carrière d'écrivain une dimension politique. Marqué par l'affaire Dreyfus* alors qu'il n'était encore que lycéen, il collabora à une petite revue pour enfants, proche de la CGT, *Jean-Pierre*. Il fonda en 1910 sa propre revue, *L'Effort*, devenu *L'Effort libre* en mars 1912, dans laquelle se défendirent les valeurs d'une culture socialiste redéfinie sur les bases d'une philosophie vitaliste. Durant cette période, Bloch adhéra à la SFIO. Il représenta, sans grand enthousiasme, une fantomatique fédération de la Vienne au congrès de Nîmes (1910).

Ami de Romain Rolland*, il s'engagea pourtant dans le conflit avec l'espoir de faire triompher les valeurs de la démocratie contre celles de la force aveugle. Blessé trois fois, il ne participa cependant jamais au courant pacifiste tout en demeurant en contact épistolaire avec Rolland. Démobilisé en janvier 1919, favorable à la révolution bolchevique, il signa la protestation des intellectuels contre le blocus de la Russie (octobre 1919) après avoir signé la « Déclaration d'indépendance de l'esprit » (juin 1919). N'ayant pas adhéré au Parti communiste, parfois très critique à l'encontre de l'URSS, il collabora aux revues *Clarté** et *Europe**, dans laquelle il publia régulièrement des « Commentaires », petits essais critiques d'actualité. Il était également directeur de collection chez Rieder. L'année 1934 constitue un tournant. Bouleversé par l'arrivée de Hitler au pouvoir, il se rapprocha alors des communistes et prit des positions beaucoup plus favorables à l'URSS. Il adhéra à l'Association des écrivains et artistes révolutionnaires et fut invité en août 1934 au premier Congrès des écrivains soviétiques, où il prit la parole. Il contribua en outre à la fondation du Comité de vigilance des intellectuels antifascistes* et milita dans sa section de Poitiers. La guerre d'Espagne* fut l'occasion d'une nouvelle convergence avec le Parti communiste. S'étant rendu en Espagne après le soulèvement franquiste, il publia à son retour de nombreux textes hostiles à la non-intervention, qu'il rassembla dans un volume, *Espagne, Espagne !*

La fin de sa vie fut marquée par sa fidélité publique au Parti communiste. En mars 1937, il devint directeur du quotidien *Ce soir* aux côtés de Louis Aragon* et adhéra officiellement au Parti communiste l'année suivante. Au printemps 1941, il rallia l'Union soviétique et collabora jusqu'en octobre 1944 à la radio soviétique. Il revint à Paris en janvier 1945 et devint en 1946 un des représentants du PCF au Conseil de la République, où il fut vice-président de la Commission des affaires étrangères. Affaibli par ses graves blessures de la guerre de 1914, il mourut prématurément le 15 mars 1947.

Christophe Prochasson

■ *Lévy*, Rivière, 1912. — *Et Cie*, NRF, 1918. — *Carnaval est mort. Premiers essais pour mieux comprendre mon temps*, NRF, 1920. — *Espagne, Espagne !*, Éditions sociales internationales, 1936. — *Moscou-Paris*, Raison d'être, 1947.
■ J. Albertini, *Avez-vous lu Jean-Richard Bloch ?*, Éditions sociales, 1981. — N. Racine, « Jean-Richard Bloch », in *DBMOF*. — *Études Jean-Richard Bloch*, bulletin de l'Association Études Jean-Richard Bloch. — Numéros spéciaux d'*Europe*, mars-avril 1957 et juin 1966.

BLOCH (Marc)

1886-1944

Marc Bloch est né à Lyon, en 1886, dans le monde universitaire : normalien, fils d'un normalien spécialiste réputé de l'Antiquité romaine, il choisit tôt l'histoire médiévale, après avoir complété en Allemagne sa formation française. Comme L. Febvre*, à quelques années de distance, il a connu les effervescences politiques (l'affaire Dreyfus*, la montée des périls) et intellectuelles de la Belle Époque ; pour lui aussi, la guerre constituera une longue parenthèse, une épreuve (il est blessé) mais aussi un apprentissage dont il retiendra beaucoup et qu'il évoquera souvent par la suite.

En 1919, Bloch est, avec Febvre encore, nommé professeur à l'université de Strasbourg, à peine récupérée par la France, et dont on veut faire une vitrine de la science française face à l'ennemi allemand. Malgré ses efforts, il ne la quittera qu'en 1936 pour la Sorbonne, après avoir échoué deux fois au Collège de France*. Et c'est à Strasbourg qu'avec Febvre il conçoit, lance et réalise, à partir de 1929, le projet des *Annales d'histoire économique et sociale* qui occupera une bonne part de son énergie pendant les années d'avant guerre.

La production scientifique de Bloch paraît, au premier abord, distribuée entre quelques grands pôles d'intérêt : l'histoire des mentalités, dont il donne une précoce et remarquable illustration avec *Les Rois thaumaturges* (1924), essai pour rendre compte de la croyance séculaire dans la vertu guérisseuse du toucher royal entre XIIIe et XIXe siècle ; l'histoire rurale, à laquelle il consacre une étude magistrale, *Les Caractères originaux de l'histoire rurale française* (1931) ; et plus généralement, l'histoire économique et sociale. Mais ces divisions sont largement fallacieuses. Le projet de Bloch, plus que Febvre marqué par la sociologie durkheimienne, a été celui d'une histoire globale, mettant au jour les relations d'interdépendance entre des gammes de phénomènes apparemment très différents les uns des autres : c'est celui qu'illustre le dernier grand livre publié de son vivant, *La Société féodale* (1939-1940). Surtout, en se méfiant de tout excès théorique, Bloch aura, plus qu'aucun historien français en ce siècle, réfléchi sur les démarches de l'historien, insistant très tôt sur les vertus d'une histoire régressive, rappelant inlassablement (sans être guère entendu) l'intérêt heuristique de la comparaison raisonnée. Il a repris ses réflexions dans un petit livre célèbre, publié après sa mort, *Apologie pour l'histoire, ou Métier d'historien* (1949). Mais en fait, on les trouvera partout dans son œuvre : dans ses innombrables articles et comptes rendus, dans les enquêtes qu'il a animées aux *Annales*. Elles font le prix d'une œuvre exceptionnelle dans l'historiographie du XXe siècle.

Ce médiéviste a aussi, et peut-être d'abord, été un homme du présent, attentif aux évolutions et aux questions posées par les sociétés contemporaines. Il n'a cessé de le manifester dans les pages de sa revue. Dans son expérience personnelle aussi, comme en témoigne l'étonnante analyse de *L'Étrange Défaite*, incisive analyse du désastre français de 1940. Dans son engagement personnel, enfin : patriote fervent, juif laïque révoqué par l'État français, Marc Bloch, entré dans le réseau Franc-Tireur en 1943, a été un résistant actif. Pris par les nazis, il a été assassiné à Saint-Didier-de-Formans, près de Lyon, en juin 1944.

Jacques Revel

■ *Les Rois thaumaturges. Étude sur le caractère surnaturel attribué à la puissance royale, particulièrement en France et en Angleterre*, Strasbourg, 1924, rééd. Gallimard, 1983. — *Les Caractères originaux de l'histoire rurale française*, Oslo, 1931. — *La Société féodale*, 1939-1940, rééd. Albin Michel, 1994. — *Apologie pour l'histoire, ou Métier d'historien*, 1949, rééd. Albin Michel, 1993. — *L'Étrange Défaite. Témoignage écrit en 1940*, 1946, rééd. Gallimard, 1990. — *Mélanges historiques*, EHESS, 1963, 2 vol. (recueil d'articles).

■ H. Atsma et A. Burguière (dir.), *Marc Bloch aujourd'hui. Histoire comparée et sciences sociales*, EHESS, 1990. — C. Fink, *Marc Bloch. A Life in History*, Cambridge-New York, 1989.

BLONDEL (Maurice)

1861-1949

Maurice Blondel constitue une exception au sein de la philosophie universitaire de la IIIe République. Né en 1861 à Dijon dans une famille bourgeoise dont il fut le premier intellectuel, il avait songé à la prêtrise avant de préparer seul le concours d'entrée à l'École normale supérieure*. Éloigné du système de socialisation propre à la khâgne*, il se sentit quelque peu étranger dans le monde scolaire. Il n'en franchit pas moins aisément tous les obstacles jusqu'à la soutenance de sa thèse sur *L'Action* en 1893. Celle-ci lui valut à la fois la notoriété et l'incompréhension. Il sembla aux philosophes universitaires que Blondel restreignait l'autonomie de leur discipline au profit de la religion. Quant aux catholiques, beaucoup considérèrent que son entreprise revenait à proposer une version entièrement rationalisée du christianisme. En prenant l'action comme objet, il s'agissait de construire une « science authentique du réel », telle que la sociologie la vise sans pouvoir l'atteindre en raison du réductionnisme qui l'entrave. Blondel proposait en effet de définir une anthropologie philosophique capable d'explorer tout l'homme concret, au moyen d'une connaissance par connaturalité. Le mot *action*, plus concret et plus englobant que celui d'*acte*, exprime le dynamisme foncier de l'esprit. Tout homme est capable de se découvrir progressivement en analysant son action. La vie humaine apparaît ainsi comme une métaphysique en action.

Très probablement meurtri par l'incompréhension qu'il avait suscitée, Blondel se tint désormais en retrait. Violemment attaqué par les thomistes, il ne s'engagea pas dans les querelles théologiques : il poursuivit avec Lucien Laberthonnière, jusqu'à leur brouille en 1928, un dialogue soutenu. Nommé en 1895 à l'université d'Aix-en-Provence, il y enseigna jusqu'à sa retraite en 1927, et y vécut jusqu'à sa mort en 1949. Durant sa vie professorale, il publia fort peu, à l'exception de textes ponctuels ou d'écrits de circonstance, et évita de prendre part au débat philosophique. Il était pourtant le représentant éminent d'un courant bien ancré dans la vie intellectuelle française depuis Maine de Biran et Ravaisson, celui qui privilégie l'affirmation de la conscience contre le déterminisme objectiviste et le scientisme. Pour ces philosophes, l'objet de la science positive est loin d'épuiser le contenu de l'expérience. Mais il était aussi, par bien des aspects de sa culture, un marginal. Nourri de lectures théologiques, fervent de saint Paul et de saint Bernard, il a pu quelquefois apparaître comme « le philosophe qui n'est pas de son siècle ». Il avait pourtant le projet de constituer une véritable philosophie chrétienne pour l'âge moderne.

Pendant plus de trente ans, Blondel se consacra à son enseignement. Il tirait beaucoup de la contemplation de la nature provençale, qui avait été pour lui un éblouissement. Il fut un grand professeur, attirant, sans les chercher activement, de nombreux disciples, souvent venus de l'étranger. Aix devint un pôle de la philosophie chrétienne autour de celui que Jean Guitton* appelait un « père laïque de l'Église ». Il fut sans doute, derrière Bergson*, pendant la première moitié du siècle, le philosophe français à la plus vaste audience internationale, particulièrement dans les pays latins, comme en témoigne le foisonnement des études blondéliennes. À la fin de sa vie, plusieurs années après qu'il eut pris sa retraite, il retrouva le goût de l'écriture et compléta *L'Action* par une somme consacrée à *La Pensée* (1934), tout en révisant le contenu de sa thèse.

Bien qu'il ait explicitement construit son œuvre autour d'une intention apologétique, Blondel a toujours pensé son projet comme une extension des pouvoirs de la raison. La véritable philosophie apparaît comme la « sainteté de la raison ». C'est ce qui explique la ferveur de son amitié pour des philosophes rationalistes et intellectualistes. Xavier Léon, qui l'appelait un « saint laïque », publia ses travaux dans la *Revue de métaphysique et de morale*. André Lalande l'invita à collaborer au *Vocabulaire philosophique* (il y rédigea l'entrée « Action »). Il eut aussi des liens avec Léon Brunschvicg*, qu'il soutint durant son exil aixois sous l'Occupation.

L'influence de Blondel, aujourd'hui en déclin, présente une dimension qui excède la philosophie religieuse. Par son intérêt pour l'action concrète, il a préparé la voie aux existentialistes. Emmanuel Mounier* l'avait d'ailleurs reconnu comme l'un d'entre eux.

Jean-Louis Fabiani

■ *L'Action. Essai d'une critique de la vie et d'une science de la pratique*, Alcan, 1893, rééd. PUF, 1973. — *La Pensée*, t. 1 : *La Genèse de la pensée et les paliers de son ascension spontanée*, Alcan, 1934, rééd. PUF, 1948 ; t. 2 : *Les Responsabilités de la pensée et la possibilité de son achèvement*, Alcan, 1934, rééd. PUF, 1954. — *L'Action*, t. 1 : *Le Problème des causes secondes et le pur agir*, Alcan, 1936 ; t. 2 : *L'Action humaine et les conditions de son accomplissement*, Alcan, 1937.

■ H. Duméry, *La Philosophie de l'action. Essai sur l'intellectualisme blondélien*, Aubier-Montaigne, 1948. — J. Lacroix, *Maurice Blondel*, PUF, 1963. — Y. Perico,

Maurice Blondel. Genèse du sens, Éditions universitaires, 1991. — C. Tresmontant, *Introduction à la philosophie de Maurice Blondel*, Seuil, 1963.

BLOY (Léon)

1846-1917

« Je ne suis pas un contemporain. » De fait, Léon Bloy a voulu vivre hors de son temps, en quête d'absolu, dans l'attente mystique du « Troisième Règne », celui du Saint-Esprit. Mais cet écrivain prophétique n'en a pas moins eu à écrire dans son temps, fût-ce contre son temps, « en communion d'impatience avec tous les révoltés, tous les déçus, tous les inexaucés, tous les damnés de ce monde » *(Le Désespéré)*.

Né à Fenestreau (Dordogne) d'un père franc-maçon et voltairien, d'une mère fervente catholique, Léon Bloy a fait des études inachevées au lycée de Périgueux, puis à l'École des beaux-arts à Paris. Professant l'athéisme et le socialisme, il se convertit brusquement à la foi du Christ, « saisi à la gorge, dira-t-il, par Quelqu'un de plus fort que lui ». Devenant ami à la même époque de Barbey d'Aurevilly, il s'adonne à la lecture des maîtres de la contre-révolution : Joseph de Maistre, Blanc de Saint-Bonnet, Louis de Bonald, adhérant aux idées ultramontaines et théocratiques, se réclamant de la bulle *Unam sanctam* de Boniface VIII.

Sa vie est riche de plusieurs rencontres qui achèvent sa formation, notamment, en 1877, l'abbé Tardif de Moidrey, qui lui enseigne l'exégèse symbolique, une méthode d'interprétation sacrée de l'histoire, et l'initie au mystère de l'apparition de La Salette ; en 1880, une femme, Anne-Marie Roulé, avec laquelle il a une liaison, et un écrivain, Ernest Hello, qui le convertissent à l'attente de l'Esprit Saint ; en 1889, une Danoise, Jeanne Molbech, qu'il épouse l'année suivante.

D'un tempérament excessif, dans une insatisfaction permanente, pénétré de haine pour son siècle et d'amour pour Dieu et la Vierge, doué d'un style puissant, baroque, hyperbolique, de vociférateur passé par l'apprentissage de l'enluminure, Bloy s'affirme, à côté de ses romans, et jusque dans ses romans, comme un des grands pamphlétaires de son époque.

Mystique de la douleur, décrypteur de l'invisible, vivant dans une pauvreté confinant la misère, en proie à tous les propriétaires et créanciers de la ville, il n'en finit pas de chercher un gîte stable, pour lui et sa famille (Jeanne lui donne trois enfants), avant de se fixer à Bourg-la-Reine, où il meurt le 3 novembre 1917.

Animé « contre les puissants, les hypocrites, les salisseurs d'âme, les cupides », autant que « déchiré de pitié pour les opprimés et les souffrants », Bloy a multiplié les articles écrits en lettres de feu au *Pal*, au *Gil Blas* ; écrit des essais sulfureux (comme son *Salut par les juifs* de 1892 salué par Bernard Lazare* et plus tard par Franz Kafka), un *Journal*, publié en partie de son vivant, où il fustige les prêtres médiocres, les riches au cœur sec, les écrivains arrivés comme Zola* et Bourget*, les antisémites à la Drumont* (« Sachez que je mange, chaque matin, un Juif qui se nomme Jésus-Christ »), et pour tout dire le Bourgeois (« Qu'est-ce qu'un Bourgeois ? C'est un cochon qui voudrait mourir de vieillesse »)... Jacques Maritain*, converti avec sa femme Raïssa par Bloy au catholicisme, explique son attitude : « Il est tout le contraire d'un anarchiste haïssant « les bourgeois » ; il est un chrétien qui hait *le Bourgeois*, c'est-à-dire, pour qui sait comprendre, un des noms modernes du vieil Ennemi. »

Inclassable, outrancier, contradictoire, souvent injuste, anachronique, millénariste, « entrepreneur en démolitions », « mendiant ingrat », « pèlerin de l'Absolu » égaré dans un monde qui a le culte du relatif, Léon Bloy a marqué de son influence des esprits comme Jacques Maritain, Georges Bernanos*, Georges Rouault, Léon Chestov, Nicolas Berdiaev*, Graham Greene, Albert Béguin*, Pierre Emmanuel*...

Michel Winock

■ *Œuvres de Léon Bloy*, Mercure de France, 1956-1975, 15 vol. (dont le vol. 15 présente des inédits, une bibliographie et un index général).

■ M. Arveiller et P. Glaudes (dir.), « Léon Bloy », *Cahiers de L'Herne*, n° 55, 1988. — J. Bollery, *Léon Bloy*, Albin Michel, 1947-1954, 3 vol. — G. Cattaire, *Léon Bloy*, Éditions universitaires, 1954.

BLUM (Léon)

1872-1950

Né à Paris le 8 septembre 1872 et mort à Jouy-en-Josas le 30 mars 1950, Léon Blum est entré dans l'histoire le 4 juin 1936 en prenant la direction du premier gouvernement de Front populaire. Malgré l'importance de quelques décisions à contenu culturel qu'il sera amené à y prendre, son rôle intellectuel se situe plutôt en amont et en aval de cet « exercice du pouvoir », pour reprendre une terminologie qu'il avait forgée à partir de 1925, distinguant l'« occupation » (purement défensive), l'« exercice » (réformiste) et la « conquête » (révolutionnaire).

Élève — indiscipliné — de l'École normale supérieure*, membre — respecté — du Conseil d'État, où il entrera au concours de 1895, ce fils de commerçants juifs originaires de l'Est a tout du brillant sujet. Le Conseil, où il laissera le souvenir de quelques conclusions fameuses (affaire Lemonnier, 1914), est loin d'occuper toute son énergie. Jusqu'à la Première Guerre mondiale*, qui le précipite définitivement dans l'arène politique, il est d'abord un homme de lettres. Poète peu convaincu, il a fondé *La Conque* avec Paul Valéry*, collaboré au *Banquet* avec Marcel Proust*, mais c'est *La Revue blanche** qui, à partir de 1892, le révèle à lui-même et au public, comme essayiste et comme critique.

L'essayiste réunira en volume, en 1901, ses *Nouvelles conversations de Goethe avec Eckermann*, où s'expose déjà une pensée généreuse, volontiers non conformiste, mais il frappe son grand coup en 1907 avec un *Du mariage* qui scandalise à droite (on parle de « pornographie au Conseil d'État ») par l'audace de ses thèses en matière de liberté sexuelle, d'autant plus choquantes qu'elles sont défendues dans un style élégant jusqu'à la préciosité.

Mais le Blum principal des années 1900 et 1910 est ailleurs : « Je suis critique de profession et, j'ose le dire, de vocation. » Il l'a prouvé à *La Revue blanche*, à la rubrique des livres, il le confirmera dans plusieurs journaux, principalement à celle des théâtres. En 1914, titulaire du feuilleton théâtral du *Matin*, il est l'un des chroniqueurs les plus en vue de son époque.

Dans le même temps, la synthèse jaurésienne, à la recherche d'une conciliation entre matérialisme et idéalisme, l'a conduit à adhérer au socialisme, et à figurer parmi les actionnaires et les collaborateurs de *L'Humanité** fondée en 1904. Jusqu'en 1914, il est cependant plus un sympathisant qu'un militant. À l'inverse, sa présence auprès de Marcel Sembat, l'un des ministres socialistes de l'Union sacrée, comme chef de cabinet, le fait directement passer à la politique active, qu'il ne quittera plus vraiment : principal rédacteur du programme socialiste de 1919, principal porte-parole des opposants au communisme du congrès de Tours en 1920, député, président du Conseil et, après la Seconde Guerre mondiale, président du dernier gouvernement provisoire avant l'installation de la nouvelle République. Où se situe donc la figure significative de l'intellectuel ? Dans deux statuts successifs. À l'époque de l'affaire Dreyfus*, d'abord, dont il donnera plus tard une lecture pleine de finesse (*Souvenirs sur l'Affaire*, 1935) : l'ami d'enfance de Barrès* — point très peu connu — sera l'un des conseils juridiques du camp dreyfusard. Mais le plus important, et le plus original, est à suivre. Il se situe dans la position très particulière de Blum au sein du mouvement socialiste. Son autorité au sein de la SFIO ne va pas de soi. Il n'en est pas le « numéro un » ; administrativement, cette fonction est exercée par le secrétaire général, Paul Faure. Il n'est même plus le président du groupe parlementaire socialiste à la Chambre, comme dans les années 20. Il n'a d'autre fonction que celle de « directeur politique du *Populaire* », l'organe officiel de la SFIO, redevenu quotidien en 1927. On ne dit pas plus clairement l'originalité du magistère de Blum sur un parti qui, sous le Front populaire, est devenu le premier parti de France : celui de l'éditorial quotidien.

L'histoire donnera à Blum l'occasion de synthétiser la réflexion politique du *Populaire* et le recul nécessaire à une œuvre de plus d'ampleur : interné sans jugement par Vichy puis déporté en Allemagne, le vieux leader aura la disponibilité d'esprit nécessaire pour théoriser sur une autre échelle ; ce sera, justement, *À l'échelle humaine*, publié à la Libération. L'auteur y défend un socialisme désormais détaché du marxisme, soucieux des droits de l'homme et d'un certain renforcement du pouvoir exécutif. Les limites du nouveau magistère se mesurent à son incapacité à faire passer ces thèses dans les faits : à la place d'un nouveau Parti socialiste pivot d'une République rénovée, on aura une SFIO attachée à un marxisme devenu purement verbal, force d'appoint déclinante d'une République fondamentalement semblable à la précédente. Il restera à Blum à rejoindre Jaurès* au panthéon des références obligatoires de la social-démocratie française.

Pascal Ory

■ *Nouvelles conversations de Goethe avec Eckermann*, 1901. — *Du mariage*, 1907, rééd. Albin Michel, 1990. — *Souvenirs sur l'Affaire*, 1935, rééd. Gallimard, 1993. — *À l'échelle humaine*, 1945, rééd. Gallimard, 1971. — *L'Œuvre de Léon Blum*, Albin Michel, 1954-1972, 9 vol.

■ J. Lacouture, *Léon Blum* rééd. Seuil, 1977. — *Cahiers Léon Blum*, 13 volumes parus, Société des amis de Léon Blum, depuis 1977.

BOAT PEOPLE

1978-1979

Le 8 novembre 1978, les premières images du *Haï-Hong* sont diffusées au Journal de 20 heures. La vision de ce cargo mouillant au large des côtes de la Malaisie, chargé de 2 500 réfugiés du Vietnam réunifié, entassés dans des conditions dramatiques et qu'aucun pays ne veut accueillir, entraîne la mobilisation de nombreux intellectuels français. Dès la fin de 1976, la presse a rendu compte de l'exode de plus en plus massif de ces Vietnamiens souvent embarqués sur de fragiles bateaux de pêche, dont la moitié périt en mer. Depuis quelques mois, on les appelle des *boat people*. Le 22 novembre, le comité « Un bateau pour le Vietnam » (fondé par Bernard Kouchner*, Claudie et Jacques Broyelle, Jacques Michel, Mario Bettati, André Glucksmann*, Françoise Gautier et Alain Geismar) lance un appel dans *Le Monde** et organise une conférence de presse : l'objectif est de réunir les fonds nécessaires pour affréter un bateau qui irait recueillir en mer de Chine les réfugiés, et de leur trouver des pays d'accueil.

Parmi les signataires de l'appel, d'anciens compagnons de route des luttes vietnamiennes, ex-communistes ou ex-maoïstes, se retrouvaient aux côtés de membres du CIEL (Comité des intellectuels pour l'Europe des libertés) ou des dissidents soviétiques (la première réunion avait eu lieu au siège de la revue *Continent*) : Raymond Aron*, Roland Barthes*, Jean-Marie Benoist, Simone de Beauvoir*, François Châtelet*, Dominique et Jean-Toussaint Desanti*, Jean-Marie Domenach*, Michel Foucault*, Marek Halter*, Jean Lacouture*, Emmanuel Le Roy Ladurie*, Bernard-Henri Lévy*, Claude Mauriac*, Edgar Morin*, Jean d'Ormesson*, Jean-François Revel*, Claude Roy*, Bernard Stasi et Olivier Todd se côtoyaient ainsi. Des intellectuels juifs comme Marek Halter et André Glucksmann établissaient un parallèle avec les tentatives d'exode maritime des juifs pendant la Seconde Guerre mondiale. Seul le Parti communiste et l'aile gauche du PS condamnaient une opération qui visait à discréditer le régime de Hanoi. Et à droite, Robert Hersant se refusait à publier l'appel dans *Le Figaro**.

Cette mobilisation autour d'un objectif humanitaire commun marquait une rupture avec les affrontements idéologiques irréductibles des décennies précédentes, signait la désillusion des espoirs investis dans les révolutions du tiers monde. Un souci moral prenait la place des engagements politiques. Comme le disait Sartre* : « Nous ne nous intéressons plus à leur politique, nous nous intéressons à leur vie. » Cette évolution trouvait son symbole dans la présence conjointe, mise en valeur par les médias, de Sartre et Aron*, le 26 juin 1979, à l'Élysée, où Valéry Giscard d'Estaing accueillait une délégation du Comité.

Le 18 avril 1979, le navire *Île-de-Lumière*, devenu un « navire hôpital » avec une équipe de six médecins, était entré en activité devant l'île de Poulo-Bidong en Malaisie où 30 000 réfugiés étaient en attente d'une terre d'accueil. En novembre 1979, après une campagne en Indonésie, l'*Île-de-Lumière* convoyait des vivres vers le Cambodge où l'équipe médicale souhaitait se mettre au service de la population, mission à laquelle les médecins devaient renoncer à la suite du refus du régime pro-vietnamien de Phnom-Penh.

Séverine Nikel

■ B. Kouchner, *L'Île-de-Lumière*, Ramsay, 1980.

BOBIGNY (procès de)

1972

En novembre 1972 débute, à Bobigny, le procès de l'avortement — encore interdit en vertu des lois de 1920 et 1923. L'affaire ? Un cas qui met en évidence l'absurdité de la législation. Marie-Claire a dix-sept ans ; enceinte à la suite d'un viol commis par un de ses camarades, elle se fait avorter avec l'aide de sa mère, une employée de métro qui élève seule ses trois enfants. Dénoncées par l'auteur du viol, elles sont inculpées. L'avorteuse, Mme Bambuk, une secrétaire, et deux collègues de la mère qui avaient indiqué son adresse, encourent aussi de lourdes peines.

Cependant, les accusées ne sont pas totalement isolées. Depuis 1970, des femmes se mobilisent pour dénoncer leur oppression. La lutte pour le droit à la contraception et à l'avortement libre est l'une de leurs priorités. Des actions spectaculaires alertent l'opinion comme la parution dans *Le Nouvel Observateur** du 5 avril 1971 d'un « Appel de 343 femmes », la plupart célèbres, qui avouent publiquement avoir avorté. En juillet 1971, l'association « Choisir » est fondée par l'avocate Gisèle Halimi*. C'est vers elle que se tournent les inculpées. Le moment est venu de transformer le procès en acte d'accusation de la loi elle-même. Mineure, Marie-Claire comparaît à huis clos devant un tribunal pour enfants. Signe des temps, elle est relaxée. Faire acquitter les quatre femmes devant le tribunal correctionnel de Bobigny est un pari plus difficile. Les témoignages de sommités du monde scientifique tels Jacques Monod* ou Jean Rostand* incitent les juges à la clémence. Seule Mme Bambuk est condamnée sévèrement : un an de prison avec sursis. La peine de la mère est mineure — 500 francs d'amende avec sursis —, ses deux amies sont acquittées.

L'effet médiatique de « l'affaire Marie-Claire » est une victoire encore plus grande. Il inaugure une campagne d'envergure, relancée par le procès d'une doctoresse de Grenoble. Toutes les tendances du mouvement féministe se mobilisent alors. L'association Choisir réclame une nouvelle loi. Le Mouvement pour la libération de l'avortement et de la contraception (MLAC), fondé en 1973, se lance dans la pratique d'avortements. Élu en 1974, le nouveau président de la République Giscard d'Estaing confie ce dossier délicat à Simone Veil, ministre de la Santé. Dans un climat tendu, elle réussit, en novembre 1974, à faire voter la loi autorisant l'interruption volontaire de grossesse (IVG) jusqu'à dix semaines de gestation. À l'essai pour cinq ans, la loi est reconduite en 1979. Aujourd'hui, malgré les dispositions de 1982 qui contraignent les établissements publics à pratiquer des IVG et prévoient le remboursement par la Sécurité sociale, la loi n'est toujours pas appliquée sur la totalité du territoire français. De plus, à l'instar de mouvement « Pro life » venu des États-Unis, quelques groupes tentent d'empêcher par la force le déroulement d'avortements dans les hôpitaux. Néanmoins, le procès de Bobigny, par la mobilisation des intellectuels, par son retentissement dans l'opinion, a joué un rôle déterminant dans la nouvelle législation et la libéralisation de l'avortement.

Laurence Klejman et Florence Rochefort

■ Association Choisir, *Avortement, une loi en procès. L'affaire de Bobigny*, Gallimard, 1973. — G. Halimi, *La Cause des femmes*, Grasset, 1974. — Mouvement français pour le planning familial, *D'une révolte à une lutte. 25 ans d'histoire du Planning familial*, Tierce, 1982. — *La Bataille de l'avortement*, La Documentation française, 1986.

BOEGNER (Marc)

1881-1970

Personnalité religieuse la plus importante du protestantisme français du XXe siècle, le pasteur Marc Boegner présida la Fédération protestante de France de 1929 à 1961, l'Église réformée de France de 1938 à 1950, la Société des missions de Paris de 1938 à 1968 et la Cimade de 1945 à 1968.

Né à Épinal en 1881, fils d'un préfet des Vosges, ami de Jules Ferry, et de Marguerite Fallot, Boegner commença des études de droit avant de s'orienter vers la théologie. Très marqué par la pensée et l'action de son oncle Tommy Fallot, fondateur du christianisme social français, Boegner lui consacrera sa thèse de théologie. À trente-trois ans, il dialogue avec Émile Durkheim* sur sa sociologie des religions, le questionnant sur les limites de ses analyses pour l'explication du changement socio-religieux.

De 1928 à 1961, Boegner exerce une grande influence à travers ses « conférences de carême », retransmises par Radio-Paris dès 1929, qui abordent souvent la question des rapports entre christianisme et monde moderne. En 1941, ses lettres à l'amiral Darlan et au grand rabbin Schwarz, dénonçant la « législation raciste » introduite en France et « les injustices sans nombre » qui frappent les juifs, ont un grand retentissement. Au maréchal Pétain il déclare : « Aucune défaite ne peut contraindre la France à laisser porter atteinte à son honneur. » Durant la guerre d'Algérie*, il intervient plusieurs fois auprès des autorités pour faire cesser la torture.

Coprésident du Conseil œcuménique des Églises de sa fondation en 1948 à 1954, après avoir participé au cours des années 30 et 40 aux rencontres internationales qui lui ont ouvert la voie, Boegner s'engage dans l'œcuménisme avec passion. Ferme dans ses convictions protestantes — en 1948-1949, il expliquait, dans des exposés pour adultes donnés dans sa paroisse de Passy, *Pourquoi nous ne sommes pas catholiques romains ?* —, il estime néanmoins que protestantisme et catholicisme « ne sont pas deux principes hostiles, mais deux principes complémentaires », et que la vérité est « dans la synthèse des deux ». Pionnier du dialogue catholique-protestant avant Vatican II, il est invité au concile à titre personnel. En 1962, Boegner est le premier pasteur élu membre de l'Académie française*.

Jean-Paul Willaime

■ « Dialogue Boegner-Durkheim » (1913), *Archives de sociologie des religions*, 30, 1970. — *La Vie et la pensée de Tommy Fallot*, Berger-Levrault, 1914 et 1926, 2 vol. — *L'Influence de la Réforme sur le droit international*, Hachette, 1926. — *Les Missions protestantes et le droit international*, Hachette, 1927. — *Le Christianisme et le monde moderne*, Fischbacher, 1928. — *Le Problème de l'unité chrétienne*, Je Sers, 1947. — *La Prière de l'Église universelle*, Berger-Levrault, 1951. — *L'Exigence œcuménique des Églises. Souvenirs et perspectives*, Albin Michel, 1968. — *Carnets du pasteur Boegner (1940-1945)* (présentés par P. Boegner), Fayard, 1992.

▒ R. Mehl, *Le Pasteur Marc Boegner. Une humble grandeur*, Plon, 1987. — *Discours prononcés pour la réception du pasteur Marc Boegner à l'Académie française*, 1963.

BONNARD (Abel)

1883-1968

Au début du siècle écrivain de salon peu préoccupé de politique, c'est dans les années 20 que, fasciné par les idéologies totalitaires, Bonnard devient un intellectuel qui glissera du maurrassisme jusqu'au fascisme et à la collaboration.

Né à Poitiers le 19 décembre 1883, Bonnard sort de l'anonymat littéraire en 1905 lorsqu'il reçoit un prix de poésie pour *Les Familiers*. Il accomplit une carrière sans relief et très académique : en 1925, il obtient le Grand Prix de l'Académie française*, à laquelle il est élu en 1932. Il collabore avec Paul Morand* et Colette* pour *Affaires de cœur*. Si son talent d'écrivain reste limité, sa notoriété croissante dans le monde littéraire lui ouvre les colonnes des journaux et il tient chronique au *Figaro**, au *Gaulois* et à *La Revue de Paris**. À la recherche de nouveaux absolus, Bonnard exalte le mythe du chef, « homme de solidité et d'ardeur, inébranlable et irrésistible », qui doit mener la foule. Il écrit dans *Le Nouveau Siècle*, revue de Georges Valois*, et il soutient deux mouvements fondés sur le culte du leader : les Chemises vertes de Dorgères puis le PPF de Doriot. Il participe également aux activités du Cercle Fustel-de-Coulanges* puis à celles du Cercle Jacques-Bainville.

Fasciné par « l'ordre viril de Nuremberg », exemple d'une foule en communion avec son Führer, il se rapproche du national-socialisme et il publie en 1936 *Les Modérés*, charge contre la droite classique, très appréciée par Brasillach*. Il poursuit son évolution avec « Les réactionnaires » qu'il donne à *Je suis partout** et qui peuvent s'interpréter comme une critique « de droite » de la vieille Action française*. Le trajet de ce lettré à la recherche de nouvelles mythologies l'amène dès les débuts de l'Occupation à se prononcer pour la collaboration. Le 12 juillet 1940, il appelle le monde des lettres à se remettre au travail, ce qu'il fait lui-même en publiant des articles anglophobes et nazifiants dans *La Gerbe** et en participant épisodiquement à *La Nouvelle Revue française** façon Drieu*. En octobre 1941, il accomplit le voyage initiatique en Allemagne avec Brasillach, Fraigneau, Drieu, Chardonne*, Fernandez* et Jouhandeau*. Membre du Conseil national de Vichy (janvier 1941), il est intégré par Laval dans son équipe comme ministre de l'Éducation nationale en avril 1942. Épurateur zélé de l'Université, il se fait remarquer par des discours au pathos ridicule et veut créer deux chaires d'antisémitisme en Sorbonne, une de « judaïsme contemporain » et une d'« études raciales », destinées à deux racistes notoires : Labroue et Montandon*, mais le mauvais accueil réservé au premier par les étudiants l'empêche de mettre en œuvre la totalité de son projet. En 1944, il se réfugie à Sigmaringen, d'où il parvient à s'enfuir avec Laval dans les derniers jours de l'Allemagne nazie. Exilé en Espagne, il est exclu de l'Académie française et condamné à mort par contumace. Il ne reviendra en France que pour être jugé par la Haute Cour en 1960 et sera condamné à dix ans de bannissement. Il finira donc ses jours dans l'Espagne franquiste ; il décédera à Madrid le 31 mai 1968.

Jean-François Homassel

■ *Les Modérés*, Grasset, 1932. — *Pensées dans l'action*, Grasset, 1941.

■ J.-M. Barreau, « Vichy, idéologue de l'École », *Revue d'histoire moderne et contemporaine*, octobre-décembre 1991. — P.-M. Dioudonnat, *Les Maurrassiens devant la tentation fasciste. « Je suis partout »*, La Table ronde, 1973. — J. Mièvre, « L'évolution politique d'Abel Bonnard », *Revue d'histoire de la Seconde Guerre mondiale*, octobre 1977. — P. Ory, *Les Collaborateurs (1940-1945)*, Seuil, 1976. — D. Peschanski, *Vichy (1940-1944). Archives de guerre Angelo Tasca*, Milan / Paris, Feltrinelli / CNRS, 1986.

BORDEAUX (Henry)

1870-1963

Écrivain au succès aussi fulgurant qu'éphémère (les tirages de ses livres ont pu atteindre plus de 700 000 exemplaires), Henry Bordeaux est l'auteur de près de cent cinquante ouvrages, dont une soixantaine de romans dans la veine provinciale et moralisatrice. Champion des valeurs traditionnelles en littérature comme en politique, catholique fervent hostile à l'État laïque et au suffrage universel, il ne pouvait concevoir de système social qui ne trouve son fondement dans la famille, la terre, la patrie, la religion, le travail et l'autorité.

Né à Thonon-les-Bains, fils d'un avocat monarchiste, Bordeaux a fait ses études au collège Stanislas de Thonon. Sa vocation littéraire l'engage à préparer, en même temps que son droit, une licence ès lettres en Sorbonne. S'étant fait connaître par des essais critiques, il entre au *Petit Journal*, collabore à la *Revue générale* de Bruxelles et se lie avec René Boylesves. Licencié en droit, il fait un stage chez son père à Thonon. En 1893, il mène la campagne électorale de la droite républicaine locale comme rédacteur en chef du *Journal de Savoie*. Après la mort de son père, il lui succède au barreau pendant cinq ans. Cette expérience, qui alimentera son œuvre romanesque, fixe ses positions conservatrices. Sollicité par la « Ligue de la patrie française » au moment de l'affaire Dreyfus*, il se récuse mais, modérément partisan de la révision et réservé à l'égard des dreyfusards, il ne s'engage pas dans l'autre camp. De retour à Paris en 1901, il abandonne le métier d'avocat et s'attelle à une abondante production littéraire, publiée en partie dans la *Revue des Deux Mondes* (Les Roquevillard, La Maison)*. Il collabore au *Figaro** ainsi qu'à *L'Écho de Paris* auprès de Barrès*, et se voit confier en 1907 la critique dramatique à *La Revue hebdomadaire*. Disciple et ami de Paul Bourget*, il est élu à l'Académie française* en 1919.

Son allégeance à l'Église, associée au sentiment que l'espoir du retour de la monarchie est illusoire, lui fait adopter une certaine réserve à l'égard de l'Action française, malgré son admiration pour Maurras* et malgré le rôle capital qu'il attribue à l'AF dans la « croisade antibolchevique ». Il œuvrera, cependant, auprès du Saint-Siège, à la réconciliation entre l'Église et le champion du nationalisme intégral en vue de l'élection de ce dernier à l'Académie française en 1938, élection dont il sera le principal artisan (il avait été, auparavant, celui de l'élection de Bainville*). Signataire du Manifeste « néo-pacifiste » de droite qui justifie l'agression mussolinienne en Éthiopie*, il préside en 1936 le Comité d'action nationale qui condamne les sanctions contre l'Italie. Il signe de même, pendant la guerre d'Espagne*, le Manifeste aux intellectuels espagnols qui se solidarise avec les écrivains nationalistes. Munichois quoique germanophobe (ses livres sont interdits sous l'Occupation), il se fait, en 1940, l'exégète du « programme de réparation » de Pétain dans un bilan de la défaite qu'il dresse sous le titre *Les murs sont bons*, et réaffirme ses positions l'année suivante dans *Images du maréchal Pétain*. À la Libération, il prend la défense de Maurras, radié de l'Académie, adhère en 1948 au Comité pour la libération du maréchal Pétain (qui sera interdit d'activité), et œuvrera au redressement de la « droite académique » dans les années 50, soutenant notamment la candidature controversée de Paul Morand* en 1958.

Gisèle Sapiro

■ *Les murs sont bons*, Fayard, 1940. — *Images du maréchal Pétain*, Sequana, 1941. — *Quarante ans chez les quarante*, Fayard, 1959. — *Histoire d'une vie*, Plon, 1951-1973, 13 vol.

BORIS (Georges)

1888-1960

Né le 9 avril 1888 à Paris, Georges Boris n'entame qu'à l'âge de trente-quatre ans un parcours d'intellectuel politique.

« Je suis né à gauche », a-t-il coutume de dire. Son père, un Lorrain de confession israélite qui a opté pour la France en 1871, transmet à son fils ses opinions laïques et républicaines, et le désigne pour lui succéder à la tête de la maison d'import-export qu'il a créée. De 1909 à 1922, Georges Boris est donc un négociant et, pendant la guerre, un négociateur pour l'approvisionnement allié. Mais déjà le journaliste politique perce sous l'homme d'affaires : en 1921, il publie ses trois premiers articles dans *Le Progrès civique*, l'hebdomadaire de gauche fondé pour lutter contre le Bloc national. Passant du commerce des marchandises à celui des idées, Georges Boris devient journaliste politique au *Quotidien* en 1923, puis secrétaire général de ce journal en 1925-1926. Prenant la suite du *Progrès civique*, *Le Quotidien* contribue au succès électoral du Cartel des gauches en 1924. Mais, à l'insu de l'équipe, son directeur accepte des subventions qui infléchissent l'orientation du journal au bénéfice des thèses des grandes compagnies de chemins de fer : Georges Boris démissionne, et fonde un journal cette fois réellement indépendant, *La Lumière**. De 1927 à 1940, Boris s'investit tout entier dans ses fonctions de directeur-fondateur d'un hebdomadaire de gauche. Il y publie plus de huit cents articles. En mars 1938, il se retire quelques semaines, alors qu'il est nommé directeur du cabinet de Pierre Mendès France, sous-secrétaire au Trésor dans le second ministère Blum*. Boris est membre de la SFIO. Lecteur déjà averti de J.M. Keynes, il rédige avec son ministre le projet de loi de finances sur lequel le cabinet va tomber au mois d'avril.

Antifasciste et antinazi, partisan de la « résistance » à Hitler dès 1938, Georges Boris s'engage comme volontaire en 1939. Évacué sur l'Angleterre après Dunkerque, il rencontre le général de Gaulle le 19 juin et se met aussitôt au service de la France libre. En juin 1942, il devient conseiller politique du commissaire à l'Intérieur, et termine la guerre comme délégué civil à Londres du Comité français de libération nationale. Plus que son passage dans l'éphémère cabinet Blum, ces quatre années de responsabilités politiques et administratives exercent sur son parcours une influence déterminante. Comme il l'exprimera en 1946, sa « période de pure critique et d'opposition appartient au passé ». « Quand je critique le gouvernement, je suis anxieux de lui proposer des solutions, comme si j'étais à sa place », ajoute-t-il, justifiant par avance le service de l'État républicain, au sein duquel il développera désormais son activité intellectuelle. En avril 1945, il est nommé conseiller d'État en service extraordinaire, un titre fait sur mesure pour ce serviteur de la République délibérément installé dans un rôle d'éminence grise.

Après avoir été membre du cabinet de deux ministres de l'Économie nationale à la Libération — Mendès en 1944-1945 et A. Philip* en 1946 —, il est nommé délégué permanent de la France à la Commission économique pour l'Europe à Genève, et adjoint au chef de la délégation française au Conseil économique et social, de 1947 à 1957. En 1954-1955, il participe au cabinet Mendès France et, en 1958, il suit ce dernier, non sans déchirements, dans l'opposition radicale au retour de De Gaulle. Il adhère au PSA et collabore aux *Cahiers de la République*, la revue fondée par Mendès en 1956.

Il meurt le 16 août 1960 à Paris, au terme d'une longue maladie, après avoir reçu une lettre du général de Gaulle qui commence en ces termes : « Alors, Georges Boris, vous allez nous quitter ? »

Claire Andrieu

■ *Le Problème de l'or et la crise mondiale*, Valois, 1931. — *La Révolution Roosevelt*, Gallimard, 1934. — *Le IIIe Reich et les matières premières*, Jouve, 1939. — *L'Opinion en France après l'armistice*, Londres, Oxford University Press, 1942. — *The Axis System of Hostages*, New York, UN Information Office, 1942. — *Tactique et vérité. Lettre aux anciens collaborateurs de « La Lumière »*, 1946.

■ G. Boris, *Servir la République. Textes et témoignages* (présentation de P. Mendès France), Julliard, 1963. — R. Faligot et R. Kauffer, *Éminences grises*, chap. 1 : « Georges Boris, l'influence faite homme », Fayard, 1992. — M.-F. Toinet, *Georges Boris (1888-1960), un socialiste humaniste*, thèse, Fondation nationale des sciences politiques, 1969.

Borne (Étienne)

1907-1993

Né le 22 janvier à Manduel (Gard), élève de l'École normale supérieure* (1926-1930), agrégé de philosophie (1930) et pensionnaire de la Fondation Thiers, en mission en 1934 à l'université de Sao Paulo, Étienne Borne enseigne ensuite en khâgne* à Toulouse (1941-1945) puis à Paris au lycée Louis-le-Grand et en hypokhâgne à Henri-IV. Inspecteur à l'académie de Paris (1961) puis inspecteur général jusqu'à sa retraite (1971-1975), il meurt le 14 juin 1993.

Ancien élève d'Alain*, Étienne Borne s'affirme dès l'ENS comme un catholique ouvert, intéressé par la pensée de Teilhard de Chardin*. Ayant fréquenté Maritain*, il en retient l'orientation décisive vers la démocratie, mais non le néothomisme ; familier de Platon, Augustin et Pascal, il est plus proche de Blondel*. Il lit Péguy*, connaît Francisque Gay et Marc Sangnier*, et découvre dans la démocratie chrétienne « une sorte de patrie prédestinée ».

Ses engagements multiples le placent au cœur de la « petite Pentecôte » des militants catholiques inspirés, après la condamnation de l'Action française*, par l'idéal de nouvelle chrétienté. Collaborateur de *La Vie intellectuelle* dès l'origine, puis de *Sept** et *Temps présent**, il est ami intime du Père Maydieu*. Après 1932, malgré la sévérité de Mounier* contre les démocrates chrétiens, il collabore à *Esprit** comme à *L'Aube* de Gay et Bidault, dont il est politiquement proche — sans adhérer ni au PDP ni à la Jeune République, précisément parce qu'ils sont séparés. Il est présent aussi bien dans les équipes sociales de Garric* et Michelet qu'au SGEN-CFTC de son camarade Vignaux* (1937) et dans les groupements confessionnels tels la Paroisse universitaire*, les Semaines sociales* et, après la guerre, le Centre catholique des intellectuels français*. Philosophe de la conscience, il est proche de ses aînés Guitton* et Lacroix*, malgré leurs divergences politiques.

Opposant résolu au régime de Vichy, militant du mouvement Combat à Toulouse, il est délégué régional à l'Information auprès du commissaire de la République en 1944. Membre fondateur du MRP, il appartient constamment à sa direction, collabore à *L'Aube* et à *Forces nouvelles*, sans faire de carrière politique. Tenu pour la « conscience de gauche » du parti, il dirige les revues d'idées indépendantes *Terre humaine* (1951-1953) et, en codirection, *France-Forum** à partir de 1957. Il reste fidèle à cet engagement politique au centre, malgré les critiques de ses amis chrétiens de gauche.

Grand professeur, auteur de brefs ouvrages et de nombreux articles et conférences, éditorialiste de *La Croix* à partir de sa retraite, il a été présent dans tous les débats concernant la culture et la société, en analyste pénétrant et polémiste acéré, soucieux de comprendre et de juger au nom du personnalisme chrétien et de la recherche d'un dépassement démocratique du capitalisme et du marxisme.

Bernard Comte

■ *Le Problème du mal*, PUF, 1958. — *Dieu n'est pas mort. Essai sur l'athéisme contemporain*, Fayard, 1959. — *Passion de la vérité*, Fayard, 1962. — *Les Nouveaux Inquisiteurs*, Fayard, 1982.

« Étienne Borne, philosophe personnaliste et démocrate engagé », *France-Forum*, n° 239-241, octobre-décembre 1987.

BOUGLÉ (Célestin)

1870-1940

Fils d'un officier d'infanterie, Célestin Bouglé entre à l'École normale supérieure* en 1890. Agrégé de philosophie en 1893, il soutient une thèse sur les « Idées égalitaires » en 1899, alors qu'il est professeur de philosophie au lycée de Saint-Brieuc, sa ville natale. Il fait ensuite sa carrière aux facultés des lettres de Montpellier, de Toulouse puis, à partir de 1909, de Paris. En 1920, il crée, dans les locaux de l'école de la rue d'Ulm, le Centre de documentation sociale, grâce au financement d'Albert Kahn. Cette nouvelle institution avait pour mission de réunir tous les ouvrages ayant trait aux problèmes sociaux et à la politique étrangère. Il devient directeur adjoint de l'École normale supérieure en 1927 et est enfin nommé directeur en 1935, poste qu'il occupe jusqu'à sa mort.

Bouglé fut beaucoup plus que cet universitaire à la carrière sans faille. Disciple de Durkheim* — il fut l'un des principaux animateurs de *L'Année sociologique* —, il ne manqua pas de s'intéresser à la vie politique. Attiré par le socialisme français du début du siècle, il fréquenta le Groupe d'études socialistes fondé par Robert Hertz qui rassemblait, sur le modèle fabien, de jeunes durkheimiens socialistes souhaitant doter le socialisme français d'une doctrine scientifique. Dreyfusard de la première heure, il adhéra à la Ligue des droits de l'homme*, devint l'un des membres de son comité central en 1909, puis vice-président de 1911 à 1924. Il fut également actif, au tout début du siècle, au sein du mouvement des Universités populaires*, notamment à Montpellier. Hostile à toute forme de collectivisme et méfiant à l'encontre de tout embrigadement, il préféra l'engagement au Parti radical, plus souple, à l'adhésion au Parti socialiste. Critique du marxisme, il consacra une partie de son œuvre à l'analyse du socialisme français du XIXe siècle et s'intéressa plus particulièrement à la sociologie de Proudhon. Il fut candidat radical aux élections législatives à quatre reprises. Il fut aussi un collaborateur régulier et prolixe de *La Dépêche* de 1910 à sa mort.

Durant la Première Guerre mondiale*, il fut mobilisé comme soldat-infirmier et ne ménagea pas son patriotisme. En 1915, il devint secrétaire de l'École professionnelle pour blessés de guerre installée à Clermont-Ferrand. Il multiplia les conférences de propagande patriotique mais refusa de réintégrer la Sorbonne avant le retour de la paix comme on le lui proposait. Les hostilités terminées, il devint l'un des militants les plus actifs de la SDN et conserva toute sa sympathie au radicalisme.

Christophe Prochasson

Les Idées égalitaires, étude sociologique, Alcan, 1899. — *Qu'est-ce que la sociologie*, Alcan, 1907. — *Le Solidarisme*, Giard et Brière, 1907. — *De la sociologie à l'action sociale. Pacifisme, féminisme, coopération*, PUF, 1923. — *Proudhon*, Alcan, 1930.

J.-F. Sirinelli, *Génération intellectuelle. Khâgneux et normaliens dans l'entre-deux-guerres*, Fayard, 1988, pp. 354-356.

BOULEZ (Pierre)

Né en 1925

Compositeur, chef d'orchestre, essayiste, organisateur de la vie musicale, pédagogue, Pierre Boulez est un musicien complet dont l'action est liée au développement de la musique moderne en France.

Né à Montbrison (Loire) le 26 mars 1925, issu d'une famille bourgeoise, aisée et catholique, il étudie très tôt le piano, entre en « math spé » à Lyon, mais opte pour la musique et s'installe à Paris en 1943. Sa formation musicale se fera en marge du Conservatoire de Paris : il découvre l'école de Vienne en 1945 auprès de René Leibowitz et suit les cours d'analyse d'Olivier Messiaen* ; directeur musical du Théâtre Renaud-Barrault (1946), il s'initie à la direction d'orchestre. En 1953, il crée le « Domaine musical », qui organise à Paris durant vingt ans des concerts de musique moderne, mais le quitte en 1966. Il prend alors la direction artistique de deux importants orchestres à Londres et New York. De retour en France, il conçoit puis dirige l'IRCAM, Institut de recherche et de coordination acoustique / musique (1974), dans lequel sont associées la recherche musicale et l'informatique, et qui constitue, avec l'EIC (Ensemble intercontemporain), le principal pôle de la création musicale moderne en France.

Cependant, Pierre Boulez est avant tout le compositeur du *Marteau sans maître*, de *Pli selon pli* ou de *Répons*. S'inscrivant résolument dans une tradition moderniste qui s'écarte définitivement de l'harmonie tonale et de ses idiomes, il cherche à développer une syntaxe musicale fondée sur la synthèse des éléments les plus progressifs contenus dans les œuvres de la première moitié du siècle, tout particulièrement celles de Webern, Debussy et Stravinsky.

S'il privilégie avant tout ses activités musicales, Pierre Boulez rencontre, notamment au Domaine musical, nombre d'artistes et intellectuels, et signe pendant la guerre d'Algérie le « Manifeste des 121 »*. L'enseignement de la composition et une réflexion ininterrompue sur les différents aspects de la musique (qui constitue la matière de très nombreux articles) le conduisent à occuper la chaire d'« invention technique et langage en musique » au Collège de France* (1976). Depuis, il participe activement à la vie musicale : s'il abandonne la direction de l'IRCAM en 1991, il demeure président de l'EIC et directeur de collection aux Éditions Bourgois*. Son nom est aussi associé au projet de l'Opéra-Bastille, à la chaîne de télévision culturelle La Sept* et à la Cité de la musique de La Villette.

Yannick Simon

■ *Relevés d'apprenti*, Seuil, 1966. — *Points de repère*, Bourgois, 1981. — *Jalons (pour une décennie)*, Bourgois, 1989.
▩ D. Jameux, *Pierre Boulez*, Fayard / SACEM, 1984.

Bourdet (Claude)

1909-1996

Journaliste politique, Claude Bourdet représente le contestataire engagé, une figure morale issue de la Résistance. Inspirateur des « Gauches nouvelles », son influence s'exerce principalement par la presse et par des cercles neutralistes puis tiers-mondistes.

Né le 28 octobre 1909, fils du dramaturge Édouard Bourdet et de la poétesse Catherine Pozzi, il est imprégné dès l'enfance par la culture britannique. Après avoir été influencé par les idées de l'Action française*, un voyage à Vienne en 1933 et la fréquentation des milieux juifs émigrés d'Europe centrale de Zurich l'amènent à rompre avec l'esprit ligueur. Sorti ingénieur diplômé de l'École polytechnique de Zurich, il collabore, de 1933 à 1939, à divers périodiques, *L'Illustration*, *Vu*, *Marianne**, la *Revue des Deux Mondes**, *Esprit**. Ses références politiques, *Esprit*, Jacques Maritain*, Karl Marx, sont celles des minorités catholiques de gauche soucieuses de rénover la vie politique. Ses engagements — comme secrétaire du Comité pour la paix civile et religieuse en Espagne animé par le Père jésuite Dieuzaide, et dans les Équipes sociales nord-africaines fondées à l'initiative du professeur Massignon* — se situent dans ce cadre.

En 1940, Claude Bourdet refuse la défaite. « La Résistance a fait de nous tous des contestataires dans tous les sens du terme, vis-à-vis des hommes comme vis-à-vis du système social », écrira-t-il dans *L'Aventure incertaine*. Recruté par Henri Frenay avant son départ pour Londres, il le remplace à la direction du mouvement Combat. À ce titre, il est un des fondateurs du CNR. Il est déporté en mars 1944. Rapatrié en avril 1945, il est promu vice-président de l'Assemblée consultative, puis éphémère directeur de la Radiodiffusion française.

Le journalisme permet à ce résistant illustre de devenir une figure de la gauche protestataire. Albert Camus* lui ayant rendu en juin 1947 la direction de *Combat**, il imprime un ton nouveau au quotidien. Déçu par la « Troisième Force », il théorise le neutralisme, penchant vers l'anti-américanisme. Père fondateur du Mouvement pour les États unis socialistes d'Europe, il ne tolère pas sa dérive atlantiste et en démissionne dès lors qu'il se transforme en branche du Mouvement européen. Par ailleurs, il participe à l'aventure du Rassemblement démocratique révolutionnaire* (RDR) et rompt des lances avec le PCF à propos de la condamnation de Tito.

En 1950, il fonde, avec Gilles Martinet* et Roger Stéphane*, *L'Observateur* (devenu *France-Observateur* puis *Le Nouvel Observateur**), creuset de toutes les « Gauches nouvelles ». Il anime cette nébuleuse de courants minoritaires et la représente à Paris aux législatives en 1951 et 1957 (élections partielles). Secrétaire général de l'UGS, hostile au retour au pouvoir du général de Gaulle, il est conseiller municipal de Paris de 1959 à 1971. Fondateur du PSU, il lui reste fidèle jusqu'à sa dissolution. Depuis les années 50, il s'est illustré surtout dans les combats tiers-mondistes et contre les guerres coloniales, de la dénonciation du trafic des piastres ou de la « Gestapo algérienne » à son appui à l'OLP, en passant par la lutte contre la guerre du Vietnam*. Après sa démission de *L'Observateur* en 1964, il a fondé le mensuel *L'Action* (1964-1968), puis a collaboré à *Témoignage chrétien** et à *Politis*. Il est mort à Paris le 20 mars 1996.

Gilles Morin

■ *Le Schisme yougoslave*, Minuit, 1950. — *Les Chemins de l'unité*, Maspero, 1964-1966. — *L'Aventure incertaine*, Stock, 1975. — *L'Europe truquée*, Seghers, 1977.

BOURDET (Yvon)

Né en 1920

Comme beaucoup d'intellectuels de sa génération, Yvon Bourdet a été influencé par le marxisme, avec la particularité de n'avoir été ni membre ni sympathisant du Parti communiste. Attaché à un marxisme « anti-autoritaire » qui le rapproche du marxologue Maximilien Rubel, il entreprend une critique de gauche du stalinisme qui le conduit à une mise en question du léninisme et de sa théorie du rôle dirigeant du Parti. Durant les années 70, il est l'un des représentants, sans appartenance partisane, du courant de pensée autogestionnaire.

Né le 8 juin 1920 en Corrèze dans une famille de petits cultivateurs, il effectue ses études secondaires au séminaire. Cette expérience est interrompue par la guerre, pendant laquelle, ayant évité le STO en Allemagne, il entre dans le réseau des Jeunes Catholiques combattants dont il est secrétaire départemental. En 1946, il s'inscrit en Sorbonne et, après quelques années de professorat dans le secondaire, est reçu en 1955 à l'agrégation de philosophie. C'est Raymond Aron* qui lui conseille alors, pour son projet de thèse et sa candidature au Centre national de la recherche scientifique* où il effectuera toute sa carrière, d'étudier l'austro-marxisme. Il va ainsi introduire en France cette école de pensée socialiste née à Vienne, dont il présentera et fera traduire quelques-uns des textes les plus marquants (Max Adler, Rudolph Hilferding, Otto Bauer). En 1970, il rencontre à Budapest Georg Lukács, auquel il consacre un essai, *Figures de Lukács* (1972), et obtient de publier en faveur de ses élèves, privés de leur poste à l'Université à la suite de leur protestation contre l'invasion soviétique en Tchécoslovaquie, un dossier dans *Les Temps modernes**, « L'école de Budapest » (août-septembre 1974).

En 1954, il entre au groupe Socialisme ou barbarie*, collabore ensuite à la revue *Arguments** et, en 1966, grâce à la médiation de Daniel Guérin*, prend part à la fondation de la revue *Autogestion*, où il représente le courant marxiste à côté des proudhoniens, et dont il va devenir l'un des principaux animateurs. Il se rend à plusieurs reprises en Yougoslavie, où il se lie avec le sociologue yougoslave Rudi Supek, membre du groupe Praxis, avec lequel il crée à Paris (1976) un réseau de recherche international sur l'autogestion et la démocratie participative (Centre international de coordination des recherches sur l'autogestion, qui a alors son siège à la Fondation de la Maison des sciences de l'homme). Le séminaire informel sur l'autogestion qu'il anime depuis 1970 est admis à figurer, à partir de 1973 et jusqu'en 1985, au programme des enseignements de l'École des hautes études en sciences sociales*.

Sa critique du centralisme l'amène, à partir de 1975, à s'inscrire dans la revendication des minorités nationales et à participer à la mouvance occitane. Il collabore à la revue *Pluriel* et publie *Éloge du patois* (1977), puis *L'Espace de l'autogestion* (1978), qui amorce une réflexion sur la fonction libératrice de la *marge*.

Jacqueline Pluet-Despatin

■ *Communisme et marxisme*, M. Brient, 1963. — *La Délivrance de Prométhée*, Anthropos, 1970. — *Pour l'autogestion*, Anthropos, 1974. — *Figures de Lukács*, Anthropos, 1975. — *Qu'est-ce qui fait courir les militants ?*, Stock, 1976. — *Éloge du patois*, Galilée, 1977. — *L'Espace de l'autogestion*, Galilée, 1978.

BOURDIEU (Pierre)

Né en 1930

Né en 1930, à Denguin, dans le Béarn, Pierre Bourdieu intègre l'École normale supérieure*, est reçu à l'agrégation de philosophie et commence alors une longue carrière d'enseignant : à la Faculté des lettres d'Alger (1958-1960), à l'université de Lille (1961-1964), à l'École pratique des hautes études en qualité de directeur d'études à partir de 1964, puis au Collège de France*, où il occupe une chaire depuis 1981.

Dès la publication des *Héritiers*, en 1964, Bourdieu acquiert la célébrité, et son travail est récompensé : en 1993, il reçoit la médaille d'or du Centre national de la recherche scientifique*, distinction la plus haute de la recherche française et pour la première fois décernée à un sociologue. Il est également membre de l'American Academy of Arts and Sciences et lauréat du prix Goethe. En plus de ses publications et travaux de recherche, Bourdieu dirige les revues *Actes de la recherche en sciences sociales* et *Liber*. Comme le montrent les multiples traductions de ses ouvrages, les conférences qu'il a données et les séminaires qu'il a dirigés, sa notoriété dépasse les frontières de la France et s'étend à l'Europe, aux États-Unis, à l'Amérique latine, à l'Asie.

Novatrice, sa sociologie s'applique aussi à d'autres disciplines, comme l'esthétique, l'histoire, l'anthropologie ; elle apparaît comme une troisième voie entre une physique des faits sociaux où l'individu n'est qu'un épiphénomène des structures sociales et une anthropologie où l'individu seul est ce qui donne sens et finalité au social. Bourdieu montre en effet que les oppositions entre agent et structure, individu et société, sujet et objet ne peuvent rendre compte de la réalité ; car aux structures sociales objectives correspondent les structures mentales des agents dans une relation d'entre-expression et d'interaction. La tâche du sociologue est précisément de transgresser le « tabou de l'explication » (cf. *Le Sens pratique*, 1980), c'est-à-dire de donner à voir ce qu'il y a de recouvert et de caché dans ces structures, bref de montrer que la société n'est jamais aussi transparente qu'on le croit.

Si la sociologie de Bourdieu est sans conteste une des théories les plus inventives de l'après-guerre, c'est parce qu'elle met en œuvre des notions jusqu'alors inédites, notamment celles de capital symbolique et d'*habitus*. La société est un processus de différenciation et de distinction : être, c'est être différent ; exister socialement, c'est se distinguer. Au sein de l'espace social, les agents et les groupes se distribuent selon deux principes de différenciation, le *capital économique* et le *capital culturel*. À partir de là, l'État s'analyse comme la concentration des différents capitaux, et apparaît comme un « méta-capital » ayant pouvoir sur les autres, qui impose des catégories de perception auxquelles les agents accordent autorité et valeur. La position que l'individu occupe au sein de l'espace social commande ensuite les représentations qu'il se fait de cet espace et motive ses prises de position pour le conserver ou le transformer. Ces prises de position sont aussi des dispositions durables ou *habitus* : l'*habitus* est donc l'incorporation des structures du monde social, car entre la société et l'individu existe une sorte de complicité originaire, le social inscrivant sa marque dans le corps même de l'individu. Les individus sont des agents sociaux, ni simplement soumis à des causes mécaniques ni totalement conscients, mais animés d'un sens pratique, c'est-à-dire d'un système acquis de préférences, de goûts et de schèmes d'action. Car l'*habitus* est aussi un sens du jeu, un art d'anticiper, dans une situation donnée et selon des règles déjà fixées, l'avenir de la « partie ».

L'analyse sociologique, quant à elle, ne se contente pas de mettre au jour les structures de la société et les représentations que les individus en ont ; elle entend agir sur ces représentations mêmes pour changer le monde. C'est là précisément que se joue le rôle de l'intellectuel. Donner la parole aux Algériens dans *Travail et travailleurs en Algérie*, aux exclus dans *La Misère du monde*, et soutenir les grévistes de décembre 1995, c'est comprendre la logique sociale en s'immergeant dans la particularité empirique et c'est tenter de la transformer. Bourdieu est ainsi intervenu dans nombre d'événements marquants de l'après-guerre : défense de Solidarnosc*, soutien des étudiants en 1986, des accords de paix en Nouvelle-Calédonie en 1988, aide aux intellectuels algériens ; toutes interventions qui s'appuient aussi sur sa compétence de sociologue.

Mais, de nos jours, le rôle de l'intellectuel n'est plus le même qu'au temps de Zola* ou de Sartre*, et c'est à la science sociale d'en donner les raisons et au sociologue d'en assumer les conséquences. Auparavant, c'était au nom de son œuvre seule que l'écrivain acquérait l'autorité qui lui permettait d'intervenir dans le domaine politique ; ce qui était au fondement de son influence, c'était l'autonomie déclarée et revendiquée du champ intellectuel. De nos jours, en revanche, c'est cette autonomie même qu'il faut défendre et rétablir à travers chaque intervention (cf. *Liber*, décembre 1995). Les intellectuels ne peuvent plus se contenter de dénonciations ni d'analyses, mais doivent affirmer leur appartenance à un champ spécifique, indépendant du politique, de l'économique. Comme mandataire de l'universel (peu importe d'ailleurs que cet universel soit ou non un mythe), l'intellectuel a à s'opposer à tout ce qui viendrait lui dicter une loi qui n'est pas la sienne.

Loin de clamer la fin des intellectuels, Bourdieu invite ainsi à un engagement « international, interdisciplinaire et collectif ». Par son œuvre comme par son action, il tente d'incarner cette figure nouvelle de l'intellectuel, que la société et l'époque exigent et imposent.

Laurence Devillairs

■ *La Reproduction* (avec J.-C. Passeron), Minuit, 1970, rééd. 1971. — *La Distinction*, Minuit, 1979. — *Le Sens pratique*, Minuit, 1980. — *Homo academicus*, Minuit, 1984. — *Les Règles de l'art*, Seuil, 1993. — *Raisons pratiques*, Seuil, 1994.

Bourget (Paul)

1852-1935

Bourget ne s'est pas imposé seulement comme un des romanciers les plus lus de son temps, il fut aussi un des maîtres à penser de la droite catholique des années 1890-1914, et au-delà. Après avoir publié des recueils de vers sans génie, il se révéla en 1883 par ses *Essais de psychologie contemporaine*, où, à travers l'étude d'un certain nombre d'écrivains français, il traçait le portrait moral d'une génération en proie au doute et à l'inquiétude devant la « décadence ». En devenant romancier dans les années suivantes, il se posa en adversaire résolu du naturalisme dominant et opta pour le roman d'analyse, révélant vite sa vocation de moraliste plus que de psychologue, surtout avec *Le Disciple*, en 1889, véritable point de départ d'une carrière fastueuse.

Ce récit célèbre pose d'emblée la question de la responsabilité du penseur, du philosophe, de l'intellectuel : c'est à cause de la fréquentation de l'œuvre d'Adrien Sixte, résolument située au-delà du bien et du mal, que le jeune Robert Greslou est entraîné dans une entreprise amorale de séduction qui finit en drame. Les œuvres suivantes de Bourget devaient l'ancrer de plus en plus profondément dans la défense de la Tradition et de l'ancienne France contre les « funestes principes de 1789 ». Ancien dandy revenu à la foi catholique, il adhéra un des premiers aux idées monarchistes de l'Action française*, non sans avoir influencé antérieurement la philosophie politique et sociale de Maurras* lui-même. Dans *L'Enquête sur la monarchie* de celui-ci, Bourget est le premier à donner sa caution d'écrivain déjà célèbre à l'entreprise du néo-monarchisme. Malgré cette adhésion, il ne fut pas un militant, s'en tenant strictement à une œuvre littéraire. Celle-ci, riche de nombreux best-sellers (*L'Étape*, 1902, *Un divorce*, 1904, *L'Émigré*, 1907, *Le Démon de midi*, 1914) et d'une pièce de théâtre qui fit grand bruit (*La Barricade*, 1910), exerça une influence profonde sur plusieurs générations.

Se référant à la fois à Auguste Comte, à Taine, à Bonald et à Le Play, Bourget multiplie les œuvres de fiction qui sont autant d'œuvres à thèse, dans lesquelles il défend la famille, l'enracinement, la religion, l'hérédité, la monarchie, l'orthodoxie catholique, le conservatisme social, contre toutes les idées modernes flétries jadis par le *Syllabus* : la démocratie, l'égalité, le divorce, le modernisme en religion comme en toutes choses, la démocratie, bref tout ce qui constitue, selon l'expression d'un de ses personnages de *L'Étape*, « l'Erreur française ».

La question juive fut de ses obsessions, comme l'atteste son Journal inédit tout au long de l'affaire Dreyfus*, et comme le confirment certains passages de ses romans, mais il s'abstint de participer à toute réunion publique antisémite. Contrairement à Barrès*, duquel il est pourtant si proche, Bourget était hostile à tous les populismes. À ses yeux, la France devait se régénérer par les élites. Gramsciste de droite avant la lettre, il concevait la nécessaire restauration monarchique comme le fruit d'un long travail de préparation intellectuelle et morale, à laquelle il se sentait tenu de participer par son œuvre. L'idéal monarchiste, au demeurant, est moins obsédant chez lui que les thèmes de ce qu'il appelle le « traditionalisme intégral », dont les piliers sont la Famille, à sauver des lois républicaines favorables au divorce et à l'abolition du droit d'aînesse, et la Religion, sous la forme d'un catholicisme intransigeant, principal garant de tout ordre social. Bourget fait de la bourgeoisie — la bourgeoisie rentière et héritière — l'agent historique du salut pour une société qui a été contaminée par l'égalitarisme, l'individualisme et l'athéisme révolutionnaires. Acceptant la lutte des classes, il enjoint aux patrons d'être des patrons face au prolétariat perverti par la propagande socialiste, avant que la rechristianisation permette de nouveau la bonne entente entre patrons chrétiens et ouvriers chrétiens.

B. Faÿ résume ainsi, en 1924, le statut sociopolitique de Paul Bourget : « À l'époque où M. France devenait l'écrivain officiel du régime, M. Bourget était accepté comme le romancier de la haute bourgeoisie française. Depuis lors, il lui a été fidèle comme elle lui est fidèle. Ils étaient faits l'un pour l'autre [...] Du moment de l'affaire Dreyfus, elle traverse une crise grave. Elle était perdue si elle ne reprenait pas conscience d'elle-même. Or, c'est le service inestimable que lui rendit Bourget » (*Les Nouvelles littéraires*, 12 septembre 1924).

Michel Winock

■ *Essais de psychologie contemporaine*, 1883, rééd. Gallimard, 1993. — *Le Disciple*, 1889, rééd. La Table ronde, 1994. — *Physiologie de l'amour moderne*, 1890. — *Cosmopolis*, 1893. — *L'Étape*, 1902. — *Un divorce*, 1904. — *L'Émigré*, 1907. — *La Barricade*, 1910. — *Le Démon de midi*, 1914. — *Le Sens de la mort*, 1915.

▒ A. Feuillerat, *Paul Bourget*, 1938. — Y. Mathias, « Paul Bourget, écrivain engagé », *Vingtième siècle, revue d'histoire*, n° 45, janvier-mars 1995.

BOURGOIS (Christian Bourgois éditeur)

Créateur en 1966 de sa propre maison d'édition et directeur de la collection « 10/18 » au sein des Presses de la Cité de 1969 à 1992, Christian Bourgois a mené une politique éditoriale originale et audacieuse. Avec « 10/18 », il a accompagné l'effervescence politique et théorique des années 70. Mais il a aussi constitué un riche catalogue d'auteurs étrangers qu'il a contribué à faire connaître en France. Jusqu'en 1992, où il s'est séparé des Presses de la Cité, les liens ont été étroits entre « 10/18 » et « Christian Bourgois, éditeur », qui souvent échangeaient leurs titres pour des rééditions. Et la principale source de financement de la maison d'édition était la collection de poche.

Attaché à la « neutralité culturelle » du nom de la collection et au livre de poche, bon marché, Bourgois publie dans les années 70 en « 10/18 » des écrits théoriques — habituellement réservés aux collections chères à faible tirage —, colloques (ceux de Cerisy* notamment), ouvrages de mathématiques et nombreux textes politiques. Accueillant à toutes les tendances de la gauche et de l'ultra-gauche, il réédite Marx, Lénine, Trotski, publie Mao, Liu Shao Qui, Ernest Mandel, des « albanais », des situationnistes, des maoïstes et même des « gauchistes bretons » (il est lié à l'université de Jussieu grâce à Robert Jaulin, à Vincennes par François Châtelet*, Jean-François Lyotard*, à la Ligue par Henri Weber). La fiction contemporaine trouve aussi sa place ainsi que de grandes rééditions, publiées en collaboration avec Hubert Juin. Bourgois est ainsi le premier à rééditer en poche l'œuvre de Sade.

Pendant ces quelques années « de profusion et de confusion intellectuelle », des milliers d'étudiants et de lycéens suivent les publications théoriques et politiques de « 10/18 ». La collection est très rentable. Boris Vian* est son plus grand succès commercial. Mais les textes théoriques atteignent aussi une diffusion importante : ainsi, les écrits politiques de Mandel (200 000) ou de Trotski (20 000) et les colloques Artaud* / Bataille* et Nietzsche (20 000). À partir du milieu des années 70, ce lectorat s'amenuise et, dans la décennie suivante, la collection prend une orientation plus littéraire.

Avec ses directeurs de collection, Philippe Lacoue-Labarthe, Gérard-Georges Lemaire ou Jean-Christophe Bailly, « Christian Bourgois, éditeur » publie depuis 1966 de nombreux écrivains étrangers, de la littérature et du théâtre d'avant-garde et des sciences humaines. Mais il est aussi animé d'une volonté de casser les hiérarchies entre la grande littérature et la paralittérature dont témoigne l'éclectisme du choix des auteurs. Et J.R.R. Tolkien, Raymond Chandler, Jim Morrison, William Irish côtoient William Burroughs, Allen Ginsberg et la Beat Generation, Jorge-Luis Borges, Witold Gombrowicz, Fernando Arrabal, Ernst Jünger, Susan Sontag, puis Salman Rushdie — *Les Versets sataniques* furent publiés par Bourgois à l'été 1989 et 240 000 exemplaires ont été vendus depuis lors — et Toni Morrison (prix Nobel de littérature 1993).

À l'étranger, Christian Bourgois entretient des liens privilégiés avec les éditeurs Inge et Carlo Feltrinelli en Italie, Klaus Wagenbach à Berlin, Roger Straus aux États-Unis, Tusquets et Anagrama en Espagne.

Séverine Nikel

■ *Christian Bourgois (1966-1986)*, Christian Bourgois éditeur, 1986.

BOURNEVILLE (Désiré)

1840-1909

Longtemps occultée pour des motifs politiques et idéologiques, la place que Bourneville a occupée, en France, au début de la IIIe République, commence à être reconnue. Désiré Bourneville naquit à Garencières (Eure), le 20 octobre 1840. Ses parents étaient de petits propriétaires terriens. À la fin de ses études secondaires, il arriva à Paris où son mentor fut le docteur Delasiauve (1804-1893), médecin-aliéniste à l'hospice de Bicêtre. Dès lors Bourneville mena de front une triple carrière : médicale (il fut externe des hôpitaux de Paris en 1862, interne en 1865, docteur en 1870, chirurgien aide major au 160e bataillon de la Garde nationale de la Seine pendant le siège de Paris, médecin praticien installé dans le Ve arrondissement de 1871 à sa mort, assistant de Charcot à la Salpêtrière de 1871 à 1879, médecin-chef du Service des enfants épileptiques et « idiots » à l'hospice de Bicêtre de 1879 à sa retraite), journalistique (après avoir collaboré à plusieurs revues médicales, il créa en 1873 *Le Progrès médical*, périodique appelé à jouer un rôle majeur dans la diffusion de ses idées, et à être le support d'une véritable maison d'édition, et dont il assura la rédaction en chef pendant plus de trente ans) et politique (il fut conseiller municipal du Ve arrondissement de Paris de 1876 à 1883, puis député de la Seine de 1883 à 1890).

Usant avec talent de sa position de médecin, de journaliste et d'élu, il mena, sa vie durant, un combat acharné pour le traitement médico-pédagogique des enfants arriérés, la création des classes dites de perfectionnement, la laïcisation des hôpitaux, la création des écoles d'infirmières, l'instauration du corps des accoucheurs des hôpitaux de Paris et du concours des médecins-aliénistes, la crémation. Parallèlement, il apporta une importante contribution à la pathologie de l'arriération mentale (il identifia et décrivit la sclérose tubéreuse du cerveau qui, depuis, porte son nom).

Bourneville mourut à Paris le 29 mai 1909. Selon ses volontés, après une autopsie et des obsèques civiles, son corps fut incinéré. Libre-penseur, franc-maçon, républicain, anticlérical, anticolonialiste, Bourneville resta toute sa vie proche des radicaux, refusa la tentation boulangiste et se manifesta comme un dreyfusard actif. Son œuvre scientifique, médicale, sociale, éducative, philanthropique, s'inscrit intégralement dans son itinéraire politique et réciproquement. Pour Bourneville, être républicain et être médecin, c'était tout un.

Jacques Poirier

■ Éditeur des *Œuvres complètes* de Charcot, 9 vol.

■ J. Gateaux-Mennecier, *Bourneville et l'enfance aliénée*, Centurion, 1989. — J. Poirier et J.-L. Signoret (dir.), *De Bourneville à la sclérose tubéreuse*, Flammarion, 1991.

Boutang (Pierre)

Né en 1916

Né à Saint-Étienne en 1916, Pierre Boutang a adhéré à l'Action française* durant ses années d'études à Lyon, qui l'ont conduit à l'École normale supérieure* (1935) et à l'agrégation de philosophie (1939). Personnage charismatique, d'une immense culture, il a été peint par Brasillach*, dans *Notre avant-guerre*, comme un « Bonaparte jeune, mais très blond » ; « il ressemblait à un page du Quattrocento », écrit Philippe Ariès* dans *Un historien du dimanche*. « Il est difficile de décrire la puissance de fascination qu'il exerçait sur nous », confirme Raoul Girardet* *(Singulièrement libre)*. Marqué par la crise du 6 février 1934, il collabore à la revue d'Action française *L'Étudiant français* et se voit, en 1939, confier par Charles Maurras* l'importante revue de presse de son quotidien. Après la défaite, professeur à Clermont-Ferrand, il refuse d'écrire dans la presse parisienne. Parti enseigner au Maroc, il se rallie au général Giraud. Après le débarquement des Alliés en Afrique du Nord, il devient chef de cabinet de Jean Rigault au secrétariat des

Affaires politiques. À la suite de l'échec de Giraud et de l'arrivée de De Gaulle, il est chassé de l'Université et envoyé dans le Sud tunisien.

Rentré en France après la Libération, il se tourne alors vers le journalisme. En 1945-1946, il assure, avec Philippe Ariès, la direction de *Paroles françaises, hebdomadaire de la révolution nationale*, journal du PRL (Parti républicain de la liberté) — une formation anticommuniste consacrée par son animateur, le député Paul Mutter, à la dénonciation des excès de la Libération. Parallèlement, il anime une feuille clandestine, *La Dernière Lanterne*, avec Antoine Blondin et François Brigneau, et rédige des chroniques dans l'hebdomadaire *Aspects de la France* de 1947 à 1954. Polémiste, il écrit en 1947 *Sartre est-il un possédé ?* avec Bernard Pingaud et un pamphlet contre *La République de Joanovici* (1948). Philosophe politique, il publie en 1948 *La Politique*. Sous le choc de Dien-Bien-Phu et du déclenchement de la guerre d'Algérie, il crée l'hebdomadaire néo-maurrassien *La Nation française* (1955-1967) et combat après 1958 la politique algérienne de De Gaulle, avant de se rallier à celle-ci en 1961, au nom du réalisme et de la restauration de l'État. Dès 1959, n'écrivait-il pas que le général était « un disciple de Maurras » ?

Réintégré dans l'Université en 1967, et auteur d'une thèse majeure, *Ontologie du secret* (1973), Pierre Boutang a été élu dans des conditions tumultueuses professeur à la Sorbonne (1977-1986) et s'est imposé comme un des grands métaphysiciens de son temps. Il poursuit, parallèlement, une œuvre de romancier — sans négliger la défense et illustration du maurrassisme, dont il reste le dépositaire.

Alain-Gérard Slama

■ *Sartre est-il un possédé ?* La Table ronde, 1947. — *La République de Joanovici*, Amiot-Dumont, 1948. — *La Politique*, Froissart, 1948. — *La Terreur en question*, Fasquelle, 1958. — *Ontologie du secret*, PUF, 1973, rééd. 1989. — *Apocalypse du désir*, Grasset, 1979. — *La Fontaine politique*, Albin Michel, 1981. — *Maurras. La destinée et l'œuvre*, Plon, 1984, rééd. La Différence, 1993. — *Dialogues avec George Steiner sur le mythe d'Antigone et le sacrifice d'Abraham*, Lattès, 1994.

▒ P. Ariès, *Un historien du dimanche* (entretiens avec M. Winock), Seuil, 1980. — R. Girardet, *Singulièrement libre* (entretiens avec P. Assouline), Perrin, 1990.

Brasillach (Robert)

1909-1945

Fusillé le 6 février 1945 après avoir été reconnu coupable de complicité avec l'ennemi, Robert Brasillach est la plus célèbre des victimes de l'épuration intellectuelle. Il est aussi un des écrivains français qui étaient allés le plus loin dans la voie de la collaboration avec l'Allemagne.

Né en 1909 à Perpignan, fils d'un officier tué pendant la Grande Guerre, Robert Brasillach fait ses études à Sens puis à Louis-le-Grand, avant d'entrer, en 1928, à l'École normale supérieure*. Sympathisant de l'Action française*, par tradition familiale sans doute mais aussi peut-être sous l'influence de son professeur de khâgne* André Bellessort*, il mène, à partir de sa sortie de l'École, une double carrière d'écrivain et de journaliste engagé. L'écrivain est d'abord prépondérant, qui publie, en 1931, un premier essai, *Présence de Virgile*, avant de s'essayer au roman (*Le Voleur d'étincelles*, 1932), au théâtre (*Domrémy*, 1932) et surtout à la critique (*Histoire du cinéma*, 1935, rédigé en collaboration avec son beau-frère Maurice Bardèche*). Mais, avec les années, c'est la figure du journaliste engagé qui l'emporte : responsable depuis 1931 du feuilleton littéraire de *L'Action française**, Robert Brasillach entre véritablement en politique au cours des années 1936-1937, sous le choc des défilés de Nuremberg et de la guerre d'Espagne*, celle-ci lui inspirant, en 1937, l'épopée des *Cadets de l'Alcazar*.

Fait prisonnier durant la guerre, Robert Brasillach rédige ses Mémoires de jeunesse, passionnant témoignage sur la vie des jeunes intellectuels des années 30, qui paraîtront bientôt sous le titre : *Notre avant-guerre*. Libéré de son oflag en mars 1941, il revient à Paris pour devenir le rédacteur en chef de *Je suis partout** qui, après avoir interrompu sa publication, reparaît alors. Il demeurera deux ans à ce poste, adhérant sans réserve notable à une ligne politique faite de progermanisme et d'antisémitisme, n'hésitant pas à rédiger lui-même les articles les plus violents (« Il faut se séparer des Juifs en bloc et ne pas garder de petits », écrira-t-il, par exemple, le 25 septembre 1942). Les revers de l'Allemagne et de l'Italie l'incitent pourtant à prendre ses distances et c'est parce qu'il refuse de cautionner l'orientation de plus en plus ouvertement pronazie de *Je suis partout* qu'il quitte ce journal au milieu de l'année 1943.

Dans les années suivantes, il travaille pour quelques journaux *(La Révolution nationale, La Chronique de Paris)*, mais son engagement est nettement en retrait. Lorsque arrive la Libération et que sa mère est arrêtée, c'est lui qui se rend à la préfecture de police, demande audience à Edgard Pisani, chef du cabinet du préfet, et se constitue prisonnier.

Le procès s'ouvre le 19 janvier 1945. Il se conclut par une condamnation à mort. Une lettre demandant sa grâce, signée notamment par Marcel Camus, Colette*, François Mauriac*, Paul Valéry*, Jean-Louis Barrault, est adressée au général de Gaulle ; ce recours sera rejeté le 3 février et Robert Brasillach exécuté le 6.

Bernard Laguerre

■ *Notre avant-guerre*, Plon, 1941.

▒ P. Assouline, *L'Épuration des intellectuels*, Bruxelles, Complexe, 1985. — P.-M. Dioudonnat, *« Je suis partout » (1903-1944)*, La Table ronde, 1973. — M. Laval, *Brasillach ou la Trahison du clerc*, Hachette, 1992.

BRAUDEL (Fernand)

1902-1985

Fernand Braudel est d'abord l'homme d'un grand livre, reconnu comme l'une des œuvres maîtresses du XXe siècle : *La Méditerranée et le monde méditerranéen à l'époque de Philippe II*, soutenu comme thèse en 1947 et publié en 1949. Né en 1902, il n'a donc pas connu une carrière précoce. Il est vrai qu'il a vécu et enseigné en Algérie puis au Brésil, avant de passer la guerre en Allemagne, dans un camp de prisonniers (c'est là qu'il a rédigé, de mémoire et sans dossiers, l'essentiel de sa thèse). Ce brillant sujet, très tôt remarqué et associé aux projets de la *Revue de synthèse*, a donc emprunté des chemins de traverse et choisi de prendre son temps. De ses expériences lointaines, il tirera aussi certaines des convictions qui vont traverser son œuvre : le goût des grands espaces, une vision mondiale des évolutions historiques, le sens de la comparaison et du dépaysement heuristique.

C'est au Brésil* aussi que se situe la rencontre avec Lucien Febvre* en 1937. Il en naîtra, outre un attachement filial indéfectible, une forte communauté de pensée et de projets. C'est Febvre qui, à son retour en France, l'introduit dans la mouvance des *Annales* ; c'est lui qui le convainc de transformer en une histoire de la mer intérieure son premier projet d'une étude sur la politique méditerranéenne de Philippe II. Ils ont en commun le goût du XVIe siècle, celui des grands sujets et un inlassable appétit intellectuel. Au retour de la guerre, le lien se fera plus étroit encore : successeur de Febvre au Collège de France* (1950), associé à la construction de la nouvelle VIe Section de l'École pratique des hautes études (à partir de 1948), dont il reprendra la présidence, directeur des *Annales* après la mort de son maître (1956), Braudel hérite d'un empire, qu'il agrandira à son tour et qu'il complétera, y ajoutant encore la fondation de la Maison des sciences de l'homme. Comme l'avait fait Febvre avant lui, il multipliera les entreprises et pèsera lourd dans l'élaboration d'une politique des sciences sociales en France, des années 50 aux années 70.

Mais il est d'abord un grand historien. *La Méditerranée* illustrait le programme d'une géo-histoire. Pour comprendre les lignes de forces d'un demi-siècle, Braudel les rapportait à une triple temporalité : le temps géographique d'une histoire presque immobile, celle du milieu, des phénomènes récurrents ; le temps social des évolutions économiques, des États, des contacts de civilisations ; le temps de l'événement enfin, qui est, à la surface, celui des intentions et de la volonté des hommes. Nul doute que, pour lui, le premier ne constitue un observatoire privilégié pour l'historien : Braudel en fera le thème central d'un article célèbre dans lequel il analyse l'intérêt de « La longue durée » (1958). Elle seule permet, à ses yeux, d'analyser les facteurs lourds qui commandent les évolutions et de ne pas se laisser abuser par l'agitation visible mais superficielle des hommes. Il y voit aussi un lieu de confrontations et d'échanges entre les diverses sciences sociales, au moment où lui-même s'obstine dans un dialogue, parfois difficile, avec les sociologues (Gurvitch*), les économistes (Perroux*), les anthropologues (Lévi-Strauss*).

Avec la réflexion sur l'espace, et d'ailleurs associée à elle, la naissance du capitalisme aura été l'autre grand sujet qui traverse l'œuvre de F. Braudel. Il lui a consacré une trilogie, longuement reprise et mûrie, *Civilisation matérielle, économie et capitalisme (XVe-XVIIIe siècle)* (1979), immense fresque qui cherche à lier entre eux les différents secteurs et niveaux de l'activité économique à l'échelle du monde préindustriel. C'est par ce grand livre difficile que, paradoxalement, il deviendra tardivement un écrivain et un intellectuel public. Cette reconnaissance lui vaudra l'Académie française*, peu avant sa mort en 1985. Braudel n'a pas achevé le troisième des grands projets qui auront occupé sa vie d'historien : celui d'une histoire de la France dont la publication sera partielle et posthume, et dont le programme, à nouveau grandiose, aurait été celui d'une réflexion sur les caractères constitutifs de l'identité française.

Jacques Revel

■ *La Méditerranée et le monde méditerranéen à l'époque de Philippe II*, 1949, 2e éd. profondément remaniée et augmentée en 1965, rééd. Armand Colin, 1990, 2 vol. — *Écrits sur l'histoire*, 1969, rééd. Flammarion, 1977-1994, 2 vol. — *Histoire économique et sociale de la France* (dir. F. Braudel et E. Labrousse), PUF, 1977-1982, 4 vol. — *Civilisation matérielle, économie et capitalisme (XVe-XVIIIe siècle)*, t. 1 : *Les Structures du quotidien* ; t. 2 : *Les Jeux de l'échange* ; t. 3 : *Le Temps du monde*, Armand Colin, 1980. — *L'Identité de la France*, Arthaud, 1986, 3 vol.

■ G. Gemelli, *Fernand Braudel e l'Europa universale*, Venise, 1990.

BRÉSIL DANS LES ANNÉES 30 (le)

En 1934-1935, dans le cadre d'un vaste mouvement de réformes, furent fondées au Brésil les Facultés de lettres, philosophie et sciences de São Paulo, puis Pôrto Alegre et Rio de Janeiro. Afin de former sur place, et non plus à l'étranger, une première génération d'universitaires et d'intellectuels brésiliens de haut niveau, on décida de faire appel à des enseignants étrangers. Si Italiens et Allemands, souvent en rupture avec le fascisme, furent chargés surtout des sciences exactes, les universitaires français se partagèrent, notamment à São Paulo, le domaine des sciences humaines et sociales.

Le psychologue Georges Dumas, ancien « ulmien » en relation avec les élites brésiliennes depuis 1908, fut le véritable organisateur des missions françaises au Brésil, aux côtés du chef du Service des œuvres françaises à l'étranger du Quai d'Orsay, Jean Marx. De 1934 à 1939, une trentaine d'universitaires français vinrent ainsi enseigner à São Paulo, Rio et Pôrto Alegre. Un savant dosage permit d'adjoindre aux grands maîtres (Émile Bréhier, Henri Hauser, Émile Coornaert) de jeunes agrégés, le plus souvent normaliens, sortis des lycées de province où ils se morfondaient, comme Étienne Borne* à Nevers ou Claude Lévi-Strauss* à Mont-de-Marsan. Ainsi le Brésil devint-il le laboratoire d'ethnologie de Lévi-Strauss, celui de sociologie de Roger Bastide, de philosophie politique de Paul Arbousse-Bastide, de géographie de Pierre Deffontaines et Pierre Monbeig, d'économie de François Perroux*, Gaston Leduc, Maurice Byé, René Courtin, voire même du juriste Jacques Lambert. Quant à Fernand Braudel*, il reconnut sa dette envers le « paradis » brésilien qui lui fit transformer « du temps en espace », à un moment décisif de la rédaction de sa *Méditerranée*, et c'est sur le paquebot qui le ramenait en France qu'il noua en 1937 une amitié « filiale » avec Lucien Febvre* de retour d'un cycle de conférences à Buenos Aires.

Les missions universitaires ont certes contribué à former au Brésil une nouvelle élite intellectuelle et universitaire. Ainsi la *Revista de historia* s'inspira-t-elle largement du modèle des *Annales*. Mais la découverte de la « civilisation brésilienne » par ces « missionnaires » n'a-t-elle pas été aussi le laboratoire de l'une des principales mutations épistémologiques que les sciences humaines et sociales aient connues, en France, dans le deuxième tiers de notre siècle ?

Guy Martinière

■ L.C. Cardozo et G. Martinière (dir.), *France-Brésil. Vingt ans de coopération (Science et technologie)*, Paris-Grenoble, IHEAL-PUG, 1989. — C. Lévi-Strauss, *Tristes tropiques*, Plon, 1955. — G. Martinière, *Aspects de la coopération franco-brésilienne*, Paris-Grenoble, MSH-Presses universitaires de Grenoble, 1982. — G. Matthieu, *Une ambition sud-américaine. Politique culturelle de la France (1914-1940)*, L'Harmattan, 1991. — J. Maugüé, *Les Dents agacées*, Buchet-Chastel, 1982.

BRETON (André)

1896-1966

Écrivain, chef de file du surréalisme, théoricien de l'écriture automatique dont l'engagement politique s'affirme comme le prolongement de son projet de libération totale de l'individu qui doit rester un « rêveur définitif », en art et en littérature comme ailleurs. Il est le premier à associer explicitement dans un mouvement, la littérature, l'art et le politique.

Né le 19 février 1896 à Tinchebray (Orne), d'une famille bretonne et lorraine installée à Pantin en 1900 — son père était gendarme puis comptable. Après le collège Chaptal, il fait des études de médecine et rencontre Jean Royère qui lui fait publier ses premiers poèmes, en 1914, dans sa revue *La Phalange*. À la guerre, il rencontre Jacques Vaché qui lui donne le goût de la résistance à toute valeur convenue. Interne dans un centre neuropsychiatrique militaire, il s'initie aux théories freudiennes qui lui serviront pour ses expériences postérieures sur l'inconscient. Rappelé à Paris en 1917, il fréquente Apollinaire*, Aragon* (rencontré chez Adrienne Monnier) et Soupault* avec qui il crée la revue *Littérature* et fonde le surréalisme, après s'être séparé de Dada et de Tzara*, dont il dénonce le nihilisme, à la suite du procès fictif de Barrès*, en 1921. Après une période expérimentale (hypnose, écriture automatique), Breton met en forme ses positions théoriques. En 1924, paraît son *Manifeste du surréalisme*. Le premier numéro de *La Révolution surréaliste* (1924-1929) déclare qu'il faut « aboutir à une nouvelle déclaration des droits de l'homme ». Breton forme un groupe qui se modifiera régulièrement : Éluard*, Péret*, Desnos*, Aragon, Crevel*, Soupault. En 1929, il éloigne Desnos et Leiris*, accueillant René Char* et Dali, rompant avec Aragon. Le non-conformisme des surréalistes érigé en dogme rencontre un temps celui des jeunes communistes ou sympathisants de la revue *Clarté** (J. Bernier, M. Fourrier, V. Crastre), surtout en 1925, lors de la guerre du Rif*.

Après avoir été tenté par la pensée libertaire dans sa jeunesse — il ne s'en départira vraiment jamais — Breton découvre le *Lénine* de Trotski, adhère au programme communiste dans *Légitime défense* (1926) avant d'entrer, en 1927, au Parti communiste qui le désavoue en 1933 — il est exclu de l'Association des écrivains et artistes révolutionnaires* (AEAR) la même année. Dès son adhésion, il avait revendiqué le droit à la critique et le refus d'un quelconque « contrôle extérieur, même marxiste ». Il rompt officiellement avec la politique de la IIIe Internationale en juin 1935 sans abandonner pour autant le combat politique. Il lutte contre le fascisme dès 1934 (après février, il est à l'origine de la pétition « Appel à la lutte » et rallie le Comité de vigilance des intellectuels antifascistes* ou CVIA), pour la République espagnole, contre le nationalisme, la guerre impérialiste et le stalinisme. Il compte parmi les premiers à s'élever contre les procès de Moscou, dès 1936 ; sur le terrain culturel, il dénonce violemment le réalisme socialiste qui entrave la liberté de création.

Dans les années 30, il dirige *Le Surréalisme au service de la Révolution*. Fin 1935, cherchant l'alliance avec d'autres intellectuels d'extrême gauche, il se rapproche de Georges Bataille*, autour de *Contre-attaque*, qui disparaît dès 1936 à la suite de leur désaccord. À partir de 1935, ses voyages le conduisent un peu partout, en 1938, à Mexico, où il rencontre Trotski avec qui il rédige un manifeste anti-jdanovien (bien que signé par le peintre Diego Rivera) : *Pour un art révolutionnaire indépendant*, qui doit servir à la constitution d'une Fédération internationale de l'art révolutionnaire indépendant (FIARI) dont il anime la section française et son bulletin : *Clé*, y réunissant Y. Allégret, M. Collinet, J. Giono*, M. Heine, P. Mabille, M. Martinet*, A. Masson, H. Poulaille*, G. Rosenthal et M. Wullens. La guerre bouleverse ses projets. Mobilisé en 1939, démobilisé à l'été 1940, il s'exile en 1941 à New York pour cinq ans, où son activisme en faveur du surréalisme se confond avec son combat pour la libération de la France, en particulier par le biais de la « Voix de l'Amérique » (son gagne-pain) et de la revue *VVV* (avec M. Duchamp, M. Ernst, D. Hare). Avant de rentrer en France, il visite les réserves des Indiens Pueblos qui lui inspirent une *Ode à Charles Fourier*, et donne une conférence en Haïti à la fin 1945, utilisée dans l'insurrection des étudiants avant la chute du gouvernement. Rentré en France au printemps 1946, il rassemble autour de sa personne et de Péret, un groupe aux têtes nouvelles qui se réunit quasi quotidiennement comme avant la guerre, dans un café. Mais l'époque est plus favorable à l'existentialisme qui éclipse en partie le surréalisme.

Toujours indépendant des partis politiques, il montre des sympathies pour le mouvement mondialiste — il soutient Gary Davis —, le Rassemblement démocratique révolutionnaire* fondé par Sartre* et David Rousset* en 1948, la Fédération anarchiste, il collabore un temps au *Libertaire*. En 1950, il défend Z. Kalandra condamné à mort à Prague. Il s'exprime régulièrement sur les problèmes d'actualité, aux côtés de la gauche : Vietnam*, Hongrie. En 1960, il compte parmi les signataires du « Manifeste des 121 »*, pour le droit à l'insoumission dans la guerre d'Algérie.

De 1961 à 1965, il dirige sa dernière revue, *La Brèche*, qui appelle à la « Révolution permanente ».

Laurence Bertrand Dorléac

■ *Manifeste du surréalisme, Poisson soluble*, Le Sagittaire, 1924, rééd. Gallimard, 1985. — *Second manifeste du surréalisme*, Kra, 1930. — *Position politique du surréalisme*, Le Sagittaire, 1935. — *Ode à Charles Fourier*, Éd. de la revue Fontaine, 1947. — *Entretiens*, Gallimard, 1952. — *La Clé des champs*, Le Sagittaire, 1953.

— *Œuvres complètes* (éd. M. Bonnet), Gallimard, « Pléiade », 1988 et 1992, 2 vol.

H. Béhar, *André Breton : le grand indésirable*, Calmann-Lévy, 1990. — M. Bonnet, *André Breton. Naissance de l'aventure surréaliste*, Corti, 1975. — G. Legrand, *Breton*, Belfond, 1977. — N. Racine, « André Breton », in *DBMOF*. — A. Schwarz, *André Breton, Trotsky et l'anarchie*, UGE, 1977. — *Tracts surréalistes et déclarations collectives (1922-1969)* (présentés par J. Pierre), Le Terrain vague, 1980-1982, 2 vol. — *André Breton, la beauté convulsive*, Centre Pompidou, 1991. — *Vers l'action politique. De « La Révolution d'abord et toujours ! » (juillet 1925) au projet de « La Guerre civile » (avril 1926)* (présenté et annoté par M. Bonnet), Gallimard, série « Archives du surréalisme », vol. 2, 1988. — *Adhérer au Parti communiste ? Septembre-décembre 1926* (présenté et annoté par M. Bonnet), Gallimard, série « Archives du surréalisme », vol. 3, 1992.

BROGLIE (Louis de)

1892-1987

Louis de Broglie est né à Dieppe le 15 août 1892, dans une famille piémontaise qui s'installa en France au XVIIe siècle. Parmi ses ancêtres, des maréchaux de France, des diplomates... Son père était député. Louis, le dernier de cinq enfants, eut une enfance choyée. Son frère aîné, Maurice, avait abandonné une carrière d'officier de marine pour la physique. Louis étudia de l'histoire, du droit, puis de la science (1911-1913). Il servit pendant la guerre dans une compagnie de radiotélégraphistes. Il travaillait dans le laboratoire privé de son frère Maurice lorsqu'il fit une découverte géniale en 1923.

Un des grands problèmes de la physique était de comprendre un paradoxe : la dualité onde-corpuscule de la lumière. L'idée de Louis de Broglie fut de prédire que cette coexistence entre ondes et corpuscules s'étendait à toute la matière ; et il suggéra la possibilité d'obtenir des effets de diffraction avec un faisceau d'électrons.

En 1926, découvrant l'équation que devaient satisfaire les ondes de De Broglie associées aux particules, Schrödinger retrouvait et complétait la mécanique quantique que venait de créer Heisenberg. Celui-ci écrivait en 1927 ses fameuses relations d'incertitude. La microphysique n'est pas entièrement déterministe. Ce n'était pas l'opinion de Louis de Broglie, mais devant les immenses succès de la nouvelle interprétation, il s'inclina. La même année furent réalisées les premières confirmations expérimentales de l'aspect ondulatoire des électrons ; en peu d'années elles aboutirent au microscope électronique.

Nommé professeur en 1928, Louis de Broglie enseigna chaque année un cours avancé, qu'il rédigeait ensuite, publiant ainsi plus de trente livres. Vers soixante ans, il revint aux idées qu'il avait abandonnées en 1927. Mais il n'y a pas actuellement un seul résultat expérimental infirmant la théorie quantique et qui pourrait être en faveur d'une théorie microphysique déterministe. Louis de Broglie écrivit, dans une langue élégante, quelques excellents livres de vulgarisation et de réflexion sur la physique.

Prix Nobel en 1929, élection à l'Académie en sciences* en 1933 et en 1944 à l'Académie française*, comblé d'honneurs, il fut aussi accablé de charges qu'en homme de devoir il ne refusait pas. Grâce à sa vie simple, presque monacale (il resta célibataire), il avait une activité très grande. Il a servi la Science avec dévouement et intégrité et a complètement assumé ses responsabilités de savant. En 1949, dans son message au congrès du Mouvement européen, il suggérait la possibilité d'établir un laboratoire « où il serait possible de travailler scientifiquement, en quelque sorte en dehors et au-dessus du cadre des différentes nations participantes. Résultat de la coopération d'un grand nombre d'États européens, cet organisme pourrait être doté de ressources plus importantes que celles dont disposent les laboratoires nationaux ». Ce laboratoire, le CERN, fut fondé cinq ans après, près de Genève ; c'est une des meilleures réussites européennes.

Louis Michel

■ *La Physique nouvelle et les quanta*, Flammarion, 1937. — *Matière et lumière*, Albin Michel, 1937. — *Continu et discontinu en physique moderne*, Albin Michel, 1941. — *Physique et microphysique*, Albin Michel, 1947.

■ G. Lochak, *Louis de Broglie*, Flammarion, 1992.

BROUARDEL (Paul)

1837-1906

L'œuvre de Brouardel est exemplaire du rôle clé qu'un scientifique arrivé aux plus hautes fonctions dans la profession médicale, a pu jouer dans la Cité, au cours des premières décennies de la IIIe République, en faisant de l'hygiénisme une idéologie triomphante. Né le 13 février 1837 à Saint-Quentin, il gravit jusqu'au sommet les échelons de la carrière médicale : externe, puis interne (1860), docteur en médecine (1865), médecin des hôpitaux et professeur agrégé (1869), professeur de médecine légale (1879), membre de l'Académie de médecine (1880) et de l'Académie des sciences* (1892), doyen de la Faculté de médecine de Paris (1887-1901). Il préside l'Association générale des médecins de France. Il est membre (1879) puis président du Comité consultatif d'hygiène publique (1884-1902).

Outre son œuvre proprement médico-légale (nombreuses publications, création de l'Institut médico-légal et du Laboratoire de toxicologie rattaché à sa chaire, définition du rôle technique — indépendant des juges — du médecin-expert), Brouardel a consacré beaucoup d'énergie à faire triompher ses convictions hygiénistes et pastoriennes : assainissement urbain, hygiène des cimetières, hygiène alimentaire, hygiène industrielle, épidémiologie. Comme l'écrit Thoinot : « Il n'a pas combattu dans le rang, il a dirigé de toute sa merveilleuse intelligence et de toute son activité la lutte nationale et même la lutte internationale contre les épidémies. » Signalons encore la mise en place d'un corps de médecins sanitaires maritimes, la fondation de l'Institut de médecine coloniale, la création de la Fédération antituberculeuse et de l'Alliance d'hygiène sociale. Conseiller des gouvernements républicains qu'il éclaire et soutient, il joue un rôle déterminant dans l'élaboration et, en tant que commissaire du gouvernement, dans l'adoption par le Parlement de la loi du

30 novembre 1892 sur l'exercice de la médecine et la répression du charlatanisme et de la loi du 15 février 1902 sur la santé publique (obligation de la vaccination et de la revaccination, déclaration obligatoire des maladies contagieuses, désinfection obligatoire, etc). Le 23 juillet 1906, Paul Brouardel succombe à la tuberculose.

Jacques Poirier

■ *La Mort et la mort subite*, Baillière, 1895. — *La Responsabilité médicale*, Baillière, 1898. — *L'Exercice de la médecine et le charlatanisme*, Baillière, 1899. — *Traité de médecine et de thérapeutique* (avec A. Gilbert et J. Girode), Baillière, 1895-1902, 10 vol.

▒ F. Huguet, *Les Professeurs de la Faculté de médecine de Paris. Dictionnaire biographique (1794-1939)*, Institut national de recherche pédagogique, CNRS, 1991. — L. Thoinot, « La vie et l'œuvre de Paul Brouardel (1837-1906) », *Annales d'hygiène publique et de médecine légale*, 4e série, t. VI, 1906.

BRUAY-EN-ARTOIS (affaire de)

1972

L'exploitation politique du drame de Bruay-en-Artois n'aurait pu être qu'un épisode parmi d'autres de la geste gauchiste du début des années 70 si de prestigieux intellectuels ne lui avaient, un temps, apporté leur caution.

Une affaire Dreyfus* dans les corons ? À cette différence près qu'il ne s'agit plus de défendre un innocent mais de s'acharner sur un présumé coupable. L'époque est à la dénonciation de la justice de classe, orchestrée par la presse maoïste. Après la création, début 1971, du Groupe d'information sur les prisons* (GIP) par Michel Foucault*, et la rédaction d'un manifeste également signé par Pierre Vidal-Naquet* et Jean-Marie Domenach*, on voit se multiplier les comités d'action des prisonniers ou de défense des droits des immigrés. Autant d'initiatives auxquelles s'associent Claude Mauriac*, Jean Genet* et Maurice Clavel*.

Compagnon de route des maoïstes, directeur-gérant de *La Cause du peuple* depuis mai 1970, Sartre* trouve là un terrain pour exprimer sa révolte antibourgeoise. En décembre, le philosophe a participé à Lens à un « tribunal populaire » pour protester contre la mort de treize mineurs à la suite d'un coup de grisou. Après l'assassinat de Pierre Overney (février 1972), il a accordé à ses nouveaux amis un numéro spécial des *Temps modernes** consacré aux mérites de la justice populaire et auquel a participé Michel Foucault.

C'est dans ces circonstances qu'a lieu la découverte sur un terrain vague de Bruay-en-Artois, le 5 avril 1972, du cadavre d'une jeune fille, Brigitte Dewevre. Les soupçons du juge d'instruction Henri Pascal se portent sur le notaire du lieu, Pierre Leroy, membre du Rotary Club, habitué des transactions immobilières avec la Compagnie des Houillères. Dès lors la suspicion se mue en certitude. Le notable est *a priori* coupable puisque la victime est une fille de mineurs. Sur le thème du cannibalisme bourgeois et de la nécessaire justice du peuple, le comité Vérité-Justice de Bruay et la presse maoïste brodent à l'infini, mais avec une violence de ton qui finit par inquiéter Sartre. « Lynchage ou justice populaire ? », s'interroge-t-il dans *La*

Cause du peuple, en précisant qu'on ne saurait confondre le nécessaire combat « classe contre classe » avec une quelconque vindicte « classe contre individu ». Le degré d'implication de Michel Foucault dans l'affaire est discuté. Par la suite, la désimplication des intellectuels fut totale, et l'affaire s'enlisa.

Le drame de Bruay-en-Artois rend bien compte, par ailleurs, du raidissement du courant maoïste dans un puritanisme prolétarien, très en vogue à l'époque en Chine populaire. Ce qui n'a pas peu contribué à en détacher les intellectuels et à en précipiter le déclin.

Bernard Droz

■ D. Éribon, *Michel Foucault*, Flammarion, 1991. — H. Hamon et P. Rotman, *Génération*, t. 2 : *Les Années de poudre*, Seuil, 1988.

BRUCKNER (Pascal)

Né en 1948

Journaliste, écrivain, Pascal Bruckner est un des représentants les plus en vue de la génération de 68. Trois ouvrages, *Le Sanglot de l'homme blanc* (1983), *La Mélancolie démocratique* (1990), et *La Tentation de l'innocence* (1995), l'ont imposé comme l'un des essayistes français les plus aigus dans la critique des attitudes et des idéologies post-modernes de l'Occident.

Né le 15 décembre 1948, il passe une grande partie de son enfance en Autriche et en Suisse. Après des études à Lyon chez les jésuites, une hypokhâgne et une khâgne* au lycée Henri-IV à Paris, puis une maîtrise de philosophie à la Sorbonne, il prépare son doctorat à Paris VII sous la direction de Roland Barthes*.

Ses premiers ouvrages sont de l'esprit libertaire et ludique de Mai 68, commençant par une exaltation de *Fourier* euphorisante. En 1977 et 1979, il écrit, en collaboration avec Alain Finkielkraut*, des ouvrages de la même veine : *Le Nouveau Désordre amoureux* et *Au coin de la rue, l'aventure*. Un premier roman, *Lunes de fiel* (1981), qui sera adapté au cinéma, lui donne une première notoriété. Deux ans plus tard, il publie *Le Sanglot de l'homme blanc*, critique de la mauvaise conscience de l'Occident qui se traduit en tiers-mondisme*. Le livre rencontre un grand écho, mais il est discuté. Robert Maggiori, dans *Libération**, résume une inquiétude partagée : « Sa critique de la « compassion » manifestée envers le tiers monde risque d'être entendue comme un appel à la « non-compassion » [...] et sa définition, très brillante, très nuancée d'un « européocentrisme paradoxal » risque d'être entendue, plus grossièrement et sans aucun paradoxe, comme un « éloge de l'Occident » que la « droite » ancienne et nouvelle chante si bien depuis toujours. »

Dans *La Mélancolie démocratique*, P. Bruckner traite du paradoxe de la démocratie victorieuse du communisme : « Peut-on vivre sans ennemi ? » et décrit le consentement à la médiocrité, l'équivalence des opinions, « l'éloge ambigu de l'éphémère et de l'indifférence ». Poursuivant sa critique des sociétés occidentales, il analyse, dans *La Tentation de l'innocence*, leur infantilisme et leur propension à la « déploration », en faisant une large part à la guerre des sexes et au « politiquement correct » qui sévissent aux États-Unis. Depuis 1986, Pascal Bruckner enseigne régulièrement aux États-Unis (à l'université de New York notamment) et, depuis 1990, à l'Institut d'études politiques* de Paris. Membre du conseil d'administration de l'Action internationale contre la faim (AICF) de 1983 à 1988, il s'est engagé en 1990 contre le retour des Khmers rouges au Cambodge. Mais c'est la guerre dans l'ex-Yougoslavie* qui suscite son engagement le plus actif : membre fondateur du Comité Vukovar-Sarajevo, il figure sur la liste « L'Europe commence à Sarajevo » aux élections européennes et se rend à plusieurs reprises dans la ville assiégée.

Denis Condroyer

■ *Fourier*, Seuil, 1975. — *Le Nouveau Désordre amoureux* (avec A. Finkielkraut), Seuil, 1977. — *Lunes de fiel*, Seuil, 1981. — *Le Sanglot de l'homme blanc*, Seuil, 1983. — *Parias*, Seuil, 1985. — *Le Palais des claques*, Seuil, 1986. — *La Mélancolie démocratique*, Seuil, 1990. — *Le Divin Enfant*, Seuil, 1992. — *La Tentation de l'innocence*, Grasset, 1995.

BRUHAT (Jean)

1905-1983

Universitaire prolifique et sans thèse, oppositionnel encensé par *L'Humanité** au lendemain de sa mort, homme de masse à toute épreuve, l'historien communiste Jean Bruhat a exercé ses multiples talents au service de son parti. Fils de postier, boursier, khâgneux et normalien, il est né le 24 août 1905 à Pont-Saint-Esprit (Gard). Son entrée rue d'Ulm coïncide en octobre 1925 avec son inscription au Parti communiste. Ayant surmonté quelques réticences face à la « bolchevisation », il rompt les ponts avec les milieux marxistes dissidents. Agrégé d'histoire-géographie (1929), il grimpe les échelons du mouvement syndical enseignant du second degré, à la CGTU puis au Syndicat national unifié dont il devient en 1937 le secrétaire.

Sa nomination au lycée Buffon à Paris (1937) permet à la direction communiste d'utiliser, notamment à l'École centrale du Parti, des compétences désormais reconnues et un profil sociologique modèle. Ses chroniques dans *L'Humanité* confèrent au tournant patriotique du PCF un ancrage théorique par l'appropriation de larges pans du passé national. Surtout, la Révolution française constitue une mine analogique inépuisable alors même qu'il s'agit de justifier la terreur stalinienne. Conseiller technique de Jean Renoir* pour le tournage de *La Marseillaise*, Bruhat apporte aussi son concours à Maurice Thorez dans l'élaboration de ses interventions. Dans les *Cahiers du bolchevisme*, il constitue l'indispensable pendant aux contributions du géographe Pierre George*.

Après une période de démobilisation politique au cours de la guerre, Jean Bruhat étend ses activités de formation au mouvement syndical (Commission d'éducation ouvrière CGT). Animateur du « Cercle idéologique des enseignants d'histoire du Parti », il dirige leur travail de masse au sein de l'Association des professeurs d'histoire-géographie. Membre de l'Institut d'études de l'économie soviétique dirigé par Alfred Sauvy*, il collabore aux *Cahiers de l'économie soviétique* édités aux PUF. En avril 1950, il théorise dans les *Cahiers du communisme* « l'apport de Maurice Thorez à l'Histoire », intronisant le secrétaire du Parti « historien de type nouveau » dont la pensée « brise, en s'affirmant, le cloisonnement que l'Université bourgeoise a établi entre les sciences ». Il monte au créneau lors de la querelle de la CED en contribuant à *L'Europe de Napoléon à nos jours* (Éditions sociales, 1955). En 1958, il est partie prenante du Comité national universitaire, mis sur pied par le PCF pour élargir l'assise du vote « non » au référendum.

À cette date, il est pourtant assailli par de multiples interrogations qui s'approfondiront ensuite. Après Budapest, la guerre d'Algérie et Mai 68 lui fournissent l'occasion de marquer sa différence et de renouer avec l'extrême gauche non communiste, que cet éternel maître-assistant côtoie à l'université de Vincennes. Pour lui, il était toutefois trop tard, disait-il, pour se résoudre à affronter les lendemains d'une rupture avec son parti.

Yves Santamaria

■ *Il n'est jamais trop tard*, Albin Michel, 1983.
▒ B. Pudal, *Prendre Parti. Pour une sociologie historique du PCF*, Presses de la FNSP, 1989. — J. Verdès-Leroux, *Au service du Parti. Le Parti communiste, les intellectuels et la culture (1944-1956)*, Fayard / Minuit, 1983.

BRUNET (Roger)

Né en 1931

Né en 1931, Roger Brunet est le « capitaine d'industrie » de la géographie française. À la différence de deux de ses contemporains, Yves Lacoste* (1929), qui brille surtout dans les médias français, et Paul Claval (1932), qui occupe une place enviée au sein de la communauté géographique internationale, Brunet a réussi à créer une vaste entreprise géographique. Son parcours se décompose clairement en deux séquences qui se chevauchent partiellement. La première débute à Toulouse en 1957. Le jeune universitaire termine brillamment son doctorat d'État en 1964 mais sa thèse secondaire sur « les phénomènes de discontinuité en géographie » ne passe pas inaperçue. Il y démontre ses capacités, peu développées à cette époque parce que peu appréciées en géographie, à généraliser, à théoriser, à modéliser. Il y a déjà là les ingrédients fondamentaux de ses travaux futurs : un peu de marxisme et beaucoup de structuralisme, une posture d'« ingénieur du social » autant que de chercheur, des idées novatrices mais aussi, quand il le faut, un profil « convenable », des propositions exprimées dans un langage clair et coupant, mais non dénuées d'ambitions littéraires. Ses idées et son style laissent des traces à Toulouse, à Reims, à Paris.

Il crée en 1972 une nouvelle revue, *L'Espace géographique*, qui deviendra rapidement une référence des modernistes, face aux conformistes *Annales de géographie*. En 1980, par un article-programme, il explicite une manière de travailler qu'il pratique depuis longtemps déjà : le *chorème*. Cette cartographie simplifiée débouche aussi sur un vocabulaire et une grammaire des structures élémentaires ; les chorèmes connaissent un franc succès. La « linguistique » chorématique tend à proposer des « lois générales de l'espace » qui présentent l'inconvénient épistémologique mais l'avantage sociologique d'assurer une entrée ambiguë de la géographie dans le concert des sciences sociales.

Une « bifurcation » intervient en 1981, en liaison avec une conjoncture politique dont Brunet saura remarquablement tirer parti. Car l'alternance politique correspond en géographie à une première victoire des « modernes », qui, depuis vingt ans, se sont sentis écrasés par les « anciens ». Brunet va ainsi se retrouver leader naturel de l'aile marchante de la géographie française. Proche des socialistes et compétent, il accède en effet rapidement à des postes importants au ministère de la Recherche puis à la DATAR. Fort de ses appuis nationaux et locaux, il réalise le montage institutionnel et financier du GIP-Reclus et de la Maison de la géographie de Montpellier.

Considérés par certains comme un manque de rigueur théorique, sa mobilité intellectuelle et son pragmatisme deviennent des qualités d'homme d'action. Il lance trois projets pharaoniques : une nouvelle *Géographie universelle*, un *Atlas de France*, un Observatoire de la dynamique des localisations. Avec beaucoup de souplesse, il tisse un vaste réseau qui donne du travail à bon nombre de géographes en tenant compte des spécificités de chaque groupe, de chaque individu : il satellise les « quantitativistes » du Groupe Dupont, s'associe au coup par coup avec l'ensemble des « rénovateurs » de l'Association française pour le développement de la géographie, entretient de bonnes relations avec la revue *Espaces Temps*. De nombreux ouvrages, atlas, manuels, essais sont édités, une revue de cartographie, *Mappemonde*, est lancée. Les cartes produites par le GIP-Reclus se répandent partout et notamment parmi les décideurs, qui découvrent, horrifiés, avec la configuration des villes européennes, que la France occupe une position périphérique. Tous ces succès produisent une réelle surchauffe dans une machinerie qui, au-delà des apparences, reste dominée par la personnalité quelque peu écrasante de son inventeur. Le mérite de Roger Brunet est ailleurs : avoir démontré qu'on peut produire et diffuser de la géographie universitaire.

Jacques Lévy

■ *Les Phénomènes de discontinuité en géographie*, CNRS, 1968. — « La composition des modèles dans l'analyse spatiale », *L'Espace géographique*, n° 4, 1980. — *La Carte, mode d'emploi*, Paris / Montpellier, Fayard / Reclus, 1987. — « Redéploiements de la géographie », *Espaces Temps*, n° 40-41, 1989. — *Les Villes « européennes »* (dir. R. Brunet), DATAR / La Documentation française, 1989. — « Le déchiffrement du monde », in R. Brunet (dir.), *Géographie universelle*, Paris / Montpellier, Hachette / Reclus, 1990, t. 1. — *Le Territoire dans les turbulences*, Montpellier, Reclus, 1990. — *Les Mots de la géographie* (dir. R. Brunet), Montpellier, Reclus, 1992. — *La France, un territoire à ménager*, Éditions N° 1, 1994.

BRUNETIÈRE (Ferdinand)

1849-1906

Ferdinand Brunetière fut, à la charnière du XXe siècle, une personnalité éminente, reconnue et écoutée.

Il est né à Toulon en 1849 dans une famille bourgeoise, conservatrice mais libérale en matière d'éducation. Il échoue en 1869 et 1870 au concours d'entrée à l'École normale supérieure* et s'engage quelques mois dans l'armée pour défendre Paris ; il suit ensuite ses parents à Rennes où il étudie le droit. En 1873, rentré à Paris, il se consacre à la littérature et Paul Bourget* le présente en 1875 à Buloz, fondateur de la *Revue des Deux Mondes**. Brunetière commence alors à écrire pour cette revue dont il devient secrétaire en 1877, puis directeur à partir de 1893 et jusqu'à sa mort.

Spécialiste de la littérature des XVIIe et XVIIIe siècles, Brunetière publie à partir de 1880 plusieurs volumes sur la littérature française (*Histoire et littérature*, 1884 ; *Questions de critique*, 1889). L'ensemble de ses articles et ouvrages lui vaut d'être nommé, en 1886, maître de conférence à l'École normale supérieure, de donner des cours à la Sorbonne et des conférences à l'Odéon. Enfin il est reçu à l'Académie française* en 1894 ; Georges Sorel* écrivait de lui qu'à cette date, « après la mort de Renan et de Taine, il était le guide incontesté de la pensée contemporaine ». Cette position est confirmée par le retentissant scandale que provoque son article « Après une visite au Vatican » (janvier 1895) dans lequel Brunetière affirme que le progrès lié à la science est un leurre, notamment sur le plan moral. Berthelot*, Poincaré*, Zola* et d'autres lui répondent lors du fameux banquet de Saint-Mandé, organisé le 4 avril 1895 par l'Union de la jeunesse républicaine.

C'est donc en habitué de la polémique que Brunetière s'attaque à Zola et aux intellectuels au moment de l'affaire Dreyfus*. Dans « Après le procès » (mars 1898) — celui de Zola après « J'accuse » (janvier 1898) —, il dénonce l'antisémitisme comme la conséquence directe des théories pluriraciales qui fleurissent depuis quelques décennies et défend l'armée et sa démocratie interne. Surtout il attaque violemment les « intellectuels » qui, forts d'un savoir particulier, prétendent détenir la vérité. L'originalité de son point de vue réside dans le fait qu'il défend les institutions — ici l'armée et l'Église — parce qu'elles sont les garantes du « lien social » contre l'individualisme, mortel pour la société dans son ensemble.

Revenu à la foi catholique au terme d'une longue réflexion (*Le Besoin de croire*, 1898 ; *Les Raisons actuelles de croire*, 1900), Brunetière se fait l'ardent défenseur de l'orthodoxie et, avec un groupe d'académiciens baptisés les « Cardinaux verts » (P. Bourget, G. Goyau...), plaide en 1906 pour l'apaisement après la Séparation des Églises et de l'État*. Il est mort à la fin de l'année 1906, à Paris, déjà un peu isolé.

Marie-Laurence Netter

■ *Études critiques sur l'histoire de la littérature française*, Hachette, 1880-1907, 8 vol. — *Discours de combat*, Perrin, 1899, 1903, 1907.

▒ A. Archidec, *Ferdinand Brunetière ou la Rage de croire*, thèse, université de Lille, 1976.

Brunhes (Jean)

1869-1930

Géographe, élève de P. Vidal de La Blache*, Jean Brunhes s'est affranchi précocement, par les postes qu'il a détenus, par ses options scientifiques et sociales, du milieu des géographes vidaliens. Il a eu une audience au-delà du cercle universitaire parisien et français.

J. Brunhes est né à Toulouse le 25 octobre 1869, dans une famille catholique et universitaire. Admis à l'École normale supérieure* en 1889, après avoir hésité entre la philologie, l'histoire et la géographie, il choisit cette discipline en 1891, séduit par l'enseignement de Vidal de La Blache (« un véritable imprégnateur », dira-t-il). En 1892, il est reçu à l'agrégation d'histoire et de géographie et admis à la Fondation Thiers nouvellement créée. Il consacre ces trois années à une formation scientifique et technique en suivant les cours de l'École des mines, des Ponts et Chaussées et de l'Institut agronomique. Il travaille également sur le thème de l'utilisation de l'eau dans les régions sèches et choisit, malgré les réserves de P. Vidal de La Blache, dont les préférences allaient à une monographie régionale, l'irrigation dans la péninsule Ibérique et dans l'Afrique du Nord. Ce point de vue comparatif reste celui de sa soutenance, qui a lieu en 1902 et qui fera date, puisque le sous-titre, *Étude de géographie humaine*, officialise dans l'Université française une démarche distincte de l'« anthropogéographie » allemande. Entre-temps, J. Brunhes a commencé en 1896 une carrière universitaire à Fribourg (Suisse), s'écartant là aussi des voies tracées par son maître.

Disposant d'un statut et d'une autorité scientifiques, il développe sa propre conception de la géographie humaine, qui, au travers de plusieurs étapes de réflexion et de publications, le conduit au premier traité de cette discipline paru en français (1910). Cette *Géographie humaine, essai de classification positive*, est une taxinomie des formes d'occupation de la surface terrestre qui prend appui sur les traces matérielles (habitat, routes, cultures), témoignages de l'activité des sociétés humaines. J. Brunhes construit sa démonstration en multipliant les monographies réalisées dans de petites unités géographiques : îles, vallées montagnardes, oasis ; puis il généralise par comparaison. Sa méthode est proche des enquêtes de l'école leplaysienne mais elle suscitera presque aussitôt les réserves de Vidal et de ses élèves. Ceux-ci pensent que ce souci d'observation limite en réalité le champ des études géographiques aux seuls faits visibles à une échelle locale, alors que la géographie humaine doit viser à l'étude de phénomènes qui existent à des échelles régionales ou continentales et qui ne sont pas forcément matérialisés dans le paysage. Son ouvrage connut néanmoins un succès presque immédiat.

Parallèlement à ses travaux scientifiques, J. Brunhes a une activité militante dans la mouvance du catholicisme social. Jeune normalien, il est membre de la Conférence de Saint-Vincent-de-Paul, participe à des actions en milieu populaire à Paris et en banlieue. Avec ses frères et G. Goyau, un camarade d'école, il salue le toast du cardinal Lavigerie et l'encyclique *Rerum novarum* par la réalisation d'un petit ouvrage enthousiaste. À Fribourg, il est l'un des promoteurs de la Ligue sociale des acheteurs qui essaie de développer le sens de la responsabilité sociale vis-à-vis des travailleurs à partir de l'acte d'achat. Lecteur de John Ruskin, il en donne une interprétation sociale (*Ruskin et la Bible. Pour servir à l'histoire d'une pensée*, 1901). Il assiste et communique à plusieurs reprises aux Semaines sociales* et, à partir de 1920, entretient des relations avec les Équipes sociales de R. Garric*.

En 1912, J. Brunhes est élu au Collège de France*. Son cours du lundi, où son éloquence est appuyée par des documents photographiques ou cinématographiques, devient une tribune parisienne pour la géographie. Le conflit mondial lui ouvre un nouveau champ d'activité : il est considéré comme un spécialiste des problèmes des Balkans et lui-même milite pour les causes serbe et albanaise. Il participe aux travaux du Comité d'études* rédigeant un rapport soutenant l'intégrité territoriale de l'Albanie. Dans l'après-guerre, il se consacre, par des ouvrages, des articles scientifiques ou des correspondances données à des revues, à commenter le monde nouveau. En 1927, il est élu à l'Académie des sciences morales et politiques. Il meurt le 24 août 1930.

Jean-Louis Tissier

■ *L'Irrigation. Ses conditions géographiques, ses modes et son organisation dans la péninsule Ibérique et dans l'Afrique du Nord. Étude de géographie humaine*, C. Naud, 1902. — *La Géographie humaine. Essai de classification positive, principes et exemples*, Alcan, 1910. — *La Géographie de l'histoire. Géographie de la paix et de la guerre* (avec C. Vallaux), Alcan, 1921.

▒ M. Jean-Brunhes Delamarre, « Jean Brunhes (1869-1930) », in *Les Géographes français*, Comité des travaux historiques et scientifiques, 1975.

BRUNSCHVICG (Cécile)

1877-1946

Cécile Brunschvicg, à qui l'on doit le développement de la mobilisation suffragiste entre 1910 et 1936, fut aussi militante du Parti radical et sous-secrétaire d'État au ministère de l'Éducation de Léon Blum*. Née à Enghien-les-Bains en 1877 dans une famille de la bourgeoisie juive industrielle, Cécile Kahn nourrit des aspirations intellectuelles en dépit de son éducation conventionnelle et passe, en cachette, le brevet supérieur. Elle épouse le philosophe Léon Brunschvicg* en 1899, ils auront quatre enfants. L'affaire Dreyfus* la sensibilise aux questions politiques et sociales, notamment au sort des femmes. Convaincue par son mari de la nécessité du droit de vote, elle s'engage dans le combat suffragiste. Très active, elle s'impose comme la cheville ouvrière de la toute jeune Union française pour le suffrage des femmes (UFSF), fondée en 1909. Elle s'occupe aussi du travail au Conseil national des femmes françaises. Philanthrope, elle fonde en 1909 l'œuvre des « Réchauds du midi » qui permet aux ouvrières de faire réchauffer leur déjeuner. En 1914, elle organise l'accueil des réfugiés. La présence massive des femmes dans les usines génère un besoin d'aide sociale que C. Brunschvicg concrétise en créant l'École des surintendantes d'usine (1917), destinée à former des assistantes sociales au sein des entreprises.

En 1924, elle prend la présidence de l'UFSF et dirige le journal *La Française*. La même année, elle adhère au Parti radical dont elle tente en vain d'infléchir la position antisuffragiste. Finalement, le parti aura le dernier mot : Cécile Brunschvicg accepte de tempérer ses revendications pour participer au premier gouvernement du Front populaire. Réfugiée dans le midi pendant la Seconde Guerre mondiale, elle vit dans la clandestinité et perd son mari en 1944. Avant de s'éteindre à Neuilly-sur-Seine en octobre 1946, elle reprend contact avec l'action féministe, notamment au Conseil international des femmes et à la Fédération démocratique internationale des femmes.

Laurence Klejman et Florence Rochefort

■ « Le suffrage des femmes », *Les Documents du Progrès*, décembre 1913. — *Le Suffrage des femmes*, Leiden, 1938.

▒ S. Hause, *Women's Suffrage and Social Politics in the French Third Republic*, Princeton University Press, 1984. — J. Jolly, *Dictionnaire des parlementaires français (1884-1940)*, PUF, 1962. — L. Klejman et F. Rochefort, *L'Égalité en marche. Histoire du féminisme sous la IIIe République*, Presses de la FNSP / Des femmes, 1989.

BRUNSCHVICG (Léon)

1869-1944

Léon Brunschvicg a joué un rôle dominant dans la philosophie française depuis le début du siècle jusqu'à la Seconde Guerre mondiale. Dreyfusard, il devint par la suite une autorité écoutée par les hommes politiques qu'il fréquente beaucoup. Il fut ainsi parmi les universitaires consultés lors de la réforme de l'Université de 1902. Auteur de seize ouvrages publiés de son vivant, de cinq livres posthumes et d'une édition des œuvres de Pascal, il n'est plus guère lu aujourd'hui, tant son optimisme intellectualiste paraît daté.

Né le 10 janvier 1869 à Paris, fils d'un passementier, il est la parfaite illustration de l'excellence scolaire à la française : lauréat du concours général dans plusieurs disciplines, reçu deuxième au concours d'entrée à l'École normale supérieure* et premier à celui de l'agrégation de philosophie, il fut au lycée Condorcet l'élève d'Alphonse Darlu* — le maître de Proust* — et le condisciple de Xavier Léon. Brunschvicg fait un séjour assez long dans l'enseignement secondaire, d'abord en province, comme c'est l'usage, à Lorient, Tours et Rouen, ensuite à Paris, à partir de 1900, à Condorcet puis à Henri-IV, où il exerce en khâgne*. Il épouse alors Cécile, qui s'illustrera comme militante des droits de la femme et sera, au moment du Front populaire, sous-secrétaire d'État au ministère de l'Éducation. Ce n'est qu'en 1909 qu'il accède à l'enseignement supérieur, avec une maîtrise de conférences à la Sorbonne. Succédant à Lévy-Bruhl*, il y occupe, à partir de 1927, la chaire d'histoire de la philosophie moderne. Élu en 1919 à l'Académie des sciences morales et politiques, il joue un rôle central dans la vie universitaire, en participant activement aux formes de sociabilité philosophique qu'il a lui-même contribué à instaurer, particulièrement autour de la *Revue de métaphysique et de morale*, dont il fut, aux côtés d'Élie Halévy* et de Xavier Léon, un des promoteurs en 1893, et au sein de la Société française de philosophie, dont il fut l'un des piliers à partir de sa création en 1900. Exemple même du grand professeur, il fut au début des années 30 la cible d'un jeune philosophe révolté, Paul Nizan*, qui l'avait dénoncé avec une très grande violence dans *Les Chiens de garde* (1932) : « M. Brunschvicg est comme un évêque, écrivait-il. Sa fonction est de justifier la morale bourgeoise. » Le professeur, dont l'ironie bienveillante enveloppait un grand souci des étudiants, ne tint pas rigueur à Nizan de son insolence. Mais l'incompréhension dont il était l'objet témoigne du décalage croissant entre sa manière de faire de la philosophie et les aspirations de la nouvelle génération.

Dès sa soutenance de thèse sur *La Modalité du jugement* en 1897, il avait défini les principes de son engagement intellectualiste. Au point de départ, il faut admettre que la connaissance est un monde qui constitue pour nous le monde, et que c'est par le jugement que s'effectue la connaissance. La philosophie doit produire une doctrine de la science dont l'objet n'est pas de dire ce qu'elle devrait être, mais qui, par l'attention qu'elle porte à ses opérations, est capable de décrire ses progrès, qui sont autant d'épreuves de libération. C'est l'objet des *Étapes de la philosophie mathématique* (1912), qui montrent comment la partition entre les éléments intuitifs et les éléments logiques a fait éclater la notion d'intuition. Les ouvrages qui suivront seront encore centrés sur la description des progrès de la conscience et la confiance dans les pouvoirs de la raison, qui sait merveilleusement ranger au magasin des accessoires des principes vieillis pour leur en substituer d'autres qui les englobent : les penseurs se tendent la main à travers les siècles, selon l'expression de Jean Nabert. *Le Progrès de la conscience dans la philosophie occidentale* (1927) en constitue la meilleure illustration. La doctrine religieuse de Brunschvicg n'est que la conséquence de son idéalisme rationaliste : l'homme est participant de la divinité en tant qu'il participe de la raison. Parallèlement au développement d'une épistémologie, Brunschvicg a poursuivi des travaux d'histoire de la philosophie qui portent principalement sur Pascal et Spinoza.

L'épistémologie de Brunschvicg n'a pas résisté à des formes plus investigatrices d'histoire des sciences, et la fin de sa vie apporta un démenti tragique à son optimisme fondé en raison. Traqué, il dut se réfugier à Aix-en-Provence sous un faux nom, et mourut le 18 janvier 1944 dans une clinique d'Aix-les-Bains où il venait d'être admis. L'homme qui avait connu tous les honneurs dévolus au grand universitaire républicain vécut en spinoziste l'épreuve qui lui était infligée.

Jean-Louis Fabiani

■ *La Modalité du jugement*, Alcan, 1897, rééd. augmentée PUF, 1964. — *Les Étapes de la philosophie mathématique*, Alcan, 1912, rééd. PUF, 1947. — *L'Expérience humaine et la causalité physique*, Alcan, 1922, rééd. PUF, 1949. — *Spinoza et ses contemporains*, Alcan, 1923, rééd. PUF, 1951. — *Les Progrès de la conscience dans la philosophie occidentale*, Alcan, 1927, rééd. PUF, 1953. — *Les Âges de l'intelligence*, Alcan, 1934, rééd. PUF, 1953.

▒ M. Deschoux, *Léon Brunschvicg ou l'Idéalisme à hauteur d'homme*, Seghers, 1967. — J.-L. Fabiani, *Les Philosophes de la République*, Minuit, 1988. — P. Nizan, *Les Chiens de garde*, Rieder, 1932.

BUISSON (Ferdinand)

1841-1932

Ferdinand Buisson appartient à la génération des fondateurs de la République. Protestant ultra-libéral, adepte d'une « foi laïque », il participe à la mise en place de l'enseignement public. Né en 1841 à Paris, F. Buisson a seize ans quand la mort de son père, juge à Saint-Étienne, le contraint à quitter le lycée et à subvenir aux besoins de sa famille. Il poursuit néanmoins ses études seul et obtient une licence ès lettres puis l'agrégation de philosophie. Pour éviter de prêter serment à l'Empereur, il s'exile en Suisse et y enseigne la philosophie.

Protestant, il adhère au christianisme libéral et développe la conception d'une religion proche d'une morale indépendante et individuelle qui s'articule avec son engagement républicain et anticlérical. Plusieurs de ses ouvrages prêchent pour une « foi laïque », nécessaire selon lui pour asseoir la République sur des bases solides et assurer sa pérennité. Encore faut-il développer l'éducation, tâche qui devient sa priorité et l'objet de sa réflexion, concrétisée par un ambitieux *Dictionnaire de pédagogie*. En France après Sedan, il crée un orphelinat laïque puis est nommé inspecteur primaire à Paris. L'hostilité de Mgr Dupanloup lui vaut d'être relégué à la commission de statistique de l'Enseignement primaire. La victoire républicaine le réhabilite. Devenu inspecteur général de l'Instruction publique et directeur de l'Enseignement primaire, il collabore avec Jules Ferry à la fondation de l'école laïque. En 1896, la Sorbonne crée pour lui une chaire de pédagogie.

Fervent dreyfusard et membre fondateur de la Ligue des droits de l'homme* dont il deviendra président en 1913, il s'engage au moment de l'Affaire aux côtés des radicaux-socialistes. Élu député du XIIIe arrondissement de Paris en 1902, il assume cette fonction jusqu'en 1914, puis de 1919 à 1924. Combiste, il préside la commission de la Séparation des Églises et de l'État* et se charge de questions éducatives, notamment de l'enseignement technique. En 1906, nommé rapporteur d'une loi en faveur du droit de vote des femmes, il prend position dans un rapport détaillé, contrairement à la plupart des radicaux, pour l'égalité politique avec les hommes à l'échelon municipal. Mieux encore, il fonde l'Alliance des électeurs pour le suffrage des femmes, très active avant la Première Guerre mondiale*.

Pacifiste militant dès sa jeunesse, il reçoit le Prix Nobel de la paix en 1926. Il vit retiré dans un village de l'Oise, Thieuloy-Saint-Antoine, jusqu'à sa mort en 1932.

Laurence Klejman et Florence Rochefort

■ *Dictionnaire de pédagogie*, 1887. — *Nouveau dictionnaire de pédagogie*, 1900. — *Le Vote des femmes*, Dunod et Pinat, 1911. — *La Foi laïque*, Hachette, 1912.

▒ J.-M. Mayeur, « La foi laïque de Ferdinand Buisson », *Libre-pensée et religion laïque en France* (journées d'études de Paris XII, 1979), Strasbourg, Cerdic, 1980. — P. Nora, « Le *Dictionnaire de pédagogie* de Ferdinand Buisson », *Les Lieux de mémoire*, vol. 1 : *La République*, Gallimard, 1984. — *Les Protestants dans les débuts de la IIIe République*, Société française d'histoire du protestantisme, 1979.

BUREAU CENTRAL DE RECHERCHES SURRÉALISTES

Premier lieu où un groupe littéraire prétend rencontrer son public, ce « Bureau » est ouvert le 11 octobre 1924 par les surréalistes au 15 rue de Grenelle, dans le VIIe arrondissement de Paris, pour recevoir tous ceux qui s'intéressent au surréalisme. Sollicité par voie de presse, le public est invité à venir à la centrale pour « apporter des suggestions » et pour « se prêter en toute liberté aux expériences et consultations » proposées par les poètes surréalistes. Proche des locaux de *La Nouvelle Revue française**, situé dans la cour intérieure d'un immeuble occupé principalement par la famille d'un des surréalistes, Pierre Naville*, ce lieu est ouvert tous les après-midi jusqu'au 30 janvier 1925.

Deux surréalistes en assurent la « permanence » et consignent presque quotidiennement dans un cahier des noms de visiteurs et les motifs de leur démarche, des propositions faites par des membres du groupe sur le contenu à donner au surréalisme, et toutes les activités du Bureau. Ainsi des récits anonymes de rêves sont recueillis et certains publiés dans *La Révolution surréaliste*. Si, grâce à ce lieu, des personnes étrangères au champ littéraire (M. Béchet, G. Bessière) participent aux activités et publications du groupe, la majorité des visiteurs appartient à la « république des lettres » (écrivains, journalistes de la presse littéraire). À la fin de janvier 1925, la centrale, dont la direction est confiée à Artaud*, est fermée au public et devient un lieu de travail administratif, pour la revue, et de réunion pour le groupe. La centrale cesse son activité en avril 1925 après les désaccords entre Artaud et le groupe.

Norbert Bandier

BUTOR (Michel)

Né en 1926

Romancier, critique, poète et auteur de maintes œuvres difficiles à classer, Michel Butor est aussi professeur de philosophie et de lettres. Figure majeure du « Nouveau Roman » des années 50 et 60, il s'allie à Alain Robbe-Grillet* et à Nathalie Sarraute* dans la contestation radicale des structures littéraires traditionnelles. En 1955, dans son essai *Le Roman comme recherche* (repris dans *Répertoire I*), il esquisse un thème majeur du mouvement naissant lorsqu'il présente le roman comme « le laboratoire du récit » qui permettra d'explorer « tout ce récit fondamental dans lequel baigne notre vie entière ».

Michel Butor est né le 14 septembre 1926 à Mons-en-Barœul, dans une famille catholique et cultivée, qui s'établit à Paris en 1929. Il fait ses études primaires à l'école paroissiale, et ses études secondaires à l'école Saint-François-Xavier, au collège des jésuites à Évreux et, en 1940, au lycée Louis-le-Grand. Licencié de philosophie à la Sorbonne, il prépare, en 1947, le diplôme sous la direction de Bachelard*. Après son échec au concours d'entrée de l'École normale supérieure* et à l'agrégation, il obtient un poste de professeur dans des lycées à l'étranger. Débutent les grands voyages qui jalonneront sa vie et au cours desquels, s'affranchissant des traditions politiques et religieuses de sa famille, il adopte une position résolument progressiste : signataire du « Manifeste des 121 »* en 1960, il ne demeure pas étranger aux événements de Mai 68. Avec N. Sarraute et J.-P. Faye* notamment, il proteste contre la Société des gens de lettres, qui sera remplacée par l'Union des écrivains. Après le lycée de Sens, puis Minieh en Égypte, il est, de 1951 à 1953, lecteur à l'université de Manchester. En 1954, il publie son premier roman, *Passage de Milan*, et part à Salonique. De retour en France, il publie *L'Emploi du temps* (prix Fénéon) et repart en 1956 pour Genève, où il rencontre Marie-Josèphe Mas, qu'il épousera en 1958. Avec *La Modification*, il remporte, en 1957, le prix Renaudot. C'est le premier grand succès public du Nouveau Roman : 100 000 exemplaires, qui valent à *La Modification* de rejoindre les best-sellers de l'année. En 1958, année de parution du *Génie du lieu*, il devient conseiller littéraire chez Gallimard*. Le premier volume de ses essais critiques, *Répertoire*, voit le jour en 1960, ainsi que *Degrés*, dernier de ses livres à être désigné comme « roman ». Les ouvrages ultérieurs, brisant le cadre du roman, mettent en relief les ambiguïtés de la représentation, et s'efforcent d'atteindre l'expérience totale d'un monde et d'un moment vus comme des points d'entrecroisement dans un vaste réseau de temps, de lieux, de civilisations et de rêves.

Sa passion pour les voyages (« voyager c'est écrire et écrire c'est voyager ») le pousse à explorer les grandes villes d'Europe et à parcourir le monde. Ses activités d'enseignant se développent : il devient professeur de lettres dans les universités de Genève et de Nice, et fait des séjours comme professeur associé dans diverses universités, aux États-Unis et en Australie. Féru de lecture, d'art et de musique, il explore les mondes particuliers des grands artistes — de Proust et Montaigne à Beethoven et Mondrian. L'expérimentation implacable qu'il poursuit dans ses œuvres en rend parfois l'accès difficile, mais il a beaucoup apporté, sur le plan international, au renouvellement de la théorie et de la critique littéraires.

Valérie Minogue

■ *L'Emploi du temps*, Minuit, 1956. — *La Modification*, Minuit, 1957. — *Le Génie du lieu*, Grasset, 1958. — *Degrés*, Gallimard, 1960. — *Répertoire*, Minuit, 1960-1982, 5 vol. — *Mobile. Étude pour une représentation des États-Unis*, Gallimard, 1962. — *Portrait de l'artiste en jeune singe : Capriccio*, Gallimard, 1967. — *Matière de rêves*, Gallimard, 1975-1984, 5 vol. — *Boomerang*, Gallimard, 1981.

▒ G. Charbonnier, *Entretiens avec Michel Butor*, Gallimard, 1967. — E. Jongeneel, *Michel Butor. Le pacte romanesque*, Corti, 1988. — G. Raillard, *Butor*, Gallimard, 1968. — Skimao et B. Teulon-Nouailles, *Michel Butor : Qui êtes-vous ?*, Lyon, La Manufacture, 1988. — *Butor* (colloque de Cerisy), UGE, 1974.

Cafés littéraires

Le premier des cafés littéraires, c'est bien sûr le « Procope » ouvert en 1686 par Francesco Procopio dei Coltelli, rue des Fossés-Saint-Germain-des-Prés. Auteurs, comédiens, critiques de la Comédie-Française, ouverte en 1689, juste en face, en font le succès, avant d'être relayés par les futurs Encyclopédistes, puis par Marat, Legendre, Fabre d'Églantine, et Camille Desmoulins à la veille de la Révolution. Avec le « Procope », le café devient d'emblée littéraire par la qualité de ses clients. La rareté de ce qui s'y consomme — le café, auparavant réservé à la noblesse, et les sucreries et sirops, rares, chers et raffinés — le distingue des anciens cabarets. Sorte de succédané, dans l'ordre de la consommation, du salon de la noblesse pour la bourgeoisie intellectuelle, il l'est encore par les rencontres, les discussions et les échanges.

Lorsque les surréalistes, après la Grande Guerre, font des cafés le triple lieu de leur réunion, de leur promotion et de leur inspiration, ils ne font que radicaliser la fonction héritée des Lumières que les écrivains du XIXe siècle avaient conférée au café : une géographie qui répliquait leurs divisions en écoles littéraires. Choisir le « Certa », de la galerie des Baromètres, au temps du dadaïsme, puis le « Cyrano » de la place Blanche, c'est rompre symboliquement avec la littérature dominante. Si le « Certa », le « Cyrano » sont, comme les Puces ou les grands boulevards, des lieux d'inspiration, les surréalistes ne fréquentent les cafés de Montparnasse que pour les transformer en lieux de scandale, ainsi la « Closerie des Lilas » lors du banquet en l'honneur de Saint-Pol Roux en 1925. Comme au « Procope », les boissons — le célèbre mandarin-curaçao, initialement consommé par les souteneurs de Pigalle — sont autant de manières de se démarquer des manières officielles.

Avec l'après-guerre, l'écrivain au café devient un cliché au sens propre et au sens figuré, dont Sartre* et Simone de Beauvoir* sont les plus ardents propagandistes. Le Castor a toujours, pour mieux rompre avec son milieu, et par goût du gin-fizz, fréquenté cafés et bars. Correspondance et journal font état de pérégrinations quotidiennes dont la trajectoire ne dévie qu'exceptionnellement du triangle Saint-Germain, Montparnasse, Saint-Michel. Le café est, pour elle, inséparablement lieu de travail et de consommation, comme il est, pour le couple, lieu de rencontres, de bavardages, de potinages, en bref, lieu de sociabilité, voire lieu d'inspiration. Certaines des plus célèbres analyses phénoménologiques de *L'Être et le néant* ne sont-elles pas tirées de l'observation du serveur ou de ses clients ? Mais c'est le « Flore » que le couple transforme en café littéraire de l'existentialisme. Lieu déjà lointain de naissance de l'Action française*, il a d'abord été le repère de la « bande à Prévert », arrivée là en 1925, attirée par la proximité de son restaurant d'élection : le « Chéramy », rue Jacob. Simone de Beauvoir commence véritablement à découvrir le « Flore » au début de la guerre, et le retour de Sartre en avril 1941 le transforme en étape obligée de la journée. Choix pratique, et un peu politique car Sartre confie plus tard à Vian* que le « Dôme », peu confortable parce que mal chauffé, était en outre fréquenté par « les souris grises ». Choix de consommateur enfin : grâce aux garçons de café et peut-être au marché noir, le « Flore » lui fournit du tabac.

La fréquentation du « Flore » exclut rapidement toute fréquentation des « Deux Magots » qui, selon la cartographie de Sartre, accueilleraient les « vieux littérateurs », et « Lipp », la politique : le couple retrouve la stratégie de démarcation des écoles littéraires. Mais en transportant ses habitudes anciennes — travailler au café, en faire un lieu de rendez-vous amoureux —, il renouvelle aussi l'image de l'écrivain. Tous les articles, toutes les photos les montrent désormais en situation : au « Flore ». Le « café littéraire », associé au « Tabou », la cave la plus célèbre de Saint-Germain, devient un phénomène de mode, une curiosité touristique, un lieu de pèlerinage parce que le métier d'écrivain change et qu'il devient public, tandis que la vie des auteurs devient objet de curiosité. En faisant du café un lieu d'exposition de leur vie tant privée que professionnelle, le couple Beauvoir-Sartre contribue très largement à la « starification » de l'auteur relevée par Roland Barthes* à propos de la figure obligée de l'écrivain en vacances.

Les transformations accélérées du métier d'écrivain à partir de la fin des années 60 ont conduit à le professionnaliser : accès indispensable et rapide à la critique en vertu du système de l'office, course aux prix littéraires et « médiatisation » qui l'oblige à fréquenter les critiques. Les maisons d'édition, contraintes d'accéder aux médias, ont trouvé le chemin le plus économique : transformer leurs auteurs en critiques, ou faire des critiques leurs directeurs de collection. Cet enchevêtrement de la critique, de l'écriture et de l'édition passe, enfin, par la transformation de l'auteur lui-même en directeur de collection et en critique. Aussi, la géographie des cafés pourrait bien être celle des éditeurs : le « Twickenham » a longtemps joué ce rôle pour Grasset*, comme aujourd'hui le « Pont-Royal » pour Gallimard* et le « Trianon » pour Flammarion*. Le café devient alors la prolongation du bureau des directeurs de collection et des attachées de presse où l'on donne rendez-vous aux auteurs pour envisager un nouvel ouvrage, examiner un plan de presse, ou parler d'un manuscrit, où l'on prend un verre avec les critiques les plus familiers de la maison. Mais la transparence des échanges, l'agrément du passage au café limitent la transformation totale du café en lieu de travail : ce n'est pas là que se font les « gros coups » comme les transferts d'une maison à l'autre. Finalement, ce sont les écrivains mais pas les cafés, lieux de sociabilité, espaces de consommation, et places stratégiques, qui ont changé.

Frédérique Matonti

■ N. Bandier, « L'usage surréaliste des cafés (1924-1929) », *Les Cahiers de l'IHTP*, n° 20, mars 1992. — J. Leclant, « Le café et les cafés à Paris (1644-1693) », *Annales ESC*, VI, 1951. — F. Matonti, « Quelques hypothèses sur les cafés littéraires », in « Sociabilités intellectuelles. Lieux, milieux, réseaux » (dir. N. Racine et M. Trebitsch), *Cahiers de l'IHTP*, n° 20, mars 1992.

CAHIERS DE LA QUINZAINE

Charles Péguy* a fondé les *Cahiers de la quinzaine* en réaction au congrès des organisations socialistes françaises (début décembre 1899) qui avait institué le contrôle de la presse se réclamant du socialisme. Cette décision lui était intolérable car elle conduisait à ses yeux à la définition d'une vérité officielle contre laquelle les dreyfusards venaient précisément de s'élever. Au total, la publication devait compter 229 numéros s'échelonnant du 5 janvier 1900 au 7 juillet 1914 et répartis en quinze séries. À partir de la fin novembre 1900, chaque série recoupe en gros l'année scolaire, variant à vrai dire tant dans le rythme de la périodicité que dans le volume de chaque livraison. Les *Cahiers* se réclament fondamentalement du dreyfusisme et d'un socialisme à coloration libertaire. Il faut « dire la vérité, toute la vérité, rien que la vérité, dire bêtement la vérité bête, ennuyeusement la vérité ennuyeuse, tristement la vérité triste » (CQ, I-1). D'où aussi l'insertion de la revue non pas dans un rapport de concurrence mais en synergie avec des périodiques comme la *Revue socialiste*, *Le Mouvement socialiste**, *Pages libres**. D'où la définition des *Cahiers* comme une coopérative de production et de consommation, où chacun est appelé à être tour à tour producteur et consommateur, tantôt bénéficiaire, tantôt dispensateur de savoir et d'expérience sans interposition d'autorité. La liberté d'expression et de jugement est ici centrale et entend se protéger des pressions de toute origine. Péguy lui-même s'interdit d'intervenir dans la copie de ses collaborateurs. Le système d'abonnement applique le principe de la solidarité ; parallèlement à l'abonnement « ordinaire » à 20 francs, diverses modalités sont prévues (y compris la gratuité) pour les lecteurs intéressés mais aux ressources insuffisantes. Quant au lectorat, il devait être recruté dans les milieux de gauche (socialistes, anarchistes, syndicalistes) et plus généralement dans ce vivier d'intellectuels ayant partagé l'idéal dreyfusiste ; on y trouve une composante juive significative suscitée par Bernard Lazare*.

Si l'histoire de la revue atteste une fidélité d'ensemble à l'esprit initial, elle met aussi en évidence des évolutions dans la présentation, dans le contenu, dans la gestion. Dans leurs débuts, les *Cahiers* se veulent une espèce d'anthologie bimensuelle des publications jugées les plus significatives sur les événements contemporains, en particulier, ceux qui concernent le devenir récent du socialisme. L'inédit n'est pas ici un objectif prioritaire ; il s'agit plutôt de mettre à la disposition des lecteurs des documents souvent malaisément accessibles. On trouve donc dans les premières livraisons des repiquages de journaux, de revues, de débats parlementaires, d'actes de congrès. Cependant, certains auteurs donnent des informations ou des points de vue originaux, comme Lagardelle* et Sorel*. D'autres (Félicien Challaye*, par exemple) décrivent l'exploitation coloniale et l'oppression pesant sur des minorités nationales. L'ensemble, hétérogène, reste attachant par la personnalité de Péguy qui, sous son nom, sous des pseudonymes ou de façon anonyme, sous forme de commentaires, de dialogues ou de mises en scène variées, confère à tous ces débats d'idées parfois rébarbatifs, une mise en forme et un ton toujours renouvelés. L'atmosphère de la publication est aussi détendue par la composante littéraire de la rédaction. Anatole France* donne *Crainquebille* ; des auteurs moins cotés commencent à se faire connaître aux *Cahiers* : Romain Rolland*, les Tharaud*, Halévy*, Moselly.

À partir de 1905, la présence de Péguy sera moins envahissante ; il laisse souvent ses auteurs établir leurs *Cahiers* autour d'un sujet unique ; il se réserve pour de longs essais souvent rédigés à titre d'introduction aux travaux préparés par d'autres. La revue finira par constituer une collection de volumes entièrement autonomes renfermant notamment les grandes œuvres du gérant. Les contenus subirent aussi des infléchissements. Dans les constantes figurent la critique du socialisme officiel et des pratiques parlementaires de même que l'exaltation de la République. Mais les *Cahiers*, surtout à partir de 1905, font une place grandissante aux nouvelles préoccupations de Péguy : la réflexion sur le monde moderne, le danger allemand, les mystères de la foi. La part de la littérature augmente sensiblement. Beaucoup des premiers lecteurs sont déconcertés par l'accent patriotique et chrétien qui marque désormais la revue ; les désabonnements sont nombreux. Dans l'ensemble, le lectorat se déporte vers la droite et s'embourgeoise. Cette instabilité a des conséquences financières. Péguy sera incapable de maintenir ses idées de « mysticisme communiste » en matière de gestion. Comme il se refusait à l'insertion de publicité payée, que le nombre des abonnements n'a jamais dépassé 1 400 alors que la bonne santé financière en aurait exigé au moins 1 600, la trésorerie de la revue n'a survécu tant bien que mal que par les sacrifices financiers de son gérant, le mécénat d'amis dévoués et aussi grâce à des expédients divers.

La consultation des *Cahiers de la quinzaine* permet l'approche de tous les grands débats du temps. L'information délivrée est toutefois bien inférieure à celle qui figure dans la « revue de la quinzaine » du *Mercure de France**. Les avant-gardes littéraires et artistiques n'y sont pour ainsi dire pas représentées. Reste pour en fonder l'originalité, sans doute unique dans les lettres françaises, ce goût de la liberté, rebelle à toutes les contraintes matérielles et intellectuelles, qui s'y est constamment manifesté.

Géraldi Leroy

■ F. Laichter, *Péguy et ses « Cahiers de la quinzaine »*, Maison des sciences de l'homme, 1985. — « Charles Péguy 2 » (dir. S. Fraisse), *Revue des lettres modernes*, Minard, 1983. — « Les revues dans la vie intellectuelle (1885-1914) », *Cahiers Georges Sorel*, n° 5, 1987.

CAHIERS DU CINÉMA

Fondés en avril 1951 par Jacques Doniol-Valcroze, Joseph-Marie Lo Duca et André Bazin*, les *Cahiers du cinéma* sont probablement la plus célèbre revue de cinéma à travers le monde. Peu de choses sans doute laissaient présager de ce destin. Certes, en 1951, Bazin était déjà reconnu comme le plus important critique de cinéma du moment, tandis que Doniol-Valcroze marquait nettement, dans le premier éditorial, la volonté de poursuivre le travail de la *Revue du cinéma* d'après guerre, bible de nombreux cinéphiles. Mais, classiques, sérieux, confinés à un public restreint de 4 000 lecteurs, les *Cahiers* étaient loin de la célébrité.

Celle-ci, de fait, ne vint que plus tard, au début des années 60, lorsque les spectateurs découvrant la Nouvelle Vague, s'aperçurent aussi que tous les jeunes cinéastes du mouvement, Truffaut, Chabrol, Godard*, Rivette, emmenés par l'aîné Éric Rohmer, étaient issus de cette petite revue. On relut beaucoup les *Cahiers*, alors, et l'on comprit que le travail avait été fécond. Les « jeunes-turcs », comme Bazin appelait les futurs cinéastes de la Nouvelle Vague, avaient dégagé des « auteurs », aimés au sein même d'un cinéma hollywoodien jugé alors sévèrement par la majeure partie de la critique : Hitchcock, Hawks, Lang, Minnelli, Ray, et les avaient réunis à quelques francs-tireurs européens, tels Renoir*, Rossellini, Ophuls ou Bergman, le tout appuyé sur une logique critique baptisée par Truffaut, en février 1955, « politique des auteurs ». Contrepartie de ces choix, les *Cahiers* avaient durement bataillé face à un cinéma français dit « de qualité », le cinéma des années 50, jugé figé dans ses studios et rigidifié par ses « scénarios à recettes et à répliques ». Enfin, première génération pleinement cinéphile, les jeunes critiques des *Cahiers* avaient inventé une série de pratiques que, désormais, toutes les revues reprendraient : le long entretien au magnétophone avec le cinéaste aimé ou le « conseil des dix », système de notations des films de l'actualité. On peut ainsi raisonnablement avancer que les *Cahiers*, au cours des années 50, ont inventé la critique de cinéma moderne.

Si les années 50, âge d'or devenu mythique sous le nom de « *Cahiers* jaunes » (de la couleur de la couverture), proposent un récit de fondation, la suite de l'histoire de la revue serait davantage un *récit d'aventures*. Des années 60 aux années 90, cinq générations de critiques se succèdent en effet, parfois se combattent, au sein d'une revue qui voit changer, souvent brutalement, son contenu, ses rubriques, mais aussi sa maquette, son allure, ses couleurs. Une identité faite de ruptures et d'éclats que l'on pourrait diviser en cinq périodes successives. Entre 1960 et 1963, sous la direction d'Éric Rohmer, les *Cahiers du cinéma* apparaissent comme la revue de référence de la cinéphilie, qui connaît alors, autour de la Cinémathèque* et des ciné-clubs parisiens, son véritable apogée. Accusant Rohmer et son équipe d'immobilisme cinéphilique et de conservatisme politique, une fronde, soutenue par la Nouvelle Vague, porte Rivette à la rédaction en chef au cours de l'été 1963. Une nouvelle ligne s'impose dès lors : l'ouverture à la modernité, incarnée par la rencontre de jeunes cinéastes internationaux (Bertolucci, Pasolini, Eustache, Skolimowski, Oshima, Rocha), emblématisée par trois longs entretiens (Barthes*, Lévi-Strauss*, Boulez*). Les *Cahiers*, menés par Jean-Louis Comolli et Jean Narboni qui succèdent à Rivette retourné à la réalisation, appuyés par l'éditeur Daniel Filipacchi, ont ainsi quitté les rivages de l'archipel cinéphilique pour traverser un univers culturel plus foisonnant, riche de découvertes mais aussi de récifs. La politique est l'une de ces découvertes, parfois l'un de ces récifs, et occupe de plus en plus de place dans la revue. Après Mai 68, elle s'y fait omniprésente, les *Cahiers* suivant les méandres d'un engagement ultra-gauche. D'abord procommuniste, la revue passe au maoïsme à la suite de *Tel Quel**. Les lecteurs désertent (2 000 en période de plus bas étiage), et l'on y parle de moins en moins de cinéma, mais très ouvertement de la constitution d'un Front culturel héritier de la révolution du même nom.

Revenus de cette ambition, les *Cahiers*, sous la direction de Serge Daney*, retrouvent au milieu des années 70 le goût du cinéma, regagnant du même coup des auteurs à défendre et des lecteurs à persuader. Devenue une véritable petite entreprise conduite par Serge Toubiana (une maison d'édition spécialisée dans le cinéma représente près de la moitié des ressources), la revue touche chaque mois près de 40 000 fidèles et demeure porteuse d'une exigence : le cinéma d'auteurs.

Sur la durée de quarante années, l'intérêt des *Cahiers du cinéma* est d'avoir traversé plusieurs histoires culturelles, de la contre-culture cinéphilique au gauchisme, d'avoir accompagné un bon nombre de figures intellectuelles (Bazin, Rohmer, Barthes, Foucault*, Deleuze*, Daney), et d'avoir métamorphosé à plusieurs reprises son image : temple sacré, forum de rencontres, chapelle politique, entreprise éditoriale. La force de cette revue, comme l'a écrit Gilles Deleuze, est ainsi d'avoir été « très peuplée à l'intérieur d'elle-même ».

Antoine de Baecque

■ *Cahiers du cinéma*, L'Étoile / Cahiers du cinéma, 1987-1993, 12 vol. (rééd. des premières années de la revue 1951-1963).

▒ A. de Baecque, *Les « Cahiers du cinéma ». Histoire d'une revue*, Cahiers du cinéma, 1991, 2 vol. — A. Dudley, *André Bazin*, L'Étoile, 1983. — Numéro spécial de mai 1991 (n° 442-443) consacré aux quarante ans de la revue. — Numéro spécial de juillet-août 1992 (n° 458) consacré à Serge Daney.

CAHIERS DU SUD

La vraie date de naissance des *Cahiers* remonte à janvier 1925 : à l'instigation d'un petit groupe de lycéens marseillais, fondateurs en compagnie de Marcel Pagnol de la revue *Fortunio*, une première série parut en 1914. *Fortunio* fut relancé en 1920. Parti pour Paris, Pagnol fut supplanté par l'administrateur de la revue, Jean Ballard (1893-1973), qui transforma le titre et le fonctionnement d'un mensuel entièrement conçu et réalisé dans le Sud de la France.

Le matin, très tôt, avant de rejoindre le bureau de sa revue situé près du Vieux-Port, au 10 du cours qui porte son nom, Jean Ballard exerça quotidiennement jusqu'en 1947 la profession de peseur-juré. Il rencontra au milieu des années 20 le poète André Gaillard (1898-1929), qui ouvrit la revue au surréalisme : pas seulement à Crevel*, Éluard* ou Péret*, également à des exclus comme Artaud*, Desnos* ou Masson, ainsi qu'à des irréguliers comme Daumal, Jouve, Leiris*, Michaux, Reverdy ou Ribemont-Dessaignes. C'est André Gaillard qui présenta à l'équipe des *Cahiers* l'un de ses grands inspirateurs, le Carcassonnais Joë Bousquet (1897-1950).

Pour financer son imprimeur et ses frais de déplacement, Ballard sollicitait les pages de publicité des compagnies de navigation, des éditeurs parisiens et des interlocuteurs privilégiés comme Jeanne Lanvin et le ministère de l'Éducation nationale. La revue réunit pendant l'entre-deux-guerres des auteurs comme Asturias, Carpentier, Kafka, D.H. Lawrence, Faulkner, Dos Passos, Benjamin, Pessoa, Céline* et Valéry*. Grâce à la clairvoyance d'un conseil de rédaction où se regroupent des Marseillais comme Bertin, Brion, Fluchère et Gros, des presque inconnus sont publiés : Adamov, Caillois*, Chastel et Fondane en 1933, Yourcenar* en 1936, Cayrol*, Robin, Senghor* ou Clancier en 1938. Les *Cahiers* élaborent aussi des numéros spéciaux consacrés au « Théâtre élisabéthain » (1933), à « L'Islam et l'Occident », au « Romantisme allemand » (1937), au « Message de l'Inde », au « Génie d'oc » (1943) ou aux « Grands courants de la pensée mathématique » (1947). *Grosso modo*, les ventes des *Cahiers du Sud*, ce sont 1 000 à 1 500 pour chaque publication, 5 000 à 8 000 pour les numéros spéciaux.

Pendant la guerre, après un arrêt de quatre mois, la revue de la zone libre contourne les obstacles de la censure, prend le risque de publier Simone Weil*, André Breton* et Saint-John Perse*. En 1945, Jean Ballard recrée un nouveau conseil de rédaction avec de plus jeunes collaborateurs comme Jean Tortel (1904-1993) et Pierre Guerre (1910-1978). Les *Cahiers du Sud* cessent d'être mensuels, mettent au point la formule des frontons, sortes de numéros spéciaux miniaturisés qui abordent une foule de sujets : Segalen, Nodier, Suarès*, les bardes gaulois, l'empire du Milieu ou bien la jeune poésie américaine. Pendant leurs dernières années, ils publient Char*, Gracq*, Ponge*, Celan, Elytis, Deguy, Réda, Jaccottet et Roubaud.

Alain Paire

■ R. Nelli, *Textes pour les « Cahiers du Sud »* (présentés par D. Fabre et J.-P. Piniès), Garae Hésiode, 1987. — A. Paire, *Chronique des « Cahiers du Sud » (1914-1966)*, IMEC, 1993. — « Dossier *Cahiers du Sud* », *La Revue des revues*, n° 16, 1993. — *Les « Cahiers du Sud ». La génération de 1930* (exposition à Carcassonne et au CNL, Paris, 1987), Garae Hésiode / CNL / Ent'revues, 1988.

CAILLOIS (Roger)
1913-1978

Cet ancien surréaliste, homme des « sciences diagonales », qui ne soutint pas de thèse et n'eut pas de carrière universitaire, fut accueilli à l'Académie française* en 1972 après un parcours fort transversal. Né à Reims le 3 mars 1913, fils d'un employé de caisse d'épargne, Roger Caillois suivit d'abord une trajectoire brillante mais classique, de Louis-le-Grand à l'École normale supérieure* (1933) puis passa l'agrégation de grammaire (1936). Au lycée de Reims déjà, Roger Gilbert-Lecomte l'avait initié à la vie des groupes littéraires (« Le Grand Jeu »). Recruté par André Breton*, il devint à partir du printemps 1932 la « boussole mentale » du groupe surréaliste. La rupture, en décembre 1934, eut pour prétexte le prétendu prodige que Breton voyait dans l'agitation des « haricots sauteurs » du Mexique : Caillois proposa qu'on ouvrît une de ces graines pour vérifier qu'elle ne contenait pas un insecte. Toute son œuvre, de *La Nécessité d'esprit*, rédigée entre 1933 et 1935, jusqu'au *Fleuve Alphée* (1978), est portée par cette exigence de rejeter le parti de l'intuition pour accéder par-delà l'irrationnel à une cohérence globale. À l'École pratique des hautes études, où il fréquenta le séminaire d'Alexandre Kojève*

(1935), il fut marqué par l'enseignement de Marcel Mauss* et de Georges Dumézil*, et fit dès lors appel à la sociologie pour élucider les phénomènes du sacré, des jeux, de la guerre. Il emprunta aussi des concepts à l'école de Vienne, à Heisenberg, plus tard à Prygogine.

Avant guerre, il participa à certaines activités de l'extrême gauche antifasciste. À l'origine avec Jules Monnerot* du numéro unique d'*Inquisitions* (juin 1936), il collabora à l'aventure d'*Acéphale* avec Georges Bataille* et Michel Leiris*, puis au Collège de sociologie* qui lui permit de prôner une sociologie active, déjà antimarxiste et parfois équivoque. Installé en Argentine de juillet 1939 à 1945 à l'invitation de Victoria Ocampo*, il prit nettement parti dans *Sur* contre le nazisme, pour la République et la démocratie, fonda *Les Lettres françaises** (1941) et l'Institut français de Buenos Aires (1942). Après avoir succédé à Raymond Aron* à la rédaction de *La France libre* (1945-1946), il mit fin à tout engagement, sinon pour s'attaquer aux impérialismes marxiste et psychanalytique (*Description du marxisme*, 1950 ; « Infaillible psychanalyse », 1957). Devenu fonctionnaire de l'Unesco (1948), il se consacra à son œuvre et à de multiples voyages, ainsi qu'à la diffusion par l'Unesco des « Œuvres représentatives » et à la revue *Diogène**. En lançant la collection « Croix du Sud » chez Gallimard* (1948), il fit découvrir le domaine latino-américain au public français. Il mourut à Paris le 21 décembre 1978. Le souci littéraire fut toujours présent dans ses livres et s'épanouit dans les textes consacrés aux pierres. Son œuvre ne traverse pas seulement les différents champs du savoir et des cultures, elle est l'expression d'un style rare, qui ne s'y dissout pas.

Alexandre Pajon

■ *Le Mythe et l'homme*, Gallimard, 1938. — *L'Homme et le sacré*, Leroux, 1939. — *Description du marxisme*, Gallimard, 1950. — *Esthétique généralisée*, Gallimard, 1962. — *L'Écriture des pierres*, Genève, Skira, 1970. — *Le Fleuve Alphée*, Gallimard, 1979.

▒ O. Felgine, *Roger Caillois*, Stock, 1994. — L. Jenny (dir.), *Roger Caillois. La pensée aventurée*, Belin, 1992. — « Roger Caillois », *Cahiers Chronos*, La Différence, 1991.

CAIN (Julien)

1887-1974

Homme d'influence, Julien Cain est aujourd'hui bien oublié. De son vivant (Montmorency, 10 mai 1887 - Paris, 9 octobre 1974), il est vrai, son nom ne fut guère plus connu, hors du cercle des bibliothèques, dont il fut longtemps une sorte de figure patriarcale, en tant qu'administrateur quasi inamovible de la Bibliothèque nationale (1930-1940 et 1945-1964). Sa formation ne destinait pas vraiment cet agrégé d'histoire de la promotion 1911 à ce type de responsabilités. Mais il est de ces universitaires dont la Première Guerre mondiale* va bouleverser la vie. Blessé au combat, il bifurque vers une carrière administrative. Au Quai d'Orsay, où il travaille successivement aux revues de presse et au Service des œuvres, il donne la preuve de ses talents d'organisateur, tout en participant à *L'Europe nouvelle* de

Louise Weiss*, organe d'une gauche « SDN ». Cette réputation, jointe à ses relations politiques — de 1927 à 1930, il est directeur du cabinet du président de la Chambre des députés —, fera de lui l'homme auquel le gouvernement confie une Bibliothèque nationale dont la somnolence naturelle est, à l'époque, aggravée par un sévère manque de crédits, qui dit bien le peu de cas qu'on en fait en haut lieu. Le succès de Cain sera d'en crédibiliser les enjeux, et de présider à un premier aggiornamento de l'établissement, dont les effets se feront sentir jusque dans les années 50.

Mais les années 30 voient émerger un autre Julien Cain, ami de Léon Blum* et, à l'époque du Front populaire, conseiller du chef du gouvernement en matière culturelle. Son audacieux projet de « Musée de la littérature » ne connaîtra jamais que des réalisations partielles, mais Cain est en 1936 à la fois celui qui relance la politique d'expansion du livre français à l'étranger et la personnalité tutélaire sous l'autorité de laquelle se placent les bibliothécaires modernistes pour faire passer leurs plans de promotion non plus seulement des « bibliothèques » mais de la « lecture publique ». C'est le sens du combat de l'Association pour le développement de la lecture publique (ADLP), dont Cain accepte la présidence et qui lance sur les routes les premiers bibliobus subventionnés par l'État. Qu'il soit devenu pour une partie de la droite française le symbole d'une certaine conception du « service public » culturel est illustré par son destin sous l'Occupation : relevé de ses fonctions par Vichy et remplacé par un intellectuel militant de l'antimaçonnisme, Bernard Faÿ, il sera pour finir déporté à Buchenwald.

Rentré des camps, il obtiendra la création, au sein de l'Éducation nationale, d'une direction sans précédent, justement intitulée « des bibliothèques et de la lecture publique », dont il cumulera les fonctions avec celles de la BN. Il y présidera, entre autres, à la mise en place de la première génération des BCP (bibliothèques centrales de prêt) mais, en fait, ce ne sont que les années 70 et 80 qui verront la réalisation, dans les grandes lignes, de ses espoirs des années 30. Il ne sera évidemment pas là pour le voir.

Pascal Ory

■ T. Kleindienst, « Julien Cain », in H.-J. Martin (dir.), *Histoire de l'édition française*, Promodis, 1986, t. 4, pp. 550-551.

CALMANN-LÉVY (Éditions)

L'entreprise de littérature générale la plus prestigieuse du XIXe siècle commence en 1836 lorsque la famille Lévy ouvre un cabinet de lecture rue Marie-Stuart à Paris. Des trois fondateurs, le plus jeune sera le patron de la librairie Michel Lévy Frères jusqu'à sa mort en 1875. De la rue Vivienne, la librairie se déplace, au lendemain de la Commune, au 3 rue Auber, près du nouvel Opéra. Quand Calmann en reprend la direction, il possède au catalogue un fonds d'auteurs dramatiques considérable et les meilleurs écrivains romantiques et réalistes, Renan, Hugo, Anatole France*, Pierre Loti pour les vivants, Balzac, George Sand, Flaubert, Alexandre Dumas, Tocqueville pour les morts. Après sa mort en 1891, son fils aîné Paul, qui mourra en 1900, relance *La Revue de Paris** en 1894. Dreyfusarde avec modération, elle attire vers la maison des auteurs républicains tel Eugène Le Roy. Orléanistes, membres des cercles les plus huppés de la capitale, familiers du comte de Paris, Georges et Gaston succèdent à leur frère Paul et attirent dans l'entreprise nombre d'aristocrates. Marcel Proust* y fait ses débuts avec *Les Plaisirs et les jours*.

Concurrencée par de nouvelles maisons d'édition dynamiques, Flammarion* et Fayard*, bientôt Gallimard* et Grasset*, Calmann-Lévy — le trait d'union apparaît en 1901 — a laissé partir les naturalistes chez Charpentier puis Fasquelle. Plon profite de l'Affaire pour lui enlever des académiciens tel René Bazin. Gyp y reviendra mais confie ses romans antisémites à Fasquelle, tandis que Pierre Loti attire la convoitise de Flammarion. Réorganisée en 1901, la société est dirigée par les deux frères Lévy, auxquels leur mère adjoint ses deux petits-fils, Michel Calmann, fils de Paul, et Georges Propper, fils de l'ancien associé du baron de Reinach. Lancée en 1905, la « Nouvelle collection illustrée » ouvre avec *Pêcheurs d'Islande* (500 000 exemplaires vendus entre 1906 et 1919) l'ère des grands tirages. Avec ce nouveau produit commercialisé à 0,95 franc, puis avec la collection « Pourpre » après 1920, les Éditions Calmann-Lévy évitent de se laisser distancer par des concurrents plus offensifs. Mais ces initiatives n'empêchent pas le lent effritement de l'entreprise. Avec 5 millions de capital en 1891, elle était la deuxième maison d'édition de France. Avec 3 millions en 1901, elle est dépassée par Flammarion, et les 2 millions de 1938 traduisent l'essoufflement.

Georges Calmann meurt en 1938, Georges Propper disparaît au camp de Compiègne en 1942, son frère Michel en 1944. Gaston passe la guerre à l'hôpital Rothschild de Neuilly et meurt en 1948. À la Libération, ses fils Pierre et Robert retrouvent une maison d'édition aryanisée en 1942. Le groupe Hibblen et la *Propagandastaffel* se sont disputé l'héritage. Louis Thomas et Henry Jamet ont fait souffler le vent de la collaboration sur les Éditions Balzac et pillé allégrement livres et manuscrits. Avec un capital toujours évalué à 3 millions de francs — six fois moins en francs constants qu'en 1901 —, la maison a quitté la cour des grands. *La Revue de Paris* a été vendue au comte de Fels dans les années 30, les succursales du boulevard des Italiens et de la rue La Boétie ont fermé leurs portes. Le choix de la rive droite, offensif en 1870, se révèle déplorable après 1945.

En ramenant Koestler de Londres où ils ont passé la guerre, Pierre et Robert Calmann-Lévy s'efforcent de renouer avec la fonction de « ministre des Belles-Lettres » qu'avait assurée Michel Lévy selon Anatole France, celle d'un dénicheur de talents doublé d'un stratège. *Le Zéro et l'infini*, le *Journal* d'Anne Frank, la collection « Traduit de » confiée à Manès Sperber qui fait lire Galsworthy, Mary O'Hara, Hermann Hesse, Ernst Wiechert, Heinrich Mann, relancent partiellement l'entreprise dans les années 50. « Liberté de l'esprit », avec Raymond Aron*, la « Collection Calmann-Lévy », dirigée par Pierre Descaves, vont dans le même sens. La collection « Pourpre » assure une rente de situation dangereuse en alimentant la trésorerie grâce aux droits négociés avec le Livre de Poche. La collection « Diaspora » à la fin des années 70, certaine ouverture à l'actualité (*La République du centre* de F. Furet*, J. Julliard et P. Rosanvallon* en 1988), tentent de maintenir cette entreprise familiale en dehors de l'orbite des groupes d'édition. En 1985, un étranger au clan, Jean-Étienne Cohen-Séat, est appelé à la direction aux côtés d'Alain Oulman, qui a succédé à son oncle Robert Calmann-Lévy en 1982. Propriété d'une famille durant cent soixante ans mais de plus en plus fragile, la vieille dame a longtemps témoigné de ce que fut l'édition française à ses débuts, avant d'entrer dans le giron du groupe Hachette en 1994.

Jean-Yves Mollier

■ R. Chartier et H.-J. Martin (dir.), *Histoire de l'édition française*, Promodis, 1983-1986, rééd. Fayard, 1989-1991. — P. Fouché, *L'Édition française sous l'Occupation*, Bibliothèque de littérature française de l'université Paris VII, 1987. — J.-Y. Mollier, *Michel Calmann-Lévy ou la Naissance de l'édition moderne*, Calmann-Lévy, 1984 ; *L'Argent et les Lettres. Histoire du capitalisme d'édition (1880-1920)*, Fayard, 1988.

Camus (Albert)

1913-1960

À cause d'un amalgame médiatique que le temps finira bien par dissiper, Albert Camus passe pour le compagnon de route de Sartre*, comme celui-ci l'a été, un temps, du Parti communiste.

Rien n'est plus faux. Le terme « existentialiste » est tombé en désuétude. S'il peut conserver un sens pour décrire une partie de l'œuvre du couple Sartre-Beauvoir*, il n'en a rigoureusement aucun dans le cas d'Albert Camus. L'amitié Sartre-Camus elle-même est un mythe. Elle n'aura duré que sept ans ; elle a été traversée par de profonds malentendus ; elle ne s'est jamais traduite par la moindre collaboration intellectuelle, artistique ou politique. Sur la plupart des questions politiques, les deux hommes ont eu des options différentes, voire opposées. Sartre, très prudent pendant la guerre, se fera à la Libération virulent contre les collaborateurs, tandis que Camus, résistant actif, finira par rejoindre François Mauriac* dans la nécessité du pardon. Sartre ne cessera, jusqu'à une date avancée, de donner raison au communisme contre ses propres raisons, tandis que Camus, avec *Ni victimes ni bourreaux*, puis avec *L'Homme révolté*, incarnera une gauche à la fois libérale et libertaire, sans compromissions à l'égard du totalitarisme stalinien ; Sartre, dans sa préface à Frantz Fanon*, se fait l'apologiste de la violence de l'opprimé, tandis que Camus ne cessera de mettre en garde contre le terrorisme ; le premier deviendra, avec Francis Jeanson*, le défenseur inconditionnel du FLN, tandis que le second, pied-noir d'origine, prêche le désarmement des haines et la recherche d'une solution négociée ; le premier, par anticonformisme, refuse le prix Nobel, que le second accepte ; le premier incarne la révolte de l'intellectuel contre les pouvoirs établis ; le second a milité pour un socialisme démocratique. En somme, entre Sartre et Aron*, qui incarnent pendant la Guerre froide* les deux options presque contraires des intellectuels français, se dresse Albert Camus, aussi ferme que le premier dans la défense de l'opprimé, aussi vigilant que le second dans la défense de la liberté contre les idéologies totalitaires.

Prix Nobel 1957, Albert Camus est l'un des plus lus parmi les écrivains français du siècle. Son œuvre est traduite en une quarantaine de langues.

Né à Mondovie (Algérie), le 7 novembre 1913, dans une famille ouvrière, et orphelin de guerre, ce boursier s'est formé loin des réseaux parisiens. Remarqué et soutenu par Jean Grenier, il fait ses études de philosophie à l'université d'Alger. La tuberculose lui interdisant l'enseignement, il devient journaliste à *Alger républicain*, après avoir passé deux ans au Parti communiste et s'être occupé d'action culturelle.

Un roman, *L'Étranger*, et un essai, *Le Mythe de Sisyphe*, publiés en 1942, révèlent l'écrivain. Parti se soigner en France, il participe à la Résistance et s'occupe en 1944 de la publication du journal clandestin *Combat**. Il en devient naturellement le rédacteur en chef à la Libération. Alors que son *Caligula* créé par Gérard Philipe triomphe sur une scène parisienne, ses flamboyants éditoriaux réunis plus tard (*Actuelles*, 1950) en font l'une des voix les plus écoutées de l'après-guerre. Il est alors proche des socialistes et soutient l'entreprise rénovatrice de Daniel Mayer. Avec *Ni victimes ni bourreaux* (1946), il condamne le communisme stalinien et rompt sans retour avec la gauche progressiste.

Quittant *Combat* en 1947, il donne la priorité à son œuvre de romancier, de dramaturge et d'essayiste. La politique y a sa part. *La Peste* (1947) est un récit allégorique sur la Résistance et *Les Justes* (1949) pose le problème du terrorisme. Dans un long essai, *L'Homme révolté* (1951), il distingue la révolte de sa perversion révolutionnaire et s'efforce de fournir une généalogie intellectuelle des totalitarismes. Il s'y prononce en faveur de la social-démocratie et de l'action syndicale. Ce livre lui vaut d'être pris à partie par les communistes et de se brouiller avec un Sartre devenu le chantre du stalinisme. Il s'ensuit pour lui une longue phase de doute et de découragement, qu'exorcise un brillant récit, *La Chute* (1956).

Obsédé par la guerre d'Algérie, Camus compte sur Mendès France pour trouver un compromis et, afin de contribuer à son retour, il rejoint *L'Express** en 1955. L'humaniste tente aussi, avec quelques pieds-noirs libéraux, de mettre sur pied une trêve civile, que Guy Mollet enterre. Il condamne l'entreprise nationaliste du FLN et son choix terroriste aussi fermement que la répression aveugle. Après la publication de *Chroniques algériennes* (1958), il s'en tient à des interventions humanitaires qu'il veut discrètes.

Il meurt dans un accident d'automobile le 4 janvier 1960, alors que Malraux* lui a proposé la direction d'un théâtre et qu'il s'est attelé à un roman. Il a annoncé la « fin des idéologies » dès 1946, il a tôt été partisan d'une Europe fédérale, il a formulé, avant Michel Rocard, la théorie des deux gauches, il a enfin préfiguré l'ingérence humanitaire dans *La Peste*. La clairvoyance de ce démocrate honnête et modeste est enfin reconnue. Il y a longtemps que Milosz et Soljenitsyne l'avaient salué.

Camus n'a jamais repris à son compte la notion d'engagement qui a valu au Sartre de la Libération une célébrité sans égale. Il se défiait de la tendance des intellectuels, en politique, à promettre plus qu'ils ne tiennent, de dire plus qu'ils ne font. En dépit de cela, ou plutôt à cause de cela, Albert Camus mériterait avec le recul d'incarner plus que quiconque l'intellectuel engagé, maintenant la double exigence de la lutte contre l'oppression et de la rigueur critique. Dans sa jeunesse, il a milité en Algérie au sein du Parti communiste, dénonçant la misère kabyle. Il en a été exclu pour non-conformisme. De même, il y a une forte cohérence entre son action dans la Résistance et celle qu'il mène à la Libération comme journaliste. Jour après jour, il appelait à la naissance d'une République nouvelle, libérée de la double oppression de l'argent et de la bureaucratie des partis. En ce sens, il était proche de Simone Weil*.

Dans un pays où l'intellectuel se définit plus par la recherche de l'originalité que par celle de la vérité, et où lui-même ne semble le plus souvent soucieux que de porter toute idée à son point d'incandescence extrême, fût-ce au détriment de l'exactitude et de la sagesse, Albert Camus a incarné la tradition humaniste la plus exigeante au moment où il était de bon ton de la décrier. Face à la trahison des clercs, en quoi se résume, selon Benda*, la morale de l'engagement du surréalisme à l'existentialisme, il a choisi la solitude. Il s'est heurté à l'injustice. En ce sens, il est bien le non-conformiste des années 50 (Jean-Yves Guérin). Et s'il a connu, selon sa propre expression, « l'étrange amertume d'avoir eu raison trop tôt », il est, trente-cinq ans après sa mort, l'un des rares intellectuels de sa génération auquel l'histoire aura donné pleinement raison.

Jacques Julliard

■ *Théâtre, récits et nouvelles*, Gallimard, « Pléiade », 1962. — *Essais*, Gallimard, « Pléiade », 1965.

▒ J.-Y. Guérin, *Camus. Portrait de l'artiste en citoyen*, François Bourin, 1993. — A. Lottman, *Albert Camus*, Seuil, 1985. — L. Mailhot, *Albert Camus ou l'Imagination du désert*, Presses de l'université de Montréal, 1973. — R. Quillot, *La Mer et les prisons*, Gallimard, 1980.

CANDIDE

Fondé en 1924 par Arthème Fayard, *Candide* fut l'un des principaux hebdomadaires politiques et littéraires parisiens de l'entre-deux-guerres, dont la formule allait inspirer Horace de Carbuccia *(Gringoire*)* et Gaston Gallimard *(Marianne*)*. Comme l'ensemble des périodiques de la rue du Saint-Gothard, *Candide* était publié sous la direction collégiale d'un état-major qui, autour de Pierre Gaxotte*, regroupait notamment Jean Fayard (chronique cinématographique et mondaine), René Bizet, Georges Blond (secrétaire de rédaction de 1930 à 1939) et Claude Jeantet. Outre Gaxotte, secrétaire personnel de Maurras* durant la guerre, et Jacques Bainville* (membre des comités directeurs de *L'Action française** et rédacteur de politique étrangère au quotidien royaliste), la plupart des collaborateurs étaient issus de la mouvance maurrassienne. Ainsi Lucien Dubech (critique dramatique), Dominique Sordet (critique musical), Maurice Pefferkorn (chroniqueur sportif), Abel Manouvriez (chroniqueur judiciaire) — tous les quatre étant en charge des mêmes rubriques à *L'Action française* —, André Rousseaux (rédacteur à *L'Action française*), Lucien Rebatet* (F. Vinneuil, critique musical puis cinématographique à *L'Action française* de 1929 à 1940), ou Robert Brasillach* (feuilletoniste littéraire à *L'Action française* de 1931 à 1939) dont *Candide* publia, en août-septembre 1931, l'enquête sur la « fin de l'après-guerre ».

Attaché à divertir ses lecteurs tout en les informant, *Candide* consacrait près de deux pages à diverses chroniques réunies sous le titre « La ville » et agrémentées des dessins de Sennep, d'Abel Faivre ou de Hermann-Paul. Parfois caustique, souvent critique, *Candide* se voulait toutefois plus élitiste que *Gringoire*. La littérature occupait une place prépondérante, et aux rubriques consacrées à l'actualité littéraire (la « Comédie littéraire » de F. Vanderem, « Traductions de livres étrangers » de Jean Cassou*, « Chronique des livres » de Léon Daudet*) venaient s'ajouter, chaque semaine, deux nouvelles, un épisode d'un roman et un entretien d'André Rousseaux avec les auteurs les plus en vue. L'éclectisme qui présidait au choix des thèmes traités tenait à la volonté des trois principaux critiques, venus d'horizons divers mais qui plaçaient leur passion pour les lettres au-dessus de leur engagement politique. Codirecteur politique de *L'Action française*, Léon Daudet prit ainsi le parti de Gide* dans la querelle qui opposa, à partir de 1923, l'équipe de *La Nouvelle Revue française** à Henri Béraud*. Italianisant de valeur, membre du comité de lecture des Éditions Gallimard* et chef du bureau italien des Affaires étrangères, Benjamin Crémieux maintint sa collaboration à *Candide* en dépit de son attachement à la gauche et des attaques de Maurras qui, en février 1934, l'avait qualifié de « juif destructeur de la communauté nationale ». Quant à Albert Thibaudet*, également membre de la *NRF* et auteur de *La République des professeurs* (1927), il conciliait son admiration pour Maurras avec un intérêt pour des auteurs aussi différents que Bergson*, Barrès*, Stendhal ou Mallarmé.

La politique n'était pas négligée : chaque semaine, en première page, Jacques Bainville y consacrait un billet, intitulé « Doit-on le dire ? », dans lequel il s'inspirait de l'actualité pour dénoncer la politique « politicienne » en général et Tardieu en particulier, et prôner les avantages du conservatisme politique ou du capitalisme « traditionnel ». En politique étrangère, *Candide* restait fidèle à la germanophobie maurrassienne, Bainville n'ayant de cesse de dénoncer le péril allemand et « l'esprit de Genève ». À dater de 1934, la crainte entretenue par la vague autoritaire et fasciste qui déferlait sur l'Europe incita *Candide* à durcir sa critique de la démocratie. Tirant à près de 150 000 exemplaires en 1930, *Candide* connut avec l'arrivée au pouvoir du Front populaire une nette augmentation de son tirage (340 000 à 450 000). La cession de *Je suis partout** par Fayard* ne modifia que sensiblement les relations entre les deux hebdomadaires, *Candide* se montrant toutefois plus modéré et plus fidèle à ses origines maurrassiennes — position qui amena Pierre-Antoine Cousteau à railler le « fascisme de patronage » de *Candide*. Après avoir soutenu les accords de Munich* puis appelé à une victoire sans appel sur l'Allemagne, *Candide* se replia en zone Sud. Abandonné par Gaxotte, le journal se confina dans une « pétainolâtrie » prudente et se voulut lieu de respectabilité littéraire plutôt que brûlot politique.

Ariane Chebel d'Appollonia

■ J. Bainville, *Doit-on le dire ?*, Fayard, 1939. — P.-M. Dioudonnat, *« Je suis partout » (1930-1944). Les maurrassiens devant la tentation fasciste*, La Table ronde, 1973.

CANGUILHEM (Georges)

1904-1995

La discrétion et la modestie de Georges Canguilhem, né à Castelnaudary en 1904, ne doivent pas faire oublier la contribution majeure qu'il a apportée à l'histoire des sciences, et la part essentielle qu'il a prise dans la recomposition de la philosophie universitaire française dans les années 50. Les usages quasiment totémiques qui sont faits de son œuvre ont d'ailleurs la force du mythe : alors que Michel Foucault* lui a adressé un très bel hommage, les disciples d'Althusser* en ont fait leur héros et Pierre Bourdieu* a vu en lui un « prophète exemplaire ». Condisciple de Raymond Aron* et de Jean-Paul Sartre* à l'École normale supérieure*, où il fut reçu en 1924, Canguilhem est entré dans l'univers philosophique comme un disciple d'Alain* : collaborateur régulier des *Libres propos* du maître normand, il a été très actif au sein du mouvement pacifiste au début des années 30, aux côtés de Félicien Challaye* et de Théodore Ruyssen, sous la forme que son camarade Raymond Aron avait définie comme « pacifisme des révolutionnaires », celui qui accepte la guerre civile quand elle est politiquement justifiée. Après son succès à l'agrégation de philosophie, il enseigna plusieurs années dans l'enseignement secondaire, principalement à Toulouse, où le recours à la lecture très technique d'extraits de textes philosophiques frappa au moins autant que son style bourru, qui intimidait parfois les élèves. Il s'engagea très tôt dans la Résistance et y prit une part héroïque, illustrant ainsi le paradoxe selon lequel les philosophes que leur objet éloigne du siècle ne sont pas les moins présents aux rendez-vous de l'histoire.

Succédant à Bachelard* à la chaire d'histoire des sciences, il fut recruté à la Sorbonne en 1955, en même temps que Raymond Aron, dont il était resté l'ami. Inspecteur général et président redouté du jury de l'agrégation, il eut une fonction essentielle dans le dispositif de reproduction du corps professoral et dans l'organisation pédagogique de la discipline. Prolongeant la problématique bachelardienne en la déplaçant vers une nouvelle catégorie d'objets, pris dans l'histoire de la biologie et de la médecine, Canguilhem a centré son travail autour des notions de discontinuité, de résistance et d'obstacle, en les mettant à l'épreuve dans l'étude de savoirs peu ou pas formalisés. Dans sa thèse de 1943, il a renouvelé radicalement la question des rapports entre le normal et le pathologique en montrant que la science du vivant peut être définie par sa capacité à prendre en compte la maladie. En effet, une anomalie n'équivaut pas à une anormalité, et la vie est ce qui est capable d'erreur. La vie à l'état pathologique n'est pas l'absence de normes, mais la présence d'autres normes. S'interrogeant sur les rapports qui s'instaurent entre l'histoire de la thérapeutique et l'histoire de la physiologie, Canguilhem conclut au primat de la pratique médicale. L'étude sur la *Formation du concept de réflexe au XVIIe et au XVIIIe siècle* (1955) est l'occasion de prolonger la critique du positivisme et du mécanisme au profit d'une réévaluation du vitalisme, défini comme philosophie spécifique des sciences biologiques, et, à ce titre, en perpétuelle redéfinition. Le retravail permanent des concepts qui caractérise la science biologique s'applique aussi à l'histoire des sciences. Au cours de sa recherche, Canguilhem n'a cessé de retoucher ses propres élaborations conceptuelles : la question des rapports du normal et du pathologique, comme celle des relations entre vie et concept font l'objet de multiples reprises. À travers des études minutieuses, l'intrication de la vérité et de l'idéologie apparaît pleinement : la position de Canguilhem est sous ce rapport beaucoup plus complexe que celle de l'épistémologie marxiste, qui s'est pourtant abondamment recommandée de son autorité.

C'est que le « Cang » — comme l'appelaient ses élèves en témoignage d'affection respectueuse — a été revendiqué par des courants très divers dans le champ intellectuel français des années 60 : marxologues et sociologues ont fait un large usage analogique des acquis de l'épistémologie historique de Georges Canguilhem, sans toujours faire montre de la même rigueur que leur maître, ni de la même inventivité. Ce dernier s'est d'ailleurs bien gardé de prendre parti dans les débats où il se trouvait convoqué de force. Jusqu'en 1970, cette œuvre austère et technique, si éloignée du style dominant de la philosophie française, est restée inconnue hors de nos frontières : elle a fait l'objet de traductions récentes, qui permettent de la confronter avec d'autres formes de traitement de l'historicité du discours scientifique.

Jean-Louis Fabiani

■ *Essai sur quelques problèmes concernant le normal et le pathologique*, Faculté des lettres de l'université de Strasbourg, 1943, rééd. Les Belles Lettres, 1950. — *La Connaissance de la vie*, Hachette, 1952, rééd. Vrin, 1965. — *La Formation du concept de réflexe au XVII*e *et au XVIII*e *siècle*, PUF, 1955, rééd. Vrin, 1977. — *Le Normal et le pathologique*, 3e éd. de la thèse de 1943 augmentée de *Nouvelles réflexions sur le normal et le pathologique*, PUF, 1966. — *Idéologie et rationalité dans l'histoire des sciences de la vie. Nouvelles études d'histoire et de philosophie des sciences*, Vrin, 1977.

■ D. Lecourt, *Pour une critique de l'épistémologie*, Maspero, 1972. — « Canguilhem » (dir. B. de Saint-Sernin), *Revue de métaphysique et de morale*, janvier-mars 1985, n° 1.

CARCOPINO (Jérôme)
1881-1970

Historien de Rome capable de parcourir tous les genres de l'érudition à la vulgarisation la plus large, maître d'une génération entière, Jérôme Carcopino fut aussi le sous-secrétaire d'État chargé de l'Éducation nationale du régime de Vichy.

Fils d'un médecin corse installé à Verneuil-sur-Avre, où il est né, Jérôme Carcopino brille tout au long de ses études ; reçu rue d'Ulm en 1900, il est premier à l'agrégation d'histoire (1904), ce qui lui permet de partir pour l'École française de Rome (1904-1907). Là, sous l'influence du directeur de l'école, Mgr Duchesne, il forge ses aptitudes techniques d'archéologue et d'épigraphiste.

Au retour de Rome, il est nommé au lycée du Havre, puis chargé de conférences à l'université d'Alger (1912) ; au sortir de la guerre il soutient sa thèse *(Virgile et les origines d'Ostie)* et succède à la Sorbonne à son maître Gustave Bloch (1920). Enfin, sa brillante carrière lui fait prendre la suite d'Émile Mâle pour diriger l'école de Rome (1937). Il est alors l'interlocuteur des plus grands spécialistes de Rome à l'étranger, Frantz Cumont, Michel Rostovtzeff... Au même moment (1939) la publication de *La Vie quotidienne à Rome à l'apogée de l'empire* assure sa renommée bien au-delà du cercle scientifique.

Bien que républicain, son conservatisme fait de lui l'élu des autorités de Vichy, d'abord à la tête de l'École normale supérieure*, puis comme recteur de l'académie de Paris ; enfin il est chargé de l'Éducation nationale du 21 février 1941 au 17 avril 1942. Cependant, son attitude vis-à-vis des enseignants persécutés à la suite de l'adoption du statut des juifs, puis les services ultérieurs rendus à la Résistance lui valent d'obtenir un non-lieu lors de son procès devant la Haute Cour (1947). Son entrée à l'Académie française* (1956) est vécue comme une réhabilitation.

À la fin de sa carrière scientifique, il explore tout aussi bien la personnalité de Cicéron que les rapports entre la romanité et le christianisme. Épigraphiste, archéologue, son apport historiographique principal demeure sa capacité à percevoir la romanité comme un ensemble, une civilisation.

Olivier Dumoulin

■ *Virgile et les origines d'Ostie*, De Boccard, 1919. — *Autour des Gracques*, Les Belles Lettres, 1930. — *Histoire de la république romaine* (avec G. Bloch), PUF, 1929-1932. — *César*, PUF, 1935. — *La Vie quotidienne à Rome à l'apogée de l'empire*, Hachette, 1939. — *Les Secrets de la correspondance de Cicéron*, Artisan du livre, 1948. — *Souvenirs de sept ans (1937-1944)*, Flammarion, 1953. — *De Pythagore aux Apôtres. Études sur la conversion du monde romain*, Flammarion, 1956.

▩ C. Carcopino, P. Grimal et P. Ourliac, *Jérôme Carcopino, un historien au service de l'humanisme*, Les Belles Lettres, 1981.

CARREFOUR

Né à la Libération (août 1944), l'hebdomadaire *Carrefour*, qui prend entre autres la suite du fascicule clandestin d'inspiration chrétienne *Cahiers du travaillisme français*, offre pendant ses premières années une tribune à des intellectuels consacrés convertis au gaullisme. D'abord réformiste, il va, avec des changements de direction, se figer sur des positions ultra-conservatrices dans les conflits coloniaux et se vouer au culte de De Gaulle.

Animé à sa naissance par une équipe liée aux démocrates-chrétiens (comité directeur : E. Amaury, R. Buron, F. Garas et Y. Helleu ; rédacteur en chef : G. Boutelleau ; secrétaire général : J. Sangnier), *Carrefour* veut être le « lieu de rencontre de patriotes de bonne volonté » et le « soutien d'un régime épuré capable d'assurer [...] les réformes de structure qui s'imposent [...] pour rendre à notre pays, exploité dans l'épreuve, une mystique et un dynamisme collectifs ». Académiciens et intellectuels catholiques signent tantôt à la « une » tantôt dans les pages culturelles : J. Romains*, Bernanos*, Maurois seront les plus constants, mais aussi Mauriac*, Duhamel*, les Tharaud*, R. d'Harcourt, H. Mondor, D. de Rougemont*, G. Marcel*, Madelin, Lacretelle, Madaule*, ainsi que Montherlant*, Blanchot*, Audiberti*, B. de Jouvenel*, M. Arland*, A. Salmon... Une enquête lancée en 1945 sur la « responsabilité de l'écrivain »* situe l'hebdomadaire au cœur des débats du moment, alors que les articles de G. Bidault et de P.-H. Teitgen indiquent sa tendance MRP. Mais dès le départ de De Gaulle, *Carrefour* va condamner le tripartisme tout en s'engageant dans une campagne antisoviétique : Kravchenko y publie des extraits de son livre *J'ai choisi la liberté*, puis, en 1947, de « nouvelles révélations », Koestler traite dans la rubrique « documents » du travail forcé et de la propagande en URSS, une enquête interroge en 1948 des intellectuels et des politiques sur ce qu'ils feraient « si l'armée rouge occupait la France ». Lors du débat sur la Troisième Force, S. Fumet* oppose au parti des intellectuels (Rassemblement démocratique et populaire*) une « troisième position » (celle d'une France gaullienne), au nom d'« À présent » qui regroupe notamment Gide*, Claudel*, Paulhan*, Raymond Aron*, Starobinski*, A. Ollivier, A. Frossard*. *Carrefour* soutiendra le RPF et publiera pendant quelque temps un « leader » de Malraux*.

Dans les années 50, alors que R. Magne prend la direction de l'hebdomadaire, les grands noms d'intellectuels disparaissent (seuls Maurois et Daniel-Rops* y publient l'un son journal et l'autre des pages d'histoire chrétienne) au profit de militaires comme Rémy ou d'hommes politiques comme Bidault et Soustelle qui y défendent régulièrement l'armée contre le « défaitisme » dans les guerres coloniales. Rémy y prend aussi parti pour Pétain, avançant dès 1950 la thèse de l'épée et du bouclier. *Carrefour* applaudit le retour de De Gaulle, qui met un terme à l'« imposture de Mendès France », bête noire du journal. Lors du référendum de 1961, *Carrefour*, fidèle au Général, adopte à contrecœur une position abstentionniste tout en continuant à publier des militaires et des politiciens opposés à l'autodétermination. Il soutiendra encore la répression américaine au Vietnam* et dénoncera les « agents de la subversion marxiste », « apatrides » qui tentent de « démanteler l'Université ». Dans la logique de son intérêt pour les questions médicales, le journal aura recours à la science pour justifier la condamnation de la contraception et de l'avortement par l'Église.

Une équipe assez stable aura assuré les diverses rubriques jusqu'à sa disparition en 1977 : A. Stibio, A. Desmond, R. de Saint-Jean, L. Salleron (actualité) ; M.-P. Fouchet* et A. Hoog, puis P. Pia* (livres) ; A. Castelot (histoire) ; P. Sérant (essais) ; F. Elgar (arts), F. Chalais, J. Dutourd* puis M. Mohrt (cinéma) ; C. Rostand (musique) ; M. Lebesque et C. Mégret (spectacles) ; A. Thérive puis A. Guillerman (langue française) ; R. Clarke (science) — entourée de collaborateurs réguliers dont H. Muller, G. Blond, R. Poulet, J. Robichon, G. Bechtel.

Gisèle Sapiro

CARREL (Alexis)

1873-1944

La personnalité d'Alexis Carrel, né le 28 juin 1873 à Sainte-Foy-lès-Lyon dans une famille bourgeoise du textile, suscite encore de multiples polémiques. Nul ne conteste du moins sa carrière scientifique exceptionnelle. Après des études secondaires chez les jésuites de l'externat Saint-Joseph à Lyon, il entre à la Faculté de médecine en 1891. Docteur en 1900, d'abord chirurgien, ses travaux l'orientent vers la biologie cellulaire, mais l'hostilité du milieu médical lyonnais le contraint à l'exil. Après un bref séjour au Canada (1904-1905), il entre au Rockefeller Institute for Medical Research de New York (1906) où il poursuit ses recherches jusqu'à sa retraite en 1939. Prix Nobel de médecine en 1912 pour ses travaux sur la suture des vaisseaux sanguins, il épouse l'année suivante Anne de La Motte, petite-fille d'un maréchal d'Empire. Mobilisé en 1914, il organise un hôpital militaire en forêt de Compiègne, puis retourne aux États-Unis. Membre associé de l'Académie des sciences* depuis 1921, il demeure en étroite relation avec le milieu scientifique français.

La publication simultanée en français et en anglais de *L'Homme, cet inconnu*, best-seller mondial traduit en une vingtaine de langues, ouvre en 1935 à Carrel une seconde carrière, celle d'un scientifique engagé au service de la « reconstruction de l'homme ». Porté par une culture encyclopédique, l'ouvrage propose de fonder une « Science de l'homme » qui ferait la synthèse des savoirs et serait confiée à une « aristocratie biologique héréditaire » de savants. Obsédé par la dégénérescence des « races civilisées » et marqué par les thèses du néo-lamarckisme, Carrel voit dans l'inégalité sociale un fait biologique hérité et défend, à la suite de l'école eugénique américaine à laquelle il est lié, un eugénisme fondé sur la reproduction des élites et l'apprentissage du renoncement par les classes inférieures, sans en exclure l'application autoritaire aux handicapés physiques et mentaux.

Carrel s'efforcera de mettre en œuvre son projet de « Science de l'homme » à la tête de la Fondation française pour l'étude des problèmes humains (Fondation Carrel) créée par décret de Vichy le 17 novembre 1941, en s'entourant de multiples chercheurs parmi lesquels Alfred Sauvy* et François Perroux*. Supprimée à la Libération, cependant que Carrel, suspendu de ses fonctions dès le 21 août 1944, meurt à Paris le 5 novembre, la Fondation fut un maillon essentiel de la recomposition du champ des sciences sociales en France, sur lequel l'hypothèque eugéniste a longtemps conduit à jeter le voile.

Denis Pelletier

■ *L'Homme, cet inconnu*, Plon, 1935. — *La Prière*, Plon, 1944. — *Le Voyage de Lourdes*, Plon, 1949. — *Réflexions sur la conduite de la vie*, Plon, 1950. — *Jour après jour (1893-1944)*, Plon, 1956.

■ A. Drouard, *Une inconnue des sciences sociales : la Fondation Alexis Carrel*, INED-MSH, 1992. — R. Soupault, *Alexis Carrel (1873-1944)*, Plon, 1952.

CARRÈRE D'ENCAUSSE (Hélène)

Née en 1929

Hélène Carrère d'Encausse, née à Paris le 6 juillet 1929, est la fille d'émigrés russes — un père géorgien, une mère née à Florence de parents russes et rhénans — qui lui ont transmis leurs valeurs et leur culture. Cet héritage a décidé de sa vocation et de son œuvre. Diplômée de l'Institut d'études politiques* de Paris, docteur en histoire avec une thèse de troisième cycle sur la révolution en Asie centrale, docteur ès lettres et sciences humaines avec une thèse sur les bolcheviques et la nation, elle enseigne depuis 1969 rue Saint-Guillaume, où elle est entrée comme chercheur au CERI (Centre d'étude des relations internationales), avant de devenir responsable de la section d'URSS.

De son premier grand livre, paru en 1978 (Flammarion), consacré aux minorités musulmanes d'URSS, et couronné par le prix Aujourd'hui, est resté surtout un titre, *L'Empire éclaté*, dont le caractère prémonitoire lui a valu d'être élue à l'Académie française* au lendemain de la chute de l'Empire soviétique, en décembre 1990. Plus historienne que sociologue, elle se distingue de la plupart des « kremlinologues » par le fait qu'elle s'est toujours intéressée plus volontiers à l'analyse de la question nationale et des spécificités de la culture russe, qu'à la critique du marxisme-léninisme, du bolchevisme ou du phénomène totalitaire. À ses yeux, la révolution de 1917 et ses suites s'éclairent par les traits propres au passé russe, qu'elle a analysés aussi bien dans ses deux essais sur Lénine et Staline, que dans *Le Grand Frère* ou *Le Malheur russe*. La crise qui a suivi 1989, montre-t-elle dans *La Gloire des nations*, a consacré la fin d'un Empire soviétique utopique, imposé par la violence, devenu aveugle et impuissant. Loin de trahir une quelconque velléité de recréer cet empire, les soubresauts de la Russie de Boris Eltsine, décrits dans *Victorieuse Russie*, lui paraissent, au contraire, liés aux combats difficiles menés contre lui-même par un peuple décidé à entrer enfin en démocratie et en modernité. Elle est député européen depuis juin 1994.

Alain-Gérard Slama

■ *L'Empire éclaté*, Flammarion, 1978. — *Lénine, la révolution et le pouvoir*, Flammarion, 1979. — *Staline, l'ordre par la terreur*, Flammarion, 1979. — *Le Grand Frère*, Flammarion, 1983. — *La déstalinisation commence*, Bruxelles, Complexe, 1986. — *Ni paix ni guerre*, Flammarion, 1986. — *Le Grand Défi*, Flammarion, 1987. — *Le Malheur russe. Essai sur le meurtre politique*, Fayard, 1988. — *La Gloire des nations ou la Fin de l'Empire soviétique*, Fayard, 1990. — *Victorieuse Russie*, Fayard, 1992.

CASSIN (René)

1887-1976

Un professeur de droit civil, un vice-président du Conseil d'État tenant une chronique régulière dans *Ici Paris*, tel est René Cassin, infatigable fantassin des droits de l'homme chez qui *La Pensée et l'action* sont indissociables.

Né à Bayonne le 5 octobre 1887, élevé à Nice dans une famille juive aisée, peu marqué par le fait religieux, R. Cassin achève des études supérieures à Aix par un doctorat en droit à Paris. Grièvement blessé en 1914, il s'engage dans l'action parallèlement à sa carrière universitaire : il fonde l'Union fédérale des anciens combattants, dont la devise est « Réparer le passé, préparer l'avenir » ; à ce titre, il inspire les lois organisant la réparation personnelle due par l'État aux anciens combattants et aux orphelins ; il y verra plus tard l'amorce des droits sociaux inscrits dans les Constitutions d'après 1945. En même temps, admirateur d'Aristide Briand, il fait adhérer l'UFAC à l'Association française pour la SDN, et organise le rapprochement entre associations européennes d'anciens combattants ; juriste, il participe en 1924 à la création de l'Institut international de coopération intellectuelle, et fait partie longtemps de la délégation française à la SDN.

Mesurant précocement le danger nazi, il renonce à la réconciliation franco-allemande et met en garde vainement ses camarades anciens combattants ; antimunichois, il quitte en 1938 la SDN, « devenue une grande machine sans moteur ». Un des premiers, et rares, civils à rallier de Gaulle en juin 1940, il devient le juriste de la France libre et contribue à son orientation républicaine, préparant ensuite les textes du Comité français de libération nationale (CFLN) et du Gouvernement provisoire de la République française (GPRF) qui organisent le retour à la légalité républicaine. Nommé par de Gaulle à la tête du Conseil d'État, il y reste jusqu'à sa retraite (1960), présidant à ce titre l'École nationale d'administration*. Il entre alors au Conseil constitutionnel, après avoir présidé le comité consultatif qui élabora la Constitution de 1958. Son œuvre fondamentale, qui lui vaudra en 1968 le prix Nobel de la paix, est sa part prise à la Déclaration universelle des droits de l'homme, dont il avait eu le projet dès avant la guerre, et qu'il s'efforce ensuite de concrétiser par des pactes internationaux. « Grand-père » de la Convention européenne des droits de l'homme, il siège dix ans à la Cour européenne de Strasbourg.

Sa vie est celle d'un politique indépendant : proche des radicaux, il refuse un portefeuille ministériel en 1924 ; membre de la Ligue des droits de l'homme* depuis 1921, il siège à son comité central en 1947 ; fidèle envers de Gaulle, il n'est pas soumis : hostile au référendum constitutionnel de 1962, il rompt avec lui en 1967 lors des déclarations présidentielles sur Israël.

Auteur de plus de cinq mille écrits dispersés, R. Cassin s'est défendu d'être un théoricien, se présentant plutôt comme un accoucheur d'idées sans frontières. Deux thèmes dominent son œuvre : l'incorporation des droits économiques et sociaux dans les droits de l'homme, affirmée dans la Déclaration de 1948 ; et d'autre part « l'abaissement de la souveraineté absolue des États » au profit des droits universels de la personne humaine, laquelle doit disposer de recours effectifs contre l'« État-Léviathan ». Sept ans après avoir fondé à Strasbourg l'Institut international des droits de l'homme, qui portera son nom, René Cassin meurt à Paris le 20 février 1976. Il entre au Panthéon en 1987.

Alain Monchablon

■ *La Pensée et l'action* (recueil de textes), F. Lalou, 1972. — *Les Hommes partis de rien. Le réveil de la France abattue (1940-1941)*, Plon, 1975, rééd. 1987.

▒ M. Agi, *De l'idée d'universalité comme fondatrice du concept des droits de l'homme, d'après la vie et l'œuvre de René Cassin*, Antibes, Alp'Azur, 1979 ; *René Cassin, fantassin des droits de l'homme*, Plon, 1979. — G. Israël, *René Cassin (1887-1976). La guerre hors la loi, avec de Gaulle, les droits de l'homme*, Desclée de Brouwer, 1990.

CASSOU (Jean)

1897-1986

Poète, romancier, critique d'art, Jean Cassou a revendiqué, comme intellectuel, le patronage de Miguel de Unamuno et s'est reconnu dans son refus des dogmes et des autorités imposées. C'est pour protester contre l'exil de l'écrivain espagnol par Primo de Rivera qu'il accomplit, en 1924, son premier acte politique ; devenu son ami, il traduit son *Agonie du christianisme*. Béarnais par sa ligne paternelle (son père est né au Mexique), d'une mère andalouse, Jean Cassou a eu des liens très forts avec l'Espagne, se réclamant de sa tradition humaniste et européenne. Il traduit Cervantès comme Ramon Gomez de la Serna, Jorge Guillén, et consacre des études au Greco, à Picasso*.

Jean Cassou, qui se définit dans les années 20 comme « anarchiste d'esprit », sent en 1933-1934 la nécessité de prendre parti. Il devient compagnon de route des communistes à la faveur de l'antifascisme. Après la démission de Guéhenno*, il est choisi en avril 1936 comme rédacteur en chef d'*Europe**, revue qu'il suspendra après le pacte germano-soviétique. Inspecteur des monuments historiques, il est appelé au cabinet de Jean Zay, ministre de l'Éducation nationale et des Beaux-Arts dans le gouvernement L. Blum*, pour s'occuper des questions artistiques. Particulièrement concerné par le drame de l'Espagne républicaine, il se rend plusieurs fois en Espagne* pour apporter le soutien des intellectuels français.

Mobilisé en 1939, il est chargé par la direction des Musées nationaux de la sauvegarde des œuvres d'art. Nommé, en juin 1940, conservateur en chef du Musée du Luxembourg, il est immédiatement révoqué par le gouvernement de Vichy. Avec quelques amis, unis par le désir de résister, il forme un petit groupe qui s'intègre à l'automne 1940 au réseau du Musée de l'homme. À Toulouse, qu'il a dû gagner, il participe aux activités du réseau Bertaux ; arrêté par la police française en décembre 1941, il écrit en prison ses *Trente-trois sonnets composés au secret*. Après avoir purgé sa peine infligée par un tribunal militaire français, il reprend du service dans la Résistance ; chargé de l'inspection de la région Sud-Ouest par les Mouvements unis de résistance, il est nommé commissaire de la République à Toulouse par Alger mais il ne pourra remplir cette fonction, ayant été grièvement blessé dans la nuit de la libération de Toulouse le 19 août 1944.

En octobre 1945, il est nommé conservateur en chef du Musée d'art moderne. Désireux de prolonger l'unité de la Résistance (à laquelle il rendra hommage dans *La Mémoire courte*), il accepte des responsabilités au Comité national des écrivains*, qu'il préside de 1946 à 1948, et dans d'autres organismes dominés par les communistes. Avec d'autres compagnons de route, il précise toutefois dès 1946-1947 que l'URSS est un « exemple », mais « ne peut constituer un modèle » *(L'Heure du choix)*. Il accepte encore de témoigner au procès Kravchenko (janvier 1949) en faveur des *Lettres françaises**. L'affaire Tito lui fournit cette même année, en décembre, l'occasion d'une rupture avec le communisme dans un article donné à la revue *Esprit**, « La révolution et la vérité ». Dans *La Voie libre* (1951), il met en cause la division du monde en deux camps et dénonce le totalitarisme soviétique. Dès lors, il ne cessera de dénoncer l'asservissement des peuples et des esprits par le communisme. J. Cassou prend quelque distance avec la politique, mais s'élève contre l'avènement de la Ve République et dénonce la torture en Algérie*. Il quitte le Musée d'art moderne en 1965 et enseigne la sociologie de l'art à l'École pratique des hautes études. Il meurt le 18 janvier 1986.

Nicole Racine

■ *Quarante-huit*, Gallimard, 1939. — *Trente-trois sonnets composés au secret*, présentés par François La Colère (Aragon), Éd. de Minuit clandestines, 1944. —

La Mémoire courte, Minuit, 1953. — *Entretiens avec Jean Cassou* (par J. Rousselot), Albin Michel, 1965. — *Une vie pour la liberté*, Laffont, 1981.
■ P. Georgel, *Jean Cassou*, Seghers, 1967. — N. Racine, « Jean Cassou », in *DBMOF*. — *Un musée imaginé* (catalogue de l'exposition en hommage à Jean Cassou), BNF, 1995.

CASTORIADIS (Cornélius)

Né en 1922

Penseur foisonnant, Cornélius Castoriadis n'a cessé de maintenir intacte une volonté de révolution, alors même qu'il se faisait le plus sévère censeur des dérives totalitaires. Quel que soit le domaine où sa lucidité s'exerce, il cherche à dégager les potentialités de l'instituant et de l'imagination des pesanteurs où les logiques du pouvoir ou de la marchandise les engluent.

Né en Grèce en 1922, il fait des études de droit, d'économie et de philosophie à Athènes. Durant la guerre, il s'engage dans la Résistance et, trotskiste, s'opposera à la volonté d'hégémonie des communistes staliniens. Il doit alors s'exiler pour la France à la Libération. En France, il rejoint le mouvement trotskiste, où il rencontre Claude Lefort*, avec lequel il fondera une tendance qui devait rompre avec le trotskisme pour devenir Socialisme ou barbarie* en 1948. Il est, dès lors, l'un des principaux animateurs de ce groupe, sous le pseudonyme de « Pierre Chaulieu », tandis qu'il entame une carrière d'économiste à l'OCDE, où il restera jusqu'en 1970.

À Socialisme ou barbarie, Castoriadis propose une analyse de l'Union soviétique comme une forme de capitalisme d'État, qui a certes rompu avec la propriété privée, mais pas avec les formes de pouvoir et de domination en vigueur, et les a au contraire renforcées. Développant une critique du marxisme fondée sur son incapacité à prendre en compte la question du pouvoir, il propose alors de réorienter l'action révolutionnaire vers l'hypothèse d'une autre structuration du pouvoir, mais ne renonce pas à l'idée d'organisation révolutionnaire, dont Socialisme ou barbarie se veut la préfiguration, jusqu'à la dissolution du groupe en 1966. Cette priorité accordée à la question du pouvoir le conduira plus tard à se rapprocher des analyses d'Hannah Arendt, tant en ce qui concerne la critique du totalitarisme que sur sa conception exigeante de l'action citoyenne, très marquée par la prégnance du modèle grec et par l'expérience des révolutions modernes. C'est à une politique active de l'institution, comme mouvement, contre la retombée dans l'institué, qu'en appelle Castoriadis.

Il dégage ainsi un idéal d'autonomie, qui vaut tant pour les sociétés que pour l'individu. Concernant l'individu, la quête de l'autonomie empruntera les chemins de la psychanalyse, pour laquelle il montrera un intérêt croissant, au point de devenir en 1973 lui-même analyste, dans ce qui se constitue alors sous le nom de « Quatrième Groupe ». La société autonome, quant à elle, prend pour lui le visage de la société auto-instituée, qui lui paraît non seulement aux antipodes des régimes totalitaires, mais aussi des formes de délégation de pouvoir et de hiérarchie à l'œuvre dans les sociétés capitalistes.

Directeur d'études depuis 1980 à l'École des hautes études en sciences sociales*,

Castoriadis continuera de développer une analyse critique de la société fondée sur une option révolutionnaire et non libérale, au rebours de nombreuses critiques du totalitarisme qui réhabiliteront le libéralisme. En particulier, sa critique de la domination s'infléchira du côté d'une critique de la technoscience, et de sa manière de déguiser des options sociales en contraintes objectives. En regard, les ressources de l'autonomie lui paraissent au mieux sollicitées par le recours à l'imaginaire, et il se consacre à élaborer une théorie positive de l'imagination, revisitant à cette fin la tradition philosophique, en particulier l'œuvre d'Aristote.

Il donne du communisme soviétique finissant une analyse vigoureuse et contestée, sous la forme d'une domination du pouvoir militaire : la stratocratie.

Penseur politique issu du marxisme, Castoriadis est l'un de ceux qui auront le mieux contribué à un renouveau de la pensée contemporaine par une curiosité intellectuelle toujours en éveil doublée d'un souci de vigilance critique qui n'a jamais désarmé.

Joël Roman

■ *L'Institution imaginaire de la société*, Seuil, 1975. — *Les Carrefours du labyrinthe*, Seuil, 1978. — *Domaines de l'homme*, Seuil, 1986. — *Mai 68. La brèche* (avec E. Morin et C. Lefort), Fayard, 1968, rééd. Bruxelles, Complexe, 1988. — *La Société bureaucratique*, Bourgois, 1990. — *Le Monde morcelé*, Seuil, 1990.

▒ G. Busino (dir.), *Autonomie et autotransformation de la société : la philosophie militante de Cornélius Castoriadis*, Genève, Droz, 1989.

CASTRO (Roland)

Né en 1940

Roland Castro est né à Limoges durant l'exode de 1940, de parents juifs de Salonique. Militant au PSU, à l'UEC puis à l'UJC (ml) en 1966, il est de ceux qui mènent à l'École des beaux-arts les premières actions de contestation du système académique qui, après Mai 68, conduiront à sa disparition. Il crée, en 1969, le mouvement « mao-spontex » Vive la Révolution, puis au début des années 70, il retourne à son métier. Aimant à répéter : « On a bâti Sarcelles, et Sartre n'a rien dit », il proclame que l'architecte doit être aussi un intellectuel engagé.

Dès ses premiers projets, il développe une esthétique nostalgique, assez composite, souvent hâtive, semée d'accents expressifs, soucieuse de poésie et surtout d'urbanité. Il voudrait renouer avec les mouvements des HBM et des cités-jardins, par-delà la grande coupure rationaliste des années 30, produire un espace public articulé, retrouver un savoir-faire perdu, mettre en œuvre un charme banal et quotidien dans une démarche globale qu'il dira plus tard « baroque ».

De 1978 à 1980, pour le ministre d'Ornano, il participe, avec l'urbaniste Cantal-Dupart, à la Consultation sur l'habitat, mission nationale d'exploration des problèmes de l'architecture urbaine et de l'espace public. Ensuite, ils fondent ensemble le groupe Banlieues 89, qui veut défendre « le lieu plutôt que l'objet », et il se voit confier une mission officielle à l'automne 1983, après avoir amené le président de la République visiter, en juillet, divers sites difficiles de la région parisienne, notamment les « 4 000 » de La Courneuve. Ils mènent durant plusieurs années un travail d'agitation largement décentralisé, appuyé sur les élus locaux, élaborent un plan du Grand Paris, suscitent nombre de débats et quelques projets « du côté de l'hétérogène et des retrouvailles avec la géographie ». Mais ils ne parviendront guère à consolider leur action en termes administratifs ni à résorber la crise urbaine ; encore moins à détourner leurs contemporains de la voie de l'architecture spectacle et du marketing municipal qui caractérisent les années 80.

Éternel maoïste, lacanien parfois jargonnant (il est analysé par le maître durant sept années), gaulliste et attaché à une « certaine » idée de la nation, braudélien et apôtre de la ville-monde, communiste par fidélité au mouvement ouvrier, mitterrandien tant qu'il a cru que la refonte de la banlieue (et pas l'édification des seuls grands projets parisiens) pouvait inscrire dans l'espace le destin de l'homme de Jarnac, Roland Castro cultive une conception idéaliste de la ville, dont il reste persuadé qu'elle est le lieu des lumières, de l'échange et de la liberté, des métissages et de la démocratie.

Chef de bande émotif et, selon ses propres mots, « partouzeur social », c'est un personnage fort complexe qui porte en lui, ouvertement et souvent de manière émouvante, toutes les contradictions du moment. Souvent décrié pour ses compromis professionnels et pour ses connivences avec des mondes politiques en théorie incompatibles, il témoigne en revanche d'une parfaite constance dans la formulation de ses thèses tant idéologiques qu'architecturales. Il a créé les journaux et revues *Tout ! (ce que nous voulons)* (1970-1971), *La Légende du siècle* (1987-1988), *Lumières de la ville* (1990-1993).

François Chaslin

■ *La Ville à livre ouvert* (en collaboration), La Documentation française, 1980. — *1989*, Barrault, 1984. — *Civilisation urbaine ou barbarie*, Plon, 1994.

CAU (Jean)

1925-1993

Né en 1925 et issu d'un milieu modeste, cet homme du Sud-Ouest « monte » à Paris pour préparer au lycée Louis-le-Grand le concours de l'École normale supérieure*. Titulaire d'une licence de philosophie, il est de 1946 à 1957 le secrétaire de Jean-Paul Sartre* et écrit dans *Les Temps modernes** pendant quelques années (1947-1954). Appartenant, non pas au cercle des intimes, mais à celui des collaborateurs réguliers du philosophe, il est alors perçu comme un intellectuel de gauche partageant les prises de position de ce dernier.

Il rejoint progressivement le camp adverse, celui d'une droite véhémente qui n'hésite pas à épouser parfois la vieille tradition française de l'anti-intellectualisme. Il entame une carrière de journaliste qui le conduit de *L'Express** au *Figaro littéraire**, en passant par *Paris-Match* où ses articles incisifs et volontiers vitupérateurs font de lui un polémiste redouté. Auteur de nombreux romans, prix Goncourt en 1961 avec *Pour la pitié de Dieu*, il s'illustre dans la veine pamphlétaire au cours des années 70, en s'insurgeant contre le dépérissement de la démocratie (*L'Agonie de la vieille*, 1970) et contre la décadence de notre société, qui exige un véritable sursaut éthique. Sa dénonciation de l'« état de dégénérescence avancée où se trouve l'intelligentsia contemporaine » le rapproche de la Nouvelle Droite. Il participe, entre 1968 et 1977, aux travaux du Groupement de recherche et d'études pour la civilisation européenne* (GRECE). La plupart de ses livres sont conçus comme des mises en garde et des dénonciations qui doivent porter l'estocade, à l'image du torero dont il partage la ferveur, contre les fausses valeurs établies. Il plaide pour un véritable nationalisme français *(Pourquoi la France ?)*, s'attaque au quotidien *Le Monde* (Lettre ouverte à tout le Monde)* et pourchasse les tenants du socialisme à visage humain.

L'arrivée de la gauche au pouvoir lui donne l'occasion de redoubler d'intensité dans ses prises de position. Particulièrement allergique à « la vulgarité barbue » (*La Barbe et la rose*, 1982), il ne décèle que turpitudes et incompétence dans les rangs des fidèles de François Mitterrand (*Une rose à la mer*, 1983). Revenu dans ses ouvrages suivants à davantage de mesure, il esquisse les portraits non dénués d'émotion de certaines personnalités du monde politique et culturel qu'il a connues (*Croquis de mémoire*), et, peu avant sa mort en 1993, le tableau somme toute nostalgique en dépit de son alacrité du Saint-Germain de la Belle Époque (*L'Ivresse des intellectuels*). Sans être parvenu à imposer sa marque au paysage intellectuel des dernières décennies, il a su néanmoins faire entendre une voix discordante, quelque peu marginale mais toujours vigoureuse, celle d'un clerc volontiers à contre-courant des modes et des chapelles.

Rémy Rieffel

■ *Lettre ouverte aux têtes de chiens occidentaux*, Albin Michel, 1967. — *L'Agonie de la vieille*, La Table ronde, 1970. — *Traité de morale*, t. 1 : *Les Écuries de l'Occident*, t. 2 : *La Grande Prostituée*, La Table ronde, 1973 et 1974. — *Pourquoi la France ?*, La Table ronde, 1974. — *Lettre ouverte à tout le Monde*, Albin Michel, 1976. — *Croquis de mémoire*, Julliard, 1985. — *L'Ivresse des intellectuels*, Plon, 1992.

CAVAILLÈS (Jean)

1903-1944

Né de parents protestants à Saint-Maixent — où son père, militaire de carrière, professe la géographie —, Jean Cavaillès, déçu par la khâgne* de Louis-le-Grand, prépare en candidat libre la rue d'Ulm où il est reçu premier (1922). Il poursuit dès lors un cursus scientifique et littéraire. Agrégé de philosophie (1927), il entame puis soutient, sous le patronage de L. Brunschvicg*, sa thèse sur le fondement des mathématiques, la thèse complémentaire portant sur la formation de la théorie des ensembles. Rejetant Leibniz, Cavaillès, se réclamant de Spinoza, estime que la vérité ne relève ni de l'individu ni de la conscience. « Il y a une objectivité, fondée mathématiquement, du devenir mathématique », affirme-t-il. Ainsi, les mathématiques obéissent à des nécessités, la vérité restant immanente et autonome.

Enseignant rue d'Ulm (1928-1936) — où il se montre actif au Centre chrétien —, il professe au lycée d'Amiens (1936-1938), entame une carrière à l'université de Strasbourg (1938-1939), repliée sur Clermont-Ferrand en 1940, et devient professeur suppléant à la Sorbonne (mars 1941). Ces années sont fertiles en rencontres. Outre les célébrités côtoyées (Husserl, le Père Fessard*, C. Bouglé*), Cavaillès se lie à R. Aron*, H. Cartan, G. Canguilhem*, P. Kaan, S. Weil*...

La guerre bouleverse son destin. Mobilisé, prisonnier, évadé, il s'engage fort tôt dans la Résistance. Cocréateur du mouvement Libération-Sud (1940) et du réseau Cohors (1941), membre de Libération-Nord, révoqué de l'université par Vichy, Cavaillès paye de sa vie son engagement total. Trahi puis arrêté (28 août 1943), il est fusillé à Arras en 1944.

Olivier Wieviorka

■ *Méthode axiomatique et formalisme. Essai sur le problème du fondement des mathématiques*, Hermann, 1938. — *Remarques sur la formation de la théorie abstraite des ensembles*, Hermann, 1938. — *Sur la logique et la théorie de la science*, PUF, 1947.

▒ A. Comte-Sponville, « Jean Cavaillès ou l'héroïsme de la raison », *La Liberté de l'esprit*, n° 17, Lyon, La Manufacture, 1987. — G. Ferrières, *Jean Cavaillès, philosophe et combattant*, PUF, 1950, rééd. 1982.

CAYROL (Jean)

Né en 1911

Pour Jean Cayrol, né à Bordeaux en 1911, la fin de la Grande Guerre fut la révélation d'un monde où l'horreur des situations pouvait se faire familière. Très tôt, on entre dans le « qui suis-je ? ». Est-ce une question d'intellectuel ? Oui, si elle est prise en charge par l'écriture.

En 1927, Cayrol publie, avec son ami Jacques Dalléas, une revue littéraire intitulée *Abeilles et pensées*, que saluent Jules Supervielle, Valery Larbaud et François Mauriac*. La révélation du surréalisme lui permet de « se déshabiller d'un langage appris par cœur » et d'entrer dans un langage magique qui aura toujours pour lui les dimensions de la terreur et de l'éblouissement, du froid et du soleil.

En 1937, Cayrol est engagé par la chambre de commerce de Bordeaux en qualité de bibliothécaire. Il fréquente les *Cahiers du Sud**, publie poèmes et plaquettes. Mais déjà « le langage commençait à tutoyer la mort ». Mobilisé, il est affecté aux services secrets de la marine. En janvier 1941, il entre dans un réseau d'espionnage. Arrêté une première fois en 1941, il l'est à nouveau le 10 juin 1942. Interné à Fresnes jusqu'en mars 1943, il est déporté au camp de Gusen-Mauthausen sous le régime *Nacht und Nebel*. Paraissent en 1944, par les soins d'Albert Béguin*, sous le titre de *Miroir de la rédemption*, les poèmes écrits par lui à Fresnes.

Libéré en mai 1945, Cayrol publie alors quelques-uns des livres les plus représentatifs de cette époque marquée par un cataclysme qui imposa de mettre en œuvre « toutes les défenses surnaturelles de l'homme ». Les *Poèmes de la nuit et du brouillard* (1945), la trilogie de *Je vivrai l'amour des autres* (1947-1950, le second volume reçoit le prix Renaudot en 1947) et l'essai *Lazare parmi nous* (1950) expriment tout à la fois la défiguration, la contamination et la lente reconquête de l'identité par la parole et par la fiction. Ils annoncent aussi l'apparition d'« un romanesque lazaréen dans chaque scène de notre vie privée », dont Cayrol poursuivra l'invention et l'inventaire jusque dans la série des *Histoire* qui suivront la publication, en 1969, d'*Histoire d'une prairie*.

Entré au Seuil* en 1949, Cayrol fonde en 1956 la revue *Écrire* (qui se poursuivra sous la forme d'une collection). Ouverte à une littérature en formation et plus soucieuse de son invention que de son histoire, elle jouera un rôle considérable dans la manifestation de nouvelles exigences propres à une génération d'écrivains.

L'œuvre de Jean Cayrol, élu à l'académie Goncourt en 1973, s'est déployée sur le mode de l'intervention ou du droit de regard, soit par les moyens du cinéma (*Muriel*, avec Alain Resnais*, *Le Coup de grâce*, avec Claude Durand), soit par le poème mi-journal de bord, mi-journal intime (*Poésie-Journal I, II, III*, 1969, 1977, 1980), tout autant que par le roman ou l'essai. La relation de cette œuvre à l'histoire et aux événements est d'autant plus affirmée qu'elle s'exprime *au figuré* et sans perdre de vue que la littérature est peut-être « la seule manière d'envisager l'avenir de toute mémoire ».

Daniel Oster

■ Outre les ouvrages cités plus haut : *Les mots sont aussi des demeures*, Seuil, 1952. — *Les Corps étrangers*, Seuil, 1959. — *Le Froid du soleil*, Seuil, 1963. — *Midi-minuit*, Seuil, 1966. — *Je l'entends encore*, Seuil, 1968. — *De l'espace humain*, Seuil, 1968. — *Histoire d'une prairie*, Seuil, 1970 ; *Histoire d'un désert*, 1972 ; *Histoire de la mer*, 1973 ; *Histoire de la forêt*, 1975 ; *Histoire d'une maison*, 1976. — *Il était une fois Jean Cayrol*, Seuil, 1982.

■ D. Oster, *Jean Cayrol et son œuvre*, Seuil, 1968 ; *Jean Cayrol*, Seghers, 1973.

CÉLINE [Louis-Ferdinand Destouches]

1894-1961

Écrivain ayant donné à ses fictions une résonance socio-historique inédite — dans laquelle nombre d'intellectuels ont d'abord cru reconnaître l'écho de leur propre engagement révolutionnaire —, Céline s'est réinscrit par la suite dans la tradition polémique antisémite, avant d'afficher des ambitions de pur styliste. Cet itinéraire littéraire tortueux trouve ainsi un de ses fils directeurs dans un parti pris anti-intellectualiste latent.

Né le 27 mai 1894 à Courbevoie, Céline passe son enfance à Paris, entre un père employé sans grade et une mère commerçante. À quinze ans, fort d'un simple certificat d'études, il entre en apprentissage dans la joaillerie. En 1912, il rejoint le 12ᵉ régiment de cuirassiers. Trois mois après la déclaration de guerre, il est blessé au bras droit sur le front flamand, décoré de la médaille militaire, puis affecté au consulat de France à Londres et enfin réformé en 1915. L'année suivante, il séjourne au Cameroun. Dans l'immédiat après-guerre, il participe à la campagne contre la tuberculose de la Fondation Rockefeller, avant de s'installer à Rennes où il passe son baccalauréat et entame des études de médecine. En 1924, il soutient sa thèse sur *La Vie et l'œuvre de Philippe Ignace Semmelweis* et intègre la section d'hygiène de la Société des Nations qui le charge de missions aux États-Unis, en Europe et en Afrique au cours des années 20 — expérience qu'il évoque dans un drame satirique (*L'Église*, 1933). En mars 1930, il fait paraître un article accusateur sur « La santé publique en France » dans *Monde**. Ces premiers écrits médicaux, souvent contradictoires, montrent combien, chez lui, la tentation pamphlétaire est originellement liée à une crise de positionnement politique du médecin.

Voyage au bout de la nuit paraît en 1932, aussitôt salué comme une œuvre novatrice tant par la transposition du parler populaire, que par l'immédiate actualité des thèmes abordés : la barbarie belliciste, l'injustice coloniale et l'inhumanité du machinisme fordien. Le scandale causé par son échec au prix Goncourt contribue à précipiter son succès. Léon Daudet* excepté, c'est surtout l'intelligentsia de gauche qui se reconnaît dans ce tableau clinique de la misère moderne : G. Altman, L. Aragon*, H. Barbusse*, G. Bataille*, E. Dabit*, É. Faure*… Amicalement sollicité par diverses revues, Céline se montre pourtant rétif aux pétitions et manifestes politiques de ses pairs. Sur le plan littéraire, il ne se reconnaît pas non plus d'affinités directes et préfère invoquer de lointains précurseurs, Rabelais surtout. L'écrivain-médecin demeure dans cette position de retrait jusqu'à la publication de *Mort à crédit* en 1936. Prenant sa réputation de romancier social « anarchisant » à contre-pied, cette autobiographie d'enfance déçoit ; les obsessions sexuelles qui y affleurent choquent ; sa syntaxe syncopée agace. De retour d'URSS, Céline consomme son divorce avec la gauche en rédigeant un pamphlet anti-soviétique (*Mea culpa*, 1936). Ayant démissionné du dispensaire de Clichy et délaissé ses projets de fiction, il se lance dans une satire des milieux littéraires et intellectuels débouchant sur un réquisitoire antisémite ordurier (*Bagatelles pour un massacre*, 1937). Familier du Centre de documentation de Darquier de Pellepoix, il y puise la matière d'un nouveau pamphlet « défaitiste » et raciste (*L'École des cadavres*, 1938). Revenu d'exode, il rédige un ultime brûlot parsemé d'antisémitisme (*Les Beaux Draps*, 1941). Pendant l'Occupation, une quarantaine de ses lettres et interviews sont publiées dans des journaux (*Je suis partout**, *Au pilori*, *La Gerbe**). Renvoyant dos à dos lâcheté « aryenne » et domination « juive », sa monomanie phobique ne le conduit cependant pas à adhérer au programme global du vichysme ni de ses marges fascisantes. Dès 1943, cet allié encombrant de la collaboration abandonne la polémique pour la fiction (*Guignol's band*, 1944).

En juin 1944, Céline quitte la France et tente de gagner le Danemark. Retenu à Baden-Baden, il rejoint la colonie française de Sigmaringen et ne parvient à Copenhague que huit mois plus tard. De sa prison danoise, Céline organise sa défense. Sans renier ses positions racistes, il les justifie au nom d'un pacifisme viscéral qui lui attire la sympathie de la presse libertaire : *La Rue*, *Le Libertaire*, *Défense de l'homme*. Amnistié en 1951, il s'installe à Meudon et entame un nouveau cycle romanesque sur sa traversée de l'Allemagne (*D'un château l'autre*, 1957 ; *Nord*, 1960 ; *Rigodon*, 1969), publié désormais comme le reste de son œuvre chez Gallimard*. Jusqu'à sa mort, le 1er juillet 1961, ses rares interventions publiques ne visent plus qu'à reconquérir son lectorat perdu en substituant à la réputation infamante du pamphlétaire celle d'un pur styliste ennemi de toute littérature à « messages ».

Yves Pagès

■ *Voyage au bout de la nuit*, Denoël et Steele, 1932. — *Mort à crédit*, Denoël et Steele, 1936. — *Bagatelles pour un massacre*, Denoël, 1937. — *Guignol's band*, Denoël, 1944. — *Féerie pour une autre fois*, Gallimard, 1952. — *D'un château l'autre*, Gallimard, 1957. — *Romans*, Gallimard, « Pléiade », 1974-1993, 4 vol. (rééd. des romans).

▒ M.-C. Bollosta, *Céline ou l'Art de la contradiction. Lecture de « Voyage au bout de la nuit »*, PUF, 1990. — F. Gibault, *Céline*, t. 1 : *Le Temps des espérances (1894-1932)* ; t. 2 : *Délires et persécutions (1932-1944)* ; t. 3 : *Cavalier de l'Apocalypse (1944-1961)*, Mercure de France, 1985. — H. Godard, *Poétique de Céline*, Gallimard, 1985. — P. Muray, *Céline*, Seuil, 1981.

Centre catholique des intellectuels français (CCIF)

Fondé en 1945, le Centre catholique des intellectuels français (CCIF) a exercé pendant plus d'un quart de siècle une influence considérable dans les milieux intellectuels, non seulement parmi les chrétiens, mais aussi parmi les incroyants, avec qui il avait tenu dès l'origine à engager le dialogue dans un esprit de franchise et d'ouverture. Au point de départ, on trouve la volonté de faire face aux grands enjeux auxquels se trouvait alors affrontée la pensée chrétienne, que ce soit dans le monde de l'Université, de la recherche, de la science ou de la philosophie. À l'écart de toute défense apologétique, il s'agissait d'apporter des réflexions neuves et des réponses raisonnées aux défis majeurs du jour, tels que les rapports entre la foi et la liberté de la recherche, la science et la technique, ou bien l'athéisme moderne dans sa version existentialiste ou dans sa version marxiste.

Déjà en 1941, à l'initiative d'une professeur de mathématiques, Madeleine Leroy, était né un Centre universitaire catholique (CUC) autour de cercles d'études et d'équipes de recherche spécialisées. Mais, au lendemain de la Libération, la création du CCIF a une tout autre portée grâce à trois innovations. D'abord l'élargissement du concept d'intellectuels, qui inclut désormais, à côté des « littéraires », les scientifiques, les juristes, les médecins, les ingénieurs. En deuxième lieu, l'institutionnalisation du travail de réflexion chrétienne dans un organisme reconnu. Enfin, la dimension internationale par l'affiliation à Pax romana, le Mouvement international des intellectuels catholiques.

Au long des années, les activités du CCIF se sont développées dans trois directions : des débats hebdomadaires autour de problèmes d'actualité, religieux ou sociaux (l'un d'entre eux, en 1953, à propos du Maroc, est resté célèbre en posant le problème de la conscience chrétienne face à la décolonisation) ; la Semaine des intellectuels catholiques, qui, à partir de 1948, attire chaque année un large public ; la revue *Recherches et débats*, lancée en 1952.

Au cours des années 50, le CCIF a joué un rôle important dans la préparation du concile Vatican II, puis, dans les années 60, il a été porté par la dynamique conciliaire en même temps qu'il en était porteur. En revanche, après 1968, atteint par la crise des institutions d'Église, il a perdu de son allant, ce qui l'a amené à mettre fin à son existence au milieu des années 70.

À la tête du CCIF se sont succédé — dans le pluralisme, mais avec une majorité de philosophes et d'historiens — les présidents Henri Bédarida de 1945 à 1957,

Olivier Lacombe de 1958 à 1965, René Rémond* à partir de 1965 ; les secrétaires généraux André Aumonier de 1945 à 1949, Robert Barrat de 1949 à 1954, Étienne Borne* de 1954 à 1960, François Bédarida de 1961 à 1966, Jean-Louis Monneron à partir de 1967 ; les assistants ecclésiastiques Émile Berrar de 1945 à 1957, Pierre Biard de 1957 à 1966, Michel Coloni à partir de 1967 ; parmi les vice-présidents, on trouve André Lichnérowitz et Henri Marrou*.

François Bédarida

CENTRE DE DOCUMENTATION JUIVE CONTEMPORAINE (CDJC)

La création du Centre de documentation juive contemporaine remonte au 28 avril 1943. Son principal fondateur, Isaac Schneersohn, a poursuivi en Russie des études rabbiniques. Établi en France, il se lance dans les affaires. La législation vichyste « aryanise » ses biens et le réduit au chômage. Schneersohn croit alors à la nécessité de recueillir des documents, « afin que l'Histoire en garde la trace ». Il parcourt la zone libre, rencontre les dirigeants des institutions juives de l'avant-guerre, et parvient, en dépit du caractère un peu fou de l'entreprise, à convaincre ses interlocuteurs.

Ils sont une quarantaine à se rendre à Grenoble, dans la zone d'occupation italienne, en avril 1943. Le lieu du rendez-vous : l'appartement qu'habite Schneersohn dans la rue Bizanet. Ils viennent de Saint-Étienne, de Nice, de Lyon, de Marseille, et même de Paris. Le président du Consistoire central, Léon Meiss, est présent. Alors que la guerre fait rage et que les Alliés n'ont pas encore débarqué en Europe, des juifs français et des juifs immigrés ont ainsi accepté, pour la première fois, d'œuvrer ensemble pour l'avenir. L'unité de la communauté juive est en marche.

Le CDJC, aujourd'hui installé rue Geoffroy-L'Asnier, est depuis sa création un lieu qui accueille avec libéralisme les chercheurs du monde entier. Le fonds comprend notamment les archives de la section juive de la Gestapo en France et des services d'Alfred Rosenberg, une partie des papiers du Commissariat général aux questions juives, les copies des dossiers du tribunal de Nuremberg, les documents essentiels sur les camps d'internement français. La bibliothèque compte 40 000 volumes, sans oublier d'innombrables photographies et beaucoup de journaux juifs de l'Occupation et de l'avant-guerre. Le CDJC publie un périodique qui a pour titre *Le Monde juif* et réunit, depuis un demi-siècle, des études pionnières. Léon Poliakov a fait ici ses premiers pas d'historien. Joseph Billig y a publié ses trois tomes sur le Commissariat général aux questions juives. Jusqu'à sa mort en 1991, Georges Wellers a animé une équipe restreinte de chercheurs et de conservateurs. En 1979, un colloque international a étudié les attitudes et les politiques de l'État, des Églises et des mouvements de résistance à l'égard de la persécution des juifs en France, et les actes ont été publiés sous le titre : *La France et la question juive* (chez Sylvie Messinger, 1981).

En 1956, le Mémorial du martyr juif inconnu est achevé. Adossé au CDJC, il commémore la Shoah, à deux pas de l'Hôtel de Ville et du quartier juif de Saint-Paul. Conservatoire de la mémoire juive à Paris, centre de recherches dont le rayonnement est international, le CDJC et le Mémorial restent fidèles aux objectifs que leur a fixés Isaac Schneersohn : fournir les documents nécessaires au jugement des coupables, faire connaître l'histoire du génocide et la condition des juifs en France pendant l'Occupation, rappeler les multiples facettes de l'antisémitisme au XXe siècle.

André Kaspi

Centre d'études et de recherches marxistes : voir Institut Maurice-Thorez

Centre national de la recherche scientifique (CNRS)

Six semaines après le déclenchement de la Seconde Guerre mondiale, le 19 octobre 1939, le *Journal officiel de la République* publie l'acte de naissance du Centre national de la recherche scientifique (CNRS). Le CNRS est un enfant de la guerre, il procède d'un plan de mobilisation scientifique lancé l'année précédente avec la mise en place d'un CNRSA (le « A » pour appliqué) dont la direction avait été confiée au doyen de la Faculté de sciences de Lyon, le physicien Henri Longchambon. Ce CNRS appliqué avait lancé des programmes de recherche dans des domaines redevenus — comme vingt ans plus tôt — stratégiques : détection, aliments et carburants de substitution, etc. C'est ainsi que « CNRS » devient un sigle sur la porte d'un hangar d'Ivry, dans la banlieue parisienne, où Frédéric Joliot* et ses collaborateurs (H. Halban, L. Kowarski) tentent de réaliser une réaction en chaîne (une pile atomique) à partir d'un phénomène récemment découvert, la fission de l'atome. « CNRS » est également sur l'en-tête d'un ordre de mission confié à un jeune maître-assistant de la faculté de Strasbourg, Louis Néel, chargé de protéger les bâtiments de la Royale contre les mines magnétiques allemandes. Vingt ans plus tard, ces travaux sur le ferromagnétisme débutés pendant la guerre vaudront un Nobel à l'intéressé. Quant à la fission atomique, on sait ce qu'il en adviendra.

Mais le CNRS est aussi l'aboutissement d'une campagne pour l'organisation de la recherche universitaire en France lancée au début du XXe siècle et qui n'aboutit qu'au cours des années 30. En effet jusqu'à la réalisation d'une Caisse nationale des sciences (devenue Caisse nationale de la recherche scientifique en 1935) par Jean Perrin* et André Mayer, l'Université française considérait la recherche comme une activité « superfétatoire » ne nécessitant ni instituts, ni laboratoires, à l'instar de ceux qu'on pouvait rencontrer sur les campus allemands ou anglais. Survient 1936. Le ministre de l'Éducation nationale du Front populaire, le radical Jean Zay, installe dans son ministère un Service national de la recherche dont la responsabilité est confiée au physiologiste Henri Laugier*. Loin d'être le simple appendice des réalisations précédentes, la création du service est une date capitale. Elle marque en France le début d'un budget spécifique consacré à la recherche, désormais discuté chaque année par le Parlement. Ce budget passe de moins d'une vingtaine de millions de francs au milieu des années 30 (essentiellement produit de taxes parafiscales) à plus de cinquante en 1939.

Ces moyens sont utilisés pour installer des laboratoires ou des instituts réclamés par une recherche de plus en plus gourmande. On ne parle pas encore de science « lourde », ce terme est postérieur à la Seconde Guerre mondiale, mais avec l'installation d'un Institut d'astrophysique à Paris ou d'un Observatoire de Haute-Provence équipé d'un télescope de trois mètres d'ouverture c'est bien d'elle qu'il s'agit. Toutes les disciplines sont concernées, y compris les sciences humaines. Avec l'ouverture d'un Institut de recherche et d'histoire des textes (F. Grat), celles-ci saisissent l'opportunité offerte par le nouvel organisme d'ouvrir de gros laboratoires de service. De même, le budget de la recherche voté en 1936 autorise le recrutement d'un corps de collaborateurs techniques pour fournir les « mains intelligentes » (Perrin) nécessaires aux nouveaux laboratoires (les futurs ITA du CNRS).

Les scientifiques contemporains de ses débuts s'accordent à dire que le CNRS a sauvé la recherche française. Cette glorieuse formule doit être nuancée. Certes, l'organisme s'est rendu suffisamment indispensable dès 1940 pour convaincre le gouvernement de Vichy de le conserver malgré son hostilité pour les « créatures » du Front populaire. Pendant l'Occupation, sous la direction du géologue Charles Jacob, le Centre développe sa vocation à la recherche appliquée : physiologie de la nutrition et ersatz alimentaires, énergie des mers... Mais il révèle ses limites d'organisateur. Dans l'idée de ses promoteurs, le CNRS se voulait une sorte de coordinateur de l'ensemble de la recherche française. Or, contrairement à son homologue britannique qui lui a servi de modèle (le Department of Scientific and Industrial Research), le Centre n'a pas de statut interministériel. Maintenu sous la tutelle de l'Éducation nationale, il s'avère incapable d'harmoniser la recherche entre les grands ministères techniques. Dès 1941, la Santé se dote d'un Institut national d'hygiène (qui donnera l'INSERM en 1964), l'année suivante les Colonies installent un office des recherches aux colonies (l'ORSTOM). La Libération voit se multiplier ces instituts « nationaux » : le CEA pour la recherche atomique (1945), l'ONERA à l'Air, l'INRA à l'Agriculture (1946), etc. Cette incapacité du CNRS à s'affirmer comme le pôle d'une politique scientifique nationale engendre sous la IVe République une prolifération de projets de hauts commissariats, de secrétariats d'État qui d'ailleurs n'aboutissent pas. C'est dans la perspective d'une nouvelle mobilisation scientifique (la force de frappe, l'espace) que le général de Gaulle et son Premier ministre, Michel Debré, installent en 1959 un Comité consultatif de la recherche scientifique (CCRST), doublé d'une Délégation (DGRST), véritable ministère avant la lettre puisque chargé de répartir l'ensemble du budget de la recherche publique (l'enveloppe-recherche).

En réalité, dès l'après-guerre, le CNRS était devenu un organisme parmi d'autres, mais plus particulièrement tourné vers la recherche fondamentale. Passé une éphémère tentative de son directeur nommé en 1944, Frédéric Joliot, de le transformer en « commissariat à la science », sous les auspices du généticien Georges Teissier qui le dirige de 1946 à 1950, le CNRS reprend son soutien à la recherche universitaire (caisse des sciences). Cela s'opère par le truchement d'un Comité national d'une trentaine de sections. De la physique théorique aux sciences juridiques, elles sont inspirées par un découpage académique de la science et sont chargées de répartir bourses et subventions. Ainsi, le CNRS d'après guerre est-il l'acteur principal d'un renouveau de la recherche. Il contribue à renouer des contacts scientifiques internationaux rompus par le conflit. Il installe une mission scientifique en Grande-Bretagne (L. Rapkine), une documentation scientifique moderne (J. Wyart). Il lance — avec le soutien de la Fondation Rockefeller — une série de colloques, dont certains feront date dans leur discipline. D'ailleurs, par l'entremise de scientifiques exilés chez les Alliés durant la guerre, le CNRS fait aussi place à une organisation de la science de type interdisciplinaire. À l'instigation du physicien Pierre Auger nommé en 1945 directeur de l'Enseignement supérieur, la réunion de comités directeurs débouche sur des projets de laboratoires (et de chaires universitaires) dans des domaines jusque-là négligés. On peut citer l'économétrie, branche mathématique de la vieille économie politique, abritée et défendue par les mathématiciens (M. Allais*) ou la sociologie avec un Centre d'études sociologiques créé par G. Gurvitch* à son retour des États-Unis.

Mais il apparaît que les réalisations du CNRS n'atteindront nulle part un niveau comparable à celui des sciences de la vie. L'organisme accompagne ici un ensemble de mutations scientifiques en biochimie, en génétique, qui voient l'installation progressive d'une nouvelle biologie dite d'abord cellulaire puis bientôt moléculaire. Un homme incarne cette évolution, Boris Ephrussi, d'origine russe, ancien boursier des caisses d'avant guerre qui a travaillé aux États-Unis (G. Beadle). Avec le soutien du pasteurien André Lwoff, Ephrussi participe activement au redémarrage du CNRS et obtient qu'un institut de génétique soit créé à Gif-sur-Yvette (1946), tandis qu'une chaire lui est ouverte en Sorbonne (par P. Auger). Le Centre de génétique moléculaire (avec P. Slonimski) sera le berceau d'une génétique cytoplasmique (ou extra-mitochondriale) qui constitue un chapitre essentiel de la révolution biologique évoquée ci-dessus. Aujourd'hui, alors qu'il compte le quart de ses quelque 25 000 agents (et la même proportion d'un budget d'une dizaine de milliards de francs), le développement des sciences de la vie dans ce pays reste l'un des titres de gloire du CNRS. Par exemple, la découverte récente de l'agent pathogène du sida (1983) est le fait d'un chercheur (L. Montagnier) soutenu par cette « caisse des sciences pures » qu'avait voulu Jean Perrin.

Jean-François Picard

■ R. Burian, J. Gayon et D. Zallen, « The Singular Fate of Genetics in the History of French Biology (1900-1940) », *Journal of Biology*, 1989. — H. Laugier, « Le Centre national de la recherche scientifique », *Revue d'Alger*, janvier 1944. — H. Paul, *From Knowledge to Power. The Rise of the Scientific Empire in France (1860-1939)*, Cambridge University Press, 1985. — J. Perrin, *Discours au Conseil supérieur de la recherche scientifique (2-5 mars 1938)*, Melun, Imprimerie administrative. — D. Pestre, *Physique et physiciens en France (1918-1940)*, Éd. des Archives contemporaines, 1984. — J.-F. Picard, *La République des savants, la recherche française et le CNRS*, Flammarion, 1990. — *Cahiers pour l'histoire du CNRS*, CNRS, 1988-1990, 10 vol.

Centre Sèvres

Le Centre Sèvres occupe dans le paysage intellectuel français une position originale, qui témoigne de l'ouverture à la modernité d'un catholicisme étranger à toute forme de repli identitaire. Fondé en 1974, il doit son nom à sa localisation au carrefour Sèvres-Babylone, 35 bis rue de Sèvres. Il est issu de la fusion de deux facultés jésuites, celle de théologie établie à Lyon-Fourvière et celle de philosophie située à Chantilly. Depuis son installation en 1926, la première avait vu se développer ce que certains ont appelé « l'école de Fourvière », en référence au courant théologique qui fut suspecté par l'encyclique *Humani generis* de 1950, et valut à Henri de Lubac* une interdiction de publier ses œuvres. Fondée en 1950, la seconde avait été marquée par la tradition hégélienne où s'étaient illustrés Marcel Régnier et Gaston Fessard*. Assurée par la Compagnie de Jésus, la direction du centre a été confiée depuis l'origine à des jésuites sociologues ou politologues, Jacques Sommet (1974-1980), Jacques Gellard (1980-1986), Henri Madelin (1986-1992), Pierre de Charentenay (à partir de 1992).

Héritier de ces traditions et de ces enseignants, le Centre Sèvres est d'abord le lieu de formation intellectuelle des jésuites. Il comptait en 1994 trente jésuites français et cinquante jésuites étrangers, et fonctionne comme un institut universitaire délivrant les diplômes canoniques (licence, maîtrise, doctorat). Doté d'une bibliothèque ouverte aux chercheurs, le Centre Sèvres s'est ouvert au fil des années à des étudiants non jésuites et reçoit 220 étudiants à plein temps et quelque 2 500 auditeurs libres pour divers enseignements. Outre ses facultés de théologie et de philosophie, il compte trois autres départements, « Spiritualité et vie religieuse », « Éthique biomédicale » et « Éthique publique ».

Principal foyer intellectuel de la Compagnie de Jésus en France, le Centre Sèvres est lié par ses professeurs à un réseau de revues où se côtoient les *Recherches de sciences religieuses*, les *Archives de philosophie* et *Concilium*. Certains d'entre eux sont également engagés dans des institutions extérieures au champ intellectuel strictement catholique, tel Pierre-Jean Labarrière, longtemps directeur de programme au Collège international de philosophie*, ou Patrick Vespieren et Olivier de Dinechin, qui furent successivement nommés par le président de la République au Comité national d'éthique*. Les « colloques pluridisciplinaires du Centre Sèvres » lui assurent enfin un rayonnement relayé par les publications des Éditions Médiasèvres, et sont l'occasion d'interventions dans le débat public et de rencontres avec les intellectuels liés à des revues comme *Esprit** ou les *Études**, ainsi qu'avec les milieux universitaires.

Pierre de Charentenay

Centre Thomas-More

L'originalité du Centre Thomas-More ne tient pas seulement au fait qu'installé à l'Arbresle près de Lyon, il est par la trentaine de sessions qu'il organise chaque année un des rares foyers intellectuels catholiques provinciaux de renommée internationale. Lieu de formation et de confrontation entre chercheurs en sciences humaines, il est représentatif d'un certain engagement chrétien dans la Cité.

C'est à l'initiative de Paul Grandin et d'Henri Desroche* que le Centre Thomas-More fut fondé en 1970 dans le couvent d'études de la province dominicaine de Lyon construit par Le Corbusier*. Les retombées de Mai 68 se faisaient sentir à la fois dans l'effondrement du recrutement qui ôtait à ce couvent sa fonction première, et dans la volonté d'ouverture aux sciences humaines et de contestation sociale qui présida au projet. Deux milieux ont œuvré à cette fondation : celui des chercheurs du groupe de sociologie des religions, Henri Desroche, Émile Poulat, Jean Séguy, qui s'employaient depuis les années 50 à dégager cette discipline de toute option confessionnelle ; celui de dominicains qui, à l'image de Paul Grandin ou du provincial de Lyon Damase Belaud, avaient été confrontés naguère à la question de la déconfessionalisation des mouvements catholiques. Le Centre Thomas-More est le produit d'une génération, celle de la sécularisation catholique.

Le projet de « confrontation entre sciences non religieuses des religions et sciences théologiques » introduisait cette sécularisation au cœur même de l'institution dominicaine. La décision prise en 1972 d'élargir les intérêts du centre aux sciences humaines fut confirmée en 1979, malgré des tensions internes et quelques difficultés avec la hiérarchie, en même temps qu'était réaffirmée la nécessité « de ne pas dissocier la réflexion sur la religion de la critique de la société ». La fonction critique supposait la rigueur de l'enseignement dispensé, ainsi que la diversification des conférenciers, effective dès les premières années, autour de thèmes tels que la psychanalyse (Françoise Dolto*, Michel de Certeau*, Jean-Bertrand Pontalis*, Serge Leclaire), la sociologie (Pierre Bourdieu*, Alain Touraine*), l'analyse structurale des textes (Algirdas-Julien Greimas), le statut de l'image et l'esthétique (Louis Marin, Jacques Le Goff*, Jean-Pierre Vernant*, Georges Didi-Huberman), mais aussi l'urbanisme, le travail social ou la pédagogie. Mené de front avec le maintien de sessions consacrées à la sociologie et à l'histoire des religions, cet enseignement trouve son débouché dans diverses publications, le *Bulletin du CTM* (1973-1978), les *Recherches et documents du CTM* (1974-1985), la collection des *Dossiers* depuis 1974. Les sciences humaines sont ainsi la médiation privilégiée d'une présence catholique dans le débat intellectuel, qui s'efforce d'échapper à toute tentation de repli sur un catholicisme identitaire.

Denis Pelletier

■ A. Laudouze, *Vingt années de débat. Le Centre Thomas-More (1970-1990)*, L'Arbresle, Dossiers du CTM, 1990.

CERCLE BERNARD-LAZARE

Le Cercle Bernard-Lazare a été fondé en 1954 par quelques dizaines de militants autour de l'avocat socialiste André Blumel, proche de Léon Blum* et fidèle de la cause sioniste dès l'avant-guerre. Parmi les fondateurs, le docteur Benjamin Ginsburg, qui sera longtemps son président, l'historien Bernard Blumenkranz, l'ingénieur Moshé Keller, qui joua un rôle déterminant dans l'affaire des enfants Finaly, et Henry Bulawko, qui en fut longtemps le secrétaire général.

Les idéaux du Cercle sont ceux de son héros éponyme, Bernard Lazare* : intellectuel dreyfusard, résolument ancré à gauche et sioniste. Le Cercle se situe à la jonction de deux courants. Le premier est proprement français : le courant de la SFIO favorable à la cause sioniste qui, par l'intermédiaire d'hommes comme André Philip* ou Édouard Depreux, soutient les activités du Cercle. De nombreux membres du Cercle ont d'ailleurs milité à la SFIO puis au PS. Le second courant, celui du sionisme marxiste, provient de l'Europe de l'Est, avec essentiellement l'Hashomer Hatzaïr (la Jeune Garde), important mouvement de jeunesse né en Galicie pendant la Grande Guerre, qui fonda de nombreux kibboutzim en Palestine et fut particulièrement actif dans la Résistance juive dans l'Europe occupée par les nazis.

Le Cercle Bernard-Lazare intervient à la fois dans la vie juive et dans la vie politique française. Il est membre des instances communautaires : CRIF (Conseil représentatif des institutions juives de France), FSJU (Fonds social juif unifié) et CJM (Congrès juif mondial). Les grands axes de son action sont la vigilance à l'égard de l'antisémitisme, le soutien à l'État d'Israël et le dialogue avec les Palestiniens. Ainsi est-il lié au Mapam (Parti ouvrier unifié israélien), à Shalom Arkhshav (La Paix maintenant) et au Centre international pour la paix au Proche-Orient.

Installé au 17 rue de la Victoire, puis au 10 rue Saint-Claude à Paris, le Cercle est le centre de toute une série d'activités. Le mouvement Hashomer Hatzaïr prépare en principe les jeunes à la montée en Israël dans les kibboutzim du mouvement. On y trouve aussi les cercles d'étudiants Michmar et Kidma, le groupe de culture et de pensée juives où les activités se déroulent en yiddish, ainsi que les « Amis du Mapam ». On y étudie l'hébreu et la Bible. Le Cercle Bernard-Lazare se consacre également à la réflexion sur le judaïsme, ses traditions, ses penseurs contemporains lors de soirées où sont invités des intellectuels venant le plus souvent présenter leurs livres ou des hommes politiques. On y célèbre les fêtes juives dans un rituel laïque et on commémore le génocide des juifs, l'insurrection du ghetto de Varsovie et la création de l'État d'Israël. Des sections ont été créées à Lyon, Grenoble et Troyes. Le Cercle publie une revue de réflexion trimestrielle, *Les Cahiers Bernard Lazare*, et un supplément mensuel, plus centré sur ses activités.

Annette Wieviorka

Cercle Fustel-de-Coulanges

Le Cercle Fustel-de-Coulanges, fondé à l'automne 1926 par un professeur de lettres classiques, protestant converti au catholicisme, Henri Boegner, vise à regrouper les membres de l'enseignement qui veulent promouvoir une politique scolaire inspirée par l'Action française*. « Nous sommes un groupement d'universitaires dont le nationalisme intégral a été l'initiateur mais qui n'est fermé à aucun de ceux qui, sans vouloir se réclamer formellement de l'AF, pensent trouver dans ses doctrines, notamment dans son antidémocratisme et dans son traditionalisme, un guide pour parer aux dangers que courent les trois ordres d'enseignement », écrit Louis Dunoyer, professeur à la Sorbonne et secrétaire général du Cercle.

Le Cercle publie des *Cahiers*, six fois par an, d'octobre 1928 à avril 1941, puis de façon irrégulière jusqu'en 1944, qui constituent une bonne source pour étudier les activités du mouvement, ses options idéologiques, ses réseaux d'alliance et la population de ses activistes, adhérents et protecteurs (les *Cahiers* reparaîtront en 1953, puis s'étioleront et mourront en 1973). Contre l'école unique, l'internationalisme, la démocratie « avilissement de l'intelligence », la « philosophie individualiste des droits de l'homme », les écoles normales d'instituteurs et la « philosophie primaire ravivée par l'enseignement de la sociologie », pour la primauté des études gréco-latines, la formation des instituteurs aux humanités dans les lycées, l'éducation familiale et un enseignement privé fort, le cercle revendique 300 membres en 1929, 2 000 en 1936, et défend la corporation contre les syndicats avec l'Union corporative des instituteurs dirigée par S. Jeanneret et le Syndicat des professeurs de lycée. Il accueille des intellectuels prestigieux, Maurras* bien sûr, H. Massis* et M. Pujo, A. Bellessort*, L. Bertrand et A. Bonnard* de l'Académie, D. Halévy*, mais aussi Lyautey et Weygand.

Le plus frappant est la place qu'occupent dans le Cercle de nombreux futurs membres du gouvernement et de l'administration de l'État français : H. Boegner, président, et L. Dunoyer, secrétaire du Cercle, qui seront membres de la commission jeunesse du conseil national, A. Rivaud et A. Bonnard qui seront ministres de l'Éducation nationale en 1940 et 1942, R. Gillouin, l'un des doctrinaires proches de Pétain, S. Jeanneret, chef adjoint du cabinet Bonnard, B. Faÿ qui prendra la place de J. Cain* comme administrateur général de la Bibliothèque nationale. En avril 1941, Maurras et Rivaud appellent à faire revivre le Cercle en zone libre et, devant 1 300 personnes, disent leur « joie intime de travailler en communication constante et parfaite avec le gouvernement de l'État français » ; dans un recueil publié par le Cercle en 1941, H. Boegner révèle que les « universitaires patriotes » avaient demandé dès 1938 que Pétain soit nommé chef du gouvernement et qu'aujourd'hui « la voix du Maréchal nous fait pressentir une France nouvelle, une France revenue à ses meilleures traditions ».

Francine Muel-Dreyfus

■ *Cahiers du Cercle Fustel-de-Coulanges*, 1928-1944 et 1953-1973.

▒ H. Boegner (dir.), *Place et tâche de l'Université dans la France nouvelle*, Imprimerie Lahure, 1941. — P. Gerbod, *Les Enseignants et la politique*, PUF, 1976. — J.A.D. Long, *The French Right and Education : The Theory and Practice of Vichy Education Policy (1940-1944)*, UD Phil. Thesis, Oxford, 1976, dactylographié. — J.E. Talbott, *The Politics of Educational Reforms in France (1918-1940)*, Princeton, PUP, 1969. — E. Weber, *L'Action française*, Fayard, 1985, rééd. Hachette, 1990.

Cercle Proudhon

En mai 1911, des étudiants de l'Action française* demandèrent à Georges Valois* de se joindre à eux pour créer un cercle d'études. « Au clair sur la politique », ils voulaient éclairer leur sentiment intérieur sur l'économie, en découvrant à ce propos le bien de chaque classe dans le cadre de l'ordre français défini par

Maurras*. Ils choisirent Proudhon comme patron, parce qu'il réunit la force agricole et la force industrielle.

À la même époque, les désillusions liées aux suites de l'affaire Dreyfus* avaient confirmé le syndicalisme ouvrier à voir dans toute représentation par un parti, ou *a fortiori* par des parlementaires, un dévoiement « bourgeois » : il ne fallait plus compter que sur soi pour défendre ses intérêts et changer l'ordre des choses. Ce refus de la politique républicaine pouvait s'accorder avec les positions de l'Action française ; davantage, la fermeture sur lui-même du monde ouvrier pouvait paraître correspondre au « chacun à sa place » des tenants du monarchisme maurrassien. Aussi bien, à l'instigation de Valois, qui en fut l'organisateur, des intellectuels proches du syndicalisme révolutionnaire acceptèrent-ils de participer au Cercle, le nom de Proudhon servant de fédérateur. Le plus notable fut Édouard Berth*, ami et disciple de Georges Sorel*.

À partir du 17 décembre 1911, les membres du Cercle organisèrent chaque mois à l'Institut d'Action française* une « conférence publique ». Le texte de ces conférences fut publié dans les *Cahiers du Cercle Proudhon*, ainsi que divers articles des membres du groupe. Édouard Berth y signe « Jean Darville ». Dans le même temps voyait le jour une collection du Cercle Proudhon, dans laquelle furent édités — par Henri Lagrange, jeune espoir de l'Action française — *Les Femmelins de Proudhon*. Le Cercle vécut jusqu'en 1914. Au-delà de l'économie — négligée de fait par Maurras — il visait, sous l'impulsion de Valois, à rapprocher les extrêmes. Aussi bien ne pouvait-il acquérir un semblant d'unité que par ce à quoi il s'opposait : la démocratie en général, perçue comme un amalgame de capitalisme, d'individualisme, de parlementarisme, de cosmopolitisme, d'intellectualisme... venant séparer la France d'elle-même et de son « ordre éternel ».

L'image de Proudhon qui en émane oscille entre deux pôles : un Proudhon synthétisant en lui la diversité de la France réelle, un Proudhon plus « chaotique », chez lequel ne vaudraient que l'instinct et l'intuition, à l'exclusion des développements « égalitaires ». Ce manque de netteté ne pouvait conduire le Cercle qu'à se retrouver quelque peu à l'écart et du syndicalisme ouvrier, et de l'Action française. De fait, et Sorel, et, plus encore, Maurras, se montrèrent réticents à son égard.

Georges Navet

■ *Cahiers du Cercle Proudhon (1912-1913)*, 8 numéros.

▒ G. Navet, « Le Cercle Proudhon (1911-1914). Entre le syndicalisme révolutionnaire et l'Action française », *Mille neuf cent*, n° 10, novembre 1992. — E. Weber, *L'Action française*, Fayard, 1985, rééd. Hachette, 1990.

CERISY : voir **PONTIGNY**

CERTEAU (Michel de)

1925-1986

Michel de Certeau représente un cas atypique parmi les intellectuels français contemporains. Issu d'une famille de la petite noblesse savoyarde (il est né à Chambéry en 1925), tôt destiné à l'Église et à une vocation missionnaire, il s'oriente après des études de lettres et de philosophie, vers la Compagnie de Jésus où il entre en 1950. Il est ordonné prêtre en 1956. Il complète alors sa formation théologique mais aussi philosophique et historique, dans un milieu dominé par la figure intellectuelle du Père de Lubac*. Il y réoriente aussi ses intérêts intellectuels. À la demande de la Compagnie, il est amené à s'intéresser aux débuts de la spiritualité jésuite en France. Ses premiers travaux sont donc placés sous le signe de l'érudition, avec de grandes éditions de textes demeurées, par la force des choses, réservées au cercle étroit des spécialistes : celles du *Mémorial* de Pierre Favre (1960), du *Guide spirituel* (1963) et de la *Correspondance* (1966) de Jean-Joseph Surin. Cet intérêt pour les commencements de la mystique française n'est pourtant pas seulement d'ordre philologique, il s'en faut : il va constituer la base de la réflexion de Certeau pendant l'essentiel de sa vie, et il en réorchestrera tous les thèmes dans son dernier livre, le plus ambitieux, *La Fable mystique* (1982).

La crise de 1968 constitue pour lui une rupture profonde, qu'il a commentée (*La Prise de parole*, 1968). Elle le pousse à inscrire davantage sa présence dans la société et à y témoigner, sans quitter pourtant l'institution ecclésiale ni la Compagnie. Il va donc devenir un enseignant (à l'Institut catholique de Paris, aux universités de Paris-Vincennes et de Paris VII, au Brésil, aux États-Unis), avant de trouver, au terme d'un itinéraire difficile, une position stable à l'École des hautes études en sciences sociales* (1984). Surtout, il va multiplier les formes d'intervention : dans les revues jésuites, *Études**, *Recherches de sciences religieuses*, etc., Certeau se fait l'animateur ou le participant de groupes informels de réflexion et de travail, avec une inlassable générosité : un réseau discret mais dense se constitue ainsi autour de lui, dont on ne prendra véritablement la mesure qu'après sa disparition précoce (Paris, 1986).

L'œuvre de Certeau décourage la définition : par son ampleur (dix-sept volumes, quatre cents articles en toutes langues) ; par sa diversité puisqu'elle va de l'histoire religieuse à la sociologie des pratiques culturelles, de l'anthropologie à la psychanalyse (il a été membre de l'École freudienne), de la théologie à la politique en passant par la philosophie et l'histoire. Œuvre inclassable, donc, et qui a fait l'objet d'une reconnaissance lente et résistible. L'unité s'en trouve pourtant dans une anthropologie de la croyance et du croyable, animée par la conviction que le « religieux » n'est pas un domaine balisé, mais le lieu d'une interrogation plurielle sur la production du sens au sein des pratiques concrètes. Ce qui, entre la théologie (et l'expérience chrétienne), l'histoire et la psychanalyse, a mobilisé son intérêt n'est pas une communauté d'objets mais une homologie de rapports. Les trois domaines ont en commun de parler de ce qu'ils ne peuvent rencontrer que sur le mode de l'absence : absence de Dieu, qui fonde le discours mystique, si longuement étudié ; absence des objets de l'historien, qui est constitutif du temps historique lui-même ;

absence du propre, dont l'interrogation analytique ne cesse de manifester qu'il est habité par un autre. La circulation que Certeau aura pratiquée d'une discipline à l'autre ne visait pas à cumuler les savoirs, non plus qu'à les vérifier l'un par l'autre, mais à construire de façon critique un rapport contrôlé entre une démarche et l'objet que tout ensemble elle vise et elle construit. Cette démarche, il l'a mise en œuvre dans ses travaux d'historien, mais il n'a pas cessé non plus de l'appliquer à la lecture et à l'interprétation du présent.

Jacques Revel

■ *La Prise de parole*, 1968, rééd. Seuil, 1994. — *La Possession de Loudun*, 1970, rééd. Gallimard, 1980. — *Une politique de la langue. La Révolution française et les patois* (avec D. Julia et J. Revel), 1975, rééd. Gallimard, 1987. — *L'Écriture de l'histoire*, 1975, rééd. Gallimard, 1988. — *L'Invention du quotidien* t. 1 : *Arts de faire*, 1980, rééd. Gallimard, 1990.

▒ L. Giard, H. Martin et J. Revel, *Histoire, mystique et politique. Michel de Certeau*, Grenoble, 1991. — « Le voyage mystique. Michel de Certeau » (dir. L. Giard), *Recherches de sciences religieuses*, n° 76, 1988. — « Michel de Certeau, historien », *Le Débat*, n° 49, 1988.

CÉSAIRE (Aimé)

Né en 1913

Dans le dernier poème de son dernier recueil publié, on peut lire ces vers : « Il n'est pas question de livrer le monde aux assassins de l'aube [...] une nouvelle bonté ne cesse de croître à l'horizon » : ils expriment on ne peut mieux l'humanisme universaliste de ce poète de l'espérance. Aimé Césaire est nourri des idéaux de 1789, de la philosophie des Lumières et des grands principes du socialisme indépendant. Il est inspiré par l'action libératrice de Victor Schoelcher et par celle de Toussaint Louverture, le fondateur de la première République noire de l'histoire. Il est inquiet de toutes les meurtrissures, les violences, les indignités dont les hommes sont victimes, et ne cesse de dénoncer le totalitarisme qui cherche toujours à gouverner le monde.

Ce sont ces thèmes que nous retrouvons, en permanence, dans sa poésie, son théâtre et ses écrits politiques. Il est par conséquent délicat de vouloir découper arbitrairement le travail de cet intellectuel longtemps emblématique de la culture noire et de la libération de tous les opprimés, quelle que soit la couleur de leur peau.

Né à la Martinique, dans une famille ouverte au savoir occidental (son grand-père était instituteur et son père employé) Césaire vient à Paris préparer l'École normale supérieure*. Là, il découvre la revue antillaise *Légitime défense*, créée par Jules Monnerot* et René Ménil et il fait la connaissance de L.S. Senghor* (né en 1906) et du Guyanais Léon Gontran Damas (1912-1978), l'auteur du *Retour de Guyane* (1938), avec lesquels il fonde le journal *L'Étudiant noir*, en 1934. Dans un de ses premiers articles, il affirme : « Les jeunes Nègres d'aujourd'hui ne veulent ni asservissement ni assimilation, ils veulent émancipation », et plus loin, il précise : « Émancipation est au contraire action et création. » Une telle émancipation sous-entend à la fois une décolonisation et une désaliénation, aussi bien celle des peuples que celle des individus. La valorisation de la culture noire constitue le premier pas d'une indispensable conscientisation de l'ensemble des Noirs. Avec ses amis, Senghor et Damas et le Malgache Rabemananjara (né en 1913), il théorise la notion de *négritude*, qui est dans l'air du temps aussi bien aux États-Unis qu'en Afrique, et la popularise dans son *Cahier d'un retour au pays natal* qu'il rédige en 1938-1939 et publie, après un refus, au lendemain de la guerre. Là, il dénonce l'outrecuidance des Blancs, leur certitude d'être les meilleurs dans tous les domaines, d'être les maîtres ; mais il dénonce aussi la soumission des Noirs et les engage à affirmer et à défendre leur personnalité, à sortir du carcan de l'infériorité acceptée, et du coup de participer à la libération de *tous les hommes*. C'est aussi le message de la revue *Tropiques* (1941-1945) qu'il anime avec R. Ménil et A. Maugée. Et c'est encore le combat que mènent L.S. Senghor avec son *Anthologie de la nouvelle poésie nègre et malgache de langue française* (1948, avec une préface-manifeste de J.-P. Sartre*, « L'Orphée noir ») ou Alioune Diop et sa revue *Présence africaine* qu'il lance en 1947.

Élu maire de Fort-de-France depuis 1945, et député de la Martinique (de 1945 à 1993), Aimé Césaire quitte le PCF après les événements de Hongrie en 1956* et dénonce le stalinisme (sa *Lettre à Maurice Thorez* est particulièrement clairvoyante), fonde son propre parti (le Parti progressiste martiniquais), puis navigue dans les « eaux » socialistes, tout en réclamant de la métropole les moyens d'autonomiser la vie économique et sociale de son île. Ce cheminement paradoxal, qui va de l'apologie de la départementalisation à la responsabilisation dans le cadre de la République en passant par l'autonomisation, est contesté par les partisans de la *créolité*. Ces derniers dénoncent l'Afrique « mythique » qui hante les textes du poète, son « mépris » du créole, son pragmatisme politique qui fait de la Martinique une île « improductive », ainsi que l'obsolescence du concept de *négritude*, rejoignant là les critiques de Frantz Fanon* et celles de Marcien Towa (*Négritude et servitude*, 1971) ou de Stanislas Adotevi (*Négritude et négrologues*, 1972), tout en lui reconnaissant un indéniable talent d'écrivain.

Thierry Paquot

■ *Cahier d'un retour au pays natal* (préface d'A. Breton), Bordas, 1945. — *Corps perdu* (poèmes) (illustrations de Picasso), Fragrance, 1949. — *Discours sur le colonialisme*, Présence africaine, 1955. — *Cadastre*, comprenant *Soleil cou coupé* et *Corps perdu*, Seuil, 1961. — *Une saison au Congo* (théâtre), Seuil, 1967.

▒ V.M. Hountondji, *Le « Cahier » d'Aimé Césaire, événement littéraire et facteur de révolution*, L'Harmattan, 1993 (renferme une copieuse bibliographie consacrée au poète). — E. Moutoussamy, *Aimé Césaire, député à l'Assemblée nationale (1945-1993)*, L'Harmattan, 1993 (contient de nombreux discours du député de la Martinique).

CFTC ET CFDT : INSTITUTIONS CULTURELLES

Syndicat minoritaire soucieux d'approfondissement doctrinal comme de légitimité « technique », la CFTC recherche dès les années 20 le concours de compétences extérieures que lui offrent les réseaux du catholicisme social (Action populaire*, Semaines sociales*...). En 1931-1932, elle se dote d'une structure de formation propre, les Écoles normales ouvrières (ENO). Ses principales sessions se tiennent au château de Bierville, propriété de M. Sangnier*, dont allaient hériter la CFTC, puis la CFDT. En 1934, de jeunes universitaires catholiques (P. Vignaux*, F. Henry...) rejoignent l'équipe et imposent, en accord avec des militants ouvriers (J. Perès), une formation laïcisée, diffusée de 1936 à 1939 par le *Bulletin ENO*. La fondation du SGEN, en 1937, par Vignaux et ses proches, issue d'une même démarche « laïque », donne à la CFTC une assise universitaire.

Après la guerre, la formation est reprise par un métallurgiste, lié à « Économie et humanisme », G. Espéret ; l'Institut confédéral d'études et de formation syndicales fait paraître, de 1947 à 1971, la revue *Formation*. Pour mener des études, la CFTC se dote en 1956 d'une association loi 1901, le Bureau de recherches et d'action économiques coordonnées (BRAEC), dont l'un des animateurs est J. Delors. Plus décisive pour la suite est la création, dès 1945, par Vignaux et deux dirigeants ouvriers, C. Savouillan et F. Hennebicq, du groupe d'études « Reconstruction ». Indépendant de la CFTC, laboratoire d'idées de la « minorité » laïque de la centrale, ce groupe constitue une structure originale : aux côtés d'universitaires comme P. Vignaux ou P. Ayçoberry, des militants autodidactes comme A. Détraz ou M. Gonin engagent, sur un pied d'égalité, un authentique travail intellectuel. Ils bénéficient du réseau de relations étendu de Vignaux (de l'Université à la haute administration « mendésiste ») dans leur travail de critique sociale et de réflexion sur le contenu d'un « socialisme démocratique ». Les « bulletins » puis « cahiers » *Reconstruction* diffusent, de 1946 à 1972, leurs travaux. La guerre d'Algérie, la floraison des clubs et colloques contribuent à rapprocher une partie de la gauche intellectuelle et les animateurs de Reconstruction, dont les idées et les hommes s'imposent dans la centrale qui devient CFDT en 1964.

Dans les années 60, la confédération suscite l'intérêt des sociologues de la nouvelle classe ouvrière (P. Belleville) puis, après 1968, de ceux qui, avec A. Touraine*, voient en elle « l'opérateur des mouvements sociaux ». Elle bénéficie de sympathies intellectuelles dans des revues comme *Esprit** ou *Faire*, à l'École des hautes études en sciences sociales*, aux Éditions du Seuil*, au *Nouvel Observateur** (J. Julliard)... Dans la tradition de Reconstruction, E. Maire maintient les débats informels autour d'invités comme H. Laborit ou E. Morin*. Parallèlement, la CFDT lance en 1973 la revue théorique *CFDT aujourd'hui*, dirigée jusqu'en 1977 par P. Rosanvallon*, plus ouverte sur l'extérieur que l'ancienne *Formation*. Le « coup d'État » en Pologne (décembre 1981) est l'occasion d'une initiative sans précédent : un appel commun de la CFDT et d'un groupe d'intellectuels très divers, menés par P. Bourdieu* et M. Foucault*. Au rejet de la répression frappant Solidarnosc* s'ajoute une fascination pour le modèle polonais « unissant critique intellectuelle et lutte sociale » : la CFDT apparaît alors comme la « matrice culturelle d'une deuxième gauche » avec laquelle on envisage un travail commun. Mais le soufflé retombe vite et nombre d'intellectuels s'éloignent. La mort de Foucault en 1984, occasion d'un hommage inhabituel de la CFDT (exposition, livre), clôt symboliquement la période.

La CFDT « recentrée », touchée par la crise du syndicalisme, séduit moins. Elle prend cependant de nouvelles initiatives en direction des intellectuels avec les colloques de *CFDT aujourd'hui* à partir de 1982. Des expériences originales de recherche commune entre sociologues et syndicalistes sur l'entreprise en mutation sont lancées en 1985 (Association Syndicalisme Université Recherche / ASUR). Depuis 1988, les lieux et activités de recherche CFDT sont coiffés par le service « Analyse, recherche économique et sociale » (ARES), qui succède au BRAEC. Il convient enfin de ne pas négliger, conséquence indirecte du pluralisme syndical français, les organismes de recherches intersyndicaux, dans lesquels la CFTC-CFDT s'est pleinement impliquée : Centre intersyndical d'études et de recherches sur la productivité (CIERP) fondé en 1951, Institut national de documentation et d'information du travail (INDIT) en 1965, Institut de recherches économiques et sociales (IRES) en 1983.

Frank Georgi

■ M. Branciard, *Histoire de la CFDT*, La Découverte, 1990. — G. Groux et R. Mouriaux, *La CFDT*, Économica, 1989. — H. Hamon et P. Rotman, *La Deuxième Gauche. Histoire politique et intellectuelle de la CFDT*, Ramsay, 1982. — « Histoires de revues. Intellectuels et syndicalistes », *CFDT aujourd'hui*, n° 100, mars 1991. — *La CFDT en questions*, Gallimard, 1984. — *Michel Foucault, une histoire de la vérité*, Syros, 1985.

CGT : INSTITUTIONS CULTURELLES

Une première époque (1895-1914) s'ouvre sur *la culture des autodidactes*. Pelloutier*, secrétaire général des Bourses du travail, veut que celles-ci apprennent aux ouvriers la « science de leur malheur » ; il munit leur Service d'enseignement d'une bibliothèque, d'un office de renseignements, d'un musée social, accompagnés de cours généraux et professionnels. Leur impact reste limité à des ouvriers autodidactes. La pensée ouvrière reste méfiante à l'égard des « bourgeois » ; le but du syndicalisme, exposé dans les congrès, est l'amélioration de la législation sociale, mais surtout l'action révolutionnaire, venue du bas, par le boycottage, la grève, le sabotage... La CGT n'atteint en 1909 nulle part 17 % des salariés (à l'exception de la mine) ; son action est le fait d'une minorité entraînée par des leaders successifs : Griffuelhes, Niel, Jouhaux. Sa doctrine explique l'échec des 222 Universités populaires* (1898-1914) qui regroupèrent plus de 50 000 adhérents autour d'un enseignement encyclopédique coupé des luttes sociales.

Après la Grande Guerre, Jouhaux prend conscience de l'impératif d'une culture du travail. C'est la période des *chantiers de l'entre-deux-guerres*. Des juristes, syndicalistes, enseignants, le journal *La Voix du peuple*, Louis Zoretti, professeur à l'université de Caen, prônent un enseignement ouvrier. Dès 1919, la CGT crée le Conseil économique du travail, des commissions, puis en 1934 un Bureau d'études économiques, convoque les États généraux du travail et élabore le Plan. La CGTU, elle, d'obédience communiste, s'emploie à esquisser une contre-culture socialiste ; ses slogans abstraits ne mobilisent guère les masses avant la réunification de 1936. À la CGT Jouhaux donne une armature aux projets de Zoretti par l'Institut supérieur ouvrier (1932-1939), dirigé par Lefranc* ; il associe cours de formation professionnelle et séances de documentation (droit avec Laurat, économie avec Antonelli, littérature avec Lefranc, philosophie avec Boivin puis Challaye*, histoire avec Lefranc). Le Front populaire permet la diffusion à un million d'exemplaires de la *Petite bibliothèque du militant syndicaliste*, l'utilisation de la radio, et la réalisation des accords tripartites (Matignon) préférés aux lois sociales venues d'en haut.

La Libération réinsère le peuple dans la nation et conduit à une troisième phase : *tâtonnements et tassement (1944-1992)*. Le directeur de l'Éducation populaire, Guéhenno*, développe des relais : bibliobus, associations. Le Théâtre national populaire, le mouvement « Peuple et culture* » (Cacérès), « Tourisme et travail » — né en février 1944 —, « Révolution prolétarienne » (M. Chambelland) multiplient les activités culturelles et sportives. La scission de 1947 voit Force ouvrière reprendre la tradition de convention, de négociation, de formation intellectuelle avec Vidalenc ; la CGT se tourne vers l'action révolutionnaire confiée à des permanents formés par des stages. Les comités d'entreprise nés en 1945 organisent des débats avec des professeurs et des artistes (Gérard Philipe). La décentralisation esquissée vers 1965 organise la culture syndicale autour du patrimoine, de la valorisation des travaux d'amateurs, de la création artistique et cinématographique (*Le Dos au mur*, de J.-P. Thorn, la peinture de Fougeron, l'artisanat, l'informatique et le sport). L'Union de la gauche suscite quelques réalisations. Force ouvrière, elle, progresse par sa politique contractuelle, tripartite, persuadée que la formation et la promotion culturelles conditionnent le progrès social. Le bilan actuel demeure cependant mince, comme si le syndicalisme avait renoncé à élaborer une culture.

Stéphane Clouet

■ G. Lefranc, *Le Mouvement syndical sous la IIIe République*, Payot, 1967 ; *Le Mouvement syndical de la Libération aux événements de mai-juin 1968*, Payot, 1969. — R. Mouriaux, *La CGT*, Seuil, 1982.

CHAILLET (Pierre)
1900-1972

Né en 1900 dans un village de Franche-Comté, quatrième garçon d'une famille de fermiers catholiques aux opinions conservatrices, mort en 1972 dans la solitude d'un sanatorium du plateau d'Assy, la vie de Pierre Chaillet est faite de contrastes et de paradoxes. Élève de l'école communale de Scey-en-Varais, où l'instituteur laïque stimulait le patriotisme des écoliers, le jeune Pierre accompagnait chaque matin sa mère à la messe avant de rejoindre la classe. Entré au noviciat des jésuites en 1923 et ordonné prêtre en 1931, il devient professeur de théologie fondamentale au scolasticat de Fourvière, à Lyon, où il se lie d'amitié avec le Père de Lubac*. Théologien avancé, il consacre notamment un cours à l'oratorien Richard Simon (1638-1712), qui s'était efforcé d'appliquer aux textes sacrés les méthodes scientifiques employées pour les textes profanes, mais dont Bossuet avait fait brûler les écrits. Bon germaniste à la suite de nombreux séjours outre-Rhin, Chaillet se lance dans l'étude de l'École catholique de Tübingen et de ses chefs de file, Drey et surtout Möhler. Le choix de ces théologiens allemands du XIXe siècle, encore suspects au Vatican dans les années 30, confirme son ouverture d'esprit. De cette école, il admire à la fois l'effort de régénération de la pensée théologique, l'indépendance d'esprit et la quête pour l'unité de l'Église. Lui-même souffre de la séparation des Églises, notamment face aux menaces grandissantes du totalitarisme et de l'athéisme, et ses voyages à travers l'Europe protestante ou orthodoxe lui rappellent la triste réalité de ces divisions. D'où un désir d'œcuménisme qui le rapproche du dominicain Yves Congar*, les deux religieux travaillant ensemble pour faire connaître en France la pensée et les œuvres de Jean-Adam Möhler.

En 1938, le Père Congar édite dans sa nouvelle collection « Unam sanctam » la traduction du livre de Möhler *Die Einheit in der Kirche*, *L'Unité dans l'Église ou le Principe du catholicisme*, d'après l'esprit des Pères des trois premiers siècles de l'Église, avec une introduction du Père Chaillet.

L'aventure commence pour le jésuite à l'automne de 1939. Affecté au 5e bureau de l'état-major de l'armée, il est envoyé en mission de renseignement en Hongrie. Pour couverture, il prononce des conférences dans les milieux universitaires de Budapest. Il bénéficie là d'une expérience qui lui sera utile pour sa future vie clandestine. Car, dès son retour en France, en décembre 1940, Pierre Chaillet s'engage dans la Résistance contre le nazisme : n'avait-il pas été témoin à Vienne, au cours de l'été 1938, de la progression de la nazification et de la brutalité de la persécution antisémite ? Désormais, et jusqu'à la Libération, le combat que Chaillet mène sans relâche, son duel à mort entre la croix gammée et la croix du Christ, font de lui le paradigme de la résistance spirituelle. Il obéit à deux exigences : vérité et charité. Défendre la vérité contre la perversion des consciences par le néo-paganisme nazi tandis que les Églises se taisent, c'est l'œuvre des *Cahiers du témoignage chrétien*, où se retrouvent catholiques et protestants. Secourir les victimes de la répression et de la chasse aux juifs à travers l'Amitié chrétienne, voilà le combat intrépide au nom de la charité.

La guerre finie, Pierre Chaillet, devenu célèbre, renonce à la théologie pour assumer plusieurs responsabilités, la direction de l'hebdomadaire *Témoignage chrétien** et celle des *Cahiers du monde nouveau*, qu'il a fondés. Il préside le Comité des œuvres sociales de la Résistance (COSOR), où il continue d'agir jusqu'à sa mort pour alléger les misères et les souffrances des victimes de la guerre. (C'est au début de 1944 que la délégation générale du Comité français de libération nationale avait demandé au jésuite de prendre la direction de toutes les œuvres sociales des mouvements de résistance.) Israël lui a rendu un hommage posthume en lui décernant la médaille du Juste.

Renée Bédarida

■ *L'Autriche souffrante*, Bloud et Gay, 1939. — Introduction à J.-A. Möhler, *L'Unité dans l'Église ou le Principe du catholicisme*, d'après l'esprit des Pères des trois premiers siècles de l'Église, Cerf, 1938. — *L'Église est une. Hommage à Möhler* (publication et introduction de P. Chaillet), Cerf, 1939.

■ R. Bédarida, *Pierre Chaillet, témoin de la résistance spirituelle*, Fayard, 1988.

CHALLAYE (Félicien)

1875-1967

Militant socialiste et anticolonialiste, ce professeur de philosophie, écrivain et journaliste illustra les ambiguïtés du pacifisme intégral face à la collaboration. Né à Lyon, dans une famille de moyenne bourgeoisie, Félicien Challaye, normalien (1894), est reçu major à l'agrégation de philosophie (1897). Dreyfusard et socialiste comme son camarade de promotion Péguy*, il étudie à Berlin (1898-1899), puis entreprend un long tour du monde (1899-1901) grâce à une bourse de la Fondation Albert-Kahn. Au retour, il confie ses souvenirs aux *Cahiers de la quinzaine** de Péguy dans lesquels il condamne sévèrement la politique française en Indochine. Sa carrière universitaire est agitée : professeur au lycée de Laval, il est muté d'autorité à Évreux en 1902 avant d'obtenir un poste à Paris. De 1903 à 1937, il enseigne notamment à Louis-le-Grand, Charlemagne et Condorcet.

Challaye dénonce sans cesse l'impérialisme et le colonialisme : que ce soit en 1905 avec la mission Savorgnan de Brazza au Congo français ou en 1933 en faveur des condamnés indochinois. Son pacifisme l'éloigne peu à peu de Péguy, avant la rupture définitive en 1913. Challaye admire Jaurès*, auquel il consacre deux livres.

Rallié à l'union sacrée en 1914, mobilisé, décoré de la croix de guerre, il s'estime dupé à la fin de la guerre et évolue vers un pacifisme intégral. Admirateur de la révolution russe, il adhère au nouveau Parti communiste, qu'il quitte en 1923 « pour des raisons de liberté personnelle ». Il rejoint alors la SFIO, mais garde son indépendance d'esprit, marquée par un fort pacifisme. Membre du comité central de la Ligue des droits de l'homme* (1921-1937), Challaye s'oppose à son président Victor Basch*, ancien apôtre de « la guerre du droit », et mène campagne en faveur de la révision du traité de Versailles. Il combat la loi Paul-Boncour et défend les objecteurs de conscience. Sa condamnation sans appel de toute guerre, dans *Pour la paix sans aucune réserve* (1931), est maintenue après l'avènement de Hitler au pouvoir : *Pour la paix désarmée même en face de Hitler* (1934). Il voit en celui-ci « un homme du vrai peuple, un travailleur, un ouvrier » (*Les Cahiers des droits de l'homme*, 20 novembre 1933) et préfère l'occupation étrangère à la guerre.

Challaye préside la Ligue internationale des combattants de la paix, fondée par Victor Méric, et participe à l'aile ultra-pacifiste du Comité de vigilance des intellectuels antifascistes*, hostile à toute intervention en Espagne*. En juillet 1937, il démissionne, avec ses amis de la minorité, du comité central de la Ligue des droits de l'homme, par opposition à la politique majoritaire, non seulement dans le domaine de la politique internationale, mais aussi à propos des procès de Moscou. Challaye combat « les excitations chauvines », allant jusqu'à stigmatiser l'activisme belliqueux de « certains juifs et réfugiés » émigrés.

Signataire de la pétition « Paix immédiate » de Louis Lecoin, il revendique « crânement » sa part de responsabilité. Dès l'automne 1940, Challaye loue le maréchal Pétain : « Hier, proposant l'armistice, il sauvait de la mutilation et de la mort des milliers, des millions de Français. Aujourd'hui, orientant les esprits vers la pensée d'une collaboration franco-allemande, il définit les vraies conditions d'une paix durable. Il trace la voix du salut » (*Aujourd'hui*, 23 octobre 1940). Aussi n'est-il pas surprenant de le voir écrire dans les feuilles socialisantes et pacifistes de la collaboration : *La France socialiste* (1941-1944), *L'Atelier* (1943-1944) et *Germinal* (1944).

Objet de poursuites à la Libération, il est finalement acquitté en octobre 1946, grâce notamment aux témoignages de Robert Jospin et de Michel Alexandre*. Il continue à militer dans des organisations pacifistes, tels l'Union pacifiste et le Comité national de résistance à la guerre et à l'oppression, dont il fut président dans les années 60.

Patrick de Villepin

■ *Le Congo français. La question internationale du Congo*, Alcan, 1909. — *Souvenirs sur la colonisation*, Picart, 1935 — *La Philosophie du pacifisme*, Auberville-sur-Mer, CNRGO, 1958.

▒ C. Jelen, *Hitler ou Staline ? Le prix de la paix*, Flammarion, 1988. J.-F. Sirinelli, *Génération intellectuelle. Khâgneux et normaliens dans l'entre-deux-guerres*, Fayard, 1988.

CHAMSON (André)

1900-1983

Romancier prolifique, conservateur des Musées puis directeur des Archives de France, l'enfant prodige de la République que fut André Chamson a défini son existence comme « axée sur la lutte antifasciste qui prolonge la lutte des camisards ».

Né à Nîmes dans une famille de la moyenne bourgeoisie qui connut des revers de fortune (*Le Chiffre de nos jours*, 1954), André Chamson se réclamera plus volontiers de son ascendance paysanne cévenole et de ses racines camisardes qui, selon lui, l'ont sensibilisé à la persécution. Après les lycées d'Alès et de Montpellier, il poursuit des études en Sorbonne et prépare l'École des chartes, où il est reçu en 1920. Ses ambitions littéraires précoces le rapprochent d'un petit groupe (les « vorticistes ») qui, entre 1920 et 1930, réunit au « Procope » H. Petit, L. Guilloux* et J. Grenier. Son premier récit, *Roux le bandit*, paru en 1925 dans la collection des « Cahiers verts » que dirige D. Halévy* chez Grasset*, est un roman de l'objection de conscience ancré dans un décor rural. Cette veine ruraliste, qui connaît une certaine vogue dans l'entre-deux-guerres, nourrira encore plusieurs de ses romans (*Les Hommes de la route*, 1927). Proche de la mouvance radicale-socialiste, André Chamson se familiarise avec le milieu politique en tant que membre du cabinet Daladier en 1926, puis en tant que secrétaire législatif à la Chambre des députés de 1926 à 1933. En 1927, il engage une réflexion sur la nécessité de dissocier la politique de l'expérience de l'histoire, dénonçant la pratique de l'« uchronie », recherche d'une règle de conduite dans l'histoire, qu'illustre la pensée maurrassienne (« L'homme contre l'histoire », *Écrits*, 1927). Dans ses romans, les préoccupations sociales et politiques s'affirment au détriment du monde paysan. Ainsi *Tyrol* (1930), qui pose le problème des minorités nationales, ou *La Galère* (1939), témoignage fictionnel et roman à thèse sur les émeutes du 6 février, dont il a pu observer les coulisses en tant que chef-adjoint de cabinet aux Affaires étrangères et grâce à ses liens avec Daladier. Membre du Comité de vigilance des intellectuels antifascistes*, il fonde en 1935, avec J. Guéhenno* et A. Viollis*, l'hebdomadaire de gauche *Vendredi**. Partisan de l'intervention en Espagne*, Chamson y effectue un voyage en juillet 1937 dans le cadre du Congrès pour la défense de la culture*, et en ramène un témoignage sur la guerre où il pressent les risques de la généralisation du conflit. Cette expérience est aussi l'occasion de réaffirmer son pacifisme en condamnant le culte de l'« héroïsme sportif » propre à sa génération.

Conservateur adjoint au palais de Versailles dès 1933, il refuse en 1939 le Haut-Commissariat à l'information que lui propose Daladier, et se voit confier, l'année suivante, la garde des chefs-d'œuvre évacués du Louvre. Il écrit alors *Le Puits des miracles*, roman qui traite des conditions de vie sous l'Occupation et dont une partie paraît, sous le pseudonyme de « Lauter », dans *Les Nouvelles Chroniques* aux Éditions de Minuit* clandestines. Maquisard dans le Lot, le « commandant Lauter » va, en 1944, se retrouver auprès du « colonel Berger », alias André Malraux*, pour libérer l'Alsace. Nommé conservateur du Petit Palais à la Libération, il se verra offrir, en 1959, la direction générale des Archives de France par Malraux. Élu en 1955 à l'Académie française*, il accède, la même année, à la présidence internationale du Pen Club. Il interviendra pour la libération d'écrivains en Hongrie et Tchécoslovaquie. Entré au conseil d'administration de l'ORTF naissante, il entreprend après 1960 une suite de « romans dans l'histoire ».

A. Chamson a conjugué sa double vocation d'historien et de romancier pour réaliser, dans ses engagements comme dans son œuvre, sa conception de la fonction sociale de l'écrivain d'après le modèle de Zola*. Sa femme, l'historienne Lucie Mazauric — dont il a eu une fille, l'écrivain Frédérique Hébrard —, a laissé un précieux témoignage de leurs luttes communes.

Gisèle Sapiro

■ *Clio ou l'Histoire sans les historiens*, Hazan, 1929. — *Rien qu'un témoignage, retour d'Espagne*, Grasset, 1937. — *Il faut vivre vieux*, Grasset, 1984.

■ M. Berry, *Chamson, sa vie, son œuvre*, Fishbacher, 1984. — G. Castel, *André Chamson et l'histoire. Une philosophie de la paix*, Aix-en-Provence, Edisud, 1980. — L. Mazauric, *Avec André Chamson*, Plon, 1972, 1976, 2 vol. — N. Racine, « André Chamson », in *DBMOF*. — *La Longue Route d'André Chamson* (présenté par Y. Dentan), Plon, 1980.

CHAR (René)

1907-1988

Pour ce qui est de la poésie, René Char a acquis en son siècle une stature aussi considérable que Picasso* en son domaine. Il était né en 1907 à L'Isle-sur-Sorgue. Son père, fils d'un enfant de l'Assistance publique, était devenu un notable de la petite ville, tout à la fois directeur d'une plâtrière et maire : il devait mourir prématurément en 1918. René Char grandit donc entouré de sa mère, de ses sœurs et de son frère, tous plus âgés que lui, et fréquente quelques personnages de L'Isle — ces « Transparents » — qui apparaîtront fréquemment dans son œuvre. Ses études à Marseille s'interrompent assez vite. René Char publie en 1928, après son service militaire, un premier recueil, puis l'année suivante, une plaquette, *Arsenal*, qu'il envoie à Paul Éluard*. C'est par lui qu'il se lie aux surréalistes, André Breton*, Louis Aragon*, René Crevel*... Les années surréalistes sont celles des poèmes écrits à plusieurs mains *(Ralentir, travaux)*, des éclats (saccage du bar « Le Maldoror »), des pétitions et des appels (contre l'Exposition* coloniale, contre les fascistes, contre l'expulsion de Trotski, en soutien aux premières luttes espagnoles), des articles et des manifestes. Il se marie en 1932 avec Georgette Goldstein, qui sera la dédicataire du *Marteau sans maître*, un recueil de 1934 rassemblant une partie des poèmes de cette époque. En 1934, il se sépare sans fracas du surréalisme dont les pratiques s'éloignent de ses visées. Après avoir pressenti dès 1937 le drame à venir *(Dehors la nuit est gouvernée)*, il s'engage en 1942 dans la Résistance : sous le nom de « capitaine Alexandre », il a la direction du maquis Durance-Sud, c'est durant cette période qu'il écrira les *Feuillets d'Hypnos*. À la Libération, il s'éloigne d'un parti de la victoire qui lui semble bien hautain. La publication, en 1945, de *Seuls demeurent* a un grand retentissement. L'année suivante, il connaît les honneurs d'une critique substantielle : Georges Mounin, Maurice Blanchot* commentent son œuvre. En 1949, il donne au *Figaro* une interview violemment anticommuniste — il ne s'était jamais senti une grande affinité avec ce parti, il condamne avec Camus* la justice coloniale, le martyr d'étudiants grecs condamnés à mort. Il entre alors dans une sorte de retrait qui n'est pas absence, et continue une œuvre poétique abondante, rigoureuse, publiée chez Gallimard* ou dans de petites maisons d'édition, et que les plus grands peintres illustrent. Ses amis se nomment Camus, Braque, Staël, Lévis Mano, Bataille*, Vieira da Silva ou Wilfredo Lam, sa compagne durant une trentaine d'années Tina Jolas. Leur admiration, commune, bien que différente, pour Héraclite, plus encore que pour Hölderlin, rapproche Martin Heidegger et René Char, que Jean Beaufret* a fait se rencontrer un soir d'été 1955, sous un platane. Au Thor, près de L'Isle-sur-Sorgue où habite Char quand il n'est pas à Paris, Heidegger vient tenir un séminaire à trois reprises, en 1966, 1968, 1969. René Char sort de sa réserve en de rares occasions, pour condamner, en 1965 et 1967 par exemple, l'implantation de fusées atomiques sur le plateau d'Albion. En 1983, un volume de la « Pléiade » rassemble son œuvre complète. Il épouse en 1987 Marie-Claude de Saint-Seine, « L'Amante » à qui est dédié le poème qui clôt *Éloge d'une soupçonnée*, dernier recueil posthume publié en mai 1988. René Char était mort trois mois plus tôt, le 19 février.

Florent Brayard

■ *Œuvres complètes*, Gallimard, « Pléiade », 1983. — *Éloge d'une soupçonnée*, Gallimard, 1988.

■ É. Marty, *René Char*, Seuil, 1990. — P. Veyne, *René Char en ses poèmes*, Gallimard, 1990. — « René Char » (dir. D. Fourcade), *Cahiers de L'Herne*, 1971, rééd. Le Livre de Poche 1990.

CHARDONNE (Jacques) [Georges-Jean-Jacques Boutelleau]
1884-1968

Né le 2 janvier 1884 à Barbezieux, Jacques Boutelleau est issu de la Charente du cognac (mais son père est aussi écrivain) et, par sa mère, de la famille américaine des Haviland (son grand-père fonde à Limoges la célèbre fabrique de porcelaine). De formation protestante, il évoluera vers un agnosticisme serein. Licencié en droit en 1906 après un passage à l'École libre des sciences politiques*, il est un moment secrétaire de préfecture. Il épouse en 1909 une jeune Bordelaise des Chartrons, Marthe Schÿller-Schröeder, dont il aura un garçon, Gérard (1911-1962), futur écrivain, et une fille. Il approche la société littéraire de son temps par Pierre-Victor Stock, éditeur des dreyfusards, dont il devient secrétaire-commanditaire et qu'il supplante en 1920 en s'associant avec Maurice Delamain. Il partage désormais son temps entre l'édition et l'écriture.

Avec *L'Épithalame* qui manque de peu le Goncourt en 1921, Chardonne s'impose comme le romancier du couple. Ses succès durables seront *Éva ou le Journal interrompu* (1930) et *Claire* (1931), Grand Prix du roman de l'Académie française en 1932. Dans la trilogie des *Destinées sentimentales* (1934-1936), il dépeint avec sympathie la bourgeoisie de province qu'il connaît bien. Parallèlement, il entreprend une œuvre d'essayiste dont, après *L'Amour du prochain* (1932), *Le Bonheur de Barbezieux* (1938) est le titre phare. Apologiste d'un capitalisme éclairé, il n'est pas l'homme d'un système, mais de la recherche d'une sagesse, dans la tradition moraliste française, comme en témoigne son anthologie *L'amour c'est beaucoup plus que l'amour* (1936).

Naïveté et parti pris le conduisent à la collaboration : il est des deux voyages des intellectuels français en Allemagne. *Chronique privée* (1940), *Chronique privée de l'an 40* (1941) et *Voir la figure* (1941) seront repris en extraits avec des inédits dans *Attachements* (1943). L'arrestation de son fils résistant le retient de publier *Le Ciel de Nieflheim*, rêve européen où se maintient l'ignorance des atrocités nazies.

Emprisonné six semaines à Cognac à la Libération, il bénéficie d'un non-lieu en 1945 et il écrit *Détachements* (1969). *Chimériques*, en 1948, rencontre peu d'échos. La jeunesse littéraire, dont Nimier* fait partie, le remettra en selle. Il devient à partir de 1951 le mentor de ces « hussards », tout en poursuivant une œuvre aux frontières du silence : de *Vivre à Madère* (1953) à *Propos comme ça* (1966). Depuis 1952, il entretient une correspondance avec Paul Morand* ; elle ne doit pas être publiée avant l'an 2000.

Marc Dambre

■ *Œuvres complètes*, Albin Michel, 1951-1955, 6 vol. — *L'amour c'est beaucoup plus que l'amour*, Albin Michel, 1957. — *Ce que je voulais vous dire aujourd'hui* (extraits de lettres), Grasset, 1969. — *Correspondance (1950-1962)* (avec R. Nimier), Gallimard, 1984.

■ G. Guitard-Auviste, *Jacques Chardonne ou l'Incandescence sous le givre*, Orban, 1984. — *Cahiers Jacques Chardonne*, n° 1 à 15, 1971-1992 (n° 2 et n° 3 : extraits de l'inédit *Le Ciel de Nieflheim*).

CHÂTEAUBRIANT (Alphonse de)

1877-1951

Alphonse de Brebendec de Châteaubriant naît à Rennes en 1877 dans une famille aristocratique aisée et cultivée. Son grand-père et son père s'adonnent à la peinture, lui-même commence une carrière de publiciste par des essais sur la peinture hollandaise. Lors d'un séjour dans la région nantaise, il découvre les paysages de la Brière qu'il envisage d'évoquer littérairement selon les perspectives esthétiques de la peinture hollandaise. Mais son premier roman achevé est *Monsieur des Lourdines*, couronné par le prix Goncourt en 1911. Ce récit sur la décadence d'une famille noble provinciale dont l'héritier va se perdre aux plaisirs de la capitale lui a été suggéré, dit-il, par l'histoire de sa propre famille sous la Restauration. Sous les drapeaux durant toute la Première Guerre mondiale*, Châteaubriant publie en 1923 seulement, chez Grasset*, son deuxième grand roman, *La Brière*, qui a très vite un grand succès (100 000 exemplaires vendus en trois mois). Le roman s'inspire d'un conflit ayant opposé au début du siècle les Briérons et des sociétés capitalistes désireuses de les expulser pour industrialiser la région. Le protagoniste du roman, l'Aoustin, quête avec patience et succès les lettres patentes d'Ancien Régime attestant les droits des Briérons à disposer de leurs terres. Le véritable thème de *La Brière* (prix du roman de l'Académie française en 1923), c'est l'intime parenté entre les hommes et le terroir, le lien quasi charnel entre l'individu et la terre dont il est issu.

Les ouvrages ultérieurs de Châteaubriant sont surtout des essais où il fait l'éloge nostalgique des gentilshommes campagnards, de la cellule patriarcale, de la royauté. Il glisse progressivement à la détestation de la modernité, au rejet de l'intellectualisme, à la haine du prolétariat. L'amitié fervente qu'il éprouve pour Romain Rolland* exacerbe son pessimisme social, car il voit en son ami un martyr de l'humanité moderne. Rejetant peu à peu un catholicisme qu'il juge contaminé lui aussi par la modernité, il s'oriente vers des élans plus archaïques. La fascination pour le celticisme et ses décors sylvestres, une volonté ancienne d'alliance franco-allemande l'incitent à chercher en Forêt-Noire un refuge. Dans l'Allemagne de 1935, il trouve l'expression de ses élans mystiques et la mise en scène de ses haines. Adepte fervent désormais du national-socialisme, il publie en 1937 *La Gerbe des forces*. Il en reprend partiellement le titre pour le journal qu'il fonde dès le 11 juillet 1940 : *La Gerbe**, où il exalte à longueur d'éditoriaux la reconstruction franco-allemande dans le cadre d'une Europe nationale-socialiste, est l'un des principaux organes de la presse collaborationniste. Il présidera, en outre, le groupe Collaboration. À la Libération, il fuit vers Sigmaringen, puis vers Kitzebuhel, où il meurt de maladie en 1951. Le tribunal de la Seine l'avait condamné à mort par contumace en 1948.

Anne-Marie Thiesse

■ *La Brière*, Grasset, 1923. — *Cahiers (1906-1951)*, Grasset, 1955.
▒ A.-M. Thiesse, *Écrire la France*, PUF, 1991.

CHÂTELET (François)
1925-1985

Auteur d'une œuvre riche et généreuse, à l'image de son existence, François Châtelet a toujours cherché à allier raison et passion, rigueur et plaisir. Figure du philosophe engagé dans la Cité, il fut un intellectuel influent de la France des années 60 et 70.

Issu d'un milieu modeste (son père a gravi par la promotion interne les échelons de la Société des Transports de la Région Parisienne), il est né en 1925 à Boulogne-Billancourt et poursuit une scolarité assez médiocre jusqu'au jour où, redoublant sa classe de première, il se découvre brusquement une passion pour la littérature et pour l'histoire. Inscrit en philosophie à la Sorbonne, il décroche l'agrégation en 1948. Il enseigne entre autres en Algérie, en Tunisie, puis à Paris (lycée Saint-Louis et lycée Louis-le-Grand, avant d'être nommé à « Vincennes » et à l'École polytechnique*). À chaque fois, il tentera de nouer avec ses élèves ou étudiants une sorte de dialogue socratique, fondé sur une grande capacité d'écoute d'autrui et sur un souci constant de faire jaillir l'étincelle libératrice.

Au-delà de son talent d'enseignant, son œuvre retient également l'attention. Se proclamant, dès le départ, « hégélo-marxiste » et se réclamant de deux maîtres, Alexandre Kojève* et Eric Weil, il soutient en 1959 sa thèse principale sur « La naissance de l'histoire : la formation de la pensée historienne en Grèce », et sa thèse secondaire sur « Logos et praxis. Recherches sur la signification théorique du marxisme ». Il approfondit, dans ses ouvrages ultérieurs, la pensée de Platon, de Hegel, et se tourne vers l'histoire de la pensée politique. « Ce qui m'intéresse, disait-il, c'est la puissance, ce qui fait que le pouvoir est pouvoir. » Il est aussi à l'origine de plusieurs ouvrages collectifs.

Matérialiste conséquent, qui appréciait les plaisirs de la vie, il a, dès son plus jeune âge, pris goût aux problèmes de la Cité. Lié à des groupes trotskistes lors de ses études à la Sorbonne, il milite ensuite en Tunisie à la CGT et devient un militant syndical et anticolonialiste très actif. Il adhère pendant l'hiver 1954-1955 au Parti communiste au sein duquel il adoptera très vite une attitude critique, voire dissidente. S'insurgeant contre les événements de Budapest (1956*), contre l'envoi du contingent en Algérie, il s'éloigne du PCF (1959) pour flirter avec le PSU. On le retrouve dans le réseau des animateurs d'*Arguments** qui prônent un révisionnisme généralisé ; parmi les proches du « Manifeste des 121 »* ou encore les familiers du *Nouvel Observateur**, où il rend compte des livres de sciences humaines. Pétitionnaire très actif, il soutient la révolte étudiante de 1968, se bat contre la guerre du Vietnam, pour la dépénalisation du cannabis, pour la libéralisation de l'avortement. Sa notoriété s'accroît encore davantage durant la période où il enseigne au centre universitaire de Vincennes : successeur de Michel Foucault* à la tête du département de philosophie, il incarne l'image du sage et du fédérateur. Il continuera jusqu'à sa mort, en 1985, d'œuvrer en faveur de l'enseignement philosophique en participant notamment à la mise sur pied du Collège international de philosophie*.

Rémy Rieffel

■ *La Naissance de l'histoire*, Minuit, 1961. — *Platon*, Gallimard, 1965. — *Hegel*, Seuil, 1968. — *Histoire de la philosophie, idées, doctrines* (ouvrage collectif), Hachette, 1972-1973, 8 vol. — *Les Marxistes et la politique* (en collaboration), PUF, 1975. — *Histoire des idéologies* (ouvrage collectif), Hachette, 1978, 3 vol. — *Les Conceptions politiques du XX*e *siècle* (avec É. Pisier-Kouchner), PUF, 1981. — *Histoire des idées politiques* (avec É. Pisier-Kouchner), PUF, 1982. — *Dictionnaire des œuvres politiques* (avec É. Pisier-Kouchner et O. Duhamel), PUF, 1986.

CHAUNU (Pierre)

Né en 1923

Le comptable des flux transatlantiques est devenu par ses essais, ses polémiques, l'un des rares historiens universitaires doté d'une audience au-delà du cercle de ses pairs.

L'orphelin lorrain né le 17 août 1923 connaît dès le lycée à Metz, puis à Rouen, d'excellents professeurs promis à un avenir universitaire (Michel Mollat)... Sa vocation d'historien s'affirme au lendemain de l'agrégation (1946), lorsqu'il décide de travailler avec Fernand Braudel*. Inspirés par l'historien des prix espagnols, Earl J. Hamilton, Chaunu et Braudel* délimitent un sujet sur l'influence des échanges dans le Pacifique sur les flux transatlantiques aux XVIe et XVIIe siècles grâce aux archives de la Casa de la contratacion de Indias à Séville. De 1948 à 1951, boursiers de la VIe Section de l'École pratique des hautes études, Pierre et Huguette Chaunu dépouillent des kilomètres de liasses, pour arriver à la publication de huit volumes de statistiques et la thèse proprement dite, *Séville et l'Atlantique* (1957). Les fluctuations cycliques qui affectent les XVIe-XVIIe siècles, Pierre Chaunu en trouve la source dans l'effondrement de la population indienne ; rectifiant ses propres données à la lecture des thèses américaines, il arrive à la conclusion que le choc microbien qui décime la population est à l'origine du surproduit qui s'écoulait d'une rive de l'Atlantique à l'autre.

Sa rupture avec Fernand Braudel lui fait gagner l'enseignement secondaire de 1951 à 1956, avant de terminer sa thèse grâce à un détachement au Centre national de la recherche scientifique*. Sa carrière universitaire débute à Caen jusqu'à son élection à Paris IV en 1969. Pendant cette période caennaise, Pierre Chaunu dirige des travaux d'histoire démographique qui lui permettent de dégager le modèle du mariage tardif autour duquel s'établit l'ancien régime démographique du XVe au XVIIIe siècle.

Après Mai 68, ce conservateur républicain, ce croyant, converti à l'Église réformée, prend la parole sur la place publique. Convaincu par ses travaux de l'importance de la fécondité, il va dénoncer le collapsus démographique (1975), la décadence de l'Occident submergé par les populations sous-développées. Sa passion amène l'historien à baptiser « génocide » les massacres de Vendée (1986), terme qu'il retire lorsqu'il en mesure les implications (1989) tout en flétrissant l'œuvre de la Révolution lors du Bicentenaire *(Le Grand Déclassement)*. Il tient une chronique régulière de critique d'ouvrages historiques au *Figaro**.

Par ailleurs, son œuvre d'historien s'enrichit des travaux qu'il anime dans son séminaire autour de la mort et de l'intime. Loin d'y renoncer à l'histoire sérielle, il plaide pour l'introduction du « quantitatif au troisième niveau », celui qui, au-delà de l'économique et du social, aborde les structures mentales et psychiques collectives pour ébaucher une « histoire globale des systèmes de civilisation » (*Faire de l'histoire*, 1976).

Olivier Dumoulin

■ *Séville et l'Atlantique (1504-1650)*, SEVPEN, 1957-1960, 12 vol. — *La Civilisation de l'Europe classique*, Arthaud, 1966. — *La Civilisation de l'Europe des Lumières*, Arthaud, 1971. — *Le Temps des réformes de l'Église. L'éclatement*, Fayard, 1974. — *Histoire science sociale*, SEDES, 1974. — *L'Historien dans tous ses états*, Perrin, 1984.

CHENU (Marie-Dominique)

1895-1990

Théologien « engagé », interprète génial de la pensée de saint Thomas, le Père Marie-Dominique Chenu a incarné toutes les grandes causes de l'Église de France dans l'après-guerre et œuvré de manière décisive au grand *aggiornamento* conciliaire en dépit d'une double condamnation romaine.

Né le 7 janvier 1895 à Soisy-sur-Seine dans l'Essonne, il était le fils d'un petit industriel. Entré à l'âge de dix-huit ans dans l'ordre de Saint-Dominique, il reçoit une solide formation scolastique à l'Angelicum de Rome où il obtient un doctorat en théologie sous la direction du Père Garrigou-Lagrange. En 1920, il retourne dans son couvent d'origine du Saulchoir* en Belgique pour y enseigner l'histoire des doctrines chrétiennes. Promu maître en théologie et régent des études dès 1932, il en devient très vite « l'étoile montante » (Étienne Fouilloux). Par ses écrits, il impose une approche nouvelle, plus historique, du thomisme dans la ligne des travaux d'un Étienne Gilson*. Par sa présence, il contribue à ouvrir le couvent sur l'extérieur (sessions de la JOC) jusqu'à faire de ce dernier, dans les années 30, l'un des laboratoires de cette « nouvelle chrétienté » théorisée par Maritain* dont il se voudra toujours l'apôtre (*Dimension nouvelle de la chrétienté*, 1938). Son petit livre aux allures de manifeste, *Une école de théologie : le Saulchoir* (1937), sera mis à l'Index en 1942 pour cause de « relativisme philosophique et théologique » et lui-même démis de ses fonctions rectorales et suspendu de son enseignement au Saulchoir.

Attentif à ce qu'il appelle les « signes des temps », persuadé que l'histoire est un « lieu théologique », le Père Chenu est l'un des maîtres à penser du progressisme chrétien d'après guerre. Il signe l'« Appel de Stockholm »* contre la bombe atomique (1950) par « réflexe chrétien » et défend les prêtres-ouvriers* au nom d'une nécessaire « théologie de la lutte des classes » (1953). Frappé d'une nouvelle disgrâce romaine (1954), cet « optimiste incurable », comme il se définissait lui-même au soir de sa vie, verra ses options théologiques (principe de l'incarnation) et pastorales (primat de la mission) reconnues par le concile Vatican II (notamment dans la constitution *Gaudium et spes*), sans pour autant cesser d'inspirer une certaine méfiance au sommet de l'Église. Il est mort au couvent des dominicains à Paris le 11 février 1990.

Philippe Chenaux

■ *Une école de théologie : le Saulchoir*, Tournai, 1937. — *Dimension nouvelle de la chrétienté* (préface du chanoine Cardjin), Juvisy, 1938. — *Introduction à l'étude de saint Thomas d'Aquin*, Paris / Montréal, Vrin / Institut d'études médiévales, 1950. — *Pour une théologie du travail*, Seuil, 1955. — *Saint Thomas d'Aquin et la théologie*, Seuil, 1957. — *La Parole de Dieu*, t. 1 : *La Foi dans l'intelligence* ; t. 2 : *L'Évangile dans le temps*, Cerf, 1964. — *La « Doctrine sociale » de l'Église comme idéologie*, Cerf, 1979.

■ E. Fouilloux, « Le Saulchoir en procès (1937-1942) », in M.-D. Chenu, *Une école de théologie : le Saulchoir*, Cerf, 1985, pp. 39-59. — F. Leprieur, *Quand Rome condamne. Dominicains et prêtres-ouvriers*, Plon / Cerf, 1989. — *L'Hommage différé au Père Chenu*, Cerf, 1990.

CHÉREAU (Patrice)

Né en 1944

Metteur en scène de théâtre et d'opéra à la fois critique et visionnaire, cinéaste original et acteur attachant, Patrice Chéreau est l'homme des paradoxes et des remises en question permanentes, qu'il prenne la tête d'institutions pour y mener une action réfléchie sur la question de l'art ou qu'il choisisse la liberté nomade d'artiste indépendant.

Né en 1944 à Lézigné dans le Maine-et-Loire, d'un père artiste peintre et d'une mère dessinatrice pour tissus, Patrice Chéreau entre en seconde au lycée Louis-le-Grand, où il rejoint tout de suite la troupe théâtrale du lycée. Il entreprend une licence d'allemand mais, avec Jean-Pierre Vincent son condisciple, il y reste longtemps attaché.

Il réalise ses premières mises en scène et participe au Festival universitaire de Nancy avec *L'Héritier de village* de Marivaux. Durant une année, Patrice Chéreau travaille avec Bernard Sobel au Théâtre de Gennevilliers, s'impose avec *L'Affaire de la rue de Lourcine*, d'après Labiche, puis avec *Les Soldats* de Lenz qui remportent le prix des Jeunes Compagnies. On lui confie alors la direction du Théâtre de Sartrouville, une cité-dortoir de la région parisienne ; il y restera trois ans, de 1966 à 1969, montant plusieurs spectacles, dont le dernier, *Don Juan*, en coproduction avec Marcel Maréchal à Lyon. Mais les dettes s'accumulent, Chéreau est contraint de déposer son bilan et d'abandonner Sartrouville avec la conviction que le rêve humaniste d'un « théâtre populaire »* aboutit à une impasse. « Il y a, déclare-t-il, une certaine malhonnêteté intellectuelle à vouloir imposer à un public ouvrier la culture bourgeoise. » Chéreau revendique désormais un statut d'« artiste » et de « créateur » dont la mission est de provoquer l'imagination et la réflexion du public, interrogeant le sens et la fonction du théâtre par la mise en jeu de ses mécanismes internes.

Après deux années passées au Piccolo Teatro de Milan, Patrice Chéreau est appelé en 1972 à Villeurbanne par Roger Planchon pour codiriger avec lui le TNP. Chéreau ne se sentira pas dépositaire de l'histoire inscrite dans le sigle et montera avec son scénographe Richard Peduzzi des spectacles d'une grande force plastique, qui assureront définitivement sa notoriété. En même temps il tourne ses premiers films, réalise plusieurs opéras dont l'intégrale du *Ring* à Bayreuth à l'occasion du centenaire de Wagner. Chaque création de Chéreau est, à cette époque, l'équivalent d'une somptueuse cérémonie « funèbre » qui témoigne du déchirement d'un créateur écartelé entre la critique du théâtre et sa célébration. Avec *La Dispute* de Marivaux, qu'il transforme en véritable tragédie, Patrice Chéreau dénonce la fausseté de l'optimisme des Lumières et confisque le rire au profit de la cruauté. Associant dans ce spectacle montage de texte et invention scénique, il montre que l'on peut porter un regard aigu sur les pièces du passé sans avoir besoin de les réécrire, comme Brecht avait pu le faire. En fait, la pratique théâtrale de Chéreau est à la fois traditionnelle et révolutionnaire : s'il met à jour le fonctionnement de la scène à l'italienne, il reste fasciné par son cadre au moment où d'autres metteurs en scène préfèrent s'en échapper ; à une époque où la modernité jette une suspicion sur le langage, Chéreau reste l'adepte d'un théâtre narratif.

En 1982, Patrice Chéreau prend la direction du Théâtre des Amandiers de Nanterre, tournant une page de l'action culturelle en France : le statut associatif de la Maison de la culture cède la place à celui d'une SARL à gestion plus souple, totalement au service de la création et de « l'équation théâtre-cinéma-école ». Chéreau prend le risque d'inaugurer son théâtre avec des œuvres contemporaines, *Les Paravents* de Jean Genet* et surtout quatre pièces de Bernard-Marie Koltès, un auteur qui, selon lui, ose inventer « les métaphores du monde contemporain ». Ses dernières mises en scène, comme celle d'*Hamlet*, mettent en avant le scepticisme et la contradiction des êtres. En 1990, refusant l'engourdissement, Patrice Chéreau quitte Nanterre, laissant la place à Jean-Pierre Vincent, le compagnon de ses débuts.

Jean Deloche

■ *Histoire d'un « Ring ». Bayreuth (1976-1980)* (avec Boulez, Peduzzi et Schmitt), Laffont, 1980. — *Si tant est que l'opéra soit du théâtre. Note sur la mise en scène de « Lulu » d'Alban Berg, d'après les tragédies de Wedekind « L'Esprit de la terre », « La Boîte de Pandore »*, Toulouse, Ombres, 1992.

▒ *Chéreau*, série « Les Voies de la création théâtrale », vol. 14, CNRS, 1986. — *Les Années Chéreau. Nanterre-Amandiers (1982-1990)*, Imprimerie nationale, 1990.

CHINE POPULAIRE (*OMBRES CHINOISES*)

1974

En 1974 paraissait *Ombres chinoises* de « Simon Leys », pseudonyme de l'un des meilleurs sinologues : Pierre Ryckmans, universitaire belge de langue française, proche des revues *Preuves** et *Contrepoint*, spécialiste érudit en même temps que penseur et philosophe. À la fois pamphlet, essai et récit de voyage, *Ombres chinoises* développait une critique impitoyable des « soi-disant témoignages » des « commis voyageurs du maoïsme », journalistes ou écrivains séduits par la Chine, incapables de décrire autre chose que le « théâtre d'ombres mis en scène pour eux par les autorités maoïstes ». Simon Leys n'hésitait pas à exercer une ironie parfois féroce à leur encontre, ni à les citer nommément, dénonçant leur naïveté, leur ignorance ou leur complaisance. Il livrait aussi ses impressions, parfois sans nuances, sur la Chine de la fin de la Révolution culturelle, et des réflexions sur le phénomène totalitaire, qui s'inscrivaient dans la continuité de son précédent essai.

Dans le contexte du début des années 70, alors que la séduction exercée par la révolution chinoise sur nombre d'intellectuels et journalistes atteignait son apogée et que le « retour de Chine » était presque devenu un genre littéraire, Leys jetait un pavé dans la mare. En 1971, Maria-Antonietta Macciocchi avait remporté un succès considérable avec *De la Chine*, de même qu'en 1973 Alain Peyrefitte pour *Quand la Chine s'éveillera*. 1974 voyait l'expédition en Chine de l'équipe de *Tel Quel**, après celle de Claudie et Jacques Broyelle, dont *La Moitié du ciel* (1973) rapportait les images d'un paradis. Dans la presse, Alain Bouc, le correspondant du *Monde** à Pékin, auteur d'un *Mao Tsé-toung ou la Révolution approfondie* (1975), K.S. Karol du *Nouvel Observateur**, qui avait publié *La Seconde Révolution chinoise* (1973), ou Jean Daubier, au *Monde diplomatique**, subissaient aussi l'attrait du maoïsme.

Pourtant, depuis la disgrâce de Lin Piao (1971), certains commençaient à s'interroger ; *Esprit** se faisait, dès 1972, l'écho des réserves de sinologues quant à la situation en Chine et la validité des témoignages occidentaux. Et, dès 1971, dans *Les Habits neufs du président Mao*, Leys interprétait la Révolution culturelle comme une lutte pour le pouvoir et menait une analyse du maoïsme — radicalement antimaoïste — à contre-courant des thèses prédominantes. Mais si l'ouvrage avait été reconnu par les universitaires, c'est *Ombres chinoises* qui eut l'impact le plus important.

Publié en « 10/18 », le manuscrit d'*Ombres chinoises* avait été proposé à Christian Bourgois par René Viennet, éditeur du premier livre de Simon Leys dans « La Bibliothèque asiatique », collection des Éditions Champ libre transférée en « 10/18 ». La presse en rendit compte abondamment. L'accueil fut le plus souvent favorable — si ce n'est les réactions des « maophiles » visés par Simon Leys et quelques réserves au *Monde* et au *Nouvel Observateur*. On saluait une entreprise de démystification. Le livre fut vendu à près de 30 000 exemplaires.

Séverine Nikel

■ Simon Leys : *Les Habits neufs du président Mao*, Champ libre, 1971. — *Ombres chinoises*, UGE, 1974. — *Images brisées*, Laffont, 1976. — *L'Humeur, l'honneur, l'horreur. Essais sur la culture et la politique chinoises*, Laffont, 1991.
▩ C. Aubert, L. Bianco, C. Cadart et J.-L. Domenach, *Regards froids sur la Chine*, Seuil, 1976.

CHOMBART DE LAUWE (Marie-José)

Née en 1923

Spécialiste de l'enfance, psychosociologue, son histoire et sa volonté lui ont donné l'expérience et la connaissance nécessaires à établir une synthèse englobant à la fois sciences de la vie et sciences sociales, recherche et militantisme. Entre Paris et la Bretagne, elle sillonne la France et l'Europe avec ce bagage, en publiant, en témoignant, en prenant des positions pour des idées et des actions profondément démocratiques.

Yvonne Marie-José Wilborts est née à Paris en 1923. Son père, médecin pédiatre, interne des hôpitaux de Paris, invalide de la guerre de 14 prend une retraite anticipée et la famille déménage en Bretagne en 1936. Il assure une consultation pour les bébés des milieux défavorisés.

Dès le début de l'Occupation, Marie-Jo et sa famille travaillent pour un réseau d'évasion vers l'Angleterre et de renseignements sur les défenses côtières. À l'automne 1941, elle commence ses études de médecine à Rennes jusqu'au moment où elle est dénoncée et incarcérée durant quatorze mois, dont neuf d'isolement complet. Elle est déportée en 1943 à Ravensbrück, où elle mène des travaux de terrassement et industriels. En octobre 1944, elle est chargée de s'occuper des bébés qui naissent au camp et ne sont plus exterminés à la naissance. En mars 1945, elle est envoyée à Mauthausen avec le convoi des NN *(Nacht und Nebel)*. Elle est libérée en avril et s'adonne à la tâche de consigner par écrit cette mémoire des camps qui la marquera à vie. Son père est mort à Buchenwald. Sa mère survivra quelques années après son retour.

Elle se marie en 1947 avec Paul-Henry Chombart de Lauwe*, qui l'encourage à poursuivre ses études jusqu'au doctorat en psychologie (1960).

En 1954, elle est engagée au Centre national de la recherche scientifique* comme chercheur, au service de neuropsychiatrie infantile du Pr Heuyer pour étudier les conditions psychosociales de l'inadaptation sociale des enfants. Elle soutient sa thèse d'État sur ce sujet. En psychologie de l'enfant, elle travaille sur les images et les représentations sociales de l'enfant et leur intériorisation dans la ligne des travaux d'Henri Wallon*.

Avec des équipes pluridisciplinaires du Centre d'ethnologie sociale, elle travaille sur les images de la femme, puis, sur la relation formatrice enfant-espace aménagé. Elle participe aussi à des colloques sur les représentations sociales organisées par le Groupe de psychologie sociale européenne de S. Moscovici*. À l'École des hautes études en sciences sociales*, elle dirige un séminaire de thèses sur la transmission sociale et la socialisation de l'enfant.

À soixante-trois ans, elle quitte le CNRS, avec le titre de directeur de recherche honoraire, et se consacre à des actions militantes dans le cadre de la Ligue des droits de l'homme* et comme responsable d'associations d'anciens résistants et déportés. Elle travaille à la promotion et l'application de la convention internationale de l'ONU sur les droits de l'enfant et forme divers publics concernés : écoliers, lycéens, travailleurs sociaux, médecins, ainsi que grand public (entretiens à la radio, émissions télévisées, conférences). Elle milite également contre toutes les résurgences des idées racistes et fascistes et a été expert au Parlement européen sur ce sujet.

Germán Solinís

■ *Psychopathologie sociale de l'enfant inadapté*, CNRS, 1960. — *Un monde autre, l'enfance. De ses représentations à son mythe*, Payot, 1971. — *Enfants de l'image, enfants personnages des médias, enfants réels* (avec C. Bellan), Payot, 1979. —

« Les représentations sociales dans le domaine de l'enfance », in D. Jodelet (dir.), *Les Représentations sociales*, PUF, 1989.

CHOMBART DE LAUWE (Paul-Henry)

Né en 1913

Anthropologue et sociologue, Chombart de Lauwe n'est pas seulement le précurseur, avec Halbwachs*, de la sociologie urbaine en France. Son œuvre est à placer dans le cadre global de l'analyse des transformations sociales, de l'intervention dans les processus de domination, et du devenir des sociétés industrialisées à partir d'un esprit alimenté par l'intuition et par ses deux apports interdisciplinaires : l'ethnologie sociale et la psychosociologie.

Né à Cambrai en 1913, Chombart de Lauwe passe les années d'adolescence dans un milieu aisé à Paris et termine ses études d'ethnologie et psychologie à vingt-trois ans. Après une mission en Afrique, il prépare au Musée de l'homme une mission en Indochine avec P. Rivet*, mais la guerre est déclarée. En 1940, il s'engage comme formateur de cadres à l'École d'Uriage* et dans la Résistance. En 1942, il s'évade par l'Espagne et rejoint les forces aériennes alliées en Afrique du Nord. De 1943 à 1945, il combat comme pilote de chasse dans les armées alliées.

En 1945, il aborde, au Centre national de la recherche scientifique*, ses premières réflexions sur la civilisation, à travers les traces des hommes et leurs œuvres visibles d'en haut. En 1947, il épouse Marie-José Wilborts et l'accompagne dans ses études de biologie et psycho-physiologie à partir de 1948. Il fonde le Groupe d'ethnologie sociale en 1949, où il mène les premières enquêtes sociologiques sur le milieu ouvrier. En 1950, il prépare sa thèse sur les aspirations et comportements des familles ouvrières, soutenue en 1955, et développe le thème des aspirations dans l'analyse des classes sociales. En 1952, le groupe publie le premier ouvrage d'études sur Paris. Ce groupe deviendra, en 1959, le Centre d'ethnologie sociale, qu'il dirigera jusqu'en 1980. Dès 1954, il met en place un organisme qui permet à la fois de produire des recherches appliquées à partir des résultats de la recherche fondamentale, et d'établir des propositions moyennant un travail contractuel avec les responsables des plans d'urbanisme : le Centre d'études des groupes sociaux.

En 1960, il est nommé directeur d'études à l'École des hautes études en sciences sociales* et ouvre le séminaire sur les transformations de la vie sociale et les processus d'interaction individus-groupes-société, qui donnera ultérieurement naissance au groupe de « Recherche coopérative internationale », pour l'étude des rapports entre aspirations, culture et transformations sociales. En 1968, il publie son essai sur l'Université à partir de son intervention dans le mouvement de révolte de Mai, qui sert de base à ses analyses sur les mouvements sociaux et sur le rôle des intellectuels. De 1970 à 1980, il participe à une expérience d'autorecherche sur le travail et le non-travail d'un groupe d'ouvriers licenciés collectivement. En 1982, il s'engage au Parti socialiste, tout en poursuivant des recherches sur la vie politique et l'action locale, la planification et la prise des décisions. À partir de 1985, il préside le Comité d'orientation du réseau de recherche coopérative internationale (ARCI).

Dès le début de ses travaux, il élabore les principes d'une pensée qu'il n'érigera pourtant pas en doctrine ; influencé par des auteurs très divers tels que Teilhard de Chardin*, E. Bloch, M. Mauss*, G. Friedmann*, E. Burgess, Hegel, Marx et Durkheim*. Les présupposés qui orienteront ses travaux sont : l'expérience du terrain, l'impossibilité d'une totale objectivité liée à l'explicitation des valeurs et de l'autonomie du chercheur, la créativité et la liberté du sujet social, et le primat des possibilités d'application de la recherche fondamentale. Ses principes méthodologiques essentiels restent l'approche pluridisciplinaire et la modification graduelle des hypothèses et des systèmes d'explication. Plus particulièrement, il préconise des dimensions complémentaires des faits sociaux : local et global ; données statistiques et entretiens qualitatifs ; institutionnalisation de la société et vie quotidienne, ou encore pratiques, modes de vie et représentations mentales. Ainsi, il s'emploiera à une réflexion globalisante et multidimensionnelle, en essayant de saisir le fonctionnement d'une société dont les processus de transformation sont dynamisés par des rapports sociaux de domination. En complément, son action dans la formation pédagogique de certaines catégories sociales pour la prise en charge de la population par elle-même, ses discussions avec les planificateurs et architectes, ou ses efforts pour trouver des modes de participation efficaces permettant à la décision de répondre aux aspirations, tentent d'infléchir des évolutions dans des directions conformes aux valeurs humanitaires qu'il revendique. Connaissant plusieurs langues, il a fait évoluer la sociologie française à partir des apports étrangers, et son travail a rayonné parmi des universitaires européens, nord-américains, de l'Amérique latine et d'Afrique.

Germán Solinís

■ *Paris et l'agglomération parisienne*, PUF, 1952, 2 vol. — *La Vie quotidienne des familles ouvrières*, CNRS, 1956, rééd. 1979. — *La Femme dans la société. Son image dans différents milieux sociaux en France* (collectif), CNRS, 1963. — *Images de la culture* (collectif), Éditions ouvrières, 1966. — *Pour une sociologie des aspirations. Éléments pour des perspectives nouvelles en sciences humaines*, Denoël, 1969. — *La Fin des villes. Mythe ou réalité ?*, Calmann-Lévy, 1982.

Cinémathèque française

Fondée en 1936, la Cinémathèque française présente tous les aspects d'un étonnant paradoxe. Elle n'est en effet ni la plus ancienne des institutions de ce genre (la Svenska Filmsamfundets Arkiv la précède de trois années), ni la mieux dotée (avec ses 175 000 titres, la National Film Library de Londres vient largement en tête), ni, comme en témoignent les Cinémathèques de Lausanne ou de New York, la mieux organisée. Et pourtant la Cinémathèque française est sans conteste le temple mondial du septième art. À quoi tient donc son rayonnement ? Principalement à la personnalité de son fondateur, Henri Langlois.

Alors qu'en ces années 30, les États, partout, mesurent l'enjeu de la conservation des films, la France fait bande à part. Il est vrai que la cinématographie nationale traverse alors une crise d'une exceptionnelle gravité (liquidations en cascade des sociétés Pathé-Natan, de Haïk, d'Osso, du GFFA, etc.) et que les pouvoirs publics n'ont de cesse de quitter ce bourbier. En conséquence, c'est avec pour seul appui celui du réalisateur Georges Franju, et de quelques individualités telles que P.-A. Harlé et Jean Mitry, que Langlois monte la Cinémathèque. Au fil des ans, le stock de bobines préservées d'une destruction pure et simple augmente. Un an après son lancement, la Cinémathèque proclame mille titres sauvés. Habilement secondé, Langlois récupère tout ce qui lui est signalé. Les films convergent vers l'avenue d'Iéna, puis au lycée Montaigne, par tous les moyens, y compris, grâce au concours de Suzanne Morel du Quai d'Orsay, par la valise diplomatique. De fait, en peu de temps, la méthode Langlois porte ses fruits. Lui manque encore la légende. L'Occupation allemande la lui apporte. Les conditions dramatiques de sauvegarde, plus encore que le nombre de bobines sauvées, sont au départ de la mythologie de la Cinémathèque française. Langlois officie seul désormais. À la Libération, la Cinémathèque, qui s'installe rue de Messine à Paris, poursuit son action sur trois axes. D'une part, elle accompagne le mouvement des ciné-clubs, au départ de la cinéphilie de masse. D'autre part, elle travaille à l'installation d'un Musée du cinéma, ouvert en octobre 1948. Enfin, la Cinémathèque s'emploie à faire découvrir d'autres cinématographies mal connues, voire inconnues, venues par exemple du Japon ou du Brésil. Dans cette perspective, la Cinémathèque aide au clonage d'institutions semblables à Cuba, à Lausanne, etc. Parallèlement, l'errance de la Cinémathèque se poursuit. De la rue de Messine, elle se pose, en décembre 1955, à la rue d'Ulm. Au programme : trois films par jour. Enfin, en juin 1963, la salle du palais de Chaillot était inaugurée. La Cinémathèque française, vingt-sept ans après sa création, trouvait son point d'ancrage.

La Cinémathèque est indissociablement liée à la personnalité de son fondateur. Autodidacte, « dragon qui veille sur nos trésors » selon le mot de Cocteau*, Langlois a fait couler beaucoup d'encre. On lui reconnaîtra en effet une indéniable propension au désordre et des capacités d'intrigue hors des normes reconnues. Il est logique qu'un tel génie supporte mal, à compter des années 60, l'encadrement administratif croissant. En février 1968, André Malraux*, alors ministre de la Culture, tentait de se débarrasser de Langlois. Gérée de façon particulièrement maladroite, l'affaire de la Cinémathèque, par la sympathie qu'elle trouvait dans la presse et le grand public, annonçait de manière directe le mouvement de Mai. Remis en selle, Langlois triomphait. La Cinémathèque, bien entendu, devait survivre à la mort de son fondateur, survenue en 1977. Bénéficiant de dotations sans cesse accrues, la Cinémathèque dispose aujourd'hui d'une enveloppe budgétaire confortable. Elle gère trois salles (Chaillot, Centre Pompidou, palais de Tokyo), diffuse 1 400 films par an, contretype et restaure à Bois-d'Arcy environ 430 films chaque année. En 1992, elle a lancé une revue intitulée, simplement, *Cinémathèque*.

François Garçon

■ R. Borde, *Les Cinémathèques*, Lausanne, L'Âge d'Homme, 1983, rééd. Ramsay, 1988. — G. Myrent et G.-P. Langlois, *Henri Langlois, premier citoyen du cinéma*, Denoël, 1986. — *Le Film français*, 11 décembre 1992.

CIORAN (Emil Michel)

1911-1995

Cioran est né le 8 avril 1911 à Ràsinari (près de la ville de Sibiu, en Transylvanie) dans la famille d'un prêtre. Vers l'âge de quinze ans, alors lycéen à Sibiu, Cioran s'initie à la philosophie. De 1928 à 1932, il suit les cours de la Faculté de lettres et de philosophie de Bucarest. Durant ces années se précisent les options intellectuelles du jeune Cioran, particulièrement marqué par Schopenhauer, Nietzsche, Simmel et Chestov. Néanmoins, c'est à l'intuitionnisme bergsonien qu'il consacrera son mémoire de licence. Au terme de cette période, Cioran rejette « la neutralité psychique » des grands créateurs de systèmes et s'installe dans une philosophie dont « l'engagement » aura « la vie intérieure comme unique objet ». C'est ce dont témoignent ses deux premiers livres — *Pe culmile disperàrii* (Sur les cimes du désespoir), 1934, et *Cartea amàgirilor* (Le Livre des leurres), 1936 — qui ajoutent à la notoriété qu'il est en train d'acquérir par sa collaboration à des périodiques comme *Gândirea*, *Floarea de foc*, *Calendarul*, *Vremea*.

En 1932-1933, Cioran participe avec Mircea Eliade, Eugène Ionesco, Constantin Noïca, Henri H. Stahl, etc., aux débats et aux conférences de l'« Association Criterion », qui fut, à l'époque, l'expression synthétique de la « jeune génération » d'intellectuels roumains dont Eliade était le chef de file.

Boursier de la Fondation Humboldt (fin 1933-1935), Cioran manifestera, avant la guerre, son admiration (qu'il reniera par la suite) pour l'Allemagne de Hitler. Cette attitude demeure, cependant, un reflet de ses méditations d'alors sur le destin des nations et les forces de l'histoire — *Schimbarea la fatà a României* (Transfiguration de la Roumanie), 1936.

Fin 1937, Cioran quitte son pays (il y reviendra une seule fois, à la fin de 1940) et arrive à Paris comme boursier de l'Institut français de Bucarest. Après avoir achevé, en 1945, son sixième et dernier livre roumain — *Indreptar pàtimas* (Guide pathétique) publié en 1991 —, Cioran entame, avec *Précis de décomposition* (1949), sa période française. À travers ce livre, Cioran se sépare de toute une partie de son passé. Allant de pair avec une radicalisation du scepticisme, le choix d'écrire en français marquera un renouvellement de son identité intellectuelle. Si le style et le ton de ses écrits ont changé, une continuité avec son œuvre roumaine demeure cependant repérable au niveau des thèmes de réflexions dans *La Tentation d'exister* (1956), *Histoire et utopie* (1960), *La Chute dans le temps* (1964) et *Essai sur la pensée réactionnaire. À propos de Joseph de Maistre* (1957, 1977) notamment.

Considéré comme l'un des plus grands écrivains français de l'après-guerre, traduit en plusieurs langues européennes, aux États-Unis et au Japon, Cioran n'est que très peu présent dans les médias. En Roumanie, où, après 1944, ses livres furent interdits, quelques fragments seulement, traduits du français, seront publiés avant la chute du régime communiste. Depuis 1990, par la réédition de tous ses livres roumains ainsi que par la traduction de ses ouvrages français, E.M. Cioran, représentant de deux cultures, revient, d'une manière spectaculaire, dans l'espace culturel de son pays d'origine.

Il est mort le 20 juin 1995.

Florin Turcanu

■ *Sur les cimes du désespoir*, 1934, rééd. LGF, 1991. — *Le Livre des leurres*, 1936, rééd. Gallimard, 1993. — *Précis de décomposition*, 1945, rééd. Gallimard, 1978. — *La Tentation d'exister*, 1956, rééd. Gallimard, 1986. — *Histoire et utopie*, 1960, rééd. Gallimard, 1977.

CIXOUS (Hélène)

Née en 1937

Intellectuelle universitaire et femme de lettres originale, Hélène Cixous est aussi une figure emblématique d'un certain féminisme. Romancière, poétesse, théoricienne et auteur dramatique, Hélène Cixous pratique depuis la publication de son premier ouvrage en 1967, une écriture poétique de l'intériorité nourrie par une solide culture psychanalytique, littéraire et linguistique. Née le 5 juin 1937 à Oran en Algérie, d'un père juif algérien, médecin, et d'une mère juive allemande, Hélène Cixous puise largement dans cette double culture et sa propre histoire. Si certains critiques ont souligné l'opacité de ses textes, ils ont souvent aussi loué un style original qui lui valut le prix Médicis en 1969 *(Dedans)*. Agrégée d'anglais en 1959, elle consacre sa thèse de doctorat d'État à James Joyce et participe à la fondation de la revue *Poétique*. Professeur au Centre Universitaire de Vincennes (future université de Paris VIII) dès sa création en 1968, elle y organise en 1975 un DEA d'« Études féminines ».

Sa rencontre avec le mouvement d'émancipation des femmes dans les années 70 donne à son projet littéraire une dimension nouvelle. Proche du groupe d'Antoinette Fouque « Psychanalyse et politique », qui prône une réhabilitation de la spécificité féminine, elle réédite et édite dès lors toute sa production aux Éditions Des femmes. Symbole d'une nouvelle écriture féminine, notamment pour les féministes anglo-saxonnes, Hélène Cixous entend surtout imprégner ses textes de ce qui a toujours été tenu hors du champ littéraire, le corps même de la femme, sa libido, l'homosexualité *(Ananké)*. Permettre à la femme de « naître à l'écriture » et dévoiler ainsi l'inconscient de l'humanité sont les enjeux majeurs de son œuvre.

Sa collaboration avec le Théâtre du Soleil d'Ariane Mnouchkine* s'inscrit dans une démarche différente. Pour réaliser un ambitieux projet de fresques historiques contemporaines, l'une sur le Cambodge, l'autre sur l'Inde, plus récemment encore sur l'affaire du sang contaminé, son écriture dut se mettre au service d'une création collective. Une tentative couronnée de succès et qui suscita l'admiration du public français et européen. Si Hélène Cixous s'est rarement engagée publiquement, hormis pour la cause des femmes, elle compte parmi les personnalités dont l'action s'inscrit dans le sillage de Mai 68.

Florence Rochefort

■ *Dedans*, Grasset, 1969. — *La Jeune Née* (avec C. Clément), UGE, 1975. — *Le Portrait de Dora*, Des femmes, 1976. — *Ananké*, Des femmes, 1979. — *L'Ange au secret*, Des femmes / AF, 1991. — *Déluge*, Des femmes, 1992.

▒ M.N. Evans, *Masks of Tradition : Women and the Politics of Writing in the Twentieth Century France*, Londres, Cornell University Press, 1987. — F. Rossum-Guyon et M. Diaz-Dioca-Retz (dir.), *Hélène Cixous, chemin d'une écriture* (colloque international Utrecht 8-11 juin 1987), Presses universitaires de Vincennes, 1990. — « Écriture, féminité, féminisme », *Revue des sciences humaines*, n° 168, octobre-décembre 1977.

CLARTÉ

Le mouvement « Clarté » pour une internationale de la pensée, lancé en mai 1919 par Henri Barbusse*, a connu le sort éphémère des projets internationalistes nés au lendemain du premier conflit mondial ; mais si l'Internationale des intellectuels n'a jamais vu le jour, « Clarté » a servi de creuset aux différentes tendances se rattachant au pacifisme, du wilsonisme au léninisme révolutionnaire. « Clarté » a, en outre, joué un rôle dans la cristallisation d'une minorité d'intellectuels se réclamant du communisme.

À l'origine, le mouvement « Clarté » se propose d'opérer le rassemblement des « élites » sur le mot d'ordre de la « révolution dans les esprits » qui s'inscrit dans la tradition de l'intellectuel porteur de progrès ; il plonge ses racines immédiates dans les projets formés par de jeunes combattants comme Raymond Lefebvre*, visant à rassembler les victimes de guerre et à perpétuer la haine de la guerre. Avec l'appui de Barbusse, ces projets donnent naissance à l'Association républicaine des anciens combattants (ARAC) en février 1917 et à ce qui va devenir « Clarté » (du nom du deuxième roman de guerre de l'auteur du *Feu*). Barbusse s'attache à obtenir le patronage de personnalités comme Anatole France*, Charles Richet* et à les rallier à l'idée d'une revue internationale, organe d'un mouvement d'intellectuels. Romain Rolland*, un des pères de l'internationalisme intellectuel, se tient à l'écart de la fondation de « Clarté », mettant en doute l'internationalisme de personnalités comme A. France. C'est pourtant sous le patronage de France que Barbusse annonce le 10 mai 1919, dans *L'Humanité**, la fondation du « Groupe Clarté ». Le premier comité de direction de « Clarté, Ligue de solidarité intellectuelle pour le triomphe de la cause internationale » comprend quelques personnalités connues comme Charles Gide*, Charles Richet, Séverine*, pour la France.

De 1919 à 1921, grâce à son journal *Clarté*, à ses « groupes Clarté », le mouvement contribue à développer le courant de sympathie en faveur de la révolution russe ; mais ce premier rassemblement pacifiste et internationaliste éclate en 1921-1922, lorsque Barbusse, rallié au communisme de la IIIe Internationale, engage une controverse avec Rolland sur « l'indépendance de l'esprit », et demande aux intellectuels d'adhérer à la conception bolchevique de la révolution. Barbusse va se heurter alors, au sein même du groupement, à une minorité désireuse d'orienter « Clarté » vers une activité plus spécifiquement révolutionnaire. Le 19 novembre 1921, avec l'accord réticent de Barbusse, ces intellectuels (Vaillant-Couturier*, Jean Bernier, Marcel Fourrier, Georges Michaël) lancent la revue *Clarté* comme revue de critique communiste. La revue *Clarté* (qui va rompre avec Barbusse en 1923) devient la tribune d'une poignée de jeunes intellectuels qui espèrent que, de leur révolte de combattants, va naître une révolution sur le modèle de l'Octobre russe. La revue se consacre à une tâche de dénonciation de la culture et des valeurs bourgeoises : lutte contre « l'oubli de la guerre », procès de « l'intelligence en guerre » (« L'anti-Barrès », janvier 1924), de la démocratie bourgeoise (« Cahier de l'anti-France », octobre 1924).

En 1924-1925, la revue *Clarté* devient l'interlocuteur privilégié de groupes d'avant-garde, comme le groupe surréaliste, le groupe Philosophies* à la recherche d'une insertion politique et sociale. Le rapprochement entre Clarté et les surréalistes, à l'occasion de la campagne antimilitariste menée par le Parti communiste contre la guerre du Maroc, aboutit à la signature du manifeste commun « La Révolution d'abord et toujours » à l'été 1925, puis au projet de lancement d'une revue commune, *La Guerre civile*, par fusion de *Clarté* et de *La Révolution surréaliste*. Après l'échec de ce projet en 1926 dû à la volonté du Parti de contrôler l'expérience, au moment où les surréalistes se posent la question de l'adhésion au PC, *Clarté* reparaît (en juin 1926), sous la responsabilité de Marcel Fourrier et Pierre Naville*, orientée essentiellement vers les problèmes politiques du communisme. Dirigée bientôt par Pierre Naville seul, *Clarté* évolue à partir de 1927 vers le trotskisme et se transforme en 1928 en *La Lutte de classes*, revue oppositionnelle.

Nicole Racine

■ V. Brett, *Henri Barbusse, sa marche vers la clarté. Son mouvement « Clarté »*, Prague, Académie des sciences, 1963. — B. Chambaz, *Éléments pour une étude de la conscience sociale des intellectuels français : « Clarté » (1921-1925)*, thèse, Paris I, 1983. — A. Cuenot, *L'Itinéraire politique de « Clarté » et des intellectuels clartéistes (1919-1928)*, Faculté des lettres de Besançon, 1986. — N. Racine, « Une revue d'intellectuels communistes dans les années 20 : *Clarté* (1921-1928) », *Revue française de science politique*, juin 1967. — *Vers l'action politique (juillet 1925-avril 1926)* (présenté et annoté par M. Bonnet), « Archives du surréalisme », vol. 2, Gallimard, 1988.

CLAUDEL (Paul)

1868-1955

Claudel intellectuel ? Assurément non, si l'on remarque qu'il ne fut jamais signataire de pétitions, qu'il écrivit rarement dans les journaux et que, sauf exception, il s'abstint d'intervenir dans les problèmes de politique intérieure. N'oublions pas d'ailleurs qu'il fut diplomate pendant toute sa carrière, ce qui lui interdisait de jouer à proprement parler le rôle qui est d'ordinaire celui des intellectuels. Mais justement, son génie épique et dramatique est allé de pair, tout au long de son existence, avec une constante présence au monde et aux grandes questions de la première moitié du XXe siècle.

Le plus frappant peut-être, quand on considère l'ensemble de ses positions, c'est leur caractère fluctuant, contradictoire sur un fond d'idées immuables : la foi catholique, la conviction du caractère symbolique de l'univers, l'attachement à la

France. C'est un fait pourtant que ce catholique de droite fut d'un bout à l'autre un diplomate de gauche, que cet antisémite de jeunesse manifesta à l'égard des juifs persécutés une courageuse solidarité, que l'auteur des « Paroles au Maréchal » (27 décembre 1940) ne se priva pas ensuite de dénoncer la collaboration et le pétainisme lui-même.

Nul doute en somme que l'on puisse lui appliquer cette définition générale qu'il donnait de l'être humain : « Il y a au premier ce que les Allemands appellent le « bel étage », il y a un bourgeois naïf… Dans le sous-sol, il y a un original… Cet anarchiste essentiel est souterrain. » Le premier est celui qui dans sa correspondance, jusqu'à la guerre de 1914, exprime l'antisémitisme qui était celui d'une partie de la bourgeoisie française. Cet antisémitisme, il l'abandonnera de manière définitive au contact de la société juive qu'il rencontra à Francfort, à partir de 1911. La guerre de 1914 le trouve dans des dispositions d'esprit qui sont conformes à celles de la majorité des Français : « Un vaste drame d'un seul tenant où prend part toute l'humanité, que c'est beau ! » Après tout, Apollinaire* a exprimé la même idée dans des termes analogues : « Dieu que la guerre est jolie ! » Et pourtant, comme diplomate, Paul Claudel ne sera jamais du côté de la ligne dure incarnée par Raymond Poincaré. Il fait partie de la « bande à Berthelot », qui comprend des hommes comme Alexis Léger (Saint-John Perse*) ou Jean Giraudoux*, tout acquis à la ligne pacifiste d'Aristide Briand, son « chef vénéré ». Du reste, jusqu'à la fin de sa vie, c'est un partisan convaincu de la réconciliation franco-allemande et de l'Europe ; sur ce point, il se sépare de De Gaulle dans l'après-Seconde Guerre mondiale, qu'il accuse de développer une ligne nationaliste proche des communistes. Il eût été évidemment beaucoup plus satisfait par l'action menée par de Gaulle lors de son retour au pouvoir pour la réconciliation franco-allemande. Sur ces tendances profondes, Maurras* ne s'est pas trompé, lui qui voyait dans l'élection de Claude Farrère à l'Académie française* contre Claudel, le 28 mars 1935, une défaite du romantisme et de l'esprit germanique. Claudel lui-même n'est pas en reste, qui décèle chez son vieil adversaire les mêmes tendances : « L'idée de faire de l'intelligence la servante de l'État est complètement boche et cet affreux Maurras, dont le style est digne de Sainte-Beuve, n'a fait que l'emprunter à Hegel. »

Mais c'est surtout l'attitude de Paul Claudel pendant la Seconde Guerre mondiale qui a fait l'objet des controverses les plus passionnées, et qui a conduit aux plus grands contresens. Certes, avec un certain nombre de réserves, Claudel s'était prononcé en faveur du Maréchal en 1940. Et c'est dans cette optique qu'il écrit à la fin de cette année 40 ces « Paroles au Maréchal », qu'il n'hésitera pas, avec l'esprit de provocation qu'on lui connaît, à faire figurer face à un poème dédié au général de Gaulle, au lendemain de la guerre. Mais il n'a cessé de dénoncer l'entourage collaborateur de Pétain et plus encore de Laval. Il est l'auteur, au soir de Noël 1941, d'une lettre au Grand Rabbin de France, qui tranche avec le conformisme de la grande majorité des écrivains français de l'époque : « Je tiens à vous écrire pour vous dire le dégoût, l'horreur, l'indignation qu'éprouvent à l'égard des iniquités, des spoliations, des mauvais traitements de toutes sortes dont sont actuellement victimes nos compatriotes israélites, tous les bons Français… » Un catholique ne peut oublier qu'Israël est toujours le fils aîné de la Promesse, comme il est aujourd'hui le fils aîné de la douleur.

D'un bout à l'autre de sa vie, Paul Claudel a été signe de contradiction pour lui-même et pour les autres. Passéiste à certains égards, il eut de la fonction diplomatique une vision très moderne, fondée sur le primat de l'économie, dès lors que les relations directes sont possibles entre les chefs d'État. Rien peut-être ne montre mieux à quel point il est impossible de l'enfermer, plus exactement de le réduire à une formule simple que l'attitude des surréalistes à son égard. En 1929, le Gotha du surréalisme, d'Aragon* et Artaud* jusqu'à Breton* et Desnos* en passant par Éluard* et Max Ernst, avait écrit une lettre ouverte à M. Paul Claudel, ambassadeur de France au Japon, où il était traité de cuistre et de canaille et où il était dit « qu'on ne peut être à la fois ambassadeur de France et poète ». Ce que dément toute la diplomatie française du XXe siècle qui compte dans ses rangs, outre Claudel, Saint-John Perse, Paul Morand*, Jean Giraudoux et quelques autres. Mais l'affaire ne s'arrête pas là. Peu de temps après, Aragon déclare son admiration pour *Le Soulier de satin*, tandis qu'Antonin Artaud fait donner une représentation sauvage du *Partage de midi* à une époque où la pièce était encore interdite par l'auteur.

Au fond, toute sa vie, Claudel a détesté les intellectuels, qu'ils fussent de droite ou de gauche. Cela ne l'a jamais empêché de l'être à sa manière, qui est toute d'instinct, et de susciter chez les intellectuels eux-mêmes des réactions contradictoires à la hauteur de son génie.

Jacques Julliard

■ *Prose*, Gallimard, « Pléiade », 1965. — *Théâtre*, Gallimard, « Pléiade », 1966, 2 vol. — *Journal*, Gallimard, « Pléiade », 1968-1969, 2 vol.

▒ G. Antoine, *Paul Claudel ou l'Enfer du génie*, Laffont, 1988. — G. Cornec, *L'Affaire Claudel*, Gallimard, 1993. — J. Madaule, *Le Drame de Paul Claudel*, Desclée de Brouwer, 1935-1964.

CLAVEL (Maurice)

1920-1979

Écrivain, philosophe, auteur dramatique, journaliste, polémiste, Maurice Clavel est souvent considéré comme « le dernier des grands perturbateurs judéo-chrétiens », dans la lignée de Bloy* et de Bernanos*.

Né à Frontignan le 10 novembre 1920 d'un père pharmacien, il passe son enfance et son adolescence à Sète, où il accomplit une scolarité très brillante. Bachelier à quinze ans, il entre à dix-sept ans à l'École normale supérieure*. Adolescent, il se passionne pour l'œuvre de Kant. Son anticommunisme foncier le pousse à s'intéresser aux doctrines d'extrême droite : Doriot, puis Maurras*. Rêvant de reconstruire la France après la défaite de 40, il passe trois mois à Vichy, puis s'engage dans les « Compagnons de France » ; mais dès 1942, alors qu'il rentre à Paris pour passer avec succès son agrégation de philosophie, il rejoint les mouvements de Résistance, et participe avec Camus* à la fondation du journal *Combat**. En 1944, commandant les maquis d'Eure-et-Loir, il chasse les Allemands de Nogent-le-Rotrou, puis prend une part active dans la libération de Chartres, où il accueille le général de Gaulle.

Après quelques brillants essais dans le journalisme, déçu par la France de l'après-guerre, il se consacre au théâtre. Sa première pièce, *Les Incendiaires* (1946), révélée par Anouilh*, est très prometteuse. Les suivantes (*La Terrasse de midi*, 1947, *Maguelone*, 1950, *Canduela*, 1953, *Balmaseda*, 1954, *Les Albigeois*, 1955, *La Grande Pitié du royaume de France*, 1956) recevront un accueil plus réservé, et il devra attendre 1965 et *Saint Euloge de Cordoue* pour renouer véritablement avec le succès. Par contre, il adapte avec beaucoup de bonheur de nombreuses œuvres de Shakespeare, Ugo Betti, Pirandello, Strindberg, Ibsen... En 1947, il participe à la fondation du Festival d'Avignon avec Jean Vilar*, qui lui confie en 1952 le rôle de secrétaire général du TNP.

La guerre d'Algérie le ramène au journalisme. Après une brève hésitation, il prend position en faveur de l'indépendance algérienne, tout en refusant qu'elle se réalise au détriment de la grandeur de la France : « Pour moi, partisan de la patrie algérienne, je ne suis pas défaitiste pour mon pays. Je crois à la nation algérienne. Je crois à la nation française. » Ayant retrouvé le général de Gaulle, il compte sur lui pour réaliser la « nouvelle révolution française, communiste et patriotique » dont il rêve. Il publie de nombreux articles dans *Combat*, *Le Monde**, *La Nation socialiste*, *Jeune Europe*... Cofondateur du mouvement des « gaullistes de gauche », il écrit dans *Notre République* des articles souvent très contestataires.

À partir de 1960, il enseigne — avec brio — la philosophie dans des lycées parisiens. Sa conversion au christianisme, en 1964, donne un nouvel élan à sa vie. Il est plus kantien que jamais ; pour lui, la phrase clé de l'œuvre du philosophe allemand se trouve dans la première préface de la *Critique de la raison pure* : « J'ai limité le savoir pour faire place à la foi. » Dès 1965, il développe ce qui sera l'un de ses leitmotive : le grand refoulé du monde contemporain n'est pas le sexe, mais l'Esprit, dont l'irruption se manifeste de façon souvent convulsive et névrotique tant chez les individus que dans la société. Il attend et souhaite une « convulsion salutaire », et annonce avec une précision parfois étonnante les événements de mai 1968.

Il rompt avec le gaullisme à la suite de l'affaire Ben Barka, et commence alors à tenir régulièrement la chronique de télévision du *Nouvel Observateur**, dans laquelle il déborde souvent largement son sujet pour aborder les problèmes de fond de l'actualité. Il voit dans Mai 68 la réalisation de ses espérances, et, avec Michel Foucault* et Jean-Paul Sartre*, il accompagnera tout au long des années 70 la marche cahotante des jeunes contestataires de tous bords. Il attend une libération à la fois politique et spirituelle, à l'opposé du marxisme qu'il dénonce dans son essai de 1970 : *Qui est aliéné ?*, où il affirme le primat du culturel sur l'économique. « Messieurs les censeurs, bonsoir » : son coup d'éclat en direct, lors de l'émission télévisée « À armes égales » du 13 décembre 1971, marquera les annales de l'audiovisuel.

Dès 1973, il rencontre les ouvriers de Lip (Besançon) qui vivent un combat social d'un type nouveau, et leur consacre *Les Paroissiens de Palente* (1974). Lorsque après la publication des œuvres majeures de Soljenitsyne, d'anciens maoïstes de 68 rejettent le marxisme et se réunissent sous le vocable de « Nouveaux philosophes », il rejoint tout naturellement leur mouvement, et use de tous les moyens médiatiques à sa portée pour les faire connaître. Il s'installe à Vézelay en 1975, année où il publie *Ce que je crois*, essai dans lequel il dénonce vigoureusement toutes les idéologies totalitaires pour « libérer le champ de la pensée » et rendre la foi à nouveau possible. Dans *Dieu est Dieu, nom de Dieu* (1976), il apostrophe l'Église qu'il accuse de se prostituer avec ces idéologies au lieu de proclamer le salut en Jésus-Christ. Puis, en lien étroit avec les Nouveaux Philosophes dont il est surnommé « le tonton », il publie *Nous l'avons tous tué ou Ce juif de Socrate*, puis *Deux siècles chez Lucifer*.

Il meurt brutalement à Asquins-Vézelay le 23 avril 1979, au moment où il achève sa *Critique de Kant*, qui lui semblait un préalable indispensable à ses prochains travaux, notamment contre Heidegger.

Monique Bel

■ *Une fille pour l'été*, Julliard, 1957. — *La Pourpre de Judée*, Bourgois, 1966. — *Qui est aliéné ?*, Flammarion, 1970, rééd. 1979. — *Le Tiers des étoiles* (prix Médicis), Grasset, 1972. — *Les Paroissiens de Palente*, Grasset, 1974. — *Ce que je crois*, Grasset, 1975. — *Dieu est Dieu, nom de Dieu !*, Grasset, 1976. — *Nous l'avons tous tué ou Ce juif de Socrate !*, Seuil, 1977. — *Deux siècles chez Lucifer*, Seuil, 1978. — *La suite appartient à d'autres*, Stock, 1979. — *Critique de Kant*, Flammarion, 1980.

■ M. Bel, *Maurice Clavel*, Bayard, 1992. — F. Gachoud, *Maurice Clavel, du glaive à la foi*, PUF, 1982.

CLUB DE L'HORLOGE

Le Club de l'Horloge devrait son appellation à la présence fortuite d'une pendule dans la pièce où, en juillet 1974, une poignée d'énarques décidait de fonder un « Club Jean-Moulin de droite ». Leur ambition s'est partiellement réalisée. D'une part, le recrutement provient des milieux d'élite détenant un pouvoir de décision ou une influence : hauts fonctionnaires, chefs d'entreprise, universitaires constituent l'essentiel des adhérents, dont les effectifs sont maintenus à un niveau restreint par une cotisation élevée, outre l'acceptation du « minimum doctrinal » périodiquement redéfini. D'autre part, les « horlogers » n'ont cessé de nourrir le débat d'idées par des séminaires, colloques, et publications.

Les commissions d'études et de travail, par leurs débats sur les préoccupations communes — ainsi, « biologie », « Nord-Sud », « république » —, contribuent à l'élaboration des textes publiés. En province, le relais du Club est assuré par des cercles qui, forts de quelques dizaines à une centaine d'adhérents, doivent leur localisation à des appuis municipaux (longtemps Jacques Médecin à Nice) ou universitaires, conformes à la récente géographie de la droite intellectuelle en France (Lyon III, Strasbourg, Aix-en-Provence). Émanation du noyau dur constitué par les 300 « membres titulaires », c'est un bureau politique qui dirige l'organisation au plan national. Parmi les personnalités marquantes de cet aréopage figurent Yvan Blot et Jean-Yves Le Gallou, respectivement président et secrétaire général du Club de 1974 à 1985, remplacés à cette date, le premier par Henry de Lesquen, le second par Michel Leroy, deux anciens vice-présidents dont la fonction revint alors au trésorier du Club, Didier Maupas.

Le passage ultérieur de MM. Blot et Le Gallou au Front national révèle bien la position-charnière du Club de l'Horloge. Uni par des liens personnels et idéologiques au Groupement de recherche et d'études pour la civilisation européenne* (GRECE), au point d'être tenu pour l'une de ses filiales, le Club s'en est éloigné après 1979 : récusant l'antichristianisme, il se ralliait au libéralisme intégral, non sans succès pendant la « cohabitation » (1986-1988). Sa critique radicale du socialisme — doctrine et gouvernement —, son discours sur la préférence nationale, sur l'identité collective menacée par l'immigration, l'ont ensuite rapproché du Front national. Les « horlogers » éprouvent donc un certain mal à concilier leur idéal de laboratoire d'idées avec leur fonction effective de sas entre divers extrémismes.

Anne-Marie Duranton-Crabol

■ *Contrepoint*, 1980-1986, revue, 2 à 4 numéros par an. — *Lettre d'information*, trimestriel, n° 1, septembre 1981.

▒ P. Baccou et Club de l'Horloge, *Le Grand Tabou : l'économie et le mirage égalitaire*, Albin Michel, 1980. — Club de l'Horloge, *Échecs et injustices du socialisme*, Albin Michel, 1982 ; *L'Identité de la France*, Albin Michel, 1985. — J.-Y. Le Gallou et Club de l'Horloge, *Les Racines du futur : demain la France*, Masson, 1977. — H. de Lesquen et Club de l'Horloge, *La Politique du vivant*, Albin Michel, 1978.

CLUB JEAN-MOULIN

La création du Club Jean-Moulin en mai 1958 s'inscrit dans le mouvement de rénovation de la vie politique que la guerre d'Algérie et le changement de Constitution ont entraîné. Club politique de gauche, il disparaît en 1970, comme la plupart des clubs des années 60, alors que la gauche a réussi à se reconstituer autour d'un nouveau Parti socialiste.

L'histoire du Club se subdivise en cinq périodes. La première et la plus brève est celle de sa fondation, de mai à juin 1958, par d'anciens résistants comme Marcel Degliame-Fouché, qui représentait le mouvement Combat au Conseil national de la Résistance, Daniel Cordier, l'ancien secrétaire de Jean Moulin, et Stéphane Hessel, un ancien Français libre, lui aussi. Leur but est alors de créer un réseau de résistance, pour lutter contre le fascisme que le retour de De Gaulle leur paraît annoncer.

Le Club ne trouve sa véritable nature, ou du moins celle qui fera sa réputation, que dans l'été 1958, et pour une période qui correspond à la durée de la guerre d'Algérie. Essentiellement parisien, il représente à ce moment une réaction de hauts fonctionnaires démocrates, heurtés par les dysfonctionnements de la IVe République et par les atteintes aux droits de l'homme qui se commettent en Algérie au nom du gouvernement républicain. Olivier Chevrillon, Étienne Hirsch, Jean Ripert et Simon Nora rejoignent le Club, et François Bloch-Lainé aussi, bien qu'il n'adhère pas formellement. Le journaliste Georges Suffert, qui vient de *Témoignage chrétien**, est secrétaire général. En dehors du noyau de hauts fonctionnaires et de quelques journalistes, le Club comprend également des universitaires comme Georges

Vedel, Maurice Duverger* et Michel Crozier*, des médecins et des cadres d'entreprise. Il s'agit donc d'un groupe « d'intellectuels politiques », qui, dotés d'une capacité d'expertise, tentent de la mettre au service de la société civile, tout en refusant de s'engager dans la compétition pour le pouvoir politique. Ni société de pensée, ni groupe de combat politique, le Club relève d'un genre hybride révélateur de la décomposition de partis de gauche à ce moment.

Groupe volontairement restreint, le Club n'a jamais réuni plus de 500 membres à la fois. Il comptait plutôt sur la qualité de ses publications. Auteur presque chaque mois d'un *Bulletin du Club Jean-Moulin* tiré à 2 000 exemplaires et parfois repris dans *Le Monde**, le Club a aussi rédigé des ouvrages collectifs. Publiés aux Éditions du Seuil*, dont le directeur, Paul Flamand, était également membre du Club, les treize livres de la collection « Club Jean-Moulin » ont totalisé un chiffre de ventes de plus de 110 000 exemplaires. Le premier et le plus célèbre de ces ouvrages fut *L'État et le citoyen*, paru en 1961 et vendu à 20 000 exemplaires, qui traça les grands axes de la démocratie moderne. Il constitua aussitôt et pour quelques années l'une des lectures obligées des étudiants de l'Institut d'études politiques* de Paris.

La fin de la guerre d'Algérie représenta un tournant dans la vie du Club. Il s'impliqua progressivement, non sans déchirements, dans la compétition politique. En 1963, il lança avec *L'Express** la campagne de « M. X », le candidat de gauche aux élections présidentielles. Et après l'échec de la tentative Defferre, il s'engagea plus encore en apportant son soutien, entre les deux tours, au candidat Mitterrand, et en adhérant, en février 1966, à la Fédération de la gauche démocrate et socialiste. Tirant la leçon de Mai 68, où il s'était vu dépassé par les événements, et constatant dans la foulée la disparition de la FGDS, le Club opéra un repli sur des positions d'études et de recherches. Mais il ne put trouver sa place dans le nouveau paysage politique et disparut discrètement en 1970, faute de militants. D'une certaine façon, il est mort d'avoir réussi : la gauche politique était reconstituée.

Claire Andrieu

■ *L'État et le citoyen*, Seuil, 1961, rééd. 1972. — *Un parti pour la gauche*, Seuil, 1965. — *Que faire de la révolution de mai ? Six priorités*, Seuil, 1968.
▒ J. Mossuz-Lavau, *Les Clubs et la politique en France*, Armand Colin, 1970.

CLUB 89

Créé en septembre 1981 par des responsables du Rassemblement pour la République, le Club 89 fait partie de la constellation des clubs politiques de droite dont l'arrivée de la gauche au pouvoir a entraîné la naissance, par réaction. Mais, à la différence de la plupart de ses confrères, le Club 89 a duré. Il est ainsi devenu l'un des deux principaux clubs de la droite classique, avec le club Perspectives et réalités, qui est, lui, nettement plus ancien, puisqu'il a été fondé en 1966 sous l'égide de Valéry Giscard d'Estaing. Club politique quasi partisan, le Club 89 revendique cependant son « autonomie ».

Les liens sont étroits entre le Club 89 et le RPR. En 1993, près de 80 % de ses membres appartiennent également au parti gaulliste. Il a pour fondateur et premier président Michel Aurillac, conseiller d'État, ancien député RPR de l'Indre et ancien ministre du gouvernement Chirac de 1986. En février 1993, c'est le secrétaire général du RPR, Jacques Toubon, qui lui a succédé. Devenus ministres, les deux présidents n'ont pas résilié leurs fonctions au Club. Mais les liens entre le Club 89 et le RPR sont plus personnels qu'institutionnels. Il n'est écrit nulle part que le Club est une filiale du RPR. Au contraire, le Club veut servir de laboratoire d'idées à l'opposition tout entière. « Année 1981, année zéro de l'opposition », écrit Michel Aurillac en 1981, en faisant écho au « Gauche, année zéro » lancé en 1960 par Marc Paillet, membre du Club Jean-Moulin*. Le Club 89 se présente comme un « club de réflexion politique », dont « l'orientation idéologique est essentiellement démocratique et républicaine ». Exprimant la vieille réticence du mouvement gaulliste à l'égard du clivage gauche / droite, il ne se dit pas de droite et se place résolument à l'enseigne de la Déclaration des droits de l'homme de « 89 ». Cette position de principe n'empêche pas certains intérêts pour quelques thèses de l'extrême droite, notamment sur l'immigration.

Pour un club de réflexion, la liaison avec un parti politique n'est pas sans avantage. Le financement est assuré par les cotisations et les abonnements au mensuel, *Résonances* jusqu'en 1990 et *Les Nouveaux Cahiers de 89* à partir de 1991, mais surtout, pour moitié environ, par les dons. Depuis la loi de 1990 sur le financement des campagnes électorales, le Club a pu constituer une « Association pour le financement du Club 89 ». Enfin, grâce à la compréhension d'une bienfaitrice, le Club a pu quitter le petit appartement qu'il occupait au 106 rue de l'Université, dans le VIIe arrondissement, pour emménager dans de vastes locaux situés dans l'avenue Montaigne.

L'implantation territoriale du Club bénéficie également de la diffusion de l'électorat RPR. Près d'une quarantaine de Clubs 89 « affiliés » sont nés en métropole, outre-mer et à l'étranger. Depuis 1982, le nombre de membres ne semble pas être descendu au-dessous du millier, mais il est nettement tributaire du résultat des élections législatives et connaît de fortes variations. Riche de 1 000 membres pour le seul club de Paris à la fin de 1982, le Club a vu ses effectifs baisser avec la démobilisation qui a accompagné le succès de la droite en 1986. En 1988, le retour de la gauche au pouvoir a entraîné le découragement et provoqué une deuxième chute des effectifs. En 1993, le Club comptait 450 membres sur Paris, et environ 2 500 en province et à l'étranger.

Parmi les clubs de la droite classique, le Club 89 présente la particularité de mener une activité intellectuelle régulière. En douze ans d'existence, il a publié quinze livres, dont la plupart sont issus des travaux de la quinzaine de commissions qu'il réunit chaque mois. En ayant pour éditeur Économica, puis Albatros, et, en 1993, Plon, la collection « Club 89 » s'assure un certain standing intellectuel. Ses livres s'apparentent plus, cependant, à des « dossiers sur... » ou à des programmes argumentés, qu'à des ouvrages d'auteur. Avec ces produits intellectuels de caractère opérationnel, le Club remplit la fonction naturelle d'une société de pensée liée à un parti de gouvernement.

Claire Andrieu

■ M. Aurillac, Commission des Institutions, *La France une et indivisible. La force des institutions. Décentralisation des illusions ou dynamique des responsabilités* (préface O. Guichard), Économica, 1983. — M. Aurillac et N. Catala, *Pour une société de progrès et de liberté*, Albatros, 1988. — M. Aurillac et F. Vermande, *Alarme, citoyens !*, Plon, 1993. — M. de Guillenchmidt, Commission des Entreprises nationalisées, *Dénationaliser. Rendre les entreprises publiques aux Français* (préface M. Aurillac), Économica, 1983.

COCTEAU (Jean)

1889-1963

Écrivain, poète, romancier, homme de théâtre et de cinéma, dessinateur, peintre à l'occasion, membre de l'Académie française* (1955), Jean Cocteau fait corps avec l'époque de l'avant-guerre dont il incarne les modes et les trouvailles. À l'exception du pacifisme, son dandysme lui fait fuir tout engagement politique durable : il préfère ses amis et son œuvre aux turbulences historiques auxquelles il lui arrive pourtant d'être mêlé.

Il est né à Maisons-Laffitte en 1889, d'une famille bourgeoise. Il a neuf ans quand son père se suicide. Après des études médiocres au lycée Condorcet, il est très tôt consacré par le Tout-Paris pour ses poèmes et sa conversation. Il se lie d'amitié avec les personnalités de l'époque : Proust*, les Daudet*, la comtesse de Noailles, les Rostand*, Diaghilev et Stravinsky dont *Le Sacre du printemps* et la conception du spectacle lui servent de révélateur. Ce sera désormais, sur fond de guerre (pendant laquelle il s'engage comme ambulancier), la collaboration avec ses amis Max Jacob, Apollinaire*, Picasso*, Satie* *(Parade)* et Jacques Maritain* qui le ramène au catholicisme. Au début des années 20, il découvre Radiguet (qui l'influence durablement) et se rapproche vainement des milieux surréalistes, tout comme il n'arrivera jamais à intégrer pour de bon le groupe de *La Nouvelle Revue française** à cause de l'inimitié de Gide*.

On le retrouve pacifiste au bas d'un manifeste, publié en 1927, contre la loi Paul-Boncour sur « l'organisation générale de la nation pour le temps de guerre » (avril 1927) et en janvier 1931, « contre les excès du nationalisme, pour l'Europe et pour l'entente franco-allemande ». En 1937 et 1938, il donne des chroniques à *Ce soir* sans en défendre la ligne politique. Sous l'Occupation, au moment où le succès lui est assuré, la presse ultraciste attaque ses pièces de théâtre mais l'occupant l'engage comme appât à sa propagande. Il lance une « Adresse aux jeunes écrivains » dans *La Gerbe**, en 1940, et signe, en 1942, un *Salut à Breker*, le sculpteur du Reich, quand celui-ci expose à Paris à l'Orangerie des Tuileries. Il fréquente les salons et consigne dans son journal les effets de son irénisme politique, fidèle, toujours, au sentiment d'« inactualité » et aux héros malheureux de son œuvre, joués par des forces supérieures. À la Libération, il signe le recours en grâce de Brasillach* et déclare que son « arme secrète » est « une tradition d'anarchie ».

Il restera fidèle à ses positions pacifistes, en s'associant à la campagne de 1954 (affaire Henri Martin*) pour le rétablissement de la paix en Indochine, puis en

1955, pour la paix en Algérie. Dans les dernières années de sa vie, il campe discrètement sur une position gaulliste.

Laurence Bertrand Dorléac

■ *Thomas l'Imposteur*, NRF, 1923. — *Les Mariés de la tour Eiffel*, NRF, 1924. — *Le Rappel à l'ordre*, Stock, 1926. — *Lettre à Jacques Maritain*, Stock, 1926. — *Opéra*, Stock, 1927. — *Les Enfants terribles*, Grasset, 1929. — *La Machine infernale*, Grasset, 1934. — *Les Parents terribles*, Gallimard, 1938. — *La Difficulté d'être*, Morihien, 1947. — *Lettre aux Américains*, Grasset, 1949. — *Bacchus*, Gallimard, 1952. — *Le Passé défini (1951-1954)*, Gallimard, 1983-1989, 3 vol. — *Journal (1942-1945)*, Gallimard, 1989.

▒ A. Fraigneau, *Jean Cocteau par lui-même*, Seuil, 1957. — J.-J. Kihm (dir.), *Jean Cocteau : l'homme et les miroirs*, La Table ronde, 1968. — R. Stéphane, *Portrait souvenir de Jean Cocteau*, Tallandier, 1989. — J. Touzot, *Jean Cocteau, qui êtes-vous ?*, Lyon, La Manufacture, 1990. — *Cahiers Jean Cocteau*, Gallimard, 1969-1989, 11 vol.

CODE DE LA NATIONALITÉ (réforme du)

1986-1993

Entre 1986 et 1993, la réforme du Code de la nationalité, carrefour de toutes les interrogations et passions relatives à l'immigration et à l'identité française, a donné lieu à une longue bataille politique à travers laquelle les intellectuels, de droite comme de gauche, renouèrent avec l'engagement.

De retour au pouvoir en 1986, la droite présente un projet de réforme qui remet en question la tradition française d'intégration nationale des enfants d'étrangers nés et élevés en France, fondée sur le droit du sol (principe codifié en 1889, confirmé et élargi en 1927, 1945 et 1973). Faisant écho à la défiance d'une partie de l'opinion, attisée par l'extrême droite, envers l'immigration, le projet est perçu, à gauche, comme une atteinte aux valeurs républicaines fondamentales. Très vite s'organise une mobilisation des intellectuels, des défenseurs des droits de l'homme et des immigrés, aux côtés d'artistes et de grandes personnalités scientifiques et morales. En butte à de multiples oppositions, après les manifestations étudiantes de l'hiver 1986, le gouvernement Chirac ajourne le projet en janvier 1987, et nomme en juin une commission de réflexion. S'inquiétant d'un tel recul, la droite intellectuelle manifeste alors son attachement à la réforme (notamment par la voix de professeurs de la Sorbonne) et, fait exceptionnel, lance une contre-pétition : le clivage gauche-droite joue à plein.

Mais l'ouverture des travaux de la commission, à l'automne, fait entrer le débat dans une phase plus sereine. Rassemblant diverses sensibilités politiques et des compétences variées (notamment les historiens P. Chaunu* et E. Le Roy Ladurie*, les sociologues D. Schnapper et A. Touraine*, une spécialiste des relations internationales, H. Carrère d'Encausse*), présidée par Marceau Long, vice-président du Conseil d'État, la commission réalise un vrai travail de fond : elle consulte les acteurs de terrain (responsables d'associations d'immigrés, élus locaux), de nombreux universitaires (A. Finkielkraut*, Michel Crozier*, le spécialiste de l'islam Bruno Étienne) et des intellectuels de renom comme Léopold Sédar Senghor*. La retransmission télévisée des auditions, inédite, donne alors un certain écho au débat et une large audience aux spécialistes consultés. Peu à peu, un consensus se dégage, qui conforte la notion de droit du sol. L'exclusivité du droit du sang et les critères ethniques défendus par l'extrême droite sont repoussés.

Le rapport, remis en janvier 1988 (*Être français aujourd'hui et demain*, « 10/18 », 1988), contient 80 propositions, mais le débat se focalise très vite sur l'une en particulier. La commission écarte le projet gouvernemental d'exiger des enfants d'étrangers nés et élevés en France un serment spécifique d'allégeance. Toutefois, sans remettre aucunement en cause leur droit à la nationalité, elle juge légitime qu'on leur demande de déclarer explicitement leur volonté d'être français : depuis Renan, ne considère-t-on pas la nation comme le produit d'une adhésion consciente et volontaire des citoyens ? Dès lors, le débat se déplace vers la volonté d'entrer dans la communauté nationale, alors que le droit français et l'expérience d'un siècle d'intégration étaient fondés sur l'éducation commune dans la culture française et non sur une demande d'adhésion. Celle-ci reste considérée par une partie de la gauche comme le signe d'une défiance à l'égard des enfants issus de l'immigration. Dans l'immédiat toutefois, le débat entre en sommeil, les gouvernements successifs, de droite et puis de gauche, s'en tenant au statu quo.

Revenant au pouvoir en 1993, cependant, la droite reprend son projet et promulgue un nouveau Code le 22 juillet. Même si celui-ci s'inspire pour l'essentiel des recommandations de la commission, la présentation qui en est faite, dans le contexte répressif des lois Pasqua sur le contrôle des flux migratoires et le droit d'asile, laisse craindre une application restrictive du nouveau Code et provoque une nouvelle mobilisation d'opposants, mais en vain.

Tout au long du débat, plusieurs positions sont apparues parmi les intellectuels. À droite, tout d'abord. La droite conservatrice doute des possibilités d'assimilation d'une immigration non européenne et musulmane, et veut obtenir, en réformant le Code, la certitude d'une assimilation totale et d'une allégeance véritable des nouveaux Français. De leur côté, les intellectuels proches de l'extrême droite ou de la Nouvelle Droite, obnubilés par l'homogénéité culturelle et humaine du pays, réclament une application stricte du droit du sang. Les cicatrices d'une histoire plus récente expliquent aussi les positions des anciens adversaires de la décolonisation, hostiles à l'intégration d'immigrés venus de pays qui, en leur temps, ont rejeté la souveraineté française.

Derrière le front commun de la gauche, hostile à toute atteinte au droit du sol, se dessinent en fait deux tendances. Premiers à intervenir, signant pétitions et tribunes dans la presse ou les revues (*Les Temps modernes**, *Raison présente*...), les militants des droits de l'homme (Pierre Vidal-Naquet*, Madeleine Rebérioux*), les défenseurs des immigrés, anciens anticolonialistes, tiers-mondistes, membres du MRAP, du GISTI (Groupe d'information et de soutien aux travailleurs immigrés, Danièle Lochak), récusent la réforme au nom des principes de justice et de solidarité. Bien plus, ils prônent en fait l'égalité des droits entre Français et immigrés, et la reconnaissance d'une citoyenneté locale pour les étrangers. Mais voyant s'aggraver les menaces contre le droit du sol, ils adoptent bientôt une ligne de stricte défense des acquis. Ils proposent alors un accès large à la nationalité, automatique pour les enfants d'étrangers nés et élevés en France. L'idée d'une démarche spécifique obligatoire leur paraît un facteur supplémentaire d'exclusion pour ces jeunes de la deuxième génération.

Le clivage est net avec les héritiers de la tradition de la gauche assimilatrice qui, tout en défendant sans concession le droit du sol, refusent les mirages d'une « société plurielle » et prônent les vertus d'un véritable ressourcement républicain, ravivant la conception française d'une nation fondée sur l'adhésion volontaire des citoyens à ses valeurs universelles. Ceux-là approuvent la démarche demandée aux enfants de parents étrangers, considérée comme une démonstration active d'adhésion aux valeurs républicaines, pourvu que tout soit fait par l'État pour la faciliter. *Le Nouvel Observateur** (Jean Daniel*), *Le Messager européen** (Alain Finkielkraut), *Esprit**, ont donné un large écho à cette position. Mais, en 1993, considérant que l'équilibre des propositions de la commission n'est pas respecté par la nouvelle loi, beaucoup se rallient finalement à la défense de l'ancien Code, déplorant, comme Alain Touraine, « une grande occasion perdue ».

Caroline Douki

COGNIOT (Georges)

1901-1978

Né le 15 décembre 1901 à Montigny-les-Cherlieux (Haute-Saône), d'une nombreuse famille de petite paysannerie, G. Cogniot fut un brillant élève qui, grâce aux bourses d'État, put poursuivre ses études secondaires puis supérieures avant d'être reçu sixième à l'École normale supérieure*, en 1921. Monté à Paris, de sensibilité socialiste révolutionnaire, il adhère au tout jeune PCF où il connaît ses premiers émois militants et sa première arrestation en 1923. Agrégé de lettres en 1924, sous l'influence de Souvarine* et d'Amédée Dunois, il est proche de l'opposition qui, au sein du parti, proteste contre les modalités de la « bolchevisation ». Mais, très vite, il rejoint la ligne orthodoxe et milite modestement dans le syndicalisme enseignant. Devenu permanent en 1926, responsable de l'action chez les enseignants au niveau national puis international, il est propulsé par les Soviétiques, en 1928, à la tête de l'Internationale des travailleurs de l'enseignement. Il effectue alors son premier voyage à Moscou où il séjournera souvent et longuement.

En 1936, G. Cogniot est membre suppléant du comité central du PCF — dont il sera titulaire de 1937 à 1964 — et élu député du XIe arrondissement. Début 1937, il devient représentant du PCF auprès du comité exécutif de l'Internationale communiste, à Moscou où il habite avec sa femme, traductrice au Komintern. Mais, dès la fin 1937, il est nommé rédacteur en chef de *L'Humanité**, puis, en 1938, fonde *La Pensée**, tout en traduisant du russe *L'Histoire du PC(b) de l'URSS*, véritable « bible » des communistes du monde entier, publiée en France en 1939. Mobilisé, fait prisonnier en 1940, il est libéré pour raisons de santé. Arrêté en juin 1941, interné au camp de Compiègne, il profite d'une évasion collective en juin 1942 puis participe à la direction clandestine du PCF. La Libération le trouve à la tête de *L'Humanité*. Réélu député en 1945 — il le sera jusqu'en 1958 —, il est chargé en 1947 de représenter le PCF auprès du Kominform et de diriger sa revue,

Pour une paix durable, pour une démocratie populaire, où il est le gardien de l'orthodoxie stalinienne à son paroxysme.

En 1954, il est appelé au secrétariat particulier de Maurice Thorez. C'est lui qui, à Moscou en février 1956*, traduit aux dirigeants communistes effarés le rapport « secret » de Khrouchtchev, rapport dont il ne fut pas affecté outre mesure. À la disparition de Thorez, en 1964, Cogniot est démis de ses fonctions au comité central, mais chargé de créer l'Institut Maurice-Thorez*.

Mort le 19 mars 1978, Georges Cogniot, profondément attaché à ses origines plébéiennes mais aussi âme tourmentée et profondément religieuse, a été l'un des communistes les plus orthodoxes du PCF, partisan inconditionnel de Staline, de l'URSS et de Thorez, comme il en témoigne dans ses Mémoires, intitulés significativement *Parti pris*. Attachement d'autant plus paradoxal que par sa vaste culture formée aux meilleures humanités, son intelligence, sa pratique des langues, sa connaissance de l'URSS dès 1928, il était l'un des mieux placés pour comprendre la dimension totalitaire du système soviétique. Il n'en a rien été. Les faits n'ont jamais entamé sa croyance.

Stéphane Courtois

■ *Ce que nous enseigne « L'Histoire du parti bolchevik »*, 1939. — *Au service de la renaissance française*, Éd. du PCF, 1944. — *Petit guide sincère de l'Union soviétique*, Éditions sociales, 1954. — *Qu'est-ce que le communisme ?*, Éditions sociales, 1960. — *Karl Marx, notre contemporain*, Éditions sociales, 1968. — *L'Internationale communiste. Aperçu historique*, Éditions sociales, 1969. — *Parti pris*, Éditions sociales, t. 1 : *D'une guerre mondiale à l'autre*, 1976 ; t. 2 : *De la Libération au Programme commun*, 1978.

COLETTE [Sidonie Gabrielle Colette]

1873-1954

De son vivant, Colette a été couverte d'honneurs et reconnue comme une romancière de talent. Symbole d'une littérature féminine, souvent inclassable, elle marque aussi la première moitié du XXe siècle comme une figure de femme libre.

Née le 28 janvier 1873 à Saint-Sauveur-en-Puisaye, une petite bourgade de l'Yonne, Colette grandit dans une atmosphère campagnarde et peu contraignante. Son père, ancien capitaine, est devenu percepteur à Saint-Sauveur où il épouse Sidonie, veuve avec deux enfants. Colette poursuit ses études à l'école laïque jusqu'au brevet élémentaire. En 1893, elle épouse par amour Henry Gauthier-Villars, dit Willy, de treize ans plus âgé qu'elle. Parisien libertin, utilisant plusieurs « nègres » pour la publication d'œuvres légères, il introduit Colette dans le milieu littéraire mondain du Paris de la Belle Époque. La jeune Bourguignonne perd vite ses illusions sentimentales. Divorcée, elle épouse, en 1913, Henry de Jouvenel, rédacteur en chef au *Matin* puis homme politique, dont elle a une fille. Elle divorce de nouveau en 1924. L'année suivante débute sa liaison avec Maurice Goudeket, qu'elle épouse en 1935 et avec qui elle partage sa vie jusqu'à sa mort.

Colette a fait ses débuts littéraires sous l'autorité de son premier époux qui, à court d'argent, la pousse à écrire ses souvenirs d'enfance. *Claudine à l'école*, revu et corrigé par son unique signataire, Willy, obtient un succès immédiat. Colette prête encore son talent pour la série des Claudine et les deux Mine. Quand Willy la quitte définitivement, elle cherche des moyens de gagner sa vie — car elle ne touche pas les droits d'auteur des Claudine. Devenue mime, conférencière et journaliste au *Matin* et au *Journal*, elle n'en poursuit pas moins son œuvre littéraire. Les *Quatre dialogues de bêtes* (1904), signés Colette Willy, lui valent une première reconnaissance personnelle. En 1923, elle adopte la signature de Colette pour *Le Blé en herbe*.

Avec *La Vagabonde* (1910) et *L'Entrave* (1913), elle affirme l'originalité de son style. Tout en restant dans un cadre romanesque classique, elle étonne par l'expression de sa sensibilité et d'une approche profondément sensuelle de la vie. Les relations amoureuses, les difficultés de dialogue entre les hommes et les femmes, la quête d'identité féminine mais aussi l'amour de la nature ou des animaux sont les thèmes récurrents de son œuvre, d'inspiration essentiellement autobiographique. À la maturité, Colette accorde une place primordiale à la figure mythique de sa mère *(Sido)*. Dans ses chroniques de guerre ou ses critiques théâtrales pour divers journaux, c'est encore la sensation, le regard subjectif qui priment sur l'analyse.

Un parfum de scandale entoure sa vie mouvementée et ses œuvres. Sa liaison affichée avec la fille du duc de Morny, ses numéros de pantomime presque dénudée, ses deux divorces gênent les tenants de la morale. La publication de ses romans en feuilleton choque les lecteurs du *Matin* ou de *Gringoire**, qui en interrompent le cours. Elle obtient néanmoins un très grand succès. Ses œuvres complètes paraissent sous son contrôle. Comme membre, puis présidente, de l'académie Goncourt et grand officier de la Légion d'honneur, elle reçoit une véritable consécration. À sa mort en 1954, alors que l'Église refuse qu'elle soit enterrée religieusement, le gouvernement lui fait des obsèques officielles.

Florence Rochefort

■ *Œuvres complètes*, Gallimard, « Pléiade », 1984-1986. — *Œuvres romanesques*, Laffont, 1989.

▒ J. Larnac, *Colette : sa vie, son œuvre*, Simon Krâ, 1928. — Raaphorst-Rousseau, *Colette, sa vie et son art*, Nizet, 1964. — M. Sarde, *Colette libre et entravée*, Stock, 1978.

COLLÈGE DE FRANCE

La plus ancienne des institutions françaises d'enseignement supérieur a connu, au cours du XXe siècle, une fortune intellectuelle étonnante. Fils de l'humanisme renaissant, premier lieu d'accueil, au XIXe siècle, de la philologie (Champollion, Renan, Gaston Paris) et des sciences expérimentales (Claude Bernard, Marcelin Berthelot*), le Collège de France aurait pu, en se reproduisant à l'identique, devenir une relique vénérable de l'Université scientiste de la fin du XIXe siècle. Or la tradition n'a pas étouffé l'innovation et l'établissement fondé par François Ier a même su faire une place, pour reprendre l'expression de P. Bourdieu*, à presque tous les « hérétiques consacrés » de la seconde moitié du siècle.

Au début du siècle, l'image actuelle familière d'un Collège de France surplombant la Sorbonne par son prestige et le brillant de ses enseignants est encore loin d'être acquise. En termes de poids intellectuel et de novation, la balance penche encore du côté de la nouvelle Sorbonne (lettres et sciences), si l'on met à part le cas de Bergson* en philosophie. L'ancienne génération (celle de Renan et Berthelot) qui a fait la renommée du Collège à partir des années 1860 s'est déjà effacée ou est en train de le faire, sans que ses successeurs soient toujours à la hauteur de l'héritage. Le pouvoir républicain lui-même a bien créé des chaires nouvelles, mais, par leur affectation à des personnalités discutables, a contribué à affaiblir durablement certains domaines : ainsi la sociologie avec l'obscur Izoulet, l'histoire du travail confiée à l'historien d'occasion Georges Renard, l'histoire des sciences prébende du positiviste oublié Pierre Laffitte.

La situation se retourne dans les années 10-20 lorsque la nouvelle Sorbonne est victime à son tour des mécanismes de reproduction à l'identique. Le scientisme tend vers un positivisme étroit ou une érudition aveugle (les fameuses « fiches » dénoncées par Agathon* ou Péguy*), tandis que l'élan de la réforme universitaire s'essouffle face aux charges pédagogiques, aux défauts non corrigés du centralisme universitaire français et aux difficultés budgétaires postérieures à la guerre de 14. Le meilleur indice de cette inversion de prestige apparaît dans le passage d'anciens professeurs à la Sorbonne dans les cadres du Collège : citons Charles Andler*, Paul Hazard, Étienne Gilson*, Léon Brillouin, Émile Bourguet, Henri Focillon, etc. Le Collège de France ne constitue plus ainsi seulement, comme autrefois, la dernière promotion pour les érudits des grands établissements, pour les chercheurs des laboratoires ou pour les professeurs des facultés de province, dont la spécialité ou l'orientation n'ont pas l'heur de plaire aux professeurs de la Sorbonne. Même aux yeux des « sorbonnards », ses salles de cours très inégalement fréquentées (G. Duby* se souvient de trois auditeurs à un cours de L. Febvre* sur Calvin) valent mieux que les amphithéâtres trop pleins, la corvée des examens (dont le baccalauréat) et la contrainte des programmes d'agrégation. Dernier havre de la liberté d'enseigner, le Collège de France devient ainsi, dans l'entre-deux-guerres, le sommet de toutes les pyramides universitaires. Il attire aussi — et souvent élit — les novateurs dans leur domaine (L. Febvre, F. Joliot*, H. Wallon*, É. Benveniste*, etc.) et se permet même de sortir des sentiers battus avec Paul Valéry* élu en 1937 sur une chaire de « poétique ».

Les années 40-45 sont une période troublée au Collège en raison même de la surreprésentation dans ses rangs d'individus atypiques d'origine juive ou d'obédience politique trop marquée (P. Langevin*, antifasciste militant, est assigné à résidence à Troyes). Les mesures antisémites de Vichy frappent Marcel Mauss*, Szolem Mandelbrojt, Émile Benveniste, Jules Bloch, Paul Léon, Isidore Lévy, André Mayer, tandis qu'à la Libération l'un des professeurs, Bernard Faÿ, sera, fait unique depuis le Second Empire, révoqué pour collaboration.

Les années 50-60 poursuivent sur la lancée de l'entre-deux-guerres. Cependant, quelques élections ou échecs retentissants témoignent d'un divorce entre la vieille garde, élue avant guerre et conduite par l'administrateur, Edmond Faral, et quelques nouveaux venus de la fin des années 30 qui veulent faire une place aux entreprises intellectuelles non reconnues par l'Université. L'élection difficile de Dumézil* en 1949, les deux échecs dans les mêmes années de Lévi-Strauss* en témoignent. Autour de 1968 en revanche et depuis, quelques élections spectaculaires consacrent « l'archéologie du savoir » (Michel Foucault* en 1969), la sociologie renaissante (Raymond Aron* en 1969), la « sémiologie » (Roland Barthes* en 1975) ou la seconde génération des *Annales* appelée par Fernand Braudel* (G. Duby en 1970, E. Le Roy Ladurie* en 1972). Les appels moins conflictuels aux nobélisables, aux médaillés Fields ou aux prix Nobel dans les disciplines scientifiques (Alain Connes, Pierre-Gilles de Gennes, François Gros, François Jacob*, Jacques Monod*, Jean-Marie Lehn, etc.) installent définitivement dans l'opinion intellectuelle (et au-delà, la sollicitude des présidents de la Ve République en témoigne) l'image du Collège de France comme panthéon des gloires vivantes. Les années 70, décidément rétro, revoient même, avec Foucault et Barthes, les professeurs « gourous », directeurs de conscience, prophètes des mouvements sociaux, nouveaux Michelet d'une jeunesse qui va au peuple, tandis que l'Académie française* élit Lévi-Strauss, Dumézil, Braudel, Duby et Jacqueline de Romilly*. Dans les années 80, la gauche au pouvoir fait du Collège de France une nouvelle assemblée des sages : elle y puise certains conseillers, en tire de hauts fonctionnaires, lui confie des missions de réflexion sur les grands problèmes de société (enseignement, éthique, sida). *Omnia docet*, devise de la tradition, se double toujours de *omnia licet*, devise de la novation.

Christophe Charle

■ *Annuaire du Collège de France*, depuis 1901, notamment volume 1982, ordre de succession aux chaires.

▒ P. Bourdieu, *Homo academicus*, Minuit, 1984. — C. Charle, « Le Collège de France », in P. Nora (dir.), *Les Lieux de mémoire*, vol. 2 : *La Nation*, t. 3, Gallimard, 1986, pp. 389-424 ; *Les Professeurs du Collège de France. Dictionnaire biographique (1901-1939)* (avec E. Telkes), CNRS-INRP, 1988. — G. Duby, *L'Histoire continue*, Odile Jacob, 1991. — A. Lefranc (dir.), *Le Collège de France (1530-1930)* (livre jubilaire), 1930. — C. Lévi-Strauss et D. Éribon, *De près et de loin*, Odile Jacob, 1988.

COLLÈGE DE SOCIOLOGIE

« Collège du sacré » réunissant des « apprentis sorciers » ? La nature de ce mouvement est problématique. Ses fondateurs, après des expériences peu fructueuses avec les surréalistes et les communistes, tentèrent de créer une « communauté morale » d'un nouveau genre. Elle s'attacherait à l'« étude de l'existence sociale dans toutes ses manifestations où se fait jour la présence active du sacré ». Georges Ambrosino, Georges Bataille*, Roger Caillois*, Pierre Klossowski*, Pierre Libra et Jules Monnerot* signèrent cette déclaration fondatrice parue en juillet 1937 dans *Acéphale*. Le manifeste fut publié à nouveau en juillet suivant dans la *NRF**, accompagné de trois textes de Bataille, Caillois et Leiris*. Confrontés à la crise globale de leur époque, soucieux d'y intervenir de façon spécifique, ces intellectuels cherchèrent à conjuguer volonté de puissance et volonté de connaissance. La sociologie, synthèse des enseignements des sciences humaines en plein essor, devait élucider les forces à l'œuvre dans les mouvements de masse contemporains. L'analyse marxiste, trop économiste, était jugée inopérante.

Les ambitions du Collège supposaient une certaine élection de ses membres. Ces clercs devaient respecter une rigueur, une ascèse hors du commun, pour se servir de forces aussi « brûlantes ». Bataille aspirait à souder ses proches en une secte ; moins marqué par le souci mystique, Caillois penchait davantage pour un ordre quasi militaire. Les esprits « lucifériens » capables de comprendre, donc de maîtriser « l'énergie dangereuse » mais « éminemment efficace » du sacré seraient investis d'un pouvoir politique.

Une vingtaine de conférences, suivies de débats, se tinrent à la librairie « Galeries du Livre », 15 rue Gay-Lussac, de novembre 1937 à juillet 1939 ; des invités, philosophes ou « sociologues », tels Alexandre Kojève* ou Anatole Levitsky, complétèrent les contributions des chefs de file du groupe, sans pour autant adhérer à leurs objectifs. Le projet de sociologie active ne connut qu'un écho limité, sans revue propre. En dehors d'une virulente « Déclaration du Collège de sociologie sur la crise internationale », parue simultanément dans la *NRF*, *Esprit** et *Volontés* en novembre 1938 pour dénoncer les accords de Munich*, le Collège n'intervint pas de manière publique et souffrit de divergences croissantes entre ses promoteurs. Jusqu'en juin 1939, Bataille tenta de défendre un projet qui avait souvent permis une réelle communion des voix. La guerre allait redéfinir les urgences et clore l'expérience, mais la question de la relation du sociologue à son objet restait pendante.

Alexandre Pajon

■ D. Hollier, *Le Collège de sociologie*, Gallimard, 1979, édition italienne augmentée, Turin, Bollati-Boringhieri, 1991. — A. Pajon, « L'intrépidité politique de Roger Caillois », *Cahiers Chronos « Roger Caillois »*, La Différence, 1991.

COLLÈGE INTERNATIONAL DE PHILOSOPHIE

Le Collège international de philosophie, association régie par la loi de 1901, a été fondé le 10 octobre 1983, avec le concours des ministères de la Recherche, de l'Éducation nationale, de la Culture et des Affaires étrangères. L'initiative de sa création revient cependant plus spécialement à Jean-Pierre Chevènement, alors ministre de l'Industrie et de la Recherche, qui, en mai 1982, avait demandé à quatre philosophes appartenant à diverses écoles de pensée, François Châtelet*, Jacques Derrida*, Jean-Pierre Faye* et Dominique Lecourt, de rédiger un rapport destiné à étudier dans quelles conditions il serait possible de donner une meilleure place à la recherche philosophique, celle-ci se trouvant, selon ses propres termes, « limitée à certains domaines et trop souvent cloisonnée » entre les diverses institutions universitaires.

Dans la partie commune aux quatre rédacteurs du rapport, on pouvait lire que cette nouvelle institution ne serait néanmoins pas destinée à concurrencer ses aînées. Elle se proposait plutôt d'être « une force d'incitation et de proposition, un lieu très ouvert [...] propice aussi bien à des expérimentations [...] qu'à des débats auxquels les institutions existantes (en France et à l'étranger) pourraient s'associer ». À cette première vocation, venait aussi s'adjoindre une seconde, tout aussi essentielle, à savoir la nécessité de penser les contradictions du monde contemporain. Ainsi que l'écrivait François Châtelet en conclusion de son rapport, « le Collège, comme espace de rencontres, de recherches et de formation à la recherche, se donne essentiellement pour fin de rendre possible la connaissance philosophique, c'est-à-dire critique, de notre société et de ses principes ».

Dès sa création, le Collège adopta donc plusieurs principes dont il ne devait pas se départir. En premier lieu, il serait ouvert à toutes les écoles de pensée, ce dont témoigne la composition de son comité d'honneur où se retrouvent aussi bien Jürgen Habermas que Richard Rorty ou Emmanuel Levinas*. En second lieu, il ne limiterait pas ses activités à la seule histoire de la philosophie, offrant à des chercheurs de travailler dans des domaines aussi divers que l'esthétique, la science, l'idée d'internationalité ou le politique. En dernier lieu, le Collège serait une institution internationale, ce qui l'a conduit depuis sa création à établir de nombreuses relations avec plus de trente pays, que ce soit par des conventions passées avec des institutions universitaires, par l'organisation de colloques communs ou encore par la désignation de directeurs de programme étrangers. Son rôle a été ainsi particulièrement déterminant en Amérique latine où il a contribué, comme c'est le cas au Chili, à la reconstruction d'institutions scientifiques indépendantes des anciens régimes militaires, où il a permis aussi que des échanges puissent s'établir entre les chercheurs sud-américains de différentes nationalités.

Là ne s'arrête pas l'originalité du Collège qui, dans son fonctionnement même, se distingue nettement des autres institutions. En effet, il n'est pas possible d'y faire carrière, les directeurs de programme (actuellement au nombre de cinquante-neuf) n'y effectuant qu'un mandat de six ans. Le président est lui-même soumis au même traitement, étant élu par l'assemblée collégiale dont il est issu. Se sont ainsi succédé à ce poste Jacques Derrida, Jean-François Lyotard*, Miguel Abensour, Éliane Escoubas, Philippe Lacoue-Labarthe, Michel Deguy* et Paul Henry. Ce fonctionnement tient à une double vocation du Collège, d'une part permettre à un plus grand nombre de chercheurs de mener à son terme un projet, et d'autre part aussi éviter que des considérations de carrière ne rendent plus difficile la prise de risque, inhérente au développement d'un travail original.

Hors des mille deux cents séminaires qu'il a organisés en France et à l'étranger, des cent cinquante colloques, dont cinquante internationaux, auxquels il a permis d'exister, le Collège c'est aussi une revue, *Rue Descartes*, éditée par Albin Michel qui a déjà publié six numéros thématiques et aussi une série de contributions, les *Papiers du Collège international de philosophie* (25 numéros publiés).

Éric Lecerf

COLLÈGE LIBRE DES SCIENCES SOCIALES ET ÉCOLE LIBRE DES HAUTES ÉTUDES SOCIALES

En décembre 1895, un Collège libre des sciences sociales fut créé à Paris, à l'Hôtel des Sociétés savantes, en plein Quartier latin. Théodore Funck-Brentano et une jeune femme, Dick May, en étaient les fondateurs. Sœur de l'historien Georges Weill, « Dick May » était le pseudonyme de Jeanne Weill. Elle avait été tôt sensibilisée à la question sociale et au socialisme. Dans la *Revue socialiste*, dans *Pages libres**, elle illustra la question sociale, à plusieurs reprises, sous forme de petites nouvelles que nourrissaient sa formation positiviste et sa sensibilité libertaire. Dick May fut également très active au sein du mouvement des Universités populaires*.

En février 1894, Dick May songea à édifier une « jeune Sorbonne » susceptible de répondre par un enseignement moderne à la crise morale qui prolongeait la double crise panamiste et boulangiste. Son projet était de fournir à la France une élite démocratique nouvelle. L'École libre des sciences politiques* n'avait pas su, selon elle, remplir cette mission et était devenue une simple « école d'administrateurs ». La création du Collège libre des sciences sociales lui donna un nouvel espoir de voir se réaliser son projet de faculté de sociologie. Habile manœuvrière, elle joua un rôle déterminant dans l'organisation de l'enseignement. C'est elle qui réussit à obtenir que, parallèlement aux cours « de science pure », pût exister un cours de théorie sociale ou de politique sociale pour lequel le titulaire disposait d'une entière liberté.

Le public du Collège libre des sciences sociales, dont les effectifs ne dépassèrent pas la centaine, était composé aux trois quarts d'étudiants. Quelques auditeurs plus âgés, sociologues ou aspirants à des fonctions publiques, quelques mondains aussi composaient le reste de l'auditoire. L'enseignement se déroulait sous la forme de cours, de conférences organisées sur des sujets d'actualité et de visites artistiques, industrielles et sociales (coopératives, écoles professionnelles, ateliers d'assistance, habitations à bon marché, etc.). De son ouverture, en décembre 1895, à novembre 1899, le siège du Collège fut fixé à Paris, rue de Tournon, au siège de la Société de géographie commerciale. Il s'installa ensuite à l'Hôtel des Sociétés savantes.

En novembre 1899, Dick May créa, dans le cadre du Collège libre des sciences sociales, une École de morale, dont l'administration fut confiée tout à la fois à l'éditeur Félix Alcan*, au député de Seine-et-Marne le docteur Eugène Delbet, ainsi qu'à Georges Sorel*, tandis qu'une École de journalisme avait été ouverte au cours du premier semestre. Ces deux institutions remportèrent un succès immédiat. Elles permirent à Dick May de reprendre sa liberté par rapport à une institution dans laquelle elle se trouvait trop à l'étroit et à laquelle elle reprochait son manque de dynamisme. Que le Collège ait vu son audience diminuer ne put que pousser Dick May à envisager une relance de l'enseignement des sciences sociales non seulement parce que le projet initial correspondait à une exigence haut placée mais aussi en raison d'ambitions plus personnelles. En tout état de cause, Dick May se brouilla avec le docteur Delbet, qui conserva la direction du Collège jusqu'en 1909, date à laquelle Paul Deschanel prit sa succession.

La secrétaire du Collège, remplacée par Joseph Bergeron, partit créer son propre institut d'enseignement des sciences sociales : l'École libre des hautes études sociales. L'École ouvrit ses portes en novembre 1900. Elle existe toujours et l'École de journalisme de Lille en est issue. À ses débuts, elle eut pour président le philosophe Émile Boutroux et pour directeur Émile Duclaux*. On comptait en outre trois administrateurs : Félix Alcan qui mit à la disposition de l'École sa « Bibliothèque générale des sciences sociales » dont Dick May devint la secrétaire de rédaction, Charles Guieysse et Georges Sorel.

L'École s'installa dans un hôtel face à la Sorbonne. Chaque année, environ cinq cents conférences étaient prononcées, réparties sur trois écoles (École de morale, École sociale, École de journalisme) puis, à partir de l'année universitaire 1903-1904, sur quatre écoles ou sections, puisqu'une École d'art fut alors créée. L'objectif fut d'abord d'enrayer le déclin des Universités populaires en formant des conférenciers mais, très rapidement, l'orientation initiale disparut. Si, à ses débuts, l'École visait encore, d'une part, à aborder les « problèmes généraux de la morale » (solidarité, étude de la religion dans ses rapports avec la société, les lois et la morale, etc.), d'autre part, à traiter très concrètement des problèmes de l'enseignement public (les cours avaient lieu le jeudi afin que les enseignants puissent s'y rendre, ce que faisaient de façon régulière essentiellement des enseignants du primaire et des élèves des écoles normales primaires), de plus en plus, la section de morale se réserva les questions de pure philosophie : en 1909, elle prit finalement le nom d'École de morale, de philosophie et de pédagogie.

L'École sociale, dont la responsabilité incomba, dans ses débuts, à Charles Gide*, devait venir combler une lacune de l'enseignement universitaire traditionnel qui négligeait trop l'enseignement de l'économie et de l'histoire économique. L'École d'art, enfin, fut d'abord confiée à l'administrateur de la Bibliothèque nationale, Henry Marcel. L'objectif était aussi de pallier les insuffisances de l'enseignement traditionnel.

Christophe Prochasson

■ V. Leroux-Hugon, *Les Initiatives parascolaires et post-universitaires liées au socialisme au début du XXe siècle*, maîtrise, Paris VIII, 1972. — C. Prochasson, « Sur l'environnement intellectuel de Georges Sorel : l'École des hautes études sociales (1899-1911) », *Cahiers Georges Sorel*, 3, 1985.

Colloques des intellectuels juifs de langue française

Le désastre dont sortaient, à la Libération, les juifs de France appelait non seulement des secours matériels et moraux aux survivants, mais aussi une refonte complète des structures. C'est dans cet esprit (effacement des anciens clivages entre « Français » et « immigrés », promotion de cadres neufs, issus de la Résistance), que furent mises sur pied des institutions nouvelles (CRIF dès 1943, FSJU en 1950) et tentées un certain nombre d'expériences impensables auparavant. Il n'y a plus en France, après le génocide, de « Français israélites », ou de *Yidn* venus des *shtetl* est-européens, mais des « juifs » français. Vichy, par son statut infâme d'octobre 1940, les avait rendus à leur nom propre et unificateur de leur identité ; ils le garderont désormais, formant ainsi une *communauté* de destin, sinon une *community* au sens anglo-saxon.

Cette « communauté » bigarrée, affectée de multiples tensions, partagée entre le désir « de se faire oublier » et l'affirmation de soi, renouvelée dans ses profondeurs par les vagues issues de la décolonisation maghrébine et les convulsions de l'Europe communiste (à un moindre degré), ne pouvait qu'apparaître de façon très différente dans l'espace public, au regard de la légendaire pudeur du « franco-judaïsme » d'autrefois. La Résistance juive, creuset des futures institutions, avait en particulier provoqué un vaste mouvement de renouveau spirituel, où dominaient, à travers le charisme de personnalités comme le philosophe Jacob Gordin, les thèmes de ce qu'avait été dans les années 20 la renaissance juive en Allemagne, avec Franz Rosenzweig et son *Étoile de la Rédemption*. Le résultat en avait été l'École d'Orsay, sorte d'École des cadres d'Uriage* pour ex-scouts juifs frais émoulus des maquis, théâtre d'une vaste confrontation (serait-elle encore possible aujourd'hui ?) entre pensée scientifique, pensée philosophique et pensée religieuse, surtout orientée vers des thèmes néo-kabbalistiques (on en trouve encore maintenant l'écho dans les livres d'un Henri Atlan, ancien membre de l'École). Fondée en 1946 par le chef éclaireur Robert Gamzon, grand résistant, elle ne ferma ses portes qu'en 1965. Mais, dès 1957, l'expérience qu'elle avait accumulée permit à une initiative très originale de voir le jour, qui dépasserait le cercle étroit d'une élite.

À vrai dire, c'est le Congrès juif mondial, créé en 1936 par Nahum Goldman et Gehrard Riegler, qui prit formellement la décision, en 1956, de réunir tous les ans un « Colloque des intellectuels juifs de langue française ». Il s'agissait d'autonomiser un peu plus une expression culturelle écrasée par le poids des judéités anglophones (le judaïsme américain en tout premier lieu). Mais cette décision administrative n'aurait pas été si facilement suivie d'effet sans le travail pionnier des intellectuels de l'École Gilbert-Bloch, dite École d'Orsay. D'autant que celle-ci s'était trouvée comprendre un grand nombre de natifs d'Algérie (comme Léon Eskenazi dit « Manitou », Gérard Israël, aujourd'hui directeur des *Nouveaux Cahiers*, Henri Atlan et sa femme Liliane Atlan, etc). La guerre d'Algérie avait commencé en 1954 et déjà des craquements se faisaient jour des deux côtés de la Méditerranée à son sujet dans les élites « communautaires ». Les Colloques vont s'en faire l'écho et contribuer à maintenir, vaille que vaille, un espace de dialogue, ce qui se révélera précieux après l'exode massif de 1962.

C'est d'ailleurs la « Commission culturelle » mise sur pied par l'ancien résistant Jacques Lazarus à Alger qui prit une part importante à l'invention des Colloques, aux côtés de l'ancien orsayiste André Neher. Ce dernier se référait explicitement aux « cercles d'étude » organisés en pleine guerre, à Lyon, par le philosophe Léon Algazi. La guerre d'Algérie va dramatiser ce dialogue, qui devient à l'occasion un face-à-face tendu entre originaires d'Algérie (on ne dit pas encore « sépharades ») et intellectuels ashkénazes classiques, universitaires comme André Neher, bohèmes de Montparnasse revenus à la *yiddishkei* (mot intraduisible qui désigne l'identité juive d'Europe orientale sous ses facettes séculières autant que traditionnelles), ou membres de la société civile comme le juge Vladimir Rabinovitch, dit « Rabi », membre de l'équipe d'*Esprit**.

Ce pluralisme conflictuel se retrouve dans les premiers Colloques, marqués plus généralement par une définition très « libérale » de l'intellectuel « juif » : on ne demande à ce dernier aucune affiliation précise, ni religieuse, ni sioniste, et seuls les communistes semblent manquer à l'appel. Dans les actes du premier Colloque (*La Conscience juive*, 1957), on trouve aussi bien le mathématicien Mandelbrojt que Jérôme Lindon ou Paul Bénichou. Aucun d'eux n'est connu à l'époque pour son activisme communautaire, même si le directeur des Éditions de Minuit* vient de lancer une collection « Aleph », consacrée à l'érudition *in judaicis*. La présence et l'intervention les plus surprenantes sont sans doute celles de Pierre Morhange, qui évoque Max Jacob et Heine, pour stigmatiser « l'amour de la Mort » propre, selon lui, aux intellectuels allemands. Mais parmi les intervenants plus institutionnels, même un « Manitou » (totem scout de Léon Eskenazi) se montrait d'une ouverture conforme en tous points aux traditions du « franco-judaïsme » d'avant guerre. « La Bible est à nous, et... elle n'est plus seulement à nous », déclarait-il alors.

L'histoire des « Colloques » allait progressivement refléter cette tension entre une conception universaliste de l'intellectuel juif et une tendance mystico-nationaliste très agressive après 1967. Ces tensions empêchèrent même, en 1991, la tenue d'un colloque où certains auraient voulu évoquer le problème palestinien. Mais, au total, avec la période récente, on peut dire que les « Colloques » n'ont pas cédé sur leur vocation essentielle, symbolisée par la traditionnelle « leçon talmudique » donnée par Emmanuel Levinas* en clôture, qui est de réintégrer le judaïsme dans la culture française et réciproquement. Ainsi, en 1989, le Colloque consacré à *La Question de l'État* fit l'éloge de la Révolution de 1789 et de l'émancipation des juifs d'Europe qui s'ensuivit. C'était aller à contre-courant d'une vulgate alors dominante...

Daniel Lindenberg

■ Les « Colloques des intellectuels juifs de langue française » ont été édités jusqu'en 1980 aux Presses universitaires de France, puis dans la collection « Idées » (Gallimard) et, depuis 1985, chez Denoël.

■ A. Neher, *Le Dur Bonheur d'être juif*, Le Centurion, 1978. — W. Rabi, *Un peuple de trop sur la terre ?*, Presses d'Aujourd'hui 1979.

COLONISATION SOUS LA IIIe RÉPUBLIQUE (la)

1881-1939

Quand s'ouvre entre 1881 et 1885 le grand débat suscité par l'occupation de la Tunisie, de Madagascar et du Tonkin, à l'initiative de Gambetta et de Jules Ferry, la question coloniale ne mobilise guère les intellectuels. Celle-ci est alors une affaire de spécialistes. Dans le sillage de la pensée physiocratique et libérale, la plupart des économistes condamnent la colonisation comme un avatar du mercantilisme. Ils en dénoncent le coût démesuré pour les finances publiques, les entraves qu'elle apporte au libre commerce, la perte de substance humaine et d'esprit d'entreprise qu'elle entraîne pour la métropole. Tels sont les arguments développés en leur temps par Léon Say et Frédéric Bastiat, repris inlassablement à la fin du siècle par Gustave de Molinari, Frédéric Passy et tant d'autres. Seule exception de poids à cet unanimisme, Paul Leroy-Beaulieu, gendre de Michel Chevalier, défend la cause impérialiste dans son ouvrage *De la colonisation chez les peuples modernes* publié en 1874, qui énumère, dans la meilleure tradition saint-simonienne, les bienfaits civilisateurs et sociaux des possessions coloniales.

De même, quand se forme, à l'aube des années 1890, le « parti colonial », tout à la fois groupe de pression et centre de propagande, les organisations qui le composent recrutent peu parmi les intellectuels. Maurice Barrès* peut bien saluer comme une « noble initiative » la création du Comité de l'Afrique française, il se garde bien de s'engager plus avant. À l'exception de quelques géographes, le parti colonial attire surtout des hommes politiques, des publicistes et des hommes d'affaires directement intéressés aux entreprises impérialistes.

C'est la conjonction du colonialisme et du nationalisme, ouverte avec l'incident de Fachoda (1898) et confirmée par les crises marocaines (1905 et 1911), qui suscite une implication accrue des milieux intellectuels. La droite nationaliste, qui s'est approprié l'armée dans toutes ses entreprises, trouve avec Barrès *(Mes cahiers)* le chantre le plus convaincu de la geste coloniale, tandis que Charles Maurras*, s'il continue de s'interroger sur le bien-fondé des choix colonialistes du régime honni, enjoint la République de ne pas lâcher prise au Maroc *(Kiel et Tanger)*. À gauche, le ralliement des radicaux à une cause qu'ils avaient auparavant combattue, abandonne aux socialistes la critique de la politique coloniale. Une critique qui se conjugue naturellement à celle du capitalisme et du militarisme, et à laquelle concourent toutes les obédiences : anarchiste avec le géographe Élisée Reclus (*Patriotisme, colonisation*, 1902), guesdiste avec Paul Levy, *alias* Paul Louis (*Le Colonialisme*, 1905), réformiste avec Gustave Rouanet et le jeune sociologue Félicien Challaye*, révolutionnaire avec Gustave Hervé et ses articles incendiaires de *La Guerre sociale*. Jaurès*, pour sa part, ne remet pas en cause une politique de pénétration lente et pacifique, mais plaide pour un contact fructueux des cultures et un partage équitable des richesses.

La protestation anticoloniale ne se limite pas, du reste, aux cercles socialistes. Proche du radicalisme et de Clemenceau, ancien médecin militaire mais écrivain de race, Paul Vigné d'Octon a laissé avec *La Sueur du burnous* (1911) un tableau saisissant des « crimes coloniaux » de l'époque. Il faut également compter avec la contribution d'intellectuels catholiques, tel le juriste et historien Paul Viollet, animateur d'un Comité de protection des indigènes, ou le pamphlétaire Léon Bloy* dont *Le Sang du pauvre* (1909) se veut une condamnation globale de l'œuvre colonisatrice au nom de la tradition apostolique chrétienne. Et l'on trouvera, en des termes parfois étonnamment virulents, bien des traces d'un anticolonialisme déclaré dans les romans de Maupassant *(Bel-Ami)*, d'Anatole France* (*Sur la pierre blanche*, 1905), de Pierre Loti (*Un pèlerin d'Angkor*, 1912), de Claude Farrère (*Les Civilisés*, 1905) et des frères Tharaud* (*La Fête arabe*, 1912).

Lié aux menaces que la question marocaine fait peser sur la paix européenne, ce regain d'anticolonialisme des années 1905-1914 ne suffit pas à lever dans le pays un sentiment majoritaire. L'école et la grande presse conjuguent leurs efforts pour populariser le fait colonial. La contribution de l'Empire à l'effort de guerre et à la victoire, la loyauté et l'héroïsme de plus d'un demi-million de soldats indigènes préparent cette « apothéose de la plus grande France » (R. Girardet*) qui culmine avec l'Exposition* coloniale de 1931.

Dans ce contexte, les voix contraires, ou simplement discordantes, ne sont pas légion. Sans doute les partis de gauche s'attachent à perpétuer leur opposition aux abus du colonialisme, mais en des termes de plus en plus modulés. Car la SFIO est progressivement gagnée aux vertus de l'assimilation, tandis que l'anticolonialisme du jeune Parti communiste, actif durant les années 20, connaît par la suite des accommodements tactiques. C'est en marge des grands partis, dans l'intelligentsia de gauche, qu'il faut rechercher les contributions les plus critiques. Dans le groupe Clarté*, par exemple, ou au journal *Monde**, animés l'un et l'autre par Henri Barbusse* ; ou dans le mouvement surréaliste, qui n'épargne à ses lecteurs aucun sarcasme sur le « brigandage colonial » et appelle au boycott de l'Exposition coloniale.

La démystification du légendaire colonial passe aussi par les progrès de l'anthropologie (Maurice Delafosse, Robert Delavignette, tous deux gouverneurs des colonies), et de l'ethnologie (Marcel Mauss*, Paul Rivet*), qui jettent les bases d'une critique scientifique des modes de conquête et de domination. En publiant en 1931 son *Histoire de l'Afrique du Nord*, l'universitaire Charles-André Julien* ouvre des voies radicalement nouvelles, rompant avec une historiographie tout empreinte de paternalisme et de bonne conscience colonisatrice.

D'une audience plus large, fictions romanesques, récits de voyage, enquêtes et reportages prennent valeur d'engagement. À travers les romans de Pierre Mille (le cycle des *Barnavaux*), de Robert Maran (*Batouala, véritable roman nègre*, 1921), de Céline* (*Voyage au bout de la nuit*, 1932), s'affirme le souci de se démarquer de l'exotisme de rêve et de présenter les abus de la colonisation sous leur jour le plus cru. L'anticolonialisme latent des premiers romans de Malraux*, et dans une certaine mesure de *La Tentation de l'Occident* (1926), doit beaucoup à l'expérience saïgonnaise de l'auteur, qui fit paraître, durant quelques mois, *L'Indochine*, un « journal de vérité et de justice ». La célébrité des deux opuscules d'André Gide*, *Voyage au Congo* (1927) et *Retour du Tchad* (1928), ne doit pas faire méconnaître la qualité documentaire et le dessein critique plus affirmé des enquêtes de Louis Roubaud (*Vietnam, la tragédie indochinoise*, 1931) et d'Andrée Viollis* (*Indochine SOS*, 1935), voire les premières *Chroniques algériennes* (*Misère en Kabylie*, 1939) du jeune Albert Camus*.

Dans la mouvance des partis et de la presse de gauche, à la Ligue des droits de l'homme*, au Comité de vigilance des intellectuels antifascistes*, dans d'innombrables réunions et pétitions, dans d'éphémères comités de soutien ou d'amnistie, s'est ainsi forgée une conscience anticoloniale, dominée par quelques figures essentielles : Victor Basch*, Félicien Challaye, Maurice et Magdeleine Paz, Daniel Guérin*, Jean Rous, Charles-André Julien, Andrée Viollis, Colette Audry*... Certains prendront une part active aux combats de la décolonisation. L'anticolonialisme est bien devenu une affaire d'intellectuels.

Bernard Droz

■ C.-R. Ageron, *L'Anticolonialisme en France, de 1871 à 1914*, PUF, 1973. — J.-P. Biondi, *Les Anticolonialistes (1881-1962)*, Laffont, 1992. — R. Girardet, *L'Idée coloniale en France, de 1871 à 1962*, La Table Ronde, 1972, rééd. Le Livre de Poche, 1986.

COMBAT

Né dans la Résistance, en novembre 1941, *Combat* se prévaut du sous-titre « De la Résistance à la Révolution », adopté à la Libération, qui en rappelle l'origine et illustre les ambitions. Organe du mouvement Combat, il reflète les options politiques de son directeur, Henri Frenay, qui, refusant de toutes ses forces la défaite, n'en éprouve pas moins une certaine estime pour le vainqueur de Verdun. Ces hésitations étaient perceptibles dans les publications clandestines qui, sous des noms divers — *Petites ailes* est le plus usité —, ouvrirent la voie à *Combat*. Elles seront balayées à partir du retour de Laval : en août 1942, le quotidien fait connaître sa faveur pour un rassemblement derrière le « chef et symbole de la Résistance française », sans abandonner totalement la crainte de voir de Gaulle se subordonner la Résistance intérieure. Sous la houlette de trois rédacteurs en chef successifs, Georges Bidault, Claude Bourdet* et Pascal Pia*, la sortie de *Combat* constitue une prouesse renouvelée : trouver du papier pour imprimer et diffuser jusqu'à 200 000 ou 300 000 exemplaires en 1944, c'est l'œuvre de l'ingénieur André Bollier, auquel sa persévérance coûtera la vie.

La Libération ouvre une période prestigieuse. Autour d'Albert Camus*, rédacteur en chef depuis septembre 1943, se met en place un « journalisme critique » servi par des plumes exceptionnelles, de Pascal Pia à Georges Altschuler et Marcel Gimont, voire Jean-Paul Sartre* ou même, pour les pages culturelles, André Gide* et André Malraux* : Raymond Aron*, qui y collabora lui aussi, ne disait-il pas avoir retrouvé quelque chose de la rue d'Ulm ?

L'absence délibérée de « ligne », liée au refus d'inféodation partisane ou financière, n'empêche pas *Combat* d'affirmer quelques principes qui en font l'une des vitrines du rêve résistant : rénover la vie politique par le remplacement des élites, dénoncer le totalitarisme, ce qui, dans le contexte, équivaut à appuyer la gauche non communiste, ces exigences s'adossent à celle d'analyses approfondies, soucieuses d'exposer des points de vue contradictoires. Pourtant, difficultés matérielles et divergences sur la politique extérieure (atlantisme ou neutralisme ?) ont raison de l'enthousiasme : Albert Camus démissionne alors qu'en juin 1947 le tirage est passé à moins de 130 000 exemplaires. Après une brève cogérance entre Claude Bourdet et Henry Smadja, ce dernier s'impose en 1950 à la tête du quotidien.

Sans se départir ni de son indépendance ni de sa polyphonie, *Combat* passe aux mains d'un mystique d'origine tunisienne et juive, passionné mais mal à l'aise dans la presse de son temps. Prolongeant la vocation du quotidien à découvrir des talents (Henry Chapier, engagé en 1959, Philippe Tesson, promu rédacteur en chef en 1960), Henry Smadja mise sur le dévouement d'une équipe qu'il se refuse à rémunérer correctement ; il ne compte ni sur la publicité ni sur les illustrations pour remédier aux défauts d'une présentation confuse et d'un texte austère, bourré de « coquilles », malgré les prestations de Jean Fabiani ou Maurice Clavel*.

Son engagement marqué pour l'Algérie française, éloigné des positions progressistes adoptées par le premier *Combat* à propos de l'Indochine, répond à la conviction que le maintien de l'Algérie dans la France, au prix de profondes réformes, est seul conforme à l'esprit de la Résistance : telle est la substance des articles fervents que Raoul Girardet* écrit pour le quotidien. Les lecteurs n'approuvent pas tous cette option, sans même savoir qu'elle va bien au-delà : les presses du journal ne servent-elles pas à tirer discrètement le mensuel *L'Esprit public* qui penche vers l'OAS ?

Avec un lectorat parisien tel que, dès 1960, le tirage était tombé à 25 000 exemplaires, *Combat* s'efforce vainement de résister au mouvement de concentration, à la concurrence de la télévision et à la tutelle du Syndicat du livre : Philippe Tesson le quitte en février 1974. Malgré le succès posthume du dernier numéro, publié le 30 août 1974, Henry Smadja, disparu un mois plus tôt, n'avait pas réussi à concilier les trois termes de sa devise : vivre « libres, pauvres mais très enviés ».

Anne-Marie Duranton-Crabol

■ Y.-M. Ajchenbaum, *À la vie, à la mort. Histoire du journal « Combat » (1941-1974)*, Le Monde Éditions, 1994. — H. Chapier, *Quinze ans de « Combat »*, Julliard, 1980. — A.-M. Duranton-Crabol, « *Combat* et la guerre d'Algérie », *Vingtième siècle, revue d'histoire*, 40, octobre-décembre 1993. — J. Guérin (dir.), *Camus et le premier « Combat » (1944-1947)*, La Garenne-Colombes, Éditions européennes Érasme, 1990.

COMBAT ET LES REVUES DE LA JEUNE DROITE DES ANNÉES 30

Dans le cadre de l'intense foisonnement intellectuel des années 30, les origines de la « Jeune Droite » se situent à la confluence de deux chocs fondateurs : d'une part le traumatisme de la Première Guerre mondiale* et ses effets sur les jeunes intellectuels de l'entre-deux-guerres, et d'autre part la condamnation pontificale de l'Action française* en décembre 1926. Toute une génération de catholiques marqués par l'influence de Maurras* se trouve en effet conduite par ces deux chocs à rechercher les voies d'une identité nouvelle, dont elle s'efforcera de tracer les contours au sein d'une multitude de revues en général aussi confidentielles qu'éphémères.

Dès 1928, Jean-Pierre Maxence* et Robert Francis fondent ainsi *Les Cahiers*, dont l'existence cesse en 1931. Entre-temps devenu rédacteur en chef de la *Revue française*, J.-P. Maxence y introduit notamment Thierry Maulnier*, Robert Brasillach* et Maurice Bardèche* : les auteurs de la revue y défendent des positions fort proches de celles de l'Action française, mais insistent par ailleurs avant tout sur la nécessité d'une révolution « spirituelle » dont le contenu demeure néanmoins assez flou.

C'est dans une perspective identique que naît en avril 1930 le mensuel *Réaction*, à l'instigation de Jean de Fabrègues*, René Vincent et Christian Chenut, et sous le parrainage indirect de Bernanos*. D'une allure fort modeste, cette nouvelle revue ne devait survivre que jusqu'à juillet 1932, et ne dépassa jamais un tirage de 1 000 à 1 200 exemplaires. Elle n'en illustre pas moins avec acuité la recherche d'un dépassement du maurrassisme dans l'appel à l'édification d'un « ordre humain » fondé sur le renouveau spirituel davantage que sur l'agencement rationnel d'un monarchisme dogmatique.

Une fois *Réaction* disparue, J. de Fabrègues et ses amis trouvèrent un nouveau terrain d'expression avec *La Revue du siècle*, créée en avril 1933 par l'éditeur Gérard de Catalogne, puis avec *La Revue du XXe siècle*, qui parut de novembre 1934 à juin 1935 en accueillant à la fois les anciens de *Réaction* et ceux de la *Revue française*, qui avait cessé d'exister pendant l'été 1933. Ce rapprochement des principaux rameaux de la Jeune Droite devait par la suite donner naissance à la plus représentative de leurs revues, *Combat*.

Publiées de janvier 1936 à juillet 1939, les livraisons mensuelles de *Combat* n'excédaient pas quinze à vingt pages de texte et ne touchaient qu'un peu plus d'un millier d'abonnés. Codirigée par J. de Fabrègues et T. Maulnier, cette nouvelle tribune regroupait comme ses devancières une équipe d'auteurs rassemblés par leur commune jeunesse, tels que Brasillach, Pierre Andreu, Georges Blond, Maurice Blanchot* ou Claude Roy*, qui signait sous le pseudonyme de « Claude Orland ». Entièrement orientée vers la réflexion théorique, la revue entend constituer une sorte de laboratoire doctrinal visant à « une réconciliation de l'intelligence et du réel ». Dans cette perspective, *Combat* entreprend tout un travail de condamnation du capitalisme et de la démocratie, assimilés l'un à l'autre, développe des analyses approfondies de la pensée marxiste pour, on s'en doute, la récuser, et en appelle à une révolution mettant fin à la décadence de la civilisation occidentale. Mais l'objet même de cette révolution divise les rédacteurs de la revue, au point de provoquer l'éloignement des sympathisants du fascisme (rupture avec Brasillach en 1937), cependant qu'avec T. Maulnier *Combat* évolue de jugements nuancés et assez favorables à une prise de distances de plus en plus nette, que concrétisera d'ailleurs un jugement sévère à l'égard des accords de Munich*.

En cela, *Combat* témoigne de toutes les ambiguïtés d'une Jeune Droite qui ne parvient ni à s'émanciper pleinement des héritages maurrassiens, ni à définir clairement sa position entre sa préoccupation intellectuelle de pure réflexion et la pression d'un activisme d'extrême droite gagné par une imprégnation fascisante diffuse mais réelle.

Pascal Balmand

■ G. Leroy, « La revue *Combat* (1936-1939) », in A. Roche et C. Tarting, *Des années 30 : groupes et ruptures*, CNRS, 1985. — J.-L. Loubet del Bayle, *Les Non-Conformistes des années 30. Une tentative de renouvellement de la pensée politique française*, Seuil, 1969. — P. Sérant, *Les Dissidents de l'Action française*, Copernic, 1978. — Z. Sternhell, *Ni droite ni gauche*, Seuil, 1983.

Comité consultatif national d'éthique pour les sciences de la vie et de la santé

Créé le 25 février 1983 par un décret du président de la République, et inscrit dans la loi du 30 juillet 1994 sur l'éthique biomédicale (article 23), le CCNE a une double mission, de réflexion et d'animation. Il est en effet chargé de donner des avis sur les problèmes éthiques soulevés par les progrès des connaissances dans les domaines de la biologie, la médecine et la santé, de publier des recommandations sur ces sujets, ainsi que d'organiser une conférence publique annuelle (les Journées annuelles d'éthique) en vue de soumettre ses travaux au questionnement d'un large public.

Le qualificatif « consultatif » est fondamental dans la conception même du Comité : ses avis, s'ils peuvent influencer les administrations et la jurisprudence, n'ont pas de valeur exécutive. Est-ce à dire que le Comité n'a aucun pouvoir ? Lieu d'analyse et de débat avant tout, le Comité a pour vocation essentielle, selon l'expression du Pr Henri Atlan (membre du Comité depuis sa création), de « débroussailler » les problèmes. Et ses recommandations, précisément parce qu'elles sont dégagées de toutes contraintes législatives, présentent l'intérêt majeur de pouvoir servir de base de discussion très large pour la société.

La deuxième caractéristique du Comité est sa pluridisciplinarité. Ses trente-six membres, nommés pour deux ans, doivent en effet refléter, par leur diversité d'origine, l'ensemble des familles de pensée françaises. On y trouve donc une quinzaine de biologistes, chercheurs et médecins, représentant tous les secteurs de la recherche biologique et médicale, une quinzaine de personnalités reconnues pour leur compétence et leur intérêt en matière d'éthique (parlementaires, juristes), et cinq personnalités, désignées par le président de la République, appartenant aux grandes familles philosophiques et spirituelles (catholique, israélite, musulmane, protestante et marxiste). Cette composition plurielle, où la part des scientifiques est néanmoins largement dominante, est-elle un rempart suffisant contre le risque pour certains membres d'être « juges et parties » ? Face à ce soupçon de corporatisme (qui n'a pas manqué d'être parfois formulé), il faut souligner que les problèmes posés au Comité, bien que d'origine médicale et scientifique, ne trouvent pas leur réponse dans la science et la médecine : les jugements éthiques de chacun sont en fait inspirés par des convictions personnelles, partagées tant par des spécialistes que par des non-spécialistes. Et c'est la tâche du Comité d'éthique que de s'assurer d'un fonctionnement éthique.

En douze ans, le Comité a rendu 47 avis sur des sujets très variés, concernant de nombreux thèmes : épidémiologie / prévention, fin de la vie, génétique (recherche et applications), neurosciences, prélèvement d'organes et de tissus / transfusion sanguine / transplantation, procréation / embryon, recherche et travaux sur l'homme, sida, sport, toxicomanies, transmission de l'information scientifique et médicale. Pour étudier les demandes d'avis, des groupes de travail sont constitués, sollicitant parfois des personnalités extérieures au Comité. Une section technique examine dans un premier temps les rapports, avant leur adoption définitive en séance plénière. Depuis octobre 1994, *Les Cahiers du Comité*, publication mensuelle centrée sur un thème ayant fait l'objet d'un avis récent du Comité, permettent d'assumer au mieux la communication avec le public.

Le président actuel du Comité consultatif national d'éthique (désigné par le président de la République), après la longue présidence du Pr Jean Bernard (1983-1992), est le Pr Jean-Pierre Changeux, médaille d'or 1992 du Centre national de la recherche scientifique*, professeur au Collège de France* et à l'Institut Pasteur*.

Catherine Bousquet

■ *Xe anniversaire du Comité consultatif national d'éthique. Les avis 1983 à 1993*, CCNE, 1993.

COMITÉ D'ÉTUDES ET LES GÉOGRAPHES (le)

Les géographes universitaires français ont largement participé aux travaux préparatoires des négociations des différents traités qui redessinèrent la carte politique de l'Europe centrale après la Grande Guerre. La création d'une instance officielle en 1917, le Comité d'études, avait été précédée par des initiatives de la Société de géographie. Le Comité réalise une véritable mobilisation d'experts universitaires, le contingent le plus important étant constitué par les géographes, engagés sous l'autorité de P. Vidal de La Blache* (jusqu'à sa mort le 5 avril 1918). Le Comité est créé le 17 février 1917, sous le ministère Briand, par C. Benoist, député de la Seine. Une conférence préliminaire le 23 février choisit comme lieu de travail la salle des cartes de l'Institut de géographie de la Faculté des lettres de la Sorbonne, E. Lavisse* étant président, P. Vidal de La Blache vice-président et E. de Martonne* secrétaire. La fonction du Comité est de « constituer des dossiers utiles pour ceux qui auront la responsabilité de représenter la France au Congrès de la paix » (E. Lavisse) ; quatorze séances auront lieu en 1917. En 1918, il sera élargi, passant de seize à vingt-sept membres, et, pour faire face au travail du secrétariat, A. Demangeon* sera adjoint à E. de Martonne ; trente séances auront lieu. En 1919, pendant les négociations, le Comité est installé rue de Constantine, à proximité du Quai d'Orsay, pour fournir aux experts-diplomates français dirigés par A. Tardieu des notes évaluant les conséquences démographiques, économiques et ethniques des coups de crayon tracés sur les cartes par les Grands au Conseil des Quatre. Au cours de ces deux années, les géographes français instruisent une trentaine de dossiers territoriaux et frontaliers, soit la moitié de l'ensemble des dossiers ; leurs contributions sont accompagnées de cartes qui, rassemblées, forment un atlas des questions litigieuses, notamment pour l'Europe centrale. E. de Martonne rédige sept rapports particulièrement documentés sur les questions roumaines et balkaniques, L. Gallois en donne huit, à dominante historique.

Il convient d'observer que les géographes français n'avaient pas le monopole de l'expertise : la délégation américaine bénéficiait des informations rassemblées par l'Inquiry, créée au printemps 1917 par le Département d'État et dirigée par le géographe I. Bowman, la Grande-Bretagne disposait d'un service composé de militaires-géographes. Les nationalités concernées par la création d'un nouveau territoire avaient mobilisé leurs propres géographes, ainsi la Pologne avec E. Romer, ces derniers essayant de faire valoir leurs points de vue et leurs arguments auprès des géographes-experts des Quatre Grands. L'intervention des géographes est l'un des caractères de la nouvelle diplomatie éclairée que voulait promouvoir le président Wilson ; l'école géographique française forgée au dossier cartographique vidalien était prête à répondre à ce souhait.

Jean-Louis Tissier

■ *Travaux du Comité d'études*, t. 1 : *L'Alsace-Lorraine et la frontière du nord-est*, t. 2 : *Questions européennes*, Imprimerie nationale, 1918.

▩ G. Chabot, « La géographie appliquée à la Conférence de la paix en 1919, une séance franco-polonaise », *Mélanges André Meynier*, Rennes, Presses universitaires de Bretagne, 1972.

COMITÉ DE VIGILANCE DES INTELLECTUELS ANTIFASCISTES (CVIA)

Le Comité de vigilance des intellectuels antifascistes, né en mars 1934 au lendemain des émeutes parisiennes du 6 février 1934, est resté le symbole de la mobilisation unitaire des intellectuels dans la France des années 30, confrontée au défi fasciste à l'intérieur comme à l'extérieur. À un moment où l'unité d'action entre partis et organisations de gauche n'est pas encore à l'ordre du jour, il réussit, sous le triple patronage de Paul Rivet*, d'Alain* et de Paul Langevin*, un large rassemblement d'intellectuels, précurseur du Front populaire.

À l'origine de ce rassemblement se trouve un jeune auditeur à la Cour des comptes, François Walter, dont le pseudonyme est « Pierre Gérôme » : il effectue les premières démarches pour s'assurer l'appui des organisations syndicales et notamment celui du Syndicat national des instituteurs par l'intermédiaire d'André Delmas et de Georges Lapierre. Il saura convaincre Paul Rivet, professeur au Muséum, adhérent du Parti socialiste, mais personnalité indépendante, de prendre la tête du futur Comité. Aux côtés de celui-ci, le philosophe Alain, proche du radicalisme, et le physicien Paul Langevin, professeur au Collège de France*, proche du Parti communiste sont choisis comme vice-présidents pour représenter les différentes sensibilités de la gauche. Le manifeste « Aux travailleurs » (5 mars 1934) signé de leurs trois noms annonce la naissance du « Comité d'action antifasciste et de vigilance » (bientôt appelé Comité de vigilance des intellectuels antifascistes ou CVIA), qui affirme se mettre au service des « organisations ouvrières ». Il rencontre d'emblée un grand succès dans les milieux enseignants des trois ordres et dans les milieux intellectuels en général (6 000 signataires en décembre 1934). Par son bulletin *Vigilance*, ses brochures comme *Les Prétentions sociales du fascisme*, le CVIA entend mener une action d'éclaircissement intellectuel pour combattre la propagande fasciste.

Les débuts du CVIA, qui eut l'ambition d'être un « Front populaire » avant la lettre, sont marqués par le succès de son président, Paul Rivet, comme candidat unique de la gauche au second tour des élections municipales à Paris, le 12 mai 1935, dans le Ve arrondissement. Le CVIA, organisation adhérant au Rassemblement populaire né en 1935, veut, en effet, être un « laboratoire d'idées » associé de près à l'expérience gouvernementale.

Cependant, l'unanimité qui a présidé à sa naissance se brise à partir de 1935-1936 sur l'analyse des problèmes extérieurs, provoquant une fracture entre partisans de la fermeté à l'égard des revendications hitlériennes et ceux qui restent fidèles au pacifisme traditionnel de la gauche. En juin 1936, une minorité autour de Langevin, composée de communistes et de sympathisants (J. Baby, J.-R. Bloch*, R. Maublanc, M. Prenant*, H. Wallon*, Wurmser*), quitte les organismes dirigeants du CVIA, puis le Comité. Après cette crise, le CVIA continue, mais il sera en butte aux attaques des communistes l'accusant de s'aligner sur les thèses des pacifistes « extrêmes ». La tendance du pacifisme extrême, animée par Michel Alexandre* (qui, depuis le début, remplace Alain, malade, au Comité) et Léon Émery, va orienter, après Munich*, la politique du CVIA, provoquant le départ des pacifistes antifascistes comme Rivet et Gérôme. Ainsi, après avoir préfiguré l'unité du Front populaire, le CVIA en révéla les déchirements internes.

Dans la mémoire de la gauche intellectuelle, le souvenir du CVIA s'est maintenu estompant les crises, et empreint de nostalgie : « Où sont donc les Gide*, les Malraux*, les Alain, les Langevin d'aujourd'hui ? », demandait Max Gallo dans *Le Monde** en juillet 1983. Si l'époque où savants et écrivains prenaient la tête d'un grand mouvement de protestation paraît appartenir à un cycle révolu de l'histoire des intellectuels en France, l'idée de « vigilance », ancrée dans une longue tradition, est restée vivace.

Nicole Racine

■ N. Racine-Furlaud, « Pacifistes et antifascistes. Le Comité de vigilance des intellectuels antifascistes », in *Des années 30. Groupes et ruptures* (textes réunis par A. Roche et C. Tarting), CNRS, 1985, pp. 59-68.

COMITÉ NATIONAL DES ÉCRIVAINS (CNE)

Né dans la clandestinité, affilié au Front national d'initiative communiste, le Comité national des écrivains est l'une des principales instances de la Résistance intellectuelle sous l'Occupation allemande. À la Libération, sa politique de rassemblement lui confère une légitimité quasi nationale, mais le rôle qu'il joue dans l'épuration des lettres est à l'origine de premières scissions internes. Les polémiques de la Guerre froide* et les procès de l'Est achèvent de l'identifier avec le PCF, dont il restera solidaire jusqu'à sa disparition vers 1970.

Chargé à l'été 1941 de grouper des écrivains dans le cadre d'un Front national des intellectuels, Jacques Decour* s'était adressé à Jean Paulhan* sur le conseil d'Aragon*. Un premier comité se forme autour des deux fondateurs en zone Nord, qui compte J. Debû-Bridel, J. Blanzat, C. Vildrac*, J. Guéhenno*, J. Vaudal, le RP Maydieu*, F. Mauriac*. L'arrestation de Decour en février 1942 et son exécution empêchent la publication du premier numéro de l'organe clandestin du Front national des écrivains, *Les Lettres françaises**, dont le projet est repris par Claude Morgan (les *LF* commencent à paraître en septembre 1942). Les effectifs du FNE s'accroissent à partir de 1943, avec l'arrivée de J.-P. Sartre*, P. Éluard*, J. Lescure, A. Frénaud, R. Queneau*, P. Leyris, L. Scheler… ; une vingtaine de membres seront dénombrés à l'une des réunions qui se tiennent chez Édith Thomas*. À l'instigation d'Aragon est créé, en 1943, un Comité national des écrivains de zone Sud qui réunit L. Martin-Chauffier*, J. Cassou*, R. Tavernier*, P. Emmanuel*, J. Prévost*, C. Aveline*, P. Seghers*, G. Sadoul*, S. Fumet*, L. Parrot, A. Rousseaux, A. Viollis*, A. Anglès, E. Triolet*, le RP Bruckberger, C. Roy*, H. Malherbe… Résolus de s'intégrer en tant qu'écrivains « dans la lutte à mort engagée par la Nation française pour se délivrer de ses oppresseurs », les membres des deux groupements dénoncent, dans les *LF* et dans le bulletin de la zone Sud, *Les Étoiles*, les atrocités commises par l'occupant ainsi que les faits de collaboration littéraire. Ils rédigent des tracts appelant à la « mobilisation de l'esprit » et fournissent des manuscrits aux Éditions de Minuit* clandestines par l'intermédiaire de Paulhan et d'Éluard.

À la Libération s'opère l'unification des deux comités, dont le prestige est rehaussé par les noms de P. Valéry*, G. Duhamel*, J. Schlumberger, les frères Tharaud*, recrutés au cours de l'été 1944. Le CNE comptera bientôt plus de deux cents membres, unis pour la défense des valeurs de la Résistance, le respect, la liberté et la dignité de l'être humain, et contre toute discrimination sociale. Initiateur d'une épuration des écrivains, le CNE publie en septembre 1944 une première « liste noire »* d'auteurs jugés « indésirables », avec lesquels les membres du Comité s'engagent, par une charte, à n'avoir aucun rapport d'édition. Le CNE délègue aussi trois représentants à la Commission d'épuration de l'édition et il sera qualifié par le gouvernement provisoire, avec d'autres instances comme la Société des gens de lettres, pour porter plainte auprès du Comité d'épuration des gens de lettres. Les polémiques suscitées par la « liste noire » entraînent une première rupture interne, marquée par la démission, en novembre 1946, de son cofondateur, J. Paulhan, suivi de Duhamel, Schlumberger, G. Marcel*... Transféré, à la même époque, du « Grenier » rue de la Paix au Club Mallet-Stevens, le CNE s'installe en mai 1947 dans la somptueuse Maison de la pensée française, rue de l'Élysée. Avec ses salons du samedi où Aragon et Éluard tiennent la vedette, ses réceptions d'auteurs étrangers, ses matinées poétiques, ses ventes annuelles au profit de sa caisse de secours et d'assistance aux auteurs ou aux veuves d'écrivains en difficulté à la suite de la guerre — ventes qui sont de véritables événements dans le monde des lettres —, le CNE assume un rôle culturel appréciable et attire de jeunes auteurs idéologiquement solidaires, ou simplement en quête de légitimité.

Mais le durcissement de la ligne soviétique, le jdanovisme, la mise en place d'un Kominform, les procès de la Guerre froide posent bientôt aux écrivains progressistes le problème de leur liberté d'expression en tant que compagnons de route, et les mettent aux prises avec leurs confrères communistes au sein du Comité. La scission éclate en 1953, lorsque, répondant à un appel de Serge Groussard qui proteste contre la neutralité de la motion du CNE à l'égard de l'antisémitisme des procès de Prague, une vingtaine de membres donnent publiquement leur démission (dont d'éminents compagnons de route comme Aveline, Cassou, Martin-Chauffier, Vildrac). Vercors* se laisse convaincre de remplacer Martin-Chauffier à la présidence, traditionnellement confiée à un non-communiste. Il en démissionnera à son tour en 1956*, après l'agression soviétique en Hongrie. Quinze membres quittent alors le CNE, dont P. Seghers, S. Fumet, J. Cayrol*. À la présidence se succèdent, à partir de cette date, F. Jourdain*, Aragon, puis L. Moussinac. En mai 1958, le CNE lance un appel aux écrivains pour s'unir contre le coup de force d'Alger et le retour au pouvoir de De Gaulle, appel qui suscite de nouvelles adhésions. Progressivement marginalisé, le CNE ne survivra pas à celle qui fut sa principale organisatrice, Elsa Triolet, décédée en 1970.

Gisèle Sapiro

■ Collection des *Lettres françaises clandestines* (1941-1944), puis page « Le Comité national des écrivains vous parle » dans *Les Lettres françaises* (1946-1953).

▒ J. Bouissounouse, *La Nuit d'Autun*, Calmann-Lévy, 1977. — J. Debû-Bridel, *La Résistance intellectuelle*, Julliard, 1970. — R. Garguilo, « L'union des communistes et des non-communistes dans la résistance littéraire : le Front national des écrivains », *La Littérature française sous l'Occupation* (colloque de Reims), Presses universitaires de Reims, 1989. — P. Mercier, *Le Comité national des écrivains (1941-1944)*, mémoire, Paris III, 1980. — L. Parrot, *L'Intelligence en guerre*, La Jeune Parque, 1945, rééd. Le Castor astral, 1990. — G. Sapiro, *Complicités et anathèmes en temps de crise. Modes de survie du champ littéraire et de ses institutions, 1940-1953 (Académie française, académie Goncourt, Comité national des écrivains)*, doctorat, EHESS, 1994. — Vercors, *Les Nouveaux Jours. Esquisse d'une Europe*, Plon, 1984.

COMMENTAIRE

La naissance de *Commentaire* en mars 1978 fait suite à la disparition récente de *Contrepoint* et s'inscrit dans le renouveau de la tradition libérale, longtemps occultée par la domination de la pensée marxiste au sein du paysage intellectuel français. La revue est le fruit d'une décision d'un groupe d'amis (Jean-Claude Casanova, Alain Besançon, Kostas Papaïoannou, etc.) qui, se plaçant délibérément sous la bannière de la pensée aronienne, souhaitent se battre pour la liberté et contre le « somnambulisme idéologique » incarné, selon eux, par l'idéologie totale du sens de l'histoire.

La revue fonctionne comme un véritable catalyseur d'amitiés et comme un réseau de sociabilité qui s'apparente à une sorte de club confortable sur le modèle anglo-saxon. Les différentes strates de la mouvance aronienne se retrouvent autour du noyau de fondateurs : François Fejtö*, Annie Kriegel*, Pierre Hassner, François Bourricaud, Marc Fumaroli*, Pierre Manent, Jean-François Revel* et bien d'autres encore, comptent parmi les collaborateurs les plus fidèles. Jusqu'à sa mort en 1983, Raymond Aron* accompagnera d'un œil bienveillant le développement de *Commentaire* à laquelle il donnera nombre d'articles de réflexion sur les bouleversements du monde contemporain. Face à la nouvelle configuration politique et idéologique, l'organe de pensée dirigé par Jean-Claude Casanova réussit à tirer son épingle du jeu et à obtenir un réel succès d'estime dont témoignent ses 2 500 à 3 000 abonnés réguliers.

Bastion de la réflexion antitotalitaire, *Commentaire* se classe au centre droit sur l'échiquier politique. Elle accueille dans ses colonnes des clercs, des experts et des journalistes venus d'horizons divers (à l'exception toutefois des extrêmes), ainsi que des hommes politiques, en particulier Raymond Barre qui y exprime, à de multiples reprises, son point de vue sur la crise, le chômage ou l'emploi. Mettant davantage l'accent sur les problèmes de politique internationale et d'économie que d'autres revues intellectuelles du moment, *Commentaire* fait appel à des diplomates ou hauts fonctionnaires pour évaluer la politique générale de la gauche et manifeste ainsi ouvertement son opposition au pouvoir. Elle tente également de promouvoir le débat autour du rapport entre démocratie et totalitarisme, entre libéralisme et socialisme, qui constitue, au fil de ses multiples livraisons, l'axe central de ses préoccupations, à l'instar de la place de la France et de l'Europe dans le nouveau contexte international.

Elle se propose, en outre, de faire redécouvrir les « classiques de la liberté » et en particulier les œuvres de penseurs longtemps ignorés tels que Benjamin Constant, Alexis de Tocqueville, Edgar Quinet, Hippolyte Taine. Non contente d'exercer son rôle de tremplin et de tribune, elle se veut également laboratoire d'idées en diffusant par exemple, les travaux de Friedrich von Hayek sur l'économie de marché (1983), d'Allan Bloom sur la crise culturelle moderne (1987) ou de Francis Fukuyama sur la fin de l'histoire (1989) : autant d'articles qui provoquèrent des réactions souvent passionnées dans le milieu intellectuel hexagonal.

Fidèle à sa vocation d'éclaireur, *Commentaire* plaide, tout compte fait, pour une politique du raisonnable qui a trouvé un réel écho dans la France des années 80. Sa défense du pluralisme et de la démocratie occidentale a ainsi contribué à percer définitivement le mur de l'indifférence derrière lequel le libéralisme a longtemps été cantonné depuis l'après-guerre.

Rémy Rieffel

COMMUNE

Publié de juillet 1933 à septembre 1939 par l'Association des écrivains et artistes révolutionnaires* et ses successeurs, ce mensuel reste le lieu privilégié pour comprendre la rencontre entre intellectuels communistes et non communistes dans la France du Front populaire et d'avant guerre. Le comité directeur comprenait Barbusse*, Gide* (jusqu'en août 1937), Gorki, Rolland*, Vaillant-Couturier* et (à partir de janvier 1937) Aragon*, premier secrétaire de rédaction avec Nizan*. Les collaborateurs les plus connus sont Jean-Richard Bloch*, Benda*, Cassou*, Crevel*, Étiemble*, Friedmann*, Giono*, Henri Lefebvre*, Malraux*, Claude Morgan*, Soboul*, Soustelle*, ainsi que, pour l'étranger, Alberti, Brecht, Ehrenbourg, Garcia Lorca, Lukács, Machado, Neruda, Thomas et Heinrich Mann. Les 73 numéros tirés à environ 3 000 exemplaires (tirage inférieur en 1934, supérieur en 1936-1937) mettent en œuvre, sur le plan politique, une critique de la société capitaliste en France, inspirée par la révolution bolchevique d'abord, le Front populaire ensuite. Cette critique, liée à la défense inconditionnelle de l'URSS, à la lutte antifasciste et dominée de plus en plus par les menaces d'une nouvelle guerre mondiale, anime les textes littéraires et les réflexions sur la culture, la revue des revues (Georges Sadoul*), des livres, des disques (Robert Desnos*), des expositions (Georges Besson), du cinéma (Claude Aveline*) et du théâtre (Georges Pillement), ainsi que les informations sur l'activité de l'organisation des Amis de *Commune* et des Maisons de la culture.

Pour indiquer la direction de son travail, citons les enquêtes « Pour qui écrivez-vous ? » (n°s 2-10) et « Où va la peinture ? » (21-22), les ensembles d'articles sur les cultures allemande (3), marocaine (4) et chinoise (7-8), sur le Congrès des écrivains soviétiques (13-14) et ceux pour la défense de la culture (23-26, 49), les extraits du *Romancero* de la guerre civile en Espagne (40) et de la sténographie du procès contre Boukharine à Moscou (56), enfin les numéros spéciaux sur l'humanisme allemand (66) et sur la Révolution française (72) élaborés sous l'impulsion du dernier rédacteur en chef, Jacques Decour*.

Wolfgang Klein

■ W. Klein, *« Commune ». Revue pour la défense de la culture (1933-1939)*, CNRS, 1988. — F. Pérus, *Recensement analytique des articles de critique littéraire dans « Commune »*, Meudon, Institut national de la langue française, 1981-1983, 3 vol.

COMŒDIA

Comœdia est l'un des premiers quotidiens à s'être consacré à la vie culturelle en France. Imperméable à la vie politique par principe et plaçant la culture « au-dessus de tout », il déroge à sa règle au moment des crises, se ralliant alors à la parole dominante.

Née en octobre 1907, la publication s'interrompt avec la guerre, en août 1914, pour reparaître, en octobre 1919. Fondé par Henri Desgranges, le quotidien qui avait connu un franc succès avant la guerre (28 000 exemplaires en 1910), décline et ne retrouve pas l'audience dont il bénéficiait. Les directeurs se succèdent : Georges Casella (1919), Gabriel Alphaud (1922) ; Jean de Rovera (1929), ancien journaliste ayant fait fortune au cinéma, essaie de le relancer en imaginant une formule plus luxueuse et moins coûteuse : il ne résiste pourtant pas à la crise qui touche l'ensemble de la presse ni à la concurrence grandissante sur le terrain de la culture — il néglige les courants porteurs de l'époque. Jean Prouvost a beau le transformer en hebdomadaire en 1937, *Comœdia* cesse de paraître jusqu'en juin 1941.

Alors que Jean de Rovera avait défendu le Front populaire tout en s'opposant au boycott par la France des Jeux olympiques de Berlin, l'hebdomadaire dont René Delange prend la tête sous l'Occupation va se montrer ambigu, ménageant au vainqueur une page à sa gloire : « connaître l'Europe », tout en laissant s'exprimer les écrivains et les artistes de l'avant-guerre, certains, modernes et hostiles à l'état des choses. Un ton libéral voire persifleur à l'égard du retour à l'ordre alterne donc avec l'intolérance et les abjections du moment. On y trouve les rubriques régulières de Marcel Arland*, André Thérive, Arthur Honegger, Audiberti. Au chapitre des célébrités, des contributions ponctuelles de Montherlant*, Jouhandeau*, Jean-Louis Barrault, Valéry*, Giraudoux*, Colette*, Copeau*, Dullin, Paulhan*, Léon-Paul Fargue ou Sartre* qui, dans un premier numéro, rend hommage à Melville, avant de prendre ses distances. On y trouve aussi les signatures des « officiels » et celles des personnalités engagées dans la collaboration : Bernard Grasset*, Cocteau*, Ramon Fernandez*, Drieu La Rochelle* ou Serge Lifar.

Comœdia fait ainsi partie de ces organes qui tracent, dès l'Occupation, une ligne de clivage entre ceux qui pensent, comme Paulhan, qu'il n'y a rien de déshonorant à participer à cette presse, la moins « collaboratrice » possible, et les autres, dont l'opinion s'exprime dans la presse clandestine, pour qui *Comœdia* ne paraît avec les belles plumes de l'avant-guerre que pour justifier la propagande nazie de sa page européenne. Le titre disparaît à la Libération.

Laurence Bertrand Dorléac

■ *Histoire générale de la presse française* (dir. C. Bellanger, J. Godechot, P. Guiral et F. Terrou), PUF, 1972. — *Annuaire de la presse française et étrangère et du monde politique.*

CONFLUENCES

Revue mensuelle à vocation littéraire, philosophique et artistique, *Confluences* paraît à Lyon à partir de juillet 1941 en se faisant passer pour une reparution auprès des services du ministre de l'Information. Elle compte parmi les quelques publications autorisées sous Vichy qui ont servi de refuge aux auteurs bannis ou en quête d'une tribune non « compromise » avec le régime.

Le premier numéro de *Confluences* s'ouvre sur une profession de foi qui refuse à l'écrivain tant la tour d'ivoire que l'engagement partisan. Les premières livraisons, dirigées par J. Aubenques, dégagent par moments des accents provichyssois : Pétain y est défendu contre les « anglomanes », les « détracteurs » et les « émigrés hargneux » qui essaient de « démolir son prestige » ; on rend hommage à Salazar et on salue la reparution de la *La Nouvelle Revue française** sous la direction de Drieu La Rochelle*. Mais reprise par René Tavernier (officiellement, à partir du numéro 7), la revue, qui sous-titre dès lors « Revue de la renaissance française », connaît une rapide évolution, attirant des auteurs hostiles au régime, au point d'être suspendue par Vichy d'août à octobre 1942 pour avoir publié « Nymphée », poème à clés d'Aragon*. Tavernier ainsi que nombre de collaborateurs de la revue seront par ailleurs membres du Comité national des écrivains* de zone Sud.

Le sommaire est de haute tenue : des essais signés J. Beaufret*, J. Guitton*, G. Marcel*, P. Ricœur*, J. Wahl* ; des études sur Chateaubriand (Martin-Chauffier*), le symbolisme (L. Rousset), le cubisme (Jean Chevalier), le mythe moderne (M. Fortuit) ; des poèmes d'Aragon, Éluard*, Desnos*, M. Jacob, Ponge*, Michaux, Guillevic*, A. Frénaud ; des traductions de Blake, Gogol, Hölderlin, Steinbeck, Rilke et G. Stein (les *Lettres* de Rilke et les *Autobiographies* de G. Stein paraîtront aux Éditions Confluences, qui publient également *Du mensonge* de Jankélévitch* et *Patagonie* de R. Caillois*) ; des numéros spéciaux en hommage à la Suisse (1942), à Valery Larbaud (1944), à Giraudoux* (1945), et un volume consacré aux « problèmes du roman » (1943) sous la direction de Jean Prévost.

Inaugurant dès la Libération une nouvelle série qui voit le jour à Paris, *Confluences* veut être un espace de la « liberté de l'esprit » propice à la création, mais qui n'écarte pas les responsabilités. Sartre* y publie son introduction aux *Écrits intimes* de Baudelaire qui traite du dandysme baudelairien comme réaction personnelle au problème de la situation sociale de l'écrivain. Voltaire est réactualisé sous la plume de Cassou* et de Benda* qui met en avant la conception de la patrie comme une communauté d'idéal reposant non pas sur une base ethnique mais sur un choix. J. Monnerot* publie une étude sur Nietzsche et J. Beaufret une longue critique de la notion d'« existentialisme ». La Libération voit croître aussi l'intérêt pour les littératures américaine et anglaise qu'illustrent des traductions (Hemingway).

Un numéro spécial sur Saint-Exupéry* annonce en 1947 une nouvelle série qui, tout en réitérant la volonté de rassembler des écrivains et des idées d'origines diverses au service d'un « humanisme moderne », adopte une formule « mieux adaptée aux exigences de l'époque » en se consacrant à des hommes et à des problèmes de l'heure. Au moins deux livraisons verront encore le jour avant la disparition définitive de la revue : un « bilan juif » préfacé par A. Spire où les racines de l'antisémitisme sont analysées sous divers angles, chrétien (Maritain*), marxiste (H. Lévy), psychanalytique (E. Hulton), national (le point de vue sioniste) ; et une enquête sur le communisme qui confronte les positions de R. Aron*, Benda, J.-T. Desanti*, Kanapa*, H. Lefebvre*, G. Martinet, Mounier*, D. Rousset*, R. Vailland*, Vercors*... La revue se sera également distinguée en réservant un tiers de son espace à des rubriques mensuelles (« mélanges », chroniques, « droits de l'homme », philosophie, romans, poésie, art, cinéma, revues).

Gisèle Sapiro

■ O. Corpet, « La revue », in J.-F. Sirinelli, *Histoire des droites en France*, t. 2, Gallimard, 1992. — P. Prudent, *Une revue culturelle dans les années noires : « Confluences » (1941-1944)*, mémoire, Lyon II, 1994. — R. Tavernier, « Une expérience littéraire entre 1941 et 1944 : *Confluences* », *La littérature française sous l'Occupation* (actes du colloque de Reims), Presses universitaires de Reims, 1989, pp. 129-135.

CONGAR (Yves)

1904-1995

Travailleur acharné, auteur d'une cinquantaine d'ouvrages et de très nombreux articles, Yves Congar est né à Sedan le 13 avril 1904 dans une famille de la petite bourgeoisie. Après des études au collège municipal de sa ville natale puis au petit séminaire de Reims, il entre au séminaire des Carmes à Paris (1921), fréquente les Maritain, choisit finalement l'ordre dominicain (1925). Au couvent d'études du Saulchoir*, il suit l'enseignement du Père Chenu* et découvre un Thomas d'Aquin historicisé plus proche de celui de Gilson* que de Jacques Maritain*. Professeur au Saulchoir de 1931 à 1954, il est un pionnier de l'œcuménisme, grande préoccupation de sa vie. Il fréquente les réunions interconfessionnelles organisées par Maritain et Berdiaev*, invite en 1934 au Saulchoir le protestant Karl Barth pour une rencontre avec Maritain, Gilson, Gabriel Marcel* et Denis de Rougemont*. Il participe aussi au renouveau de l'ecclésiologie et fonde en 1937 au Cerf la collection « Unam sanctam ». Son livre *Chrétiens désunis* y suscite déjà la méfiance de Rome. Prisonnier de guerre en 1940, il ne revient en France qu'après la Libération.

Rien ne destinait cette œuvre exigeante à sortir du cercle des spécialistes. Mais la réflexion du Père Congar se prolonge dans un engagement aux côtés des mouvements laïcs et du renouveau de l'apostolat (*Jalons pour une théologie du laïcat*, 1953), tandis que les foudres romaines attirent sur lui l'attention de l'opinion. Suspecté depuis *Vraie et fausse réforme dans l'Église* (1950), il fait partie des dominicains sanctionnés en 1954 lors de la condamnation des prêtres-ouvriers*. Il doit quitter le Saulchoir pour Jérusalem, puis Cambridge (1955), enfin Strasbourg où il demeure assigné jusqu'au Concile.

Surveillé de près par la censure, il n'en continue pas moins de travailler, et acquiert auprès de l'épiscopat français un magistère intellectuel qui fait de lui l'un des principaux théologiens experts à Vatican II. Le rôle essentiel qu'il y joue lui tient lieu de réhabilitation. Ainsi est-ce presque malgré lui que cet homme discret apparaît ensuite à l'opinion comme l'un des interprètes les plus autorisés de l'*aggiornamento* conciliaire. Revenu au Saulchoir où il demeure jusqu'à son transfert à l'institution des Invalides en 1984, il participe à la fondation de la revue *Concilium* (1965). Affaibli par une maladie neurologique évolutive, dont les premières atteintes se firent sentir dès 1935, il suit avec attention l'évolution de l'Église, plus consensuel et prudent que le Père Chenu mais aussi attaché que lui à défendre l'héritage de Vatican II. L'accession au cardinalat à l'automne 1994 témoigne de l'estime de Jean-Paul II pour ce théologien parfois critique à l'égard de son pontificat. Il meurt à Paris le 22 juin 1995.

Denis Pelletier

■ *Chrétiens désunis : principes d'un « œcuménisme » catholique*, Cerf, 1937. — *Vraie et fausse réforme dans l'Église*, Cerf, 1950. — *Jalons pour une théologie du laïcat*, Cerf, 1953. — *Vatican II. Le Concile au jour le jour*, Cerf, 1963-1966, 4 vol. — *Une passion, l'unité. Réflexions et souvenirs (1929-1973)*, Cerf, 1974. — *La Crise de l'Église et Mgr Lefebvre*, Cerf, 1976. — *Église et papauté*, Cerf, 1994.

▒ E. Fouilloux, *Les Catholiques et l'unité chrétienne du XIXe au XXe siècle*, Centurion, 1982. — J.-P. Jossua, *Le Père Congar. La théologie au service du peuple de Dieu*, Cerf, 1967. — *Jean Puyo interroge le Père Yves Congar*, Centurion, 1975.

CONGRÈS INTERNATIONAUX

La transition entre deux époques, celle de la communication cosmopolite des écrivains et savants de la république des lettres du XVIIIe siècle et celle des relations institutionnalisées entre communautés savantes nationales, s'opère pendant un long XIXe siècle. Symptômes de cette transformation, les premiers congrès internationaux apparaissent au milieu du siècle, et se multiplient de façon spectaculaire : 26 congrès se réunissent dans le monde au cours de la décennie 1850-1859, près de 1350 au cours de la décennie 1900-1910. Parmi ces congrès, bon nombre se tiennent en France, désignant Paris comme capitale mondiale des réunions internationales — un rang qui fut conservé sans conteste jusqu'à la Première Guerre mondiale*. Loin derrière arrivent Bruxelles et Londres, plus loin encore Berlin, Vienne, Genève, Anvers, Berne, Liège, Rome... L'importance du rôle de Paris s'explique indéniablement par son rayonnement culturel ; il faut y ajouter l'influence des Expositions universelles*, fréquemment tenues à Paris (1878, 1889, 1900), qui suscitèrent en leur enceinte une multitude de congrès, dans leur projet encyclopédique d'embrasser la somme des connaissances humaines.

Le premier mouvement coopératif international est issu des conventions entre États, signées au cours de conférences réunissant les délégués administratifs de pays souhaitant collaborer sur le plan fonctionnel : les questions douanières, sanitaires, techniques ou humanitaires y sont à l'ordre du jour, en vue d'adopter des résolutions à valeur normative. À partir de ce précédent, de caractère gouvernemental, se développe dans les années 1870 l'idée d'échanges de savoirs, normalisés et étendus à une communauté internationale. Cette conception est rendue possible par le contexte intellectuel de la fin du siècle : nostalgie d'une mythique unité des connaissances, foi dans le progrès illimité d'une science fondée sur l'accumulation continue des savoirs, militantisme internationaliste célébrant l'universalité de la science. L'esprit ne saurait connaître de frontières. Les disciplines, au gré des différentes étapes de leur institutionnalisation (reconnaissance universitaire, création de sociétés savantes, de revues), organisent ainsi leur congrès : médecine 1867, géographie 1871, orientalisme 1873, anthropologie, ethnographie, géologie, lettres 1878, électricité 1881, zoologie 1889, mathématiques 1893, sciences historiques 1898, philosophie 1900, physique 1900, musique 1904, archéologie classique 1905, parmi d'autres exemples.

Cette émergence presque systématique répond à un objectif proclamé : élaborer à l'occasion des congrès une œuvre de référence qui constituera à l'avenir la pierre angulaire de la discipline. Cette œuvre est d'abord une somme, bilan des connaissances à une date donnée, inventaire synthétique et volumineux qui s'apparente à une vulgate officielle. Le congrès est ensuite l'instrument de la standardisation de la discipline. Quel qu'en soit le sujet, les congrès, qui se divisent en séance plénière et sections spécialisées, consacrent leur réflexion à l'adoption de références et de méthodes communes. C'est l'objet des sections de bibliographie, terminologie, nomenclature, statistique, cartographie, histoire de la discipline, législation… En conséquence, les congrès sont par essence pluridisciplinaires et leur fonctionnement témoigne de la circulation des savoirs dans des disciplines aux frontières encore peu rigides.

Au cours de la première décennie du XXe siècle, la procédure des congrès se codifie : organisation du bureau du congrès, qui survit à chaque session pour la préparation des suivantes, commission d'organisation qui détermine l'ordre du jour. Les travaux préliminaires gagnent en importance, la prise de parole est normalisée. Les structures permanentes du congrès, le rôle de direction et d'orientation des organisateurs, sont mis en valeur au détriment de la simple diffusion et discussion des connaissances qui s'accomplit pendant l'éphémère déroulement du congrès. L'impact des débats et controverses en congrès est ainsi réduit, ou du moins contrôlé, et tempéré par l'adoption de vœux et résolutions, qui expriment la majorité. L'idéal des congrès est de se perpétuer en association internationale durable : la plupart des disciplines connaissent cette évolution avant 1914.

Les congrès renouvellent enfin, au tournant du siècle, les modes de sociabilité savante : ces « collèges visibles » se substituent aux traditionnelles relations épistolaires, et sont à l'origine de fréquentes rencontres inédites, entre individus, écoles nationales ou groupes de pensée. La langue de communication est encore le français dans tous les congrès parisiens, mais la question d'une « langue auxiliaire », comme l'espéranto, est plus que jamais évoquée. À l'issue des sessions, qui rassemblent de 50 à 2 000 adhérents, le travail trouve un prolongement dans des fêtes protocolaires, des banquets et surtout dans de multiples visites : quand « le congrès s'amuse », au musée, sur le terrain ou au laboratoire, il inaugure le tourisme intellectuel et encourage de nouvelles pratiques savantes.

Au-delà de la Grande Guerre, s'ouvre un autre âge des congrès internationaux. La spécialisation des savoirs et la division scientifique du travail de recherche a définitivement pris le dessus sur les grands thèmes généralistes. L'heure n'est plus aux messages unanimistes sur l'organisation internationale des connaissances. De nouveaux pôles géographiques, les États-Unis en tête, prennent le relais de la vieille Europe. Si l'entre-deux-guerres n'est guère favorable aux rencontres internationales — il y manque l'enthousiasme diplomatique, et bien souvent le libéralisme politique nécessaire —, le second après-guerre connaît une reprise du phénomène selon une courbe à croissance exponentielle. Pourtant, s'il se tient près de 10 000 congrès par an dans le monde des années 90, cela ne témoigne pas d'une communication intellectuelle internationale plus poussée qu'au début du siècle : devenues des enjeux dans la quête de légitimation scientifique, objets de concurrence entre institutions et entre villes de congrès, les sessions sont désormais beaucoup plus atomisées, de sorte qu'il n'existe plus de centres bien identifiés, autour desquels se construisait auparavant toute une structuration savante. Il se réunit ainsi à la fin du XXe siècle moins de congrès à Paris qu'en 1900. Éparpillés géographiquement, les congrès sont aussi le reflet d'une *épistémê* éclatée dans de multiples champs disciplinaires extrêmement spécialisés et cloisonnés. Les anciennes sections ont pris leur autonomie, sont devenues des congrès à part entière qui n'autorisent plus de vision synthétique des disciplines. Les revues proposent une expertise et une validation de la science qui se substituent au grand œuvre des comptes rendus de congrès. Devenus un mode d'échange parmi d'autres, les congrès de la fin du XXe siècle souffrent à la fois — et de manière contradictoire — d'une totale banalisation de la circulation internationale d'informations et d'un repli sur soi des savoirs en communautés nationales : ils ont perdu leur importance fondatrice dans la communication intellectuelle moderne.

Anne Rasmussen

■ C. Prochasson, *Les Années électriques (1880-1910)*, La Découverte, 1991, pp. 223-250. — « Les congrès, lieux de l'échange intellectuel (1850-1914) », numéro thématique de *Mil neuf cent, revue d'histoire intellectuelle*, 7, 1989. — « Les congrès scientifiques internationaux », numéro thématique de *Relations internationales*, 62, été 1990.

Congrès pour la défense de la culture

Le premier de ces congrès s'est tenu du 21 au 25 juin 1935 à Paris. Gide* avait rédigé l'appel au congrès, à partir d'un texte de Jean-Richard Bloch*. Les organisateurs, Aragon*, Blech, Guilloux*, Malraux*, Moussinac, Nizan*, Vaillant-Couturier*, avec l'Allemand Becher et les Soviétiques Ehrenbourg et Koltsov, arrivaient à rassembler des signataires aux opinions les plus diverses (Alain*, Barbusse*, Cassou*, Dabit*, Élie Faure*, Giono*, Margueritte*, Romain Rolland*). Auparavant, Barbusse avait essayé d'organiser, en automne 1934, après consultation avec Staline, une Union universelle des écrivains sociaux, plus strictement politique. Élie Faure aurait voulu ouvrir le congrès à la question de la civilisation technique. Près de 90 écrivains, venus de 20 pays, parlèrent à la Mutualité — parmi eux Babel, Brecht, Gide, Huxley, Heinrich Mann, Musil, Pasternak et Seghers*. Le suicide de Crevel*, membre du comité d'organisation, pesa sur les débuts du congrès. Crevel était lié à Breton*, qui s'était vu interdit de parole au congrès pour avoir agressé physiquement l'écrivain soviétique Ehrenbourg. Les circonstances permirent à Éluard* de lire le texte préparé par Breton. Magdeleine Paz, protégée par Malraux, président de séance, assistée par Plisnier, Poulaille* et quelques autres, demanda après Salvemini la libération de Victor Serge*, ce qui provoqua une vive agitation. Les célébrités rassemblées et les critiques envers les organisateurs n'assurèrent pas cependant à elles seules la légende du congrès. Celle-ci tient aux espoirs humains et aux luttes sociales du moment : le Front populaire semblait encore pouvoir changer la vie, l'Union soviétique promettait encore une société sans crises économiques et aux progrès culturels continus, l'agression allemande ne commençait qu'à poindre à l'horizon. La culture à défendre était celle, renouvelée, des Lumières — avec la critique des pouvoirs, la clarté et l'engagement de la pensée, l'éducation et l'action intellectuelles et morales des masses, l'idée de faire progresser les structures sociales vers plus de liberté et de justice pour l'individu. Défendre cette culture se voulait activité offensive. On discutait du marxisme comme d'un humanisme possible, et les communistes en passe de renvoyer leur sectarisme politique et littéraire d'autrefois étaient des partenaires acceptés.

L'Association internationale des écrivains pour la défense de la culture, fondée à l'issue du congrès de la Mutualité, avait dès le début des correspondants dans 19 pays. Ses premières assises, tenues à Londres du 19 au 23 juin 1936, se proposèrent l'édition d'une nouvelle *Encyclopédie* — esquissée dans ses grandes lignes par Malraux. La guerre d'Espagne*, les procès de Moscou, la crise du Front populaire, le réarmement de plus en plus menaçant de l'Allemagne stoppèrent cet élan. Aragon, secrétaire général de l'Association depuis Londres, Tzara*, président du Comité pour la défense de la culture espagnole à partir de janvier 1937, et leurs camarades, ne pouvaient plus empêcher le déclin des grands espoirs ni les ruptures parmi les congressistes de 1935. Les écrivains soviétiques et les allemands se tenaient à l'écart. Il en allait autrement aux États-Unis (avec la League of American Writers), en Amérique latine et en Espagne, où le IIe Congrès pour la défense de la culture put se tenir à Valence, Madrid et Barcelone, du 4 au 11 juillet 1937, avant de se terminer à Paris les 16 et 17 juillet. Mais, en dehors de l'Espagne républicaine en guerre, ni l'éventail des participants et des problèmes traités, ni l'écho public n'étaient plus comparables à ceux de 1935. Une dernière conférence eut lieu à Paris le 25 juillet 1938. L'idée d'un troisième congrès en 1939, à Mexico et à New York, se brisa sur l'opposition de Moscou : ses archives gardent les copies des lettres de Fadeïev à Aragon faisant allusion à la présence de Trotski au Mexique et versant en même temps 50 000 francs au fonds d'aide aux intellectuels espagnols exilés après la victoire franquiste. Dans l'histoire concrète de ces congrès, les éléments de leur légende étaient réunis.

Wolfgang Klein

■ M. Aznar Soler et L.M. Schneider (dir.), *II Congreso internacional de escritores para la defensa de la cultura (1937)*, Valence, Generalitat Valenciana, 1987. — W. Klein (dir.), *Paris 1935. Erster Internationaler Schriftstellerkongreß zur Verteidigung der Kultur*, Berlin, Akademie-Verlag, 1982. — *Conférence extraordinaire tenue à Paris le 25 juillet 1938*, Denoël, 1938.

Congrès pour la liberté de la culture

Le Congrès pour la liberté de la culture est un vecteur transnational de la diplomatie des idées conduite par les États-Unis à partir du déclenchement de la Guerre froide*. L'initiative a un double foyer politico-intellectuel new-yorkais et berlinois. À New York, un American Committee for Cultural Freedom (appuyé sur une revue des années 30, la *Partisan Review*, une jeune revue liée à l'American Jewish Committee, *Commentary*, et un organe menchevik, le *New Leader*) est mis sur pied pour répondre aux offensives politiques et idéologiques du mouvement communiste international aux États-Unis. Puis, quelque temps après, un Kongress für Kulturell Freiheit est organisé à Berlin dans la zone d'occupation américaine par la revue *Der Monat*, en étroite coopération avec le bourgmestre social-démocrate de la ville, Ernst Reuter. À l'issue de cette manifestation, un embryon d'organisation est constitué autour d'un comité exécutif de cinq membres : Irving Brown, Arthur Koestler, David Rousset*, Ignazio Silone, Carlo Schmid, rejoints à l'automne par Raymond Aron*, Georges Altmann, Haakon Lie, Nicola Chiaromonte, T.R. Fyvel. C'est également à l'automne 1950 que Denis de Rougemont* est choisi pour présider ce premier comité exécutif. Au printemps 1951, le secrétariat international de la nouvelle organisation est définitivement installé à Paris et il est confié à deux anciens officiers des services culturels de l'armée américaine stationnés à Berlin : le compositeur Nicolas Nabokov et Michael Josselson.

Le Congrès s'assigne quatre missions : défendre la liberté de la culture ; affirmer en permanence les valeurs de la civilisation occidentale ; lutter contre les doctrines totalitaires et leurs conséquences ; développer une organisation mondiale groupant les intellectuels dans une coopération constructive sur un programme antitotalitaire. Il fonde son action sur le développement d'un réseau intellectuel de haut niveau visant à exercer son influence par la qualité et le rayonnement des opérations qu'il monte. Au cours de la décennie 50, cette action se déploie à travers trois programmes. En 1952, le coup d'envoi d'un programme d'action artistique est donné par l'organisation à Paris d'un Festival international des arts, « L'Œuvre du XXe siècle ». D'autre part, un programme de publication débouche rapidement sur la création d'un réseau international de revues. Au début de la décennie 60, le Congrès pour la liberté de la culture soutient ainsi directement ou indirectement une vingtaine de revues en Europe, Asie du Sud-Est, Afrique, Amérique latine, Australie. La revue phare de cet ensemble est la revue anglo-américaine *Encounter* éditée à Londres. En Europe, outre *Encounter*, les revues associées au Congrès sont *Der Monat* en République fédérale d'Allemagne, *Preuves** en France, *Forum* en Autriche, *Tempo presente* en Italie. Ce sont elles qui constituent la véritable épine dorsale du Congrès pour la liberté de la culture. Enfin, le troisième programme concerne enfin la mise sur pied de séminaires internationaux. Ce volet se développe considérablement après une grande réunion internationale organisée en 1955 à Milan et consacrée à « L'avenir de la liberté ».

Politiquement, le Congrès pour la liberté de la culture agrège des intellectuels libéraux, sociaux-démocrates et conservateurs. À l'origine, dans la période chaude de la Guerre froide, les écrivains des années 30 qui avaient embrassé puis répudié le communisme, tels Arthur Koestler, Manès Sperber, Stephen Spender ou Ignazio Silone, incarnent l'esprit de l'entreprise. Puis, avec l'évolution des relations internationales et l'intérêt porté aux problèmes politiques et sociaux des sociétés industrielles, les références se déplacent vers de grands intellectuels libéraux comme Raymond Aron en France ou Michael Polanyi en Grande-Bretagne. C'est cependant au moment où le Congrès pour la liberté de la culture atteint sa plus grande extension, entre 1964 et 1966, qu'il entre dans une phase de turbulence et de déstabilisation. En effet, à l'occasion d'une enquête parlementaire sur l'utilisation des fondations comme outil d'évasion fiscale, l'Amérique découvre que la CIA utilise elle aussi des fondations au service de la politique étrangère américaine. Le Congrès pour la liberté de la culture est une des organisations qui a bénéficié de ce montage. Cette découverte, qui coïncide avec la guerre du Vietnam* et la radicalisation des milieux intellectuels américains, conduit à une crise politique et morale de grande ampleur où *Encounter*, la revue la plus en vue du dispositif, se retrouve dans l'œil du cyclone.

Le Congrès pour la liberté de la culture ne peut plus, à l'évidence, fonctionner sur les mêmes bases. Michael Josselson, qui au secrétariat international assurait le contact avec la CIA, prend publiquement sur lui le « péché d'origine » en assurant que les écrivains, les journalistes et les universitaires associés à l'entreprise avaient toujours joui de la plus entière liberté. Parallèlement, ne voulant pas voir détruit un tel capital intellectuel constitué au cours des deux dernières décennies, la Fondation Ford décide de prendre entièrement à sa charge pour cinq ans le financement d'une Association internationale pour la liberté de la culture. Le directeur de la division internationale de la Fondation, Shepard Stone, est chargé d'organiser cette Association. Allan Bullock, un universitaire anglais, devient le nouveau président de son comité exécutif, et le poète français Pierre Emmanuel* son nouveau directeur.

Dans le cadre de cette réorganisation, les revues doivent trouver elles-mêmes un financement, l'Association conservant essentiellement à sa charge le programme des séminaires. Dans les faits, les principales revues européennes du Congrès soit disparaissent *(Tempo presente)*, soit changent de nature *(Preuves)*, soit s'étiolent *(Der Monat)*. Une page est tournée. Arrivée au terme de l'engagement initial de la Fondation Ford, l'Association entre dans une phase accélérée de déclin, pour disparaître juridiquement en 1978.

Pierre Grémion

■ P. Coleman, *The Liberal Conspiracy. The Congress for Cultural Freedom and the Struggle for the Mind of Post War Europe*, New York, The Free Press, Mac Millan. — P. Grémion, « Berlin 1950. Aux origines du Congrès pour la liberté de la culture », *Commentaire*, n° 34, été 1986 ; *Intelligence de l'anticommunisme. Le Congrès pour la liberté de la culture à Paris (1950-1975)*, Fayard, 1995.

CONTADOUR (le)

L'entreprise du Contadour, plus importante par son rayonnement que par sa réalité matérielle, a surgi accidentellement, d'un enthousiasme né de la lecture d'un roman : *Que ma joie demeure*. En juillet 1935, Jean Giono* songe à emmener en Haute-Provence, pour une randonnée pédestre de plusieurs jours, une quarantaine d'ajistes et d'amis.

Partie de Manosque, la caravane parvient le 2 septembre au minuscule hameau du Contadour, à 1 100 mètres, au pied des crêtes qui bornent la Provence au nord. Les marcheurs sont de capacité inégale. Giono se froisse le genou (ou fait semblant), et l'on décide de rester là, sur le plateau austère, très sec, sans cesse venté, mais exaltant par son espace qui s'ouvre de la montagne de Lure au Ventoux et au Lubéron. Les campeurs y restent près de quinze jours. Enthousiasmés, ils renouvellent l'expérience, à Pâques et en fin d'été, pendant quatre ans jusqu'en 1939. Achat immédiat d'une petite maison, dite « le Moulin », puis, en 1937, d'une ferme voisine plus vaste, « les Graves ». Il se crée une revue, *Les Cahiers du Contadour* : sept numéros substantiels de juillet 1936 à mars 1939. Giono et son ami Lucien Jacques, poète et peintre, sont directeurs. Cent cinquante abonnés au début ; le millier ne sera jamais atteint. Mais des périodiques importants lui font de la réclame. Des écrivains et journalistes viennent voir.

Des bruits fantastiques se répandent. L'un : les contadouriens font retour à la terre, alors qu'il ne s'agit que de rencontres de vacances. L'autre : le séjour est très cher, Giono y fait fortune ; en fait, la cotisation couvre juste les frais d'une nourriture simple, et Giono paie de sa poche les réparations indispensables. Le plus grave : Giono est un gourou qui dispense un enseignement, joue les mages, mène une secte, alors que, s'il exprime ses idées comme d'autres, jamais il ne prêche, et garde toujours une totale simplicité d'attitude. La vérité est autre. Les participants — entre vingt et cent — comprennent beaucoup d'intellectuels, d'enseignants, d'étudiants, et peu de manuels. Le Contadour, lieu de paix, est certes un foyer de pacifisme à une époque de menace. On parle bien sûr de guerre. Mais l'essentiel est une vie libre et rayonnante. Aucune organisation contraignante. Pas de dates fixes d'arrivée ou de départ (Giono n'est pas toujours là, et le grand mainteneur discret est Lucien Jacques). Pas de formulaires d'inscription. À part les obligations matérielles (ravitaillement, cuisine), chacun participe ou non, comme il l'entend, aux activités : promenades, veillées, lectures, écoute de musique classique, de Monteverdi à Haydn (parfois Beethoven), avec Bach et Mozart comme sommets. L'atmosphère est si allègre et fraternelle que la plupart en resteront marqués.

La guerre de 1939 met fin au rêve. Tous se dispersent. Le Contadour ne se reconstituera jamais. Giono minimisera injustement l'importance de cet épisode, qui n'a guère marqué son œuvre : la guerre a eu lieu, l'utopie à tonalité lyrique s'est écroulée. Reste le souvenir d'un moment de lumière vivante, presque hors du temps, dans une période sombre.

Pierre Citron

■ *Les Cahiers du Contadour*, 1936-1939.
▒ A. Campozet, *Le Pain d'étoiles Giono au Contadour*, P. Fanlac, 1980. — P. Citron, *Giono*, Seuil, 1990. — L. Heller-Goldenberg, *Jean Giono et le Contadour*, Les Belles Lettres, 1972. — J. Rovan, « Le Contadour », in O. Barrot et P. Ory (dir.), *Entre deux guerres*, François Bourin, 1990.

COPEAU (Jacques)

1879-1949

Jacques Copeau fut, à trente-quatre ans, le rénovateur du théâtre français. La création du Vieux-Colombier en 1913 frappa les trois coups d'un renouveau qui, à travers Dullin, Jouvet, Dasté, Vilar*, Barrault, etc., balaya le siècle. Mais Copeau ne fut pas uniquement un metteur en scène, un théoricien et un formateur mondialement reconnu ; il fut aussi un infatigable artiste baladin du monde des lettres.

« Le Patron » naquit dans une famille de petits industriels, en février 1879 à Paris. Armé d'une licence de lettres, son ambition initiale fut d'écrire. Pour gagner sa vie, il tenta un temps de gérer l'entreprise familiale dans les Ardennes. Bien vite il revint à Paris où un poste dans une galerie d'art lui permit de consacrer ses loisirs à l'écriture. Il devint critique littéraire et dramatique (*L'Ermitage*, *Le Théâtre*, *Le Figaro**, etc.). Jacques Rouché, après avoir accueilli le critique dans sa *Revue d'art dramatique*, ouvrit son théâtre à l'auteur Copeau pour l'adaptation des *Frères Karamazov* qui eut un grand succès. Auparavant, Copeau avait fait la connaissance d'André Gide*. De leur amitié naquit en 1908 (avec l'aide de Jean Schlumberger et d'André Ruyters) *La Nouvelle Revue française**. D'abord membre de la direction collective, Copeau devint seul directeur en titre (1912), poste qu'il quitta lorsque vint le temps de fonder le Vieux-Colombier (1913), prévu pour être la vitrine théâtrale de la *NRF*.

Hostile au théâtre de boulevard, commercial, et recherchant l'illusion dans des sujets légers, il réclama « un tréteau nu » afin d'y placer, au centre, l'acteur et le texte. La première saison (1913-1914) s'acheva sur un triomphe avec *La Nuit des rois* de Shakespeare ; la guerre vint interrompre l'aventure. L'unique saison lui avait déjà assuré une renommée internationale. En 1915, Copeau voyagea ; il rencontra le théoricien anglais Gordon Craig en Italie, puis Adolphe Appia l'accueillit en Suisse. En 1917, l'État l'appela pour effectuer aux États-Unis, non encore engagés dans le conflit mondial, une tournée de « propagande culturelle ». Il y demeura deux ans (1917-1919) et y développa ses talents multiples de metteur en scène, conférencier et conteur (ses « lectures » sont demeurées célèbres tout au long de sa carrière). De retour en France, la troupe, sans Dullin, reprit son activité au Vieux-Colombier durant quatre saisons. Insatisfait, en quête d'une « nouvelle comédie », Copeau décida en 1924 d'effectuer, entouré de disciples, une retraite en Bourgogne. Ce fut une importante expérience de décentralisation dramatique en milieu rural : celle des « Copiaus » (1924-1929) du nom que les paysans avaient attribué aux compagnons de Copeau.

À ses yeux, ses plus grandes réussites dans la recherche d'un théâtre exigeant et populaire furent les spectacles de Florence (1933) et de Beaune (1943). Spectacles de plein air où la communion dramatique renouait avec les traditions athéniennes et médiévales dont Copeau, le chrétien (il s'était converti vers 1926), gardait la nostalgie. En 1936, il fut appelé à réaliser des mises en scènes à la Comédie-Française accompagné de trois des membres du Cartel (Baty, Dullin, Jouvet). Consécration officielle d'un mouvement d'« avant-garde ». Puis Copeau prit la direction du Français de mai à décembre 1940 au milieu de grandes convulsions historiques ; premier metteur en scène, et longtemps le seul, à accéder à ce poste. Candidat de Vichy mais refusé par les occupants, il dut démissionner en janvier 1941. Il regagna alors sa retraite bourguignonne. Il y écrivit une sorte de « testament théorique » (*Le Théâtre populaire*, PUF, 1941), y réalisa son dernier spectacle (Beaune, 1943) et y acheva sa dernière pièce sur la vie de saint François d'Assise (*Le Petit Pauvre*).

Avec Jacques Copeau, nous atteignons les confins de la notion d'intellectuel telle qu'elle est entendue dans ce dictionnaire. Il n'a pas eu à proprement parler d'engagement politique dans la Cité, mais son apport (NRF, Vieux-Colombier, théâtre populaire*) fut tel et ses filiations si importantes (Dullin, Jouvet, Vilar, Mnouchkine*) qu'il est impossible de l'ignorer. Il mourut en 1949, laissant derrière lui une œuvre écrite d'une abondance surprenante (journal, articles, pièces, etc.). Il avait côtoyé les plus grands noms de la littérature et des arts de son temps et laissé l'empreinte de l'œuvre théâtrale la plus marquante du siècle.

Serge Added

■ *Les Registres*, Gallimard, 1974-1984, 4 vol. — *Journal* (avec une bibliographie complète de Jacques Copeau), Seghers, 1991, 2 vol.

▒ S. Added, *Le Théâtre dans les années-Vichy : 1940-1944*, Ramsay, 1992. — C. Borgal, *Jacques Copeau*, L'Arche, 1960. — M. Kurtz, *Jacques Copeau, biographie d'un théâtre*, Nagel, 1950.

COPPÉE (François)

1842-1908

Poète et dramaturge très populaire à la fin du XIXe siècle, François Coppée est aujourd'hui presque oublié. C'est sans doute parce qu'il n'a pas su résister aux sirènes de la renommée : le Parnassien novateur des débuts s'est ainsi peu à peu transformé en une sorte d'intellectuel de salon, académique et empesé. Mais c'est surtout parce que son engagement dans l'antidreyfusisme, puis dans la droite nationaliste, ont singulièrement terni la postérité du « poète des humbles ».

Né à Paris le 26 janvier 1842, il est le huitième et dernier enfant d'Alexandre Coppée, commis principal au ministère de la Guerre. Élève médiocre au lycée Saint-Louis, il commence lui aussi une carrière d'employé modèle, mais sa passion pour la poésie le pousse à rencontrer Catulle Mendès, en 1863. Ce dernier l'introduit dans les salons littéraires et surtout dans le groupe des poètes Parnassiens, admirateurs de Baudelaire et de Leconte de Lisle. Ses deux premiers recueils poétiques, publiés par l'éditeur Lemerre (*Le Reliquaire*, 1866, et *Les Intimités*, 1868) restent relativement confidentiels. S'il accède à la notoriété en janvier 1869, c'est grâce à une comédie en vers, *Le Passant*, interprétée par Sarah Bernhardt. C'est pourtant dans son œuvre poétique que se manifeste la véritable originalité de François Coppée : *Les Humbles* (1872), *Promenades et intérieurs* (1872), *Le Cahier rouge*

(1874), *Esquisses parisiennes* et *Paris vécu* (1882) reflètent sa profonde compréhension du petit peuple parisien et des émotions du quotidien. Au sein du *Parnasse contemporain*, il est par excellence le poète des faubourgs et des gens modestes.

En revanche, ses drames historiques (*Le Luthier de Crémone*, 1876, *Les Jacobites*, 1885, *Pour la Couronne*, 1895) ne s'évadent pas d'un romantisme très académique. Il leur doit pourtant son élection à l'Académie française* en février 1884. Bonapartiste et revanchard, il se décrit lui-même dans ses chroniques du *Journal*, comme un « socialiste sentimental » et « réactionnaire », « partisan du bon Dieu et du drapeau ». Les crises et les scandales qui secouent le régime depuis 1885 n'ont fait qu'aviver son antiparlementarisme. Puis, en juin 1897, après avoir frôlé la mort, il se convertit au catholicisme. Le voilà mûr pour l'antidreyfusisme. C'est ainsi qu'il va s'opposer au « J'accuse », dont son ami Zola* lui a pourtant accordé la primeur. Fin décembre 1898, il accepte même la présidence d'honneur de la Ligue de la patrie française, présidée par son ami, le critique Jules Lemaître*, et qui rassemble les intellectuels antidreyfusards (vingt-trois académiciens, des dizaines de membres de l'Institut, des centaines de professeurs d'université y adhèrent). Dès lors, le poète se fait aussi tribun : au soir de l'élection du président Loubet, le 18 février 1899, on le trouve aux côtés de Paul Déroulède, haranguant la foule contre le parlementarisme honni. Puis il intervient au procès du « poète de la Revanche », accusé d'avoir fomenté un coup d'État.

Il fait ensuite campagne pour la Ligue de la patrie française aux élections municipales de mars 1900 et aux législatives d'avril-mai 1902. Mais ses excès antirépublicains et cléricaux finissent par provoquer son exclusion, car la Ligue est soucieuse du respect de la légalité républicaine. S'il ne rejoint pas l'Action française*, ses dernières œuvres (*Dans la prière et dans la lutte*, 1901, *Contes pour les jours de fête*, 1903, *Vers français*, 1906) sont imprégnées de la mystique nationaliste. Il meurt le 23 mai 1908, moins d'une semaine après sa sœur aînée, qui lui servait de gouvernante.

Jean Garrigues

■ *Œuvres complètes*, Lemerre, 1891-1893, 3 vol. — *Nouvelles et contes (1862-1906)*, Lemerre, 1921. — *Œuvres*, Éd. d'Aujourd'hui, 1979, 2 vol.

■ C. Charle, « Champ littéraire et champ du pouvoir : les écrivains et l'affaire Dreyfus », *Annales*, mars-avril 1977. — L. Le Meur, *La Vie et l'œuvre de François Coppée*, SPES, 1932. — J.-P. Rioux, *Nationalisme et conservatisme. La Ligue de la patrie française (1899-1904)*, Beauchesne, 1977. — Z. Sternhell, *La Droite révolutionnaire. Les origines françaises du fascisme (1885-1914)*, Seuil, 1978.

CORBIN (Henry)

1903-1978

Né en 1903 à Paris dans un milieu catholique, Henry Corbin suivit d'abord le cursus d'un garçon de bonne famille : études secondaires dans une école « libre », grand séminaire d'Issy, puis la « Catho » où il obtint en 1923 une licence de philosophie scolastique. Il n'allait pas cesser par la suite d'accumuler les connaissances les plus approfondies dans les domaines des métaphysiques et des théologies tant occidentales qu'orientales, tout en se rapprochant du protestantisme barthien. Avec des maîtres comme Étienne Gilson* et Joseph Baruzi, il se forge en effet une vision du monde dissidente tant à l'égard de la « Sorbonne » laïciste que de l'orthodoxie catholique, méfiante des infiltrations romantiques ou non occidentales. Comme beaucoup d'intellectuels de sa génération, le jeune Corbin est fasciné par la tradition gnostique que redécouvrent alors les érudits (Henri-Charles Puech, Guillaume Faye). C'est justement le cas de deux personnages hors série qu'il rencontre lorsqu'il est nommé en novembre 1928 au département des manuscrits orientaux de la Bibliothèque nationale. Comme lui, en effet, Arnaud Dandieu* et Georges Bataille* sont passionnés de phénoménologie allemande et de la recherche des fondements « sacrés » du monde moderne, oubliés et occultés par la science officielle. Car le jeune érudit ne vit pas seulement avec Hamann ou les disciples iraniens d'Avicenne, qu'il lit alors avec passion, mais dans les combats du siècle, où il retrouve le gratin « non conformiste » de ces « années tournantes ». En 1930, il est président des Associations chrétiennes d'étudiants (protestants), en 1933 fondateur du journal barthien *Le Semeur*. En 1935, avec un certain Alexandre Kojevnikov, plus connu ultérieurement sous le nom d'« Alexandre Kojève »*, il traduit un livre d'Henri de Man, *L'Idée socialiste*.

Au café d'Harcourt, au coin du boulevard Saint-Michel et de la place de la Sorbonne, notre homme a fréquenté aussi Groethuysen*, Queneau*, Alexandre Koyré*, avec qui il collaborera aux *Recherches philosophiques*, organe de l'avant-garde philosophique tournée vers l'Allemagne phénoménologico-existentielle. Corbin aura été un pionnier de la découverte de ce continent métaphysique en France, puisque, dès 1929, il traduira des fragments de l'*Introduction à la métaphysique* de Martin Heidegger, alors inconnu de ce côté-ci du Rhin.

Si l'on ajoute à tout cela les nombreux séjours de Corbin en Allemagne, sans compter son militantisme aux « Amis de l'Orient », aux côtés de Louis Massignon*, et la persistance de son engagement théologico-politique (il sera, en 1931, du groupe *Hic et Nunc**, où l'on trouvait, entre autres, Denis de Rougemont*), il faut reconnaître que cet homme se trouve, à trente ans à peine, au carrefour de plusieurs grands mouvements intellectuels et politiques, avant même d'avoir acquis la grande réputation scientifique qui sera la sienne.

Installé dans cette position de « passeur », il y restera toute sa vie. En effet, son passage de l'herméneutique protestante à l'existentialisme, puis de ce dernier à la mystique chiite, ne sera pas une aventure spirituelle singulière, mais un des principaux moments d'un antimodernisme occidental qui va chercher en Orient le remède à sa propre « amnésie ». Il ne s'agit pourtant pas d'une autre version du « guénonisme », ne serait-ce que parce que Corbin, reconnu par l'Université, évite le prophétisme, et préfère l'action du savant à celle du prophète. Son influence métapolitique n'en sera pas moins considérable, en « Occident » et en « Orient ».

En Europe, Corbin, qui succédera à Massignon (1954) dans sa chaire de la Ve Section (« sciences religieuses ») de l'École pratique des hautes études, va faire partie d'un réseau international de savants, de philosophes, de théologiens dont l'ambition proclamée est de « réenchanter » le monde en lui rendant sa mémoire théologique et mythique. Dans le cercle « Eranos » en effet, qui se réunit à Ascona

(Suisse) depuis 1933 — Corbin lui-même n'y sera coopté qu'en 1949 — on trouve aussi bien C.G. Jung que Mircea Eliade, Gershom Scholem que le maître zen D.T. Suzuki, et bien d'autres, réunis autour d'une mécène, Mme Fröbe-Kapteyn, par le *spiritus rector* du lieu, le phénoménologue de la religion Rudolf Otto. Corbin sera aussi à l'origine de l'université « Saint-Jean de Jérusalem », autre groupe œcuménique voué à la Gnose. Du côté oriental, c'est à travers les leçons de Corbin à Téhéran que toute une jeunesse persane ressaisira ses « racines » spirituelles. Les conséquences sur la genèse des idées « heideggero-islamiques » en seront incalculables. Corbin, qui mourra en 1978 en pleine révolution khomeiniste, en sera, semble-t-il, le premier surpris... Mais il y a une logique profonde à ce que les réélaborations occidentales de la Tradition iranienne, heideggeriennes ou guénoniennes, connaissent un usage politique explosif pour justifier la rupture avec l'Occident. Ainsi Corbin connut un destin « révolutionnaire » en Orient. Paradoxes de l'antimodernisme ? Moins qu'il n'y paraît, peut-être, dans la mesure où le propos fondamental de l'historien-théologien aura été de conjurer la « catastrophe averroïste » du XIIe siècle pour ressusciter Sohravardi, philosophe oublié qui voulut ressourcer l'islam iranien à son fonds zoroastrien. Ce faisant, on voit que les passerelles que certains ont voulu lancer entre Corbin et Guénon, ou encore entre Corbin et Dumézil*, ne sont nullement arbitraires, même s'il faut avancer avec prudence sur ce terrain miné...

Daniel Lindenberg

■ *Philosophie iranienne et philosophie comparée*, Téhéran, Académie impériale de philosophie, 1977. — *Histoire de la philosophie islamique*, NRF, 1981.

▒ C. Jambet, *La Logique des Orientaux*, Seuil, 1983. — D. Shayeghan, *Henry Corbin, la topographie spirituelle de l'islam iranien*, La Différence, 1990. — Numéro spécial de la revue *L'Herne*, n° 38, 1981.

COURTADE (Pierre)

1915-1963

Écrivain et journaliste communiste, Pierre Courtade est né à Bagnères-de-Bigorre le 3 janvier 1915, dans un milieu modeste de petits fonctionnaires. Dans les années 30, il est en khâgne* au lycée Lakanal, où il affirme ses goûts littéraires, et se lie d'amitié avec P. Hervé et J.-T. Desanti*. Ces liens forts sont sans doute à l'origine d'un itinéraire commun : ces intellectuels se sont retrouvés dans la lutte contre l'occupant. Courtade, qui avait été avant la guerre professeur d'anglais à Nantua, est devenu rédacteur au *Progrès de Lyon* jusqu'en 1939. Après l'armistice, il se retrouve rédacteur en chef d'un mouvement parascout vichyssois, *Compagnons de France*, qu'il quitte rapidement pour rejoindre l'équipe de *Confluences**, dirigée par René Tavernier.

La Résistance, c'était pour Courtade la fréquentation d'un groupe culturel qui renforce à la fois son talent mais aussi ses convictions. Ainsi son cheminement résistant l'amène à *Action**, après un passage à l'AFP. C'est là, véritablement, le tremplin de son engagement au PCF. Il retrouve dans ce journal communiste ses amis de khâgne (P. Hervé) ainsi que Vailland*, Morin*, Leduc, Kriegel-Valrimont,

Roy*. Pourtant Courtade n'a pas encore franchi le pas de l'adhésion : ce sont ses articles de politique étrangère qui le font remarquer par Thorez et, le 17 juillet 1946, Pierre Courtade faisait ses débuts à *L'Humanité**. La même année, il publia son premier roman, *Les Circonstances.*

Intellectuel de parti, Pierre Courtade — comme d'autres écrivains communistes — a ses références obligées : dans ce contexte, ce sont l'URSS et Staline. La patrie du socialisme fascine *(Essai sur l'antisoviétisme)* et le modèle apporte aussi des réconforts, en particulier lors des victoires du communisme, comme à Prague en 1948, d'où Courtade retrace avec enthousiasme pour *L'Humanité*, la victoire de Gottwald et du Parti communiste tchécoslovaque. Pourtant, il faut défendre ce modèle, citadelle assiégée par le camp américain et occidental. Durant cette croisade en faveur de l'URSS, Courtade croise le fer avec François Mauriac* (en décembre 1945 dans *Action*) et justifie par ailleurs le Pacte germano-soviétique.

La condamnation des traîtres est le second volet de cette lutte idéologique. Courtade, comme correspondant à l'étranger de *L'Humanité*, est à même d'expliquer les procès ; en ce sens, il jouit d'une position de choix : il est expert. Après avoir dénoncé les « renégats titistes » dans *La Nouvelle Critique** (avril 1951), ainsi que dans son roman *Jimmy*, il s'illustre lors du procès de Rajk qu'il a suivi à Budapest. À son retour, il s'emploie à démontrer que Rajk était coupable, tout d'abord dans un article d'*Action* du 6 octobre 1949, puis lors de meetings organisés par le PCF, et plus particulièrement à une conférence à l'École normale supérieure* (cf. E. Le Roy Ladurie, *Paris-Montpellier, 1945-1963, PC-PSU*, 1982, p. 55).

À ce modèle communiste, âprement défendu, correspond le contre-modèle américain constamment présent dans l'œuvre de Pierre Courtade ; dans *Jimmy*, il évoque les exactions américaines en Extrême-Orient.

Mais ce contexte de Guerre froide* n'est pas la seule source d'inspiration de Courtade ; durant l'hiver 1950, les militants communistes doivent faire signer l'« Appel de Stockholm »* contre les armes atomiques. C'est encore dans *Jimmy* que Courtade reprend le succès de cette pétition. Cette bataille pour la paix va de pair avec le mouvement de décolonisation, d'émancipation des peuples. Dans *La Rivière noire*, publié en 1953, il dénonce la guerre d'Indochine et condamne la torture employée par l'armée française. Pour l'Algérie, il fut moins engagé, même si le 2 décembre 1954, il répondit à François Mitterrand dans *L'Humanité* : « Assez d'hypocrisie, l'Algérie c'est l'Algérie. » En ce sens, Courtade était quelque peu en porte à faux avec le PC, qui ne trancha vraiment en faveur du peuple algérien que plus tard.

En juin 1956*, il lutta activement au sein du comité central du PCF, pour diffuser le rapport du XXe congrès du PCUS sur Staline : « Pourquoi n'a-t-on pas expliqué pourquoi la dictature du prolétariat s'est transformée en dictature personnelle et, à certains égards, policière ? » La teneur de son propos lui valut les foudres de Thorez et de Casanova qui dénoncèrent, pour l'occasion, les « fractionalistes ». Puis de nouveau confronté à la réalité du monde soviétique, il écrivit *La Place Rouge*, où il critiquait ouvertement le système.

En marge du réalisme socialiste, dont il rejette totalement l'ouvriérisme, Courtade est donc un type particulier d'intellectuel communiste : « Il y a un cas Courtade » (J. Verdès-Leroux). C'est une « butte témoin » de ces intellectuels communistes issus de la Résistance, qui ont dû passer sous les fourches caudines du stalinisme à la française (celui de Thorez) mais qui restent tourmentés. Il écrivit d'ailleurs à Vailland* en 1962, quelques mois avant de disparaître d'une crise cardiaque le 14 mai 1963 : « Le moment devait venir où j'aurais à choisir entre la possibilité d'écrire un livre plus brillant (Nadeau* a bien vu cela au fond) et une certaine idée que je me fais de ma responsabilité politique, comme homme de parti ou, si tu veux, comme homme d'Église. Courir le risque de l'excommunication pour cela ? Quitter l'Église ? Le fait est que je ne le puis, ni le veux, c'est ainsi » (in Roger Vailland, *Écrits intimes*, 1968, p. 679).

Jean Vigreux

■ *Les Circonstances*, La Bibliothèque française, 1946. — *Essai sur l'antisoviétisme*, Raison d'être, 1946. — *Jimmy*, EFR, 1951. — *La Rivière noire*, EFR, 1953. — *Elseneur*, EFR, 1954. — *Les Animaux supérieurs*, EFR, 1956. — *La Place Rouge*, Julliard, 1961.

▒ D. Desanti, *Les Staliniens*, Fayard, 1975. — L. Roy, *Nous*, Gallimard, 1972. — J. Verdès-Leroux, *Au service du Parti. Le Parti communiste, les intellectuels et la culture (1944-1956)*, Fayard / Minuit, 1983.

CREVEL (René)

1900-1935

Poète surréaliste et communiste dont l'œuvre est habitée par l'angoisse et la mort, René Crevel occupe, au sein du mouvement surréaliste, une place singulière. Homosexuel, ami de K. Mann et de M. Jouhandeau*, ce poète qui a écrit peu de poèmes et beaucoup de romans, était, selon P. Soupault*, « né révolté comme d'autres naissent avec des yeux bleus ».

Crevel est né le 10 août 1900 à Paris. Son père, Eugène Paul Crevel, est « imprimeur de musique spécialisé dans la chansonnette ». Sa mère, dure et autoritaire, incarne une bourgeoisie à la morale rigide qui le marquera durablement. Celle-ci n'hésite pas à le conduire — il est alors âgé de quatorze ans — devant le cadavre de son père, qui s'est suicidé, pour lui faire la morale. Après des études au lycée Janson-de-Sailly, il entreprend des études de droit à la Sorbonne et commence des recherches pour une thèse ès lettres sur Diderot romancier.

Avec M. Arland*, J. Baron, M. Morise et R. Vitrac, il fonde la revue *Aventure* (1921), fait la connaissance de Breton* et du groupe *Littérature*, rencontre déterminante qui l'amène, selon lui, à négliger « définitivement le vieux grenier logico-réaliste », puis collabore à *Dés* (1922). Initiateur des sommeils hypnotiques, essentiels dans la genèse du surréalisme, il s'écarte un moment de Breton en prenant partie pour Tzara*. Il entre aux *Nouvelles littéraires**, collabore au *Disque vert*, aux *Feuilles libres*, à la *Revue européenne* et publie son premier roman : *Détours* (1924). Il se rapproche de nouveau de Breton et répond à l'enquête de *La Révolution surréaliste* sur le suicide : « ... la plus vraisemblablement juste et définitive des solutions... » (janvier 1925).

Atteint de tuberculose pulmonaire, sa santé minée par les excès d'une « existence fiévreuse » se détériorant, il doit effectuer de fréquents séjours en sanatorium, en France et en Suisse. Vouant à Breton une grande admiration (« Breton est mon Dieu », avouera-t-il à Jouhandeau), il est solidaire du *Second manifeste du surréalisme* en 1929 et signe jusqu'en 1934 toutes les déclarations du groupe.

Militant communiste, membre de l'Association des écrivains et artistes révolutionnaires* (AEAR), exclu du PCF puis réintégré, il prend, en 1934, ses distances vis-à-vis de Breton, sans pour autant renier l'esprit du surréalisme. Il participe à l'organisation du Congrès international des écrivains pour la défense de la culture* et tente désespérément de convaincre les organisateurs d'accorder la parole à Breton. Affecté par son échec et par une nouvelle aggravation de son mal, il met fin à ses jours le 18 juin 1935. Avant d'ouvrir le robinet du gaz, il avait griffonné sur un papier : « Prière de m'incinérer. *Dégoût.* »

Gérard Roche

■ *Détours*, NRF, 1923, rééd. Pauvert, 1985. — *Mon corps et moi*, Kra, 1925, rééd. Pauvert, 1974. — *La Mort difficile*, Kra, 1926, rééd. Pauvert, 1974. — *L'Esprit contre la raison*, Marseille, Les Cahiers du Sud, 1927, rééd. Pauvert, 1986. — *Êtes-vous fous ?*, NRF, 1929, rééd. Gallimard, 1981. — *Les Pieds dans le plat*, Sagittaire, 1933, rééd. Pauvert, 1974. — *Le Roman cassé* et *Derniers écrits (1934-1935)*, Pauvert, 1989.

■ F. Buot, *René Crevel. Biographie*, Grasset, 1991. — M. Carassou, *René Crevel*, Fayard, 1989. — C. Courtot, *René Crevel*, Seghers, 1969.

CRITIQUE

Le lancement d'une revue qui rassemblerait des études sur les ouvrages parus en France et à l'étranger afin de donner un « tableau régulier de la vie intellectuelle française » ainsi qu'un « tableau français de la vie intellectuelle mondiale » (Prévost) date de l'automne 1945. Trois hommes sont à l'origine du projet, initialement baptisé *Critica* : Pierre Prévost, Georges Bataille* et Maurice Blanchot*.

À cause de sa définition même et de ses animateurs, *Critique* est probablement la publication la plus originale de cet immédiat après-guerre. Recueil d'études théoriques, *Critique* exclut donc la publication de textes de fiction et, en se présentant comme un lieu de débats d'idées, écarte *a priori* la notion d'engagement immédiat : deux différences majeures avec le modèle défendu par Jean-Paul Sartre* et illustré par *Les Temps modernes**. Autre singularité de *Critique* : la physionomie de ses animateurs qui ont comme point commun leur marginalité et leur « amour de la dissidence » (Boschetti) : Bataille, chartiste de formation, est également l'auteur de livres érotiques publiés sous pseudonyme ; Blanchot, journaliste de droite extrême avant guerre, entame une carrière d'écrivain et de critique littéraire étrangère à toute forme d'engagement ; Prévost, militant non conformiste à L'Ordre nouveau* dans les années 30, est journaliste, spécialisé dans les questions boursières. À ce noyau initial va presque immédiatement venir s'agréger un groupe de philosophes étrangers, grands connaisseurs du marxisme : Eric Weil, Alexandre Koyré* et Alexandre Kojève* notamment.

C'est cet ensemble hétérogène qui fera de *Critique* une entreprise intellectuelle neuve, s'intéressant aux développements les plus récents des sciences humaines mais aussi attentive au mouvement des lettres : c'est dans *Critique*, en 1954, que Barthes* publiait « Littérature objective », la première étude de fond consacrée au Nouveau Roman.

Difficilement classable, *Critique* éprouva de grandes difficultés à trouver sa place sur le marché français comme en témoignent ses éditeurs successifs dans les premières années. Ils ne furent pas moins de trois, entre juin 1946 (n° 1) et octobre 1950 (n° 41) : les Éditions du Chêne lancèrent l'entreprise qui transita par Calmann-Lévy* (1947-1949) avant d'être reprise par les Éditions de Minuit* (par qui la revue est, aujourd'hui encore, publiée). Les premières statistiques dont on dispose confirment à la fois les difficultés d'insertion mais aussi le rayonnement international de la revue : tirée à environ 3 000 exemplaires en 1954-1955, *Critique* avait 1 000 abonnés, dont 547 à l'étranger ! En 1981, le nombre des abonnés avait doublé, mais leur répartition demeurait inchangée…

Jean Piel, licencié en philosophie et spécialiste d'économie politique, reprendra la revue à la mort de Georges Bataille, en 1962. Il ouvrira le conseil de rédaction à de nouveaux noms (Roland Barthes*, Michel Foucault*) et décidera, à partir de 1972, de publier régulièrement des numéros spéciaux afin « de faire voir ce qui n'est pas vu ou écarter ce qui est trop vu » (Piel).

Anne Simonin

■ A. Boschetti, *Sartre et « Les Temps modernes »*, Minuit, 1985. — J. Piel, « *Critique*, l'histoire souterraine de l'intelligence contemporaine », *Libération*, 13-14 décembre 1980 ; *La Rencontre et la différence*, Fayard, 1982. — *Pierre Prévost rencontre Georges Bataille*, Jean-Michel Place, 1987.

CRITIQUE SOCIALE (LA)

« Dans le progrès sensible et constant des sciences à notre époque, les sciences sociales font exception », constate Boris Souvarine* qui, inspirateur des activités du Cercle communiste démocratique, entreprend, avec l'aide de sa compagne Colette Peignot, la publication de *La Critique sociale*. Il entend œuvrer, sous le magistère d'un marxisme « qui doit par définition se réviser lui-même » — affirmation peu courante et très hétérodoxe à l'époque —, à réactiver la critique révolutionnaire pour qu'elle réponde aux exigences de l'heure, malgré « le déclin de la pensée socialiste ou communiste » qui « correspond indubitablement à un abaissement du niveau intellectuel du prolétariat, ou plus exactement de sa fraction considérée comme la plus avancée ». Avec optimisme, Souvarine entreprend donc de transmettre à la « jeune génération » les outils qui lui permettront de faire l'économie de bien des erreurs, allusion à l'enlisement de la révolution bolchevique.

Très caractéristique, cette revue des livres et des idées se présente sous la forme de cahiers de 48 pages comprenant quelques articles, suivis de documents historiques (lettre de K. Marx à Vera Zassoulitch, *Instruction pour une prise d'armes* de Blanqui, etc.) ou philosophiques (lettre de G. Sorel* à B. Croce) puis, sur près de la moitié de chaque numéro, d'une abondante bibliographie des titres parus dans la plupart des domaines (littérature, histoire, économie politique, essais critiques, psychologie, etc). Les rédacteurs, Souvarine les recrute parmi des militants venus du communisme (Lucien Laurat, Pierre Kaan, Jean Bernier, Pierre Pascal) mais aussi chez d'anciens surréalistes (Jacques Baron, Raymond Queneau*, Georges Bataille*). Très éclectique, ce laboratoire accueille aussi bien Sigmund Freud, les tout premiers travaux de Paul Bénichou sur le socialisme au XIXe siècle, les analyses du fascisme de Georges Bataille que les *Réflexions sur la guerre* de Simone Weil*, dont Souvarine a fait connaissance au début de l'année 1931.

Du premier numéro qui se réfère encore à la « vérification du marxisme [...] à la lumière de l'expérience quotidienne et des acquisitions nouvelles de la culture » aux *Réflexions sur les causes de la liberté et l'oppression sociale*, texte de Simone Weil destiné à paraître d'abord dans la douzième livraison, l'entreprise amène ses initiateurs, par sa propre dynamique, au dépassement des postulats qu'ils avaient posés à l'origine. Pour cette raison, *La Critique sociale* apparaît encore aujourd'hui comme un modèle : la qualité des textes réunis lui assura de survivre à son époque, marquée par un foisonnement de revues et de groupes de réflexion, ce qui constitue un phénomène exceptionnel dont témoigne l'écho rencontré par sa réédition en 1983. Claude Lefort* peut alors écrire : « *La Critique sociale*, lue un demi-siècle après la publication, force l'estime par l'ampleur de son dessein et par son honnêteté. »

Jean-Louis Panné

■ A. Roche (dir.), *Boris Souvarine et « La Critique sociale »*, La Découverte, 1990.

CROZIER (Michel)

Né en 1922

Michel Crozier présente son parcours intellectuel comme une série de « choix » presque impossibles. Progressivement défenseur d'une sociologie « libérale », il a dû, jusqu'au début des années 80, naviguer à contre-courant.

Né en 1922, Crozier est issu de la petite bourgeoisie provinciale et catholique. Son père, fils d'agriculteur pauvre, a d'abord été représentant de commerce. Diplômé de l'École des hautes études commerciales, Crozier bénéficie d'une bourse culturelle et part, en 1947, pour les États-Unis, afin d'y étudier les syndicats ouvriers américains. À son retour en France, il achève une thèse de droit sur le syndicalisme américain. Muni de ce passeport, il intègre en 1952 le Centre national de la recherche scientifique*, avec l'aide de Georges Gurvitch*. À partir de cette époque, Crozier, qui avait d'abord été trotskiste, se dit « marxiste indépendant » et participe à la création de la revue *La Tribune des peuples*, où il côtoie Claude Bourdet* et Daniel Guérin*. Cependant, en 1953, il abandonne le militantisme pour se consacrer entièrement à son métier de chercheur et de sociologue. Il commence, d'autre part, à la demande de J.-M. Domenach*, une collaboration à la revue *Esprit**.

En 1953-1954 éclate la grève du centre de tri des chèques postaux de Paris.

Crozier y réalise sa première véritable enquête empirique, dont les résultats seront publiés dans *Petits fonctionnaires au travail* (1957). C'est à la fin des années 50 qu'il rompt définitivement avec le marxisme et avec la pensée en termes de classes sociales. Il s'oriente alors vers l'étude des problèmes des rapports humains dans les organisations. Répondant à la demande sociale qui se mettait alors en place à travers l'Institut des sciences sociales du travail, il mène une recherche portant sur l'organisation de la Seita. Au cours de la période qui va de la fin des années 50 au début des années 70, Crozier sera également un des personnages centraux, avec Daniel Cordier, du Club Jean-Moulin*. En 1959, il est invité au Behavioral Census Center à l'université de Stanford, où il rédige, en anglais, *Le Phénomène bureaucratique*, ce qui lui vaut un très grand succès aux États-Unis. À son retour en France, il quitte Georges Gurvitch, qui était alors son directeur de thèse, pour Raymond Aron*, et intègre le Centre de sociologie européenne, au sein duquel il va fonder, en 1961, le Centre de sociologie des organisations. En 1964, il obtient son doctorat d'État en lettres et, en 1966, quitte le CSE (le CSO est alors reconnu par le CNRS et y deviendra un laboratoire à part entière en 1976). Nommé en 1967 à l'université de Nanterre, Crozier fait partie de la petite minorité des enseignants de la faculté à avoir pris position contre le mouvement étudiant. Il regagne alors le CNRS, quittant définitivement l'Université française, sans abandonner pour autant l'enseignement, puisqu'il sera nommé professeur titulaire à Harvard (1967-1970) et qu'il créera en 1972 un diplôme d'études approfondies en sociologie des organisations à l'Institut d'études politiques* de Paris. C'est par la publication de *La Société bloquée*, véritable manifeste antibureaucratique, que Michel Crozier acquiert l'audience du grand public. En 1978, il signe le manifeste fondateur du Comité des intellectuels pour l'Europe des libertés (CIEL), qui incarne la reviviscence d'un courant intellectuel et libéral.

Odile Henry

■ « Les intellectuels et la stagnation française », *Esprit*, décembre 1953. — *Le Phénomène bureaucratique*, Seuil, 1963. — « La révolution culturelle. Note sur les transformations du climat intellectuel en France », *Daedalus*, hiver 1964. — *La Société bloquée*, Seuil, 1970. — *L'Acteur et le système. Les contraintes de l'action collective* (avec E. Friedberg), Seuil, 1977, rééd. 1981. — « Les belles années. De la guerre d'Indochine à Mai 68 », *Esprit*, janvier 1983. — *État moderne, État modeste : stratégie pour un autre changement*, Fayard, 1987.

▒ P. Ansart, *Les Sociologies contemporaines*, Seuil, 1990.

CUBA

1959...

La fin de la guerre d'Algérie a pu laisser aux intellectuels un goût amer. Le « Manifeste des 121 »* n'a guère eu de retentissement et le terme du conflit doit somme toute assez peu à leur mobilisation. La phase de dépolitisation que traverse la société française invite à un déplacement des centres d'intérêt. À l'aube des années 60, Cuba est l'un de ceux-là. La fuite du dictateur Batista, symbole honni de la corruption et de l'asservissement à l'impérialisme américain, la victoire des

« barbudos » magnifiés par l'épopée de la sierra Maestra, les promesses d'une révolution juvénile et atypique, affranchie des scléroses soviétiques, galvanisent pour une décennie les énergies de l'élite intellectuelle française.

Le ton est donné par Sartre*. À des jeunes qui l'interrogent sur leur avenir, le philosophe aurait répondu : « Soyez cubains », avant d'entreprendre, avec Simone de Beauvoir*, un voyage d'un mois (février-mars 1960) à l'invitation de l'hebdomadaire *Revolucion*. Ce voyage n'a pas fait l'objet d'un livre, du moins en France, mais d'un reportage en plusieurs épisodes paru, étrangement, dans *France-Soir* sous le titre « Ouragan sur le sucre ». Accueilli avec les plus grands égards, sensible à la chaleur spontanée du peuple de La Havane, Sartre s'est laissé griser par une fête « sartro-cubaine » où les orgies de rhum blanc et de musique antillaise, des discussions bâclées, des rencontres et des visites trop programmées ont tenu lieu d'enquête sérieuse. Il en résulte un reportage mièvre et anecdotique, mais débordant de sympathie. Assisté de S. de Beauvoir (*La Force des choses*, diverses interviews) et de l'équipe des *Temps modernes** (Elena de La Souchère, Dionys Mascolo*), Sartre a contribué plus que personne à forger la pieuse légende qui a si longtemps égaré l'intelligentsia française.

Dans la brèche ainsi ouverte s'engouffrent journalistes et littérateurs promus du jour au lendemain spécialistes des questions cubaines, et qu'un bref voyage à la Potemkine conforte dans une admiration laudative. L'intellectuel grand reporter est devenu une spécialité française, la politique extérieure du général de Gaulle n'étant pas étrangère au traitement de faveur dont il bénéficie sur place. On citera pêle-mêle Jacques Lanzmann (*Viva Castro*, 1959), Claude Julien (*La Révolution cubaine*, 1961), l'universitaire Robert Merle, président de l'Association France-Cuba (*Moncada, premier combat de Fidel Castro*, 1965), Françoise Sagan (*L'Express**, août 1960), Anne Philipe (*Le Monde**, janvier 1963). Autres pèlerins convaincus, les intellectuels communistes célèbrent à l'envi ce régime « marxiste », sur un registre austère avec Jacques Arnault (*Cuba et le marxisme*, 1962), lyrique avec Henri Alleg (*Victorieuse Cuba*, 1963) qui ne s'étonne pas de cet ouvrier agricole travaillant dix-sept heures par jour « avec le sourire puisque la révolution t'enlève la fatigue ».

Glissant du castrisme au guévarisme, Régis Debray* apporte avec *Révolution dans la révolution* (Maspero, 1969) une analyse intéressante de son expérience sud-américaine et une théorie des *focos* révolutionnaires, non sans une transposition bien optimiste de la sierra Maestra à la cordillère des Andes. De Marcel Niedergang à Albert-Paul Lentin, la personnalité de Che Guevara exerce une durable séduction, au-delà des franges révolutionnaires, chez Jean Cau* par exemple (*Une passion pour Che Guevara*, 1978).

Dans ce concert de louanges, les voix discordantes sont peu nombreuses. Si l'on tient pour négligeables les contributions d'Yves Guilbert (*Castro l'infidèle*, La Table ronde, 1961) et de Pierre et Renée Gosset (*L'Adieu aux barbus*, Julliard, 1965), il faut reconnaître à K.S. Karol (*Les Guérilleros au pouvoir*, 1970) et à Daniel Guérin* (*Cuba-Paris*, 1968, livre édité à compte d'auteur) le mérite d'avoir su tempérer leur enthousiasme et d'aborder un certain nombre de réalités déplaisantes. Les ouvrages les plus lucides restent ceux de René Dumont*, étayés par cinq séjours à

Cuba. Sans se départir de sa sympathie initiale, convaincu du bien-fondé de certaines réalisations sociales, l'auteur n'en constate pas moins l'étendue des erreurs économiques et conclut à l'échec d'une socialisation bureaucratisée.

En 1971, l'arrestation et l'autocritique toute stalinienne imposée à l'écrivain Heberto Padilla ternissent le mythe cubain et mettent fin à un processus de quasi-identification. Déjà, d'autres sollicitations se font jour, tout aussi mystificatrices. La vague maoïste est en passe de submerger la vogue fidéliste. Mais, pour beaucoup d'intellectuels français, marxistes ou simplement progressistes, Castro, comme Kadhafi ou Sékou Touré, conserve une place de choix dans l'imaginaire des révolutions tiers-mondistes.

Bernard Droz

■ R. Dumont, *Cuba est-il socialiste ?*, Seuil, 1970. — K.S. Karol, *Les Guérilleros au pouvoir*, Laffont, 1970. — J. Verdès-Leroux, *La Lune et le caudillo*, Gallimard, 1989.

CURIE (Marie)
1867-1934

Plus que par l'action ou l'engagement, c'est par sa position de femme dans un monde scientifique essentiellement masculin, et la célébrité de deux prix Nobel, que Marie Curie se distingue comme une figure singulière dans le monde des intellectuels.

Maria Sklodowska naît à Varsovie le 7 novembre 1867 dans une famille dont le père et la mère travaillent dans l'enseignement. Sa mère meurt en 1878 de la tuberculose, la domination russe prive son père de tout poste de professeur. Après des études au Gymnasium, l'Université étant alors fermée aux femmes, Marie, qui a lu à seize ans *La Vie de Jésus* de Renan, s'engage dans le mouvement positiviste polonais. Dans les années 1880, elle prend des cours à l'« Université volante » improvisée au Musée d'agriculture et d'industrie, et participe à une organisation clandestine d'éducation populaire qui donne des cours du soir à des ouvriers et paysans. Après que sa sœur Bronia s'est embarquée pour Paris où elle suit des études de médecine, Marie s'emploie trois ans durant comme gouvernante dans une famille, et poursuit son œuvre de formation auprès des paysans, avec l'accord tacite de sa famille d'accueil et malgré l'interdiction des autorités. Ainsi l'essentiel de son engagement politique s'accomplit-il entre dix-sept et vingt ans.

Quand elle vient enfin rejoindre Bronia à Paris, en 1891, Marie déserte le foyer socialiste et patriote de son beau-frère, Casimir Dluski, pour consacrer tout son temps à l'étude. Licenciée en physique et en mathématiques à la Sorbonne (1893), elle épouse en 1895 le jeune physicien Pierre Curie. L'engagement positiviste de Marie a certes noué les premiers liens entre eux : à l'été 1894, Pierre lui écrivait son désir de vivre auprès d'elle « hypnotisés par nos rêves : votre rêve patriotique, notre rêve humanitaire et notre rêve scientifique ». Seul ce dernier est devenu réalité dans le dur labeur quotidien de la recherche scientifique.

En 1903, année où Marie soutient sa thèse en Sorbonne, le prix Nobel de physique, partagé par le couple avec Henri Becquerel, vient récompenser leurs travaux sur le radium. Après la mort accidentelle de Pierre Curie en 1906, Marie reprend sa chaire à la Sorbonne et poursuit seule le travail avec acharnement et fermeté. En 1911, sa candidature à l'Académie des sciences* ranime contre elle les réseaux de la droite nationaliste et antidreyfusarde. À la fin de la même année, au moment même où elle obtient, seule cette fois, le prix Nobel de chimie, *L'Œuvre* et *L'Action française** sont à la pointe de la campagne de presse qui orchestre le scandale autour de sa liaison avec Paul Langevin* : « Aujourd'hui, le dreyfusisme républicain a besoin du dogme de la vertu des savants », écrit Léon Daudet* dans *L'Action française.*

En 1915, elle participe à l'effort de guerre en créant des unités mobiles de radiologie pour les blessés. Mais, par la suite, elle ne consentira aux rôles publics que pour financer et organiser la recherche scientifique, en particulier au cours de deux séjours aux États-Unis, en 1921 et 1929. Si elle joue encore un rôle actif plusieurs années durant au sein de la commission pour la coopération intellectuelle de la SDN, la politique ne sera jamais pour elle qu'un moyen mis au service de la science.

Les cendres de Pierre et Marie Curie ont été transférées au Panthéon le 20 avril 1995.

Bernadette Bensaude-Vincent

■ *Traité de radioactivité*, Gauthier-Villars, 1910. — *Pierre Curie and Autobiographical Notes*, New York, Macmillan, 1923, 1re partie de l'ouvrage parue en France sous le titre : *Pierre Curie*, Payot, 1924.

▒ R. Pflaum, *Madame Curie*, Belfond, 1992. — S. Quinn, *Marie Curie*, Odile Jacob, 1995. — R. Reid, *Marie Curie derrière la légende*, Seuil, 1979. — *Cahiers de « Science et vie »*, décembre 1994, numéro spécial sur Marie Curie.

Dabit (Eugène)
1898-1936

Si le nom d'Eugène Dabit a encore aujourd'hui quelque résonance, c'est en relation avec un titre et un événement qui sont bien loin de résumer la brève existence de cet écrivain. Le titre, c'est *Hôtel du Nord* — Dabit est l'auteur du roman, dont le film diffère assez considérablement. L'événement, c'est la mort de Dabit à Sébastopol, où l'avait mené le fameux voyage de Gide* en URSS. Dabit appartient à cette inclassable catégorie des écrivains du Paris des « classes laborieuses » ; ni tout à fait populiste, ni tout à fait prolétarien, quoiqu'il ait côtoyé et contribué à ces mouvements littéraires. Sa vie est celle d'un esprit variable, en constante formation.

Eugène Dabit est né le 21 septembre 1898 à Mers-les-Bains, loin de Paris, par le hasard des vacances. Les parents Dabit n'achèteront qu'en 1923 l'hôtel que leur fils rendra célèbre ; le père est cocher-livreur, la mère est corsetière. À quatorze ans, ce petit Parisien du XXe arrondissement devient apprenti-serrurier. La Première Guerre mondiale* sera pour lui une expérience capitale, autant intellectuellement que moralement. Il y rencontre les amis qui donneront à sa vie d'après guerre des impulsions décisives, et s'y forge une idée de la guerre qui l'apparente à Céline* plutôt qu'à Dorgelès*.

Il devient peintre après la guerre — un fauve, inspiré par Vlaminck ; découvre la littérature et l'esthétique, expose un peu, vend très rarement. Cette vocation lui ouvre en 1926 les pages de la revue *Europe**. Trois ans auparavant, en 1923, il a commencé à écrire des poèmes et des récits.

En 1927, Dabit écrit à André Gide, qu'il admire, pour lui soumettre un manuscrit autobiographique, *Petit-Louis*. C'est cependant pour un autre texte, celui que l'hôtel des parents Dabit a inspiré à Eugène, que Gide envoie le jeune homme à Roger Martin du Gard*. Gide continuera d'inspirer de loin Dabit ; Roger Martin du Gard l'aidera à préparer le roman, *Hôtel du Nord*, pour sa publication.

Avec *Hôtel du Nord*, chronique d'une certaine vie parisienne, Dabit rejoint un mouvement littéraire qui connaît alors ses premières théorisations, le populisme. Il entre aussi dans la polémique qui ne tardera pas à naître entre littérature populiste et littérature prolétarienne, cette dernière proche dans certaines de ses composantes du Parti communiste.

Parallèlement à des publications qui ne rencontrent pas le même succès qu'*Hôtel du Nord* (l'autobiographique *Petit-Louis*, *Villa Oasis*, *Faubourgs de*

Paris, Au pont tournant), Dabit fréquente Céline*, Giono*, Guéhenno*, et se rapproche des écrivains prolétariens et de l'Association des écrivains et des artistes révolutionnaires*. Cependant, individualiste et moraliste, il a quelques difficultés à se reconnaître dans les structures à la fois rigides et éphémères de l'engagement littéraire de gauche, lui pour qui la politique ne se théorise pas.

En avril 1936, Gide l'invite à effectuer avec lui un voyage en URSS, où il vient d'être officiellement invité. C'est au cours de ce voyage qu'Eugène Dabit meurt dans des conditions assez obscures à Sébastopol, probablement de scarlatine, le 21 août 1936.

Anne-Sylvie Homassel

■ *Hôtel du Nord*, Denoël, 1929. — *Petit-Louis*, Gallimard, 1930. — *Villa Oasis*, Gallimard, 1932. — *Faubourgs de Paris*, Gallimard, 1933. — *La Zone verte*, Gallimard, 1935. — *Les Maîtres de la peinture espagnole*, Gallimard, 1937. — *Journal intime (1928-1936)*, Gallimard, 1939, éd. intégrale, Gallimard, 1989.
■ P.-E. Robert, *D'un Hôtel du Nord l'autre*, BLFC-Paris VII, IMEC Éditions, 1986.

DAIX (Pierre)
Né en 1922

Pierre Daix, né le 24 mai 1922 à Ivry-sur-Seine, est un de ces jeunes gens brillants, issus des couches moyennes, qui ont planté là leurs études pour s'engager corps et âme dans le mouvement communiste. Il est vrai que les circonstances étaient exceptionnelles : la guerre puis l'Occupation. Élève de la khâgne* d'Henri-IV en 1939-1940, impressionné par plusieurs de ses professeurs communistes (Paul Labérenne et René Maublanc), Daix adhère au PCF. Dès l'été 1940, il organise les étudiants communistes. Arrêté fin novembre 1940, relâché en mars 1941, il se lance à l'été 1941 dans l'action armée contre l'occupant. Arrêté à nouveau en janvier 1942, il est déporté au camp de Mauthausen en mars 1944. Expérience qui le marquera à jamais.

À peine rentré des camps, il est nommé au cabinet de Charles Tillon, ministre de l'Air. Après le départ des ministres communistes du gouvernement, il devient rédacteur en chef du grand journal culturel communiste, fondé dans la Résistance par Aragon*, *Les Lettres françaises**, puis, en 1950, du quotidien communiste *Ce soir*. Il est alors un stalinien convaincu qui prend la tête de toutes les campagnes du PCF contre « l'antisoviétisme », en particulier dans plusieurs procès fameux contre Kravchenko et contre David Rousset* qui dénonçaient le totalitarisme soviétique et le Goulag. Daix est alors l'un des intellectuels militants les plus en vue.

Après la disparition de *Ce soir* en 1953, Daix revient aux *Lettres françaises* où il seconde Aragon, dont il est très proche. Le XXe congrès du PCUS est un véritable choc qui ébranle définitivement ses convictions, mais son évolution sera lente vers une opposition d'abord sourde, puis de plus en plus ouverte à la direction thorézienne. Avec le Printemps de Prague*, Mai 68 à Paris, la lecture du manuscrit de *L'Aveu* de son beau-père Arthur London, puis l'intervention des chars russes à Prague, Pierre Daix s'écarte plus encore de la ligne néo-stalinienne incarnée désormais par Georges Marchais. Une « guérilla » permanente s'instaure entre *Les Lettres* *françaises* et son commanditaire, le PCF, qui organise le vide autour du journal jusqu'à son sabordage le 10 octobre 1972.

Pierre Daix saute alors le pas. Dès juillet 1973, il publie un *Ce que je sais de Soljenitsyne* qui frappe de plein fouet le PCF. Début 1974, il ne reprend pas sa carte et en 1976 publie ses mémoires *J'ai cru au matin.* En 1978, après l'échec de l'union de la gauche aux élections législatives, il publie *La Crise du PCF* où il se demande si les partis staliniens sont amendables. En 1980 paraissent *Les Hérétiques du PCF.* La rupture est consommée, Pierre Daix travaille désormais comme journaliste au *Quotidien de Paris* et devient un pourfendeur virulent du communisme soviétique. Parallèlement, il poursuit une carrière de critique d'art, spécialiste en particulier de Picasso* dont il était l'ami. Il publie en 1995 une biographie du grand historien Fernand Braudel*.

Stéphane Courtois

■ *Classe 42*, EFR, 1951. — *L'Accident*, Julliard, 1965. — *Catalogue raisonné de l'œuvre peint de Picasso*, t. 1 : *Les Périodes bleue et rose*, Ides et Calendes, 1966 ; t. 2 : *Le Cubisme*, Ides et Calendes, 1978. — *Nouvelle Critique et art moderne*, Seuil, 1968. — *Journal de Prague*, Julliard, 1968. — *Ce que je sais de Soljenitsyne*, Seuil, 1973. — *Aragon, une vie à changer*, Seuil, 1975. — *J'ai cru au matin*, Laffont, 1976. — *Les Hérétiques du PCF*, Laffont, 1980.

▒ P. Robrieux, *Histoire intérieure du Parti communiste*, t. 4, Fayard, 1984.

DANDIEU (Arnaud)

1897-1933

Arnaud Dandieu représente une figure d'intellectuel à la destinée exceptionnelle, si l'on met en parallèle l'influence qui a été la sienne sur un certain nombre de ses contemporains et la brièveté de sa carrière intellectuelle.

Arnaud Dandieu est né en 1897, à Lestiac-sur-Garonne, dans une famille bordelaise se rattachant à la tradition du socialisme français. Il fait des études supérieures de droit et de lettres et, après avoir été pendant un temps secrétaire d'un avocat, devient, de 1925 à sa mort, bibliothécaire à la Bibliothèque nationale. Il publie en 1925 une plaquette de vers, *Cercles vicieux*, puis, en 1927, un essai remarqué sur Proust*. À partir de 1927, à la suite d'une rencontre fortuite, il entreprend avec Robert Aron*, qui avait été son condisciple au lycée Condorcet, un travail systématique de réflexion sur les problèmes de la société contemporaine, dont devaient naître trois livres : *Décadence de la nation française* et *Le Cancer américain*, en 1931, *La Révolution nécessaire*, en 1933. En 1930, il fait la connaissance d'Alexandre Marc* et se joint au groupe naissant de L'Ordre nouveau*, auquel son dynamisme intellectuel va donner une impulsion décisive, et dont il devient rapidement la personnalité la plus en vue, en exerçant une profonde influence sur tous ceux, amis ou adversaires, qui ont l'occasion de l'approcher. Par là, Arnaud Dandieu apparaît comme l'un des représentants les plus marquants de ce « non-conformisme des années 30 » qui cherche alors à trouver dans le « personnalisme » un remède à la « crise de civilisation » qu'il diagnostique. Dans les années 1930-1933, Arnaud Dandieu manifeste une activité intellectuelle débordante, publiant, outre les livres déjà évoqués, de nombreux articles dans *Europe**, *Plans*, *Mouvements*, *Esprit**, *L'Ordre nouveau*, *La Revue mondiale*, *La Revue d'Allemagne*, *La Revue du siècle*, etc., tandis qu'il poursuit des recherches interdisciplinaires touchant aussi bien à la philosophie, à la littérature, à la psychologie, à l'épistémologie des sciences, qu'à la sociologie ou à la politique.

Il meurt le 6 août 1933, d'une infection consécutive à une intervention chirurgicale bénigne, en affirmant, sans renier certains aspects nietzschéens de sa pensée, son adhésion à la foi catholique. Après cette disparition, ses compagnons de L'Ordre nouveau, notamment Robert Aron et Alexandre Marc, s'attacheront à maintenir vivante sa pensée, en soulignant son influence déterminante aussi bien dans la genèse du « personnalisme » des années 30 que dans les orientations de la réflexion du mouvement fédéraliste après la Seconde Guerre mondiale.

Jean-Louis Loubet del Bayle

■ *Décadence de la nation française* (avec Robert Aron), Rieder, 1931. — *Anthologie des philosophes français*, Sagittaire, 1931. — *Le Cancer américain* (avec R. Aron), Rieder, 1931. — *La Révolution nécessaire* (avec R. Aron), Grasset, 1933.

■ P. Andreu, *Révoltes de l'esprit. Les revues des années 30*, Kimé, 1991. — R. Aron, *Fragments d'une vie*, Plon, 1981. — A. Greilsamer, *Les Mouvements fédéralistes en France de 1945 à 1973*, Presses d'Europe, 1975. — E. Lipiansky et B. Rettenbach, *Ordre et démocratie. Deux sociétés de pensée : de L'Ordre nouveau au Club Jean-Moulin*, PUF, 1967. — J.-L. Loubet del Bayle, *Les Non-Conformistes des années 30. Une tentative de renouvellement de la pensée politique française*, Seuil, 1969.

DANEY (Serge)

1944-1992

Serge Daney peut illustrer exemplairement l'itinéraire des intellectuels issus de la cinéphilie parisienne, cette micro-société autodidacte si active au cours des années 50 et 60. Né à Paris, dans le quartier Voltaire, en 1944, Daney passe son adolescence à la Cinémathèque française* animée par Henri Langlois, entre les rétrospectives Keaton, Hawks ou Minnelli, et fréquente assidûment les nombreuses salles de répertoire ou les ciné-clubs. C'est en 1964, à vingt ans et assez naturellement, qu'il propose son premier texte à la revue cinéphile de référence du moment, les *Cahiers du cinéma**. Il y écrira durant près de trente ans. Daney, au cours d'une émission de télévision de la série « Océaniques », trois volets d'une heure chacun, qui consacra son rôle en 1992, quelques mois avant sa mort, a défini lui-même cet itinéraire comme celui d'un « cinéfils ». Manière de dire que son écriture n'a cessé d'épouser l'évolution du cinéma contemporain, souvent pour mieux tenter de résister à ses dérives. C'est d'abord la rencontre des pionniers américains, que le jeune critique va voir à Hollywood entre 1963 et 1965, au cours de voyages cinéphiles initiatiques dont il rapporte de nombreux entretiens. Puis vient l'expérience, riche mais désespérante, du cinéma politique, autour et après Mai 68, lorsque les *Cahiers du cinéma* s'engagent, à la suite de Jean-Luc Godard*, dans le mouvement maoïste.

Rédacteur en chef de la revue à partir de 1974, Daney revient à la « fonction critique », comme il l'écrit, au milieu des années 70 et entraîne les *Cahiers* sur cette voie. Retour vers la critique de cinéma que Daney prolonge, à partir de 1981, par une chronique quotidienne au journal *Libération**. C'est là que, peu à peu, il oriente également sa réflexion vers une analyse du medium télévisuel qui a marqué son temps. Dernière expérience, en 1991, avec le lancement d'une nouvelle revue de cinéma, *Trafic*, chez POL, où Daney retrouve le rythme moins contraignant d'une écriture recentrée sur le cinéma et ses grands auteurs, tels Hawks, Rossellini, Barnet, Godard, Oliveira, Straub. L'intérêt du travail critique de Serge Daney, dont l'influence a été déterminante, est d'avoir réussi à lier le cinéma au monde contemporain grâce aux métaphores qui peuplent son écriture : chaque film, sous sa plume, pouvait éclairer une manière de penser la réalité politique, médiatique, philosophique, quotidienne, de notre temps. C'était là une manière d'établir le cinéma comme la métaphore du siècle.

Antoine de Baecque

■ *La Rampe. Cahier critique (1970-1982)*, Gallimard, 1983. — *Ciné Journal (1982-1986)*, L'Étoile, 1986. — *Le Salaire du zappeur*, Ramsay, 1989. — *Devant la recrudescence des vols de sacs à main. Cinéma, télévision, information*, Lyon, Aléas, 1991. — *L'exercice a été profitable, Monsieur*, POL, 1993.
▒ « Serge Daney », *Cahiers du cinéma*, n° 458, juillet-août 1992.

DANIEL (Jean)

Né en 1920

Jean Daniel est né à Blida en Algérie, le 21 juillet 1920. L'appartenance aux communautés française, algérienne et juive marque la vie de ce onzième enfant d'un minotier, qui adopte « la gauche pour patrie ». Mobilisé à dix-neuf ans, il quitte l'Algérie pour combattre dans la division Leclerc. Après la Libération, il est nommé au service de Félix Gouin, alors président du Conseil, et poursuit ses études de philosophie. Parallèlement, il débute dans le journalisme avec des articles dans le *Bulletin quotidien de la presse*. C'est grâce à la revue *Caliban*, dont il est le rédacteur en chef puis le directeur, qu'il rencontre Albert Camus*. Leur enfance méditerranéenne commune contribue à forger une amitié que distend la guerre d'Algérie, l'auteur de *L'Étranger* voulant croire à une fédération entre les deux pays.

Cette même guerre décide réellement du destin de journaliste de Jean Daniel. Il veut témoigner. Son premier article paraît dans *L'Express** le 1er novembre 1954, et chaque semaine il se pose en interlocuteur privilégié des protagonistes du drame. Il suit Pierre Mendès France dans la logique de la reconnaissance de la personnalité algérienne et n'exclut pas la politique de négociation avec le FLN. Cela ne l'empêche pas, lors des accords d'Évian, de lancer un appel de détresse en faveur des centaines de milliers de pieds-noirs. Entre-temps, en 1961, à Bizerte, une rafale de fusil mitrailleur, qui le blesse à la jambe, a failli lui coûter la vie, comme il l'explique dans *La Blessure*.

En janvier 1964, Jean Daniel quitte *L'Express* avec un certain nombre de collaborateurs, dont Serge Lafaurie, K.S. Karol et André Gorz*, et fonde, en compagnie de Claude Perdriel, *Le Nouvel Observateur**, qui prend la suite de *France-*

Observateur le 19 novembre 1964. Il est d'abord directeur de la rédaction, puis directeur de l'hebdomadaire (1978). Fondé sous le double patronage de Pierre Mendès France et de Jean-Paul Sartre*, *Le Nouvel Observateur* affirme son appartenance à la gauche tout en marquant son indépendance à l'égard des partis et de la politique. Car c'est surtout dans le domaine culturel qu'il innove. À l'invitation de Jean Daniel, une grande partie de l'intelligentsia de gauche, de Roland Barthes* à Michel Foucault*, participe à la vie du journal, contribuant à l'ouverture du public sur les sciences humaines, alors triomphantes. Un nouveau style de journalisme, souvent imité depuis, où le primat du culturel s'affirme, jusques et y compris dans la rubrique politique.

L'éditorialiste, lui, multiplie les prises de position, en faveur notamment du dialogue israélo-arabe. En outre, il affirme le souci constant de « démarxiser » la gauche et de la dégager de l'influence communiste. Une vive polémique l'oppose au Parti communiste à propos de la Révolution des œillets au Portugal, cependant que son interpellation de Soljenitsyne lors d'une émission télévisée est restée célèbre. Auteur de plusieurs ouvrages de souvenirs et de réflexion, Jean Daniel affirme son goût du portrait intellectuel, par exemple à propos de François Mitterrand : *Les Religions d'un président* (1988), et aborde la fiction d'abord dans *L'Erreur* (1953) puis plus récemment dans *L'Ami anglais* (1994).

Isabelle Weiland-Bouffay

■ *L'Erreur*, Gallimard, 1953. — *Le Temps qui reste. Essai d'autobiographie professionnelle*, 1973. — *Le Refuge et la source*, Grasset, 1977. — *L'Ère des ruptures*, Grasset, 1979. — *De Gaulle et l'Algérie. La tragédie, le héros et le témoin*, Seuil, 1986. — *Les Religions d'un président. Regards sur les aventures du mitterrandisme*, Grasset, 1988. — *Cette grande lueur à l'Est. Paris-Moscou, aller-retour* (en collaboration), Maren Sell, 1989. — *La Blessure*, suivi de *Le Temps qui vient*, Grasset, 1992. — *L'Ami anglais*, Grasset, 1994. — *Voyage au bout de la nation*, Seuil, 1995.

DANIÉLOU (Jean)

1905-1974

Né le 14 mai 1905 à Neuilly-sur-Seine, Jean Daniélou a tôt baigné dans le milieu intellectuel. Son père fut député du Finistère, ami d'Aristide Briand et ministre de la Marine marchande. Personnalité influente de l'enseignement catholique, sa mère fonda l'institution Sainte-Marie de Neuilly. Son frère Alain deviendra un spécialiste réputé de musicologie indienne. Secrétaire particulier de son père en 1924, agrégé de grammaire en 1927, il signe à vingt-deux ans le texte latin de l'opéra-oratorio de Stravinsky *Œdipus Rex* (1927), adapté de Sophocle, et fréquente Cocteau*, Mounier* et Maritain*. Entré dans la Compagnie de Jésus en 1929, étudiant au scolasticat de Fourvière (1936-1939), il fonde avec les Pères de Lubac* et Mondésert au Cerf la collection « Sources chrétiennes » (1942), qu'inaugure son édition de la *Vie de Moïse* de Grégoire de Nysse. Ordonné prêtre en 1938, il soutient sur Grégoire de Nysse une thèse de lettres à la Sorbonne, une autre, de théologie, à l'Institut catholique de Paris (1943-1944).

Il partage sa vie entre le renouveau patristique et l'action auprès des milieux intellectuels : aumônier à l'École normale supérieure* de Sèvres, il crée à la Sorbonne en 1944 le Cercle Saint-Jean-Baptiste, à vocation missionnaire. Il est une des chevilles ouvrières de la revue *Dieu vivant** (1945-1955), où il côtoie Louis Massignon*, Gabriel Marcel* et Jean Hyppolite*. En 1948, il participe à la fondation des Amitiés judéo-chrétiennes autour d'Edmond Fleg et avec Jacques Madaule* et Henri Marrou*. Lié à l'« École théologique de Fourvière », il est impliqué dans la querelle de la « nouvelle théologie » (1946-1947) — qui met aux prises les partisans de l'expérience du surnaturel et les tenants d'une scolastique étroite — mais échappe aux sanctions qui frappent en 1950 les Pères Henri Bouillard et Henri de Lubac.

La plupart de ses livres sont nés de la double préoccupation du retour aux premiers siècles chrétiens et de la vulgarisation de l'exégèse auprès des milieux intellectuels et bourgeois. Il s'agit de petits essais sensibles, à la fois rapides (parfois hâtifs) et provocants. Doyen (1961-1969) de la Faculté de théologie de l'Institut catholique de Paris où il enseigne depuis 1943, il est expert au concile Vatican II et joue un rôle important dans l'élaboration des constitutions *Dei verbum*, *Lumem gentinum* et *Gaudium et spes*. Cardinal en 1969, reçu en 1973 à l'Académie française* au fauteuil du cardinal Tisserant, il se fait l'observateur souvent dérangeant de la crise catholique (*Autorité et contestation dans l'Église*, 1969). Sa mort subite à Paris le 20 mai 1974 dans des conditions scabreuses, suivie des ricanements des anticléricaux et des maladresses de ses défenseurs, a contribué à l'oubli injuste d'une œuvre alerte et perspicace. Elle lui interdit de voir la fondation de la revue *Communio* (1975), à la genèse de laquelle il a participé.

Jean-Pie Lapierre

■ *Platonisme et théologie mystique. Essai sur la doctrine spirituelle de Grégoire de Nysse*, Aubier, 1944. — *Le Mystère de l'Avent*, Seuil, 1948. — *Essai sur le mystère de l'Histoire*, Seuil, 1953. — *Les Saints païens de l'Ancien Testament*, Seuil, 1956. — *Histoire des doctrines chrétiennes avant Nicée*, t. 1 : *Théologie du judéo-christianisme*, t. 2 : *Message évangélique et culture hellénistique*, Desclée de Brouwer, 1958-1961. — *Nouvelle histoire de l'Église*, t. 1 : *Des origines à Grégoire le Grand* (avec H. Marrou), Seuil, 1963. — *L'Oraison, problème politique*, Fayard, 1965.

Daniel-Rops (Henri) [Henri Petiot]

1901-1965

Si Daniel-Rops a dû sa notoriété après la Seconde Guerre mondiale à son œuvre d'écrivain catholique et d'historien de l'Église, il a été aussi, par ses romans et ses essais, un intellectuel assez représentatif de l'évolution des idées et de la sensibilité dans certains milieux de l'entre-deux-guerres, que ce soit comme témoin de la génération de l'« inquiétude » à la fin des années 20 ou comme porte-parole du « personnalisme » des années 30.

De son véritable nom Henri Petiot, Daniel-Rops est né en 1901 à Épinal, où son père, officier, était en garnison. Étudiant des Facultés de droit et de lettres de Grenoble, il prépare l'agrégation d'histoire, à laquelle il est reçu à l'âge de vingt et un ans. Il est successivement professeur à Chambéry, Amiens et Paris. Dans les années 1925-1930, il débute dans la carrière littéraire avec un essai, *Notre inquiétude* (1927), un roman, *L'Âme obscure* (1929), et de nombreux articles dans diverses publications périodiques, dont *Le Correspondant*, *Notre temps*, *La Revue des vivants*. À partir de 1931, alors qu'il vient de se rapprocher du catholicisme, il participe, sur le conseil de Gabriel Marcel*, aux activités de L'Ordre nouveau*, dont il partage les orientations « personnalistes ». Il contribue activement à en diffuser les idées, dans des livres dont il est parfois difficile de dire ce qu'ils doivent à sa réflexion personnelle et à la doctrine du mouvement auquel il se rattache et qui font de lui un des représentants de l'effervescence intellectuelle des « non-conformistes des années 30 » : *Le Monde sans âme*, *Les Années tournantes*, *Éléments de notre destin*.

Après 1935, ses liens avec L'Ordre nouveau se distendent quelque peu et il collabore aux hebdomadaires catholiques *Sept** puis *Temps présent**. Jusqu'en 1940, il publie plusieurs romans, biographies et essais, dirigeant chez Plon la collection « Présences », dans laquelle il édite l'ouvrage *La France et son armée* du général de Gaulle, dont il devient l'ami. Dans les années 1941-1944, il écrit *Le Peuple de la Bible* et *Jésus et son temps*, début d'une œuvre d'histoire religieuse qui se poursuivra avec une monumentale *Histoire de l'Église du Christ*. Après la Libération, il abandonne l'enseignement pour se consacrer à son travail d'historien et d'écrivain chrétien, assurant la direction de la revue *Ecclésia* et de la collection encyclopédique « Je sais, je crois » chez Fayard*.

Parallèlement, retrouvant dans cet engagement certains de ses anciens compagnons de L'Ordre nouveau, il participe aux travaux de plusieurs mouvements fédéralistes européens, adhérant au groupe La Fédération, puis au Mouvement fédéraliste français. Il est, de 1957 à 1963, l'un des cinquante gouverneurs de la Fondation européenne de la culture fondée par Denis de Rougemont*. Élu en 1955 membre de l'Académie française*, il meurt en juillet 1965.

Jean-Louis Loubet del Bayle

■ *Notre inquiétude*, Perrin, 1927. — *Le Monde sans âme*, Plon, 1932. — *Péguy*, Plon, 1933. — *Les Années tournantes*, Éd. du Siècle, 1933. — *Éléments de notre destin*, SPES, 1934. — *La Misère et nous*, Grasset, 1935. — *Ce qui meurt et ce qui naît*, Plon, 1937. — *Par-delà notre nuit*, Laffont, 1943. — *Le Peuple de la Bible*, Fayard, 1943. — *Jésus et son temps*, Fayard, 1946. — *Histoire de l'Église du Christ*, Fayard, 1945-1965. — *Vouloir*, Plon, 1948.

▒ P. Andreu, *Révoltes de l'esprit. Les revues des années 30*, Kimé, 1991. — P. Dournes, *Daniel-Rops ou le Réalisme de l'esprit*, Fayard, 1949. — J.-L. Loubet del Bayle, *Les Non-Conformistes des années 30. Une tentative de renouvellement de la pensée politique française*, Seuil, 1969.

DARLU (Alphonse)

1849-1921

Professeur de l'enseignement secondaire n'ayant publié aucun ouvrage, Alphonse Darlu représente typiquement le rôle socratique du philosophe célébré comme éveilleur de vocations. Ce « philosophe inconnu » (Bonnet, 1961) est présenté ainsi par un contemporain : « Darlu a laissé peu d'écrits. Et le lecteur non averti ne découvre dans ses discours que des tendances idéalistes assez vagues. Il se mettait tout entier dans son enseignement ; il eût pu dire non sans fierté en montrant tels de ses élèves : « Voici mes meilleurs livres. » Léon Brunschvicg* ou Élie Halévy* n'aimaient-ils pas à dire qu'ils furent éveillés à la vie philosophique par les leçons-conversations où une conscience se livrait en se cherchant devant eux ? » (Bouglé, 1937).

Né en 1849 à Libourne, il est élève au lycée de Bergerac où son père (suspendu en 1850 pour ses opinions républicaines) est professeur d'histoire. Le décès de celui-ci l'oblige à enseigner dès qu'il est bachelier, et c'est en autodidacte qu'il prépare une licence puis l'agrégation de philosophie, où il est reçu en 1871 premier *ex aequo*. Après différents lycées du Sud-Ouest, il est nommé en 1882 à Paris, où il sera aussi chargé d'un cours sur la morale et la psychologie dans les Écoles normales supérieures féminines. Enfin, il succède en 1900 à Jules Lachelier comme inspecteur général. De 1895 à sa mort, à Paris en 1921, il siège au jury de l'agrégation de philosophie, dont il devient vice-président à partir de 1901.

Ce professeur charismatique d'allure provinciale et bonhomme a vu défiler dans sa classe de Condorcet bien des fils de la grande bourgeoisie qu'il a pu éveiller à la vie intellectuelle. Parmi eux, outre Fernand Gregh, Robert Dreyfus ou de nombreux philosophes, il faut relever Marcel Proust*, qui dit sa dette au « grand philosophe dont la parole inspirée, plus sûre de durer qu'un écrit, a, en moi comme en tant d'autres, engendré la pensée » dans *Les Plaisirs et les jours* (1893), et qui le présente dans *Jean Santeuil* sous les traits de M. Beulier, « plus que mal habillé » et avec un accent bordelais « extrêmement prononcé », mais qui « ne pensait jamais que pour dire la vérité et ne parlait jamais que pour dire sa pensée ».

Lorsqu'est créée en 1893 la *Revue de métaphysique et de morale* par Xavier Léon et une poignée de jeunes philosophes enthousiastes souhaitant secouer le joug « positiviste » que représente pour eux la *Revue philosophique*, Darlu apparaît comme le mentor de l'entreprise d'un groupe d'élèves fraîchement sortis de sa classe. C'est lui qui rédige le manifeste anonyme de l'« Introduction » du premier fascicule. À sa mort, la *Revue* célèbre le pédagogue et le guide moral, tout en reconnaissant que ce n'est « que par instants et par lueurs » qu'il a « laissé apercevoir [...] où l'eût conduit le développement systématique de sa pensée ». Entretemps, Darlu aura collaboré assez modestement à la *Revue*, par des articles portant souvent sur des « questions pratiques », principalement entre 1895 et 1905. C'est sous sa signature que se marque une prise de position de la *Revue* dans l'affaire Dreyfus (« De M. Brunetière et de l'individualisme. À propos de l'article “Après le procès” », 1898, également paru en brochure). La morale rationaliste, spiritualiste, républicaine et laïque qui s'exprime dans ses articles et conférences semble bien en affinité avec celle des animateurs de la *Revue de métaphysique et de morale.*

Dominique Merllié

■ H. Bonnet, *Alphonse Darlu (1849-1921). Le maître de philosophie de Marcel Proust* (conférences et articles de Darlu), Nizet, 1961. — Bouglé, « Métaphysique et morale. Xavier Léon », in *Les Maîtres de la philosophie universitaire en France*, Maloine, 1937. — A. Ferré, *Les Années de collège de Proust*, Gallimard, 1959. — D. Merllié, « Les rapports entre la *Revue de métaphysique* et la *Revue philosophique* », *Revue de métaphysique et de morale*, n° 1-2, janvier-juin 1993. — M. Proust, *Jean Santeuil*, Gallimard, 1952 (manuscrit des années 1895-1899). — « Alphonse Darlu » (notice nécrologique), *Revue de métaphysique et de morale*, supplément avril-juillet 1921.

DAUDET (Léon)

1867-1942

Né à Paris, fils aîné d'Alphonse Daudet, le jeune Léon a rencontré chez son père les plus grands écrivains, artistes et hommes politiques de son temps : les ancêtres (Hugo, Renan, Flaubert) ; les naturalistes (Zola*, Maupassant, Huysmans, les Goncourt) ; les symbolistes (Heredia, Leconte de Lisle, Moréas) ; les félibres (Mistral, Aubanel, Paul Arène) ; les impressionnistes (Monet, Renoir, Seurat). Il a partagé deux séjours avec Marcel Proust* ; approché Jules Massenet, Reynaldo Hahn, Claude Debussy. Songeant, un temps, à devenir médecin, il a été l'élève de Charcot. De 1891 à 1894, il a été le mari tumultueux de Jeanne, la petite-fille de Victor Hugo. Gambetta était l'ami de la famille. Léon Daudet a décrit cette expérience unique dans d'éblouissants *Souvenirs* qui, émergeant d'un fatras de 128 ouvrages et 9 000 articles, constituent son véritable titre à laisser un prénom à la postérité.

Les contemporains ont apprécié le romancier, entre autres, des *Morticoles* (1894), récit satirique dirigé contre la faculté de médecine, et le membre fondateur de l'académie Goncourt. Ils ont surtout connu le polémiste d'extrême droite, d'une violence verbale inouïe, dans la lignée de Louis Veuillot et de Léon Bloy*. Marqué par la personnalité d'Édouard Drumont* après le succès de *La France juive* en 1886, Léon Daudet adhéra à la ligue antisémite en 1889, à la fin de l'épisode boulangiste, avant d'entrer à la Ligue de la patrie française lors de l'affaire Dreyfus*, en 1899. Rallié au duc d'Orléans en 1904, il rejoignit Maurras*, « le guide génial », à l'Action française*, à la suite de l'affaire des fiches et du suicide de Syveton. En 1908, lorsque l'AF se dota d'un quotidien, il en devint le rédacteur en chef. Investi corps et âme dans l'action violente de la Ligue, il collectionna les duels politiques, notamment à l'occasion des échauffourées qui suivirent, en 1911, la création d'une pièce du « Juif Henry Bernstein » à la Comédie-Française. Pendant la guerre, ses campagnes contre les pacifistes révélèrent le financement par l'Allemagne du *Bonnet rouge*, d'Almereyda, et aboutirent à la condamnation de l'ancien ministre de l'Intérieur Malvy en 1918. Seul élu d'Action française à Paris en novembre 1919, Daudet provoqua la chute du cabinet Briand en janvier 1922. À la suite de la mort mystérieuse de son fils Philippe, en novembre 1923, le polémiste, fou de douleur, s'en prit à la Sûreté générale et fut condamné pour diffamation. Incarcéré à la Santé en 1927, il réussit, peu de jours après, une évasion rocambolesque et se réfugia à Bruxelles, avant d'être gracié en décembre 1929. Cet activiste impénitent, qui n'avait rien d'une tête politique, s'est laissé entraîner par la suite dans le naufrage de son maître à penser — ressassant sa haine de la démocratie parlementaire et n'attendant plus le salut que de l'homme providentiel appelé par lui, dès 1936, dans la personne de Pétain. Malade, il mourut à Saint-Rémy-de-Provence le 1er juillet 1942.

Alain-Gérard Slama

■ *Les Morticoles*, Fasquelle, 1894, rééd. Grasset, 1984. — *Le Lit de Procuste*, Fasquelle, 1912. — *L'Hérédo*, Nouvelle librairie nationale, 1916. — *Souvenirs des milieux littéraires, politiques, artistiques et médicaux*, Nouvelle librairie nationale, 1921 et 1926, rééd. Laffont, 1992, avec : *Le Stupide XIXe Siècle* (NLN, 1922) ; *Mes idées esthétiques* (Fayard, 1939) ; *Sauveteurs et incendiaires* (Flammarion, 1941). — *Souvenirs et polémiques*, Laffont, 1992 (contient notamment *Souvenirs des milieux littéraires*... et *Le Stupide XIXe Siècle*).

▒ F. Broche, *Léon Daudet, le dernier imprécateur*, Laffont, 1992. — P. Dominique, *Léon Daudet*, La Colombe, 1964.

DÉBAT (LE)

Lancée en mai 1980 à l'initiative de Pierre Nora*, la revue *Le Débat* est éditée par Gallimard*. Elle paraît mensuellement jusqu'en mai 1982 puis adopte un rythme de cinq numéros par an. Sa diffusion varie selon les thèmes abordés de 8 000 à 15 000 exemplaires. Les deux collections dirigées par Pierre Nora chez Gallimard (« Bibliothèque des histoires » et « Bibliothèque des sciences humaines ») fournissent un débouché aux réflexions entreprises dans la revue, avant que ne soit créée en 1988 une collection propre, « Le Débat », toujours chez Gallimard.

Le Débat offre un type de fonctionnement particulier dans l'histoire des revues. Dirigée et animée par Pierre Nora et Marcel Gauchet* (ancien secrétaire de la revue *Libre* qui disparaît en 1980), conseillés par Krzysztof Pomian, la revue ne dispose pas en effet de comité de rédaction institutionnalisé. Elle ne constitue pas en elle-même un milieu mais s'appuie sur divers réseaux de collaborateurs et d'amis. Parmi ceux-ci, on note la forte présence de l'École des hautes études en sciences sociales*, où enseignent les animateurs de la revue mais aussi François Furet* (directeur de l'École des hautes études en sciences sociales de 1977 à 1985), Mona Ozouf*, Jacques Revel, Pierre Rosanvallon*, Hervé Le Bras, Jacques Julliard, etc. La revue a également ouvert ses colonnes à de jeunes intellectuels dont elle contribue à asseoir la notoriété au cours des années 80 : Luc Ferry*, Gilles Lipovetsky, Paul Yonnet, Alain Finkielkraut*. Enfin, certains collaborateurs sont issus de l'École nationale d'administration* et de la haute fonction publique (Simon Nora, Alain Minc*, Nicolas Tenzer).

Les collaborateurs réguliers du *Débat* sont très présents dans la presse hebdomadaire (notamment au *Nouvel Observateur** ou à *L'Express**) et au sein de la Fondation Saint-Simon* (animée par François Furet et Pierre Rosanvallon). Ils peuvent aussi appartenir aux comités de rédaction de revues intellectuelles concurrentes comme *Esprit** (Bernard Manin, Alain Ehrenberg, Jean-Pierre Dupuy...) ou *Commentaire** (Emmanuel Le Roy Ladurie*, Marc Fumaroli*...).

Ces échanges de collaboration sont autorisés par les mutations du champ intellectuel dont témoignent aussi bien le lancement d'une nouvelle série d'*Esprit* en 1977 sous l'influence de Paul Thibaud*, que la création de *Libre* la même année ou celle de *Commentaire* par Raymond Aron* en 1978. *Le Débat* s'inscrit pleinement dans cette nouvelle configuration. Alors que le premier numéro de la revue sort au moment où Sartre* disparaît, Pierre Nora exprime clairement sa volonté de faire du *Débat* « le contre-pied des *Temps modernes** et de sa philosophie de l'engagement ». Cette critique des « maîtres à penser » constitue un axe fort de la revue à travers les articles de Luc Ferry, Alain Renaut, Marcel Gauchet, Philippe Raynaud, Paul Yonnet, Gladys Swain, etc.

Parallèlement à ces attaques contre la « pensée 68 » et ses représentants (Bourdieu*, Derrida*, Foucault*, Lacan*...), *Le Débat* participe du mouvement de réévaluation de la démocratie. La revue s'inscrit dès sa création dans le courant antitotalitaire issu de *Socialisme ou barbarie** et relayé dans les années 70 par *Textures*, *Libre* ou *Esprit*.

Résolument réformiste, privilégiant l'expertise et le commentaire à l'engagement, la revue se veut aussi un lien de confluence, d'ouverture entre la gauche et la droite modérées : Simone Veil*, Raymond Barre ou Michel Rocard sont tour à tour interrogés par François Furet, Alain Minc ou Pierre Nora.

Très critique à l'égard du mitterrandisme et de l'exercice gouvernemental socialiste, *Le Débat* n'en participe pas moins au renouvellement des idées de la gauche et à la remise en cause de ses traditions : Bernard Manin y interroge « le mythe de la souveraineté générale » et lui substitue l'idée de délibération ; les historiens de la troisième génération des *Annales*, autour de François Furet et de Mona Ozouf, proposent et défendent une interprétation de la Révolution française inspirée de Tocqueville et très éloignée de la tradition jacobine ou marxiste ; Gilles Lipovetsky et Paul Yonnet contribuent à réhabiliter l'individu démocratique ; Marcel Gauchet rappelle les élites socialistes à leurs responsabilités et plaide pour de nouvelles approches en matière de sécurité et d'immigration... Ces pistes de réflexion sont d'ailleurs partiellement reprises par le Parti socialiste, dont le « Projet pour l'an 2000 », adopté en 1991, est édité dans la collection « Le Débat ».

Malgré tout, l'autonomisation de la sphère intellectuelle par rapport au politique et à l'« obligation de se situer » (Marcel Gauchet) interdit de conclure au retour des « intellectuels de gauche ».

Goulven Boudic

■ G. Boudic, *« Le Débat ». Mutations du champ intellectuel à travers l'étude d'une revue (1968-1992)*, mémoire, Rennes, 1992.

DEBORD (Guy)

1931-1994

Cinéaste scandaleux à vingt ans, visionnaire aux intuitions souvent reprises par d'autres, Guy Debord a toujours fui les repères intellectuels classiques. Cohérent dans la lutte avant toute chose, il a rejeté tous les honneurs qu'une vie publique peut apporter.

Né à Paris en 1931, fils d'industriel ruiné, Debord rejoint la lignée avant-gardiste de Saint-Germain-des-Prés. Aux côtés des lettristes d'Isidore Isou et des artistes du mouvement CoBrA, menés par Asger Jorn, il s'obstine à force de provocations et d'expérimentations artistiques, « constructions conscientes de situations », à déclarer la mort de l'art, privée qu'est devenue cette pratique de sa portée subversive. Il fonde l'Internationale situationniste en 1957, dont la revue homonyme, qu'il dirige, rassemble ses premiers diagnostics, incisives descriptions du désastre occidental ainsi que des dérives idéologiques et bureaucratiques du bloc communiste.

Signataire du « Manifeste des 121 »* en 1960, collaborateur éphémère d'Henri Lefebvre* et lecteur de Cornélius Castoriadis*, c'est en retrait de tout engagement institutionnalisé qu'il s'efforce de dépasser le simple jeu artistique pour renouveler la critique marxiste des formes d'aliénation, dans une perspective dessinée par Lukács. Dans *La Société du spectacle*, son livre essentiel, il montre que les médiations de la marchandise et de l'image ont envahi le champ de l'expérience humaine faisant du « spectacle » le nouveau lien social planétaire, « reconstruction matérielle de l'illusion religieuse ». Vingt années après, ses *Commentaires sur « La Société du spectacle »* affinent sa vision pessimiste d'une société tautologique : fusion économico-étatique et progrès technologique entretiennent un ordre social où s'affirme partout, à des degrés différents, la dissolution de la mémoire collective et de critères de vérité. Exalté par le terrain révolutionnaire de Mai 68, le « général » Debord ne contrôle plus le soudain intérêt pour son mouvement, qu'il saborde en 1972. Après quelques voyages dans une Europe en rébellion, il construit un kaléidoscope d'images et de textes qu'il rassemble dans *Panégyrique*.

À l'esprit d'une production universitaire jugée désormais volontiers étriquée ou contradictoire, il a opposé la continuité d'une démarche hégélienne totalisante, soucieuse du slogan, au risque de la simplification : il est celui qui nie. C'est dans une ivresse poétique que l'orgueilleux moraliste dissout la violence glacée de son combat politique révolu, avant de se donner la mort le 30 novembre 1994 dans sa maison de Champot, à Bellevue-la-Montagne (Haute-Loire).

Laurent Jeanpierre

■ Ouvrages : *La Société du spectacle*, Buchet-Chastel, 1967, rééd. Gallimard, 1992. — *Œuvres cinématographiques complètes*, Champ libre, 1978. — *Commentaires sur « La Société du spectacle »*, Gérard Lebovici, 1988, rééd. Gallimard, 1992. — *Panégyrique*, Gérard Lebovici, 1989, rééd. Gallimard, 1993.
Films : *Hurlements en faveur de Sade*, 1952. — *Sur le passage de quelques personnes à travers une assez courte unité de temps*, 1959. — *La Société du spectacle*, 1973. — *In girum imus nocte et consumimur igni*, 1978.

DEBRAY (Régis)

Né en 1940

Tour à tour philosophe, écrivain, militant révolutionnaire et conseiller du Prince, Régis Debray n'a eu de cesse de témoigner de sa volonté farouche de mener de front réflexion théorique et engagement politique, « afin de peser peu ou prou sur le cours des choses ».

Né en 1940 dans une famille d'avocats parisiens, il poursuit ses études au lycée Janson-de-Sailly puis à Louis-le-Grand. Reçu premier au concours de l'École normale supérieure* (1960), il est marqué par la guerre d'Algérie et se rapproche des étudiants communistes. Plusieurs séjours à Cuba au début des années 60 lui font découvrir la cause révolutionnaire et le conduisent à devenir l'ami de Fidel Castro et le compagnon de Che Guevara. Après l'agrégation de philosophie (1965), il participe à la guérilla en Amérique latine, qu'il théorisera dans *Révolution dans la révolution*. Arrêté et emprisonné à Camiri (Bolivie) en 1967, il accède bien malgré lui à une certaine notoriété en France où de nombreux intellectuels interviennent en faveur de son élargissement. Il ne sera libéré qu'en décembre 1970.

Il se consacre dès lors à la rédaction de livres qui rendent compte de son expérience et de ses espérances et s'adonne à la littérature. Après un premier roman remarqué, *L'Indésirable* (1975), *La neige brûle* lui vaut le prix Femina 1977. Proche des socialistes, il est l'un des rédacteurs des « Réflexions du Comité pour une charte des libertés » qui paraissent en 1976 avec le soutien de François Mitterrand. Son pamphlet sur *Le Pouvoir intellectuel en France* amorce une réflexion sur l'influence des médias, la télévision en particulier, dans notre société. Elle se prolonge avec *Le Scribe* (1980), puis la mise sur pied d'une nouvelle discipline, la médiologie, qui se donne pour tâche l'étude des médiations par lesquelles une idée devient une force matérielle. Les principes de cette recherche sur les « médiasphères » sont exposés dans le *Cours de médiologie générale* puis dans *Vie et mort de l'image*. Ils donnent lieu à une soutenance en Sorbonne en 1994.

Entre-temps, de 1981 à 1988, l'homme de réflexion est devenu conseiller du président, chargé des questions du tiers monde et maître des requêtes au Conseil d'État (1985), poste dont il démissionne bientôt, échaudé par sa participation aux affaires publiques. Après avoir tenté, dans *Critique de la raison politique*, de remonter vers les principes de l'organisation collective dans nos sociétés, il s'interroge dans *La Puissance et les rêves* sur les fondements d'une *Realpolitik* de gauche et sur la renaissance de l'idée de nation en Europe. *Les Empires contre l'Europe* aborde ensuite la question des relations internationales et du rapport Est-Ouest. Ses ouvrages plus récents, *Que vive la République* et *À demain de Gaulle*, le désignent désormais comme un défenseur acharné de l'État républicain, seul à même de restituer aux individus leur dignité de citoyen. Partagé entre l'écriture en solitaire et l'imprécation cathodique, il tente de gérer au mieux les contradictions auxquelles est confronté l'intellectuel d'aujourd'hui.

Rémy Rieffel

■ *Révolution dans la révolution*, Maspero, 1967. — *La Critique des armes*, Seuil, 1974. — *Le Pouvoir intellectuel en France*, Ramsay, 1979. — *Le Scribe*, Grasset, 1980. — *Critique de la raison politique*, Gallimard, 1981. — *La Puissance et les rêves*, Gallimard, 1984. — *Que vive la République*, Odile Jacob, 1989. — *À demain de Gaulle*, Gallimard, 1990. — *Cours de médiologie générale*, Gallimard, 1991. — *Vie et mort de l'image*, Gallimard, 1992.

DEBRÉ (Robert)

1882-1978

Grand patron de médecine, ambassadeur de la pensée scientifique française, Robert Debré a laissé une forte empreinte sur le paysage médical international par son œuvre pionnière en pédiatrie et ses combats pour une médecine sociale.

Né le 7 décembre 1882, fils et petit-fils de rabbin — son père est nommé grand rabbin de la communauté juive de Neuilly en 1888 —, Robert Debré, après Janson-de-Sailly, étudie la philosophie en Sorbonne. C'est le temps des premiers engagements où, jeune étudiant, il découvre les quartiers populaires de Paris. L'affaire Dreyfus* le jette, avec quelques compagnons d'études (Jacques Maritain*, Ernest Psichari*) sous l'autorité de Péguy*, dans l'aventure d'un petit journal socialiste pour enfants *Jean-Pierre*.

Son désir d'action lui fait choisir la médecine et ses brillantes études — interne en 1909, docteur en 1911, agrégé en 1920 — l'orientent vers la médecine des enfants. Professeur de bactériologie en 1933 à Paris, professeur de clinique des maladies des enfants en 1941 et médecin-chef à l'hôpital des Enfants-Malades après guerre, Debré donne à la pédiatrie une orientation moderne. Chercheur guidé par ses maîtres pastoriens (Roux, Calmette, les frères Nicolle), il mène des travaux sur les maladies infectieuses — rougeole, diphtérie, tuberculose —, l'hygiène et la pathologie générale. Rassembleur, Debré mobilise les nouvelles disciplines de la science médicale — biochimie, physiologie de l'enfant, biologie du développement —, les apports des sciences de l'homme (psychologie génétique, travaux de H. Wallon*) pour donner à la pédiatrie sa dimension scientifique et sociale dans une démarche intellectuelle qui associe les progrès médicaux et la création d'institutions neuves.

Pendant l'entre-deux-guerres, Debré impulse, aux côtés de son maître Léon Bernard, le placement familial des enfants pour lutter contre la tuberculose (1921). Après 1945, son souci de l'hygiène publique, son désir de médecine préventive trouvent réponse dans la PMI (Protection maternelle infantile) et le développement de la médecine scolaire et universitaire. Cette volonté de préserver la vie est présente dans son intérêt pour les questions démographiques. Ami d'Adolphe Landry, il participe à l'élaboration du Code de la famille en 1939 et au lancement de l'INED en 1945 à côté d'Alfred Sauvy*. Il mène une action internationale d'abord dans le cadre de la SDN puis, après la Seconde Guerre, au sein des organismes spécialisés de l'ONU, il participe à la vie du Fonds des Nations unies pour l'enfance et en 1950 crée à Paris le CIE (Centre international pour l'enfance).

Robert Debré est un grand réformateur, toujours préoccupé par la qualité et le rang de la médecine française, et son patriotisme médical fait de lui le maître d'œuvre de la réforme des études médicales. Dès 1942, il y réfléchit au sein du Comité médical de la Résistance et le projet sera repris par le Comité interministériel pour la réforme des études médicales (1956) dont les travaux aboutissent à la création des CHU dans les années 60.

L'influence de Robert Debré déborde le cadre médical. Pendant la guerre, il soutient financièrement le lancement des Éditions de Minuit*. Il est au carrefour de grandes institutions scientifiques : la genèse du Centre national de la recherche scientifique*, l'INED, l'Institut national d'hygiène, ancêtre de l'INSERM. Ses préoccupations sociales, ses nombreuses relations dans le monde politique, son magistère moral le désignent à des postes de responsabilité : Haut comité d'information et de lutte contre l'alcoolisme (1954), Conseil supérieur de l'éducation, Comité des programmes de radiodiffusion. Homme de grande culture, Debré cultive les amitiés littéraires (Paul Valéry*) et ne dédaigne pas les plaisirs mondains des jeudis du *Figaro littéraire**. Amoureux des belles-lettres, il fut un ardent défenseur de la culture française. Esprit libéral, il est de tous les combats pour les droits de l'homme et milite pour la décolonisation, le contrôle des naissances, le refus de la peine de mort, la dignité de l'homme, engagements de toute une vie dont témoignent son livre-mémoire *L'Honneur de vivre* et son dernier ouvrage, *Ce que je crois*.

Lucien Mercier

■ *Des Français pour la France* (avec A. Sauvy), Gallimard, 1946. — *L'Honneur de vivre*, Stock / Hermann, 1974. — *Ce que je crois*, Grasset et Fasquelle, 1976. — *L'Enfant dans sa famille* (avec A. Doumic-Girard et R. Mande), Grasset, 1981.

■ F. Huguet, *Les Professeurs de la Faculté de médecine de Paris. Dictionnaire biographique (1794-1939)*, CNRS, 1992. — *Hommage au professeur Robert Debré (1882-1978)*, Grasset, 1980. — *Bulletin de l'Académie nationale de médecine*, n° 9, 1982.

DECOUR (Jacques) [Daniel Decourdemanche]

1910-1942

Fondateur durant l'Occupation du Comité national des écrivains*, Jacques Decour a joué un rôle déterminant dans la naissance de la résistance intellectuelle.

Né à Paris le 21 février 1910 dans une famille bourgeoise, fils d'un agent de change, Daniel Decourdemanche est reçu premier à l'agrégation d'allemand en 1932. Dès 1930, il est publié à *La Nouvelle Revue française** sous le nom de « Jacques Decour ». Jeune professeur, il évolue vers le communisme et devient, en 1936-1937, un militant actif à Tours. Nommé au lycée Rollin à Paris à la rentrée 1937, il participe au mouvement intellectuel antifasciste : il seconde Aragon* à la revue de l'Association des écrivains et artistes révolutionnaires* : *Commune** ; il en devient rédacteur en chef en décembre 1938 et dirige, en février 1939, le numéro consacré à « L'humanisme allemand », hommage aux valeurs bafouées par le nazisme. Après le pacte germano-soviétique, il reste fidèle au Parti.

Mobilisé à la déclaration de guerre, il reprend, à la rentrée 1940, son poste au lycée Rollin. Avec Georges Politzer* et Jacques Solomon, il est à l'origine de deux publications communistes appelant à la résistance intellectuelle à Vichy et à l'occupant, *L'Université libre* lancée au lendemain de l'arrestation de Paul Langevin*, le 30 octobre 1940, et la revue *La Pensée libre* dont le premier numéro paraît en février 1941. Après la création du Front national, Decour va se vouer au regroupement de tous les écrivains résistants de zone occupée. En liaison avec Jean Paulhan* et Jacques Debû-Bridel, il met sur pied le premier comité national des écrivains et compose le premier numéro des *Lettres françaises**.

Son arrestation par la police française, le 17 février 1942, empêche la parution de ce numéro contenant son « Manifeste des écrivains de zone occupée ». Ce numéro n'ayant pas été retrouvé, il faut attendre septembre 1942 pour que Claude Morgan* puisse faire paraître un premier numéro de quatre pages reproduisant le manifeste écrit par Decour, mais sans texte littéraire. Interné à la Santé, mis au secret, Jacques Decour est remis le 20 mars 1942 aux Allemands ; après trois mois d'interrogatoires, il est fusillé comme otage au Mont-Valérien, le 30 mai 1942, en même temps que Georges Politzer et Jacques Solomon. « Si vous en avez l'occasion — écrit-il à ses parents au matin de son exécution —, faites dire à mes élèves de première, par mon remplaçant, que j'ai bien pensé à la scène d'Egmont. » Les Éditions de Minuit* clandestines lui rendent hommage par la plume de Jean Paulhan*, en 1943 dans *Chroniques interdites* et, en 1944, dans des *Pages choisies* éditées pour le Comité national des écrivains. Après la Libération, le lycée Rollin prend le nom de « lycée Jacques-Decour ».

Nicole Racine

■ Textes choisis de Jacques Decour présentés par Louis Aragon dans *Comme je vous en donne l'exemple...*, Éditeurs français réunis, 1974.

▒ J. Debû-Bridel, *La Résistance intellectuelle*, Julliard, 1970. — C. Morgan, *Les Don Quichotte et les autres*, Roblot, 1979. — L. Parrot, *L'Intelligence en guerre. Panorama de la pensée française dans la clandestinité*, Castor astral, 1990. — N. Racine, « Jacques Decour », in *DBMOF*.

DEGUY (Michel)

Né en 1930

Poète, agrégé de philosophie (1953), Michel Deguy est aussi professeur (à l'université de Vincennes-Saint-Denis, depuis 1968), essayiste (*Choses de la poésie et affaires culturelles*, 1986), critique (*Le Monde de Thomas Mann*, 1962 ; *La Machine matrimoniale ou Marivaux*, 1982), traducteur (de Paul Celan, de poètes américains, de Hölderlin, de Heidegger, entre autres), et il faudrait sans doute énumérer, pour convoquer son œuvre tout entière, mêlés à ceux de ses livres, de ses innombrables articles, ses titres de responsabilité — et de vigilance — intellectuelle : membre de *Tel Quel** presque depuis le début (jusqu'à son éviction en 1966), cofondateur (avec G. Iommi) de la *Revue de poésie* (1964-1968), membre du comité de lecture de Gallimard* (de 1960 à 1986), du comité de rédaction de *Critique** (depuis 1960), des *Temps modernes** (depuis 1988), directeur de la revue *Po&sie* (qu'il fonde en 1976 chez Belin), président du Collège international de philosophie* (de 1989 à 1992), de la Maison des écrivains (depuis 1992), membre du

Parlement des écrivains. À chacun de ces titres correspond une activité qui mobilise Michel Deguy tout entier sans qu'elle exclue jamais tout à fait les autres. C'est qu'un lien poétique relie tous ces domaines où « rien ne va sans dire ».

L'esperluette (&) qu'il aime et qu'il a choisi d'inscrire au cœur du titre de sa revue *(Po&sie)* serait sans doute l'emblème le moins incertain de cet esprit soucieux jusqu'à l'obsession de la « relation » (du « jumelage »). Prise « dans l'urgence des rapprochements », l'œuvre, préoccupée par le rapport du monde à ses « parties », évoque donc, par l'analogie « qui est le milieu du langage », aussi bien le voyage, pratiqué inlassablement, que le journal, « cet attelage extrêmement complexe », ou l'amitié : toute circonstance en fait, et il ne saurait y en avoir de moindre puisque « la circonstance fait la relation » (Michel Deguy aime à citer ce mot de Prigogine).

Aucun vain éclectisme, donc, dans l'insatiable curiosité qui le porte vers tout ce qui existe ; aucune illusion de dire, en une adéquation parfaite, le monde tel qu'il est ; aucun souci non plus — encore moins — de se faire la voix d'une instance, d'un appareil quelconques. Mais le projet, rigoureux, fidèle, précaire, d'une poétique qui confie au langage, nécessairement et savamment figuré, le soin de penser, par ajointements infiniment variés, « l'impensable du monde », de « nous douer d'une capacité d'habiter », comme il le dit songeant à Heidegger, dont il se réclame et dont sa poésie n'est pas séparable ; de « dire l'époque dans l'endurance de la pensée » (J.-P. Moussaron).

L'époque, c'est l'horreur « sans précédent » : dans « Une œuvre après Auschwitz » (texte repris dans *Aux heures d'affluence*, 1993), Michel Deguy, bouleversé par *Shoah*, le film de C. Lanzmann, médite sur « l'*incroyable* effectivement survenu ». Ce sont aussi les abus de pouvoir, l'atteinte à la liberté de parler, de penser : Michel Deguy fait partie du Comité français de défense de Salman Rushdie ; soutient Taslima Nasreen ; critique, non sans humour, le fonctionnement de Gallimard* qui, après vingt-cinq ans de services, l'exclut de son comité de lecture (*Le Comité*, 1987). C'est encore le « culturel » : tout ce qui, se faisant passer pour la culture, en tenant lieu, dissimule, « sous l'alibi d'un homonyme et dans l'illusion d'une continuité, [s]a fin sans résurrection ». La parole d'art est le seul espace capable d'abriter la chance d'une libération de cette « barbarie ». Cette poétique débouche donc naturellement sur une éthique (une « poétique »). Ce qu'espère la parole pourtant, prise ici ou là, dans les colloques plutôt que dans les meetings, à France-Culture* plutôt qu'à la télévision, donnée ici et là (donner la parole, dans les revues, dans les collèges, c'est aussi faire œuvre), n'est pas l'utopique réduction de la distance qui nous séparerait d'un paradis (« Le monde est inaméliorable »), mais la configuration d'un espace où concevoir « l'arche » à opposer au « déluge » (*Brevets*, 1986), entre le vivable qui n'est pas de ce monde et l'invivable qui est le monde.

À ce qui n'en finit pas, 1995. Face au non-visible, à la mort qui est l'humain et menace la relation qui est l'humain également, l'œuvre de parole reste peut-être — mise en mots du monde visible et entendu, reprise, retour sur les mots anciens — le seul, et pour cela plus que précieux, « phénomène » possible.

Bruno Clément

■ Chez Gallimard : *Fragments du cadastre*, 1960 ; *Poèmes de la presqu'île*, 1962 ; *Actes*, 1965 ; *Ouï-dire*, 1966 ; *Tombeau de Du Bellay*, 1973 ; *Poèmes (1960-1970)*, 1973 ; *Gisants*, 1985 ; *Poèmes (1970-1980)*, 1986. — *La poésie n'est pas seule*, Seuil, 1987. — *Arrêts fréquents*, Métailié, 1990.

▒ M. Loreau, *Michel Deguy*, Gallimard, 1980. — J.-P. Moussaron, *La Poésie comme avenir*, Le Griffon d'Argile, 1992. — *Le Poète que je cherche à être* (actes du colloque international organisé à l'ENS de Fontenay en juin 1995), Belin / La Table ronde, 1996. — Le n° 78-79 de la revue *Sud* (1988) est entièrement consacré à Michel Deguy.

DELEUZE (Gilles)

1925-1995

Définissant la philosophie comme « l'art d'inventer des concepts », Gilles Deleuze construit une pensée radicalement positive, dont le ton tranche par sa hardiesse. Résolument à rebours de la plupart des courants intellectuels de son temps, il a élaboré livre après livre une énergétique conceptuelle dont la cohérence frappe d'autant plus qu'éclate la variété des objets qu'il manie (littérature, cinéma, psychanalyse, peinture, politique et, bien sûr, philosophie classique).

Né à Paris en 1925, Gilles Deleuze passe l'agrégation de philosophie en 1948. Il enseigne dans le secondaire, avant d'être nommé à l'université de Lyon en 1964, puis à Vincennes, où il est appelé par Michel Foucault* en 1969.

Si ses premiers livres publiés sont de facture plutôt classique, apparaissant comme des ouvrages d'histoire de la philosophie, voire d'introduction à la pensée de grands auteurs, ils n'en dessinent pas moins un paysage de références privilégiées (Spinoza, Hume, Kant, Bergson et Nietzsche) et surtout mettent en place le champ de forces conceptuel qui sera celui du Deleuze ultérieur. Il crédite Hume d'avoir récusé le mythe de l'unité du sujet et de l'avoir présenté traversé de flux. Il voit dans le criticisme kantien une machine de guerre contre toute tentation métaphysique, développée par la suite par Nietzsche contre le système hégélien. Mais c'est sans doute Spinoza qui est au principe de la plupart des démarches philosophiques de Deleuze, qui se veut radicalement moniste, et congédie tout ce qui n'entre pas dans un « plan d'immanence ».

On peut donc considérer les essais ultérieurs de Deleuze, y compris ceux qui furent issus de sa collaboration avec Félix Guattari*, comme le déploiement de ce spinozisme intransigeant. *L'Anti-Œdipe*, puis *Mille plateaux*, devaient défrayer la chronique, tant en raison de leur forme peu classique, que de la charge virulente qu'ils contenaient contre la psychanalyse classique, précisément accusée de faire la part trop belle à une transcendance contre laquelle les auteurs mobiliseront la notion d'« inconscient machinique ». Le souci d'une pensée affirmative, le refus de toute pensée du mal, ou de l'absence, sont la ligne de fracture qui sépare Deleuze de tous ses contemporains, si souvent nourris de Heidegger ou plus généralement de la phénoménologie. Avec les stoïciens, Deleuze récuse le dualisme de l'être et du phénomène, pour penser en termes d'événements. Le seul qui trouvera grâce à ses yeux sera Foucault, avec lequel il est d'ailleurs lié d'amitié (il lui consacrera un livre après sa mort), et qui lui semble ouvrir des voies analogues aux siennes propres, en développant notamment une analyse toute positive de la force des « énoncés ».

La conceptualité développée par Deleuze se comprend alors par ce souci quasi vitaliste de laisser se développer les « devenirs » de chacun. Il ne cessera de prôner la déterritorialisation, assimilant ainsi les logiques du territoire, celles des droits de l'homme, celles des majorités et celle de la démocratie dans un même geste de territorialisation.

Mais Deleuze est au moins conséquent sur ce point : la discussion publique est vaine. À ses engagements, nombreux et constants, en faveur de toutes les dissidences, de toutes les formes de contestation, de toutes les singularités menacées, il n'apporte guère de justification autre que cette « politique » de prolifération des minorités. Il tranche ainsi sur les formes d'intervention usuelles par un refus résolu d'apparaître à la télévision, et plus généralement dans toute forme de débat public, fidèle à sa conviction qu'une pensée se déploie mais ne s'argumente pas. À cet égard, il ne peut être considéré comme un intellectuel au sens courant du terme, mais doit sans doute être pleinement justifié dans son ambition de philosophe, jusque dans sa décision ultime de se donner la mort, au matin du 3 novembre 1995, pour échapper à la déchéance physique qui le minait depuis de longues années déjà.

Joël Roman

■ *Nietzsche et la philosophie*, PUF, 1962. — *La Philosophie critique de Kant*, PUF, 1963. — *Spinoza et le problème de l'expression*, Minuit, 1968. — *Différence et répétition*, PUF, 1969. — *Logique du sens*, Minuit, 1969. — *L'Anti-Œdipe* (avec F. Guattari), Minuit, 1972. — *Francis Bacon : logique de la sensation*, La Différence, 1981. — *L'Image-mouvement*, Minuit, 1983. — *L'Image-temps*, Minuit, 1985. — *Foucault*, Minuit, 1986. — *Le Pli. Leibniz et le baroque*, Minuit, 1988. — *Pourparlers*, Minuit, 1990. — *Qu'est-ce que la philosophie ?* (avec F. Guattari), Minuit, 1991. — *Critique et clinique*, Minuit, 1993.

▩ J.-C. Martin, *Variations. La philosophie de Gilles Deleuze*, Payot, 1993. — « Gilles Deleuze », *L'Arc*, n° 49, 1972.

Demain

C'est à Genève, chez le libraire Jeheber, le 15 janvier 1916, que parut sous la direction d'Henri Guilbeaux le premier numéro du mensuel *Demain*, *Pages et documents*. Socialiste en rupture d'Internationale depuis août 1914, réformé et installé en Suisse depuis juin 1915, Guilbeaux entendait y tirer profit de la neutralité helvétique et de la présence d'une parentèle rollandiste. Afin de « préparer la reprise des rapports entre les peuples », sa revue prônait, face au conflit mondial, la fidélité « au robuste idéal renié avec fracas par les intellectuels qui, avant cette guerre, tiraient vanité du radicalisme de leurs conceptions ».

L'entreprise *Demain* ne manquait pas d'ambition. Dans l'esprit de son initiateur, il ne s'agissait pas d'« une affaire quelconque de librairie et d'édition » mais bel et bien de « servir et défendre les intérêts moraux et matériels de l'humanité ».

Au service de ce projet, Henri Guilbeaux parvint à s'assurer une palette de collaborateurs qui reflétaient à l'origine la plupart des nuances du spectre anti-guerre. À l'ombre de la figure tutélaire de Romain Rolland*, qui ne démentit jamais publiquement son soutien malgré les imprudences de Guilbeaux, la revue accueillit initialement des tolstoïens (P.J. Jouve, P. Birukoff), catholiques (G. Dupin), pacifistes-féministes (E. Sidgwick), aux côtés de signatures plus révolutionnaires (M. Martinet, A. Balabanova) ou littéraires (Selma Lagerlöf). À côté d'articles généralement consacrés à la dénonciation du conflit, *Demain* faisait office, grâce à sa rubrique « Faits / Documents et gloses » de bulletin de liaison et d'information sur les initiatives qui se faisaient jour en Europe chez les récalcitrants à l'Union sacrée. La diffusion de ces thèmes était amplifiée par l'existence de brochures reprenant les publications des principaux collaborateurs. La revue fut interdite en France, dès avril 1916, puis en Grande-Bretagne et en Italie. Si elle ne pénétra pas en Allemagne, elle fut essentiellement reçue aux Pays-Bas et en Scandinavie.

Au pacifisme œcuménique du début succéda, dès le printemps 1916, une orientation plus conforme au programme de la conférence de Zimmerwald et encouragée par la rencontre de Guilbeaux avec Lénine. Après une interruption en novembre 1916, pour des raisons pécuniaires, la radicalisation devint patente à l'occasion de la reparution du titre, en mai 1917, le sommaire s'enrichissant de contributions anticolonialistes (Abdel Aziz Ech Cherkaoui). À la lumière des événements russes, *Demain* rallia la « lutte pour la paix » bolchevique, affichant désormais la collaboration de Lénine (qui n'y publia pourtant rien), Zinoviev et Trotski, ce dernier signant, en octobre 1917, une étude sur « le pacifisme au service de l'impérialisme ». Suspendu en octobre 1918, le titre fut cédé en septembre 1919 au « groupe communiste français de Moscou » (Guilbeaux, Hélène Blonine, Pierre Pascal) pour un unique et dernier numéro.

Yves Santamaria

■ H. Guilbeaux, *Du Kremlin au Cherche-Midi*, Gallimard, 1933. — C. Prochasson, *Les Intellectuels, le socialisme et la guerre (1900-1938)*, Seuil, 1993. — N. Racine, « Henri Guilbeaux », in *DBMOF*. — R. Rolland, *Journal des années de guerre (1914-1919)*, Albin Michel, 1952.

Demangeon (Albert)

1872-1940

Élève de P. Vidal de La Blache*, Albert Demangeon a ouvert largement le champ des questions de géographie humaine en s'intéressant à la population et au peuplement, aux échanges économiques à l'échelle mondiale, à la géographie politique de l'Europe et du monde issus de la Grande Guerre. Il a aussi contribué à maintenir les relations de la géographie avec les autres sciences sociales.

A. Demangeon est né à Gaillon (Eure) le 13 juin 1872 ; il est mort le 25 juillet 1940 à Paris. Après des études secondaires au collège Sainte-Barbe à Paris, il entre à l'École normale supérieure* en 1892 (il est de la même promotion qu'E. de Martonne*). Il suit l'enseignement de P. Vidal de La Blache et est reçu, comme E. de Martonne, à l'agrégation d'histoire et de géographie en 1895. Enseignant dans divers lycées du Nord de la France puis à l'université de Lille, il prépare sa thèse, *La Plaine picarde*, qu'il soutient en 1905 : ce travail est considéré comme le modèle de monographie régionale de l'école vidalienne. Nommé professeur à Lille (1905) puis maître de conférences à la Sorbonne (1911), il se spécialise progressivement en géographie humaine, il enseigne à l'ENS de Sèvres, à celle de Fontenay et à l'École des hautes études commerciales. Pendant la guerre de 1914-1918, il est attaché au Service géographique de l'armée et participe aux travaux du Comité d'études*.

Dès l'après-guerre, ses travaux s'orientent dans plusieurs directions : il continue et approfondit ses recherches sur le monde rural, il devient aussi très attentif aux problèmes de l'urbanisation et surtout s'efforce de penser les transformations du monde contemporain. Son approche des faits ruraux est caractérisée par un souci typologique : types de l'habitat paysan, modes de peuplements. Il sera l'auteur de référence internationale sur ces questions pendant deux décennies. La croissance urbaine et les problèmes liés à la circulation et à l'industrialisation sont abordés dans des articles monographiques ou dans le cadre d'ouvrages de géographie régionale. A. Demangeon ouvre la *Géographie universelle* par le volume consacré aux *Îles britanniques* (1926) et il la ferme, à titre posthume, par deux volumes sur *La France économique et humaine* (1946 et 1948) en ayant rédigé également le volume consacré à *La Belgique et* [*aux*] *Pays-Bas* (1927). Mais ses contributions les plus originales dépassent le cadre d'une recherche et d'une réflexion étroitement disciplinaires. Dès 1920, il analyse *Le Déclin de l'Europe*, cet ouvrage a un retentissement dans les milieux d'affaires et diplomatiques : il désigne les vainqueurs économiques du conflit mondial, les États-Unis et le Japon. En 1923, avec *L'Empire britannique*, il montre la nature et la fragilité d'une construction géopolitique de type impérial déjà travaillée par l'émergence des nationalismes et le relâchement des liens économiques. Les transformations de l'économie internationale et les conséquences de la crise de 1929-1930 sont analysées presque immédiatement dans plusieurs livraisons des *Annales de géographie*. Cette vigilance, A. Demangeon l'exerce aussi quand la réflexion géographique est mobilisée pour des objectifs qui lui semblent peu scientifiques : il critique sévèrement les conceptions et les engagements politiques des géographes allemands dans le cadre de la *Geopolitik* : « Nous devons constater que la géopolitique allemande renonce délibérément à tout esprit scientifique, elle est un coup monté, une machine de guerre. »

Penser le monde contemporain dans sa dimension spatiale, repérer des constructions humaines, sociales et politiques, des figures les plus simples comme l'habitat rural aux plus complexes comme l'Empire britannique, constitue l'apport d'A. Demangeon à la géographie humaine. Sa démarche se développe en dehors de tout cadre théorique précis, le rappel de certains principes vidaliens ne pouvant en tenir lieu. Très tôt (1909), il expose sa méthode d'enquête pour collecter l'information auprès des populations rurales ou urbaines, considérant cette étape comme essentielle pour établir des typologies. Il dirige un grand nombre d'enquêtes sur des sujets les plus variés. Il ménage des lieux de contacts avec des informateurs potentiels : ainsi les instituteurs regroupés dans une Société d'études historiques, géographiques et scientifiques de la Région parisienne. Parallèlement, il entretient dans le cadre universitaire des relations suivies avec des économistes, des urbanistes et surtout des historiens, et confie à leurs revues des articles importants. La publication en 1935, en commun avec L. Febvre*, de l'ouvrage sur *Le Rhin : problèmes d'histoire et d'économie* est exemplaire de cette intégration étroite d'A. Demangeon au milieu des sciences sociales, d'une part, et de son souci, d'autre part, de pratiquer une géographie ouverte sur ce qu'on appellera après la guerre les questions d'aménagement du territoire*.

Jean-Louis Tissier

■ *La Plaine picarde*, Armand Colin, 1905. — *Le Déclin de l'Europe*, Payot, 1920. — *Les Îles britanniques* (1926) et *La France économique et humaine* (1946), t. 1 et 6 de *Géographie universelle*, Armand Colin. — *Problèmes de géographie humaine*, Armand Colin, 1942.

▒ A. Perpillou, « Albert Demangeon (1872-1940) », in *Les Géographes français*, Comité des travaux historiques et scientifiques, 1975.

DEMARTIAL (Georges)

1861-1945

Issu d'une famille bourgeoise, Georges Demartial fit, après sa licence en droit, l'essentiel de sa carrière au sous-secrétariat d'État aux Colonies de 1882 à 1926. Il se fit connaître avant 1914 par de nombreux écrits sur les questions administratives et le statut des fonctionnaires, tout en étant opposé au syndicalisme de ces derniers.

La Première Guerre mondiale* réorienta de façon profonde son engagement. Ayant, à la suite de la lecture du *Livre jaune français*, éprouvé des doutes sur les responsabilités fondamentales que l'on attribuait à l'Allemagne quant au déclenchement de la guerre en 1914, il en arriva à la conclusion que la Russie tsariste portait une responsabilité au moins aussi grande. Il put en convaincre le secrétaire de la Ligue des droits de l'homme*, M. Morhardt, ainsi que Charles Gide*. Avec le philosophe Michel Alexandre*, tous trois créèrent, en janvier 1916, la Société d'études documentaires et critiques sur la guerre, qui avait pour but « d'examiner les origines et les conséquences d'ordre diplomatique, économique et moral de la guerre ». Dès lors, Demartial consacra l'essentiel de son énergie à s'élever contre la thèse de la responsabilité allemande.

Un article publié en 1926 dans la revue *Current History* provoqua une protestation de l'Association des décorés de la Légion d'honneur, puis une enquête pour savoir si Demartial n'avait pas porté « atteinte à l'honneur de la France ». Le 11 mai 1928, il fut suspendu pour cinq ans de « l'exercice des droits et prérogatives attachés à la qualité d'officier de la Légion d'honneur » et, dans un numéro spécial du 15 juin 1928, la revue *Europe** présenta un dossier de l'affaire. En dépit de ses efforts, Demartial ne put jamais faire discuter ses thèses, ni à la Ligue des droits de l'homme, ni par des historiens comme C. Bloch ou P. Renouvin.

À partir des années 30, Demartial défendit des positions pacifistes tout en dénonçant le « mythe de la légitime défense ». Analysant les événements de cette décennie à la lumière de ceux d'août 1914, il multiplia les écrits dans les publications pacifistes *(Le Barrage, La Patrie humaine)*, tout en réclamant la révision du traité de Versailles, qui, selon lui, était responsable de l'avènement de Hitler. Membre de la Ligue internationale des combattants de la paix, il s'orienta de plus en plus vers le pacifisme intégral que défendait son ami F. Challaye* ; mais si son dernier ouvrage important, paru en 1941 *(La Guerre de l'imposture)*, mésestimait manifestement le rôle de l'hitlérisme, il ne semble pas avoir écrit dans la presse de collaboration de 1940 à 1944.

Michel Dreyfus

■ *La Guerre de 1914. Comment on mobilisa les consciences*, Rome, Paris, Genève, Éd. des Cahiers internationaux, 1922. — *Le Mythe des guerres de légitime défense*, A. Rivière, 1931.

▒ F. Challaye, *Georges Demartial, sa vie, son œuvre*, Lahure, 1950 (bibliographie complète des écrits de G. Demartial). — N. Racine, « Georges Demartial », in *DBMOF*. — G. Thuillier, « Un fonctionnaire syndicaliste et pacifiste : G. Demartial (1861-1945) », *La Revue administrative*, n° 172, juillet-août 1976.

DENOËL (Éditions)

Robert Denoël (1902-1945) commence son activité d'éditeur en 1928, pour publier les livres de ses amis. En avril 1930, avec Bernard Steele (qui le quittera en 1936), il crée une société à responsabilité limitée à parts égales, les Éditions Denoël et Steele, dont les effectifs sont encore très réduits (neuf personnes). Dirigée par Denoël jusqu'à sa disparition, la maison marque les années 30 par la qualité de sa production, et la découverte d'écrivains novateurs. Roger Vitrac, Antonin Artaud* puis Eugène Dabit* (avec le succès d'*Hôtel du Nord* en 1929), Philippe Hériat et Robert Poulet figurent parmi les premiers auteurs publiés. En 1932, l'éditeur s'enthousiasme pour Céline*. *Voyage au bout de la nuit* est publié en 1932 (100 000 exemplaires vendus en mars 1933), et obtient le prix Renaudot. Suivront *Mort à crédit* et plusieurs pamphlets au cours des années suivantes. Denoël édite Aragon*, qui a quitté Gallimard* en 1934 (*Les Cloches de Bâle*, puis, en 1936, *Les Beaux Quartiers*), Bardèche* et Brasillach* avec une *Histoire du cinéma* en 1935, Nathalie Sarraute*, Louise Hervieu, René Barjavel, Tristan Tzara*. La production est diversifiée, avec des collections de psychanalyse (« Bibliothèque psychanalytique ») et de théâtre (« Les Trois Masques »), et la publication d'essais politiques ; politiquement, elle est éclectique puisque l'éditeur publie Jacques Bainville* et Léon Daudet*, les écrits de Hitler comme ceux de Roosevelt, et des brochures de propagande communiste, tout en apportant sa caution à la création d'un journal réactionnaire, *L'Assaut*. De 1931 à 1939, la maison décroche sept fois le prix Renaudot ; et Denoël se place en seconde position derrière Gallimard pour les prix littéraires dans les années 30. Mais, tout au long de cette période, les difficultés financières sont importantes.

En octobre 1939, un périodique est lancé : *Notre combat*, qui sera mis à l'Index par les Allemands. À l'été 1940, Denoël rentre à Paris, et obtient la réouverture de sa maison le 15 octobre. Le 20 octobre, une nouvelle société est créée : les Nouvelles Éditions françaises, où il publie des ouvrages de propagande. Les difficultés financières de sa maison, constantes depuis les années 30, entraînent Robert Denoël à signer un accord avec un éditeur berlinois : le 22 juillet 1941, il cède 360 parts de sa société à W. Andermann, qui lui consent en contrepartie un prêt de 2 millions de francs. En février 1943, lors de l'augmentation du capital, les parts souscrites le sont toutes par Andermann et Denoël, qui reste majoritaire. En 1941, Denoël publie le pamphlet de Céline, *Les Beaux Draps*, mais aussi *Comment reconnaître le juif ?* du docteur Montandon*, dans la série « Les Juifs en France ». En juillet 1942, ce seront *Les Décombres* du collaborationniste Lucien Rebatet*, véritable best-seller de l'Occupation (plus de 100 000 exemplaires vendus). Mais cela ne l'empêche pas d'éditer Cendrars, Elsa Triolet*, qu'il héberge chez lui avec Aragon*, ou Genet*, dont le premier roman, *Notre-Dame des Fleurs*, est publié sans nom d'éditeur en 1945.

À la Libération, Denoël est suspendu de ses fonctions par la Commission nationale consultative de l'édition et les parts d'Andermann sont mises sous séquestre. Le 13 juillet 1945, l'éditeur comparaît en Cour de justice ; on lui reproche la cession de parts de sa société à un Allemand ainsi que la publication d'une douzaine d'ouvrages favorables à l'occupant (notamment les pamphlets de Céline, la collection « Les Juifs en France », cependant interrompue au début 1941 après le quatrième volume, et *Les Décombres*). Mais l'accusation d'intelligence avec l'ennemi n'est pas retenue. Les témoignages en faveur de l'éditeur sont nombreux et Denoël est acquitté. Le 2 décembre 1945, il est tué en pleine rue, un assassinat resté mystérieux.

La société est cédée aux Éditions Domat-Monchrestien. Céline quitte la maison pour Gallimard. Le 30 avril 1948, les Éditions Denoël sont relaxées. Elles sont reprises par Gallimard en 1951. Se succéderont à la tête de cette petite maison Philippe Rossignol, entouré d'Alex Grall et Paul Guimard, puis Albert Blanchard à partir de 1971, remplacé par Henry Marcellin en 1988. Dans les années 70, l'équipe littéraire est composée de Robert Kanters, Élisabeth Gille, Georges Piroué, Maurice Nadeau* (qui dirige la revue *Les Lettres nouvelles* éditée chez Denoël), et Dominique Rolin. Une collection « Femme » de littérature féministe et féminine a été créée en 1964 par Dominique Aury. Dans la collection « Médiations » des Éditions Gonthier reprise par Denoël, Jean-Louis Ferrier publie des essais, souvent inédits, de sciences humaines et de sociologie de l'art. « L'Espace analytique » est dirigé par la psychanalyste Maud Mannoni*. De 1981 à 1987, la revue de Philippe Sollers*, *L'Infini*, est éditée par Denoël.

Séverine Nikel

■ P. Fouché, *L'Édition française sous l'Occupation*, Bibliothèque de littérature contemporaine de l'université de Paris VII-IMEC, 1987, 2 vol. — *Céline et les Éditions Denoël (1932-1948)* (correspondance présentée et annotée par P.-E. Robert), IMEC, 1991.

Derrida (Jacques)

Né en 1930

Penseur difficile, principalement connu comme le chef de file de l'école dite de la déconstruction, Jacques Derrida a acquis une vaste audience internationale, principalement aux États-Unis. Ses prises de position controversées, tant en matière philosophique qu'en ce qui concerne l'assise institutionnelle de l'enseignement de cette discipline, lui vaudront une certaine marginalité dans l'Université, ce qui sans doute aura provoqué chez lui à la fois irritation et satisfaction.

Né en 1930 à El-Biar, sur les hauteurs d'Alger, Derrida habite jusqu'à l'âge de quatre ans à Alger, rue Saint-Augustin. En 1934, retour à El-Biar. Enfant, il connaît les vexations et les interdictions antisémites de Vichy, en particulier à l'école. Après avoir été élève à l'École normale supérieure* (1952), il passe l'agrégation de philosophie en 1956. De 1957 à 1959, il sera au cours de son service militaire enseignant en Algérie.

Professeur au lycée du Mans, ses premiers travaux le conduisent à étudier et à traduire Husserl, notamment les inédits de la dernière période du philosophe allemand. De 1960 à 1964, il est assistant à la Sorbonne, avant de venir enseigner à l'ENS (où il devient le collègue de L. Althusser*) jusqu'en 1984, date de son élection à l'École des hautes études en sciences sociales*. C'est au début des années 60 qu'il met en place l'essentiel de la problématique qui sera connue plus tard sous le nom de « déconstruction ». Au plus fort du structuralisme, il conteste en effet le positivisme avoué ou latent des sciences humaines, et leur prétention à s'émanciper d'un horizon métaphysique dont elles restent au contraire d'autant plus tributaires. Les tentatives pour se situer en extériorité totale à l'égard de la culture occidentale, en prenant appui sur les figures du fou ou du sauvage ou en cherchant une parole d'avant l'écriture, lui semblent vouées à l'échec. C. Lévi-Strauss*, É. Benveniste* et M. Foucault* feront ainsi les frais d'une lecture critique attentive qui, privilégiant des notions comme celle de trace, d'écriture, de rature ou de différence, demande aux écrivains et aux poètes de lui fournir les ressources que les sciences humaines et la philosophie classique lui refusent (Artaud*, Bataille*, Jabès, Blanchot*).

Ces recherches déboucheront au grand jour avec leur reprise en volume en 1967 dans *L'Écriture et la différence*, qui paraît dans la collection « Tel Quel ». Depuis 1965, Jacques Derrida collabore en effet à la revue de Sollers*, jusqu'à leur brouille en 1971. Il participe en 1966, à l'université Johns Hopkins (Baltimore), au colloque international sur la critique initié par René Girard*, où il fera la connaissance de Paul de Man.

Durant les années 70 et 80, Jacques Derrida continuera de multiplier les lectures critiques, consacrées en particulier à Nietzsche, Freud ou Heidegger (et notamment lors du débat suscité par les révélations sur le passé nazi du philosophe allemand). Il fonde, en 1974, la collection « La Philosophie en effet », qui sera hébergée par divers éditeurs, en compagnie d'amis et de disciples (Sarah Kofman, Philippe Lacoue-Labarthe et Jean-Luc Nancy). Une part importante de son audience est due aussi au souci qu'il porte aux questions de l'enseignement de la philosophie : il participe activement aux travaux du Greph (Groupe de recherches sur l'enseignement de la philosophie), aux États généraux de la philosophie en 1979, et est l'un des fondateurs du Collège international de philosophie* en 1983. Durant les mêmes années, son influence s'accroît aux États-Unis (il enseigne chaque année depuis 1975 à Yale) où son nom devient quasiment synonyme de philosophie continentale. Le déconstructionnisme se répand alors dans les départements de littérature comparée et il y est accusé de dissoudre les valeurs fondatrices de la culture occidentale. Plus discrètement, Jacques Derrida s'engage dans différents combats en faveur des droits de l'homme, en particulier au sein de l'Association Jean Hus, qui vient en aide aux dissidents tchèques (il la préside en 1981 et sera arrêté quelques jours à Prague), ou plus récemment au sein du CISIA (Comité international de soutien aux intellectuels algériens).

Joël Roman

■ *L'Écriture et la différence*, Seuil, 1967. — *La Dissémination*, Seuil, 1972. — *Marges de la philosophie*, Minuit, 1972. — *Éperons. Les styles de Nietzsche*, Flammarion, 1978. — *La Vérité en peinture*, Flammarion, 1978. — *Psyché*, Galilée, 1987. — *Heidegger et la question*, Flammarion, 1990. — *Du droit à la philosophie*, Galilée, 1990. — *Politiques de l'amitié*, Galilée, 1994.

▒ G. Bennington, *Jacques Derrida*, Seuil, 1991. — S. Petrosino, *Jacques Derrida et la loi du possible*, Cerf, 1994. — J.-M. Rabaté et M. Wetzel (dir.), *L'Éthique du don : Jacques Derrida et la pensée du don*, Métailié, 1992.

DESANTI (Dominique)

Née en 1919

Journaliste, romancière et historienne, Dominique Desanti appartient à cette génération de clercs, nés aux alentours des années 20, qui s'est engagée dans le militantisme communiste lors de la guerre de 1939-1945, et qui s'en est détachée autour de 1956*, après avoir progressivement perdu toutes ses illusions.

Très avare de détails sur son enfance et sur son adolescence, elle a en revanche longuement retracé, dans *Les Staliniens* (1944-1956), ses années de combat politique. Elle se destine à l'origine à des études d'histoire et de sociologie à l'Université, lorsque la Résistance la fait brusquement bifurquer en 1940 vers une autre voie. Elle adhère en 1943 au Parti communiste clandestin et devient journaliste dans la presse communiste. Elle collabore à de nombreux journaux du Parti (*Action**, *Démocratie nouvelle*, *L'Humanité**, etc.), effectue de multiples reportages en France, en Italie et dans les pays de l'Est, assiste aux premiers procès staliniens, converse avec de hauts responsables politiques de l'époque, rédige des articles et des livres à la gloire du système communiste. Épouse du philosophe Jean-Toussaint Desanti*, elle côtoie la plupart des intellectuels et des responsables du Parti, dont certains, comme elle, quitteront ultérieurement le cercle enchanté des militants et se livreront à une autocritique de leur expérience et de leurs écrits.

Elle tentera, par la suite, de mieux comprendre l'évolution du communisme en publiant plusieurs ouvrages qui explorent les méandres de son histoire : *L'Internationale communiste* (1970), *Les Socialistes de l'utopie* (1971) et enfin *Les Staliniens* (1975) appartiennent à ce registre. Elle se lance également dans la veine biographique et fait revivre quelques grandes figures d'hommes et de femmes à la croisée des époques : Marthe Hanau, Flora Tristan, Drieu La Rochelle*, Marie d'Agoult, Sacha Guitry, le couple Aragon*-Elsa Triolet*, Sonia Delaunay, etc. Elle rencontre la faveur du public et multiplie les collaborations dans la grande presse magazine des années 70 et 80.

Partageant son temps entre le journalisme et l'enseignement (en France et aux États-Unis), elle s'investit dans le combat féministe, signe de nombreux manifestes et pétitions, notamment le fameux « Appel des 343 » (avril 1971) en faveur de l'avortement libre. Elle fait également partie de la petite dizaine de clercs de gauche invités à déjeuner par Valéry Giscard d'Estaing en décembre 1976. À la tête d'un réseau de sociabilité particulièrement dense, elle apparaît comme une intellectuelle influente de l'époque contemporaine.

Rémy Rieffel

■ *La Banquière des Années folles : Marthe Hanau*, Fayard, 1968. — *L'Internationale communiste*, Payot, 1970. — *Les Socialistes de l'utopie*, Payot, 1971. — *Flora Tristan, femme révoltée*, Hachette, 1972. — *Les Staliniens, une expérience politique (1944-1956)*, Fayard, 1975. — *L'année où le monde a tremblé : 1947*, Albin Michel, 1976. — *Drieu La Rochelle ou le Séducteur mystifié*, Flammarion, 1978. — *Daniel ou le Visage secret d'une comtesse romantique, Marie d'Agoult*, Stock, 1980. — *Les Clés d'Elsa*, Ramsay, 1983. — *Sonia Delaunay, magique magicienne*, Ramsay, 1988.

DESANTI (Jean-Toussaint)

Né en 1914

Tour à tour (ou à la fois ?) communiste stalinien, phénoménologue, philosophe des mathématiques, Jean-Toussaint Desanti n'a cessé de dérouter les témoins de son parcours, jusqu'à ce qu'il en livre quelques clés dans une belle méditation parue en 1982, en réponse aux questions de son ami Maurice Clavel* *(Un destin philosophique)*. Mais, auteur rare et difficile, c'est sans doute davantage par son enseignement que par ses livres qu'il a marqué plusieurs générations.

Né en 1914 en Corse, il y restera jusqu'à l'âge de dix-huit ans, lorsque la lecture de Bergson* l'incitera à venir sur le continent pour entreprendre des études de philosophie. En khâgne* à Lakanal, il se lie avec François Cuzin, avec lequel il se lance dans la lecture de Spinoza en 1934. Entré à l'École normale supérieure* en 1935, il y fait la connaissance de Jean Cavaillès* et de Maurice Merleau-Ponty* : le premier le conduira vers les mathématiques, et le second l'introduit à la phénoménologie.

Il entreprend alors le travail qui l'occupera secrètement jusqu'en 1968, date de la publication de son livre *Les Idéalistes mathématiques*. Il s'agit de rendre compte de la nature des objets mathématiques qui ne sont, dira-t-il, « ni de la terre, ni du ciel », c'est-à-dire ne peuvent pas se déduire des multiplicités empiriques, mais ne préexistent pas non plus dans le ciel des idées.

Si avant guerre Desanti n'est pas sourd à la politique (il a notamment lu Marx et se situe à gauche), c'est du choc de l'Occupation et des persécutions antisémites qu'il reçoit la nécessité d'un engagement plus effectif. Après diverses tentatives dans la Résistance parisienne, il part avec sa femme Dominique pour la zone Sud, où il est nommé professeur de philosophie à l'annexe de Vichy du lycée de Clermont-Ferrand. En février 1943, ils adhèrent au Parti communiste clandestin, pour y faire de la résistance active. À la Libération, Jean-Toussaint Desanti et sa femme seront parmi les plus actifs des intellectuels communistes, notamment à *La Nouvelle Critique**, où il glosera sur la distinction entre « science bourgeoise et science prolétarienne ». En 1956, les Desanti rompront avec le Parti communiste, et lui choisira le silence.

Le titre de l'ouvrage qu'il publie en 1975, *La Philosophie silencieuse*, pour rassembler des articles d'épistémologie, montre à quel point il a dès lors renoncé à toute visée englobante, ne croyant plus qu'aux « rationalités locales ». Il critique alors la phénoménologie et son illusion de reconduire toutes les démarches de la pensée à un ego transcendantal dans les mêmes termes qu'il critique la prétention totalisante du Parti communiste. Cette désillusion philosophique ne l'empêche pas de commenter avec ferveur pour ses étudiants, à la Sorbonne ou à l'ENS de Saint-Cloud, les grands textes de la philosophie et notamment Husserl. Il ne rompt le silence que rarement, le plus souvent en réponse à des sollicitations d'amis ou d'anciens élèves (Blandine Barret-Kriegel, Pascal Lainé, Maurice Clavel, Dominique Grisoni), publiant ainsi par fragments une méditation rigoureuse qui s'articule autour de la notion de « champ symbolico-charnel ».

Joël Roman

■ *Introduction à la phénoménologie*, Gallimard, 1976 (rééd. de *Phénoménologie et praxis*, publié en 1963). — *Les Idéalités mathématiques*, Seuil, 1968. — *La Philosophie silencieuse*, Seuil, 1975. — *Le Philosophe et les pouvoirs*, Calmann-Lévy, 1976. — *Un destin philosophique*, Grasset, 1982. — *Réflexions sur le temps*, Grasset, 1992.

■ D. Desanti, *Les Staliniens*, Fayard, 1975. — *Hommage à Jean-Toussaint Desanti*, TER, 1991.

DESCAVES (Lucien)

1861-1949

Écrivain et journaliste, socialiste libertaire passionné de la Commune, Lucien Descaves est l'auteur d'une œuvre romanesque et théâtrale où prédominent les thèmes sociaux instruits, selon la tradition naturaliste, soit par l'expérience, soit par une documentation solide.

Né à Paris, fils d'un graveur en taille-douce qui l'encouragera dans sa vocation littéraire, Descaves doit abandonner ses études à l'école Lavoisier pour entrer en apprentissage dans une banque. Il débute dans les lettres avec un recueil de nouvelles publiées en 1882 par Kistemaeckers, l'éditeur des jeunes naturalistes et des communards. Après quatre ans de service militaire, il opte pour le journalisme et entre comme critique dans la *Revue moderne*, où il se lie à la deuxième génération naturaliste. Il collabore à la *Revue rose*, commence à publier un « leader » dans *Le Petit Moniteur* d'Ernest Daudet, est admis au grenier des Goncourt. Avec ses amis Bonnetain, Rosny aîné, P. Margueritte et G. Guiches, il signe en 1887 le « Manifeste des cinq » contre *La Terre* de Zola*, qui dénonce « l'exacerbation de la note ordurière » chez leur maître. Son service lui inspire des nouvelles, *Misères du sabre* (1887), et l'un des premiers romans antimilitaristes, *Sous-offs* (1889), qui lui vaut à la fois la reconnaissance de ses pairs et un retentissant procès. Un manifeste en sa faveur signé par des intellectuels de renom, dont Zola et A. Daudet, achève d'asseoir sa carrière. Il est acquitté. En 1892, Séverine* l'introduit au *Journal* naissant. Il s'en verra confier la direction littéraire en 1919 et l'assumera durant vingt ans, tenant parallèlement la critique dramatique de *L'Intransigeant*. Chroniqueur à *L'Écho de Paris*, il est mis en demeure de choisir entre *L'Écho* et *L'Aurore* lors de l'affaire Dreyfus*, et s'engage dans le combat dreyfusard. Il collaborera aussi à *Temps nouveaux* jusqu'en 1914. Fidèle à son antimilitarisme, il manifeste, en 1913, contre la loi des trois ans.

Après avoir participé à l'expérience du Théâtre libre d'Antoine, il signe ou cosigne avec Bonnetain et Darien des pièces dont les thèmes sociaux et l'inspiration libertaire font scandale (notamment *La Cage*, 1898), avant d'entamer une fructueuse collaboration avec Maurice Donnay qui donnera *La Clairière* (1900) et *Les Oiseaux de passage* (1904). Empreint de l'idéal révolutionnaire que lui a inculqué son directeur de conscience G. Lefrançais, il réunit d'importants documents sur la Commune et enquête auprès des témoins qu'il retrouve de par le monde. Ces recherches sont à l'origine de deux romans historiques, *La Colonne* (1901) et *Philémon vieux de la vieille* (1913). Ami de Huysmans, il est coopté par l'académie Goncourt dès sa fondation en 1903. Il y sera un membre influent, affrontant le meneur de la « droite », Léon Daudet*, pour soutenir la candidature de Benda* ou de Barbusse* au prix, faisant élire Jules Renard* et la première académicienne, Judith Gautier — il est, dans l'entre-deux-guerres, vice-président de la Ligue française du droit des femmes —, défendant Céline* contre le conformisme académique, s'opposant, sous l'Occupation, à la majorité manœuvrée par René Benjamin* et Sacha Guitry qui sert la politique officielle du gouvernement. Nommé président de la Compagnie en 1944, il en a rapporté les conflits internes dans ses *Souvenirs d'un ours*. L'âge et la consécration n'avaient pas entièrement assoupi en lui le révolté. Il est mort à Paris en 1949.

Gisèle Sapiro

■ *Souvenirs d'un ours*, Éd. de Paris, 1946.

■ L. Deffoux, *Lucien Descaves*, Mercure de France, 1940. — « Lucien Descaves », *Les Hommes du jour*, n° 43, 14 novembre 1908. — « Lucien Descaves », in *DBMOF*.

DESJARDINS (Paul)

1859-1940

Né à Paris le 22 novembre 1859 au sein de la bourgeoisie parisienne universitaire, issu de l'École normale supérieure* où il eut comme condisciples Jaurès* et Bergson*, agrégé de lettres, Desjardins n'était pas un esprit à suivre la voie toute tracée d'un professorat aveugle à son temps : nommé au Prytanée de La Flèche, au lycée Condorcet, puis aux Écoles normales de Saint-Cloud et Sèvres, il fit ses débuts journalistiques et littéraires en 1884 à la *Revue bleue**, puis il écrivit dans *Le Journal des débats*, *Le Temps* et *Le Figaro**... En 1891, il rencontra le philosophe Jules Lagneau*, qui lui enseigna « la justesse de la pensée pour la justice de l'action » : désormais engagé à agir au nom d'un idéalisme humaniste, Desjardins allait publier en 1892 son premier ouvrage de moraliste, *Le Devoir présent*... La même année, il fonda avec le pasteur Wagner, le directeur de l'Office du travail Arthur Fontaine, le futur maréchal Lyautey, l'Union pour l'action morale : cet « ordre militant et laïc » se proposait de traiter des événements politiques, des faits de société et des problèmes religieux avec une droiture intellectuelle et une énergie morale recouvrées, propres à servir la démocratie et la paix... Déjà signataire de la pétition pour la révision du procès Dreyfus*, Desjardins prit la défense, en 1905, du prêtre « moderniste » Alfred Loisy*. C'est à la fin de cette même année qu'après bien des déchirements, l'Union pour l'action morale — dont certains scissionnistes fondèrent l'Action française* —, devint l'Union pour la vérité.

Quelque temps après, en faisant la ruineuse acquisition de l'abbaye cistercienne de Pontigny* dans l'Yonne, il sut qu'il avait trouvé, « loin de la dispersion des villes », le lieu où « appliquer discrètement, librement, le régime cénobitique, éprouvé efficace, à l'entretien de la plus pure, de la plus vivace liberté d'esprit ». Il y organisa, de 1910 à 1913, puis de 1922 à 1939, plus de soixante « décades », dont les thèmes remarquablement établis et préparés portaient, par exemple, sur le sentiment de justice, la vie ouvrière, la poésie, la fiction et l'autobiographie, le droit des peuples, la SDN, la mystique et la raison, le mal, la philosophie, l'art... Pontigny bénéficia rapidement du soutien moral du « petit groupe excellent » de la toute jeune *Nouvelle Revue française** — en particulier Gide*, Copeau*, Ghéon, Schlumberger — et de leurs proches, comme Du Bos qui prit en charge les décades littéraires, Fernandez* qui en fut un animateur important, ou comme Groethuysen*, Martin du Gard*, Maurois, Mauriac*, Malraux*, Tardieu et bien d'autres. Vinrent également chaque été dans cette « abbaye laïque » des intellectuels, des philosophes, des hommes politiques, des syndicalistes et des étudiants de tous pays et d'affinités plutôt progressistes : Brunschvicg*, G. Marcel*, Berdiaev*, Chestov, les Baruzi, Buber, Martin-Chauffier*, Fabre-Luce*, Guéhenno*, Curtius, Jankélévitch*, Raymond Aron*, Koyré*, Wahl*, entre autres, recherchèrent ensemble, au fil d'une « honnête discussion » très pascalienne, le rapprochement des nations.

Parallèlement aux Décades, Desjardins, véritable « militant culturel et social » selon l'expression de Berdiaev, ne cessa de créer divers organismes : il y eut, à partir de 1926, La Petite Université, où Fernandez, Groethuysen, en particulier, firent de mémorables conférences. Il y eut encore l'École de la liberté (1891), la Ligue internationale pour la défense du droit des peuples (1912), l'École de commune culture (1913), la Ligue de l'amitié civique (1914-1918), le Foyer d'étude et de repos à Pontigny (1932), l'Anti-Babel (1937)... Autant de généreuses utopies, parfois miraculeusement réalisées, qui firent de l'infatigable Desjardins, malgré son obsédant sentiment d'échec, un candidat virtuel au prix Nobel de la paix, que Bergson lui laissa un peu espérer, dans les années 30.

Celui que Proust* appelait « le frère prêcheur », Maurras* un « prince des nuées », Billy « l'éveilleur de conscience » et M. Martin du Gard « le Grand Prieur », fut d'abord un humaniste moderne en contact avec son siècle, mais un humaniste fort paradoxal : il fut en effet à la fois un grand pédagogue et un écrivain rare, un théoricien érudit qui peinait cependant à clore une pensée toujours en mouvement, un orateur brillant mais contempteur de toute rhétorique, un intellectuel sensible et libre, hautement capable d'« inventibilité idéologique », mais souvent paralysé d'humilité, un agnostique tenté par l'impossible union de l'évangélisme et de la laïcité, un maître à penser admiré de ses élèves et un ironiste mordant, redouté de ses hôtes de Pontigny… Devant le relâchement de la France de la IIIe République, devant l'exténuation de l'Europe et de sa pensée politique et culturelle, Paul Desjardins s'est voulu à la fois un accoucheur d'idées à la Socrate et un moraliste dans la lignée de Montaigne. Durant tout l'entre-deux-guerres, l'influence de cette éminence grise, intolérant défenseur de la tolérance des esprits et de la liberté des peuples, fut celle d'un véritable directeur de conscience.

Claire Paulhan

■ *Esquisses et impressions* (chroniques de la *Revue bleue*), H. Lecène et H. Oudin, 1889. — *Le Devoir présent*, Armand Colin, 1892. — *La Méthode des classiques français : Corneille, Poussin, Pascal*, Armand Colin, 1904. — *Poussin, biographie critique*, H. Laurens, 1904.

■ *In memoriam Paul Desjardins (1859-1940)*, Minuit, 1949. — *Paul Desjardins et les Décades de Pontigny* (études, témoignages et documents inédits présentés par A. Heurgon-Desjardins), PUF, 1964.

DESNOS (Robert)

1900-1945

Poète et journaliste littéraire, Desnos a été aussi réalisateur d'émissions et de publicités radiophoniques, de 1933 à 1939, pour Radio-Paris, Radio-Luxembourg et le Poste parisien. Surréaliste très actif jusqu'en 1927, Desnos a publié de son vivant plus d'une dizaine de recueils de poésie ou de récits poétiques (dont trois édités par Gallimard* à partir de 1930). À côté de sa production poétique mélangeant *allégrement* écriture automatique, alexandrins et argot populaire, Desnos eut toujours, à travers ses multiples activités d'écriture (articles de presse, textes pour la radio, chansons, scénarios de films), le souci de rendre compte concrètement de la magie du quotidien.

Né à Paris, Desnos passe toute sa jeunesse dans le quartier des Halles, où son père est mandataire pour la vente en gros de la volaille et du gibier. Celui-ci, également conseiller municipal du IVe arrondissement, désire pour son second enfant et unique fils un avenir professionnel dans le commerce. Mais Robert Desnos, qui a obtenu le brevet élémentaire, en 1916, à la sortie de l'école primaire supérieure, a d'autres projets qui le conduisent à exercer différents métiers (commis dans une droguerie, secrétaire d'un écrivain) pour obtenir son indépendance financière.

Ses premiers poèmes paraissent en 1918 dans *La Tribune des jeunes* et, grâce à Louis de Gonzague Frick, il entre en relation avec les milieux littéraires d'avant-garde. En 1922, après son service militaire, il participe aux activités du groupe réuni par Breton* autour de *Littérature*, en particulier aux expériences des sommeils hypnotiques. Il collabore à *Littérature* puis à *La Révolution surréaliste*, tandis qu'en 1924 paraît aux Éditions du Sagittaire son premier récit poétique, *Deuil pour deuil*. Si « Desnos parle surréaliste à volonté » (A. Breton, *Manifeste du surréalisme*), il se juge moins cultivé que les autres surréalistes, dont la majorité a suivi des études supérieures. Ce sentiment, ajouté à une activité professionnelle de journaliste qui l'occupe presque totalement depuis 1926, l'éloigne des activités des surréalistes, dont il critique aussi l'engagement politique croissant.

Ce refus de mélanger poésie et politique ne l'empêche pas de s'associer à des regroupements d'intellectuels contre le fascisme ou pour les républicains espagnols : en 1934, il adhère au Front commun de Bergery, en 1937 il participe à l'Association internationale des écrivains pour la défense de la culture. Mobilisé en 1939, il est de retour à Paris en 1940, où il travaille comme rédacteur littéraire à *Aujourd'hui*, un quotidien que son ami d'enfance, Henri Jeanson, vient de créer. Après quelques articles polémiques, notamment sur Bordeaux* ou Céline*, Desnos se limite à écrire, de façon de plus en plus irrégulière et de plus en plus anonyme, des rubriques littéraires ou des critiques de disques dans ce journal devenu « collaborationniste » après l'arrestation de Jeanson. Membre du réseau Agir depuis 1942, Desnos transmet des informations à la Résistance, et publie des poèmes dans des revues clandestines, dont *Confluences*, *Europe*, *Messages*... Arrêté en février 1944, il est déporté à Flöha, en Saxe, et meurt du typhus à Terezin (Tchécoslovaquie) en juin 1945.

Norbert Bandier

■ *Domaine public*, Gallimard, 1953.
▒ M.-C. Dumas, *Robert Desnos ou l'Exploration des limites*, Klincksieck, 1980.

DESROCHE (Henri)

1914-1994

Né le 12 avril 1914 dans un milieu modeste, Henri Desroche suit à Roanne l'itinéraire classique de la « méritocratie catholique », de l'école paroissiale au grand séminaire. Après des études dominicaines à Chambéry (1934-1942), il entre en 1943 à Économie et humanisme*, où il demeure jusqu'à sa rupture avec l'ordre dominicain en 1950, suivie de son mariage en 1951. Durant toute sa période dominicaine, il signe ouvrages et articles « Henri-Charles Desroches ». La rencontre de la communauté horlogère Boimondau fondée par Marcel Barbu à Valence l'oriente vers l'étude des utopies communautaires, cependant qu'il découvre le marxisme. Il côtoie les prêtres-ouvriers*, devient l'interlocuteur d'*Esprit** et du groupe Jeunesse de l'Église de Maurice Montuclard*, mais aussi de la mouvance engagée dans l'action catholique ouvrière, le syndicalisme et le progressisme chrétien. Après avoir créé sa propre revue, *Idées et forces* (1948-1950), il publie en 1949 *Signification du marxisme*, qui lui vaut une polémique dans les *Études** avec le Père Fessard*, et dont Rome interdit la vente en 1950. Proche de Garaudy* et plus tard d'Henri

Lefebvre*, ami du Père Chenu* et principal rédacteur de l'appel « Des chrétiens contre la bombe atomique » en mai 1950, il participe ensuite aux débuts de la *Quinzaine*.

Après sa rupture avec Économie et humanisme, il entre au Centre national de la recherche scientifique* avec une thèse sur les Shakers américains dont Émile Léonard assume la direction, puis à l'École pratique des hautes études (1957). Fondateur, sous l'égide de Gabriel Le Bras* et avec Émile Poulat, François-André Isambert et Jacques Maître, du Groupe de sociologie des religions (1954), puis des *Archives de sociologie des religions* (1956, aujourd'hui *Archives de sciences sociales des religions*), il est un des initiateurs en France de la sociologie religieuse universitaire. Spécialiste des utopies religieuses, des messianismes et des millénarismes, il est à l'origine du Centre Thomas-More* en 1970.

Recruté par l'École des hautes études en sciences sociales* sur un programme de « Sociologie de la coopération », il multiplie les fondations d'organismes coopératifs où se rencontrent praticiens et chercheurs, en particulier le Collège coopératif (1959) et les *Archives internationales de sociologie de la coopération* (1957). Menant de front la recherche universitaire et un engagement d'expert en formation dans le tiers monde, il anime un réseau coopératif international qui le conduit en Afrique, en Amérique latine et au Canada. Auteur d'une quarantaine d'ouvrages, mort à Villejuif le 1er juin 1994, ce « passeur de frontières » dessine la silhouette originale d'un intellectuel praticien dont l'influence discrète passa par des réseaux d'amitié et de compagnonnage, en particulier dans les milieux de la « deuxième gauche » qu'il contribua à convaincre des vertus de l'économie sociale.

Denis Pelletier

■ *Signification du marxisme*, Éditions ouvrières, 1949. — *Marxisme et religions*, PUF, 1962. — *Dieux d'hommes. Dictionnaire des messianismes et millénarismes de l'ère chrétienne*, Mouton, 1969. — *Les Dieux rêvés. Théisme et athéisme en Utopie*, Desclée de Brouwer, 1972. — *Sociologie de l'espérance*, Calmann-Lévy, 1973. — *Pour un traité d'économie sociale* (préface de Michel Rocard), CIEM, 1983. — « Humanisme et utopies », in *Histoire des mœurs*, vol. 3, Gallimard, « Pléiade », 1991. — *Mémoires d'un faiseur de livres. Entretiens avec Thierry Paquot*, Lieu commun, 1992.

■ D. Pelletier, « Henri Desroche, contrebandier », *Économie et humanisme*, n° 330, octobre 1994.

DEUXIÈME SEXE (LE)

1949

Ouvrage « pornographique » pour certains, mis à l'Index par le Vatican et décrié par la plupart des intellectuels français (Albert Camus*, notamment), *Le Deuxième Sexe* a fait scandale dès sa sortie en 1949. Simone de Beauvoir* est insultée dans la presse comme dans la rue. Mais qui a alors pris la peine de réfléchir à l'assertion philosophique de l'auteur : « On ne naît pas femme, on le devient » ? Même pas le mouvement féministe français, laminé par la guerre.

C'est grâce à un éditeur américain que *Le Deuxième Sexe* va prendre sa place de livre fondateur du féminisme contemporain. Traduit en 1953, il figure rapidement parmi les meilleures ventes outre-Atlantique ; la critique française revoit alors son jugement, d'autant que Simone de Beauvoir obtient le prix Goncourt pour son roman *Les Mandarins* en 1954. Mais, depuis sa sortie en France, l'ouvrage s'est transmis de « l'une à l'autre », comme « un code secret », parmi « les femmes en éveil », leur donnant les outils théoriques pour formuler leur malaise et leur révolte. En témoignent les lettres reçues par Simone de Beauvoir. Il ne s'agit cependant que de révoltes individuelles.

Le féminisme n'est plus à l'ordre du jour depuis la Seconde Guerre mondiale. Quelques irréductibles portent encore le flambeau, mais Simone de Beauvoir se défend d'être du nombre, préférant laisser au socialisme la tâche d'émanciper les femmes. Quand, dans les années 60, le mouvement féministe se réveille aux États-Unis, il puise dans *Le Deuxième Sexe* une grande part de son argumentation. Betty Friedan, en particulier, dit, dans *La Femme mystifiée* (1963), sa dette vis-à-vis du *Deuxième Sexe*. En France, un peu plus tard, l'ouvrage de Simone de Beauvoir, qui elle-même entre dans l'action féministe en 1971, devient une référence pour les groupes de femmes qui reprennent le combat pour le droit et l'égalité. D'autres, moins nombreux, revendiquent au contraire la spécificité de la nature féminine pour l'imposer sur le terrain social, politique et symbolique. Ceux-là ne peuvent néanmoins nier le rôle de révélateur joué par le livre depuis sa première publication.

Aujourd'hui, l'héritage de ce texte, qui a eu un impact fondamental sur le renouveau du féminisme dans les années 70, est discuté. Certains points du *Deuxième Sexe* sont contestés, la théorie féministe s'étant dotée de nouveaux concepts, comme celui de *gender* (genre), aux États-Unis, mais l'ouvrage, qui a largement contribué à modifier les mentalités, n'a rien perdu de sa force subversive.

Laurence Klejman et Florence Rochefort

■ D. Armogathe, *Simone de Beauvoir, « Le Deuxième Sexe », analyse critique*, Hatier, 1977. — D. Bair, *Simone de Beauvoir*, Fayard, 1991. — R. Ballorain, *Le Nouveau Féminisme américain*, Denoël-Gonthier, 1972. — A. Schwartzer, *Simone de Beauvoir aujourd'hui*, Mercure de France, 1984.

DIEU VIVANT

Dès avant, mais surtout pendant la Seconde Guerre mondiale, Marcel Moré (1887-1969) réunissait ses amis dans son appartement du quai de la Mégisserie. Parmi le groupe de ces « Quelques-uns » dont il était l'« agitateur spirituel », Louis Massignon*, Michel Leiris*, Jean Hyppolite*, Maurice de Gandillac, Gabriel Marcel*, ainsi que des théologiens comme le futur cardinal Jean Daniélou*, étaient des habitués. Avec Marcel Moré et Jean Hyppolite, le protestant Pierre Burgelin et l'orthodoxe Vladimir Lossky formèrent le noyau et le comité de lecture de la revue *Dieu vivant*.

Publication d'abord trimestrielle, puis irrégulière, vingt-sept cahiers parurent aux Éditions du Seuil*, de Pâques 1945 à 1955. Œcuménique de manière affirmée, elle paraissait sans *imprimatur*, bien que son comité directeur et son comité de vigilance fussent essentiellement catholiques. Surtout, ses animateurs, profondément marqués par le traumatisme de la guerre, même s'ils n'en avaient été ni les acteurs ni les victimes, étaient persuadés de l'urgence, sinon de l'imminence, de la fin des temps. Cette perspective eschatologique influencée par le catholicisme tragique et dramatique de Léon Bloy*, Georges Bernanos*, Paul Claudel* et Graham Greene s'inscrivait contre la théologie optimiste de l'incarnation et de l'engagement, prônée — notamment à *Esprit** — par les tenants de la participation et de l'engagement social, politique et philosophique dans la modernité. Témoin de l'œcuménisme, *Dieu vivant* manifeste que les clivages du christianisme contemporain suivent, plus que les frontières des institutions ecclésiastiques, les fractures verticales des contenus doctrinaux et idéologiques. À *Dieu vivant*, on refusait le monde moderne parce qu'on ne croyait pas au progrès. Malgré les protestations du Père Russo, on ne croyait pas davantage à la science, athée et usurpatrice, et impuissante comme venait de le montrer la conflagration planétaire. Quant à l'histoire, l'espoir humain devait céder la place aux exigences de l'histoire sainte.

La revue énergique et inspirée imprima (et fut épuisée) d'abord à 2 500 exemplaires, mais elle tomba, au bout de deux ans, entre 800 et 1 000 exemplaires : c'est moins la qualité — remarquable — des sommaires qui fut la cause du déclin puis de la disparition, que la raréfaction du comité de rédaction et, comme il arrive souvent, l'usure du dynamisme de ses animateurs, liée à leurs divergences et à des controverses internes. La revue aurait pu vieillir peu à peu dans un intégrisme sclérosé ou frileux, elle préféra se saborder en 1955.

Jean-Pie Lapierre

■ É. Fouilloux, « Une vision eschatologique du christianisme : *Dieu vivant* (1945-1955) », *Revue d'histoire de l'Église de France*, 1971.

Diogène

Parmi toutes les revues qui naquirent à Paris après guerre, *Diogène* se distingue par son parrainage institutionnel et le non-conformisme de son projet. Revue trimestrielle fondée en novembre 1952 à l'initiative de Roger Caillois*, placée sous les auspices du Conseil international de la philosophie et des sciences humaines et financée par l'Unesco, elle se voulait « un grand organe de large information scientifique et de synthèse internationale ». Elle devait permettre à chaque pays membre de l'Unesco de faire valoir ses savants et sa culture, et à la communauté universitaire internationale d'y satisfaire ses ambitions scientifiques et critiques. Cette vocation internationale et pluridisciplinaire rencontrait le projet de Roger Caillois, qui la dirigea de sa fondation à sa mort en 1978, et en fit le laboratoire de sa conception des « sciences diagonales ». Son expérience des revues, sa formation universitaire lui permettaient de se charger d'un projet qui ne bénéficiait pas d'importantes facilités matérielles. Jean d'Ormesson*, son collaborateur dès l'origine, lui a succédé dans le même esprit. À l'édition française s'ajoutèrent des éditions espagnole, anglaise et arabe, ainsi que des anthologies semestrielles ou annuelles publiées en chinois, hindi, japonais et portugais.

La revue fut donc façonnée par la personnalité de Caillois, qui sut lui donner un rayonnement international malgré la faiblesse de ses moyens. Il obtint la participation de maîtres reconnus (Jean Piaget, Georges Dumézil*, François Perroux*, Émile Benveniste*, Karl Jaspers, Colin Clark, Paul Rivet*...), accueillit la collaboration d'auteurs en voie d'obtenir la renommée (Claude Lévi-Strauss*, Jean Fourastié*, Mircea Eliade), et sut profiter des liens noués rue d'Ulm (Étiemble*, Georges Friedmann*, André Chastel, Jacques de Bourbon-Busset) comme de son statut de lecteur à la NRF pour dénicher de nouveaux talents (Michel Foucault*, Paul Veyne*).

En une époque dominée par le cloisonnement des savoirs et l'hégémonie de certains systèmes explicatifs, le contenu de la revue ne fut pas dominé par des soucis d'opportunité hexagonale ou de politique internationale. En pleine Guerre froide*, alors que la vie intellectuelle semblait elle aussi partagée en deux blocs, la revue s'ouvrit aux marxistes et aux non-marxistes, et s'interrogea librement sur la sociologie, l'anthropologie, la philosophie, l'histoire, la littérature, la linguistique, l'épistémologie, l'économie et la psychologie. L'obligation de réserve attachée aux liens avec l'Unesco interdisait de s'engager dans le domaine politique ou dans de trop virulentes controverses : c'est en dehors de la revue, dans *Les Temps modernes**, que Caillois polémiqua en 1955 avec Lévi-Strauss et le structuralisme. La première exigence de *Diogène* était la clarté, l'originalité, la capacité de synthèse des auteurs. Le projet de la confrontation des apports venus de différents horizons du savoir, qui permettait de prendre conscience des séquences d'une logique cachée, se situait sur un registre original, qui tint la revue à l'écart des querelles du temps.

Alexandre Pajon

■ A. Pajon, « À la recherche d'une revue : Caillois et *Diogène* », *Diogène*, n° 160, 1992.

DISSIDENTS DES PAYS DE L'EST

Évoquer le rôle des dissidents d'Europe de l'Est en France, c'est rendre compte d'un itinéraire qui va de la marginalité complète à un impact majeur sur « l'ère des ruptures » des intellectuels français avec le communisme d'obédience soviétique et le marxisme. Si la dissidence comme affirmation d'une opposition extérieure au Parti et à son idéologie est surtout un phénomène de l'après-68, elle a ses antécédents dès la soviétisation de l'Europe du Centre et de l'Est. Mais personne ne veut alors entendre Czeslaw Milosz, le poète polonais exilé à Paris, qui, dans *La Pensée captive* (1952), s'interroge sur les ressorts profonds de la fascination des intellectuels pour le communisme. Pas plus que Mircea Eliade, l'écrivain roumain qui, la même année, écrit dans *Preuves* : « Ces cultures sont sur le point de disparaître. L'Europe ne le ressent-elle pas comme une amputation de sa chair ? » À l'exception de Pierre Emmanuel* ou de Raymond Aron*, personne à Paris ne s'intéressait alors à une critique soupçonnée de jeter l'enfant du socialisme avec l'eau sale de ce que l'on n'appelait pas encore le « Goulag ».

L'après-68 voit l'amorce d'un processus de convergence d'une vingtaine d'années entre les intellectuels dissidents en Europe du Centre et de l'Est et les intellectuels occidentaux, en particulier français. Les dissidents exilés à la suite des crises successives du communisme à l'Est (Budapest en 1956*, le Printemps de Prague* en 1968, Solidarnosc* en Pologne en 1981) firent souvent le relais entre les deux.

Les réseaux de dissidents de l'Europe du Centre-Est en France sont centrés sur des revues. Il y a, d'une part, les revues exilées proprement dites telles que la revue polonaise *Kultura* (dirigée depuis les années 40 par Giedroycz) ou la revue tchèque *Svedectvi* (Témoignage) dirigée depuis 1956 à Paris par Pavel Tigrid (aujourd'hui ministre de la Culture à Prague). Puis, il y eut les revues créées afin de faire écho au combat pour les droits de l'homme et à la pensée de la dissidence telles que *La Nouvelle Alternative* (créée en 1979 par l'éditeur François Maspero*), devenue *L'Alternative* en 1984. C'est aussi la date de la création de la revue *L'Autre Europe* (Éd. L'Âge d'Homme) par une équipe mêlant dissidents exilés et universitaires analysant la crise des sociétés de l'Est. La revue *Lettre internationale* (1984), dirigée par l'écrivain tchèque Antonin Liehm et publiée aujourd'hui dans une douzaine de langues (sauf en français !), est sans doute la meilleure illustration de ce fructueux échange intellectuel transeuropéen. Un troisième cercle concerne des revues intellectuelles françaises qui se sont ouvertes aux intellectuels indépendants de l'Europe dite de « l'Est » : d'abord *Esprit**, mais aussi d'autres revues telles que *Le Débat** qui, en novembre 1993, publia l'essai de Milan Kundera* : *L'Occident kidnappé ou la Tragédie de l'Europe centrale*, qui connut un retentissement mondial.

Le milieu dissident russe en exil vit plus replié sur sa base (une émigration russe ancienne avec son journal, *La Pensée russe*) et se différencie entre un courant plus conservateur et religieux autour de la revue *Kontinent*, qu'anime l'écrivain Vladimir Maximov, et un courant « pluraliste » que représente Siniavski et la revue *Syntaxis*. Mais ce sont les livres de dissidents exilés ailleurs qu'en France qui connaîtront l'écho le plus large : les *Mémoires* de Vladimir Bukovsky, le livre de Zinoviev *Les Hauteurs béantes*, avec sa découverte de l'« homo sovieticus », et surtout *L'Archipel du Goulag**, d'Alexandre Soljenitsyne.

Si l'on devait résumer l'influence de la dissidence sur la vie intellectuelle française, il faudrait retenir deux moments : d'abord l'effet de la publication de *L'Archipel du Goulag*, de Soljenitsyne, qui sert de catalyseur à la rupture de l'intelligentsia avec le marxisme et la critique du totalitarisme. Des « Nouveaux Philosophes » à Jean Daniel*, de Pierre Daix* à Claude Lefort*, l'œuvre du rescapé du système concentrationnaire soviétique inspire une série d'essais et un débat de fond qui dépassera le clivage droite-gauche et le milieu intellectuel proprement dit. L'impact du Goulag, le combat de la dissidence pour les droits de l'homme et le réveil des sociétés qu'annonce en 1980 le mouvement Solidarnosc en Pologne préparent les retrouvailles des intellectuels français avec ceux de l'« autre Europe » : autour de la résistance au totalitarisme, de la renaissance de la société civile et de l'idée européenne. L'effet Kundera dans les années 80 parachève l'effet Soljenitsyne des années 70 : derrière les fissures puis la décomposition du totalitarisme soviétique, on redécouvre l'Europe centrale comme « Occident kidnappé ». C'est aussi grâce à la dissidence que l'intelligentsia française redécouvre les « chemins de la liberté » et de l'idée européenne.

Jacques Rupnik

■ F. Furet, *Le Passé d'une illusion*, Fayard, 1995. — P. Hassner, « Le totalitarisme vu de l'Ouest », in G. Hermet, P. Hassner et J. Rupnik (dir.), *Totalitarismes*, Économica, 1984. — D. Sallenave, *Passages à l'Est*, Gallimard, 1993.

DOLTO (Françoise)

1908-1988

Françoise Marette, qui épousera Boris Dolto, un grand kinésithérapeute d'origine russe, voulait être « médecin d'éducation », c'est-à-dire aider les parents à comprendre et à élever leurs enfants. La mort de sa sœur aînée puis le rejet qu'elle eut à subir de la part de sa mère, folle de douleur, ont compté dans son désir de devenir psychanalyste. Lors de sa cure avec René Laforgue, de 1934 à 1937, elle retrouve un traumatisme précoce : elle avait failli mourir, à un an, lorsque sa famille avait renvoyé sa nourrice qui emmenait l'enfant avec elle dans un hôtel de passe (*Enfances*, 1988).

Dolto a inventé la psychanalyse d'enfants en France. Médecin en 1939 (thèse : *Psychanalyse et pédiatrie*), elle reçoit des milliers d'enfants — et de parents — en consultation, à l'hôpital Trousseau, pendant près de quarante ans. Démissionnant avec Lacan* de la Société psychanalytique de Paris en 1953, elle sera, comme lui, exclue de l'Association psychanalytique internationale dix ans plus tard, et contribuera à la fondation de l'École freudienne. Psychanalyste de génie, elle sait écouter le plus archaïque dans l'inconscient. Sa ténacité, ses intuitions, son audace lui ont permis d'obtenir des guérisons impensables avant elle. Elle a ouvert des voies nouvelles à la thérapie des psychoses (*Séminaires de psychanalyse d'enfants*, 3 vol., 1991), multipliant les trouvailles en réponse à l'imprévisible de la clinique : ainsi en découvrant les possibilités thérapeutiques de la poupée-fleur, figurine d'allure humaine à tête de marguerite, sans nez, yeux, bouche, ni sexe défini, qui servit d'exutoire et de support projectif à une enfant délirante, dans son traitement (*Au jeu du désir*, 1981). Françoise Dolto touche le grand public en répondant à des lettres sur tous les problèmes de l'enfance et de l'adolescence au cours d'émissions radiophoniques (*Lorsque l'enfant paraît*, 1990). Croyante, elle n'a pas hésité à soumettre *L'Évangile au risque de la psychanalyse* (1982).

L'Image inconsciente du corps (1992) est l'élaboration théorique d'ensemble de son immense expérience clinique. Elle y montre comment, dès le plus jeune âge, avant l'identification à son image dans le miroir et l'acquisition du langage, l'enfant se soutient déjà dans son rapport à l'Autre d'une médiation symbolique : *l'image du corps*. Celle-ci n'est pas le schéma corporel (neurologique), mais le support de son désir de communiquer avec l'Autre (la mère d'abord), et ce, par des représentations liées à ses pulsions : une enfant de cinq jours ne voulait plus téter et se laissait mourir de faim depuis que sa mère avait été hospitalisée ; Dolto conseilla au père d'entourer un biberon avec un linge portant l'odeur de la mère ; l'enfant retrouva les mouvements de succion et donc l'image olfactive associée à l'allaitement. L'image du corps n'est pas nécessairement un dessin. Elle représente la relation du sujet à l'Autre, jusque dans l'énigme du symptôme, par des symboles : ainsi de cet enfant autiste, affligé d'une mimique répétitive dans laquelle Dolto déchiffra une identification à la machine à coudre de sa mère, seul objet qui avait pu symboliser un principe viril et paternel pour lui, car c'est avec cette machine qu'elle gagnait le peu d'argent que lui versait un homme. Par ailleurs, Dolto rappelle que la castration, donnée en paroles, est un processus symbolique permettant le renoncement à la satisfaction directe des pulsions, elle est le moteur du devenir de l'enfant. Au-delà de la psychanalyse, Dolto n'a cessé de lutter pour faire reconnaître en tout enfant un sujet désirant, une personne de plein droit, qui mérite qu'on lui dise la vérité essentielle à son développement. Elle a profondément modifié le rapport des parents à leur enfant, bouleversant les idées reçues, défendant une éthique du sujet contre l'hypocrisie de la morale.

Jean-François de Sauverzac

■ *Le Cas Dominique*, Seuil, 1971, rééd. 1974. — *L'Évangile au risque de la psychanalyse*, Delarge, 1977-1978, rééd. Seuil, 1980-1982, 2 vol. — *Lorsque l'enfant paraît*, Seuil, 1977, 1978 et 1979, 3 vol., rééd. 1990 un 1 vol. — *Séminaire de psychanalyse d'enfants*, Seuil, 1982, 1985 et 1988, 3 vol., rééd. 1991. — *Sexualité féminine*, Scarabée, Métailié, 1983. — *L'Image inconsciente du corps*, Seuil, 1984, rééd. 1992. — *Enfances*, Seuil, 1986, rééd. 1988.

■ Y. François, *Françoise Dolto*, Paidos / Centurion, 1990. — M. Ledoux, *Introduction à l'œuvre de Françoise Dolto*, Rivages, 1990. — J.-F. de Sauverzac, *Françoise Dolto. Itinéraire d'une psychanalyste*, Aubier, 1993. — *Quelques pas sur le chemin de Françoise Dolto*, Seuil, 1988.

DOMENACH (Jean-Marie)

Né en 1922

Longtemps directeur d'une revue intellectuelle influente *(Esprit*)*, mais aussi journaliste, essayiste et enseignant, Jean-Marie Domenach, né en 1922 à Lyon dans un milieu catholique, est un parfait représentant de l'intellectuel de gauche ayant peu à peu pris ses distances avec son camp d'origine, qui n'a cessé de s'engager pour œuvrer à l'émergence d'une véritable morale de la responsabilité.

Ancien militant de la Jeunesse étudiante chrétienne*, marqué par l'œuvre de Charles Péguy*, il s'est vite pris de passion pour la politique. Ancien étudiant de classe préparatoire littéraire au lycée du Parc, influencé par l'École des cadres d'Uriage* et passé par le maquis, il appartient à cette génération de la Résistance qui rêvait d'un véritable renouveau et qui a cru, après la guerre, aux vertus de la révolution. Aussi n'hésite-t-il pas, en 1946, à entrer, à la demande d'Emmanuel Mounier*, à *Esprit*, comme secrétaire de rédaction, pour participer activement au débat intellectuel de l'époque.

Un moment proche des communistes, il s'en éloigne à la suite d'un séjour en Yougoslavie en 1949 qui lui ouvre les yeux sur la véritable nature du régime communiste. Il prend parti pour le « titisme » contre les staliniens. Il publiera d'ailleurs, l'année suivante, un petit ouvrage sur la propagande politique qui décrit précisément les mécanismes de la persuasion. Nommé en 1956 codirecteur d'*Esprit*, puis seul directeur après la mort d'Albert Béguin* en 1957, il s'investit dans le combat contre le colonialisme français au Maghreb, et plus particulièrement contre la guerre d'Algérie. *Esprit*, sous sa houlette, va promouvoir la lutte contre la torture et dénoncer les exactions commises de part et d'autre. Dans la mouvance de la « Nouvelle Gauche », il participe également, durant les années 60, à la réflexion autour de la « société de consommation » (c'est lui, semble-t-il, qui a créé l'expression), la croissance et la modernisation. Son livre *Le Retour du tragique* (1967) témoigne de ses doutes face à la société du bien-être et plaide pour une prise en compte du tragique « comme meilleure garantie contre la perte de l'homme ».

Pris quelque peu de court par les événements de Mai 68 qui ébranlent les animateurs d'*Esprit*, Jean-Marie Domenach tente néanmoins de relancer la revue en se faisant notamment l'écho de la pensée d'Ivan Illich et de ses critiques des institutions (l'école, l'hôpital), tout en engageant un débat sur l'autogestion et l'écologie. Ardent défenseur des opprimés, il est aux côtés de Michel Foucault* et de Pierre Vidal-Naquet* lors de la création, en 1971, du Groupe d'information sur les prisons* (GIP). *Esprit* apparaît d'ailleurs, durant la première moitié de la décennie 70, comme le fer de lance du front antitotalitaire : on y donne la parole à Claude Lefort*, Cornélius Castoriadis*, et on y commente abondamment les écrits de Soljenitsyne. Après trente ans à *Esprit*, Jean-Marie Domenach décide, à la fin de l'année 1976, de passer la main et abandonne la direction de la revue.

Il entame alors une nouvelle carrière dans l'enseignement et la recherche à l'École polytechnique* (1980-1987) et dans le journalisme en collaborant à *L'Expansion*, dont certains articles donneront lieu à la publication d'un livre *(Enquête sur les idées contemporaines)* en 1981. Ayant longtemps côtoyé les milieux de l'édition (en tant que directeur de collection au Seuil*) durant les années 50 et 60, il se consacre désormais de plus en plus à la rédaction de livres polémiques (*Lettres à mes ennemis de classe*, 1984) ou d'essais sur les grands thèmes qui agitent le monde contemporain : la politique (*Des idées pour la politique*, 1988), l'école (*Ce qu'il faut enseigner*, 1989), l'Europe (*Europe : le défi culturel*, 1990), la morale (*Une morale sans moralisme*, 1992). La conclusion de ce dernier ouvrage résume, d'une certaine façon, le sens de son combat : la morale, y écrit-il, doit rappeler « à la politique son devoir principal qui est d'instituer, non pas l'égalité, mais les conditions d'une liberté raisonnable ». En 1995, il s'est tourné vers la critique littéraire avec un essai sur le roman français *(Le Crépuscule de la culture française)* qui a suscité de vifs débats.

Rémy Rieffel

■ *La Propagande politique*, PUF, 1950. — *Maurice Barrès*, Seuil, 1954. — *Le Retour du tragique*, Seuil, 1967. — *Le Sauvage et l'ordinateur*, Seuil, 1976. — *Enquête sur les idées contemporaines*, Seuil, 1981. — *Lettre à mes ennemis de classe*, Seuil, 1984. — *Des idées pour la politique*, Seuil, 1988. — *Ce qu'il faut enseigner*, Seuil, 1989. — *Europe : le défi culturel*, La Découverte, 1990. — *Une morale sans moralisme*, Flammarion, 1992. — *Le Crépuscule de la culture française*, Plon, 1995.

DORGELÈS (Roland) [Roland Lécavelé]

1885-1973

Écrivain, mémorialiste, reporter, Roland Dorgelès a voué le principal de son œuvre à trois thèmes : la guerre, qui lui a inspiré des témoignages romancés, la bohème montmartroise dont il a consigné l'épopée, et les voyages (Indochine, Proche-Orient) qui alimentent des récits plus journalistiques que littéraires.

D'origine picarde (il est né à Amiens), Dorgelès est issu d'une famille de la petite bourgeoisie aisée. Son père, représentant d'une fabrique de tissu, l'initie très tôt à la lecture de Courteline, qui sera le maître et ami de l'écrivain. Après une scolarité décousue, il entre à l'École des arts décoratifs. Figure notoire de la bohème montmartroise naissante, il en devient le chroniqueur humoriste, tout en dénigrant l'art d'avant-garde qui y prend corps. Journaliste salarié au *Journal*, où il restera jusqu'en 1941, il collabore aussi à *Comœdia**, *Paris-Journal*, *L'Homme libre*. Mobilisé en 1914, il revient du front avec un roman de guerre qui assoit sa renommée, *Les Croix de bois* (1919). Le prix Goncourt qui lui échappe au profit de Proust* déclenche une polémique, renforçant ainsi le succès du perdant consolé par le jury Femina. L'académie Goncourt néanmoins le cooptera dix ans plus tard. La même année, il accédera à la présidence de l'Association des écrivains anciens combattants. Voyageur-reporter, il publie en 1937 *Vive la liberté !* où, rapportant des observations faites au cours de séjours en URSS, Allemagne, Autriche, Hongrie et Italie, il condamne en bloc les régimes « dictatoriaux ». S'il voit dans le bolchevisme le danger le plus imminent parce qu'il a déjà survécu à ses chefs, son aversion pour le nazisme n'entame pas un pacifisme d'autant plus « noble » à ses yeux qu'il est assuré d'une défaite allemande.

Pendant la « drôle de guerre », ainsi baptisée par lui, il est correspondant aux armées pour l'hebdomadaire *Gringoire**. Comme *Les Croix de bois*, son récit de la débâcle, *Retour au front* est saisi par la censure dès les débuts de l'Occupation. Repris en 1957 dans *La Drôle de guerre*, ce récit, qui prend acte des carences militaires et de la démoralisation dans les rangs, lui vaudra des reproches pour avoir vanté l'héroïsme de deux anciens « cagoulards », dont Darnand, futur chef de la milice. Sous l'Occupation, son nationalisme et sa fidélité d'ancien combattant le conduisent à écrire des articles à la gloire du Maréchal et du « retour à la terre », sans toutefois approuver les lois raciales édictées par Vichy. Il démissionne de *Gringoire* en septembre 1941, en raison de la tendance de plus en plus antisémite et collaborationniste de l'hebdomadaire. Il dira avoir espéré que les appels de De Gaulle se joindraient un jour aux « propos rassurants du vieil otage de Vichy ». Partisan de l'amnistie à la Libération, il signera les recours en grâce de Brasillach* et de son vieil ami Henri Béraud*. En 1941 avait paru *Sous le casque blanc*, éloge des « coloniaux » que Dorgelès fera rééditer en 1960, agrémenté d'une nouvelle préface empreinte de nostalgie de l'empire perdu.

Un patriotisme fervent, un certain conservatisme moral et une attitude passéiste croissante s'allient à une forme d'apolitisme (il se refusa longtemps à voter) chez celui qui se disait « anarchiste chrétien ».

Gisèle Sapiro

■ *Vive la liberté !*, Albin Michel, 1937. — *Sous le casque blanc*, Éd. de France, 1941, rééd. Albin Michel, 1960. — *Bouquet de bohème*, Albin Michel, 1947. — *La Drôle de guerre (1939-1940)*, Albin Michel, 1957.
▒ M. Dupray, *Roland Dorgelès*, Presses de la Renaissance, 1986.

DORT (Bernard)

1929-1994

Spectateur et conseiller privilégié de la scène théâtrale européenne depuis le début des années 50, propagateur des idées de Brecht en France, brillant commentateur du théâtre allemand et italien contemporain mais aussi spécialiste de Corneille et de Marivaux auxquels il contribue à redonner leur poids social, Bernard Dort aime s'exprimer au travers de chroniques, préfaces, articles de large diffusion. Il est l'un des principaux animateurs des deux plus importantes revues théâtrales de la deuxième moitié du XXe siècle : *Théâtre populaire** et *Travail théâtral*. Dans tous ses textes, Bernard Dort défend une conception du théâtre ouvert sur le monde et sur le « présent », l'engageant à renoncer à être ce « coin à part » déjà brocardé au siècle dernier par Zola* et Antoine.

Né le 29 septembre 1929 à Metz, Dort choisit de faire ses études à Paris par amour du théâtre. Il passe une licence de droit, entre à l'Institut d'études politiques*, puis à l'École nationale d'administration*. C'est l'époque de l'« utopie » vilarienne, à laquelle Bernard Dort participe à travers la revue *Théâtre populaire*, qu'il fonde en compagnie de Guy Dumur, Morvan Lebesque et Roland Barthes*. Avec ce dernier, Bernard Dort se fait l'ardent propagandiste de la « révolution » brechtienne en France, soulignant que la critique idéologique menée par le dramaturge allemand va de pair avec l'invention d'une écriture scénique différente. Aux côtés de Jack Lang, il participe à la fondation du Festival de Nancy qui nourrit la réflexion et la contestation étudiantes, annonçant puis prolongeant Mai 68. Nancy va permettre à de jeunes metteurs en scène contestataires, aussi bien dans la forme que dans les idées, de prendre le devant de la scène et de mettre en question les lieux traditionnels de la formation et de la conservation du patrimoine théâtral (Conservatoire et Comédie-Française). Devenu directeur du Théâtre au ministère de la Culture, Bernard Dort s'en souviendra en préservant l'équilibre fragile entre l'aide aux jeunes compagnies et celle aux institutions consacrées.

Professeur puis directeur de l'Institut d'études théâtrales de la Sorbonne nouvelle, Bernard Dort enseigne à ses étudiants la pratique théâtrale concrète. Détaché comme enseignant au Conservatoire national d'art dramatique, il suit la démarche inverse, apprenant aux élèves comédiens la nécessité d'une réflexion sur le théâtre. Toujours soucieux d'être en prise avec la création théâtrale, Bernard Dort collabore avec Jacques Lassalle au Théâtre national de Strasbourg avec le titre de conseiller littéraire, qu'il préfère à celui de « dramaturge », soupçonné d'être « le gardien du sens ». Il réalise plusieurs traductions (*Woyzeck* de Büchner, *Emilia Galotti* de Lessing) où l'on sent le souci de préserver « la différence » de l'écriture théâtrale et celui de favoriser l'invention du travail scénique.

En choisissant de nommer Bernard Dort directeur du Théâtre et des Spectacles en 1983, un poste à caractère « technique » et « administratif », le ministre de la Culture Jack Lang choisit de doter le théâtre de sa meilleure « conscience » à un moment de trouble institutionnel. Pourtant, Bernard Dort ne restera que deux ans à ce poste, jugeant probablement trop lourdes les pesanteurs administratives et lassé d'être réduit au rôle de pourvoyeur de subventions.

Jean Deloche

■ *Corneille dramaturge*, L'Arche, 1957. — *Lectures de Brecht*, Seuil, 1960, rééd. 1972. — *Théâtre public. Essais de critique (1953-1966)*, Seuil, 1967. — *Théâtres réel. Essais de critique (1967-1970)*, Seuil, 1971. — *Théâtre en jeu. Essais de critique (1970-1978)*, Seuil, 1979. — *La Représentation émancipée*, Arles, Actes Sud, 1988.

DRESCH (Jean)

1905-1994

Géographe dont les recherches en géographie physique ont principalement porté sur les milieux arides, Jean Dresch a été un militant communiste, syndicaliste et anticolonialiste soutenant notamment par ses analyses du système colonial les mouvements du Maghreb.

Fils de recteur d'Université, J. Dresch est élève de l'École normale supérieure* (1926) ; ayant intégré comme philosophe, il choisit la géographie et suit les cours d'A. Demangeon* et d'E. de Martonne*. Agrégé d'histoire et de géographie en 1930, il part pour le Maroc préparer sa thèse de morphologie sur le massif du Toubkal. Enseignant dans le secondaire, il milite dans les organisations politiques de gauche, d'abord au Parti socialiste (avec L. Paye et R. Blachère), puis au Parti communiste du Maroc (1936). Il est aussi en contact avec le groupe des Jeunes Marocains qui développent une critique du colonialisme français. Il publie des articles sur les problèmes économiques et sociaux du protectorat dans *L'Espoir*, organe du Parti communiste du Maroc (1938-1939). Combattant en France comme officier de tirailleurs marocains, il retourne au Maroc en août 1940, mais est expulsé pour motif politique par le résident général Noguès (janvier 1941). Il soutient sa thèse en Sorbonne en 1941, mais, marqué politiquement, n'obtient pas de chaire. Il participe à la Résistance en région parisienne (FTP) et fait partie de l'état-major de Rol-Tanguy à la libération de Paris. En 1945, il est chargé, en compagnie de Michel Leiris*, d'une mission sur le travail forcé en Côte-d'Ivoire : le 7 mars, ils recueillent, dans un petit village à Yamoussoukro, les doléances d'un médecin et planteur africain, F. Houphouët-Boigny. Le rapport servit à la préparation du projet de loi sur l'abolition du travail forcé.

La carrière universitaire de J. Dresch commence véritablement en 1945, il est nommé professeur à Strasbourg, puis à l'École nationale de la France d'outre-mer (1947-1948), enfin à la Sorbonne. Parallèlement à ses travaux sur le fait désertique il contribue, soit directement, soit en patronnant des chercheurs, à une étude critique des formes de domination coloniale en Afrique du Nord et en Afrique noire : économie de traite, géographie des investissements. Au début des années 50, il publie des articles dans des revues non géographiques : *Politique étrangère*, *Revue* *politique et parlementaire*, *Présence africaine**. J. Dresch reste un militant communiste : il participe à la fondation des Amitiés franco-chinoises en 1952 et les présidera pendant une douzaine d'années. Il intervient dans les revues communistes, notamment *La Pensée**, où il publie en 1956 un article sur « Le fait national algérien » qui se conclut par la reconnaissance du droit à l'indépendance, anticipant sur les positions officielles du Parti à cette date (été 1956). J. Dresch est vice-président du Comité Audin, comme H.-I. Marrou* en 1960. À l'automne 1961, il est un des premiers intellectuels (avec L. Schwartz*, A. Kastler* et J. Ricatte) à s'élever contre la répression de la manifestation algérienne du 17 octobre. En 1965, il dénonce l'enlèvement et la disparition de Mehdi Ben Barka, un ancien élève et un militant qu'il estime.

Il dirige de 1960 à 1970 l'Institut de géographie de l'université de Paris, il préside le Comité national de géographie (1966-1972). À l'étranger, il est membre de l'Académie des sciences de Moscou et de Varsovie. Il est aussi vice-président puis président de l'Union géographique internationale (1968-1980) : en 1972, présidant le congrès de Montréal, il fait une déclaration condamnant les bombardements américains des digues du fleuve Rouge au Nord-Vietnam.

Jean-Louis Tissier

■ *Recherches sur l'évolution du relief dans le massif central du Grand Atlas*, Tours, Arrault, 1941. — *Un géographe au déclin des empires* (recueil d'articles), Maspero / Hérodote, 1979.

▒ « Géographie / anticolonialisme. Jean Dresch », *Hérodote*, n° 11, 1978.

DREYFUS (affaire)

1894-1906

Il existait des « intellectuels » avant l'affaire Dreyfus, si l'on entend par ce mot-là des écrivains, des philosophes, des savants, qui, sortis de leur métier proprement dit, mais usant du prestige acquis dans ce métier, ont fait entendre leur voix sur la place publique, soit sur les affaires de l'État, soit sur des sanctions de justice. De Voltaire à Victor Hugo, notre histoire est riche de ces redresseurs de torts et de ces dénonciateurs de l'arbitraire gouvernemental. L'affaire Dreyfus innove, cependant, par le caractère massif de la mobilisation de ceux qu'on appelle désormais — le substantif devient courant en cette fin de XIXe siècle — les *intellectuels*.

Un petit noyau de lettrés — Lucien Herr*, bibliothécaire à l'École normale supérieure*, Lucien Lévy-Bruhl*, Charles Péguy*, les collaborateurs de *La Revue blanche**... —, convaincus de l'innocence du capitaine Alfred Dreyfus, à la suite des investigations de Bernard Lazare*, tentent de gagner à la cause du « révisionnisme » (la révision du procès Dreyfus) des hommes politiques, dont les premiers s'appellent Scheurer-Kestner, Clemenceau, Jaurès*... Cependant, la véritable émergence des intellectuels a lieu dans le courant du mois de janvier 1898, après que, le 11 du même mois, le commandant Esterhazy, véritable auteur du « bordereau » qui avait accusé Dreyfus, eut été acquitté par le Conseil de guerre et acclamé par les nationalistes comme un héros à la sortie du tribunal. Quarante-huit heures plus tard, Émile Zola* publiait sa retentissante lettre ouverte au président de la République dans *L'Aurore*, animée par Georges Clemenceau. Celui-ci avait trouvé le titre de ce texte qui devait s'inscrire à tout jamais dans la légende du dreyfusisme : « J'accuse ! »

Zola, en cette occasion, avait agi avec une hardiesse encore classique : celle de l'homme de lettres renommé qui pèse de toute sa gloire contre la raison d'État, en faveur d'un innocent châtié. Dans les jours qui suivirent le scandale provoqué par l'écrivain, et dont celui-ci aurait à rendre raison devant la cour d'assises, une première liste de noms circula dans la presse au bas d'une proclamation réclamant la révision du procès Dreyfus, à la suite de toutes les révélations qui, au cours des deux dernières années, avaient démontré, au moins, l'illégalité de la procédure ayant conduit à la condamnation, à la dégradation, puis à la déportation du capitaine Dreyfus. Ces noms étaient ceux de professeurs de l'enseignement supérieur, de chercheurs, d'hommes de plume ou de laboratoire, qui, à la suite de Zola, contre l'obstination d'une classe politique pour laquelle on n'avait pas à revenir sur une « chose jugée », et contre la fureur d'une opinion nationaliste et antisémite qui refusait d'imaginer qu'on pût mettre en balance la parole des représentants de l'armée, celle de l'état-major, celle du ministre, celle du Conseil de guerre, avec les protestations d'innocence d'un petit officier juif, réclamaient que justice soit faite. Clemenceau les salua dans son journal, le 18 janvier : « Il faut le dire à leur honneur, les hommes de pensée se sont mis en mouvement d'abord. C'est un signe à ne pas négliger. Il est rare que, dans les mouvements d'opinion publique, les hommes de pur labeur intellectuel se manifestent au premier rang. »

Dans cette liste et celles qui suivent, on note, outre Zola, les noms d'Anatole France*, d'Émile Duclaux*, directeur de l'Institut Pasteur*, de Claude Monet, Jules Renard*, Octave Mirbeau*, Émile Durkheim*, Marcel Proust*, Théodore Monod*, Félix Fénéon*, secrétaire de *La Revue blanche*, etc. Cette pétition déclenche, en retour, l'irritation, la moquerie, la réfutation d'autres « hommes de pensée », qui, contestant le rôle que s'arrogent leurs pairs, s'emploient à disqualifier leur prétention : « Et cette pétition que l'on fait circuler parmi les *Intellectuels* ! déclare Ferdinand Brunetière*, le 15 janvier 1898. Le seul fait que l'on ait récemment créé ce mot d'*Intellectuels* pour désigner, comme une sorte de caste nobiliaire, les gens qui vivent dans les laboratoires et les bibliothèques, ce fait seul dénonce un des travers les plus ridicules de notre époque, je veux dire la prétention de hausser les écrivains, les savants, les professeurs, au rang de surhommes. »

En fait, derrière la dénonciation des intellectuels se tenait une certaine conception de la société qui allait de pair avec le nationalisme — autre mot qui s'affirme alors dans le vocabulaire politique. L'enjeu était la cohésion de la société, que les intellectuels étaient accusés de saper. En mettant en cause un jugement prononcé par un tribunal militaire, ils affaiblissaient l'instrument de la Défense nationale. Ils faisaient de la cause d'un individu un absolu, au regard de quoi la cause de la patrie ne comptait pour rien. Ils érigeaient en règle impérative des valeurs universelles, au détriment d'un corps social menacé de division. Le parti nationaliste fit du « parti intellectuel » l'ennemi de la nation : « Il faut, écrit ainsi Barrès*, surveiller l'Université. Elle contribue à détruire les principes français, à nous décérébrer ;

sous prétexte de nous faire citoyen de l'humanité, elle nous déracine de notre sol, de notre idéal aussi. »

Pour les écrivains nationalistes — dont la plupart se retrouveront dans les rangs de la Ligue de la patrie française —, l'affaire Dreyfus est un révélateur de décadence, mais elle est en même temps une chance de redressement. Ils dénoncent dans l'intellectuel et — au moins pour une part d'entre eux — dans le juif, les deux faces complémentaires d'une modernité abhorrée, les figures complices de la destruction des institutions organiques, au premier chef l'armée et l'Église.

La division des intellectuels sur l'affaire Dreyfus peut se prêter à l'analyse sociologique. On serait tenté de dire qu'il y eut la rive droite contre la rive gauche, si l'Académie (antidreyfusarde, à l'exception d'Anatole France) et l'École normale n'étaient du même côté de la Seine. L'*establishment* littéraire et académique fut, en tout cas, massivement antirévisionniste. La Ligue de la patrie française comptait vingt-deux académiciens, de nombreux membres du reste de l'Institut, des ténors du barreau, les fidèles de certains salons en vue. Ils réagissaient contre la mobilisation des intellectuels en faveur de Dreyfus, voulant démontrer que le monde de la pensée n'était pas unanime derrière Zola. La Sorbonne et les autres institutions universitaires n'étaient pas pour autant toutes dreyfusardes, mais, « dans l'ensemble, comme écrit Léon Blum* dans ses *Souvenirs de l'Affaire*, l'Université, prise à tous ses degrés, fut la première catégorie sociale ou professionnelle sur laquelle le dreyfusisme put prendre appui ».

La véritable naissance de l'Université française date des débuts de la IIIe République. L'émergence des intellectuels est liée au développement et à l'organisation des études secondaires et supérieures en France. On a compté dans la pétition des intellectuels 261 professeurs du secondaire et du supérieur, contre 230 hommes de lettres et journalistes, ce qui entraîne l'antisémite en chef Édouard Drumont* à dénoncer « la reconstitution d'une oligarchie immorale et vaniteuse, prétentieuse et grotesque de gradés, de diplômés, d'agrégés, de docteurs, qui répondent aux Inclytes, aux Illustrissimes, aux candidats, aux dignitaires ».

Dès leur entrée en force dans l'histoire politique, les « intellectuels » ont trouvé en face d'eux, contre eux, non seulement des journalistes, des politiciens, et une partie de l'opinion publique, mais aussi d'autres intellectuels, refusant l'appellation pour eux-mêmes, et récusant la spécificité d'une fonction quelconque dévolue dans la sphère politique à des gens par nature « incompétents ». Le nationalisme et la démagogie, s'appuyant sur les foules, nourriront contre la tradition naissante du « parti intellectuel » la contre-tradition anti-intellectualiste.

La bataille d'idées, qui n'est pas réductible à une opposition simple entre des antisémites et des philosémites, sut s'élever parfois à la hauteur de la controverse philosophique. Elle opposa alors les tenants des droits de l'homme, se réclamant des Lumières, et les défenseurs de la société organique ; le droit naturel et l'universalisme contre le droit positif et particulariste. À l'instar de Joseph de Maistre fulminant contre la Révolution et pour lequel il n'y avait pas d'« Homme », mais seulement des Français, des Allemands ou des Italiens, les écrivains nationalistes firent du « relatif » et du « particulier » leur cause à l'encontre des champions de la cause humanitaire. Les dreyfusards n'eurent pas tous les mêmes motivations. La plupart, cependant, refusaient d'ignorer les intérêts de leur patrie, mais, pour ceux-ci, la cause même de la France ne pouvait être défendue contre la morale, contre la vérité, et contre la justice.

L'affaire Dreyfus a marqué l'entrée en nombre des intellectuels dans le champ politique. Certains y resteront, en devenant des partisans. La plupart retourneront à leurs « laboratoires » et à leurs « bibliothèques », mais prêts à en sortir de nouveau pour défendre la dignité de tout individu, ou de tout groupe minoritaire, tombant sous la logique infernale des raisons « supérieures » dont décide l'État, l'Armée, l'Église, voire l'Opinion, et bientôt le Parti. Les droits imprescriptibles de l'individu dont ils entendaient se faire les garants, Condorcet les avait, avant eux, exprimés de manière radicale : « L'intérêt de puissance et de richesse d'une nation doit disparaître devant *le droit d'un seul homme.* »

Les « intellectuels » contribuèrent de manière éclatante à la révision du procès Alfred Dreyfus, et à sa réhabilitation finale. Cette victoire fut une référence, et le dreyfusisme un modèle d'engagement qui n'a jamais cessé d'être une source d'inspiration.

Michel Winock

■ P. Birnbaum (dir.), *La France de l'affaire Dreyfus*, Gallimard, 1994. — J.-D. Bredin, *L'Affaire*, Fayard-Julliard, 1993. — E. Cahm, *L'Affaire Dreyfus*, LGF, 1994. — C. Charle, *Naissance des « intellectuels » (1880-1900)*, Minuit, 1990. — M. Drouin (dir.), *L'Affaire Dreyfus de A à Z*, Flammarion, 1994.

Pétitions en faveur de la révision du procès du capitaine Alfred Dreyfus

Une protestation

Les soussignés, protestant contre la violation des formes juridiques au procès de 1894 et contre les mystères qui ont entouré l'affaire Esterhazy, persistent à demander la révision.

PREMIÈRE LISTE : Émile Zola, Anatole France, de l'Académie française ; Duclaux, directeur de l'Institut Pasteur, membre de l'Académie des sciences ; Jean Ajalbert, Paul Brulat, Raymond Kœchlin, Fernand Gregh, André Rivoire, Saint-Georges de Bouhélier, Louis Feine, architecte ; Alfred Feine, architecte ; Anquetin, avocat à la cour d'appel ; docteur Bonnier, Georges Lecomte, E. Letailleur, Th. Ruyssen, de l'Association de la paix par le droit ; Jack Abeille, Charles Darantière, licencié en droit ; Philippe Dubois, René Dubreuil, Marcel Huart, Pierre de Lano, Jehan Rictus, Georges Laporte, publiciste ; Lhermitte, J.-M. Gros, Lugné-Poë, Jacques Bizet, Daniel Halévy, Saviez, publiciste ; Othon Gœpp, licencié en droit ; Gabriel Trarieux, André Beaunier, Alfred Bonnet, secrétaire du Devenir social ; A.-F. Herold, Pierre Quillard, E. Tarbouriech, professeur au Collège des sciences sociales ; Ch. Rist, licencié en droit ; Ed. Rist, interne des hôpitaux ; F. Fénéon, secrétaire de *La Revue blanche* ; Robert de Flers, Marcel Proust, Léon Jeatman, Louis de La Salle, Amédée Rouquès, Paul Lagarde, avocat à la cour d'appel ; Mecislas Golberg.

Victor Bérard, Lucien Herr, Ch. Andler, C. Bouglé, P. Lapie-A. Métin, F. Brunot, E. Bourguet, Jean Perrin, Marotte, Vieilletfond, Lebesgue, Mège, Mouton, Jarry, Cligny, Elie Halévy, Massoulier, J. Rey, Dureng, Dubreuil, Simiand, Treffel, Roques, Lœwé, H. Bousquet, agrégés de l'Université.

Maître, Poirot, Bury, Monod, Beck, Beslais, Cettier, Duguet, Abt, Fourniols, Pernot, Cazamian, Merlant, Bahut, Cans, Meslier, Crepieux-Janim, licenciés ès lettres.

Duclaux, H. Dumas, Gauthier, Lecomte, Labrausse, Alméras, Sueur, Brunet, Bérard, Maroyer, Bouzat, Rey, Esclagon, Aroles, Galland, licenciés ès sciences.

Jean-Louis Bideault, peintre ; Guy de La Farandole, publiciste ; Léopold Augier, publiciste ; Émile Escande, L. Albiate, artiste ; Edmond Fazy, Ph. Dubois, Louis Mullem, G. Lhermitte, Henry Mortimer, homme de lettres ; Georges Lacombe, sculpteur ; Maurice Hepp, Marcel Batilliat, Berria Blanc, artiste peintre ; Charles Vellay (Lyon), Alfred Haakman, artiste ; Paul Robert, A.-J. de Mauprey, publiciste ; Fernand de Rouvray, publiciste ; Paul Desrieux, publiciste.
Agier, graveur ; Anquetin, Jean Blaize, docteur A. Blatin, Paul Brulat, Armand Charpentier, Courteline, Couturier, dessinateur ; Henri Dagan, Albert Delvallée, Félix Fénéon, Eugène Fournière, Paul Franck, de l'Odéon ; Gustave Geffroy, René Ghil, J.-M. Gros, Gustave Guesviller, Edmond Guillaumet, B. Guinaudeau, A. Ferdinand Herold, Léon Hétru, André Ibels, docteur Jaclard, Janvier, de l'Odéon ; Albert Lantoine, Georges Lecomte, Hippolyte Lencou, Gaston Lesaulx, Henri Leyret, Charles Longuet, Maurice Magre, Camille Mauclair, Octave Mirbeau, Maurice Montégut, Gabriel Montjoye, Gabriel Mourey, Eugène Murer, peintre ; Léon Parsons, Pierre Quillard, Émile Raymond, Daniel Riche, N. Roinard, Victor Sadoul, Saint-Georges de Bouhélier, Charles Sounier, Paul Souchon, Adolphe Tabarant, Léon Talboom, Eugène Thebault, Laurent Tailhade, Maurice Vaucaire.

DEUXIÈME LISTE : Robert Byse, licencié en droit ; Léon Séché, directeur de la *Revue des provinces de l'Ouest* ; Maurice Montégut, homme de lettres ; Jean Psichari, agrégé de l'Université, directeur d'études à l'École pratique des hautes études ; Gabriel Mourey, Albéric Magnard, Pierre Valdagne, homme de lettres ; Charles Petitjean, G. Tournade, Edmond Fazy, licencié ès lettres ; M. Gera, A. Savard, compositeur ; docteur Stapfer, Émile Crémieux, externe des hôpitaux ; Imbert, Renée Weiss, licenciée ès lettres ; Édouard Quet, publiciste ; Fernand Fau, Armand Charpentier, homme de lettres, critique de la revue littéraire de la *Revue des journaux et des livres* ; Pascal Forthuny, homme de lettres ; Ch.Frois, professeur ; Gaston Laurent, Henri Brissac, Albert Bloch, licencié ès sciences, professeur à l'École polytechnique de Buenos-Aires, publiciste ; Paul Genty, J. Mormerot, licenciés ès lettres ; J. Lagrosillère, licencié en droit ; Eugène Thébault, Gustave Kahn, Édouard André, *Revue des Deux-Frances* ; René Ghil, publiciste ; J.-L. Bideault, artiste peintre ; Paul Mazé, avocat à la cour ; Ernest Haudos, avocat à la cour ; Alphonse Richard, avocat à la cour ; Frédéric Cazalis, avocat à la cour ; Adrien Manière, homme de lettres ; B. Guinaudeau, homme de lettres ; Jacques Bouzon, avocat à la cour ; F. Bideault, négociant ; Gustave Souber, homme de lettres ; J. Anglas, bi-licencié ès sciences ; Paul Vibert, économiste ; Lucien Wahl, Jean Cresp, homme de lettres ; Georges Collet, secrétaire de la rédaction de la *Revue médicale* ; Charles Veillet-Lavallée, licencié ès lettres ; Maurice Level, licencié de philosophie ; Pierre Lefèvre, Lucien-Victor Meunier, chevalier de la Légion d'honneur ; Amédée Blondeau, André Honorat, Paul Desachy, Hugues Destrem, Jean Destrem.

TROISIÈME LISTE : Ed. Grimaux, de l'Académie des sciences ; G. Glairin, Eugène Carrière, Jules Tannery, docteur ès sciences ; Marcel Brillouin, docteur ès sciences, maître de conférences à l'École normale supérieure ; Maurice Maindron, F. Hippolyte Lucas, Arbourg, Haug, maître de conférences à la Faculté des sciences ; Molliard, chargé de conférences à la Faculté des sciences ; A. Darlu, professeur agrégé de philosophie ; E. Rabaud, docteur ès sciences. G. Lanson, André Chevrillon, Joseph Texte, E. Zyromski, agrégés de l'Université, docteurs ès lettres.
Paul Dupuy, de Martonne, Bertaux, Augustin Monod, H. Hubert, Landry, Émile Hovelacque, Rodrigues, R. Prieur, L. Raveneau, Bayre, M. Zimmermann, M. Drouin, E. Burnet, Paul Sacerdote, agrégés de l'Université.
Louis Gillet, G. Barbey, Louis Gaillet, H. Servageon, Peguy, Pradines, Tharand, Deshairs, Poux, Monnod, Aillet, Blanchard, Bloume, Blondel, Caman, Jean Lepelletier, licenciés ès lettres.
Bernard, Delafarge, Douady, Dubuisson, Victor Crémieu, S. Buchet, licenciés ès sciences.
H. Monnier, licenciés ès lettres et en droit ; Jalaguier, industriel, licencié en droit ; Léon Coupey, A. Dumas, Genevet, licenciés en droit.
Adrien Houillon ; Paul Robert, publiciste ; docteur R. Dreyer-Dufer ; Frédéric Christof, ancien combattant de 1870, missionnaire protestant français ; Louis Rouillé, publiciste ;

Camille Kœchlin, graphologue ; Alexandre Charpentier, statuaire ; Charles Plumet, architecte ; Daniel Brun, Paul Michon, Serge Basset, homme de lettres ; Maurice Hodent, Jehan Estradié, docteur Maurice Roy, Joseph Charrier, publiciste ; S. Lévy, étudiant, correspondant du *Journal de Salonique* ; Henry Mortimer, docteur Mesmy, Marcel Batilliat, homme de lettres ; Adrien Lièvre, industriel, André David, docteur Klein, A. Rogier, H. Hudry, interne à Necker ; L. Lebhan, externe des hôpitaux ; René Stern, artiste ; Eugène Delcroix, Alla, Léna Myrrhe, Franz Hatt, Édouard Neuburger, Fernand Després et toute la rédaction des *Pages brèves* ; George Viau, Albert Brasseur, docteur en droit ; Gabriel Emerdinger ; N. Medesco, ingénieur ; Raoul Chilard, homme de lettres ; Daniel de Venancourt, homme de lettres ; Charles Chérer, abonné du *Temps*, peintre décorateur ; Alfred Stachling, J. de Belois, C. Baud, Louis Weber, rédacteur à la *Revue philosophique* et à la *Revue de métaphysique et de morale* ; Georges Charpentier, ancien éditeur, officier de la Légion d'honneur ; Henri de Bruchard, homme de lettres ; Henri Albert, homme de lettres ; Maurice Bouchor, homme de lettres.

Jean Monnier-Beau, Georges Robin, Fort, Gentil, Guyot, Jardé, Lavaud, Julien Monod, Maxard, Peyré, Jean Rabaud, Sauner, Camille Soulié, Pierre Thierry, Clausel, Berthier-Chollet, Dubesset, André Delfau, étudiants ; D. Snop, du *Libertaire*

Quatrième liste : Terrien, étudiant en médecine ; Lattés, agrégé de l'Université ; Jules Fleury, licencié en droit et publiciste ; Edmond Buot et Henri Brunetière, lecteurs de *L'Éclair* ; Louis Revelin, ancien président du comité de l'Association générale des étudiants, professeur au Collège libre des sciences sociales ; L. Salomon, licencié en droit, élève à l'École des sciences politiques ; Antonin Morino, ingénieur civil ; Henri Levasseur, statuaire ; Dremel, avocat à la cour d'appel de Bruxelles ; Marc Roussenac, artiste peintre ; Eugène Collot, des conférences de *L'Idée nouvelle* ; Achille Préast, entrepreneur ; Henri Duehman ; Elie Mantout, administrateur de la Société vinicole franco-espagnole ; Veuve P. Philip, Georges Bouché, artiste peintre ; Maurice Hepp, interne des hôpitaux ; Léon Daubron, prolétaire ; Albert Lantoine, Charles Moïse, explorateur de mines ; Zisly Enry, publiciste ; Henri Beaulieu, Nouvelle Humanité ; Honoré Bigot, du *Naturien* ; Louis Bernard, homme de lettres ; L. Gradin, publiciste ; Connort, publiciste ; Edmond Potonié-Pierre, secrétaire de la Ligue du bien public ; Eugénie Potonié-Pierre, Aubry, professeur à l'université de Rennes ; Adolphe Martin, publiciste ; Gaston Bing, publiciste ; A. Mathieu, agrégé de l'université de Lyon ; Malatesta, peintre et homme de lettres ; André Baron, étudiant en droit ; J. Léon Roux, publiciste ; Emmanuel Hanneaux, statuaire ; René Wisner, rédacteur à *La France* ; L. Cochard, Constantin Ulmann, Achille Duchêne, Jean Lebel, étudiant en lettres ; Georges Lyon, chevalier de la Légion d'honneur, docteur ès lettres ; A. Husson (Mulhouse), Étienne Pelessier, publiciste ; Edmond Latour, B. Curti, Herman Hauser, publiciste ; Achille Duchesne, Meyer, licencié ès lettres ; Léon Chavignaud, homme de lettres ; Émile Saint-Lanne, Louis Lamaud, élève du lycée de Bordeaux ; Salvador Bloch, agrégé de l'Université, docteur ès sciences ; Raoul Legrand, avocat ; J. Bernard, ancien élève à l'École normale supérieure de Paris, professeur à l'Université nouvelle de Bruxelles ; L. Chantellat, de Cottin ; Victor Basch, professeur à la Faculté des lettres de Rennes ; Louis Davenez, agrégé de l'Université ; Maurice Boniface, auteur dramatique ; Émile Amieux, externe des hôpitaux de Paris ; O. Bouwens van der Boijen, compositeur de musique ; G. Ducastel, étudiant en médecine ; Marius Perrin, publiciste ; Emmanuel Fochier, avocat à la cour d'appel ; Henri Sée, professeur à la Faculté des lettres de Rennes ; Henri-Armand Delille, artiste dessinateur ; A. Radais, ex-interne des hôpitaux de Paris ; Lucien Olmer ; Paul Carlo Bunode, publiciste ; docteur Halma Grand, chirurgien de l'Hôtel-Dieu d'Orléans ; Ed. Fazy, homme de lettres ; Louis Bochard, artiste peintre ; Eugène Soubreyne, homme de lettres ; A. Raimonet, étudiant en médecine ; René Foulon, étudiant en droit ; A. Collignon, homme de lettres ; André Laguerre, licencié en droit ; André Lévy-Picard, licencié ès lettres ; P. Hébert, étudiant en médecine, membre de l'Association générale des étudiants ; Gabriel Fabre, compositeur de musique ; Henry Lavisgnes, rédacteur à *La Revue Blanche* ; André Coëlas, étudiant en médecine ; Georges Sautreaux, étudiant en droit, membre de l'Association générale des étudiants ; Armand Cahn, avocat à la cour d'appel ; Robert Thomas, dessinateur ; Gustave Sallé, étudiant en droit ; Darmon, étudiant en

sciences ; Edmond Gille, Louis Fouché, étudiant en lettres ; Le Saux, licencié ès lettres (Coulommiers) ; H. Champy, orfèvre, conseiller prud'homme ; Georges Gand, étudiant en pharmacie ; Achille Caron, chef de bureau en retraite ; George Libonne (Montpellier) ; docteur Ferdinand Loviot ; Gustave Guitton, homme de lettres ; Lucien Herr, Pallier, artiste sculpteur ; Lionel Dauriac, docteur ès lettres ; H. Coupin, docteur ès sciences ; Fernand Robineau, J. Cator, J. Prudhommeaux, Pierre Jouguet, agrégé de l'Université ; E. Roussel, A. Jundt, Vacher, Bourgin, Jules Riby, Charles Amey, V. Fleury, Walta, H. Servejean, licenciés ès lettres ; A. Bouarivant, Ph. Eberhardt, licenciés ès sciences ; G. Debu, ingénieur agronome ; E. Ampoux, de la *Revue générale des sciences* ; P. Badermann, externe des hôpitaux ; A. Baumgarten, externe des hôpitaux ; A. Gaboriaud, H. Boivin, E. Boivin, étudiants ; Paul Bochard, caissier ; Maurice Lenoir, homme de lettres ; H. Ouvré, docteur ès lettres, professeur à l'université de Bordeaux ; G. Bloch, docteur ès lettres, chevalier de la Légion d'honneur, maître de conférences à l'École normale supérieure ; G. Parizet, agrégé de l'Université, docteur ès lettres ; Adolphe Muzet, artiste, officier d'Académie ; Emmanuel Faraill, Édouard Clerc, publiciste ; docteur E. Lazehouze.
Claude Monet, Émile Deshayes, conservateur adjoint du musée Guimet ; Maurice Winter, étudiant en droit et en lettres ; René Phelipeau, artiste peintre, conseiller municipal de Chantonnay (Vendée) ; Auguste Brau, étudiant en médecine.
Jules Renard, René Brancour, publiciste ; Henri Brière, homme de lettres ; Lopes Silva, artiste peintre ; Georges Griveau, artiste peintre ; A. Decoppet, pasteur ; Paul Pourrot, H. Miniscloux, licencié ès lettres ; Henry Ahier, employé ; Albin-Paul Villeval ; Delaporte, comptable, président de l'Alliance radicale socialiste de Levallois-Perret ; Paul Tur, ingénieur des Ponts et Chaussées ; Louis Mülhem, homme de lettres ; Paul Marion. publiciste ; Setaquez, Desmarets (Bruxelles).

CINQUIÈME LISTE : H. Henriot, rédacteur en chef du *Progrès du Havre* ; Georges Fontfreyde, représentant de commerce ; Jean Denisse, artiste peintre ; Jean Lebel, étudiant ; Henri Quittard, licencié ès lettres, diplômé de l'École des langues orientales ; Auguste Avraz, ingénieur-mécanicien ; Louis Launay, A. Herigny, étudiant en médecine ; Guy Valvor, Justin Stock, éditeur ; Frédéric Montargis, agrégé de l'Université.
Paul Desgranges, licencié en philosophie ; Georges Demoinville, critique d'art ; Charles Schmidt, archiviste-paléographe, licencié ès lettres ; Paul Gastalla, publiciste ; H. Hubert, agrégé d'histoire ; P. Joseph, ancien officier d'artillerie ; Henri Delisle, homme de lettres ; Louis Brandin, licencié ès lettres, ancien élève de l'École des chartes, membre de l'Association générale des étudiants.
Charles Vellay, licencié ès lettres ; Georges de Peyrebrune, docteur Vaynbaum, Fernand Bournon, archiviste-paléographe, publiciste ; Paul Fauconnet, agrégé d'histoire ; Charles Sée, ingénieur civil ; L. Minot, propriétaire, ancien expert près les tribunaux ; docteur Léon Frey, ancien interne des hôpitaux de Paris ; Georges F. Jaubert, docteur ès sciences, rédacteur en chef des *Actualités chimiques*.
Charles Meunier, ouvrier maçon ; Alfred Paulet, publiciste, officier de l'Instruction publique ; Léopold Lacour, publiciste ; Hermann Paul, Michel Jules Verne ; Fernand Bouquerel, Maurice Bloch, A. Deitle, E. Doublet, J. Docté, Eyquem, P. Istel. de Lapommeraye, G. Monod, R. Lérond, Maucourt, Ch. Oudin, L. Prunières, R. Puaux, Schwebel, L. Valières, étudiants ; Jacques Chaloin, N. Roch, étudiants, membres de l'Association générale des étudiants ; Glatron, Guibert, étudiants ès lettres ; Ary Renan, artiste peintre, chevalier de la Légion d'honneur.
A.M. de Lange, docteur en droit (Hollande) ; G. Robard, architecte ; Paul Genty, licencié ès sciences mathématiques, licencié ès sciences physiques ; Fournière, conseiller municipal ; C. Bloch, archiviste-paléographe, licencié ès lettres ; Maurice Le Blond, homme de lettres, Antibes ; Georges Bourdon, Arthur Mayer, traducteur juré près la cour d'appel, ancien membre du comité de l'Association générale des étudiants ; Léon Roux, homme de lettres ; Victor Tourtal, J. Loridan, homme de lettres ; Laurent Marey, homme de lettres ; Jacques Collandres, secrétaire de la rédaction de la *Revue des Deux-Sèvres* ; Édouard Chantallat, artiste peintre ; A. Neillet, docteur ès lettres ; Ch. Maylander, artiste graveur ; Paul T. Tourniel, de la

Société théosophique ; M. Andresonne, architecte ; M. Lamotte, agrégé préparateur à la Faculté des Sciences.

F. Gauthier, architecte ; Courtade, sténographe, secrétaire au *Journal des employés* ; Fournier, employé au Bon Marché ; Jean de Schumberger, licencié ès lettres ; Georges Barbey, licencié ès lettres ; Raoul Allier, agrégé de philosophie ; Henc, Ernest Roussel, licencié ès lettres ; A. Ollivier ; Jules et Ernest Urhy, étudiants ; H. Castéra, caissier comptable ; Léo Frapa, ingénieur des Arts et Manufactures ; Maurice Vernes, Daniel Mazez, licencié en droit ; Albert Delvallé, homme de lettres ; Henry Bauër, homme de lettres ; A. Briand, Maurice Allard, V. Goublet, E. Degay, Ernest Beauguitte, Georges Depay, Lacour, Georges Acker, G. Le Roy, interne des hôpitaux ; Gaston d'Arsac, publiciste ; Lucien Besnard, homme de lettres ; P. Argyriadès, avocat à la cour, directeur de *La Question sociale* ; Charles Longuet, ancien conseiller municipal de Paris ; Sicard de Plauzoles, docteur en médecine, professeur libre ; Xavier Canny, homme de lettres, Léon Canny fils, artiste peintre.

SIXIÈME LISTE : Albert Réville, professeur au Collège de France ; Théodore Monod, pasteur ; G. Ducastel, étudiant en médecine ; Marius Perrin, publiciste ; Louis Mémain, étudiant en médecine et en pharmacie, ancien secrétaire, ancien trésorier et ancien vice-président de l'Association générale des étudiants de Paris ; Ed. Grévin, chef de fabrication ; Charles Lamiral, sculpteur ; Lucien Fontaine, industriel ; Jules Rehns, licencié en droit, étudiant en médecine ; Léon Munier, externe des hôpitaux ; H. Frossard, étudiant en médecine ; Paul Lignac, artiste peintre ; J.-Paul Boucon, avocat à la cour ; J. Wetsels, E. Coutard, avocat à la cour ; J. Verney, ingénieur ; Le Derrien, étudiant en droit ; docteur Gibert, membre correspondant de l'Académie de médecine ; Ch. Kiechlin, compositeur de musique, ancien élève de l'École polytechnique ; Lucien Foubert, agrégé d'histoire ; Chabrouillard, de Roubaix ; Georges Grimaux ; A. Lebey, Marcel Brun, publiciste ; L. Casabona, homme de lettres ; Brack, étudiant en droit ; Louis Carle et Maurice Thorel, étudiants ; J. Sudaka, externe des hôpitaux ; J.-L. Valency, externe des hôpitaux ; docteur D. Toureil, Sébastien Faure, Georges Celomb, docteur ès sciences ; Armand Duportal, ingénieur civil des Mines.

Ed. Chavannes, agrégé de l'Université ; H. Hadda, Ulric de Fonvielle, docteur Isidor, ancien interne des hôpitaux ; C. Pisaro, Émile Bourgeois, docteur ès lettres, maître de conférences à l'École normale supérieure ; L. Gallois, docteur ès lettres, maître de conférence à la Sorbonne ; Frédéric Houssaye, docteur ès sciences, maître de conférence à l'École normale supérieure ; H. Dietz, docteur ès lettres ; H. Bénard, agrégé des sciences physiques ; Paul Bondois, professeur agrégé de l'Université ; Touren, agrégé de l'Université ; Christian Maréchal, étudiant ; Paul Mazon, étudiant ès lettres ; Henri Fontaine, industriel ; A. Oulmann, directeur de *La Semaine parisienne* ; Georges Baër, avocat à la cour ; François Fontenay, artiste graveur ; Jean Carol, homme de lettres ; Louis Delaruelle, agrégé de l'Université, à Belfort ; Paul Melon, membre du Conseil supérieur des colonies, chevalier de la Légion d'honneur ; docteur Naudet, Georges Terrien, conseiller municipal de Saumur ; Henri Roux, licencié ès sciences, étudiant en pharmacie, Nantes ; Louis Vachette, homme du peuple ; Joseph de Coux, étudiant en droit, Toulouse ; Maxime Féron, Demelle, étudiant en médecine ; Joseph Hauser, docteur Ph. Poirier, bi-licencié ès sciences ; Victor Mathieu, artiste lithographe ; Armand Lanzemberg, étudiant en sciences ; Reigers, Andrès, Guiral, Eugène Foy, Alexandre Michonneau, François Tamisier, dessinateurs industriels ; Charles Mettetal, contremaître ; Auguste Jault, employé ; Ch. Baude, artiste graveur, chevalier de la Légion d'honneur ; Renaud, à Bayonne ; Jean Piéron, étudiant en pharmacie ; A. Chalou, licencié en droit, ancien élève de l'École des sciences politiques ; Lucien Griveau, artiste peintre ; Georges Griveau, artiste peintre ; Alphonse Heill, homme de lettres ; Marcel Batilliat, homme de lettres ; E. Braouezec, commissaire-priseur ; G. Hocq, industriel et homme de lettres ; Louis Vandelle, Julien Lévy, licencié en droit ; Vincent Berge, Louis Parisot, ancien président de la Chambre syndicale des élèves pharmaciens ; R. Morelot, étudiant en lettres ; Georges Mazinghien, licencié en droit (Versailles) ; E. Viez, G. Lote, étudiants ès lettres ; Eugène Deville, ingénieur ; docteur Constant Hillemand, Charles Durey, externe des hôpitaux ; Henri Voidier, étudiant en droit ; docteur Sée, Jacques Passy, chimiste ; Étienne Winter, publiciste ; Victor Jaclard, Charles Deprés, industriel ; P. Fleurot, étudiant ; Bruneau, négociant (Versailles) ; Marcel Chatelaine, dessinateur ; Max Brateau, dessinateur ; Merle, avocat à la cour ; Jean-Marie Lacombe, auteur lyrique ; Henri Gauche, Lucien Netter, sténographe ; E. Rappaport (Genève), G. Bourgin, étudiant ès lettres ; M. Duchêne, Stanislas Felsenhardt (Bordeaux), Georges Sabatier, étudiant en médecine (Toulouse).

SEPTIÈME LISTE : Aug. Matteda, cuisinier ; Maximilien Pelerin, typographe ; Joseph de Labordes, homme de lettres ; E. Bussy, élève de l'École de physique et de chimie ; E.-L. Juin, sténographe ; F. d'Arthez, dessinateur ; Lauterre, sculpteur ; J. Camille Chaigneau, de la revue *L'Humanité intégrale* ; F. Schœn, manufacturier ; Georges Polti, rédacteur au *Mercure de France* ; Jules Bard, publiciste ; Paul Corriez, associé d'agent de change ; Ed. Robert, Eugène Simon, Adolphe Guillemard, Soulier, Ph. Decock, ingénieur des arts et manufactures, licencié en droit ; Léon Michel, J. Barurzi, licencié ès lettres ; G. Daynié, Albert Wolf, Louis Durcy, externe des hôpitaux ; Joseph Gisan, J. Pellegrin, Pastorelli, membres du groupe libertaire (Nice) ; Lucien Bayle, E. Cahen, ancien expert chimiste de la Ville de Paris ; Raymond Stora, étudiant en médecine ; Louis-Jacques Damourette, propriétaire (S.-et-O.) ; R. Guedy, externe des hôpitaux.
Joseph Boucher, étudiant en lettres, président de la section des lettres à l'Association générale des étudiants ; Jules Adler, artiste peintre ; Jean Ambiès, publiciste ; E. Aujas, étudiant en droit ; E. Quinter (Levallois-Perret) ; E. Tcharkas, étudiant en droit ; A. Magitot, étudiant en médecine ; A. Lemoine, agrégé de l'Université ; Victor Augagneur, professeur à la Faculté de médecine de Lyon ; M. Zeitlin, élève diplômé de l'École des hautes études ; P. Lecène, étudiant en médecine ; Clovis Gibert, G.-A. Schoen, chimiste (Mulhouse) ; Louis Sautter, F. Rose, externe des hôpitaux ; P. Forthomme, Morel, étudiant en médecine ; L. Lazard, licencié ès lettres ; Charles Veillet-Lavallée, licencié ès lettres, membre de l'Association générale des étudiants, démissionnaire à la suite de la lettre adressée à M. Zola par le comité ; Lebon, étudiant en médecine ; A. Beer, M. Pecheral, C. Cassot, A. Cornet-Augier (Chalon-sur-Saône), P. Wolf, auteur dramatique ; Auguste Mudry, professeur (Lyon) ; Henri Jullien, étudiant en droit ; Z. Arna (Dijon), Henry Weill, Wassart (Reims), Justin Stock, éditeur ; T.-P. Magne, expert ; Valentin Couraud (La Chapelle, Charente-Inférieure) ; Eug. Lisbonne, étudiant en droit (Montpellier) ; J. Caen, voyageur de commerce ; Eug. Pipepel (Elbeuf), Prosper Morse, interne des hôpitaux (Toulouse) ; E. Dumonchel, publiciste ; E. Wimré, Paul-Armand Delille, externe des hôpitaux.
Maurice Vaucaire, homme de lettres ; Th. Ellis, ancien président de l'Alliance radicale socialiste de Levallois-Perret ; Henry de Groux, artiste peintre ; Henri Pagat, homme de lettres ; Henry Magneré, artiste peintre ; Édouard Vidal-Naquet, avocat à la cour ; docteur H. Rabeau, Lucien Rodrigues, Frédéric Hucher, auteur ; Édouard Husson, graveur ; Ferdinand Baudon (Bourran, Lot-et-Garonne) ; M. Defrénois, industriel ; la rédaction de *L'Ouvrier des Deux Mondes* ; H. Lévy, représentant de commerce ; H. Rainaldy, secrétaire général de la Société libre d'édition des gens de lettres ; Léon Vandael, pour un groupe de Belges, au nom de l'humanité ; Louis Guétant (Lyon), M. d'Oelsnitz, licencié ès sciences ; Wladimisaïloff, étudiant en médecine ; Margouliès, licencié ès sciences ; L. Gibert, étudiant en médecine ; Brenot, étudiant en médecine ; Georges Féline, publiciste ; Arvonsart, graphologue ; Marie Guibert, Française et chrétienne ; Léon Bigot, professeur à l'Université ; Gabriel Maillard, représentant de commerce (Le Mans).
Jules Laurens, artiste, chevalier de la Légion d'honneur ; Valentin Navarre, ancien sous-officier ; E. Cotton, agrégé de l'Université ; Bouasse, docteur ès sciences ; E. Durkheim, docteur ès lettres, professeur à l'université de Bordeaux ; A. Cotton, docteur ès sciences ; Paul Crouzet, professeur agrégé de l'Université ; H. Hauser, docteur ès lettres, professeur à l'université de Clermont ; Henri Maréchal, licencié ès lettres ; A. Garnier, licencié ès lettres et en droit ; Pierre Weiss, docteur ès sciences ; Louis Méjan, licencié en droit ; Paul Guillemot, Aubert, Pfister, Courtes, négociants ; D. Julien, représentant de commerce ; A. Dufour, licencié ès science ; G. Chavanne, licencié ès sciences ; C. Bahon, agrégé de l'Université ; G. Weulerse, agrégé de l'Université ; Gustave Doussain, publiciste.

HUITIÈME LISTE : Louis Guérard, élève de Félix Barrias ; Paul Milliet, artiste peintre ; E. Entressengle, commerçant ; A. Barrat, architecte vérificateur ; Hinglais, étudiant en pharmacie (Angers) ; Georges Bodereau, directeur de *La Vie coloniale* et de l'*Hebdomadaire illustré* ; Louis Lamaud, J. Royer, Charbonnel, Albert Abadie, élèves de rhétorique supérieure au lycée de Bordeaux ; Georges-L. Duchêne, élève de philosophie (Bordeaux) ; Jules Emerit, élève de mathématiques élémentaires (Bordeaux) ; Étienne Lapoyade, A. Achinard, Numa Duclaud ; E. Gigon Papin, H. Coffre, Émile Despaz, M. Guignard, Paul Lafon, R. Larnaudie, Henry Caquet, Charles Derennes, Georges Favre, élèves de rhétorique au lycée de Bordeaux ; Paul Royer, élève de deuxième moderne, même lycée ; Amédée Gobert, Phalippaux, étudiants en médecine (Montpellier) ; Désiré Gébuson, prolétaire ; Jean Meyer, étudiant en médecine, ex-président de la section des lettres et ex-membre du comité de l'Association générale des étudiants ; Georges Maquis, chef de comptabilité ; comte Raoul d'Audriffet, A. Karcher, ancien maréchal des logis au 2e cuirassiers ; J. Hesse, commerçant ; Jean Roumengou, licencié en droit (Cugnaux, Haute-Garonne) ; J.-B. Perrot, F. Hesse, commerçant ; Darr, commerçant. Amédée Reynaud, professeur de l'Université (Marseille) ; Châteauvieux, homme de lettres ; Charles Peguy, de l'École normale ; Camille Berth, licencié ès lettres ; Paul Langevin, agrégé des sciences physiques ; Lucien Foulet, licencié ès lettres ; Jules Crausaz, ex-sous-chef de bureau du contentieux au chemin de fer de PLM ; A. Weill, licencié ès sciences, externe des hôpitaux ; Ch. Wahart, agrégé de l'Université ; Georges Weyl, ingénieur civil, médaillé du Tonkin ; Henri Adam, principal clerc d'avoué ; Quigneau Manin, étudiant en droit ; Paul Alexis, homme de lettres ; Isidore Weyl, sténographe ; Félix Duretiste, Désiré Descamps, publiciste ; Idam Ehrly, Ch. Lebrun, négociant ; L. Lévy, ancien combattant de la guerre de 1870 ; Garcias fils, employé de commerce, catholique, impérialiste ; Gaëtan Roudeau, licencié en droit, homme de lettres ; E. Vanderboeck, poète-chansonnier ; Ch. Halbronn, commerçant ; Aliber, ancien sous-officier au 42e de ligne ; Philippe Reichel fils, ancien sous-officier ; Héber Marini, ingénieur civil.

J. Hudry-Menos, collaborateur à la *Revue socialiste* et à *L'Humanité nouvelle*, V. Guyet, professeur et officier d'académie ; A. Douchet, dessinateur ; Léon Coupey, licencié en droit ; Léon Schwob, Sylvain Karff, agrégé de l'Université ; J. Amand, à Vimoutier (Orne) ; E. Coste, P. Gaubert, chrétien et Français ; Carlo Neyer, publiciste ; Georges Delaquys, Georges Lioner, homme de lettres ; Fritel, artiste peintre ; M. Auguste Moreau, Alphonse Mignac, instituteur libre, ancien secrétaire général de la Fédération des cercles départementaux socialistes ; Adolphe Halbronn, commerçant ; Ch. Bau, correspondant du *Messin* ; Victor Madelaine, représentant de commerce ; Paul Amson, Georges Bonnier, Raymond Levy, architecte ; F.-H. Kruger, professeur ; Georges Guyot, licencié ès lettres ; Gaston Prunières.

Neuvième liste : Frédéric Passy, membre de l'Institut ; André Gide, Jacques Cavalier, agrégé de l'Université ; Paul Collier, licencié ès lettres ; A. Buisson, agrégé de l'Université ; L. Patte, licencié ès sciences ; V.-L. Bourilly, agrégé de l'Université ; O. Hamelin, professeur à l'université de Bordeaux ; Léon Rosenthal, agrégé de l'université ; Clément Grandcour, étudiant en droit ; Paul Passy, docteur ès lettres ; H. Dauplay, élève de l'École coloniale ; J. Sainton, directeur de *La Cloche d'alarme* ; Gassot, étudiant en médecine ; Maurice Lazard, licencié en droit ; Eugène Catalo, A. Ferlet père, ciseleur ; Auguste Ferlet fils, sculpteur ; Henry Strauss, ancien sous-officier au 35e de ligne en 1870-1871 ; Émile Cook, à Athis (Orne) ; Bienvenu, représentant de commerce ; A. Aufrère, clerc de notaire ; Focillon, peintre-graveur ; Jules Hénault, dessinateur ; Achille Le Roy, publiciste.

Paul Girard, docteur ès sciences, maître de conférences à l'École normale supérieure ; P. Bouchet, élève à l'École des beaux-arts, architecte ; L. Hipeau, ancien sous-officier, défenseur de Bitche ; Marie de Saint-Remy, J. Babinges, Emma Teissier, publicistes (Toulon) ; Jean Pécheral, orfèvre ; J. Reille, sculpteur ; Léopold Chanel, publiciste ; Gaston Pavillard, lecteur du *Journal* et de l'*Écho de Paris* ; Louis Reislin fils, négociant ; Marie Pécheral, étudiante en lettres ; L. Larguier, rédacteur au *Geste* ; L. Favrel, avocat à la cour d'appel ; J. Lallier, employé de commerce ; M. Schwob, étudiant bonapartiste ; Georges Harmois, ancien principal clerc d'avoué ; Auguste Ramart, dit Dormeil ; Auguste Lapeyre, élève architecte ; Ch. Compang, ancien procureur de la République ; R. Weiss, licencié ès lettres ; Joseph Mosse, négociant (Perpignan) ; E. Brouneker, conseiller municipal de Troyes, président de l'Association fraternelle des anciens combattants de 1870-1871 du département de l'Aube ; Maurice Petit,

externe des hôpitaux ; Jean Hérold, étudiant en droit, membre de l'Association générale des étudiants ; E. Benoit, externe des hôpitaux ; E. Kahn, voyageur de commerce ; docteur Féron, ancien interne des hôpitaux ; Ducrue, négociant (Versailles) ; E. Deckmyn, étudiant ; A. Le Bourguignan, homme de lettres, secrétaire de légation honoraire (Bruxelles) ; G. Michaux, R. Vincent, Heleine, Dubois, A. Roland, A. Panouellot, comptables ; L. Hubert, professeur ; J. Gobbé, propriétaire ; G. Arnaud, cuisinier, enfant de Paris ; Armand Bernard, externe des hôpitaux.
H. Hauser, professeur à l'université de Clermont ; Charles Ruyssen, docteur ; Jules Guiton, à Congeniès (Gard) ; M. Santandrea, étudiant en droit ; F. Santandrea, employé de commerce ; G. Couvrat, ouvrier au Chemin de fer de l'État ; Rochet, horloger-bijoutier ; Georges Contenan, externe des hôpitaux ; G. Dufrenis, J. Séguin, Basquin, Henri Latou, E. Watelet, étudiants ; Albert Maréchaux, rédacteur en chef de *L'Indépendant de Seine-et-Oise* ; S. Séeberger, étudiant ès arts ; Henri Garcin, étudiant ; C. Derache, ingénieur des Arts et Manufactures ; L. Barrat, dessinateur ; P. Yver-Jalaguier, Fernand Caussy, Odilon Platon, homme de lettres (Marseille) ; Alfred Bloch, voyageur de commerce ; Maurice Bergner, manufacturier ; Paul Bon, ancien secrétaire général de l'Union des comités républicains radicaux-socialistes de France ; A. Guiart, employé de commerce ; André Wolf, Édouard Millaut, docteur Faston Walch, ancien interne des hôpitaux de Paris (Le Havre) ; E. Steeg, agrégé de l'Université ; E. Privat, agriculteur à Salles-Mongiscard (Basses-Pyrénées) ; Maurice Lauth, industriel ; S. de Jécquew, étudiant en médecine (Lyon) ; A. Rogier, un groupe d'étudiants belges et leurs professeurs ; docteur Despa, professeur ; docteur Zambol, professeur ; docteur Ludovic, docteur André, docteur Bludal, docteur Delfosse, Petit, ingénieur ; Ladive Lacointe, Couvreur, Lechem, Bernard, O. Sequeux, Lebrun, Rodolphe, Trouville, E. de Vicq de Cumphière, Fanaiseu, Labrique, A. Dubin, G. de Chinelle, E. de Tincy, Paul Goutart, J. Duquint, B. Toarne, Lambert, O. Valentin, Lecocq, Parmentier, Dubreucq, Voignol, A. Gœtinka, Lecat, Thibaut, Lanelot, Bert de L'Arbre, Mecoen, L. Daternotet, H. Malengrée, V. Paulin, E. Brialmont, A. Sauvage, de Mentin, A. Lefranc, E. Drumont, Horloy, Van Moer, E. de Hollain, A. Letar, Bricourt, A. Leport, de Martrat, Vandreler, A. Renard, J. Hardy, Albert Vitalis ; A. Busine, Somzal, A. de Gregnier, de Ribaucourt fils, J. Dagra, Leduc, étudiants (Bruxelles) ; E. Silberberg, E. Fouquet, dessinateur ; J. Delaire, ingénieur des Arts et Manufactures.

DIXIÈME LISTE : Alexandre Bertrand, membre de l'Institut ; Francis de Pressensé, publiciste, chevalier de la Légion d'honneur ; L.-B. Sarrante, voyageur de commerce ; Pierre Buisset, courtier de commerce ; E. Jouvellier, étudiant en médecine ; R. Martin, étudiant en médecine ; L. Patry, préparateur de physique à l'École de médecine et de pharmacie (Caen) ; G. Bloch, voyageur de commerce ; Armand Rougé, docteur en droit, avocat à la cour ; Camille Dubourg, représentant de fabrique (Bordeaux) ; J. Perrin, étudiant en médecine (Dijon) ; Laidet-Gaudin, conseiller municipal à Luçon (Vendée) ; F. Guilbaud, ex-commandant, guerre 1870-1871 ; G. Hirtz, voyageur de commerce ; H. Delafargue, étudiant en droit, membre de l'Association générale des étudiants de Bordeaux ; P. Wall, industriel, G. Crès, employé, B. Duboc, G. Adler, voyageur de commerce, Pégard ; mère de famille, Française et chrétienne ; E. Worms, professeur à l'Association philotechnique ; Arnaud, plâtrier (Toul) ; Henri Girard, étudiant en droit ; L. Haas, Alsacienne ; Émile David (Grenoble), Wolf Mayer, instituteur libre (Sceaux) ; les membres de l'Association des étudiants républicains socialistes de Marseille, pour le groupe : H. Cauvin, étudiant en médecine et en droit (Marseille), P.-A. Rapene, étudiant en médecine (Marseille), J. Morucci, étudiant en sciences (Marseille). Albert Peyronnat, ancien avocat, conseiller à la cour ; H. Burkhardt, fondé de pouvoirs ; Ed. Quillet, architecte ; A. Meyer, officier d'académie ; Ed. Pataud, directeur de *Vigne française* ; Henry Blanc, étudiant en droit (Dijon) ; Gaston Moch, ancien capitaine de l'artillerie, publiciste ; Gaston Blanc, élève de philosophie (Dijon) ; Marcel Guérin, Ph. Vincent, Robert de Miranda, directeur de la revue *L'Essor* ; Paul Cavaillon, externe des hôpitaux (Lyon) ; Mme A. Duchêne, Guilbert, publiciste ; M. Andresone, architecte ; Paul Clergeau, étudiant en médecine ; Gustave Jaulmes, élève à l'École des beaux-arts, architecte ; Arthur Jaulmes, ingénieur civil (EPC) ; Théodore Jaulmes, étudiant à la Sorbonne ; J. Meunier, vice-président du Comité de protestation contre les abus judiciaires (Lyon) ; Laupie, libre penseur (Lyon) ;

M. Guesde, étudiant ; A. Emmerique, publiciste ; R. Kienig, artiste peintre ; Ch. Bernardin, ancien notaire à Epinal (Vosges) ; L. Maury, S. Becker (Villemomble).
Félix Mathieu, licencié ès lettres, ancien président de l'Association des étudiants de Paris ; Jean Mascart, docteur ès sciences ; Marcel Mauss, agrégé de philosophie ; Paul Gauckler, agrégé de l'Université ; F. Uhry, ancien conseiller municipal et juge consulaire (Neuilly-sur-Seine) ; Haarscher, L. Bourg, libre penseur (Reims) ; E. Niez, étudiant en lettres ; E. Arnauld, rédacteur à *L'Art libre* ; L. Girard, ébéniste ; A. Cousin, G. Lesal, homme de lettres ; G. Fullard, employé de commerce ; P.-A. Hirsch, homme de lettres ; docteur J.-E. Pécaut, M.-J. Darmesteter, Janvier, Paul Franck et Édouard Franck, de l'Odéon ; Anquetin, Nuniebmaitre, publiciste ; A. Cattaers, propriétaire ; A. Bouché, avocat à la cour ; Léon Delaroche, élève de mathématiques spéciales au collège Rollin ; N. Chercheffsky, ingénieur-chimiste ; Octave Gelin, élève architecte à l'École des beaux-arts ; Henry Leriche, artiste peintre, prix de Rome ; Léon Haymann, industriel à Stains ; Georges Hébert, artiste peintre ; Georges Bellais, ancien sous-officier au 37e de ligne (Nancy) ; A. Bourceret, Gil-Baer, Henry Tricot, à La Varennes-Chenevière ; S. Séerberger, étudiant des arts ; Perotte-Deslandes, septuagénaire ; Charles Beuillot, étudiant.

ONZIÈME LISTE : A. Cholet, ouvrier mécanicien ; Laurent Tailhade, J. Derriaz, homme de lettres ; R. Clonet, Ch. Richard, Beaufrays, A. Gurdal, publicistes (Verviers) ; E. Picard, ancien magistrat consulaire ; Henry Torrès, licencié en droit ; S. Beline, négociant ; H. Rochour, L. Spira, M. Mastonski, H. Ribac, A. Goldin, W. Baumgarten, J. Schoumsky, D. Bersague, M. Blasberg, H. Gomultia, A. Walter, M. Glomon, C. Daniel, F. Maudu, Édouard Leblanc, homme de lettres (Nantes) ; H. Stroheker, externe des hôpitaux ; Pierre Guédy, directeur de *L'Aube* ; Mme Hureau, Hureau, ancien élève de l'Institut commercial de Paris ; Edmond Volghen, publiciste, ancien sous-officier d'artillerie ; Émile Buré, ex-président des Corniches (classes préparatoires à Saint-Cyr) de France ; A. Barbillon, archiviste ; Camille Crandillon, licencié ès lettres ; Henri Jager, philosophe ; Édouard Lambla, élève architecte ; Paul Gilbert, spirite ; de Schœn, armateur ; P. Lévy, négociant ; marquis de La Ramée, directeur de l'Institut héraldique et biographique de France ; René Maingourd, négociant (Orléans) ; un groupe de travailleurs en chaussures.
Docteur E. Darin (Chaville), E. Carrat, jardinier ; L. Antoine (Romilly-sur-Seine), Paul Valette, agrégé de lettres, professeur à l'université de Lausanne ; G. Cavalier et un groupe de ses amis ; Charles Keller, ingénieur civil ; Jean N., instituteur primaire ; H. Lambert, employé de commerce ; James Weit, élève de l'Université ; A. Lévy, étudiant en droit ; Paul Gautier, négociant ; Ch. Tournaire, Oulmann, étudiant en droit ; le professeur Jacquemain, associé national de l'Académie de médecine, directeur honoraire de l'École supérieure de pharmacie de Nancy ; G. Dezerey, Martin, R. Biltz, propriétaire ; le docteur F. Vasquier à Villiers-sur-Marne ; G. Bickart, Ed. Dardenne, capitaine en retraite ; L.-G. Herpin, ancien sergent-major ; J. Braud, ingénieur (Fontainebleau) ; Paul Demantilly ; un groupe de libertaires nîmois, ont signé : F. Nodier, Viel, Pavou, Henry, Recoulin, Jossien, Loudier, Giraud, Barrial, Modon, Baphidrol.
G. Lévy, étudiant en droit à la faculté de Lyon ; docteur P. Carrère, officier d'académie ; Adolphe Carrère, licencié ès lettres ; J. Vernet, industriel ; Soultreban, entrepreneur à Sauveterre-de-Béaru ; Joseph Carrère, propriétaire à Guénarthe (Basses-Pyrénées).
Pietro-Predia, professeur (Livourne) ; Albert Gaudan, membre de l'Institut ; Lamblin, professeur à l'université de Lille ; Marcel Longuet, secrétaire de la rédaction de *L'Idée* ; Albert Bléry, archiviste-paléographe ; A. Lemoine, agrégé de l'Université ; docteur Gibert, officier de la Légion d'honneur ; H. du Pasquier, Léon Blum, agrégé de l'Université ; Pierre Bertrand, homme de lettres ; Auguste Collin, d'Antin, publiciste ; E. Devorsine, Moussard, courtier à la Compagnie Singer ; Maurice, maire de Choussy (Loir-et-Cher) ; G. Leroy, interne des hôpitaux ; G. Gavard, artiste peintre ; Le Maon, maître au cabotage ; Le Chevauton, guetteur en retraite ; Padel, conseiller municipal ; Dorré, ingénieur, victime du coup d'État de 1851 (La Clarté-en-Perros-Guirec) ; Jacques Nerson, industriel ; René Strauss, Gaston Buchet, explorateur (Romorantin) ; Ladislas Besnard, conseiller municipal, suppléant du juge de paix (Reinalard, Orne) ; Melchior Crestin, ouvrier ; G. Fournerie, horloger (Sèvres) ; Maurice

Blum, Ernest Breley, publiciste ; L. Babillon, serrurier (Boulogne, Seine) ; A. Martin, interne en pharmacie des hôpitaux de Paris ; Ad. Gigon, comptable ; Louis Edde, A. Poisson, propriétaire ; A. Mesnage, officier de la marine en retraite, chevalier de la Légion d'honneur ; Eugène Pirodon, peintre-graveur.

DOUZIÈME LISTE : Docteur A. Fochier, professeur à la Faculté de médecine de Lyon ; docteur A. Polosson, chirurgien de la Charité, professeur agrégé à la Faculté de médecine de Lyon ; René Drouillard, Édouard Gasniès, étudiants en pharmacie (Rennes) ; Louis Gaudebert, Ed. Salomon, G. Rodier, docteur ès lettres, professeur à l'université de Bordeaux ; E. Philipot, ancien élève de l'École normale supérieure, lecteur à l'université de Land (Suède) ; H. d'Harrast, poète ; Mme d'Etchegoyen, mère, Française et chrétienne ; M. Meynien, artiste peintre ; R. Becq, L. Chambellan, rentier ; E. Girard, graveur ; M. Favreau, J. François, cultivateur ; Jahan, étudiant en lettres ; Loury, étudiant en lettres ; Renaud, étudiant en médecine ; Paul Bezart, étudiant en lettres ; Ernest Labbé, agrégé de philosophie ; R. Guétant, relieur à Marseille ; H. Bourgin, licencié en lettres ; G. Bourgin, étudiant en lettres ; Raoul Bourlac (Marseille), Jules Viguier, J. Monod, Paul Pagèze, élèves au lycée de Carcassonne ; Gustal Bagge, ancien combattant de 1870-1871, chevalier de la Légion d'honneur ; Bouderlique, Français, catholique et républicain ; Blum (Saint-Denis), J. Levy, J. Beauvoir, dessinateur ; H.-A. de Brevannes, homme de lettres ; A. Appel, négociant ; C. Cousin, étudiant en médecine ; G. Parisot, publiciste ; Henry Detouche, peintre et graveur.

TREIZIÈME LISTE : C. Perrin, publiciste ; L. Bottier, ex-engagé volontaire de 1870 ; le docteur Mesny, Paul Laurieste, publiciste ; J. Copera, cordonnier ; A. Dolfus, licencié en droit et ès sciences ; Jean Roumengou, licencié en droit ; H. Guttemberg, Georges Harmois, ancien principal clerc d'avoué ; Georges Guyot, étudiant en pharmacie à Vitry-le-Français ; Paul Bersin, négociant ; S. Level Gustave Boutelleau, négociant, vice-président de la Chambre de commerce d'Angoulême ; Paul Girard, docteur ès lettres, maître de conférences à l'École normale supérieure ; Maurice Bernard, ingénieur au corps des Mines ; Émile Delalande, dessinateur, officier de l'Instruction publique ; Alfred Moyse, constructeur-mécanicien, capitaine démissionnaire, chevalier de la Légion d'honneur (1870-1871) ; Pierre Pesante (Marseille), Paul Andhrey, homme de lettres ; G. Pouillard, représentant de commerce ; Bouniol, agrégé de l'Université, professeur au Lycée de Montpellier ; docteur F. Landeri-Roche, rédacteur en chef du *Réveil socialiste* (Périgueux) ; S. Zaremba, docteur ès sciences ; Mme Zaremba.
A. Blondel, président du conseil d'administration de l'Association fraternelle des employés des chemins de fer français, chevalier de la Légion d'honneur ; Luigi Grandolini, Francis Perras, étudiant en médecine (Angers) ; Th. Duproix, volontaire de 1870 ; J. Duproix, licencié ès lettres, à Barbezieux (Charente) ; Édouard Reymond, ingénieur chimiste à Saint-Beauzaire (Puy-de-Dôme) ; Albert Piche, Camille Allard, Fernand Cassiau, étudiants en médecine (Marseille) ; E. Meissonnier, préparateur à la Faculté des sciences, ancien vice-président du comité de l'Association générale des étudiants (Marseille) ; H. Lebasque, peintre ; Christophe Neveu, négociant (Lille) ; Gustave Bordenan, électricien (Amiens) ; Pierre Vrignault, publiciste.
Alfred Piérart, mécanicien ; un groupe d'Alsaciens-Lorrains ; Amédée, Beaumgarten, externe de l'hôpital de la Charité ; René Duchemin, chimiste à Ivry ; Albert Pajes, industriel chimiste ; C. Verdier, industriel ; Ph. Beaumgarten, étudiant de théologie ; Jules Duchemin, A. Prévost, propriétaire à Fontenay-Hendebourg (Eure) ; R. Larchevêque, Ch. Chesnel, H. Radaux, A. Brindeau, E. Felbermayer, J. Saint-Germain, décorateur ; M. Hesmel, L. Léon ; P. Lajeuse, V. Poupe, A. Denis, H. Stembach, peintres, qui se coalisent contre la Grande Muette ; Louis Mirsch, publiciste ; Antoine André, homme de lettres (Annonay) ; Léon Cugny (Marseille) ; Émile Bertaux, professeur à l'Association philotechnique ; Henry Soyez, A. Burre, F.-X. Hemmerlin, J. Lebœuf, Villefranche, employé de commerce ; J. Derouet, employé de commerce ; Ernest Lesigne, publiciste ; Marcel Bateillat, homme de lettres.

QUATORZIÈME LISTE : Hyacinthe Loyson, Auguste Felten et René Mouton de la Jeunesse révolutionnaire du quatorzième arrondissement ; Ch. Guillaumin, libre penseur ; Justus Dromel, homme de lettres ; Albert Crombet, publiciste (Lille) ; Jules Klots, étudiant en médecine ; Perellé, rentier à Perelli (Corse) ; Isidore Marx, S. Waret, peintre dessinateur ; Émile Houel,

représentant de commerce ; Adolphe Peisnier, contremaître (Genève) ; E. Giardino, garçon de magasin ; Lucien Graux, étudiant en médecine ; Georges Bans, directeur de *La Critique* ; P. Strauss, hommes de lettres ; H. Clerc, directeur du *Courrier de la Creuse* (Guéret) ; G. Théodore, J. Coudurier, étudiant ès lettres et en droit ; Jean Flore, rédacteur à la *Revue de France* (Avignon) ; G. Fleury, commissionnaire en journaux ; Victor Fleury, licencié ès lettres ; Charles Pinard, étudiant en droit ; Albert Iven (Bethel) ; Louis Fouché, étudiant en lettres ; Lucien Graux, étudiant en médecine ; Albert Fleury, Deschard, André Barbier, étudiants en lettres ; A. Villard, Édouard Goldner, étudiant en droit ; H. Schwerb, Groslier, peintre ; Max Brateau, étudiant en droit ; Dubois, architecte ; Doublet, membre de l'Association générale ; Ancelle, étudiant en droit ; Vilette, étudiant en médecine ; L. Jacob, Vollegonsico, étudiants en lettres.
Reclus, étudiant en droit ; César Pascal, membre de la Société des gens de lettres ; B. Condemine, négociant ; D. Forget, missionnaire (Saint-Lô) ; A. Babut, à Landouzy-la-Ville (Aisne) ; Désiré Gebusson, membre du Parti ouvrier ; J. Bernard, Alsacien, commerçant ; Ernest Falbek, A. Moeckel, C. Herpin (parc Saint-Maur), Renier (Maisons-Laffitte), Malvault (Asnières), G. Bergeron, Jardinier, G. Piel (Pantin), Wilhelm (Puteaux), G. Debure, Monfroy, Lacotte, Bola, G. Robert (Enghien), Jahia, Paul Brochard, commerçant ; Francis Lafargue, licencié ès lettres ; A. Nordmann, Jean Galinot, étudiant en philosophie (lycée d'Evreux) ; Léon Rouach, propriétaire (Oran).

QUINZIÈME LISTE : Émile Soubeyran, Constant Chatenier, Paul Dauphin, H. Vernet, A. Bousquet, C. Rigaux, Antonin Jean, F. Charlier de Chily, I. Phalippon, J. Maurin, Raphaël Neuvialle, F. Ferrasse, A. Estève, Ramadier, Mlle Dusouchet, étudiants à Montpellier ; Mme Vve Leroy, Mlle Marie Leroy, G. Wurmser, capitaine en retraite, chevalier de la Légion d'honneur (Bois-Colombes) ; B. Kleczkowski, ingénieur mécanicien (Liège) ; Édouard Michel, voyageur de commerce ; Gaspard Bonnathal, graphologue (Lyon) ; Edmond Roux, dessinateur (La Ciotat, Bouches-du-Rhône) ; Em. Monnin, élève de philosophie ; E. Jacquot, Th. Bordreuil, Georges de Saint-Étienne, élèves de philosophie ; Henri-Rodolphe Elma, publiciste ; Georges Godin, artiste peintre ; Mme Georges Godin ; O. Frion, chimiste, secrétaire de l'Alliance radicale socialiste ; A. Le Conte, industriel ; D. Roustan, ancien élève de l'École normale supérieure ; Henry Roy, licencié ès lettres ; Henri Mauduit, licencié ès lettres ; Culoz, étudiant en droit ; M. Moock, ex-chef du 109e bataillon de marche (Champigny, 1870) ; J.-P. Stander, rédacteur à la *Revue artistique et littéraire* ; A. Forat, industriel, conseiller municipal (Pantin) ; L. Biebuyck, Eug. Théry, publiciste, désabusé de la graphologie et de ses pontifes.
T. Monod, étudiant en médecine ; L. Duchêne, licencié en droit, à Libourne ; J. Dietz, négociant en peaux ; Bavier-Chauffour, Charles Bavier-Chauffour, étudiant ; C.W. Cremer (Bourg-la-Reine), Ed. Lévy, agrégé de l'Université ; Eug. Rehms, chimiste ; L. Monod, à Caluire (Rhône) ; D. Marrel, agent de transports (Lyon) ; Th. Dreux, négociant (Lyon) ; J. Corbin, agent de transports (Lyon) ; J. Clérino, entrepreneur de travaux publics au Mont-d'Or (Rhône) ; Aug. Bréal, artiste peintre, licencié ès lettres et en droit (Saint-Cast) ; Léon Vignols, publiciste à Rennes ; Eug. Gimpel, Mlle M. Schach, agrégé de l'Université ; J. Lévy, ancien combattant de 1870 ; G. Mayrargue, avocat (Nice) ; A. Kohler.
SEIZIÈME LISTE : Théodore de La Peine, publiciste (Genève) ; Mangin, Lorrain annexé, publiciste, ancien combattant de 1870 ; E. Tremeau, pharmacien ; Ch. Jesapha, négociant ; J. Pariente, représentant de commerce ; Chaykowitz, voyageur de commerce ; A. Delmont, représentant de commerce ; Alfred Galan (Bordeaux), Jules Guinaudeau, contremaître ; Elie Renault, polisseur ; C. Guinaudeau, polisseur ; L. Guinaudeau, nickeleur ; E. Guinadeau, polisseur, E. Sellier, polisseur ; Hippolyte Monot, auteur lyrique ; G. Kowalsky, Albert Guétant (Lyon), J. Borsonne, principal clerc d'avoué (Nice) ; Arthur Gilland, homme de lettres ; Gustave-Marx, ex-sous-officier au 24e de ligne ; Vidal, banquier ; Stéphane Thomas, Paul Beugne, du *Journal de Pontarlier* ; Léon Thiénon, publiciste ; Maurice Violet, avocat à la cour ; J. Boulet, tailleur.

DIX-SEPTIÈME LISTE : Un groupe d'anciens élèves des Écoles municipales supérieures de Paris, ont signé : E. Petit, géomètre ; Ch. Sicobye, lithographe ; Falkenstein, employé de commerce ;

Sauvage, employé de commerce ; Bouveret, employé de commerce ; Linster, Eug. Germain, naturaliste ; M. Germain, électricien ; E. Ardouin, Moret, comptable ; Preisach, employé de commerce ; Planchard, secrétaire ; L. Foru, Drouin, L. Couver, affineur en métaux ; Huchery, employé de commerce ; Hiégel, employé de commerce ; Vitton, employé de commerce ; A. Beydon, P. Meyer, publiciste ; Paul Belle, chimiste ; Ch. Rollandez, chimiste ; P. Gérin, étudiant ; A. Rigot, étudiant en sciences ; Montibert, étudiant ; Marius Cuinat, chimiste ; Rod. Bernard, docteur en chimie (Lyon) ; Pierre Ruff, élève de mathématiques spéciales au lycée d'Alger ; Raymond Ballut, Marcel Sanot, François Perilhou, rédacteurs à *L'Âme latine* (Toulon) ; Jules Marchand, négociant ; Ernest May, employé de commerce ; Alexis Hecht, employé de commerce ; Alexis Brix, négociant ; Louis Gros, employé de commerce ; Th. Berlier, comptable ; A. Mosticher, négociant ; Montiaux, publiciste ; P. Habert, négociant ; E. Bonnet, Émile Junès, externe des hôpitaux (Marseille) ; Armand Klotz, Colombe, comptable.

La deuxième protestation

Les soussignés, frappés des irrégularités commises dans le procès Dreyfus de 1894, et du mystère qui a entouré le procès du commandant Esterhazy, persuadés d'autre part que la nation tout entière est intéressée au maintien des garanties légales, seule protection des citoyens dans un pays libre, étonnés des perquisitions faites chez le lieutenant-colonel Picquart et des perquisitions non moins illégales attribuées à ce dernier officier, émus des procédés d'information judiciaire employés par l'autorité militaire, demandent à la Chambre de maintenir les garanties légales des citoyens contre tout arbitraire.

PREMIÈRE LISTE : Octave Mirbeau, Paul Alexis, Gustave Geffroy, Henry Leyret, Alfred Vallette, directeur du *Mercure de France* ; F. Desmoulins, artiste graveur, chevalier de la Légion d'honneur ; A. Tabarant, Paul Franck, secrétaire des Samedis populaires de poésie à l'Odéon ; Marcel Collière, homme de lettres ; Georges Pioch, Paul Fort, G. Leneveu, hommes de lettres ; Édouard Julia, docteur en médecine ; Yves Lefebvre, Charles Longuet, ancien conseiller municipal ; Seymour de Rici.

DEUXIÈME LISTE : MM. Charles Friedel, membre de l'Institut, commandeur de la Légion d'honneur ; Édouard Grimaux, membre de l'Institut, officier de la Légion d'honneur ; G. Sorel, ancien ingénieur des Ponts et Chaussées, chevalier de la Légion d'honneur ; docteur Pottevin, docteur A. Zuber, Emmanuel Vidal, banquier ; Delbet, chirurgien des hôpitaux et professeur agrégé à la Faculté de médecine ; Gabriel Séailles, professeur à la Sorbonne ; Paul Desjardins, Béhal, professeur agrégé à l'École de pharmacie ; Georges Kolchlin, manufacturier.

TROISIÈME LISTE : Lauth, administrateur honoraire de la manufacture de Sèvres, officier de la Légion d'honneur ; Jules Tannery, docteur ès sciences, chevalier de la Légion d'honneur ; Charles Richet, professeur à la Faculté de médecine ; Henri Zuber, artiste peintre, chevalier de la Légion d'honneur ; Francis de Pressensé, publiciste, chevalier de la Légion d'honneur ; Béhal, docteur ès sciences, professeur agrégé à la Faculté de médecine de Paris ; Fr. Pillon, directeur de *L'Année politique* ; docteur Laborde, chef des travaux de philosophie à la Faculté de médecine, professeur à l'École d'anthropologie, membre de l'Académie de médecine ; Maurice Bouchor, homme de lettres, chevalier de la Légion d'honneur.

André Chevillon, docteur ès lettres, maître de conférences à l'université de Lille ; Édouard Stapfer, professeur à la Faculté de théologie protestante ; Léopold Lacour, publiciste ; docteur Riche, prasecteur à la Faculté de médecine de Paris ; Beauregard, assistant au Muséum ; Raoul Allier, agrégé de philosophie ; docteur F. Besançon, chef de laboratoire à la Faculté de médecine ; docteur A. Veillon, préparateur à la Faculté de médecine ; docteur A. Zuber, Léon Lefebvre, ingénieur civil ; Louis Comte, directeur du *Relèvement social* ; Paul Pierrotet, ancien adjoint au maire du cinquième arrondissement ; Gaston Laurent, ancien président de l'Association générale des étudiants, professeur de philosophie au collège Sainte-Barbe ; Louis Révelin, professeur au Collège libre des sciences sociales.

Étienne Rabaud, docteur ès sciences, chef de laboratoire à la Faculté de médecine de Paris ;

Gabriel Debré, ingénieur agronome ; E. Tarbouriech, docteur en droit, professeur au Collège libre des sciences sociales ; Marc Gibert, interne des hôpitaux de Paris ; Robert Prouest, interne des hôpitaux de Paris ; Albert Méhu, professeur au Collège libre des sciences sociales, agrégé d'histoire ; J.-Ch. Roux, interne des hôpitaux de Paris ; Édouard Rist, interne des hôpitaux de Paris ; A. Varrennes, docteur en droit, avocat ; Pierre Quillard, homme de lettres ; E.-B. Leroy, interne des hôpitaux ; A.-F. Herold, homme de lettres ; Charles Rist, avocat à la cour d'appel ; Alphonse Richard, avocat à la cour d'appel ; Camille Mauclair, homme de lettres ; Alfred Bonnet, avocat, directeur du *Devenir social* ; Goepp, licencié en droit, licencié ès lettres ; Mathias Morhardt, homme de lettres ; André Chazel, licencié ès lettres ; Édouard Bernes, licencié ès lettres ; André Beaumier, agrégé de l'Université.
E. Bonnet, licencié en droit ; Georges Basley, licencié ès lettres ; Henry Trociné, licencié ès lettres ; Charles Martin, étudiant ; Abel Gaboriaud, étudiant en lettres et en droit ; A. Jundt, licencié ès lettres ; L. Pédou, licencié ès lettres ; E. Bahut, licencié ès lettres ; Henry Levargeau, licencié ès lettres ; Boivin, étudiant en lettres ; Camille Poulier, étudiant en lettres ; Pignolet, licencié ès lettres ; Fernand Monod, interne des hôpitaux ; René Monod, externe des hôpitaux ; Fernand Isouard, avocat à la cour.

Quatrième liste : Louis Havet, membre de l'Institut, professeur au Collège de France ; docteur G. Hervé, professeur à l'École d'anthropologie ; Henri Ferrari, directeur de la *Revue bleue* ; Wyrouboff, docteur ès sciences ; Dupont, ingénieur civil ; Debienne, licencié ès sciences ; Émile Hovelacque, agrégé de l'Université ; Numa Jacquemaire, avocat à la cour ; Jean Pascal, directeur de la *Revue moderne* ; Paul Signac, artiste peintre ; docteur Sicard de Plauzoles, J. Paul Boncour, avocat à la cour ; J. Verney, ingénieur ; Le Derrien, étudiant en droit ; A. Mullet, directeur d'études adjoint à l'École des hautes études ; M. Griset, Decock, ingénieur des Arts et Manufactures ; Amédée Renaud, professeur à l'Université ; G. Lefrançais, Victor Champier, directeur de la *Revue des arts décoratifs* ; Émile Pierre, Jules Renard, René Brancourt, publiciste ; O. Martinet, Ch. Max, Prod'homme, Ch.-L. Philippe, Louis Lumet, publiciste ; Jules Renard, René Brancourt, publiciste ; Henri Aboulker, externe des hôpitaux ; Prosper Temine, René Bénichou, Maurice Aboulker, étudiants en médecine ; Paul Marion, publiciste ; E. Contard, avocat à la cour.

Cinquième liste : Charles Bémont, secrétaire de la *Revue historique* ; Jacques Bonzor, avocat à la cour d'appel ; P. Pécaut, agrégé d'Université ; Louis Sautter, Gustave Soulier, homme de lettres ; G. Grimaux, licencié en droit ; Jules Renard, homme de lettres ; Brylinsky, ingénieur ; Henri Ghéon, homme de lettres ; Paul Bogelot, avocat à la cour d'appel ; Louis Ollivier, docteur ès sciences, directeur de la *Revue des sciences* ; Paul Passy, docteur ès lettres, directeur adjoint de l'École des hautes études ; André Delvau, externe des hôpitaux ; Edmond Dussange, professeur ; docteur A. Suchard, G. Pissaro, licencié ès sciences ; Edmond Giraud, François Caillé, étudiant en lettres ; E. Laboureur, Beaux-Arts ; Alfred Caillé, École des hautes études commerciales ; André Hels, Armand Colin, éditeur ; Max Leclercq, Philippe Martin, licencié ès lettres ; Fernand Fos, publiciste ; A. Meillet, docteur ès lettres ; Eugène Vigneron, ingénieur électricien, licencié ès lettres ; Lucien Barrois, Albert Kahn, Marcel Brillouin, maître de conférences à l'École normale supérieure ; J. Beauverey, A. Oulmann, directeur de *La Semaine parisienne* ; docteur Alfred Goguel, Achille Picard, entrepreneur de démolitions ; Aug. Faure, licencié en droit ; Charles Navarre, Marcel Renaud, Pierre Huret, licenciés ès lettres ; G. Pariset, agrégé de l'Université, professeur à l'université de Nancy ; R. Saillens, directeur de *L'Écho de la vérité* ; Bard, professeur à la Faculté de médecine de Lyon ; docteur A. Marie, ancien interne des hôpitaux de Paris ; Charles Andler, agrégé de l'Université ; Frank Abaurit, licencié ès lettres ; Émile Gallé, maître de verrerie, officier de la Légion d'honneur (Nancy) ; Rioux de Maillou ; A. Bouit, ex-membre du Comité central de 1871 ; Zaremba, docteur ès sciences (Cahors) ; docteur D. Metzger, Aug. Pamart, artiste dramatique ; Henry Gout, licencié ès sciences, étudiant en médecine ; Albert Livet, licencié ès lettres ; J.-L. Bideault, artiste peintre ; L. Bideault, négociant ; Fernand Bernheim, étudiant en médecine ; Eugène Deville, ingénieur ; Edmond Fazy, homme de lettres ; Tristan Bernard, homme de lettres ; Paterne Berrichon, homme de lettres ; docteur Gilbert, officier de la Légion d'honneur, correspondant de l'Académie de médecine, H. Du Pasquier, négociant au Havre ; G. Gilbert, interne aux Enfants-Malades ; Eugène Neck, interne des hôpitaux ; Eugène Morel, homme de lettres ; Pierre Soulaine, homme de lettres.

SIXIÈME LISTE : Paul Adam, Georges Perin, Auguste Villeroy, auteur dramatique ; J. Allardet, ex-sous-officier au 1er zouaves, médaillé du Tonkin ; A. Laborde, étudiant en sciences ; René Coëylas, élève à l'École des arts décoratifs ; Fernand Pelloutier, à la rédaction de *L'Ouvrier des Deux Mondes* ; A. Jacob, sculpteur ; Édouard Bodin, homme de lettres ; Louis Duruy, externe des hôpitaux ; Joseph Boucher, étudiant en lettres, président de la section des lettres à l'Association générale des étudiants ; Georges Robert, rédacteur en chef du *Progrès du Nord*, Lille ; Louis Bruyerre, homme de lettres ; A. Cornet, Auguier, Chalon-sur-Saône ; Henri Jullien, employé de commerce ; E. Rubanowitch, licencié ès lettres ; Félix Fénéon, Paul Percheron, Frédérick Hucher, auteur ; G. Sée, ex-archiviste d'état-major ; M. Jean, étudiant en médecine.
Albert Reville, professeur au Collège de France ; L. Poucy, professeur à l'École supérieure de commerce ; docteur E. Pécaut ; Camille Pissarro, artiste peintre ; Vian, étudiant en droit ; Eugène Week, externe des hôpitaux ; Maurice Vernes, directeur adjoint à l'École pratique des hautes études ; Félix M. Vernes, étudiant en médecine ; J. Bouiyard, ancien administrateur, secrétaire du conseil de *La Petite République* ; Christian Marchal, licencié en philosophie ; Jules Laurens, artiste peintre, chevalier de la Légion d'honneur ; L. Buchet, licencié ès sciences ; L. Lubac, licencié ès lettres ; Gustave Doussain, publiciste ; docteur V. Morax, ancien interne des hôpitaux ; Charles Létourneau, professeur à l'École d'anthropologie ; docteur Langlois, docteur ès sciences, chef de laboratoire à la Faculté de médecine ; Jacques Passy, chimiste ; Franck Puaux, publiciste ; Durozay, externe des hôpitaux ; F.-H. Kruger, professeur ; André Paulian, licencié ès lettres ; Charles Schmidt, archiviste paléographe ; Max Bonnet, professeur à l'université de Montpellier ; Charmont, professeur de droit à l'université de Montpellier ; Émile Roberty, H. Gray Maljean, membre du groupe d'études philosophiques Leiria (Bruxelles).

SEPTIÈME LISTE : Frédéric Passy, membre de l'Institut ; André Lefèvre, professeur à l'École d'anthropologie ; docteur Lienhart (Montpellier), Vigié, doyen de la Faculté de droit de Montpellier ; E. Cauvet, président de chambre honoraire à la cour d'appel (Montpellier) ; Henri Bel, bibliothécaire universitaire à Montpellier ; docteur Castelnau (Montpellier), Séverac, Maurin, Favier, Henri Vallette, E. Dupuy, Pierre Pelet, E. Vermeil, Paul Barnaud, étudiants en lettres (Montpellier) ; C. Teissier du Cros, Raymond Guerre, étudiants en droit (Montpellier) ; André Bugeaud, adjoint au maire de Sainte-Hermine (Vendée) ; docteur A. Pillaud, conseiller municipal à Sainte-Hermine (Vendée) ; docteur A. Weil, licencié ès sciences, ancien vice-président de l'Association des étudiants ; Henri Décujis, avocat ; P. Engelman, licencié en droit ; Edmond Charles.
Alexandre Natanson, directeur de *La Revue blanche* ; Alfred Athys, homme de lettres ; Thadée Natanson, homme de lettres ; Armand Charpentier, romancier, membre sociétaire de la Société des gens de lettres ; Gabriel Jaudoin, artiste musicien ; Gustave Kahn, homme de lettres ; Cyprien Godebski, George Bodereau, directeur de *La Vie coloniale* et de *L'Hebdomadaire illustré* ; Léon Tonnelier, homme de lettres (Nancy) ; Georges Roques, avocat à la cour d'appel ; J.-B. Perrot, Charles Péguy, de l'École normale ; Camille Berthe, licencié ès lettres ; Paul Langevin, agrégé des sciences physiques ; Lucien Foulet, licencié ès lettres ; docteur Marc Pierrot, Émile Bon, étudiant en droit ; Vital Lacaze, élève à l'École des beaux-arts ; Ch. Picquenard, licencié ès lettres ; P. Thomas, licencié ès lettres ; Ernest Roussel, licencié ès lettres ; Henri, Maistre, étudiant à la Sorbonne ; Georges Léry, homme de lettres ; Georges Astruc, médaillé d'honneur du gouvernement ; Paul Genevet, étudiant en droit ; Alfred Hoël (Saint-Cloud), Désiré Decamps, publiciste ; Ménard-Dorian, ancien député ; Raymond Koch, élève de rhétorique ; Ch. Lebrun, négociant ; E. Coste.
Carlo Neyer, publiciste ; Camille Bloch, archiviste-paléographe ; Francis Lepage, homme de lettres ; A. Meillet, directeur-adjoint à l'École des hautes études ; S. Cornut, homme de lettres ; Georges Guyot, licencié ès lettres ; Bracunig, licencié ès lettres ; Georges Lasvignes, Français, qui, dans un séjour de dix ans sur le sol libre de l'Angleterre, a appris à connaître que le respect du droit individuel est la loi suprême ; Jean Sigaux, homme de lettres ; Félix

Gaborit, président de la Société de vulgarisation scientifique et philosophique ; Cepa Godebski.

Huitième liste : André Michel, Jules Carl, artiste peintre ; H. Barban, licencié ès lettres ; Henri Expert, Léon Millot, homme de lettres ; Henri Strauss, ancien sous-officier au 35e de ligne 1870-1871 ; A. Aufrère, clerc de notaire ; P. Bouchet, élève à l'École des beaux-arts, architecte ; Lucien Foubert, agrégé d'histoire ; Henri Chanet, peintre ; Auguste Ramart dit Dormeil, Albert Lantoine, homme de lettres ; G. Kergomard, agrégé de l'Université ; Jean Kergomard, licencié ès lettres ; Charles Stora, avocat à la cour ; Henri Delisle, homme de lettres ; Maxime Leroy, avocat à la cour (Nancy) ; Jean Grillon, élève à l'École coloniale, étudiant en droit (Nancy) ; C. Derache, ingénieur des Arts et Manufactures ; E. Fouquet, bibachelier, dessinateur ; J. Delaire, ingénieur des Arts et Manufactures ; L. Barrat, dessinateur ; Charles Maréchal, étudiant ; E. Silberberg, voyageur de commerce ; André Boegner, étudiant en droit.
Charles Wahart, agrégé de l'Université ; P.-G. La Chesnais, licencié ès sciences ; Paul Sirven, agrégé de l'Université ; F. Steeg, agrégé de l'Université ; H. Diez, agrégé de l'Université ; Hauser, professeur à l'université de Clermont-Ferrand ; Henry Massand, agrégé de l'Université ; Raymond Kœchlin, manufacturier ; Léon Cahun, bibliothécaire à la Mazarine ; docteur Pierrot, Mme Cahun, Mme Pierrot-Lape, docteur en médecine, Lucien Herr, agrégé de l'Université ; Ernest Dupuy, Edmond Vermeil, Pierre Pellet, étudiants en lettres (Montpellier) ; René Champdeuil, de la *Revue moderne* ; Charles Deschars, licencié ès lettres ; Maurice Lauth, industriel ; Théodore Duret, F. Varenne, Mariclet, étudiants en médecine (Clermont-Ferrand) ; Maury, artiste peintre (Clermont-Ferrand).

Neuvième liste : Docteur P. Carrère, officier d'académie ; Ad. Carrère, licencié ès lettres ; Vernet, industriel ; Dendrer, pharmacien ; Doze, notaire ; Bouellerat, médecin ; Maurice Hamel, agrégé ès lettres ; Lucien-Léon Meslard, sténographe ; E. Gauthier, étudiant en médecine ; Henri Perrin, étudiant en droit (Nancy) ; J. Perin, étudiant en médecine (Dijon) ; Berniard, clerc de notaire ; E. Bonzons, pharmacien ; Navarion, chef de gare ; D. Soulheban, entrepreneur ; D. Bourchemin, docteur ès lettres, à Sameterra-de-Béarn (Basses-Pyrénées) ; Joseph Carrère, propriétaire à Guenarlhe (Basses-Pyrénées) ; Henri Muffany, agrégé de l'Université ; Henri de Varigny, docteur ès sciences ; Raymond Kœchlin, Ch. de Tavernier, Ed. Droz, professeur à la Faculté des lettres de Besançon ; E. Molinier, conservateur du Musée du Louvre ; A. Patoux, licencié en droit ; D. Couse, étudiant ; S. Jacot, étudiant ; Fernand de Rocher, rédacteur à *L'Éclaireur de Nice* ; Cl. Berlioz, voyageur de commerce ; G. Lesal, homme de lettres ; Agache, artiste peintre ; Octave Gelin, élève architecte à l'École des beaux-arts ; Georges Hébert, artiste peintre ; L. Mullem, homme de lettres ; D. Verhaeghe, interne des hôpitaux (Lille) ; V. Basche, professeur à l'université de Rennes ; H. Sée, professeur à l'université de Rennes ; G. Milhaud, professeur à l'université de Rennes ; P. Meyer, négociant ; docteur E. Brissaud, médecin à l'hôpital Saint-Antoine ; docteur Le Roy de Méricourt, de l'Académie de médecine ; Ch. Deschars, licencié en droit ; E. Schuré, homme de lettres.

Dixième liste : Marcel Mauss, agrégé de philosophie en mission ; Derriaz, homme de lettres ; G. Duellot, licencié ès sciences ; Édouard Leblanc, homme de lettres (Nantes) ; Camille Craudillon, licencié ès lettres ; Henri Jazes, philosophe ; Paul Valette, agrégé des lettres, professeur à l'université de Lausanne ; Louis Lestelle, étudiant en droit ; Paul Demantilly, Camille Aubron, employé à la librairie ; A. Colin, Mingler, licencié ès lettres ; A. Hano, employé de librairie ; H. Foulard, lecteur de *L'Éclair* ; Adolphe Parisi, employé de librairie ; Ch. Le Corbeiller, propriétaire à Joinville, lecteur du *Petit Journal* ; L. Bonardet, Julien Simonnet, Lucien Hano, employés de librairie ; Châtelain, propriétaire ; Gaston Buchet, explorateur (Romorantin) ; E. Froger, Delapierre, chimiste ; Bondy, Henry Salomon, homme de lettres ; Louis Edde.

Onzième liste : Docteur H. Cuvillier, Jules de Brayer, L. Gallonedec, agrégé de l'Université (Orléans) ; H. Bourgin, licencié ès lettres ; G. Bourgin, étudiant en lettres ; Raoul Bourlac (Marseille), E. Rouget, licencié en droit ; H. Fasquel, étudiant en droit à Lille ; G. Lefebvre, licencié ès lettres, à Lille ; Charles Longuevalle, licencié ès lettres (Lille) ; Cuninal, professeur d'école normale primaire ; H.-D. Davray, rédacteur au *Mercure de France* ; Boudulique, Français, catholique et républicain ; G. Le Serrec de Kervilly, docteur en médecine ; Blum (Saint-Denis), Eug. Hollande, homme de lettres ; Maurice Darin (Chaville), J. Doridan, homme de lettres ; Émile Amieux, externe des hôpitaux de Paris.

DOUZIÈME LISTE : E. Moulinier, ancien avocat près la cour d'appel de Bordeaux (Hyères) ; Jean Pertuis, publiciste (Nice) ; Maureau, ingénieur des Arts et Manufactures (Boulogne-sur-Seine) ; Alfred Pierart, mécanicien ; Julien Dupré, artiste peintre, chevalier de la Légion d'honneur ; A. Voigt, professeur honoraire du lycée de Lyon ; Paul Quieneux, pasteur de l'Église réformée ; Jean Roumengou, licencié en droit à Cugnaux (Haute-Garonne) ; Émile Vitta, licencié ès lettres et de philosophie ; Alfred Moyse, constructeur-mécanicien, capitaine démissionnaire, chevalier de la Légion d'honneur (1870-1871) ; E. Delalande, dessinateur, officier de l'Instruction publique ; Maurice Bernard, ingénieur au corps des Mines ; R. Etlin, étudiant en médecine ; Édouard Gille, Léon Chailley, Léonce Jalagnier, industriel, licencié en droit ; Charles Roze, Gaston Moch, ancien capitaine d'artillerie, publiciste ; André Lyon, Ernest Brelay, vice-président de la Société d'économie politique ; J.-Émile Roberty, Sylvain Karff, agrégé de l'Université ; A. Giraud-Teulon, homme de lettres.
Le professeur Jacquemin, associé national de l'Académie de médecine, directeur honoraire de l'École supérieure de pharmacie de Nancy ; docteur A. Netter, professeur agrégé à la Faculté de Paris, médecin de l'hôpital Trousseau ; docteur F. Vaquier, médecin de l'hôpital des Enfants tuberculeux (œuvres d'Ormesson) ; Lucien Vaquez, membre de la Société d'économie politique ; Abel Faure, homme de lettres ; Lucien Picard, agrégé de l'Université ; Marcel Guérin, Ch. Tournaire, C. Dezercy, Martin, R. Biltz, propriétaire ; Paul Robert, publiciste ; Charles Sempé, externe des hôpitaux de Paris ; James Veit, élève de l'Université ; docteur M.-S. Diamantberger, docteur Rossignol, à Mornant (Seine-et-Marne) ; Edmond Groult, fondateur des Musées cantonaux à Lisieux (Calvados) ; Émile Bertaux, professeur à l'Association philotechnique ; Henri Seyez, A. Burée, F.-X. Heaumerlin, J. Lebœuf.

TREIZIÈME LISTE : Hyacinthe Loyson, Jean Roumengou, licencié en droit ; Adolphe Peisner, contre-maître (Genève) ; E. Giardino, garçon de magasin ; H. Clerc, directeur du *Courrier de la Creuse* (Guéret) ; Gaétan Rondeau, licencié en droit, homme de lettres ; Xavier Canny, homme de lettres ; Léon Canny, artiste peintre ; Narius Rossignol, industriel (Versailles) ; Daniel Halphen, industriel (Versailles) ; D. Forget, missionnaire (Saint-Lô) ; Auguste Lecerf, pasteur de l'Église réformée ; Désiré Gebusson, membre du Parti ouvrier ; Jules Desbois, artiste sculpteur ; Laforgue, licencié ès lettres ; René Moock, licencié ès lettres ; Léonce Tillaud, étudiant ès lettres.

QUATORZIÈME LISTE : Félix Mesnil, docteur ès sciences, agrégé de l'Université ; Eugène Montfort, Henry Rodolphe Elina, publiciste ; O. Frion, publiciste, secrétaire de l'Alliance radicale socialiste ; A. Le Conte, industriel ; Henri Alexandre, employé ; D. Roustan, ancien élève de l'École normale supérieure ; Henry Roy, licencié ès lettres ; Henri Mauduit, étudiant ès lettres ; Léon Deshaires, licencié ès lettres ; Chesnan, géographe ; Forat, industriel, conseiller municipal de Pantin (Seine).

QUINZIÈME LISTE : Théodore de La Peine, publiciste (Genève) ; Alfred Galan (Bordeaux) ; E. Marty, agrégé de l'Université ; Gustave Marx, ex-sous-officier au 24e de ligne ; Vidal, banquier ; L. Hugonnet, étudiant en médecine (Toulouse) ; Fernand Pradel (Toulouse) ; Marc Lafargue, Emmanuel Delbousquet, Jacques Nervat, de *L'Effort* (Toulouse) ; Armand Wais, étudiant en médecine ; Firmin Verdier, Pierre Feille, E. Jaubert, R. Bouic, étudiant en droit ; Marius Vallabrègues, Maysonnié, étudiant en droit (Toulouse) ; Durolle, étudiant en pharmacie (Nancy) ; A. Chenevieu, avocat à la cour d'appel (Nancy) ; J. Clairin, L. Clauzel, E. Genty, F. Dubesset, de l'École normale ; Rouveau, Ch. Kreutzberger, artiste peintre ; G. Godquin, professeur libre ; E. André, homme de lettres ; Ed. Goldner, étudiant en lettres et en droit ; Léon Goriat, étudiant en médecine ; Sarfati, étudiant en pharmacie ; E. Mille, publiciste ; Pol Marsan, publiciste ; Henri Genet, étudiant ; Maurice Violet, avocat à la cour ; J. Boulet, tailleur.

SEIZIÈME LISTE : Un groupe d'anciens élèves des Écoles municipales de Paris, ont signé : Édouard Petit, géomètre ; Ch. Sicobye, lithographe ; Falkenstein, employé de commerce ; Sauvage, employé de commerce ; Bouveret, employé de commerce ; Sinoter, Eug. Germain, naturaliste ; Marcel Germain, électricien ; E. Ardouin, Moret, comptable ; Colomb, comptable ; Roger, L. Porel, Preisach, A. Planchard, secrétaire ; Drouin, L. Couver, affineur de métaux ; Huchery, employé de commerce ; Aug. Picquenard, employé de commerce ; Hiegel, employé de commerce ; Vitton, employé de commerce ; P. Simon, commis des Postes et Télégraphes ; E. Moulinier, ancien avocat près la cour d'appel de Bordeaux.
Docteur Paul Reclus, professeur agrégé à la Faculté de Paris, membre de l'Académie de médecine ; Eug. Maillet, consul de France en disponibilité (Antilles) ; Charles Gide, professeur à la Faculté de droit de l'université de Montpellier ; docteur G. Bardet, chroniqueur scientifique au *Siècle* ; P. Letailleur, secrétaire général de la mairie (Calais) ; Eugène Gimpel, Léon Vignole, publiciste (Rennes) ; Auguste Bréal, artiste peintre, licencié ès lettres et en droit (Saint-Cast, Côtes-du-Nord) ; Jean Monod, doyen honoraire de Faculté (Laforce, Dordogne).
Docteur Cruet, ancien interne des hôpitaux ; Th. Blanc, employé (Lyon) ; C. Bavier-Chauffour, étudiant ; C.-W. Cremer (Bourg-la-Reine) ; Eug. Rehns, chimiste ; Henri Rainaldy, secrétaire général de la Société libre d'édition des gens de lettres ; Édouard Levy, agrégé de l'Université ; D. Marrel, agent de transports (Lyon) ; Th. Denux, négociant (Lyon) ; Ch. Clerino, entrepreneur de travaux publics (Mont-d'Or, Rhône) ; L. Monod, pasteur ; H.A. Brustlein, ingénieur, chevalier de la Légion d'honneur (aciéries d'Unieux, Loire) ; Ph. Landrieu, ingénieur agronome, licencié ès sciences ; Georges Fauguet, étudiant en médecine ; Maurice Gaillot, interne des hôpitaux ; Robert Genestal, licencié ès lettres et en droit ; A. Clauzel, docteur en médecine, docteur en droit ; Lagardelle, licencié en droit ; Franck Legal, étudiant en droit ; Louis Jalabert, employé de commerce ; P. Habert, négociant ; E. Bonnet, publiciste ; Bavier-Chauffour.

La troisième protestation

Les soussignés, se désintéressant de toutes les personnalités mises en cause dans l'affaire Dreyfus-Esterhazy, protestent néanmoins contre la violation des formes juridiques au procès de 1894, et contre les combinaisons louches et suspectes qui ont entouré cette scandaleuse affaire des conseils de guerre ;
Protestent surtout de leur haine contre le militarisme, contre les iniquités, les veuleries et lâchetés accomplies journellement par les pseudo-représentants de la justice *civile* et *militaire*, ainsi que des sectes religieuses À bas la toque et la robe, le képi et le sabre, la soutane et le goupillon, sinistre trilogie, fléau de l'humanité !
Dans la crise actuelle, nous sommes contre toute atteinte à la liberté, au droit et à la justice.
À bas le capitalisme et l'exploitation !
À bas le huis clos !
À bas les sabreurs et les jésuites !
VIVE L'INTERNATIONALE DES PEUPLES !
René Racot, Paule Mink, docteur Jaclard, publicistes ; H. Gouthiers (O. Prud'homme), Louis Gauzer, Paul Hennequin, publicistes ; Riom, conseiller prud'homme ; F. Hesling, secrétaire de la Fédération nationale des syndicats de voiture ; E. Philippe, rédacteur à *La Banlieue socialiste* ; Legros, conseiller prud'homme ; Mme Louise Réville, publiciste ; Chevalier, conseiller prud'homme ; Danger, du vingtième arrondissement ; Perrenx, Édouard Legentil, poète-chansonnier ; Boicervoise, J.-B. Henry, artiste modeleur ; C.-F. Meunie, employé de commerce ; Leloup, conseiller prud'homme ; Chauvel, du syndicat du bâtiment ; Vincent, conseiller prud'homme ; Delaplace, conseiller prud'homme ; Pierre-Aimé Henc, employé d'administration ; J. Lacave, membre de la Fédération socialiste de l'Hérault ; P. Derey, électricien ; Fernand Pelloutier, éditeur de *L'Ouvrier des Deux Mondes* ; G. Hiem, rédacteur à *La Banlieue socialiste* ; Louis Ch…, employé des Postes et Télégraphes ; Louis Van Eggelen, ébéniste ; Alexis B…, employé des Postes et Télégraphes ; Valéry, Thargelion, publiciste ; Achille Le Roy, éditeur révolutionnaire ; A. Roger, de *L'Industriel forain* ; Léon Caragnac, ex-élève des Arts et Métiers ; Papillon, groupe socialiste des conférences ; Spirus-Gay, artiste,

secrétaire de l'Union artistique de la scène, de orchestre et du cirque ; G. Debose, poète révolutionnaire ; Fourret, ex-conseiller de prud'homme ; A. Ollivier, employé d'administration ; Schweistal, employé de commerce ; Henri Gérard, syndic de la Chambre syndicale des menuisiers en voitures ; J. Bloum, syndicat des tailleurs ; Valé, dessinateur, ex-élève des Beaux-Arts ; F. Levèvre, du Syndicat de l'orfèvrerie ; A. Coulon, A. Desruelle, du Syndicat des tailleurs ; Valé, dessinateur, ex-élève des Beaux-Arts ; F. Lefèvre, du Syndicat des chemins de fer ; Floret, ex-officier de la Commune ; Th. Mayeux, président de la société colombophile Le Roitelet ; E. Déprez, employé de commerce ; G. Laville, A. Tribère, Frédéric Pergament, Syndicat des ouvriers typographes parisiens ; Louis Buis, A. Leschot, employé de commerce ; Chauvel, syndic du bâtiment ; Lamy, employé ; Byrrh, délégué du Syndicat des démolisseurs ; Chérel, Syndicat du bâtiment.

Drieu La Rochelle (Pierre)

1893-1945

Pierre Drieu La Rochelle, né et mort à Paris (3 janvier 1893-15 mars 1945), est issu d'une vieille famille de bonne bourgeoisie normande, sur laquelle son imaginaire, « profondément raciste » suivant son propre diagnostic, a abondamment fantasmé, lui cherchant d'improbables origines « vikings ». Mais il est surtout issu, plus directement, plus clairement et plus douloureusement, d'un couple de parents désunis par une mésentente quotidienne. À en croire son témoignage *in extremis* (*Récit secret*, écrit à l'automne 1944), sa première tentative de suicide — à moins qu'il ne faille parler de tentation — remonterait à l'âge de sept ans. Cet homme ne s'aime pas, et la vie se chargera de le bousculer rudement, lui fournissant avec équanimité des raisons de douter de lui et des raisons de cultiver, en réaction, un tempérament porté à l'aristocratisme.

D'un côté, il sera le valeureux combattant de 14-18, blessé à Verdun, *L'Homme couvert de femmes* (titre d'un roman paru en 1925), le séduisant romancier Gallimard* (*Rêveuse bourgeoisie*, 1937) et pendant trois ans (1940-1943) le directeur de la plus prestigieuse revue de son temps, *La Nouvelle Revue française**. De l'autre, il collectionne les échecs : échec scolaire, à la sortie de l'École libre des sciences politiques* — qui le brouille définitivement tout à la fois avec les universitaires et la « bonne société » —, désillusion guerrière avouée dans *La Comédie de Charleroi* (1934), défaillances viriles, en nombre croissant… Mais le grand échec, à ses propres yeux, est d'ordre intellectuel. L'équipée de la *NRF* le symbolise assez bien : il n'en a pris la direction que par la volonté de l'occupant, représenté par son ami Otto Abetz, et laisse sans grand état d'âme cette autorité douteuse s'effilocher d'elle-même, au gré de la conjoncture militaire, aggravée par sa négligence : la revue est sabordée par son directeur un an avant le Débarquement. Ce comportement éclaire aussi son itinéraire politique.

Car Drieu est une tête idéologique. Théoriser le monde est chez lui une tentation supérieure encore à la conquête d'une femme. Mais aux yeux du monde, son itinéraire manque de rectitude. À l'image de son héros le plus connu, *Gilles*, largement autobiographique (ce livre-bilan est paru en 1939 et, en version non expurgée, en 1942, sous l'occupation allemande), il a tâté de l'extrémisme dada, presque en même temps que de l'extrémisme Maurras*. Il s'éloigne des uns et des autres, pronostique le déclin français (*Mesure de la France*, 1922), croit un instant à la

SDN (*Genève ou Moscou*, 1928), s'affirme avant tout européen, mais est séduit par le nationalisme mussolinien, etc. Jusqu'au 6 février 1934, on peut classer Drieu parmi les inclassables, comme son ami Emmanuel Berl*, avec lequel il rédigeait, sept ans plus tôt, un brûlot mensuel dénommé, comme il se doit, *Les Derniers Jours*. À la fin de cette même année, il n'en est plus rien. Il a brûlé ses vaisseaux et publié *Socialisme fasciste*, dont le titre dit bien, avec la provocation du ton, l'ambition d'un renouvellement radical, autoritaire et communautaire. En 1936 comme en 1940, Drieu choisit son camp, en adhérant au PPF de Jacques Doriot, en devenant l'une des personnalités en vue de la collaboration. Mais le doute continue à le tenailler. Il a rompu avec Doriot en 1938 ; il s'en rapproche en 1942, c'est-à-dire à contre-courant. Quand la fin sera proche — pour Vichy comme pour Drieu, qui réussira sa troisième tentative de suicide —, il ne cachera plus son admiration pour Staline. Palinodies ? Au-delà d'une réelle incapacité à rester durablement fidèle à un camp, il faut faire entrer en ligne de compte de profondes constantes : la recherche d'un ordre viril, raciste, populaire, le tout perpétuellement contrebalancé par la conviction d'une décadence en marche dans l'épaisseur des choses et des êtres, et d'abord dans l'épaisseur de cette France à laquelle cet Européen convaincu voue le même amour-haine qu'il porte aux femmes.

Pascal Ory

■ *Mesure de la France*, Grasset, 1922. — *Le Jeune Européen*, Gallimard, 1927. — *Genève ou Moscou*, Gallimard, 1928. — *Socialisme fasciste*, Gallimard, 1934. — *Gilles*, 1941, rééd. Gallimard, 1973. — *Récit secret*, suivi de *Journal (1944-1945)* et d'*Exorde*, Gallimard, 1961. — *Journal (1939-1945)*, Gallimard, 1992.

▒ P. Andreu et F. Grover, *Drieu La Rochelle*, La Table ronde, 2ᵉ éd. 1989. — M. Balvet, *Itinéraire d'un intellectuel vers le fascisme : Drieu La Rochelle*, PUF, 1984. — M. Balvet et H. Stérin, *Le Roman familial de Pierre Drieu La Rochelle : étude psychogénéalogique*, Henri Veyrier, 1989.

DROIT D'INGÉRENCE (débat sur le)

1987...

L'effondrement du communisme en Europe semble avoir suscité des vocations de remplacement. Au seuil des années 90, le droit d'ingérence internationale mobilise divers intellectuels jusqu'alors attachés à la démystification du marxisme et à la dénonciation du totalitarisme. Il est vrai que l'euphorie des années 1989-1991 a été de courte durée. La fin de la Guerre froide* a eu pour triple effet de remettre en question l'ordre de Yalta (dit « du partage du monde »), l'ordre de Versailles (issu du principe des nationalités) et l'ordre des traités de Westphalie (fondé sur les souverainetés territoriales). L'ancienne Europe de l'Est est rapidement devenue le théâtre d'affrontements ethniques longtemps contenus, avivés par l'inextricable imbrication des minorités et l'arbitraire des tracés frontaliers. Pacifique en Tchécoslovaquie, cet affrontement a dégénéré dans ce qui fut l'Union soviétique et la Yougoslavie en des conflits d'une insoutenable violence. D'autres tragédies, certaines légèrement antérieures (tremblement de terre en Arménie, répression des populations kurdes en Irak), d'autres concomitantes (populations affamées de Somalie, anarchie meurtrière au Cambodge) ont, elles aussi, accrédité le principe d'un droit d'intervention de la communauté internationale au service des droits essentiels de la personne promus au rang de patrimoine commun de l'humanité.

À l'élaboration de ce droit (ou devoir) d'ingérence, la contribution des intellectuels français n'est pas niable. Encore ne s'agit-il pas d'une idée neuve. Le postulat d'un droit naturel, dont toute violation grave légitimerait l'intervention des puissances civilisées, est à l'origine de ce droit des gens qui, depuis les théologiens espagnols du XVIe siècle (Vitoria, Suarez), a reçu de multiples perfectionnements théoriques. Il peut s'autoriser aussi de quelques précédents historiques, dont le plus ancien semble bien remonter au traité de Londres de 1827 par lequel la France, l'Angleterre et la Russie s'engageaient à faire cesser le massacre des Grecs par les Turcs. Ce traité devait beaucoup à l'engagement philhellénique de quelques « intellectuels » de l'époque : Byron, Chateaubriand, Victor Hugo, Delacroix...

Les entraves apportées à l'action humanitaire des ONG (organisations non gouvernementales), la violation du droit international par telle ou telle puissance signataire de ses normes (l'Irak, par exemple), l'ethnocide perpétré en Croatie et en Bosnie ont relancé le débat. Dès 1987, le médecin Bernard Kouchner* et le juriste Mario Bettati ont élaboré les concepts justificatifs de l'ingérence (morale de l'extrême urgence, loi de l'oppression minimale), ainsi que les modalités de l'intervention (libre accès aux victimes). Un large consensus s'est réalisé autour de ces thèmes. D'André Glucksmann* à J.-F. Revel*, de Pierre Hassner à Bernard-Henri Lévy*, de Luc Ferry* à Jean d'Ormesson*, les contributions et les variations sont innombrables, non sans quelques dérapages dans la surenchère médiatique. Mais la distance reste grande entre l'activisme déployé par A. Finkielkraut* en faveur des Croates et des Bosniaques dans le cadre du conflit en ex-Yougoslavie*, doublement victimes d'une guerre criminelle et d'une souffrance occultée, et les réticences d'un Régis Debray* au regard de l'idéologie des droits de l'homme et de la citoyenneté du monde.

De fait, le droit d'ingérence soulève de multiples problèmes, théoriques et pratiques. Il peut signifier un nouvel impérialisme culturel de l'Occident, tout comme l'impuissance de ce même Occident à promouvoir un nouvel ordre international. Relayée par les pouvoirs publics, la mobilisation des intellectuels n'a pas été vaine. Diverses résolutions de l'ONU s'en sont ouvertement inspirées, s'agissant notamment des secours portés aux populations kurdes. Reste à savoir ce que valent les résolutions de l'ONU. À peine né, le droit d'ingérence semble frappé de maladie infantile. Pour l'heure, selon J.-F. Deniau, « on a voulu le droit sans la force, on a eu la force sans le droit ».

Bernard Droz

■ M. Bettati et B. Kouchner, *Le Devoir d'ingérence. Peut-on les laisser mourir ?*, Denoël, 1987. — A. Finkielkraut, *Comment peut-on être croate ?*, Gallimard, 1992. — P. Hassner, « Plaidoyer pour les interventions ambiguës », *Commentaire*, vol. 16, printemps 1993. — J.-C. Rufin, *L'Empire et les nouveaux barbares*, Lattès, 1992 ; « Ingérence : vers un nouveau droit international ? », *Le Débat*, n° 67, novembre-décembre 1991.

DRUMONT (Édouard)

1844-1917

Tôt chargé de responsabilités familiales en raison de la maladie de son père, Édouard Drumont a d'abord été, à vingt ans, employé de l'Hôtel de Ville de Paris. Au bout de quelques mois, il se lance dans le journalisme, écrivant dans de modestes publications, jusqu'à son entrée à *La Liberté*, dirigée par Émile de Girardin. Catholique et royaliste, il est partisan, après la chute du Second Empire, du comte de Chambord, avant d'être déçu par son manque d'audace.

En 1878, commence sa carrière littéraire. *Mon vieux Paris*, son premier livre, est une évocation nostalgique — « un chant de regret » — d'un Paris historique et familier, menacé par les dégâts du monde moderne. Huit ans plus tard, Drumont publie *La France juive*, et devient d'un seul coup célèbre grâce à un duel avec Arthur Meyer, directeur du *Gaulois* : le succès du livre est considérable.

Drumont n'avait pas inventé l'antisémitisme. Avant lui, *La Croix*, depuis le début des années 1880, avait largement diffusé les thèmes de l'anticapitalisme antisémite mêlés à ceux de l'antijudaïsme catholique. À gauche, Auguste Chirac avait publié en 1883 *Les Rois de la République. Histoire des juiveries*. C'est l'ouvrage d'un fouriériste, Toussenel, qui a le plus inspiré Drumont : *Les Juifs rois de l'époque*, datant de 1846.

Drumont eut le talent pamphlétaire de ramasser tous les stéréotypes courant sur les juifs, et d'en faire un système d'explication universelle.

L'intuition de Drumont est simple. La France, à ses yeux, est entrée dans une ère de décadence et de dépersonnalisation. Défigurée, dénaturée, déstabilisée, elle est devenue la proie d'un ennemi intérieur, d'un ennemi caché, d'une force occulte, entièrement employée à la dénationalisation du pays. Cette influence secrète, insoupçonnée, c'est celle des juifs, dont Édouard Drumont va désormais dénoncer « l'invasion » dans toutes les sphères de la vie publique — financière, politique, intellectuelle, artistique, journalistique...

En 1889, Drumont fait paraître *La Fin d'un monde*, considéré par ses fidèles comme son meilleur livre, où il orchestre tous les thèmes de son antisémitisme — l'anticapitalisme, l'antijudaïsme chrétien, le racisme « biologique » — dans une perspective « sociale » ou socialisante : « Quand la Bourgeoisie eut les poches pleines et que le Peuple voulut avoir son tour, ce fut le canon qui répondit. » Réhabilitant les ouvriers de la Commune, il fait l'éloge du socialiste Benoît Malon : « Il m'a emmené avec lui pendant quelque temps pour me faire voir les milieux ouvriers de Paris ; tout le monde m'a admirablement reçu et m'a fait des compliments sur *La France juive*. »

Cette tentative de rapprochement de Drumont et des milieux socialistes connaît un certain succès au début des années 1890. Drumont se pose en effet en révolutionnaire, partisan du coup de force, pour abattre la République parlementaire « aux mains des Juifs », et en faveur d'un chef populaire. Il garde ses distances vis-à-vis du boulangisme, qu'il définit en 1890 comme une supercherie conservatrice : « En définitive, ce sont les Juifs qui ont fini par tout conduire dans cette campagne boulangiste. » Drumont entend demander des comptes à « la féodalité financière », afin de « rendre la France aux Français ». En 1891, à la suite de la fusillade de Fourmies du 1er mai, il dénonce, une nouvelle fois, dans *Le Secret de Fourmies*, la main des juifs. Fondant un quotidien, *La Libre Parole*, en 1892, c'est comme « socialiste » que Drumont se présente aux élections législatives de 1893. Cette année-là, Drumont se détache des socialistes, les juifs s'emparant — comme du reste — de leur « parti ».

Le scandale de Panama relance Drumont et son journal, un moment en perte de vitesse. Surtout, l'affaire Dreyfus* lui fait connaître le triomphe en 1898, date à laquelle le chef de l'antisémitisme français est élu député à Alger, avec l'aide de l'agitateur Max Régis. Battu en 1902, Drumont voit son audience et celle de *La Libre Parole* décliner progressivement. En 1910, le quotidien passe sous le contrôle d'un groupe catholique.

Édouard Drumont a profondément marqué, par son œuvre et par sa personnalité, de nombreux contemporains, au rang desquels il faut placer d'abord Charles Maurras*, nourri de ses œuvres, et le jeune Georges Bernanos* qui restera jusqu'à la fin de sa vie, en dépit du racisme de Drumont qu'il ne partageait pas, l'un de ses disciples les plus respectueux. Gaston Méry, un des collaborateurs admiratifs de Drumont, a résumé ainsi la place de Drumont et de son antisémitisme : « On a donné maintes définitions du Nationalisme. Je crois que la plus simple et la plus vraie est encore celle-ci : « Le Nationalisme, c'est le Patriotisme tourné vers les ennemis du dedans. » Mais, si on admet cette définition, il faut admettre du même coup que l'Antisémitisme, qui combat toutes les influences qui tendent à désagréger les énergies françaises, est l'essence même du Nationalisme » (« Édouard Drumont », dans *La France contemporaine*, dir. C. Deltour, t. 1, 1903).

Michel Winock

■ *Mon vieux Paris*, 1878. — *La France juive*, Flammarion, 1886, 2 vol. — *La Fin d'un monde*, Savine, 1889. — *La Dernière Bataille*, Dentu, 1890. — *Le Testament d'un antisémite*, Dentu, 1891. — *Le Secret de Fourmies*, Savine, 1892. — *De l'or, de la boue, du sang*, 1896.

▒ G. Bernanos, *La Grande Peur des bien-pensants*, Grasset, 1931. — F. Busi, *The Pope of Antisemitism. The Career and Legacy of Edouard-Adolphe Drumont*, Lanham-Londres, University Press of America, 1986. — J. Drault, *Drumont, la France juive et « La Libre Parole »*, SFELT, 1935 (témoignage d'un partisan de Drumont). — P. Pierrard, *Juifs et catholiques français (1846-1945)*, Fayard, 1970. — M. Winock, *Édouard Drumont et Cie*, Seuil, 1982 ; *Nationalisme, antisémitisme et fascisme en France*, Seuil, 1990.

DUBUFFET (Jean)

1901-1985

Artiste, écrivain, collectionneur d'art brut pour qui l'œuvre est en soi un objet subversif destiné à remettre en cause de manière permanente l'état des choses, la raison, la culture savante, les barrières mentales.

Né au Havre en 1901, fils d'un négociant en vins, après quelques études à l'École des beaux-arts du Havre et à l'Académie Julian, Dubuffet abandonne la peinture et devient marchand de vins. C'est en 1942 qu'il en finit avec le commerce pour se consacrer à l'art, dans un style désormais personnel dont la source d'inspiration veut être aussi bouleversante que celle des enfants et des aliénés. Son œuvre, exposée à partir de 1944, ne cessera de faire scandale par sa violence, sa transgression des catégories de « la tradition française », son recours à des matières et des techniques méprisées.

Dès ses débuts, Paulhan*, Éluard*, Limbour et Ponge* le défendent. Toujours vociférant, en guerre contre tous, y compris contre ses défenseurs, son réseau d'amis est à la fois étendu et incertain. En 1948, il crée la Compagnie de l'art brut qui réunit « des productions présentant un caractère spontané et fortement inventif, aussi peu débitrices de l'art coutumier ou des poncifs culturels, et ayant pour auteurs des personnes obscures, étrangères aux milieux artistiques professionnels ». Son exposition rétrospective, organisée à Paris en 1960, légitime sa révolte sans y mettre fin.

Son pamphlet *Asphyxiante culture* sort à point nommé en 1968, au moment où il fait bon dénoncer « la culture », identifiée à « la bourgeoisie », à l'ennui et au mandarinat universitaire. En fait, depuis l'après-guerre — en anarchiste de droite — tout en conservant son répertoire intellectuel proche de celui de Céline* dont il était l'ami — Dubuffet défendait ces idées contestataires qui allaient dominer la scène des années 70 : tout le monde a droit à la liberté d'expression, y compris les marginaux, les fous, les exclus. Il postule que « tout le monde est peintre », armé de moyens d'expression plus efficaces encore que les mots — et les idées. Celles-ci, écrit-il, sont « un gaz pauvre, un gaz détendu. C'est quand la voyance s'éteint qu'apparaissent les idées et le poisson aveugle de leurs eaux : l'intellectuel ».

Un paradoxe supplémentaire chez l'un des peintres qui a le plus lu, écrit, parlé, démontré, laissant une œuvre « littéraire » aussi importante que son œuvre visuelle.

Laurence Bertrand Dorléac

■ *Prospectus et tous écrits suivants* (tous les écrits de Jean Dubuffet entre 1944 et 1965, réunis et présentés par H. Damisch), tomes 1 et 2, Gallimard, 1967. — *Asphyxiante culture*, Pauvert, 1968. — *L'Homme du commun à l'ouvrage*, Gallimard, 1973. — *Poirer le papillon. Lettres de Jean Dubuffet à Pierre Bettencourt (1949-1985)*, Lettres vives, 1987. — *Jean Dubuffet. Lettres à J.-B. (1946-1985)*, Hermann, 1991. — *Lettres à un animateur de combats de densités liquides* (correspondance de Jean Dubuffet à Pierre Carbonel), Hesse, 1992. — *Prospectus et tous écrits suivants* (tous les écrits de Jean Dubuffet entre 1966 et 1985, y compris la *Biographie au pas de course*, réunis et présentés par H. Damisch), tomes 3 et 4, Gallimard, à paraître.

▒ L. Danchin, *Jean Dubuffet, peintre-philosophe*, Lyon, La Manufacture, 1988. — B. Gauthier, G. Viatte et T.-M. Messer, *Jean Dubuffet*, Grand Palais, 1973. — G. Picon, *Le Travail de Jean Dubuffet*, Genève, Skira, 1973. — M. Ragon, *Dubuffet*, Georges Fall, 1958. — P. Seghers, *L'Homme du commun ou Jean Dubuffet*, Éd. Poésie, 1944. — M. Thévoz, *Dubuffet*, Genève, Skira, 1986. — A. Vialatte, *Jean Dubuffet et le Grand Magma*, Arléa, 1988. — « Dubuffet » (dir. J. Berne), *Cahiers de L'Herne*, 1973. — « Dubuffet » (colloque), Éd. du Jeu de Paume, 1992.

Duby (Georges)

Né en 1919

Le médiéviste Georges Duby détient un magistère incontesté du Collège de France* à l'Académie française*, du *Temps des cathédrales* à *Guillaume le maréchal*, de l'enquête savante aux plus larges synthèses.

Né le 7 octobre 1919 à Paris dans une famille bourgeoise, Georges Duby commence ses études d'histoire à Lyon en 1937. Séduit par la géographie, il revient à l'histoire après son succès à l'agrégation (1942) ; au sortir du concours, il dépose un sujet de thèse avec Charles-Edmond Perrin. Imprégné des leçons de Marc Bloch* sur la société féodale, Georges Duby reconstitue un pan d'histoire sociale à partir du recueil des chartes de l'abbaye de Cluny entre les XIe et XIIe siècles. Le sujet emprunte sa forme aux thèses régionales de géographie ; les sources collectées permettent avant tout de reconstituer le jeu des pouvoirs, « savoir comment la puissance du riche s'exerçait sur le paysan ».

Assistant à la Faculté des lettres de Lyon, Georges Duby est nommé à la Faculté des lettres d'Aix-en-Provence (1951), où sa carrière se déroule jusqu'à son élection au Collège de France (1969).

Son œuvre est influencée par les *Annales* et sa lecture de Marx puisque l'architecture « presque entière de *Guerriers et paysans* (1973) repose sur le concept de classe et de rapports de production ». Progressivement, sa priorité glisse du pouvoir de la terre aux structures familiales et aux représentations. Lecteur de Mauss*, Polanyi et Lucien Febvre*, Duby s'engage sur le terrain de l'anthropologie historique et des mentalités. Son histoire des mentalités les saisit comme enjeu et non comme un donné de l'inconscient collectif *(Le Dimanche de Bouvines)*. La représentation ternaire des sociétés indo-européennes découverte par Georges Dumézil* est analysée en fonction de son adaptation et de son usure sociale *(Les Trois Ordres ou l'Imaginaire du féodalisme)*.

Georges Duby prend souvent parti dans les affaires de la Cité et affirme à toute occasion son appartenance à la gauche. Il n'hésite pas à se réclamer du marxisme quand celui-ci est passé de mode.

Il anime de grandes entreprises universitaires (*Histoire de la France rurale*, 1975). Ses livres sur l'art médiéval, publiés par Skira, lui ouvrent un public plus large. Il collabore à une série télévisée autour du temps des cathédrales (1973), accepte la direction d'une chaîne de télévision culturelle, La Sept* (1986-1991). La consécration de cette double audience savante et profane est marquée par son entrée à l'Académie française (1990).

Olivier Dumoulin

■ *Guerriers et paysans. Essai sur la première croissance économique de l'Europe*, Gallimard, 1973. — *Le Dimanche de Bouvines*, Gallimard, 1973. — *Le Temps des cathédrales. L'art et la société (980-1420)*, 1976. — *Le Chevalier, la femme et le prêtre*, Gallimard, 1981. — *Guillaume le maréchal ou le Meilleur Chevalier du monde*, 1984. — *Histoire de France*, t. 1 : *Le Moyen Âge*, Hachette, 1987. — « Le plaisir de l'histoire », in P. Nora (dir.), *Essais d'ego-histoire*, Gallimard, 1987. — *L'histoire continue*, Odile Jacob, 1991.

Duclaux (Émile)

1840-1904

Les origines intellectuelles de ce savant dreyfusard, « chimiste prestigieux » (F. Jacob*) et « archétype libéral de l'intellectuel » (C. Prochasson), associent une trajectoire sociale prérépublicaine et un itinéraire scientifique moderne. Né le 24 juin 1840 à Aurillac où son père était huissier, tandis que sa mère (née Farges) tenait une épicerie, il est remarqué par son professeur de mathématiques et envoyé à Paris. En 1859, reçu simultanément à l'École polytechnique* et à l'École normale supérieure*, il opte pour cette dernière, et entre dès 1862 comme agrégé-préparateur dans le laboratoire de Pasteur, rue d'Ulm. Tout en gravissant les étapes de l'excellence universitaire (thèse en 1865, maître de conférences à Clermont, professeur à Lyon en 1873 puis en 1878 à la Sorbonne et à l'Institut agronomique), Duclaux innove dans la recherche en chimie et anime la révolution microbiologique. Devenu le premier collaborateur de Pasteur, il assume une double tâche, administrative avec la mise en place de l'Institut* et des *Annales*, et scientifique en faisant de la microbiologie la discipline reine de la recherche médicale. À la mort de Pasteur en 1895, il prend la direction de l'Institut, fonde l'hôpital et l'Institut de chimie biologique, et renforce l'« esprit pastorien », une dynamique de recherche tout autant qu'un milieu solidaire et ouvert. Au sein de cette « coopérative scientifique », Duclaux s'impose comme un maître en biologie et un épistémologue des sciences.

À soixante ans, sur le chemin des honneurs suprêmes (l'historien Gustave Bloch le voyait à l'Académie française*), il s'engage *comme savant* dans l'affaire Dreyfus*. Il est parmi les premiers dreyfusards, et poursuit le combat jusqu'à sa mort le 2 mai 1904. Il anime toutes les grandes entreprises, pétitions de janvier 1898, procès Zola*, meetings révisionnistes, Ligue des droits de l'homme* dont il devient l'infatigable vice-président. Mais son apport à l'engagement dreyfusard et à la naissance des intellectuels va au-delà. Son parcours scientifique et ses convictions républicaines lui permettent de voir, dans la démocratisation du savoir et la revendication de la raison condamnées par les antidreyfusards, l'enjeu intellectuel de l'Affaire. Sa polémique avec Ferdinand Brunetière* comme sa participation au mouvement des Universités populaires* et sa lecture sociale de l'hygiène publique, témoignent de l'usage civique qu'il exige de la raison scientifique. Il fait partager cette conviction à d'autres savants dreyfusards, au sein d'une communauté intellectuelle où les relations individuelles expriment une éthique de la connaissance. Des amitiés indéfectibles, des solidarités au-delà des réseaux se nouent. Duclaux lui-même, en 1901, s'unit à Mary Robinson, poétesse anglaise et veuve du philologue juif James Darmesteter.

Cet engagement dreyfusard éclaire une situation intellectuelle où les pratiques de savoir imposent une responsabilité sociale et une conscience politique. Duclaux propose un archétype méconnu d'intellectuel, un intellectuel vigilant, critique, rebelle. *L'intellectuel républicain ?*

Vincent Duclert

■ *Pasteur, histoire d'un esprit*, Bibliothèque des « Annales de l'Institut Pasteur », 1896. — *Propos d'un solitaire (L'Affaire Dreyfus*, 1898 ; *Avant le procès. Réponse à F. Brunetière*, 1898 ; *Les Conseils de guerre*, 1899), Stock.
■ C. Debru, « Actualité d'Émile Duclaux », in M. Morange (dir.), *L'Institut Pasteur. Contributions à son histoire*, La Découverte, 1991, pp. 108-117. — M. Duclaux, *La Vie d'Émile Duclaux*, Laval, 1907 (le manuscrit a été corrigé par le docteur Roux ; édition hors commerce). — V. Duclert, « Émile Duclaux. Le savant et l'intellectuel », *Mil neuf cent, revue d'histoire intellectuelle*, 1993. — P. Vermenouze, « Émile Duclaux (1840-1904) », *Revue de la Haute-Auvergne*, avril-juin 1992.

DUGUIT (Léon)

1859-1928

Reçu au concours d'agrégation de droit à vingt-trois ans, puis professeur (1892) et doyen (1919) de la Faculté de droit de Bordeaux, auteur d'un monumental *Traité de droit constitutionnel*, Léon Duguit n'en joua pas moins, à sa manière, un rôle dans le débat d'idées. Il chercha à mener de front une carrière de grand juriste et un magistère d'influence notamment avant le déclenchement de la guerre de 1914.

L'importance du savant dans les cercles de la nouvelle pensée du droit, renouvelée par la confrontation avec les sciences sociales en plein essor, fut indéniable. Nommé à Bordeaux un an avant Durkheim* (1886), il menait le projet de fonder l'étude de l'État et des institutions juridiques sur une démarche empruntée aux sciences exactes, comme Durkheim tentait de le faire pour la sociologie. Récusant les théories fondées sur le droit comme entité supérieure, il assigne aux études juridiques la tâche de décrire et d'expliquer les institutions comme des faits positifs soumis aux aléas du changement social. Ainsi, à l'ère de la société démocratique, l'État et ses organes doivent venir garantir à tous les échelons la « solidarité sociale », base et principe de l'ensemble. L'État, disait-il, n'est plus un principe absolu de souveraineté mais une « coopérative nationale », gestionnaire d'un ensemble de services publics.

Ce fier drapeau du solidarisme nouveau, Léon Duguit le reprenait aussi dans son parcours d'engagement politique et intellectuel. D'opinion dreyfusarde, républicain de centre gauche, il participe à la vie politique locale en devenant conseiller municipal de la ville de Bordeaux en 1908 et en se présentant aux élections législatives de 1914 où il est battu par son adversaire radical (Combrouze). Plus important, il contribue aux débats qui marquent la décennie d'avant guerre concernant le rôle de l'État et les moyens de rénover la démocratie par le jeu des nouveaux acteurs sociaux. À ce titre, il est l'un des principaux théoriciens de la représentation économique et défend l'idée d'une seconde chambre composée des représentants de groupes socio-économiques complétant et non remplaçant le Parlement politique. Il fait ainsi figure de référence pour une conception et une pratique du droit engagées dans la cité.

Nicolas Roussellier

■ *Manuel de droit constitutionnel*, De Boccard, 1907. — *Les Transformations du droit public*, Armand Colin, 1925.
▒ P. Cintura, *La Pensée politique de Léon Duguit*, Bordeaux, Brière, 1969 (extrait de la *Revue juridique et économique du Sud-Ouest*, n° 3-4, 1968).

DUHAMEL (Georges)

1884-1966

Écrivain, grand voyageur, Georges Duhamel fut l'ardent défenseur d'un humanisme individualiste par le prisme duquel il a jaugé la société moderne. La réflexion critique de cet « extrémiste de la modération » se penche sur la science, la culture, l'activité intellectuelle, la formation des élites. Elle dénonce le machinisme, les excès de l'étatisme, et élabore une conception de la « civilisation » fondée sur la conviction de la supériorité occidentale, française en particulier.

Né à Paris dans une famille nombreuse en perpétuel mouvement du fait des changements de métier d'un père devenu médecin sur le tard, Duhamel a suivi un cursus scolaire décousu (lycée Buffon, lycée de Nevers, Institution Roger-Momenheim) avant d'entreprendre lui-même sa médecine. Ses aspirations littéraires l'engagent, en 1906, avec C. Vildrac*, R. Arcos et d'autres, dans la brève expérience de l'Abbaye de Créteil*. Ayant achevé ses études en 1909, il travaille dans un laboratoire industriel tout en amorçant une carrière littéraire. Tandis que son théâtre est représenté à l'Odéon, il se voit confier en 1912 une rubrique critique au *Mercure de France**. La maison lui ouvre alors ses portes pour son œuvre à venir. Il la dirigera durant deux ans à la mort d'A. Vallette en 1935. Affecté aux ambulances chirurgicales pendant la Grande Guerre, Duhamel transpose sa douloureuse expérience dans deux recueils de nouvelles, *Vie des martyrs* (1917) et *Civilisation* (1918) qui lui vaut le prix Goncourt. En 1919, il abandonne son métier pour se consacrer à la littérature et adhère au groupe Clarté* qu'il ne tarde pas à quitter, Barbusse* ayant utilisé sa signature à son insu au bas d'un manifeste. Dans les années 20, il entreprend de publier son premier cycle romanesque, *Vie et aventures de Salavin*, fait jouer ses pièces au Théâtre des Arts et à la Comédie des Champs-Élysées, rédige des essais et un récit de son voyage à Moscou, où, dans un jugement nuancé de critiques prudentes, il s'incline devant l'œuvre de la révolution (*Le Voyage à Moscou*, 1927). Il révisera sa position par la suite. Chroniqueur à *Candide** en 1931, puis au *Figaro** à partir de 1935, année de son élection à l'Académie française*, Duhamel compose pendant cette période son deuxième cycle romanesque, l'histoire de la famille des Pasquier centrée sur deux figures de l'élite intellectuelle, à travers lesquelles il explore la crise de la société moderne et le processus d'ascension sociale dont il est le produit.

Pacifiste ayant œuvré au rapprochement franco-allemand jusqu'en 1932, il condamne, dans ses chroniques du *Figaro* de l'année 1939 (recueillies dans *Positions françaises*, 1940), le pacifisme intégral, les concessions faites à l'Allemagne nazie (les « arrangements » de Munich*), et rejette l'alternative entre hitlérisme et communisme. Sous l'Occupation, son œuvre est frappée d'interdit mais il conserve sa rubrique au *Figaro*. Sans participer directement à la résistance intellectuelle, il joue un rôle d'intermédiaire et met à profit sa nomination comme secrétaire perpétuel temporaire de l'Académie en 1942 pour soutenir des entreprises semi-légales comme *Poésie 42* ou des écrivains résistants comme J. Prévost*. Duhamel se démettra de cette fonction en 1946, exposant dans *Éclaircissements* (1947) les réformes qu'il avait souhaité en vain faire accepter à l'assemblée après la Libération. La même année, il démissionne du Comité national des écrivains* (auquel il avait adhéré à la Libération) en raison des « excès » de l'épuration. Membre de l'Académie de médecine depuis 1937, il entre en 1944 à l'Académie des sciences morales et politiques et entreprend de publier les cinq volumes de ses Mémoires (*Lumière sur ma vie*, 1944-1953). Président de l'Alliance française de 1937 à 1949, il enregistrera, dans *Problèmes de l'heure* (1957), la fin de l'« aventure » coloniale, non sans condamner les abus de l'impérialisme. Il est mort à Valmondois (Val-d'Oise) en 1966.

Gisèle Sapiro

■ *Mémorial de la guerre blanche*, Mercure de France, 1938. — *Positions françaises. Chronique de l'année 1939*, Mercure de France, 1940. — *Tribulations de l'espérance*, Mercure de France, 1947. — *Le Livre de l'amertume. Journal (1925-1956)*, Mercure de France, 1983.

▒ M. Saurin, *Les Écrits de Georges Duhamel. Essai de bibliographie générale*, Mercure de France, 1951. — J.-J. Zéphir, *Bibliographie duhamélienne*, Nizet, 1972. — *Cahiers de l'Abbaye de Créteil*, Cahiers de l'Association des amis de Georges Duhamel et de l'Abbaye de Créteil, Paris. — *Cahiers Georges Duhamel*, Minard, Publications du Centre d'études et de recherches duhaméliennes de l'université de Paris XII, Val-de-Marne.

DUHEM (Pierre)

1861-1916

Physicien théoricien français, historien des théories de la physique, épistémologue, Pierre Duhem occupe une place originale dans la communauté scientifique et universitaire en France.

Né le 9 juin 1861 à Paris dans une famille de la moyenne bourgeoisie, catholique et monarchiste, Pierre Duhem est un très brillant collégien au collège Stanislas avant d'être admis à l'École normale supérieure* (section Sciences) en 1882, premier de sa promotion. Il soutient en 1884 une thèse de physique intitulée « Le potentiel thermodynamique » dans laquelle il met en cause avec raison quelques interprétations inexactes de thermochimie de Berthelot*. Il paiera fort cher cette audace juvénile. Le jury présidé par Lippman, ami et élève de Berthelot, refuse la thèse. Bien que premier à l'agrégation de sciences physiques (1885), Duhem n'obtient pas la nomination qu'il souhaitait à Paris. Après la Faculté des sciences de Lille (1887-1893), puis Rennes où il reste un an, il rejoint Bordeaux, « sépulture honorable » où il terminera sa carrière.

Docteur ès sciences mathématiques en 1888, Pierre Duhem travaille déjà à la réalisation de « l'énergétique », théorie fondée sur les principes de la thermodynamique dont le but est de *représenter* — et non d'*expliquer* — l'ensemble des lois expérimentales dans un système de propositions mathématiques. Le refus des représentations concrètes — donc du modèle atomique —, le poids donné à la partie mathématique par rapport à l'expérience, l'éloignent des physiciens de son temps. En 1911, son *Traité d'énergétique ou de thermodynamique générale* passe inaperçu dans la communauté française. Plus tard, les savants étrangers, des écoles belge et hollandaise notamment, y découvriront les premiers éléments d'une discipline appelée à des développements particulièrement féconds : la thermodynamique des phénomènes irréversibles.

Ordre dans la science, ordre dans la création : Duhem s'affirme comme le partisan d'un monde organisé selon les grands principes de la logique et de la foi. S'il se défend de confondre physique et métaphysique, il affirme néanmoins que l'ordre dans lequel la théorie « range les résultats de l'observation correspond à un certain ordre suréminent ». Ordre dans la création, ordre dans la société : au temps de la République radicale, Duhem se prononce avec force en faveur de l'enseignement catholique contre l'école républicaine, et prend position contre Dreyfus*. À Bordeaux où il laisse l'image d'un très grand professeur au caractère difficile, il partage son temps entre ses activités universitaires et ses engagements religieux — il fonde en 1913 l'Association catholique des étudiants. Reçu la même année à l'Académie des sciences*, il entame la publication du *Système du monde*, monumentale histoire des doctrines cosmologiques de Platon à Copernic, interrompue par sa mort brutale le 14 septembre 1916 à Cabrespine dans l'Aude.

Paul Brouzeng

■ *La Théorie physique, son objet et sa structure*, Chevalier et Rivière, 1906 ; rééd. Vrin, 1981. — *Traité d'énergétique ou de thermodynamique générale*, Gauthier-Villars, 1911. — *Le Système du monde*, Hermann, 1913-1959, 10 vol.

▩ A. Brenner, *Duhem. Science, réalité et apparence*, Vrin, 1990. — P. Brouzeng, *Duhem. Science et providence*, Belin, 1987.

DUMÉZIL (Georges)

1898-1986

La valeur de l'œuvre de G. Dumézil reste aujourd'hui passionnément discutée. En effet, tandis que certains n'hésitent pas à voir en lui le Fustel de Coulanges du XXe siècle, d'autres persistent à le taxer d'imposture… Il est certain en tout cas que la mythologie fut dès sa tendre enfance la grande affaire de sa vie.

Né en 1898 à Paris, Georges Dumézil fit des études dans différents établissements de province (son père était militaire), avant de finir sa scolarité secondaire au lycée Louis-le-Grand. En 1916, il est reçu à l'École normale supérieure* de la rue d'Ulm, mais, mobilisé presque aussitôt, il n'y reviendra qu'en 1919 (il y côtoie d'autres jeunes gens qui ont vécu la même expérience que lui : Marcel Déat, Jean Prévost*, Brice Parain…). Après l'agrégation de lettres classiques, il est nommé en 1920 au lycée de Beauvais, mais n'y reste que six mois, se sentant manifestement plus doué pour la recherche que pour l'enseignement.

Commence alors une période difficile de sa vie, où il vivra au jour le jour, tantôt lecteur (à Varsovie), tantôt correcteur d'épreuves, pigiste, correspondant de journaux étrangers. Cette errance ne prendra fin qu'en 1925, lorsqu'il est nommé professeur d'histoire des religions à l'université d'Istanbul. C'est pourtant dans ces conditions peu favorables qu'il rédige sa thèse, *Le Festin d'immortalité*, où se ressent l'influence de ses premiers maîtres, les linguistes Michel Bréal et Antoine Meillet, ainsi que celle de l'histoire des religions à la Frazer.

On trouve dans ce travail de jeunesse, mais aussi dans toute l'œuvre de Dumézil, l'écho de vieilles théories dix-neuviémistes (Ernest Renan, Louis Ménard, Georges Sorel*) sur la persistance du contenu « aryen » sous l'enveloppe chrétienne. Ainsi l'Eucharistie prolonge-t-elle les rites indo-européens des libations sacrées analysées dans *Le Festin*... C'est d'ailleurs un vieux combattant de l'antichristianisme, Paul-Louis Couchoud, qui accueillera dans sa collection « Mythes et religions » plusieurs livres importants de Dumézil. En réalité, l'auteur de *Mythes et dieux des Germains* reprenait (il y a des « repreneurs » intellectuels, dont le rôle doit être davantage souligné qu'il ne l'est) un projet qui était au départ celui d'une histoire des religions de tendance fortement laïciste — création de la Ve Section de l'École pratique des hautes études en 1886, pour les « Sciences religieuses ». Il y avait eu en effet à cette époque d'offensive rationaliste un développement concomitant de l'histoire *comparée* des religions et de la philologie également *comparée*. Il s'agissait de faire pièce, dans le droit fil des Lumières revisitées par Renan et Max Müller, aux prétentions de l'apologétique.

Le jeune Dumézil ne partagera jamais les présupposés politiques de cette école, mais cela ne l'aura pas empêché de faire ses premières armes, encore tâtonnantes il est vrai, avec elle. C'est au cours de discussions avec le grand Michel Bréal qu'il se convainc que l'étude de la mythologie indo-européenne est un « gros dossier » à rouvrir d'urgence. Bréal, auteur d'une *Sémantique* pionnière, avait attiré son attention sur la permanence du vocabulaire religieux du « domaine aryen » et sur la possibilité que cette fixité puisse correspondre à l'existence de « rituels, liturgies, objets sacrés, livres sacrés et prières » communs au domaine en question.

À propos de son propre cheminement, Dumézil attire l'attention de ses lecteurs sur un « tournant » situé en 1938 : à cette date, en effet, serait apparue la solution du problème de l'« idéologie » indo-européenne. En fait, c'est vers 1935 que commencent déjà à changer les perspectives d'une recherche de moins en moins solitaire : Dumézil a rencontré Henry Corbin* en 1931, Roger Caillois* est son élève depuis 1933. On peut dès lors se demander si la « coupure épistémologique » de cette fin des années 30 rend compte de la fascination exercée sur plusieurs générations d'intellectuels. Il serait présomptueux de répondre par un « oui » sans nuances. S'il n'a jamais été dans l'esprit de personne de réduire Dumézil à sa « réception » par tel ou tel groupe, il serait à l'inverse paradoxal d'ignorer les indications qu'il n'a cessé de donner sur les implications de ses travaux « archéologiques » pour la compréhension des phénomènes du temps présent.

On pourrait citer pêle-mêle telle considération sur la Bourse dans le cadre des trois fonctions, sur le fait que trois continents, et la moitié du quatrième, « parlent » aujourd'hui indo-européen, sur l'armée moderne en Occident comme « mystique » en acte et, bien entendu, ces notations (1939) sur la résurrection des mythes germaniques dans l'Allemagne de Hitler, qui nourrissent depuis une dizaine d'années tant de controverses. On pourrait, comme l'a fait Gérard Brun dans sa thèse, remarquer l'impact de la célèbre « trifonctionnalité » (guerriers, prêtres et masse des producteurs organisés en clans) sur les idées « corporatistes » des années 40, en particulier chez les cadres et ingénieurs, nouveaux « guerriers » de l'économie... Mais on pourrait surtout méditer sur la négation de l'histoire qui est le noyau même de la pensée dumézilienne, et qui rejoint tous les « structuralismes », quels que soient les scrupules du « sociologue » (c'est ainsi qu'il s'est toujours défini lui-même) à adopter ce vocable. Lévi-Strauss*, qui eut le privilège logique de recevoir Dumézil à l'Académie française*, distingue, on le sait, entre sociétés à « histoire froide » (ou « archaïques ») et sociétés à « histoire chaude ». Or toute la doctrine de l'auteur d'*Idées romaines* repose sur le refus d'une telle distinction.

Pour lui en effet, la modernité n'est qu'apparente. Grattons par exemple le vernis « historique » que les Romains ont voulu donner au récit de leurs origines, et nous trouverons un contenu mythique rigoureusement homologue à celui que véhiculent les hymnes védiques ou les chants des bardes irlandais. Et tout indique que Dumézil ne croit pas davantage à l'historicité des sociétés « modernes ». On peut risquer ici l'hypothèse d'une certaine continuité de l'imprégnation maurrassienne chez Dumézil, qui aurait gardé le schéma d'une « civilisation » dont la France conserverait l'héritage, tout en récusant le schéma « classique » et méditerranéen étroit dans lequel se mouvait la pensée du « maître de Martigues ». On peut aussi penser à la formule de Corbin selon laquelle, pour la pensée « orientale », l'histoire est « intérieure » à l'homme. Dumézil a certainement apporté beaucoup au problème de la « longue durée » des croyances, d'où sans doute le compagnonnage évident avec l'école des *Annales* et ses alliés, au sens très large. Mais a-t-il réussi à intégrer le problème du changement et de la mutation révolutionnaire ? À observer ses hésitations sur l'interprétation de l'exception hellénique, on ne saurait l'affirmer.

Daniel Lindenberg

■ *Mythes et dieux des Indo-Européens* (morceaux choisis), Flammarion, 1992. — *Entretiens avec Georges Dumézil* (par D. Éribon), Gallimard, 1987.

■ D. Dubuisson, *Mythologies du XXe siècle*, Presses universitaires de Lille, 1993. — D. Éribon, *Faut-il brûler Dumézil ? Mythologie, science et politique*, Flammarion, 1992. — C. Ginzburg, *Mythes, emblèmes, traces*, Flammarion, 1989.

DUMONT (Louis)

Né en 1911

Louis Dumont n'est ni un signataire de pétition, ni un homme de médias. Sa notoriété dans les sciences sociales est restée pendant longtemps plus grande à l'étranger, en particulier aux États-Unis, qu'en France. Si l'on entend par intellectuel celui qui s'appuie sur son autorité de savant ou d'écrivain pour intervenir dans le débat politique Louis Dumont n'appartient pas au milieu. Mais si l'on y inclut ceux dont l'œuvre a modifié nos manières de voir, la pensée de Louis Dumont s'impose comme l'une de celles qui aident le plus aujourd'hui les sciences sociales à sortir de la mouvance marxiste et qui nourrissent la réflexion actuelle sur la démocratie. Anthropologue de formation, disciple de Marcel Mauss*, marqué par le structuralisme de Lévi-Strauss*, Louis Dumont s'est imposé par ses travaux sur la parenté et le système des castes dans le Sud de l'Inde ainsi que par son enseignement à l'École des hautes études en sciences sociales* comme l'un des grands indianistes de notre époque.

L'anthropologie nous aide à comprendre le proche par le lointain, ou du moins à le rendre problématique. Le regard que Louis Dumont porte sur nos sociétés occidentales à partir de sa connaissance du subcontinent indien a les mêmes vertus critiques que le regard de Claude Lévi-Strauss se plaçant du point de vue des sociétés amérindiennes.

C'est en analysant, dans *Homo hierarchicus*, la nature « holiste » de la société indienne que Louis Dumont souligne par contraste la singularité de l'individualisme occidental, alors que le succès actuel de l'idéologie des droits de l'homme, qui recueille l'adhésion de principe de toute la communauté internationale, entretient l'illusion que l'idéal égalitaire et démocratique de nos sociétés procède d'une nécessité naturelle et universelle qui en fait l'horizon obligatoire de toute l'humanité ; une illusion qui conforte l'ethnocentrisme triomphaliste de la conscience occidentale.

La confrontation d'un idéal social qui semble aller de soi, avec un système de valeurs radicalement opposé qui a eu dans le passé et continue d'avoir pour certaines sociétés la même évidence, nous permet d'appréhender sa singularité et son enracinement historique. L'individu existe comme concept, comme valeur dans les sociétés antiques et dans les sociétés holistes actuelles, mais non comme principe fondateur de l'organisation sociale. Dans la société indoue, l'individualisme s'incarne dans une attitude religieuse de renoncement au monde, celle de l'ascèse mystique ou de la vie monastique : une attitude dont la puissance spirituelle permet d'agir sur la société, mais de l'extérieur. C'est avec l'apparition du christianisme, selon Louis Dumont, que s'est amorcée en Occident, la mutation de l'individualisme renonçant, « hors du monde », en individualisme agissant dans le monde.

Sa réflexion a une portée à la fois théorique et politique. En tournant le dos à une explication des conduites humaines par les contraintes externes (socio-économiques) ou internes (idéologiques) qui voudrait que les hommes fassent leur histoire malgré eux, Louis Dumont réhabilite le pouvoir des idées. Ce sont des logiques acceptées, conscientes sinon réfléchies, qui structurent les sociétés. Mais ces logiques ne s'imposent pas par une sorte de force naturelle des idées. Elles produisent l'homme comme acteur social et sont produites par lui. Elles sont donc des objets de l'histoire et en subissent l'usure, les métamorphoses. Cette prise en compte de la dimension historique permet aussi de mieux apprécier l'ambivalence, les contradictions de notre modernité. Car en devenant individualistes, nos sociétés ont conservé, plus ou moins refoulées, certaines valeurs de leur passé holiste avec lesquelles elles doivent composer. Louis Dumont l'observe non seulement dans les contradictions de notre individualisme économique qui a paradoxalement renforcé le pouvoir d'intervention de l'État, mais aussi dans la dissonance des idéologies nationales (par exemple, l'opposition entre la française et l'allemande) et certains de leurs avatars monstrueux comme l'hitlérisme.

André Burguière

■ *Homo hierarchicus. Essai sur le système des castes*, Gallimard, 1966. — *Homo aequalis*, Gallimard, t. 1 : 1976, t. 2 : 1991.

DUMONT (René)

Né en 1904

Né le 13 mars 1904 à Cambrai, René Dumont vient d'un milieu de petite bourgeoisie radicale d'origine rurale. Ses études à l'Institut national d'agronomie puis à l'Institut d'agronomie coloniale de Nogent (1922-1929) le conduisent aux services agricoles de l'Indochine à Hanoi (1929-1932). Il mène ensuite de front une triple carrière de professeur (à l'INA de 1933 à sa retraite en 1974, mais aussi à l'Institut d'études politiques*, l'École nationale d'administration, l'IEDES...), d'auteur et d'expert agronome, en France au Commissariat au Plan, et surtout dans le tiers monde. Après une première mission en Afrique du Nord en 1937, il mène des enquêtes dans plus de soixante-dix pays, à la demande des chefs d'État (Castro et Nyerere en particulier) et des organisations internationales (ONU, FAO).

Tiers-mondiste atypique, grand-père indigne de l'écologie politique, René Dumont n'a cessé d'associer le réalisme de l'homme de terrain à l'engagement souvent théâtral de l'intellectuel romantique en révolte contre les pouvoirs. Le traumatisme de la guerre de 14-18 fournit la clé d'un itinéraire militant dominé par le pacifisme. Après un court passage à la SFIO (1933), il se lie aux Combattants de la paix de Robert Jospin et collabore à *La Patrie humaine*. Munichois déclaré, proche de Giono* dont il partage l'utopie paysanne et pacifiste, il demeure en dehors de la Résistance. Après la Libération, son hostilité à la guerre d'Indochine le rapproche du PCF, dont l'éloigne en revanche son refus du modèle marxiste de développement industriel. Il lui préfère un socialisme rural marqué par l'expérience chinoise découverte en 1955 en compagnie d'une délégation d'intellectuels où il côtoie Leiris* et Ricœur*. Le combat contre la guerre d'Algérie le conduit au PSU (1960-1962), son soutien au « Manifeste des 121 »* — mais il n'est pas sur la liste des premiers signataires — lui coûte sa place au Comité directeur de la recherche scientifique.

Dès les années 60, l'écologie est au terme de cet itinéraire attentif au rôle des paysanneries dans le développement. Candidat à l'élection présidentielle de 1974, il devient un compagnon de route du mouvement écologiste, à l'intransigeance parfois encombrante. Loin de renier son passé, il laisse éclater sa colère contre l'offensive anti-tiers-mondiste, en particulier sur le plateau d'« Apostrophes »* en juillet 1983, avant de signer le « Manifeste des 75 » contre l'intervention militaire en Irak (1990). Infatigable, il poursuit dans ses livres son combat contre le libéralisme économique et pour l'Afrique, avec une insistance nouvelle sur la condition des femmes dans le tiers monde.

Denis Pelletier

■ *Voyages en France d'un agronome*, Librairie de Médicis, 1951. — *Terres vivantes*, Plon, 1961. — *L'Afrique noire est mal partie*, Seuil, 1962. — *L'Utopie ou la mort*, Seuil, 1973. — *L'Agronome de la faim*, Laffont, 1974. — *Pour l'Afrique, j'accuse*,

Plon, 1986. — *Un monde intolérable. Le libéralisme en question*, Seuil, 1988. — *Cette guerre nous déshonore*, Seuil, 1992.
J.-P. Besset, *René Dumont. Une vie saisie par l'écologie*, Stock, 1992.

DURAND (affaire)
1910-1911

Souvent présentée comme une affaire Dreyfus* ouvrière, l'affaire Durand agita l'opinion pendant l'hiver 1910-1911. La tension y fut intense, avec un innocent condamné à mort et une fin amère : la grâce et la libération, aussitôt suivies de l'irrémédiable plongée dans la folie de la victime. Le succès de la pièce d'Armand Salacrou en 1961 la consacra comme un moment fort de la geste ouvrière pour la dignité, la dénonciation de la justice bourgeoise et des iniquités sociales.

Né en 1880, Jules Durand était un syndicaliste du Havre qui s'était attiré des haines dans les milieux patronaux, notamment à la Compagnie générale transatlantique, pour avoir dirigé la grève des charbonniers de la ville pendant l'été 1910. Il fut accusé d'avoir appelé à l'assassinat du « jaune » Dongé, mort des suites d'une rixe. Durand fut condamné à mort par la cour d'assises de Rouen le 25 novembre 1910. Son avocat, le futur président René Coty, n'avait pu convaincre un jury traumatisé par les campagnes de presse *(Havre-Éclair)* et la peur sociale que la récente grève des cheminots avait attisée. Le dossier de l'accusation était pourtant d'une faiblesse insigne et les jurés eux-mêmes signèrent le recours en grâce.

La Confédération générale du travail et le Parti socialiste SFIO, bientôt suivis de la Ligue des droits de l'homme*, menèrent une intense campagne dans le pays. Jaurès* consacra douze articles de *L'Humanité** à la campagne pour la grâce et la libération de Durand. Le député de l'Aube Paul Meunier, radical-socialiste, et Émile Glay, responsable syndical des instituteurs, furent également très actifs. Un meeting de la fédération socialiste de la Seine réunit près de 6 000 personnes au Manège Saint-Paul le 17 décembre, la Ligue des droits de l'homme multiplia les réunions et son président, Francis de Pressensé, dénonça « la nouvelle affaire Dreyfus » (*L'Humanité*, 4 janvier 1911). Des pétitions rassemblèrent, avec Alfred Dreyfus lui-même, les grands intellectuels dreyfusards, auxquels s'associaient des représentants d'une nouvelle génération : à savoir Anatole France*, Octave Mirbeau*, Lucien Lévy-Bruhl*, Salomon Reinach, Louis Lapicque, Thadée Natanson, Charles Seignobos*, Charles Andler*, Lucien Herr*, Émile Durkheim*, Marcel Mauss*, mais aussi Antoine Meillet, Sylvain Lévi, François Simiand*, Max Bonnafous, Albert Mathiez*, Édouard Dolléans, Henri Focillon, Lucien Febvre*, Louis Gernet, Félix Gouin… Il s'agissait de renouer des alliances dreyfusardes en les élargissant au monde ouvrier et syndicaliste, alors que gouvernaient des équipes elles aussi issues de l'affaire Dreyfus : le président du Conseil, Aristide Briand, venait de scandaliser ses anciens amis par la répression de la grève des cheminots et son discours sur « l'illégalité » (28 octobre 1910). L'apaisement des milieux de gauche ne survint qu'à la fin de février 1911, avec la démission du cabinet Briand et la formation d'un gouvernement Monis, très « républicain » et marqué à gauche.

La peine de Jules Durand avait été commuée le 1er janvier 1911 à sept ans de réclusion sans que fléchisse le mouvement de protestation. Le syndicaliste fut libéré le 15 février 1911 après une grâce présidentielle, mais sa santé n'avait pas résisté et il fut interné à l'asile de Quatre-Mares, à Sotteville-lès-Rouen, où il mourut en février 1926. L'arrêt de la cour de Rouen fut annulé le 9 août 1912 par la Cour de cassation, qui reconnut l'innocence de Durand le 15 juin 1918. Jules Durand devint un martyr des luttes ouvrières et un témoin des hontes de la justice bourgeoise. En juillet 1956, la nouvelle municipalité du Havre, dirigée par René Cance (PCF), donna le nom de Jules Durand à l'ancien boulevard Sadi Carnot, et la pièce *Boulevard Durand*, écrite par Salacrou, créée en 1961 par André Reybaz, fut un grand succès du théâtre populaire. Armand Salacrou (1889-1989), de l'académie Goncourt, rappelait ainsi ses débuts, lorsque, jeune licencié de philosophie, il collaborait à *L'Humanité* et à *L'Internationale*, où il organisait le « concours du plus mauvais patron ».

Gilles Candar

■ M. Rebérioux (dir.), *Jean Jaurès, la classe ouvrière*, Maspero, 1976 ; « Jaurès et l'affaire Durand », *Jean Jaurès, bulletin de la Société d'études jaurésiennes*, n° 3, octobre 1961. — A. Salacrou, *Boulevard Durand*, Gallimard, 1960.

DURAND (Marguerite)

1864-1936

Journaliste, fondatrice de journaux et de la bibliothèque « féminine et féministe » qui porte son nom, Marguerite Durand est l'une des personnalités les plus brillantes et controversées du féminisme de la Belle Époque. Elle a créé aussi le cimetière zoologique d'Asnières.

Enfant naturelle, Marguerite Durand est née à Paris le 24 janvier 1864. En dépit d'une éducation classique, la jeune fille choisit de faire carrière au théâtre. À la Comédie-Française de 1881 à 1888, elle épouse le jeune avocat Georges Laguerre qu'elle suit dans l'aventure boulangiste. Elle s'y fait une réputation de femme de tête — on dira d'elle qu'elle était le seul homme du parti ! — et découvre sa vocation de journaliste à *La Presse*, que dirige Laguerre. La fin de l'aventure sera aussi celle de son mariage. Débute alors une carrière de journaliste au *Figaro** où elle crée une rubrique « Courrier » très appréciée. En avril 1896, envoyée par *Le Figaro* au Congrès féministe de Paris pour rédiger un papier humoristique, elle en sort convertie. Dès lors, Marguerite Durand s'engage en indépendante dans le combat, mettant tout son talent de journaliste et son réseau de relations politiques et mondaines au service de la cause : ainsi naît *La Fronde**, en 1897, le premier quotidien féministe conçu, écrit et imprimé par des femmes. En 1900, c'est elle qui organise le Congrès international de la condition et des droits de la femme.

Membre de la Ligue des droits de l'homme* et dreyfusarde, Marguerite Durand cofonde, en 1903, *L'Action*, un quotidien anticlérical et socialiste qu'elle doit vite quitter. En 1907, son intérêt pour le travail des femmes et leur syndicalisation est à l'origine du projet mort-né de l'Office du travail féminin. Le Congrès qu'elle organise sur ce thème connaît, en revanche, un grand succès autant que l'hostilité marquée de la CGT. La même année, M. Durand crée *Les Nouvelles*, un organe boursier.

Marguerite Durand rallie en 1910 le camp suffragiste et organise un « coup médiatique » en présentant à sa place un candidat débile léger, stigmatisant une loi qui refuse aux femmes ce qu'elle accorde à un homme quel que soit son état. Elle ne participe pas à l'activité pacifiste mais témoigne en faveur de l'institutrice pacifiste Hélène Brion et veille à la défense des intérêts des travailleuses pendant la guerre. Après 1918, elle organise l'Exposition des femmes célèbres du XIXe siècle. En 1926, elle prône l'entrée des femmes dans les partis politiques et adhère au Parti républicain socialiste dont elle sera candidate symbolique en 1927. Cette même année, elle est enfin acceptée avec Séverine* comme membre de la Maison des journalistes. En 1932, deux projets ambitieux se concrétisent : elle fonde à Pierrefonds une Résidence d'été des femmes journalistes et son projet de centre de documentation féministe et féminin est agréé par le conseil municipal de Paris. La mairie du Ve arrondissement lui offre un local. C'est devant la porte de « sa » bibliothèque que Marguerite Durand meurt le 16 mars 1936.

Laurence Klejman et Florence Rochefort

■ A. Dizier-Metz, *La Bibliothèque Marguerite-Durand. Histoire d'une femme, mémoire des femmes*, Bibliothèque Marguerite Durand, 1992. — L. Klejman et F. Rochefort, *L'Égalité en marche. Le féminisme sous la IIIe République*, Presses de la FNSP / Des femmes, 1989.

DURAS (Marguerite) [Marguerite Donnadieu]

1914-1996

L'écriture durasienne, celle de l'amour et du désir, de la douleur aussi, a marqué la littérature des cinquante dernières années. Personnalité hors du commun, Marguerite Duras s'est imposée dans le roman, le théâtre et le cinéma.

Née à Gia Dinh en Cochinchine en 1914, Marguerite Donnadieu conserve des dix-huit premières années de sa vie en Extrême-Orient un souvenir qui imprègne toute son œuvre. Elle a quatre ans à la mort de son père, professeur de mathématiques. Sa mère, institutrice, achète en 1924 une concession incultivable et connaît de graves problèmes d'argent pour élever ses trois enfants. Installée en France en 1932, Marguerite poursuit des études de mathématiques, de droit et de sciences politiques et trouve un emploi au ministère des Colonies. À la veille de la Seconde Guerre mondiale, elle épouse Robert Antelme*.

En 1943, elle entame, sous le pseudonyme de « Marguerite Duras », une carrière littéraire avec le roman *Les Impudents*. *Un barrage contre le Pacifique*, en 1950, lui confère une certaine reconnaissance, mais ce n'est qu'avec *Moderato Cantabile*, en 1958, qu'elle s'accorde enfin la liberté d'une écriture nouvelle dans un style presque parlé. Ses nombreux ouvrages se situent aux confins de la passion et de la folie, folie amoureuse mais aussi folie de l'Histoire dont elle porte les stigmates, profondément traumatisée par le génocide et la déportation de Robert

Antelme *(Aurélia Steiner, La Douleur)*. Chacune de ses expériences émotionnelles alimentent son œuvre, y compris son combat pour sortir de l'alcoolisme.

Venue au cinéma par l'écriture de scénarios, *Hiroshima mon amour* pour Alain Resnais* (1959), *Une aussi longue absence* pour Henri Colpi (1961), Marguerite Duras devient cinéaste en 1966 avec *La Musica*. Si *India Song* (1975) ou *Des journées entières dans les arbres* sont primés, son style abscons et son évolution vers des films sans images *(L'Homme atlantique)* la marginalisent même parmi les cinéastes d'avant-garde. Son œuvre littéraire en revanche est appréciée du grand public depuis la publication de *L'Amant*, qui obtient le prix Goncourt en 1984.

Depuis son entrée dans la Résistance, Marguerite Duras est une femme engagée à gauche. D'abord membre du PCF en 1944, exclue en 1950, elle se mobilise contre la guerre d'Algérie, contre le pouvoir gaulliste et participe aux événements de Mai 68. Intellectuelle indépendante, contestataire, elle est proche d'un certain féminisme et de la lutte antiraciste. À partir de 1981, elle soutient activement son ancien camarade de Résistance, François Mitterrand, et commente l'actualité dans divers journaux. Toutefois, l'écriture est restée pour elle la meilleure action politique. Elle est morte à Paris le 3 mars 1996.

Florence Rochefort

■ *Un barrage contre le Pacifique*, Gallimard, 1950. — *Hiroshima mon amour*, Gallimard, 1960. — *India Song*, Gallimard, 1973. — *Théâtre I, II, III*, Gallimard, 1965, 1968, 1984. — *L'Amant de la Chine du Nord*, Gallimard, 1991.

■ Y. Andréa, *M.D.*, Minuit, 1983. — C. Blot-Labarrère, *Marguerite Duras*, Seuil, 1992. — M. Marini, *Territoires du féminin*, Minuit, 1977.

DURKHEIM (Émile)

1858-1917

Figure centrale de la République des savants et de l'Université nouvelle, Durkheim suit un parcours qui coïncide très exactement avec le développement puis l'âge d'or du régime républicain. Juif de Lorraine (il est né à Épinal), fils de rabbin, il suit une double épreuve d'intégration et de promotion lorsqu'il entre à l'École normale supérieure* en 1879, détaché dorénavant de la religion mais embrassant, dès ce moment, une double vocation de professeur et de savant.

L'aventure individuelle puis collective qui le mène à fonder la sociologie comme discipline universitaire n'est pas seulement en concomitance avec les nouvelles visées pédagogiques de la République. Rénover l'enseignement supérieur, notamment les facultés de lettres, par le biais de sciences sociales rejoint les préoccupations de Durkheim, législateur d'une sociologie nouvelle rivée à la méthode expérimentale et inductive. Des deux côtés, le programme est concerté, le style volontaire. Durkheim doit sa nomination comme chargé de cours complémentaire de « science sociale et éducation » (1887, Bordeaux) à une décision personnelle de Louis Liard, le directeur de l'Enseignement supérieur. D'autre part, Durkheim, à Bordeaux ou comme suppléant à la chaire de science de l'éducation de la Sorbonne (1902), développe un enseignement qui ouvre la voie d'une double rénovation, thématique (aborder des sujets aussi contemporains que la solidarité sociale, la famille, le crime, le suicide dans les sociétés contemporaines, le socialisme, les formes de la religion) et méthodologique (étudier les faits sociaux *comme* des choses, pour eux-mêmes et par eux-mêmes). Cette conquête de la légitimité scientifique et universitaire est acquise dans un laps de temps très court : cinq années : *La Division du travail social* (1893), *Les Règles de la méthode sociologique* (1895), *Le Suicide* (1897), à quoi s'ajoute la fondation de *L'Année sociologique* (1896) qui sonne l'étape du rassemblement des premiers disciples et le début véritable de l'« École sociologique ». Si les succès et les sanctions en termes universitaires tardent à venir (Durkheim attend 1913 pour voir sa chaire prendre le nom officiel de « sociologie »), faute de consécration pédagogique officielle de la nouvelle discipline, la reconnaissance du rôle de Durkheim comme fondateur et comme chef de la sociologie française est chose acquise au tournant du siècle.

L'engagement dreyfusard de Durkheim, en 1898, s'inscrit au cœur de cet itinéraire d'innovation scientifique. Les nécessités du combat pour la sociologie nouvelle contre la vieille Sorbonne et le clivage entre professeurs dreyfusards et professeurs antidreyfusards sont à mettre en parallèle. Mais ce n'est pas tout ; Durkheim intervient avec ses propres armes. La défense de l'Individu Dreyfus contre la Tradition est l'illustration du combat — gagné d'avance (?) — entre la solidarité organique des sociétés modernes où la division du travail et la différenciation des fonctions font de l'individualisme le fondement du lien social, et la solidarité mécanique des anciens régimes où l'indifférenciation des individus garantit la cohésion et la solidité du corps social, ainsi que l'obéissance aux autorités. Cet enjeu était au cœur de l'analyse sociologique de Durkheim et de son inquiétude : montrer que le développement de l'individualisme moderne, malgré un corps social plus distendu — et l'anomie qui guette chacun — n'est pas synonyme d'anarchie et d'oubli des normes. Au contraire : la démonstration de Durkheim retourne complètement l'argument de l'adversaire : parce que la religion de l'individu est la seule forme de lien social aujourd'hui, c'est la subordination des droits de l'individu à une autorité extérieure et non l'inverse qui remettrait en cause la forme moderne de la cohésion sociale et qui deviendrait l'équivalent d'un « suicide moral » (« L'individualisme et les intellectuels », *Revue bleue**, 2 juillet 1898). Du même coup, pour défendre la religion de ce qui dans l'homme est homme, les « intellectuels », du fait de leurs « habitudes professionnelles » (examiner, critiquer, vérifier), ont vocation à déjouer les « entraînements de la foule et le prestige de l'autorité » *(ibid.)*. Ils sont les clercs de la nouvelle religion.

Secrétaire de la section de Bordeaux de la Ligue des droits de l'homme* à la fin de 1898, Durkheim, à la suite de l'Affaire, demeure cependant fidèle à sa conception du sociologue comme « conseilleur et éducateur » (« L'élite intellectuelle et la démocratie », *Revue bleue*, 1905), de ses contemporains. Face à la question du mouvement ouvrier et malgré une très ancienne amitié avec Jaurès*, Durkheim opte pour la neutralité axiologique, nécessaire à la claire rupture entre sociologie et socialisme. Il n'a pas eu à se « situer » par rapport au socialisme. C'est plutôt celui-ci qui est venu s'intégrer, par morceaux détachés, à l'analyse durkheimienne de la société moderne. Au maximum, on peut dire que Durkheim a défini une sorte de socialisme de la chaire, version française, où la création de nouveaux corps intermédiaires, corporations syndicales et Parlement économique, viendraient renforcer la solidarité organique contre les risques de fractionnement du corps social, contre la lutte des classes.

Parcours républicain, parcours de la République née de la défaite de 1870 et de la République des nouveaux universitaires qui se sont mis à l'école de l'Allemagne (Durkheim y avait passé un an à la sortie de l'École normale), c'est bien comme cela aussi que se terminent la vie et l'engagement de Durkheim. Mobilisé pour défendre la cause patriotique au sein du Comité d'études* et de documents sur la guerre, présidé par Ernest Lavisse* (avec Bergson*, Boutroux, Seignobos* et Lanson*), publiant des brochures pour le « ravitaillement moral de la nation », comme *L'Allemagne au-dessus de tout* (1915), Durkheim meurt au mois de novembre 1917, à Paris, épuisé par la surcharge de travail et miné par la disparition de son fils à la guerre (1916).

Nicolas Roussellier

■ *De la division du travail social*, 1893, rééd. PUF, 1994. — *Les Règles de la méthode sociologique*, 1895, rééd. PUF, 1993. — *Le Suicide*, 1897. — *La Science sociale et l'action*, PUF, 1970, rééd. 1987 (avec la publication, notamment, de l'article « L'individualisme et les intellectuels », pp. 261-278).

■ C. Charle, *Naissance des « intellectuels » (1880-1900)*, Minuit, 1990. — G. Davy, « Émile Durkheim », *Revue française de sociologie*, vol. I, n° 1, janvier-mars 1960. — J.-C. Filloux, introduction à *La Science sociale et l'action*, PUF, 1970 ; « Émile Durkheim : au nom du social », in « Comment sont-ils devenus dreyfusards ou antidreyfusards ? », *Mil neuf cent, revue d'histoire intellectuelle*, n° 11, 1993. — V. Karady, « Durkheim, les sciences sociales et l'Université : bilan d'un semi-échec », *Revue française de sociologie*, vol. XVII, n° 2, avril-juin 1976 (ainsi que l'ensemble du numéro consacré à Durkheim). — S.M. Lukes, *Émile Durkheim. His Life and Work*, Londres, Allen Lane, 1972.

DUTOURD (Jean)

Né en 1920

Lorsque la guerre commence, Jean Dutourd, fils de dentiste, petit-fils d'instituteur, arrière-petit-fils de paysan, est à la Sorbonne après avoir étudié au lycée Janson-de-Sailly. Il a alors vingt ans, il est né le 12 janvier 1920 dans le XVIIe arrondissement de Paris, et se retrouve mobilisé puis prisonnier après quinze jours de guerre. Six semaines plus tard, il s'évade et revient à Paris. Il passe une licence de philosophie, devient répétiteur de collège et se marie en 1942, Gaston Bachelard* est alors son témoin. Il entre dans la Résistance, dans le mouvement Libération Sud, est arrêté et condamné à mort au début de 1944, mais réussit à s'évader et participe à la libération de Paris. Il pratique alors quelque temps la peinture, l'existence de Dieu se serait d'ailleurs imposée à lui devant les œuvres de Rembrandt et Rubens. Mais bientôt il se consacre au journalisme en tant qu'administrateur adjoint de *Libération* et collaborateur à plusieurs hebdomadaires et revues. Ce lecteur de Claudel*, Aragon* et Flaubert publie en 1946 son premier livre, *Le Complexe de César*, qui lui vaut le prix Stendhal et, par ricochet, une place de conseiller littéraire chez Gallimard*.

France-Soir accueille en 1963 l'auteur de *Au bon beurre ou Dix ans de la vie d'un crémier*, prix Interallié 1952, comme critique dramatique. Il est pressenti, en 1969, pour le poste d'administrateur général de la Comédie-Française, mais c'est un autre fauteuil qu'il brigue, celui qu'Émile Henriot lui prédisait, dès 1958, à l'Académie française*. En attendant de succéder à l'abbé Furetière et à Edmond Rostand, cet habitué des déjeuners de Florence Gould à l'hôtel Meurice s'adonne à l'écriture et succombe même à la tentation de la politique en se présentant, et en échouant, comme « gaulliste de gauche », aux élections législatives dans les Yvelines en 1966 et 1977.

Après une année de chroniques à *Candide**, de 1965 à 1966, le père des *Taxis de la Marne* (essai cocardier publié pendant la guerre d'Algérie) devient éditorialiste à *France-Soir* en 1970. Puis, le 30 novembre 1978, cet observateur de la vie politique, mais également de la langue française, dont il traque les travers dans les trois volumes du *Fond et la forme*, est élu à l'Académie française. Toutefois, les travaux sur *Les Vertus de l'imparfait du subjonctif* ne lui interdisent pas d'exercer son goût de la satire, au détriment des enseignants dans *Henri ou l'Éducation nationale*, ou, en 1987, des chercheurs en sociologie du Centre national de la recherche scientifique* dans *Le Séminaire de Bordeaux*. L'Académie lui sert même de décor dans *Portraits de femmes*, roman dans lequel on voit un médiocre écrivain entrer sous la coupole du quai Conti grâce à la toute-puissance des femmes. Écrit de pure fiction sans doute. Jean Dutourd a relaté ses souvenirs dans *Le Demi-Solde* et *Le Déjeuner du lundi*.

Isabelle Weiland-Bouffay

■ *Les Taxis de la Marne*, Gallimard, 1956. — *L'Âme sensible. Essai sur Stendhal*, Gallimard, 1959. — *Carnet d'un émigré*, Flammarion, 1973. — *L'Assassin*, Flammarion, 1993.

DUVERGER (Maurice)

Né en 1917

Universitaire de renommée internationale, le nom de Maurice Duverger est associé en France à la fondation de la science politique comme discipline distincte du droit public. Il représente en même temps un nouveau type d'intellectuel au croisement de l'enseignement supérieur, du journalisme et de l'édition.

Né à Angoulême en 1917, docteur en droit à vingt-trois ans (les thèses étaient plus petites à l'époque), agrégé de droit public trois ans plus tard, le jeune Duverger, poulain de Roger Bonnard, commettra dans la *Revue du droit public* en 1941 un article qui lui sera longtemps reproché. Consacré à « la situation des fonctionnaires depuis la Révolution de 1940 », il traite notamment du statut des juifs, sur un mode descriptif. Cette « erreur de jeunesse » et son engagement avant guerre au PPF de Jacques Doriot lui seront plus tard reprochés par ses adversaires politiques.

Enseignant successivement à la Faculté de droit de Poitiers (1942-1943), de Bordeaux (1943-1955), directeur et fondateur de l'IEP de Bordeaux (1948-1955), il quitte la province pour la Faculté de droit de Paris puis aide à la constitution du département de science politique de la Sorbonne (Paris I). En 1975, il crée le Centre d'analyse comparative des systèmes politiques avec Georges Duby* et Emmanuel Le Roy Ladurie*. Dès le début de sa carrière, il s'attache à l'étude des partis et des élections d'un point de vue comparatif. En 1951, il publie *Les Partis politiques* destiné à devenir l'un des best-sellers de la science politique : dix éditions, traduction en neuf langues. Il y définit en particulier une relation causale entre système électoral et système de partis, repensée par ailleurs par Jean-Luc Parodi.

D'une manière générale, intégrant l'analyse sociologique à l'étude du droit constitutionnel, il contribue à renouveler sensiblement, avec Georges Vedel, l'approche classique des phénomènes politiques. Le parti pris réaliste de l'étude des « institutions politiques » relie cadres juridiques, forces politiques et sociales. Légèrement teinté de marxisme à l'origine puis empreint de systémisme, le renouvellement autant pédagogique qu'heuristique auquel il contribue va de pair avec l'implantation disciplinaire de la science politique dont il est considéré comme l'incarnation... Inventeur enfin des « régimes semi-présidentiels », dans les années 70, dans le cadre d'une analyse comparée, il renoue avec une perspective juridique (*Janus, les deux faces de l'Occident*, 1972 ; *La Monarchie républicaine*, 1974 ; *Échec au roi*, 1978).

Maurice Duverger n'est pas seulement l'idéal type du mandarin, signataire de pas moins d'une dizaine de manuels, directeur aux PUF d'une fameuse collection, « Thémis », mais aussi un journaliste dont le nom est associé, depuis sa création en 1946, au journal *Le Monde**. Environ mille articles en quarante ans, le commentateur de l'actualité, à l'image de Raymond Aron*, devient vite une signature indépendante de son statut académique. Son autorité professorale en matière constitutionnelle, le succès de ses ouvrages, ses articles du *Monde* se conjuguent pour faire de Duverger un intellectuel rompu à la « multiprofessionnalité » peu répandue alors dans l'Université. Son combat à la fin de la IVe République pour le régime présidentiel (en fait l'élection du chef du gouvernement au suffrage universel) et ses prises de position multiples dans la lignée d'un socialisme critique et soucieux de se distinguer de sa version scolastique (en particulier, *Les Orangers du lac Balaton*, 1980), ont fait du professeur un citoyen tenté constamment par la politique. Il réalise cette vocation sur le tard en embrassant après sa retraite la carrière parlementaire comme député communiste italien au Parlement européen.

Dominique Chagnollaud

■ *Les Partis politiques*, Armand Colin, 1951, rééd. Seuil, 1981 et 1992. — *Droit constitutionnel et institutions politiques*, PUF, 1955. — *Demain la République*, Julliard, 1958. — *La VIe République et le régime présidentiel*, Fayard, 1961. *La Démocratie sans le peuple*, Seuil, 1967. — *Les Orangers du lac Balaton*, Seuil, 1970. — *Janus, les deux faces de l'Occident*, Fayard, 1972. — *La Monarchie républicaine*, Laffont, 1974. — *La République des citoyens*, Ramsay, 1982.

DUVIGNAUD (Jean)

Né en 1921

Il serait bien imprudent d'étiqueter Jean Duvignaud « philosophe », « sociologue » ou « écrivain », tant ses travaux échappent aux habituelles classifications et tant ses préoccupations théoriques et esthétiques traversent les frontières des savoirs constitués. Il est plus aisé de désigner ce qui le stimule : la passion de savoir et de faire savoir. En effet, c'est elle qui le pousse à comprendre le pourquoi et le comment du changement ou du non-changement d'une société. C'est encore elle qui l'attire sur les planches ou dans les coulisses des théâtres. C'est encore elle qui mène l'intrigue dans ses romans. Cette passion de l'intelligence sensible lui autorise les analyses comparatives, les réécritures de l'Histoire, les télescopages d'informations disparates ou d'interprétations contradictoires, les mises en parallèle, etc., qu'il ne cesse d'effectuer. « C'est avec le théâtre, confie-t-il dans *Hérésie et subversion*, que j'ai commencé à me demander si les relations qu'on établit d'ordinaire entre la création imaginaire et la vie collective avaient un sens », nous donnant ainsi la clé de sa démarche. Le spécialiste du « fait théâtral » cheminant entre le réel et la fiction ne pouvait que s'intéresser au don, au jeu, à la fête, au quotidien, au fait divers, etc., finalement à toutes les expressions d'une *transition*, d'un *entre-deux*, qui exige, à chaque fois, d'inventer une approche spécifique au phénomène étudié et d'élaborer une autre grille d'analyse. « Les périodes de rupture ou de passage d'un type de société à l'autre, note-t-il dans le même ouvrage, entraînent des manifestations de déviance et de désordre qui ne peuvent être intégrées ou comprises ni par le système culturel de la société ancienne ni, souvent, par le système des valeurs de la société naissante. » Ce faisant, Jean Duvignaud renouvelle le concept d'*anomie*, que Durkheim* a emprunté à J.-M. Guyau (1854-1888), et nous pose une question bien embarrassante : « Quelles sociétés sont encore gouvernables ? » si l'anomie perdure.

Lors de son séjour en Tunisie (1961-1965), il a l'occasion d'étudier un village soumis à la modernisation occidentale. La présentation qu'il dessine de cette communauté confrontée à un changement venu d'ailleurs est à la fois littéraire et très personnelle. *Chebika* (1968) devient vite l'égal de *Tristes tropiques* ou des *Enfants de Sanchez*, un « classique » de la littérature ethnologique. Vingt ans après, il constate dans la postface à la réédition de *Chebika* : « Les sociétés sont faites d'autant de possible que d'inéluctable », montrant à quel point les sciences sociales se doivent de rester modestes. L'anticipation du devenir des sociétés appartient davantage au romancier... Ce qui n'empêche pas Jean Duvignaud d'être attentif aux différents tumultes qui agitent notre planète. Car il est aussi « sociologue », mais dans la lignée de Le Bras*, Bastide, Gurvitch* ou Friedmann*, par *vocation* et non par métier. Une vocation qui se conjugue avec l'enseignement (il y aurait à dire sur l'oralité et l'improvisation du professeur...) et la participation à des revues. La revue permet la rencontre avec *l'autre*, la confrontation des idées, le lancement des thèmes, l'expérimentation d'une hypothèse de travail, et pour Jean Duvignaud, il faut ajouter l'esprit de groupe (*Arguments**, c'est aussi Morin*, Axelos et Lefebvre* ; *Cause commune*, c'est aussi Perec* et Virilio* ; *Scarabée International* et plus tard *L'Internationale de l'imaginaire*, c'est aussi la Maison des cultures du monde, dont il est le président).

La diversité des sujets qu'il a examiné, son indépendance intellectuelle et sa méfiance envers tout esprit de parti, confèrent à Jean Duvignaud une place singulière dans la pensée française.

Thierry Paquot

■ *L'Or de la République*, Gallimard, 1957. — *L'Acteur, sociologie du comédien*, Gallimard, 1965. — *Sociologie de l'art*, PUF, 1967. — *L'Empire du milieu*, Gallimard, 1971. — *Hérésie et subversion. Essai sur l'anomie*, La Découverte, 1986. — *Perec ou la Cicatrice*, Arles, Actes Sud, 1993.

E

ÉCOLE (l')

Depuis le début de l'ère des réformes, ouverte par le plan Langevin-Wallon (1945), qui allait être la Loi et les Prophètes pendant un quart de siècle, les intellectuels ont eu le choix entre deux statuts.

Le premier consiste à couvrir du prestige intellectuel et moral attaché à leur nom les rapports officiels, les réformes projetées. Paul Langevin*, physicien de renommée internationale, Henri Wallon*, un des grands de la psychologie au XXe siècle, sont à cet égard exemplaires. De même, après 1981, la gauche s'appuiera sur l'autorité du grand mathématicien Laurent Schwartz* pour établir le bilan des politiques éducatives. Elle utilisera au maximum la méthode des grands rapports commandés à des intellectuels connus : Bertrand Schwartz pour l'insertion professionnelle et sociale des jeunes (1981) ; Antoine Prost pour les lycéens et leurs études (1983) ; André de Peretti. L'étude de Louis Legrand sur la rénovation des collèges sera souvent au cœur des polémiques intellectuelles (1982). En 1985, les propositions pour l'enseignement de l'avenir, demandées par le président de la République au Collège de France*, et rédigées par Pierre Bourdieu*, le théoricien de l'école comme reproduction de l'ordre social (cf. *La Reproduction*, Minuit, 1970), seront une illustration de la pensée « sociologiste » sur l'école, légitimée par une institution prestigieuse. Le procédé est constant, et François Bayrou l'utilisera aussi pour valider son nouveau contrat pour l'école en 1994.

Le second statut des intellectuels est un rôle d'interpellation et de critique des politiques. L'essai de Pierre Bourdieu et Jean-Claude Passeron, *Les Héritiers* (Minuit, 1964), est très significatif de cette fonction. Son influence sur la contestation scolaire de Mai 68 est énorme. Il suffit pour le voir de feuilleter l'indispensable *Journal de la Commune étudiante* (Alain Schnapp et Pierre Vidal-Naquet*, Seuil, 1969).

Mai 68 voit un certain nombre d'intellectuels de renom rejoindre les positions les plus contestataires de l'école et de l'Université. On consultera avec profit le « Bilan critique des idées sages et folles des décennies 60 et 70 » (de *Panoramiques*, nº 10, dirigé par Guy Hennebelle, Arléa). Au cours des années 70, le système scolaire sera ébranlé par la critique harcelante d'une vulgate structuralo-freudo-marxiste où les noms de Bourdieu, Althusser*, Baudelot et Establet (auteurs de *L'École capitaliste en France*, Maspero, 1970) font figure après coup d'apprentis sorciers. On est loin alors des combats politiques et intellectuels pour la démocratisation de l'école.

Au moment où paraissent les grands rapports commandés par Alain Savary, en 1983-1984, déferle une série d'essais et d'études dénonçant le recul de l'école dans l'acquisition des apprentissages fondamentaux et la confiance excessive du pouvoir en ses experts nourris des sciences éducatives. Deux essais restent dans les mémoires : *De l'école* de Jean-Claude Milner* (Seuil, 1984). *L'Enseignement en détresse* de Jacqueline de Romilly* (Julliard, 1984). Les essais de M.-T. Maschino, *Vos enfants ne m'intéressent plus* (Hachette, 1983), et de J.-P. Despin et M.-C. Bartholy, *Le poisson rouge est dans le Perrier* (Critérion, 1983), ont un succès symptomatique.

Une autre vague dénonce à la fois les excès du pédagogisme et le mépris de la culture. C'est le moment où Jean-Pierre Chevènement critique les pédagogues, fait l'éloge du savoir, et lance le mot d'ordre des 80 % d'une classe d'âge bacheliers ou « niveau bac ». L'essai remarqué d'Alain Finkielkraut* : *La Défaite de la pensée* (Gallimard, 1987), posera, contre ces politiques aventureuses, les principes d'un ressaisissement. Plus tard, l'essai d'Olivier Mongin : *Contre le scepticisme* (La Découverte, 1994), prolonge et complète cette analyse, de même que l'étude de Marcel Gauchet* : « L'école à l'école d'elle-même » (*Le Débat*, n° 37).

À la fin des années 80, la cassure est nette entre les intellectuels conseillers du pouvoir, experts en réformes et en science éducative, et les intellectuels critiques — voir notamment *La Fin de l'école républicaine* de P. Raynaud et P. Thibaud (Calmann-Lévy, 1989), et *Le Tiers instruit* de Michel Serres* (F. Bourin, 1994). Ce moment est aussi celui du retour en force du débat sur la laïcité et la République (la polémique sur le voile islamiste débute fin 1989).

Les articles foisonnent dans les quotidiens et les grandes revues (*Esprit**, *Le Débat**, *Les Temps modernes**, *Commentaire**, etc.). Au milieu des années 90, d'autres débats s'annoncent : la laïcité et l'Europe, l'école et la télé (cf. *L'Enfant prisonnier. Le temps volé par la télé*, de Liliane Lurcat, Desclée de Brouwer, 1995).

Guy Coq

ÉCOLE DES HAUTES ÉTUDES EN SCIENCES SOCIALES (EHESS)

Les conditions de création, par un décret du 3 novembre 1947, d'une VIe Section de l'École pratique des hautes études (EPHE), cet établissement original institué en marge de la Sorbonne par Victor Duruy en 1868, ne laissaient guère présager son expansion future. L'étroitesse de ses limites administratives, son implantation fictive dans les locaux de la Sorbonne, la faiblesse de ses crédits auraient pu en faire, comme des autres sections de l'EPHE, un lieu de savante pratique du savoir et de transmission, en séminaires restreints, de l'érudition des maîtres. La section doit sa naissance à la réponse que sut apporter, après la Libération, un jeune historien, Charles Morazé, aux propositions faites par la Fondation Rockefeller de financer des recherches en sciences économiques et sociales. Cet apport financier inhabituel combiné à une politique scientifique originale, définie par Lucien Febvre* et deux de ses collaborateurs des *Annales*, Fernand Braudel* et Charles Morazé, permirent en quelques années le développement exceptionnel de la section des sciences économiques et sociales de l'EPHE. Celle-ci est transformée en établissement d'enseignement supérieur autonome par les statuts de l'EHESS en 1975.

Fernand Braudel, qui a de fait exercé dès l'origine la responsabilité administrative du jeune établissement, succède à Lucien Febvre en 1956 à la présidence de la Section. Jusqu'en 1972, il règne en maître sur l'orientation et les choix de l'établissement. Il assure la suprématie intellectuelle de l'histoire sur les sciences sociales. Mais, tant dans les recrutements des directeurs d'étude que par la mise en place de programmes de recherche, il veille à mettre en valeur les capacités d'innovation et à développer de nouveaux champs d'études. Deux autres historiens succèdent à Fernand Braudel : Jacques Le Goff* puis François Furet*. A partir de 1985, c'est un anthropologue, Marc Augé*, qui préside l'EHESS avant l'élection de l'historien Jacques Revel en 1995. La progression du nombre des enseignants chercheurs attachés à l'établissement a été constante : à l'heure actuelle, 120 directeurs d'études et 70 maîtres de conférences encadrent l'enseignement et la recherche. La tradition de l'EPHE ayant permis dès l'origine une grande souplesse de recrutement, on peut distinguer dans le corps enseignant des noms d'historiens, de sociologues ou d'écrivains, qui ont marqué la vie intellectuelle de leur époque, sans être pourvus, au départ de leur carrière, des diplômes et titres habituellement requis par l'Université. Parmi d'autres, mentionnons : Philippe Ariès*, Roland Barthes*, Roger Bastide, Michel de Certeau*, Georges Devereux, Lucien Goldmann*, Georges Gurvitch*, Alexandre Koyré*, Milan Kundera*, Alfred Métraux, Herbert Marcuse. Aux côtés de Lucien Febvre, Fernand Braudel, Raymond Aron*, Claude Lévi-Strauss*, qui ont apporté leur prestige intellectuel à l'établissement, des jeunes enseignants chercheurs recrutés dans les années 60, dès la fin de leurs études, ont marqué le développement de leurs disciplines : François Furet, Jacques Le Goff, Emmanuel Le Roy Ladurie*, Pierre Bourdieu*, Alain Touraine*, pour ne citer que quelques grands représentants des sciences historiques et sociologiques.

La renommée de l'EHESS a d'abord été le fruit de ses innovations en matière de recherche : à la suite de Lucien Febvre, qui crée le premier *laboratoire* de recherches historiques, des centres de recherche pluridisciplinaires sur le monde contemporain sont mis en place dès les années 50, suivis des laboratoires de sociologie et de psychologie. C'est par la spécificité de sa formation à la recherche, par ses centres et groupes de recherche multidisciplinaires orientés vers l'étude du monde contemporain et par ses activités scientifiques internationales que l'EHESS continue de se définir aujourd'hui.

Parfaitement distincte sur le plan institutionnel, la Maison des sciences de l'homme a été, pendant un certain temps, indissociable de l'histoire de la VIe Section de l'EPHE. Sa création, en 1957, sous forme d'association régie par la loi de 1901, puis de fondation reconnue d'utilité publique en 1963, précède d'une quinzaine d'années son existence visible qui commence avec l'achèvement du bâtiment nommé « Maison des sciences de l'homme ». L'idée initiale avait été formulée au milieu des années 50 par Fernand Braudel et Gaston Berger, alors directeur de l'Enseignement supérieur : il s'agit de créer un organisme fédératif regroupant dans une même « Maison » des centres et groupes de recherche en sciences sociales, ainsi que les divers services communs, dont une grande bibliothèque centrale. Fernand Braudel et Gaston Berger surent intéresser la Fondation Ford à ce projet, et la future Maison des sciences de l'homme bénéficia d'une importante donation en dollars. La Maison des sciences de l'homme a pour vocation la mise en place de programmes nationaux et internationaux de collaboration scientifique. Son administrateur (Fernand Braudel jusqu'en 1985, Clemens Heller jusqu'en 1992, puis Maurice Aymard) est assisté par un conseil des directeurs qui regroupe les responsables des formations hébergées par la Maison.

Brigitte Mazon

■ B. Mazon, *Aux origines de l'École des hautes études en sciences sociales. Le rôle du mécénat américain*, Cerf, 1988. — *Une école pour les sciences sociales : de la VIe Section à l'École des hautes études en sciences sociales* (textes rassemblés par J. Revel et N. Wachtel, avant-propos de M. Augé), Cerf, 1995.

École libre des sciences politiques / Institut d'études politiques de Paris

Fille de la défaite, l'École libre des sciences politiques a été fondée par Émile Boutmy en novembre 1871 dans une volonté de « refaire une tête de peuple ». Boutmy (1835-1906), filleul du publiciste Émile de Girardin, sut mobiliser de solides appuis pour fonder une institution d'enseignement strictement privée. Les premiers projets traduisaient la volonté du fondateur et directeur incontesté d'enseigner aux élèves la « sage et libérale politique » au moyen d'une science expérimentale du politique. Mais l'évolution de l'« École Boutmy » fut différente et, en moins de dix ans, l'institution savante qu'elle voulait être à ses débuts devint une école d'administration possédant un monopole de fait sur les carrières de la haute fonction publique. L'École a porté pendant très longtemps la marque de son fondateur : les structures pédagogiques souples, composées de petits effectifs ; l'organisation d'une « conférence de méthode » ; la division de l'enseignement en quatre sections spécialisées ; l'ouverture de la scolarité aux étudiants étrangers ; la mise en place, pour une minorité, de structures de recherches, ainsi que la création d'une revue publiant les travaux des élèves et des enseignants sont autant d'innovations apportées par Boutmy lui-même dans les vingt premières années de l'existence de l'École. Cette souplesse lui permettait de créer des enseignements ponctuels et l'École conduisait dès cette époque un plus grand nombre d'étudiants vers les carrières privées que vers celles de l'administration. La pluridisciplinarité des enseignements articulés autour du droit public, de l'économie et de l'histoire ont constitué jusqu'à aujourd'hui sa principale originalité. Mais la République, soutenue par l'hostilité des Facultés de droit, observait avec inquiétude le monopole de cette école privée sur les concours d'État, accusée en outre de ne recruter que dans les hautes couches de la bourgeoisie et soupçonnée d'être peu favorable au régime.

L'École dut se défendre à trois reprises, en 1876, en 1881 et en 1936, contre les tentatives de nationalisation de l'État.

L'École parvint à maintenir son activité durant l'Occupation, notamment en ouvrant deux antennes en zone libre, l'une à Lyon, l'autre à Clermont-Ferrand. Cette période fut surtout importante par l'ampleur des réformes pédagogiques mises en œuvre et dont l'objectif était de modifier un système qui avait peu évolué depuis Boutmy. Les réformes visaient à rehausser le niveau en étendant la scolarité à trois ans, en rendant les conférences de méthode obligatoires chaque année, en requérant le baccalauréat pour l'entrée à l'École (depuis 1931, un examen pouvait y suppléer) et en instaurant, en 1944, l'année préparatoire sanctionnée par un examen éliminatoire en fin d'année. Par ailleurs, un rapprochement avec l'Université fut esquissé, puisque certains universitaires accédaient au conseil d'administration, au comité des études, et l'un d'entre eux présidait désormais le jury de diplôme.

À la Libération, parallèlement à la création de l'École nationale d'administration* (ENA), l'École fut dissoute, et l'Institut d'études politiques, rattaché à la Fondation nationale des sciences politiques (FNSP), la remplaça. Mais ses dirigeants, et notamment son directeur Jacques Chapsal, avaient su la préserver en négociant un statut particulier qui la maintenait en dehors de l'Université en lui permettant de conserver son originalité pédagogique et son indépendance vis-à-vis de l'État. En dépit d'une idéologie dominante associant la pensée libérale et les valeurs du service public, les années d'après guerre ont été marquées par la présence d'une génération de professeurs communistes (Baby, Dresch*, Bruhat) et par l'engagement à gauche d'un certain nombre d'étudiants au moment de la guerre d'Algérie. L'IEP a conservé son monopole de fait sur les concours de la haute fonction publique, situation facilitée par les liens unissant dès 1945 la FNSP et l'ENA, qui ont peu à peu transformé l'IEP en propédeutique à la Nouvelle école nationale d'administration, et sur un grand nombre d'autres concours administratifs de moindre envergure. Son évolution a été marquée par une croissance importante des effectifs étudiants, par le développement des enseignements de sciences sociales et, à partir des années 50, sous l'impulsion de Jean Touchard, par la mise en place de centres de recherches (en science politique, en histoire contemporaine, dans le domaine des relations internationales) rattachés à la FNSP ; le statut permettant à l'IEP de délivrer des grades nationaux, diplômes de troisième cycle et doctorats. Cette évolution en fait aujourd'hui un pôle particulièrement actif dans le domaine de l'histoire politique et de la sociologie politique.

Au-delà de toutes les inflexions des matières et des structures d'enseignement, l'IEP, à la fois grand établissement et université, a su conserver avec une étonnante permanence, dans la lignée des projets d'Émile Boutmy, son originalité et sa souplesse pédagogique.

Sébastien Laurent

■ C. Charle, « Savoir durer : la nationalisation de l'École libre des sciences politiques (1936-1945) », *Actes de la recherche en sciences sociales*, mars 1991, n° 86-87. — D. Damamme, « Genèse sociale d'une institution scolaire, l'École libre des sciences politiques », *Actes de la recherche en sciences sociales*, novembre 1987, n° 70. — P. Favre, *Naissances de la science politique en France (1870-*

1914), Fayard, 1989. — S. Laurent, *L'École libre des sciences politiques, de 1871 à 1914*, mémoire IEP, 1991. — G. Thuillier, *L'ENA avant l'ENA*, PUF, 1983. — G. Vincent, *Sciences-Po, histoire d'une réussite*, Orban, 1987. — « Sciences-Po : sur la formation des élites en France », *Le Débat*, mars-avril 1991, n° 64.

ÉCOLE NATIONALE D'ADMINISTRATION (ENA)

L'École nationale d'administration a été créée par le général de Gaulle en 1945 pour assurer la rénovation, l'unification et la démocratisation de la haute fonction publique administrative. En effet, le désastre de 1940 n'avait pas été seulement imputé aux chefs militaires mais aussi aux hommes politiques et aux hauts fonctionnaires.

Avant la Libération, en dehors de l'École polytechnique* qui fournissait les ingénieurs de l'État, et en dehors de l'École coloniale qui fournissait les administrateurs coloniaux, c'est l'École libre des sciences politiques* qui assurait essentiellement le recrutement des grands corps de l'État et du corps diplomatique, accessoirement du corps préfectoral et du ministère des Finances (le recrutement de la majorité des rédacteurs de ministère étant assuré par les Facultés de droit). L'État assure donc (en dehors des nominations au tour extérieur) la sélection et la formation des membres du Conseil d'État, de l'Inspection des finances, de la Cour des comptes, du corps diplomatique, du corps préfectoral, etc., ainsi que du corps interministériel des administrateurs civils (celui-ci constituant l'encadrement supérieur des administrations centrales de l'État).

L'ENA recrute par un double concours : l'un, externe (« étudiants »), l'autre, interne (« fonctionnaires »). Le premier est réservé aux diplômés de l'enseignement supérieur, quel que soit le diplôme. Le second est réservé à des agents de l'État ou des collectivités territoriales ayant cinq années d'ancienneté administrative. En fait, la plupart des candidats « fonctionnaires » possèdent aujourd'hui un diplôme d'enseignement supérieur. Toutefois, dans un premier temps, l'ENA a recruté beaucoup d'instituteurs qui étaient simples bacheliers. Mais, depuis lors, la fréquentation des établissements universitaires a considérablement augmenté. Ainsi, les professeurs ont remplacé les instituteurs.

Les étudiants sont très souvent diplômés de l'Institut d'études politiques* de Paris, l'ancienne École libre des sciences politiques, nationalisée au moment de la création de l'ENA. Mais depuis une vingtaine d'années, beaucoup d'étudiants admis sont issus d'une grande école (d'ingénieurs ou de commerce, sinon de l'École normale supérieure* ou de l'École polytechnique) et ont fréquenté ensuite l'IEP de Paris pour préparer le concours d'entrée. D'autre part, les diplômés d'une école de commerce (notamment HEC, ESSEC et Sup-de-Co de Paris) l'ont emporté récemment sur les diplômés de « Sciences-Po ».

Enfin, un troisième concours, créé d'abord en 1983, supprimé en 1986 et recréé en 1988 sous une forme nouvelle, est ouvert aux élus locaux et à toute personne ayant exercé une activité professionnelle en dehors de la fonction publique pendant huit années au moins.

Les épreuves d'entrée portent sur le droit public, l'économie, les questions sociales,

les relations internationales, les finances publiques, ainsi que sur la culture générale.

L'ENA est une école d'application. La scolarité, dont le contenu et la durée ont beaucoup varié au cours des ans, est de 26 mois. La première année est consacrée à deux stages, l'un auprès d'un préfet, l'autre auprès d'un ambassadeur ou d'un chef d'entreprise, notamment à l'étranger. La seconde année est une année d'études. Les élèves participent à trois séminaires : le premier sur un thème commun (par exemple, la population de la France ou la mise en œuvre du traité de Maastricht et la construction européenne) ; le deuxième sur un thème à option (par exemple, la politique du livre ou l'impossible maîtrise de la population pénitentiaire) ; et le troisième, comportant une enquête sociale (par exemple, les exonérations de charges sociales dans le cadre des politiques de l'emploi ou l'évolution et la modernisation de l'aide médicale). Les élèves suivent également des enseignements sur les techniques administratives et budgétaires, sur la gestion publique, sur les questions communautaires et internationales, sur la pratique de l'analyse et de la décision économiques, ainsi que des cours de langues.

En fonction de leur rang de classement, les élèves choisissent leur corps ou leur ministère d'affectation.

Rançon de son succès : l'ENA a suscité et suscite de nombreuses critiques, les « énarques » étant accusés de dominer à la fois la classe politique (Valéry Giscard d'Estaing, Jacques Chirac, Michel Rocard, Lionel Jospin, Alain Juppé, etc.) et la haute administration, et de pratiquer de surcroît le « pantouflage » sans scrupule. L'« énarchie » serait ainsi devenue la forme moderne de l'oligarchie à la française. Entre autres, le sociologue Michel Crozier* s'est employé, à travers divers ouvrages, à dénoncer un système de formation des élites trop éloigné des réalités sociales concrètes.

Jean-François Kesler

ÉCOLE POLYTECHNIQUE

Défendue devant la Convention nationale par Carnot, Fourcroy et Prieur de la Côte-d'Or, la fondation de l'École polytechnique date de septembre 1794. Elle répondait au programme défini principalement par le mathématicien Monge et l'ingénieur civil Lamblardie : la formation d'élites professionnelles maîtrisant la science et la technique, au service de la patrie. Leurs objectifs reposaient sur l'idéal méritocratique — le recrutement des meilleurs sur concours, à qui l'on réservait exclusivement l'accès à de grands corps civils et militaires de l'État — et l'utilité sociale du savoir scientifique, par la formation conjointe de l'ingénieur et de l'officier « pour la patrie, les sciences et la gloire », selon la devise adoptée par l'institution. Au cours du XIXe siècle, l'École connut son apogée, en exerçant un pouvoir considérable sur l'appareil civil et militaire de l'État.

Elle se trouve pourtant, à l'orée du XXe siècle, dans une position de reflux, quand les carrières polytechniciennes traversent une crise : les « X » sont de moins en moins attirés par l'armée, mais demeurent souvent exclus de l'industrie, faute d'avoir reçu une formation adéquate. L'École, fleuron de l'exception française en matière d'enseignement supérieur, est confrontée à la montée de l'Université républicaine et de grandes écoles rivales qui la concurrencent dans la formation des élites scientifiques. La génération des Becquerel, Raymond Poincaré* ou Le Chatelier n'est plus renouvelée. Après la Grande Guerre, l'École polytechnique connaît un sensible regain d'importance, à la faveur du rôle économique nouveau de l'État et de la considération croissante accordée aux ingénieurs et aux chefs d'entreprise, qui relaient largement dans les responsabilités nationales les professeurs républicains de la période antérieure. L'École sait s'adapter à cette évolution structurelle, et forme désormais des cadres tels qu'André Citroën, Auguste Detœuf, Raoul Dautry, Ernest Mercier ou Louis Armand. À la recherche d'une gestion rationnelle des ressources et des hommes, comme elle l'était déjà au temps du saint-simonisme, elle se trouve à l'origine d'une réflexion sur la réforme et la modernisation des structures de l'État et de son économie, à l'instar du groupe « X-Crise »* durant les années 30.

Bastion de traditions constitutives d'un « esprit polytechnicien », l'École a dû renoncer au cours des dernières décennies à certains de ses plus anciens signes de reconnaissance : abandon progressif au cours des années 60 des contraintes disciplinaires de la vie en collectivité militaire (horaires, sorties...), féminisation du recrutement (en 1972, la première femme admise entre major de sa promotion), départ du collège de Navarre, sur la montagne Sainte-Geneviève, pour gagner le site moderne de Palaiseau.

Au terme de deux siècles d'existence, après avoir formé près de 40 000 élèves, la place de l'École polytechnique dans la formation des élites n'est pas remise en cause et elle reste pour bien des familles françaises le modèle de promotion sociale par l'enseignement. Mais elle est une école militaire qui ne fournit plus guère de cadres à l'armée, et elle ne peut plus espérer concurrencer l'École nationale d'administration dans la formation des élites de l'État, même si le président Giscard d'Estaing sortit de ses rangs. Sous l'impulsion de Laurent Schwartz et Louis Leprince-Ringuet, l'école s'est lancée, dans les années 60, à la reconquête d'un rôle dans la recherche scientifique à la mesure de ses origines, notamment dans le domaine des mathématiques appliquées et de la physique. Elle a aussi eu le souci de développer, en complément de la voie royale mathématique, les valeurs humanistes de la culture scolaire traditionnelle, en renforçant, depuis la réforme de 1971, l'enseignement des « humanités et sciences sociales » : un programme illustré par l'arrivée d'intellectuels philosophes comme Alain Finkielkraut* ou Élisabeth Badinter.

Anne Rasmussen

■ B. Belhoste, A. Dahan-Dalmedico et A. Picon (dir.), *La Formation polytechnicienne (1794-1994)*, Dunod, 1994. — B. Belhoste, A. Dahan-Dalmedico, D. Pestre et A. Picon (dir.), *La France des X. Deux siècles d'histoire*, Économica, 1995. — J. Lesourne (dir.), *Les Polytechniciens dans le siècle (1894-1994)*, Dunod, 1994. — T. Shinn, *Savoir scientifique et pouvoir social. L'École polytechnique (1794-1914)*, Presses de la FNSP, 1980.

ÉCOLES NORMALES SUPÉRIEURES (ENS)

« On est normalien comme on est prince de sang. [...] On naît normalien, comme on naissait chevalier. Le concours n'est que l'adoubement. » Aucun de ses élèves n'a sans doute mieux résumé l'éthos aristocratique que la rue d'Ulm s'est complaisamment forgé, qu'ici Georges Pompidou. Par contraste, l'École normale supérieure de Saint-Cloud, créée en 1882 par J. Ferry pour former les cadres de l'enseignement populaire — inspecteurs, professeurs et directeurs des écoles normales et des écoles supérieures —, apparaît comme celle des « enfants du peuple [...] choisis dans son élite », ainsi que le premier directeur le rappelait traditionnellement à ses entrants. Si Saint-Cloud et Fontenay viennent donc couronner le système d'enseignement primaire, Ulm parachève le système scolaire et social fermé des lycées, réservés à la bourgeoisie. Les « cloutiers » sont, de fait — et de droit —, écartés de l'enseignement supérieur, tandis que les « ulmiens » y sont promis. En 1945, Saint-Cloud devient « École normale supérieure préparatoire à l'enseignement du second degré » et, en 1956, reçoit l'autorisation de préparer l'agrégation, ce qui rend en théorie la distinction caduque entre les deux ENS de garçons. La position de la rue d'Ulm dans le champ des grandes écoles demeure pourtant dominante. D'abord parce que ses disciplines phares — les humanités classiques d'une part et les sciences exactes d'autre part — sont elles-mêmes dominantes, alors que la géographie, par exemple, au renouveau de laquelle Saint-Cloud a pourtant fortement contribué, ne procure pas la même reconnaissance.

En réalité, les différences dans les origines sociales des élèves et dans le capital social dont ils disposent avant même leur entrée à l'École expliquent largement que les images des deux ENS, longtemps aux antipodes, soient encore différentes. Dès l'origine, la plupart des élèves de Saint-Cloud viennent — pour plus de 50 % au tournant du siècle — des classes populaires ou sont fils d'instituteurs. La rue d'Ulm puise à cette époque plus de la moitié de son vivier dans les classes supérieures et chez les enfants de professeurs, tout en assurant, c'est bien là son paradoxe, l'ascension sociale de nombre de boursiers. Cet écart caricatural mais mécanique, puisque produit par la dualité du système scolaire, se retrouve encore au niveau des carrières, un cloutier sur sept seulement avant 1939 échappe au primaire ou au technique, alors que les normaliens peuplent le secondaire et l'Université. La rue d'Ulm fabrique des académiciens et des députés, voire des ministres, des journalistes et des écrivains, qui constituent de puissants réseaux à son service, tandis que Saint-Cloud engendre des inspecteurs généraux et des directeurs d'écoles normales. Sa renommée, enfin, largement portée par des romans dont *Les Hommes de bonne volonté* de Jules Romains* sont l'archétype, est liée à son entrée précoce sur la scène publique. Devenue l'un des cœurs de la bataille dreyfusarde, sous l'impulsion de Lucien Herr*, son bibliothécaire, elle contribue à définir le statut d'intellectuel dont elle va, génération après génération, fournir des modèles aussi divers que P. Langevin* et J. Perrin*, Sartre* et Aron*, Nizan* et Brasillach*, Déat et Brossolette, Bourdieu* et Touraine*, Debray* et B.-H. Lévy*.

Ses débuts ont pourtant été chaotiques. Créée en 1794, « l'École de l'an III » ferme presque immédiatement ses portes pour ne les rouvrir qu'en 1810, dans une dépendance de Louis-le-Grand. Il faut, après une nouvelle fermeture pendant la Restauration, attendre 1845, pour que l'École prenne son titre officiel, et 1847, pour qu'elle gagne son emplacement définitif : la rue d'Ulm. Le rayonnement scientifique et intellectuel tarde lui aussi : Louis Pasteur met sur pied de véritables laboratoires et ouvre la voie à une concurrence sérieuse avec l'École polytechnique* pour le recrutement des scientifiques, tandis que le concours devenu progressivement national oblige peu à peu les futurs élèves littéraires à le préparer, d'abord dans les classes de rhétorique, puis dans les « rhétoriques supérieures » à partir des années 1880. Avec les décrets de 1903 et 1904, qui réorganisent à la fois le concours et le statut de ses élèves — boursiers de l'académie de Paris —, la rue d'Ulm entre définitivement dans sa phase d'expansion — stoppée néanmoins par la Grande Guerre — tant du point de vue du nombre des candidats que de son rayonnement intellectuel. Cœur de l'invention de la sociologie avec Durkheim*, foyer de l'histoire sociale avec Simiand*, du renouveau de la philosophie avec Canguilhem*, Foucault* ou Althusser*, au centre du séminaire Bourbaki pour les mathématiques, l'ENS de la rue d'Ulm s'ouvre aux innovations intellectuelles, comme l'accueil fait au séminaire de Lacan* dans les années 60 le montre aisément.

À l'inverse, c'est toujours de haute lutte que les cloutiers ont pu se dégager du carcan qui leur a été imposé : avant guerre pour fréquenter la faculté, grâce au système des équivalences dès 1925, puis plus rarement encore pour passer l'agrégation, généralement bien après la sortie de l'École, afin d'enseigner dans le secondaire. Le combat quasi titanesque pour gagner le supérieur avant guerre connaît une issue enfin favorable dans les années 60 avec la création de premières supérieures spécifiques, qui achèvent de rapprocher les deux ENS du point de vue du statut. Elle va de pair avec la mise en place de laboratoires de recherches : laboratoires scientifiques dès les années 50, laboratoire de biogéographie, ou de lexicologie dans les années 60, et l'organisation de colloques autour de l'histoire sociale grâce à Daniel Roche, ou du romantisme grâce à Pierre Barbéris.

En revanche, les deux Écoles, de même qu'elles paient un égal et lourd tribut aux tranchées de 1914-1918 (un tiers des élèves des promotions depuis 1900, contre 10 % dans le reste de la population française), ne se distinguent guère par l'engagement politique de leurs élèves : ancrées l'une et l'autre à gauche, ulmiens et cloutiers participent au mouvement pacifiste de l'entre-deux-guerres, à la lutte antifasciste, à la Résistance, à la lutte contre la guerre d'Algérie, à Mai 68 ou au mouvement maoïste.

Créée en juillet 1881, dans la continuité de la loi Camille Sée, initiatrice de l'enseignement secondaire des jeunes filles, « Sèvres n'a pas existé à côté de l'École normale, mais en dehors d'elle », écrit l'historienne Françoise Mayeur. « École normale destinée à préparer des professeurs femmes pour les écoles secondaires de jeunes filles », elle est, de ce fait, en marge des trois autres ENS. Installée dans les locaux de l'ancienne manufacture de Sèvres, elle accueille dans ses premières promotions nombre d'institutrices, et demeure longtemps axée sur la pédagogie. Tout en gardant cette vocation qui la distingue, Sèvres s'ouvre lentement à la recherche, après la Première Guerre mondiale*. L'installation progressive de laboratoires scientifiques à laquelle œuvre Marie Curie*, les conférences du littéraire Paul Desjardins*, fondateur des Décades de Pontigny*, ou du grammairien Mario Roques, la préparation du diplôme d'études supérieures et la possibilité, depuis 1924, donnée aux filles de se présenter à toutes les agrégations, ouvrent progressivement cette « serre » aux mondes extérieur et universitaire. Ce travail, mené par la directrice Anna Amieux, inséparable de l'unification progressive de l'enseignement féminin et masculin, est couronné en 1936. Sèvres, désormais dirigé par Eugénie Cotton, se transforme en École normale supérieure de jeunes filles, homologue de la rue d'Ulm et rattachée à l'enseignement supérieur. Pendant la guerre, l'école occupée, Eugénie Cotton révoquée par Jérôme Carcopino*, les élèves quittent définitivement Sèvres. Dirigée par la philosophe Lucie Prenant dès la Libération, l'ENSJF s'installe en 1949 au 48 du boulevard Jourdan. La mixité des classes préparatoires, la préparation commune entre Ulm et Sèvres de certaines agrégations, l'identité de leur statut préparent peu à peu les deux écoles à fusionner.

Les années récentes ont, en effet, profondément transformé les ENS. La chute, dès les années 70 et au moins jusqu'à la fin des années 80, du recrutement dans le supérieur inaugure une crise des carrières. Les années 80 voient s'instaurer la mixité des concours puis la fusion de Ulm et Sèvres, d'une part, de Fontenay-Saint-Cloud, d'autre part, le transfert de l'école scientifique de Saint-Cloud à Lyon et la création d'un second concours Lettres à la rue d'Ulm, sans latin et avec des mathématiques.

Frédérique Matonti

■ P. Bourdieu, *La Noblesse d'État. Grandes écoles et esprit de corps*, Minuit, 1989. — J.-N. Luc et A. Barbé, *Des normaliens. Histoire de l'École normale supérieure de Saint-Cloud*, Presses de la FNSP, 1982. — J.-F. Sirinelli, *Génération intellectuelle. Khâgneux et normaliens dans l'entre-deux-guerres*, Fayard, 1988. — *École normale supérieure. Le livre du Bicentenaire* (dir. J.-F. Sirinelli, préface de R. Rémond, postface de É. Guyon), PUF, 1994.

ÉCONOMIE ET HUMANISME

Fondée en septembre 1941 à Marseille puis installée à partir de 1943 dans la banlieue lyonnaise, l'association Économie et humanisme publie en 1942 un manifeste qui l'inscrit dans la mouvance catholique communautaire, et que signent entre autres Gustave Thibon*, François Perroux* et Louis Lebret. Né en 1897 au Minihic près de Saint-Malo, ancien officier de marine entré dans l'ordre dominicain en 1923, ce dernier a fondé la Jeunesse maritime chrétienne (1930) avant d'animer dans les années 30 un mouvement syndical de marins-pêcheurs, le « Mouvement de Saint-Malo ». À la tête d'Économie et humanisme, il s'engagera dans les années 50 dans une carrière d'expert économique dans le tiers monde. Elle le mène en Amérique latine (Brésil, Colombie, Chili, Uruguay), en Afrique (Sénégal), au Proche-Orient et en Asie (Liban, Vietnam). Il travaille aussi avec l'ONU et ses agences de développement. Auteur d'une trentaine d'ouvrages, porte-parole du Saint-Siège à la Cnuced (1964), expert au concile Vatican II, il est un des pionniers du tiers-mondisme catholique.

Caractéristique d'un engagement intellectuel catholique qui refuse de rompre avec la pratique militante sur le terrain, le mouvement s'organise en réseau d'équipes locales autour de la revue bimestrielle *Économie et humanisme* fondée en 1942. Il est marqué par le modèle de « primauté du spirituel » de Jacques Maritain*. L'engagement politique en faveur d'une révolution chrétienne communautaire passe par la médiation de l'enquête sociale, dans la tradition de Le Play. Financé par le Centre national de la recherche scientifique* et proche du Centre d'études sociologiques, le laboratoire Économie et humanisme joue un rôle de relais entre la recherche institutionnelle et le tissu militant de l'action catholique et de la CFTC. C'est par la médiation de l'enquête qu'Économie et humanisme s'est lié à Vichy jusqu'en juillet 1943, a participé après guerre à la réflexion sur l'aménagement du territoire*, s'est engagé plus tard contre la guerre d'Algérie. C'est dans cette perspective aussi que le Père Lebret, lecteur du *Capital* dès 1938, a entraîné le mouvement dans une interprétation chrétienne du marxisme à laquelle l'hostilité de Rome mit fin en 1950, lors d'une crise marquée par la démission de son codirecteur Henri Desroche*. Après la mort de Lebret en juillet 1966, Économie et humanisme s'est replié sur une pratique plus classique d'institut d'enquêtes, appuyé par la revue devenue trimestrielle en 1991, proche des milieux de la « deuxième gauche » et de la CFDT.

Denis Pelletier

■ I. Astier et J.-F. Laé, « La notion de communauté dans les enquêtes sociales sur l'habitat en France. Le groupe d'Économie et humanisme (1940-1955) », *Genèses*, 5, septembre 1991. — D. Pelletier, « Utopie communautaire et sociabilité d'intellectuels en milieu catholique dans les années 40 », *Les Cahiers de l'IHTP*, 20, mars 1992 ; *Aux origines du tiers-mondisme catholique. Économie et humanisme et le Père Lebret (1944-1966)*, thèse, Lyon II, 1992.

ÉDITIONS ET REVUES CATHOLIQUES

Vaste domaine, qui défie l'inventaire et décourage l'analyse. « On peut appeler catholiques les publications reconnues comme telles par l'autorité ecclésiastique », estime l'*Almanach catholique français pour 1936*, qui reconnaît cependant l'étroitesse de cette définition, dans la mesure où bon nombre d'organes qui n'y répondent pas exactement « font en réalité, jusqu'à un certain point, œuvre catholique ». Un répertoire à jour de la presse catholique française devrait alors compter, selon la même source, environ 5 000 titres, chiffre « de beaucoup supérieur à celui des autres nations prises séparément ». Même en s'en tenant à ceux qui relèvent d'une histoire des intellectuels au XXe siècle, le volume et l'embarras demeurent. La périodicité, par exemple, n'est pas un bon critère de sélection : qui pourrait nier l'influence d'un hebdomadaire comme *Sept** sur l'intelligentsia catholique française des années 30 ? On exclura ici la presse populaire, mais aussi les publications spécialisées, pour privilégier les revues et les maisons d'édition qui sont en quelque sorte l'interface de l'Église et de la société et expriment pour l'opinion les grands courants de la pensée catholique. Ainsi restreint, le paysage demeure chargé. On peut tenter de l'ordonner par quatre tableaux successifs et un regard d'ensemble.

S'il faut évoquer la Maison de la Bonne Presse (1873) fondée par les assomptionnistes et éditrice du quotidien *La Croix* (1883), c'est qu'à côté des journaux et des livres populaires qui sont l'essentiel de ses activités, elle publie des recueils documentaires qui fusionneront dans *La Documentation catholique* (1919), depuis lors revue de référence pour les textes hiérarchiques. Mais les principaux lieux de la réflexion catholique au début du XXe siècle sont à chercher ailleurs. Autour du modernisme, réel ou supposé, dont les livres sont édités par Picard ou Nourry, les thèmes relayés par la *Revue du clergé français* (1894-1920) ou *Demain** (1905-1907), et discutés par les *Annales de philosophie chrétienne* (1830-1913) dirigées depuis 1905 par Laberthonnière*. Dans l'action sociale, avec l'éditeur Bloud, *La Démocratie chrétienne* (1894-1907), et la revue du mouvement de Marc Sangnier*, *Le Sillon* (1894-1910). Accueillante au tout, *La Quinzaine* (1894-1907) de Georges Fonsegrive ; irréductiblement hostile, la *Critique du libéralisme* (1908-1914) de l'abbé Barbier. Beaucoup de naufrages, comme il est logique dans une période de tempête. Les innovations durables sont liées au rameau recentré du catholicisme social. Les jésuites avaient déjà les *Études** (1856) ; le Père Desbuquois crée en 1903 l'Action populaire*, qui aura bientôt (1908) sa revue du même nom et plus tard sa maison d'édition (SPES, 1923). La naissance et le rapide succès des Semaines sociales* (1904), dues à l'initiative du Lyonnais Marius Gonin, amènent les Comités du Sud-Est à transformer leur bulletin en *Chronique sociale de France* (1909). En marge, et à contresens du modernisme, les *Cahiers de la quinzaine** (1900-1914) de Péguy*, symbole, bien qu'atypique, du phénomène des conversions en milieu intellectuel.

Ces retours à la foi alimentent après la Grande Guerre des revues littéraires ou philosophiques. À Lyon, *Le Van* (1921-1939) de Victor Carlhian ; à Paris, *La Revue des jeunes* (1910-1944) de Robert Garric* et *Les Lettres* (1913-1931) de Gaëtan Bernoville, qui bénéficient des plumes du groupe « tala » de l'École normale supérieure*. On verra même une éphémère tentative de *NRF* catholique avec *Vigile* (1930-1933) de l'abbé Altermann. Versant éditorial de ce phénomène, les collections « Ars et Fides » chez Bloud et Gay, et « Le Roseau d'Or » chez Plon. Un certain nombre de ces néo-catholiques sont maurrassiens et collaborent notamment à *La Revue universelle** d'Henri Massis*, qui polémique avec Paul Archambault et les blondéliens des *Cahiers de la nouvelle journée* (1924-1938). La condamnation de l'Action française* en 1926 amène Maritain* et d'autres à rejoindre « la presse de Pie XI », en particulier *La Vie intellectuelle* (1928-1956) et les autres publications des Éditions du Cerf (1929) animées par des dominicains autour du Père Bernadot et du Père Maydieu* : *Sept* (1934-1937) et son prolongement laïc *Temps présent** (1937-1940). Moins liés à l'Église, les organes démocrates chrétiens, soutenus par la maison Bloud et Gay, notamment *Politique* (1927-1948). On trouve encore des intellectuels catholiques dans diverses publications du non-conformisme des années 30, mais c'est assurément *Esprit** (1932), fondé par Emmanuel Mounier*, qui représente un type nouveau : la revue d'origine chrétienne mais sans affirmation confessionnelle, et délibérément pluraliste, qui trouve son prolongement dans les Éditions du Seuil* (1937) créées par Paul Flamand. Plus à gauche, *Terre nouvelle* (1935-1939) ignore également les frontières religieuses et va jusqu'à tenter une synthèse doctrinale entre le marxisme et le christianisme.

Dans les années qui suivent la Libération, la réflexion catholique se polarise sur les problèmes connexes de la déchristianisation ouvrière et de la montée du communisme. Les Éditions ouvrières (1929), issues de la JOC, multiplient les publications, dont *Masses ouvrières* (1944), et travaillent à partir de 1948 en liaison étroite avec le centre Économie et humanisme* (1941) du Père Lebret, pionnier des réflexions sur le tiers monde. À gauche de *Témoignage chrétien** (1941), la nébuleuse du progressisme chrétien, avec les Éditions du Temps présent et divers périodiques qui succombent aux condamnations hiérarchiques, comme *Jeunesse de l'Église* (1942-1953) ou *La Quinzaine* (1950-1955). En face, on trouve les tenants d'un christianisme eschatologique à *Dieu vivant** (1945-1955) autour de Marcel Moré, ou traditionaliste dans *L'Homme nouveau* (1947) fondé par le Père Fillère. Plus loin encore, les Nouvelles Éditions latines et les revues intégristes comme *Verbe* (1949) expression de la Cité catholique de Jean Ousset, ou *Itinéraires* (1956) de Jean Madiran. Les années d'après guerre sont encore marquées par l'influence du Centre catholique des intellectuels français* (1945), fondé par Henri Bédarida, qui publie *Recherches et débats* (1948-1979). Dans la même ligne s'affirment les *Cahiers universitaires catholiques* (1948), relais des revues antérieures de la Paroisse universitaire*. Ces deux derniers titres constituent un bon observatoire de la genèse et du développement de l'esprit conciliaire, que l'on retrouverait aussi dans les *Informations catholiques internationales* (1955-1983), liées au groupe de La Vie catholique, ou dans le mensuel dominicain *Signes du temps* (1959-1974). Par ailleurs, la décolonisation favorise l'essor du tiers-mondisme catholique dont témoigne par exemple la revue *Croissance des jeunes nations* (1961).

Le recul manque pour discerner les lignes de force des vingt-cinq dernières années. On remarque cependant d'abord, au lendemain de Mai 68, la radicalisation contestataire de certaines revues comme *Frères du monde* (1959-1974) ou la *Lettre* (1957-1987). Au milieu des années 70 s'affirment les charismatiques. Ils ont leurs propres publications liées aux communautés, mais ils trouvent aussi à s'exprimer aux Éditions Nouvelle Cité et chez Fayard*, où Jean-Claude Didelot réactive un secteur religieux qui avait été florissant trente ans plus tôt grâce à Daniel-Rops*. Si ce catholicisme émotionnel se méfie de l'intellectualisme, le souci de repenser les fondements du christianisme dans une société en voie de sécularisation rapide inspire en revanche *Les Quatre Fleuves* (1973-1988), ainsi que les jeune normaliens de *Communio* (1975), accordés au climat restaurateur du pontificat de Jean-Paul II, alors que *Concilium* (1964) continue de symboliser l'interprétation ouverte de Vatican II. C'est aussi une volonté de reconstruction intellectuelle du catholicisme qui s'affirme dans *Catholica* (1987), mais sur une position plus intransigeante. On observe encore un processus de concentration et de restructuration dans l'édition catholique. Trois grands groupes dominent le marché à la fin des années 80 ; de gauche à droite, les Publications de la Vie catholique (boulevard Malesherbes), Bayard-Presse (continuateur de la Bonne Presse) et Médias-Participations (rue Ampère).

Il faut peut-être souligner trois traits qui caractérisent le paysage que l'on vient d'esquisser trop brièvement. D'abord la *vitalité* : ce secteur n'a cessé de produire et d'innover, et il y aurait lieu, à cet égard, d'observer l'extension récente vers les nouveaux médias audiovisuels. Ensuite la *longévité*, traduction d'une solidité économique qui renvoie le plus souvent à des liens institutionnels avec des ordres religieux, des congrégations, ou des mouvements d'action catholique. Enfin, et ce n'est pas contradictoire, la *précarité*, conséquence d'une fragilité idéologique : qu'elles sollicitent l'imprimatur (qui est aussi une caution morale pour un public regardant) ou qu'elles subissent une censure *a posteriori* (l'Index ne disparaît qu'en 1966, et des conflits plus récents ont montré l'efficacité des pressions indirectes), les éditions et les revues catholiques ne cessent d'entretenir des relations ambiguës avec l'institution ecclésiale.

Yvon Tranvouez

■ M. Agostino, *Le Pape Pie XI et l'opinion (1922-1939)*, École française de Rome, 1991. — G. Cholvy et Y.-M. Hilaire, *Histoire religieuse de la France contemporaine*, t. 2 : *1880-1930*, t. 3 : *1930-1988*, Toulouse, Privat, 1986 et 1988. — J.-M. Mayeur (dir.), *Histoire du christianisme*, t. 12 : *Guerres mondiales et totalitarismes (1914-1958)*, Desclée de Brouwer / Fayard, 1990. — R. Rémond (dir.), *Histoire de la France religieuse*, t. 4 : *Société sécularisée et renouveaux religieux*, Seuil, 1992. — Encyclopédie *Catholicisme*, Letouzey et Ané, à partir de 1948 (atteint la lettre T en 1995).

ÉDITIONS ET REVUES PROTESTANTES

Le monde protestant, bien qu'ultra-minoritaire en France, occupe néanmoins une place appréciable dans le domaine des publications. En témoigne l'existence des onze revues et des trois éditeurs présentés ci-après.

• Fondée en 1921 par Antonin Causse, professeur d'Ancien Testament et d'histoire des religions à la Faculté de théologie protestante de Strasbourg de 1919 à 1945, la *Revue d'histoire et de philosophie religieuses* est publiée trimestriellement, depuis cette date, par cette Faculté. Auparavant, de 1850 à 1869, avait paru la *Revue de théologie et de philosophie chrétienne* (dite *Revue de Strasbourg*) fondée par Timothée Colani — à partir d'un projet d'Édouard Reuss —, et où s'exprima une théologie de plus en plus libérale. Couvrant les diverses disciplines enseignées à la Faculté de théologie (sciences bibliques, dogmatique, éthique, histoire, philosophie...), la revue, qui privilégie la recherche et les études érudites, se veut ouverte à « tous les courants de pensée, sans sectarisme ».

Elle avait, en 1993, un tirage de 1 325 exemplaires. Parmi les 1 040 abonnés, on compte 700 bibliothèques, les abonnés individuels étant essentiellement des pasteurs. La revue est très diffusée à l'étranger, tout particulièrement en Allemagne, aux États-Unis, en Italie et au Japon.

• *Études théologiques et religieuses* a été fondée en 1926 par la Faculté de théologie protestante de Montpellier avec l'objectif d'être un outil de travail théologique pour les pasteurs et tous ceux que les problèmes théologiques intéressent. Tout en se voulant de niveau universitaire, cette revue est plus centrée sur la formation et l'information que sur la recherche. Oscillant autour de 1 000 abonnés jusqu'en 1971, la revue a élargi son audience pour atteindre 1 900 abonnés en 1993, sous la direction d'André Gounelle.

• Le *Bulletin de la Société d'histoire du protestantisme français*, revue trimestrielle fondée en 1852 en même temps que la Société du même nom, publie des études historiques de haut niveau sur le protestantisme français ainsi que des comptes rendus d'ouvrages. Son tirage était de 1 700 exemplaires (1 500 abonnés) en 1993.

• *Foi et vie* fut fondée en 1898 par le pasteur Paul Doumergue (avec la collaboration du pasteur Benjamin Couve) comme une « revue de quinzaine, religieuse, morale, littéraire et sociale » destinée à former spirituellement et intellectuellement le grand public protestant. Sous les directions de Pierre Maury (de 1930 à 1940) et de Charles Westphal (1940-1957), *Foi et vie* devint une revue d'inspiration barthienne. Dirigée par Jacques Ellul* (qui succéda à Jean Bosc en 1969), *Foi et vie* s'ouvrit aux débats sur l'écologie. La revue, dirigée par Olivier Millet à partir de 1986, tire à 1 200 exemplaires (1993) et compte des abonnés dans le monde entier. L'un des six numéros annuels est constitué par un *Cahier biblique*. Tous les deux ans, la revue publie un *Cahier d'études juives*.

• Le *Journal des missions évangéliques*, publié par la Société des missions évangéliques de Paris, devenue, en 1971, le Département évangélique français d'action apostolique, est une des plus anciennes revues protestantes de langue française, son premier numéro date de 1826. Mensuel, puis trimestriel à partir de 1972, le *Journal des missions évangéliques* (3 000 exemplaires en 1989) a été remplacé en 1990 par *Mission*. Paraissant dix fois par an, cette revue (4 100 exemplaires) diffuse toujours des informations et des analyses sur les Églises (et leur environnement) des pays avec lesquels le protestantisme français a noué des relations étroites (en Afrique francophone, notamment).

• *Autres temps (Les Cahiers du christianisme social)*, revue trimestrielle, continue à confronter la foi chrétienne avec son environnement social, économique et politique dans la ligne de la revue fondée en 1887 par le pasteur Gédéon Chastand et dirigée, de 1909 jusqu'à la Seconde Guerre mondiale, par le pasteur Élie Gounelle, grande figure du christianisme social protestant. De 1972 à 1983, la revue du mouvement s'intitula *Parole et société*. Estimant que la revue avait perdu son ancrage d'origine dans la foi protestante et la tradition du christianisme social, un groupe, autour de Jean Baubérot, publia, de 1980 à 1983, une autre revue : *Itinéris (Cahiers socialistes chrétiens)*. La fusion de ces deux revues, autour d'un projet reformulé tenant compte des critiques faites par *Itinéris*, donna naissance à la revue actuelle sous le titre de *Autres temps*. Publiée à Paris, cette revue tirait à 800 exemplaires et comptait 500 abonnés en 1993.

• *Positions luthériennes*, seule revue protestante luthérienne à paraître en français, a été créée en novembre 1953 à l'initiative du pasteur René-Jacques Lovy et du professeur Théobald Süss, professeur de dogmatique luthérienne à la Faculté de théologie protestante de Paris (de 1950 à 1972).

L'objectif était de montrer l'apport de la tradition luthérienne dans l'élaboration théologique passée et présente. Largement ouverte à des contributeurs non luthériens (protestants réformés, catholiques...), cette revue trimestrielle publie les documents importants émanant de la Fédération luthérienne mondiale. Malgré une bonne diffusion internationale, le tirage ne dépasse pas 600 exemplaires.

• Fondée en 1950 par la Société calviniste de France, *La Revue réformée*, revue théologique et pratique « à l'usage des fidèles, des conseillers presbytéraux et des pasteurs », a été dirigée, de 1950 à 1982, par le pasteur Pierre Marcel, qui, par ailleurs, présidait l'Association internationale réformée de 1958 à 1978. Après avoir été administrée et éditée à Saint-Germain-en-Laye, *La Revue réformée* s'est installée à la Faculté libre de théologie réformée d'Aix-en-Provence en 1982. C'est le conseil des professeurs de cette Faculté qui constitue l'équipe de rédaction de la revue, dont le tirage est de 1 300 exemplaires en 1993, avec un tiers des abonnés à l'étranger.

• *Hokhma* (« sagesse » en hébreu) est une revue de réflexion théologique fondée en 1975-1976 par des étudiants des diverses facultés de théologie protestante francophones (Belgique, France, Suisse), dont plusieurs participaient aux Groupes bibliques universitaires. *Hokhma* voulut rendre présent, au sein des facultés de théologie, une sensibilité qu'elle estimait mal représentée : l'orientation protestante évangélique. Les articles portent sur la Bible et les différentes branches de la théologie. La revue, qui paraît trois fois par an, comptait autour des 800 abonnés dans les années 90. En collaboration avec les Presses bibliques universitaires, l'équipe de *Hokhma* publie quelques ouvrages évangéliques français ou anglo-saxons.

• *Libre sens* est le nouveau nom, adopté en 1991, du bulletin publié par le Centre protestant d'études et de documentation (Paris) fondé en 1943 et devenu en 1973 un service de la Fédération protestante de France. Marie-Louise Fabre, jusqu'en 1991, a joué un rôle essentiel dans l'animation de ce Centre et dans la conception de son bulletin. Celui-ci, publié dix fois par an, veut être un outil de travail pour les individus et les groupes désirant se documenter et réfléchir sur une question : tout en offrant des dossiers sur des thèmes précis, le bulletin recense des ouvrages dans le domaine biblique et théologique, sur le protestantisme, ainsi que des livres de littérature et de sciences humaines. Tiré à 1 250 exemplaires en 1993 (600 en 1960, 1 100 en 1964), ce bulletin comptait, en 1993, 1 050 abonnés, en particulier des pasteurs et des bibliothèques.

• Publiée par la Fédération protestante de l'enseignement, la revue trimestrielle *Foi et éducation*, fondée en 1947 par le professeur Jacques Blondel (qui la dirigea jusqu'en 1972), traite des questions relatives à l'école et développe les points de vue protestants sur la formation. Cette publication s'est en particulier fait l'écho des positions protestantes en faveur de la laïcité et de l'école publique.

Quant aux éditeurs protestants, ils sont trois à assurer l'essentiel de l'édition protestante en France : Labor et Fides (Genève), Les Bergers et les Mages (Paris), les Éditions Oberlin (Strasbourg).

• Les Éditions Labor et Fides, le plus grand éditeur protestant francophone (40 titres par an dans les années 90), furent fondées en 1926 par une grande famille genevoise du monde de la banque : les De Senarclens. Connu tout d'abord par sa publication en français des œuvres de Martin Luther et de la dogmatique de Karl Barth, Labor et Fides élargit ensuite son champ éditorial, notamment en rachetant, en 1980, les Éditions Delachaux et Niestlé (Neuchâtel) et leur commentaire exégétique de l'Ancien et du Nouveau Testament. Outre cet axe biblique, cet éditeur, diffusé en France par les Éditions du Cerf (depuis 1989), publie dans les domaines de l'éthique, de la théologie protestante, de l'histoire et de la sociologie des religions (spécialement du protestantisme). Redynamisé en 1974 par le théologien Pierre Gisel, Labor et Fides a publié en 1995, en coédition avec Le Cerf, une grande *Encyclopédie du protestantisme*.

• Les Éditions Oberlin sont issues de la branche « livres et traités » de la Société évangélique de Strasbourg fondée par des cercles piétistes protestants du début du XIXe siècle. Elles publient environ 15 titres par an dans les domaines de la théologie (environ un tiers), de la jeunesse, de la littérature et des alsatiques.

• Les Bergers et les Mages, maison d'édition de l'Église réformée de France (bien qu'autonome), fut fondée en 1956 par les pasteurs Pierre Bourguet et Pierre-Charles Marcel. Dirigée actuellement par le pasteur Jean-Arnold de Clermont, elle publie cinq titres par an, tirés en général à 800-1 200 exemplaires, dans les domaines de la théologie et de l'histoire protestantes. Un de ses best-sellers est le petit ouvrage du professeur André Gounelle : *Les Grands Principes du protestantisme* (17 000 exemplaires).

Jean-Paul Willaime

ÉDITIONS UNIVERSITAIRES

En France, l'édition universitaire est le fruit d'initiatives d'entrepreneurs privés, contrairement aux pays anglo-saxons où le mouvement des presses d'université a été plus précoce. Les grands libraires scientifiques du XIXe siècle, établis à proximité des facultés, sont eux-mêmes fils ou commis de libraires. Ainsi Baillière ou Vigot pour la médecine dans le quartier de l'Odéon. Plus limités sont les cas de juristes (Dalloz) ou d'ingénieurs (Gauthier-Villars) qui se sont lancés dans la diffusion de cours ou de comptes rendus des Académies. La deuxième génération de ces dynasties, formée systématiquement à l'Université, établit des liens forts non seulement avec le monde politique, mais aussi avec le sérail scientifique, imbriqués alors assez étroitement. Pour certains, en nombre réduit, marqués par les combats républicains du XIXe siècle, le métier ne se distingue pas d'une pratique militante : ainsi Reinwald, engagé dans la défense et l'illustration du positivisme. C'est dans cette lignée combattante que se situe Marcel Rivière* entre les deux guerres, dont le catalogue est consacré aux questions du socialisme et du syndicalisme (G. Sorel*, A. Thomas…), tout en offrant de nombreuses brochures économiques, voire des corpus hérités du fonds Guillaumin. En revanche, la librairie d'érudition traditionnelle, historique et philologique (Champion, Leroux…), ne pratique pas le mélange des genres. Les éditeurs ouverts aux courants scientifiques les plus novateurs (psychologie, sociologie), comme Alcan*, ne le pratiquent pas plus, à l'exception d'une ou deux collections dont l'existence remonte au milieu du siècle précédent et qui offrent parfois une tribune à quelques ministres, députés ou journalistes, historiens amateurs ou proches du ministère de l'Instruction publique. Les éditeurs strictement universitaires ont un point commun, l'absence de littérature pamphlétaire. C'est P.-V. Stock* qui publie les pièces du procès. L'affaire Dreyfus* ne change pas la règle. L'étanchéité sera encore plus absolue après la Grande Guerre, parenthèse où tous sans exception commettent de multiples brochures anti-allemandes. Au tournant du siècle, on constate donc que les créneaux éditoriaux sont bien fixés :

librairie d'érudition, librairie scolaire (à l'exception d'Armand Colin qui, avec E. Lavisse*, s'offre un ex-cursus vers les grandes collections de synthèse), librairie universitaire, vulgarisation scientifique n'ont pas les mêmes clientèles ni les mêmes stratégies éditoriales. Les éditeurs de littérature générale, hormis Flammarion*, s'intéressent de façon plus marginale à la vulgarisation scientifique que les éditeurs scolaires comme Hachette ou Larousse. Ils ne s'intéressent pas du tout aux publications émanant de l'Université. Cette tendance s'inverse après 1918. Le modèle de G. Le Bon chez Flammarion, qui réunit dans sa collection de grandes plumes des Académies ou de l'Université, a fait recette.

Dans les pays anglo-saxons, les universités ont été très vite des moteurs influents de la vie intellectuelle tout en assurant elles-mêmes la diffusion matérielle de la production de leurs membres (Oxford, Cambridge, Harvard...). En 1907, Maurice Caullery, de la Faculté des sciences, souhaitait qu'en France des structures comparables soient mises en place. Ce n'est qu'après 1918 que des initiatives de ce type voient le jour : l'inspiration est manifestement anglo-saxonne, mais les formes juridiques adoptées diffèrent car aucune des nouvelles sociétés créées ne rompt complètement les liens avec le secteur privé ou n'est rattachée à une institution spécifique. Elles se limitent en outre à une partie de la production universitaire pour laquelle existe un public étroit et bien ciblé (édition de cours ou de polycopiés, de thèses, de textes et de traductions) ; les revues y sont faiblement représentées, de même que les collections de synthèse impliquant des mises de fond plus lourdes et des profits aléatoires. En 1919, la Société d'édition Les Belles Lettres, créée à l'initiative de l'Association Guillaume-Budé, lance les éditions bilingues de classiques latins et grecs. En 1933, le Centre de documentation universitaire commence la publication de cours de faculté, de même que les Éditions Cujas à partir de 1937. Le cas des Presses universitaires de France, créées en 1921, présente des analogies avec ces maisons, car il s'agit d'une société coopérative, dont la rétribution du capital aux actionnaires, tous universitaires, est limitée, le reste étant systématiquement réinvesti dans la production éditoriale. M. Caullery a alors réussi à faire aboutir son projet. Mais la comparaison trouve immédiatement ses limites, car les PUF, dont les ambitions sont plus vastes que Les Belles Lettres, se lient vite à des entreprises privées dont le catalogue prestigieux correspond à leur attente et dont la disparition du fondateur permet une reprise (Alcan*). La gestion des PUF est donc proche de celle du secteur privé, et cette tendance s'accentue avec l'arrivée de Paul Angoulvent dans la société en 1934. Les PUF alternent investissements à long terme et à court terme : les premiers sont induits par l'absorption définitive en 1939 des fonds Alcan, Rieder et Leroux, et donc la reprise des titres de leurs catalogues, les seconds résultent de la nécessité de rentabiliser les premiers (création de l'encyclopédie de poche « Que sais je ? » de rotation rapide à partir de 1941).

On voit donc qu'avec les presses d'« université » apparues avant 1939, le rayonnement de leur production éditoriale vise avant tout la diffusion des travaux entre pairs ou futurs pairs et n'atteint que par accident un public élargi. Si tel est le cas, cela provient d'une interaction avec des fonds et des méthodes du secteur classique de l'édition scientifique. Ces entreprises ont donc besoin de plus en plus du concours de l'État pour équilibrer leurs comptes. Seules les sciences exactes sont d'abord concernées avant 1914 par le soutien de la Caisse des recherches scientifiques. La crise économique des années 30 compromet le fonctionnement d'une nouvelle section de la Caisse pour les publications littéraires, juridiques et historiques. Après la création en 1939 du Centre national de la recherche scientifique*, préfiguré par Jean Perrin*, le même déséquilibre perdurera entre sciences exactes et sciences humaines, même si celles-ci ne sont plus délaissées. Dans les années d'après guerre, le CNRS continue à répartir sa manne, et ses moyens de soutien à l'édition augmentent progressivement. Ce n'est que récemment que se mettent en place, avec la décentralisation des universités qui suit 1968, des presses d'université proprement dites dont le fonctionnement s'inspire du modèle américain (Presses universitaires de Grenoble, Lyon, Lille...). L'ambition est la même qu'avant 1945, mais les moyens sont un peu plus importants : il s'agit de contribuer à la professionnalisation de la recherche et de laisser aux éditeurs de littérature générale les questions d'actualité ou les essais plus inclassables.

Ce délaissement au profit d'éditeurs de littérature générale s'est accentué après 1945, non seulement à cause de la vogue de l'intellectuel engagé, mais aussi parce que la frontière entre nombre de travaux universitaires, d'essais ou d'œuvres littéraires s'est faite plus floue.

Valérie Tesnière

■ M. Caullery, « L'évolution de notre enseignement supérieur scientifique », Éd. de la Revue du mois, 1907. — R. Chartier et H.-J. Martin (dir.), *Histoire de l'édition française*, t. 4 : *Le Livre concurrencé (1900-1950)*, Promodis, 1986. — J.-F. Picard, *La République des savants : la recherche française et le CNRS*, Flammarion, 1990.

ELLEINSTEIN (Jean)

Né en 1927

Né le 6 août 1927 à Paris, Jean Elleinstein, fils d'un petit industriel, adhère au PCF à la Libération. Il n'a que dix-sept ans et devient très vite un permanent, d'abord journaliste à l'agence de presse communiste, puis au bureau de presse du PCF, avant d'être affecté aux jeunesses communistes et à la Fédération mondiale de la jeunesse démocratique, mouvement contrôlé par Moscou.

Jean Elleinstein est alors un pur activiste, totalement engagé avec ses amis de l'Est parisien — Paul Laurent, Jean Gager, Henri Fiszbin, les futurs responsables de la Fédération communiste de Paris dans les années 60-70. Cet activisme le mène d'abord en prison — quelques semaines en 1949 —, puis dans la clandestinité — seize mois en 1952-1953. Cette inactivité forcée l'amène à lire beaucoup et, bientôt, il reprend ses études, devient professeur en 1954, passe le CAPES d'histoire en 1958, l'agrégation en 1960 et est nommé maître de conférences. Parallèlement, il est chargé de la création de l'Union des étudiants communistes.

Mais, le XXe congrès du PCUS et, en 1960-1961, « l'affaire Servin-Casanova » — du nom de deux hauts responsables communistes sanctionnés pour avoir été trop « khrouchtchéviens » — commencent à entamer ses convictions. Tout en restant dans la ligne, il pratique une liberté de ton qui le rapproche des communistes italiens ou espagnols. Nommé directeur adjoint du Centre d'études et de recherches marxistes*, il publie entre 1972 et 1975 une *Histoire de l'URSS* où, par petites touches, il s'éloigne de la version orthodoxe. Cette liberté de ton coïncide avec l'ouverture du PCF en cette période d'union de la gauche et d'eurocommunisme. Le Parti le laisse faire et Elleinstein pousse son avantage en publiant, en 1975, une *Histoire du phénomène stalinien*. Certes, ses analyses sont encore très convenues : le stalinisme serait le produit malheureux des circonstances historiques et non la conséquence nécessaire d'une certaine conception du socialisme. Mais Georges Marchais utilise ce pamphlet dans la lutte à fleuret moucheté qu'il mène alors contre les Soviétiques.

Elleinstein se multiplie dans la presse non communiste et dans les salons, en France et à l'étranger. Il est le porte-parole non officiel d'un communisme proclamé démocratique, moderniste et rénové, avec *Le PC* publié en 1975, puis *Lettre ouverte aux Français sur la République du Programme commun (1977)*. Le tout sur fond de XXIIe congrès du PCF, tenu en février 1976, qui a indéniablement marqué le point le plus avancé d'un éventuel processus de rupture avec le système soviétique, sous l'impulsion de Jean Kanapa*.

Après l'échec de l'union de la gauche en 1977 et le rapprochement Marchais-Brejnev, Elleinstein est durement attaqué au sein du PCF. Exclu du parti en douceur en janvier 1980, il est représentatif des espoirs et des illusions d'un grand nombre de communistes qui, au temps de l'union de la gauche, avaient cru à une mutation du communisme français.

Stéphane Courtois

■ *Histoire de l'URSS*, Éditions sociales, 1972-1975, 4 vol. — *Histoire du phénomène stalinien*, Grasset, 1975. — *Le PC*, Grasset, 1975. — *Lettre ouverte aux Français sur la République du Programme commun*, Albin Michel, 1977.

▒ Voir sa notice biographique dans P. Robrieux, *Histoire intérieure du Parti communiste*, t. 4 : *1920-1982*, Fayard, 1984.

ELLUL (Jacques)

1912-1994

Né à Bordeaux le 6 janvier 1912 d'un père grec-orthodoxe d'esprit voltairien et d'une mère protestante, Jacques Ellul fit toutes ses études à Bordeaux, au lycée Montaigne puis à la Faculté de droit où il obtint sa licence (1931) puis son doctorat de droit romain (*Étude sur l'évolution et la nature juridique du Mancipium*, 1936). Licencié ès lettres (1932), il étudia la théologie pendant la guerre. Après avoir enseigné le droit aux universités de Montpellier et de Strasbourg, il fut transféré à Clermont-Ferrand en 1939. Agrégé de droit romain et d'histoire du droit en 1943, il enseigna le droit et l'histoire des institutions à Bordeaux jusqu'en 1980. Son *Histoire des institutions* en cinq volumes (1955) fut plusieurs fois rééditée aux PUF.

En compagnie de son ami Bernard Charbonneau, avec lequel il publia en 1934 des *Directives pour un manifeste personnaliste*, Ellul gravita autour des revues *L'Ordre nouveau** et *Esprit**. Activement engagé dans la Résistance (1940-1944), il fut adjoint au maire de Bordeaux de 1944 à 1946. Il rompit en 1950 avec *Esprit* en dénonçant la théologie thomiste de Mounier*. Il participa aux travaux du Conseil œcuménique des Églises de 1947 à 1951, fut membre du Conseil national de l'Église réformée de France (1951-1970) et dirigea la revue *Foi et vie* (1970-1987). Il fut docteur honoris causa des universités d'Amsterdam et Aberdeen.

Son œuvre imposante s'est élaborée autour de deux événements décisifs : sa rencontre avec la pensée de Marx, qu'il jugea dépassée mais qui l'inspira énormément, et sa conversion au christianisme qui l'incita à étudier la Bible et la théologie réformée (Calvin et Barth). C'est comme penseur de la technique, théologien et moraliste qu'Ellul est devenu une figure du monde intellectuel, américain plus que français au demeurant. Il dénonce avec vigueur l'empire de la technique, devenue selon lui l'infrastructure des sociétés modernes. Logique des moyens érigés en fin, elle tend à dissoudre la politique et aliène profondément la liberté humaine. En affinité avec la pensée situationniste, Ellul dénonce « l'illusion politique » et le règne de la propagande. Si l'image d'un Ellul protestant pessimiste contempteur du monde moderne doit être corrigée par celle d'un Ellul propagandiste de la liberté, chrétien espérant contre toute espérance et qui n'a rien d'antimoderne, son analyse sans concessions des aliénations contemporaines et l'importance qu'il accorde à la faillibilité humaine font de lui un penseur critique, qui ne croit en rien sauf à Dieu, une sorte de Kierkegaard de la pensée sociale.

Jean-Paul Willaime

■ *Présence au monde moderne. Problèmes de la civilisation post-chrétienne*, Genève, Roulet, 1948. — *La Technique ou l'Enjeu du siècle*, Armand Colin, 1954. — *Propagandes*, Armand Colin, 1962. — *L'Illusion politique*, Laffont, 1965. — *Autopsie de la Révolution*, Calmann-Lévy, 1969. — *Éthique de la liberté*, Genève, Labor et Fides, 1973-1981, 3 vol. — *Trahison de l'Occident*, Calmann-Lévy, 1975. — *Le Système technicien*, Calmann-Lévy, 1977. — *La Raison d'être. Méditation sur l'Ecclésiaste*, Seuil, 1987.

■ J. Main Hanks, *Jacques Ellul. A Comprehensive Bibliography*, Greenwich (Conn.)-Londres, JAI Press, 1984. — P. Troude-Chastenet, *Lire Ellul. Introduction à l'œuvre sociopolitique de Jacques Ellul*, Presses universitaires de Bordeaux, 1992. — *Religion, société et politique. Mélanges en hommage à Jacques Ellul*, PUF, 1983. — « Le siècle de Jacques Ellul », *Foi et vie*, n° 5-6, décembre 1994.

ÉLUARD (Paul) [Eugène Grindel]

1895-1952

L'enfance de Paul Éluard eut pour cadre la banlieue et le Paris des faubourgs (il est né à Saint-Denis). À seize ans, atteint d'hémoptysie, il doit interrompre ses études et se rend à Clavadel en Suisse, où il passe deux années au sanatorium. Cette longue cure est pour lui une période décisive. Isolé, il découvre la littérature et se choisit des références... Baudelaire, Rimbaud et Lautréamont. Son goût pour la nouveauté l'entraîne vers les revues d'avant-garde comme *Les Soirées de Paris* d'Apollinaire*. Ses premiers poèmes sont marqués par toutes ces influences. C'est dans les couloirs du sanatorium qu'il croise une jeune Russe, Hélène Demitrovlia Diakonova ; il la prénomme Gala et l'épouse en 1917. Il ne cessera de l'adorer, même après leur séparation en 1930. Ce qui ne l'empêchera pas de cultiver l'amitié pour ses « rivaux » : Char*, Ernst et Dali. Quelques mois après leur retour à Paris, c'est la guerre. Il s'engage « pour mener une vie plus méritoire ». Il est gazé sur le front et se retrouve à l'hôpital jusqu'à sa démobilisation. Il rejoint alors quelques jeunes gens disposés à imposer « l'esprit moderne ». Il devient l'ami de Breton*, Soupault* et Aragon*, les animateurs de la revue *Littérature*. Au milieu de la fureur nihiliste de Dada, Éluard conjugue toujours révolte, tendresse, anxiété, amour, et lance sa propre revue de poésie *Proverbe*. Il participe ensuite avec passion à l'aventure surréaliste. Il rêve de libération de l'esprit, des droits imprescriptibles de l'imagination et de la pensée, tout en travaillant à l'agence immobilière familiale. En 1928, année où il est le premier surréaliste à s'inscrire au PCF, il ne dédaigne pas sa part d'héritage. Très dandy, il dépense l'argent paternel, multiplie les rencontres, anime les revues surréalistes, tente des expériences collectives comme l'écriture de *L'Immaculée Conception* (1930) avec Breton. Il publie également de nombreux recueils de poèmes comme *Capitale de la douleur* (1926), ou l'art d'être malheureux, *L'Amour, la poésie* (1929), sur le désir, *La Vie immédiate* (1932) où l'image de Gala se mêle à celle de Nush, sa nouvelle compagne.

À partir de 1936, l'action politique semble l'emporter dans cette vie faite d'ambiguïtés. Il reste fidèle au PCF et désavoue ses compagnons surréalistes, mobilisés contre les procès de Moscou. Deux ans plus tard, il désapprouve Breton devenu trotskiste. Sous l'Occupation, le voici ardent patriote. Au nez et à la barbe de la censure et de la Gestapo, il fait imprimer des messages de résistance : *Poésie et vérité* (1942). S'il collabore à *La Nouvelle Revue française** de Drieu La Rochelle* en 1941, c'est avec un poème dédié à Jean Paulhan* qui l'a présenté à Jacques Decour*, le fondateur des *Lettres françaises** clandestines. À la Libération, on le retrouve au Comité national des écrivains* (CNE). Collaborateur des *Lettres françaises*, d'*Action**, de la *Nouvelle Critique**, il entame alors une carrière de poète officiel du Parti communiste qui le conduit dans de nombreux pays socialistes, et se rend en Grèce pour soutenir la résistance communiste. En 1949, pour le 70e anniversaire de Staline, il encense « le cerveau d'amour » du dirigeant soviétique. En 1950, il ferraille une dernière fois avec Breton qui lui demande d'intervenir pour sauver Zavis Kalandra, leur ami tchèque condamné à mort lors des procès de Prague : « J'ai trop à faire avec les innocents qui clament leur innocence pour m'occuper des coupables qui clament leur culpabilité. »

Quelque temps avant sa mort, à Charenton, en 1952, il écrit : « J'ai mal vécu, j'ai mal appris à parler clair » (*Pouvoir tout dire*, 1951).

François Buot

■ *Lettres de jeunesse*, Seghers, 1962. — *Œuvres complètes*, Gallimard, « Pléiade », 1968. — *Lettres à Gala*, Gallimard, 1984. — *Anthologie des écrits sur l'art*, Cercle d'Art, 1987.

▒ L. Decaune, *Paul Éluard*, Balland, 1982. — J.-C. Gateau, *Éluard ou le Frère voyant*, Laffont, 1988. — R.-D. Valette, *Éluard. Livre d'identité*, Tchou, 1967, rééd. Verdier, 1986.

EMMANUEL (Pierre) [Noël Mathieu]

1916-1984

Poète dont l'œuvre navigua entre épopée et introspection métaphysique, Emmanuel fut un intellectuel, d'abord par ses écrits qui appartiennent, pour les plus fameux, à l'anthologie des textes de la Résistance, mais aussi par son implication constante dans les débats du siècle.

Noël Mathieu quitte à trois ans son Béarn natal avec ses parents émigrés aux États-Unis. Rentré en France en raison d'une grave maladie de sa mère, il est en partie élevé par les lazaristes de Fourvière. Passionné de poésie, il choisit après une retraite spirituelle le pseudonyme biblique de « Pierre Emmanuel ». Sa rencontre décisive avec Pierre Jean Jouve, son maître, a lieu en 1938. Apprécié en outre de Michaux, il publie dans *La Nouvelle Revue française** et *Les Cahiers du Sud** et côtoie Maritain* et Jean Cayrol*. Professeur, replié à Dieulefit au début de la guerre, il écrit des poèmes qui mettent son mysticisme de naguère au service de la « résurrection de la France ». Il participe au recueil *L'Honneur des poètes* et aux rencontres de Lourmarin. Proche de Pierre Seghers*, il s'engage également dans les activités du Conseil national des écrivains* ainsi que dans celui des professeurs. Pierre Emmanuel, qui a participé au secours du maquis du Vercors avec la Croix-Rouge, est naturellement membre du Comité de libération de la Drôme.

Animateur du *Résistant de la Drôme* (1944), puis codirecteur avec Sadoul* des *Étoiles* (1944-1946), journal de l'Union nationale des intellectuels, une émanation du Front national, il est alors un « compagnon de route » du Parti communiste et un ami d'Aragon*. Parti en 1947 découvrir les pays communistes comme « le pèlerin va vers la Terre sainte », il confie, à l'instar de Gide*, sa déception à son retour en publiant *Une semaine dans le monde*. Il se remet alors en cause et « sa vie propre s'impose à lui comme le foyer d'une énigme universelle » (*Qui est cet homme ?*, autobiographie en 1947).

Désormais, il fonde sa vie sur la poésie, même s'il conserve d'importantes activités professionnelles à la Radiodiffusion française (1945-1958). Son œuvre littéraire, notamment *Babel*, lui vaut son élection à l'Académie française* en 1968. La Ve République le couvre d'honneurs : président de la commission pour les Affaires culturelles du VIe Plan (1969), de la commission pour la Réforme de l'enseignement du français (1971), de l'Institut national de l'audiovisuel, de la Vidéothèque de Paris... Pierre Emmanuel n'en garde pas moins son indépendance d'esprit. Peu porté aux compromis, il démissionne de l'INA et surtout de l'Académie en 1975, n'acceptant pas de siéger aux côtés de Félicien Marceau, dont il réprouve le passé collaborateur. Humaniste, il consacre ses dernières années à des associations de solidarité et de défense de la liberté : Pen-Club, Comité pour le respect des accords d'Helsinki, Fondation pour l'entraide intellectuelle européenne. Il préside l'Association des amis de Soljenitsyne et prône la compréhension et l'œcuménisme dans ses chroniques à *La France catholique*.

Toujours en quête d'absolu, la vie de Pierre Emmanuel se caractérise par la force de ses deux fidélités à la foi chrétienne et à la liberté.

Jean-François Homassel

■ *L'Évangéliaire*, Seuil, 1948. — *Babel*, Desclée de Brouwer, 1951. — *Autobiographies*, Seuil, 1970. — *La Révolution parallèle*, Seuil, 1975.
■ A. Bosquet, *Pierre Emmanuel*, Seghers, 1959. — P. Seghers, *La Résistance et ses poètes*, t. 1, Marabout, 1978.

ENQUÊTE D'AGATHON

La fin du XIXe siècle vit fleurir les enquêtes en tous genres. Leurs auteurs, qui ne disposaient pas des outils de la sociologie contemporaine, ne partagent pas moins avec leurs successeurs le souci d'interroger leur époque sur la base d'un esprit prétendant échapper à la subjectivité de l'impressionnisme. On connaît les enquêtes de Jules Huret* consacrées à l'évolution littéraire de son temps. Nombre de revues liées au mouvement ouvrier, du *Mouvement socialiste** à *La Vie ouvrière*, s'attelèrent aussi à la publication d'enquêtes économiques et sociales du plus haut intérêt. La *Revue des Français*, *La Revue hebdomadaire**, *Le Gaulois* et *Le Temps* ne furent pas non plus avares du genre. Percevant, lui aussi, un changement dans les sensibilités de la jeunesse française, Émile Henriot publia dans *Le Temps* une enquête dont les réponses furent rassemblées en un ouvrage, *À quoi rêvent les jeunes gens*, figurant en bonne place dans le catalogue Champion de 1913. Celle que conduisirent dans *L'Opinion*, avant sa parution en volume au cours de l'année 1913, Henri Massis* et Alfred de Tarde réunis sous le pseudonyme d'« Agathon », s'inscrit donc dans une tradition.

Le profit est faible à relever l'étroitesse et l'arbitraire de l'échantillon retenus par les deux auteurs : des jeunes gens, à l'exclusion de toute jeune fille, de dix-huit à vingt-cinq ans, issus des grandes écoles, de facultés et de lycées « choisis parmi les plus représentatifs de leur groupe ». Par ce biais, et par l'écho que rencontra cette enquête, l'idée de génération s'imposa comme communauté de sensibilités. Elle cristallisa bien des interrogations à la veille de la Première Guerre mondiale* et la découverte ultérieure d'une « génération du Feu » pourrait bien se placer dans la filiation de la mise à jour opérée par les enquêtes générationnelles d'Agathon et de quelques autres. Celles qui contestèrent la rigueur des procédés utilisés par Massis et Tarde ne purent vraiment contredire les résultats obtenus par les deux auteurs malgré le choix d'autres échantillons ou l'utilisation de procédés différents. L'enquête d'Agathon occulte celle qui lui est contemporaine et qu'avait publiée *La Revue hebdomadaire*. Son directeur, Fernand Laudet, l'avait lancée en mars 1912 auprès d'un éventail de jeunes gens venus d'horizons socioprofessionnels bien plus divers que ceux retenus par Agathon. Laudet avait retenu des artistes, des médecins, des agriculteurs, des militaires, des ecclésiastiques et des représentants des milieux d'affaires. Ses conclusions confirment les révélations de Tarde et de Massis.

La « nouvelle génération », y pouvait-on lire, avait un tout autre ton que celle qui la précédait. Celle-ci, forte de son orgueil matérialiste et de son credo scientifique, se trouvait empêtrée, disait-on encore, en des contradictions dans lesquelles la pensée s'opposait à l'action. Celle-là n'avait pas tant de complexes. Elle avait été épargnée par l'histoire qui ne lui avait infligé aucune blessure. Les aînés avaient subi de plein fouet la défaite de 1870. Les cadets étaient sûrs d'eux-mêmes : l'esprit qui les guidait était « un esprit d'affirmation, de création ». Les intellectuels des années 1890 subissaient. Les plus jeunes acceptaient. Cette génération, qui ne se regardait pas, agitant les vertus d'un certain anti-intellectualisme, ne considérait pas la vie « comme un débat intellectuel ». Elle avait le « goût de l'action » et préférait la « belle vie » aux « belles idées ». Vitaliste, à n'en point douter, elle se nourrissait des lectures de James, Emerson et Whitman, mettant au goût du jour la culture d'un pays neuf, passionnée d'action et grosse consommatrice d'énergie. Cette jeunesse intellectuelle s'enthousiasmait pour le sport en plein développement.

Il faut pourtant revenir sur l'interprétation habituellement faite de cet ouvrage. La jeunesse d'Agathon n'est ni Action française* ni « préfasciste », à moins de considérer ses références comme constitutives de la culture fasciste à venir. Romain Rolland*, André Suarès*, Jean-Richard Bloch*, Paul Claudel*, Charles Péguy*, Francis Jammes, Henri Bergson*, Georges Sorel* et, pour les auteurs morts, Nietzsche et Stendhal, forment le patrimoine de la nouvelle jeunesse. Vitalisme, catholicisme, syndicalisme : tels sont les axes de la pensée politique de ces jeunes intellectuels des années 10. Les valeurs l'emportent sur les attachements idéologiques ou les appartenances politiques. Mais le livre d'Agathon n'est que la tentative de récupération, au profit du nationalisme de droite, d'un sentiment diffus dans la jeunesse intellectuelle.

Christophe Prochasson

■ Agathon, *Les Jeunes Gens d'aujourd'hui*, Plon, 1913. — É. Henriot, *À quoi rêvent les jeunes gens*, Champion, 1913.

ENQUÊTES DE VICHY

Entre 1940 et 1944, s'inscrivant dans la tradition leplaysienne des grandes enquêtes sociales, des intellectuels soucieux de la gestion du social se sont trouvés en phase avec un régime passionné de dénombrement. Sous leur influence plus ou moins directe, le régime de Vichy a lancé un grand nombre d'enquêtes nationales, recueils de données destinées à orienter ses décisions. Son souci presque obsessionnel du dénombrement a d'abord été mis au service des besoins immédiats et conjoncturels de la guerre et de l'Occupation : le dénombrement des immeubles détruits par les opérations militaires de la campagne de 1940, le calcul des frais d'occupation, le recensement des juifs, la tenue à jour des registres de prisonniers, l'enregistrement des morts sous les bombardements. Puis, à travers les Comités d'organisation, mis en place pour contrôler, branche par branche, les secteurs d'activité, c'est toute l'infrastructure économique française qui a été passée au crible, selon les méthodes prônées parallèlement par les intellectuels soucieux de rigueur scientifique : en évaluant précisément le nombre et la taille des usines, la répartition et la qualification des ouvriers, la qualité et la quantité du matériel dont chaque entreprise disposait, les besoins en main-d'œuvre de chaque secteur, ces enquêtes étaient autant un instrument au service de l'Occupation allemande qu'un moyen de photographier l'état de l'économie française. Enfin, sous l'impulsion d'Alfred Sauvy*, le Service national des statistiques, fondé en 1941, a assis les bases de nouveaux principes de comptabilité nationale. Grâce à l'utilisation de la mécanographie, les statisticiens avaient imaginé de donner à chaque citoyen un numéro d'identification à 13 chiffres qui aurait permis de tenir à jour tous les renseignements de sa vie personnelle et professionnelle.

Chargés de la préparation d'un Plan d'équipement de dix ans, les différents services de la Délégation générale à l'équipement national (DGEN) ont largement puisé dans le vivier méthodologique ou humain de ce type d'études économiques et sociologiques. Ils ont lancé ou suivi de nombreuses enquêtes, dont les plus novatrices concernaient l'économie et l'habitat. Ainsi, la Commission d'études pour les questions relatives à l'habitation et à la construction immobilière créée en 1941 a conduit une série d'enquêtes à travers la France sur les aspects quantitatifs, sociologiques et architecturaux des logements ruraux et urbains. En mai 1941, le Service des chantiers intellectuels et artistiques de la DGEN lançait une grande enquête sur l'architecture rurale, connue sous le nom de « chantier 1425 ». Son équipe était dirigée par Georges-Henri Rivière*, le conservateur du Musée des arts et traditions populaires*, Pierre-Louis Duchartre, chargé de mission des Musées nationaux, l'urbaniste Urbain Cassan et l'architecte Pierre Drobecq. Ils avaient également la charge du « chantier 909 » qui s'occupait du mobilier folklorique. Les enquêteurs — ethnologues, folkloristes et architectes — devaient rechercher à travers la France les éléments typiques de l'architecture rurale, en bâtir un modèle et faire des études monographiques sur les exemples les plus proches de cet idéal-type. Terminées en 1944, ces enquêtes furent mises à la disposition du public dans les collections du Musée des ATP. La DGEN a également fait faire des études sur les villes bombardées (Le Creusot, Lorient, Brest, Boulogne, Dugny et Le Bourget) de façon à prévoir leur reconstruction selon les nouvelles règles urbanistiques du zonage. Il s'agissait en fait de reconstruire les installations portuaires ou industrielles loin des zones d'habitation de façon à limiter les conséquences des bombardements sur les populations civiles.

Parallèlement, en liaison avec l'Ordre des architectes, le Comité d'organisation du bâtiment et des travaux publics a dirigé des commissions d'étude sur la situation de l'habitat. Travaillant comme toute l'administration de Vichy à partir de questionnaires longs et minutieux (plusieurs centaines de questions parfois) et d'enquêtes, il a élaboré un programme d'amélioration du logement. Venant préciser ces recherches, les préfets, à partir de 1941, ont fait recenser par les services municipaux du logement nouvellement créés, tous les immeubles vétustes soit pour les rénover, soit pour les détruire. C'est également dans le cadre de la lutte contre les taudis et la crise du logement qu'ont été constitués des fichiers municipaux de mal-logés.

Ces enquêtes ont contribué à l'essor de la sociologie empirique telle qu'elle a été développée par le Centre d'études sociologiques du CNRS*, fondé en 1951, et ont servi de matrice aux grandes enquêtes de l'après-1945 : dans le cadre des conséquences de la guerre, elles ont servi de base aux calculs de la Commission du coût de l'Occupation ; dans celui de la préparation du Plan Monnet, elles ont été reprises par le Commissariat général au Plan. L'INSEE et l'INED, enfin, en ont repris directement l'héritage.

Danièle Voldman

■ P. Bourdieu et L. Boltanski, « Les aventures d'une avant-garde », *Actes de la recherche en sciences sociales*, n° 2-3, juin 1976. — R.-F. Kuisel, *Le Capitalisme et l'État en France. Modernisation et dirigisme*, Gallimard, 1984. — M. Pollak, « La planification des sciences sociales », *Actes de la recherche en sciences sociales*, n° 2-3, juin 1976. — A. Sauvy, « Heurs et malheurs de la statistique pendant la guerre (1939-1945) », *Revue d'histoire de la Seconde Guerre mondiale*, n° 57, janvier 1965.

Enquêtes sociologiques et ethnologiques des années 60

La sociologie et l'ethnologie, disciplines d'étude de l'homme en société, dont les frontières étaient souvent floues, ouvrirent de vastes chantiers, dès la fin des années 50, consacrés à l'analyse des effets de la modernité. La sociologie, procédant par enquêtes empiriques appuyées sur la méthode des échantillons représentatifs ou sur des méthodes qualitatives, s'intéressait principalement aux conséquences de l'industrialisation. L'ethnologie, par des investigations approfondies de terrain, s'interrogeait sur les effets du changement technique et social dans des villages ou des micro-régions.

La vie au travail, un thème dominant dans les enquêtes sociologiques : ainsi étudia-t-on les répercussions des transformations technologiques sur les métiers de l'automobile (Alain Touraine*), le travail féminin (Madeleine Guilbert et Viviane Isambert-Jamati), les travailleurs algériens immigrés (Andrée Michel). L'examen des conflits entre les exigences du progrès technique continu et les structures de la société rurale française ouvre la voie à une sociologie rurale (Henri Mendras), tandis qu'une sociologie des loisirs s'intéresse aux usages sociaux du temps libre et à la mise en place des politiques culturelles (Joffre Dumazedier). Les enquêtes relatives aux comportements des familles ouvrières, notamment à la consommation alimentaire (Paul-Henry Chombart de Lauwe*), traçaient le cadre d'une sociologie de la vie quotidienne et des pratiques de consommation. La sociologie des religions avait pris corps, dès le milieu des années 40, sous l'impulsion de Gabriel Le Bras*.

Ces travaux novateurs furent conduits dans le cadre du Centre d'études sociologiques, une unité de recherche du CNRS*, qui, créée dès 1946, avait donné une impulsion décisive à la discipline, privée jusqu'à la fin des années 50 d'une place dans l'Université (création de la licence de sociologie en 1955). Ils s'inscrivaient dans des mouvements d'idées fortement influencés par le marxisme et s'intéressaient, en premier lieu, à la classe ouvrière.

Aux côtés de thèmes plus proprement démographiques, l'Institut national d'études démographiques (INED), pour sa part, lança de grandes enquêtes statistiques, portant sur des questions de société telles que les populations migrantes, le niveau intellectuel des enfants d'âge scolaire ou le travail des femmes. La plus célèbre et la plus pérenne d'entre elles reste l'enquête consacrée au choix du conjoint (Alain Girard), conduite sur la base d'un questionnaire qui cernait des données démographiques (âge des conjoints) et sociologiques (lieux de résidence et de rencontre, appartenance socioprofessionnelle). En révélant la proximité sociale et résidentielle (ce qu'on nomme « l'homogamie »), l'enquête bouleversait les idées courantes de l'époque, toute pétrie des idées de liberté d'après guerre. Même si le choix du conjoint était théoriquement libre, de puissantes forces sociales continuaient de présider à l'arrangement des unions. Ces travaux ouvrirent la voie à une sociologie de la famille, encore balbutiante en France.

Si, malgré le faible nombre de chaires universitaires, la sociologie dans les années 60 apparaissait comme une discipline bien établie, notamment dans le cadre du CES, avec une histoire et des « ancêtres », comme Émile Durkheim*, un corps de doctrines et de méthodes, une revue, la *Revue française de sociologie*, fondée en 1960, et disposant d'une audience internationale, l'ethnologie venait alors à peine de se dégager des faiblesses théoriques du folklore. Après les enquêtes de Vichy*, extensives, consacrées à l'architecture et au mobilier rural, au calendrier traditionnel, etc., conduites entre 1939 et 1945, de vastes projets furent lancés pour mieux cerner la complexité du social, sous l'égide du Musée de l'homme ou du Musée national des arts et traditions populaires*, qui, associés à des unités de recherche du CNRS, étaient alors les principaux fondements institutionnels de l'ethnologie (la revue *Ethnologie française*, qui faisait suite à *Arts et traditions populaires*, ne fut créée qu'en 1971). À Plozévet, une commune de basse Bretagne peuplée d'agriculteurs et de marins-pêcheurs, il s'agissait d'étudier, à partir d'une interrogation de génétique humaine formulée par le docteur Jean Sutter de l'INED, le fonctionnement et l'éclatement d'un « isolat ». Historiens, sociologues, linguistes, ethnologues s'intéressèrent aux différentes identités d'une commune dont l'unité était loin d'être évidente, et observèrent au plan local les effets de la pénétration de la modernité économique et culturelle. Sous la conduite de Georges-Henri Rivière*, conservateur du MNATP et directeur du Centre d'ethnologie française, le projet subséquent prenait pour terrain non plus une commune, mais une vaste région de pâturages d'altitude située dans le Massif central. En Aubrac, il s'agissait d'étudier la genèse, le fonctionnement et les transformations d'un système techno-économique et social fondé sur l'économie agro-pastorale. Ici aussi, ethnologues, sociologues, historiens, agronomes confrontèrent leurs points de vue. Si l'ethnologie d'urgence inspirait alors l'enquête — saisir un système socio-économique alors qu'il va disparaître —, elle débouchait aussi sur une action appliquée puisque les agronomes tentaient d'orienter la reconversion des éleveurs de la production de lait vers celle de viande, à destination d'un marché commun qui allait s'ouvrir.

La grande enquête qui allait succéder choisit le Châtillonnais pour le contraste que ses traits offraient avec ceux de l'Aubrac : région sans archaïsmes apparents, à l'économie dynamique fondée sur la céréaliculture et l'élevage, autour d'une petite métropole régionale regroupant industries et services. S'il y eut une enquête sociographique de portée générale, les chercheurs développèrent des intérêts particularisés ; c'est dans le cadre de cette entreprise que furent conduits les travaux très novateurs sur le village de Minot qui utilisaient les cadres théoriques de l'anthropologie sociale telle qu'elle se pratiquait sur les terrains exotiques (la parenté, le religieux, les espaces cérémoniels, la mémoire familiale, etc.) et testaient la pertinence d'un « regard rapproché ».

Les grandes enquêtes ethnologiques, conduites dans le cadre des Recherches coopératives sur programme (RCP) du CNRS, ne tinrent donc pas les promesses interdisciplinaires qui les fondaient. Au contraire, dès la fin des années 60, on assista à un changement complet dans les échelles d'observation : on passait du très grand au petit, de l'enquête extensive à une investigation intensive de longue haleine qui devait permettre, à partir d'un cas bien documenté, de poser des problèmes généraux. En revanche, les enquêtes pionnières du CES fondaient la légitimité de la discipline sociologique qui développait ses spécialités : sociologie du travail, du loisir, de la religion, de la famille, etc.

Martine Segalen

■ A. Burguière, *Bretons de Plozévet*, Flammarion, 1975. — P.-H. Chombart de Lauwe, *La Vie quotidienne des familles ouvrières*, CNRS, 1977. — A. Girard, *Le Choix du conjoint. Une enquête psychosociologique en France*, PUF, 1964, rééd. 1974. — T. Jolas, M.-C. Pingaud, Y. Verdier et F. Zonabend, *Une campagne voisine. Minot, un village bourguignon*, ministère de la Culture et de la Communication / MSH, 1990. — A. Touraine, *L'Évolution du travail ouvrier aux usines Renault*, Centre d'études sociologiques, 1955. — *L'Aubrac. Étude ethnologique, linguistique, agronomique et économique d'un établissement humain*, CNRS, 1970-1986, 7 vol.

ESPAGNE (guerre d')

1936-1939

Le 17 juillet 1936, les troupes de l'armée régulière espagnole stationnées au Maroc entrent en rébellion. Le lendemain, le mouvement s'étend à la péninsule et, le 25, un gouvernement insurrectionnel s'établit à Burgos. L'Espagne est coupée en deux, une moitié de son territoire demeurant sous le contrôle du gouvernement et de ses alliés communistes et anarchistes ; l'autre passant sous le contrôle des militaires rebelles. La guerre civile espagnole a commencé ; elle durera trois ans.

La proximité, la cruauté des combats et des massacres, la décision du gouvernement français de ne pas intervenir et le maintien de cette politique alors même que l'Allemagne et l'Italie ne font pas mystère de leur engagement aux côtés des rebelles transforment rapidement la guerre d'Espagne en enjeu majeur du débat intellectuel, vis-à-vis duquel chacun se définit. À l'origine, les camps sont bien tranchés : d'un côté, la droite, très majoritairement favorable aux insurgés et qui considère ceux-ci comme les sauveurs d'une Espagne qui aurait autrement sombré dans la révolution, l'anarchie et le communisme ; de l'autre, la gauche, unanimement favorable au gouvernement républicain issu des urnes et représentant la légalité. Les catholiques sont divisés, la majorité se rangeant du côté franquiste, une minorité refusant de hurler avec les loups, quand elle ne faisait pas déjà part de son opposition à l'insurrection.

Avec le temps, l'enjeu, les positions et les méthodes vont changer. D'abord parce que la guerre dure, que sa violence s'accroît, et que les témoignages qu'on en reçoit se font plus nombreux et plus précis, arrivant parfois, comme dans le cas du bombardement de Guernica par l'aviation allemande, à couvrir la désinformation entretenue par la propagande. Ensuite, parce que l'intervention de l'Allemagne et de l'Italie d'un côté, de l'Union soviétique de l'autre, transforment peu à peu l'Espagne en champ de bataille des puissances mondiales, que la guerre s'internationalise et se radicalise. Enfin, et même si c'est de façon plus tardive, parce qu'aux violences commises de part et d'autre contre les adversaires, s'ajoutent bientôt, notamment dans le camp républicain, les règlements de comptes internes, anarchistes et trotskistes d'un côté, communistes soutenus par l'URSS de l'autre, se déchirant en des luttes sanglantes.

Si la droite demeure, dans sa grande majorité, convaincue du bien-fondé de l'insurrection militaire, Paul Claudel* s'en faisant le chantre, des voix discordantes se font entendre, au premier rang desquelles celle du royaliste et catholique Georges Bernanos* qui crie, en 1937, dans *Les Grands Cimetières sous la lune*, le dégoût que lui inspirent les insurgés et la hiérarchie catholique espagnole. Il y a François Mauriac* qui, d'abord favorable à la rébellion franquiste, change de bord et signe en mai 1937 le manifeste « Pour le peuple basque », choqué, comme beaucoup de ses coreligionnaires, par les méthodes de répression qu'adoptent, avec le soutien de l'Église, les troupes rebelles, à l'encontre des Basques, demeurés fidèles au gouvernement républicain. Face à *La Croix*, de bout en bout fidèle à la doctrine officielle, *Sept**, *Esprit** et *L'Aube* incarnent alors un catholicisme antifasciste qui refuse que la religion puisse être aliénée à une lutte sociale et politique.

À gauche, les bouleversements ne sont pas moindres. Si l'on reste généralement fidèle au camp républicain, on se divise sur l'aide à lui apporter, pour des raisons qui tiennent tantôt de l'attachement à la paix, tantôt de l'idéologie. Certains, dont le plus éminent et sans doute le plus déchiré est Jean Guéhenno*, refusent, longtemps du moins, d'attiser le conflit et de prendre, en intervenant en Espagne, le risque d'une guerre mondiale. D'autres, du côté trotskiste cette fois-ci, considérant la reprise en main du camp républicain par les communistes, répugnent à apporter leur soutien à ce qui leur apparaît désormais comme une opération de police stalinienne. De fait, face aux uns et aux autres, ce sont les communistes qui se dressent, réclamant indéfectiblement des « avions pour l'Espagne », applaudissant la Pasionaria, allant jusqu'à prendre les armes.

Car, avec la guerre d'Espagne, c'est un nouveau type d'engagement qui fait son apparition, trouvant en André Malraux* sa figure emblématique : l'intellectuel ne se contente plus d'intervenir dans le débat et de mettre sa plume et sa notoriété au service d'une cause ; il combat. À gauche, ce sont les Brigades internationales et l'épopée de l'escadrille *España* ; à droite, les volontaires de la Bandera Jeanne d'Arc qui vont combattre aux côtés des troupes franquistes.

Ainsi la notion d'engagement change-t-elle du tout au tout, et pour longtemps. À la figure classique de l'intellectuel prenant parti mais s'abstenant d'entrer dans les compromissions de l'action, se substitue celle du héros, dont la geste magnifique fait exemple. Le clerc ne trahit plus ; il choisit d'abandonner ses privilèges pour exercer sa liberté, pour épouser ainsi le sort de ses semblables.

Sans doute le déroulement de la guerre d'Espagne ne sera-t-il guère affecté par cette nouvelle forme d'intervention intellectuelle, non plus que par ses formes plus classiques. Les événements d'Espagne sont au cœur du Congrès pour la défense de la culture* qui se tient à Valence, Barcelone, Madrid et Paris en juillet 1937, ils sont l'occasion du « Manifeste aux intellectuels espagnols » que publie, en décembre, la revue d'extrême droite *Occident*, mais, avec l'année 1938, l'attention se focalise sur d'autres périls. Il demeure : un nouvel intellectuel est né, qui hantera désormais les consciences et les cœurs.

Bernard Laguerre

■ G. Bernanos, *Les Grands Cimetières sous la lune*, Plon, 1938. — P. Drieu La Rochelle, *Gilles*, Gallimard, 1939. — H.R. Lottman, *La Rive gauche*, Seuil, 1981. — A. Malraux, *L'Espoir*, Gallimard, 1937.

ESPRIT

Créée en 1932, la revue *Esprit* constitue un rare exemple de permanence dans le champ des revues intellectuelles françaises. Mensuelle, sa diffusion oscille entre 3 000 et 20 000 exemplaires au cours de son histoire.

Quatre hommes sont à l'origine de la création d'*Esprit*, dont le premier numéro paraît en octobre 1932 : Emmanuel Mounier*, Georges Izard*, André Deléage et Louis-Émile Galey. Abritée par les Éditions Desclée de Brouwer, parrainée par Jacques Maritain*, la revue s'inscrit au départ dans la mouvance des « non-conformistes ». Le manifeste de Font-Romeu adopté en août 1932 fixe les grandes lignes du projet initial : lutte contre le « désordre établi », désolidarisation du spirituel et du politique, construction d'une civilisation personnaliste et communautaire. Les adversaires sont clairement définis : le matérialisme, le libéralisme, l'individualisme et le parlementarisme. *Esprit* s'appuie dès son origine sur de nombreux groupes provinciaux et étrangers.

Un premier conflit oppose Mounier et Deléage. le premier plaide pour la primauté du spirituel, alors que Deléage souhaite faire de la revue l'organe de « Troisième Force », le mouvement politique qu'il dirige. Mounier impose l'autonomie de la revue qui est malgré tout amenée à se situer politiquement. Elle prend position contre l'impérialisme italien en Éthiopie* (1935), s'engage aux côtés du Front populaire puis en faveur des républicains espagnols (1936-1938). *Esprit* plaide alors pour un « socialisme personnaliste », dans la lignée de Proudhon et du théoricien belge Henri de Man.

Malgré la défaite et l'occupation allemande, la revue paraît de nouveau à Lyon, où se sont repliés ses principaux collaborateurs, entre novembre 1940 et août 1941. À cette date, Vichy interdit la publication. En janvier 1942, Mounier est arrêté pour ses relations avec Henri Frenay et le mouvement « Combat », il sera relaxé en octobre de la même année.

La revue reparaît dès décembre 1944, désormais abritée rue Jacob par les Éditions du Seuil*, qui publient une collection « Esprit », prolongement des travaux de la revue. Tout en participant à l'expérience du Rassemblement démocratique et populaire* (RDR) en 1947, la revue se rapproche de 1944 à 1949 du Parti communiste, sous l'influence notamment de Jean Lacroix*.

Bien que non confessionnelle et ouverte à des collaborateurs protestants (Paul Ricœur*), juifs (Rabi, Alex Derczansky) ou athées, *Esprit* défend l'idée d'une transformation du catholicisme et ouvre ses colonnes aux dominicains et aux jésuites (Montuclard*, Congar*, Chenu*...) dont les positions sont condamnées par Pie XII avant d'être reconnues par Jean XXIII dans le cadre de Vatican II.

À partir de 1949, les analyses de François Fejtö* (affaire Rajk) permettent à la revue de se distancier plus nettement du communisme, même si des rapports avec le PCF peuvent exister épisodiquement. Sous les directions d'Albert Béguin* (1950-1957) puis de Jean-Marie Domenach* (à partir de 1957), *Esprit* s'engage dans la création d'une « nouvelle gauche » (avec la CFDT et le PSU) et dans une modernisation intellectuelle sous l'impulsion notamment de Michel Crozier*, Alain Touraine* ou Joffre Dumazedier. Nombreux sont ses collaborateurs qui s'investissent dans les activités du Club Jean-Moulin, à partir de 1958 (Georges Lavau, Georges Suffert, Joseph Rovan*).

Parallèlement, la revue poursuit pendant la guerre d'Algérie* la lutte anticoloniale initiée dès l'après-guerre par Mounier. Mais si certains collaborateurs sont en pointe dans le combat contre la torture (Henri Marrou*, André Mandouze*, Paul Thibaud*...), la revue plaide pour la négociation, loin du radicalisme tiers-mondiste du « Manifeste des 121 »*.

Mai 1968 surprend la revue qui a adopté une position ambiguë à l'égard de De Gaulle dont elle salue l'action en Algérie et la politique étrangère. S'ouvre alors une période radicale où *Esprit* renoue avec son inspiration proudhonienne à travers les articles d'Ivan Illich, l'utopisme de Paul Goodman, tout en ouvrant ses colonnes à certains représentants du courant maoïste issu de Mai 68 (Jacques Donzelot, Michel Foucault*).

À partir de 1974, elle se recentre sur l'autogestion, en lien avec la CFDT et le courant des Assises dont certains collaborateurs sont les théoriciens (Jacques Julliard, Patrick Viveret, Pierre Rosanvallon*), puis, sous l'impulsion de son nouveau directeur, Paul Thibaud (1976-1988), elle s'engage dans la dénonciation du totalitarisme grâce à l'apport extérieur des anciens animateurs de *Socialisme ou barbarie** (Cornélius Castoriadis*, Claude Lefort*).

La direction de Paul Thibaud est aussi une période de rupture avec le personnalisme initial de la revue : la démocratie autrefois suspectée de formalisme est réévaluée, l'individualisme est désormais considéré comme une donnée anthropologique (Louis Dumont*) et le lien avec la culture catholique se fait moins problématique. Ce sont ces orientations qui sont confortées par l'arrivée d'Olivier Mongin à la direction d'*Esprit* en 1989. Et, si la revue, installée désormais près de Beaubourg, ne défend plus explicitement la revendication d'un socialisme personnaliste, la thématique de la justice sociale y occupe une place importante (autour des œuvres de John Rawls ou de Michael Walzer). Deux des quatre rédacteurs en chef actuels et de nombreux membres du comité de rédaction sont d'ailleurs issus de la revue rocardienne *Intervention* (1982-1986).

Goulven Bouldic

■ J.-L. Loubet del Bayle, *Les Non-Conformistes des années 30*, Seuil, 1969. — M. Winock, *Histoire politique de la revue « Esprit » (1930-1950)*, Seuil, 1975. — « Cinquantenaire », *Esprit*, numéro spécial, janvier 1983.

ÉTATS-UNIS PENDANT LA SECONDE GUERRE MONDIALE (les)

En mai 1942, Jacques Surmagne, directeur en exil de France Presse, entame dans *Pour la victoire* la publication d'une série d'articles intitulée « New York est-il français ? ». Au-delà de l'exagération volontaire du propos, il est clair que seules les circonstances exceptionnelles de la guerre et de l'Occupation peuvent fonder une telle interrogation : mise en branle par l'arrivée puis l'installation des troupes nazies — mais aussi, parfois, par celle du régime de Vichy —, toute une émigration française s'est en effet dirigée vers les États-Unis, nourrissant ainsi l'existence d'une « France en exil » schématiquement estimée à 30 000 personnes, essentiellement rassemblées à New York et sur la côte Est.

Pareille diaspora se compose à l'évidence d'une large variété de profils, aussi bien du point de vue des motivations des intéressés que de leur statut sociologique. On ne peut cependant qu'être frappé par la place considérable qu'y occupent artistes et intellectuels. C'est la raison pour laquelle ces années d'exil constituent un moment tout à fait spécifique dans l'histoire de l'intelligentsia française : pour certains de ses membres, elles représentent en effet l'occasion d'un brassage et d'une redistribution des cartes de la sociabilité intellectuelle qui ne connaissent peut-être nul équivalent.

En effet, de la rencontre, imposée par les événements, d'écrivains, d'universitaires et d'artistes de provenances extrêmement variées résulte peu à peu la constitution d'une véritable « communauté » intellectuelle française — ou francophone — aux États-Unis. Intervient dans ce processus le jeu des mécanismes d'entraide, de solidarité matérielle. Mais pèse également l'action de ceux qui, soit parce qu'ils étaient déjà installés aux États-Unis avant la guerre, par exemple Henri Peyre, ou encore l'ethnologue suisse Alfred Métraux, soit parce qu'ils y avaient fréquemment été invités pour des séjours universitaires de longue durée, comme Jacques Maritain*, ou comme l'historien de l'art Henri Focillon, sont les plus à même de favoriser l'insertion des nouveaux arrivants.

C'est ainsi que, grâce à leur propre notoriété ou à celle de leurs mentors, grâce également à l'accueil que leur offrent les structures et les milieux universitaires américains et au soutien que leur apportent divers organismes à vocation culturelle, notamment la Fondation Rockefeller, les intellectuels français en exil parviennent assez rapidement à trouver les moyens de développer leur activité propre. Parmi bien d'autres, Maritain, Breton* ou Focillon ont, par exemple, l'occasion d'enseigner et de multiplier les conférences à Yale et à Harvard ; de même que Gurvitch* à Columbia, ou encore Étiemble* à l'université de Chicago et P. Vignaux* à Notre-Dame...

Les chemins de l'édition s'ouvrent également sans tarder. En 1934, Vitalis Crespin et Isaac Molho avaient créé à New York la Librairie de la Maison française ;

dès l'automne 1940, ils se lancent dans l'édition en publiant *Tragédie en France*, de Maurois : plus de cent vingt titres seront ainsi édités pendant la guerre par les Éditions de la Maison française, parmi lesquels, entre autres, *À travers le désastre* de Maritain, *Varouna* de Julien Green, ou encore les volumes XIX à XXIV des *Hommes de bonne volonté* de Jules Romains*. De grands éditeurs américains suivent l'exemple : *Le Surréalisme et la peinture* d'A. Breton, *La Part du Diable* de D. de Rougemont* et *Anabase* de Saint-John Perse* sont ainsi publiés chez Brentano's, de même que *Pilote de guerre* et *Le Petit Prince* de Saint-Exupéry* chez Reynal and Hitchcock.

Soucieux de maintenir l'existence d'une activité culturelle aussi intense que possible, les Français en exil entreprennent également la mise en œuvre d'une authentique institution de type universitaire : l'École libre des hautes études, installée à New York. Créée en février 1942, sur le modèle et avec le soutien de la New School for Social Research, à l'instigation de Maritain, H. Peyre et Gustave Cohen, l'École libre est dirigée par Henri Focillon, secondé par Alexandre Koyré*, et regroupe dans les domaines les plus variés (de la philosophie et de la sociologie avec Gurvitch, aux disciplines scientifiques avec Jean Perrin*) plus de quatre-vingt-dix professeurs, dont les travaux sont par ailleurs régulièrement publiés dans la revue *Renaissance*, lancée en 1943. Une véritable communauté intellectuelle et universitaire se trouve ainsi en mesure de fonctionner...

Au vu des circonstances spécifiques qui ont présidé à sa constitution, cette communauté considère que sa raison d'être fondamentale réside dans l'affirmation d'une culture française libre et que ce témoignage constitue en lui-même un geste porteur de sens : dans son *Journal*, à propos d'une conférence qu'il vient de donner sur Péguy, J. Green note ainsi de manière significative que l'« on fait aimer la France à travers ses enfants » (4 mars 1942). Mais les nécessités du combat sont telles que, pour nombre d'intellectuels en exil, la seule activité culturelle ne saurait se suffire à elle-même. Aussi des formes d'engagement plus « directes » voient-elles le jour.

Elles passent en premier lieu par l'émergence d'une presse française explicitement orientée vers le soutien aux Alliés et à la France libre. Le titre le plus représentatif en est sans conteste *Pour la victoire*, créé en janvier 1942 par Henri de Kérillis et Geneviève Tabouis : impressionnante, la liste des auteurs de *Pour la victoire* comprend notamment les signatures de P. Lazareff, G. Cohen, C. Lévi-Strauss*, J. Maritain, A. Breton, F. Léger*, A. Léger (Saint-John Perse), J. Green, D. Milhaud, J. Romains, etc.

Elles revêtent, en second lieu, l'aspect d'un intense militantisme radiophonique, par l'intermédiaire de la « Section française » de « La Voix de l'Amérique », dans le cadre de l'Office of War Information. Créée en février 1942 par P. Lazareff, cette Section française élabore des programmes diffusés vers la France occupée par les soins de la BBC. Secondé par R. de Saint-Jean et par D. de Rougemont, Lazareff regroupe autour de lui des artistes (le peintre Amédée Ozenfant), des journalistes (Philippe Barrès), des poètes (Soupault*, Breton), des romanciers (J. Green) et des universitaires (Lévi-Strauss), grâce auxquels la communauté française en exil participe elle aussi à la guerre des ondes. Les milieux du cinéma ne sont d'ailleurs pas en reste : en 1943, Jean Renoir* réalise ainsi pour l'OWI un petit film intitulé *Salute to France*...

Pour certains, l'engagement pourra enfin se faire plus direct encore : à l'instar d'autres exilés, certains intellectuels français, comme Alain Bosquet ou Saint-Exupéry, rejoindront purement et simplement les rangs de l'armée américaine.

Cependant, l'unanimisme patriotique ne peut résister durablement aux vicissitudes de l'époque. Leur soutien plus ou moins affirmé et plus ou moins durable à Vichy conduit certains à la marginalisation relative : ainsi en va-t-il, dans une certaine mesure, de Maurois et de Saint-Exupéry. Ceux qui rejettent l'État français se divisent eux-mêmes autour de la question du soutien qu'il convient ou non d'apporter au général de Gaulle, nombre de Français installés aux États-Unis, tels Maritain ou Saint-John Perse, se méfiant du tempérament autoritaire du chef de la France libre...

Il n'en demeure pas moins que, par son existence même, la communauté intellectuelle française en exil a contribué, à sa manière, à l'effort de guerre. Son rayonnement aura notamment renforcé l'image de la France dans l'esprit des élites américaines et, précisément par sa diversité et par ses dissensions internes, elle aura pu réduire les craintes de ceux qui redoutaient l'affirmation d'un pouvoir gaullien de type dictatorial.

D'un point de vue plus spécifique aux milieux intellectuels français en tant que tels, ces années américaines ne seront pas non plus sans conséquences. D'une part, elles furent l'occasion d'une découverte des États-Unis propice à la révision de certaines idées reçues (J. Romains, *Salsette découvre l'Amérique*) comme à l'approfondissement de la réflexion comparée sur les civilisations américaine et européenne (D. de Rougemont, *Journal des deux mondes*, *Vivre en Amérique*). D'autre part, elles facilitèrent les rencontres avec les intellectuels américains comme avec d'autres intellectuels européens en exil, et permirent en cela l'enrichissement des travaux en cours (un exemple significatif est ici celui de C. Lévi-Strauss, qui noue avec Alvin Johnson, Alfred Métraux, Robert Lowie ou encore Roman Jakobson des relations particulièrement fructueuses). Enfin, elles suscitèrent de solides amitiés entre des intellectuels qu'auparavant tout différenciait, et parfois même opposait : par-delà les clivages antérieurs de l'appartenance générationnelle, des convictions religieuses et politiques, des choix esthétiques et des centres d'intérêt, des individus qui n'appartenaient pas aux mêmes familles ont été conduits par la force des choses à se reconnaître, au moins pour un temps, comme les membres d'une même communauté.

Pascal Balmand

■ J.C. Jackman et C.M. Borden (dir.), *The Muses Flee Hitler : Cultural Transfer and Adaptation (1930-1945)*, Washington, Smithsonian, 1983. — C.W. Nettelbeck, *Forever French. Exile in the United States (1939-1945)*, New York, Berg, 1991.

ETCHERELLI (Claire)

Née en 1934

Née à Bordeaux, Claire Etcherelli fut boursière, mais ne poursuivit pas ses études au-delà du baccalauréat. En venant à Paris en 1956, elle apporte un manuscrit qui lui est refusé. Suivent vingt-sept mois sur une chaîne de montage autos, seize mois dans une usine de roulements à billes, puis des emplois alimentaires alors qu'elle écrit *Élise ou la Vraie Vie*, publié par Maurice Nadeau* — couronné par le prix Femina, le livre est porté à l'écran par Michel Drach en 1970. Accompagnatrice de groupes pour touristes, guide de groupes scolaires dans les musées, animatrice pour le théâtre de Sartrouville où Catherine Dasté cherche pour les enfants une alternative à la télévision, elle entre au secrétariat des *Temps modernes** en 1973 puis au comité de rédaction l'année suivante. Elle le quitte en 1987 lors de débats au sujet d'Israël, tout en restant au secrétariat. Tout le temps partagé avec Simone de Beauvoir*, qui coïncida aussi avec la forte présence des féministes et de la rubrique « Le sexisme ordinaire », éclaira cette dizaine d'années d'une lumière joyeuse. Plusieurs romans et nouvelles furent alors publiés.

Parcours exemplaire de la fille du peuple devenu écrivain, de l'ouvrière devenue intellectuelle ? *Élise ou la Vraie Vie*, dans le décalage de l'autobiographie, dit beaucoup plus que tout cela. La solitude des femmes attachées sans cesse, et malgré le travail, à l'espace domestique avec pour horizon l'homme aimé, la vie et la mort de la province, l'engagement dans la guerre d'Algérie si loin des pétitions universitaires, l'attention improbable, inattendue, portée à l'autre de couleur différente.

Ainsi, dans ce mélange de militantisme et de rencontre avec la vie intellectuelle, d'action concrète et d'écriture littéraire, Claire Etcherelli a dessiné un parcours original, où se croisent guerre d'Algérie et féminisme, syndicalisme et *Temps modernes*, Parti communiste (de 1965 à 1969) et écriture.

Geneviève Fraisse

■ *Élise ou la Vraie Vie*, Denoël, 1967, rééd. Gallimard, 1972. — *À propos de Clémence*, Denoël, 1971. — *Un arbre voyageur*, Gallimard, 1978. — *Germinal de l'an III*, 1989.

■ A. Ophir, *Regards féminins. Condition féminine et création littéraire*, Denoël-Gonthier, 1976.

ÉTHIOPIE (guerre d')

1935

Le 3 octobre 1935, après de longs mois de tension et de conversations diplomatiques menées sous l'égide de la SDN, les troupes italiennes envahissent l'Éthiopie. Fortes de 200 000 hommes, puissamment armées, n'hésitant pas à utiliser l'aviation et les gaz toxiques, elles atteignent facilement la capitale, Addis-Abeba, même s'il faudra attendre mai 1936 pour que le pays soit entièrement conquis.

L'Éthiopie étant membre de la SDN, l'Italie tombe sous le coup de l'article 16 du pacte qui prévoit que des sanctions soient prises contre tout agresseur. Mais le contexte international rend une telle décision difficile : depuis la signature, en avril

1935, des accords de Stresa, l'Italie a rejoint la Grande-Bretagne et la France dans le camp des pays décidés à réfréner la puissance allemande. Lui imposer des sanctions, c'est prendre le risque de voir la péninsule basculer dans l'alliance avec l'Allemagne hitlérienne ; ne rien tenter, c'est ôter toute crédibilité à la SDN et au système de sécurité collective.

Paradoxalement, ce n'est pas autour de cette question que se noue le débat intellectuel auquel donne lieu l'expédition éthiopienne. Les soixante-quatre signataires (parmi lesquels Béraud*, Brasillach*, Drieu*, Gaxotte*, Maulnier*, Maurras*) du « *Manifeste des intellectuels pour la défense de l'Occident* » qui paraît, le 4 octobre 1935, dans *Le Temps*, ne l'évoquent pas. S'ils demandent, avec Henri Massis* qui est le rédacteur du texte, qu'aucune sanction ne frappe l'Italie, c'est au nom du droit de ce pays à posséder des colonies et parce qu'ils s'élèvent contre ce « faux universalisme juridique qui met sur le pied d'égalité le supérieur et l'inférieur, le civilisé et le barbare », universalisme d'autant plus mal venu qu'il est utilisé « contre une nation où se sont affirmées, relevées, organisées, fortifiées depuis quinze ans quelques-unes des vertus essentielles de la haute humanité ». À cet argument s'en ajoute un autre, déjà utilisé par Charles Maurras dans les semaines précédentes, selon lequel imposer des sanctions à l'Italie risque de déclencher un conflit européen.

C'est dans *L'Œuvre* datée du lendemain, 5 octobre, que vient la première réplique, sous la forme d'un appel rédigé par Jules Romains*. Réplique modérée : on défend la SDN, on insiste sur l'égalité des races, et, tout en critiquant l'expansionnisme du régime fasciste, on souligne l'importance accordée au maintien de l'amitié franco-italienne. Le « Manifeste pour la justice et la paix » que publie *L'Aube* le 18 octobre et qui est repris dans les jours suivants par *Sept**, *La Vie catholique* et *Esprit**, est de ce point de vue plus incisif. Écrit par Jacques Maritain*, il dénonce l'idée selon laquelle une « mission civilisatrice » pourrait être menée à coups de bombes et de massacres et s'élève en faux contre l'accusation de bellicisme lancée à l'encontre des partisans des sanctions.

Que les partisans des sanctions publient deux manifestes là où leurs adversaires n'en publient qu'un est cependant signe de faiblesse. Face à un bloc relativement cohérent, dont les membres, parmi lesquels douze académiciens, ne font pas mystère de leur sympathie pour le fascisme et ne reculent pas devant l'emploi des ficelles les plus grossières (la menace de guerre, épouvantail dénué de tout fondement), les défenseurs de la SDN sont divisés et indécis. La revendication italienne de posséder des colonies n'est pas jugée irrecevable, on s'accorde pour reconnaître à l'Italie des circonstances atténuantes, et même si les méthodes de la conquête sont dénoncées, l'incapacité manifeste de la SDN à arrêter le cours des choses fragilise la position de ceux qui soutiennent celle-ci.

De fait, le débat sur la guerre d'Éthiopie ne passionnera guère l'opinion et il demeurera essentiellement restreint aux milieux intellectuels. C'est pourtant un épisode important, dans la mesure où il révèle le chiasme qui est alors en train de s'opérer, au sein de ces milieux, entre gauche et droite, pacifistes et partisans de la résistance : jusqu'alors, c'était plutôt à gauche que se recrutaient les premiers, la droite se gaussant de ceux qui agitaient l'épouvantail de la guerre. L'expédition italienne en Éthiopie renverse brutalement les rôles, habille une droite jusqu'ici revancharde en force de la paix, et met ainsi en porte à faux les pacifistes de gauche, soudain dénoncés comme fauteurs de guerre. L'accusation est mal venue mais la question ainsi posée harcèlera désormais les milieux pacifistes : faut-il, pour défendre la paix, prendre le risque de faire la guerre ?

Indécision parmi les pacifistes, indécision aussi parmi les catholiques : d'un côté, la hiérarchie, Mgr Baudrillart en tête, signataire du « Manifeste pour la défense de l'Occident » ; de l'autre, un groupe d'intellectuels mené par Emmanuel Mounier*, Georges Bidault et Jacques Maritain qui, en signant le « Manifeste pour la justice et la paix », se font les interprètes d'un catholicisme de gauche, annonçant ainsi les convergences auxquelles donnera lieu le Front populaire.

Au-delà des réflexions et des reclassements dont elle est l'occasion, qui donneront sa physionomie à la seconde moitié des années 30, c'est la nature même de l'engagement intellectuel qui se modifie avec la guerre d'Éthiopie. Sans doute est-ce au nom de valeurs que les uns et les autres prennent position, mais ces valeurs une fois affirmées, on se range sous des bannières : Italie d'un côté, SDN de l'autre. À la parole libre d'hier, qui s'élevait au-dessus de la mêlée, se substitue la parole engagée, dépendante. Désormais, le clerc trahira.

Bernard Laguerre

■ A. Coutrot, *Un courant de la pensée catholique, l'hebdomadaire « Sept »*, Cerf, 1961. — F. Mayeur, *« L'Aube », étude d'un journal d'opinion*, 1966. — N. Racine-Furlaud, « Batailles autour d'*intellectuel(s)* dans les manifestes et contre-manifestes de 1918 à 1939 », *Intellectuel(s) des années 30*, CNRS, 1989. — Y. Simon, *La Campagne d'Éthiopie et la pensée politique française*, 1939. — M. Winock, *Histoire politique de la revue « Esprit »*, Seuil, 1975.

ÉTIEMBLE [René Étiemble]

Né en 1909

Né à Mayenne en 1909, orphelin de père à trois ans, René Étiemble fait très jeune l'amère expérience de la modestie de son milieu social au lycée de Laval. Cela ne l'empêche pas d'être admis à la khâgne* de Louis-le-Grand, puis à l'École normale supérieure* en 1929.

Attiré très tôt par la Chine et sa poésie, passion qui ne le quittera jamais, son amitié pour Dai Wangshu l'éveille au drame de la Chine livrée à la domination japonaise. Il entreprend des traductions dans le cadre de l'Association des écrivains et artistes révolutionnaires*. Il y fait la connaissance d'Aragon*. Il ne manque pas une occasion de se colleter aux groupes d'Action française* ou des Camelots du roi. En 1934, il figure parmi la délégation de jeunes communistes français invités en URSS. À Moscou et au cours des déplacements organisés, s'il est témoin de faits qui l'étonnent, ses carnets qu'il publie dans *Le Meurtre du Petit Père* (1990) ne traduisent pas encore de révolte. C'est à son retour à Paris, devant l'attitude « chien de garde » de Tristan Tzara* vis-à-vis de la revue *Inquisitions* à laquelle il collabore (1936), puis aux nouvelles qui parviennent des procès de Moscou, qu'il a conscience d'avoir été floué et que l'horreur qu'il éprouve pour Hitler peut dorénavant s'étendre à Staline. Il quitte le Parti communiste en 1938 en fustigeant le réalisme socialiste. Au secrétariat permanent de l'Association internationale des écrivains pour la défense de la culture, il a préféré l'enseignement de la grammaire au lycée de Beauvais. Entre-temps, il a également accepté d'enseigner aux États-Unis, à Chicago (1937). Le mode de vie américain, le culte de l'argent, l'absence de culture et le racisme le choquent plus encore que l'univers soviétique. À son retour paraît son premier livre qui, sous couvert de roman, est un témoignage sur son enfance et son adolescence difficiles, *L'Enfant de chœur*. Il a fait ses débuts en littérature son l'égide de Jean Paulhan*, qui sera pour lui jusqu'à sa mort un mentor implacable, dont il dénoncera la tyrannie et les faiblesses dans *Lignes d'une vie* (1988).

Étiemble passe les années de guerre aux États-Unis*, tant comme professeur à Chicago que comme attaché à l'Office of War Information à New York. À la Libération, après un séjour en Égypte où il fonde une section de français à l'université d'Alexandrie, il revient en France et participe à la rédaction des *Temps modernes** puis à *La Nouvelle Revue française**. Il aura toute sa vie le souci de ne pas adhérer aveuglément à un engagement et saura s'insurger contre la voie trop prosoviétique prise par *Les Temps modernes*. Étiemble s'en explique dans une « Lettre ouverte à Jean-Paul Sartre sur l'unité de mauvaise action » (*Arts*, 24-30 juillet 1953). Auteur d'une thèse sur *Le Mythe de Rimbaud* (1953), d'un recueil d'études sur « le racisme aux multiples et toujours hideux visages » *Le Péché vraiment capital* (1957), il entreprend ensuite une véritable croisade contre l'envahissement de la langue française par les mots anglo-saxons, consacrant une grande partie de son enseignement à la Sorbonne à ce qu'il a appelé le « babélien » et publiera à ce sujet l'œuvre qui lui donnera une notoriété internationale et vulgarisera le mot forgé par lui : *Parlez-vous franglais ?* (1964).

Françoise Werner

■ *L'Enfant de chœur*, Gallimard, 1937. — *Hygiène des lettres*, Gallimard, 1952-1958. — *Le Mythe de Rimbaud*, Gallimard, 1953. — *Le Babélien*, CDU, 1957-1959, 3 vol. — *Parlez-vous franglais ?*, Gallimard, 1964. — *Naissance à la littérature ou le Meurtre du père (Lignes d'une vie 1)*, Arléa, 1988. — *Le Meurtre du Petit Père (Lignes d'une vie 2)*, Arléa, 1990.
■ A. Marino, *Étiemble ou le Comparatisme militant*, 1982.

ÉTUDES

Par son histoire mouvementée, la revue *Études* est révélatrice de l'engagement des jésuites dans la Cité et de la difficulté d'honorer une double fidélité aux directives romaines et aux exigences du débat intellectuel contemporain. Fondées à Paris par le Père Ivan Gagarin (1814-1880), un prince russe converti au catholicisme en 1842 et entré l'année suivante dans la Compagnie de Jésus, et par le Père Charles Daniel (1818-1893), les *Études de théologie, de philosophie et d'histoire* voient rapidement leur objet initial, la réconciliation des chrétientés d'Orient et d'Occident, s'estomper derrière le débat entre intégralisme et libéralisme. D'abord annuelle puis trimestrielle (1859), engagée dans les débats autour du concile de Vatican et de l'infaillibilité pontificale, la revue est mise en garde dès 1866 au sujet des sympathies libérales des Pères Daniel et Ambroise Matignon (1824-1913). Ceux-ci sont écartés en 1870 au profit du Père Henri Ramière (1821-1884), proche des milieux intégristes, et la revue s'installe à Lyon-Fourvière jusqu'à sa suspension en 1880 du fait des décrets anti-jésuites.

Elle reparaît comme revue bimensuelle en 1888 à Paris, rue Monsieur, sous le titre *Études*. Son directeur, François de Scoraille (1842-1921), est écarté en 1895 du fait de ses réticences face à la politique romaine de ralliement à la République. Elle est alors animée pendant trente ans par Léonce de Grandmaison (1868-1929), qui la dirige de 1908 à 1919. Prudemment ouvert aux acquis de la science, il lui fait traverser avec une grande maîtrise des enjeux les débats suscités par la crise du modernisme, la condamnation du Sillon, la question de l'évolution et du transformisme. Dans l'entre-deux-guerres, sous l'autorité, de 1919 à 1935, d'Henri du Passage, *Études* prend le sous-titre de *Revue catholique d'intérêt général* et s'ouvre à un plus large public. René d'Ouince (1896-1976), son successeur de 1935 à 1952, ami des grands jésuites réduits au silence comme Pierre Teilhard de Chardin* ou Henri de Lubac*, l'ouvre à des auteurs laïcs.

Suspendue en octobre 1940 et remplacée par *Construire*, elle paraît à nouveau à la Libération avec une périodicité mensuelle. Elle est alors une revue intellectuelle engagée, où Gaston Fessard* ferraille contre le progressisme chrétien au nom d'une pensée hégélienne. Les années suivantes sont sa période la plus faste, elle dépasse les 15 000 abonnés quand le Père Rouquette tient la chronique du concile Vatican II et le Père Blanchet la chronique littéraire. La rencontre entre morale chrétienne et monde moderne y occupe par la suite la première place, sous l'impulsion de ses directeurs successifs : le Père Bruno Ribes y prend des positions remarquées en 1974 sur l'avortement, le Père André Masse, qui devait être assassiné au Liban, sur les problèmes scientifiques. Ses directeurs récents, Paul Valadier, écarté en 1990 pour ses positions sur les questions éthiques, et Jean-Yves Calvez, spécialiste du marxisme et de la doctrine sociale, ont maintenu la tradition d'une revue qui a rejoint en 1983 une partie de ses consœurs jésuites rue d'Assas. Depuis janvier 1996, la revue est dirigée par le Père Henri Madelin.

Jean-Pie Lapierre

■ *Études*, novembre 1956, numéro spécial du centenaire.

EUROPE

Une des rares revues littéraires françaises fondée avant la Seconde Guerre mondiale à paraître encore à la fin du XXe siècle, la revue *Europe* est lancée en 1923 par des amis de Romain Rolland* qui se réclament de son patronage et de son idéal d'« indépendance de l'esprit ». Pendant l'entre-deux-guerres, elle doit à la personnalité de l'auteur d'*Au-dessus de la mêlée* une grande part de son originalité : à l'image de celui qui l'inspire — mais ne la dirige pas —, *Europe* sera pacifiste, et à partir de 1936, devant le péril hitlérien, « compagnon de route » du communisme. Face à *La Nouvelle Revue française** qu'à bien des égards elle a cherché à concurrencer, *Europe* a voulu se vouer autant à la littérature qu'au débat d'idées.

Après 1945, *Europe* entrée dans l'univers communiste, n'en conserve pas moins sa spécificité.

D'abord publiée par les Éditions Rieder (avec lesquelles elle entretient d'étroites relations), *Europe* connaît des débuts difficiles. Dirigée par le poète pacifiste René Arcos et par le critique d'art belge Paul Colin (qui a mis en 1921-1922 sa revue *L'Art libre* au service de Rolland dans sa polémique avec Barbusse*), puis après l'éviction de Colin début 1925, par Albert Crémieux, directeur de Rieder, *Europe* ne répond pas aux espoirs mis en elle par Rolland, ceux de devenir la « grande revue de culture internationale en français » dont il rêve depuis 1919-1920 et à laquelle il a cherché à intéresser Tagore, Gorki, Einstein. Après avoir donné à *Europe* la primeur de son *Mahatma Gandhi* en 1923 — témoignage de son admiration pour les méthodes non violentes d'action — et imposé la publication du romancier roumain Panaït Istrati (*Kyra Kyralina* révèle ce dernier à la critique), Rolland se détourne de la revue dont il critique le manque d'ambition intellectuelle. Il lui redonnera sa confiance avec l'arrivée à la rédaction de Jacques Robertfrance en 1927, puis de Jean Guéhenno* en 1929. Sous la direction de ce dernier, *Europe* s'affirme comme une revue ouverte, politiquement ancrée à gauche, mais sans exclusive, publiant aussi bien Trotski, Victor Serge*, Giono*, Paul Nizan*. Les « commentaires » de Jean-Richard Bloch*, inspirés par l'actualité, contribuent à l'originalité d'*Europe*. Le pacifisme qui a joué au lendemain de la guerre un rôle idéologique unificateur reste dominant à *Europe* jusqu'à la montée des périls. Après février 1934, Guéhenno engage *Europe* dans le combat antifasciste. La démission de Guéhenno de son poste de rédacteur en chef au début de 1936, en raison de problèmes financiers et de rapports avec les éditeurs, clôt une période de l'histoire de la revue qui entre dans la mouvance communiste. Elle entérine les divergences entre Guéhenno, soucieux de maintenir l'indépendance de la revue et resté, malgré son antifascisme, fidèle au pacifisme, et Romain Rolland, de plus en plus engagé comme « compagnon de route » de l'URSS et du communisme. Le nouveau cours est symbolisé par l'arrivée à la rédaction en chef, à l'instigation d'Aragon*, d'un « compagnon de route », Jean Cassou*, et par la mise en place d'un comité de rédaction où dominent les intellectuels sympathisants de l'URSS (Pierre Abraham, Aragon, René Arcos, Jean-Richard Bloch, André Chamson*, Georges Friedmann*, René Maublanc). Le pacte germano-soviétique d'août 1939, qui atterre les « compagnons de route », entraîne la dissolution d'*Europe*.

La revue reparaît en janvier 1946, publiée par la Bibliothèque française dirigée par Aragon, puis par les Éditeurs français réunis, avec Jean-Richard Bloch comme directeur-gérant, Jean Cassou comme rédacteur en chef. Devant les divergences le séparant des communistes, Cassou démissionne en mai 1949 ; les « compagnons de route » (G. Friedmann, A. Chamson, C. Aveline*, L. Martin-Chauffier*) quittent la revue ou s'éloignent (Vercors*). Pierre Abraham, frère de J.-R. Bloch, membre du Parti communiste, assume la direction d'*Europe* de 1949 jusqu'à sa mort en 1974 (avec P. Gamarra comme rédacteur en chef à partir de 1966). La revue n'échappe pas à la politisation de la période de la Guerre froide* et à l'influence d'Aragon qui s'exerce fortement en 1950-1951. Les événements de Hongrie de l'automne 1956* entraînent de nouveaux départs (L. de Villefosse). P. Gamarra devient directeur de la revue avec C. Dobzynski comme rédacteur en chef. Le comité est renouvelé en 1957 avec l'arrivée de J. Madaule*, P. Paraf, L. Psichari. À partir de 1980, *Europe* est publiée par les Éditions Messidor proches du Parti communiste, puis reprise en 1993 par Scand Éditions. Le caractère littéraire de la revue, qui tire à 5 000 exemplaires et dont le rédacteur en chef-adjoint est Jean-Baptiste Para, s'affirme avec la généralisation des numéros spéciaux consacrés à des écrivains, aux littératures régionales, à des thèmes littéraires.

Nicole Racine

■ N. Racine, « La revue *Europe* (1923-1939). Du pacifisme rollandien au compagnonnage de route », *Matériaux pour l'histoire de notre temps*, BDIC, janvier-mars 1993.

ÉVÉNEMENT DU JEUDI (L')

La création, en 1984, de *L'Événement du jeudi* suit une voie originale. Pour réunir les fonds nécessaires au lancement d'un hebdomadaire d'informations générales, Jean-François Kahn* a ouvert, en septembre 1983, une souscription publique. La liberté rédactionnelle qui est son objectif doit être garantie par le nombre et la diversité d'un actionnariat de lecteurs « petits porteurs ». Ainsi 18 000 actionnaires deviennent les propriétaires du journal (53 % de petits actionnaires). L'indépendance à l'égard de la publicité est le second axe de cette stratégie, qui repose sur un prix de vente élevé — 20 francs, puis 30 francs en 1991, soit 50 % de plus que les autres titres. Les recettes publicitaires sont faibles et la vente au numéro constitue donc l'essentiel des ressources du magazine, à l'inverse des autres news-magazines. Cette politique commerciale — qui veut échapper en partie à la logique capitaliste et aux exigences du *marketing* — est l'un des fondements de *L'Événement* qui s'est continûment opposé à la politique d'abonnements à primes des autres hebdomadaires, destinée à gonfler la diffusion.

Sur le plan politique, sous la direction de Jean-François Kahn (1984-1994), *L'Événement* a été porteur d'un projet. Celui qui se déclare « centriste révolutionnaire », confiant dans la culture civique française, a voulu dépasser la « bipolarisation manichéenne et réductrice » de la vie politique. Il a souhaité faire émerger un courant central « réaliste et réformiste », une forme de troisième voie, dont le magazine serait l'organe. Outre les guerres civiles franco-françaises, le magazine, sous l'impulsion de son directeur, prend parti contre les privilèges corporatistes, notamment ceux de l'élite intellectuelle, de ses « clans », et les collusions entre le pouvoir intellectuel, journalistique et politique. À l'écart des partis, *L'Événement* se situe donc aussi en marge de l'intelligentsia, tout en accordant une place importante à la culture (une quarantaine de pages par numéro, dirigées par Jérôme Garcin). André Comte-Sponville, Régis Debray*, Max Gallo, Michel Winock y collaborent toutefois régulièrement. Les dossiers, les enquêtes, sont aussi l'occasion de contributions extérieures : Alain Touraine*, Emmanuel Le Roy Ladurie*, Luc Ferry*, Danièle Sallenave, Pascal Bruckner*, Jean Baudrillard* ou Tzvetan Todorov* ont ainsi prêté leur signature à l'occasion d'enquêtes sur l'état de la pensée, la modernité, la guerre du Golfe*.

En 1994, Jean-François Kahn passe la main à Jérôme Garcin. Son projet de dépassement de la bipolarisation des discours a échoué. Les couvertures aux titres accrocheurs du journal sont parfois perçues comme démagogiques. Mais *L'Événement du jeudi* ne s'en est pas moins imposé comme un journal d'une grande liberté de ton, dont le lectorat est plus diplômé et plus jeune que celui des autres hebdomadaires d'information générale. Sa diffusion est passée de 100 000 exemplaires en 1984-1985 à 215 000 en 1993. Mais fin 1994, en butte à des difficultés financières aiguës, l'hebdomadaire doit déposer son bilan et trouver de nouveaux actionnaires. Au début 1995, Thierry Verret devient PDG du titre, avec 51 % du capital, 23 % revenant à Hachette, et 25 % à une société d'investisseurs, le reste étant réservé au personnel et aux lecteurs de l'*Edj*. Dans le nouveau magazine, Jean-François Kahn est éditorialiste tandis qu'Albert du Roy prend la direction de la rédaction.

Séverine Nikel

■ J.-F. Kahn, *Les Français sont formidables*, Balland, 1987.

ÉVÊQUES : UN MAGISTÈRE INTELLECTUEL ?

Doit-on attribuer aux seuls effets de la médiatisation l'impact de certaines interventions récentes des évêques dans le débat intellectuel ? Les engagements de Mgr Gaillot, évêque d'Évreux de 1982 à sa déposition en 1995, aux côtés des réfugiés palestiniens ou contre la guerre en Irak sont à l'évidence des initiatives isolées. En va-t-il de même du communiqué commun de Mgr Decourtray (1923-1994) et de Mgr Lustiger contre le film de Martin Scorsese, *La Dernière Tentation du Christ*, en 1988, ou de leurs interventions sur la Shoah au moment de l'affaire du Carmel d'Auschwitz ? Depuis Wattignies où il est né, le premier a suivi la voie royale conduisant des Facultés catholiques de Lille à l'Université grégorienne de Rome, avant d'être directeur au grand séminaire de Lille (1952-1948) puis chargé de la formation permanente du clergé (1959-1965). Évêque de Dijon en 1974, archevêque de Lyon en 1981, cardinal en 1985, président de la Conférence épiscopale de 1987 à 1990, il est en 1993 le premier archevêque résident élu à l'Académie française* depuis Mgr Grente en 1936. Quant au second, né en 1926 à Paris dans une famille juive et converti au catholicisme en 1940, il a fait ses études à la Sorbonne et à l'Institut catholique, et s'est longtemps occupé d'apostolat des intellectuels au sein de la Jeunesse étudiante chrétienne* et de la Paroisse universitaire*. Évêque d'Orléans en 1979, archevêque de Paris et promu au cardinalat en 1981, il dialogue volontiers avec les intellectuels, mène une réflexion exigeante à la rencontre entre philosophie et pastorale, et succède à Mgr Decourtray à l'Académie française en 1995. L'un et l'autre, qui peuvent légitimement prétendre au titre d'« intellectuels », sont-ils des exceptions, ou faut-il mettre au crédit d'un magistère intellectuel les prises de position collectives de l'épiscopat à propos de thèmes aussi débattus que la bioéthique, la politique de l'immigration ou celle de l'armement ?

Envisagée du point de vue ecclésial, la situation est paradoxale. Collectif, le magistère épiscopal s'est incarné dans deux institutions : l'Assemblée des cardinaux et archevêques, fondée en 1919, l'Assemblée plénière de l'épiscopat, triennale et apparue en 1951, auxquelles s'est substituée en 1966 la Conférence épiscopale annuelle dans le prolongement du concile Vatican II. Individuel, ce magistère est fixé pour les évêques résidents dans le code de droit canonique sous les trois missions de gouvernement du diocèse, d'enseignement et de sanctification des fidèles. Dépositaires officiels de la tradition catholique, les évêques ont pour fonction de la transmettre et d'en rappeler les exigences, non de contribuer à un débat intellectuel. Autrement dit, le magistère pastoral des évêques peut certes s'inscrire dans la distinction entre Église enseignante et Église enseignée, mais demeure étranger à la notion laïque de magistère intellectuel. En outre, la société intellectuelle est issue d'un mouvement de sécularisation de la culture à laquelle l'Église est demeurée longtemps rétive. Si le corps épiscopal dans son ensemble ou certains évêques en particulier devaient être crédités d'une autorité intellectuelle, ce serait donc à partir de catégories de jugement étrangères à celles dont ils se réclament.

La sociologie du recrutement épiscopal confirme cet écart. C'est pour promouvoir un « épiscopat de combat » que Rome s'est efforcée, après la crise moderniste du début du siècle, d'élever le niveau de formation de ses évêques, et a fait de l'enseignement dans les séminaires l'une des voies privilégiées d'accès à la carrière épiscopale. Aujourd'hui, un doctorat ou une licence d'Écriture sainte, de théologie ou de droit canonique est requis pour accéder à la tête d'un diocèse. Pourtant, « oblats » ou « héritiers » (Bourdieu*, Saint-Martin), « missionnaires » ou « militants » (Grémion, Levillain), les évêques ont en commun un système de valeurs et de références issu de la culture catholique, qui les laisse le plus souvent en marge de la société intellectuelle contemporaine.

Entre évêques et intellectuels, enfin, l'histoire s'est longtemps déclinée sur le mode du malentendu. Est-il indifférent que, pour mettre au jour son hostilité à l'Action française*, Pie XI fasse appel en 1926 au cardinal Andrieu, plus connu pour son sens de l'obéissance que pour ses compétences philosophiques ? L'action du cardinal Baudrillart (1859-1942), académicien depuis 1918, en faveur de l'élection de Maurras* à l'Académie française, participe davantage d'un engagement intellectuel, tout comme son appui à la politique de collaboration, mais le cas est marginal. Cet agrégé d'histoire, issu d'une famille d'universitaires parisiens, qui a côtoyé Jaurès* et Bergson* à l'École normale*, est recteur de l'Institut catholique de Paris depuis 1907 : ce n'est pas un évêque résident. La massive adhésion des évêques au régime de Vichy relève largement de leur méfiance à l'égard de la fonction critique de l'intellectuel, que renforce la doctrine de l'obéissance à l'ordre établi. Aux considérations proprement juridiques sur la fonction épiscopale s'ajoute alors une querelle de légitimité : majoritairement, les élites catholiques issues de la Résistance dénieront après guerre toute autorité à ceux dont ils considèrent qu'ils ont failli à leur mission. Et de la crise progressiste aux désaveux opposés aux directions intellectuelles de l'ACJF et de la JEC en 1957 et 1965, le fossé entre intellectuels catholiques et évêques ne fait que se confirmer.

Le tour récent pris par les interventions de l'épiscopat dans le débat français relève donc d'une inflexion dont on se gardera de majorer l'importance. La doctrine de la collégialité épiscopale issue de Vatican II donne certes aux déclarations des évêques réunis chaque automne à Lourdes un caractère collectif qui les apparente davantage aux formes d'intervention des intellectuels. Sur ce plan, l'acte fondateur fut sans doute le document « Pour une pratique chrétienne de la politique » adopté en 1972. Mais il n'est pas impossible que le mode d'intervention désormais privilégié soit aussi le résultat de la prise de conscience par les évêques d'une marginalisation du magistère traditionnel, qui imposerait de s'exprimer désormais dans les termes mêmes d'une société sécularisée si l'on veut être entendu. Le « magistère intellectuel » des évêques, bien contesté si même il existe, n'est peut-être que l'avatar d'un magistère pastoral que le déclin de la pratique et l'individualisation des croyances ont réduit comme peau de chagrin.

Denis Pelletier

■ P. Bourdieu et M. de Saint-Martin, « L'épiscopat français dans le champ du pouvoir », *Actes de la recherche en sciences sociales*, n° 44-45, novembre 1982. — E. Fouilloux, « Une ou deux élites religieuses ? La France, 1939-1950 », in *Le Elites in Francia e in Italia negli anni quaranta*, Mélanges de l'École française de Rome, 1983. — C. Grémion et P. Levillain, *Les Lieutenants de Dieu. Les évêques de France et la République*, Fayard, 1986. — M. Minier, *L'Épiscopat français du ralliement à Vatican II*, Padoue, CEDAM, 1982. — B. Vassor-Rousset, *Les Évêques de France en politique*, Presses de la FNSP, 1986.

Expositions universelles

Avant d'être des lieux intellectuels, les grandes expositions inaugurées au milieu du XIXe siècle célèbrent l'industrie et le commerce. Deux traditions complémentaires les y préparent. Une tradition française, d'une part, celle des expositions industrielles quinquennales, inaugurée au Champ-de-Mars en 1798 par le ministre François de Neufchateau, et perpétuée jusqu'en 1849. Il s'agissait là d'expositions strictement nationales et entièrement consacrées à la production industrielle. D'autre part, une tradition initiée par l'Angleterre en 1851, dans l'atmosphère d'une Europe prête au libéralisme économique : des expositions universelles, réunissant tout le champ de l'activité humaine — agriculture, industrie, beaux-arts — et internationales, où les nations comparent leurs capacités commerciales à l'aune des récompenses attribuées à leurs producteurs.

Par ailleurs, la signification politique de ces manifestations n'a jamais échappé à leurs contemporains. On leur attribue volontiers la vertu de réunir la nation autour d'une grande cause collective, surtout quand le pays se trouve au sortir d'une crise grave : l'Exposition de 1878 achève la fondation de la République, celle de 1889, autour du centenaire, met un terme au boulangisme, celle de 1900, enfin, enterre l'affaire Dreyfus*. Les enjeux de politique internationale sont tout aussi visibles : les expositions s'insèrent au XIXe siècle dans la diplomatie des États, comme en témoigne le boycottage de l'Exposition de 1889 par toutes les monarchies européennes, et participent à la mesure de leur puissance, fût-elle symbolique, dans la confrontation des pavillons.

À l'aube du XXe siècle, la France est la terre d'élection des expositions, tandis que l'Angleterre y renonce définitivement après deux coups d'essai (1851 et 1862), que la petite Belgique essaie de rivaliser (à Bruxelles, Anvers, Liège, Gand), et que les États-Unis entrent sérieusement dans la course (Chicago, 1893, Saint-Louis, 1904). Pourtant, après la grande réussite de l'Exposition de 1900, la France ne réitère qu'une fois, en 1937, sous les auspices du Front populaire. En 1989, le projet échoue faute de convergences entre les pouvoirs publics. Entre-temps, des manifestations thématiques connaissent un retentissement international, comme l'Exposition des arts décoratifs et industriels modernes en 1925 ou l'Exposition coloniale de 1931 (à Paris). Si des spécificités nationales peuvent être mises en valeur, c'est bien l'ambition intellectuelle qui distingue les expositions françaises. L'État, qui se trouve en France à l'origine de l'entreprise, à la différence des situations anglaise et américaine, a voulu que les expositions soient porteuses d'un vaste projet intellectuel. Un message transmis par leurs organisateurs, de grands commis tels que le Lorrain républicain Alfred Picard, en 1889 et 1900, ou, en 1937, Edmond Labbé, ancien directeur de l'Enseignement technique : ils assignent pour mission aux expositions d'être, au-delà de simples compendium de la production issue du travail, « le bilan et la synthèse du siècle » (Picard) ou l'encyclopédie des connaissances humaines. Depuis l'ingénieur Le Play, et son célèbre palais de 1867, utopie de l'adéquation parfaite entre la montre ordonnée des objets et l'espace d'exposition, les Français ont mis leur point d'honneur à inventer des classifications synthétiques, d'ambition philosophique, et dédaigné le pragmatisme commercial des exhibitions anglo-saxonnes. Le souci de couvrir l'ensemble du champ de la connaissance et d'intellectualiser leur objet relègue progressivement au second plan les considérations industrielles. En 1900, le premier groupe de la classification est attribué à l'éducation et l'enseignement, le deuxième aux œuvres d'art. Les classes industrielles et agricoles côtoient l'économie sociale et la colonisation. En 1937, le premier rang revient cette fois à l'« expression de la pensée » : sciences, lettres, musées, théâtre, musique, cinéma, conférences. Quelle meilleure façon de fêter dignement le tricentenaire du *Discours de la méthode* en 1937 ? Complétant cette prétention à l'universalisme, des congrès internationaux sont suscités, « exposition de la pensée » juxtaposée à l'exposition des produits (Picard). 127 réunions de savants, professeurs, « hommes spéciaux », professionnels en 1900, 602 en 1937, sont conçues comme la manifestation publique de la pensée, l'aspiration à devenir un corps délibérant international éclairant les législateurs du monde entier.

Un deuxième enjeu intellectuel d'importance réside dans la dimension vulgarisatrice des expositions. Jusqu'au Front populaire inclus, elles sont encore les seules manifestations de masse qui réunissent de façon inédite des publics hétérogènes, nouvellement accessibles à la diffusion des sciences, des techniques, ou de l'imaginaire colonial : 50 millions de visiteurs en 1900, 31 millions en 1937. Le premier objectif avait été au XIXe siècle d'éduquer les visiteurs au spectacle de la société industrielle : visites ouvrières des palais des machines, instruction des élèves et des étudiants, mise en scène de l'inventeur et du producteur. Mais, au tournant du siècle, on constate généralement, pour le déplorer comme Renan ou Mirbeau*, que désormais le divertissement à destination du plus grand nombre l'emporte sur la pédagogie industrialiste. En 1900, les panoramas deviennent des lieux d'attraction plus qu'ils n'enseignent l'histoire ou la géographie, la fée Électricité évoque la magie plus que les progrès de la physique et les reconstitutions coloniales couleur locale n'ont aucune prétention ethnographique. Pourtant, c'est bien par cette alliance du quotidien et de l'extraordinaire, du ludique et de l'austère, que les expositions font œuvre vulgarisatrice. En 1937, le souci d'utilité sociale de la science s'affirme et est à l'origine du grand œuvre de Jean Perrin*, prix Nobel de physique : le palais de la Découverte, achevé en 1937, dédié au spectacle de la science, au mariage du didactisme et du loisir.

Si les expositions constituent des moments importants de la vie intellectuelle en France dans la première moitié du XXe siècle, c'est enfin par la place qu'elles réservent à la modernité, artistique ou technique, et aux débats qu'elles suscitent en ces matières. D'un point de vue artistique, en intégrant le Salon — le grand événement annuel — au sein de l'exposition, le ton est donné : c'est l'académisme qui l'emporte sur les tentations de renouveau, avec la place si restreinte accordée en 1900 à l'Art nouveau ou aux impressionnistes, ou la relégation, aux confins de l'Exposition de 1937, du pavillon des Temps nouveaux de Le Corbusier*. Tout entières tournées vers l'idée de progrès, les expositions la mettent en œuvre en matière d'art par des rétrospectives, indiquant le sens de l'histoire : en 1900, « L'art français jusqu'en 1800 » ; en 1937, « Les chefs-d'œuvre de l'art », qui réunissent quelques toiles du XXe siècle sur l'intercession de Léon Blum*. En architecture également, les principaux édifices apparaissent souvent rétrogrades, comme les Petit et Grand Palais de 1900 ou le palais de Chaillot de 1937. Cependant, les expositions universelles parisiennes furent aussi à l'origine de débats, sur l'art appliqué à l'industrie (1900, 1925), les rapports entre la technique et l'esthétique (thème des métiers d'art en 1937), ou la diffusion massive du progrès industriel et artistique vers la nation : autant de questions d'une grande fécondité intellectuelle.

Anne Rasmussen

■ J.E. Findling et D. Pelle Kimberly (dir.), *Historical Dictionary of World's Fairs and Expositions (1851-1988)*, New York-Westport-Londres, Greenwood Press, 1990. — P. Ory, *Les Expositions universelles de Paris*, Ramsay, 1982. — B. Schroeder-Gudehus et A. Rasmussen, *Les Fastes du progrès. Le guide des expositions universelles (1851-1992)*, Flammarion, 1992. — *Le Livre des expositions universelles (1851-1989)*, Éd. des Arts décoratifs-Herscher, 1983.

EXPRESS (L')

« La France peut supporter la vérité. » Telle est la devise de *L'Express* à sa création, le samedi 16 mai 1953. Lancé par le quotidien *Les Échos*, comme supplément pour ses abonnés, il est dirigé par Jean-Jacques Servan-Schreiber, fils du propriétaire du journal économique, son cousin Jean-Claude Servan-Schreiber et Françoise Giroud*, alors directrice de la rédaction de *Elle*. Pierre Viansson-Ponté est son premier rédacteur en chef. D'emblée, le journal accueille les signatures de François Mauriac*, qui y publie son « Bloc-Notes » jusqu'en 1961, d'Albert Camus* et de Pierre Mendès France, dont une interview paraît dans le premier numéro. Le soutien à ce dernier est d'ailleurs l'une des constantes de *L'Express*, notamment lors de son passage à la présidence du Conseil, et c'est sous son impulsion que fut tentée la formule quotidienne de *L'Express Matin* d'octobre 1955 à mars 1956.

L'Express veut résumer et expliquer les événements significatifs de la semaine avec des articles courts et non signés, la responsabilité collective permettant « de n'être ni aimable, ni susceptible », affirme l'éditorial anonyme. Son équipe veut montrer la France qui regarde vers l'Atlantique et qui tourne le dos à la guerre et à la colonisation, malgré les saisies dont l'hebdomadaire fait l'objet, 22 entre 1954 et 1961. Des experts, comme Alfred Sauvy*, des intellectuels comme certains rédacteurs des *Temps modernes** (dont Jean-Paul Sartre*), répondent aux lecteurs du journal, essentiellement des hommes d'affaires, des cadres supérieurs, des étudiants, dans la rubrique « Forum ».

Le 21 septembre 1964, l'hebdomadaire adopte une formule magazine proche des « news » américains. Il suit une ligne politique plus neutre, ce qui provoque le départ de journalistes, parmi lesquels Jean Daniel* alors rédacteur en chef. Ils rejoignent Claude Perdriel qui vient de racheter *France-Observateur* pour lancer le 19 novembre 1964 *Le Nouvel Observateur**, avec une orientation plus marquée à gauche. Malgré cette première crise, *L'Express* poursuit sa progression avec 20 millions de francs de bénéfice en 1970, pour une diffusion de 500 000 exemplaires, dont 300 000 abonnements. Mais de plus en plus, la rédaction doit compter avec les ambitions politiques de son directeur Jean-Jacques Servan-Schreiber, qui mène campagne pour prendre la tête du Parti radical. Il s'oppose à Olivier Chevrillon qui démissionne suivi par Claude Imbert et une partie de la rédaction. Cette scission débouchera sur la création du *Point**.

Le Point et *Le Nouvel Observateur* vont freiner la diffusion de *L'Express*, qui tombe de 614 000 exemplaires à 530 000 entre 1972 et 1977. Le 16 mars 1977, Jean-Jacques Servan-Schreiber annonce qu'il cède 45 % du capital de L'Express SA à la société Agrifurane, filiale de la Générale occidentale de Jimmy Goldsmith, expliquant cette décision par une incompatibilité entre ses activités politiques et la conduite d'une entreprise de presse.

Jean-François Revel*, accueilli comme éditorialiste dans les années 60, en même temps que Georges Suffert, secrétaire général du Club Jean-Moulin, devient directeur en 1978 alors que Jimmy Goldsmith porte sa participation à 65 % et prend la présidence de l'hebdomadaire, qui s'engage de plus en plus nettement en faveur des thèses libérales. Le licenciement en mai 1981 du rédacteur en chef Olivier Todd, à la suite d'une couverture jugée défavorable à Valéry Giscard d'Estaing, puis la prise de position explicite en faveur de Jacques Chirac en 1986, illustrent cette tendance. Mais en 1988, à la surprise générale, Jimmy Goldsmith se désengage de la Générale occidentale et par conséquent de l'hebdomadaire de l'avenue Hoche. De nouveaux directeurs, Willy Stricker puis Françoise Sampermans, sont nommés à la tête de *L'Express*. La création d'un GIE entre *L'Express* et *Le Point* est annoncée en septembre 1992.

Après avoir milité pour la libéralisation de la contraception, participé au suivi de scandales politiques comme l'affaire Ben Barka en 1966, accueilli Raymond Aron* dans ses colonnes, s'être ouvert à la défense de l'économie de marché dans les années 80, *L'Express* vient d'être dépassé par *Le Nouvel Observateur*, devenu le premier « news-magazine français ».

En mars 1996, Christine Ockrent a été remplacée à la tête de la rédaction par Denis Jeambar, venu du *Point* et d'Europe 1.

Isabelle Weiland-Bouffay

■ M. Jamet, *Les Défis de « L'Express »*, Cerf, 1981. — R. Rieffel, *La Tribu des clercs. Les intellectuels sous la Ve République*, Calmann-Lévy / CNRS, 1993. — J.-J. Servan-Schreiber, *Passions*, Fixot, 1991. — S. Siritzky et F. Roth, *Le Roman de « L'Express » (1953-1978)*, Atelier Marcel Jullian, 1980. — *« L'Express » : l'aventure du vrai, un quart de siècle vu par…*, Albin Michel, 1979.

F

Fabrègues (Jean de)

1906-1983

L'influence intellectuelle de Jean de Fabrègues, connu après la Seconde Guerre mondiale comme journaliste et écrivain catholique, ne saurait être réduite à ce seul aspect de son engagement, tant en raison du rôle qui a été le sien dans les années 30 que du fait de la complexité d'une personnalité située au carrefour du néo-thomisme sur le plan philosophique, du maurrassisme sur le plan politique et du catholicisme social sur le plan économique et social.

Jean d'Azémar de Fabrègues est né en 1906, fils d'une mère catholique et d'un père d'opinion anticléricale. Élève du lycée Michelet à Paris, il fait ensuite des études supérieures de philosophie à la Sorbonne. Dans les années 1925-1926, catholique militant, fréquentant des milieux proches de Jacques Maritain*, il adhère aux Étudiants d'Action française et collabore à *La Gazette française* qui, tout en partageant les choix monarchistes de *L'Action française**, entendait être l'organe d'une réflexion politique chrétienne. Après la mise à l'Index de *L'Action française* par le Vatican, Jean de Fabrègues lui reste fidèle et devient secrétaire de Maurras*. Il garde cependant des contacts avec l'entourage de Maritain et se lie avec Bernanos*.

En 1930, il crée la revue *Réaction*, dans un contexte de rupture avec *L'Action française*. Il dirige ensuite *La Revue du siècle* (1933-1934) puis, en 1935, *La Revue du XXe siècle*. Il apparaît alors, avec Thierry Maulnier* et Jean-Pierre Maxence*, comme un des chefs de file intellectuels d'une « Jeune Droite » novatrice, qui, aux marges de *L'Action française*, participe, avec *L'Ordre nouveau** et *Esprit**, à l'effervescence intellectuelle des « non-conformistes des années 30 », y représentant un courant « personnaliste » d'inspiration chrétienne fortement influencé par le néo-thomisme de Jacques Maritain.

Après 1934, il est partagé entre ses préoccupations intellectuelles et son souci d'un engagement politique concret, ce que traduisent sa collaboration, de 1935 à 1937, au *Courrier royal* du comte de Paris et, surtout, en 1936, la création du mensuel *Combat*, dont il est le codirecteur, avec Thierry Maulnier, jusqu'en 1939. Cette recherche, aux confins de l'extrême droite, se traduit aussi par l'intérêt qu'il porte, avec un certain nombre d'intellectuels, à la création du Parti populaire français, avant de rompre avec celui-ci au début de 1938. En revanche, ses préoccupations spirituelles et intellectuelles sont déterminantes dans la création de la revue *Civilisation* (1938-1939) qui, très marquée par l'influence de Gabriel Marcel*, se donne pour mission de défendre la « liberté de l'esprit » contre les menaces des dictatures totalitaires.

Mobilisé et fait prisonnier en 1940, il contribue à l'organisation dans les camps d'un mouvement de formation politique inspiré des principes de la Révolution nationale. Rapatrié en raison de sa situation familiale en juin 1941, il est appelé à participer aux activités du mouvement culturel « Jeune France »*, où il entre en conflit avec Emmanuel Mounier*. Participant aux activités de divers organismes se réclamant de la doctrine de la Révolution nationale, comme la revue *Idées* ou le Centre français de synthèse, il crée, dans des conditions controversées, en février 1942, l'hebdomadaire catholique *Demain**, dont il interrompra la publication au début de 1944. Parallèlement, il a fondé un Comité d'action des prisonniers dont, après sa disparition, un certain nombre de cadres contribueront à la naissance du Mouvement de résistance des prisonniers.

À la Libération, il devient rédacteur en chef de l'hebdomadaire *La France catholique*, dont il sera le directeur de 1955 à 1969, et dont il s'attachera à faire un hebdomadaire culturel, marqué par la tradition catholique et son goût des débats d'idées. Ses positions nuancées favoriseront son influence auprès de la hiérarchie catholique dans les débats suscités par le Concile et l'après-concile, comme son ouverture intellectuelle lui vaudra de jouer un rôle actif au sein du Centre catholique des intellectuels français*. Par ailleurs, dès les lendemains de la guerre, il retrouve certains « non-conformistes des années 30 », comme Robert Aron*, Thierry Maulnier ou Daniel-Rops*, pour militer, au sein de la Fédération puis du Mouvement fédéraliste français, en faveur de l'unité européenne, à partir de positions fédéralistes inspirées de ses orientations « personnalistes » et « corporatives » du début des années 30. Ces deux engagements, chrétien et fédéraliste, le conduiront à créer les Rencontres annuelles franco-allemandes des journalistes catholiques. Essayiste et historien des idées, il se consacre en outre à son activité d'écrivain, publiant de nombreux ouvrages. Il meurt d'un accident de la circulation, à Paris, le 23 novembre 1983.

Jean-Louis Loubet del Bayle

■ *La Révolution ou la foi*, Desclée, 1957. — *Bernanos tel qu'il était*, Mame, 1963. — *Le Sillon de Marc Sangnier*, Perrin, 1964. — *Maurras et son Action française*, Perrin, 1966. — *Christianisme et civilisations*, Gigord, 1966. — *Chrétien de droite... ou de gauche. Dialogue entre J. de Fabrègues et J. Madaule*, Beauchesne, 1966. — *L'Église, esclave ou espoir du monde ?*, Aubier-Montaigne, 1971.

▒ P. Andreu, *Révoltes de l'esprit. Les revues des années 30*, Kimé, 1991. — M. Bergès, *Vichy contre Mounier. Jeunesse, culture et Révolution nationale*, Économica, 1996. — J.-L. Loubet del Bayle, *Les Non-Conformistes des années 30. Une tentative de renouvellement de la pensée politique française*, Seuil, 1969.

FABRE-LUCE (Alfred)

1899-1983

Alfred Fabre-Luce aurait pu servir de modèle à un portrait type du fils de famille « 1900 », style *Jeunes gens d'aujourd'hui* d'Agathon*. Au confluent de deux lignées illustres de la finance et du commerce, élevé par une gouvernante anglaise et des précepteurs, une année de philosophie au lycée Janson-de-Sailly, avant l'inévitable entrée rue Saint-Guillaume, sanctuaire du libéralisme « orléaniste » dont il sera toute sa vie un digne représentant. Dès les années d'une guerre qu'il ne fera pas, le jeune dandy rumine quelques idées fixes.

D'abord, l'inéluctable déclin de la France. C'est par antiphrase que le jeune Fabre-Luce intitule *La Victoire* l'ouvrage qui le fait connaître. Comme le dit son grand-père André Germain (du Crédit lyonnais), les « jeunes » des années 20 sont orientés vers « le néant total de la passion ». L'influence de Nietzsche sur eux est sans doute importante, mais c'est vers une science positive du politique qu'ils inclinent, à l'instar leurs grands ancêtres d'après 1870. Fabre-Luce ne réclame-t-il pas, tout comme Renan, une « Réforme intellectuelle » ? Un peu plus tard (1927), le conseiller du Prince (il a figuré depuis 1920 dans différents cabinets ministériels du Bloc national), proche à présent des « Jeunes-Turcs » du Parti radical, publie un ouvrage dont le contenu souligne la convergence entre ces deux négations du « vieux monde » que sont les États-Unis d'Amérique et l'Union soviétique *(Russie 1927)*.

Au même moment, Drieu La Rochelle* et Bertrand de Jouvenel* développent des thèmes tout à fait semblables dans une revue au titre suggestif, *Les Derniers Jours*. Drieu et Jouvenel sont, comme Fabre-Luce, obsédés par l'idée d'une France épuisée biologiquement devant l'Allemagne, menacée de perdre son âme face à l'américanisation. Par ailleurs ils représentent, pour une dernière génération, le type aujourd'hui antédiluvien de l'intellectuel oisif, « travaillant » dans des sinécures, diplomatiques ou littéraires, qui ne dédaigne pas le concours des femmes du monde à l'entretien de son génie et qui, vivant de ses rentes, n'en réclame pas moins un bouleversement de la société. Bouleversement qui, à l'exclusion des hiérarchies qu'il ne songe nullement à remettre en cause, concerne essentiellement la sphère politique, où il recherchera le salut à travers l'homme providentiel dont il serait évidemment l'éminence grise. Il s'appellera successivement Caillaux, Doriot, Pinay, et enfin Giscard... Mais là où Fabre-Luce se veut non-conformiste absolu, c'est le domaine des mœurs où il saura jeter à la face d'une France hypocrite et pudibonde ce brûlot, *Pour une politique sexuelle* (1929), qui réclame que la syphilis soit reconnue et traitée comme fléau social, et que la contraception soit mise à l'ordre du jour.

Comme Drieu, qu'il croisera à plusieurs reprises, Fabre-Luce oscillera, dans sa recherche d'un sursaut salvateur, des espoirs d'organisation internationale au tourisme révolutionnaire. Mais, tout comme l'auteur de *Socialisme fasciste*, il ne choisira ni Genève ni Moscou, mais à travers son rejet du Front populaire (fortement teinté d'antisémitisme) et son adhésion au « pacifisme » munichois, le Berlin hitlérien, dont il sera, plus encore que de Vichy, le chantre entre 1940 et 1943.

Comment passe-t-on d'un radicalisme moderniste à l'idéologie de l'« Europe nouvelle » version nationale-socialiste ? Telle est la question posée par l'attitude *intellectuelle* de Fabre-Luce sous l'Occupation. On ne peut le taxer de penseur à gages, ce qui donne d'autant plus de relief à des ouvrages comme *Journal de la France* (1942) et *Anthologie de la nouvelle Europe* (1942). Dans ce dernier livre, dont le but explicite est de montrer qu'« un Goethe, un Renan, un Proudhon, un

Michelet, un Quinet, fils de 89 et militants de 48, traitaient déjà des thèmes nationaux-socialistes : respect de la force, contre-religion, culte du travail et de la patrie », Fabre-Luce réalise enfin la grande synthèse culturelle dont il rêve depuis ses années « locarniennes ».

Après la guerre, dont il sortira sans trop de dommages (quelques semaines de prison...), Fabre-Luce gardera deux obsessions : la haine de De Gaulle et du gaullisme, la recherche d'une science de l'homme unitaire, dont Alexis Carrel* avait montré le modèle et les voies d'institutionnalisation. Mais, comme avant 1939, le polygraphe, réécrivant ses anciens livres pour en faire des nouveaux, abandonnant le roman et le théâtre où il avait tenté de briller avant guerre, est surtout un journaliste doué d'un certain flair. Des nombreux ouvrages qu'il écrivit après la Libération, une grande part fut consacrée, outre l'antigaullisme obsessionnel, à « démaquiller » l'histoire officielle, selon sa propre expression. De ce « révisionnisme » historique, il suffira de retenir ce qu'en « précurseur » il énonçait dans son autobiographie (1974) comme le triple « complot » contre la vérité sur les années noires : juif, communiste et gaulliste...

En 1974, justement, il crut voir ses vœux les plus anciens exaucés ; Valéry Giscard d'Estaing, élu président de la République, résolvait le dilemme de « Sapiens » (pseudonyme de l'auteur de *Pinay ou Mendès ? Trois mois pour choisir*) en 1953. Réincarnation de Caillaux, le jeune président incarnait le modernisme des mœurs et la revanche contre le gaullisme. On comprend que le vieux publiciste en ait été assez exalté pour commettre un assez étonnant *Pour en finir avec l'antisémitisme* (1974) où il reprend, pratiquement inchangés, ses thèmes de 1941 !

Aujourd'hui, on assiste parfois à des tentatives de rattachement de l'ancien directeur de *Rivarol* (en 1954) à la pensée... libérale. C'est un péché qu'on ne saurait pourtant lui imputer. Comme Bertrand de Jouvenel, Emmanuel Berl* ou Pierre Drieu la Rochelle, il fut un « voyageur dans le siècle » égaré dans une ère démocratique que rien ne le préparait à aimer.

Daniel Lindenberg

■ *Vingt-cinq années de liberté*, Julliard, 1962. — *J'ai vécu plusieurs siècles*, Fayard, 1974. — *L'Incendiaire*, chez l'auteur, 1981.

▒ K.P. Sick, « Alfred Fabre-Luce et la crise du libéralisme dans l'entre-deux-guerres », *Commentaire*, n° 47.

FANON (Frantz)

1925-1961

C'est à Fort-de-France que naît Frantz Fanon, c'est là qu'il est scolarisé, ayant le poète et militant anticolonialiste Aimé Césaire* comme professeur. C'est de là qu'il part s'engager dans les Forces françaises libres et participe au débarquement de Provence avant de combattre en Alsace. Il reste en métropole pour mener à bien des études de médecine et de neuropsychiatrie.

Peau noire, masques blancs, son premier essai, s'inspire de ses observations cliniques, de ses lectures d'ouvrages de psychanalyse et d'anthropologie et de sa réflexion sur les relations complexes qui existent entre le colon et le colonisé, pour étudier l'*image* que le Noir a du Blanc et réciproquement. Il insiste sur l'extraordinaire sentiment d'infériorité qui pousse le Noir à vouloir ressembler au Blanc afin de l'égaler et par conséquent d'exister à ses yeux. La conclusion est double : « Il n'y a pas de mission nègre ; il n'y a pas de fardeau blanc », d'une part ; et d'autre part : « Ô mon corps, fais de moi toujours un homme qui interroge ! » Cette prière finale a été le code de conduite de cet infatigable militant de l'*indépendance* — terme à prendre à la fois dans le sens de « décolonisation » et d'« autonomie » —, combat qu'il mène dans sa vie professionnelle, à l'hôpital psychiatrique de Blida-Joinville (Algérie) où il est chef de clinique, et politiquement en s'engageant aux côtés du Front de libération nationale (FLN) en 1956, deux ans après le début de « la guerre d'Algérie ».

En 1957, il est expulsé et s'installe à Tunis, où il poursuit son action en faveur de l'Algérie. Il publie de nombreux articles dans l'organe de la révolution algérienne, *El Moudjahid*, et accompagne plusieurs délégations algériennes lors de rencontres internationales en Afrique. Au cours de ses voyages, il rencontre les principaux leaders de la « jeune » Afrique : N'Krumah, Lumumba, Holden, etc. En 1960, il représente officiellement le gouvernement provisoire de la République algérienne (GPRA) au Ghana.

Il rédige et publie son œuvre majeure, *Les Damnés de la terre*, avec une longue préface de Jean-Paul Sartre*, en 1961, quelques mois avant de mourir d'une leucémie aux États-Unis. En vingt ans, ce livre-manifeste sera traduit en dix-neuf langues et l'édition française avoisinera le tirage de 160 000 exemplaires. Aimé Césaire écrira dans *Afrique Action* : « Frantz Fanon est celui qui vous empêche de vous boucher les yeux et de vous endormir au ronron de la bonne conscience. » C'est vrai que les arguments sont forts et que la dénonciation du sous-développement est radicale, et parfois excessive. Fanon est un révolutionnaire qui n'épouse pas le schéma marxiste dominant alors, il dénonce les bourgeoisies nationales, incapables à ses yeux de promouvoir une nouvelle société, et mise sur les paysanneries pour renforcer les bases matérielles du développement. Il donne à la culture une place essentielle et n'hésite pas à critiquer l'intellectuel « colonisé » qui cherche davantage à reproduire des modèles qu'à inventer une voie originale et mieux appropriée d'indépendance nationale. Celle-ci, du reste, ne doit pas se cantonner dans l'étroit « nationalisme » mais donner au socialisme un espace pour se déployer.

La préface de Sartre oriente la lecture de l'essai de Fanon vers ses obsessions propres : la culpabilisation des Blancs (être « blanc », c'est être « exploiteur »...), ce qui fait dire à Pascal Bruckner* (cf. *Le Sanglot de l'homme blanc*, Seuil, 1983) qu'elle est « un trésor de nullité théorique, de contresens historique, de démagogie haineuse ». Sartre, en effet, redécouvre, après Engels et, à sa manière, Sorel*, la vertu de la violence : c'est elle qui fait avancer l'Histoire et tant pis, et tant mieux si les nantis en sont les premières victimes... C'est nier l'*humanisme* que Fanon respecte, une sorte de personnalisme laïcisé : « La condition humaine, les projets de l'homme, la collaboration entre les hommes pour des tâches qui augmentent la totalité de l'homme sont des problèmes neufs qui exigent de véritables inventions. »

Thierry Paquot

■ *Peau noire, masques blancs*, Seuil, 1952, rééd. 1965. — *L'An V de la révolution algérienne*, Maspero, 1959, rééd. 1968 (sous le titre *Sociologie d'une révolution*). — *Les Damnés de la terre* (préface de J.-P. Sartre), Maspero, 1961. — *Pour la révolution africaine* (recueil d'articles parus dans *El Moudjahid*), Maspero, 1964.
■ D. Caute, *Frantz Fanon*, Seghers, 1970. — I. Gendrier, *Frantz Fanon*, Seuil, 1976. — M. Giraud, « Nationalisme et socialisme, Fanon », in P. Ory (dir.), *Nouvelle histoire des idées politiques*, Hachette, 1987. — P. Lucas, *Sociologie de Frantz Fanon*, Alger, SNED, 1971.

FAURE (Élie)

1873-1937

Historien d'art, critique, essayiste, romancier, poète, médecin anesthésiste et embaumeur, Élie Faure est considéré comme l'un des fondateurs de la critique d'art en France. Il défend une histoire lyrique, intuitive et organique de l'art, pris comme le lieu de maturation d'une vie à la fois physique, individuelle et sociale.

Il est né le 4 avril 1873, à Sainte-Foy-la-Grande, en Gironde, d'une famille de pasteurs et d'anarchistes. Il est le neveu des frères Reclus. Au lycée Henri-IV, il est condisciple de Blum* et l'élève de Bergson* qui l'influencera considérablement. Il gagne sa vie comme médecin à partir de 1899 tout en se consacrant à la critique et à la vie politique.

Ses cours d'histoire de l'art donnés dans les universités populaires seront à la base de ses écrits. Contrairement à la tradition, il y aborde toutes les formes artistiques, transgressant les époques, les frontières, les civilisations, les genres. Il s'intéresse à la peinture et à la sculpture mais aussi à l'architecture, à la danse, à la musique et au cinéma. Critique à *L'Aurore* (à partir de 1902), il se fait un vigoureux défenseur de Cézanne, Renoir, etc., il prête une attention précoce aux nouvelles formes de création comme le cinéma (Chaplin, Gance), l'architecture (Le Corbusier*), ainsi qu'aux objets non occidentaux, l'art nègre en particulier.

Formé par les écrits de ses oncles — les Reclus —, de Nietzsche et de Lamarck, il passe d'un évolutionnisme biologique à un évolutionnisme social. Dreyfusard dès sa jeunesse, il défend les victimes du tsarisme (1905), les anarchistes, lutte contre la répression en Espagne (1909), entretient des relations orageuses avec les milieux socialistes dans les années 10, avant que n'éclate la guerre qui lui inspire quelques textes importants. Se refusant à entrer dans les organisations d'intellectuels après la guerre — en partie sans doute par désaccord avec Henri Barbusse* —, il adhère néanmoins à l'Association des écrivains et artistes révolutionnaires* en décembre 1932, apporte son soutien aux émigrés allemands dès mars 1933, signe l'appel à la lutte au lendemain du 6 février 1934, est président du groupe des Amis de l'Espagne après le soulèvement des Asturies en novembre 1934. Il donne des textes à *Vendredi**, *La Vie ouvrière*, *L'Humanité**, et surtout *Commune**.

En 1936, il fait partie des signataires « antifascistes » réunis autour de la Maison de la culture, opposés à l'attaque italienne contre l'Éthiopie*, au nom de l'égalité des « races humaines ». Toujours vigilant devant les attaques du « fascisme international », il se rend sur le front espagnol en août 1936 et tentera d'obtenir de Léon Blum l'intervention armée de la France en 1936, signant la « Déclaration des intellectuels républicains au sujet des événements d'Espagne ». Son modèle d'approche de l'art comme objet de « civilisation » au sens large, nourri par sa passion des voyages et son envergure cosmopolite, sera repris par André Malraux*, aux côtés duquel il lui est arrivé de défiler, notamment le 14 juillet 1936.

Laurence Bertrand Dorléac

■ *L'Histoire de l'art*, Floury et Crès, 1909-1921, rééd. Gallimard, 1988, 5 vol. — *Les Constructeurs*, Crès, 1914. — *L'Esprit des formes*, Crès, 1927, rééd. Gallimard, 1992. — *Mon périple*, Société d'éditions littéraires et techniques, Edgar Malfère, 1932, rééd. UGE, 1994. — *Fonction du cinéma* (préface de Charlie Chaplin), Plon, 1953.

▒ M. Courtois et J.-P. Morel, *Élie Faure, biographie*, Séguier, 1989. — P. Desanges, *Élie Faure. Regards sur sa vie et son œuvre*, Genève, Pierre Cailler, 1963. — Y. Lévy, *Écrits sur Élie Faure*, Plein Chant, 1988. — *Cahiers Élie Faure*, n° 1, 1981 ; n° 2, 1983. — « Hommage à Élie Faure », *Europe*, 15 décembre 1937, rééd. 1er septembre 1957. — *Cahiers du Sud*, n° 381, février-mars 1965.

FAURE (Lucie)

1908-1977

« Une femme du monde, certes, mais une femme du monde entier », ainsi parlait-on de « Lucie ». Née à Paris en 1908 dans une famille de la bourgeoisie juive éclairée, Lucie Meyer étudie les langues orientales puis entreprend une carrière de relieuse d'art. À vingt-trois ans, elle épouse Edgar Faure, futur président de l'Assemblée nationale, avec lequel elle formera un couple mythique.

Pendant la Seconde Guerre mondiale, elle remplit à Alger la mission d'attachée au Commissariat des affaires étrangères du Comité de libération nationale. En 1943, elle fonde avec Robert Aron* la revue *La Nef**, qu'elle dirigera jusqu'à sa mort, et l'Institut des études slaves de l'université d'Alger.

Dès son premier roman en 1961, *Passions indécises*, elle s'inscrit dans la tradition du roman d'analyse. Ses *Filles du calvaire* remportent le prix Sévigné et en 1971, elle est jurée du prix Médicis. Elle a publié huit ouvrages, dont un recueil de nouvelles à titre posthume, en 1979. Elle dit « avoir profondément vibré » en Mai 68, mais en 1970, elle succède à son mari à la mairie de Port-Lesney, dans le Jura. Elle meurt le 25 septembre 1977 à Boissise-le-Bertrand ; ses obsèques sont célébrées selon le rite catholique.

Laurence Klejman et Florence Rochefort

■ *Le Malheur fou*, Julliard, 1970. — *Les Bons Enfants*, Grasset, 1972. — *Mardi à l'aube*, Grasset, 1974. — *Un crime si juste*, Grasset, 1976.

FAURE (Sébastien)

1858-1942

Issu d'une famille bourgeoise et catholique, Sébastien Faure naquit le 6 janvier 1858 à Saint-Étienne. Après des études chez les jésuites, il se destina à la prêtrise, puis y renonça après dix-huit mois de noviciat à Clermont-Ferrand. C'est en 1884 que débuta sa carrière de militant. Tout d'abord guesdiste, il évolua, sous l'influence des écrits de Kropotkine et d'Élisée Reclus, vers l'anarchisme. Dès lors, sa vie se confond avec celle du mouvement libertaire. Brillant orateur, il parcourt les routes de France pour animer des conférences destinées au grand public qui connaissent un franc succès. Il y dénonce la société bourgeoise, l'Église, l'État et se prononce en faveur d'une société libertaire fondée sur la justice et la liberté.

Mais S. Faure ne fut pas seulement un orateur prisé, il dirigea également plusieurs journaux, dont *Le Libertaire*, qu'il créa, en 1895, aux côtés de Louise Michel. À partir de 1898, il prit une part active à l'affaire Dreyfus*. Sa dénonciation de l'injustice et de l'oligarchie militaire l'amène à lancer, en 1899, un quotidien : *Le Journal du peuple*.

En 1903, il se fit le propagateur des théories néo-malthusiennes de Paul Robin*, aux côtés d'Eugène Humbert. Préoccupé par les questions d'éducation, il décida de créer, l'année suivante, une école libertaire. Ainsi, « La Ruche » vit le jour, en janvier 1904, près de Rambouillet, grâce aux bénéfices dégagés par ses nombreuses conférences. Une quarantaine d'enfants firent l'expérience d'une éducation libertaire. Aux activités intellectuelles se joignaient des activités manuelles variées qui devaient permettre à l'enfant de s'orienter vers une profession selon ses goûts et aptitudes. L'expérience prit fin en février 1917.

Membre de la franc-maçonnerie, il y renonça en 1914 et défendit durant la guerre des positions pacifistes dans son journal *CQFD*. Auteur de nombreux articles dans la presse anarchiste, S. Faure publia un ouvrage de philosophie libertaire, *La Douleur universelle*, et un roman d'anticipation décrivant une société anarchiste, *Mon communisme*. Avec l'aide d'une centaine de collaborateurs, il dirigea la volumineuse *Encyclopédie anarchiste*, dont seul le premier volume vit le jour en 1934. Vulgarisateur plutôt que théoricien, il fut néanmoins à l'origine d'une conception du mouvement anarchiste qui eut un franc succès parmi les militants : il se prononça en faveur de la « synthèse anarchiste », qui devait rassembler toutes les forces anarchistes — anarcho-syndicalisme, communisme libertaire et individualisme anarchiste — au sein d'une même organisation. Il mourut à Royan le 14 juillet 1942.

Carole Reynaud Paligot

■ *La Douleur universelle*, 1895. — *Mon communisme*, 1921. — *L'Encyclopédie anarchiste*, 1934.

▒ H. Day, *Essai de bibliographie de l'œuvre de Sébastien Faure*, Paris-Bruxelles, 1961. — J. Humbert, *Sébastien Faure, l'homme, l'apôtre, une époque*, 1949. — R. Lewin, *Sébastien Faure et « La Ruche », ou l'Éducation libertaire*, Vauchrétien, I. Davy, 1988.

FAUVET (Jacques)

Né en 1914

À la tête du *Monde** durant treize années, Jacques Fauvet a sans conteste exercé une réelle influence sur le débat d'idées, en donnant en particulier la parole à de nombreux intellectuels dans les colonnes de son journal.

Né à Paris en 1914, il poursuit d'abord des études de droit avant d'embrasser la carrière de journaliste. Il débute dans le métier en 1937 en entrant dans un journal régional, *L'Est républicain*, puis intègre en 1945 le quotidien de la rue des Italiens qu'il ne quittera plus jusqu'à sa retraite en 1982. Il y gravit patiemment tous les échelons et accomplit la majeure partie de son activité en tant que spécialiste des problèmes politiques et parlementaires. Nommé rédacteur en chef en 1963, puis directeur en 1969, il couvre l'essentiel des événements qui ont marqué la vie politique française de cette seconde moitié du XXe siècle. Il analyse d'ailleurs les grandes évolutions du moment dans plusieurs ouvrages qui témoignent de son extrême sensibilité aux luttes et aux clivages politiques que la France a connus.

Entre 1969 et 1982, période durant laquelle il dirige le journal, *Le Monde* connaît un succès florissant. Sa diffusion a ainsi progressé de 75 % entre 1966 et 1976, bien que les premiers signes d'essoufflement se soient fait sentir au début des années 80. En digne héritier d'Hubert Beuve-Méry*, Jacques Fauvet souhaite perpétuer l'image d'un journal sérieux, informatif et indépendant. En dépit de certains dérapages qui lui seront vivement reprochés, comme par exemple à propos du Cambodge, de la Chine et du Portugal, le quotidien du soir se fait fort de rendre compte avec rigueur de l'actualité, sous toutes ses formes. Le nouveau directeur accueille cependant avec réserve et vigilance le « Programme commun de gouvernement de la gauche » signé en 1972, en raison notamment de sa méfiance à l'endroit du Parti communiste. Il adopte une position critique vis-à-vis du septennat de Valéry Giscard d'Estaing et soutient le candidat de la gauche, François Mitterrand, à l'élection présidentielle. Ouvert aux débats de culture, il encourage, entre autres, le développement du supplément hebdomadaire *Le Monde des livres*, qui, véritable instance de consécration, se fait l'écho des recherches structuralistes, des travaux de la « Nouvelle Histoire », voire du phénomène « Nouveaux Philosophes », et ne cède pourtant qu'assez rarement aux modes intellectuelles. Durant son règne, dossiers, enquêtes, entretiens, points de vue d'universitaires et de chercheurs se multiplient et s'amplifient, notamment dans la page « Idées » et dans la rubrique « Grilles du temps ».

La succession de Jacques Fauvet ouvre une longue période d'incertitudes au sein du journal, qui laissera de nombreuses cicatrices. L'ex-directeur du grand quotidien national est désigné en 1984 à la présidence de la Commission nationale de l'informatique et des libertés (CNIL), qui veille au respect des libertés individuelles ou publiques, lors de la constitution de fichiers informatiques.

Rémy Rieffel

■ *Les Forces politiques en France*, Éd. Le Monde, 1951. — *La France déchirée*, Fayard, 1957. — *La IVe République*, Fayard, 1959. — *Histoire du Parti communiste français*, Fayard, 1964 et 1965, 2 vol., 2e éd. en collaboration avec A. Duhamel, 1977.

FAYARD (Librairie Arthème Fayard)

Prestigieuse maison héritière du XIXe siècle, les Éditions Fayard, spécialisées dans la littérature populaire et centre de réflexion des intellectuels de droite avant 1945, s'imposent aujourd'hui par la présence dans leurs murs d'intellectuels français et étrangers, toutes tendances politiques confondues.

Né à Saint-Germain-L'Herm dans le Puy-de-Dôme en 1836, fils de père inconnu et petit-fils du notaire de sa ville natale, Jean-François Lemerle, dit Arthème Fayard, suit des cours au collège de Brioude avant de gagner Paris en 1855. En 1857, après quelques mois comme employé au ministère des Finances, il s'occupe du placement d'une biographie de l'historien populaire Camille Leynadier, les *Mémoires de Béranger*. De 1857 à 1868, l'éditeur installé 31 rue de Beaune, puis 49 rue des Noyers sur le boulevard Saint-Germain, accorde une grande place aux journaux littéraires et historiques à 10 ou 15 centimes dont il est propriétaire et rédacteur en chef. Intéressé par les figures républicaines de son époque et les mouvements nationaux à l'étranger, il publie des ouvrages d'actualité et d'histoire. Mais, comme beaucoup de petits éditeurs spécialisés dans des romans en livraisons et des ouvrages de prime, il fait faillite en 1862 et en 1867. Dès 1878, sa maison se développe et s'installe 87 boulevard Saint-Michel. Son fonds éclectique comprend surtout des romans populaires illustrés, des ouvrages de vulgarisation scientifiques et d'histoire. En 1887, il semble s'engager aux côtés du général Boulanger, avec la parution de l'*Histoire patriotique du général Boulanger*.

En 1894, Jean-François Fayard s'associe à son fils aîné Joseph Arthème, puis à son second fils Georges-Octave, avant de mourir en juin 1895. Les deux frères rachètent alors le fonds populaire de l'éditeur royaliste Dentu. En 1902, Joseph, dit Arthème II, reprend seul la maison paternelle. Ami de Léon Daudet* depuis leur rencontre au lycée Louis-le-Grand, il publie l'œuvre d'Alphonse Daudet en fascicules à 10 centimes. Soucieux de rendre la littérature accessible à tous, il crée en 1904 la « Modern Bibliothèque » à 0,95 franc, dans laquelle paraissent Paul Hervieu, Maurice Barrès*, Paul Bourget*, Henry Bordeaux* et, en 1905, « Le Livre populaire », collection à 0,65 franc regroupant les plus grands auteurs populaires, Charles Mérouvel, Pierre Decourcelle, Xavier de Montépin... Pour vendre ces romans à des prix aussi bas, Arthème II fait imprimer ces titres à des centaines de milliers d'exemplaires, amorçant l'ère des grands tirages.

À partir de 1924, la maison Fayard affirme par ses publications son engagement pour l'Action française*. La collection des « Grandes études historiques » dirigée par Pierre Gaxotte* réunit Jacques Bainville*, Jacques Chastenet, Mermeix ou encore Louis Bertrand. Les hebdomadaires *Candide**, créé en 1924, et *Je suis partout**, lancé en 1930 puis abandonné par Fayard en 1936, diffusent les idées de ces intellectuels. La publication de romans populaires n'empêche pas celle d'une littérature de qualité avec les titres de Thomas Mann, par exemple, dans la collection « L'Univers » dirigée par André Levinson.

À la mort d'Arthème II en 1936, son fils Jean, journaliste et prix Goncourt en 1931, dirige avec son beau-frère, Fernand Brouty, la maison d'édition, dont l'activité ralentit au cours de la Seconde Guerre mondiale. Pendant la guerre, repliés à Clermont-Ferrand, Gaxotte et Brouty continuent à assurer la publication en zone libre d'un *Candide* favorable à Vichy, tandis qu'à Paris Jean Fayard lance de nouvelles collections dont « Connaissance de l'histoire ». L'éditeur, qui appartient au Comité d'organisation du livre, est l'objet des attaques des collaborationnistes qui lui reprochent notamment de publier Henry Bernstein. À la Libération, il fait partie de la Commission d'épuration de l'édition.

L'Histoire sainte de Daniel-Rops*, commencée en 1942, est tirée à 250 000 exemplaires. Mais affrontant les ennuis financiers, la maison Fayard se transforme en SA en 1956 avant d'être rachetée par Hachette en 1962. Le nouveau directeur, Charles Orengo, ancien éditeur de Plon, oriente la production vers les sciences humaines et l'histoire contemporaine jusqu'en 1965 où il est remplacé par Alex Grall, directeur littéraire d'Hachette. Après une *Histoire de l'Église*, Daniel-Rops développe un secteur religieux avec la revue *Ecclesia* et les collections catholiques « Le Livre chrétien » et « Bibliothèque Ecclesia ». Les « Grandes études historiques », toujours dirigées par P. Gaxotte, poursuivent un parcours florissant. Et la biographie de *Louis XI* de Paul Murray Kendall, traduite en 1974, remporte un énorme succès.

En juillet 1980, l'arrivée de Claude Durand, venu du Seuil *via* Grasset, à la tête de Fayard rétablit l'équilibre financier de la maison, qui atteint un bénéfice net de 5 millions de francs pour un chiffre d'affaires de 75 millions en 1986. La collection « Le Temps des sciences », dirigée par Odile Jacob, jusqu'à ce que celle-ci fonde sa propre maison d'édition en 1986, présente des sujets de réflexion nouveaux en neurosciences et en biologie (elle publie J.-P. Changeux, C. Hagège, J. Ruffié). Le prestige du secteur historique de la maison se renforce avec, en 1984, une *Histoire de la France* dirigée par Jean Favier en six tomes et par la constitution d'une écurie d'historiens reconnus : Jean Delumeau, Georges Duby*, Daniel Roche, Jean Tulard, Marc Ferro, Eugen Weber. En 1990, en produisant 130 titres environ par an, les Éditions Fayard proposent des collections de politique, musique, littérature étrangère, roman policier et regroupent Ismaïl Kadaré, Soljenitsyne, André Fontaine ou Jacques Attali*.

Sophie Grandjean

■ *Histoire d'une librairie*, Arthème Fayard, 1953. — S. Grandjean, *Les Éditions Fayard (1857-1945)*, DEA, Paris X-Nanterre, 1991 ; *Les Éditions Fayard de 1857 à 1939. L'évolution d'une maison d'édition populaire vers l'extrême droite*, thèse en préparation, Paris X-Nanterre. — R. Rieffel, *La Tribu des clercs. Les intellectuels sous la Ve République*, Calmann-Lévy / CNRS, 1993. — J. Villetay, « Un nom illustre de l'édition : Arthème Fayard », *Journal du XVe arrondissement*, 1985.

Faye (Jean-Pierre)

Né en 1925

Né en 1925, philosophe de formation et de profession, Jean-Pierre Faye s'affirme au cours des années 60 comme l'une des principales figures de l'avant-garde littéraire française. Romancier, il ramène des États-Unis où il a séjourné un an la matière de son premier livre, *Entre les rues*, qui, publié en 1958, inscrit l'aventure d'un homme lobotomisé dans le décor d'une Amérique empoisonnée par le maccarthysme. À ce premier titre vont s'en ajouter cinq autres, composant la grande série romanesque de l'*Hexagramme* : *La Cassure* (1961), *Battement* (1962), *Analogues* (1964), *L'Écluse* (1964), *Les Troyens* (1970). L'esthétique littéraire de Faye est marquée par l'influence de Faulkner et nourrie de toute une réflexion sur les rapports de la conscience, du langage et du réel. On a pu présenter ses livres comme « la saisissante illustration littéraire d'une phénoménologie de la perception ». Savants et déroutants dans leur technique, les premiers romans de Faye sont également prises de position politiques explicites. Ils mettent en effet en scène les grandes questions historiques du présent : la guerre d'Algérie dans *La Cassure* et *Battement*, la Guerre froide* dans *L'Écluse*. Pour ce dernier roman, Faye obtient en 1964 le prix Renaudot. Poète, dramaturge, il offre encore en 1967 *Le Récit hunique*, recueil de textes théoriques et critiques marqués par la lecture des formalistes russes et résonnant de toutes les préoccupations du structuralisme littéraire d'alors. La même année, Faye quitte le comité de rédaction de la revue *Tel Quel** dont il était membre depuis quatre ans. En 1968, il fonde aux Éditions du Seuil* la revue *Change* avec, notamment, Maurice Roche, Jacques Roubaud et Jean Paris. Dans l'effervescence politico-littéraire de l'après-Mai, *Change* et *Tel Quel* s'affrontent alors violemment au nom de deux conceptions antagoniques de l'avant-garde et de l'engagement politique. L'aventure de *Change* se poursuivra jusqu'en 1982, faisant de la revue un lieu de réflexion et de création poétiques, tourné vers la modernité et les littératures du monde.

Philosophe, Jean-Pierre Faye s'est essentiellement interrogé sur les relations du langage et de la politique, de la narration et de l'histoire. Tel est l'objet de ses essais les plus importants : *Théorie du récit* ou *Langages totalitaires* en 1972, ou, plus récemment, le *Dictionnaire politique portatif en cinq mots* (1982) ou *La Déraison antisémite et son langage* (en collaboration avec Anne-Marie de Vilaine, 1993). Fort de son expérience du discours littéraire, démontant avec érudition les textes de la propagande totalitaire, Faye s'attache à montrer les mécanismes par lesquels le langage agit dans l'histoire et comment « le pouvoir de narrer change le monde ». Il s'agit d'« explorer dans la langue la force de la transformation : ce qui la soulève, en tend les traits, éclate dans son tissu même. Se renverse sur le geste qui la tend, et le frappe. Court par les villes du monde et, de l'une à l'autre, trame cette invisible campagne qui à distance propage des actions, et les rend acceptables ou non ». « Dans la chaîne des langues d'idéologie, note encore Faye, s'allument tour à tour la torche de Néron, le bûcher de Torquemada, le crématorium de Himmler. »

Au-delà de l'*Hexagramme*, bouclé en 1970, l'œuvre littéraire de Jean-Pierre Faye s'est poursuivie avec, notamment, *Inferno : versions* (1975) et *La Grande Nap*

(1992). Parmi les essais les plus récents, il faut signaler *Le Piège* (1994) où Faye revient sur la question posée déjà par lui dans les années 60 des relations entre la philosophie heideggerienne et le nazisme, et *L'Europe une* (1992) où se marque le cosmopolitisme authentique de cette pensée.

Philippe Forest

■ *L'Écluse*, Seuil, 1964. — *Analogues*, Seuil, 1964. — *Le Récit hunique*, Seuil, 1967. — *Langages totalitaires*, Hermann, 1972. — *Inferno : versions*, Seghers / Laffont, 1975. — *Commencement d'une figure en mouvement*, Stock, 1980. — *Dictionnaire politique portatif en cinq mots*, Gallimard, 1982.
▒ M. Partouche, *Jean-Pierre Faye*, Seghers, 1980.

FEBVRE (Lucien)
1878-1956

Comtois d'origine, né à Nancy en 1878, Lucien Febvre appartient à cette génération qui entra dans l'âge adulte avec le siècle, entre l'affaire Dreyfus* et la guerre. Normalien, historien de formation, il aura aussi été le contemporain de l'affirmation vigoureuse (et parfois orageuse) des nouvelles sciences sociales : de la géographie de Vidal de La Blache*, de la sociologie durkheimienne, de la psychologie, cette référence centrale dans la pensée française au tournant du siècle. Il en gardera toujours la conviction que l'histoire ne peut que tirer bénéfice d'une confrontation libre et ouverte, tout empirique, avec ses voisines.

Une carrière simple et impérieuse, à peine ralentie par quatre années au front, le mène de Dijon à Strasbourg (de 1919 à 1932) puis au Collège de France*. Elle rend mal compte, pourtant, de la diversité et de l'ampleur des projets et des réalisations de Febvre. Sa thèse, *Philippe II et la Franche-Comté. Étude d'histoire politique, religieuse et sociale* (1911), est comme la matrice de toute la première partie de son œuvre : on y retrouve la multiplicité des approches, le souci d'enraciner les problèmes dans un cadre géographique particulier, une interrogation sur la nature et sur la formation des personnalités collectives ; on y trouve aussi, d'entrée de jeu, le cadre chronologique (le XVIe siècle) qui sera celui de la plus grande partie de ses travaux. Au centre de sa réflexion, les rapports de l'homme et de son milieu, vaste sujet de débats entre géographes et sociologues, et auquel Febvre consacrera son second livre, *La Terre et l'évolution humaine*, en 1922. À partir des années 20, c'est pourtant un autre type de projet qui, de plus en plus, le retient : celui d'une histoire des mentalités collectives, dont Febvre sera l'inlassable propagandiste. Contre l'histoire désincarnée des idées et des œuvres, telle que la pratiquent les littéraires, les philosophes et souvent aussi les historiens, il définit l'ambition d'une approche qui tenterait de comprendre l'unité profonde d'une culture, au sens anthropologique du mot, dans le temps ; et qui combinerait une psychologie historique (inspirée des travaux de ses amis C. Blondel et H. Wallon*) avec l'étude des instruments propres à cette culture (l'« outillage mental »). Il illustrera ses conceptions à travers une série de grandes biographies (*Un destin, Martin Luther*, 1928 ; *Le Problème de l'incroyance au XVIe siècle. La religion de Rabelais*, 1942 ; *Autour de « L'Heptaméron » : amour sacré, amour profane*, 1944), qui, tout en traitant de figures majeures de l'histoire culturelle du XVIe siècle, le font en insistant sur ce qu'elles partagent avec tous les hommes de leur temps.

Mais Febvre a aussi été un inlassable animateur d'entreprises. Prolixe auteur de comptes rendus (plus de deux mille), il a été très tôt un collaborateur assidu de la *Revue de synthèse historique* d'Henri Berr*. À Strasbourg, il se préoccupe pendant les années 20 de fonder une revue qui défendrait une histoire ouverte sur les sciences sociales et sur les interrogations du présent : ce seront finalement les *Annales d'histoire économique et sociale*, qu'il lance avec Marc Bloch* en 1929 et dont il s'occupera toute sa vie. Son arrivée à Paris coïncide avec la direction de l'*Encyclopédie française*, dont Anatole de Monzie lui confie le projet et qui l'occupera pendant plus de quinze ans. Après la Seconde Guerre mondiale, il se fera enfin fondateur d'empire, avec la création de la VIe Section de l'École pratique des hautes études (Sciences économiques et sociales), conçue comme la traduction institutionnelle du projet intellectuel qui a été celui de sa vie tout entière. Écrivain torrentiel, entrepreneur boulimique, partenaire chaleureux et parfois incommode, toujours prêt à de nouvelles initiatives, Febvre est mort chargé d'honneurs en 1956 dans sa maison de Saint-Amour, en Franche-Comté.

Jacques Revel

■ *Philippe II et la Franche-Comté. Étude d'histoire politique, religieuse et sociale*, 1911. — *La Terre et l'évolution humaine. Introduction géographique à l'histoire*, 1922. — *Un destin, Martin Luther*, Paris 1928. — *Le Problème de l'incroyance au XVIe siècle. La religion de Rabelais*, Paris 1942. — *Autour de « L'Heptaméron » : amour sacré, amour profane*, 1944. — *Combats pour l'histoire* (recueil d'articles), Armand Colin, 1953, rééd. 1992. — *Au cœur religieux du XVIe siècle* (recueil d'articles), Armand Colin, 1957, rééd. LGF, 1984. — *Pour une histoire à part entière* (recueil d'articles), Armand Colin, 1962, rééd. EHESS, 1983.

▒ F. Braudel, « Lucien Febvre », *International Encyclopedia of the Social Sciences*, n° 5, 1968. — R. Chartier et J. Revel, « Lucien Febvre et les sciences sociales », *Historiens et géographes*, 1979. — H.D. Mann, *Lucien Febvre. La pensée vivante d'un historien*, Armand Colin, 1971.

FÉDÉRATION FRANÇAISE DES ASSOCIATIONS CHRÉTIENNES D'ÉTUDIANTS (FFACE)

La Fédération française des associations chrétiennes d'étudiants (FFACE ou, plus simplement, « Fédé ») a constitué pendant près d'un demi-siècle le principal lieu de formation des intellectuels du protestantisme français.

Issue du mouvement plus ancien des Unions chrétiennes de jeunes gens, la Fédé naît en 1898. Elle se rattache à une Internationale, la World's Student Christian Federation, fondée en 1895 par l'Américain John Mott et rattachée aux YMCA. Le mouvement français ne trouve son vrai visage qu'aux alentours de 1908 sous l'impulsion de son premier secrétaire général, Charles Grauss ; à la branche des étudiants s'ajoutent alors celles des étudiantes, des lycéens et des lycéennes ; sa revue mensuelle, *Le Semeur*, paraîtra à peu près sans interruption de 1902 à 1968.

La Fédé est ainsi un des premiers exemples de la forme spécialisée et militante des mouvements de jeunesse, qui connaîtra un grand essor au lendemain de la guerre de 14. Si l'implantation des groupes lycéens reflète la carte du protestantisme français, les groupes étudiants sont présents dans la quasi-totalité des universités, et particulièrement importants à Paris, Montpellier, Strasbourg, Bordeaux et Lyon.

Le mouvement regroupe dans l'entre-deux-guerres environ 2 000 membres, effectifs modestes mais non négligeables si on les compare à ceux de la Jeunesse étudiante chrétienne* (JEC). Il repose largement sur l'initiative des jeunes pour la prise de responsabilités et l'animation des groupes ; souci de la modernité culturelle et goût passionné pour la discussion font partie de l'image de marque du « fédératif ». En même temps, la Fédé met en œuvre un projet éducatif et religieux, concrétisé en particulier dans ses camps de vacances. La direction effective du mouvement est assurée par des personnalités religieuses adultes, issues elles-mêmes du mouvement à partir des années 30, où se constitue la « Post-Fédé ». Parmi ceux qui ont joué un rôle prépondérant, on peut citer les noms des pasteurs Marc Boegner*, Pierre Maury, Charles Westphal, Jean Bosc, Georges Casalis, et, pour la branche féminine, de Suzanne de Dietrich et Madeleine Barot.

S'il est très lié au protestantisme réformé, le mouvement ne dépend pas des Églises et peut jouer le rôle d'une « contre-Église », en répondant aux aspirations de jeunes intellectuels peu satisfaits par les formes traditionnelles de la vie religieuse. Ne portant pas d'étiquette confessionnelle, il a regroupé, autour de la majorité protestante, des membres issus de milieux catholiques, ou, plus souvent, orthodoxes et juifs. Dès la période de l'entre-deux-guerres, la Fédé organise dans sa propriété de Bièvre des rencontres œcuméniques avec des théologiens catholiques, comme le Père Congar* ; dans ses « Missions au Quartier latin », elle associe aux orateurs protestants des personnalités comme Emmanuel Mounier* ou Nicolas Berdiaev*.

S'il est assez peu connu du grand public, le mouvement a acquis au sein de l'Université une certaine notoriété, qui se maintient des années 30 aux années 60. Il a contribué à former des intellectuels tels qu'André Philip*, Denis de Rougemont*, Paul Ricœur*, voire... Roger Garaudy*.

L'histoire intellectuelle de la FFACE est surtout marquée par la découverte de la pensée de Karl Barth au début des années 30. Les « galopins barthiens » de la Fédé passent alors souvent pour des iconoclastes aux yeux du protestantisme établi... Après la guerre, où elle a un peu constitué l'avant-garde de la résistance spirituelle protestante, la génération barthienne va prendre le contrôle des Églises réformées et de la Fédération protestante de France. Le mouvement de jeunesse a ainsi joué un rôle de laboratoire intellectuel, facteur d'innovation plus encore que de reproduction. Pourtant, dans les années 60, ce modèle de fonctionnement se détraque. Les positions contestataires de la jeunesse fédérative, qui préfigurent celles de Mai 68, tant sur le plan politique que sur celui de la morale, suscitent à partir de 1963 une crise, contemporaine de celles de la JEC et de l'UEC. Les itinéraires révolutionnaires et la rupture avec le milieu porteur entraînent dès avant 1968 la quasi-disparition de la Fédé.

Depuis 1984, cependant, le protestantisme a pu récupérer ce qu'il restait du mouvement, et tenter de le relancer, sans qu'il ait encore retrouvé son importance passée.

Rémi Fabre

■ J. Baubérot, « Un exemple de mise en question des institutions ecclésiastiques, la revue *Le Semeur* (publiée par la FFACE) et la crise de l'Alliance des équipes unionistes », *Actes du 3e colloque de sociologie du protestantisme (Strasbourg 1972)*, CPED, 1974. — G. Cholvy et Y.-M. Hilaire, *Histoire religieuse de la France contemporaine*, t. 2 : *1880-1930*, t. 3 : *1930-1988*, Privat, 1986 et 1988. — S. de Dietrich, *Cinquante ans d'histoire : la Fédération universelle des associations chrétiennes d'étudiants (1895-1945)*, Le Semeur, 1946. — R. Fabre, *La Fédération française des étudiants chrétiens (1898-1914)*, thèse, Paris I, 1985 ; « Un groupe d'étudiants protestants en 1914-1918 », *Le Mouvement social*, n° 122, janvier-mars 1983 ; « Les étudiants protestants face aux totalitarismes dans les années 30 », *Revue d'histoire de l'Église de France*, t. 73, 1987.

FEJTÖ (François)

Né en 1909

En 1989, François Fejtö retourne en Hongrie, son pays natal, après quarante ans d'absence. Cet homme qui a été pendant plus d'un demi-siècle l'un des principaux informateurs des milieux intellectuels sur les pays de l'Est sait alors qu'en l'espace d'une vie il aura tout vu : de l'avant à l'après-communisme.

François Fejtö est né à Magykarizsa (Hongrie) le 31 août 1909. Son père est imprimeur, libraire et directeur de journal. En 1927, il entre à l'université pour suivre des études de littérature et de linguistique. Deux années plus tard, à Budapest, il participe aux travaux d'un groupe d'études marxistes, proche des jeunesses communistes clandestines. Il y rencontre le poète Attila Joszef et Laszlo Rajk. En 1932, il est arrêté et emprisonné. Libéré un an plus tard, il se tourne vers le parti social-démocrate en même temps qu'il crée, avec Attila Joszef, une revue antifasciste, *Szep Szo* (La Belle Parole), qui deviendra l'une des trois principales revues intellectuelles hongroises. Mais, en 1938, l'Anschluss le pousse à quitter son pays et il gagne Paris. C'est dans la mouvance de la revue *Esprit** qu'il trouve une seconde famille.

L'Occupation allemande le contraint à gagner le Lot où il participe aux combats de la Résistance au sein d'un réseau gaulliste. En 1944, il regagne Paris et entre à l'AFP pour y suivre les pays de l'Est. Il y restera trente ans. Socialiste et libéral, il pénètre dans l'intelligentsia à contre-courant : antistalinien quand ses amis ont les yeux rivés sur l'URSS. Pourtant il trouve en Edgar Morin*, Jean Duvignaud*, Emmanuel Mounier* ou Jean-Marie Domenach* de fidèles interlocuteurs. Il s'attelle à une histoire des révolutions de 1848 sur la demande de Vercors*. En 1947, il accepte de prendre en charge le bureau de presse de l'ambassade de Hongrie en France. Mais l'affaire Rajk, en 1949, le pousse à la rupture. Il publie dans *Esprit* un article de défense de son ancien ami qui frappe les consciences. Désormais, il a une pensée en tête : informer l'opinion et les intellectuels sur la vérité du stalinisme. Il commence, sur le conseil de Raymond Aron*, une histoire des démocraties populaires. En 1956, il participe à la fondation par Edgar Morin, Jean

Duvignaud et Kostas Axelos de la revue *Arguments**. Il persiste, malgré son anticommunisme, à considérer Marx comme un grand penseur et s'il invite à dépasser le marxisme, il reste un lecteur de ses œuvres.

Désormais, il est reconnu dans le Paris de la rive gauche, que les événements de 1956* ont arraché à l'hégémonie du Parti communiste. Jean-Paul Sartre* lui ouvre la porte des *Temps modernes** et préface son livre sur *La Tragédie hongroise*. Les années 60 le verront souvent aux côtés de Raymond Aron et de la revue *Preuves**, et sa signature restera familière aux lecteurs d'*Esprit*. La mort de Raymond Aron ne le séparera pas de la pensée de son ami. Il est, depuis sa fondation, au comité de patronage de la revue *Commentaire**. Il a été, avec un certain nombre d'intellectuels français, un dénonciateur inlassable de l'agression serbe contre la Croatie et la Bosnie.

Sandrine Treiner

■ *1848 dans le monde. Le printemps des peuples*, Minuit, 1948. — *Histoire des démocraties populaires*, t. 1 : *L'Ère de Staline*, Seuil, 1952. — *La Tragédie hongroise*, Horay, 1956. — *Les Juifs et l'antisémitisme dans les pays communistes*, Plon, 1960. — *Chine-URSS*, t. 1 : *La Fin d'une hégémonie*, Plon, 1960 ; t. 2 : *Le Conflit*, Plon, 1966. — *Histoire des démocraties populaires*, t. 2 : *Après Staline*, Seuil, 1969. — *L'Héritage de Staline*, Casterman, 1973. — *Mémoires. De Budapest à Paris*, Calmann-Lévy, 1986. — *Requiem pour un empire défunt. Histoire de la destruction de l'Autriche-Hongrie*, Lieu commun, 1988. — *La Fin des démocraties populaires. Les chemins du post-communisme* (avec E. Kulesza-Mietkowski), Seuil, 1992.

FÉNÉON (Félix)

1861-1944

Il est sans doute peu d'auteurs français en qui l'amour de l'art et de la liberté politique a pris des formes si discrètes et pourtant si influentes qu'en Félix Fénéon, critique d'art, critique littéraire, ironique anarchiste — à l'occasion traducteur (Jane Austen, Poe, Dostoïevski) ; légataire de Jules Laforgue et de Georges Seurat.

Fénéon est né de parents français à Turin, le 29 juin 1861. Son père exerce divers emplois de bureau, sa mère est préposée aux postes. Son enfance se déroule tout entière en Bourgogne. Après le lycée de Mâcon et le service militaire, il entre en 1881 au ministère de la Guerre, à Paris, où il s'installe avec ses parents. Dès 1883, il participe, comme rédacteur ou comme journaliste, à un grand nombre de petites revues artistiques et littéraires à tendance libertaire (la *Libre revue*, la *Revue indépendante*, notamment). Il signe rarement ses contributions, par modestie et par précaution politique.

Fénéon remarque en 1884 le talent de Seurat, se lie avec Laforgue, prépare pour la revue *La Vogue* le manuscrit des *Illuminations* de Rimbaud. Il est des mardis de Mallarmé et du *Bottin des arts et lettres* de Moréas. À partir de 1888, collaborateur à la *Revue indépendante*, à *L'Émancipation sociale* de Narbonne, et surtout à l'*En dehors* de Zo d'Axa, qui lui vaudra d'être fiché par la police, il multiplie les écrits et les ironies, devient l'un des critiques les plus influents de son temps. La *Revue anarchiste*, plus tard *Revue libertaire*, succède à l'*En dehors* au moment des lois scélérates votées en 1893. En raison de ses amitiés, Fénéon est arrêté fin avril 1894 à la suite de l'attentat du café Terminus (12 février 1894) ; jugé avec les Trente, et acquitté.

Il rentre alors à *La Revue blanche** des frères Natanson, dont il sera rédacteur jusqu'en 1903. Il y publie contes, enquêtes, critiques. Il se marie en juin 1897. *Le Figaro** de 1904 à 1906 ; *Le Matin* de 1906 à 1909 (il y écrit de lapidaires nouvelles en trois lignes) sont ses derniers contacts avec le journalisme, hors la direction, de 1919 à 1926, du *Bulletin de la vie artistique*, édité par Bernheim. De 1909 à 1924, il est vendeur de tableaux à la Galerie d'art Bernheim Jeunes, où sont exposés Cross, Signac, Matisse, Marquet, Van Dongen. La police, qui le surveillera jusque dans les années 30, lui prête une activité anarchiste continue.

Les vingt dernières années de sa vie — quittant Bernheim, il se dit « mûr pour l'oisiveté » — sont paisibles, avant d'être marquées par la maladie. Il meurt à La Vallée-aux-Loups, dans l'ancienne propriété de Chateaubriand transformée en maison de santé, le 29 février 1944, à quatre-vingt-cinq ans.

Anne-Sylvie Homassel

■ *Œuvres*, Gallimard, 1948. — *Œuvres plus que complètes*, Genève, Droz, 1970. — *Nouvelles en trois lignes*, Macula, 1990. — *Lettres*, Tusson, Le Lérot, 1990.

■ O. Barrot et P. Ory, *La Revue blanche*, UGE, 1989. — J. Halperin, *Félix Fénéon. Art et anarchie dans le Paris fin de siècle*, Gallimard, 1971.

FERNANDEZ (Ramon)

1894-1944

Figure exemplaire de l'intellectuel fourvoyé dans la politique, Ramon Fernandez fut l'un des plus brillants critiques de l'entre-deux-guerres. Son message philosophique offre un troublant contraste avec les errements de la fin de sa vie.

Né le 18 mars 1894 à Paris d'un père diplomate mexicain et d'une mère française, Ramon Fernandez fit ses études au lycée Louis-le-Grand et les poursuivit en Sorbonne jusqu'à la licence de philosophie. Le penseur en herbe cultivait alors un dandysme ostentatoire en fréquentant Robert de Montesquiou, qui l'introduisit auprès de Marcel Proust*. Cette rencontre, pour lui décisive, le conduisit aussi vers *La Nouvelle Revue française** alors dirigée par Jacques Rivière*. Il en devint, à partir de 1923, l'un des plus constants collaborateurs et devait entrer en 1927 dans ce saint des saints que fut le comité de lecture des Éditions Gallimard*. La même année, il était naturalisé français. C'est également par la *NRF* qu'il devint, avec Charles Du Bos, André Gide*, Roger Martin du Gard* et Jean Schlumberger, l'un des participants les plus actifs des Décades de Pontigny* fondées par Paul Desjardins*. Depuis son dialogue avec Rivière (*Moralisme et littérature*, 1932) jusqu'à *L'homme est-il humain ?* (1936), le discours philosophique de Fernandez, fondé sur un rationalisme tempéré par son proustisme, contribue à revaloriser les facteurs de la volonté sur ceux d'un instinct pourtant assumé. De 1932 à 1940, il donne des critiques littéraires à *Marianne**, hebdomadaire radicalisant lancé par Gaston Gallimard.

L'essentiel de son œuvre de critique tient dans ses *Messages* (1926) et dans ses grandes études sur Molière (1929), Gide (1931), Proust (1943), Balzac (1943) et Barrès* (1944). Il devait aussi tâter du roman avec *Le Pari*, prix Femina en 1932, et *Les Violents* (1935). Ce roman, où il exprime sa déception après un rapprochement avec les communistes, marque une étape de son évolution vers le « socialisme fasciste ». Critique à l'égard de l'engagement gidien de 1932, Fernandez avait, en effet, changé d'attitude à l'égard du communisme à la suite du 6 février 1934. Membre du Comité de vigilance des intellectuels antifascistes*, il affirme, dans une lettre ouverte à Gide (*NRF*, avril 1934), sa sympathie pour la cause du prolétariat, dont il ne tarde cependant pas à se détacher.

Ayant finalement opté pour le camp de Drieu La Rochelle*, il adhère en mai 1937 au PPF de Jacques Doriot. Membre du bureau politique, il est également secrétaire général des Cercles populaires français, l'officine intellectuelle du parti. Mal à l'aise dans sa position d'intellectuel de parti (« Le procès de l'intellectuel », *NRF*, août 1938), il quitte le PPF en même temps que Drieu, mais continue, sous l'Occupation, à témoigner sa confiance en Doriot. De 1940 à 1944, Fernandez s'engage politiquement dans les rangs de la collaboration. Membre de la délégation française qui se rend, en octobre 1941, au Congrès international des écrivains à Weimar, il exerce une foisonnante activité journalistique dans la presse collaborationniste *(Aujourd'hui*, *Le Cri du peuple*, *L'Émancipation nationale*, *Le Fait*, *La Gerbe**, *Panorama)*. Abondante aussi, son œuvre de critique pendant cette période, aussi bien dans la *NRF*, qui reparaît sous la direction de Drieu La Rochelle, que dans les quatre ouvrages qu'il publie pendant cette période, dont un tableau de la littérature française (*Itinéraire français*, 1943). Sa mort d'une embolie, le 2 août 1944, lui épargna des poursuites que son engagement n'aurait pas manqué de lui valoir. Son œuvre, qui connut son apogée en 1943 (année où il publia trois livres), fut négligée après 1945. Elle a été partiellement rééditée depuis.

Pascal Mercier

■ *Messages*, Gallimard, 1926, rééd. Grasset, 1981. — *De la personnalité*, Au Sans Pareil, 1928. — *Moralisme et littérature*, Corréa, 1932. — *L'homme est-il humain ?*, Gallimard, 1936. — *Itinéraire français*, Éd. du Pavois, 1943.

■ L. Fasciati, *Introduction à la pensée critique de Ramon Fernandez*, Munich, Wilhelm Fink Verlag, 1972. — D. Fernandez, *L'École du Sud*, Grasset, 1991 ; *Porfirio et Constance*, Grasset, 1992 ; *L'homme-Dieu ou le Sens de la vie*, Grasset, 1996. — P. Hebey, *« La Nouvelle Revue française » des années sombres (1940-1941)*, Gallimard, 1992. — W. Kidd, *Ramon Fernandez et la quête du père*, thèse, université de Sterling (Écosse), 1981.

FERRY (Luc)

Né en 1951

Luc Ferry fait partie de cette génération de philosophes qui est montée à l'assaut des penseurs de la différence, leur reprochant les conséquences éthiques et politiques de leurs prises de position. Il est ainsi apparu comme l'un des principaux artisans d'un retour à Kant et, plus généralement, du renouveau de la philosophie du droit et de la philosophie politique.

Né en 1951, Luc Ferry a fait des études de philosophie, mais ce sont les sciences politiques qui lui offriront l'hospitalité dans un premier temps. Il sera en effet, au début des années 80, professeur de sciences politiques à l'université de Lyon II, avant de retrouver un poste dans sa discipline d'origine, à Caen. Élève de Jacques Rivelaygues et d'Alexis Philonenko (qu'il publiera ensuite dans la collection qu'il dirige depuis 1990 avec Alain Renaut chez Grasset), il fonde au milieu des années 70, avec Alain Renaut, le Collège de philosophie, non sans un clin d'œil à Jean Wahl*.

Là, les deux amis, et le réseau qu'ils animent, se consacreront à des séminaires de travail et de traduction, destinés à réévaluer l'apport du rationalisme critique. Ils seront ainsi peu ou prou à l'origine de la plupart des traductions françaises de l'école de Francfort, mais aussi de néo-kantiens comme Cassirer. Ils se soucieront surtout de diffuser la théorie critique de Fichte, prêtant aussi la main à l'entreprise d'Alquié* de retraduction et d'édition de Kant dans la « Pléiade ».

En rupture tant avec la philosophie universitaire classique qu'avec les penseurs radicaux de l'après-68, auxquels ils reprochent leurs errements idéologiques, ils demandent à cette tradition critique, outre la réévaluation de la raison, de jeter les bases d'une philosophie politique fondée sur le droit. Formés par la critique aronienne du totalitarisme, il leur semble en effet que le droit seul peut pacifier les rapports entre les hommes, et limiter les utopies sanglantes. Cette orientation polémique de leur pensée trouvera son apogée dans *La Pensée 68*, qui s'en prend vivement à Derrida*, Foucault* ou Bourdieu* pour prôner au contraire un retour à l'humanisme. Proches d'Habermas, ils refusent de renoncer aux valeurs de la modernité et des Lumières au nom d'une post-modernité qu'ils jugent confuse et dangereuse.

Au cours des années 80, Luc Ferry se rapprochera ainsi d'un certain libéralisme intellectuel, participant à la Fondation Saint-Simon*, fondant avec François Furet* l'Institut Raymond-Aron, et engageant à partir de 1987 une collaboration régulière avec l'hebdomadaire *L'Express**. Mais il continue son combat contre ce qui lui apparaît comme des déviations de la pensée, qu'on néglige l'éthique par rejet de la métaphysique comme Heidegger, ou par sentiment naturaliste comme dans les courants de l'écologie profonde qu'il fustige dans *Le Nouvel Ordre écologique*. Mais il s'engage aussi plus directement dans la gestion des affaires de la Cité en acceptant en 1993 la responsabilité du Conseil national des programmes, au ministère de l'Éducation nationale.

Joël Roman

■ *Philosophie politique*, 3 vol. (le vol. 3 avec A. Renaut), PUF, 1984-1985. — *La Pensée 68* (avec A. Renaut), Gallimard, 1985. — *Système et critique* (avec A. Renaut), Bruxelles, Ousia, 1985. — *Heidegger et les modernes* (avec A. Renaut), Grasset, 1988. — *Homo estheticus*, Grasset, 1990. — *Le Nouvel Ordre écologique*, Grasset, 1992 ; *L'Homme-Dieu ou le Sens de la vie*, Grasset, 1996.

Fessard (Gaston)

1897-1978

Né le 29 janvier 1897 à Elbeuf, Gaston Fessard meurt le 18 juin 1978 à Chantilly. Entré dans la Compagnie de Jésus en 1913, il découvre Blondel* grâce au Père Valensin. Après un séjour en Allemagne, il suit les leçons de Kojève* sur *La Phénoménologie de l'esprit*. Pour interpréter le mystère de la société et de l'histoire, il adjoindra à la dialectique hégélienne du maître et de l'esclave une dialectique de l'homme et de la femme. Rédacteur aux *Études** (1934-1963), Fessard poursuit une œuvre à deux versants. D'un côté : réflexion fondamentale sur la personne humaine, son existence sociale, sa destinée ultime. De l'autre : intervention dans le champ politique pour y défendre précisément les droits de la personne contre toutes les idéologies destructrices.

La rencontre de Raymond Aron* chez Gabriel Marcel* l'incite d'abord à porter un jugement chrétien sur la situation internationale (*Pax nostra. Examen de conscience international*, 1936). Invité par Georges Guy-Grand à réagir aux positions prises dans le *Bulletin de l'Union pour la vérité* après la « main tendue » de Maurice Thorez aux catholiques, Fessard se lance dans la polémique, désormais l'un de ses terrains de prédilection, et répond par la négative à la question : *Le dialogue catholique-communiste est-il possible ?* (1937).

Hostile aux accords de Munich* (*Épreuve de force*, juin 1939), il s'engage dans la Résistance. *France, prends garde de perdre ton âme !*, premier des Cahiers clandestins du témoignage chrétien (novembre 1941), s'impose comme une ressource capitale pour la résistance spirituelle au nazisme. Gaston Fessard échappera d'ailleurs de justesse à l'arrestation par la Gestapo. En 1944 paraît l'un de ses livres majeurs, *Autorité et bien commun*. Puis il se retourne contre le marxisme, aussi dangereux à ses yeux que le nazisme et procédant d'une souche commune : *France, prends garde de perdre ta liberté !* (1946). Tout en poursuivant son œuvre de philosophe et de théologien, Fessard engage alors une série de controverses, avec Mounier* et la revue *Esprit**, avec l'Union des chrétiens progressistes, avec Jean-Jacques Mayoux au sein de la Société européenne de culture. Il critique la position du Père Chenu* sur les prêtres-ouvriers* (*De l'actualité historique*, 1960), puis les promoteurs de la théologie de la libération. S'il participe aux colloques Castelli à Rome et s'intéresse aux nouvelles philosophies du langage et du symbole, son souci primordial demeure de préserver le catholicisme de toute contamination marxiste, comme en témoigne son ouvrage posthume : *Église de France, prends garde de perdre la foi !*

Pierre Colin

■ *Pax nostra. Examen de conscience international*, Grasset, 1936. — *Autorité et bien commun*, Aubier, 1944. — *La Dialectique des « Exercices spirituels » de saint Ignace de Loyola*, Aubier, 1956. — *Église de France, prends garde de perdre la foi !* (avec une bibliographie complète), Julliard, 1979. — *Au temps du prince esclave* (recueil des textes parus sous l'Occupation), Critérion, 1989.

■ P. Nguyen Hong Giao, *Le Verbe de l'Histoire. La philosophie de l'historicité de G. Fessard*, Beauchesne, 1974.

FIGARO (LE)

D'abord hebdomadaire, *Le Figaro*, fondé en 1854 par Villemessant, devient quotidien en 1866. Monarchiste au début des années 1870, il finit par accepter la République dans la décennie suivante, sans pour autant renoncer ni à ses positions conservatrices, ni à son originalité éditoriale. *Le Figaro* fut toujours davantage un « journal de caractère » plutôt qu'un « journal de doctrine » (P. Albert).

Grâce à la fiabilité de son information et à la qualité de ses collaborateurs (Auguste Vitu, Alphonse Karr, Jules Huret*), *Le Figaro* connaît un vif succès à la fin du XIXe siècle (plus de 80 000 exemplaires). Au moment de l'affaire Dreyfus*, sous l'impulsion de De Rodays (le gérant), Cornély et Arène, *Le Figaro* se démarque de la presse de droite en prenant position pour la Révision. Du 24 novembre au 4 décembre 1897, Zola* y publie une série d'articles (« La vérité en marche ») qui indisposent les lecteurs. Devant l'hémorragie de sa clientèle, *Le Figaro* se réfugie dans une prudente réserve.

En mars 1914, après l'assassinat de Calmette (le grand réorganisateur du journal), Robert de Flers et Alfred Capus prennent en main la rédaction. Pendant la Grande Guerre, au fil des éditoriaux patriotiques de Capus et des chroniques militaires de Joseph Reinach (« Polybe »), le quotidien reste le journal de l'élite conservatrice.

Par une habile manœuvre lors d'une assemblée générale d'actionnaires, François Coty parvient, en février 1922, à prendre le contrôle du *Figaro*. Le nouveau maître du quotidien renouvelle l'équipe. À Henri de Régnier ou Robert de Flers se joint notamment le pamphlétaire Urbain Gohier (qui rédige les éditoriaux signés par Coty). La dérive du journal vers l'ultra-droite provoque un divorce avec le lectorat traditionnel du *Figaro*. Coty est finalement chassé en octobre 1933 par le conseil d'administration. Le nouveau responsable du quotidien, Lucien Romier, est assisté par un comité de direction qui comprend André Maurois, Paul Morand*, Wladimir d'Ormesson et Pierre Brisson. Ce dernier (fils d'Adolphe Brisson et petit-fils de Francisque Sarcey), critique dramatique et directeur littéraire du *Figaro*, finit par s'imposer à la tête du journal, en octobre 1936.

Brisson s'entoure d'une équipe brillante, à commencer par François Mauriac*, qu'il a connu en 1927, alors qu'il dirigeait la revue littéraire *Les Annales vertes*. Gérard Bauer (Guermantes) signe le billet quotidien, et Abel Hermant* le billet du dimanche. Les éditoriaux sont assurés par Lucien Romier et Wladimir d'Ormesson. Francis Carco, James de Coquet, Roland Dorgelès*, Pierre Drieu La Rochelle*, Jean Giraudoux*, Joseph Kessel*, Jacques de Lacretelle, Pierre Mac Orlan, Thierry Maulnier*, André Maurois, Paul Morand*, Maurice Noël, Georges Ravon, Albert Thibaudet*, Jérôme et Jean Tharaud* se succèdent dans les colonnes du *Figaro* pour alimenter les chroniques et les enquêtes. Jean Rostand* enrichit la page scientifique, tandis qu'André Billy et André Thérive écrivent les articles littéraires du samedi. D'autres encore viennent périodiquement compléter l'une des plus remarquables équipes de la presse parisienne, tels Paul Claudel*, Paul Valéry*, André Gide*, André Siegfried* ou Jean Schlumberger. Une fine connivence unit Brisson à ses rédacteurs. Son seul regret est peut-être de n'avoir pu convaincre Henri Béraud* de rallier *Le Figaro*. Brisson tient fermement son journal, ce qui n'empêche pas Mauriac de s'écarter de la ligne éditoriale, au moment de la guerre d'Espagne* (« À propos des massacres d'Espagne », 30 juin 1938).

Sous l'Occupation, *Le Figaro* qui, dans la période précédente, s'est clairement opposé au nazisme, s'installe en zone Sud, à Lyon. Brisson, évadé d'un oflag, en reprend la direction. Soupçonné par Vichy de sympathie pour le gaullisme, le quotidien préfère se saborder au moment de l'invasion de la zone occupée, en novembre 1942. Par la suite, plusieurs chroniqueurs du journal entrent au Comité national des écrivains*, dont Mauriac, Duhamel* et Claude Aveline*.

À la Libération, *Le Figaro* change de dimension en devenant un quotidien de grande diffusion (231 000 exemplaires dès janvier 1945). Les anciens réintègrent l'équipe (à l'exception notable de Paul Morand, mêlé à la collaboration). Mais *Le Figaro* attire aussi de nombreux jeunes écrivains et journalistes. Sartre* lui-même effectue un voyage aux États-Unis pour le quotidien, auquel il fournit huit articles, de mars à juin 1945. L'une des plus brillantes recrues est sans doute Raymond Aron*, remarqué par Brisson pour ses éditoriaux dans *Combat**, au moment du débat sur la Constitution. Mais dans les années d'après guerre, c'est Mauriac qui, par ses articles quotidiens, s'impose comme la figure emblématique du journal. Sa querelle avec Camus*, par éditoriaux interposés, sur le sens donné à l'épuration, constitue le moment fort de l'engagement intellectuel de la Libération. Il convainc une douzaine de collaborateurs du *Figaro* (parmi lesquels Georges Duhamel, Wladimir d'Ormesson, les frères Tharaud, Thierry Maulnier) de signer l'appel au général de Gaulle en faveur de la grâce de Robert Brasillach*. Pourtant, en mars 1953, en désaccord avec la ligne politique du *Figaro*, il se rapproche de *L'Express** ; dès avril 1954, il y transfère ses réflexions politiques (le « Bloc-Notes »), ne conservant plus, dans le journal de Brisson, qu'une chronique littéraire. En effet, Mauriac, comme Aron ou Martin-Chauffier*, encourage un processus de décolonisation auquel Brisson se résout avec peine. En octobre 1960, *Le Figaro* publie les listes de signatures du « Manifeste des intellectuels français », qui répond au « Manifeste des 121 »*. Néanmoins, le soutien du quotidien à de Gaulle attire sur ses responsables la colère des ultras de l'Algérie française : Brisson et Louis Gabriel-Robinet sont les cibles d'attentats organisés par l'OAS. Avec l'éloignement de Mauriac, Aron (premier président de la société des rédacteurs, en octobre 1965) s'affirme comme l'un des piliers du *Figaro*, où se distinguent également de grands éditorialistes et chroniqueurs, comme André François-Poncet, Pierre Gaxotte*, Jean Guéhenno*, Jean Guitton*, James de Coquet, Claude Mauriac*, André Frossard*.

La mort de Brisson, en décembre 1964, provoque une période d'incertitude sur l'avenir du *Figaro*, qui passe successivement des mains de Jean Prouvost à celles de Robert Hersant (1975). En novembre 1973, après la défection de Gabriel-Robinet, malade, Jean d'Ormesson* est nommé président du directoire du *Figaro*. Désigné à ce même directoire en 1975, Aron prend rapidement ses distances et, à la suite d'une nouvelle crise, décide, en 1977, de quitter le journal. Entre-temps, sur la demande d'Aron, Annie Kriegel* donne ses premiers papiers au *Figaro* ; à partir de 1978, elle y collabore régulièrement. En 1983, Alain Peyrefitte devient, à son tour, un éditorialiste remarqué. Dans la période ultérieure, les universitaires (Pierre

Chaunu*, Hélène Carrère d'Encausse*) viennent, aux côtés des écrivains (Michel Tournier), renforcer la présence des intellectuels dans le plus grand quotidien de droite français (500 000 exemplaires), dirigé, depuis 1988, par Franz-Olivier Giesbert, venu du *Nouvel Observateur*.

Finalement, sur tout le siècle, la spécificité idéologique du *Figaro* s'exprime de manière édifiante par les liens étroits qu'il entretient avec l'intelligentsia conservatrice et ses institutions, au premier rang desquelles figure l'Académie française* (et, dans une moindre mesure, l'académie Goncourt). Tous comptes faits, jamais quotidien, dans son histoire, n'accueillit autant d'académiciens ou de futurs académiciens. Pour certains intellectuels, même, dont il assit définitivement la notoriété, *Le Figaro* put apparaître comme l'antichambre de l'Académie française.

Christian Delporte

■ C. Bellanger, J. Godechot, J. Guiral et F. Terrou (dir.), *Histoire générale de la presse française*, t. 3 à 5, PUF, 1972-1976. — P. Brisson, *Vingt ans de « Figaro »*, Gallimard, 1959. — J. Buisson, « *Le Figaro* à l'heure Hersant », *Presse-Actualité*, septembre-octobre 1975. — J. de Lacretelle, *Face à l'événement : « Le Figaro » (1826-1966)*, Hachette, 1966. — A. Lang, *Pierre Brisson*, Calmann-Lévy, 1967.

FIGARO LITTÉRAIRE (LE)

Pendant le demi-siècle qui précéda la dernière guerre, il était de tradition que *Le Figaro**, le journal quotidien, réservât une place régulière à la vie littéraire. C'est dans sa page « Lettres », publiée le samedi, que furent créés « Les propos » d'André Billy, la rubrique continuant de paraître lors du repli à Lyon pendant l'Occupation. Le succès de la page du samedi à cette période répondait au souci qu'avait Pierre Brisson, directeur du *Figaro*, de se marquer et de se démarquer littérairement. André Gide* y publia la série des « Interviews imaginaires », Paul Valéry*, Georges Duhamel* et François Mauriac* y confièrent leurs chroniques jusqu'au sabordement de 1942.

Le Littéraire, en tant qu'hebdomadaire autonome, prend naissance le 23 mars 1946, la rédaction en chef étant confiée à Maurice Noël. Les restrictions de papier limitent tout d'abord à quatre pages le supplément ; et les règlements qui régissent la presse écrite ne permettent pas au titre de porter le nom du *Figaro*. Au sommaire du premier numéro, un éditorial de Pierre Brisson en définit les ambitions : « Nous offrons au public un organe libre [...] un organe où les querelles littéraires ne seront jamais inspirées que par la littérature. » François Mauriac, avec un article intitulé « Ma rencontre avec Proust » annonce une suite de « souvenirs », et les principaux collaborateurs se nomment Paul Claudel*, L.-P. Fargue, Jacques de Lacretelle, Julien Green, Colette*, Francis Carco.

En 1947, *Le Littéraire*, devenu *Le Figaro littéraire*, paraît sur six pages. Maurice Noël, désireux d'élargir l'éventail culturel, s'assure de nouvelles rubriques et suscite « l'événement », souvent polémique — de la querelle entre J.-P. Sartre* et F. Mauriac (7 mai 1949) à l'appel de David Rousset* sur les camps soviétiques et les débats autour du procès Kravchenko (février-novembre 1949), de la protestation de R. Martin du Gard* sur une présence religieuse aux obsèques d'André Gide (janvier 1952) à la polémique entre Graham Greene et l'archevêque de Paris à propos de Colette (août 1954).

Outre les dossiers, enquêtes, entretiens, les rubriques fixes sont tenues par une équipe qui — ce fut le souhait de P. Brisson et le soin de M. Noël — apportait un « complément » à l'esprit du quotidien : André Rousseaux pour le feuilleton, Jean Blanzat pour la critique des romans, Jacques Lemarchand pour le théâtre, Claude Mauriac* pour le cinéma, Jean Rostand* pour la science, C.-R. Marx pour les arts, sans oublier James de Coquet pour la gastronomie et Aristide pour le langage ; l'alternance des chroniques de Jean Guéhenno* et Thierry Maulnier*, de Pierre Gascard et Jean Delay. L'Académie y tenait bonne place.

C'est en 1961 que Maurice Noël quitte la rédaction en chef, remplacé par Michel Droit, l'hebdomadaire changeant sa maquette pour devenir, en 1967, une revue avec couverture couleur. Cette nouvelle présentation, tout en bénéficiant d'une forme plus moderne, s'efforça de maintenir une structure traditionnelle. François Mauriac y publia et y tint son « Bloc-Notes » jusqu'à sa mort.

L'évolution technique de la presse et des modes de distribution (préjudiciable à la nature même de la publication séparée qui connaissait des difficultés de tirage) amena la direction du *Figaro* à une reconversion totale de l'hebdomadaire en 1970. Afin d'assurer la plus large diffusion — fût-ce cette fois au détriment de la présentation — *Le Figaro littéraire* devint alors un supplément encarté dans le quotidien. André Brincourt, nommé directeur des services culturels du quotidien, et succédant à Michel Droit à la rédaction en chef du *Littéraire*, fut chargé de l'opération.

Les huit pages détachables du « Littéraire, art, spectacles et formes de notre temps » — outre l'équipe alors présente : notamment, Robert Kanters, Claude Mauriac, Dominique Jamet, Bernard Pivot, Jacques Lemarchand, Jean Chalon — s'assura de nouvelles signatures, comme celle d'Emmanuel Berl* et surtout d'André Malraux* (le premier numéro ayant été lancé avec la prépublication de la préface des *Chênes qu'on abat*).

L'importante crise de la presse parisienne qui toucha en particulier *Le Figaro* et provoqua sa vente puis son départ de l'immeuble du rond-point des Champs-Élysées en 1974, entraîna des mesures restrictives qui, peu à peu, modifièrent et mirent à mal les ambitions réelles du *Littéraire*, lequel évolua, au gré des possibilités techniques dans une pagination réduite et variable jusqu'en 1986. Ayant maintenu le titre et les rubriques « Lettres » jusqu'à cette date, André Brincourt quitte alors ses fonctions au journal et, en accord avec Robert Hersant, nouveau directeur du *Figaro*, demande à Jean-Marie Rouart d'assurer la responsabilité d'un supplément bientôt retrouvé dans sa forme initiale : huit pages encartées, paraissant le vendredi puis le jeudi. *Le Littéraire* est cependant, pour la première fois, consacré exclusivement aux lettres, les rubriques s'articulant autour d'un sujet d'actualité.

Antoine Mesnil

■ P. Brisson, *Vingt ans de « Figaro »*, Gallimard, 1959.

FIGARO MAGAZINE (LE)

Lancé par un article du *Monde**, le débat de presse de l'été 1979 concernait presque autant *Le Figaro Magazine* que le Groupement de recherche et d'études pour la civilisation européenne* (GRECE). Ce supplément hebdomadaire du *Figaro**, inauguré le 7 octobre de l'année précédente, ne faisait-il pas la part trop belle aux idées de la Nouvelle Droite ? Son directeur, Louis Pauwels*, n'avait-il pas encore étoffé l'équipe des grévistes qui travaillaient déjà autour de lui lorsque, en 1977-1978, il dirigeait les services culturels du quotidien devenu propriété de Robert Hersant ? Alain de Benoist*, Michel Marmin, Jean-Claude Valla, Yves Christen et d'autres ont, en effet, occupé une place de choix dans les colonnes du *Fig-Mag*, en compagnie de Patrice de Plunkett dont les attaches avec la Nouvelle Droite ont été éphémères, tandis que sa fidélité au *Magazine* est restée intacte : il est devenu directeur de la rédaction en 1980.

Les années néo-droitières du *Figaro Magazine* (1978-1982) traduisaient le souci de Robert Hersant : redresser les ventes de fin de semaine grâce à des textes de réflexion. C'est à ce titre que le GRECE y a fait passer son message, centré sur la fin de l'égalitarisme universaliste et l'avènement d'une élite, capable de répondre au destin forgé par une longue histoire et par une appartenance animale assumée (gènes, comportement). Face à une gauche qui lui semblait détenir le monopole de la production d'idées, le *Fig-Mag* proposait ainsi une culture alternative, illuminée par les penseurs allemands, sur fond d'antisoviétisme et d'anti-américanisme conjugués. Le succès de cette formule est indéniable : nouveauté du discours, qualité du produit, servi par une iconographie soignée — y compris dans la volumineuse séquence publicitaire (entre un quart et près de la moitié de l'espace) — valent à l'hebdomadaire du 83 rue Montmartre une diffusion de 500 000 exemplaires par numéro (150 pages environ) dès 1981, et plus de 650 000 au début des années 90. Le gros du lectorat se situe en Île-de-France, avec une dominante de clientèle aisée, assortie d'une petite bourgeoisie plus modeste.

À terme, c'est sans doute le virage pris par le *Fig-Mag* qui explique la préservation de sa réussite. Après diverses secousses, celle de l'été 1979, celle de l'automne 1980, au cours duquel Louis Pauwels s'est vu attribuer une responsabilité morale dans l'attentat contre la synagogue de la rue Copernic, celle du printemps 1981, marqué par l'arrivée de la gauche au pouvoir, le *Magazine* s'est ressenti de la double conversion de son directeur, au christianisme et au libéralisme. À l'origine de quelques « affaires », concernant le progressisme de l'Église catholique dans le tiers monde, ou de quelques mots fameux (le « sida mental » censé contaminer les manifestations étudiantes en 1986), le *Fig-Mag* n'a cessé de défendre la francophonie et de fustiger le socialisme. Malgré la permanence de quelques grandes plumes et l'intérêt constant pour la sphère culturelle, la révolution conservatrice néo-droitière, désapprouvée en son temps par Jean d'Ormesson*, y a cédé la place à un conservatisme distingué, conforme aux attentes profondes de ses lecteurs.

Anne-Marie Duranton-Crabol

■ C. Antoine, *Procès d'une propagande. « Le Figaro Magazine » et l'opinion catholique*, Éditions ouvrières, 1988. — P. Bourgeade, *Chroniques du français quotidien*, Belfond, 1991. — N. Krikorian, « Européanisme, nationalisme, libéralisme dans les éditoriaux de Louis Pauwels (*Le Figaro Magazine*, 1977-1984) », *Mots*, 12, mars 1986. — S. Nikel, *Culture, valeurs et « art de vivre » dans « Le Figaro Magazine » (1978-1984)*, mémoire, IEP de Paris, 1993. — L. Pauwels, *Le Droit de parler* (préface de J.-E. Hallier), Albin Michel, 1981.

FINKIELKRAUT (Alain)

Né en 1949

Essayiste engagé, Alain Finkielkraut a pu donner l'impression de quitter l'humour corrosif de ses premiers essais pour entretenir par la suite une querelle permanente avec la modernité. C'est méconnaître sous la rupture de ton la continuité d'une critique, celle des prétendues « libertés » de l'individu moderne, qui se résolvent trop souvent en indifférence. Cette même indifférence que plus récemment, Alain Finkielkraut s'est employé à combattre, en soulignant l'un des premiers la signification centrale pour l'Europe de la guerre en ex-Yougoslavie*.

Né en 1949 à Paris, Alain Finkielkraut a fait des études de philosophie à l'École normale supérieure* de Saint-Cloud ; il enseignera à l'École polytechnique* à partir du début des années 80. Dans un premier temps, il publie avec Pascal Bruckner* des essais qui visent à débusquer, derrière les discours convenus de la libération sexuelle ou de l'apologie de l'individu, les pièges de nouvelles normes, qui se font d'autant plus insidieuses qu'elles véhiculent une image attrayante de l'émancipation, présentée comme le déploiement spontané d'une liberté sans rivages. Secrètement nourris de Foucault*, ces essais tranchent par leur non-conformisme et leur liberté de ton, souvent ironique.

C'est avec ce ton volontiers badin que rompra Alain Finkielkraut quand il mettra fin à sa collaboration avec Pascal Bruckner, pour choisir la voie de l'imprécation. Mais derrière la rupture apparente de la posture, la continuité du propos est manifeste, qui fustige désormais l'individu moderne pour sa légèreté, son absence de mémoire et de sens de la dette, sa tendance à confondre les inclinations du moment avec les engagements de la liberté. Commencée comme une méditation sur le sens de la condition juive dans la culture contemporaine, où il voit la possibilité de conjoindre émancipation effective et affirmation d'une singularité, cette réflexion s'infléchira par la suite en polémique contre ceux qui font du judaïsme un patrimoine à gérer plus qu'un héritage à transmettre.

Nourri de la pensée d'Emmanuel Levinas*, auquel il consacrera un ouvrage lumineux qui vaut introduction à sa pensée et attestation d'une dette *(La Sagesse de l'amour)*, mais aussi de celle d'Hannah Arendt, Alain Finkielkraut s'engagera dans la voie d'une élucidation des pièges de la mémoire, qui, selon lui, s'abolit quand elle devient prétexte. Son compte rendu du procès de Klaus Barbie *(La Mémoire vaine)*, où il développe cette thèse, lui vaudra des critiques voisines de celles que s'attira Arendt lors de la publication d'*Eichmann à Jérusalem*. Ces critiques rebondiront quand plus tard, à l'occasion de l'éclatement du conflit en ex-Yougoslavie, Alain Finkielkraut épousera vivement la cause croate, puis bosniaque, reprochant à ses contemporains d'alimenter d'une fausse fidélité au passé leur aveuglement face au présent.

La critique de la modernité et de ses travers, développée dans *La Défaite de la pensée*, puis dans la revue qu'il a fondée en 1987, *Le Messager européen**, ou encore avec les invités de l'émission « Répliques », qu'il anime sur France-Culture*, pourrait parfois se révéler purement contemptrice du présent, si elle ne savait retrouver les accents d'enthousiasme d'un Péguy*, auquel Finkielkraut consacrera aussi un essai d'admiration *(Le Mécontemporain)*.

Joël Roman

■ *Le Nouveau Désordre amoureux* (avec P. Bruckner), Seuil, 1977. — *Au coin de la rue, l'aventure* (avec P. Bruckner), Seuil, 1979. — *L'Avenir d'une négation*, Seuil, 1982. — *Le Juif imaginaire*, Seuil, 1983. — *La Réprobation d'Israël*, Denoël, 1983. — *La Sagesse de l'amour*, Gallimard, 1984. — *La Défaite de la pensée*, Gallimard, 1987. — *La Mémoire vaine*, Gallimard, 1989, rééd. 1992. — *Le Mécontemporain*, Gallimard, 1991. — *Comment peut-on être croate ?*, Gallimard, 1992.

FLAMMARION (Librairie Ernest Flammarion)

Quand il fonde sa maison d'édition en 1876, Ernest Flammarion, alors associé au libraire Marpon, oriente sa production vers une clientèle populaire, à qui il propose romans, livres pratiques et ouvrages de vulgarisation. Ni lui ni ses successeurs — son fils Charles qui le remplace en 1918, Henri, son petit-fils, entré dans l'entreprise en 1933, et, depuis 1985, son arrière-petit-fils Charles-Henri — n'ont remis en cause cette orientation. Pour le domaine romanesque, les auteurs-vedettes sont donc Daudet, Malot, Zola*, Gyp, puis Colette*, Henry Bordeaux*, et, plus tard, Henri Troyat, Roger Peyrefitte, Guy des Cars... mais aussi un Henri Barbusse* couronné par le prix Goncourt de 1916 pour *Le Feu*.

La vulgarisation scientifique, amorcée brillamment avec l'*Astronomie populaire* de Camille Flammarion en 1879, puis tombée en sommeil, permet une première réorientation en direction d'un public cultivé : la « Bibliothèque de philosophie scientifique » se propose de réfléchir aux problèmes et perspectives des sciences exactes, puis des sciences humaines ; pour cela, Gustave Le Bon*, directeur de la collection, sollicite des auteurs comme Henri Poincaré* (pour *La Science et l'hypothèse*, dont le succès en 1903 préfigure celui des titres suivants), Alfred Binet, Henri Lichtenberger, Félix Le Dantec...

En 1962, la collection, qui a perduré, fait peau neuve, amorçant ainsi la seconde offensive en direction du public universitaire : rebaptisée « Nouvelle Bibliothèque scientifique », elle est dirigée par Fernand Braudel* jusqu'en 1981. Délaissant un peu les sciences exactes, il l'ouvre largement aux sciences humaines, à la linguistique et à la critique littéraire, en faisant venir chez Flammarion des auteurs comme Jankélévitch* (*L'Ennui*, 1964), Konrad Lorenz (*L'Agression*, 1969), Georges Devereux (*Ethnopsychanalyse complémentariste*, 1972), Henri Laborit (*L'Homme et la ville*, 1971), Georges Huppert (*L'Idée de l'histoire parfaite*, 1973), Carlo Ginzburg (*Le Fromage et les vers*, 1980)...

Dans les mêmes domaines, la collection « Science », dirigée par Joseph Goy, et la « Bibliothèque d'ethnologie historique » se développent parallèlement, en publiant des travaux universitaires importants, ceux des tenants de la Nouvelle Histoire notamment : l'*Histoire des climats depuis l'an mil* (1967) et *Les Paysans de Languedoc* (1969) d'Emmanuel Le Roy Ladurie*, *Bretons de Plozévet* (1975) d'André Burguière ou *L'Atelier de l'histoire* (1977) de François Furet*. Et le succès remporté par tous ces livres permet le lancement, en 1977, de la collection de poche « Champs » qui y puise d'abord l'essentiel de ses titres. Même souci de toucher un public plus cultivé avec la collection « Idées et recherches » d'Yves Bonnefoy tournée vers l'esthétique, et, pour les textes classiques, la collection « Garnier-Flammarion » qui, dès 1964, se distingue des autres éditions de poche par l'élégante sobriété de sa présentation et l'importance de son appareil critique, dû à des spécialistes tels Robert Mauzi, Henri Mitterand, René Pomeau.

Enfin, le rapprochement dans les années 70 avec l'éditeur Aubier, fort de sa « Collection historique » et de sa « Collection bilingue », vient renforcer la position de Flammarion dans le domaine de la haute vulgarisation.

Élisabeth Parinet

■ C. Girou de Buzareingues, « Un centenaire : Flammarion (1875-1975) », *Bibliographie de la France*, 1975. — H.-J. Martin et R. Chartier (dir.), *Histoire de l'édition française*, t. 4, Promodis, 1986. — E. Parinet, *La Librairie Flammarion (1875-1914)*, IMEC, 1992.

FONDATION SAINT-SIMON

Créée à la fin de l'année 1982, la Fondation Saint-Simon s'apparente à la fois à une sorte de club anglo-saxon et à un organisme de recherche, tout à fait atypique dans la France contemporaine. Elle constitue sans nul doute un lieu de rencontre et de reconnaissance important, favorisant la jonction entre le milieu des « décideurs » et celui des intellectuels.

Ses activités sont coordonnées par l'historien François Furet*, ancien président de l'École des hautes études en sciences sociales*, et Roger Fauroux, ancien PDG de Saint-Gobain / Pont-à-Mousson, assistés d'un trésorier, Alain Minc*, et d'un secrétaire général, Pierre Rosanvallon*. Le dessein de ses fondateurs était d'encourager des contacts entre chercheurs en sciences sociales et acteurs de la vie économique ou sociale, en faisant fi des clivages traditionnels entre les deux milieux. En d'autres termes, de désenclaver la pensée dans le nouveau contexte idéologique des années 80, d'« être un point de rencontre et un lieu d'initiatives pour formuler des projets visant à une meilleure intelligence des sociétés contemporaines ».

Composée d'environ 70 à 80 membres, elle fonctionne selon la logique de réseaux propre aux élites françaises et pratique un œcuménisme de bon aloi puisqu'elle réunit des personnalités de droite et de gauche, en évitant cependant les extrêmes. Ce lieu de sociabilité attire en effet tout autant des dirigeants d'entreprise, des banquiers (Jean Peyrelevade, Antoine Riboud, Gilbert Trigano, Michel Albert, etc.), des universitaires (Jean-Claude Casanova*, Jacques Julliard, Emmanuel Le Roy Ladurie*, Luc Ferry*, etc.) que des médiacrates (Jacques Rigaud, Yves

Sabouret, Serge July, Jean Boissonnat, Anne Sinclair, etc.). Il illustre à sa manière l'imbrication de plus en plus étroite et consensuelle de la sphère intellectuelle, journalistique et industrielle sous la gauche au pouvoir.

Au-delà de ces relations élitistes, la Fondation tente également de promouvoir la production et la circulation des idées. Elle organise donc des conférences régulières avec des personnalités de premier plan (Raymond Barre, Robert Badinter, Mgr Lustiger, etc.), suscite des commissions de travail sur des sujets d'actualité (la Constitution, l'Europe centrale, l'immigration), met sur pied chaque année des séminaires payants, ouverts aux profanes, sur des thèmes bien ciblés (l'individualisme, la France et sa justice, les nouvelles technologies, l'avenir du syndicalisme, etc.) et animés par un petit nombre de professionnels (Olivier Duhamel, Gilles Lipovetsky, Philippe Raynaud, Laurent Joffrin, Marcel Gauchet*, etc.). Elle édite, en liaison notamment avec Calmann-Lévy*, un certain nombre de ses travaux qui ont pour objectif de renouveler la recherche (*La Fin de l'école républicaine*, *La République du centre*, *Histoire intellectuelle du libéralisme en dix leçons*, *La Question syndicale*, etc.).

Son existence manifeste l'éclatement des cadres habituels de pensée qui caractérisaient la société intellectuelle des années 70. Elle réhabilite en même temps la figure de l'intellectuel expert, gardien de certaines valeurs, soucieux d'œuvrer à une meilleure compréhension de la société de son temps et à une forme de consensus démocratique, sans adhérer pour autant à un parti politique ou à une association militante.

Rémy Rieffel

FONTAINE

Phénomène assez surprenant, au lendemain de l'armistice de 1940 : un « esprit de Résistance » qui, par la poésie et grâce à différentes revues, trouve à s'exprimer, en dépit de toutes les censures : *Poésie* de P. Seghers*, *Confluences** de René Tavernier, *Sud* de Jean Balard — et surtout *Fontaine* de Max-Pol Fouchet*. La poésie se fait contrebandière. Non sans courage, non sans risque.

À cet égard, l'aventure de la revue *Fontaine*, créée en 1939 pour mobiliser les consciences devant la montée des fascismes en Europe, est exemplaire. Max-Pol Fouchet et son équipe réunis à Alger en font véritablement une arme de combat intellectuel dans les années sombres. C'est dans l'entourage de l'éditeur E. Charlot et de Jean Grenier que M.-P. Fouchet, qui habitait Alger, fonda en 1939 avec Henri Hell (de son vrai nom José-Henri Lasry) la revue *Fontaine*. À la petite équipe viendront s'ajouter, dès 1940, comme membres du comité de rédaction, un certain nombre d'écrivains opposés à l'esprit de la Révolution nationale (Georges-Emmanuel Clancier, « boîte à lettres » pour la zone non occupée, en Suisse Albert Béguin*, réception des manuscrits, Jean Denoël et Georges Blin). Parallèlement à la revue, furent diffusées par Londres des émissions de radio animées par Max-Pol Fouchet, avec la collaboration de Marie Gautier et Agnès Capri. La revue fut publiée à Alger jusqu'en 1944 (n° 40) et à Paris jusqu'en 1947 (n° 63).

Demander à la poésie un ressourcement d'espoir, ce n'était pas seulement refuser la défaite, mais lutter contre l'esprit même de la défaite, c'est-à-dire contre Vichy. Dès le n° 10, paru en juillet 1940, l'engagement s'affirme sans ambiguïté. Au manifeste de Max-Pol Fouchet, intitulé « Nous ne sommes pas vaincus », s'ajoutait un hommage à Saint-Pol Roux dont la fille Divine venait d'être martyrisée par les Allemands dans son manoir de Camaret. Aragon* y donnait son premier texte, et Pierre Jean Jouve y écrivait. Les sommaires, dès lors, devaient s'enrichir des noms les plus prestigieux — chacun y offrant le meilleur de soi — de Paul Éluard* à Jean Cayrol*, de Supervielle à Reverdy, de Michaux à Saint-John Perse*. Et combien d'autres ! parmi lesquels quelques inconnus, publiés pour la première fois : Samuel Beckett*, Arthur Adamov, Henri Pichette. « La plus haute poésie a toujours valeur d'une prise de conscience », soulignait Max-Pol Fouchet en appelant les hommes libres à se regrouper dans le maquis des mots.

L'aventure dura près de dix ans. De miracle en miracle, car durant l'Occupation, à mesure que se multipliaient les risques et les difficultés, les lecteurs ne cessèrent d'augmenter. Modeste au départ, le tirage atteignit jusqu'à 12 000 exemplaires. Après le débarquement en Afrique du Nord, la petite maison du 43 rue Lys-du-Parc à Alger devint le lieu de rencontre privilégié des écrivains et, selon le mot de Paulhan*, « la rampe de lancement des mots en liberté ». Une édition miniature de *Fontaine* était en effet parachutée dans les maquis de France avec armes et médicaments dans les containers de la RAF. Ce fut un de ces exemplaires, trouvé sur un jeune mort du Vercors et taché de son sang, que René Char* vint un jour rapporter à Max-Pol Fouchet.

Le rôle de la revue se définissait à travers la responsabilité du poète et de l'intellectuel, loin des opinions de parti et de toute idéologie, l'engagement fondant ici sa morale en ravivant les valeurs essentielles face aux menaces d'asservissement et d'avilissement.

André Brincourt

■ *Les Poètes et la revue « Fontaine »* (éd. présentée par M.-P. Fouchet), Le Cherche-Midi, 1978.

FONTENAY (Élisabeth de)

Née en 1934

Née à Paris le 18 octobre 1934, Élisabeth de Fontenay, dont la mère était juive, reçut une éducation catholique. Elle pense que sa judéité fut sa première prise de conscience du monde. En choisissant la philosophie et son enseignement en classe de terminales, lettres supérieures puis à l'université de Paris, elle développa deux idées majeures : que l'universel de la philosophie n'existe pas sans les catégories qui le questionnent, ici juive et femme, et que la pensée sans traduction dans le politique, sans action, perd de sa puissance. L'enseignement et l'engagement militant se mêlent ainsi dans une exigence de clarté théorique qui le dispute à la complexité de la réflexion pratique.

C'est dans la société des philosophes et autour de la revue *Socialisme ou barbarie**, qu'Élisabeth de Fontenay découvre brutalement la lutte des classes. Ce sont les écrivains russes qui, en lui donnant la conscience du totalitarisme, introduisent vingt ans plus tard une discordance entre sa volonté d'engagement et les certitudes collectives. Les rencontres philosophiques furent des temps d'engagement personnel dans la théorie et dans la pratique : avec Vladimir Jankélévitch, la guerre des Six Jours et Mai 68, l'Association pour la paix au Moyen-Orient et *Les Nouveaux Cahiers* ; avec Alain Finkielkraut*, en compagnie de qui elle crée *Le Messager européen* en 1987. Elle développe notamment dans cette revue une réflexion sur l'« affaire Heidegger »* où elle propose d'« user de Heidegger contre Heidegger » : non pas de sauver la philosophie tout en condamnant la position politique, mais de se servir de l'une pour critiquer l'autre.

Entre l'individuel et l'universel, Élisabeth de Fontenay a refusé la simple solution de la dialectique ; entre la différence de chacun, race, sexe, peuple, et l'identité de la communauté, elle ne croit pas que « le conflit est le maître du devenir ». Dans l'écart entre deux exigences, entre universel et dissémination, elle a situé sa pensée : « Être ambigu pour ne pas être équivoque », disait Merleau-Ponty. De ce point de vue, le théâtre est une figure concrète de cette tension, sa mise en œuvre autant que son déplacement : elle est l'auteur de *Diderot à corps perdu* (mis en scène par Jean-Louis Barrault), de l'adaptation de *Madame de La Carlière* de Diderot (1988), et de *Michelet ou le Don des larmes* (1989) avec Simone Benmussa.

Avec des auteurs, Marx et surtout Diderot, tous deux matérialistes et acteurs de la modernité, des catégories de l'être, juif, femme, animal, et l'enjeu d'une écriture à la recherche d'un équilibre entre affect et vérité (d'où l'importance de Derrida*), la philosophe Élisabeth de Fontenay choisit de mêler métaphysique et politique. L'objet de son travail actuel, « l'animalité dans la tradition philosophique », est une façon de radicaliser les oublis de la métaphysique comme les errements contemporains du politique.

Geneviève Fraisse

■ *Les Figures juives de Marx*, Galilée, 1973. — *Diderot ou le Matérialisme enchanté*, Grasset, 1981, rééd. 1986. — *Trois traités pour les animaux* (Plutarque), précédé de *La Raison du plus fort*, POL, 1992.

FOUCAULT (Michel)

1926-1984

Né à Poitiers dans une famille de médecins aisée, Paul-Michel Foucault refuse très tôt de s'inscrire à son tour dans la dynastie familiale. Choisissant au contraire de préparer le concours de l'École normale supérieure*, il fréquente la khâgne* du lycée Henri-IV, où il a pour professeur Jean Hyppolite*, qui sera également son directeur de maîtrise, et auquel il dédiera vingt-cinq ans plus tard sa leçon inaugurale au Collège de France*. Reçu en 1946, il noue des amitiés solides (Maurice Pinguet, Pierre Bourdieu*, Jean-Claude Passeron, Paul Veyne*...) ; mais ce sont aussi les années d'une véritable formation intellectuelle, sous la double influence de Maurice Merleau-Ponty*, devenu en 1947 répétiteur de psychologie à l'ENS et, deux ans plus tard, professeur à la Sorbonne, et de Louis Althusser*. Foucault commentera par la suite cette formation en faisant à la fois l'origine de sa pensée et le trait commun de toute la jeune génération de l'après-guerre, et en insistant sur ce que cette spécificité générationnelle avait de réactif : « L'expérience de la guerre nous avait démontré la nécessité et l'urgence d'une société radicalement différente de celle dans laquelle nous vivions : cette société qui avait permis le nazisme [...]. Aussi bien, l'hégélianisme qui nous était proposé à l'Université, avec son modèle d'intelligibilité continue, n'était pas en mesure de nous satisfaire » ; et Foucault de préciser que « c'était un hégélianisme fortement pénétré de phénoménologie et d'existentialisme, centré sur le thème de la conscience malheureuse » *(Dits et écrits)*.

Cette volonté de rupture pousse Foucault à expérimenter d'autres parcours ; au début des années 50, il lit Nietzsche et Heidegger, mais est également fortement impressionné par certaines œuvres littéraires (Bataille*, Blanchot*, R. Roussel, Artaud*, Kafka, Sade...) ; par ailleurs, il se spécialise en psychologie et collabore au laboratoire d'encéphalographie du docteur Verdeaux, à Sainte-Anne. La guerre d'Indochine l'a poussé à adhérer au Parti communiste en 1950 : Foucault fait alors partie du petit groupe de normaliens réunis autour d'Althusser*. Cet engagement ne durera qu'un peu plus d'un an : l'affaire des « blouses blanches » semble avoir provoqué un départ qu'avait approuvé Althusser lui-même.

Ses premiers travaux publiés sont fortement marqués par une lecture intensive de la psychiatrie allemande (en témoignent *Maladie mentale et personnalité*, 1954, ou encore la longue introduction qu'il donne au livre de L. Binswanger, *Le Rêve et l'existence*, la même année), mais aussi par un grand intérêt pour l'histoire de l'anthropologie.

À partir de 1955 et pendant plus de dix ans, Foucault va alors vivre à l'étranger, tour à tour en Suède, en Pologne, en Allemagne, en Tunisie, tout en commençant à élaborer une pensée qui lui est propre et qui met dans l'embarras les classiques clivages disciplinaires en vigueur. *L'Histoire de la folie*, qui est à l'origine sa thèse de doctorat sous la direction de G. Canguilhem*, reprend la distinction canguilhémienne entre normal et pathologique afin de retrouver les conditions de possibilité du partage entre raison et déraison depuis l'âge classique : il s'agit non pas tant d'un travail d'histoire des idées que de la tentative d'analyser de quelle manière se sont formées ou modifiées certaines relations de sujet à objet dans la mesure où celles-ci sont constitutives d'un savoir possible. Le lien réciproque entre un processus de subjectivation (la production d'un certain type de sujet connaissant) et un processus d'objectivation (la possibilité pour le sujet connaissant de se donner certains objets de savoir) est envisagé sous la forme d'une histoire des « jeux de vérité », c'est-à-dire celle d'une archéologie des règles selon lesquelles ce qu'un sujet peut dire relève à un moment donné de la question du vrai et du faux. Dans un premier temps, ce qui intéresse Foucault est un domaine bien particulier d'objets : celui où c'est le sujet lui-même qui est posé comme objet d'un savoir possible. *Les Mots et les choses* explorent l'objectivation du sujet parlant, travaillant, vivant ; l'*Histoire de la folie*, *Naissance de la clinique* ou *Surveiller et punir* analysent la constitution du sujet tel qu'il peut apparaître de l'autre côté d'un partage normatif qui l'objective comme déviant (fou, malade ou délinquant), à travers l'institution de savoirs et de pratiques comme la psychiatrie, la médecine clinique ou la pénalité.

On associe en général à l'époque Foucault au structuralisme, identification qu'il semble d'abord reprendre à son compte, tout en ayant soin de signaler qu'elle est d'ordre purement méthodologique et qu'elle n'engage pas le contenu spécifique de ses recherches ; à partir de la moitié des années 60, Foucault se défend pourtant d'avoir jamais été structuraliste, dans la mesure où la notion historique d'« épistémè » n'équivaut pas à celle de structure, qui est, elle, anhistorique. Il est probable que les violentes polémiques soulevées à propos de cette possible « mort de l'homme » qui clôt *Les Mots et les choses* sont pour beaucoup dans cette prise de distance : en particulier, les attaques de Sartre* font de Foucault un antihumaniste asservi à l'idéologie bourgeoise.

Dans les mêmes années, Foucault mène en parallèle un travail sur la littérature, collabore assez régulièrement à des revues comme *Tel Quel** ou *Critique** (dont il fut membre de la rédaction entre 1966 et 1977) et demeure fasciné par la possibilité de trouver du côté des écrivains des figures de la transgression qui viendraient casser la clôture des systèmes épistémiques qu'il décrit par ailleurs dans ses livres, et réussiraient à être non seulement des déviants mais les incarnations d'une différence irrécupérable, non objectivable par les procédures du savoir. Ce Foucault « littéraire », souvent méconnu en France, sera à l'origine de l'énorme impact de son travail à l'étranger, notamment aux États-Unis. C'est pourtant à partir de ce « nœud » problématique que Foucault travaillera explicitement tout au long des années 70, abandonnant assez vite la perspective strictement littéraire de la transgression pour essayer de formuler la possibilité d'une résistance réellement politique, c'est-à-dire collective, aux dispositifs de pouvoir. Alors qu'il avait été, dans le sillage de 1968, appelé à constituer le département de philosophie de la toute nouvelle université de Vincennes, alors qu'il est, en 1970, élu à la chaire d'histoire des systèmes de pensée au Collège de France*, alors que sa renommée intellectuelle s'étend non seulement aux États-Unis, mais aussi au Brésil ou au Japon, ses prises de position publiques se multiplient (participation au Groupe d'information sur les prisons*, protestation lors de différentes « affaires » — depuis celle de Bruay-en-Artois* jusqu'à l'extradition de Klaus Croissant —, attention pour tout ce qui peut être analysé comme un « soulèvement » populaire — à propos de la révolution iranienne en particulier, ou de la saison d'agitation politique en Italie —, etc.). Le travail archéologique des années 60 se trouve alors réinvesti dans une analyse généalogique des conditions d'appartenance à la modernité, ce que Foucault appelle « une ontologie critique de nous-mêmes », en même temps que la proximité de ses recherches à des travaux comme ceux de Deleuze* et Guattari* se fait toujours plus grande. Il s'agit, selon les mots de Foucault, de ne plus être un « intellectuel engagé » mais au contraire un « intellectuel spécifique », qui parle non plus au nom des autres mais en fonction de ses propre compétences.

À partir de l'*Histoire de la sexualité*, Foucault modifie l'axe de son travail, et envisage désormais la constitution du sujet comme objet pour lui-même, dans un jeu de vérité où il a rapport à soi. Parallèlement, sa participation à ce qui commence à apparaître en France comme un mouvement homosexuel original et cohérent (notamment à travers la revue *Gai-Pied*, dont Foucault avait trouvé le nom) prolonge de manière immédiatement politique l'analyse théorique du gouvernement de soi et des autres.

Le 25 juin 1984, Michel Foucault meurt à l'improviste à l'hôpital de la Salpêtrière, à Paris, du sida. Il laisse un testament qui porte la mention : « pas d'écrits posthumes », pour tenter une fois encore d'éprouver la possibilité d'une résistance face aux discours du savoir en essayant d'empêcher qu'on le dote d'une œuvre close qu'il aurait au contraire voulue toujours ouverte et problématique, et qu'il aimait à appeler une véritable « boîte à outils ».

Judith Revel

■ *Folie et déraison. Histoire de la folie à l'âge classique*, Plon, 1961 ; rééd. modifiée, *Histoire de la folie à l'âge classique*, Gallimard, 1972. — *Naissance de la clinique*, PUF, 1963. — *Raymond Roussel*, Gallimard, 1963. — *Les Mots et les choses*, Gallimard, 1966. — *L'Archéologie du savoir*, Gallimard, 1969. — *L'Ordre du discours*, Gallimard, 1971. — *Moi, Pierre Rivière...*, Gallimard / Julliard, 1973. — *Surveiller et punir*, Gallimard, 1975. — *Histoire de la sexualité*, Gallimard, t. 1 : *La Volonté de savoir*, 1976 ; t. 2 : *L'Usage des plaisirs*, 1984 ; t. 3 : *Le Souci de soi*, 1984. — *Dits et écrits (1954-1988)*, Gallimard, 1994.

▒ G. Deleuze, *Foucault*, Minuit, 1986. — H. Dreyfus et P. Rabinow, *Michel Foucault, un parcours philosophique*, Gallimard, 1984. — D. Éribon, *Michel Foucault*, Flammarion, 1991. — *Foucault : lire l'œuvre* (dir. L. Giard), Grenoble, Jérôme Millon, 1992. — *Michel Foucault philosophe. Rencontre internationale (Paris 9, 10, 11 janvier 1988)*, Seuil, 1989.

FOUCHET (Max-Pol)

1913-1980

Poète, critique littéraire, historien d'art, éditeur et homme de télévision, Max-Pol Fouchet est connu pour son rôle de médiateur engagé depuis l'Occupation.

Né à Saint-Vaast-la-Hougue (Manche), il fait ses études au lycée d'Alger (où il a pour professeur de philosophie Jean Grenier), à la faculté d'Alger puis à l'École française d'Athènes. En Algérie, il milite aux Jeunesses socialistes et fréquente Camus*. Il écrit dans la revue *Esprit** en luttant pour le rapprochement des cultures et intègre « l'école d'Alger » qui se regroupe autour du jeune libraire Edmond Charlot, avec Camus, Grenier et Roblès.

Il est professeur à Alger en 1939, quand il fonde la revue *Fontaine** — placée sous le signe de Rilke et des mystiques musulmans — qui jouera un rôle majeur dans la Résistance. Dès juillet 1940, il prend position contre la défaite, appelle au combat spirituel « de civilisation » et, animé d'une véritable « métaphysique de la France », devient l'un des principaux porte-parole de l'intelligence française. Sa revue est dénoncée par les ultracistes parisiens tandis que Paul Marion, secrétaire d'État à l'Information, lui envoie une lettre en guise d'avertissement. Roger Leenhardt, délégué par l'association de diffusion et de décentralisation culturelle Jeune France*, le recrute pendant sa tournée en Afrique du Nord. Il part pour Paris au début 1942, nouer des contacts avec les écrivains, Éluard* en particulier, qui lui confie des documents et la copie de son poème « Liberté », qu'il publie dès son retour à Alger et dont le retentissement est immédiat. Après le débarquement allié de novembre 1942, tout en dirigeant des émissions radiophoniques, il se consacre à *Fontaine*, qui témoigne de son cosmopolitisme et de son ouverture sur les bouleversements de la culture de gauche.

Après la Libération, on retrouve sa signature dans *Liberté de l'esprit**, mensuel qui défend le message gaulliste à l'intention de « la jeunesse intellectuelle », fondé par Malraux* en 1949 et dirigé par Claude Mauriac*, aux côtés de Raymond Aron*, Stanislas Fumet*, Jean Lescure, Roger Nimier*, Gaëtan Picon, Denis de Rougemont*, Jules Roy, Léopold Sédar Senghor* et René Tavernier.

En Mai 68, il compte parmi les signataires d'un texte de solidarité — publié la veille du premier jour des barricades — avec le mouvement étudiant dans le monde et sa « puissance de refus » qui vient « d'ébranler la société dite de bien-être ».

Avant tout connu pour ses activités de critique et de diffuseur de la culture, son œuvre personnelle, discrète, évoque parfois sa trajectoire, son premier roman en particulier, *La Rencontre de Santa Cruz*, publié tardivement, en 1976.

Laurence Bertrand Dorléac

■ *Simples sans vertu*, Alger, Charlot, 1937. — *La France au cœur*, Alger, Charlot, 1944. — *Les Peuples nus*, Corréa, 1953. — *Le Fil de la vie*, Laffont, 1957, rééd. Buchet-Chastel, 1981. — *Les Appels*, Mercure de France, 1967. — *Les Évidences secrètes*, Grasset, 1972. — *La Rencontre de Santa Cruz*, Grasset, 1976. — *Fontaines de mes jours. Conversations avec Albert Mermoud*, Stock, 1979. — *Histoire pour dire autre chose*, Grasset, 1980.

■ J. Queval, *Max-Pol Fouchet*, Seghers, 1969. — J. Roy, *Éloge de Max-Pol Fouchet*, Arles, Actes Sud, 1980. — « Entretiens avec Raymond Aron, Max-Pol Fouchet, Manès Sperber, René Tavernier », *L'Année politique*, 1946. — *Le Monde de Max-Pol Fouchet* (catalogue), Bibliothèque municipale de Vichy, 1976. — *Max-Pol Fouchet : humaniste du XXe siècle* (catalogue), Musée des beaux-arts André-Malraux, Le Havre, 1982. — *L'Univers de Max-Pol Fouchet* (catalogue), Centre culturel Thibaud-de-Champagne, Troyes, 1982.

FOUGERON (André)

Né en 1913

Peintre et militant communiste depuis 1940, Fougeron a dominé l'épisode de la résistance artistique sous l'Occupation avant d'incarner le réalisme socialiste à la française, défendu par le PCF.

Né le 1er octobre 1913 à Paris d'une famille ouvrière originaire de la Creuse, il obtient son certificat d'études primaires avant de devenir apprenti dessinateur puis ouvrier métallurgiste. Il commence à exposer en 1936, à la Maison de la culture, où l'Association des peintres et sculpteurs organise le débat autour du « réalisme » ; Aragon* y défend « le réalisme socialiste » découvert en 1934 à Moscou, au premier congrès des écrivains soviétiques. Comme d'autres artistes confrontés à « la crise des années 30 », Fougeron adhère aux propositions nouvelles ainsi qu'à l'enseignement marxiste de l'Université ouvrière. Il contribue à l'animation visuelle des cortèges du Front populaire et participe à des expositions engagées comme « L'Art cruel », organisée par Jean Cassou*, en 1937.

Sous l'Occupation, il transforme son atelier en imprimerie clandestine d'où sortent plusieurs journaux dont *Les Lettres françaises** et *L'Art français*. Responsable du Front national des arts, communiste, à partir de 1942, aux côtés de Goerg et Pignon, il continue à peindre des œuvres de tradition moderne liées ou non aux événements *(Rue de Paris 43)*. En 1944, il édite et vend au profit des FTP l'album de gravures antinazies et antivichystes *Vaincre*. À la Libération, attaché au cabinet de Joseph Billiet, directeur des Beaux-Arts, il est chargé d'organiser l'épuration de la scène artistique et de préparer un hommage à Picasso* (au Salon d'automne). En 1946, il est élu secrétaire général de l'Union des arts plastiques et obtient le Prix national de la Direction des arts et des lettres.

Après la Libération, son parcours est lié à la lutte du Parti communiste pour imposer un réalisme orthodoxe et lisible par le peuple, contre « l'art pour l'art », contre l'art abstrait qui commence à gagner du terrain. La politique du PCF vise à mettre en avant les œuvres de ses militants qui répondent à ses impératifs : Fougeron comme leader, Taslitzky, Amblard, Vénitien, Milhau, Singer, Mireille Miaihe, Pignon et Léger*, parfois, Picasso pour certaines de ses œuvres « pacifistes », écartant les abstraits : Dewasne et Herbin. Fougeron lance le « Nouveau Réalisme » en 1948, au Salon d'automne, avec *Les Parisiennes au marché* qui font scandale.

En 1951, son *Pays des mines*, commandé par la CGT, grâce au soutien d'Auguste Lecœur, où s'incarnent à la fois l'enfer des mineurs et « le regard droit de la conscience de classes », est exposé un peu partout en France. Son cycle réaliste-socialiste s'achève sur une dénonciation de la société occidentale : *Civilisation atlantique* (1953) lui vaut le désaveu d'Aragon*, qui annonce la fin de l'application de la ligne de Jdanov dans les PC occidentaux. Fougeron demeure fidèle au PCF tout en continuant son œuvre « engagée ».

Laurence Bertrand Dorléac

■ L. Aragon, préface à *L'Album de dessins*, Treize Épis, 1947. — D. Berthet, *Le PCF, la culture et l'art*, La Table ronde, 1990. — M. Lazar, « Le réalisme socialiste aux couleurs de la France », *L'Histoire*, n° 43, mars 1982. — J. Verdès-Leroux, « L'art de parti. Le PCF et ses peintres (1947-1954) », *Actes de la recherche en sciences sociales*, n° 28, juin 1979 ; *Au service du Parti. Le Parti communiste, les intellectuels et la culture (1944-1956)*, Fayard / Minuit, 1983. — *André Fougeron, pièces détachées (1937-1987)*, Galerie Jean-Jacques Dutko, 1987.

FOUILLÉE (Alfred)

1836-1912

Provincial méritant, associant les qualités intellectuelles et les vertus morales, Alfred Fouillée est, à tous les égards, le philosophe exemplaire des débuts de la IIIe République. Né à La Pouèze (Maine-et-Loire) le 18 octobre 1836, fils d'un directeur de carrière d'ardoises dont l'exploitation l'avait conduit rapidement à la ruine, il dut entretenir sa famille et abandonner le projet de préparer le concours de l'École normale supérieure*. Professeur de rhétorique au modeste collège d'Ernée, il décida de venir tenter sa chance à Paris, où il commença par collaborer au

Dictionnaire des contemporains de Vapereau. Un ancien professeur au lycée Louis-le-Grand, Charles Glacant, qui l'avait remarqué, lui suggéra de passer le concours de l'agrégation de philosophie, que Victor Duruy venait de rétablir : il fut reçu premier, devançant les candidats normaliens dont Léon Ollé-Laprune. Ce succès attira l'attention des universitaires parisiens, curieux de connaître cet « autodidacte » qui maîtrisait si bien les grands auteurs. Nommé professeur de lycée à Douai, puis à Montpellier et Bordeaux, il obtint en 1867 le premier prix du concours ouvert par l'Académie des sciences morales et politiques pour *La Philosophie de Platon*. L'ouvrage, publié en 1869, connut un grand succès et valut à son auteur d'être nommé maître de conférences à l'École normale. La méthode de lecture des grands auteurs adoptée par Fouillée se situait délibérément à l'encontre du philologisme et de l'érudition germanique. Il s'agit de restituer sous une forme pédagogique les « grandes idées dominatrices », d'être plus philosophe que grammairien, de s'attacher à l'esprit plutôt qu'à la lettre. Cet ouvrage devint très vite une sorte de manuel. Fouillée y développait le principe d'universelle intelligibilité, qui survit à tous les systèmes : tout a une raison intelligible, chaque chose a une idée.

Peu de temps après, en 1872, Fouillée créa encore un événement à l'occasion de sa soutenance de thèse, sur *Liberté et déterminisme*. En réponse à une question du jury, il affirma la nécessité « d'aimer pour comprendre » ceux qui rêvent à un meilleur ordre des choses, et déchaîna les applaudissements du public, au sein duquel se trouvaient Gambetta et Challemel-Lacour. Les journaux de droite l'attaquèrent violemment, et Mgr Dupanloup interpella le gouvernement. Gambetta saisit l'occasion pour proposer à Fouillée d'entrer en politique : il essuya un refus. Critiquant les métaphysiques matérialistes et fatalistes, la thèse de doctorat s'efforce de montrer que le déterminisme ne porte que sur les interactions des choses et qu'il ne peut pas ne pas aboutir à l'idée de liberté, par la conception même de sa propre limite. La liberté est un développement indéfini qui a pour origine une idée et un désir.

En 1875, son mauvais état de santé conduisit Fouillée à prendre une retraite anticipée à Nice puis à Menton, en compagnie de sa femme, auteur, sous le pseudonyme de « G. Bruno », de classiques de la pédagogie républicaine, comme *Francinet*, *Le Tour de France par deux enfants* ou *Les Enfants de Marcel*, et de son fils adoptif, le philosophe Jean-Marie Guyau. Il resta très actif, recevant les visites de ses élèves et publiant fréquemment des ouvrages concernant la philosophie aussi bien que la question sociale. Le concept organisateur de ces travaux est celui *d'idée-force*, présenté en détail dans *L'Évolutionnisme des idées-forces* (1890). Le terme de *force*, employé dans un sens très large, met en valeur l'aspect actif de l'idée et sa capacité de produire le changement. Ce principe se retrouve dans l'épistémologie pragmatique de Fouillée aussi bien que dans sa morale. La sociologie de Fouillée, conçue comme une critique de celle de Tarde*, réduite à une interpsychologie, et de celle de Durkheim*, disqualifiée par le caractère indémontrable de la conscience collective, trouve sa formulation la plus achevée dans la dernière édition de la *Science sociale contemporaine* en 1910 : elle est fondée sur un principe synthétique, l'action que la conscience des sociétés exerce sur elle-même en se concevant. La philosophie politique de Fouillée, exprimée notamment dans *La Propriété sociale et la démocratie* (1884), constitue une des justifications théoriques du solidarisme de Léon Bourgeois : la société est définie comme un organisme contractuel. Enfin, Fouillée fut l'un des grands théoriciens de l'action pédagogique, en recommandant le maintien d'un enseignement non utilitaire dans le cycle secondaire et en construisant une morale pour l'enseignement primaire sur des bases indépendantes des religions et des opinions philosophiques. Si ses hagiographes exagèrent quand ils en font un philosophe plus audacieux que Nietzsche et un précurseur de Bergson* et de William James, il n'en reste pas moins que Fouillée, par sa pratique de la « conciliation systématique des doctrines », incarne la transition indispensable entre le spiritualisme post-cousinien et la génération philosophique active au tournant du siècle.

Jean-Louis Fabiani

■ *La Philosophie de Platon*, Ladrange, 1869, rééd. Hachette, 1888. — *La Liberté et le déterminisme*, Ladrange, 1872. — *La Science sociale contemporaine*, Hachette, 1880, rééd. augmentée 1910. — *La Propriété sociale et la démocratie*, Hachette, 1884. — *L'Évolutionnisme des idées-forces*, Alcan, 1890. — *L'Enseignement du point de vue national*, Hachette, 1891.

▩ J.-L. Fabiani, *Les Philosophes de la République*, Minuit, 1988. — A. Guyau, *La Philosophie et la sociologie d'Alfred Fouillée*, Alcan, 1913.

FOULARD ISLAMIQUE (affaire du)

1989

« Laïcité : enfin un débat d'idées », titre *L'Express** le 3 novembre 1989. Effectivement, l'intervention de nombreux intellectuels dans l'« affaire du foulard » (octobre-décembre 1989) contraste avec leur discrétion au cours de la querelle scolaire de 1982-1984. Implicitement réduite à ce dernier problème, la laïcité ne semblait guère les concerner. À partir de 1985, la Ligue de l'enseignement avait certes sollicité des intellectuels (Albert Jacquard*, Edgar Morin*, Claude Nicolet*, René Rémond*, Evry Schatzman, etc.) pour une réflexion sur la laïcité, au moment où des professeurs proposaient, notamment dans *Le Monde de l'éducation*, un enseignement laïque d'histoire des religions. Mais les menaces que des autorités religieuses faisaient porter sur la liberté d'expression (affaires Scorsese et Rushdie) avaient alourdi le climat.

C'est dans ce contexte que les médias s'emparent en octobre 1989 d'un problème interne au collège Gabriel-Havez de Creil. Le principal, Français des Antilles, interdit l'accès des salles de classe à trois élèves musulmanes qui refusent d'enlever le foulard qui cache leurs cheveux. Accusé de « racisme », il invoque la laïcité. Le 25 octobre, le ministre de l'Éducation nationale Lionel Jospin tranche : il faut dissuader, par le dialogue, les élèves d'arborer des signes religieux à l'école, mais, s'ils persistent, on ne doit pas leur interdire d'assister aux cours.

Un manifeste de cinq philosophes, parmi lesquels Élisabeth Badinter, Régis Debray*, Alain Finkielkraut*, dénonce alors « le Munich de l'école républicaine ». « Seule institution qui soit dévolue à l'universel », l'école doit être un « lieu d'émancipation » refusant « les pressions communautaires, religieuses, économiques », et laïcité une « bataille » constante qui demande « discipline » et « courage ». Publié par *Le Nouvel Observateur** (2 novembre 1989), cet appel connaît un grand écho. Pour nombre de professeurs notamment, le foulard symbolise l'asservissement des femmes ; le refus de l'ôter en classe est révélateur d'une perte d'autorité de l'enseignant sur les élèves. On met aussi en cause la stratégie de groupes islamistes voulant obtenir un statut particulier pour la communauté musulmane ; l'affaire rencontre dans l'opinion publique diverses peurs déjà manifestées par les réactions hostiles à la construction de mosquées.

C'est pourquoi d'autres intellectuels, notamment René Dumont*, Gilles Perrault, Alain Touraine*, dénoncent le risque d'un « Vichy de l'intégration des immigrés », et attirent l'attention sur le fait que « le sentiment d'exclusion est en train de grandir dans la communauté maghrébine » et fait « le lit de l'intégrisme et du Front national ». Il faut donc promouvoir une laïcité ouverte, capable d'offrir à chacun « les conditions objectives d'un choix individuel à son rythme » (*Politis*, 9 novembre 1989). Cette perspective ne défend pas le foulard en tant que tel, mais combat son interdiction comme une mesure contre-productive, bloquant un processus évolutif où des étapes intermédiaires et des compromis sont nécessaires : « On ne transplante pas un arbre en lui coupant ses racines. »

Débat révélateur des passions françaises, cette affaire connaît une fin ambiguë. Si les jeunes filles enlèvent finalement leur foulard, le Conseil d'État (27 novembre 1989, 2 novembre 1992) privilégie le cas par cas : le port de signes religieux n'est pas incompatible avec la laïcité ; il le devient s'il est ostentatoire, facteur de prosélytisme et de désordre. Devant la récurrence du problème posé, le ministre François Bayrou demande, à l'automne 1994, que l'interdiction des signes ostentatoires soit inscrite dans le règlement intérieur des établissements, et les conflits locaux qui résultent de cette directive relancent le débat en reposant la question de l'interdit, et de l'interaction entre le particulier et l'universel. Car alors, soit des interdits sont imposés à la communauté musulmane parce qu'elle est en position de faiblesse, soit la société tout entière se trouve à un tournant où elle est conduite à redéfinir son rapport à l'interdit, et donc à redéfinir une morale laïque remise sur le métier par l'accession de l'islam au rang de deuxième religion en France.

Jean Baubérot

■ A. Perotti et F. Thépaut, « L'affaire du foulard islamique : d'un fait divers à un fait de société », *Migrations, sociétés*, vol. 2, n° 7, janvier-février 1990. — J.-P. Willaime, « La laïcité au miroir du foulard », *Le Supplément*, n° 181, juillet 1992.

FOURASTIÉ (Jean)

1907-1990

Économiste qui ne s'interdit pas à l'occasion de faire œuvre de sociologue ou de moraliste, Jean Fourastié a écrit une quarantaine d'ouvrages entre 1945 et la fin de sa vie (dont quelques-uns rédigés avec sa femme ou sa fille), lus par plus d'un million de lecteurs en France et dont certains ont été traduits en plusieurs langues. Grand vulgarisateur au langage accessible, malgré la technicité fréquente des sujets abordés, Jean Fourastié demeure pour beaucoup le chantre de ces Trente Glorieuses — expression inventée par lui — marquées par une croissance économique sans précédent et par des bouleversements majeurs au sein des sociétés des pays industrialisés. Et plus qu'aux questions monétaires ou financières, il s'est attaché à analyser l'évolution de la productivité.

Né le 15 avril 1907 à Saint-Benin-d'Azy (Nièvre), Jean Fourastié devient ingénieur des Arts et Manufactures et passe une douzaine d'années au ministère des Finances (il a notamment été commissaire contrôleur général des assurances). En 1945, il est appelé par Jean Monnet, qui le considère alors comme l'un des seuls hommes — avec Sauvy* et Dumontier — à avoir réfléchi sur le retard économique français, tributaire de la crise et de la guerre, afin de constituer l'équipe initiale du (nouveau) Commissariat général au Plan, créé par le général de Gaulle et installé rue de Martignac. Il est l'un de ceux qui y introduisent les analyses de longue durée en termes de productivité. Il contribue d'ailleurs à répandre la notion au-delà du cénacle des économistes, grâce à un petit volume de la collection « Que sais-je ? » — intitulé *La Productivité* — publié en 1952, réédité une douzaine de fois et traduit en six langues. En qualité de président de la Commission de la main-d'œuvre de quatre plans successifs (du IIe au Ve Plan) entre 1952 et 1967, Jean Fourastié tente de nouer une concertation entre représentants du patronat et des syndicats ouvriers autour d'une perspective productiviste, à l'heure de la croissance recouvrée.

Dans le même temps, il rédige de nombreux ouvrages relatifs à l'évolution de la productivité à long terme. *Le Grand Espoir du XXe siècle*, publié en 1949 et réédité plusieurs fois, traite d'une des questions majeures aux yeux de Jean Fourastié : le développement, à partir de la fin du XVIIIe siècle, du progrès technique et ses conséquences bénéfiques sur le niveau de vie et la consommation. Il s'appuie en particulier sur les travaux de Colin Clark pour en souligner les effets différentiels selon les secteurs de la population active (primaire, secondaire, tertiaire). Dès la fin des années 40, il insiste sur l'une de ses idées-forces : les facteurs d'accélération des progrès techniques de la seconde moitié du XXe siècle laissent espérer de profondes améliorations sociales. Plusieurs ouvrages ponctuent cette apologie de la productivité : *Machinisme et bien-être* (1951) ; *Pourquoi nous travaillons* (1959) ; *Les 40 000 heures, le travail d'une vie, demain* (1965)...

Ces divers travaux ont conduit Jean Fourastié à accumuler des séries longues de prix et de salaires, présentées et commentées dans différents ouvrages, dont la somme (en treize volumes) intitulée *Prix de vente et prix de revient. Recherches sur l'évolution des prix en période de progrès technique* (1948-1965). Convaincu que le meilleur repère pour comparer l'évolution des prix en longue durée est le salaire horaire de base (celui du manœuvre), il met ainsi en évidence l'accélération de l'accroissement des revenus réels, parallèlement à l'augmentation de la productivité. Selon la même méthode, il peut établir combien, à travers l'inflation, les prix réels se trouvent orientés à la baisse (*Pouvoir d'achat, prix et salaires*, 1977 ; *Pourquoi les prix baissent*, 1984). De même, il s'attache à souligner la réduction des inégalités à long terme (*Le Jardin du voisin. Les inégalités en France*, 1980). À partir de 1967, il se consacre surtout à l'enseignement, à la recherche et à la diffusion de ses idées hors de toute école de pensée. Soucieux de s'adresser, grâce à un langage délibérément clair et pédagogique, à un public large, il regrette, non sans une certaine amertume, que ses analyses, en particulier sur les prix, n'aient pas « fécondé la science économique universitaire ». Directeur d'études à l'École pratique des hautes études, il enseigne surtout au Conservatoire national des arts et métiers et à l'Institut d'études politiques* de Paris. Docteur en droit, éditorialiste au *Figaro**, il entre à l'Institut.

Son ouvrage le plus célèbre demeure *Les Trente Glorieuses ou la Révolution invisible de 1946 à 1975* (1975), dans lequel il analyse la révolution silencieuse, qui affecte l'économie et la société française dans les trois décennies d'après guerre. Jean Fourastié, comme Alfred Sauvy, appartient à cette génération d'ingénieurs-économistes, marqués dans leur jeunesse par la dépression des années 30 et ses réflexes malthusiens et déflationnistes, et d'autant plus enclins à célébrer les bienfaits d'une croissance jamais égalée. Dans *D'une France à l'autre* (1987), Jean Fourastié persiste à souligner l'ampleur des mutations bénéfiques de la seconde moitié du XXe siècle, avec toutefois un optimisme fort assombri par la prise en compte de la dépression de la fin du siècle.

Son intérêt pour la longue durée l'a conduit également à s'essayer aux travaux de prospective (*La Civilisation de 1960*, 1947, puis *La Civilisation de 1975*, *La Civilisation de 2001)*. En outre, il a traité de questions éthiques et religieuses, dans la quête des racines de sa foi chrétienne (*Essais de morale prospective*, 1967 ; *Ce que je crois*, 1981), sans compter divers ouvrages sur des sujets éclectiques, dont *Le Rire* (1983). Héritier d'une tradition humaniste pour laquelle l'expertise doit conduire à saisir l'opinion de grandes questions de notre temps, Jean Fourastié a davantage joué un rôle intellectuel en direction des acteurs sociaux ou de l'opinion que parmi ses pairs, dont il n'a pas obtenu une véritable reconnaissance.

Michel Margairaz

■ *L'Économie française dans le monde*, PUF, 1945. — *La Civilisation de 1960*, PUF, 1947. — *Pourquoi nous travaillons*, PUF, 1959. — *Les 40 000 heures*, Laffont, 1965. — *Les Conditions de l'esprit scientifique*, Gallimard, 1966. — *Idées majeures*, Gonthier, 1966. — *Comment mon cerveau s'informe*, Laffont, 1974. — *Pouvoir d'achat, prix et salaires* (avec J. Fourastié), Gallimard, 1977. — *Pourquoi les prix baissent* (avec B. Bazil), Hachette, 1984.

FRANCE (Anatole)

1844-1924

Fils d'un ancien soldat de l'Empire reconverti dans la librairie, France fit des études secondaires dans un collège tenu par des marianistes mais se révéla tôt incroyant. Pour vivre, il occupa d'abord plusieurs emplois de librairie avant d'obtenir un poste de sous-bibliothécaire au Sénat (1876). Il se fit connaître par deux recueils poétiques de facture parnassienne. *Le Crime de Sylvestre Bonnard* (1881), surtout, le fit accéder à une notoriété qui ira croissant. Il fréquente les salons de la princesse Mathilde, de Mme Adam, de Mme d'Aubernon et de Mme de Loynes. En 1883, il dispose d'une chronique dans *L'Univers illustré*, fondé par son éditeur

Calmann-Lévy, et devient titulaire de la rubrique « La Vie littéraire » au *Temps*. À partir de 1887, il est l'ornement du salon de Mme de Caillavet qui fut son égérie et qui contribua grandement à sa carrière. En 1892, il entre à *L'Écho de Paris*, journal à prétentions littéraires où il publiera notamment les articles réunis dans *Les Opinions de M. Jérôme Coignard* (1893) et la majeure partie de ceux qui constituèrent les quatre volumes de *L'Histoire contemporaine*.

Avant l'affaire Dreyfus*, France affiche un dilettantisme humaniste, jetant un regard satirique mais distancié sur la politique : les républicains au pouvoir ne sont pas mieux traités que les royalistes. Regard de moraliste dépourvu d'illusions sur les hommes. Mais l'esprit critique qui s'y manifeste impliquait logiquement un engagement direct dans les combats du temps. L'Affaire cristallisa cette potentialité. Hostile aux tribunaux militaires, indisposé par l'appui donné par l'Église à l'antidreyfusisme, il signa la protestation dite des intellectuels, intervint comme témoin de moralité au procès Zola*, lutta pour la libération de Picquart, rompit avec l'Académie française* (où il avait été élu en 1896) à cause de son antidreyfusisme. L'écrivain devint un militant et participa notamment par la plume et la parole à la campagne législative de 1902. L'engagement dreyfusiste se continuera par le soutien qu'il apportera aux Universités populaires* et par la stigmatisation renouvelée des massacres d'Arménie ; il se prolongera surtout par une adhésion proclamée (et exceptionnelle chez les écrivains) à l'idéal socialiste. Il voit dans les coopératives ouvrières l'instrument de l'émancipation du prolétariat ; ce sceptique développe l'utopie de la cité future dont, il est vrai, il n'escompte l'avènement que dans le très long terme. Son anticléricalisme le conduit à approuver le soutien apporté par Jaurès* à la politique de Combes. Il restera cependant à l'écart de tout dogmatisme ; *Les dieux ont soif* (1912) montreront d'ailleurs comment la revendication abstraite de la justice peut conduire à la terreur.

Avec l'arrivée au pouvoir de Clemenceau (1906), la « décomposition du dreyfusisme », et le coup d'arrêt donné au syndicalisme, il connaît un certain découragement ; ses idées sont en porte à faux avec la vague nationaliste qui envahit la France, mais il reste fidèle à ses convictions. Il soutient entièrement l'action de Jaurès contre la guerre et s'élèvera contre la loi des trois ans : « Foutez le camp ! », dit-il aux ministres dans une interview à *L'Humanité** au printemps 1913. Après la guerre, il persista plus que jamais dans le pacifisme et campa sur des positions nettement marquées à gauche. Il condamna la politique française de sanctions contre l'Allemagne, affirma sa conviction de la fin du capitalisme, donna des marques de sympathie à la révolution russe, dont un « Salut aux Soviets » très remarqué qui parut dans *L'Humanité* en novembre 1922. Il se refusa pourtant à adhérer au PCF, conforté dans cette attitude par les procès politiques dont le déroulement était évidemment incompatible avec l'inspiration du dreyfusisme. Après avoir ainsi incarné le progressisme et le pacifisme, après avoir obtenu le prix Nobel (1921), après avoir été reconnu même par ses adversaires comme un des maîtres de la langue et de l'esprit français, il meurt honoré par des obsèques nationales.

Géraldi Leroy

■ *Œuvres*, Gallimard, « Pléiade », 1984-1994, 4 vol. — *Vers les temps meilleurs. Trente ans de vie sociale* (commenté par C. Aveline), Émile-Paul, 1949-1973, 4 vol.

■ M.-C. Bancquart, *Anatole France. Un sceptique passionné*, Calmann-Lévy, 1984. — J. Levaillant, *Essai sur l'évolution intellectuelle d'Anatole France*, Armand Colin, 1966.

FRANCE-CULTURE : voir RADIO (la)

FRANCE-FORUM

La revue *France-Forum* est fondée en février 1957 avec l'appui du bureau politique du MRP, qui espère grâce à elle renouer avec les intellectuels des liens que les années 50 ont distendus. Étienne Borne*, Maurice Fontanet et Jean Lecanuet forment le premier comité de direction, bientôt rejoints par un autre fondateur, Henri Bourbon, qui en deviendra la cheville ouvrière. Se définissant comme revue démocrate d'inspiration chrétienne, *France-Forum* se réclame d'une tradition qui va de Marc Sangnier* à Emmanuel Mounier* en passant par Jacques Maritain* et Maurice Blondel*, et partage avec le MRP le souci d'œuvrer à la construction européenne. Elle s'efforce aussi de proposer une alternative libérale et sociale au marxisme dont elle affirme d'emblée le déclin politique inéluctable : François Fejtö* en est dès les premières années un collaborateur régulier.

Marquée par le personnalisme d'Étienne Borne qui la codirige jusqu'à sa mort en 1993 aux côtés d'Henri Bourbon, *France-Forum* reprend le projet que le philosophe chrétien avait déjà tenté d'imposer à la tête de *Terre humaine* (1951-1953) : être à la démocratie chrétienne ce qu'*Esprit** n'a jamais été du fait de la réserve de Mounier et de ses successeurs. Revue politique, elle consacre une large section de chaque livraison à l'actualité artistique et littéraire, selon un projet défini dans le premier éditorial : « *France-Forum* essaiera de ne négliger aucun grand problème de culture, mais le nœud de notre propos sera une tâche de réflexion politique. » D'autre part, ses responsables affirment leur refus de faire « un organe doctrinaire qui ferait constamment référence à quelque idéologie établie », et tentent de renouer avec la fraternité de la Résistance dont plusieurs sont issus. Ils ouvrent rapidement la revue à des plumes extérieures à la famille démocrate-chrétienne, à droite comme à gauche. De cet enracinement dans l'esprit de la Résistance témoigne la figure tutélaire de Gilbert Dru invoquée à plusieurs reprises, en particulier en tête du numéro spécial de l'été 1964 : « Un rendez-vous : la Résistance ».

Revue liée au MRP, plus tard au Centre démocrate, aujourd'hui au CDS, *France-Forum* ne fut jamais la revue d'un parti. Jean Lecanuet en démissionna lorsqu'il devint en 1963 président du MRP, et dut accepter le refus de ses dirigeants de la mettre au service de sa campagne présidentielle de 1965. En contrepartie, les « clubs France-Forum », organisés à Paris et en province autour de noyaux de lecteurs et de militants, constituèrent pour la démocratie chrétienne autant de laboratoires d'idées ouverts à des intervenants très divers, dont la revue était le plus souvent le débouché privilégié. Autant qu'une revue, *France-Forum* fut et demeure un milieu. Fruit d'une génération dont les liens affectifs et spirituels avec les partis démocrates-chrétiens se sont faits plus ténus à mesure du renouvellement de leurs dirigeants et de la professionnalisation de la classe politique française, *France-Forum* n'a cessé d'explorer la relation entre les intellectuels et les partis politiques et de défendre l'autonomie des premiers.

Denis Pelletier

FRANCE-OBSERVATEUR : voir *NOUVEL OBSERVATEUR (LE)*

FREINET (Célestin)

1896-1966

Dans le mouvement pédagogique du XXe siècle, Freinet occupe une place centrale. Sa pédagogie est d'abord un choix de société, d'où la véhémence des débats qu'elle a suscités.

Élève de l'école normale de Nice, Freinet est mobilisé en 1915. Gravement blessé au poumon, il reste en convalescence quatre ans et conserve une insuffisance pulmonaire qui lui interdit d'élever la voix. Pacifiste, internationaliste, il passe, lors de la scission syndicale de 1921-1922 à la Fédération unitaire de l'enseignement, proche du Parti communiste auquel il adhère. Aussi est-ce par militantisme qu'en octobre 1922 il choisit de rester instituteur, alors que, reçu au concours de professeur d'École primaire supérieure, un poste lui est offert à l'EPS de Brignoles.

C'est en partie un autodidacte. Il a lu énormément pour préparer les concours en 1920-1922 : Montaigne, Rousseau, Pestalozzi, mais aussi Marx et Lénine. Pour une autre part, il doit beaucoup à ses contacts internationaux : il correspond avec un instituteur de Hambourg qui lui fait connaître en 1922 les écoles anarchistes. Il est en contact avec l'Institut J.-J. Rousseau de Genève et participe en 1923 au IIe congrès de la Ligue internationale de l'Éducation nouvelle (Ferrière, Claparède, Coué, etc.). En 1925, il visite l'URSS avec la première délégation d'enseignants français.

Chez lui, l'innovation pédagogique ne se dissocie donc pas de l'engagement révolutionnaire. Il collabore régulièrement à *L'École émancipée*, organe de la fédération unitaire, dont il est le secrétaire dans le Var de 1926 à 1928. La Coopérative de l'enseignement laïc qu'il fonde tient d'ailleurs ses congrès en même temps que la Fédération unitaire. Il intitule « Vers l'école du prolétariat » les articles qu'il donne sur ses méthodes à la revue de Barbusse*, *Clarté**.

La démarche qu'il élabore et perfectionne à Bar-sur-Loup d'abord, puis à Saint-Paul-de-Vence à partir de 1928, part des intérêts de l'enfant pour le faire travailler. On peut apprendre le vocabulaire, la grammaire, le style, l'arithmétique, à partir de matériaux émanant des élèves. D'où la pratique du texte libre, que produisent les enfants, et qu'ils travaillent ensuite, jusqu'à leur donner une forme achevée par l'imprimerie, qui leur permet en outre de les communiquer à d'autres.

Cette méthode était révolutionnaire ; elle impliquait un rapport pédagogique nouveau : le maître devenait un guide, organisateur du travail commun, plutôt que le détenteur exclusif des savoirs auquel auraient été dus respect et obéissance inconditionnelle. En un temps où l'image de l'enfant était encore souvent celle, négative, d'un petit animal à dresser, l'idée de partir de ce qu'il pouvait dire semblait subversive, et l'exemple de classes où les élèves s'affairaient avec bonheur, une insulte au culte de l'effort et à la formation morale.

Le scandale devait éclater. L'occasion en est un texte libre où le maire de Saint-Paul est tué par le maître d'école. La cabale se déchaîne en décembre 1932, relayée par la presse de droite. La sanction prise n'apaise pas le conflit : à la rentrée de Pâques, l'école est assiégée. Freinet accepte de demander un congé de trois mois, puis il est déplacé d'office.

Pour Freinet, c'est un tournant. Il prend ses distances à l'égard du syndicalisme qui l'a défendu sans défendre sa pédagogie. Surtout, ce militant de l'école laïque décide, par fidélité à son projet, de fonder une école libre qui ouvre à Vence à la rentrée 1935. Elle connaît bien des difficultés et n'est sauvée que par le Front populaire dont Freinet est un actif militant.

Interné par Vichy jusqu'en octobre 1941, il rentre dans la Résistance et prend la tête d'un maquis FTP. Il siège au Comité de libération de Gap. En août 1945, il rejoint son école de Vence et poursuit son action activement associé à sa femme Élise. Quand il meurt, son influence a grandi, mais reste limitée. La pédagogie primaire lui a fait des emprunts ; ses disciples ne sont plus pourchassés ; mais ses idées n'ont pas vraiment triomphé. Il reste un précurseur.

Antoine Prost

■ *Touche. Souvenir d'un blessé de guerre*, Maison française d'art et d'édition, 1920. — *L'École moderne française. Guide pratique pour l'organisation matérielle, technique et pédagogique de l'école populaire*, Gap, Ophrys, 1947. — *Les Dits de Mathieu, une pédagogie moderne de bon sens*, Delachaux et Niestlé, 1959. — *Œuvres pédagogiques* (éd. établie par Madeleine Freinet, introd. par Jacques Bens), Seuil, 1994, 2 vol.

▒ É. Freinet, *Naissance d'une pédagogie populaire. Historique de l'École moderne (pédagogie Freinet)*, Maspero, 1949, rééd. 1968. — N. Racine, « Célestin Freinet », in *DBMOF*.

Friedmann (Georges)

1902-1977

Né à Paris le 13 mai 1902, Georges Friedmann commence des études de chimie, entre à l'École normale supérieure* et réussit l'agrégation de philosophie en 1926. Intellectuel préoccupé de manière précoce par les problèmes humains du machinisme industriel, il est l'un de ceux qui, après la Seconde Guerre mondiale, contribuent à reconstituer une véritable discipline sociologique en France et à lui donner le travail industriel comme objet majeur.

Lors de la dépression des années 30, il s'oriente de manière durable vers l'analyse du travail industriel. De 1931 à 1934, il travaille au Centre de documentation sociale de l'École normale supérieure. Il puise dans le marxisme une partie de ses outils conceptuels, mais se montre vite fort critique à l'endroit de la société soviétique. Sa réflexion le conduit à analyser les retombées de l'organisation de la production sur la condition ouvrière. Attentif aux mutations des sociétés plus novatrices que la nôtre, il les étudie aux États-Unis et en URSS, où il effectue plusieurs voyages après avoir appris le russe, apparaissant ainsi comme l'un des rares spécialistes de la société soviétique. Il publie en 1936 *La Crise du progrès*, premier de ses ouvrages sur l'organisation du travail, puis *Les Problèmes du machinisme en URSS et dans les pays capitalistes*. Au-delà des différences entre les sociétés américaine et soviétique, il souligne les astreintes voisines qui résultent de l'organisation industrielle et pèsent sur l'ouvrier. Il manifeste dès lors une double obsession, stigmatisant « ceux qui croient avoir raison, que ce soit dans leurs idées ou dans leurs machines ». Dans *Sainte Russie* (1938), il dénonce les dérives dictatoriales et répressives du système stalinien. Il en résulte pour lui l'éviction des réseaux intellectuels qu'il fréquentait comme compagnon de route.

Pendant l'Occupation, il rejoint la clandestinité et la Résistance. En 1946-1947, il publie *Leibniz et Spinoza* et surtout *Problèmes humains du machinisme industriel*, ouvrage dans lequel il engage une réflexion sociale sur le travail productif, le taylorisme et ses effets mutilants sur l'individu, ainsi que sur le rôle des sciences sociales pour tenter de les atténuer. Ses recherches sur la sociologie du travail l'occupent jusqu'à l'orée des années 60. Inspecteur général de l'enseignement technique, il est également professeur au Centre national des arts et métiers (CNAM). À la fin des années 40, il côtoie les sociologues américains, puis dirige de 1949 à 1952 le Centre d'études sociologiques (CES), créé en 1945 par Georges Gurvitch*, et en 1953 participe à la fondation de l'Institut des sciences sociales du travail (ISST). Grâce au CES, où il s'appuie sur des chercheurs tels que Paul-Henry Chombart de Lauwe*, Edgar Morin* ou Alain Touraine*, il oriente les travaux vers des recherches relatives à la vie de l'ouvrier de la grande industrie, objet d'étude devenu hégémonique dans la sociologie de l'époque. Dans la conjoncture de la reconstruction d'après guerre et l'atmosphère idéologique dominée par les courants socialisants ou chrétiens-démocrates d'alors, nombreux sont les chercheurs qui, à sa suite, vont ainsi se pencher sur la classe ouvrière tout en nourrissant une méfiance, d'ailleurs réciproque, à l'égard des intellectuels communistes. Georges Friedmann contribue en outre, non sans paradoxes, à faire connaître les sociologues américains et incite les jeunes spécialistes à entreprendre le voyage outre-Atlantique. Après des enquêtes conduites aux États-Unis, il publie en 1956 *Le Travail en miettes*, ouvrage devenu célèbre dans lequel il mesure au quotidien les effets de la division du travail sur le comportement des individus dans et hors de l'entreprise. Puis il contribue à lancer la revue *Sociologie du travail* en 1959 et fait paraître en 1961, en collaboration avec Pierre Naville*, le *Traité de sociologie du travail*. Il joue également un rôle actif dans l'entretien du dialogue entre la sociologie et les autres sciences sociales, en particulier l'histoire, malgré l'hostilité des philosophes. Il apparaît comme l'un des animateurs de la VIe Section de l'École pratique des hautes études aux côtés des historiens des *Annales*, revue qui le compte parmi les membres de son comité de direction jusqu'à sa mort. Les responsabilités internationales achèvent d'assurer sa notoriété à la fin des années 50 : présidence de l'Association internationale de sociologie (1956-1959) ; présidence de la Faculté latino-américaine de sciences sociales (1958-1964).

À partir de 1960, il diversifie ses centres d'intérêt. Tout d'abord, il se préoccupe de l'expansion et du renouvellement des mass-media, organise le Centre de recherches sur les communications de masse et fonde *Communications*. Puis, intrigué par la construction de l'État d'Israël, qu'il perçoit comme un véritable laboratoire pour des formes nouvelles d'expérimentation sociale, il publie en 1964 *Fin du peuple juif ?*

Marqué par le marxisme et la sociologie américaine, Georges Friedmann est l'un des fondateurs de la sociologie du travail en France et l'un des artisans de son institutionnalisation. S'il fut surtout sensible aux forces de désintégration dans le tissu social, son interrogation sur le travail industriel l'a conduit à une réflexion humaniste sur le rôle que celui-ci occupe dans la production de l'existence. Il meurt à Paris le 15 novembre 1977.

Michel Margairaz

■ *Problèmes humains du machinisme industriel*, Gallimard, 1947. — *Où va le travail humain ?*, Gallimard, 1951. — *Machine et humanisme*, Gallimard, 1955. — *Le Travail en miettes*, Gallimard, 1956. — *Traité de sociologie du travail* (avec P. Naville), Armand Colin, 1961-1962, 2 vol.

■ M. Ferro, « Georges Friedmann, historien de l'avenir », *Annales ESC*, 33e année, n° 2, mars-avril 1978.

FRONDE (LA)

Dirigée, rédigée, composée, imprimée et distribuée par des femmes, *La Fronde* fut plus qu'un quotidien féministe : ce fut une aventure ambitieuse qui jeta les jalons d'une culture féministe. Quand Marguerite Durand* décide de créer un journal pour défendre les idées qui l'ont séduite au Congrès féministe de 1896, elle a trente-deux ans, est enceinte de son fils et n'a pas l'intention de se cantonner dans le militantisme pauvre. *La Fronde* doit réunir les meilleures plumes féminines de Paris, faire appel à toutes les femmes dont le talent et l'opiniâtreté leur ont permis de sortir du rang et susciter des vocations. En un mot, offrir un lieu d'expression aux intellectuelles.

La non-mixité est de règle pour l'ensemble de la rédaction comme pour la production du journal, non par esprit d'exclusion ou de revanche mais pour servir d'exemple. Les femmes journalistes sont encore peu nombreuses et la rédaction se compose de femmes de lettres et de militantes féministes avec l'appui prestigieux de Séverine* et de la scientifique Clémence Royer*. Le journal, quotidien du 9 décembre 1897 au 1er septembre 1903, puis alternativement quotidien et mensuel selon les ressources, est installé dans un hôtel particulier rue Saint-Georges à Paris. Il se veut sérieux, éclectique, ouvert — la date de parution est donnée selon divers calendriers (juif, révolutionnaire, grégorien). Il est vite salué comme « *Le Temps* en jupon », on y parle de politique, d'économie et l'on donne le cours de la Bourse. Fortement engagée dans le camp républicain et dreyfusard (les propos antisémites y sont interdits), *La Fronde* consacre toutefois l'essentiel de ses informations aux femmes et au féminisme. Elle se bat sur tous les fronts, notamment celui du travail. Égalité des conditions de travail, des salaires, syndicalisation, ouverture aux femmes des métiers réservés aux hommes en sont les maîtres mots. *La Fronde* est d'ailleurs le premier laboratoire : il s'agit de créer la profession de femme journaliste en permettant à celle-ci d'exercer pleinement son métier partout (la Bourse, l'Assemblée nationale...), de développer celle de typote en obtenant l'autorisation du travail de nuit et de favoriser la création de syndicats féminins.

À côté de ce féminisme revendicatif, *La Fronde* tente d'apporter une dimension nouvelle résumée dans l'article de Louise Debor « Le féminisme en dentelles » : il s'agit tout à la fois de rompre avec l'image d'un militantisme « puritain », en conciliant les codes extérieurs de la féminité et l'exigence féministe d'égalité des droits ainsi que d'attirer au féminisme les femmes de la bourgeoisie. Cette image de « femme nouvelle » s'impose un temps mais, faute de moyens financiers, faute de soutien féministe et de lectrices, *La Fronde* ne réussit pas à rassembler les énergies nécessaires à la constitution d'un réseau efficace et durable. Elle cesse de paraître en 1930. « Un véritable bluff », comme l'écrivit M. Durand ?

Laurence Klejman et Florence Rochefort

■ A. Dizier-Metz, *La Bibliothèque Marguerite Durand. Histoire d'une femme, mémoire des femmes*, Bibliothèque Marguerite Durand, 1992. — L. Klejman et F. Rochefort, *L'Égalité en marche. Le féminisme sous la IIIe République*, Presses de la FNSP / Des femmes, 1989.

Frossard (André)

1915-1995

Né le 14 janvier 1915 à Colombier-Châtelot (Doubs), fils du dirigeant socialiste Louis-Oscar Frossard, André Frossard se convertit au catholicisme en 1935. Après des études au lycée Buffon à Paris, il est alors depuis 1934 rédacteur à *L'Intransigeant* où il côtoie un autre converti, André Willemin, ainsi que Stanislas Fumet*, dont l'épouse Aniouta devient sa marraine. Il sert dans la Marine nationale de 1936 à 1942, puis s'installe pour quelques mois à Lyon chez les Fumet, et participe à la Résistance spirituelle lyonnaise. Arrêté le 10 décembre 1943, il est interné durant huit mois au fort de Montluc, parmi les otages juifs. De cette expérience il témoigne à la Libération dans *La Maison des otages*. En 1987, il reprendra sa réflexion sur *Le Crime contre l'humanité* au moment de témoigner au procès Barbie.

Ayant rejoint son ami Fumet comme rédacteur en chef de *Temps présent** en 1945, il participe quelques années durant aux « mardis du Petit Riche », qui réunissent à dîner dans ce restaurant de la rue Le Peletier les rédacteurs et amis de *Temps présent* (ainsi Fumet, Lacroix*, Hourdin*, Beuve-Méry*, plus tard Mandouze*), et se poursuivent après l'éclatement du groupe. Il met sa plume au service d'un gaullisme sans faille par ses éditoriaux au *Nouveau Candide* dont il est rédacteur en chef (1961-1967), ou dans le « libelle » *Ça ira* dont il est à la fois le rédacteur et l'illustrateur (dix numéros de juin 1965 à mars 1967). Il est aussi caricaturiste, sous le pseudonyme de « Lancelot », dans l'éphémère hebdomadaire *À présent* de Fumet et Edmond Michelet (mars-juin 1948). Il se fait surtout connaître par ses chroniques à *L'Aurore* sous le pseudonyme « le Rayon Z » (1946-1962), et plus encore par le billet quotidien « Cavalier seul » qu'il livre à partir de juin 1962 au *Figaro**, où ce spécialiste de la forme courte déploie avec humour une verve souvent polémique.

Admirateur de Jean-Paul II dont il se fait l'interprète dans plusieurs ouvrages, cet excellent connaisseur de la Bible dénonce l'évolution du catholicisme français post-conciliaire, jusqu'à sa polémique avec plusieurs évêques dans *Le Figaro* à l'automne 1992. Prolongement éditorial de son engagement politique et religieux, il a dirigé chez Hachette deux publications hebdomadaires destinées au grand public, *En ce temps-là la Bible* (1969-1971) et *En ce temps-là de Gaulle* (1971-1972). Élu à l'Académie française* en juin 1987, chevalier de l'ordre de Pie IX, il fait référence auprès d'une mouvance catholique sensible à son gaullisme et à son attachement à une certaine idée de la tradition catholique. Il meurt à Paris le 2 février 1995.

Denis Pelletier

■ *La Maison des otages*, Le Livre français, 1945. — *Dieu existe, je L'ai rencontré*, Fayard, 1969. — *La France en Général*, Plon, 1975. — *« N'ayez pas peur ! » Dialogue avec Jean-Paul II*, Laffont, 1983. — *Le Crime contre l'humanité*, Laffont, 1987. — *Excusez-moi d'être français*, Fayard, 1992. — *Le Parti de Dieu. Lettre aux évêques*, Fayard, 1992.

FUMAROLI (Marc)

Né en 1932

Né à Marseille en 1932, Marc Fumaroli fait ses études secondaires à Fès avant d'entrer à l'université d'Aix-en-Provence puis à la Sorbonne. Il soutient sa thèse, en 1976, sur *L'Âge de l'éloquence*. Sa nomination à l'université de Lille en 1964 coïncide avec ses premières publications, qui vont privilégier le XVIIe siècle dans sa dramaturgie, sa rhétorique et sa peinture. Non que Marc Fumaroli se soit limité à ce siècle et à ces arts. Son champ d'intérêt très vaste lui permet d'avancer dans les siècles et les thèmes et de comparer les mœurs, les institutions, les rapports entre les arts et le pouvoir, les modifications de la culture et de l'éducation depuis l'Ancien Régime. Il est professeur à la Sorbonne (Paris IV) depuis 1978 et au Collège de France* depuis 1983.

Sollicité par les universités, invité dans tous les pays, Marc Fumaroli va connaître la notoriété avec la publication, en 1991, de *L'État culturel, essai sur une religion moderne*, un pamphlet dont la virulence très présente n'est jamais agressive grâce au ton choisi, « entre l'érudition joyeuse et la polémique alerte ». Il y dénonce un État qui, depuis Vichy, a voulu s'accaparer toutes les formes de la culture, toutes les initiatives dans un but d'uniformisation, sous couvert de populariser les sources de cette culture d'État. Sa cible de prédilection est le ministère de la Culture*, qui, avec André Malraux* et sa malheureuse désignation des Maisons de la culture (une aberration à ses yeux) comme « cathédrales du XXe siècle », et surtout Jack Lang, a œuvré pour la culture de masse et, sous le vocable de « culture », a fait un vaste mélange de monologues de bonimenteurs, de chansonnettes ou graffitis muraux et voulu imposer des dramaturges en raison de leur appartenance politique et non de leurs dons. C'est à la fois une mainmise et un nivellement au plus bas de la base que vise cet essai controversé et revigorant.

Depuis, signant des articles dans les pages du *Débat**, de *Commentaire** ou du *Figaro**, toujours prêt à débusquer les travers des « intellectuels » (mot qu'il abhorre) et les ravages de la « modernité », Marc Fumaroli a également poursuivi ses études sur le XVIIe siècle et a publié trois essais comme une synthèse du champ de ses recherches : *La Diplomatie de l'esprit, de Montaigne à La Fontaine* (1994), *L'École du silence, le sentiment des images au XVIIe siècle* (1994), *L'Âge de l'éloquence : rhétorique et « res literaria » de la Renaissance à l'époque classique* (1994) (réédition de sa thèse), et *Trois institutions littéraires : « La Coupole », la correspondance, « le génie de la langue française »* (1995).

Élu à l'Académie française* en mars 1995 au fauteuil d'Eugène Ionesco*, Marc Fumaroli y a été reçu le 25 janvier 1996.

Françoise Werner

■ *L'Âge de l'éloquence : rhétorique et « res literaria » de la Renaissance à l'époque classique*, Genève, Droz, 1980, rééd. Albin Michel, 1994. — *L'État culturel*, Fallois, 1991, rééd. Le Livre de Poche, 1992 (prix de la critique de l'Académie française pour un essai polémique). — *La Diplomatie de l'esprit, de Montaigne à La Fontaine*, Hermann, 1994. — *L'École du silence. Le sentiment des images au XVIIe siècle*, Flammarion, 1994. — *Trois institutions littéraires : « La Coupole », la correspondance, « le génie de la langue française »* , Gallimard, 1995.

▒ Discours de réception de Marc Fumaroli à l'Académie française par Jean-Denis Bredin, 1995.

FUMET (Stanislas)

1896-1983

Né le 16 mai 1896 à Lescar (Basses-Pyrénées), fils d'un musicien et compositeur anarchiste converti au catholicisme, Stanislas Fumet interrompt ses études au lycée Charlemagne en 1911 avant le baccalauréat, et fréquente avant guerre les milieux littéraires montmartrois, où il croise Louis Jouvet, Frédéric Sauser-Hall (Blaise Cendrars), Victor Kilbatchitch (Victor Serge*). Sa vie entière sera marquée du sceau de la fidélité dans l'amitié, avec des auteurs catholiques (Claudel*, Maritain*, Frossard*), des artistes (Braque) et des poètes (Max Jacob, Pierre Reverdy).

Durant l'entre-deux-guerres, journaliste à *L'Intransigeant* où il est entré comme correcteur, il fonde en 1925 avec Maritain, Massis* et Frédéric Lefèvre la collection « Le Roseau d'or » chez Plon. De 1934 à 1937, il dirige à Paris les Éditions Desclée de Brouwer, où Maritain a repris avec « Les Îles » le flambeau du « Roseau d'or ». L'appartement de la rue Linné qu'il partage avec sa femme Aniouta reçoit artistes et intellectuels catholiques. Éloigné du thomisme malgré son amitié pour Maritain, hostile à l'Action française* bien avant la condamnation de 1926, il est le premier écrivain à accueillir à Paris l'exilé Berdiaev* en 1924. Tertiaire de Saint-François, il participe à une « fraternité » informelle qui réunit chaque été à partir de 1928 à La Salette des convertis comme André Willemin, Georges Cattaui ou René Schwob, ainsi que Jean-Pierre Maydieu*.

Pour prendre la relève de *Temps présent** dont il était directeur de rédaction depuis 1938, il fonde à Lyon avec Louis Terrenoire *Temps nouveau* (décembre 1940), qui sera interdit en août 1941. Tout en dirigeant les Éditions du Livre français, il collabore ensuite aux *Cahiers du Rhône* d'Albert Béguin*, accueille chez lui Aragon* et Pierre Emmanuel*, fréquente les rédacteurs des *Cahiers du témoignage chrétien* et participe aux réunions qui conduiront à la fondation du MRP. Revenu à Paris pendant l'été 1943, il est arrêté par la Gestapo, emprisonné à Fresnes de septembre à décembre.

Membre du Comité national des écrivains* (zone Sud) dès sa fondation à l'automne 1941, il n'en démissionne qu'en 1956* lors des événements de Hongrie. Directeur littéraire de *Temps présent* dès sa reparution en août 1944, il échoue à y imposer ses convictions gaullistes. Elles dominent désormais son engagement, avec Claude Mauriac* à *La Liberté de l'esprit** comme au sein de *Notre République* aux côtés des gaullistes de gauche durant la guerre d'Algérie. Membre du comité directeur du Centre catholique des intellectuels français*, il poursuit son œuvre de critique littéraire et artistique dans des livres et des émissions de radio. L'évolution du catholicisme après Vatican II le déroute, sa mort à Rozès le 3 septembre 1983 n'a que peu d'échos. Fidèle à sa vocation de médiateur chaleureux de l'œuvre de ses amis, il laisse avec son autobiographie *Histoire de Dieu dans ma vie* un témoignage suggestif sur le milieu intellectuel et artistique catholique.

Denis Pelletier

■ *Notre Baudelaire*, Plon, 1926. — *Aux trois couleurs de la Dame blessée*, Lyon, Le Livre français, 1943. — *Georges Braque*, Maeght, 1965. — *Léon Bloy, captif de l'Absolu*, Plon, 1967. — *Le Néant contesté. Devant une débâcle spirituelle*, Fayard, 1972. — « Introduction » à Paul Claudel, *Œuvre poétique*, Gallimard, « Pléiade » 1978. — *Histoire de Dieu dans ma vie*, Mame / Fayard, 1978.

FURET (François)

Né en 1927

Ancien président de l'École des hautes études en sciences sociales*, membre fondateur de l'équipe du *Nouvel Observateur**, un temps conseiller d'Edgar Faure... François Furet occupe une place intellectuelle qui dépasse l'importance, pourtant reconnue, de ses travaux d'historien.

Né le 27 mars 1927 dans une famille parisienne aisée, François Furet, après la khâgne*, passe une licence d'histoire, puis une licence de droit. Au terme d'un cursus retardé par la maladie, il réussit l'agrégation d'histoire (1954), au moment où il quitte le PCF. Détaché au Centre national de la recherche scientifique* (1955), il entre ensuite à la VIe Section de l'École pratique des hautes études (1960), où il devient directeur d'études (1966).

La première phase des travaux de François Furet s'organise autour de l'histoire sérielle : enquête avec Adeline Daumard, ouvrage sur le livre et la société. Puis, en dix ans (1965-1975), ses choix politiques et historiographiques basculent. Engagé à gauche comme en témoigne sa collaboration à *France-Observateur* puis son rôle dans la naissance du *Nouvel Observateur* (1964), il remet cependant en cause l'histoire universitaire dominante de la Révolution française. Avec Denis Richet, il rédige une synthèse autour de l'idée de dérapage d'une révolution des élites (1965) et dénonce le « catéchisme révolutionnaire » marxiste d'Albert Soboul*. Conseiller d'Edgar Faure lors de la mise au point de la loi d'orientation sur les universités (1968), il commence à côtoyer les hommes politiques d'horizons divers, au-delà de la gauche ; enfin, avec la lecture et l'enseignement de Raymond Aron*, il remet en cause le sériel comme voie royale de l'histoire. *Penser la Révolution* et *L'Atelier de l'histoire* témoignent de son passage à une « histoire conceptuelle ».

Porté à la présidence de la toute jeune EHESS (1977-1984) il accroît son expansion ; puis à la tête de l'Institut Raymond-Aron (1984) et de la Fondation Saint-Simon*, il suscite une réflexion sur le politique qui alimente les projets réformistes des élites politiques et économiques.

Méfiant vis-à-vis des scansions courtes de la vie politique, François Furet bâtit une révolution de cent ans (1988). Celle-ci, tout comme son *Dictionnaire critique de la Révolution* (en collaboration avec Mona Ozouf*), cherche à saisir l'évolution autonome du politique, hors des discours que l'interprétation a pu construire après coup. François Furet tente ainsi de marier philosophie et histoire, privilégiant l'histoire porteuse de sens au détriment de l'accumulation « insignifiante », à ses yeux, du savoir historique scientifique. François Furet a été consacré par le grand public en 1995, en publiant *Le Passé d'une illusion*, réflexion-bilan sur le XXe siècle totalitaire.

Olivier Dumoulin

■ *La Révolution française* (avec D. Richet), Hachette, 1965, rééd. Fayard, 1973. — *Livre et société dans la France du XVIIIe siècle*, Mouton / De Gruyter, 1965. — *Lire et écrire. L'alphabétisation des Français de Calvin à Jules Ferry* (avec J. Ozouf), Minuit, 1977. — *Penser la Révolution française*, Gallimard, 1978. — *Histoire de France*, t. 4 : *La Révolution*, Hachette, 1988. — *Dictionnaire critique de la Révolution française* (dir. F. Furet et M. Ozouf), Flammarion, 1988. — *Le Passé d'une illusion*, Laffont / Calmann-Lévy, 1995.

G

GALLIMARD (Éditions)

Nées de *La Nouvelle Revue française* (NRF)*, les éditions du même nom, devenues Librairie Gallimard en 1919, furent officiellement fondées le 31 mai 1911 par André Gide*, Jean Schlumberger et Gaston Gallimard. Autour de la *NRF*, du Théâtre du Vieux Colombier de Jacques Copeau* et de la maison d'édition se rassemblèrent les plus grands écrivains de l'époque. Dans les années 20, la maison accueille tous les courants littéraires. Les noms d'Alain*, Apollinaire*, Aragon*, Arland*, Breton*, Claudel*, Cocteau*, Drieu La Rochelle*, Éluard*, Fargue, Gide*, Jouhandeau*, Kessel*, Lacretelle, Larbaud, Mac Orlan, Martin du Gard*, Morand*, Péguy*, Proust*, Saint-John Perse* ou Valéry* s'inscrivent sur la célèbre couverture blanche. Au comité de lecture figurent R. Aron*, R. Fernandez*, A. Gide, J. Grenier, A. Malraux* et surtout M. Arland, B. Groethuysen*, B. Crémieux, B. Parain, J. Paulhan*, qui tiennent une place essentielle dans la maison entre les deux guerres.

Progressivement, la production de cette maison avant tout littéraire se diversifie. Dans le domaine des sciences humaines, la « Bibliothèque des idées » est dirigée à partir de 1927 par Paulhan et Groethuysen. Michel Leiris* s'occupe de « L'Espèce humaine » (1937). Quant à la littérature étrangère, dès les débuts elle y a été accueillie (Dostoïevski, Kafka, Rilke ; puis Ehrenbourg, Gorki, Cholokov, auxquels viendront s'ajouter Dos Passos, Hemingway, Steinbeck, Pasternak, Kundera*...). À partir de 1925, Gallimard édite *La Revue juive*, dirigée par Albert Cohen (dont le comité de rédaction comprend C. Weizmann, A. Einstein et S. Freud). En 1933, la « Bibliothèque de la Pléiade », devenue la consécration suprême pour les écrivains vivants, est rachetée. Des hebdomadaires, dont *Marianne**, animée par E. Berl*, sont lancés. Vingt-cinq prix littéraires ont été recueillis entre 1919 et 1939.

Au début de l'Occupation, l'éditeur signe la convention de censure. En décembre 1940, la maison rouvre à la condition que la direction de la *NRF* soit confiée à Drieu. Les écrivains juifs ont quitté le comité de lecture entre janvier 1939 et avril 1940. La production continue. On publie Jünger et les classiques allemands. Pour les maisons d'édition, c'est l'époque des attitudes ambiguës et des compromissions, sans que l'on puisse pour autant, en ce qui concerne Gallimard, parler de collaboration. En octobre 1946, comme tous les éditeurs non issus de la Résistance, la maison est citée en Cour de justice. On lui reproche la publication des ouvrages de Drieu et de la *NRF*. Mais les arguments de la défense sont nombreux (livres saisis par les Allemands, attaques de la presse collaborationniste, etc.). Surtout, nombre d'écrivains, dont de grands noms du Comité national des écrivains*, témoignent en sa faveur (Camus*, Paulhan, Éluard, Sartre*...) ; entre 1942 et 1944, six membres du comité de lecture ont occupé des responsabilités dans la Résistance (Blanzat, Camus, Groethuysen, Mascolo*, Paulhan, Queneau*). L'affaire est classée. Il en sera de même en 1948 devant la Commission nationale interprofessionnelle d'épuration.

De nouveaux auteurs viennent enrichir le catalogue (tels Beauvoir*, Camus, Céline*, Char*, Duras*, Genet*, Nimier*, Sarraute*, Sartre et Vailland*). La revue *Les Temps modernes** a été lancée en octobre 1945. Dans les années 50-60, la maison compte de grands directeurs de collection, dont certains sont des intellectuels prestigieux : Aragon* (« Littératures soviétiques »), Sartre, Queneau, J.-B. Pontalis*, P. Nora* (« Bibliothèque des sciences humaines » et « Bibliothèque des histoires » créées en 1971), R. Grenier, Étiemble*, R. Caillois*, F. Erval (« Idées »). Dans le domaine des sciences humaines, Foucault*, Duby*, Aron, Baudrillard*, Dumézil*, Le Roy Ladurie*, Agulhon* y sont publiés. Au comité de lecture siègent D. Mascolo, D. Aury, M. Tournier, R. Grenier, G. Lambrichs, M. Mohrt, M. Deguy*, J.-B. Pontalis, R.-L. Des Forêts, C. Roy*, P. Nora, P. Modiano. Ils seront rejoints par F. Delay, J.-M. Le Clézio, H. Bianciotti, M. Kundera, et P. Sollers* (dont la revue *L'Infini** est publiée par Gallimard).

La maison est restée une entreprise familiale. Raymond a travaillé aux côtés de son frère Gaston jusqu'à sa mort en 1966. Claude Gallimard, fils du fondateur, a rejoint son père en 1937. Seul successeur après la mort de son cousin Michel, en 1960, dans l'accident de voiture où disparut aussi Camus, il est devenu PDG à la mort de Gaston en 1975. Son fils Antoine a pris sa succession en 1988. En 1970, les Éditions Gallimard (leur nom depuis 1961) ont rompu avec Hachette qui assurait leur distribution, et créé leur propre réseau de distribution, la Sodis. Avec plus de 15 000 titres, elles se sont affirmées, notamment grâce à la personnalité de rassembleur de leur fondateur, comme la plus prestigieuse maison d'édition littéraire française au XXe siècle. Elles sont majoritaires au Mercure de France* et chez Denoël*.

Arnauld Senelier

■ P. Assouline, *Gaston Gallimard, un demi-siècle d'édition française*, Balland, 1984. — V. Beaufils, « Les Gallimard », *Le Nouvel Économiste*, n° 904, 23 juillet 1993. — H. Hamon et P. Rotman, *Les Intellocrates. Expédition en haute intelligentsia*, Ramsay, 1981. — C. Noetzel, « Gallimard, empereur ou géant », *Tendances*, n° 82, avril 1973. — « Gaston Gallimard n'est plus », *Le Bulletin du livre*, 10 janvier 1976 (chronologie).

GARAUDY (Roger)

Né en 1913

Né le 17 juillet 1913 à Marseille dans une famille ouvrière, pupille de la nation et boursier d'État, Roger Garaudy est un brillant élève qui, après le lycée Henri-IV et les universités, est agrégé de philosophie en 1936, puis nommé au lycée d'Albi, au poste qu'avait occupé Jean Jaurès*. Issu d'un milieu athée, mais converti au protestantisme, Garaudy fut d'abord un actif animateur des étudiants chrétiens avant de devenir membre du PCF en 1933. Sa rencontre avec Maurice Thorez, à Albi en 1937, semble avoir été décisive dans son adhésion au marxisme, parfois le plus sommaire.

Militant dans le Tarn, mobilisé en 1939, Garaudy combat courageusement sur la Somme puis, démobilisé, reprend ses cours et son activité politique. Arrêté le 14 septembre 1940, il est transféré en Algérie avec des centaines d'autres communistes, et interné au camp de Bossuet dont il est libéré en février 1943. Il est à Alger le collaborateur d'André Marty, le responsable de l'hebdomadaire du PC algérien, *Liberté*, et se taille une réputation d'idéologue.

Rentré en France en octobre 1944, élu député du Tarn, il devient permanent et membre suppléant du comité central, dont il sera titulaire de 1950 à 1970. En 1949, il se distingue par une violente attaque contre l'Église, intitulée *L'Église, les communistes et les chrétiens*, largement diffusée dans le mouvement communiste. En 1952, il est l'un des accusateurs de Marty. Correspondant durant un an de *L'Humanité** à Moscou, il soutient en Sorbonne sa thèse d'État en philosophie avant d'être fait docteur ès sciences philosophiques de l'Académie des sciences de l'URSS, en 1954. Pendant ces années de Guerre froide*, Garaudy est l'un des principaux idéologues du PCF, adoptant avec enthousiasme les élucubrations de Lyssenko et de ses émules.

Réélu député de Paris, en 1956, vice-président de l'Assemblée nationale, membre suppléant du bureau politique — puis titulaire en 1961 car il a suivi aveuglément Thorez dans la lutte contre les « khrouchtchéviens » —, Garaudy est alors à l'apogée de sa carrière dans le Parti. Il dirige les *Cahiers du communisme* — la revue théorique —, puis le Centre d'études et de recherches marxistes*, tout en supervisant la traduction des œuvres de Lénine en français. Mais la disparition de Thorez marque le début de son déclin. Il perd peu à peu ses prérogatives dans le domaine idéologique.

Sa rupture avec le communisme intervient brutalement. En Mai 68, en plein bureau politique, il critique vertement Georges Marchais pour sa grossière appréciation du mouvement étudiant. L'invasion de la Tchécoslovaquie le fait entrer en opposition ouverte. Un blâme public, le 21 octobre 1968, ouvre « l'affaire Garaudy » qui culminera dans la dramatique séance du 6 février 1970 où, devant les milliers de délégués au XIXe congrès du PCF, dans un silence glacial et absolu, Roger Garaudy montera une dernière fois à la tribune. Le 30 avril 1970, il est exclu du Parti.

De 1970 à 1974, Garaudy poursuit l'action politique en éditant *Action*, mensuel des Centres d'initiatives communistes, et en publiant de nombreux ouvrages — *L'Alternative* (1972), *Parole d'homme* (1975), *Le Projet espérance* et *Appel aux vivants* (1979).

Croyant déçu, il se convertit au catholicisme — un catholicisme très œcuménique, progressiste, voire gauchiste — avant de basculer dans l'islam en 1982. Antisioniste, anti-israélien et anticapitaliste, il choisit le camp de l'Irak au moment de la guerre du Golfe*. Dans les années 90, il donne des contributions à la revue néofasciste *Nationalisme et république*, prend la parole dans deux colloques du Groupement de recherche et d'études pour la civilisation européenne* (GRECE). En 1995, il publie un long article négationniste dans la revue *La Vieille Taupe* (nº 2, hiver 1995), intitulé « Les mythes fondateurs de la politique israélienne ». Étonnant itinéraire d'un intellectuel profondément religieux et sentimental qui s'est brûlé les ailes aux illusions du stalinisme.

Stéphane Courtois

■ *Le Communisme et la morale*, Éditions sociales, 1945. — *L'Église, le communisme et les chrétiens*, Éditions sociales, 1949. — *Questions à Jean-Paul Sartre*, PPI, 1960. — *Marxisme du XX*^e^ *siècle*, UGE, 1967. — *Le Grand Tournant du socialisme*, Gallimard, 1970. — *Toute la vérité*, Grasset, 1970. — *Appel aux vivants*, Seuil, 1979.

■ P. Robrieux, *Histoire intérieure du Parti communiste*, t. 4, Fayard, 1984.

GARÇONNE (LA)

1922

Après l'hécatombe masculine de la Première Guerre mondiale*, les Années folles annoncent, au-delà de l'émancipation de la femme et d'une soif de fête qui ne demande qu'à jaillir, une véritable révolution des mœurs. Auteur à succès de romans démodés, Victor Margueritte* (1866-1942) divorce en 1921 pour se remarier avec une actrice : Madeleine Acézat renouvelle son inspiration et lui apprend à oser. Le quinquagénaire s'offre une seconde jeunesse. Fruit de ce renouveau, *La Garçonne* (1922) est le roman des Années folles. Le jour même de sa sortie, le vote des femmes est rejeté au Sénat. Trahie par un fiancé qui la trompe et ne veut l'épouser que pour son argent, Monique Lerbier, l'héroïne aux cheveux courts, correspond au type même de la femme moderne : dominatrice, affranchie par le travail, elle se donne au premier venu et triomphe du désir du mâle. Puis se succèdent les expériences — aventures homosexuelles ou échangistes, paradis artificiel de l'opium et vie nocturne déréglée —, avant la découverte d'un amour sincère qui donne une fin morale au livre.

Servi par une publicité tapageuse, *La Garçonne* fait aussitôt scandale. En six mois, le tirage dépasse les 300 000 exemplaires : 650 000 exemplaires en font aujourd'hui un des best-sellers du siècle. Anodin à nos yeux, le livre est à l'époque jugé pornographique par une presse pudibonde et effarouchée : la palme revient à Gustave Téry, directeur de *L'Œuvre*, dont les articles forment un pamphlet ordurier, *L'École des garçonnes*. Seul *Le Canard enchaîné* ose faire l'éloge du livre et le pastiche à loisir : *La Cochonne*, *La Glaçonne*…

Le succès trouve son prolongement au cinéma (pas moins de quatre adaptations : en 1923, interdite par la censure, 1933, 1956 et 1988) comme au théâtre (1926). Mais à quel prix ! L'Église met le roman à l'Index, les librairies de gare l'interdisent à la vente et la Ligue des pères de familles nombreuses du général de Castelnau porte plainte. Margueritte échappe à un procès d'assises mais doit subir les foudres du Conseil de l'ordre de la Légion d'honneur, dont il est commandeur. En dépit de la solidarité d'Anatole France*, qui compare *La Garçonne* à *Madame*

Bovary et aux *Fleurs du mal*, illustres ouvrages interdits, Margueritte est radié de l'ordre par décret présidentiel du 2 janvier 1923 aux motifs de faute contre l'honneur, incitation à la débauche et atteinte au renom de notre pays à l'étranger. Il est vrai que la propagande allemande utilise *La Garçonne* dans une vaste campagne de dénigrement contre la France. Pourtant, le scandale rebondit sur un autre terrain : la liberté d'écrire. Margueritte se pose en martyr. Mais cela ne suffit pas à apitoyer la Société des gens de lettres qui refuse de prendre la défense de son ancien président. Comble de l'ironie, en 1925 Kees Van Dongen reçoit le ruban de la Légion d'honneur quelques mois après avoir illustré de vingt-huit hors-texte une luxueuse illustration de *La Garçonne*.

Patrick de Villepin

■ Victor Margueritte, *La Garçonne*, Flammarion, 1922.

▒ A. Manson, « Le scandale de *La Garçonne* (1922) », in G. Guilleminault (dir.), *Le Roman vrai de la III*[e] *République. Les Années folles*, Denoël, 1956. — A.-M. Sohn, « *La Garçonne* face à l'opinion publique. Type littéraire ou type social des années 20 ? », *Le Mouvement social*, n° 80, juillet-septembre 1972. — P. de Villepin, *Victor Margueritte. La vie scandaleuse de l'auteur de « La Garçonne »*, François Bourin, 1991.

GARRIC (Robert)

1896-1967

Indissociable des Équipes sociales qu'il a fondées, le nom de Robert Garric évoque l'action d'un chrétien à la foi profonde, préoccupé d'éducation populaire et de rapprochement entre bourgeois et ouvriers. Cependant, sa notoriété et son rayonnement dépassent les seuls milieux du catholicisme social.

Cet Auvergnat, issu d'une famille de négociants aurillacois, est d'abord un intellectuel de formation. Après des études au lycée d'Aurillac et une année préparatoire à la khâgne* du lycée Condorcet, Robert Garric intègre en 1914 l'École normale supérieure*. Agrégé de lettres en 1919, il est pensionnaire de la Fondation Thiers pour préparer une thèse sur « Lacordaire, directeur de jeunes gens », qui ne sera jamais achevée.

En effet, la guerre a infléchi cette trajectoire classique. D'abord appelé à remplacer des professeurs partis au front, le jeune homme est mobilisé en 1917. Sous-lieutenant d'artillerie, il découvre l'horreur de la guerre mais aussi « l'amitié des tranchées ». Chargé d'organiser pour les soldats des cours qui ne sont pas sans rappeler l'expérience des Universités populaires* du début du siècle, Robert Garric voit dans l'éducation la clé de la collaboration des classes et de la paix sociale. C'est cette expérience qu'il prolonge en lançant en 1921 les Équipes sociales.

Cet engagement n'entraîne pas de rupture avec son activité intellectuelle. Il participe au comité de rédaction de *L'Âme française*, journal de sensibilité démocrate-chrétienne, et assure la rubrique éducation. De 1924 à 1939, il est responsable de la *Revue des jeunes*, revue bimensuelle lancée par les dominicains. Il en fait aussi la tribune des Équipes sociales, dont les dirigeants deviennent des collaborateurs occasionnels. Critique littéraire de la revue, il recense les dernières parutions en insistant sur ses auteurs préférés tels que Barrès*, Gabriel Marcel*, Henri Pourrat*, René Bazin..., esquissant en filigrane les contours d'une conception globale de la société axée sur les valeurs religieuses, le régionalisme, le respect de la hiérarchie, l'exaltation de la jeunesse et l'amour du peuple. Il condense ses idées dans un livre issu de sa propre expérience sociale : *Belleville, scènes de la vie populaire*, qui reçoit le Grand Prix de l'Académie française.

Robert Garric noue des contacts avec des personnalités très diverses, bien au-delà du milieu catholique et social. Jean Guéhenno*, Daniel Halévy*, Montherlant*, Maurois, Claudel*, Alain*, Cocteau*, Malraux*, Mounier* sont ses correspondants, comme Georges Goyau, Gabriel Marcel ou Jacques Copeau* dont le théâtre lui semble être un bon exemple de rencontre possible entre le peuple et l'élite. Son vaste réseau relationnel se superpose, voire se mêle, à celui des Équipes sociales, avec le maréchal Lyautey, Edmond Michelet ou Jean Guitton*. Cette proximité avec les œuvres et les auteurs nourrit l'enseignement que Garric dispense à ses étudiants de la Sorbonne, de la Faculté des lettres de Lille et du collège Sainte-Marie de Neuilly ou au public de ses très nombreuses conférences. En 1934, la participation à la mission universitaire française qui s'embarque pour le Brésil* consacre le rayonnement de Garric. Aux côtés d'un groupe d'universitaires, Garric s'attache à la réorganisation des lycées français de Bahia et de Sao Paulo et enseigne la littérature française.

Avec le déclenchement de la guerre, Garric, de retour en France, s'investit dans une charge très différente : la direction du Secours national, organisme créé en 1914 et réactivé en 1939. Garric travaille avec Raoul Dautry et René Cassin* (qui rédige pour lui en avril 1940 un projet de réorganisation). Sous l'autorité du maréchal Pétain, puis, à la Libération, dans le cadre de l'Entraide française, Garric se fait administrateur de l'aide sociale aux victimes de la guerre. Il assumera d'autres fonctions sociales dans les années 50 au Comité français de service social, puis à la Cité universitaire de Paris, dont il devient délégué général.

Il abandonne définitivement l'enseignement, qu'il avait poursuivi sous différentes formes à l'école de cadres d'Opme créée en 1940 par Jean de Lattre de Tassigny dans le Puy-de-Dôme, à l'université de Nimègue dix ans plus tard, puis de nouveau au Brésil. Mais il ne renonce pas à donner conférences, articles et préfaces. L'audience de Garric accuse toutefois une diversité moindre, bien qu'il soit élu en 1966 à l'Académie des sciences morales et politiques. Déjà affaibli par la maladie, il meurt le 18 juin 1967.

Pascal Bousseyroux

■ *Belleville, scènes de la vie populaire*, Grasset, 1928. — *Albert de Mun*, Flammarion, 1935. — *Le Message de Lyautey*, SPES, 1935. — *Un destin héroïque : Bernard de Lattre* (récits et lettres recueillis et présentés par R. Garric), Plon, 1952.

GAUCHET (Marcel)

Né en 1946

Pourfendeur des idées reçues et volontiers non conformiste, Marcel Gauchet est aujourd'hui, aux côtés de Pierre Nora*, le responsable influent d'une revue intellectuelle, *Le Débat**, et l'analyste fort perspicace de deux sujets longtemps tabous : le politique et le religieux. À la croisée de la philosophie et de l'histoire, il ne cesse d'interroger l'aventure de l'individu dans nos démocraties et la crise de légitimité des sociétés fondées sur les droits de l'homme.

Issu d'un milieu modeste (père cantonnier et mère couturière), ce franc-tireur né en 1946 a, au départ, le profil d'un méritocrate acharné. Après l'École normale d'instituteurs de Saint-Lô, il choisit d'enseigner dans un collège (1967-1969) et de préparer une licence, puis une maîtrise de philosophie. Allergique à tout embrigadement, se méfiant des illusions révolutionnaires, il empruntera des chemins de traverse. Sa rencontre décisive avec Claude Lefort* en 1966, à l'université de Caen, le conduit à se passionner pour les problèmes liés aux valeurs fondatrices de la démocratie. Il rédige des articles pour *L'Arc*, puis *Textures* et *Libre* où il retrouve Claude Lefort, mais aussi Cornélius Castoriadis*, Miguel Abensour et quelques autres. La réflexion autour du totalitarisme et de la démocratie dans le contexte de Mai 68 est alors au cœur de toutes les préoccupations. Mais c'est en participant à la création, avec Pierre Nora, du *Débat*, chez Gallimard* en 1980, qu'il accède réellement à une position stratégique, d'où il va favoriser les confrontations autour de curiosités nouvelles, à la jonction des sciences exactes et des sciences humaines. Sa première contribution à la revue, intitulée « De l'inexistentialisme », donne le ton de ses interventions : il y règle leur compte aux maîtres à penser du moment, notamment Paul Veyne* et Michel Foucault*. Crime de lèse-majesté qui lui sera difficilement pardonné.

Son premier livre, écrit en collaboration avec Gladys Swain, *La Pratique de l'esprit humain* (1980), est précisément une étude de l'institution asilaire et de la révolution démocratique, qui met à mal la méthode et les thèses de Michel Foucault. Quelques années plus tard, *Le Désenchantement du monde* (1985) prend à contre-pied la vision traditionnelle des religions et notamment du christianisme. Cette histoire politique de la religion tend en effet à démontrer que le christianisme aura été « la religion de la sortie de la religion », et que, d'une certaine manière, la rupture radicale avec l'ordre du sacré se trouve entièrement contenue dans les potentialités dynamiques du christianisme. Prolongeant sa réflexion sur les paradoxes de la démocratie, il essaie dans *La Révolution des droits de l'homme* (1989) de ressaisir les enjeux de fondation des différents articles de la déclaration d'août 1789, « car il n'est plus possible d'ignorer que si ses *principes* ont triomphé, c'est moyennant l'abandon des *moyens* auxquels elle se fiait ». L'ensemble de ses travaux remet donc en question le statut véritable de l'histoire des idées et tend à favoriser une intelligence élargie de la nature du politique.

Désormais directeur d'études à l'École des hautes études en sciences sociales* (depuis 1990), Marcel Gauchet est devenu un intellectuel écouté qui n'a pas fini de déranger ses contemporains en bousculant les conventions.

Rémy Rieffel

■ *La Pratique de l'esprit humain* (avec G. Swain), Gallimard, 1980. — *Le Désenchantement du monde*, Gallimard, 1985. — *La Révolution des droits de l'homme*, Gallimard, 1989. — *La Révolution des pouvoirs*, Gallimard, 1995.

GAXOTTE (Pierre)

1895-1982

Pierre Gaxotte est doublement oublié aujourd'hui : comme historien et comme intellectuel. Pourtant l'auteur de *La Révolution française* (1928) et du *Siècle de Louis XV* (1933) eut des lecteurs nombreux et le rédacteur en chef de l'hebdomadaire *Candide** exercera pendant l'entre-deux-guerres un magistère considérable sur la bourgeoisie française. Deux mots permettront de comprendre cette influence, et son effacement : Gaxotte fut un intellectuel maurrassien que la Seconde Guerre mondiale a comme guéri de la politique active, en même temps qu'un exemple typique de l'histoire académique. Ces deux qualifications ont contribué à son obsolescence.

Cet enfant de l'Est patriotique (Revigny-sur-Ornain, département de la Meuse) a eu vingt ans en pleine guerre mondiale (il est né le 19 novembre 1895). Ce ne fut pourtant pas un combattant, et la fin du conflit voit ce normalien de la rue d'Ulm reçu à l'agrégation d'histoire. Il commence sans enthousiasme une carrière d'enseignant, quand l'amitié d'Arthème Fayard*, proche de Maurras*, décide de son destin : il sera secrétaire du maître de l'Action française*, avant de devenir chez Fayard le responsable, entre autres, de la collection des « Grandes études historiques », et le véritable « patron » de *Candide*, que lance le même éditeur en 1924.

En tant que directeur de collection et en tant qu'auteur, Gaxotte contribue à la diffusion dans le public dit cultivé d'une littérature historique qui récuse tout à la fois l'érudition traditionnelle, jugée trop austère, et les nouvelles interrogations scientifiques, jugées incongrues, le tout fortement marqué à droite, comme le prouvent les noms des premiers auteurs, de Jacques Bainville* à Louis Bertrand. Jusque dans les années 60, ce sera la seule littérature historique à succès de l'édition française.

Mais l'influence de Gaxotte est plus sensible encore dans le domaine de la presse. *Candide* est un succès. Son tirage atteindra, vers 1936, les 300 000 exemplaires et, surtout, sa formule et jusqu'à sa maquette vont inspirer tous ses concurrents : à droite *Gringoire** (1928). L'hebdomadaire suscite d'ailleurs lui-même ses prolongements, avec, toujours sous la houlette de Gaxotte, un supplément pour la jeunesse *(Ric et Rac)* et un organe tourné vers l'international et pour cela dénommé *Je suis partout** (1930).

L'analyse de contenu des sommaires de *Candide* ne laisse aucun doute sur l'engagement de cet organe qui, en théorie, ne se revendique que comme « grand hebdomadaire parisien et littéraire ». Pas ouvertement monarchiste, il est du moins nettement antiparlementaire, anti-SDN, promussolinien et, bien entendu, hostile à toutes les valeurs de la gauche.

Avec le temps, et suivant une courbe commune à la plupart des intellectuels de droite de son temps, Gaxotte va radicaliser ses positions politiques, jusqu'à « couvrir » l'évolution de ses protégés de *Je suis partout* vers le fascisme, voire l'hitlérisme. Le coup d'arrêt se situe quand les jeunes maurrassiens entrent dans la collaboration, lui s'arrêtant au vichysme. Après la guerre, il confiera ses éditoriaux au *Figaro** et se vouera principalement à son œuvre d'historien. Il sera élu, en 1953, à l'Académie française*.

Pascal Ory

■ *La Révolution française*, 1928, rééd. Fayard, 1975. — *La France de Louis XIV*, Hachette, 1946. — *Histoire des Français*, Flammarion, 1951, 2 vol. — « Réflexions en marge de la révolution nationale portugaise », introduction à Salazar Antonio de Oliveira, *Principes d'action*, Fayard, 1956. — *Aujourd'hui. Thèmes et variations*, Fayard, 1965.

▒ J. Soustelle, *Inauguration de la place Pierre-Gaxotte à Revigny-sur-Ornain (Meuse) : discours...*, Institut de France, 1984. — Institut de France, Académie française, *Discours [...] pour la réception de M. Pierre Gaxotte...*, Firmin-Didot, 1953.

GENET (Jean)

1910-1986

Écrivain réputé pour la beauté de son style et l'anticonformisme de ses thèmes, dramaturge inspiré, Jean Genet fut aussi un intellectuel engagé dans les grands débats de son temps. Si ses positions radicales et son goût de la provocation lui valent une réputation souvent fâcheuse et une place contestée au sein de l'intelligentsia française, il n'en fut pas moins un apôtre de la liberté, un ardent défenseur des causes perdues et un homme décidé à toujours suivre la voie qui lui était propre.

Né le 19 décembre 1910 à Paris de père inconnu, Genet est abandonné par sa mère puis confié à une famille catholique du village d'Alligny en Morvan jusqu'à l'âge de treize ans. Une série de fugues et de délits mineurs conduisent à son incarcération à l'âge de quinze ans, puis à son placement dans la colonie pénitentiaire de Mettray. À dix-huit ans, il s'engage dans l'armée, qu'il désertera en 1936 pour vagabonder à travers toute l'Europe. En 1942, alors qu'il est incarcéré à Fresnes pour vol, il rédige son premier poème, « Le condamné à mort », bientôt suivi de deux romans : *Notre-Dame des Fleurs* et *Miracle de la rose*. Libéré en mars 1944 suite à l'intervention de Cocteau*, il est gracié en 1949. Entre 1945 et 1948, il publie divers romans, poèmes et pièces de théâtre ; en 1952, l'ouvrage de Sartre* *Saint Genet, comédien et martyr*, tente de faire la lumière sur cet écrivain original. La parution entre 1955 et 1961 de trois pièces (*Le Balcon*, *Les Nègres*, *Les Paravents*), qui traitent respectivement de la révolution, du racisme et de la guerre d'Algérie, déclenche la polémique (manifestation au Théâtre de l'Odéon pour la première des *Paravents*) et constitue le premier témoignage politique de Genet.

Son engagement politique prend une forme active à partir des événements de Mai 68, où il apparaît notamment aux côtés des étudiants de la Sorbonne ; en août, il est aux États-Unis pour la convention du Parti démocrate et il s'affirme contre la guerre du Vietnam*. De retour à Paris, il s'intéresse au sort des immigrés algériens et marocains et participe à des manifestations en leur faveur. 1970 voit son engagement aux côtés du Black Panther Party ; du 1er mars au 2 mai, il est aux États-Unis et donne des conférences devant les universités et la presse en compagnie des leaders du mouvement. En octobre 1970, il part en Jordanie visiter les camps palestiniens ; la cause palestinienne sera désormais son combat majeur. Dans *Un captif amoureux* (1985), il retrace ses différents séjours au Moyen-Orient et explique son soutien aux feddayins. En 1974, il se rapproche du Parti communiste en collaborant notamment à *L'Humanité** pendant la campagne présidentielle. Cependant, cette association s'explique plus par la convergence des buts poursuivis que par une réelle affinité idéologique, et Genet gardera toujours son indépendance politique.

L'indépendance est la clé de son parcours d'intellectuel. Orphelin, homosexuel et délinquant, Genet se veut par principe du côté des exclus. Sa haine de la société occidentale le conduit souvent à des positions extrémistes, comme lorsqu'il soutient dans un article (« Violence et brutalité », *Le Monde*, 2 septembre 1986) la légitimité du terrorisme de la Fraction armée rouge. Il renouvelle le modèle sartrien de l'écrivain engagé en refusant de se substituer aux hommes politiques et en choisissant les causes qu'il défend pour des raisons intimes et personnelles. Genet meurt le 26 mai 1986 ; celui qui avait fait l'apologie de la trahison était resté jusqu'au bout fidèle à l'esprit de révolte.

Florence Tamagne

■ Aux Éditions Gallimard : *Notre-Dame des Fleurs*, 1942, rééd. 1976. — *Miracle de la rose*, 1943, rééd. 1977. — *Journal du voleur*, 1949, rééd. 1973. — *Haute surveillance*, 1949, rééd. 1988. — *Le Balcon*, 1956, rééd. 1979. — *Les Nègres*, 1958, rééd. 1980. — *Les Paravents*, 1961, rééd. 1981. — *Un captif amoureux*, 1986. — *L'Ennemi déclaré*, 1991.

■ J.-P. Sartre, *Genet, comédien et martyr*, Gallimard, 1952. — E. White, *Jean Genet*, Gallimard, 1993.

GENETTE (Gérard)

Né en 1930

Considéré depuis les années 60 comme un des principaux représentants du structuralisme littéraire en France, Gérard Genette apparaît aujourd'hui, par l'importance et la résonance internationale de son œuvre, comme une des figures les plus marquantes des études littéraires contemporaines.

Né en 1930, Gérard Genette est normalien. Militant communiste pendant sa jeunesse, il a été rédacteur en chef de la revue *Clarté** de 1952 à 1953. En 1956, il rompt avec le Parti communiste. Maître-assistant à l'École pratique des hautes études entre 1967 et 1972, il est, depuis 1972, directeur d'études à l'École des hautes études en sciences sociales*. De 1970 à 1978, il a été codirecteur, avec Tzvetan Todorov*, de la revue *Poétique*. Il dirige la collection « Poétique » aux Éditions du Seuil*. Par sa triple activité d'enseignant, d'auteur et de responsable éditorial, il a joué un rôle fondamental dans le développement des études formelles de la littérature : si, au-delà des aléas de la mode « structuraliste », la poétique s'est imposée dans l'enseignement littéraire comme une composante indispensable pour la compréhension des œuvres, elle le doit notamment au caractère exemplaire des travaux de Genette.

Des années 60 à la fin des années 80, son œuvre relève de la poétique *stricto sensu*. Après avoir publié deux recueils d'essais critiques *(Figure I* et *Figures II)*, il a accédé à la notoriété internationale avec « Discours du récit » *(Figures III)*. Il y propose une grille analytique pour l'étude des structures du récit : rapport entre le temps de l'histoire racontée et le temps du récit racontant, relations entre récit d'événements et récit de paroles (dialogues, monologues), variabilité du point de vue narratif, jeu des niveaux narratifs, différence entre récits à la première personne et récit à la troisième personne… Du fait de sa finesse analytique et de sa cohérence, cette étude classique est devenue une des références internationales fondamentales dans le domaine de la *narratologie*.

Les travaux ultérieurs de Genette confirment sa fidélité à une méthode combinant acuité analytique et respect de la diversité des faits littéraires. Ils illustrent aussi sa volonté d'arpenter le territoire littéraire dans toute sa complexité : étude des rêveries à travers lesquelles la littérature pense le rapport du langage au réel *(Mimologiques)*, analyse critique du statut des genres littéraires *(Introduction à l'architexte)*, taxinomie des liens de transformation (telle la parodie) ou d'imitation (tel le pastiche) à travers lesquels un texte peut prendre appui sur une œuvre antérieure et par là s'inscrire dans une tradition historique *(Palimpsestes)*, étude de la manière dont les œuvres entourent leur texte (titre, nom de l'auteur, indication de genre, préface, notes, quatrième page de couverture…) afin de contrôler leur réception par le public *(Seuils)*, analyse des deux modalités fondamentales de la littérarité constitutive, l'une thématique (la fiction), l'autre formelle (la diction poétique), élucidation du statut du style littéraire *(Fiction et diction)* — autant d'apports fondamentaux à la compréhension des faits littéraires et qui souvent défrichent des domaines jusque-là inexplorés.

Depuis la fin des années 80, Genette a élargi le champ de ses recherches au-delà du domaine littéraire. Dans *L'Œuvre de l'art*, il propose une description des modes d'existence des œuvres d'art et des types d'objets en lesquels elles consistent (objet matériel, texte, concept…). Ce travail s'inscrit dans le cadre plus général d'une analyse de la relation esthétique et du jugement de goût. Sous-jacente à cet élargissement est la double conviction que la spécificité de la littérature ne saurait se comprendre adéquatement en dehors d'une étude comparée des formes d'art et que notre rapport aux œuvres d'art (quelles qu'elles soient) doit s'analyser comme une modalité particulière de la relation esthétique au monde. L'œuvre récente de Genette renoue ainsi, bien que dans un cadre méthodologique fort différent, avec l'ambition (non réalisée) du formalisme russe et du structuralisme tchèque d'une esthétique générale dont la poétique n'est qu'une des provinces.

Jean-Marie Schaeffer

■ *Figures I et II*, Seuil, 1966 et 1969. — « Discours du récit », in *Figures III*, Seuil, 1972. — *Mimologiques*, Seuil, 1976. — *Introduction à l'architexte*, Seuil, 1979. —

Palimpsestes, Seuil, 1982. — *Nouveau discours du récit*, Seuil, 1983. — *Seuils*, Seuil, 1987. — *Fiction et diction*, Seuil, 1991. — *L'Œuvre de l'art*, Seuil, 1994.

GEORGE (Pierre)

Né en 1909

Géographe qui a traité depuis la fin des années 30 l'ensemble des questions de géographie humaine : population, économie industrielle et agricole, villes et campagnes, aménagement du territoire et environnement. À travers l'œuvre de P. George, on peut analyser la façon dont la géographie post-vidalienne a adapté ses concepts ou en a forgé de nouveaux pour penser les transformations sociales et spatiales de l'après-guerre. Un engagement communiste puis une prise de distance à la fin des années 50 font de l'itinéraire intellectuel de P. George un long et singulier parcours depuis les *Cahiers du bolchevisme*, au temps du Front populaire, à l'Académie des sciences morales et politiques aujourd'hui.

La carrière de géographe de P. George débute précocement et brillamment : il est reçu premier à l'agrégation d'histoire et de géographie à vingt et un ans (1930). Ses premières recherches portent, classiquement pour l'époque, sur des questions morphologiques complexes dans la région du bas Rhône (il soutient sa thèse d'État en mai 1936). Dès sa nomination dans l'enseignement secondaire, au Prytanée de La Flèche, il est militant syndical puis secrétaire de la section locale du Syndicat national des professeurs de lycée (1932) et partisan d'une adhésion à la CGT. Aux élections municipales de 1935, il fait partie d'une liste d'union d'action antifasciste : l'autorité militaire met fin à ses fonctions d'enseignant. Pendant l'été 1935, il milite au Comité de vigilance des intellectuels antifascistes*, intervient à Oxford à la Conférence de défense des libertés universitaires. Nommé à Montpellier, il adhère au Parti communiste et prend part à la campagne des élections législatives de 1936. Après sa soutenance de thèse et jusqu'à la guerre, il enseigne en lycée, est secrétaire général de son syndicat pour l'académie de Paris. Il milite au Parti communiste, publiant des articles de géographie économique dans les *Cahiers du bolchevisme*. Parallèlement à ces activités militantes, il participe à la *Bibliographie géographique internationale* en analysant les publications en langues slaves. Il publie en 1938, aux Éditions sociales internationales, une *Géographie économique et sociale de la France*. Pendant la guerre, il enseigne au lycée Lakanal à Sceaux et reste en contact avec son syndicat. Il participe également, à partir de 1943, à une commission dirigée par G. Dessus chargée d'étudier les conditions géographiques de la reconstruction.

À la Libération, son engagement politique ne constitue plus un obstacle à une carrière universitaire : il devient professeur à Lille (1947) puis à la Sorbonne (1949). Il enseigne également à Sciences-Po. Ce statut lui permet de rassembler autour de lui de jeunes étudiants et chercheurs dont il dirige les travaux sur les transformations économiques démographiques et sociales de la France de l'après-guerre, par exemple ses *Études sur la banlieue de Paris*. Il publie aux PUF, dans la collection « Que sais-je ? », à la demande de P. Angoulvent, de nombreux ouvrages de synthèse sur la géographie économique et sociale du monde. Enfin, il traite dans le cadre de la géographie régionale des pays d'économie planifiée du bloc soviétique. En 1947, il publie dans la collection « Orbis » un important ouvrage consacré à *L'URSS*, dans lequel il juge très positivement l'organisation économique et sociale du pays. La fonction professorale et la reconnaissance des réalités de ces États lui restitueront « progressivement une indépendance de jugement longtemps obérée », ainsi que lui-même le formule dans *Le Métier de géographe*.

Ce métier, Pierre George l'assure dans toutes ses dimensions : il dirige de nombreuses thèses en géographie économique et urbaine, réaffirmant régulièrement le caractère de science sociale de la géographie. Il siège dans les instances universitaires et dans celles du Centre national de la recherche scientifique*. Il participe et préside le jury de l'agrégation de géographie. Il crée et dirige aux PUF les collections « Magellan », « Géo Sup ». Il est attentif aux problèmes qui émergent : il rédige en 1971 le « Que sais-je ? » sur *L'Environnement*.

À partir des années 80, ses ouvrages témoignent d'une réflexion générale, d'une méditation sur la place de la géographie et du géographe dans l'analyse du monde à la fin de ce siècle. Le géographe engagé est devenu un sage mesuré.

Jean-Louis Tissier

■ *La Banlieue, une forme moderne de développement urbain*, Presses de la FNSP, 1950. — *Introduction à l'étude géographique de la population du monde*, INED, 1951. — *La Ville, le fait urbain à travers le monde*, PUF, 1952. — *Précis de géographie économique*, PUF, 1956. — *Sociologie et géographie*, PUF, 1972. — *L'Environnement*, PUF, 1971. — *Fin de siècle en Occident. Déclin ou métamorphose ?*, PUF, 1982. — *Les Hommes sur la terre. La géographie en mouvement*, Seghers, 1989. — *Le Métier de géographe. Un demi-siècle de géographie*, Armand Colin, 1990. — *Le Temps des collines*, La Table ronde, 1995.

■ J. Pailhé, « Pierre George. La géographie et le marxisme », *Espaces Temps*, n° 18-19-20, 1981.

GERBE (LA)

Fondé en juillet 1940 par l'écrivain Alphonse de Châteaubriant*, cet hebdomadaire politico-littéraire dit « de la volonté française », qui prenait la place de *Candide** et de *Gringoire**, fut un organe de la collaboration intellectuelle parisienne sous l'Occupation. Liée au groupe Collaboration que présidait son directeur, *La Gerbe* ralliait sous la bannière de l'activisme et du virilisme des éléments gagnés à l'Allemagne nazie par des voies diverses (PPF, Action française*, régionalisme), mais soudés dans un antirépublicanisme et un antibolchevisme viscéral.

Conseillée par le Gruppe Schrifttum de la Propaganda-Staffel, cette feuille, qui se stabilise à huit pages en 1942, appelle à une collaboration active en vue de l'insertion d'une France agricole dans l'« ordre européen » que prétend instaurer Hitler. Prenant pour modèle l'« acte religieux » d'effacement de soi devant la communauté accompli par le national-socialisme, l'hebdomadaire se propose d'œuvrer au « redressement » d'une France livrée à l'« esclavage » de la machine, du capitalisme et de l'individualisme. Après avoir acclamé Pétain, le journal va vite prendre ses distances avec le régime de Vichy, trop peu collaborationniste à son goût. L'antisémitisme le plus virulent y est de rigueur, de même que sont réitérées les invectives contre les francs-maçons qu'on voudrait voir internés dans des camps de concentration. Opposant à l'ère révolue du « politique » l'ère « organique » fondée sur les lois éternelles de la Nature, le journal ne se réclame à ses débuts d'aucun parti, mais il opérera un rapprochement avec le RNP de Marcel Déat, dont certains membres participent aux conférences organisées par les « Gerbes françaises », et mènera en 1944 une campagne pour un parti unique dans le cadre de laquelle seront interviewés les leaders du RNP et du PPF. La rédaction recevra aussi des représentants de la LVF, régulièrement célébrée sous sa plume, et verra deux de ses membres s'engager dans les rangs de celle-ci (dont son ancien gérant Marc Augier, futur Waffen SS).

La « une » politique est assurée par Châteaubriant, Charle-Albert, Drieu La Rochelle*, A. Bonnard* ou C. Fégy (rédacteur en chef du journal depuis 1941), rejoints en 1944 par Brasillach* et Harold-Paquis. A. Cassar (pseudonyme de Moelhausen) traite du « fait de la semaine » et B. Faÿ y tient le rôle d'historien. Jusqu'en 1942, on y trouve des rubriques « Paysannerie » et « Jeunesse », ainsi qu'une page sociale et féminine (dirigée par Y. Galli) qui vise à rendre à la femme sa « dignité » de mère, et où maints articles sont consacrés à l'examen prénuptial. L'eugénisme est par ailleurs largement développé dans les colonnes du journal sous le couvert pseudo-scientifique du professeur d'ethnologie G. Montandon* qui réclame la séparation ethnique et l'exclusion du droit de reproduction des « individus étrangers ethnoracialement ».

Sur le plan littéraire, l'hebdomadaire se démarque des feuilles collaborationnistes en faisant, sous la plume de son critique régulier G. Truc ou celle d'H. Poulaille*, une part assez large à la production régionaliste. Sont fustigés, par un L. Combelle, un C. Mauclair ou un R. Fernandez* (qui tient la critique des livres politiques), les intellectuels du Front populaire, *La Nouvelle Revue française** ainsi que tous les grands écrivains d'entre-deux-guerres à qui l'on reproche le « dévoiement » qui a conduit à la défaite. Péguy*, Céline* et Montherlant* (ces deux derniers y signent aussi quelques articles) sont érigés en modèles d'une conception esthétique se réclamant du Moyen Âge, alors que s'alignent, dans des pages littéraires redorées par un P. Morand* un M. Aymé* ou un J. Giono*, les signatures d'auteurs populistes ou régionalistes comme J. Rogissart, P. Béarn, H. Bachelin. La rubrique théâtrale, tenue par A. Castelot et H.-R. Lenormand, aura bénéficié à ses débuts des noms d'Anouilh*, de Dullin et de Cocteau*. L'hebdomadaire disparaît en août 1944, tandis que son directeur fuit à Sigmaringen. Nombre de ses collaborateurs seront condamnés à la Libération.

Gisèle Sapiro

■ L. Combelle, *Péché d'orgueil*, Orban, 1978. — P. Ory, *Les Collaborateurs*, Seuil, 1980. — J. Quéval, *Première page, cinquième colonne*, Fayard, 1945.

GIDE (André)

1869-1951

Fils de Paul Gide, professeur de droit à la faculté de Paris, neveu de l'économiste Charles Gide*, André Gide a toujours montré de l'intérêt pour les questions politiques et sociales, intérêt qui va de pair avec le désir de libération exprimé dès ses premiers ouvrages (*Les Nourritures terrestres*, 1897, *L'Immoraliste*, 1902). Maire de la commune de La Roque (Calvados) de 1896 à 1900, juré à la cour d'assises de Rouen en 1912 (*Souvenirs de la cour d'assises*, 1913) décrivant les insuffisances du système judiciaire, il s'intéressera aux faits divers révélateurs des vices de la société (*L'Affaire Redureau. Faits divers*, 1930 ; *La Séquestrée de Poitiers*, 1930). Durant la Première Guerre mondiale*, il se consacre au Foyer franco-belge, d'octobre 1914 à septembre 1915, à l'aide aux réfugiés des territoires envahis. En 1916, il se rapproche de l'Action française*. En 1919, Gide, qui, selon le mot d'André Rouveyre, fait figure de « contemporain capital », appuie l'orientation de Jacques Rivière* à *La Nouvelle Revue française** en faveur de la démobilisation de l'intelligence. Il s'intéresse à la reconstruction intellectuelle de l'Europe, en misant sur le rapprochement franco-allemand. Si l'entrevue qu'il eut avec Walter Rathenau en septembre 1920 à Colpach, chez ses amis Mayrisch, fut décevante, les relations établies avec l'écrivain Ernst Robert Curtius permirent un dialogue franco-allemand dans le milieu de la NRF. En 1924, Gide fait paraître l'édition définitive de *Corydon*, qu'il conçoit comme un combat pour la reconnaissance de l'homosexualité et qu'il fait suivre de *Si le grain ne meurt* (1926).

Gide « s'engage » pour la première fois en dénonçant les réalités coloniales, au retour d'un voyage en Afrique équatoriale française (juin 1925 - mai 1926) en compagnie de Marc Allégret, photographe et cinéaste de l'expédition. Bouleversé par ce qu'il a vu des exactions des compagnies concessionnaires, notamment la Compagnie forestière Sangha-Oubangui, il décide de parler. *Le Voyage au Congo* (1927), *Le Retour du Tchad* (1928), sans remettre en cause explicitement le régime de la colonisation, sont un impitoyable réquisitoire contre le système colonial. Les révélations de Gide ne resteront pas sans suite et feront l'objet d'un débat à la Chambre des députés en novembre 1927. En 1931-1932, Gide fait ses premières déclarations en faveur de l'URSS et du communisme : dans *La Nouvelle Revue française*, il dit son désir de voir « ce que peut donner un État sans religion, une société sans cloisons ». L'adhésion de Gide est d'essence morale, elle est celle d'un homme qui ressent sa situation de favorisé face à l'injustice sociale et qui voit dans le communisme la relève du christianisme, infidèle à ses origines évangéliques. Gide refuse d'abord tout engagement militant ; il décline les offres communistes d'adhésion à l'Association des écrivains et artistes révolutionnaires* (AEAR) en décembre 1932. L'arrivée de Hitler au pouvoir le jette dans l'action ; à près de soixante-cinq ans, Gide commence une carrière d'intellectuel « compagnon de route » des communistes, sous le signe de l'antifascisme. Il prend la parole pour la première fois en public, le 21 mars 1933, à une manifestation de l'AEAR contre l'avènement du nazisme. Avec André Malraux*, il anime la campagne pour la libération de Dimitrov, arrêté au lendemain de l'incendie du Reichstag, et pour celle de Thaelmann et des antifascistes allemands. En juin 1935, il préside la séance d'ouverture du Congrès international des écrivains pour la défense de la culture à Paris ; s'il proclame son admiration pour l'URSS, il met en garde contre les conceptions soviétiques de l'art ; grâce à son insistance, Magdeleine Paz et Charles Plisnier peuvent intervenir pour poser le cas de Victor Serge*, retenu en URSS. Troublé par l'affaire Serge, Gide intervient en sa faveur auprès des autorités soviétiques. Ce n'est donc pas en croyant qu'il part pour l'URSS, à l'invitation du gouvernement soviétique. À son arrivée à Moscou, le 17 juin 1936, il est invité à prononcer l'éloge funèbre de Gorki sur la place Rouge ; accueilli avec beaucoup d'honneurs, Gide reste en URSS jusqu'au 22 août. À son retour, il est bien décidé à dire ce qu'il a vu, malgré les pressions de certains de ses amis qui contestent l'opportunité de cette publication en pleine guerre d'Espagne*. Gide reste intraitable et fait paraître son *Retour de l'URSS* en décembre 1936, témoignage d'une déception, constat d'un nouveau conformisme social et moral, et diagnostic sévère sur l'établissement du culte de Staline. Attaqué par les communistes et ses alliés qui l'accusent d'incompétence, Gide publie en juin 1937 ses *Retouches à mon « Retour de l'URSS »* qui marquent sa rupture définitive. Celle-ci l'éloigne de ses amis du Front populaire, notamment ceux de l'hebdomadaire *Vendredi**, auquel il collabore depuis janvier 1936. Gide est même amené à contester la liberté d'expression de *Vendredi* qui lui a refusé en novembre 1937 de répondre aux attaques d'Ehrenbourg. Gide ne rejoint pas, après sa rupture avec les communistes, les milieux de l'opposition de gauche, comme Pierre Naville* l'a espéré, mais il s'associe à la protestation en faveur des militants du POUM arrêtés à Barcelone en mai 1937 et préface en 1938 *L'URSS telle qu'elle est*, d'Yvon. Cependant, Gide poursuit son « désengagement ». Après la mort de sa femme, il fait retraite et écrit *Et nunc manet in te*. À la veille de la guerre, il publie son *Journal* de 1889 à 1939.

Durant l'Occupation, il séjourne dans la région de Nice ; il met fin à sa collaboration avec la NRF en avril 1941. La Légion des combattants l'empêche de faire une conférence à Nice en mai 1941. En mai 1942, il gagne Tunis, puis en mai 1943 Alger et l'Algérie, où il reste jusqu'en mai 1945. En novembre 1944, Aragon* s'en prend à Gide dans *Les Lettres françaises**, notamment pour ses positions antisoviétiques d'avant guerre. Mais le vieil écrivain est devenu intouchable. Le général de Gaulle pense à lui pour l'Académie française*. En novembre 1947, il reçoit le prix Nobel de littérature.

Nicole Racine

■ *Journal (1889-1939)*, Gallimard, 1953. — *Journal (1939-1949)*, Gallimard, 1979. — *Littérature engagée* (textes réunis et présentés par Y. Davet), Gallimard 1950. — *Voyage au Congo*, Gallimard, 1927. — *Le Retour du Tchad*, Gallimard, 1928, rééd. 1981. — *Retour de l'URSS*, Gallimard, 1936. — *Retouches à mon « Retour de l'URSS »*, Gallimard, 1937, rééd. 1978.

▒ C. Martin, *La Maturité d'André Gide*, Klincksieck, 1977. — R. Maurer, *André Gide et l'URSS*, Berne, Tillier, 1983. — D. Moutote, *André Gide : l'engagement (1926-1939)*, SEDES, 1991. — N. Racine, « André Gide », in *DBMOF*. — M. Van Rysselberghe, *Les Cahiers de la Petite Dame. Note pour l'histoire authentique d'André Gide*, Gallimard, 1973 à 1975 (Cahiers André Gide 4, 5, 6).

GIDE (Charles)

1847-1932

Issu d'une famille protestante, Charles Gide, après avoir passé l'agrégation de droit, commença à enseigner à la faculté de Bordeaux puis de Montpellier et se spécialisa dans l'étude des questions économiques et sociales. En 1883, il publia ses *Principes d'économie politique*. Initié dès sa jeunesse aux conceptions d'Owen et de Fourier, C. Gide fut très vite attiré par la coopération, et plus particulièrement la coopération de consommation que ces deux théoriciens n'avaient guère explorée. Il prit conscience de son importance à travers un article d'É. Reclus sur l'expérience des Pionniers de Rochedale, menée en Grande-Bretagne en 1844. Il commença à élaborer vers 1885 une théorie de la coopération, la distinguant de l'économie libérale comme du collectivisme. Si de nombreuses sociétés coopératives s'étaient à l'époque développées à travers toute la France, aucun mouvement d'envergure national ne les avait fédérées. C. Gide se lia alors avec les coopérateurs nîmois et fut un des organisateurs du premier congrès de la coopération française à Paris ; il présida ensuite le second (Lyon, 1886), où il fit le discours inaugural sur « la coopération et le Parti ouvrier en France ». En 1889, il intervint lors d'un congrès réuni à l'occasion de l'Exposition universelle* en défendant la coopération comme la « conquête de l'industrie par les classes populaires ». Mais il ne put réaliser l'unité complète du mouvement coopératif, qui connut plusieurs scissions, en 1889 et 1895 notamment.

Dans la coopération, C. Gide vit un idéal de transformation de la société, non seulement économique mais aussi moral. À travers la multiplication à l'infini de nouvelles associations se réaliserait « l'émancipation de la classe ouvrière par la transformation du salariat ». L'intérêt du consommateur devait prévaloir sur celui du producteur : la coopérative de consommation ferait peu à peu disparaître le profit du commerçant, de l'industriel et enfin celui du producteur agricole. Fondateur de l'« École de Nîmes », Gide conçut la doctrine coopérative comme un instrument d'émancipation de la classe ouvrière et la popularisa tant par l'écrit que par l'enseignement qu'il donna dans plusieurs chaires d'économie sociale (Faculté de droit de Paris, École des ponts et chaussées, École de guerre).

Il joua également un rôle de premier plan avant et après la Première Guerre mondiale* au sein du mouvement coopératif, et tout particulièrement de la Fédération nationale des coopératives de consommation (FNCC), dont il fut membre du comité central à partir de 1912. Mis à la retraite en 1919, il occupa une chaire d'enseignement au Collège de France* créée à partir de fonds rassemblés par la FNCC. Il participa aux travaux de l'Union coopérative internationale puis de l'Alliance coopérative internationale fondée en 1895, dans laquelle il voyait un instrument de paix sociale et humaine. Il contribua, peu de temps avant sa mort, à la création à Bâle de l'Institut international d'études coopératives.

Ses travaux scientifiques, souvent controversés en France, furent reconnus plus vite à l'étranger, notamment en Belgique dès 1913.

Michel Dreyfus

■ J. Maitron, « Charles Gide », in *DBMOF*. — *Revue d'économie politique*, 1932 (bibliographie des écrits de C. Gide).

GILSON (Étienne)

1884-1978

Étienne Gilson appartient au groupe de ceux que l'on a pu appeler les « théologiens laïcs des années 30 ». Universitaire brillant, philosophe chrétien mondialement reconnu, il a été, avec Jacques Maritain*, l'un des principaux représentants du néo-thomisme contemporain.

Né à Paris le 13 juin 1884, il est issu d'une famille catholique et républicaine. Il fréquente le petit séminaire de Notre-Dame-des-Champs, puis le lycée Henri-IV, avant d'étudier en Sorbonne sous la houlette de maîtres prestigieux comme Durkheim* ou Lévy-Bruhl*. Il suit parallèlement les cours du « grand Bergson »* au Collège de France*. Agrégé de philosophie (1907), il se considère volontiers comme « un cadeau de l'enseignement libre à l'Université ». Sa thèse sur *La Liberté chez Descartes et la théologie* (1913) lui ouvre rapidement les portes de cette dernière. Nommé à la Sorbonne en 1921, ainsi qu'à l'École pratique des hautes études, il s'attache à faire redécouvrir la riche tradition philosophique du Moyen Âge chrétien (*La Philosophie au Moyen Âge*, 1922) et à rétablir la continuité de la pensée occidentale entre l'Antiquité grecque et les temps modernes. Figure de proue du néo-thomisme français des années 20, il reste fidèle aux idéaux républicains de sa jeunesse et n'hésite pas à apporter son concours à des revues comme *La Vie intellectuelle* ou l'hebdomadaire *Sept** dont il rédige le manifeste (*Pour un ordre catholique*, 1934). Élu au Collège de France (1932), il partage son activité d'enseignement entre la France et le Canada où il a fondé un Institut pontifical d'études médiévales (Toronto, 1929).

Resté à Paris durant la guerre, il entre à l'Académie française* (1946) et représente son pays aux grandes conférences internationales de l'après-guerre (San Francisco 1945, Londres 1946). Proche du MRP, il est nommé conseiller de la République (1947-1949) et participe aux premiers congrès du Mouvement européen (La Haye 1948, Lausanne, 1949). Ses convictions neutralistes exposées dans *Le Monde** d'Hubert Beuve-Méry* lui valent d'être sévèrement mis en cause outre-Atlantique, puis en France : c'est « l'affaire Gilson » (1950-1951) dont les retombées coïncideront avec son retrait de la vie universitaire française. Métaphysicien suspect au regard de la stricte orthodoxie aristotélo-thomiste (*L'Être et l'essence*, 1948), il juge lui-même d'un œil assez critique l'évolution de l'Église au lendemain du concile Vatican II (1962-1965). Il s'éteint à Auxerre le 19 septembre 1978.

Philippe Chenaux

■ *Le Thomisme*, Vrin, 1922, 2e éd. — *La Philosophie au Moyen Âge*, Payot, 1922, 2 vol. — *Saint Thomas d'Aquin*, Gabalda, 1925. — *L'Esprit de la philosophie médiévale*, Vrin, 1932. — *Pour un ordre catholique*, Desclée de Brouwer, 1934. — *L'Être et l'essence*, Vrin, 1948. — *Le Philosophe et la théologie*, Fayard, 1960.

■ J. Prévotat, « Théologiens laïcs des années 30 », in *La Foi à l'épreuve du XXe siècle*, série « Les Quatre Fleuves », vol. 17, Beauchesne, 1983, pp. 49-69. —

L.K. Shook, *Étienne Gilson*, Toronto, Pontifical Institute of Mediaeval Studies, 1984. — *Étienne Gilson et nous : la philosophie et son histoire*, Vrin, 1980.

GIONO (Jean)

1895-1970

Petit-fils d'immigrés piémontais, fils unique d'une repasseuse et d'un cordonnier libertaire, né le 30 mars 1895 dans la bourgade provençale de Manosque, Giono y passera sa vie. L'univers de cet enfant rêveur est un paradis, son enfance pauvre un âge d'or qui nourrira son œuvre. Études indifférentes. À seize ans, il doit gagner sa vie dans une agence bancaire. Il peut acheter des livres : Homère, Virgile, Eschyle, Sophocle, Cervantès, les classiques français. Il écrit des vers maladroits. Mobilisé en 1915, il sera plongé dans l'enfer de Verdun : l'horreur, le mal absolu. Il en sortira intact. Il reprend la banque. En 1920, son père meurt. Il épouse Élise Maurin, fille d'une couturière et d'un coiffeur ; ils auront deux filles.

Il est ce qu'il restera : simple, drôle, généreux, incurablement fabulateur. Seul, il apprend son métier d'écrivain : poèmes en prose, contes brefs, textes autobiographiques. Rencontre décisive, celle de Lucien Jacques, son plus grand ami, peintre, poète, qui lui communique sa culture, lui conseille le roman. Il trouve sa voie avec *Colline*, situé en Provence comme les œuvres suivantes : souffle d'air frais, succès immédiat. Les éditeurs se l'arrachent. Il quitte la banque et vivra de sa plume. Il se renouvelle avec *Le Chant du monde*, situé en montagne. Il a soif d'une création abondante, sans limites : l'utopie de *Que ma joie demeure*, l'épopée de *Batailles dans la montagne*. Les héros, paysans ou artisans, en sont des sauveurs. Mais c'est la fin des dénouements optimistes.

Parallèlement, Giono se lance dans l'action : pour la paix menacée, contre la civilisation industrielle de masse. Proche des communistes pendant un an, il se sépare d'eux : il est un pacifiste intégral, porté par une foi plus que par un raisonnement. Il écrit des essais qui sont des messages : *Les Vraies Richesses*, *Le Poids du ciel*. Il anime les réunions du Contadour*. Mais il songe à un style nouveau. Il délaissera ses romans ruraux, panthéistes, intemporels, sans machines, à l'écart de l'histoire et de la culture. Découvrant en 1938 Stendhal, l'Arioste, Faulkner, il va recentrer son univers, gommer la nature, exalter les âmes d'exception.

En 1938, il soutient publiquement avec Alain* la signature des accords de Munich*. La guerre est dure pour lui : deux mois de prison pour pacifisme en 1939, puis une période matériellement difficile. Signe de désarroi intérieur ; il commence trois romans sans les terminer. Ses écrits semblent dispersés : essais, nouvelles, théâtre. Nouvel emprisonnement de cinq mois en 1944-1945 pour « collaboration », accusation totalement fausse : s'il a dû pour vivre publier un roman dans un périodique pro-allemand, il n'a pas écrit un mot en faveur des occupants ou de Vichy, il a eu une pièce interdite par la censure allemande ; et il a aidé des résistants, des communistes, des juifs. Mais, poursuivi par une vindicte sectaire, il est inscrit sur la « liste noire »* du Comité national des écrivains*. Rien de lui ne paraît pendant trois ans. Les éditions normales ne reprennent qu'en 1948, et, jusqu'en 1950, la plupart des critiques, prisonniers du terrorisme intellectuel d'alors, l'ignorent ou ricanent.

Sa gloire est presque revenue à zéro. Il dédaigne de répondre ; il travaille. Avant la guerre, il y avait dans ses romans des violences, des morts, pas de méchants. La guerre de 1939 et ses suites lui ont appris « la saloperie humaine », lui ont fait découvrir le mépris, la haine, qui auront désormais leur place dans ses écrits. Son style, toujours débordant d'images poétiques, s'est resserré, dégraissé, aiguisé. L'ironie y perce sans répit. L'histoire (XIXe siècle), la culture, la machine y ont droit de cité. L'humanité y est élargie aux nobles et aux bourgeois. La paysannerie y est souvent peinte en noir. Les héros poussent jusqu'aux limites concevables leurs pulsions. Cette psychologie imaginaire, étayée par une infaillible acuité sensorielle, un sens prodigieux du détail et du dialogue, suscite d'inoubliables personnages.

Il continue pourtant à écrire, s'orientant vers deux directions. D'un côté, le « Cycle du Hussard », romans d'aventures linéaires, d'esprit ouvertement stendhalien coloré par l'Arioste, dominé par *Le Hussard sur le toit*, où le beau colonel Angelo traverse le choléra. De l'autre, les « Chroniques » écrites de 1946 à 1952, plus complexes, parfois difficiles, semées d'ellipses, mais qui sont sans doute le sommet de l'œuvre. À partir de 1951, l'écrivain est reconnu. Il est de l'académie Goncourt en 1954. À partir de la soixantaine, sa production se ralentit. Il voyage un peu, surtout en Italie. Il écrit des scénarios et des dialogues de films. Il publie des nouvelles, des chroniques journalistiques, quelques beaux romans encore. Il est devenu un sage, mais sans perdre la malice et le tranchant de son style. Il meurt à Manosque, à soixante-quinze ans, le 9 octobre 1970. Sauf de 1934 à 1939, il est resté en marge de son siècle et de ses courants. Mais ne nous trompons pas : il les domine en créant d'autres univers.

Pierre Citron

■ *Pan (Colline, Un de Baumugnes, Regain)*, Grasset, 1929-1930. — *Le Chant du monde*, Gallimard, 1934. — *Que ma joie demeure*, Grasset, 1935. — *Les Vraies Richesses*, Grasset, 1936. — « Cycle du Hussard » *(Angelo, Mort d'un personnage, Le Hussard sur le toit, Le Bonheur fou)*, Gallimard, 1949-1957. — « Chroniques » *(Un roi sans divertissement, Noé, Les Âmes fortes, Les Grands Chemins, Le Moulin de Pologne)*, Gallimard, 1947-1952. — *L'Iris de Suse*, Gallimard, 1970. — La plupart sont recueillis dans *Œuvres romanesques complètes*, Gallimard, « Pléiade », 1971-1983, 6 vol., et dans *Récits et essais*, Gallimard, « Pléiade », 1989.

■ J. Chabot, *La Provence de Giono*, Aix-en-Provence, Édisud, 1980. — P. Citron, *Giono (1895-1970)*, Seuil, 1990. — M. Neveux, *Giono ou le Bonheur d'écrire*, Éd. du Rocher, 1990. — Colloques Giono : *Giono aujourd'hui*, Aix-en-Provence, Édisud, 1982 ; *Giono, imaginaire et écriture*, Aix-en-Provence, Édisud, 1985 ; *Les Styles de Giono*, Lille, Roman 20-50, 1990.

GIRARD (René)

Né en 1923

Longtemps marginal dans le paysage intellectuel français, d'autant plus qu'il a fait toute sa carrière aux États-Unis, René Girard verra son travail reconnu à partir de la publication de *La Violence et le sacré* (1972). S'il compte des partisans fervents, ses thèses sont néanmoins controversées, d'autant plus qu'il leur donne souvent un tour provocateur et délibérément ambitieux.

Né à Avignon en 1923, René Girard étudie à l'École des chartes à Paris en 1943. Il soutient une thèse consacrée à *La Vie privée à Avignon dans la seconde moitié du XVe siècle*. À partir de 1947, où il sera chargé de cours en français à Indiana University, il enseignera dans diverses universités américaines (nommé professeur en 1957 à Johns Hopkins, il enseignera aussi à l'université de l'État de New York, puis à Stanford). Lorsqu'il publie en 1961 *Mensonge romantique et vérité romanesque*, son premier livre, René Girard apparaît comme l'un des auteurs qui renouvellent la critique littéraire, lui apportant la contribution de l'anthropologie, à travers la notion de rivalité mimétique, qu'il mobilise pour rendre compte d'œuvres comme celles de Proust* et de Stendhal. Mais c'est surtout *La Violence et le sacré* (1972) qui le fait sortir de l'anonymat. Ce livre a en effet rencontré la faveur de quelques premiers lecteurs attentifs, comme Jean-Marie Domenach* et Michel Serres*. Ce double patronage s'est traduit par un numéro spécial de la revue *Esprit** (novembre 1973), et pour Serres, par une attention de plus en plus importante donnée à Girard dans ses cours, avant que l'hommage n'éclatât dans ses livres.

Les notions de sacrifice, de violence, de victime émissaire, de désir, de rivalité mimétique sont au cœur d'une théorie d'ensemble qu'il étend, dans les ouvrages suivants, à l'histoire des religions. Au déchaînement de la rivalité mimétique, il n'est pas d'autre issue que le choix d'une victime émissaire, sacrifiée par tous pour que la concorde advienne. La religion, le sacré perpétuent pour les générations à venir le souvenir de ce geste fondateur, tout en l'occultant. À cette théorie de la religion, Girard a donné un prolongement en évoquant la place particulière du christianisme : celui-ci, invitant à renoncer à la violence, s'oppose à la logique sacrificielle des autres religions.

La théorie de Girard aura des conséquences dans différents champs des sciences humaines. Celui de la psychologie, où il suscitera l'intérêt de psychiatres et sera ainsi amené à croiser l'itinéraire de Gregory Bateson et de l'école de Palo Alto. Rompant avec les formalismes, dominants dans les années 60 et 70 dans le champ des sciences humaines, il introduit un mode de raisonnement qui dérange les tableaux et agencements structuralistes, pour proposer un modèle génétique. Enfin, il inspirera des travaux comme ceux de Jean-Pierre Dupuy et Paul Dumouchel, à la recherche d'une économie politique renouvelée qui fasse éclater le cadre trop étroit de l'*Homo economicus*. La variété de ces diverses approches se manifestera dans la Décade de Cerisy* qui lui sera consacrée en 1983.

Joël Roman

■ *Mensonge romantique et vérité romanesque*, Grasset, 1961. — *La Violence et le sacré*, Grasset, 1972. — *Des choses cachées depuis la fondation du monde*, Grasset, 1978. — *Le Bouc émissaire*, Grasset, 1982. — *La Route antique des hommes pervers*, Grasset, 1985. — *Shakespeare*, Grasset, 1990. — *Quand ces choses commenceront* (entretiens), Arléa, 1994.

■ F. Chirpaz, *Enjeux de la violence. Essai sur René Girard*, Cerf, 1980. — M. Deguy et J.-P. Dupuy (dir.), *René Girard et le problème du mal*, Grasset, 1982. —

P. Dumouchel (dir.), *Violence et vérité. Autour de René Girard* (colloque de Cerisy), Grasset, 1985. — P. Dumouchel et J.-P. Dupuy, *L'Enfer des choses : René Girard et la logique de l'économie*, Seuil, 1979. — *Esprit*, novembre 1973 et avril 1979.

GIRARDET (Raoul)

Né en 1917

« Anarchiste par tempérament, libéral par raison, patriote par fidélité », ainsi se décrit Raoul Girardet ; cet autoportrait démontre à quel point les intérêts de l'historien sont liés à son itinéraire politique.

Bien qu'issu d'une famille d'officiers républicains, il adhère à l'Action française* avant guerre, attiré par Jacques Bainville* qui lui donne « la clé de l'intelligence de l'histoire », et par Maurras* dont la figure mythique, plus que le dogmatisme, le fascine. Entouré d'amis, tel Philippe Ariès*, Raoul Girardet contribue à *L'Étudiant français*, organe estudiantin du mouvement royaliste. Mais la guerre le coupe en partie de son milieu d'élection puisqu'il s'engage dans la Résistance urbaine, dans le cadre de l'ORA, et connaît ainsi l'expérience de la prison.

À ses yeux, l'engagement dans la Résistance et l'engagement pour l'Algérie française ont été vécus en parfaite continuité l'un par rapport à l'autre ; au nom de la fidélité, de la parole donnée et de la grandeur de la France, Raoul Girardet soutient dans les pétitions, puis dans les contacts clandestins, la cause de l'Algérie française, ce qui lui vaut d'être interné sans chef d'inculpation précis deux mois à la fin de 1961. Ce combat, dont atteste un ouvrage pilonné (*Pour le tombeau d'un capitaine*, 1962), il le revendique encore dans ses entretiens les plus récents.

Cependant, entre ces deux temps forts, Raoul Girardet a passé l'agrégation d'histoire et publié un ouvrage remarqué sur *La Société militaire* (1952), qui le renvoie à ses origines familiales autant qu'à ses solidarités affectives. Il quitte alors l'enseignement secondaire pour la Sorbonne, où Pierre Renouvin l'appelle comme assistant puis maître-assistant pendant cinq ans. Devenu maître de conférences puis professeur des Universités à l'Institut d'études politiques* de Paris, il y a fondé le cycle supérieur d'histoire du XXe siècle, avant d'ajouter à ses activités un enseignement à Saint-Cyr-Coëtquidan et à l'École de guerre. Il s'intéresse également à l'étude des problèmes de défense nationale, auxquels il consacre un manuel (Dalloz). Ses cours à l'IEP sont restés légendaires.

En politique, la cause nationale justifiait les engagements de Raoul Girardet ; la mise à distance progressive de sa passion va devenir son objet d'étude. La description du nationalisme français se transforme en une plongée dans l'imaginaire politique. Au-delà des pensées systématiques et organisées, Raoul Girardet tente de dénouer la construction des mythologies politiques : le complot, l'âge d'or, le sauveur, l'unité… Combinant les préoccupations d'un Bachelard* et d'un Lévi-Strauss* avec les contraintes du métier d'historien, il refroidit l'objet de son engagement. Au terme de l'enquête, l'historien croit toujours à la nécessité de la transcendance comme ciment des sociétés.

Olivier Dumoulin

■ *La Société militaire dans la France contemporaine*, Plon, 1953. — *Le Nationalisme français (1871-1914)*, Armand Colin, 1966. — *L'Idée coloniale en France de 1871 à 1962*, La Table ronde, 1972. — *Pour une introduction à l'imaginaire politique*, Seuil, 1986. — *Singulièrement libre* (entretiens avec P. Assouline), Perrin, 1990.

GIRAUDOUX (Jean)

1882-1944

Né en 1882 (le 29 octobre) au cœur de la province française, dans cette petite ville de Bellac (Haute-Vienne) dont il fera le symbole d'un univers tout de mesure mais traversé de vifs éclairs de fantaisie, Jean Giraudoux est le pur produit d'une France républicaine qui permet à ses bons élèves, grâce à une bourse, de « monter à Paris » et d'y intégrer l'École normale supérieure* (ce qu'il fit, en 1903). Au fond la langue française, dans tous ses chatoiements, est son vrai terroir ; l'amour qu'il lui porte fait de lui un auteur tôt jugé, pour ses romans (à partir de 1911) comme pour ses pièces de théâtre (à partir de 1928), « plus-que-français ».

D'autre part, le normalien Giraudoux a choisi d'étudier l'Allemagne, où il va séjourner à plusieurs reprises, et, renonçant au professorat, va rejoindre la diplomatie, terminant sa carrière en qualité d'« inspecteur des postes diplomatiques ». De ce qui pouvait passer pour une contradiction, il fera une complémentarité. Professionnellement, parfois, comme entre 1921 et 1924, où il dirige le jeune Service des œuvres françaises à l'étranger (SOFE), mais, surtout, dans sa littérature, qui finira elle-même par déboucher sur une forme d'engagement hautement imprévisible, à la veille de la Seconde Guerre mondiale.

Peu soucieux de vraisemblance psychologique, hantée par le rêve et habitée par les mythes, l'œuvre giralducienne est en effet loin d'être étrangère aux débats de la Cité. Son roman *Bella* (1926) prend nettement parti pour la diplomatie d'ouverture de Philippe Berthelot, contre la crispation nationaliste d'un certain Rebendart, où il n'est pas difficile de reconnaître Raymond Poincaré. Dans un contexte beaucoup plus grave, puisqu'elle est créée en novembre 1935, *La guerre de Troie n'aura pas lieu* frappe tous ses spectateurs par son ton presque désespéré, à l'heure de la « montée des périls ». Et l'on finit par voir le plus surprenant : Giraudoux proposant au public, dans divers textes réunis au printemps 1939 sous le titre, ambigu, de *Pleins pouvoirs*, ses recettes pour refaire la France. Recettes empreintes d'une profonde nostalgie de la qualité perdue dans la modernité, et même d'un réel chauvinisme, bien qu'il s'agisse chez lui de prôner plus l'élite que la race. Ses thèses annoncent, en particulier, tout un discours urbanistique de l'après-guerre, voire une partie de l'écologisme des années 70.

Le plus frappant est ailleurs : dans le fait qu'une telle littérature ait eu pour résultat immédiat le choix de Giraudoux comme commissaire à l'Information par le gouvernement Daladier, le 29 juillet 1939, ce qui lui donnera la haute main sur la propagande et la censure pendant la « drôle de guerre ». Le paradoxe est ici à son comble avec, pour faire face à Hitler, un amoureux de la vieille Allemagne romantique, qui s'est illustré dans ses deux *Siegfried* comme un prophète du rapprochement entre les deux peuples, et, pour faire face à Goebbels, un orateur tout en finesse, totalement dépourvu de charisme populaire. Après la défaite, l'ancien commissaire tirera des conclusions amères de son expérience, en les titrant *Sans pouvoirs*. Il mourra, à Paris, au début de la dernière année d'Occupation (le 31 janvier 1944), laissant quelques œuvres théâtrales d'une tonalité plus amère, où le monde a viré au sombre et la fantaisie à l'aigre *(La Folle de Chaillot)*.

Pascal Ory

■ *Bella*, 1926, rééd. Hachette, 1991. — *Siegfried*, 1928, *La guerre de Troie n'aura pas lieu*, 1935, *La Folle de Chaillot*, 1945, rééd. in *Théâtre complet*, Gallimard, « Pléiade », 1982. — « Messages du Continental » (allocutions radiodiffusées, 1939-1940), in *Cahiers Jean Giraudoux*, 16, Grasset, 1987. — *Pleins pouvoirs*, 1939, et *Sans pouvoirs*, 1945, rééd. in *De « Pleins pouvoirs » à « Sans pouvoirs »*, Gallimard, 1950. — *Pour une politique urbaine*, Arts et métiers graphiques, 1947.

■ J. Body, *Giraudoux et l'Allemagne*, Didier, 1975. — *Cahiers Jean Giraudoux* (parution annuelle depuis 1972), Bellac, Association des amis de Jean Giraudoux.

GIROUD (Françoise)
Née en 1916

Journaliste dans l'âme, Françoise Giroud symbolise avant tout la glorieuse aventure de *L'Express** des années 50 et 60. C'est au titre de directrice de la rédaction de cet hebdomadaire qu'elle a notamment croisé nombre d'hommes et de femmes d'influence issus de la sphère politique, économique et culturelle.

Née le 21 septembre 1916 à Genève, obligée d'interrompre à quatorze ans et demi, en 1931, ses études à la suite du décès de son père (qui fut directeur de l'agence télégraphique ottomane), elle devient sténodactylo et est engagée comme scripte par le cinéaste Marc Allégret. Son itinéraire sera parsemé de ces rencontres plus ou moins fortuites avec des personnalités exceptionnelles qui lui ouvrent les portes de la notoriété. Après avoir gravité, pendant plus d'une décennie, dans l'orbe de quelques grands réalisateurs (Jean Renoir*, par exemple), et avoir écrit des chansons, des scénarios, des dialogues, elle découvre le monde de la presse à travers *Paris-Soir* et surtout le magazine féminin *Elle*. Son coup de foudre pour Hélène Lazareff l'entraîne à prendre de 1945 à 1953 les rênes de la rédaction du journal qui incarnera une nouvelle image de la femme, moderne et dynamique.

Sa rencontre avec Jean-Jacques Servan-Schreiber la conduit à fonder avec ce dernier en 1953 *L'Express*. Jusqu'en 1964, *L'Express* est un journal d'opinion fortement ancré à gauche, dont les prises de position au moment de la guerre d'Algérie ou en faveur de Pierre Mendès France exercent une réelle attraction sur l'intelligentsia parisienne. Françoise Giroud y côtoie tous les grands témoins de l'époque, d'Albert Camus* à François Mauriac*. L'évolution du journal, à l'orée des années 60, vers un réformisme bon teint appuyé sur un idéal technicien et le modèle américain de société est confirmé par l'adoption d'une nouvelle formule en 1964, inspirée des newsmagazines d'outre-Atlantique. Elle provoque une rupture probablement irrémédiable avec la gauche intellectuelle. En dépit de quelques tensions internes, dues en particulier à l'entrée en politique de Jean-Jacques Servan-Schreiber, Françoise Giroud maintient le cap jusqu'au début des années 70.

Sa nomination au secrétariat d'État à la Condition féminine (1974-1976), puis à la Culture (1976-1977), marque une nouvelle étape de son itinéraire. Femme d'influence devenue femme de pouvoir, elle tente, avec plus ou moins de réussite, de lutter contre les fortes pesanteurs de la société française : expérience qu'elle relate avec une douce ironie dans *La Comédie du pouvoir* (1977). Sa carrière est ensuite d'une part celle d'un auteur à succès, publiant les biographies de femmes célèbres (Marie Curie*, Alma Mahler, Jenny Marx), un roman *(Le Bon Plaisir)* dont est tiré un film ; d'autre part celle d'une éditorialiste redoutée dont les comptes rendus d'émission de télévision, dans les colonnes du *Nouvel Observateur**, ne laissent guère indifférent. Elle demeure, pour de nombreuses femmes journalistes, celle qui a su forcer les portes d'un monde longtemps misogyne et incarner une nouvelle forme de journalisme.

Rémy Rieffel

■ *La Nouvelle Vague. Portrait de la jeunesse*, Gallimard, 1958. — *Si je mens*, Stock, 1972. — *La Comédie du pouvoir*, Fayard, 1977. — *Ce que je crois*, Albin Michel, 1978. — *Une femme honorable*, Fayard, 1981. — *Le Bon Plaisir*, Mazarine, 1982. — *Alma Mahler, ou l'Art d'être aimée*, Laffont, 1988. — *Leçons particulières*, Fayard, 1990. — *Jenny Marx ou la Femme du diable*, Laffont, 1992. — *Journal d'une Parisienne*, Seuil, 1994.

GLUCKSMANN (André)

Né en 1937

L'une des figures de proue de la « Nouvelle Philosophie », au milieu des années 70, André Glucksmann s'est engagé depuis dans un combat permanent, à la fois intellectuel et militant, contre les divers visages du mal, cherchant ainsi à définir l'efficacité d'une éthique négative.

Né en 1937, André Glucksmann a suivi des études de philosophie à l'École normale supérieure* de Saint-Cloud. Il passe l'agrégation en 1961. Travaillant sur la question de la guerre, il fréquente en 1966-1967 le séminaire de Raymond Aron*, tout en militant au sein de l'UEC, qui abrite alors les principales dissidences communistes. Il publie en 1967 *Le Discours de la guerre*, où, relisant Clausewitz, il oppose les théories de la guerre révolutionnaire, de Mao à Che Guevara, aux stratégies de la dissuasion. À sa manière, ce livre, qui apparaît comme un manifeste, témoigne de sa volonté d'exercer sa réflexion sur des objets que la tradition philosophique ne considère pas comme les siens. Mais, dans le contexte de Mai 68, où Glucksmann, aux côtés d'autres anciens de l'UEC, collabore au périodique *Action**, le livre sera surtout perçu comme définissant deux camps irréductibles.

Après avoir fréquenté les milieux maoïstes, Glucksmann se liera avec le polémiste Maurice Clavel*, participant aux nombreuses réunions que celui-ci anime chez lui à Asquins, non loin de Vézelay. De ces débats, et de la lecture d'Alexandre Soljenitsyne, naîtra *La Cuisinière et le mangeur d'hommes*, livre qui signe la rupture avec le marxisme de toute une frange issue de l'extrême gauche, qui refait quelques années plus tard le parcours qui avait été celui de groupes comme Socialisme ou barbarie*. Désormais, l'anti-totalitarisme aura droit de cité en France, et en sera plus systématiquement assimilé à la pensée de droite. Généralisant en 1977 sa critique du marxisme, Glucksmann s'en prend, dans *Les Maîtres penseurs*, à toute la tradition émancipatrice des Lumières et de la grande philosophie, lui reprochant d'avoir, par idéalisme, nourri les pires entreprises politiques. Selon lui, l'éthique ne peut procéder du désir du bien, mais seulement de la résistance au mal. Quelques années plus tard, il saluera en Descartes le promoteur d'une attitude philosophique qui cherche d'abord à éviter le pire, avant de viser le meilleur *(Descartes, c'est la France)*.

Il ne cessera dès lors d'alterner prises de position politiques et théoriques, s'engageant à l'automne 1978 en faveur de l'opération « Un bateau pour le Vietnam », destinée à porter secours aux réfugiés sud-vietnamiens (les *boat people**) qui fuient les persécutions de Vietnam réunifié. À cette occasion, il apparaîtra comme l'artisan de l'ultime réconciliation de Sartre* et d'Aron.

Récusant les stratégies médiatiques d'un Bernard-Henri Lévy*, auquel il avait été associé au temps de la « Nouvelle Philosophie », André Glucksmann campe dans une attitude de révolte permanente contre les indifférences ou les crimes de notre société. Si son chemin croise parfois celui de ce dernier, comme dans leur engagement commun sur la « liste Sarajevo », en faveur de la Bosnie assiégée, lors des élections européennes de 1994, il conserve intacte sa faculté d'indignation, comme en témoigne son livre consacré au drame du sida *(La Fêlure du monde)*.

Joël Roman

■ *Le Discours de la guerre*, L'Herne, 1967, rééd. Grasset, 1980. — *La Cuisinière et le mangeur d'hommes*, Seuil, 1975. — *Les Maîtres penseurs*, Grasset, 1977. — *Cynisme et passion*, Hachette, 1982. — *La Force du vertige*, Grasset, 1983. — *La Bêtise*, Grasset, 1985. — *Descartes, c'est la France*, Flammarion, 1987. — *Le XIe Commandement*, Flammarion, 1991. — *La Fêlure du monde*, Flammarion, 1994.

GODARD (Jean-Luc)

Né en 1930

Godard a dominé le cinéma de sa génération par une écriture radicalement nouvelle et le goût de la provocation. Son engagement politique repose moins sur une appartenance à un milieu précis que sur une attitude critique face au conformisme et une façon personnelle d'utiliser la caméra comme instrument de connaissance. « Un travelling est affaire de morale », dit-il. Son regard et ses intuitions en font un observateur aigu des mutations sociales et mentales de la société occidentale, depuis la fin des années 50.

Godard est né à Paris le 3 décembre 1930, de parents français ; son père, médecin, était lui-même fils de bijoutier. Tout en suivant des cours d'ethnologie à la Sorbonne, il fréquente assidûment le Ciné-Club du Quartier latin où il rencontre Rohmer, Truffaut et Rivette. Il publie ses premiers textes en 1950 dans *La Gazette du cinéma*, dirigée par Rohmer, puis, à partir de janvier 1952, aux *Cahiers du cinéma** animés par André Bazin* et Jacques Doniol-Valcroze. Tandis que la Nouvelle Vague naît en 1958, il tourne *À bout de souffle* (en 1959), qui connaît vite le succès, incarnant sa faculté de filmer l'éphémère, puis *Le Petit Soldat* (sur la guerre d'Algérie), en 1960, qui lui attire à la fois la critique de la gauche et les foudres de la censure (jusqu'en 1963). Il déclare alors ne pas avoir voulu faire un film « politique » ni particulièrement engagé.

Désormais, les films de Godard se confondent avec sa sensibilité, moins aux seuls événements qu'aux mouvements de la société : la prostitution (*Une jeune coquette*, 1955, *Vivre sa vie*, 1962, *Anticipation*, 1966), la cité (*Le Nouveau Monde*, 1962), la femme « moderne » (*Une femme mariée*, 1964, *Deux ou trois choses que je sais d'elle*, 1966), les loisirs (*Week-end*, 1967), la modernité (*Alphaville*, 1965), la France des années 60 (*Masculin-Féminin*, 1966). On reconnaîtra dans *La Chinoise* (1967) la seule œuvre qui anticipe la contestation étudiante de Mai 68. Celle-ci lui inspire *Ciné-Tract* (1968), qu'il réalise avec Resnais, Marker et quelques autres, et *Un film comme les autres* (1968). Après les événements, il quitte la scène française pour aller produire à l'étranger des films militants, dans la lignée de son « maoïsme ». Il fonde alors le Groupe Dziga Vertov avec Jean-Pierre Gorin, avant de refaire surface en 1972, avec *Tout va bien*, une fiction politique (jouée par Yves Montand et Jane Fonda) qui, après avoir été sélectionnée par le Festival de Venise, est retirée sur intervention du gouvernement français. La télévision l'occupe à partir du milieu des années 70, il y rencontre sa nouvelle France : un ouvrier, un paysan, des malades mentaux, des enfants (*Six fois deux*, 1976). Puis ce sont de nouveaux films autour de l'information (*Comment ça va*, 1975), du cinéma (*Numéro deux*, 1975). Enfin, Godard revient au cinéma avec les années 80, à travers des œuvres qui, au-delà du sujet, répondent avec énergie et compassion au morcellement du sens contemporain : *Sauve qui peut (la vie)* (1979), *Passion* (1981), *Prénom Carmen* (1982), *Je vous salue Marie* (1983), *Détective* (1984), *Soigne ta droite* (1987), *Nouvelle vague* (1990) ; *L'Enfance de l'art* (1988), avec Anne-Marie Miéville, en don à l'Unicef, dans lequel une femme fait lire à un enfant une carte où est inscrit : « De toutes les tyrannies, la plus terrible est celle ? est celle ? — des idées. »

Laurence Bertrand Dorléac

■ Filmographie : *À bout de souffle*, 1959. — *Le Petit Soldat*, 1960. — *Une femme est une femme*, 1961. — *Vivre sa vie*, 1962. — *Les Carabiniers*, 1963. — *Le Mépris*, 1963. — *Bande à part*, 1964. — *Une femme mariée*, 1964. — *Alphaville*, 1965. — *Pierrot le fou*, 1965. — *Masculin-Féminin*, 1966. — *Deux ou trois choses que je sais d'elle*, 1966. — *Made in USA*, 1966. — *Anticipation* (sketch), 1966. — *La Chinoise*, 1967. — *Week-end*, 1967. — *Le Gai Savoir*, 1968. — *Ciné-Tract* (collectif), 1968. — *Un film comme les autres*, 1968. — *One plus one*, 1968. — *British Sounds*, co-réal. J.-H. Roger, 1968. — *Pravda*, réal. Groupe Dziga Vertov, J.-H. Roger et P. Burron, 1969. — *Vent d'Est*, réal. Groupe Dziga Vertov, 1969. — *Luttes en Italie*, réal. Groupe Dziga Vertov, 1969. — *Vladimir et Rosa*, réal. Groupe Dziga Vertov, 1971. — *Tout va bien*, co-réal. J.-P. Gorin, 1972. — *Letter to Jane*, co-réal. J.-P. Gorin, 1972. — *Ici et ailleurs*, co-réal. A.-M. Miéville, 1974. — *Numéro deux*, 1975. — *Comment ça va*, 1975. — *Six fois deux*, co-réal. A.-M. Miéville, 1975. — *France tour détour deux enfants*, 1977-1978. — *Sauve qui peut (la vie)*, 1979. — *Passion*, 1981. — *Prénom Carmen*, 1982. — *Je vous salue Marie*, 1983. — *Détective*, 1984. — *Grandeur et décadence d'un petit commerce de cinéma*, 1986. — *King Lear*, 1987. — *Soigne ta droite*, 1987. —

Histoire(s) du cinéma, 1988-1994. — *L'Enfance de l'art*, co-réal. A.-M. Miéville, 1990. — *Nouvelle vague*, 1990. — *Puissance de la parole. Le rapport Darty*, co-réal. A.-M. Miéville, 1990. — *Allemagne neuf zéro*, 1992. — *Hélas pour moi*, 1993. — *Les enfants jouent à la Russie*, 1993. — *JLG-JLG*, 1995.
Ouvrages : *Godard par Godard*, Éd. de l'Étoile, 1985. — *Introduction à une véritable histoire du cinéma*, Albatros, 1981.
■ J. Collet et J.-P. Fargier, *Jean-Luc Godard*, Seghers, 1974. — J.-L. Douin, *Jean-Luc Godard*, Rivages, 1989. — R. Lefèvre, *Jean-Luc Godard*, Edilig, 1983.

GOLDMANN (Lucien)

1913-1970

Né à Bucarest en 1913 et mort à Paris en 1970, Goldmann est une figure majeure de la sociologie marxiste en France après la Seconde Guerre mondiale : philosophe formé à Vienne, où il écrit sur Kant, il s'installe à Paris en 1945, après un passage par la Suisse. Il y développe une œuvre de sociologie de la littérature.

Contrairement à certains communistes orthodoxes qui cherchaient, par exemple, un lien entre la pensée de Spinoza et l'économie des Pays-Bas au XVIIe siècle, il s'appuie sur sa connaissance de Georg Lukács et son refus du réductionnisme pour chercher à relier des « visions du monde » caractérisant des classes sociales dans des conjonctures particulières avec des œuvres littéraires. L'œuvre n'est pas un « reflet » des conditions sociales ou de la conscience du groupe mais un des éléments qui le constitue. Ainsi dans *Le Dieu caché* (1956), il théorise l'existence d'une « vision tragique » qu'on retrouve chez Pascal ou Racine à son intensité maximale et qui fonctionne comme un « refus intramondain du monde ».

Sa carrière est assez typique : le Centre national de la recherche scientifique* puis l'École des hautes études (comme chargé de cours en 1959 puis directeur en 1964), institutions classiques d'accueil dans cette période pour ceux qui ne sortent pas des filières de l'université française. Après son travail sur la tragédie et les jansénistes, il s'engage dans une sociologie du roman et crée, en 1961, un Centre de sociologie de la littérature à l'Université libre de Bruxelles. Il affirme sa thèse selon laquelle la sociologie de la littérature est une branche comme les autres des sciences humaines et la nécessité d'une méthode « stucturalo-génétique » dont il attribue la paternité à Lukács (dont la *Théorie du roman* est traduite en français en 1963). Pour lui, la forme romanesque transpose sur le plan littéraire la vie quotidienne dans la société individualiste marchande.

Les travaux de Goldmann pourraient être placés dans une série d'entreprises — peut-être liées à la place spécifique de la littérature en France et à la valeur éminente qui lui est attribuée —, suscitées, comme chez Sartre* ou Bourdieu*, par des ambitions d'appréhension sociologique des œuvres littéraires.

Dominique Colas

■ *Le Dieu caché*, Gallimard, 1956. — *Pour une sociologie du roman*, Gallimard, 1964. — *Marxisme et sciences humaines*, Gallimard, 1970.

GOLFE (guerre du)

1991

La crise puis la guerre du Golfe furent propices à une nouvelle mobilisation des intellectuels en permettant la résurgence d'une idéologie presque oubliée — le pacifisme — et l'exploitation de thèmes aussi divers que les droits de l'homme, l'anti-américanisme, les rapports Nord-Sud, la nature de l'islam, les problèmes d'environnement. Chaque thème donna lieu à des argumentations contradictoires et chaque camp, qu'il s'agisse des partisans ou des adversaires d'une intervention contre l'Irak, fut hétérogène. La dénonciation du blocus puis de l'opération « Tempête dans le désert » associa ainsi des intellectuels proches du Club de l'Horloge* à des vétérans du tiers-mondisme, en passant par Alain de Benoist*, Jean-Edern Hallier*, Régis Debray* ou bien encore Dominique Jamet — les uns et les autres stigmatisant les abus d'une « croisade de l'Occident » qui s'apparentait à une « nouvelle épopée coloniale » pour défendre les intérêts pétroliers. La guerre provoqua également de nouveaux clivages, phénomène illustré par la crise de SOS-Racisme avec le départ, en janvier 1991, de Pierre Bergé, Bernard-Henri Lévy*, Georges-Marc Benamou et Guy Konopnicki — ces derniers refusant de souscrire à un « nouveau Munich ».

Au-delà du quasi-consensus sur la nécessité d'étendre l'application des principes onusiens à la question palestinienne, au problème kurde et au conflit israélo-arabe, la guerre révéla les équivoques de l'exploitation idéologique des droits de l'homme puisque ceux-ci furent invoqués pour justifier les opinions les plus contradictoires. Pour les uns, qui refusaient l'interprétation tiers-mondiste du conflit ou l'invocation d'un particularisme islamique qui justifierait la révolte du monde arabo-musulman (supposé homogène) contre l'Occident, l'Irak était une « dictature conquérante » (A. Touraine*), Saddam Hussein un « nouvel Hitler » (B.-H. Lévy), ses agissements au Koweit un « véritable déni de droit » (Marek Halter*) : obligation était faite d'abattre les « Caligula du désert » (A. Bercoff) et d'œuvrer à l'instauration d'un nouvel ordre international stable et juste, fondé sur des « valeurs dont l'humanité tout entière attend la réalisation » (J. Rovan*). Pour les autres, l'Irak était victime du « droit du plus fort » (D. Jamet), un droit élaboré pour asservir le Sud selon la « loi du fric » et le « tribalisme occidental » (A. de Benoist) et légitimer des crimes pires que ceux initiés par Saddam Hussein. Certains, tel René Dumont*, qualifièrent même le blocus de « crime contre l'humanité » et soutinrent les conclusions du Tribunal international des crimes de guerre, sorte de réplique nostalgique du Tribunal Russell, réuni à New York en février 1992. La tentative d'*Esprit** de dépassionner le débat et de renvoyer dos à dos les « saddamites » et les « anti-saddamites » en rappelant les violations du droit commises par chaque camp provoqua de vives réactions, auxquelles la revue dut répondre au nom d'une liberté d'expression niée par « ceux qui défendaient Rushdie hier » (novembre 1990).

La mobilisation pacifiste à laquelle de nombreux intellectuels participèrent fut organisée pour l'essentiel par l'« Appel des 75 » (lancé en septembre 1990, regroupant, sous la houlette de Me Denis Langlois, des sympathisants de la LCR, des trotskistes lambertistes du PCI, des représentants du PCF et de la CGT, et soutenu par des « indépendants », dont Gilles Perrault, Gisèle Halimi* ou Max Gallo), l'« Appel des 30 » (PCF), la Ligue des droits de l'homme*, le MRAP, le Forum pour une paix juste et durable au Moyen-Orient (regroupant des mouvements tels Agir ici, l'Association France-Palestine, les Verts, l'Union juive internationale pour la paix, et soutenu par Pierre Bourdieu*, Claude Bourdet*, Madeleine Rebérioux*, ou Pierre Vidal-Naquet*), et la Paix maintenant (créé par SOS-Racisme en janvier 1991). Toutes les nuances de la tradition pacifiste furent représentées : la mouvance d'extrême gauche, nourrie d'anti-impérialisme, d'anti-américanisme et d'antimilitarisme ; la mouvance d'extrême droite, anti-américaine et antisioniste ; la mouvance chrétienne (Commission française Justice et Paix, *Témoignage chrétien**) ; le pacifisme juridique, mis en avant par le Forum pour une paix durable au Moyen-Orient, dont l'appel, en janvier 1991, réclamait l'ouverture d'une conférence internationale et l'application impartiale du droit dans toute la région. À ces diverses composantes vint s'ajouter le nouveau pacifisme intégral d'une partie du mouvement écologiste, dont la revue *La Paix* (publiée par les *Réalités de l'écologie*) incarnait le versant tiers-mondiste. Associées lors de diverses manifestations, ces mouvements ne surent convaincre les Français qui soutinrent massivement l'intervention dans le conflit.

Ariane Chebel d'Appollonia

■ M. Allais, *La Crise au Moyen-Orient*, Club de l'Horloge, 1991. — R. Dumont, *Cette guerre nous déshonore*, Seuil 1992. — D. Jamet, *La Partie de Golfe. La guerre des deux mondes*, Deforges, 1991. — J. Rovan, *Le Mur et le Golfe*, Fallois, 1991.

GORZ (André) [Gérard Horst]

Né en 1923

Relativement peu connu du grand public, André Gorz, de son vrai nom Gérard Horst, est un théoricien influent de la critique du système capitaliste, doublé d'un fervent vulgarisateur d'une sorte d'écologisme politique.

Né à Vienne d'un père juif, il quitte l'Autriche au moment de l'Anschluss et s'exile en Suisse. Il y fait la connaissance, en 1946, de Jean-Paul Sartre*, qui préfacera d'ailleurs l'un de ses livres, *Le Traître*, en 1958. Installé peu après en France, il va partager son existence entre le métier de journaliste, l'activité d'écrivain et celle de collaborateur aux *Temps modernes**.

À *L'Express** d'abord, puis à partir de 1964 au *Nouvel Observateur**, sous le pseudonyme de « Michel Bosquet », il se penche au chevet de la société de consommation, décryptant avec minutie l'évolution des rapports de travail et s'interrogeant sur les conditions d'avènement du socialisme. Il se fait peu à peu le héraut des thèses défendues par Herbert Marcuse et surtout par Ivan Illich, et joue, jusqu'au début des années 80, le rôle de spécialiste des questions économiques, chargé des grands débats théoriques du moment.

Parallèlement, il s'intègre, à partir de 1961, au comité de rédaction des *Temps modernes*, dont il devient assez rapidement le directeur politique dans la mesure où, entre 1967 et 1974 surtout, il coordonne de nombreux numéros sur le monde ouvrier, rédige des articles très critiques sur l'Université, l'usine et l'école. Il y favorise les contacts avec les mouvements d'extrême gauche italiens, en particulier ceux de « Il Manifesto », et porte à la connaissance des lecteurs les analyses et l'action de Vittorio Foa ou de Bruno Trentin. Ses prises de position engendreront quelques conflits internes comme, par exemple, le départ de Bernard Pingaud et Jean-Bertrand Pontalis* en 1970.

Ses multiples ouvrages, publiés au Seuil* et chez Galilée, exercent une réelle influence auprès des militants ouvriers ou étudiants, bien au-delà de nos frontières (en Allemagne, en Suède, en Amérique latine, etc.). Il élargit peu à peu sa réflexion à la question du temps libre et créatif dans un monde soumis au calcul économique et à l'échange marchand. Ses *Adieux au prolétariat* (1980) marquent en ce sens une rupture qui le conduit à plaider en faveur d'une autre utopie (*Métamorphose du travail. Quête du sens*, 1988). Le dépassement du capitalisme passe désormais par une réorientation « du développement économique et technique dans un sens social-écologique » (*Capitalisme, socialisme, écologie*, 1991), c'est-à-dire une réduction de la durée du travail et un accroissement des activités coopératives ou associatives.

Clerc passé de l'existentialo-marxisme à l'écologie, à cheval entre la sphère intellectuelle et la sphère journalistique, André Gorz ne cesse d'apparaître comme une personnalité inclassable, luttant sur plusieurs fronts en faveur d'une interprétation libératrice du mot « socialisme ».

Rémy Rieffel

■ *Le Traître*, Seuil, 1958. — *Stratégie ouvrière et néo-capitalisme*, Seuil, 1964. — *Le Socialisme difficile*, Seuil, 1967. — *Critique du capitalisme quotidien*, Galilée, 1973. — *Fondements pour une morale*, Galilée, 1977. — *Adieux au prolétariat*, Galilée, 1980. — *Métamorphose du travail. Quête du sens*, Galilée, 1988. — *Capitalisme, socialisme, écologie*, Galilée, 1991.

GRACQ (Julien) [Louis Poirier]

Né en 1910

Depuis la publication d'*Au château d'Argol* en janvier 1939, le nom de « Julien Gracq », pseudonyme de Louis Poirier, est associé à une œuvre littéraire de haute tenue et à l'attitude singulière de son auteur dans la vie des lettres française. Julien Gracq est souvent considéré comme un classique qui, depuis *La Littérature à l'estomac* (1950), a pris ses distances avec une certaine vie littéraire et intellectuelle parisienne. Si Gracq a affirmé maintes fois les droits imprescriptibles de la littérature et de la poésie vis-à-vis de l'idéologie ou du débat politique, il n'a pas été indifférent à l'histoire du siècle, citoyen engagé avant la guerre, mobilisé et prisonnier pendant celle-ci, il est resté un témoin attentif, intervenant quand des principes ou des personnes ont paru menacés ou remis en cause.

L. Poirier est né en 1910 à Saint-Florent-le-Vieil (Maine-et-Loire) dans une famille de commerçants en mercerie. Très bon élève du lycée Clemenceau à Nantes, il est admis, en octobre 1928, après plusieurs nominations au Concours général, en hypokhâgne au lycée Henri-IV à Paris. Il a pour camarades d'études M. Schumann,

P. Uri, V. Leduc. Il suit les cours d'Alain*, qu'il qualifiera d'« admirable éveilleur ». Il découvre la variété et la nouveauté de la vie artistique de Paris, prend conscience par le surréalisme et le cinéma de l'existence d'avant-gardes. Il est reçu en juillet 1930 à l'École normale supérieure*. « Quand je pense à mes années d'étudiant, je me réjouis de la chance qui me fit choisir une discipline toute jeune, et presque à l'état naissant, comme l'était alors la géographie, cependant que tant de mes camarades s'engageaient dans l'ornière sans imprévu et sans horizons de l'épigraphie latine ou de l'archéologie grecque. » En 1992, J. Gracq se souvient de l'heureuse bifurcation opérée par le normalien L. Poirier vers la géographie vidalienne et la modernité que celle-ci recelait encore. Élève d'E. de Martonne*, il publiera dès 1934 ses premières recherches de géographe dans les *Annales de géographie*. En 1934, il est reçu à l'agrégation d'histoire et de géographie. En 1947, une longue note publiée dans *Critique** sur l'évolution de la géographie humaine attestera de cette fidélité intellectuelle de L. Poirier, alors que parallèlement J. Gracq commence la rédaction du *Rivage des Syrtes*. Jusqu'à la guerre, il enseigne dans divers lycées de Bretagne, il rencontre l'historien communiste J. Bruhat*. Il adhère au Parti communiste fin 1936 et a une activité militante régulière. Il est aussi au lycée de Quimper secrétaire du syndicat CGT. Il rompt avec cet engagement politique à l'annonce du pacte germano-soviétique, fin août 1939. Durant ce même mois d'août, une première rencontre avec A. Breton* inaugure une relation qui ne prendra ni la forme d'une adhésion ni celle d'un pacte, mais restera garantie par une mutuelle reconnaissance littéraire.

Pendant les années de la guerre et celles de l'après-guerre, l'œuvre de J. Gracq se développe à l'écart des dominantes esthétiques ou idéologiques de l'époque : textes de fiction, ses récits poétiques se distinguent d'emblée des romans du temps ; les enjeux sociaux ou politiques qui animent la littérature existentialiste sont absents des récits gracquiens. *Un beau ténébreux* (1945), *Liberté grande* (1946), *André Breton : quelques aspects de l'écrivain* (1948), éclairent sous divers angles la personnalité singulière de cet auteur qui refuse en 1951 le prix Goncourt qui lui a été attribué pour *Le Rivage des Syrtes*.

C'est *La Littérature à l'estomac*, publié dans la revue *Empédocle* (janvier 1950), avec le soutien d'A. Camus*, qui marque, sous la forme du pamphlet, l'incursion mordante et momentanée de Gracq dans le débat intellectuel de l'époque. Si le pamphlet semble renvoyer dos à dos les auteurs marqués politiquement (« On peut en 1949 sans inconvénient majeur laisser de côté à droite et à gauche dans la littérature deux secteurs de Bonne presse rendus relativement étanches par l'usage d'un imprimatur ou d'un label de garantie... »), il est surtout, après ces escarmouches initiales, une attaque des thèses de l'existentialisme, qui engage la littérature dans le débat politique et social (« Nous nous trouvons aujourd'hui menacés de cette chose impensable : une littérature de magisters »).

Ces convictions resteront celles de J. Gracq. Son œuvre abandonne, après *Un balcon en forêt* (1958), le genre fictionnel, au profit de l'essai, du fragment critique, l'écriture étant liée à des événements publics ou des expériences privées (lectures, voyages) : *Lettrines* (1967), *La Presqu'île* (1970), *Lettrines 2* (1974),

Les Eaux étroites (1976), *En lisant en écrivant* (1980), *La Forme d'une ville* (1985), *Autour des sept collines* (1989), *Carnets du grand chemin* (1992).

C'est au hasard des lectures de ces fragments que l'on peut repérer les réactions d'un intellectuel français aux faits politiques, culturels et aux paysages, et son souci constant de conserver précieusement les ressources de sa langue.

En 1989, il entre de son vivant dans la collection de la « Pléiade » avec la publication du tome 1 de ses *Œuvres complètes*.

Jean-Louis Tissier

■ La totalité des œuvres de J. Gracq a été publiée aux Éditions José Corti. — *Œuvres complètes*, t. 1, Gallimard, 1989 (éléments biographiques et bibliographiques complets).

GRANDE REVUE (LA)

La Grande Revue fut fondée sous le titre de *Revue du Palais* en mars 1897. Elle était alors mensuelle et domiciliée à Paris, 7 rue de Villersexel. Son public privilégié était celui, au sens large, du Palais de justice, auquel elle souhaitait présenter, de manière agréable, l'actualité littéraire et artistique ainsi que des chroniques d'histoire ou des études d'intérêt général. Son rédacteur en chef était Me François Labori, qui devait s'illustrer comme défenseur du capitaine Dreyfus. La revue se voulait indépendante, ouverte, et même très éclectique ; elle annonçait comme collaborateurs un grand nombre d'écrivains qui allaient de Barrès* à Zola* ou d'Anatole France* à Courteline, quelques politiques, juristes et hommes de culture, comme Poincaré, Ribot ou Waldeck-Rousseau, et d'éminents universitaires tels Maspero ou Bardoux. Catulle Mendès y assura la rubrique théâtrale avant de l'abandonner à son gendre, Henri Barbusse*.

Là comme ailleurs, l'affaire Dreyfus* entraîna d'irrémédiables séparations. La revue changea de nom (en 1898), élargissant ainsi ses ambitions, et devint un des lieux d'expression du « parti intellectuel ». Des fondateurs de la Ligue des droits de l'homme* (Jean Psichari, Émile Duclaux*...), La Chesnais, Gaston Moch, Georges Guy-Grand... s'y exprimèrent aux côtés de Mirbeau* ou de J.-H. Rosny. La revue put ensuite rendre sa primauté à la littérature : Gide*, Giraudoux*, D'Annunzio y publièrent. Elle était dotée d'une rubrique de la vie littéraire, toujours tenue par J. Ernest-Charles, distincte de celle consacrée « à l'Académie », de rubriques théâtrale, un temps assumée par Jacques Copeau*, musicale et artistique. Elle conserva une ligne républicaine affirmée. Une chronique politique y fut tenue par Pierre Baudin, modéré, mais ancien ministre de Waldeck Rousseau, puis par le socialiste indépendant Victor Augagneur. *La Grande Revue* absorba en 1909 *Pages libres**, revue dreyfusienne qu'avaient fondée Charles Guieysse et Maurice Kahn et qui conserva jusqu'en 1940 son autonomie de présentation, et, en octobre 1911 la *Revue des études franco-russes*.

Dirigée par un inspecteur général de l'Enseignement public, Paul Crouzet, et domiciliée 37 rue de Constantinople, la revue maintint ses orientations après la Première Guerre mondiale*. Émile Guillaumin, Guéhenno*, Maurice Pottecher,

Georges Renard symbolisaient cette sensibilité de gauche modérée proche de celle exprimée par la Ligue des droits de l'homme. Avec Guy Crouzet, la revue s'ouvrait cependant quelque peu à la psychanalyse ou au surréalisme et, en 1933, Marcel Martinet* y lançait « l'affaire Victor Serge* ». Dans les années 30, *La Grande Revue* attirait sans doute des collaborateurs moins prestigieux que par le passé, elle défendait, peut-être un peu vaguement, les principes du droit et de la liberté et les nécessités du redressement moral. Elle opta cependant, avec Gilbert Comte, pour une politique de fermeté à l'égard des dictatures fascistes, y compris au moment de Munich, et accueillit encore de nouveaux talents comme Hyvernaud, Aveline* ou Daniel-Rops*.

Gilles Candar

GRASSET ET FASQUELLE (Société des Éditions)

Bernard Grasset crée les Éditions nouvelles, qui deviendront la Librairie Bernard Grasset, en 1907. En quelques années, sa jeune maison d'édition connaît le succès. Elle réussit à attirer certains des plus grands écrivains de ce siècle et obtient le prix Goncourt en 1911 et 1912. Parmi les premiers auteurs : Jean Giraudoux*, A. de Châteaubriant*, et Proust* (publié à compte d'auteur). Au lendemain de la Première Guerre mondiale*, la maison s'étend. Dans le contexte de la transformation du milieu littéraire — augmentation des tirages, rôle croissant de la presse comme instance de consécration —, l'originalité de Bernard Grasset est d'avoir accordé une place nouvelle à la publicité et aux relations publiques et d'y avoir consacré des efforts sans précédents (H. Poulaille* règne alors sur le service de presse). Il sait organiser un lancement retentissant. Par exemple, en 1921, celui de *Maria Chapdelaine* de Louis Hémon (plus de 150 000 exemplaires tirés de mai 1922 à août 1923), premier volume de la prestigieuse collection « Les Cahiers verts », dirigée par D. Halévy*. L'année suivante est occupée au lancement de R. Radiguet, présenté par Cocteau*, et de son *Diable au corps*. Avant la Seconde Guerre mondiale, l'un des trois principaux éditeurs littéraires avec Gallimard* et Denoël*, Grasset publie J. Benda*, E. Berl*, Bernanos*, B. Cendrars, Cocteau, A. Chamson*, J. Chardonne*, Drieu La Rochelle*, J. Giono*, J. Green, A. Malraux*, F. Mauriac*, A. Maurois, H. de Montherlant*, P. Morand* (dans la « Collection des 4 M »), C. Maurras*, P. Soupault*, A. Thibaudet*. J. Guéhenno* y dirige une collection.

La guerre n'interrompt pas les activités de la maison. Bernard Grasset se réinstalle à Paris en octobre 1940. En juillet, à Vichy, il a offert de représenter l'édition auprès des Allemands, mais n'a finalement pas été agréé par les occupants. Dans la collection « À la recherche de la France » (c'est le titre d'un ouvrage dont il est l'auteur), il publie A. Bonnard*, Drieu La Rochelle, G. Suarez*, G. Wirsing et J. Montigny. Il est aussi l'éditeur de G. Blond, C. Lesca, Chardonne*, Montherlant, ou Sieburg (décembre 1939, *Éloge de la France par un nazi*). Mais alors que les Allemands souhaitent lui voir publier les discours de Goebbels, il fait traîner la fabrication, de telle façon que le livre ne paraît finalement pas.

Le 5 septembre 1944, Bernard Grasset est arrêté, puis placé en liberté surveillée.

L'« affaire Grasset » va faire l'objet de débats durant plusieurs années (sanctionnera-t-on l'un des plus grands éditeurs français ?). On lui reproche bien sûr les ouvrages publiés pendant l'Occupation, dont le sien, ainsi que ses bonnes relations avec les Allemands. Le 11 mars 1945, la Société est placée sous administration provisoire, et le 10 juillet Grasset doit démissionner. Le 28 mars 1946, le cas de la maison est examiné par la Commission nationale interprofessionnelle d'épuration, qui condamne Grasset à trois mois de suspension de ses fonctions. Devant la Cour de justice, en mai et juin 1948, sa maison est condamnée à la dissolution (ses biens sont confisqués), Bernard Grasset à la dégradation nationale à vie et cinq ans d'interdiction de séjour. Il fait appel. En décembre, le président Auriol prononce la remise de la dissolution, et la limitation de la confiscation à une amende. Des pétitions de libraires et d'écrivains ont soutenu l'éditeur (parmi les signataires : G. Duhamel*, J. Paulhan*, A. Billy, F. Carco). Il reprend ses fonctions en 1949. Il sera amnistié par le Tribunal militaire le 6 août 1953.

En 1954, Hachette prend la majorité de la maison. En 1955, après la mort de son fondateur, elle est réorganisée sous la direction de Bernard Privat. À la fin des années 50, Grasset fusionne avec Fasquelle ; elle sera désormais dirigée par Privat et Jean-Claude Fasquelle (qui devient son seul directeur en 1982). François Nourissier, en 1958, Yves Berger, en 1960, et Françoise Verny, en 1964, rejoignent la maison ; cette dernière dirigera le secteur « Essais et documents » (avant de quitter Grasset pour Gallimard en 1982). Autour de ces trois personnalités, assistées de Dominique Fernandez, Matthieu Galey et Jacques Brenner, et entourées d'un réseau de relations, Grasset se renouvelle, et redore son blason de maison d'édition littéraire, recueillant à nouveau de nombreux prix. A. Glucksmann* (*Les Maîtres penseurs*, 1977), M. Clavel*, R. Girard* seront édités par Grasset. En 1973, trois collections (qui fusionneront en une seule : « Figures ») sont confiées au jeune B.-H. Lévy*, qui publie au long des années 70 d'anciens khâgneux ou normaliens de sa génération, tels J.-M. Benoist, C. Broyelle, C. Delacampagne, C. Jambet, G. Lardreau, P. Nemo (ceux qu'on appellera les « nouveaux philosophes »), mais aussi J.-P. Aron et R. Kempf, J. Baudrillard*, C. Clément, D. Lecourt, G. Scarpetta, M. Serres*, P. Sollers*, ou A. Verdiglione. Grasset contribue à la médiatisation des travaux universitaires et intellectuels.

Perpétuant la politique de leur fondateur, les Éditions Grasset, qui accueillent traditionnellement les écrits de nombreux journalistes, restent l'une des maisons les plus fréquemment récompensées par les prix littéraires.

Séverine Nikel

■ G. Boillat, *La Librairie Bernard Grasset et les lettres françaises*, t. 1 : *Les Années de fondation (1907-1914)*, t. 2 : *Le Temps des incertitudes (1914-1919)*, t. 3 : *La Foire sur la place (1919-1924)*, Champion, 1974-1988. — J. Bothorel, *Bernard Grasset. Vie et passions d'un éditeur*, Grasset, 1989 (riche bibliographie). — H. Hamon et P. Rotman, *Les Intellocrates. Expédition en haute intelligentsia*, Ramsay, 1981.

GRINGOIRE

L'hebdomadaire le mieux diffusé des années 30 (entre 500 000 et 650 000) était, selon le propre terme de son directeur, Horace de Carbuccia, une « macédoine ». Sans que l'on puisse échapper à la problématique classique d'un journal d'opinion (la reflète-t-il ou la façonne-t-il ?), *Gringoire* fut bien l'organe pamphlétaire le plus efficace et le plus équivoque des droites françaises. Mais n'est-ce pas un tel mélange des opinions — germanophobie et néo-pacifisme, conservatisme et populisme, rationalisme et antisémitisme — qui assure le succès éclectique de *Gringoire* ? Avec pour seule unité le ton du pamphlet, chaque collaborateur allant selon son style, entre l'analyse froide et les envolées d'injures, mais tous convaincus de la puissance aiguisée des mots.

Hors de son contexte, le succès de *Gringoire* peut encore étonner. En raison de son économie de moyens ; la création récente de l'hebdomadaire en 1928 (à partir des Éditions de France, dont Carbuccia est le propriétaire), le nombre restreint des collaborateurs permanents (mais généreusement payés), la simplicité de la présentation et des choix de rubriques (la première page pour les éditoriaux, les pages intérieures pour les potins politiques, la critique littéraire, celle des arts et des spectacles, quelques reportages et des grands feuilletons signés Pierre Benoit, Drieu La Rochelle* ou Francis Carco). L'hebdomadaire tient du journal à tradition satirique sachant donner place au dessin et à la caricature (Roger Roy) et du journal à prétention littéraire : choquer et distraire, ne pas ennuyer surtout. Les journalistes venus de l'école du grand reportage comme Henri Béraud* (ancien du *Petit Parisien*) aussi bien que les grands noms en demi-retraite de la politique (André Tardieu) sont présents.

Étonnant aussi le succès d'un journal qui, de 1928 à 1944, se permit de changer plusieurs fois de ligne ou même d'en suivre plusieurs à la fois au cours d'une même séquence. Rien n'est plus révélateur, de ce point de vue, que les tournants et retournements de *Gringoire* face aux crises des années 30. Au départ, porte-parole de la version droitière de l'esprit ancien combattant, soutien de R. Poincaré et de la droite « modérée », le journal allie une forte tradition de germanophobie à une critique en règle de la diplomatie genevoise sous l'impulsion de Georges Suarez*, l'éditorialiste des débuts (aux côtés de Joseph Kessel*, directeur littéraire qui rompra en 1935). Un glissement s'opère à la suite du 6 février 1934 (on ne peut plus soutenir un régime qui a fait tirer sur des anciens combattants) et la guerre d'Éthiopie* en 1935. *Gringoire* prend parti contre les sanctions et pour la défense de l'Italie fasciste (Raymond Recouly). L'occasion est donnée d'aiguiser un argument qui se répétera et se radicalisera jusqu'en 1939 : une politique de fermeté inconsidérée est synonyme de risque de guerre. Avec les sympathies manifestées à l'égard de Mussolini, l'anglophobie dont Béraud* est le chantre (son article « Faut-il réduire l'Angleterre en esclavage ? » du 11 octobre 1935 est republié le 1er août 1940 après Mers el-Kébir) et le spectre d'une nouvelle guerre agité en direction du lectorat ancien combattant, le nationalisme germanophobe de *Gringoire* laisse place à de l'antibellicisme de plus en plus « bêlant » (même si ce n'est pas du pacifisme au sens strict).

La guerre d'Espagne* en 1936 opère la rencontre entre les arguments de l'antibellicisme et de l'antimarxisme (communistes et socialistes mêlés), cheval de bataille de l'hebdomadaire depuis 1928. Vouloir l'intervention, c'est vouloir non seulement la guerre en Europe mais la progression du communisme. La politique intérieure et la politique extérieure entrent en résonance parfaite. Haine de la gauche, xénophobie et antisémitisme convergent pour nourrir un mythe du complot à plusieurs têtes : les juifs sont accusés de vouloir la guerre contre Hitler, d'encourager le communisme qui attise le désordre social intérieur, désordre lui-même aggravé par l'immigration (« Chassez les métèques » du 10 novembre 1938). Le pamphlet, notamment chez Béraud, n'est plus seulement une question de style : plus que jamais, de 1936 à 1943, le fond a rejoint la forme.

Renforcée par André Tardieu depuis avril 1936, la rédaction de *Gringoire* entre en campagne contre le gouvernement du Front populaire accusé d'attiser les risques de guerre et d'affaiblir en même temps la puissance et l'armement français par ses lois sociales (loi des 40 heures). La campagne (août-novembre 1936) menée par Henri Béraud contre le ministre de l'Intérieur de Léon Blum*, Roger Salengro, accusé d'avoir déserté en 14-18, poussé au suicide, permet de mobiliser les procédés les plus classiques comme les plus ignobles de la droite nationaliste à un moment où l'antibellicisme tourne lui-même à une forme de désertion de la cause patriotique. Dorénavant les éditoriaux de Recouly sont des appels directs aux négociations avec Hitler (1937). En Autriche comme en Tchécoslovaquie, ce ne sont pas les avancées de l'Allemagne nazie mais les réactions d'hostilité et d'intransigeance envers celles-ci qui sont interprétées comme des risques de guerre. Le 18 février 1938, Bertrand de Jouvenel* écrit à propos de l'entrée des nazis dans le gouvernement autrichien, un mois avant l'Anschluss : « Comme c'est bien joué ! Et comme on a tort de prendre Hitler pour un violent. Il met en pratique le précepte de Lyautey : “Montrer sa force pour éviter de s'en servir.” »

La conférence de Munich* (septembre 1938) marque le triomphe de la ligne « pacifiste » du journal en même temps qu'elle ouvre une crise au sein de la rédaction. André Tardieu, demeuré fidèle à l'antigermanisme, antimunichois, s'oppose à Recouly et Béraud. Un nouveau changement de ligne donne raison (momentanément) à Tardieu lorsque le 23 mars 1939, *Gringoire* publie sur les six colonnes de sa première page l'article de ce dernier qui fustige les conséquences de l'esprit de Munich (annexion de la Bohême-Moravie). Si, après juillet 1939 (Tardieu est victime d'une attaque cérébrale), Carbuccia recompose son équipe rédactionnelle (Recouly et Béraud rejoints par Jean Fabry, Philippe Henriot et Roland Dorgelès*) et si l'hebdomadaire suit la ligne officielle de mobilisation patriotique durant la drôle de guerre, il embrasse totalement, à partir de juin-juillet 1940, le parti de l'armistice et de la « Révolution nationale ». Replié en zone Sud, vichyssois plutôt que collaborationniste, le journal fut délibérément stoppé par Carbuccia (25 mai 1944) avant d'être plus gravement — si c'est possible — compromis.

Nicolas Roussellier

■ J. Dazelle, *« Gringoire » de l'Union nationale à la Révolution nationale (1928-1940)*, mémoire, Faculté de droit et des sciences économiques, 1958. — F. Monnet, *Refaire la République. André Tardieu : une dérive réactionnaire (1876-1945)*,

Fayard, 1993. — M. Salomone, *« Gringoire », face à la paix et à la guerre (1933-1940)*, mémoire, IEP de Paris, 1992.

GROETHUYSEN (Bernard)

1880-1946

Bernard Groethuysen est né à Berlin le 9 janvier 1880, d'une mère russe et d'un père hollandais, médecin. Il fit ses études à Vienne, Munich et Berlin, où il suivit les cours de Simmel, de Dilthey, de Wölfflin et de Gomperz. Docteur en philosophie en 1904, il fut nommé professeur à l'université de Berlin en 1906. Très vite, il consacra en partie son enseignement à la pensée française et passa une partie de l'année à Paris où il s'établit définitivement en 1932. À partir des années 1880, Groethuysen a joué un rôle majeur dans l'édition française. Membre du comité de lecture des Éditions Gallimard*, il a été l'introducteur de textes importants de la pensée allemande en France. Il inaugura la collection de « La Bibliothèque des idées » avec son livre sur *Les Origines de l'esprit bourgeois en France* (1927). Élevé à Berlin dans un milieu cosmopolite où philosophie universitaire et création artistique faisaient bon ménage, Groethuysen était porté à ignorer les frontières qui marquent très souvent en France les territoires disciplinaires. Outre l'étendue de ses connaissances, c'est le caractère franchement bohème du personnage, très éloigné de la représentation habituelle de l'érudit, qui frappait ses interlocuteurs. Marxiste et communiste, Groethuysen ne ressemblait guère aux professeurs de la IIIe République, présentant l'alliage inusité de la bohème littéraire et de la compétence philosophique. C'est ce qui contribue à expliquer l'autorité intellectuelle dont il a été investi, presque instantanément, en France. L'étrangeté de Groethuysen renforçait sa puissance de conviction, et il emportait sans difficulté l'adhésion des membres les plus réticents du comité de lecture. On lui doit d'avoir introduit en France Franz Kafka, Hermann Broch et Robert Musil, entre autres découvertes.

Mettant ses actes en accord avec ses convictions, Groethuysen fit toujours preuve d'une grande générosité. Il recevait tous les jeunes gens qui en faisaient la demande, en dépit de sa position dans l'*establishment* éditorial. Il obtint souvent de Gaston Gallimard que des traductions fussent proposées à des réfugiés d'Europe de l'Est, qui ne maîtrisaient pas bien le français, au risque de devoir les reprendre entièrement de sa main. Jean Paulhan*, qui fut son ami, évoquait sa bonté, « grande, chaude et sûre ».

Groethuysen était tout le contraire d'un dogmatique. Ses choix éditoriaux comme ses amitiés témoignent d'une grande ouverture. Proche d'André Malraux*, il fut un des premiers à trouver de l'intérêt au travail de Jean Dubuffet*. « Groeth » (Groute), comme l'appelaient ses amis, se consacra essentiellement à son travail d'éditeur et de traducteur. Son œuvre passa au second plan. Il trouvait pourtant le temps de livrer ses essais à plusieurs revues, telles *Commerce*, *Deucalion*, *Mesures* et surtout *La Nouvelle Revue française**. Il aborda, dans des ouvrages plus ambitieux, la question de l'histoire des idées d'une manière profondément renouvelée. Ainsi son ouvrage principal se présente comme une définition du bourgeois, figure généralement prise comme allant de soi. La philosophie du bourgeois est paradoxale dans la mesure où elle repose tout entière sur la justification des apparences. C'est par une démarche d'ordre anthropologique qu'on peut ressaisir le « cela va de soi » qui caractérise la pensée bourgeoise. L'étude des sermons des curés permet de retracer le mode de formation de la pensée bourgeoise. La familiarité native avec le monde bourgeois n'est pas une fatalité : elle peut être objectivée. Ce travail resta inachevé : l'esquisse de la suite sera publiée à titre posthume dans *Philosophie de la Révolution française* (1956). Peu avant sa mort qui survint au Luxembourg en septembre 1946, Groethuysen eut l'occasion de défendre la politique éditoriale de Gaston Gallimard, qui avait publié pendant l'Occupation beaucoup de titres allemands. Loin d'être une contribution à la politique de l'ennemi, ces choix avaient pour but de « maintenir des points de vue conformes au loyalisme et à l'esprit de résistance ». Ainsi la vie de Groethuysen s'achevait par la justification de deux principes qui l'avaient guidée : le souci de faire connaître la pensée allemande et l'exigence de libération.

Jean-Louis Fabiani

■ *Les Origines de l'esprit bourgeois en France*, t. I : *L'Église et la bourgeoisie*, Gallimard, 1927. — *Anthropologie philosophique*, Gallimard, 1953 (traduit de l'allemand, publié en 1931). — *Mythes et portraits*, Gallimard, 1947. — *Philosophie de la Révolution française*, Gallimard, 1956.

■ P. Assouline, *Gaston Gallimard. Un demi-siècle d'édition française*, Balland, 1984. — P. Bordaz, *Pour donner à voir. Au service des arts, du public et de l'État*, Le Cercle d'art, 1987.

GROSSER (Alfred)

Né en 1925

Homme de recherche et homme d'action, Alfred Grosser pourrait se définir par sa volonté de résistance aux modes intellectuelles et son souci « de préférer la vérité au militantisme ». Inlassable pédagogue, il a constamment tenté d'œuvrer en faveur d'une meilleure compréhension entre Français et Allemands, entre incroyants et croyants, et d'incarner l'idéal du médiateur, passionné par l'éducation sociale et politique de ses concitoyens.

Il naît en 1925 à Francfort dans une famille juive, appelée à quitter en 1933 l'Allemagne pour la France. Son père, pédiatre, meurt alors qu'il a neuf ans et qu'il doit se familiariser avec sa nouvelle langue, le français. Après l'agrégation d'allemand, il enseigne à l'Institut d'études politiques* de Paris où il a marqué de son empreinte de nombreuses générations d'étudiants. Germaniste de formation, il se tourne progressivement vers la science politique aux alentours de 1955 : ses très nombreux ouvrages et articles sur la vie politique française, sur la politique extérieure française depuis l'après-guerre, font figure de référence.

Ses collaborations à de très nombreux journaux, *La Croix*, *Ouest-France*, et surtout *Le Monde** (depuis 1965) et *L'Expansion*, visent dès lors à briser le cercle de l'intolérance et à vulgariser auprès du grand public les grands enjeux de ce temps, essentiellement en matière politique et sociale. Infatigable destructeur de mythes, il plaide notamment en faveur du renforcement des liens entre la France et l'Allemagne, et acquiert dans ce dernier pays une forte notoriété, qu'illustre l'obtention en 1975 du prix de la Paix de l'Union des éditeurs et libraires allemands.

Dans le même esprit, cet athée spiritualiste dialogue avec les croyants de tous bords et tente de promouvoir une éthique universaliste qui met à mal toutes les formes de sectarisme. Participant à de multiples colloques, animant de nombreuses sessions ou réunions dans des milieux socioprofessionnels fort variés (agriculteurs, infirmiers, cadres, etc.), il ne fréquente qu'avec circonspection le milieu intellectuel parisien, et ne signe guère de pétitions ou de manifestes. Proche d'une certaine gauche réformatrice, il incarne les vertus de la modération, entendues comme un plaidoyer en faveur de la raison engagée.

Plusieurs de ses livres sont autant d'invites à mieux réfléchir à l'ancrage, dans nos sociétés, des valeurs de référence. À côté de son travail d'universitaire et de journaliste, ils attestent son souci de définir une morale vivante, fondée sur le respect de la dignité humaine. D'où également sa volonté de mieux comprendre les atteintes aux droits de l'homme et les non-lieux de la mémoire (*Dix leçons sur le nazisme*, sous sa direction, 1976 ; *Le Crime et la mémoire*, 1989).

Rémy Rieffel

■ *L'Allemagne de l'Occident*, Gallimard, 1953. — *La Politique en France* (avec F. Goguel), Armand Colin, 1964. — *La Politique extérieure de la Ve République*, Seuil, 1965. — *Au nom de quoi ? Fondements d'une morale politique*, Seuil, 1969. — *L'Allemagne de notre temps*, Fayard, 1970. — *Dix leçons sur le nazisme* (dir. A. Grosser), Fayard, 1976. — *Les Occidentaux. Les pays d'Europe et les États-Unis depuis la guerre*, Fayard, 1978. — *Le Sel de la terre. Pour l'engagement moral*, Seuil, 1981. — *Affaires extérieures. La politique de la France (1944-1989)*, Flammarion, 1989. — *Le Crime et la mémoire*, Flammarion, 1989.

Groupe des Six

La génération de compositeurs qui arriva à l'âge de la maturité dans l'entre-deux-guerres fut peut-être celle qui fut la plus politiquement engagée de l'histoire de ce siècle. Le Groupe des Six, composé de Darius Milhaud, Louis Durey, Germaine Tailleferre, Arthur Honegger, Francis Poulenc et Georges Auric, en est un excellent exemple.

La plupart des membres se rencontrèrent, pendant la Première Guerre mondiale*, au cours de leurs études au Conservatoire de Paris. La représentation de *Parade* les marqua et tous subirent volontiers l'influence de Satie* comme celle de Cocteau*. Ces deux derniers devinrent d'ailleurs leurs porte-parole et contribuèrent à les faire connaître. Pour ceux que Satie dénomma les « Nouveaux Jeunes », Blaise Cendrars organisa une série de concerts-expositions pendant la guerre qu'il intitula « Lyre et Palette ».

Peu après le conflit, leur notoriété s'accrut, notamment grâce à la publication dans *Comœdia** d'un article d'Henri Collet qui leur était consacré. C'est ce dernier qui les baptisa les « Six ». Cocteau, qui avait fort bien défini leur esthétique dans *Le Coq et l'arlequin*, collabora avec eux dans la revue *Le Coq* en compagnie de Paul Morand*, Lucien Daudet et Blaise Cendrars. Le Groupe était pourtant bien moins unifié que le laissait entendre Cocteau. Des divergences esthétiques et politiques les divisaient.

Sous le climat politique des années 30, tous les membres du Groupe se rapprochèrent de mouvements politiques. Honegger (qui avait la double nationalité franco-suisse) collabora à la revue *Plans* au début des années 30. À la fin de cette décennie, il rallia Gaston Bergery et le milieu de son journal *La Flèche*. Germaine Tailleferre fut d'abord partisane de Bergery, puis se rapprocha du Parti communiste, comme Louis Durey. Georges Auric devint socialiste et collabora à *Marianne**. Pendant le Front populaire, celui-ci s'occupa, comme Durey, de la Fédération musicale populaire. Darius Milhaud fut également l'un des acteurs importants de la vie culturelle sous le Front populaire : il fut l'auteur d'œuvres pour des cérémonies officielles et contribua, avec Auric et Honegger, à l'élaboration de la partition pour le *14 Juillet* de Romain Rolland*. Francis Poulenc, en revanche, catholique fervent, dont les sympathies n'allaient pas à la gauche, garda ses distances vis-à-vis du Front populaire et se rapprocha plutôt de ses adversaires. En 1938, il participa même à une série de conférences organisée par des partisans du journal d'extrême droite *Je suis partout**.

Jane Fulcher

■ A. Honegger, *Incantation aux fossiles*, Lausanne, Ouchy, 1948. — D. Milhaud, *Notes sans musique*, Julliard, 1949. — F. Robert, *Louis Durey, l'aîné des « Six »*, Les Éditeurs réunis, 1968.
▒ P. Collaer, *Darius Milhaud*, Genève, Slatkine, 1982. — K. Daniel, *Francis Poulenc : His Artistic Development and Musical Style*, Ann Arbor, UMI Research Press, 1982. — A. Goléa, *Georges Auric*, Ventadour, s.d.

GROUPE D'INFORMATION SUR LES PRISONS (GIP)
1970-1972

Le Groupe d'information sur les prisons, « inventé » par Michel Foucault* et porté à bout de bras par lui et quelques grands intellectuels défenseurs des droits de l'homme, J.-M. Domenach*, P. Vidal-Naquet*, G. Deleuze* et d'autres, a été une fulgurante et brève aventure qui a traversé le paysage intellectuel français au début des années 70. Au-delà de son objet propre, le GIP a fourni un nouveau modèle d'action militante, celui utilisé par le Groupe d'information santé (GIS), le Groupe d'information et de soutien des travailleurs immigrés (GISTI), puis par AIDES, créé par D. Defert.

Tout commence, au mois de décembre 1970, avec le soutien que M. Foucault accepte d'apporter à des militants maoïstes incarcérés. Pour obtenir le statut de prisonniers politiques — notamment le droit de réunion —, ils entament une grève de la faim dont il s'agit d'élargir l'audience au-delà des murs de la détention. C'est alors que Foucault, utilisant la dénonciation que font les emprisonnés des conditions de vie des détenus de droit commun, conçoit une nouvelle stratégie militante (en rupture avec celle du Tribunal populaire de J.-P. Sartre*). Il crée un groupe d'intervention et d'action qui doit non seulement « recueillir et révéler ce qui est intolérable (dans la prison), mais aussi susciter cette intolérance ». Le GIP était né, qui se donnait pour tâche de « donner la parole aux détenus ». Première démarche : obtenir des renseignements sur la réalité carcérale. Un questionnaire appelé « enquête-intolérance » fut rédigé, que les militants firent entrer clandestinement dans les prisons. Parallèlement, des contacts sont pris avec ceux que Foucault appelle les « intellectuels spécifiques » — experts engagés dans une pratique sociale délimitée et qui témoignent de ce qui y est intolérable —, en l'espèce, des gens qui sont en rapport avec la prison. Magistrats, médecins, et personnels des prisons, avocats, etc., outre les informations données, apportent en même temps leur appui au GIP.

Ainsi se constitue une sorte de savoir général dont la diffusion se fait par le biais de brochures et à travers des conférences de presse, meetings, comités de soutien (lycéens, étudiants) et articles dans les journaux. La voix du GIP prend de la force : elle est entendue par le garde des Sceaux René Pleven, qui autorise l'entrée de la presse quotidienne et des radios dans les prisons. Ce qui accroît la popularité du GIP auprès des détenus.

C'est alors, en septembre 1971, que survient le drame de Clairvaux, où deux condamnés, Buffet et Bontemps, prennent en otage et tuent un surveillant et une infirmière. L'impact en est encore aggravé par la révolte, quelques jours plus tôt, également avec prise d'otages, qui a eu lieu dans la prison d'Attica (État de New York). Le mouvement est cassé : en dépit des efforts de Foucault, l'intérêt pour les prisonniers faiblit dans l'opinion, tandis que le débat public se déplace des conditions de vie en détention à la peine de mort.

Les prisons prennent alors le relais et donnent un écho à l'action du GIP : l'intolérance y est devenue active (trente-cinq révoltes durant l'hiver 1971-1972). La représentation par le Théâtre du Soleil du procès des mutins de la prison de Nancy est l'une des dernières manifestations issues de l'action du GIP, qui se dissout en décembre 1972, mission accomplie : avec la création du Comité d'action des prisonniers (CAP), les détenus semblent prendre leur lutte en main.

Monique Seyler

■ M. Foucault, *Dits et écrits*, Gallimard, 1994. — *Enquête dans vingt prisons*, Champ libre, 1971. — *Le GIP enquête dans une prison modèle*, Champ libre, 1971.

GROUPEMENT DE RECHERCHE ET D'ÉTUDES POUR LA CIVILISATION EUROPÉENNE (GRECE)

Issus généralement des milieux ultras en lutte pour l'Algérie française, les jeunes gens qui se retrouvèrent dans le GRECE, créé en janvier 1968, souhaitaient rompre avec l'activisme et avec le nationalisme étroit du vichysme nostalgique. Certains d'entre eux, tels Jean-Claude Rivière ou Alain de Benoist*, avaient cherché une nouvelle voie dans le mensuel *Europe Action*, le « magazine de l'homme blanc », publié entre 1963 et 1966, en compagnie de deux aînés, Dominique Venner et Jean Mabire. Au nombre des quarante fondateurs du Groupement, se tenait Jean-Claude Valla, qui en devint le secrétaire général, de 1974 à 1978 ; ancien collaborateur des

Cahiers universitaires, Pierre Vial lui succéda brièvement. Parmi les autres responsables figurent Jean Varenne, président du GRECE au milieu des années 80, ainsi que Michel Marmin et Guillaume Faye.

L'ambition initiale du Groupement était de devenir un laboratoire d'idées, comme l'indiquent les nombreuses publications dont il a patronné le lancement, *Nouvelle École** et *Éléments* dès 1968, suivies notamment par *Études et recherches* et *Panorama des idées actuelles*. Organisant colloques, sessions, dîners-débats, voire cérémonies pour la célébration du solstice, le GRECE a complété la formation de ses adhérents ; leur travail personnel de lecture se trouvait favorisé par la fondation, en 1976, d'une maison d'édition gréciste, Copernic (ensuite relayée par le Labyrinthe). Tout cela aboutit à une structure ramifiée, qui déborde les frontières de l'Hexagone. L'ensemble forme la Nouvelle Droite, dont l'influence ne se mesure pas au nombre restreint de ses quelques milliers de membres.

Dans la décennie 70, ses dirigeants, actifs à *Valeurs actuelles** puis au *Figaro Magazine**, ont eu l'écoute d'hommes politiques de droite, de Jacques Médecin à Michel Poniatowski, et su capter l'intérêt de nombreux intellectuels. Cette réussite est l'œuvre d'Alain de Benoist : nul ne conteste son rôle clé, qu'il s'agisse de définir la doctrine néo-droitière ou d'axer la stratégie sur la diffusion d'une culture politique. Racisme, élitisme, néo-paganisme, tels sont les ingrédients de cette culture qui ont fait l'objet du débat de presse de l'été 1979, dernier grand affrontement avant le « silence » des intellectuels.

Bousculé par cette mise en accusation, évincé de la grande presse, abandonné par le Club de l'Horloge*, divisé sur les leçons à tirer des élections de 1981, le GRECE vivotait dans les années 80. Repris par la tentation du politique, nombre de ses dirigeants ont alors placé leur compétence au service du Front national.

Anne-Marie Duranton-Crabol

■ A.-M. Duranton-Crabol, *Visages de la Nouvelle droite. Le GRECE et son histoire*, Presses de la FNSP, 1988. — P. Milza, « Vieilles lunes ? Nouvelles droites ? », in *Fascisme français. Passé et présent*, Flammarion, 1987, pp. 366-396. — P.-A. Taguieff, *Sur la nouvelle droite*, Descartes & Cie, 1994.

GUATTARI (Félix)

1930-1992

Penseur activiste, telle est la définition paradoxale que l'on pourrait donner de Félix Guattari, tant il fut à la fois l'inlassable organisateur d'une foule de mouvements et un intellectuel toujours aux aguets, saisissant la radicalité naissante de toute émergence.

Né le 30 mars 1930 dans l'Oise, Félix Guattari rencontre Fernand Oury à la Libération. Celui-ci, instituteur, disciple de Freinet*, s'est lancé dans l'aventure de la pédagogie institutionnelle. Par lui, Félix Guattari, qui a entamé des études de psychiatrie, fera la connaissance de son frère Jean Oury, l'un des pionniers, avec François Tosquelles, de la psychiatrie de secteur. À partir de 1955, il travaille à la clinique de La Borde, qui deviendra un des hauts lieux du renouveau psychiatrique en France, aux côtés de Jean Oury. Parallèlement, il entreprend une analyse avec Jacques Lacan*, qu'il poursuivra jusqu'en 1960, avant de suivre le Séminaire de ce dernier. En 1965, il crée la Société de psychothérapie institutionnelle, qui sera à l'origine du Centre d'études et de recherches institutionnelles (Cerfi), fondé en 1970, qui publiera jusqu'à sa dissolution en 1980 la revue *Recherches*.

En 1968, Félix Guattari participera au Mouvement du 22 mars, avant de rencontrer Gilles Deleuze* à l'université de Vincennes. De leur collaboration naîtront plusieurs livres, dont le fameux *Anti-Œdipe*, où ils récusent les concepts traditionnels de la psychanalyse au profit d'une mécanique des flux qui irriguent les « machines désirantes ». Figure marquante du « gauchisme culturel » des années 70, Guattari sera de tous les combats portant sur la sexualité, le féminisme, les prisons, les luttes urbaines et bien entendu l'école et la psychiatrie. Infatigable organisateur et ayant un sens profond de l'amitié, il n'y aura guère d'injustice à dénoncer qui ne trouve en lui écho et soutien. Le Cerfi et la revue *Recherches* seront ainsi les laboratoires d'un profond renouvellement des sciences sociales, cherchant à articuler la réflexion critique aux contestations à l'œuvre dans la société.

En 1981, il sera l'un des principaux animateurs du mouvement en faveur d'une candidature présidentielle de l'humoriste Coluche, affirmant ainsi une rupture radicale avec les pratiques politiques usuelles, et récusant la gauche, mais aussi l'écologie politique naissante, dont il sera pourtant l'un des théoriciens les plus écoutés. Parallèlement, il poursuit sa collaboration théorique avec Gilles Deleuze, fondant avec lui la revue *Chimères* en 1987 et publiant en 1991 un livre-manifeste, *Qu'est-ce que la philosophie ?*

Perpétuellement attentif aux fêlures les plus infimes du social, aux déplacements et aux migrations de la pensée ou de la vie, Guattari en appelait à une prolifération de ce qu'il nommait les « révolutions moléculaires » et fut, jusqu'à sa mort prématurée, un tisseur de multiples liens.

Joël Roman

■ *Psychanalyse et transversalité*, Maspero, 1972. — *L'Anti-Œdipe* (avec G. Deleuze), Minuit, 1972. — *La Révolution moléculaire*, Recherches, 1977. — *L'Inconscient machinique*, Recherches, 1979. — *Mille plateaux* (avec G. Deleuze), Minuit, 1980. — *Les Trois Écologies*, Galilée, 1989. — *Qu'est-ce que la philosophie ?* (avec G. Deleuze), Minuit, 1991. — *Chaosmose*, Galilée, 1992.

▩ É. Alliez, *La Signature du monde*, Cerf, 1993. — Revue *Chimères*, n° 21, hiver 1994 ; n° 23, été 1994.

GUÉHENNO (Jean)

1890-1978

Jean Guéhenno représente un itinéraire original au sein de la société intellectuelle française, par ses origines sociales. Au reste, ce sont ces origines qui ont déterminé toute son œuvre. Celui qui va renverser positivement la figure de Caliban est en effet né — à Fougères, Ille-et-Vilaine, le 25 mars 1890 — en milieu ouvrier. La ville est, à cette époque, l'une des capitales françaises de l'industrie de la chaussure, le père de Guéhenno, cordonnier (compagnon du Tour de France), sa mère, chaussonnière. Sorti de l'école à quatorze ans, il prépare seul le baccalauréat, qu'il réussit, contre toute attente. La même énergie — et les bourses de la République — le transformeront en élève de la rue d'Ulm. La guerre de 14-18, qui frappe sa génération de plein fouet (*La Mort des autres*, 1968), complétera son initiation en le transformant aussi, pour longtemps, en pacifiste.

Tout cela pourrait, cependant, n'en faire, à partir de 1919, qu'un enseignant parmi d'autres, au reste plutôt bien noté, dont la carrière va s'orienter rapidement vers les classes préparatoires, jusqu'à la consécration suprême d'une khâgne* à Louis-le-Grand (1941-1943). La confiance de quelques maîtres et l'énergie du jeune homme le conduiront bien au-delà. Daniel Halévy*, responsable de la collection des « Cahiers verts » chez Grasset*, édite — et intitule — son *Caliban parle* (1928), qui le fait connaître. Romain Rolland*, en ces années à l'apogée de son prestige international, le pousse, en 1928, à accepter le secrétariat de rédaction de la revue *Europe**, lieu de convergence de l'intelligentsia progressiste et pacifiste. De 1932 à 1935 on peut dire que le sommaire d'*Europe* est, principalement, l'œuvre de Guéhenno, devenu son vrai directeur, qui y fait preuve de rigueur et d'éclectisme, publiant Nizan* et Drieu*, Aragon* et Trotski, Berl* et Jean-Richard Bloch*. Guéhenno lui-même s'illustre dans la défense de Sacco et Vanzetti*, de l'objecteur de conscience Jacques Martin et, plus audacieux encore, des militants anticolonialistes indochinois.

Après le 6 février, la rédaction d'*Europe* devient un des lieux d'identité du Front populaire mais à la fin de 1935 son rédacteur en chef change d'échelle en lançant, associé à son ami radical André Chamson*, l'hebdomadaire *Vendredi** (autre déclinaison de Caliban), dont les promoteurs entendent faire un organe de presse modèle, c'est-à-dire indépendant des puissances d'argent comme des partis organisés. Le pari sera tenu, mais moins de trois ans seulement, et dès 1938 *Vendredi* meurt avec le Rassemblement qui l'a fait naître. L'amertume de Guéhenno se trouve aggravée par les conditions dans lesquelles, début 1936, *Europe* s'est trouvée vendue par son éditeur initial à un groupe d'« Amis d'*Europe* », où il reconnaît un noyautage communiste, ce qui l'amène à quitter la revue, donc à s'éloigner de Rolland. Il n'en rallie pas pour autant le camp des pacifistes intégraux et, en 1940, choisira d'emblée le refus de Vichy.

Membre fondateur du Comité national des écrivains*, auteur des clandestines Éditions de Minuit* sous le pseudonyme de « Cévennes » pour un extrait de son *Journal des années noires*, dont la version intégrale paraît en 1947, Guéhenno parachève son itinéraire à la Libération en accédant à des fonctions officielles, comme responsable d'une nouvelle direction de l'Éducation nationale, chargée de l'Éducation populaire et des mouvements de jeunesse. Mais l'expérience tourne court : jugeant qu'il ne disposera pas d'une autonomie suffisante, il démissionne dès juillet 1945.

Tout se passe ensuite comme si Guéhenno, échaudé par les résultats mitigés de ses engagements successifs et inquiet de voir le communisme progresser en Europe, prenait du recul. Il quitte l'enseignement actif pour l'inspection générale — où il se bat victorieusement pour la reconnaissance des « lettres modernes » — et l'engagement actif pour de vastes mises au point, sur ses maîtres à penser (*Jean-Jacques*, 1948-1952), sur sa vie (*Changer la vie*, 1961), sur ses valeurs (*Ce que je crois*, 1964)... Son intérêt pour le siècle passe dans les chroniques qu'il donne au *Figaro**, avant de passer au *Monde**, juste avant sa mort, survenue le 23 septembre 1978. Élu à l'Académie française*, Jean Guéhenno ne se fait pas entendre des jeunes générations. Depuis sa mort les historiens ont réévalué quelque peu à la hausse son rôle pendant l'entre-deux-guerres, montrant en lui un type achevé d'intellectuel engagé, rattachable à la mouvance socialiste mais ayant toujours manifesté à l'égard de la politique traditionnelle un vieux fond de méfiance libertaire. Sans doute, avec sa constante réflexion sur les capacités libératrices d'une culture débarrassée de ses attributs « bourgeois », faut-il voir là l'un des effets de l'influence du cordonnier et de la chaussonnière.

Pascal Ory

■ *Caliban parle*, 1928, rééd. Grasset, 1962. — *Journal des années noires (1940-1944)*, 1947, rééd. Gallimard, 1974. — *« Changer la vie » : mon enfance et ma jeunesse*, Grasset, 1961, rééd. 1990. — *Ce que je crois*, Grasset, 1964. — *Caliban et Prospero*, Grasset, 1969. — « L'indépendance de l'esprit (1919-1944) » (avec R. Rolland), *Cahiers Romain Rolland*, n° 23, 1975, Albin Michel. — *Correspondance (1928-1969)* (avec J. Giono) (éd. P. Citron), Seghers, 1991.

■ M. Leymarie, *Jean Guéhenno et l'enseignement : un professeur en république*, mémoire, IEP, 1989. — F. Mouret et P. Phocas, *Jean Guéhenno et Monsieur Gide*, 2e éd. Nantes, Ouest Éditions, 1993.

GUÉNON (René)

1886-1951

René Guénon n'est pas encore vraiment reconnu pour ce qu'il fut : un des intellectuels français les plus influents du siècle. Si l'on accepte en effet de faire sa vraie place à la pensée « traditionnelle », il faut bien admettre que cet intellectuel fut prophète, et moins désarmé qu'il n'y paraît.

Après de bonnes études au lycée de Blois, ce fils de la bourgeoisie catholique (son père était architecte) s'inscrivit en « taupe » au collège Rollin. Arrivé à Paris, le jeune provincial semble avoir été très rapidement « happé » par les milieux occultistes parisiens. Il ne néglige pourtant pas totalement ses études de mathématiques. Mais les cours qu'il suit le plus passionnément à partir d'octobre 1904 sont sans conteste ceux du docteur Encausse, alias « Papus », grand-maître de l'Ordre martiniste et directeur de l'École supérieure libre des sciences hermétistes...

René Guénon se détourne pourtant rapidement de l'Ordre martiniste et de la « connaissance secrète » qu'il prétend diffuser. Il semble à l'époque hésiter sur la voie à suivre, puisque ses premiers articles le montrent plutôt proche de l'agnosticisme de la maçonnerie, qu'il prétendra plus tard avoir voulu « détruire de l'intérieur »... Et tout en se réclamant déjà de la Tradition (après tout, il s'agit *aussi* d'une idée maçonnique banale), il n'en refuse pas alors une interprétation « évolutionniste », en termes de Progrès, d'Humanité. En tout cas, il constate que même crispée sur une position antimoderniste, « intégraliste », l'Église n'a pas un corps doctrinal cohérent. D'où sa recherche anxieuse d'un « enseignement » resté pur de toute contamination moderne, qui le conduira vers les « gnostiques » et vers certains rameaux dissidents de la franc-maçonnerie hostiles à l'égalitarisme contemporain, pour lequel il n'aura jamais la moindre faiblesse. Il ne s'y fixera pas, et trouvera finalement sa voie dans l'islam. En 1912, il se convertit et, en 1930, il se fixe définitivement en Égypte, où il vivra jusqu'à sa mort sous le nom de « Cheikh Abdel Wahed Yahya ».

La célébrité lui vint de s'être inséré dans le grand débat Occident-Orient né de la révolution russe et du « procès de l'intelligence » de l'après-guerre. Contre ses amis maurrassiens, Guénon n'attribue pas *La Crise du monde moderne* aux « infiltrations orientales », mais à l'oubli par l'Occident des fondements de la Tradition primordiale, mieux préservés par les grandes civilisations orientales. De ce jour, le Blésois exercera une influence qu'il ne faudrait pas sous-estimer, non seulement sur ses disciples directs et organisés (revue *Études traditionnelles*, Éditions Chacornac), mais sur de nombreux intellectuels de premier plan. Parmi ces derniers, on peut citer André Gide*, Drieu La Rochelle*, et Jean Paulhan*, qui crée chez Gallimard* une collection « Tradition » en 1938.

Mais ce sont les surréalistes (Breton* lui-même, qui lui reproche cependant son idéologie « réactionnaire », Artaud*, les hommes du *Grand Jeu*) qui lui accordent une attention qui n'a de répondant, dans un tout autre secteur de l'intelligentsia européenne, que celle de certains penseurs fascistes ou « nationaux-révolutionnaires ». Si Guénon semble n'avoir jamais envisagé un usage politique direct de la « Tradition », tel ne semble pas avoir été le cas de Carl Schmitt, qui fut un lecteur particulièrement attentif de son œuvre, ni encore moins celui de Julius Evola, qui élabora à partir d'idées très voisines un « fascisme spiritualiste » particulièrement apprécié du Duce à partir du milieu des années 30. On connaît ce mot qui circulait dans les milieux évoliens : « Hitler ? C'est Guénon avec les *Panzerdivisionen.* » Bien entendu, cette boutade ne donne pas le « sens ultime » du guénonisme, mais indique tout le travail à faire sur l'histoire de la pensée réactionnaire en Europe dans le siècle qui s'achève.

Daniel Lindenberg

■ *La Crise du monde moderne*, Bossard, 1927, rééd. Gallimard, 1990. — *Le Règne de la quantité et les signes des temps*, NRF, 1945.

■ J.-P. Laurant, *Le Sens caché dans l'œuvre de René Guénon*, Lausanne, L'Âge d'Homme, 1976. — « René Guénon », *Dossier « H »*, 1984. — Numéro consacré à Guénon dans *L'Herne* (dir. J.-P. Laurant), 1985. — Actes du colloque « Métaphysique et politique autour de René Guénon et Julius Evola », *Politica Hermetica*, n° 1, 1987.

GUÉRIN (Daniel)

1904-1988

Issu d'une famille de bourgeois dreyfusards, Daniel Guérin fut initié aux idées socialistes par le cours d'Élie Halévy* qu'il suivit en 1922-1923 à l'École libre des sciences politiques*. Il devint très vite anticolonialiste militant à la suite de séjours qu'il fit en Syrie, au Liban et en Indochine et dont il rapporta des articles qu'il publia en 1930 dans le journal d'H. Barbusse*, *Monde**. Toute sa vie allait être marquée par le combat anticolonialiste. Après un premier bref passage à la SFIO, il entreprit en 1932 et 1933 deux voyages en Allemagne dont il fit un reportage dans *Le Populaire* et qui furent le point de départ de son livre, *Fascisme et grand capital*, publié en 1936.

Après avoir participé aux journées de février 1934 à Paris, D. Guérin réadhéra à la SFIO, puis y rejoignit la tendance « Gauche révolutionnaire » fondée en septembre 1935 par M. Pivert. Il en fut un des principaux responsables, jusqu'à l'exclusion de cette dernière au congrès de Royan (juin 1938). Il milita alors au Parti socialiste ouvrier et paysan, et en fut, avec l'appui de militants trotskistes, un des représentants de son aile gauche. Avec la guerre, D. Guérin fut mandaté pour poursuivre l'activité internationale du PSOP en Norvège, où il fut arrêté par l'irruption de la Wehrmacht en avril 1940. Il put rentrer en France en 1942.

Il entreprit alors des recherches sur la Révolution française, qu'il publia en 1946 *(La Lutte des classes sous la Ire République)*. La même année, il partit aux États-Unis, où il devait séjourner jusqu'en 1949. Revenu en France, il poursuivit son militantisme dans les mouvements anticolonialistes, fut un des signataires du « Manifeste des 121 »* puis défendit les thèses de l'autogestion en Algérie après l'indépendance de cette dernière. Après avoir suivi Mai 68 avec passion, D. Guérin adhéra l'année suivante au Mouvement communiste libertaire et y milita activement jusqu'à sa mort.

L'œuvre de D. Guérin s'organise autour de quatre directions principales. Sur le plan politique, D. Guérin fut influencé par le trotskisme, puis le luxemburgisme et l'anarchisme ; après 1968, il s'efforça de promouvoir un « marxisme libertaire » au sein du mouvement anarchiste. Tout en ayant rompu avec le trotskisme, il garda entière son admiration pour le théoricien de la révolution permanente. Son activité anticolonialiste fut constante, de sa jeunesse à la défense qu'il mena contre les assassins de Ben Barka (création en 1965 d'un Comité pour la vérité sur l'affaire Ben Barka, publication en 1975 de *Les Assassins de Ben Barka*). Il revendiqua la liberté sexuelle sans faire mystère de son homosexualité. Autant de thèmes qui parcourent le quatrième volet de son œuvre, consacré à l'écriture, notamment à travers trois essais autobiographiques : *Un jeune homme excentrique* (1965) ; *Le Feu du sang* (1977) ; *Son testament* (1974).

Michel Dreyfus

■ *Fascisme et grand capital*, Gallimard 1936, rééd. La Découverte, 1969. — *La Lutte des classes sous la Ire République*, Gallimard 1946. — *Les Assassins de Ben Barka*, Authier, 1975, rééd. sous le titre : *Ben Barka, ses assassins*, Plon, 1981.
■ J. Maitron, « Daniel Guérin », in *DBMOF*.

GUERRE FROIDE (combats communistes)

1947-1956

Comment la France, dotée d'un des plus puissants Partis communistes occidentaux, aurait-elle pu échapper aux répercussions du « grand schisme » qui, ouvertement à partir de 1947, oppose l'URSS à ses anciens alliés de la Seconde Guerre mondiale ? À dire vrai, au PCF, dès l'automne 1946 prend fin un climat de relative tolérance intellectuelle. Dans la lignée d'Andrei Jdanov, qui depuis l'été avait déclenché l'offensive contre les artistes et les écrivains soviétiques accusés de « cosmopolitisme », Aragon* rappela que les communistes n'étaient neutres ni dans l'art ni dans la littérature, imposa une seule et unique esthétique, le réalisme, et tança vertement ceux qui le contestaient. En juin 1947, Laurent Casanova lançait au XIe congrès du PCF un appel fervent à la mobilisation des intellectuels. Ainsi, le tournant idéologique a précédé le tournant politique définitivement enregistré à la réunion de Szklarska-Poreba en Pologne en septembre 1947, qui rassemblait autour du PC soviétique la plupart des Partis au pouvoir en Europe de l'Est et les Partis français et italien. Les Soviétiques y imposèrent une nouvelle stratégie internationale fondée sur l'affrontement entre deux camps — d'un côté le camp impérialiste et antidémocratique, belliciste et agressif, emmené par les États-Unis, de l'autre le camp anti-impérialiste et démocratique, favorable à la paix, guidé par l'URSS —, et la formation d'un bureau d'information, le Kominform.

Aussitôt, la direction du PCF reprend à son compte ces propositions, qui l'amènent à s'opposer à toutes les autres forces politiques, et resserre les vis et les écrous de son appareil. Le comité central crée une section idéologique qui se divise en trois commissions, dont l'une, confiée à Laurent Casanova, s'occupe des intellectuels. En 1949, ce dernier énonce leurs tâches : « Rallier toutes les positions idéologiques et politiques de la classe ouvrière, défendre en toutes circonstances avec la plus extrême résolution toutes les positions du Parti, nous garder de l'esprit de suffisance, cultiver en nous l'amour du Parti dans sa forme la plus consciente, l'esprit de Parti, donner au prolétariat les raisons supplémentaires et les justifications nouvelles que vous pouvez lui apporter par des œuvres probantes. » Pour atteindre ces objectifs, le PCF s'assure le contrôle de publications culturelles liées à la Résistance, comme l'hebdomadaire *Les Lettres françaises** ou la revue *Arts de France*. En décembre 1948, il lance *La Nouvelle Critique**, « revue du marxisme militant ».

Pour les communistes, intellectuels ou non, la Guerre froide signifie un combat sur trois principaux fronts. D'abord, la lutte contre l'impérialisme américain, accusé de tous les maux, notamment de préparer un conflit armé et de coloniser la France. La dénonciation virulente et permanente de la puissance capitaliste d'outre-Atlantique atteint l'un de ses sommets avec l'affaire des époux Rosenberg, accusés d'espionnage atomique et exécutés le 19 juin 1953. Ensuite, la lutte pour la paix mobilise toutes les énergies. Elle provoque une critique acerbe des États-Unis, fauteurs de guerre, en particulier au moment de la guerre de Corée ; cela entraîne même les communistes parisiens à organiser, le 28 mai 1952, une manifestation d'une rare violence pour protester contre la venue à Paris du général américain Ridgway rendu responsable d'une guerre bactériologique — une accusation qui se révéla sans fondements. Dans le même temps se multiplient les initiatives contre « les préparatifs de guerre » et en faveur du désarmement atomique, dont la plus fameuse reste l'« Appel de Stockholm »*. Enfin, il s'agit de défendre l'URSS et l'ensemble du camp socialiste. Le Parti communiste français approuve bruyamment la « justice » expéditive des pays socialistes, en particulier lors des procès Rajk en Hongrie, Kostov en Bulgarie (1949) et Slansky en Tchécoslovaquie (1952). Par ailleurs, il relaie avec ardeur la redoutable campagne engagée à partir de 1948 par Staline contre Tito et la Yougoslavie. Enfin, il encense les réussites grandioses de ces régimes et de leur maître d'œuvre, Joseph Staline. D'où les vives attaques contre ceux qui dénoncent les conditions de vie, le système politique ou l'existence des camps : Victor Kravchenko, ancien haut fonctionnaire soviétique, qui a décrit par le menu la réalité de la dictature de son ancien pays dans son livre best-seller *J'ai choisi la liberté*, en fait l'amère expérience lors du procès qui l'oppose en 1949 aux *Lettres françaises* ; de même David Rousset*.

Mais la direction du PCF a réservé aux intellectuels un rôle précis sur « le front » idéologique et culturel. Les mêmes thématiques combattantes participent alors de la tentative de mise sur pied d'une culture communiste de Guerre froide. Celle-ci se forge dans un double mouvement de refus et de fondation. Refus de « l'américanisation » de la culture française qui se manifesterait aussi bien par la diffusion du Coca-Cola que celle d'ouvrages grand public ou de films hollywoodiens. Refus, formulé dès les lendemains de la guerre, de la « décadence » de la culture bourgeoise, expression de l'agonie du capitalisme, qui sombre dans l'immoralisme ou la pornographie avec des auteurs honnis, par exemple Camus*, Gide*, Koestler, Malraux*, Miller ou Sartre* et les peintres abstraits. À l'inverse sont glorifiées les productions culturelles et les réalisations scientifiques des pays socialistes imposées par le jdanovisme : en particulier, la science prolétarienne, supérieure à la science bourgeoise, et les « avancées » du lyssenkisme qui récuse les théories de Mendel et de Morgan, ce qui vaut au biologiste communiste Marcel Prenant* d'être sanctionné pour avoir exprimé ses réticences. En outre, le PCF veut jeter les bases d'un réalisme socialiste à la française qui se prétend l'héritier d'une tradition culturelle et artistique nationale et désire répondre aux aspirations des créateurs de faire un art utile ou populaire. Certains d'entre eux se lancent dans l'aventure, par exemple les écrivains Louis Aragon avec *Les Communistes*, André Stil*, prix Staline en 1952 pour *Le Premier Choc*, ou encore Roger Vailland*, dont la pièce de théâtre *Le colonel Foster plaidera coupable* est interdite, des poètes tels Elsa Triolet* ou Éluard*, des peintres tels André Fougeron*, Boris Taslitzky et bien d'autres, des cinéastes enfin, dont Louis Daquin.

Tous les intellectuels communistes ne participent pas de la même façon à cette entreprise. Dès le début, certains refusent de se soumettre à ces nouvelles exigences de la « seconde glaciation stalinienne » et sont donc exclus, comme Edgar Morin* ou Marguerite Duras*. D'autres restent en marge, intouchables du fait de leur prestige (Picasso*), ou passant des compromis, comme le peintre Édouard Pignon. Parmi les plus actifs, derrière les grands noms (Aragon, Triolet, Éluard, Joliot-Curie*) se précipitent la cohorte des purs produits du PCF (Pierre Daix*, Dominique Desanti*, André Fougeron, André Stil, André Wurmser*) et toute la génération de jeunes intellectuels venus au communisme pendant la Résistance ou à la Libération et dont beaucoup d'éléments deviendront célèbres par la suite (Maurice Agulhon*, François Furet*, Annie Kriegel*, Emmanuel Le Roy Ladurie*, etc.). Cette société communiste est d'ailleurs elle-même traversée de conflits plus ou moins ouverts entre clercs quant aux interprétations à donner des préceptes du Parti et pour des luttes internes d'influence, ou entre les clercs et les dirigeants du PCF avec divers jeux de coterie. Ainsi Picasso et Aragon sont-ils condamnés par le secrétariat du PCF pour avoir donné et publié dans *Les Lettres françaises*, à l'occasion de sa mort, un portrait de Staline considéré comme infamant.

Ces intellectuels engagés, motivés par la foi ou la recherche de gratifications matérielles et symboliques à l'intérieur du PCF (les deux pouvant parfaitement coexister), font preuve d'un mélange explosif d'altruisme, de générosité, de dévouement destructeur, d'abnégation, d'intolérance, d'aveuglement, de haine de soi et de négation des valeurs qui sont au fondement de la notion même d'intellectuel. En outre, ils se retrouvent dans une position très inconfortable : exclus du reste de la communauté culturelle qu'ils regardent de haut, ils sont sans cesse rappelés à l'ordre par la direction de leur Parti où règne un ouvriérisme méprisant envers les intellectuels et qui se méfie d'autant plus d'eux qu'ils sont soupçonnés de concevoir leur fonction comme celle d'hommes des Lumières alors qu'ils doivent se contenter d'être de simples hérauts.

L'activisme intellectuel communiste de guerre froide demeure dans l'ensemble très minoritaire. Le PCF ne sort de son ghetto que sur les questions de la paix ou dans sa critique de l'américanisation de la France où, grâce aussi à l'action efficace de ses multiples compagnons de route, il obtient un assez grand écho auprès d'une intelligentsia souvent philocommuniste.

La mort de Staline en 1953, le XXe congrès du PCUS en 1956, au cours duquel Khrouchtchev présente son fameux rapport secret, et l'insurrection de Budapest écrasée par les chars soviétiques ébranlent le monde communiste. Si la Guerre froide n'est pas terminée dans le domaine des relations internationales, l'échec de la culture communiste de Guerre froide est patent. Dès 1954, Louis Aragon, au XIIIe congrès du PCF, module les positions officielles du Parti en matière d'art. Cependant, il faut attendre 1966 pour que le PCF admette officiellement une liberté d'art. Entre-temps, de nombreux intellectuels l'ont quitté. Cette profonde rupture n'a cependant pas empêché que nombre de positions poussées au paroxysme entre 1947 et 1956 (anti-américanisme, défense systématique de l'URSS, revendications pacifistes unilatérales, etc.) ne se perpétuent en France, au PCF ou dans d'autres secteurs de la gauche.

Marc Lazar

■ D. Caute, *Le Communisme et les intellectuels français (1914-1966)*, Gallimard, 1967. — T. Judt, *Un passé imparfait. Les intellectuels en France (1944-1956)*, Fayard, 1992. — M. Lazar, *Maisons rouges. Les Partis communistes français et italien, de la Libération à nos jours*, Aubier, 1992. — B. Legendre, *Le Stalinisme français. Qui a dit quoi ? (1944-1956)*, Seuil, 1980. — J. Verdès-Leroux, *Au service du Parti. Le Parti communiste, les intellectuels et la culture (1944-1956)*, Fayard / Minuit, 1983.

Guillemin (Henri)

1903-1992

Henri Guillemin est né à Mâcon le 19 mars 1903 d'une mère pieuse et d'un père laïque, il gardera toute sa vie une sorte d'humilité de ses origines modestes.

Normalien en 1923, avec Jean Cavaillès*, Georges Friedmann* et Gabriel Germain, il côtoie Raymond Aron*, Paul Nizan* et Jean-Paul Sartre*. Surtout, il rencontre Marc Sangnier* qui, à ses yeux, fait la synthèse de ses origines à la fois mystiques et laïques. Henri Guillemin travaille pour le Sillon, pour Marc Sangnier, dont il épousera la filleule et sera toute sa vie un catholique de gauche énergique et non aligné. Agrégé de lettres en 1927, il soutient en 1936 sa thèse sur le *Jocelyn* de Lamartine. Il enseigne au Caire de 1936 à 1938, puis à l'université de Bordeaux qu'il quitte pour passer en Suisse sous l'Occupation. Il devient conseiller culturel à Berne en 1945, puis enseigne à Genève de 1963 à 1973.

Parallèlement à son enseignement, il a été un critique et un conférencier infatigable dont la notoriété lui valut un public fidèle dans tous les pays francophones. Ses conférences, comme ses livres, rendent compte des enquêtes minutieuses du critique littéraire, dont l'érudition sert l'humeur. Méticuleux lecteur des œuvres, il inventorie toutes les archives des auteurs qu'il étudie : traqueur du mensonge et des silences, il les dévoile dans leurs rapports toujours révélateurs à l'argent, à l'amour, au pouvoir. Parmi d'autres, Rousseau, Robespierre, Lamartine, Hugo, Jaurès* furent ses gloires ; Voltaire, Bonaparte, Constant, Vigny, ses victimes. Historien, il s'attache à Jeanne d'Arc, à Robespierre et surtout à la Commune. Ses portraits à l'emporte-pièce, non dénués d'injustice, ses raccourcis, non dénués d'humour, lui valent la férule des spécialistes et le succès du public.

Catholique, il publie en 1937, dans la revue dominicaine *La Vie intellectuelle*, un article vigoureux intitulé « Par notre faute » où il rend l'Église responsable de la déchristianisation. Croyant sincère et profond, il l'était de façon trop radicale pour ne pas être anticlérical. Au moment de sa mort à Neuchâtel le 4 mai 1992, il mettait la dernière main à *Malheureuse Église* où il disait la déception d'un chrétien qui avait cru à l'élan de Vatican II.

Jean-Pie Lapierre

■ *Le « Jocelyn » de Lamartine*, Boivin, 1936. — *Monsieur de Vigny, homme d'ordre et poète*, Gallimard, 1955. — *Les Origines de la Commune*, Gallimard, t. 1 : *Cette curieuse guerre de 70*, 1956, t. 2 : *L'Héroïque Défense de Paris*, 1959, t. 3 : *La Capitulation*, 1960. — *Benjamin Constant, muscadin*, Gallimard, 1958. — *Le « Converti » Paul Claudel*, Gallimard, 1968. — *L'Affaire Jésus*, Seuil, 1982. — *Robespierre, politique et mystique*, Seuil, 1987. — *Parcours*, Seuil, 1989. — *Malheureuse Église*, Seuil, 1992.

■ P. Berthier, *Le Cas Guillemin*, Gallimard, 1979 (reproduit, en annexe, le texte de « Par notre faute ») ; *Guillemin, légende et vérité*, Lys, Utovie, 1982.

GUILLEVIC (Eugène)

Né en 1907

Parmi les tout premiers poètes de l'objet, de la constatation, aux antipodes d'une tradition poétique fondée sur l'image, Eugène Guillevic se sera heurté, en tant que militant communiste, au problème type de l'intellectuel engagé appelé à rallier son art à la cause qu'il défend au prix de sa liberté créatrice.

D'origine bretonne (il est né à Carnac), fils d'un marin devenu gendarme et d'une ouvrière-couturière, Guillevic fait ses études au collège d'Altkirch en Alsace. Reçu en 1926 au concours de surnuméraire de l'Enregistrement, il fait son apprentissage de fonctionnaire des finances et devient en 1935 cadre de l'administration centrale. Installé à Paris, il entame une double vie de fonctionnaire et de poète, participe au groupe « Sagesse » animé par Fernand Marc, se lie d'amitié avec Jean Follain, lit Marx, publie dans *Le Pont Mirabeau*, dans *Commune**, et fait paraître la plaquette *Requiem* aux Éditions Tschann. Catholique pratiquant dans son enfance, « plutôt théiste » jusqu'à trente ans, il se détache de l'Église au fil des campagnes qu'elle appuie, l'Éthiopie*, l'Espagne*, et finit par rompre avec la religion à mesure qu'il est gagné à la cause des opprimés. Sous l'Occupation, alors qu'il publie des poèmes dans *La Nouvelle Revue française** dirigée par Drieu La Rochelle* et que paraît son premier recueil chez Gallimard*, *Terraqué*, Guillevic participe à la Résistance, collabore à l'anthologie clandestine *L'Honneur des poètes*, et adhère au PC pendant la bataille de Stalingrad. Membre du Comité national des écrivains*, il en sera, à partir de 1946, le trésorier. Entré par ailleurs, à la Libération, dans le cabinet de ministres communistes il travaille avec François Billoux à l'Économie nationale, puis le suit à la Reconstruction. Il devient bientôt inspecteur de l'Économie nationale à l'administration centrale, où il reste jusqu'à sa retraite en 1967.

Confronté, pendant la Guerre froide*, à la difficulté de concilier son œuvre avec ses engagements militants, Guillevic rompt avec son art poétique pour écrire, de 1950 à 1953, les poèmes politiques de *Gagner*, *Envie de vivre*, *Terre à bonheur*. Imprégné de la thèse d'Aragon* en faveur du retour aux « formes nationales » de la poésie, le poète de l'ellipse et de la pointe va jusqu'à renoncer au vers libre et compose les *Trente et un sonnets*. Ces textes, célébrés par Aragon, lui ouvrent une audience plus vaste, notamment dans le monde scolaire (le poème « L'école publique » est largement reproduit), mais sont aussi sévèrement critiqués par des pairs comme Arland* et son ami Tortel avec qui il engage une polémique parue dans le numéro d'*Europe** de mars 1955. Cet « exercice », tel que le qualifiera plus tard le poète, n'aura été qu'une parenthèse, comme en témoignent les recueils parus depuis 1961 où il renoue avec sa poétique. En accord avec l'invasion de la Hongrie en 1956*, Guillevic soutient, en 1968, le PCF sur la question de la Tchécoslovaquie et prend position contre la normalisation après un voyage qu'il y effectue l'année suivante en compagnie de membres de l'Union des écrivains. Union dont il avait été l'un des fondateurs dès la prise de l'hôtel de Massa. Déçu par une visite en URSS en 1972, il délaisse dès lors ses activités militantes, et quitte le Parti en 1980. Poète toujours prolifique, traducteur de l'allemand et du hongrois, Guillevic est également président de l'Académie Mallarmé.

Gisèle Sapiro

■ *Gagner*, Gallimard, 1949. — *Envie de vivre*, Seghers, 1951. — *Terre à bonheur*, Seghers, 1952. — *Trente et un sonnets*, Gallimard, 1954. — *Terraqué*, suivi de *Exécutoire*, Gallimard, 1968. — *Sphère*, suivi de *Carnac*, Gallimard, 1977. — *Choses parlées. Entretiens* (avec R. Jean), Seyssel, Champ Vallon, 1982.
■ J. Tortel, *Guillevic*, Seghers, 1954, rééd. 1990.

GUILLOUX (Louis)
1899-1980

Louis Guilloux est un intellectuel dans les divers sens du terme : son œuvre est un témoignage du combat politique mené par les premiers socialistes ; il s'est engagé lui-même dans le combat politique, enfin il a été une « conscience » par rapport aux écarts des politiques.

Louis Guilloux naît le 15 janvier 1899 à Saint-Brieuc. Son père est cordonnier mais surtout un des fondateurs de la section socialiste de la ville. Guilloux retrace ces combats et cette période dans ses premiers livres : *La Maison du peuple* (1927) et *Les Compagnons* (1931) où il évoque un peuple libéré de son « aliénation millénaire ». Selon Camus*, il rendit à ce peuple « la seule grandeur qu'on ne peut lui arracher, la vérité ».

Produit de la méritocratie républicaine, il obtient après le certificat d'études une bourse et peut entamer des études secondaires. Secrétaire d'Augustin Hamon, répétiteur, voyageur de commerce, il « monte » à Paris en 1919 et devient journaliste à *L'Excelsior* puis à L'*Intransigeant* avant de se consacrer à sa passion : l'écriture. Les rencontres de Chamson*, Max Jacob et Jean Guéhenno* lui permettent d'entrer dans le milieu littéraire et il publie divers livres jusqu'à son œuvre maîtresse : *Le Sang noir*. Il ne néglige pas pour autant l'action politique et il est en 1935 secrétaire général du Congrès international des écrivains pour la défense de la culture* organisé par l'Association des écrivains et artistes révolutionnaires*. Responsable ensuite du Secours rouge international puis du Secours populaire, il aide notamment les réfugiés républicains espagnols. Il effectue en 1936 le fameux voyage en URSS avec Gide* et Dabit* au retour duquel le futur prix Nobel critique le régime stalinien. Guilloux, lui, se tait et refuse, malgré les invites d'Aragon*, d'attaquer Gide. Il n'en devient pas moins en 1937 responsable de la page littéraire de *Ce soir*, proche du Parti communiste, mais il en est vite évincé au profit d'un jeune intellectuel du Parti, Paul Nizan*. Dès lors, son action politique se limite à la Bretagne où il avait déjà lutté auprès des chômeurs et contre les ventes-saisies. La guerre venue, il joue un rôle dans la Résistance des Côtes-du-Nord qu'il contribue à fédérer. Il adhère en 1945 au Front national, animé notamment par les communistes, après avoir servi d'interprète auprès des armées américaines à la Libération. Sans rien renier de ses convictions, il se consacre désormais pour l'essentiel à son œuvre littéraire dont les horizons s'élargissent. Les dernières années lui apportent une consécration unanime symbolisée par le succès de l'émission « Apostrophes »* qui lui est consacrée le 2 juin 1978.

Louis Guilloux, véritable homme libre, déçu par les idéologies, apparaît comme un intellectuel peu classable. À l'image de Cripure, le héros du *Sang noir*, dont le modèle était Georges Palante, professeur et mentor de Guilloux, celui-ci, malgré l'amertume des illusions perdues, n'en croyait pas moins en l'homme, désespérément...

Jean-François Homassel

■ *La Maison du peuple* Grasset, 1927. — *Le Sang noir*, Gallimard, 1935. — *Le Pain des rêves*, Gallimard, 1942. — *Le Jeu de patience*, Gallimard, 1949. — *Carnets*, t. 1 : *1921-1944*, t. 2 : *1944-1974*, Gallimard, 1978 et 1982. — *L'Herbe d'oubli*, Gallimard, 1984.

■ G. Leroy et A. Roche, *Les Écrivains et le Front populaire*, Presses de la FNSP, 1986. — N. Racine, « Louis Guilloux », in *DBMOF*. — *Louis Guilloux* (colloque de Cerisy), Quimper, Calligrammes, 1986.

GUITTON (Jean)

Né en 1901

Écrivain et universitaire, Jean Guitton n'a jamais été l'homme des manifestes et des pétitions. Penseur éclectique, auteur foisonnant, il est représentatif, par les influences subies, les milieux fréquentés, les amitiés nouées, les expériences vécues, d'un certain type d'intellectuel catholique français au XXe siècle.

Né le 18 août 1901 à Saint-Étienne, il est issu d'une famille catholique bourgeoise, dont l'une des branches (côté paternel) lit *La Croix*, et l'autre (côté maternel) *Le Temps*. Élève de Louis-le-Grand (1917), il est reçu à l'École normale supérieure* en 1920 et obtient son agrégation de philosophie trois ans plus tard. Membre actif du groupe des « talas » de la rue d'Ulm, il subit l'influence de l'abbé Portal, l'un des pionniers de l'œcuménisme catholique au XXe siècle. Pensionnaire de la Fondation Thiers (1925-1928), il rencontre M. Pouget, un vieux sage presque aveugle originaire du Cantal, qui l'initie à la critique et à l'histoire des dogmes. Disciple de Maurice Blondel* et de Jacques Chevalier, admirateur de Bergson*, il soutient en 1933 une thèse de philosophie en Sorbonne sous la direction de Léon Brunschvicg* sur *Le Temps et l'éternité chez Plotin et saint Augustin*. De 1933 à 1940, il enseigne successivement aux lycées de Troyes, de Lyon (où il aura pour élève un certain Louis Althusser*) et à la Faculté des lettres de Montpellier. Avec d'autres philosophes de sa génération (E. Mounier*, J. Lacroix*, É. Borne*), il symbolise alors « la rentrée du catholicisme dans ses droits intellectuels » (*Regards sur la pensée française, 1870-1940*, 1968).

Fait prisonnier en 1940, il publie, sous l'Occupation, un *Journal de captivité* (1943) qui lui vaudra d'être condamné à la Libération pour « intelligence avec l'ennemi et aide à la propagande allemande ». Rétrogradé dans l'enseignement secondaire, il retrouve une chaire universitaire à Dijon (1949), puis à la Sorbonne 1955, où son élection provoque les manifestations des étudiants communistes et progressistes. Son élection à l'Académie française* (1961) suscite moins de remous.

Auditeur au concile Vatican II (1962-1965), Jean Guitton a été le seul laïc à y « prendre la parole » à l'invitation du pape Paul VI, dont il sera le confident et l'ami. En juin 1988, il se rendra à Écône, à la demande de Jean-Paul II, pour rencontrer Mgr Lefèvre et tenter d'éviter le schisme. Fidèle à sa vocation d'intellectuel, vieux sage consulté par François Mitterrand en 1994, il continue d'incarner à plus de quatre-vingt-dix ans, au risque d'irriter et de susciter la controverse (*Dieu et la science*, 1991), une certaine présence de la pensée chrétienne dans le débat d'idées contemporain.

Philippe Chenaux

■ *Portrait de Monsieur Pouget*, NRF, 1941. — *Le Temps et l'éternité chez Plotin et saint Augustin*, Vrin, 1959. — *L'Église et l'Évangile*, Grasset, 1959. — *Dialogue avec des précurseurs. Journal œcuménique (1920-1960)*, Montaigne, 1962. — *Dialogues avec Paul VI*, Fayard, 1967. — *Regards sur la pensée française (1870-1940)*, Beauchesne, 1968. — *Un siècle, une vie*, Laffont, 1988. — *Les Pouvoirs mystérieux de la foi*, Perrin, 1993.

GURVITCH (Georges)

1894-1965

Malgré sa situation d'« exclu de la horde » — la horde des philosophes comme celle des sociologues —, Georges Gurvitch joua un rôle important dans le développement de la sociologie universitaire en France. Fondateur et animateur d'institutions de recherches, il fut l'auteur d'une œuvre prolifique située à la rencontre de la philosophie (sa formation), du droit social (son objet de prédilection) et de la sociologie (sa méthode et son langage). Il fut aussi l'« auteur » d'un exceptionnel itinéraire d'exils et d'engagements.

Né en Russie en 1894, fils du directeur de la Banque russo-asiatique, lycéen à Rostov et Riga, étudiant en Allemagne et en Russie, il baigne dans l'atmosphère d'effervescence intellectuelle et politique des années révolutionnaires. Il est en pleine phase « proudhonienne » lorsque survient la révolution de 1917 et une nouvelle éclosion des soviets dont il est un partisan enthousiaste. Révolutionnaire « conseilliste », il récuse le socialisme centralisé des bolcheviks et préfère se rendre à Prague (1920-1925) où il semble vouloir poursuivre une carrière de philosophe (étude sur Fichte). En fait, au contact des conseils ouvriers et des œuvres de Proudhon, c'est l'idée de droit social qui creuse l'axe principal de sa réflexion. Arrivé en France en 1925, grand lecteur de la tradition sociologique française, ami de Marcel Mauss* et de Lucien Lévy-Bruhl*, il soutient et publie sa thèse sur *L'Idée de droit social* en 1932. Promoteur de l'idée d'une libre organisation sociale et juridique des groupes (ouvriers, consommateurs, etc.), il voulut influencer la future Constitution de la France d'après guerre avec la publication en 1944 de sa *Déclaration des droits sociaux*. Il compte parmi les théoriciens qui ont pu nourrir l'idéal de « démocratie industrielle » et d'autogestion.

Marqué par la confrontation avec la tradition empirique de la sociologie américaine lors de son séjour aux États-Unis* entre 1940 — il a été révoqué par Vichy en application du statut des juifs — et 1945, directeur de l'Institut français de sociologie à l'École libre des hautes études de New York, il souhaite donner des bases institutionnelles aux recherches collectives. Il fonde en 1946 le Centre d'études sociologiques dans le cadre du CNRS*, crée une revue, les *Cahiers internationaux de sociologie* la même année, est nommé à la Sorbonne en 1949 et aux Hautes Études en 1950, fonde l'Association des sociologues de langue française en 1955 et dirige de grands ouvrages collectifs comme le *Traité de sociologie* (2 volumes, vingt-sept auteurs, 1958 et 1960).

Resté fidèle à ses idées de socialisme pluraliste, continuant de suivre avec passion l'évolution de l'URSS (il est favorable à Khrouchtchev), il s'engagea aussi en faveur de la décolonisation et de l'indépendance de l'Algérie. Il meurt en 1965, trois ans avant les révoltes de Mai, alors qu'il prépare une *Sociologie de la révolution*.

Nicolas Roussellier

■ « Mon itinéraire intellectuel ou l'exclu de la horde », *L'Homme et la société*, n° 1, 1966.

▒ J. Duvignaud, *Georges Gurvitch*, Seghers, 1969. — R. Toulemont, *Sociologie et pluralisme dialectique. Introduction à l'œuvre de Georges Gurvitch*, Louvain, Nauwelaerts, 1955.

GUY (Michel)

1927-1990

Fondateur du Festival d'automne, secrétaire d'État à la Culture du président Giscard d'Estaing, Michel Guy est le représentant le plus significatif d'une politique culturelle dite « libérale », capable de reconnaître et de soutenir les avant-garde, mais condamnée, selon ses détracteurs, à favoriser la promotion individuelle des « artistes » et à faire de toute création un « produit » soumis à la loi du marché.

Né le 28 juin 1927 à Paris, Michel Guy est issu d'une famille qui depuis plusieurs siècles se consacre à l'horticulture. Lui-même dirige une entreprise de 1950 à 1970, tout en assurant les fonctions de conseiller artistique du Festival international de la danse de Paris de 1964 à 1971. Passionné par l'art contemporain, il utilise sa vie et ses nombreux voyages d'homme d'affaires pour rencontrer des artistes et découvrir des spectacles aux quatre coins du monde. Mécène, utilisant sa fortune pour soutenir des artistes comme Bram Van Velde, il pense, dans la grande tradition humaniste, que « l'art est le meilleur témoignage que l'homme puisse donner de sa dignité, la Nation de sa grandeur ». En 1972, il fonde le Festival d'automne à Paris avec pour objectif de redonner à Paris, détrôné par New York depuis la guerre, l'initiative dans le domaine artistique. Et de fait, le Festival d'automne devient rapidement une manifestation interdisciplinaire de rang international, un moment privilégié de création et de confrontations, qui porte témoignage des grands courants de l'art vivant, présente de nombreuses œuvres et artistes devenus références de notre modernité : Bob Wilson, Patrice Chéreau*, Klaus Michaël Grüber, Tadeusz Kantor pour le théâtre, Merce Cunningham, Trisha Brown pour la danse.

Certains reprochent à Michel Guy d'avoir créé un festival élitiste destiné aux seuls « professionnels », d'avoir fabriqué une « vitrine de prestige » généreusement subventionnée, reflétant les seuls goûts de son « directeur-fondateur ». D'autres préfèrent mettre en avant son ouverture d'esprit et ses capacités à organiser les festivals successifs, en dosant subtilement découverte et fidélité, ou encore son acharnement à soutenir, à côté des grandes « vedettes », des artistes peu « médiatiques » comme Jean-Marie Patte. En tout cas, le succès public d'une manifestation qui, depuis 1972, est encore chaque année un des moments phares de la vie artistique française, finira par avoir raison des critiques envers cet homme qui se disait lui même « de droite en économie et pour le reste de gauche ».

Secrétaire d'État à la Culture entre 1974 et 1976 du gouvernement de Jacques Chirac, Michel Guy lance toute une série d'initiatives qui reflètent une nouvelle conception de la relation entre l'État et la culture. Favorisant les grandes donations privées (Grandville à Dijon, Pierre Lévy à Troyes, Nina Kandinsky à Beaubourg), encourageant le *sponsoring*, inaugurant une nouvelle politique du patrimoine. Malraux* sauvait les monuments prestigieux, Michel Guy protège les quartiers dans lesquels ils sont insérés et entreprend de faire classer les édifices de l'ère industrielle au même titre que les bâtiments du Grand Siècle. En favorisant la rédaction de « chartes culturelles » qui obligent les signataires — villes, État, régions — à lier la culture aux autres secteurs de l'activité humaine, et contraignent les administrations à travailler de façon coordonnée, Michel Guy anticipe la décentralisation telle qu'elle sera mise en œuvre par la gauche au pouvoir à partir de 1981.

Michel Guy reprend la direction du Festival d'automne en 1977, préside le conseil d'administration de la Cinémathèque* (1980-1981). En 1983 il devient vice-président du Festival d'Avignon et en 1987 vice-président de La Sept*. Il est mort le 30 juillet 1990.

Jean Deloche

■ G. Scarpetta, *Le Festival d'automne de Michel Guy*, Le Regard, 1993. — « Le Festival d'automne, un moment privilégié de confrontation et de création », *Culture et communication*, n° 13, ministère de la Culture, janvier 1979. — « Entretien avec Michel Guy. Le paradoxe des coups de cœur », *Acteurs*, octobre-novembre 1984. — « Festival d'automne : hommage à son créateur », *Acteurs*, septembre-octobre 1991.

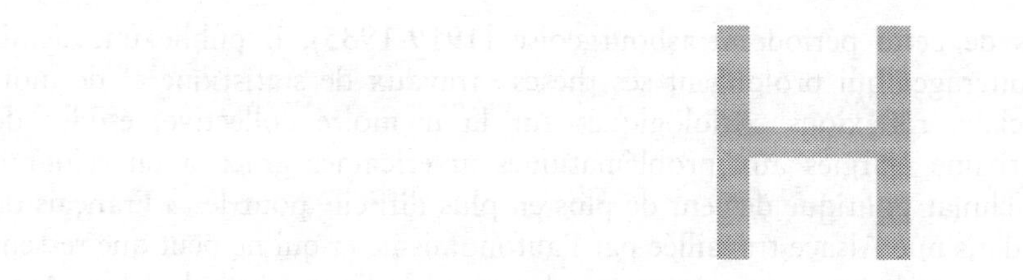

HALBWACHS (Maurice)

1877-1945

Philosophe de formation, sociologue par choix, élève de Bergson* mais disciple de Durkheim*, socialiste de conviction sans être un militant de tous les jours en raison d'une vocation de savant plus impérieuse encore, Maurice Halbwachs rassemble dans sa trajectoire intellectuelle les attributs les plus rares et les plus vivants de tout le versant de gauche des intellectuels français de la première moitié du siècle.

Né le 12 mars 1877 à Reims où son père, ancien élève de l'École normale supérieure*, enseignait l'allemand, Maurice Halbwachs suit tout naturellement le cursus d'excellence d'un fils de l'*Alma Mater* sous la République. Élève aux lycées Michelet puis Henri-IV où il subit l'influence profonde de Bergson, il est reçu troisième à l'ENS en 1898, et premier à l'agrégation de philosophie trois ans plus tard. La conjoncture du dreyfusisme militant et l'attrait croissant du socialisme sur les normaliens de ce début du siècle le font cependant passer de la théorie pure à la théorie sociale. Il voit dans la sociologie durkheimienne, librement reliée au socialisme humaniste de Jaurès*, un choix tout à la fois intellectuel et politique qui ne sacrifie aucun des deux termes, permettant au savant de comprendre la société qui l'entoure et au militant d'agir sur son temps. Comme nombre de ses camarades, Halbwachs participe au mouvement des Universités populaires*, adhère à la SFIO en 1906, enseigne à l'École socialiste et entreprend des travaux de sociologie empirique qui resteront des œuvres fondatrices aux côtés des autres classiques de la sociologie. Professeur de lycée à Constantine puis Montpellier, il s'oriente vers la recherche : il devient lecteur à Göttingen, puis se met en congé d'inactivité pour achever des études de droit, et effectuer une mission de recherche à Berlin (en vue de l'édition des manuscrits de Leibniz). Halbwachs réussit à soutenir deux thèses, l'une de droit, l'autre de lettres, avant 1914. Réformé pour myopie, il lui faut attendre l'armistice pour obtenir une maîtrise de conférence à Caen et surtout une chaire dans la nouvelle université de Strasbourg où il se retrouve le collègue de trois historiens majeurs : Marc Bloch* et Lucien Febvre*, un peu plus tard Georges Lefebvre*. Collaborateur de *L'Année sociologique*, il est coopté en 1929 au comité de rédaction des *Annales d'histoire économique et sociale* fondées par ses amis historiens pour lancer sur de nouvelles bases le dialogue de l'histoire et des sciences sociales.

Au cours de cette période strasbourgeoise (1919-1935), il publie une demi-douzaine d'ouvrages qui prolongent ses thèses : travaux de statistique et de morphologie sociale, réflexions sociologiques sur la mémoire collective, études de sociologie urbaine élargies aux problématiques américaines grâce à un séjour à Chicago. Le climat politique devient de plus en plus difficile pour les « Français de l'intérieur » dans une Alsace travaillée par l'autonomisme et qui ne peut que ressentir les retombées de la prise du pouvoir par les nazis de l'autre côté du Rhin. Antifasciste, gendre de l'un des chefs de l'antifascisme et du Rassemblement populaire, Victor Basch*, Halbwachs cherche à retourner dans la capitale. Suppléant de F. Simiand* au CNAM en 1933-1934, puis de C. Bouglé* à la Sorbonne en 1935, il y est élu en 1937 sur une chaire de méthodologie et de philosophie des sciences avant de passer sur la chaire de sociologie en 1939. La fin de sa vie lui apporte la consécration suprême avec son élection au Collège de France* en mai 1944 (chaire de psychologie collective), mais elle est surtout douloureusement marquée par les drames de l'Occupation. Ses beaux-parents, Victor et Hélène Basch*, juifs, antifascistes et socialistes, sont lâchement assassinés par la Milice en 1944. En représailles des activités résistantes de son fils Pierre, Maurice Halbwachs lui-même est arrêté par la Gestapo en juillet 1944. Déporté à Buchenwald, il y meurt le 16 mars 1945.

Son œuvre a renouvelé la tradition sociologique française par sa profonde connaissance de la sociologie allemande (il est l'un des premiers introducteurs de Max Weber en France) et anglo-saxonne et sa maîtrise remarquable de la statistique. Elle a ouvert la voie, malgré ce destin écourté, à la sociologie ouvrière, à la sociologie urbaine et à la psychologie sociale de la seconde moitié du XXe siècle.

Christophe Charle

■ *La Classe ouvrière et les niveaux de vie*, thèse, Alcan, 1913. — *Les Cadres sociaux de la mémoire*, PUF, 1925. — *Les Causes du suicide*, PUF, 1930. — *L'Évolution des besoins des classes ouvrières*, PUF, 1933. — *La Morphologie sociale*, Armand Colin, 1938, rééd. 1970. — *Mémoire et société*, 1949, rééd. sous le titre *La Mémoire collective*, PUF, 1950, rééd. 1968. — *Classes sociales et morphologie* (recueil d'articles présentés par V. Karady), Minuit, 1972.

■ C. Baudelot et R. Establet, *Maurice Halbwachs*, PUF, 1994. — C. Charle, *Les Professeurs de la Faculté des lettres de Paris* (dictionnaire biographique), vol. 2, CNRS / INRP, 1986. — J. Craig, « Maurice Halbwachs à Strasbourg », *Revue française de sociologie*, XX, 1, 1979. — Notice G. Friedmann in M. Halbwachs, *Esquisse d'une psychologie des classes sociales*, Rivière, 1955.

HALÉVY (Daniel)

1872-1962

Essayiste et biographe, Daniel Halévy a marqué ses contemporains par l'éclectisme de ses goûts et par la qualité de son intuition littéraire qui l'a amené à découvrir des jeunes talents. Esprit non doctrinaire, refusant d'être le maître à penser d'une génération, il a cultivé une grande indépendance d'esprit. Fils de Ludovic et frère cadet d'Élie, Daniel Halévy, né à Paris le 12 décembre 1872, appartient au milieu de la haute bourgeoisie parisienne.

Ses études se déroulent au lycée Condorcet, où il se lie avec Proust* et avec les jeunes gens qui lanceront la revue *Le Banquet*. Il découvre Nietzsche, dont il publie en France les premières traductions dans cette revue après sa sortie du lycée (été 1891), puis suit, à partir de 1892, des études d'arabe à l'École des langues orientales, dont il sera diplômé en décembre 1896. Il rompt avec un certain dilettantisme à cette époque et commence de fréquenter le « groupe de la Chapelle » peu de temps avant de s'engager en 1897 dans l'affaire Dreyfus*. Daniel Halévy contribue à recueillir, en janvier 1898, des signatures pour la pétition des intellectuels, et une des leçons qu'il tire de l'Affaire l'amène à s'engager dans un mouvement d'éducation populaire en participant à la création de la Société des Universités populaires* (mars 1899). En 1900, il est un des responsables de la revue *Pages libres**, et il fait la connaissance de Georges Sorel* et de Charles Péguy* dans la boutique de la rue de la Sorbonne : il participe ainsi à l'aventure des *Cahiers de la quinzaine**. L'immédiat avant-guerre marque pour lui un tournant symbolisé par l'évolution de ses relations personnelles : en 1910, Daniel Halévy fait paraître l'*Apologie pour notre passé*, qui est un regard un peu désabusé sur l'état du dreyfusisme ; Péguy y répond dans *Notre jeunesse* en utilisant des mots qui blessent Halévy. La rupture est évitée mais les deux hommes s'éloignent l'un de l'autre. Par ailleurs, en 1912, il rompt avec Paul Desjardins* et l'Union pour la vérité, dont il avait pris en charge le bulletin. Ainsi s'achève la période d'engagement à gauche.

Après la guerre, à laquelle il participe en tant qu'interprète auprès des armées alliées, vient le temps de la reconnaissance et de la notoriété. Bernard Grasset* lui confie la direction de la collection des « Cahiers verts » (1921). Daniel Halévy lance de nombreux jeunes écrivains ; cette collection étant la seule à pouvoir tenir tête à la NRF*. Son salon du quai de l'Horloge devient un lieu de rencontre entre des hommes de lettres de générations et de sensibilités politiques différentes. En même temps, Daniel Halévy entreprend des voyages en Europe, il se fait le défenseur d'une Europe intellectuelle et cosmopolite qu'il voit disparaître (*Courrier de Paris*, 1932, et *Courrier d'Europe*, 1933). Cette époque est aussi pour lui le temps d'un retour progressif à l'histoire, étroitement mêlée à une évolution très nettement pessimiste et conservatrice qui le conduira à une critique, menée d'un point de vue libéral, de la République parlementaire (*Décadence de la liberté*, 1931). Il observe avec amertume la disparition de la civilisation rurale dans un livre talentueux, *Visite aux paysans du Centre* (1921 et 1934). Sa réflexion historique se traduit, entre autres, par deux essais sur les débuts de la IIIe République, *La Fin des notables* (1930) et *La République des ducs* (1937) ainsi que par sa participation étroite à la fondation de la Société d'histoire de la IIIe République. Ses essais associent l'histoire des débuts du régime républicain et la critique dans un sens clairement antiparlementaire. Malgré l'emploi de certains thèmes réactionnaires, il se tient nettement à distance de Maurras* et de ses disciples.

La défaite lui fait écrire un essai, *Trois épreuves : 1814, 1871, 1940* (1941), qui se présente comme une étude comparée des trois dernières défaites de la France. Le soutien apporté dans ce livre aux premières réformes du gouvernement de Vichy et son évolution personnelle, qualifiée de « réactionnaire » dans l'entre-deux-guerres, lui vaudront une disgrâce dans l'après-guerre et très probablement son échec au fauteuil de Jérôme Tharaud* à l'Académie française* en 1954. Daniel Halévy, qualifié de « conscience inquiète » en son temps, a été aussi l'homme des fidélités et des retours successifs. Bon connaisseur de Sorel, mais plus encore de Proudhon et de Péguy, son évolution intellectuelle est jalonnée d'un attachement persistant à la pensée et à la personnalité de ces trois hommes. Daniel Halévy meurt à Paris le 4 février 1962.

Sébastien Laurent

■ *La Vie de Frédéric Nietzsche*, Calmann-Lévy, 1909. — *Luttes et problèmes*, Marcel Rivière, 1911 (comprend l'*Apologie pour notre passé*). — *Péguy et les « Cahiers de la quinzaine »*, Payot, 1918, rééd. Grasset, 1941. — *Visite aux paysans du Centre*, Grasset, 1921, rééd. 1934. — *Jules Michelet*, Hachette, 1928. — *Pays parisiens*, Émile-Paul, 1929. — *La Fin des notables*, Grasset, 1930. — *Décadence de la liberté*, Grasset, 1931. — *La République des comités (1895-1934). Essai d'histoire contemporaine*, Grasset, 1934. — *La République des ducs*, Grasset, 1937. — *Histoire d'une histoire esquissée pour le troisième centenaire de la Révolution française*, Grasset, 1939. — *Trois épreuves : 1814, 1871, 1940*, Plon, 1941. — *Nietzsche*, Grasset, 1944. — *Essai sur l'accélération de l'histoire*, Self, 1948. — *La Vie de Proudhon*, Stock, 1948.

▒ P. Guiral, « Daniel Halévy, esquisse d'un itinéraire », *Contrepoint*, 1976, n° 20. — J.-P. Halévy et A. Borrel, *Marcel Proust. Correspondance avec Daniel Halévy*, Fallois, 1992. — S. Laurent, *Daniel Halévy (1872-1962) face à l'histoire et à la politique*, mémoire IEP, 1993. — R. de Traz, « Daniel Halévy », *Revue de Paris*, mai-juin 1933, t. 3.

HALÉVY (Élie)

1870-1937

Philosophe, historien, Élie Halévy est un intellectuel intermédiaire, ni véritablement engagé ou affilié, ni démocrate libéral dans le style du XIXe siècle, mais de plus en plus sensible aux sollicitations de l'actualité. « Spectateur désintéressé » dit-il de lui-même avant la guerre de 1914, il s'implique, après cette date, de plus en plus dans les débats de son temps, celui de l'entre-deux-guerres, l'« ère des tyrannies ».

La figure d'Élie Halévy, plus encore que celle de son frère Daniel, offre ainsi l'exemple d'un certain décalage. Enfant du XIXe siècle libéral et de la fête impériale (par son père Ludovic Halévy, le librettiste), né deux jours après la proclamation de la IIIe République, il est aussi un pur exemple de la nouvelle République des lettres qui naît du renouveau de l'École normale supérieure* (où il est reçu en 1889), du développement de l'Université et des nouvelles sciences sociales. Savant et universitaire (il est reçu à l'agrégation de philosophie en 1892, et achève sa thèse en 1901, sa grande œuvre érudite sur Bentham et le radicalisme philosophique en Angleterre), il est aussi un fondateur de revue (la *Revue de métaphysique et de morale* en 1893 aux côtés de Xavier Léon) et un voyageur européen. Professeur autant que dilettante (tout en travaillant beaucoup), se ménageant chaque année de longs mois de séjour en Angleterre, il préfère se situer aux marges d'une grande carrière universitaire, engagé à l'École libre des sciences politiques* par Émile Boutmy (1897-1898) mais refusant l'entrée en Sorbonne (1905). Par sa fortune, son tempérament, il reste un homme d'études dans la lignée du XIXe siècle, celle de Tocqueville et de Prévost-Paradol.

Le décalage marque enfin l'itinéraire de ses engagements. À quelques années près, son passage à Normale n'a pas joué le rôle de temps d'éveil et de conversion politique. S'il s'intéresse très vite aux doctrines sociales, au socialisme en particulier, il n'appartient pas aux promotions de l'engagement. Certes, il signe le « manifeste des intellectuels » de janvier 1898, adhère à la Ligue des droits de l'homme* où il joue un rôle d'organisateur actif à défaut d'être public (il n'est pas journaliste), mais refuse ensuite de traduire cet engagement par une adhésion partisane, celle du socialisme par exemple.

C'est la guerre de 1914-1918 qui marque cependant une rupture incontestable à la fois dans la nature de son œuvre savante et dans son rapport à la politique. Choqué par les bouleversements liés au nouveau rôle de l'État, au heurt des nationalismes et au succès du socialisme, il réoriente son enseignement à Sciences-Po et ses recherches vers l'étude du temps présent. Au lieu de prolonger sa grande *Histoire du peuple anglais* dont le premier volume avait paru en 1912 (tableau de l'Angleterre en 1815), il préfère travailler l'« Épilogue » (1895-1914), et réfléchir ainsi aux origines de la guerre et de la catastrophe de 1914 plutôt que de décrire par le menu le XIXe siècle victorien. Reconnu comme le grand spécialiste de l'Angleterre, des deux côtés de la Manche (il est traduit à Londres à partir de 1924), il n'hésite plus à publier des articles sur l'état des relations franco-britanniques et, par exemple, à critiquer nettement, en 1923, la politique française menée par Raymond Poincaré. Sa correspondance abondante, notamment avec Bouglé* et Alain*, est d'une richesse exceptionnelle, et aurait pu nourrir une activité d'éditorialiste politique.

Élie Halévy n'entre cependant que très progressivement dans un itinéraire d'intellectuel engagé. S'il adhère à l'Union pour la vérité et certainement au Comité de vigilance des intellectuels antifascistes* (1934), il reste toujours à l'écart des lieux et des milieux collectifs de l'engagement. Il ne trouve guère d'affiliation possible en France. C'est un libéral de gauche dans la tradition des néo-libéraux anglais du début du siècle, de Hobhouse ou de Lloyd George, favorable au réformisme social mais critique du socialisme d'État. Le dernier grand thème qu'il aborde — les convergences de moyens et d'horizons entre tyrannie socialiste et tyrannie fasciste ou nazie — et dont il donne une synthèse retentissante lors d'une conférence de la Société française de philosophie en novembre 1936, ne fait que confirmer, un an avant sa mort, cet itinéraire situé à la croisée des chemins entre défense entêtée (à la différence de son frère Daniel Halévy*) des démocraties contre les dictatures et critique libérale du mouvement de socialisation des démocraties modernes.

Nicolas Roussellier

■ *Histoire du peuple anglais au XIXe siècle*, Hachette, 1912-1932, 6 vol. — *L'Ère des tyrannies* (recueil posthume avec une préface de C. Bouglé), Gallimard, 1938, rééd. 1990 (postface de Raymond Aron).

▒ M. Bo Bramsen, *Contribution à une biographie intellectuelle d'Élie Halévy*, thèse, Fondation nationale des sciences politiques, 1971 (publiée à Amsterdam, Grüner, 1978). — *Élie Halévy (1870-1937)*, École libre des sciences politiques, s.d.

HALIMI (Gisèle)

Née en 1927

Ardente militante des droits de l'homme, Gisèle Halimi n'a cessé, depuis le milieu des années 50, d'intervenir dans le débat public, en particulier pour soutenir la cause des Algériens, puis celle des femmes. Elle incarne, à ce titre, la figure de l'avocat qui n'hésite pas à revêtir l'habit du clerc engagé dans les combats de son époque.

Elle émerge de l'anonymat en 1958 pour avoir pris la défense de syndicalistes et indépendantistes tunisiens et avoir été arrêtée par les autorités militaires du pays. Aussitôt, *France-Observateur** la sollicite pour qu'elle relate son aventure : c'est le début d'une relative notoriété. Ses prises de position à gauche s'expliquent aisément. Née en 1927 en Tunisie, d'un père berbère et d'une mère juive, elle prend conscience dès son plus jeune âge de l'oppression, en particulier celle dont sont victimes les femmes. Son goût de l'indépendance la conduit à suivre les cours de la Faculté de droit de Paris pour ensuite s'inscrire au barreau de Tunis, puis de Paris. Devenue l'un des principaux avocats du FLN algérien, elle appelle également à voter « non » au référendum de 1958. Ayant fait la connaissance de Simone de Beauvoir*, elle divulgue avec cette dernière le dossier Djamila Boupacha, cette jeune fille atrocement torturée par les parachutistes. Proche de Jean-Paul Sartre*, du peintre Matta, de Françoise Sagan, elle côtoie les représentants les plus éminents de l'intelligentsia française.

Elle prend par la suite position contre la guerre du Vietnam et préside la commission d'enquête du tribunal Russell sur les crimes de guerre américains (1967). Son influence grandit au tournant des années 70. Elle vient de fonder en 1971 le mouvement féministe « Choisir » et de signer l'« Appel des 343 » (avril 1971) dans *Le Nouvel Observateur** en faveur de l'avortement. Elle organise en 1972, avec l'appui de Jacques Monod*, le procès de Bobigny*, dont l'écho dans les médias sera retentissant. La presse écrite lui donne souvent la parole et la télévision, dans le cadre des « Dossiers de l'écran » (mars 1973), lui offre une tribune pour défendre ses opinions sur l'avortement et sur la contraception. Depuis cette époque, elle poursuit son combat contre le viol et pour l'égalité professionnelle des femmes, signant nombre de pétitions et manifestes.

Elle entame par ailleurs une carrière politique qui aboutit à son élection en 1981 en tant que député apparentée PS. Elle intervient en faveur de l'abolition de la peine de mort, contre les « mères porteuses », contre la prolifération des centrales nucléaires. En 1985, elle est nommée ambassadrice-déléguée permanente de la France auprès de l'Unesco ; puis, en 1989, conseiller spécial de la délégation française à l'Assemblée générale de l'ONU. Elle publie en 1988 un ouvrage autobiographique, *Le Lait de l'oranger*, où elle rend compte de son itinéraire et de son expérience de femme constamment à la pointe du combat contre le racisme et le sexisme. Elle a, en ce sens, contribué à redonner aux femmes de l'influence au sein du milieu intellectuel français de la Ve République.

Rémy Rieffel

■ *Djamila Boupacha*, Gallimard, 1962. — *Le Procès de Burgos*, Gallimard, 1971. — *La Cause des femmes*, Grasset, 1973. — *Avortement, une loi en procès : l'affaire de Bobigny* (en collaboration), Gallimard, 1973. — *Le Lait de l'oranger*, Gallimard, 1988.

HALLIER (Jean-Edern)

Né en 1936

Ayant érigé la provocation au rang de principe de vie, Jean-Edern Hallier apparaît, au sein de la sphère intellectuelle, comme une sorte de fou du roi, ravi de défier les puissants et d'indisposer ses contemporains. Agitateur hors pair, mais aussi écrivain talentueux, il n'a cessé de suivre un itinéraire mouvementé, parsemé de cris du cœur et de coups d'éclat.

Issu de l'aristocratie bretonne et d'une famille de militaires (il est fils et petit-fils de général), il voit le jour en 1936, passe son enfance à l'étranger, suit des études à Paris et à Oxford et se sent très vite destiné à embrasser une carrière d'écrivain. Il se lie avec quelques amis qui partagent ses vues et fonde en 1960, avec Philippe Sollers*, une revue d'avant-garde, *Tel Quel**, qui se réclame d'une nouvelle conception de la littérature, pourfendant les tenants de l'orthodoxie créatrice. Après son départ en 1963, il publie deux romans (*Les Aventures d'une jeune fille*, 1963 ; *Le Grand Écrivain*, 1967), avant de succomber aux charmes de l'effervescence révolutionnaire de Mai 68. Il se tourne dès lors vers l'action militante et fonde en 1969 le journal gauchiste *L'Idiot international*, qui n'hésitera pas à s'enflammer pour le sort des opprimés et à prôner leur émancipation. Il obtient le soutien de nombreux représentants de la génération soixante-huitarde. Animateur du « Secours rouge », distributeur de *La Cause du peuple* aux côtés de Jean-Paul Sartre* et Simone de Beauvoir*, fondateur des Éditions Hallier (1974), il n'hésite pas à payer de sa personne en dépit des poursuites judiciaires et des condamnations dont il est l'objet.

Son autobiographie politique, *La Cause des peuples*, parue en 1972, le révèle véritablement comme un homme de lettres : longue confession d'un enfant du siècle, le livre dénonce, avec des accents hugoliens, la bourgeoisie, et célèbre les vertus du peuple investi d'une mission de purification sociale. *Chagrin d'amour* (1974) confirme ses dons de plume. Toujours soucieux d'accroître sa renommée, il n'hésite pas à s'attaquer au régime giscardien (*Lettre ouverte au colin froid*, 1979), à polémiquer avec l'académie Goncourt ou l'Académie française*, au risque de tomber dans l'outrance et le ridicule. Son crédit auprès de ses pairs s'amenuise : ses multiples frasques conduisent nombre de ses amis à prendre leur distance. Déçu par le comportement de François Mitterrand à son égard après 1981, il s'en prend avec virulence au chef de l'État.

Devenu conseiller littéraire chez Albin Michel (1980), il collabore également au *Matin de Paris*, au *Figaro Magazine**, à *Paris-Match*, relance avec plus ou moins de succès l'aventure de *L'Idiot international* et publie quelques romans qui ne laissent pas la critique indifférente, tels que *Fin de siècle* (1980) ou *L'Évangile du fou* (1986). Ses *Conversations au clair de lune*, avec Fidel Castro (1990), prouvent qu'il n'est plus à une provocation près et qu'il n'a pas fini d'« agiter la marotte devant le sceptre, en [se] faisant passer pour un bouffon » *(Carnets impudiques)*. Sur la scène intellectuelle parisienne, il incarne à l'évidence une sorte de Narcisse tourmenté par sa propre gloire, mais aussi un écrivain au lyrisme non dénué d'attraits.

Rémy Rieffel

■ *La Cause des peuples*, Seuil, 1972. — *Chagrin d'amour*, Éd. Hallier, 1974. — *Le premier qui dort réveille l'autre*, Le Sagittaire, 1977. — *Fin de siècle*, Albin Michel, 1980. — *L'Enlèvement*, Pauvert / Alésia, 1983. — *L'Évangile du fou*, Albin Michel, 1986. — *Conversations au clair de lune*, Messidor, 1990. — *La Force d'âme*, Les Belles Lettres, 1992.

HALTER (Marek)

Né en 1936

Peintre, romancier, essayiste, auteur de plusieurs best-sellers en France et à l'étranger, cinéaste, Marek Halter n'a cessé, à travers ses créations et ses actions, de militer contre le racisme et pour la défense des droits de l'homme.

Il est né en 1936 à Varsovie, d'une mère poétesse yiddish et d'un père imprimeur. Enfermé dans le ghetto de Varsovie en 1940, il peut s'en échapper avec ses parents, pour gagner l'URSS, où il reste avec sa famille jusqu'en 1946. Il retourne alors en Pologne, jusqu'à ce que son père, ayant retrouvé l'un de ses frères en France, obtienne pour lui et sa famille un visa pour ce dernier pays. Une première inclination l'attire vers les arts plastiques, qui le conduit à l'École nationale des beaux-arts en 1953.

En 1967, à la veille de la guerre des Six Jours, et alors que les armées arabes encerclent l'État juif, il est reçu à l'Élysée par le général de Gaulle et lance un appel international en faveur d'Israël et pour la paix. Le conflit terminé, il fonde avec sa femme Clara un Comité international pour la paix négociée au Proche-Orient, auquel adhèrent notamment Pierre Mendès France, Jean-Paul Sartre*, Italo Calvino, Élie Wiesel, Jean-François Revel*, Hannah Arendt, Eugène Ionesco*... En 1976, Marek Halter publie son premier livre, *Le Fou et les rois*, qui est le récit de son action et de ses rencontres au Proche-Orient, et qui obtient le prix Aujourd'hui. Légitimé par ce succès, il se lance dans une série d'actions internationales : en faveur des juifs d'URSS, en faveur des mères de la place de Mai en Argentine, en faveur de Sakharov. En 1981, il crée un Comité Radio-Kaboul libre, au nom duquel il se rend clandestinement en Afghanistan pour transmettre à la résistance afghane une station radio achetée avec les dons recueillis.

Sa foi profonde en l'Europe le conduit à créer en 1982, en compagnie de Simone Veil, ancien président du Parlement européen, la Fondation européenne des sciences, des arts et de la culture, dont il devient le président. En 1983, il connaît la consécration grâce à son roman *La Mémoire d'Abraham*, histoire d'une famille juive — en partie la sienne — sur une longue durée. Vendu à plus de 300 000 exemplaires, traduit dans de nombreuses langues, ce livre fait de Marek Halter un personnage médiatique, dont l'accent et la barbe deviennent familiers au grand public. L'ouvrage aura une suite en 1989, *Les Fils d'Abraham*, qui obtiendra encore un grand succès. En 1984, on le trouve parmi les fondateurs de SOS-Racisme, qui organise, le 15 juin 1985, place de la Concorde, un concert de rock qui réunit des centaines de milliers de personnes. Ses multiples engagements amènent Marek Halter à les narrer dans un livre autobiographique, *Un homme, un cri*, publié en 1991, suivi, deux ans plus tard, à l'occasion du cinquantenaire du soulèvement du ghetto de Varsovie, de *La Mémoire inquiète*. Au cours de l'année 1991-1992, il met en place et préside, avec l'aide du ministère des Affaires étrangères, deux Collèges universitaires français, à Moscou et à Saint-Pétersbourg, où se succèdent professeurs et chercheurs venus de France.

Sa carrière de cinéaste est surtout marquée par le film *Les Justes* (*Tzedek*, justice et solidarité en hébreu), qui met en scène des hommes et des femmes qui, pendant la guerre, ont sauvé des juifs.

Denis Condroyer

■ *Le Fou et les rois*, Albin Michel, 1976. — *Mais* (avec E. Moran), Oswald Néo, 1979. — *La Vie incertaine de Marco Mahler*, Albin Michel, 1979. — *La Mémoire d'Abraham*, Laffont, 1983. — *Les Fils d'Abraham*, Laffont, 1989. — *Un homme, un cri*, Laffont, 1991. — *La Mémoire inquiète*, Laffont, 1993. — *Les Fous de la paix* (avec É. Roussel), Plon-Laffont, 1994. — *La Force du Bien*, Laffont, 1995.

HEIDEGGER (affaire)

1987

En 1987, la publication du livre de Victor Farias, *Heidegger et le nazisme*, déclencha une vive polémique. L'auteur, philosophe chilien, avait été l'élève et l'un des disciples de Heidegger, avant de soumettre sa pensée à un examen critique minutieux. Reposant sur des éléments biographiques (il mettait en évidence le catholicisme provincial et réactionnaire qui avait été le milieu de formation de Heidegger), il s'attachait surtout à souligner la vigueur de l'engagement nazi du philosophe, sa continuité (Heidegger resta membre du parti nazi jusqu'en 1945, bien après avoir abandonné ses fonctions au rectorat de Fribourg en 1934), l'absence de toute autocritique ou de remords après la guerre, et la permanence d'un discret antisémitisme.

À vrai dire, le livre de Farias ne contenait aucune révélation d'importance : le soutien puis l'adhésion de Heidegger au nazisme en 1933 étaient choses connues, tout comme ses réticences à le condamner clairement après la guerre. Des controverses à ce sujet avaient déjà eu lieu (entre autres, dans *Les Temps modernes** immédiatement après la guerre, avec des articles de K. Löwith, F. de Towarnicki, E. Weil, A. de Waelhens ; en Allemagne, après la publication d'*Introduction à la métaphysique* en 1950, notamment par une longue charge d'Habermas ; puis à intervalles divers, à l'occasion de publications qui toutes se centraient sur l'attitude politique de Heidegger : Guido Schneeberger, Jean-Pierre Faye*, Jean-Michel Palmier, Pierre Bourdieu*). Les textes mêmes qui alimentaient la controverse étaient connus : le « Discours de rectorat », prononcé par Heidegger quand il prit en 1933 la charge du rectorat de Fribourg, avait été republié avec d'autres documents en Allemagne en 1983. Une traduction française « pirate », sans aucun commentaire, faite par Gérard Granel existait cependant depuis 1976. L'interview accordée par Heidegger au *Spiegel*, réalisée en 1966 mais publiée selon sa volonté après sa mort en 1976, avait été traduite en français au Mercure de France* en 1977. En outre, le livre de Farias comprend nombre d'erreurs et d'approximations, et est marqué par un parti pris hostile qui le rend volontiers réducteur. Farias tend à disqualifier la totalité de l'œuvre du penseur allemand, faisant de lui le véritable interprète du nazisme, plus encore que les penseurs dits « officiels », Rosenberg et Krieck. Les travaux de Hugo Ott, historien allemand des idées, donnent une vue plus juste des faits eux-mêmes et de leur importance *(Martin Heidegger, éléments pour une biographie)*. Mais ceux-ci n'étaient alors connus que des seuls spécialistes, ayant été publiés en allemand dans des revues techniques, tandis que la traduction française du livre de Farias en était la première publication.

En règle générale, les philosophes sont plutôt enclins à accorder à la pensée une large autonomie à l'endroit des circonstances qui l'ont vu naître et de l'itinéraire biographique du penseur, tandis que les historiens ou les sociologues mettent l'accent inverse. Mais une pensée qui se veut radicalement critique à l'égard de toute la tradition idéaliste, qui singularise à l'extrême la posture du penseur et qui met l'accent sur les déterminations « historiales » de l'ontologie elle-même ne peut pas s'affranchir aussi facilement des contingences que celle d'un tenant de la *philosophia perennis*. En outre, la barbarie nazie et le génocide ayant donné figure au « mal radical », la question du degré de compromission de l'homme et de sa pensée avec ce mal ne peut être écartée d'un revers de main.

Au centre de la polémique se trouvait donc la place considérable que la pensée française d'après guerre avait accordée au penseur allemand, tandis qu'il était traité avec méfiance dans son propre pays. Pour une part, cette place était due au travail de traduction et de commentaire de Jean Beaufret*, lequel, ancien résistant, favorisa la rencontre entre Heidegger et le poète René Char*, autre grande figure de la Résistance. Dans l'entretien au *Spiegel*, Heidegger se prévaudra de ces amitiés. C'est du cercle des anciens élèves et collaborateurs de Beaufret (mort en 1982), qui comprend notamment François Fédier et François Vézin, que viendront les contre-attaques les plus vives après la publication du livre de Farias. Tirant parti des faiblesses de l'ouvrage, ils tenteront de tracer un portrait de Heidegger comme génie un temps fourvoyé, mais qui se ressaisit très vite, offrant jusqu'à la fin de sa vie un exemple de résistance morale à la calomnie.

Plus troublés par l'affaire furent ceux qui avaient en France fait de Heidegger un post-nietzschéen dont la critique sapait jusqu'aux fondements de la rationalité occidentale. Alliant à ce radicalisme philosophique un radicalisme politique qui leur faisait rejoindre certains courants du gauchisme post-soixante-huitard, ces philosophes ne pouvaient s'accommoder d'un Heidegger tant soit peu compromis avec le nazisme. La critique d'un Habermas, relayée en France par Luc Ferry* et Alain Renaut, les accusait au mieux d'irresponsabilité, au pire de nourrir, par leur irrationalisme et leur critique des valeurs de la modernité, des tendances analogues au nazisme. C'était le cas de Jacques Derrida* et de ses élèves, comme Philippe Lacoue-Labarthe. Ils réagirent en expliquant que le défaut de Heidegger fut non pas de rompre avec la métaphysique moderne, mais de manquer d'audace dans cette rupture, en ne la radicalisant pas assez. S'ils s'accordaient avec leurs adversaires sur la gravité de la faute éthique de Heidegger, ne cherchant nullement à la minimiser, ils en tiraient une conséquence philosophique diamétralement opposée.

Néanmoins, leur position ne va pas sans poser problème : ils concèdent en effet à Heidegger que le nazisme représenterait en quelque sorte la vérité de la modernité, son point ultime d'aboutissement. Refusant de tirer une telle conclusion sont ceux qui, à la suite d'Emmanuel Levinas*, l'un des tout premiers introducteurs de Heidegger en France, dès avant la guerre, estiment que Heidegger n'a pas su établir que le souci éthique doit commander la pensée, et que l'accent porté sur le problème de l'Être l'a été au détriment de la question de l'Autre et de celle de la Loi (J.-F. Lyotard*, D. Janicaud).

Ainsi, au-delà des questions factuelles, le débat ouvert sur la signification de l'engagement de Heidegger ouvre un champ de questions fort diverses : quelle interprétation peut-on donner du nazisme comme phénomène historique (il n'est pas indifférent de ce point de vue que cette polémique ait éclaté au moment où, en Allemagne, le débat des historiens sur la signification du nazisme — *Historikerstreit* — battait son plein) ? Plus généralement, quelle est la signification de la « modernité » ? Ce concept ne tend-il pas à faire apparaître les totalitarismes du XXe siècle et la démocratie comme deux modalités jumelles, au risque de sous-estimer le conflit qui les oppose ? Enfin, quelle est la responsabilité politique propre du penseur (ou de l'écrivain) ?

Joël Roman

■ Martin Heidegger : *Réponses et questions sur l'histoire et la politique* (trad. J. Launay), Mercure de France, 1977. — *L'Auto-Affirmation de l'université allemande* (discours de rectorat) (éd. bilingue, trad. G. Granel), Toulouse, TER, 1987 (2e éd.).

■ P. Bourdieu, *L'Ontologie politique de Martin Heidegger*, Minuit, 1988. — J. Derrida, *De l'esprit. Heidegger et la question*, Galilée, 1987. — V. Farias, *Heidegger et le nazisme*, Verdier, 1987. — F. Fédier, *Heidegger. Anatomie d'un scandale*, Laffont, 1988. — H. Ott, *Martin Heidegger, éléments pour une biographie*, Payot, 1990 (éd. allemande : 1988). — R. Wolin, *La Politique de l'être : la pensée politique de Martin Heidegger*, Kimé, 1992. — « Heidegger, la philosophie et le nazisme », *Le Débat*, n° 48, janvier-février 1988.

HERBART (Pierre)

1903-1974

Familier d'André Gide*, Pierre Herbart — il a épousé en 1931 la fille de la « Petite Dame », Élisabeth Van Rysselberghe, dont Gide a eu sa fille Catherine — se décrit dans son récit autobiographique, *La Ligne de force*, comme un jeune intellectuel atteint par « le mal du siècle ». Né en 1903 à Dunkerque, il adhère au Parti communiste autant par révolte contre la société bourgeoise que par anticolonialisme, au retour d'un reportage en Indochine fin 1931 pour l'hebdomadaire *Monde** de Barbusse*. En 1933, il est envoyé en reportage en Espagne par *L'Humanité** ; deux ans plus tard, il publie son premier roman chez Gallimard*, *Contre-ordre* (1935), qu'il fera mettre au pilon par la suite, le considérant comme trop orthodoxe. À l'automne 1935, il est choisi pour remplacer Nizan* à Moscou à la direction française de la *Littérature internationale*, organe de l'Union internationale des écrivains révolutionnaires. Rentré à Paris pour accompagner Gide en URSS à l'été 1936, il fait le voyage en compagnie des autres compagnons choisis par Gide, Jef Last, Guilloux*, Dabit*. Homosexuel, il est de ceux qui contribuent à ouvrir les yeux de Gide sur le conformisme moral et culturel de la société soviétique. À son retour d'URSS, désillusionné, il pense cependant qu'il n'est pas opportun de critiquer publiquement l'URSS en pleine guerre d'Espagne*. Il conseille à Gide de surseoir à la publication de *Retour de l'URSS*, tout en reconnaissant le bien-fondé de ses critiques sur le problème de l'art, de la bureaucratie, de la dictature de Staline. En 1937, cependant, Herbart rend publique sa rupture avec le Parti communiste dans *En URSS (1936)*. En 1938, il accompagne Gide en Afrique noire et, dans la ligne des combats anticolonialistes de ce dernier, il publie *Le Chancre du Niger* (1939), dénonçant le scandale de l'Office du Niger.

Résistant, Pierre Herbart est désigné en 1944 par le MLN comme chef régional pour la Bretagne. Il entre à *Combat** comme éditorialiste, puis, en septembre 1945, fonde avec Claude Bourdet* et Jacques Baumel l'hebdomadaire *Terre des hommes*, qu'il dirige jusqu'à l'arrêt de la publication, en mars 1946.

Herbart travaille avec Gide à des adaptations littéraires, puis, après la mort de celui-ci, publie son *À la recherche d'André Gide (1952)*. Malgré la qualité de son œuvre, il meurt dans la misère et l'oubli le 2 août 1974 à Grasse. Gallimard réédite, en 1980, *Alcyon* (1945), ainsi que *La Ligne de force*, qui témoigne de son expérience politique.

Nicole Racine

■ *En URSS (1936)*, Gallimard, 1937. — *Le Chancre du Niger* (préface d'A. Gide), Gallimard, 1939. — *L'Âge d'or*, Gallimard, 1953. — *La Licorne*, Gallimard, 1964. — *Souvenirs imaginaires*, Gallimard, 1968. — *Inédits* (textes retrouvés et présentés par M. Imbert), Le Tout sur le Tout, À la Commune de la Butte-aux-Cailles, 1981.

▒ M. Nadeau, *Grâces leur soient rendues*, Albin Michel, 1990. — N. Racine, « Pierre Herbart », in *DBMOF*. — M. Van Rysselberghe, *Les Cahiers de la Petite Dame (1929-1937, 1937-1945, 1944-1951)*, Gallimard, 1974-1975 (Cahiers André Gide 5, 6, 7). — « Pierre Herbart » (dossier préparé par R. Sorin), *La Quinzaine littéraire*, 1er-15 juin 1981.

HERMANT (Abel)

1862-1950

L'itinéraire d'Abel Hermant a pris sur le tard une couleur qui semblait devoir lui être jusqu'à la fin parfaitement étrangère : le tragique. S'il était mort en 1939, c'est-à-dire à déjà soixante-dix-sept ans (il est né le 8 février 1862, à Paris), ce membre de l'Académie française* aurait laissé un petit nom dans les annales comme l'auteur d'une longue série de *Mémoires pour servir à l'histoire de la société* — une société essentiellement mondaine et fin de siècle. L'Histoire — c'est-à-dire d'abord la volonté de l'individu — en a décidé autrement.

Rien ne prédisposait, en apparence, l'auteur des dialogues du grand film de propagande franco-anglais *Entente cordiale*, sorti sur les écrans début 1939, à rejoindre la collaboration, même la plus « littéraire ». Tout en ferait un homme de lettres type, assez étranger aux débats idéologiques. C'est qu'on se refuserait à voir ce que son œuvre témoignait de plasticité, de capacité d'adaptation aux modes du temps. Au fond, la seule constante d'Hermant réside sans doute dans ses origines sociales : cet enfant de la grande bourgeoisie a été assez brillant pour être reçu premier à l'École normale supérieure*, mais trop observateur et trop ironiste pour ne pas quitter promptement le milieu universitaire (qu'il caricaturera dans *Monsieur Rabosson*, 1884) et partir à travers le vaste monde, le stylo à la main. Monde international, parcouru de *Transatlantiques* (1897) et de *Trains de luxe* (1910), monde « bien parisien », surtout, crayonné avec esprit par un de ses membres, plus solidaire que dénonciateur. La force critique d'Hermant n'a cessé de s'émousser avec le temps, depuis la charge du *Cavalier Miserey* (1887) contre non pas l'armée mais le système de la caserne, découverte par une bourgeoisie jusque-là épargnée par le tirage au sort, jusqu'aux échos anodins des *Scènes de la vie des cours et des ambassades* (1926-1927). Entre-temps, Hermant est devenu le chroniqueur parisien du journal *Le Temps*, un arbitre du beau langage (*Xavier ou les Entretiens sur la grammaire française*, 1923), un académicien. Son anglophilie est notoire mais c'est d'abord affaire de style. Hermant est l'anglophile français par excellence par admiration pour Oscar Wilde et prédilection pour la mode de Londres.

Entre 1940 et 1944, il va brûler ce qu'il avait adoré. On retrouve sa signature dans la « nouvelle » presse parisienne, d'*Aujourd'hui* aux *Nouveaux Temps*, sans solution de continuité. Il écrit des souvenirs au goût du jour (*Une vie, trois guerres*, 1943), figure au comité d'honneur du groupe Collaboration. Peut-être la clé de la petite énigme Hermant tient-elle dans ce diagnostic d'un observateur, tout aussi acide que lui-même pouvait l'être, selon lequel certaines personnalités du Tout-Paris avaient, au fond, « collaboré pour les dîners en ville ». La Libération, impitoyable, le punira sur le seul plan où il pouvait encore être atteint : elle l'exclura de l'Académie française. Il est mort à Chantilly, le 22 septembre 1950.

Pascal Ory

■ *Le Cavalier Miserey*, 1887, rééd. Albin Michel, 1925. — *Les Transatlantiques*, 2e éd. Lemerre, 1909. — *Le Bourgeois*, Hachette, 1924. — *Souvenirs de la vie mondaine*, Plon, 1935. — *Une vie, trois guerres. Témoignages et souvenirs*, Lagrange, 1943. — Institut de France, Académie française, *Discours [...] pour la réception de M. Étienne Gilson...*, Firmin-Didot, 1947. — *Le Treizième Cahier*, Amiot-Dumont, 1949.

HERR (Lucien)

1864-1926

Il est des oublis qui ne sont pas définitifs au panthéon imaginaire des gloires nationales. Si cet intellectuel sans œuvre — il ne publia de son vivant aucun livre, ne laissant que des manuscrits, pour la plupart encore aujourd'hui inédits, et de nombreux articles dispersés dans des journaux ou revues — est enfin reconnu, c'est en raison de l'intérêt passionné que suscite désormais la généalogie du « clerc » moderne. Car il en représente à plusieurs points de vue le modèle, dans toute sa pureté. Herr vient en effet d'un lieu stratégique, l'École normale supérieure* de la rue d'Ulm, le « cloître » où se forme la méritocratie républicaine (il y entre en 1883, en plein combat « laïque », puis en devient le bibliothécaire dès la fin de ses études). Mais Herr, pourtant attiré au départ par Clemenceau, ne choisit pas le simple « républicanisme », même « radical ». Sous un nom d'emprunt (Pierre Breton), il sera socialiste, un socialisme — nouveau paradoxe — non pas seulement théorique mais ouvrier et militant. Il ne faut donc pas s'étonner de ce que, en dépit de son refus constant des héritiers de Marx (guesdisme, puis léninisme), il apparaisse parfois comme l'ancêtre des intellectuels communistes du XXe siècle. Et ce n'est pas à la légère qu'Alfred Thibaudet l'a comparé à Saint-Cyran régentant, rue d'Ulm, un Port-Royal républicain et socialiste.

C'est en effet en jouant à plein son rôle de « directeur de conscience » laïque que le philosophe alsacien put importer en France l'érudition et la métaphysique allemandes véritables, prolégomènes au « socialisme d'éducation », sa suprême pensée. Il l'avait empruntée aux rudes compagnons du POSR « allemaniste », avec qui il partageait le « refus de parvenir » et la méfiance incoercible d'un « marxisme » destiné à légitimer l'infaillibilité d'une secte (les « guesdistes »). Herr s'attacha donc à faire connaître Hegel, sur lequel il n'écrivit jamais le grand œuvre qu'il avait en lui mais auquel il donna droit de cité dans le champ intellectuel français. Il soutint des dizaines de « thésards » cherchant leur voie, et certains devinrent aussi des militants socialistes. Là est l'origine du « socialisme universitaire » ou « normalien », dont les plus beaux fleurons furent évidemment Jaurès* lui-même, « converti » vers 1889, et Léon Blum*, mais il ne faudrait occulter ni Albert Thomas, ni Marcel Déat, pas plus que de nombreux obscurs...

Mais le projet herrien de « noyautage » des élites de la République n'aurait sûrement pas eu l'impact historique qui fut le sien sans le concours de l'Événement, l'incendie de l'affaire Dreyfus*. Herr en fut, avec Bernard Lazare* (qu'il fréquentait, tout comme son *alter ego* Charles Andler* dans le milieu de *La Revue blanche**), le principal pourvoyeur de mèches. C'est l'« Affaire » qui créa autour de Herr, jusque-là expert dans un travail très discret de « conspiration permanente des savants », un « parti intellectuel » tout à fait visible dans l'espace public. On sait que Charles Péguy*, qui fut son lieutenant pendant la période la plus chaude du combat dreyfusard, allait lui reprocher de dégrader ainsi la mystique en politique. Il est peut-être dommage que l'on prenne cette critique pour argent comptant en ce qui concerne la signification ultime de toute cette aventure.

Celle-ci allait se poursuivre sous des formes (gouvernement de « Bloc des gauches », unification socialiste autour du jaurésisme, modernisation et démocratisation de l'Université, réformes sociales) auxquelles Herr donnera une adhésion distante. Comme le prouvent ses manuscrits découverts dans les années 70, cet homme, qu'on a souvent décrit comme un positiviste enragé et un manipulateur, n'était pas moins soucieux qu'un Péguy ou un Sorel* de l'autonomie du mouvement ouvrier, ni moins conscient des dangers inhérents à une cléricature du savoir ! Il devait encore le prouver en inspirant, quelques années avant sa disparition, le discours où Blum, au congrès de Tours, refusait, au nom d'une fidélité à l'inspiration authentique de Karl Marx, le « blanquisme à la sauce tartare » des bolcheviks russes. Archétype de l'intellectuel « engagé » avant la lettre, Lucien Herr jugeait inséparable de la mission du « savant » socialiste le *refus de parvenir*, valeur venue de l'élite ouvrière. Mais il ne fut guère suivi (la génération de *Clarté** est peut-être la dernière à avoir pris au sérieux cet idéal).

Daniel Lindenberg

■ *Correspondance Charles Andler - Lucien Herr* (réunie par A. Blum), Presses de l'ENS, 1992.

■ C. Andler, *Vie de Lucien Herr*, rééd. Maspero, 1977. — D. Lindenberg et P.-A. Meyer, *Lucien Herr, le socialisme et son destin*, Calmann-Lévy, 1977.

HIC ET NUNC : voir **RÉSEAUX DU PROTESTANTISME BARTHIEN**

HOMMES POLITIQUES : LA QUÊTE DE LÉGITIMITÉ INTELLECTUELLE

Depuis les XVIIe et XVIIIe siècles, la gloire de la France est à ce point associée à sa littérature qu'il n'est guère de problème littéraire qui ne revête un jour une dimension politique. Pour autant, jusqu'à la Révolution française, les hommes de lettres ou ceux que l'on n'appelle pas encore les « intellectuels », fêtés par le pouvoir et souvent subventionnés par lui, ont été systématiquement tenus à l'écart des affaires. C'est même ce trait politique de la monarchie française qui explique en partie, aux yeux de Tocqueville, la force particulière qu'a prise en France la Révolution. Écartés du pouvoir, les intellectuels — appelons-les ainsi — n'ont guère été en état d'éprouver la complexité et la résistance du réel. Ils ont donc été à l'origine de cette politique littéraire et abstraite qui a tant effrayé nombre de nos voisins, notamment des Anglais libéraux comme Burke. Faute de comprendre l'importance de l'hérité et de l'acquis, les philosophes — c'est leur nom à l'époque — ont préconisé une *tabula rasa*, comme si une société pouvait être reconstruite de fond en comble sur la base de principes rationnels, en dehors de toute référence au poids du passé et à la persistance des particularismes locaux. D'autre part, cette aptitude à construire des systèmes abstraits, vierges de toute imperfection, n'a pas manqué de gagner aux intellectuels le cœur de la foule, où les victimes de l'état de choses existant sont toujours majoritaires. D'où ce gouvernement de l'opinion qui devient leur apanage. Avec la Révolution, la situation change radicalement. Nombre d'intellectuels contestataires accèdent au pouvoir, de Brissot à Marat, de Condorcet à Saint-Just.

Le XIXe siècle verra s'affirmer la vocation politique des intellectuels et des écrivains : il suffit de citer en désordre les noms de Chateaubriand, Lamartine, Guizot, Thiers, Benjamin Constant, Tocqueville, Victor Hugo, pour se persuader que la monarchie censitaire a fait une part très belle, et même exceptionnelle, aux gens de lettres dans les responsabilités du pouvoir… ou de l'opposition. Cet âge d'or, il est vrai, ne durera pas très longtemps. Si l'empereur Napoléon III leur a fait à son tour une place — qu'on pense à Mérimée ou au saint-simonien Michel Chevalier —, la IIIe République, malgré sa réputation, leur sera, en définitive, beaucoup moins favorable. La République des professeurs n'est plus tout à fait celle des poètes et des écrivains. Si ce régime est le leur, il s'en faut de beaucoup qu'ils y exercent les premiers rôles. Ils occupent des emplois variés, certes, mais, pour parvenir à l'exercice du pouvoir proprement dit, ils sont désormais — les contraintes du suffrage universel aidant — tenus de se professionnaliser. C'est le cas d'un Jean Jaurès*, plus tard d'un Léon Blum* ou d'un Édouard Herriot.

De cette longue complicité, propre à la France, entre littérature et politique, il est pourtant resté quelque chose : la prétention des hommes politiques, parmi les plus grands, de tenir, parallèlement à leur rôle dans la République, quelque place dans la république des lettres. Que l'on considère les quatre premiers présidents de la Ve République, on s'apercevra que chacun d'entre eux, à sa manière, a voulu entretenir un commerce personnel avec la littérature. À travers ses Mémoires, le général de Gaulle s'est voulu écrivain à part entière, dans la tradition du cardinal de Retz. Georges Pompidou, agrégé de lettres, avait rédigé avant d'entrer dans sa carrière politique une anthologie de la poésie française. Valéry Giscard d'Estaing n'a jamais dissimulé la fascination qu'exerçaient sur lui les belles-lettres ; il a confié un jour qu'il aurait voulu être Maupassant. Quant à François Mitterrand, féru de littérature lui-même, grand amateur des rencontres avec les écrivains, il n'a cessé dans toute son œuvre politique écrite de se comporter en écrivain.

À gauche, cette intimité avec la littérature fait partie, pour l'homme politique de premier plan, de ses obligations professionnelles. L'homme dans lequel aime à se rencontrer l'électorat populaire et lettré doit avoir quelque chose de Victor Hugo. Il y a là un modèle qui, de Jaurès à Mitterrand, en passant par Blum et Herriot, traverse tout le siècle. Pour n'y avoir aucunement sacrifié, Michel Rocard, en dépit de la faveur dont il a longtemps joui chez bon nombre d'intellectuels, n'est jamais apparu comme totalement représentatif. Certes, depuis le XVIIIe siècle, le modèle du technocrate existe aussi. Mais l'archétype, c'est-à-dire Turgot, a toujours été proche des philosophes de son temps.

Pour autant, des hommes politiques de premier plan peuvent-ils être tenus pour des intellectuels ? En rigueur de termes, non. Le titre d'intellectuel ne se décerne pas, ou pas seulement, en fonction de la place tenue par l'intéressé dans la production des idées, mais dans le fait que pour lui cette place est la première.

À bien des égards, on peut considérer Georges Clemenceau ou Charles de Gaulle comme des intellectuels : anticonformisme, goût pour le débat, et surtout popularisation d'un certain nombre d'idées fortes sous des traits dominants de leur personnage. Disons même que, s'ils n'avaient été les deux hommes politiques français les plus importants de leur siècle, la place qu'ils ont tenue dans le commerce des idées aurait suffi à leur assurer, plus qu'à certains qui figurent dans ce dictionnaire, le titre d'intellectuels. Ils ont pratiqué avec bonheur l'art oratoire, l'art d'écrire ; toute leur action traduit une philosophie politique qui leur est propre. Le gaullisme, après tout, n'est-il pas à certains égards une doctrine ? Mais l'un comme l'autre se sont voulus d'abord des hommes d'action. Leur personnage et leur action témoignent tout à la fois de la grandeur et des limites du rôle social de l'intellectuel.

Jacques Julliard

Homosexualité dans la littérature (l')

1924…

Condamnée par la morale, la religion et la société, l'homosexualité est, jusqu'à la libéralisation des années 70, un sujet dont on chuchote et qui choque. Pour les écrivains homosexuels, il faut conquérir le droit d'en parler.

Les premières œuvres d'André Gide* laissaient deviner les préférences amoureuses de leur auteur. Un paragraphe des *Caves du Vatican* où le héros évoque un amour de jeunesse homosexuel déclencha en 1914 une polémique, d'abord épistolaire puis publique, entre Gide et son ami Paul Claudel*, pour qui le sujet était intolérable. Dans deux lettres datées de mars 1914, ce dernier condamnait l'homosexualité : « Les mœurs dont vous parlez ne sont ni permises, ni excusables, ni avouables. » En 1921, avec *Sodome et Gomorrhe*, Marcel Proust* en faisait le thème central de son roman. Le narrateur de la *Recherche* s'y livrait à une observation quasi scientifique de l'homosexualité. Mais Gide déplorait que Proust peignît des homosexuels « grotesques et abjects », desservant ainsi leur cause. En 1924, malgré les mises en garde de ses proches — Jacques Maritain* notamment s'y opposait —, Gide fit paraître chez Gallimard* son *Corydon*, une justification de la « pédérastie » (comme on disait à l'époque) en forme de dialogue, publiée dès 1911 dans une édition hors commerce. Il fit scandale. En 1926, *Si le grain ne meurt*, Mémoires où il rapportait certaines de ses expériences sexuelles, était publié à grand tirage. La reconnaissance du talent littéraire de l'écrivain ne pâtit pas de l'indignation que certaines pages suscitaient.

Mais André Gide restait un précurseur. Les auteurs qui levèrent le voile sur leur homosexualité ne le firent longtemps que sous couvert de l'anonymat, ainsi Jean Cocteau* avec son roman *Le Livre blanc* (1930), ou Marcel Jouhandeau* pour *De l'abjection* (1939), une confession, deux ouvrages publiés sans nom d'auteur. Et Julien Green ne publia son récit autobiographique, *Jeunesse*, qu'en 1974. Les transpositions sexuelles furent la règle. À la suite de l'Albertine de Proust, Jean Cocteau, dans *La Voix humaine* (1930), Henry de Montherlant*, dans *La Rose de sable* (1968), déguisaient les hommes en femmes. Montherlant, surtout, ne souhaitait pas que son homosexualité fût publiée. En 1982, le premier volume de sa biographie par Pierre Sipriot *(Montherlant sans masque)*, suivi en 1983 de la publication de sa correspondance avec Roger Peyrefitte, où les deux hommes se racontent avec cynisme leurs aventures avec de jeunes garçons, provoqua à nouveau des controverses.

Jean Genet*, dont les premiers textes parurent entre 1943 et 1947 dans des éditions clandestines sans nom d'éditeur, occupe une place à part. Grâce au parrainage de Jean Cocteau et Jean-Paul Sartre*, ses œuvres complètes furent publiées par Gallimard* à partir de 1951. Genet, narrateur et héros de la plupart de ses romans, ne se dissimulait pas ni ne concevait en aucune manière son œuvre comme un appel à la tolérance, ou une justification ; l'homosexualité est associée dans ses écrits aux thèmes de la trahison et du vol qui en font l'univers violent. Le personnage de Divine de *Notre-Dame des Fleurs* reste, avec le baron Charlus de la *Recherche*, l'une des plus grandes figures romanesques homosexuelles.

La libéralisation des mœurs dans les années 70 ouvre la voie à la revendication et au témoignage d'écrivains homosexuels soucieux d'affirmer leur différence. En janvier 1972, *Le Nouvel Observateur** publie le témoignage du jeune écrivain et journaliste Guy Hocquenghem, militant d'un éphémère Front homosexuel d'action révolutionnaire (FHAR) lié aux mouvements de contestation gauchistes. Le 20 janvier 1975, « Les Dossiers de l'écran » diffusent un téléfilm adapté du roman de Roger Peyrefitte *Les Amitiés particulières* (1944), suivi d'un débat où l'écrivain et célèbre critique Jean-Louis Bory témoigne de son homosexualité auprès du grand public. En 1977, il publie, en collaboration avec Hocquenghem, *Comment nous appelez-vous déjà ?*, écrit avec un souci pédagogique et le désir de « faire sortir la question homosexuelle du ghetto intellectuel. [...] Qui lit *Sodome et Gomorrhe* et *Corydon* chez les homosexuels des usines de banlieue ? » Certains reprochent maintenant à des intellectuels homosexuels (à Roland Barthes* et Michel Foucault* notamment) de n'avoir pas pris parti publiquement. Des féministes critiquent la discrétion de Françoise Mallet-Joris et Marguerite Yourcenar*.

Avec l'apparition du sida dans les années 80, la maladie devient pour les écrivains homosexuels un thème littéraire (pour Hervé Guibert ou pour Yves Navarre) ou l'occasion d'un témoignage — ainsi Jean-Paul Aron* analysant, en 1987, pour *Le Nouvel Observateur*, sa maladie et son homosexualité.

Arnauld Senelier

■ J.-P. Aron, *Mon sida*, Bourgois, 1988. — J.-L. Bory et G. Hocquenghem, *Comment nous appelez-vous déjà ?*, Calmann-Lévy, 1977. — D. Fernandez, *Le Rapt de Ganymède*, Grasset, 1989. — A. Gide, *Corydon*, Gallimard, 1924, rééd. 1991. — F. Porché, *L'Amour qui n'ose pas dire son nom*, Grasset, 1927. — E. White, *Jean Genet*, Gallimard, 1993.

Hourdin (Georges)

Né en 1899

Journaliste devenu un grand patron de la presse catholique, Georges Hourdin appartient à cette génération de chrétiens démocrates qui a travaillé au rapprochement du catholicisme et de la société moderne et à un changement dans la vie de l'Église.

Il naît le 3 janvier 1899 à Nantes dans une famille de petits commerçants, milieu bourgeois dont il n'a jamais renié les valeurs. L'influence de son père, républicain et socialiste, relativise l'éducation religieuse donnée par sa mère, catholique et royaliste. Après des études de droit et de sciences politiques, il exerce divers métiers, mais c'est la politique qui le retient finalement. Secrétaire du groupe parlementaire du Parti démocrate populaire en 1927, il y joint très vite une activité de journaliste. Rédacteur au *Petit Démocrate*, l'hebdomadaire du parti, dès 1928, il collaborera plus tard à la revue *Politique*, ainsi qu'au quotidien *L'Aube*. Le laminage du PDP aux élections de 1936 lui en révèle les limites. Il abandonne alors ses fonctions de permanent et passe en 1937 à *Temps présent**, dont il est rédacteur en chef jusqu'en 1940. Mais il ne participe pas à l'expérience de *Temps nouveau*, que Stanislas Fumet* publie à Lyon jusqu'en 1941.

Temps présent reparaît à la Libération, mais Georges Hourdin s'en détache, tout comme il renonce à jouer un rôle de premier plan au MRP. Il préfère fonder, en 1945, *La Vie catholique illustrée*, hebdomadaire populaire imprimé en héliogravure. Le succès est immédiat et les bénéfices permettront de lancer d'autres publications : ainsi en 1950 *Radio-Cinéma* (qui deviendra plus tard *Télérama*), en 1953 *L'Actualité religieuse dans le monde* (devenue en 1955 les *Informations catholiques internationales*), en 1961 *Croissance des jeunes nations.* Mais Hourdin n'est pas seul ; dans les années 50, son nom est inséparable de ceux d'Ella Sauvageot (1900-1962), administratrice de la société Temps présent, et du Père Boisselot (1899-1964), dominicain des Éditions du Cerf. Dans ce trio, Georges Hourdin est assurément le plus prudent et le plus réaliste. Il a toujours eu, selon ses propres termes, « un sens très aigu du possible », tant du point de vue financier que du point de vue idéologique. Réservé devant certaines initiatives de ses deux amis, qui sont proches du mouvement missionnaire et des milieux progressistes, il est surtout inquiet des réactions vaticanes. Parce que les intégristes dénoncent ce réseau d'amitiés — et ses connexions avec *Le Monde** via Beuve-Méry*, lui aussi ancien de *Temps présent* — Georges Hourdin fait chaque année un voyage prophylactique à Rome.

Familier des dominicains, animé par l'esprit franciscain, sa spiritualité est bien, au XXe siècle, celle des religieux mendiants du XIIIe siècle. Homme d'ouverture et de dialogue, en politique comme en religion, il n'a jamais cédé à la tentation communiste, son idéal étant, au fond, un travaillisme à la française. En 1974, l'âge venu, il abandonne la plupart de ses responsabilités. Vatican II signifiait pour lui « l'aboutissement inespéré » de longs efforts. Sa longévité lui aura valu de voir les controverses sur le concile et son interprétation et de devoir en défendre les acquis.

Yvon Tranvouez

■ *La Presse catholique*, Fayard, 1957. — *Dieu en liberté* (autobiographie), Stock, 1973. — *Catholiques et socialistes*, Grasset, 1973. — *Communistes et chrétiens, communistes ou chrétiens* Desclée, 1976. — *Pour le concile*, Stock, 1977.

HUMANITÉ (L')

Depuis la fin du XIXe siècle, Jaurès* avait pris l'habitude de s'exprimer dans le quotidien *La Petite République*. Ce journal socialiste n'était pourtant pas le sien et, de plus, se trouvait en butte à des accusations qui lui reprochaient d'être en partie financé par des publicités de vêtements fabriqués dans les prisons et les couvents. Jaurès et nombre de ses proches, hommes de plume et de pensée, rêvaient en outre depuis longtemps d'un journal socialiste de haute teneur intellectuelle. Le talent de journaliste de Jaurès rendait crédible un tel projet. En 1904, Lucien Herr*, Léon Blum* et Lucien Lévy-Bruhl* firent appel à leurs anciens condisciples de l'École normale supérieure* de la rue d'Ulm pour lancer *L'Humanité*. Tous trois s'employèrent à rassembler les fonds. Lévy-Bruhl lui-même versa 100 000 francs, Jaurès et Herr, 10 000. Le titre du nouveau quotidien est généralement attribué à Herr. Les intellectuels (écrivains ou universitaires) y étaient si nombreux qu'Aristide

Briand affirma que le pluriel (« les humanités ») aurait mieux convenu au journal que le singulier.

Il n'avait pas tout à fait tort. Parmi les premiers collaborateurs littéraires, on relève les noms de Léon Blum, Michel Zevaco, Tristan Bernard, Jules Renard*, Anatole France*, Octave Mirbeau*, Henry de Jouvenel, Abel Hermant*. On compte également huit agrégés et sept normaliens. Charles Andler*, Marcel Mauss*, Albert Thomas participaient à l'entreprise. Peu de temps, il est vrai. Dès 1905, les intellectuels laissèrent la place aux professionnels de la politique. *L'Humanité*, dont Jaurès demeura le directeur jusqu'à sa mort, cessa donc vite d'être un journal pour ouvriers rédigé par des intellectuels où l'on pouvait lire les résultats à l'agrégation. Le tirage s'effondra rapidement : 140 000 exemplaires lors du premier numéro le 18 avril 1904, 12 000 quelques semaines plus tard. Un véritable coup éditorial le 17 mai — la publication d'une note pontificale qui accrut encore davantage les tensions entre Paris et le Saint-Siège à la veille de la rupture de leurs relations diplomatiques — ne releva pas les ventes.

Les années 1919 et 1920 furent l'occasion d'un retour des intellectuels. Le pacifisme fournit des troupes fraîches au journal socialiste : les écrivains Jacques Mesnil, René Arcos, Raoul Verfeuil, Léon Bazalgette, Léon Werth, Georges Duhamel*, Charles Vildrac*, Raymond Lefebvre*, Jules Romains* (à qui est confiée la « chronique des poèmes ») ou Georges Chennevière envahissent les colonnes du journal. Le contenu culturel se renforce et le journal devient le réceptacle de nombreuses pétitions d'intellectuels.

Le congrès de Tours (25-31 décembre 1920) fit basculer *L'Humanité* dans le camp des partisans du bolchevisme. Dès octobre 1918, Marcel Cachin était devenu directeur du journal. En 1926, la fonction de rédacteur en chef échoit à Paul Vaillant-Couturier*. Celui-ci est l'auteur de fougueux éditoriaux, qui lui valent plusieurs peines de prison, ainsi que de grands reportages. Après sa mort, il est remplacé par le normalien, agrégé de lettres, Georges Cogniot qui conserve le poste jusqu'en 1948. Le service de politique étrangère est attribué à Gabriel Péri quand on confie à Aragon* des reportages (le premier, qu'il publie le 25 décembre 1933, est consacré à un dramatique accident de chemin de fer). Les intellectuels sont pourtant devenus moins nombreux. *L'Humanité* est désormais devenu un journal militant et l'organe central du Parti communiste.

Après la Seconde Guerre mondiale, on continue à y trouver les lignes de quelques grands intellectuels, membres du Parti ou compagnons de route : Frédéric Joliot-Curie* et plusieurs signataires de l'appel pacifiste de Stockholm*. *L'Humanité* se vend et se lit à l'intérieur de l'ENS comme au début du siècle. Son supplément, *L'Humanité-Dimanche* publie en juillet 1954 un dessin de Picasso* pour célébrer la fin de la guerre d'Indochine. Le quotidien communiste, dont Roland Leroy est devenu directeur en 1974, tente de conserver des liens avec l'intelligentsia. En 1977, quatre mois durant, 110 écrivains collaborent à une chronique « Lire le pays ». Parmi eux, Jean Genet* publie une description de la cathédrale de Chartres. Lors des fêtes annuelles de *L'Humanité*, la culture est mise à l'honneur et la participation d'artistes et d'intellectuels fortement sollicitée.

Christophe Prochasson

HURET (Jules)

1863-1915

Journaliste, Jules Huret commence par travailler au secrétariat de la mairie de Boulogne-sur-Mer, sa ville natale, comme aide-commis expéditionnaire afin de venir en aide à sa mère, veuve ayant à élever trois enfants dont il est l'aîné. En 1881, il fonde l'Association littéraire et artistique de la jeunesse qui publie une revue. Arrivé à Paris en 1884, il travaille chez un éditeur scolaire puis entame une carrière journalistique en collaborant à plusieurs journaux et périodiques : *L'Événement*, *Le Gaulois*, *La Lanterne*, *Le Figaro**, *La Presse*. Il est alors l'un de ces jeunes intellectuels en mal de reconnaissance littéraire qui fréquentent les cafés parisiens.

Il inaugure en 1890 une collaboration régulière à *L'Écho de Paris* où il publie tout d'abord une série d'articles sur une affaire criminelle : l'affaire Borras-Pradiès. C'est au sein de ces colonnes, du 3 mars 1891 au 5 juillet 1891, qu'il fait paraître l'enquête qui le rendit célèbre : Huret y interroge la fine fleur de la littérature française de son temps. Il devient alors l'ami proche d'Octave Mirbeau*. Il entre l'année suivante au *Figaro* et y fait immédiatement paraître une nouvelle enquête « sur la question sociale en Europe ».

Huret ne fut donc pas seulement un critique littéraire de talent, importateur en France d'un journalisme de terrain né dans les pays anglo-saxons. Dreyfusard — il fait un reportage sur le procès en Cour de cassation qui s'ouvre le 30 mai 1899 —, il manifeste aussi toujours une forte sensibilité à la question sociale dont on trouve encore trace dans l'enquête consacrée aux grèves parue dans *Le Figaro* du 26 mars au 6 mai 1901, ce qui lui vaut, parmi les milieux de la presse conservatrice, la réputation d'être un « mauvais esprit ». Dans la préface qu'il accorde à l'*Enquête sur la question sociale en Europe*, Jaurès* rend hommage à la bonne connaissance de la « doctrine socialiste » dont faisait preuve le journaliste. Celui-ci, très marqué par un coup de grisou qui avait touché des mineurs de Saint-Étienne en août 1890, avait alors accompagné la commission d'enquête parlementaire chargée d'instruire le dossier.

Jusqu'à sa mort, Huret ne cesse de multiplier les enquêtes sur les sujets les plus divers. Elles le conduisent souvent à l'étranger : Maroc dès 1892, Amérique du Nord en 1902, Angleterre en 1905, Allemagne en 1906, 1907 et 1908, Amérique du Sud en 1909, etc. Ces voyages donnent lieu à des articles publiés dans *Le Figaro* puis en volume. Seule une maladie de cœur le contraint de s'aliter dès février 1914. Il meurt un an plus tard.

Christophe Prochasson

■ *Enquête sur l'évolution littéraire*, Charpentier, 1891. — *Enquête sur la question sociale en Europe*, Perrin, 1897. — *Loges et coulisses*, Éd. de la Revue blanche, 1901. — *Les Grèves*, Éd. de la Revue blanche, 1902. — *Interviews de littérature et d'art*, Vanves, Thot, 1984 (parues dans *Le Figaro* entre 1889 et 1905).

▒ J.-É. Huret, *Jules Huret témoin de son temps*, thèse, IEP de Paris, 1958. — C. Prochasson, *Les Années électriques (1880-1910)*, La Découverte, 1991.

HYPPOLITE (Jean)

1907-1968

Né à Jonzac le 8 octobre 1907, Jean Hyppolite, peu connu du grand public, a joué un rôle de premier plan dans la philosophie universitaire française de l'après-guerre. Issu d'une famille d'officiers de marine, très tôt orphelin de père, il était destiné à entrer à l'École navale. Mais son goût pour la philosophie le conduit à préparer le concours de l'École normale supérieure* où il est admis, le plus jeune de sa promotion, en 1925. Pourvu d'une solide formation scientifique, il s'intéresse d'abord aux mathématiques, mais très vite, sur les conseils de son « caïman » de philosophie, Jean Cavaillès*, il entreprend la lecture de Hegel, qui sera la grande affaire de sa vie. Reçu à l'agrégation en 1929, il est, durant la première moitié de sa carrière, jusqu'en 1945, professeur dans l'enseignement secondaire, en commençant par Limoges et en finissant par les classes préparatoires des grands lycées parisiens, après un détour par Bourges, Lens et Nancy. Il évoquait avec plaisir ses années de professorat de lycée. C'est à cette époque qu'il prépare sa thèse consacrée à *La Phénoménologie de l'esprit* de Hegel : il la soutient en 1947, après l'avoir préparée par une traduction du texte allemand qui a longtemps fait autorité (1939-1941). Les recherches et l'enseignement de Jean Hyppolite sur Hegel ont été essentiels pour la réception de l'œuvre en France dans les années 50 et 60 : il a suscité plusieurs vocations et permis non seulement la réévaluation de cet auteur, mais aussi le changement de statut philosophique de l'œuvre de Marx. Directeur de la collection « Épiméthée », aux Presses universitaires de France, il a contribué au développement de l'édition philosophique.

Enseignant à l'université de Strasbourg à partir de 1945, Jean Hyppolite est nommé en 1949 à la Sorbonne. Directeur de l'École normale supérieure de 1955 à 1963, année qui voit son élection au Collège de France*, il exerce une influence considérable sur les promotions de philosophes formées au cours de ces années, en participant activement, aux côtés de Louis Althusser*, à l'enseignement et aux rencontres avec les penseurs invités à présenter leur recherche. Il est donc un des principaux artisans du déplacement des centres d'intérêt de la philosophie française, qui rompt avec une tradition constituée au début de la IIIe République pour aborder de nouveaux objets. C'est à travers la lecture minutieuse de Marx et de Freud (le séminaire de Jacques Lacan* portera la trace de ses réflexions sur l'instance formelle de la dénégation), mais aussi celle de Mallarmé (qui pose la question du jeu), qu'est esquissé le cadre de la modernité philosophique. Son goût pour l'art contemporain lui donne l'occasion, notamment à travers le commentaire du travail de Lapoujade, de développer une interrogation critique sur la matière de la peinture. On ne comprendrait pas les projets de Michel Foucault* et de Jacques Derrida*, par exemple, si l'on négligeait l'apport d'Hyppolite. C'est sans doute une problématique de la conscience, dominante en France depuis Maine de Biran, que son travail a contribué à disqualifier. Se voulant lui-même « historien de la pensée philosophique » plutôt qu'historien de la philosophie, il interrogeait les systèmes de l'intérieur, en repérant les tensions et les silences qui les traversaient ainsi que leur inachèvement : sa démarche, bien qu'elle fût aussi rigoureuse, se distinguait nettement de celle de Martial Guéroult, attaché principalement à mettre au jour la systématicité des axiomatiques philosophiques. L'importance accordée à Hegel s'explique par le fait qu'il a, le premier, posé clairement le problème de la finitude philosophique : la question des rapports entre philosophie et non-philosophie est au cœur des préoccupations de Jean Hyppolite, d'où l'importance continûment accordée à Marx. Dans *Logique et existence*, son ouvrage le plus ambitieux, publié en 1953, il s'efforce de penser l'articulation de la vie et du logos, de l'action et de la signification.

La mort brutale d'Hyppolite, le 27 octobre 1968, mit fin à cette réflexion exigeante. Elle priva aussi la communauté philosophique d'un homme qui avait contribué à la réorienter.

Jean-Louis Fabiani

■ Préface et traduction de Hegel, *La Phénoménologie de l'esprit*, Aubier, 1939-1941. — *Genèse et structure de « La Phénoménologie de l'esprit »*, Aubier-Montaigne, 1947. — *Logique et existence*, PUF, 1953. — *Figures de la pensée philosophique*, PUF, 1971, 2 vol.

▒ C. Descamps (dir.), *Les Enjeux philosophiques des années 50*, Centre Pompidou, 1989.

Ikor (Roger)

1912-1986

Roger Ikor est né le 28 mai 1912 à Paris d'un père lituanien et d'une mère polonaise d'ascendance juive. Élevé dans le culte de la patrie des droits de l'homme, par des parents qui s'étaient réfugiés en France pour fuir les pogroms tsaristes, ce fils d'émigrés incarne parfaitement par son parcours les vertus de l'intégration par l'école et la culture. Après des études secondaires aux lycées Condorcet et Louis-le-Grand, il entre à l'École normale supérieure* en 1934 et obtient une agrégation de grammaire. Nommé au lycée d'Avignon, il y enseigne le français jusqu'à la déclaration de guerre de 1939. Mobilisé comme lieutenant d'infanterie, il est fait prisonnier en mai 1940 et va subir cinq ans de captivité dans un oflag de Poméranie où il organise un réseau de résistance et crée un journal clandestin. Ayant réussi à s'évader juste avant la Libération, il revient à Paris où il reprend sa carrière d'enseignant au lycée d'abord, puis à partir de 1969 à la Sorbonne où il obtient un poste de maître-assistant. Il en devient, en 1973, professeur honoraire. Parallèlement à sa carrière d'enseignant, il collabore aux *Lettres françaises** et entame une carrière de romancier. On lui doit en particulier deux cycles largement nourris, comme l'ensemble de son œuvre, par son expérience autobiographique : *Les Fils d'Avrom*, qui raconte en deux volumes (*La Greffe du printemps* et *Les Eaux mêlées*, prix Goncourt 1955) l'intégration d'une famille de juifs russes sur trois générations, et *Si le temps*, une fresque sociale et morale en six volumes publiés entre 1960 et 1969. Également auteur d'essais et de pamphlets, Roger Ikor fut à sa manière un moraliste de son temps, prenant position sur les problèmes de société contemporains comme celui de l'Université (*L'Université en proie aux bêtes*, 1972), ou celui des sectes dont un de ses fils fut victime (*Je porte plainte*, 1981).

Cet humaniste de gauche n'a jamais cédé ni aux modes ni aux embrigadements partisans. Une idée récurrente sous-tend l'ensemble de son œuvre et s'impose comme essentielle dans son engagement d'essayiste et de pamphlétaire : celle du respect de la dignité humaine, dignité dans laquelle la culture, qui fonde l'identité de chacun, joue un rôle primordial. C'est sans doute en vertu de cet attachement à une culture qu'il avait si bien su faire sienne que Roger Ikor, défiant la modernité du Nouveau Roman, a construit dans la seconde moitié du XXe siècle, une œuvre romanesque de facture traditionnelle qui se situe, par sa dimension de fresque sociale et son souci de réalisme psychologique dans la lignée d'écrivains d'avant guerre comme Roger Martin du Gard*, Georges Duhamel*, Jules Romains*. C'est pour cette œuvre que Roger Ikor s'est vu décerner en 1981 le prix Balzac.

Roger Ikor est mort le 17 novembre 1986.

Delphine Bouffartigue

■ *À travers nos déserts*, Albin Michel, 1950. — *Les Grands Moyens*, Albin Michel, 1951. — *Mise au net*, Albin Michel, 1957. — *Gloucq ou la Toison d'or*, Flammarion, 1965. — *Peut-on être juif aujourd'hui ?*, Grasset, 1968. — *Lettre ouverte aux juifs*, Albin Michel, 1970. — *Lettre ouverte à de gentils terroristes*, Albin Michel, 1976. — *L'Éternité dernière*, Albin Michel, 1980. — *Les Fleurs du soir*, Albin Michel, 1985.

INDY (Vincent d')

1851-1931

Vincent d'Indy, qui, sa vie durant, mêla intimement esthétique et politique, fut peut-être le musicien français le plus politiquement actif de sa génération. Son engagement débuta lors de l'affaire Dreyfus* : avec François Coppée*, Maurice Barrès* et Jules Lemaître*, il fut l'un des membres fondateurs de l'antidreyfusarde Ligue de la patrie française. Il prolongea cette première activité politique en ralliant plusieurs cercles antiparlementaires.

Né dans une vieille famille aristocratique du haut Vivarais, Vincent d'Indy fut élevé par sa grand-mère paternelle. Celle-ci avait subi l'influence des idées saint-simoniennes. C'est elle qui le mit au contact de la musique, sans songer pour autant à faire un jour de son petit-fils un compositeur de métier. La tradition familiale lui imposait la carrière des armes. Par ses atrocités, la guerre de 1870 mit un terme à ce projet familial. Vincent d'Indy choisit la musique : il devint alors l'élève de César Franck. Avec ce dernier et en compagnie de Saint-Saëns, Massenet, Bizet, Widor et Duparc, il contribua à la fondation de la Société nationale de la musique française.

Soucieux, conformément aux buts de cette Société, de favoriser une nouvelle musique française « sérieuse », capable de rivaliser avec celle écrite par les Allemands et dans leurs propres genres, d'Indy arriva tôt à un rang éminent, notamment en remportant en 1886 le prix de la Ville de Paris pour son *Chant de la cloche*.

L'affaire Dreyfus bouleversa son parcours professionnel et le détacha des institutions officielles de la musique en France. En même temps qu'il adhéra à la Ligue de la patrie française, il fonda une nouvelle école de musique indépendante de l'État : la Schola cantorum. Dès 1896, celle-ci enseignait non seulement la musique religieuse mais offrait également des études musicales complètes, rivalisant avec le Conservatoire national. D'Indy y introduisit ses propres valeurs catholiques et traditionalistes. L'étude des styles commençait par celle du chant grégorien et se poursuivait par celle des « maîtres ». La Ligue de la patrie française, qui trouvait dans la Schola l'écho de son propre combat, lui fournit quelques ressources financières, tandis que Vincent d'Indy faisait du prosélytisme en sa faveur parmi les musiciens.

D'Indy défendait aussi ses idéaux traditionalistes et ses préjugés antisémites dans plusieurs périodiques, notamment dans *L'Occident*, qui se présentait comme la revue des artistes antidreyfusards. À la même époque, il composa un opéra ouvertement antidreyfusard : *La Légende de saint Christophe*. Très respecté pour ses connaissances musicales, à l'aise dans les cercles intellectuels, il fut invité par Romain Rolland*, de 1903 à 1905, à venir faire des conférences dans le cadre de l'École des hautes études sociales.

L'Action française* s'intéressait vivement à l'œuvre de d'Indy tout en regrettant que celui-ci fasse preuve d'attachement à l'œuvre de Wagner, dont d'Indy disait d'ailleurs qu'il était parvenu à nettoyer l'opéra des fausses « conventions enjuivées ». Il fut en outre l'un des collaborateurs de la revue *L'Indépendance*, où se rencontraient membres de l'Action française et quelques rares intellectuels de gauche comme Georges Sorel*.

Durant les années d'immédiat avant-guerre, d'Indy se trouvait à l'acmé de sa renommée. La Première Guerre mondiale* lui conserva cette place. Il fut appelé au Conservatoire à enseigner la direction d'orchestre et l'orchestration. Son influence devint alors encore plus importante sur nombre de compositeurs français. Ayant perdu son rayonnement après guerre, il continua néanmoins à composer et à écrire. En 1930, il publia un ouvrage d'où émane un antisémitisme virulent : *Richard Wagner et son influence sur l'art musical français*. Ses idées rencontrèrent un nouvel écho dans le cours des années qui suivirent sa mort au sein des milieux de l'extrême droite ainsi qu'à Vichy.

Jane Fulcher

■ *Beethoven*, Henri Laurens, 1913. — *La Schola cantorum en 1925*, Bloud et Gay, 1927.

■ J. Fulcher, « D'Indy's *Drame antijuif* and its Meaning in Paris, 1920 », *The Cambridge Opera Journal*, novembre 1990. — L. Vallas, *Vincent d'Indy*, Albin Michel, 1950.

INSTITUT DE RECHERCHES MARXISTES : voir INSTITUT MAURICE-THOREZ

INSTITUT D'ÉTUDES POLITIQUES DE PARIS : voir ÉCOLE LIBRE DES SCIENCES POLITIQUES

INSTITUT D'HISTOIRE SOCIALE

Après la prise du pouvoir par Hitler, Boris Souvarine* participa au sauvetage des archives de la social-démocratie allemande, avec l'aide du menchevik Boris Nicolaevski et d'Anatole de Monzie. Peu après, il entra en relation avec Nicolas Posthumus, directeur de l'Institut international d'histoire sociale d'Amsterdam, et bientôt, en 1935, fut officiellement fondée une filiale française de cet institut que B. Nicolaevski et Souvarine furent chargés d'administrer en tant que secrétaires.

Installé au 7 rue Michelet à Paris (VIe arrondissement), cet Institut devint bientôt l'un des lieux de rencontre des différentes tendances de l'émigration politique russe. L'inauguration officielle de l'Institut n'eut lieu qu'en mai 1937 sous le patronage du président du Conseil, Léon Blum*, l'ancien ministre de l'Éducation nationale Anatole de Monzie, le socialiste Alexandre Bracke-Desrousseaux, vice-président de la Chambre.

Déjà victime d'un cambriolage (commis vraisemblablement par le NKVD) dans la nuit du 6 au 7 novembre 1936, effraction qui visait à dérober les documents déposés par L. Trotski et son fils, l'Institut parisien est pillé en juin 1940 par les services d'Alfred Rosenberg qui emportent l'essentiel de ses collections en Allemagne. À son retour des États-Unis, Souvarine, à nouveau représentant de l'IIHS, tente de les récupérer et de reconstituer une filiale française. Faute de moyens, l'IIHS d'Amsterdam ne peut assumer la relance de cette dernière et Souvarine s'appuie alors sur l'aide de Jacques Chevallier, son ancien supérieur à la DGER, député et maire d'Alger. Il installe son institut provisoire au 199 boulevard Saint-Germain. Dans le contexte de la Guerre froide*, Souvarine met la documentation qu'il a rassemblée à la disposition de ceux qui entreprennent de lutter contre le communisme ou qui s'y opposent sous une forme ou une autre. Il entretient des relations avec l'ensemble des partis démocratiques, du RPF à la SFIO. Peu après, il recevra le soutien de Georges Albertini, directeur du Centre d'archives et de documentation qui publiait le BEIPI, mais aussi celui de « Paix et liberté », financée par la présidence du Conseil, de 1951 à 1956.

En mars-avril 1954, Souvarine crée officiellement son Institut d'histoire sociale, association présidée par A. Bracke-Desrousseaux, auquel succèdent Jacques Chevallier puis l'historien Maxime Leroy, le radical Émile Roche, Gabriel Ventejol, tous deux présidents du Conseil économique et social. Le secrétariat général de l'Institut est confié à Souvarine, qui en deviendra, plus tard, le président jusqu'en 1976. À partir de 1957, l'IHS a sa propre revue : *Le Contrat social*, revue historique et critique des faits et des idées.

Au début des années 80, l'Institut d'histoire sociale a vu son nom modifié en IHS-Fondation Boris-Souvarine et a été transféré à Nanterre. En une trentaine d'années, l'IHS a rassemblé une abondante documentation centrée plus spécifiquement sur l'URSS, les mouvements communistes et l'extrême gauche française.

Jean-Louis Panné

■ M. Hunink, *De Papieren van de revolutie*, Amsterdam, 1986. — « Institut d'histoire sociale. Fondation Boris-Souvarine. Présentation : histoire, archives, collections », *Le Contrat social*, n° 4, vol. 8, juin-juillet 1964.

Institut du monde arabe

L'Institut du monde arabe, fondation franco-arabe de droit français, est, depuis son ouverture au public, en décembre 1987, le principal lieu d'échanges intellectuels entre la France et le monde arabe. Installé sur les bords de la Seine, à la lisière du Quartier latin, il est à la fois centre de recherche, musée et pôle d'animation et de débats. Créé à la suite d'un accord signé le 28 avril 1980 mais préparé depuis 1974, l'IMA est le fruit d'une décision politique prise aux plus beaux jours de la « politique arabe » de la France : il s'agit alors de conforter celle-ci dans le rôle de lien privilégié entre l'Occident et le monde arabe, de donner à ce dernier une vitrine de prestige et de faire mieux connaître une civilisation qui n'est ordinairement perçue qu'au travers des images réductrices qu'en donnent l'immigration et les monarchies pétrolières.

Il faudra un certain temps pour que, sous l'impulsion d'Edgard Pisani, nommé président à la fin de 1988, l'IMA se dégage de sa mission de faire-valoir et acquière son autonomie, au risque de déplaire à ses bailleurs de fonds officiels. Cette évolution ne résout cependant pas le problème depuis toujours posé des compétences exactes d'un Institut qui, s'il a vocation à être le lieu d'expression d'une culture arabe vivante, est censé pourtant n'aborder ni les questions relatives à l'immigration en France, ni celles ayant trait à la politique intérieure des États arabes. C'est donc en passant outre les bornes étroites qui avaient été originellement mises à son champ de réflexion et d'action que l'IMA conquerra la place qui est aujourd'hui la sienne, au carrefour de quatre activités : la muséographie, assise sur l'organisation de nombreuses expositions consacrées aux divers pays arabes ; l'information, grâce à une bibliothèque, une médiathèque et une cinémathèque uniques en leur genre en France ; la formation du public français aux multiples facettes de la culture arabe, par le biais de la revue *Quantara* et de séminaires hebdomadaires animés par des professeurs d'Université ; la réflexion sur les questions d'actualité, enfin et surtout, qui permet à l'IMA d'apparaître comme un des rares lieux au sein desquels peuvent être abordés et discutés les problèmes des sociétés arabes contemporaines.

Bernard Laguerre

■ T. Fabre, « L'Institut du monde arabe entre deux rives », *Vingtième siècle, revue d'histoire*, 32, octobre-décembre 1991. — E. Pisani, *Persiste et signe*, Odile Jacob, 1992.

Institut Maurice-Thorez / Centre d'études et de recherches marxistes / Institut de recherches marxistes

Ces trois institutions, créées par le PCF et sises à Paris, au 64 boulevard Blanqui, expriment, à travers leurs différences, l'activité et l'influence de ce parti parmi les intellectuels.

Après la crise de 1956* dans le mouvement communiste et les changements politiques de 1958, la direction du PCF envisage la mise en place d'un organisme capable d'assurer son audience dans un milieu où son influence reste très forte. Jusqu'alors, l'intervention du Parti passait par un secteur idéologique et deux revues complémentaires : *La Pensée**, fondée en 1939, « revue du rationalisme moderne », devait rassembler les intellectuels démocrates, tandis que *La Nouvelle Critique**, créée en 1948, était un organe de combat idéologique et politique parmi les intellectuels. Lors du XVe congrès du PCF, en juin 1959, M. Thorez insiste sur la nécessité de la confrontation théorique « à la lumière du marxisme » et d'une activité de recherche plus intense dans le Parti. Quelques mois plus tard, le 22 février 1960, le Centre d'études et de recherches marxistes (CERM) était créé. Son activité s'organise selon trois axes : travail intérieur de recherche, formation marxiste, dialogue et débat avec les intellectuels. Un an après sa naissance, le CERM rassemble plusieurs centaines de membres (officiellement 700), groupés en dix-sept sections correspondant aux grands découpages disciplinaires. Il est placé sous la direction de Roger Garaudy*, membre du bureau politique jusqu'en 1969, date à laquelle, en désaccord avec la direction du Parti, il est remplacé par Guy Besse, qui lui a succédé au bureau politique depuis le XIXe congrès, et de quatre directeurs adjoints, A. Casanova, J. Elleinstein*, M. Nozerand et Y. Viens. La continuité de l'activité fut assurée par Nicolas Pasquarelli, secrétaire général depuis 1966. Le CERM fut, durant près de vingt ans, un lieu de rencontre et de réflexion assurant de multiples activités. Le découpage initialement prévu fut assez vite abandonné au profit de groupes de travail interdisciplinaires structurés autour de thèmes transversaux. On retiendra ceux consacrés au mode de production asiatique, à la psychanalyse et à la linguistique, ou à l'étude des questions de l'État et de la philosophie marxiste. Un grand nombre de jeunes universitaires et chercheurs participaient régulièrement aux séminaires, journées d'études, colloques, où dominaient les anthropologues, les ethnologues, les philosophes, les linguistes, les « psy » et les historiens. On notera, parmi les animateurs, G. Labica, J. Texier, M. Godelier, G. Bois, C. Parain, J. Suret-Canale, J. Chesneaux. Les débouchés éditoriaux de ces travaux étaient divers, puisque le CERM n'eut jamais de revue spécifique. *La Pensée* s'ouvrit largement aux contributions et débats intellectuels dont le Centre était le creuset ; des *Cahiers* (160 numéros au total) publièrent de manière thématique les travaux des différents groupes. Leur tirage moyen, de 1 500 exemplaires, pouvait s'élever à 4 000 pour certains numéros, notamment ceux consacrés à l'ethnologie. Plus de 2 000 personnes étaient inscrites et près de 800 participaient annuellement aux activités du CERM au début des années 70. Parmi celles-ci, les plus visibles furent celles tournées vers l'extérieur : les colloques et surtout les « semaines de la pensée marxiste », organisées chaque année de 1961 à 1976. Consacrées à des thèmes susceptibles d'intéresser un public très large, elles furent l'occasion de débats et de controverses avec des intellectuels et des dirigeants politiques de la gauche non communiste : par exemple Sartre*, lors de la première semaine consacrée à « Philosophie et dialectique », en 1961 ; ou, en 1966, Mitterrand dans le cadre d'une semaine consacrée à « Démocratie et liberté ». Par certains de leurs thèmes — « Femmes au XXe siècle » en 1963, « La liberté » en 1969, « La morale » en 1974 —, ces rencontres abordaient des questions restées longtemps périphériques dans la réflexion communiste marquée par le stalinisme.

L'Institut Maurice-Thorez, créé au lendemain de la mort de celui-ci, fut dès l'origine centré sur l'histoire du Parti. Présidé par G. Cogniot* et dirigé par V. Joannès, qui avaient été des proches de l'ancien secrétaire général du Parti, cet organisme, doté d'une revue : *Les Cahiers d'histoire* (n° 1 en avril 1966), se propose, dès sa création en 1965, de devenir un centre d'histoire du mouvement ouvrier. Ayant hérité du fonds de la Bibliothèque marxiste de Paris et d'archives de dirigeants du parti, l'IMT se consacre, durant ses premières années, à la commémoration des moments jugés alors les plus importants pour l'histoire du Parti ; à ce titre sont organisés des colloques internationaux pour les anniversaires du Front populaire (1966), de la révolution d'Octobre (1967), de la naissance du PCF (1970), etc. La participation d'anciens dirigeants du Parti, soucieux de défendre et d'illustrer la mémoire communiste, marque l'histoire pratiquée à l'IMT, malgré le travail précieux de documentation et d'archivage engagé alors. La désignation de Jean Burles comme nouveau directeur, après la mort de V. Joannès en 1972, correspond à une deuxième phase dans l'histoire de l'IMT. La recherche historique est mise à l'ordre du jour : après une réunion de tous les historiens communistes en mai 1973, la revue puis l'activité de l'Institut se transforment. Le comité de rédaction, constitué en majorité de jeunes historiens, donne à la revue un caractère plus scientifique, tout en restant marqué étroitement par les problématiques politiques du moment. Des commissions de travail sur l'histoire du Parti mais aussi sur l'évolution de l'économie française sont mises en place, associant historiens universitaires et militants. En même temps, les historiens et les documentalistes de l'IMT commencent l'inventaire des premières archives microfilmées du PCF en provenance des fonds de l'Internationale communiste conservés à l'Institut du marxisme-léninisme à Moscou, et transmis progressivement, de 1972 à 1976, puis de 1983 à 1986. Les travaux des différents groupes de travail alimentent *Les Cahiers d'histoire*, dont le tirage se situe entre 1 500 et 2 000 exemplaires. L'élargissement du champ d'investigation historique est illustré par des numéros consacrés aux paysans, à la droite, à l'évolution du capitalisme français, tandis que d'autres livraisons publient des recherches novatrices sur l'implantation communiste, ou le rôle de l'Internationale communiste. Les historiens animateurs de l'Institut participent également à des cycles de conférences destinés aux étudiants ou aux militants, à l'origine de divers ouvrages collectifs : « L'histoire du réformisme », « Le PCF, étapes et problèmes », « L'URSS et nous » ou l'édition scientifique du Congrès de Tours, etc.

La création, en 1979, de l'Institut de recherches marxistes résulte d'une décision prise par la direction du PCF, qui choisit d'intégrer en un seul organisme le CERM et l'IMT. Selon Francette Lazard, directrice du nouvel organisme, la création de celui-ci n'était pas une simple réorganisation, mais l'expression d'une nouvelle ambition du PCF en matière de recherches et de connaissances, dont la pluralité est explicitement soulignée par le pluriel du titre. La modification du contexte idéologique, les divisions dans la gauche, les tensions internes et les relations difficiles du PCF avec nombre d'intellectuels, sans oublier les tâtonnements stratégiques du Parti, éclairent la naissance de l'IRM. Celui-ci, malgré le succès d'audience de ses journées fondatrices, en décembre 1979, et de certains de ses colloques, sur l'autogestion en 1980, ou sur Marx en 1983, n'a jamais retrouvé l'audience des décennies antérieures. La création, en 1981, d'une revue nouvelle, *Société française*, qui atteint les 1 000 abonnés en 1984, témoigne d'un certain essor des recherches en sciences humaines et sociales, marquées par l'ambition d'associer les savoirs de l'expérience et ceux des disciplines scientifiques. Le succès de certains de ses colloques, sur le travail en 1983, sur l'individualité en 1984, ou sur l'expertise sociale en 1991, témoigne de l'impact de cette nouvelle revue. Il reste que l'activité générale de l'IRM n'échappe pas aux remous qui agitent le PCF à partir de 1985 et conjugue désormais un certain repli, accru par les tensions internes qui affectent le Parti, avec des initiatives publiques destinées à relancer le dialogue avec des détracteurs du PCF : « Les mardis de l'IRM », organisés conjointement et mensuellement avec le journal *L'Humanité** sur des thèmes d'actualité, illustrent le souci de manifester l'utilité idéologique de l'IRM. À la fin de l'année 1995, le 2 décembre, l'IRM disparaît au profit d'une structure associative, « Espaces Marx », qui se propose d'organiser recherches et confrontations dans le cadre d'un partenariat nouveau avec le PCF.

Serge Wolikow

■ « Le PCF et et la société française » (entretien S. Wolikov et M. Lazar), *Communisme*, n° 7, 1985. — S. Wolikov, « Papiers d'identité » (histoire d'une revue et de l'IRM), *Société française*, n° 50, 1994.

Institut Pasteur

Le 28 mai 1990 à l'École normale supérieure*, François Jacob* signe avec des mathématiciens et des historiens un appel à la vigilance contre les thèses « révisionnistes ». La présence de l'éminent pastorien témoigne du degré d'engagement qui a marqué l'Institut Pasteur dès son origine et qui continue de la caractériser. L'institution avait à peine dix ans lorsque les héritiers de Pasteur, Émile Duclaux*, le docteur Roux, H. Pottevin, le couple Metchnikoff, se lancent dans l'affaire Dreyfus*. Le premier conflit mondial voit l'Institut Pasteur œuvrer pour l'effort de guerre. Puis le combat antifasciste regroupe des pastoriens qui accueillent les savants exilés. En 1942, l'Institut devient une place forte du Comité médical de la Résistance, et des pastoriens, effectifs ou futurs, s'illustrent dans la lutte armée. Trois d'entre eux, André Lwoff, Jacques Monod* et François Jacob, iront ensemble jusqu'au prix Nobel (1965). La guerre d'Algérie est l'occasion d'un nouvel engagement. Jacques Panijel, immunologue de renom, et Luc Montagnier, futur pastorien, se chargent du Comité Maurice-Audin, tandis que Jacques Monod dénonce l'OAS.

Ces engagements politiques se doublent d'interventions sociales, depuis la réflexion de Duclaux sur l'hygiène publique (l'une des bases de la loi sur la santé de 1902) jusqu'aux positions actuelles des pastoriens sur le traitement du sida, en passant par les propositions sur l'enseignement supérieur (F. Jacob, J. Monod) et la diffusion de l'épistémologie pratique (J.-P. Changeux...). Cette vigilance politique, cette capacité à penser en dehors de l'institution ont permis notamment à l'Institut Pasteur de combattre les théories génétiques de Lyssenko, et de réaffirmer la nécessité de l'éthique sociale comme but de la recherche fondamentale. La biologie continuait de servir la médecine.

La tradition et la dimension d'engagement des pastoriens ne relèvent pas du hasard. Car trois relations fonctionnent comme une nécessité, et montrent que l'appartenance à l'Institut représente déjà un engagement. La relation des pastoriens avec l'œuvre de Pasteur (un lieu de recherche inédit pour une révolution scientifique et médicale) fait de la référence historique un outil d'investigation et une prise de risques. La relation des pastoriens avec la recherche sur le vivant maintient une dynamique d'interdisciplinarité, de questionnement, d'imagination qui transforme l'épistémologie pratique en une véritable éthique de la connaissance et rend possible l'intervention des chercheurs hors de leur sphère de compétences. Enfin, la relation des pastoriens entre eux anime « une famille », un groupe solidaire mais ouvert (intégrant en particulier de nombreux chercheurs étrangers), longtemps en marge des pouvoirs et des savoirs de la médecine. Le milieu pastorien constitue un tissu humain assurant le travail collectif et individuel de recherche, et permettant la circulation des données scientifiques aussi bien que des valeurs d'amitié. Cette forme sociale originale qui correspond à la forme intellectuelle de la recherche pastorienne définit l'Institut. Elle produit le « style pastorien » (F. Jacob), dont la marque se reconnaît dans la science, dans la société, dans leur histoire commune et respective.

Vincent Duclert

■ M. Morange (dir.), *L'Institut Pasteur. Contributions à son histoire*, La Découverte, 1991. — A.-M. Moulin, *Le Dernier Langage de la médecine. Histoire de l'immunologie de Pasteur au sida*, PUF, 1991. — C. Salomon-Bayet (dir.), *Pasteur et la révolution pastorienne*, Payot, 1986. — Institut de France, Académie des sciences, *Commémoration du centenaire de l'Institut Pasteur*, 1987. — *Molecular Biology and Infectious Diseases* (colloque du centenaire de l'Institut Pasteur, 5-9 octobre 1987), Elsevier, 1988.

INTELLECTUEL EN ARMES (l')

1914...

Le temps n'est plus où Socrate, vaillant hoplite à Potidée, s'enorgueillissait d'avoir porté les armes au service de la Cité. Après lui, Platon a introduit la distinction du soldat et du philosophe. S'il est patent que les militaires intellectuels sont rares, on retiendra que l'intellectuel combattant est une espèce plus rare encore.

La guerre de 1914 apporte en fait l'unique démenti d'envergure. Les hécatombes qu'elle fit dans les rangs des professions intellectuelles ont été recensées, notamment chez les étudiants dont beaucoup devancèrent l'appel. D'autres, intellectuels confirmés, furent volontaires alors qu'ils étaient dégagés de toute obligation militaire (Alain*), ou portés par des motivations allant du nationalisme belliciste (Péguy*) à l'espoir d'une régénération sociale (Barbusse*).

L'intellectuel en armes entend conserver sa lucidité. Aux incantations du verbe et de la plume dont tant de chantres, Barrès* en tête, se sont fait une spécialité, il offre le témoignage d'une expérience unique et universelle. Témoignage ambivalent parfois, où affleurent exaltation et désenchantement (Apollinaire*, Drieu La Rochelle*), mais où domine un pessimisme instruit par le déferlement d'une nouvelle barbarie. Observant les combattants de ce nouveau siège de Troie, Alain (*Mars ou la Guerre jugée*, 1921) démonte les pièces de cette catastrophe périodique. L'abolition de l'individualité, la toute-puissance du galon, la haine qui dénature les passions les plus nobles façonnent le visage de ce dieu « vaniteux et méchant ». Par leur brillante conduite au front, nombre de jeunes intellectuels de la Grande Guerre se sont autorisés à décliner un pacifisme aux multiples résonances et aux influences durables : les élèves d'Alain (Michel Alexandre*, Félicien Challaye*), Barbusse, Duhamel*, Martin du Gard*, Giono*, Céline*, Déat...

Entre les deux guerres, la bipolarisation introduite par l'avènement du communisme et du fascisme radicalise le discours politique. Mais il ne s'agit plus d'une guerre nationale, tout au plus d'un débat franco-français qui s'en tient aux armes classiques ou renouvelées du manifeste, de la pétition et du voyage-témoignage. Par la force de ses enjeux idéologiques et par ses interférences avec le Front populaire, la guerre d'Espagne* est le seul événement qui ait conduit à des implications plus poussées. Si quelques jeunes « fascistes » se sont enrôlés dans la Bandera Jeanne d'Arc (mais aucun des ténors de la jeune extrême droite), l'apport des professions intellectuelles dans les Brigades internationales est plus important. Avant celles-ci, le nom d'André Malraux*, colonel de l'escadrille España durant sept mois, symbolise, et pour longtemps, l'intellectuel combattant. L'auteur de *L'Espoir* a résumé plus tard cette exigence d'héroïsme de l'intellectuel engagé, largement partagée dans les années 30 par ces nouveaux enfants du siècle, mais dont les concrétisations ont été si rares (« À mes yeux, une prise de position intellectuelle est inséparable d'une prise de position de combat »). Ses qualités militaires ont été discutées, mais nul doute que Malraux, selon le mot de Radek, ait appris à la fois « l'illusion lyrique et la discipline révolutionnaire ».

Après *L'Étrange Défaite*, dans laquelle Marc Bloch*, affecté à l'état-major d'une armée du Nord, diagnostique le fléchissement des élites autant que les insuffisances militaires, l'Occupation allemande offre les chances d'un redéploiement. Mais là encore les intellectuels ont brillé par la plume ou le micro plus que par les armes. Et d'abord dans les sphères collaborationnistes, où ils n'ont pas été nombreux sur le front de l'Est ou dans la Milice. À côté de tant de résistants « de Buenos Aires ou de Montevideo » (Claude Bourdet*) qui s'en sont tenus à un patriotisme d'exil, il faut bien admettre que la résistance intellectuelle fut d'abord journalistique et littéraire, qui du reste n'était pas sans risques. Si les catégories intellectuelles ont été nombreuses dans certains réseaux (Musée de l'homme) et mouvements (Combat), l'engagement armé, qu'il s'agisse de la France libre ou des maquis, est demeuré marginal et tardif : René Char* (capitaine Alexandre) en Provence ; Saint-Exupéry*, aviateur de la France combattante au terme de longs atermoiements pétainistes, giraudistes et gaullistes ; André Malraux, arraché au printemps 1944 à ses méditations esthétiques, qui devient, après un bref séjour dans les maquis de Corrèze, le colonel Berger d'une brigade Alsace-Lorraine rattachée à la Ire armée française.

Ni la Guerre froide* ni la décolonisation ne détournent les intellectuels des formes habituelles de l'engagement. La guerre d'Algérie opère toutefois une remobilisation (le « Manifeste des 121 »* peut être compris comme un refus de porter les armes contre un peuple en lutte pour sa libération) et amorce un transfert géographique autant qu'affectif vers le tiers monde, qu'amplifient la guerre du Vietnam*, l'affirmation de la Chine maoïste et la révolution cubaine. La geste des gardes rouges et de la sierra Maestra ne suscite, pour l'essentiel, que le voyage tous frais payés d'une poignée de pèlerins convertis d'avance. Plus conséquent, le jeune normalien Régis Debray* prolonge son adhésion au messianisme révolutionnaire du castrisme par un passage, auprès de Che Guevara, dans la guérilla en Bolivie. Arrêté en avril 1967, il est amnistié et libéré trois ans plus tard. L'exemplarité de cette trajectoire a levé, dans la jeunesse gauchiste de l'époque, plus d'admirateurs que d'émules.

Le dernier mot de ces épisodes sans lendemain revient pourtant à André Malraux qui, insensible aux atteintes de l'âge, demande en 1971 un commandement au Bangladesh soulevé contre le Pakistan. Entre le mythe et la mystification, Malraux symbolise jusqu'au bout l'ambiguïté et l'isolement de l'intellectuel en armes confronté à une situation autre qu'une guerre exclusivement nationale.

Bernard Droz

■ G. Colin et J.-J. Becker, « Les écrivains, la guerre de 1914 et l'opinion publique », *Relations internationales*, n° 24, 1980. — R. Debray, *Nous les Tupamaros*, suivi de *Apprendre d'eux*, Maspero, 1971 ; *Contretemps : éloges des idéaux perdus*, Gallimard, 1992. — J. Lacouture, *André Malraux, une vie dans un siècle*, Seuil, 1976.

INTELLECTUEL OUVRIER (l')

On sait que le terme d'« intellectuel » ne s'impose qu'à la fin du XIXe siècle. Mais dès les lendemains de la révolution de 1830, apparaît le « mouvement ouvrier », qui, partout (en Angleterre, en France, en Allemagne, bientôt de l'autre côté de l'Atlantique...), réunit dans ses débuts des autodidactes prophétiques, rêvant d'arracher aux riches et aux puissants le privilège de l'inspiration poétique, artistique ou philosophique. Sous l'influence en particulier du saint-simonisme, l'idée de « production » retourne l'immémoriale disqualification du travail manuel dans l'ordre social, et des travailleurs manuels dans l'ordre de l'esprit. Dans une société qui identifie les « capacités » à l'oisiveté, la seule revendication d'une activité intellectuelle pour les travailleurs relève de la subversion des hiérarchies constitutives d'un monde qui se veut l'héritier, en costume bourgeois, de l'Antiquité gréco-romaine et de ses belles-lettres.

En rabattant la citoyenneté future sur le « producteur » ou l'« industriel », les prédicateurs de la « doctrine de Saint-Simon » vont en appeler logiquement à la dignité des exclus de la société parasitaire, les prolétaires et les femmes. Des biographies ouvrières arrachées à l'oubli par Jacques Rancière *(La Nuit des prolétaires)* sourd la souffrance d'une génération d'intellectuels « sauvages » qui étanchent leur soif de création artistique ou métaphysique dans des galetas, en sus, la plupart du temps, de leur (très longue) journée de travail manuel. Ils bravent la moquerie de leurs compagnons et l'indifférence des doctes ; certes, il y a des exceptions, comme les fameux « poètes-ouvriers », que patronnent, suivant un schéma éprouvé depuis l'âge classique et qui fonctionnera encore au XXe siècle, à *La Nouvelle Revue française** et ailleurs, les grands romantiques. Mais la protection d'un Hugo, d'un Lamartine, d'une George Sand ne fait que poser avec plus d'acuité, aux yeux même des « bénéficiaires » qui peuvent ainsi sortir au moins de l'ombre, la question du tutorat nécessaire lorsqu'on appartient à « la classe la plus nombreuse et la plus pauvre ».

L'époque romantique, faute d'avoir laissé de grands noms, a pourtant légué plus que des champs de fouilles aux archéologues du prolétariat. C'est en effet parmi ces intellectuels « du soir » (et rêvant parfois déjà au Grand Soir) que vont se cristalliser de grands thèmes : « refus de parvenir », méfiance des « beaux parleurs », confiance messianique dans l'avènement des ouvriers sur la scène artistique, littéraire, musicale, philosophique. Le refus de parvenir comme interdit fondamental va profondément marquer les élites ouvrières et, plus largement, des militants d'origine sociale non « prolétarienne » qui prendront modèle sur la figure idéale du militant ouvrier indifférent aux sirènes de l'« embourgeoisement » par l'argent ou les honneurs.

Il y a évidemment quelque chose dans ce refus du « monde » qui évoque irrésistiblement la tradition chrétienne, et il n'est donc pas étonnant qu'on ait évoqué parfois, à propos de ces élites ouvrières (ou de ces ouvriers imaginaires...), le « jansénisme » et son intransigeance face aux « grandeurs d'établissement ». Mais c'est du côté des ralliés de la littérature et de l'Université que se constitueront de nouveaux « Port-Royal » dont le « Dieu caché » sera la Révolution. Quoi qu'il en soit, il faut retenir « 1848 », entendu largement sur le plan chronologique (un peu comme on dit « 68 » aujourd'hui), comme l'apogée des premiers intellectuels ouvriers, souvent issus comme Perdiguier ou Gilland du compagnonnage et critiques à son endroit. Pour quelques mois ou quelques années, ils apparaissent au grand jour, avant de connaître l'exil ou, à nouveau, l'obscurité. Il en sortira tout une littérature (par exemple *Le Secret du peuple de Paris* du typographe Anthime Corbon, un ancien de *L'Atelier*, qui passa longtemps pour le « premier journal ouvrier »), qui reste paradigmatique, jusqu'à Poulaille* et ses épigones compris, de toute une tradition qui va s'affirmer de génération militante en génération déçue.

Les prolétaires intellectualisés de « 48 » laisseront aussi leur sillon indélébile dans ce qui va devenir le « mouvement ouvrier ». Ce dernier se structure essentiellement autour des valeurs des prolétaires « de la nuit ». La tutelle des « apôtres », hier saint-simoniens, fouriéristes ou icariens, fait l'objet d'une fin de non-recevoir, même lorsqu'elle se présente sous la forme modernisée, et plus « scientifique », du positivisme comtien ou du marxisme.

Certes il y a des ouvriers positivistes ou marxistes, mais ils sont rarement des « intellectuels » de la « classe ouvrière ». Beaucoup de ceux qui se sont retrouvés dans l'Association internationale des travailleurs répondraient davantage à une telle identification, sans qu'on se dissimule pour autant le risque d'anachronisme. Rappelons qu'à la même époque les « bourgeois » qui adhèrent aux différentes « unions » transnationales (par exemple les « Congrès pour la paix », ou tout simplement la franc-maçonnerie) ne se présentent pas eux-mêmes et ne sont pas perçus autrement que comme des poètes, des philosophes, des savants, des artistes qui servent des valeurs intemporelles et universelles en tant que citoyens. Ce sont au fond les fameux « clercs » que regrettera bien plus tard Julien Benda*, mais à qui les noms romantiques de « mages » ou de « prophètes », dont les travaux de Paul Bénichou ont montré la pertinence, conviendraient davantage. Ceci est vrai pour le « frac » ; du côté de la « blouse », on ne vise pas moins l'universel. Mais « Que ta voix de fer mon marteau résonne / Pour glorifier le Travail et Dieu, / le travail et Dieu ».

Ces vers du poète-ouvrier Charles Poncy *(La Chanson du chaudronnier)* suggèrent que la revendication d'une dignité pour le « manuel » a précédé la montée en puissance de l'« intellectuel ». Et ceci pour la bonne raison que ce dernier, dans sa version dreyfusarde, doit beaucoup au modèle élaboré par l'élite ouvrière. Si l'on considère l'étrange figure d'un Lucien Herr*, il en ressort essentiellement que ce dernier, membre du groupe politique qui a conservé le plus strictement les idéaux de séparation des travailleurs par rapport à toute tutelle des « mains blanches » (il s'agit, on le sait, du Parti ouvrier socialiste révolutionnaire d'Allemanne), l'a adapté à la situation des universitaires et des écrivains en reprenant à leur usage le fameux refus de parvenir. Et de même que l'artiste saint-simonien devient un producteur parmi d'autres et soumis, comme tous les autres, au principe d'utilité sociale, le savant du « socialisme universitaire » est un travailleur dont le labeur, collectivisé par le laboratoire ou le séminaire, n'est pas moins matériel et pas moins « divin » que le métier du chaudronnier exalté par Charles Poncy.

Le « rêve ouvrier » (Jacques Rancière) a donc aidé à accoucher de l'intellectuel (de gauche) moderne. Mais les autodidactes n'ont pas forcément apprécié ces nouveaux « frères ». Témoignent de ce rendez-vous manqué un certain échec des « Universités populaires »*, les difficultés, pour ne pas dire plus, du socialisme unifié de Jaurès* à devenir le parti des élites ouvrières, et surtout la grande migration de ces dernières vers le *syndicalisme révolutionnaire*.

C'est en effet dans le cadre de la constitution d'une culture politique de scission radicale avec le monde « bourgeois » ou « capitaliste » que revient en force la question d'un intellectuel qui leur soit une fois pour toutes étranger. La critique de l'intellectuel comme faux représentant de l'Universel (on sait quel rôle elle joue dans la pensée d'un Barrès*) est en quelque sorte reprise par les guesdistes. Successivement, Sorel*, Péguy* et Lagardelle* stigmatiseront le « parti intellectuel » (les futurs « intellectuels de gauche »...) et exalteront la puissance créatrice de l'imagination populaire, à laquelle s'intéressent également, dans un tout autre esprit, les esthètes de *La Revue blanche**, puis de *La Nouvelle Revue française*. C'est la vogue, plus ou moins durable, des Charles-Louis Philippe, des Marguerite Audoux, des Lucien Jean ; quoi de plus logique que la sacralisation, dans un pays où l'intellectuel absolu a toujours été « l'homme ou la femme de lettres », que cette apothéose de l'*écrivain* ouvrier ? Mais dans les bourses du travail ou la jeune Confédération générale du travail, un autre type d'intellectuel, authentiquement lié à la production matérielle, apparaîtra, tandis qu'à travers le thème de l'« action directe » perce le triple refus de l'idéologie des « syndicaux » CGT ; non aux parlementaires dans l'ordre politique, non aux marchands dans l'ordre économique, non aux « intellectuels » dans l'ordre spirituel. Bref, non à toutes les médiations et à tous les médiateurs. Que cette intransigeance théorique ne se retrouve guère dans la pratique est une autre affaire ! Certes, la CGT, qui n'est pas tout le « mouvement ouvrier », sait utiliser à l'occasion (cheminots, mineurs) toutes les ficelles d'un groupe de pression organisé sur le Parlement, et n'est pas la dernière à apprécier le renfort de catégories non manuelles (instituteurs), mais l'important est la consolidation d'une utopie ouvriériste où le rêve d'une « culture prolétarienne » n'attend que l'occasion favorable pour trouver un ancrage. Il n'est que de lire la collection de *La Vie ouvrière* (1909-1914) pour constater que le seul vrai « intellectuel prolétaire » qui figure dans le noyau dirigeant de la revue est le métallurgiste (on dit alors encore « chaudronnier ») Alphonse Merrheim. Ni Marcel Martinet*, ni Albert Thierry, ni même Pierre Monatte, malgré son métier final de correcteur d'imprimerie, ne le sont.

En donnant naissance au Parti communiste et en donnant à la CGT (alors « réformiste ») une vraie place dans la vie nationale, la Grande Guerre donnera lieu à une apparente apothéose de l'« intellectuel ouvrier ». Galvanisés par l'exemple soviétique, les communistes français bolchevisés lui donnent une place institutionnelle, celle du « cadre » révolutionnaire professionnel, auquel il manque quelque chose s'il n'est prolétaire. La doctrine variera : si les années « classe contre classe » exaltent une sorte de *Proletkult* à la française, fermée à toute influence bourgeoise, on sait que Maurice Thorez était fier de maîtriser une culture littéraire des plus classiques. Par ailleurs, l'essai de promouvoir dans le mouvement ouvrier non léniniste une véritable figure du prolétaire intellectuel peut se résumer par la figure d'Henry Poulaille, écrivain, attaché au service de presse des Éditions Grasset* et infatigable saint Jean Baptiste d'une littérature prolétarienne toujours à venir, animateur d'une revue qui changeait de nom après chaque échec. Le triomphe du Front populaire marque, en « intégrant » la classe ouvrière, la fin de ce rêve. Il y aura encore des intellectuels ouvriers par substitution, comme Simone Weil* en 1933, ou les « établis » des années 68. Il n'y aura pas, en dehors du modèle très classique de l'écrivain issu du monde du travail et parlant de l'usine ou de la société vue du point de vue d'« en bas » ou d'« en dehors » — il en existe toute une nouvelle vague à la « Série Noire » des années 90 —, d'intellectuel ouvrier spécifique. Il n'en reste qu'une nostalgie, que la vogue du « rap » réveille, à l'occasion.

Daniel Lindenberg

■ B. Cacérès, *Les Autodidactes*, Seuil, 1956. — J. Guéhenno, *Caliban parle*, Grasset, 1935. — M. Martinet, *Culture prolétarienne*, Librairie du Travail, 1923. — M. Ragon, *Histoire de la littérature prolétarienne*, Albin Michel, 1974. — J. Rancière, *La Nuit des prolétaires*, Fayard, 1981. — E.P. Thompson, *La Formation de la classe ouvrière britannique*, Gallimard / Seuil, 1988.

IONESCO (Eugène)

1909-1994

Le fondateur du « théâtre de l'absurde », terme auquel il préférera celui de « dérision », a légué une œuvre irréductible à un seul genre, inscrite dans le refus de l'autorité et du prêt-à-penser, et nourrie du bilinguisme et des expériences de l'« exil ».

L'enfance d'Eugène Ionesco est marquée par le divorce de ses parents : né à Slatina, en Roumanie, d'un père roumain et d'une mère française, il quitte la France à treize ans pour rejoindre son père en Roumanie. Pendant ses d'études de lettres modernes (françaises), il participe à la vie de divers périodiques roumains d'avant-garde et écrit son journal. Son entrée dans le monde littéraire est placée sous le signe de la contestation des valeurs établies : en 1934, il publie *Nu* (Non), un recueil d'articles parus, pour la plupart, dans la presse roumaine depuis 1928. Ce recueil, qui fait scandale, lui vaut la reconnaissance de ses pairs et le prix des Fondations royales.

Pourtant, entre 1934 et 1938 ses écrits se font plus rares. La montée du fascisme, l'engagement de certains de ses amis et de son père dans la Garde de fer le déterminent à quitter la Roumanie. Il part en France en 1938 grâce à une bourse de l'Institut français, mais se voit contraint de rentrer à Bucarest lors de l'entrée en guerre de la Roumanie. Il parvient toutefois à regagner la France en 1942 et obtient la naturalisation après la guerre. De 1938 à 1946, il envoie des « Lettres de Paris » aux revues roumaines, par lesquelles il fait connaître de nouveaux courants de pensée comme le personnalisme d'E. Mounier*.

Sa première œuvre théâtrale, *La Cantatrice chauve*, sous titrée « anti-pièce », qui allait marquer l'histoire du nouveau théâtre et atteindre un record (11 944 représentations jusqu'au jour de sa mort), passe à peu près inaperçue lors de la création au Théâtre des Noctambules en 1950. Parmi les rares spectateurs se trouvait Raymond Queneau* « qui a donné sa parole d'honneur que la *Cantatrice*... avait des mérites littéraires. Pouvait-on ne pas croire Raymond Queneau ? » Après cette farce tragique du langage, Ionesco s'attaque à l'éducation (*La Leçon*, 1951), au vide de l'existence (*Les Chaises*, 1952), et... au théâtre lui-même (*L'Impromptu de l'Alma*, 1956), en réaction à certains critiques qui souhaitent le voir plus « engagé » (dans le sens brechtien du terme). Tout en étant tenu par la grande presse des années 50 pour un « fumiste » et « une menue curiosité du théâtre d'aujourd'hui », il continue à être représenté surtout dans les petits théâtres. Il est à noter qu'Eugène Ionesco a toujours eu le soutien d'un nombre d'écrivains importants comme A. Breton*, R. Queneau*, A. Salacrou, J. Paulhan*, J. Lemarchand, J. Anouilh* qui ont beaucoup contribué à imposer sa dramaturgie. En 1959, Jean-Louis Barrault met en scène *Rhinocéros* à L'Odéon-Théâtre de France, pièce qui démonte le mécanisme des idéologies totalitaires. Cette première reconnaissance officielle lui ouvre la voie de la consécration : *Le roi se meurt* au Théâtre de l'Alliance française (1962), *La Soif et la faim* à la Comédie-Française (1966), l'entrée en 1968 dans la collection « Les Nouveaux Classiques Larousse » et, en 1970, l'élection à l'Académie française*. Il fut également le premier écrivain à avoir été publié en « Pléiade » de son vivant (1991).

Dans ses articles et entretiens, parus pour la plupart dans *Le Figaro**, *Le Monde**, *La Nouvelle Revue française**, *Les Lettres françaises**, *Tel Quel**, *Les Cahiers de l'Est*, *Le Nouvel Observateur**, *L'Express**, il a fait entendre sa voix sur diverses questions comme la culture étatisée, la société bourgeoise, les rapports entre le théâtre et la politique, le rôle des intellectuels : « Il est très difficile, même impossible de faire confiance aux intellectuels, à ceux qu'on appelle "intellectuels", parce que loin d'être des maîtres à penser, ils sont les intermédiaires des bureaux de propagande, des gouvernements de l'Est surtout... » Il a dénoncé l'absence de libertés et de pluralisme, les représailles dont sont victimes les dissidents dans les pays communistes. Ionesco se pensait comme un « ennemi de l'histoire » ; la caution qu'une certaine intelligentsia apportait aux régimes de type stalinien le persuada que l'idéologie fait partie intégrante de la dimension tragi-comique de l'existence. Il a soutenu par sa signature les actions et les appels en faveur des droits de l'homme et a milité dans des organismes tels que le Groupe de Paris (qui adopta la Charte de la liberté en 1977), Amnesty International et le CIEL.

Mariana Ioan

■ *Présent passé. Passé présent*, Mercure de France, 1968. — *Antidotes*, Gallimard, 1977. — *Un homme en question*, Gallimard, 1979. — *Théâtre complet*, Gallimard, « Pléiade », 1991.

■ C. Bonnefoy, *Entre la vie et le rêve. Entretiens avec Eugène Ionesco*, Belfond, 1966, rééd. 1977. — M.-C. Hubert, *Eugène Ionesco*, Seuil, 1990.

ISAAC (Jules)

1877-1963

L'itinéraire de Jules Isaac est tout engagement, par la passion du document, la foi dans le fait établi, l'espoir mis dans la portée publique de l'enseignement. C'est un exemple du métier d'historien comme fondement des prises de position publiques.

Son engagement dreyfusard se place sous une double égide. Par ses études d'histoire, l'agrégation obtenue en 1902, c'est l'apprentissage de la méthode critique. Par la rencontre de Charles Péguy* en 1897, c'est le « compagnonnage » (selon le terme consacré) qui mène du dreyfusisme et du socialisme hors parti à l'entreprise des *Cahiers de la quinzaine**. Les écrits de Jules Isaac commencent véritablement après la guerre de 1914 où il fut blessé et dont il revint avec une conscience de « mort vivant » mais « libéré des préjugés » (*La Revue de Paris**, 15 avril 1919). Dans sa double activité de responsable des manuels d'histoire chez Hachette (1923) et de pacifiste engagé, la place du document comme instrument du rétablissement de la vérité est centrale. Contre les thèses officielles concernant les origines de la guerre, il fait connaître les études qui soulignent le partage des responsabilités, fût-ce inégalement, entre Allemands, Autrichiens, Russes et Français (notamment R. Poincaré). Plus encore, il prend position pour le pacifisme internationaliste notamment en matière d'armement et à propos du rôle de la « science homicide » (chimie et, à l'horizon, l'atome) : il recommande la constitution d'une sorte de ligue des savants chargée du contrôle des inventions destructrices (*La Revue de Paris*, 1er mars 1923).

Passion du document qui le guide dans la remise à jour des manuels d'histoire rédigés avant guerre par Albert Malet. Jules Isaac non seulement augmente considérablement la part des documents (textes et iconographie) mais doit prolonger l'étude jusqu'au temps présent. À la charnière des deux activités, il est à l'origine de la Conférence internationale de l'enseignement de l'histoire à La Haye en 1932 où il demande la création d'un Office international chargé de développer une coopération, notamment franco-allemande, en matière de rédaction des manuels.

La troisième épreuve de l'engagement historien de Jules Isaac date de la persécution dont il est victime, comme juif, sous le régime de Vichy — sa femme, arrêtée en 1943, meurt en déportation. Contre Vichy et ses « élites », il écrit (1941-1942) *Les Oligarques*, à la fois « histoire partiale » et histoire en miroir : c'est la trahison présente de Vichy qui est inscrite comme trace dans l'histoire passée des trente tyrans qui ont livré Athènes à Sparte, histoire de ce « chef de faction, convaincant, catégorique et dur » qui, « s'il a le cœur bien trempé, se battra jusqu'à la mort et, dans le cas contraire, jusqu'à la mort des autres ». Puis, contre la politique antijuive, il entreprend, dès 1942, une étude des origines chrétiennes de l'antisémitisme et des responsabilités qui échoient à l'Église et à son « enseignement du mépris ». De *Jésus et Israël* (1948) à sa mort en 1963, Jules Isaac se consacre entièrement, relecture des textes sacrés à l'appui, à cet « enseignement de l'estime » antidote à l'antisémitisme. Ainsi, il participe à la rencontre de Seelisberg en 1947 puis, dans le prolongement, fonde aux côtés d'Edmond Fleg les Amitiés judéo-chrétiennes (1948). À quatre-vingt-trois ans, en 1960, il rencontre Jean XXIII à Rome et contribue, à sa façon, comme historien, à la révision officielle de la place du peuple juif dans la dogmatique et la prédication catholique.

Nicolas Roussellier

■ *Les Oligarques. Essai d'histoire partiale*, Minuit, 1945. — *Genèse de l'antisémitisme*, Calmann-Lévy, 1956. — *Combat pour la vérité* (extraits des écrits de J. Isaac avec une bibliographie complète), Hachette, 1970.

▒ *Jules Isaac* (actes du colloque de Rennes, 1977), Hachette, 1979.

Izard (Georges)

1903-1973

Georges Izard est une figure d'intellectuel qui, après avoir contribué à la création de la revue *Esprit**, sera amené par son goût de l'action et de l'efficacité à s'éloigner de sa vocation initiale, en s'orientant vers une carrière d'homme politique avant de connaître une grande réussite professionnelle en tant qu'avocat.

Né en 1903 à Abeilhan (Hérault), Georges Izard est le fils d'un directeur d'école. Il fait des études supérieures de lettres et de droit à la Sorbonne. Ayant entrepris de préparer l'agrégation de philosophie, il rencontre Emmanuel Mounier*, avec qui, en 1929-1930, il rédige, en compagnie de Marcel Péguy, un ouvrage consacré à *La Pensée de Charles Péguy*. Gendre du ministre radical Charles Daniélou, il est pendant un temps chef de cabinet de son beau-père. En 1931-1932, il participe activement avec Emmanuel Mounier et André Deléage à la fondation d'*Esprit*, dont il est le rédacteur en chef d'octobre 1932 à juillet 1933. En 1933, il prend, avec le titre de délégué général, la tête de la Troisième Force qui se veut initialement l'expression politique d'*Esprit*. Après la rupture entre *Esprit* et la Troisième Force et la fusion de celle-ci avec Front commun, il participe aux activités du Parti frontiste de Gaston Bergery, dont il devient un des députés en 1936. Il quitte ce parti en 1937 pour entrer au Parti socialiste et participe, en 1939, à la fondation des *Cahiers socialistes*.

Pendant la guerre, il fait partie des groupes d'études du mouvement de résistance l'OCM (Organisation civile et militaire). À la Libération, secrétaire général de l'OCM et membre de l'Assemblée consultative, il tente de créer, avec l'appui de Léon Blum*, un parti travailliste, mais il se heurte à l'opposition du général de Gaulle. Après avoir participé à la fondation de l'UDSR (Union démocratique et socialiste de la Résistance), il renonce à la politique active pour se consacrer avec succès à sa profession d'avocat, plaidant notamment pour Kravchenko contre le Parti communiste, pour Claudel* contre Maurras*, et défendant les intérêts du bey de Tunis et du sultan du Maroc au cours des crises de la décolonisation. Sa brillante réussite professionnelle lui vaut son élection à l'Académie française* en 1971. Il meurt à Paris en 1973.

Jean-Louis Loubet del Bayle

■ *Où va le communisme ?*, Grasset, 1936. — *Les Classes moyennes*, Grasset, 1938. — *L'homme est révolutionnaire*, Rieder, 1945. — *Viol d'un mausolée*, Julliard, 1957. — *Lettre affligée au général de Gaulle*, Laffont, 1964. — *Sainte Catherine de Gênes et l'au-delà*, Seuil, 1969.

■ P. Andreu, *Révoltes de l'esprit. Les revues des années 30*, Kimé, 1991. — J.-L. Loubet del Bayle, *Les Non-Conformistes des années 30. Une tentative de renouvellement de la pensée politique française*, Seuil, 1969. — M. Winock, *Histoire politique de la revue « Esprit »*, Seuil, 1974.

J

Jacob (François)

Né en 1920

Né en 1920 à Nancy, François Jacob est le fils d'un administrateur de sociétés, d'inclination radicale-socialiste, et le petit-fils d'un général. De cet héritage, il retient un patriotisme fervent et un ancrage à gauche. Mais il ne rejoint aucun parti, ayant toutefois été tenté par la SFIO lors du Front populaire. En même temps que celles de l'éveil politique, les années d'avant guerre sont marquées pour lui par le début d'études de médecine. Il a donné de ses années d'apprentissage un récit passionné dans *La Statue intérieure* (1987). Le 18 juin 1940, il s'embarque pour l'Angleterre, décidé à continuer la guerre, mais sans avoir entendu l'appel du général de Gaulle. Engagé dans les FFL, il combat en Afrique. « Revêtir cet uniforme, c'était refuser une défaite qui n'était pas la mienne. C'était donner un sens à la rage. C'était transformer le désespoir en colère. » Il débarque en Normandie le 1er août 1944 avec le bataillon médical de la 2e DB. Il est gravement blessé une semaine plus tard et hospitalisé plusieurs mois. Affaibli, dérouté, isolé, il tâte, après sa guérison, de divers métiers dont le journalisme et le cinéma. Ces années ont été marquées de douleur et de révolte impuissante : « Ceux de ma génération, en quoi pourraient-ils croire s'ils n'étaient ni religieux, ni communistes ? On leur avait volé leur jeunesse, tué leurs amis, écrasé leurs espoirs, leur enthousiasme. Quel sens, quel contenu pourraient-ils encore donner à des mots comme Honneur, Vérité, Justice ? Et même Patrie. De ces grands mots, il n'y avait guère que la Liberté qui avait résisté. » Il finit par résignation ses études de médecine (docteur en 1947) avant d'entrer, presque par hasard, à l'Institut Pasteur* dans le laboratoire d'André Lwoff (1950).

Découvrant la recherche et la biologie, il trouve peu à peu sa voie et s'intègre aux « pastoriens » et au cercle très fermé des chercheurs qui, à travers le monde, travaillent sur les « phages » (virus qui entrent dans les bactéries et les détruisent en s'y multipliant, dont l'étude est à la base de travaux sur l'hérédité et la génétique). « J'ai eu la chance d'arriver au bon moment, au bon endroit. » Docteur ès sciences en 1954, il devient en 1960 chef du service de génétique cellulaire de l'Institut Pasteur*. En 1964, une chaire est créée pour lui au Collège de France*, dans la même discipline. C'est en 1965 que le prix Nobel de médecine lui est décerné, conjointement avec André Lwoff et Jacques Monod*, pour leurs travaux sur la régulation génétique d'enzymes et de virus. Membre de l'Académie des sciences* depuis 1977, il a présidé le conseil d'administration de l'Institut Pasteur de 1982 à 1988.

Compagnon de la Libération et prix Nobel, François Jacob est une référence de poids. Sollicité en tant qu'intellectuel (pétition en faveur de Régis Debray* en 1967, pétition contre le coup d'État en Pologne en 1981), il a surtout participé aux réflexions sur les évolutions de la biologie, de la génétique et leurs impacts sur la société et l'éthique scientifique. Nullement alarmiste, il a toutefois préconisé très tôt le respect de la diversité biologique et culturelle, un dialogue constant de la communauté des chercheurs avec la société et une formation à l'écologie.

Bénédicte Vergez-Chaignon

■ *La Logique du vivant. Une histoire de l'hérédité*, Gallimard, 1970. — *Sciences de la vie et société. Rapport présenté à M. le président de la République* (avec F. Gros et P. Roger), La Documentation française, 1979. — *Le Jeu des possibles. Essai sur la diversité du vivant*, Fayard, 1981. — *La Statue intérieure*, Odile Jacob / Seuil, 1987.

JACQUARD (Albert)

Né en 1925

Albert Jacquard apparaît comme l'homme des reconversions professionnelles, tard venu à l'engagement militant, mais avec quelle fougue !

Albert Jacquard est né en 1925. Sa famille fut atteinte par l'accident de voiture qui coûta la vie à un de ses frères et le défigura. Entré à l'École polytechnique* en 1945 par le seul effet du défi qu'un bon élève se lance à lui-même, il choisit de devenir ingénieur, puis administrateur, à la SEITA, d'abord dans l'espoir d'y trouver le temps d'entreprendre des études de médecine. Mais la routine de la carrière et, de son propre aveu, l'ambition le détournent bientôt de son projet. Échaudé par la vie ministérielle lors de son passage à la Direction de l'équipement de la Santé (1962-1964), il se retrouve plutôt par hasard à l'INED en 1965. Il s'y découvre une nouvelle vocation : la génétique des populations. C'est la première de ses « bifurcations ». À l'occasion d'un séjour à l'université de Stanford, il entreprend la rédaction d'un traité sur *Les Structures génétiques des populations*. Il soutient en 1972 sa thèse. Commence ainsi pour lui une carrière de directeur de recherche et d'enseignant à l'INED, l'École pratique des hautes études, l'université de Paris VI ou celle de Genève. Mais, de nouveau, Jacquard aspire à être autre chose qu'un chercheur reconnu par ses pairs.

Son éveil à la politique a été suscité par Pierre Mendès France en 1954 : il a alors commencé à voter. Puis, sur le campus de Stanford en 1966-1967, l'opposition à la guerre du Vietnam* lui fait comprendre « qu'aucune action n'est dérisoire ». Mai 68 finit de lui faire abandonner son « attitude passive ». Il refuse de se rendre à des congrès scientifiques dans des pays qui cautionnent des politiques qu'il condamne. Le choc décisif s'enracine dans la controverse violente qui l'oppose en 1977 à la Nouvelle Droite sur l'hérédité et les « dons ». Il décide alors de faire passer ses connaissances et les réflexions qu'elles lui inspirent dans un livre destiné à un vaste public. Ce sera *L'Éloge de la différence*, publié en 1978 : « Notre richesse collective est faite de notre diversité. L'"autre", individu ou société, nous est précieux dans la mesure où il nous est dissemblable. » De là sa lutte contre le racisme. Mais dans ses engagements, Jacquard n'est pas plus que dans sa vie professionnelle l'homme d'un seul choix. Il appartient également au Mouvement universel pour la responsabilité scientifique. Il s'intéresse au sort des détenus comme à la réforme de l'enseignement. En 1982, il signe l'appel des cent sur les dangers du surarmement nucléaire. Il prendra d'ailleurs la parole, le 6 août 1995, lors de la petite manifestation contre la reprise des essais nucléaires français. Il a été membre du Comité national d'éthique*. Mais Albert Jacquard a surtout été médiatisé pour sa participation à la campagne pour le « droit au logement ». Venu à cette cause par le biais d'une réflexion sur le chômage, dont « l'intégrisme économique » masque la nature de mutation profonde, il s'est engagé, aux côtés de l'abbé Pierre, en faveur des réquisitions. Il a ainsi été parmi les porte-parole lors de l'occupation de locaux vides de la rue du Dragon en faveur de mal-logés, en décembre 1994. Il est, avec Mgr Gaillot, L. Schwartzenberg* et Jacques Higelin, l'un des coprésidents de l'association « Droits devant ! » qui cherche à joindre au mouvement d'occupation l'expérience d'un espace socioculturel et d'une université populaire.

Depuis le succès de *L'Éloge de la différence*, Jacquard n'a cessé d'écrire, multipliant les livres de vulgarisation brillante, quoique assez pessimiste, qu'il destine en priorité aux quinze - dix-huit ans. « Pour moi maintenant, a-t-il l'habitude de déclarer, vivre sera surtout préparer des demains où je ne serai pas. »

Bénédicte Vergez-Chaignon

■ *Éloge de la différence. La génétique et les hommes*, Seuil, 1978. — *Au péril de la science ? Interrogations d'un généticien*, Seuil, 1982. — *Abécédaire de l'ambiguïté. De Z à A, des mots, des choses et des concepts*, Seuil, 1989. — *Idées vécues*, Flammarion, 1990. — *J'accuse l'économie triomphante*, Calmann-Lévy, 1995.

JAMET (Claude)

1910-1993

La vie de Claude Jamet a toutes les apparences d'un destin exemplaire. Avec lui on dispose en effet du type achevé de l'intellectuel pacifiste, entraîné, par une logique radicale de « combattant de la paix », à compromettre sa réputation si gravement que toute son existence en sera, définitivement, brisée.

Ce brillant sujet des écoles de la République, reçu à dix-huit ans — avec dispense d'âge — à la rue d'Ulm, n'a figuré qu'un an dans la classe d'Alain*, au lycée Henri-IV, mais, comme il le dira plus tard, c'est bien « lui qui [l]'a créé ». L'agrégé de lettres de 1932, enseignant aux lycées de Bourges puis de Poitiers, s'est déjà fait remarquer à l'École normale supérieure* par sa participation à toutes les manifestations pacifistes. Il confirme son choix à l'époque du Front populaire où, après avoir soutenu les efforts du PCF en ce sens, il rallie la SFIO lors du changement de stratégie du Komintern.

Le basculement a lieu après la défaite, qu'il décrit sans complaisance dans un *Carnet de déroute* remarqué, publié en 1942. Ce prisonnier de guerre, libéré comme père de famille nombreuse, accepte de suivre la ligne politique du petit groupe de la collaboration pacifiste, mené par un autre élève d'Alain, René Chateau. Et l'on retrouve cet ancien fondateur, en 1934, de la section du Comité de vigilance des intellectuels antifascistes* pour la Vienne chroniqueur littéraire, en 1941, du journal *La France socialiste*, émanation de l'ambassade d'Allemagne, *via* le trust allemand Hibbelen, ou encore secrétaire général de la Ligue de la pensée française, organisation fantomatique cherchant à défendre, dans le Paris nazi, « les idées de République, de socialisme vrai, d'indépendance de la France ». Le comble de l'équivoque est atteint en avril 1944, quand il accepte d'assumer la rédaction en chef d'un nouvel hebdomadaire « autorisé », *Germinal*, où il s'insurge amèrement contre les *bombing parties* des Alliés et condamne le débarquement.

La suite de sa vie est une longue survie, partagée entre le retour progressif à l'enseignement, après cinq années d'exclusion, divers travaux littéraires désormais inaperçus, centrés sur du journal intime, et quelques livres politiques, inspirés par son expérience de réprouvé *(Fifi Roi)* ou le rêve impossible d'une conciliation entre « hommes de bonne volonté », au milieu de la conjoncture qui s'y opposait le plus *(Le Rendez-vous manqué de 1944)*.

Claude Jamet est le père du journaliste et écrivain Dominique Jamet.

Pascal Ory

■ *Carnet de déroute*, F. Sorlot, 1942. — *Le Rendez-vous manqué de 1944*, France-Empire, 1964. — *Notre Front populaire : journal d'un militant (1934-1939)*, La Table ronde, 1977.

JANKÉLÉVITCH (Vladimir)

1903-1985

L'œuvre philosophique de Vladimir Jankélévitch ne fut que tardivement reconnue, tant elle échappait aux critères usuels de la tradition universitaire, tout en ignorant les courants intellectuels qui étaient à la mode dans les années 50 et 60. On a pu aussi dire que cette reconnaissance fut un effet de la télévision (on raconte que lors d'un passage à « Apostrophes »*, à la fin des années 70, il vendra en quinze jours quinze fois plus de livres qu'en quinze ans), tant la pensée de Jankélévitch était une pensée en acte, inséparable de sa parole, ce qui en fit aussi un professeur mémorable et un éveilleur.

Né à Bourges en 1903 dans une famille juive cultivée (son père Samuel Jankélévitch, médecin, venu d'Odessa à l'âge de vingt ans, fut l'un des premiers traducteurs de Freud et de Hegel), Vladimir Jankélévitch fut reçu en 1922 à l'École normale supérieure*, avant de passer l'agrégation en 1926. Fortement marqué par Bergson*, auquel il consacrera un livre dès 1931, il soutient en 1933 une thèse sur Schelling, confirmant son orientation vers les philosophies de la vie. Mobilisé en 1939, il est ensuite révoqué par Vichy, en application du statut des juifs. Il s'engage alors dans la Résistance, avant d'être nommé maître de conférences à Lille à la Libération. En 1951, il est nommé professeur à la Sorbonne, poste qu'il occupera jusqu'à la retraite, en 1978. Là, son enseignement, rediffusé par Radio-Sorbonne, tient en haleine ses étudiants et ses auditeurs, comme s'en souvient Jean Maurel : « Cette voix altérée, au rythme brisé, haché, haletant, précipité, testant, tâtant, essayant les mots, à la recherche de la formule juste, emportée par l'impatience de viser, de pointer, d'atteindre le vrai au vol, de surprendre l'occasion... »

« La manière et l'occasion », tel est en effet le sous-titre du premier tome de *Le Je-ne-sais-quoi et le presque-rien*, qui dit bien l'espace dans lequel se déploie la philosophie morale de Jankélévitch : une méditation toujours vive sur les attitudes, les impulsions et les intermittences du sentiment moral, qu'il nourrit de ses auteurs de prédilection : Balthazar Gracian (qu'il contribua largement à faire connaître en France), Pascal, et bien entendu Bergson. C'est une philosophie du temps, qui s'alimente aussi à la musique, à travers les livres que Jankélévitch, pianiste virtuose, a consacrés à ses musiciens préférés : Debussy, Ravel*, Fauré et Bartok.

Philosophe engagé aussi, Jankélévitch sera de tous les combats de son temps : pétitionnaire presque aussi présent que Sartre*, on remarque souvent sa présence discrète dans les manifestations des années 60 et 70, perdu dans la foule des anonymes. C'est ainsi que Jankélévitch aimait à exercer ce qu'il faut appeler son « socratisme ».

Joël Roman

■ *Bergson*, Alcan, 1931. — *L'Ironie*, Alcan, 1936. — *Gabriel Fauré et ses mélodies*, Plon, 1938. — *Ravel*, Rieder, 1939. — *Traité des vertus*, Bordas, 1949. — *Debussy et le mystère*, Neuchâtel, La Baconnière, 1949. — *Le Je-ne-sais-quoi et le presque-rien*, PUF, 1957, rééd. Seuil, 1980. — *La Mort*, Flammarion, 1966. — *L'Irréversible et la nostalgie*, Flammarion, 1974. — *Quelque part dans l'inachevé* (entretiens avec Béatrice Berlowitz), Gallimard, 1978. — *Le Paradoxe de la morale*, Seuil, 1981. — *La Musique et l'ineffable*, Seuil, 1983. — *L'Imprescriptible. Pardonner ?* Seuil, 1986. — *Premières et dernières pages*, Seuil, 1994.

■ J. Maurel, « Wladimir Jankélévitch », in *Universalia*, 1986. — *Écrits pour Wladimir Jankélévitch*, Flammarion, 1978. — *L'Arc*, n° 75. — *Critique*, n° 500-501, janvier-février 1989.

JAURÈS (Jean)

1859-1914

Né le 3 septembre 1859 à Castres, assassiné le 31 juillet 1914 au café du Croissant à Paris, robuste enfant de la méritocratie républicaine, éminent socialiste, grand intellectuel, belle âme de gauche panthéonisée, Jaurès a été récemment redécouvert, grâce aux travaux de Madeleine Rebérioux*, notamment, et à l'activité de la Société d'études jaurésiennes, fondée en 1959. Sa personnalité aux facettes multiples, son sens aigu des réalités de son temps, sa vision originale du socialisme et de l'avenir de l'humanité valent mieux que sa propre légende.

En 1878, le gamin poussé en pleine terre occitane, distingué au collège, boursier de la République, entre premier à l'École normale de la rue d'Ulm. Agrégé de philosophie, professeur de lycée à Albi de 1881 à 1883 puis chargé de cours à la faculté de Toulouse, gorgé de livres, ses thèses en chantier, il est promis à une belle carrière universitaire quand, en 1885, ses amis d'Albi le font élire sur place député républicain : « Notre Jean, dira son oncle, va à la politique comme le canard va à l'eau. »

Battu en 1889 après un premier passage décevant au Palais-Bourbon, il achève ses thèses en 1892 (*De la réalité du monde sensible* et *Les Origines du socialisme allemand chez Luther, Kant, Fichte et Hegel*) : elles révèlent un esprit qui restera jusqu'au bout profondément religieux, un optimiste qui refuse le mal et la violence, en quête de la Cité « de toutes les âmes réconciliées. » Élu conseiller municipal de Toulouse en 1890, mobilisé au plus intime par la grande grève des mineurs de Carmaux en 1892, c'est un Jaurès nouveau qui revient à la Chambre en 1893, au terme d'une évolution vers le socialisme, signalée dans ses articles de *La Dépêche de Toulouse*, qui mêle le choc de la lutte de classe et la conversion intellectuelle. Son destin se confond désormais avec celui du mouvement ouvrier français et de la République des droits de l'homme.

En 1898, il prend parti pour Dreyfus* : intellectuel, il démonte dans *Les Preuves* les mécanismes de la fausse accusation ; socialiste, il convainc ses camarades d'avoir à défendre un officier bourgeois et juif ; républicain, il les ralliera en 1902 au Bloc des gauches, pour défendre l'idéal de 1789 menacé. En 1905, l'Internationale impose leur unité aux socialistes français : ainsi naît une SFIO marxiste, gracile et très peu ouvrière, que Jaurès accepte et anime, préférant l'unité aux interminables débats théoriques, avec Guesde notamment. Son journal lancé en 1904, *L'Humanité**, peuplé d'agrégés, n'aura de cesse de multiplier les dialogues, avec le mouvement syndical, avec les forces intellectuelles, pour vivifier un socialisme ouvert.

Il devient ainsi un grand ténor parlementaire (il est vice-président de la Chambre en 1902), un authentique tribun de meeting, un meneur de grève à l'écoute des humbles meurtris, un pédagogue persévérant et, toujours, un intellectuel qui compte. Dans l'Internationale socialiste comme en France, il bataille pour un socialisme enfant de la République, face au marxisme à l'allemande, dit sa hantise de la guerre qui gronde, au Maroc puis dans les Balkans. Dans *L'Armée nouvelle* (1910), il médite sur la folie du monde et dit son espoir d'une défense strictement pacifique. À Bâle, en 1912, dans un de ses plus beaux discours, il déclare la « guerre à la guerre ». En vain.

Échec, donc, de Jaurès ? Sans doute : tout ce à quoi il aspirait, la paix, la justice, le progrès, l'internationalisme, est balayé par cette guerre que les prolétaires n'ont pas su empêcher. Celui que Péguy* nommait « le grand pontife de l'optimisme officiel » croyait trop, décidément, que « rien ne fait de mal ». Pourtant, son refus de l'« abstraction systématique » des caporaux du marxisme, son affirmation constante des vertus d'une liberté née en terre de France révolutionnaire, son souci de ne jamais enfermer la classe ouvrière dans « sa » mission ou « sa » révolution, son antiléninisme pour tout dire, en ont fait le meilleur penseur d'un socialisme démocratique prolongeant la République. L'intellectuel, chez lui, a tout au long conforté le socialiste, avec son génie d'éloquence et de plume, son immense savoir de philosophe et d'historien, son goût pour tous les regains du monde, sa quête des initiatives et des activités « perpétuellement excitées ».

Militant et universitaire, révolutionnaire et réformiste, pacifiste et patriote,

Jaurès est multiple : son héritage ne peut qu'être âprement disputé. L'unité de sa vie ? Il en avait livré le secret aux mineurs de Carmaux : « Je ne demande qu'une chose, c'est de rester digne de vous. »

Jean-Pierre Rioux

■ *Œuvres* (réunies par M. Bonnafous), Rieder, 1931-1939, 9 vol. — *La Classe ouvrière* (textes présentés par M. Rebérioux), Maspero, 1976. — *Jean Jaurès* (anthologie présentée par L. Lévy), Calmann-Lévy, rééd. 1983. — *L'Armée nouvelle* (présentée par J.-N. Jeanneney), Imprimerie nationale, 1992, 2 vol.

▒ M. Rebérioux, « Jean Jaurès », in *DBMOF*. — *Jean Jaurès*, bulletin trimestriel de la Société d'études jaurésiennes, depuis 1959.

JEANSON (Francis)

Né en 1922

Le nom de Francis Jeanson est doublement attaché, non sans interférences, à l'intimité sartrienne et au combat anticolonial.

Né à Bordeaux le 7 juillet 1922, Francis Jeanson a dû interrompre ses études supérieures de philosophie pour raisons médicales. Il entame après la guerre une prometteuse carrière dans l'édition. Directeur de la collection « Écrivains de toujours » au Seuil*, il s'attache à faire connaître Jean-Paul Sartre* qui l'engage comme gérant de sa revue *Les Temps modernes**. C'est à Jeanson qu'il demande de rédiger la critique de *L'Homme révolté* de Camus* (nº 79, mai 1952). L'article, plus meurtrier que Sartre ne l'eût sans doute souhaité, entraîne la brouille définitive des deux philosophes. Une divergence d'appréciation sur la répression de l'insurrection hongroise, en 1956*, sépare du reste Jeanson de Sartre.

Entre-temps, Francis Jeanson s'est tourné vers les problèmes de décolonisation, et notamment l'Algérie. Il a de cette dernière une certaine familiarité pour avoir combattu dans les rangs de l'armée d'Afrique, et pour y être retourné en 1948 et 1950. Après avoir participé au numéro spécial d'*Esprit**, « Humanisme contre guerres coloniales » (nº 195), il publie, fin 1955, avec sa femme Colette, *L'Algérie hors la loi*, un livre hâtif et partial, mais dans l'ensemble sérieusement documenté, qui dénonce la faillite complète du système d'intégration des masses algériennes et affirme la légitimité des hors-la-loi du FLN traqués par l'armée française. Froidement accueilli, même à gauche, l'ouvrage devient le bréviaire d'une génération de révolutionnaires anticolonialistes.

Après un séjour d'un an en sanatorium, Francis Jeanson renoue les liens avec les militants du FLN en France et commence à rendre divers services. Le « réseau Jeanson » est né début octobre 1957, avec Hélène Cuénat, Étienne Bolo, Monique Des Accords, les prêtres Davezies et Urvoas. Bien d'autres s'y agrégeront par la suite, chrétiens en rupture de hiérarchie ou communistes en rupture de parti le plus souvent. Hébergement et déplacements de militants algériens, collecte et transport de fonds en sont les principales activités, dans lesquelles l'Égyptien Henri Curiel est appelé à jouer un rôle croissant. Un bulletin clandestin, *Vérités pour*, diffuse des informations normalement interdites et s'honore, en juin 1959, d'une interview de Sartre. Au moment où une vague d'arrestations démantèle le réseau, Jeanson publie

Notre guerre, immédiatement saisi, où la justification de sa « trahison » se double d'une foi bien optimiste dans les capacités de la révolution algérienne à renverser tout à la fois la Ve République et le capitalisme français. Le procès du réseau Jeanson, émaillé de nombreux incidents, s'achève le 1er octobre 1960. Francis Jeanson est condamné par contumace à dix ans de prison. Amnistié en 1966, il se tourne vers l'action culturelle puis vers l'action sociale en milieu psychiatrique. En 1991, son livre *Algéries* dit, sans retour superflu sur le passé, l'inextricable complexité des problèmes de l'Algérie contemporaine.

Bernard Droz

■ *Montaigne*, Seuil, 1951. — *Sartre*, Seuil, 1955. — *L'Algérie hors la loi*, Seuil, 1955. — *Sartre dans sa vie*, Seuil, 1974. — *La Foi d'un incroyant*, Seuil, 1976. — *Algéries. De retour en retour*, Seuil, 1991.

■ H. Hamon et P. Rotman, *Les Porteurs de valises. La résistance française à la guerre d'Algérie*, Seuil, 1982.

JE SUIS PARTOUT

Le 29 novembre 1930 paraissait le premier numéro de *Je suis partout*, « grand hebdomadaire de la vie mondiale » des Éditions Arthème Fayard* et conçu sur le modèle de *Candide**. Confié à Pierre Gaxotte*, rédacteur en chef jusqu'en 1937 puis éditorialiste jusqu'en février 1938, *Je suis partout* était à ses débuts l'œuvre d'une équipe relativement hétérogène, en partie issue de *Candide*, mais au sein de laquelle de jeunes militants d'Action française* (Robert Brasillach*, Claude Jeantet, Lucien Rebatet*, Thierry Maulnier*, Claude Roy*) allaient exercer une influence croissante en étant bien déterminés à rénover la pensée maurrassienne. Alain Laubreaux (critique dramatique à partir de 1936), Henri Lèbre (F. Dature), Jean Azéma, Pierre-Antoine Cousteau (entré en 1932, titulaire de la chronique diplomatique de 1936 à 1939, directeur politique en 1943-1944), Camille Fégy (J. Meillonas) et le dessinateur Ralph Soupault viendront peu à peu compléter le groupe des « ubiquistes ».

Bien que centré, pour l'essentiel, sur la politique internationale, *Je suis partout* consacrait plusieurs pages à l'actualité française avec diverses rubriques politiques, économiques (« Finances, Bourse, économie »), littéraire (« Les livres, les idées »), et mondaine (« Paris, écho du monde »). Convaincu de la décadence française et appelant de ses vœux le dépassement du clivage droite-gauche, *Je suis partout* exploitait les thèmes de l'anticommunisme, de l'antiparlementarisme — spécialité de Pierre Villette, alias « Dorsay » —, du nationalisme, de la jeunesse (« seul moyen de rendre à la France sa fierté, sa force ») et prônait un exécutif fort. Les émeutes du 6 février 1934 puis l'arrivée au pouvoir du Front populaire en 1936 marquèrent un infléchissement de la ligne suivie par *Je suis partout*, qui, abandonnant progressivement les principes nationalistes et germanophobes de l'héritage maurrassien, succomba à la tentation fasciste. Cédé par la Librairie Fayard à de nouveaux commanditaires (dont Charles Lesca, riche héritier d'origine argentine), *Je suis partout* devint dès lors l'un des principaux creusets intellectuels du fascisme français.

Je suis partout amorça son virage en se tournant tout d'abord vers l'Italie mussolinienne, le bilan de « Dix ans de fascisme » (numéro spécial, octobre 1932) étant jugé globalement positif, puis vers la Grèce de Metaxas, la Phalange espagnole, la Garde de fer roumaine, les BUF d'Oswald Mosley et le Rex de Léon Degrelle — ce dernier étant célébré sans réserve par la rédaction du journal et notamment par Pierre Faye (correspondant de *Je suis partout* en Belgique et député rexiste). L'Allemagne nationale-socialiste, cette « effrayante et séduisante Allemagne » (Rebatet), fascinait mais, tiraillé entre l'admiration et l'inquiétude, *Je suis partout* adopta une politique en zigzag. Ainsi, tout en saluant certaines réalisations du régime nazi et le « pacifisme du peuple allemand », les rédacteurs de *Je suis partout* ne parvenaient-ils pas à accorder toute leur confiance à l'expérience tentée outre-Rhin et passaient-ils sous silence les relations entre Hitler et Degrelle. En septembre 1939, *Je suis partout* réintégra même, quoique brièvement, le camp du nationalisme le plus germanophobe en appelant les Français à se battre « contre le germanisme tout entier [...] dont Hitler n'est que la dernière et épouvantable création » (8 septembre).

En marge de cet intérêt croissant porté aux régimes ou mouvements autoritaires, *Je suis partout* évolua de l'antiparlementarisme à la contestation du régime démocratique — une « vieillerie qui ne subsiste plus que dans les pays très arriérés ou très primitifs » (30 mai 1936) —, puis de l'antidémocratisme au fascisme, un fascisme à la française destiné à régénérer la nation : « On ne matera le fascisme étranger que par le fascisme français, le seul vrai fascisme » (Brasillach, 14 avril 1939). Plutôt qu'une doctrine, ce fascisme était un « état d'esprit » (Rebatet), une forme de « sensibilité », une « manière héroïque de concevoir la vie » (Cousteau), ou bien encore une « réaction vitale, une sorte d'antifascisme » (Brasillach). En termes plus concrets, *Je suis partout* souhaitait une sorte de « révolution nationale », opérée par une union nationaliste à l'image du Front ébauché par Doriot, divers collaborateurs du journal étant d'ailleurs membres du PPF. « Refaire la France » supposait également que l'on luttât contre toutes les formes d'« internationalisme », *Je suis partout* dérivant vers une xénophobie et un antisémitisme de plus en plus clairement affichés : outre deux numéros spéciaux, « Les juifs » (1938) et « Les juifs et la France » (1939), *Je suis partout* multiplia avant guerre les articles dans lesquels l'antisémitisme « de raison », à la Maurras*, cédait le pas à un antisémitisme racial.

L'année 1940 inaugura une nouvelle étape dans l'évolution de *Je suis partout*. Suspendu en mai 1940 en raison d'une campagne antibelliciste menée contre le gouvernement de Paul Reynaud, abandonné par Gaxotte et par quelques autres collaborateurs, *Je suis partout* reparut en février 1941. La disparition ou le repli en zone Sud de nombreuses publications lui permirent d'élargir son audience avec près de 250 000 exemplaires en 1942 (contre 46 000 en 1939). Convaincu que « c'est à condition d'être fasciste que la France durera » (9 mai 1942), *Je suis partout* prôna la collaboration avec l'Allemagne puis l'alignement total sur le modèle national-socialiste au prix d'un abandon total des principes nationalistes et d'une rupture violente avec Maurras. Hostile au gouvernement de Vichy, *Je suis partout* opta pour une collaboration jusqu'au-boutiste (« Nous ne sommes pas des dégonflés », 15 janvier 1944) et soutint le PPF, la LVF et la Milice. Cet abandon du fascisme français au profit du nazisme provoqua, en août 1943, le départ de Brasillach, de Blond et de Poulain, désormais qualifiés de « fascistes en peau de lapin ». Avec pour mot d'ordre « Place aux durs », Cousteau, Lèbre, Lesca, Jeantet, Rebatet, Laubreaux et Soupault assurèrent la publication de *Je suis partout* jusqu'en août 1944.

Ariane Chebel d'Appollonia

■ R. Brasillach, *Notre avant-guerre*, Plon, 1951. — P.-M. Dioudonnat, *« Je suis partout » (1930-1944). Les maurrassiens devant la tentation fasciste*, La Table ronde, 1973. — L. Rebatet, *Les Décombres*, Denoël, 1942.

JEUNE FRANCE

Association de décentralisation et de diffusion culturelle née en novembre 1940 et interdite au printemps 1942, Jeune France réunit une jolie part de l'intelligentsia française. Elle se nourrit des utopies de l'avant-guerre et de ses premières tentatives de décentralisation et de diffusion populaire, et préfigure les réalisations de l'après-Libération.

L'entreprise débute à l'initiative de Pierre Schaeffer*, jeune polytechnicien, ingénieur à la radio, ancien scout routier, aidé par ses anciens compagnons Georges Lamirand et Pierre Goutet, tous deux en poste à Vichy. Après avoir fait ses preuves en animant une émission destinée aux jeunes, Radio Jeunesse, Pierre Schaeffer impose Jeune France. Il en sera responsable en zone libre, Paul Flamand, éditeur, en zone occupée, Roger Leenhardt, cinéaste, en Afrique du Nord. L'essentiel de ses financements sera assuré par les instances gouvernementales ; l'association dépendra principalement du secrétariat général à la Jeunesse.

Jeune France se donne pour but de réformer les conditions de création et de diffusion de « la grande tradition de la qualité française en matière artistique et culturelle », de travailler « indissolublement à promouvoir les arts et à refaire les hommes et les milieux », menant « contre la barbarie moderne une avance convergente ». Elle appelle à retrouver « l'unité » d'une génération et, « à la suite du Maréchal », à « refaire l'unité du pays ». Elle programme pour tout le territoire français : centres de travaux, d'études, de documentation « Maisons Jeune France », tournées théâtrales, musicales, bibliothèques tournantes, expositions, cycles de conférences, fêtes, célébrations, éditions. L'ensemble étant animé par des « meneurs de jeu » formés dans les « maîtrises ».

On retrouve à sa tête, section théâtre : Maurice Jacquemont, Olivier Hussenot, Jean-Pierre Grenier, Jean Vilar*, Fernand Ledoux, Raymond Rouleau, Pierre Fresnay ; section littérature : Albert Ollivier, Claude Roy*, René Barjavel, Maurice Blanchot* et Albert-Marie Schmidt ; section musique : Daniel Lesur, Maurice Martenot, Annette Dieudonné, Jacques Chailley ; section arts plastiques : Bazaine*, Gischia, Manessier, Lautrec ; section cinéma : Roger Leenhardt, Max-Pol Fouchet* en Afrique du Nord. On y trouve également Raymond Cogniat, Xavier de Lignac, Emmanuel Mounier* et Jean de Fabrègues*.

Si un certain nombre de ses membres ont des engagements politiques, de l'extrême gauche à l'extrême droite (selon l'échiquier « non conformiste » d'avant 1940), les circonstances imposent, en façade au moins, un consensus plutôt « apolitique ».

Dans les faits, aux divergences idéologiques répondent les querelles intestines qui opposent « l'élitisme » des animateurs de la zone Nord au volontarisme populaire de la zone libre : *Portique pour une fille de France* (pièce de Pierre Schaeffer et Pierre Barbier) est jouée par 175 professionnels, 15 000 figurants et 13 000 spectateurs.

Si Jeune France est interdite par le gouvernement, au printemps 1942, si certains de ses membres entrent en résistance, l'association suscitera les mêmes questions qu'Uriage, d'autant qu'à son image elle fournira, après la Libération, de nombreux dirigeants charismatiques des institutions culturelles, souvent novatrices, aussi bien en matière de diffusion que de création : Jean Vilar au TNP et au Festival d'Avignon, Paul Flamand au Seuil, Pierre Schaeffer au Service de la recherche de l'ORTF, Maurice Delarue à Travail et culture, Henri Malvaux à la tête de l'école artistique Camondo.

Laurence Bertrand Dorléac

■ L. Bertrand Dorléac, *L'Art de la défaite (1940-1944)*, Seuil, 1993. — V. Chabrol, *Jeune France : une expérience de recherche et de décentralisation culturelle (novembre 1940-mars 1942)*, thèse, Paris III, 1974 ; « L'ambition de Jeune France », *La Vie culturelle sous Vichy*, Bruxelles, Complexe, 1990. — D. Lindenberg, « Révolution culturelle dans la Révolution nationale de Jacques Copeau à Jeune France. Une archéologie de la décentralisation théâtrale », *Les Révoltes logiques*, n° 12, été 1980.

JEUNES FEMMES

Le mouvement « Jeunes Femmes », qui se définit depuis 1971 comme « un mouvement d'éducation permanente ouvert à toutes celles qui cherchent à mieux se situer dans un monde en changement », est né en 1946 au sein des mouvements de jeunesse protestants français. Dès ses débuts, tout en affichant son identité chrétienne, JF encouragea la participation d'incroyantes et accueillit des protestantes plus ou moins en marge des Églises. Le thème des premières journées d'études, proposées en 1946, indique bien sur quoi le mouvement allait se centrer : « la condition féminine dans la Bible, dans la société contemporaine et dans la vie professionnelle et civique ». Les pionnières du mouvement furent Jeanne Lebrun, Sylvaine Moussat, Francine Dumas et Suzette Duflo. Cette dernière réunit le premier groupe à Saint-Cloud et présida le mouvement jusqu'en 1966. Lié à ses débuts aux Unions chrétiennes de jeunes filles (présidées par Suzette Duflo de 1956 à 1961), puis à l'Alliance des équipes unionistes — qui regroupait les mouvements de jeunesse protestants — jusque dans les années 70, JF se voulut ensuite indépendant des institutions et mouvements protestants : en 1971, il supprima de ses statuts la référence à « la foi en Jésus-Christ » tout en créant, en 1973, une commission « recherche chrétienne ». Cette sécularisation interne n'empêcha pas les femmes issues du protestantisme, épouses de pasteurs notamment, de continuer à jouer un rôle central dans le mouvement.

Mouvement de femmes abordant toutes les questions relatives à la vie des femmes, JF prit une part active à tous les combats pour l'émancipation des femmes. Dès 1954, en proclamant dans son bulletin que « tout enfant venant au monde devrait être désiré », JF se prononçait pour une maternité responsable. Plusieurs militantes de JF formèrent les cadres et les membres du Mouvement français pour le planning familial fondé en 1958 : au début du Planning familial, un tiers des hôtesses venait du mouvement Jeunes Femmes. JF milita non seulement pour le droit des femmes à la contraception, mais aussi en faveur de la libéralisation de la loi sur l'avortement. Plusieurs groupes de JF se constituèrent partie civile dans des procès de viol ; JF participa notamment à la création du Collectif féministe contre le viol et des Maisons d'accueil de femmes.

Mouvement dont l'influence dépassa largement le nombre des militantes qui le faisaient vivre, recrutant surtout dans la mouvance protestante, Jeunes Femmes fut toujours numériquement réduit. Si, dans les années 60, il comptait quelques milliers de membres (6 000 membres et 270 groupes en 1967), ses effectifs décrurent nettement dans les années 70 et 80 (1974 : 1 630 cotisantes et 160 groupes ; 1980 : 521 cotisantes et 66 groupes). En 1993, si un millier de femmes participent à ses activités, le mouvement ne compte que 160 cotisantes et 14 groupes. La revue *Jeunes Femmes*, qui existe depuis 1952, paraît aujourd'hui de façon moins régulière sous forme de dossiers thématiques (*Sciences : quels enjeux ?*, 1991 ; *Dieu a-t-il peur des femmes ?*, 1992).

Jean-Paul Willaime

JEUNESSE ÉTUDIANTE CHRÉTIENNE (JEC / JECF)

Parmi les multiples initiatives locales d'organisation du milieu étudiant catholique qui fleurissent à la fin des années 20, c'est celle des normaliens Paul Vignaux* et Louis Chaudron — ce dernier fraîchement débarqué de sa khâgne* lyonnaise —, secondés par Henri-Irénée Marrou*, qui donne naissance en juillet 1929 à la Jeunesse étudiante chrétienne. Mouvement conçu sur le modèle de la Jeunesse ouvrière chrétienne (JOC), la JEC est rattachée à l'Association catholique de la jeunesse française (ACJF) au moment de la réorganisation de l'Action catholique en France (1931).

Marquée par une spiritualité christocentrique de l'engagement missionnaire, la JEC connaît une croissance rapide au cours des années 30. En 1938, l'*Agenda* annuel publié depuis 1936 est diffusé à 29 000 exemplaires, la revue *Messages* à 7 500. Scindée en deux par la ligne de démarcation puis réunifiée en 1943, elle est en première ligne lors de l'institution du STO et participe à la mobilisation de la jeunesse catholique contre le nazisme. Jusqu'au milieu des années 60, elle est un vivier privilégié de recrutement des élites intellectuelles et politiques catholiques. Quant à la JECF, issue d'initiatives échelonnées entre 1929 et 1936, et que la hiérarchie ne considère pas sans méfiance, elle est plus que la simple branche féminine de la JEC. Extérieure à l'ACJF, marquée par la spiritualité du jésuite blondélien

Yves de Montcheuil, elle joue un rôle essentiel dans la revendication de l'égalité des sexes au sein du catholicisme, et la question féminine y est une voie privilégiée de politisation dans les années 50 et 60.

Les crises à répétition qui affectent les deux mouvements à partir de 1957 sont la rançon d'un succès dont témoigne la place essentielle des jécistes à la tête de l'Union nationale des étudiants de France* (UNEF) à partir de 1956. L'engagement contre la guerre d'Algérie conduit l'épiscopat à mettre en cause, dans une note doctrinale d'octobre 1956, toute prise de position politique collective, au nom de la théorie du « mandat » accordé par la hiérarchie aux mouvements d'action catholique. Ces tensions aboutissent à la démission collective des secrétariats nationaux JEC et JECF en mai 1957. Une crise identique se renouvelle au printemps 1965 lorsque Mgr Veuillot tente la brutale reprise en main d'une direction jéciste engagée dans la contestation étudiante et la radicalisation politique. Les démissionnés fondent alors l'éphémère Jeunesse universitaire chrétienne (JUC), cependant que la JEC se replie sur le secondaire, sa branche étudiante se fondant en 1966 dans la Mission étudiante. Ces crises successives témoignent sans doute de l'épuisement du modèle d'action catholique issu des années 30, qui conduira l'épiscopat à renoncer en 1975 à la notion de « mandat ». Elles tiennent aussi à une mobilisation étudiante dont JEC et JECF ont été des acteurs essentiels, souvent ignorés dans l'analyse des événements de Mai 68.

Denis Pelletier

■ E. Fouilloux, « La crise des mouvements confessionnels », *L'Éducation populaire au tournant des années 60*, Document de l'INJEP n° 10, mai 1993. — D. Hervieu-Léger, *De la mission à la contestation. L'évolution des étudiants chrétiens en France (1965-1970)*, Cerf, 1973. — A.-R. Michel, *La JEC face au nazisme et à Vichy (1938-1944)*, Lille, PUL, 1988. — C. Roucou, « La naissance et les débuts de la JEC », *Les Cahiers de l'animation*, n° 32, 1981. — *Témoignages pour une histoire de la JECF (1930-1965)*, JECF, 1981.

JOLIOT-CURIE (Frédéric) [Jean-Frédéric Joliot]

1900-1958

Né à Paris le 19 mars 1900, Frédéric Joliot est le dernier des six enfants d'une mère d'origine protestante alsacienne et d'un père commerçant, exilé après la Commune. Ingénieur de « Physique et chimie » dont P. Langevin* est le directeur, il devient le préparateur de Marie Curie*, fréquente le milieu scientifique de la rue Pierre-Curie et le « thé » de Jean Perrin* à l'Institut de chimie-physique. Docteur en 1930, il obtient avec son épouse Irène Joliot-Curie le prix Nobel de chimie (1935), pour la découverte majeure de la radioactivité artificielle (1934). Professeur au Collège de France*, où il construit un des premiers cyclotrons, il apporte la preuve physique de la fission et travaille sur les réactions nucléaires en chaîne, déposant des brevets sur les principes de la production d'énergie nucléaire et du déclenchement de réactions explosives.

Après le 6 février 1934, Joliot adhère au Comité de vigilance des intellectuels antifascistes* (CVIA) et à la SFIO, et, en 1936, à la Ligue des droits de l'homme*.

Il milite en 1935 pour l'élection de Paul Rivet* à Paris. Hostile à la non-intervention en Espagne* et antimunichois, il anime avec Langevin la tendance proche des communistes du CVIA. Il signe, avec sa femme, l'Appel de l'union des intellectuels français contre le pacte germano-soviétique (30 août 1939).

Après la défaite, il renonce à quitter la France et retourne dans son laboratoire occupé par les Allemands. Il commence, à l'automne 1940, une action résistante avec des universitaires proches de P. Langevin et de la revue *La Pensée** (J. Solomon, H. Wallon*). Il participe aux débuts du Front national, dont il anime la direction en 1942 avec Pierre Villon, auprès duquel il adhère alors au PCF. Président du Front national à la Libération, membre de l'Assemblée consultative et directeur du Centre national de la recherche scientifique*, il réorganise la recherche avec l'aide d'universitaires et de scientifiques issus de la Résistance. À l'automne 1944, il contacte le général de Gaulle qui le charge de créer, avec R. Dautry, le Commissariat à l'énergie atomique. Haut-commissaire, Joliot remplit cette mission, affirmant la vocation pacifique du CEA, jusqu'à sa révocation en avril 1950 par G. Bidault. Au XIIe congrès du PCF, il a déclaré en effet : « Jamais les scientifiques communistes, [...] progressistes, ne donneront une parcelle de leur science pour faire la guerre à l'Union soviétique », après avoir lancé le 19 mars 1950, comme président du Conseil mondial de la paix (depuis le congrès de Pleyel d'avril 1949), l'Appel de Stockholm*.

Coupé des lieux clés de la recherche (CEA-Saclay, puis CERN) et d'une partie de la communauté scientifique, replié sur ses laboratoires mal dotés, il accentue son action contre l'arme nucléaire. Il veut lier l'action des organisations de masse, souvent proches des communistes, à la mobilisation des scientifiques confrontés à l'usage fait de leurs découvertes, et des intellectuels libéraux : Einstein, Russell, Blackett, Pauling, Schweitzer. Héritier en cela de P. Langevin et du Britannique J.D. Bernal, il veut organiser la communauté scientifique mondiale sur des bases civiques et éthiques, en particulier au sein de la Fédération mondiale des travailleurs scientifiques qu'il préside. Il n'intervient pas dans les débats du lyssenkisme et du jdanovisme. En 1952, sur la foi de scientifiques chinois, il accuse les États-Unis de mener une guerre bactériologique en Corée. Entrant au comité central du PCF après le XXe congrès, il déclare : « Jamais je ne me suis senti aussi libre. »

À la mort d'Irène Joliot-Curie, il reprend l'édification d'Orsay. Son décès à Paris le 14 août 1958 donne lieu à des obsèques nationales.

Michel Pinault

■ *Cinq années de lutte pour la paix. Articles, discours et documents (1949-1954)*, Défense de la Paix, 1954. — *La Paix, le désarmement et la coopération internationale. Discours, textes et documents, Conseil mondial de la paix (1955-1958)*, Défense de la Paix, 1959. — *Textes choisis* (préface de J.D. Bernal), Éditions sociales, 1959. — *Œuvres scientifiques complètes*, PUF, 1961.

■ P. Biquard, *Frédéric Joliot*, Seghers, 1961. — B. Latour, « Joliot : l'histoire et la physique mêlées », in M. Serres, *Éléments d'histoire des sciences*, Bordas, 1989. — N. Racine, « Jean-Frédéric Joliot (Frédéric Joliot-Curie) », in *DBMOF*. — S. Weart, *La Grande Aventure des atomistes français. Les savants au pouvoir*, Fayard, 1980.

JOLIOT-CURIE (Irène)

1897-1956

Fille de Pierre et Marie Curie*, Irène Curie accompagnait sa mère à dix-sept ans sur les champs de bataille pour radiographier les soldats blessés de la Première Guerre mondiale*. Revenue aux études, elle travaille avec sa mère à l'Institut du radium et devient docteur ès sciences en 1925. Mariée en 1926 avec Frédéric Joliot*, elle obtient, seule ou en collaboration avec lui, des découvertes majeures sur la radioactivité et en physique nucléaire. Après le prix Nobel de chimie (1935), qu'elle partage avec son mari, elle mène avec P. Savitch des travaux sur les transuraniens, étape essentielle vers la découverte de la fission (1938).

Le milieu dans lequel Irène Curie a grandi rassemblait des scientifiques dreyfusards, pacifistes et marqués par le positivisme, tels Auger, Borel, Cotton, Langevin*, Lapicque, Perrin*, l'historien Seignobos* et le linguiste Chavannes. Concentrés entre la Sorbonne et la rue Pierre-Curie, ceux-ci se retrouvaient durant l'été dans la villégiature de certains d'entre eux à L'Arcouest. Leurs enfants, éduqués en « coopérative » dans un immeuble acheté en commun au 4 rue Froideveaux, à Paris, ont ainsi formé une nouvelle génération en continuité avec la précédente.

C'est donc en partie une « pente naturelle » qui conduit Irène, avec Francis Perrin ou Pierre Auger, à adhérer en 1934 au Comité de vigilance des intellectuels antifascistes*. En 1936, elle accepte de créer le sous-secrétariat d'État à la Recherche scientifique, devenant ainsi une des trois premières femmes ministres du gouvernement de Léon Blum*. Jusqu'à la guerre, son antifascisme détermine ses diverses prises de position publiques, comme celles de son mari, Frédéric Joliot-Curie.

Pendant la guerre, atteinte par la tuberculose, elle fait des séjours en zone Sud puis en Suisse. Elle est désormais un compagnon de route du PCF, et elle participe à la fondation de l'Union des femmes françaises issue de la Résistance, ainsi qu'à la direction de la Fédération démocratique internationale des femmes, où elle retrouve Eugénie Cotton, ancienne directrice de l'École normale supérieure* de Sèvres. Comme sa mère avant elle, elle tente d'être la première femme élue à l'Académie des sciences*, où son mari siège depuis 1943, mais elle échoue à cinq reprises.

Elle se rend à Wroclaw au Rassemblement des intellectuels pour la paix (1948), siège ensuite au Conseil mondial de la paix, et participe aux campagnes contre l'arme nucléaire. De santé fragile, peu à l'aise en public, méfiante à l'égard de l'activisme militant, elle se consacre au Laboratoire Curie qu'elle dirige depuis 1946. Avec Joliot, Perrin et Auger, elle participe aux débuts du Commissariat à l'énergie atomique, mais sa fonction n'est pas renouvelée après la révocation de Joliot. Universitaire, elle impulse son projet, concurrent du CERN, d'un campus de la Faculté des sciences regroupant laboratoires et accélérateurs de particules hors de Paris. En 1954, les crédits pour la construction du centre d'Orsay sont accordés. À sa mort le 17 mars 1956, d'une leucémie due aux irradiations, le gouvernement lui accorde des obsèques nationales.

Michel Pinault

■ *Œuvres scientifiques complètes*, PUF, 1961. — *Souvenirs et documents*, publiés par l'Association Frédéric et Irène Joliot-Curie, 1975.
■ E. Cotton, *Les Curie et la radioactivité*, Seghers, 1963. — N. Loriot, *Irène Joliot-Curie*, Presses de la Renaissance, 1991. — C. Marbo (Marguerite Borel), *À travers deux siècles. Souvenirs et rencontres (1883-1967)*, Grasset, 1968. — R. Pflaum, *Marie Curie et sa fille Irène. Deux femmes, trois Nobel*, Belfond, 1992.

JOUHANDEAU (Marcel)

1888-1979

Enfant terrible de Guéret, où il voit le jour le 26 juillet 1888, et dont il fera le pétillant *Chaminadour*, amoureux des garçons, catholique tourmenté (mis à l'Index en 1953 par l'*Osservatore romano*), mari légendaire d'Élise, Marcel Jouhandeau traverse le siècle sans y avoir prêté, semble-t-il, la moindre attention. L'œuvre est aussi abondante (une centaine de titres) qu'éloignée, au moins en apparence, des réalités du monde.

Issu d'une famille catholique de petits commerçants de province sensible au discours antisémite, antiparlementaire et antimoderniste, il fait des études de lettres à Paris et devient professeur dans un collège religieux — il y enseignera jusqu'en 1949. Il admire Maurice Barrès*, qu'il aperçoit en février 1914 aux funérailles de Déroulède. Le même jour, il brûle ses manuscrits de jeunesse pour se punir d'une « faute », sans doute en rapport avec une homosexualité encore mal assumée. Il passe la guerre de 14-18 comme soldat auxiliaire à Guéret. La paix revenue, il publie chez Gallimard* *La Jeunesse de Théophile* (1921). En 1929, il épouse la danseuse Élise Caryathis ; son œuvre est désormais surtout consacrée à ses déboires conjugaux (*Chroniques maritales*, 1938).

En 1933, il félicite Gide* pour sa participation à un meeting antifasciste. Mais quatre ans plus tard, il vitupère le Front populaire et les juifs dans *L'Action française**. Il dénonce, au nom des « traditions françaises », la présence des juifs dans le monde de la culture et parle d'un « statut spécial » pour la « race de lion au cœur de chacal » (*Le Péril juif*, 1937). Pendant l'Occupation, il demeure à Paris. En octobre 1941, il participe au voyage d'intellectuels français en Allemagne et rédige pour *La Nouvelle Revue française** le compte rendu embarrassé mais complaisant de cette excursion. Il réduira ensuite ce voyage à l'un des épisodes de sa vie amoureuse (*Le Voyage secret*, 1949). À la Libération, il est à peine inquiété, grâce à la protection de Jean Paulhan*, son ami de toujours. Il veut donner l'image d'un écrivain exclusivement préoccupé de son univers intérieur, en marge de la Cité (*Essai sur moi-même*, 1946, *Journaliers*, 1957-1974, *Du pur amour*, 1964). Quant à son antisémitisme, évoqué encore en 1965 par Roger Peyrefitte (*Les Juifs*), il est habilement noyé dans la liste des querelles avec Élise : elle seule aurait été sujette à cette haine. Rien n'est moins sûr.

Cet écrivain « impair », au style remarquable, connaît sa notoriété la plus large à la fin de sa vie. Il meurt le 7 avril 1979. Son *Journal sous l'Occupation*, justification maladroite rédigée après 1945, est publié l'année suivante.

Laurent Villate

■ *Chaminadour I, II, III*, Gallimard, 1934-1941. — *Algèbre des valeurs morales*, Gallimard, 1935. — *Le Péril juif*, Sorlot, 1937. — *Le Voyage secret*, 1949, rééd. Arléa, 1988. — *La vie est une fête*, Pauvert, 1977. — *Journal sous l'Occupation*, Gallimard, 1980. — *Carnets*, Tallandier, 1988.
■ J. Cabanis, *Jouhandeau*, Gallimard, 1959. — C. Mauriac, *Introduction à une mystique de l'Enfer. L'œuvre de Marcel Jouhandeau*, Grasset, 1938. — H. Rode, *Marcel Jouhandeau, son œuvre et ses personnages*, La Tête de Feuille.

JOURDAIN (Francis)

1876-1958

Fils de l'architecte Frantz Jourdain*, né à Paris en 1876, Francis Jourdain a baigné dès sa jeunesse dans les milieux des artistes engagés, pacifistes et libertaires, que fréquentaient ses parents. À seize ans, il donne ses premiers articles à *La Révolte*, le journal de l'ami de son père, Jean Grave. Il sera même quelques mois, d'avril à juin 1902, gérant du *Libertaire*. Cette année-là, il participe au Congrès international antimilitariste. Après avoir adhéré à la SFIO, atterré par l'assassinat de Jaurès* et l'éclatement de la guerre, il quitte ce parti et prend fait et cause pour la révolution russe. Hostile à l'Union sacrée, il reprend les idées pacifistes de son père. Dans les années 20, il se rapproche du PC, auquel il n'adhérera formellement qu'en 1944, après avoir participé aux activités du Front national à partir de l'été 1942.

Toute sa vie, parallèlement à son activité de critique et d'essayiste, il militera pour un art non élitiste, en particulier dans les mouvements d'éducation populaire autour de Grave. En 1901, il est l'un des fondateurs de la Société de l'art pour tous. Le dimanche matin, il guide dans les musées un public ouvrier qu'il veut sensibiliser à l'émotion artistique. Il écrit de nombreuses monographies de peintres et de sculpteurs (Toulouse-Lautrec, dont il était l'ami, Cézanne, Utrillo, Albert Marquet, Félix Vallotton, Rodin). Également proche d'Octave Mirbeau*, dont il partageait les goûts pour les peintres modernes, puis du critique Élie Faure* et de Léon Werth, il collabore à la revue de Georges Besson *Les Cahiers d'aujourd'hui*. À partir des années 30, il s'engage dans la lutte antifasciste, délaissant quelque peu ses activités professionnelles au profit de son œuvre littéraire et de ses activités militantes. Décorateur, peintre et architecte, c'est autant comme artiste décorateur que comme militant qu'il s'est intéressé à la vie urbaine et à l'organisation des espaces publics et privés. Dans les années 10, il met à profit l'expérience acquise après son baccalauréat comme « ouvrier d'art » pour créer des meubles simples, peu coûteux, rationnels et esthétiques destinés aux foyers ouvriers. En 1916, il participe à l'exposition « La Cité reconstituée », manifeste des architectes et des urbanistes novateurs. Il y présente des meubles bon marché et fonctionnels destinés aux classes populaires. Après la Première Guerre mondiale*, tout en travaillant pour le théâtre, en particulier avec Copeau* au Vieux-Colombier, puis pour le cinéma — il signe en 1935 les décors de *L'Atalante* de Jean Renoir* —, il fonde en 1930, avec Robert Mallet-Stevens, Charlotte Perriand et René Herbst, l'Union des artistes modernes (UAM). En rupture avec les pratiques traditionnelles, cette association recherche le rapprochement entre l'architecture et les arts plastiques, ainsi que la fin des spécialisations rigides. Attentif aux recherches formelles comme aux nouveaux procédés de construction, il construit avec Georges-Henri Pingusson le pavillon de l'UAM à l'Exposition universelle* de 1937. La construction de villas particulières ne le détourne pas de s'élever dans ses écrits contre la pénurie des logements et la persistance des taudis.

Dans son livre de souvenirs sur l'Occupation publié dans une collection dirigée par Maurice Nadeau*, Francis Jourdain décrit avec une distance ironique son itinéraire d'anarchiste devenu l'indéfectible ami de la Russie stalinienne et du PCF.

Danièle Voldman

■ *Pierre Bonnard ou les Vertus de la liberté*, Skira, 1946. — *Jours d'alarmes. Souvenirs*, Corréa, 1954. — *De mon temps. Propos tenus à un moins de vingt ans par un moins de cent ans*, Maspero, 1963.
■ A. Barré-Despond, *Jourdain*, Éd. du Regard, 1988. — J. Maitron, « Francis Jourdain », in *DBMOF*.

JOURDAIN (Frantz)

1847-1935

Né à Anvers, patrie de son père, dans une famille d'artistes et de musiciens admirateurs de la révolution de 1848, l'architecte Frantz Jourdain, naturalisé en 1870, a mené toute sa carrière à Paris. Après la mort prématurée de son père, sa mère engage Jules Vallès comme répétiteur. Ce dernier achèvera d'ancrer chez le jeune Frantz les idées progressistes de son milieu familial. Entré à l'École des beaux-arts en 1867, il paie ses études en exerçant le métier d'inspecteur de chantier. À partir de 1875, il poursuit, parallèlement à ses activités d'architecte, une triple carrière de journaliste, de pamphlétaire et d'écrivain. Dans ses écrits, il réclamera inlassablement un débat sur l'architecture et sur son enseignement. De même, il incitera toute sa vie les pouvoirs publics à encourager une création à la fois industrielle et artistique. Utilisant lui-même dans ses œuvres le fer et le ciment armé, il fait connaître et soutient Jean Prouvé, Émilie Gallée et la jeune école de Nancy.

Dreyfusard, libertaire, grand ami de Jean Grave et de Zola*, il aide ce dernier à rassembler des matériaux techniques pour ses romans les plus célèbres. Les descriptions des grands magasins « Au Bonheur des Dames », comme celles de la cathédrale du *Rêve*, doivent beaucoup à la documentation que fournit Jourdain à Zola. C'est également au cours de l'affaire Dreyfus* qu'il rencontre Maurice Le Blond et qu'il participe à la création de groupements d'art social et de sociétés d'éducation populaire. Il y développe ses idées sur le rôle social de l'artiste. En 1899, il aide à la fondation du Syndicat de la presse artistique de Paris qui lutte pour que des droits soient versés aux auteurs et pour que les ouvriers d'art aient un statut autre que celui de manœuvre. À la même époque, il devient membre de la Société française des habitations à bon marché, tout en assurant les fonctions de président de la section d'Antin de la Ligue des droits de l'homme*. Après avoir été le défenseur et l'ami des impressionnistes, il fonde en 1903 le Salon d'automne pour aider les artistes rejetés par les milieux académiques. Par des accrochages à hauteur des yeux, par le refus des catégories artistiques qui séparaient les peintres des sculpteurs, celui-ci combattra la routine et favorisera les courants modernistes, accueillant notamment Fauves et Nabis. Cette grande sensibilité à l'innovation butera cependant sur le cubisme, qu'il comprend mal.

À partir de 1914, il construit de moins en moins et se consacre à l'écriture. Il fut en effet, avec le Belge Victor Horta, l'un des théoriciens de l'Art nouveau, tentative d'alliance entre le rationalisme et le pittoresque, de façon à intégrer des formes nouvelles dans les sites chargés d'histoire. Mais contrairement à ses goûts en peinture, il ne fige pas sa réflexion architecturale. À quatre-vingts ans, en compagnie d'Auguste Perret, Henri Sauvage, Robert Mallet-Stevens et André Lurçat, il fait partie du comité de patronage de *L'Architecture d'aujourd'hui*, dont le premier numéro paraît en 1930.

Son œuvre la plus célèbre, construite en 1905, reste l'ensemble de magasins de la Samaritaine à Paris, dont la façade, toute de métal et de verre, a été influencée par le style fleuri de Horta. En se souvenant de ses recherches pour le « Bonheur des Dames », c'est peut-être la synthèse des arts tant souhaitée qu'il a pu réaliser pour la postérité.

Danièle Voldman

■ *Les Décorés, ceux qui ne le sont pas*, H. Simonis Empis, 1895. — *Propos d'un isolé en faveur de son temps*, Eugène Figuière et Cie, 1914.

▒ J. Maitron, « Frantz Jourdain », in *DBMOF*.

JOUVENEL (Bertrand de)

1903-1987

Fils de Henry de Jouvenel, directeur du quotidien *Le Matin* et second mari de Colette*, neveu de Robert de Jouvenel, directeur de *L'Œuvre* et auteur du célèbre essai *La République des camarades*, frère de Renaud de Jouvenel, compagnon de route du PCF (cf. ses souvenirs, *Confidences d'un ancien sous-marin du PCF*, Julliard, 1980), Bertrand de Jouvenel a baigné toute son enfance et sa jeunesse dans un milieu journalistique et artistique agité et original, ce qui lui donnera certainement le goût de la polémique et l'attrait du pouvoir. Il fréquentera toute sa vie les décideurs, ces membres de l'élite qui se chargent des affaires de la collectivité dans l'intérêt général. Tour à tour secrétaire de Nénès, d'Albert Thomas, de Daladier, il observe directement les mœurs politiques qu'il décortiquera plus tard dans des ouvrages appelés à devenir des « classiques ». Pressentant la crise économique, il se plonge dans Marx et rédige *L'Économie dirigée*, ouvrage novateur dont le titre deviendra une formule usitée, dans lequel il analyse les mécanismes du capitalisme débridé et incohérent et préconise une série de réformes fondamentales visant à édifier un nouveau système économico-politique dans lequel l'État joue un rôle central dans l'organisation de la production et dans la répartition des richesses. L'auteur refuse à la fois Washington et Moscou, le libéralisme et le collectivisme, anticipant quelque peu les idées d'Arnaud Dandieu* et de Robert Aron* ou de certains planistes ; il prône une économie dirigée, seule capable d'établir l'équilibre, sans provoquer des exclusions comme le fait le marché, sans brider la liberté de chacun comme le fait l'étatisme. Une autorité soucieuse de l'intérêt général, et compétente, peut œuvrer en ce sens. À la suite des émeutes du 6 février 1934, il lance un journal, *La Lutte des jeunes*, aux côtés de Pierre Andreu, Samy Beracha, Pierre Drieu La Rochelle*, Robert Lacoste, etc. Y collaboreront des intellectuels de divers horizons idéologiques, comme Mounier*, Izard*, Gurvitch*, Dubief, Brossolette, par exemple, tous convaincus que les jeunes peuvent dépasser les vieux clivages et rénover la politique en ouvrant de nouvelles perspectives.

L'historien Zeev Sternhell, dans son essai *Ni droite, ni gauche, l'idéologie fasciste en France* (Seuil, 1983), considère que Jouvenel et la plupart de ses amis sont des fascistes, antidémocratiques et anticapitalistes, visant à établir un régime corporatiste et autoritaire.

Il est vrai, qu'à l'époque du moins, il semble fasciné par le pouvoir fort. Il interviewe ainsi sympathiquement Adolf Hitler (*Paris-Midi* du 26 février 1936) et compare ce dernier ou Mussolini à Auguste et Napoléon, en 1938, tout en s'engageant dans le Parti populaire français de Jacques Doriot, en espérant qu'il pourra réaliser « entre les Français une juste inégalité »... Certes, il écrit dans *L'Émancipation nationale*, organe du PPF, mais aussi dans *Marianne** que dirige Emmanuel Berl*, confirmant une fois de plus que l'homme est complexe... En 1941, dans *Après la défaite*, il considère la victoire allemande comme celle de l'esprit et bénéficie alors de l'attention des services allemands de propagande. Faut-il en conclure qu'il fut « d'intelligence avec l'ennemi » ? Le tribunal, lors du procès en diffamation que Jouvenel intenta à Sternhell en 1983 et 1984, se rangea du côté des témoins, dont Raymond Aron, pour répondre par la négative.

Après la guerre, Jouvenel poursuit sa critique des diverses formes du pouvoir, aussi bien dans ses cours, ses articles et ses livres. Il élabore une nouvelle discipline, la prévision, et fonde la Société d'études et de documentations économiques (la SEDEIS) ainsi que la revue *Futuribles*, que dirige son fils, Hugues de Jouvenel. Grand admirateur de Rousseau, de Tocqueville et d'Engels, il dénonce le poids grandissant des machines bureaucratiques, la sclérose des États, la destruction inconsidérée de notre environnement, la faiblesse de nos outils conceptuels pour comprendre et agir sur un monde en mutation permanente.

Thierry Paquot

■ *L'Économie dirigée. Le programme de la nouvelle génération*, Georges Valois, 1928. — *Napoléon et l'économie dirigée*, La Toison d'Or, 1942. — *Du pouvoir. Histoire naturelle de sa croissance*, Genève, Cheval ailé, 1945, rééd. Hachette, 1972. — *De la politique pure*, Calmann-Lévy, 1963. — *L'Art de la conjecture*, Monaco, Le Rocher, 1964. — *La Civilisation de la puissance*, Fayard, 1972. — *Un voyageur dans le siècle. Mémoires*, Laffont, 1979. — *Revoir Hélène. Récit*, Laffont, 1986.
■ P. Andreu, *Révoltes de l'esprit. Les revues des années 30*, Kimé, 1991. — J.-L. Loubet del Bayle, *Les Non-Conformistes des années 30*, Seuil, 1969.

JOUVENEL (Renaud de)

1907-1982

Poète, romancier, journaliste, Renaud de Jouvenel appartient à cette génération d'intellectuels qui, par antifascisme et anticapitalisme, devinrent compagnons de route du PCF à l'époque du stalinisme triomphant.

Fils du baron Henry de Jouvenel et de la comtesse Isabelle de Cominges, Renaud de Jouvenel se consacre avant la guerre à la création et à la direction de trois revues (*Grand-Route*, 1929-1930 ; *Le Cahier bleu*, 1933-1934 ; *Les Volontaires*, 1938-1939) et d'une maison d'éditions musicales, Chant du monde. En 1936, il publie dans la revue de Georges Boris*, *La Lumière**, une enquête sur la dictature roumaine et rencontre Aragon*, qui allait l'introduire dans divers organismes culturels du PCF. Auteur d'un *Panorama de l'Amérique latine* aux Éditions sociales internationales (dirigées par son ami Léon Moussinac, un des fondateurs de l'Association des écrivains et artistes révolutionnaires*), il préside le Comité d'aide aux intellectuels espagnols internés en France.

À la Libération, il intègre brièvement le Comité national des écrivains* puis relance Chant du monde grâce au soutien financier du PCF. Outre sa collaboration à diverses revues *(Europe**, *Libération*, *Les Lettres françaises**, *La Nouvelle Critique**, *Ce soir)* et sa participation aux « Batailles du livre », Renaud de Jouvenel est rédacteur en chef, d'août 1949 à novembre 1950, de la revue du Mouvement de la paix. Sa contribution la plus importante en tant que compagnon de route est la publication en 1948 de *L'Internationale des traîtres* et, en 1950, de *Tito maréchal des traîtres*. Présent au procès Kostov, en compagnie de Pierre Hervé et de Dominique Desanti*, il justifie la vague d'épuration qui frappe les démocraties populaires dès 1947 et prend une part active à la croisade « antititiste » orchestrée par l'URSS. Acquis à la thèse du « complot fasciste » ourdi par les « traîtres du monde entier » — dont Rajk, Petkhov, le cardinal Mindszenty, Mikolajczyk et Maniu —, il dénonce l'impérialisme américain et épouse les thèses du PCF lors du coup de Prague ou du procès Kravchenko / *Les Lettres françaises*. Il est plus réticent, en revanche, à souscrire au dogmatisme culturel du PCF, ce qui provoque, à partir de 1963, sa mise à l'écart progressive.

Ariane Chebel d'Appollonia

■ *Vingt ans d'erreurs politiques*, Hier et Aujourd'hui, 1947. — *L'Internationale des traîtres*, La Bibliothèque française, 1948. — *Tito, maréchal des traîtres*, Éditeurs français réunis, 1950. — *Confidences d'un ancien sous-marin du PCF*, Julliard, 1980.

JULIEN (Charles-André)

1891-1991

Par la rigueur de ses travaux d'historien comme par la passion militante qui n'a cessé de l'habiter, Charles-André Julien peut être cité comme le modèle de l'universitaire engagé.

Né à Caen le 2 septembre 1891, il appartient à une famille de la bourgeoisie protestante, imprégnée de valeurs humanistes et jaurésiennes. Il amorce à Oran une carrière dans l'administration préfectorale, mais sa réussite à l'agrégation, en 1921, confirme sa vocation d'historien. Président de la Ligue des droits de l'homme* en Algérie, membre de la SFIO, il opte en 1920 pour l'adhésion à la IIIe Internationale et participe, l'année suivante, au IIIe congrès du Komintern où ses positions sur l'Afrique du Nord, jugées peu orthodoxes, sont vivement critiquées. Rompant en 1926 avec le PCF, il revient à la « vieille maison » où l'amitié de Léon Blum* lui vaut, en 1936, la fonction de secrétaire général du Haut comité méditerranéen et de l'Afrique du Nord et, sous la IVe République, un mandat de conseiller de l'Union française.

Professeur de lycée durant trente ans, secrétaire de la *Revue historique* de 1927 à 1945, il accède à l'enseignement supérieur par l'École de la France d'outre-mer et l'École nationale d'administration*, avant d'être nommé à la chaire d'histoire de la colonisation à la Sorbonne. En 1957, le roi Mohammed V lui confie la création et le décanat de la Faculté des lettres de Rabat où il se heurte tant aux autorités françaises de tutelle qu'aux partisans marocains d'une arabisation immédiate.

Si l'on excepte sa thèse consacrée aux Français d'Amérique au XVIe siècle, l'essentiel de ses travaux historiques est consacré au Maghreb. Son *Histoire de l'Afrique du Nord*, parue en 1932, tranche avec une historiographie officielle imprégnée de bonne conscience colonisatrice. Ses ouvrages les plus achevés, *L'Afrique du Nord en marche*, *Le Maroc face aux impérialismes* relèvent de la même approche critique, servie par un don réel d'écriture.

Admirateur (nuancé) des grandes figures coloniales, hostile à toute lecture manichéenne de la colonisation, Charles-André Julien n'en participe pas moins, comme universitaire ou comme membre de la Ligue des droits de l'homme, à tous les combats anticolonialistes. Avant la guerre, il a donné à *Monde**, le journal d'Henri Barbusse*, d'incisives contributions. Plus tard, il est avec Louis Massignon* et François Mauriac*, au plus fort de la crise marocaine, l'un des principaux animateurs du Comité France-Maghreb. Ami personnel de Bourguiba, il participe indirectement, en 1954, au déblocage de la question tunisienne. Il adhère en 1957 à un Comité socialiste d'étude et d'action pour la paix en Algérie qui réunit autour d'Édouard Depreux une minorité scissionniste de la SFIO. Mais en dehors d'une intense activité de pétitions, le rôle de Charles-André Julien en faveur de l'indépendance algérienne est de moindre envergure que l'action déployée pour celle des protectorats. Il meurt à Paris le 19 juillet 1991.

Bernard Droz

■ *Histoire de l'Afrique du Nord*, Payot, 1931, rééd. 1978. — *L'Afrique du Nord en marche. Nationalismes musulmans et souveraineté française*, Julliard, 1952, rééd. 1972. — *Histoire de l'Algérie contemporaine*, t. 1 : *La Conquête et les débuts de la colonisation (1827-1871)*, PUF, 1964. — *Le Maroc face aux impérialismes (1415-1956)*, Jeune Afrique, 1978. — *Une pensée anticoloniale : positions (1914-1979)*, Sindbad, 1979. — *Et la Tunisie devint indépendante… (1951-1957)*, Jeune Afrique, 1985.

K

Kahn (Jean-François)

Né en 1938

Fils d'un professeur de philosophie d'origine alsacienne qui lui donna une éducation strictement catholique, Jean-François Kahn est né le 12 juin 1938 à Viroflay (Yvelines). Pendant l'Occupation, son patronyme et l'engagement de son père dans les rangs des FTP poussent ses parents à le cacher en Touraine, au Petit-Pressigny. Après des études d'histoire, il enseigne quelque temps. Mais, alors que se développe la guerre d'Algérie, il décide de se lancer dans le journalisme. Rédacteur, puis grand reporter et journaliste d'investigation, il travaille à *Paris-Presse*, devient correspondant du *Monde** en Algérie, avant de collaborer à *L'Express** (où, avec Jacques Derogy, il enquête sur l'affaire Ben Barka), puis au *Nouvel Observateur**. Sa notoriété lui permet d'entamer une carrière de journaliste « polymédias », œuvrant à la fois dans la presse écrite, à la radio et à la télévision. Dès 1969, Jean-François Kahn rejoint Europe 1, où il acquiert bientôt la réputation d'un brillant chroniqueur qui, souvent, irrite le pouvoir. Il fait également un passage au service politique d'Antenne 2, qu'il quitte en 1981 pour protester contre l'éviction de Jean-Pierre Elkabbach.

Dès le milieu des années 70, Jean-François Kahn occupe des responsabilités importantes dans la presse écrite. Il dirige la rédaction du *Quotidien de Paris*, puis, sur la demande de Philippe Tesson, anime, de 1979 à 1982, *Les Nouvelles littéraires**, auxquelles il donne un solide contenu politique. En 1983, Claude Perdriel l'attire au *Matin de Paris*. Pendant quelques mois, il assure la direction de la rédaction. C'est à cette époque que son engagement politique s'exprime de façon la plus nette. Alors que le Front national commence à enregistrer des succès électoraux, Jean-François Kahn compte parmi les intellectuels qui tentent d'alerter l'opinion sur le danger représenté par Jean-Marie Le Pen et ses partisans. En septembre 1983, entre les deux tours de scrutin de l'élection municipale partielle de Dreux, où la droite traditionnelle s'est alliée à l'extrême droite pour battre la gauche, il écrit dans *Le Matin* : « L'idéologie du Front national n'est, ni plus ni moins, que la copie de celle que véhiculait le mouvement fasciste européen dans les années 30, simplement repeinte au goût du jour et adaptée aux réalités du moment. »

Jean-François Kahn quitte *Le Matin* pour préparer, en collaboration avec Thierry Ardisson, la parution d'un nouvel hebdomadaire. Se déclarant en phase avec une large partie des Français qui, selon lui, rejettent le clivage droite-gauche, il entend faire de cet « après-news » *(sic)* le lieu de rassemblement d'un mouvement d'opinion, d'une nouvelle élite plus attachée à la morale politique qu'aux choix partisans. *L'Événement du jeudi** (qui faillit s'appeler *Pourquoi* ou *Viva*) sort dans les kiosques en novembre 1984, grâce au succès d'une puissante souscription populaire, et s'impose parmi les quatre grands news-hebdos français (avec *L'Express*, *Le Nouvel Observateur*, *Le Point**).

Journaliste populaire, débatteur distingué, Jean-François Kahn est l'auteur de nombreux ouvrages, parmi lesquels *Mon tour du monde*, *La Guerre civile*, *Les Français sont formidables*, *L'Extraordinaire Métamorphose ou Cinq ans de la vie de Victor Hugo*. Au milieu des années 90, Jean-François Kahn, qui se réclame du « centrisme révolutionnaire », développe sa théorie de « l'invariance structurelle de l'évolution sociale » (*Tout change parce que rien ne change*, 1994) et fustige une forme de pensée dominante qui aseptiserait l'information et ferait d'un clan d'intellectuels le maître de l'intelligence (*La Pensée unique*, 1995).

Christian Delporte

■ *La Guerre civile. Essai sur les stalinismes de gauche et de droite*, Seuil, 1982. — *L'Extraordinaire Métamorphose ou Cinq ans de la vie de Victor Hugo : 1847-1851*, Seuil, 1984. — *Tout change parce que rien ne change. Introduction à une théorie de l'évolution sociale*, Fayard, 1994. — *La Pensée unique*, Fayard, 1995.

KAHNWEILER (Daniel-Henry)

1884-1979

Marchand de tableaux, éditeur et théoricien de l'art, Daniel-Henry Kahnweiler est l'un des grands précurseurs de l'art moderne. Plus qu'un simple intermédiaire financier, il est le premier à avoir reconnu la rupture radicale du cubisme, vendu des tableaux auprès des amateurs fortunés et à l'avoir, à terme, diffusé dans le public.

Né en 1884 à Mannheim, en Allemagne, issu d'une famille bourgeoise juive aisée et versée dans les affaires, Daniel-Henry Kahnweiler est promis à la profession de banquier. Envoyé à Paris pour y apprendre le métier, il est plus assidu au Louvre qu'en Bourse. Sa décision est prise, il deviendra marchand de tableaux.

En 1907, il ouvre sa première galerie rue Vignon, dans le quartier de la Madeleine. L'écurie Kahnweiler, selon le mot d'un critique, se constitue. Vlaminck et Derain, alors en plein fauvisme, et ensuite Braque, en font partie. 1907 marque les débuts de l'âge d'or du cubisme, jusqu'en 1914. C'est la découverte, « indéfinissable... admirable », des *Demoiselles d'Avignon* de Picasso* qui donne enfin un centre de gravité à l'activité de Kahnweiler. L'émergence de cette nouvelle révolution plastique le bouleverse à ce point qu'il appréhende, en toute clarté, sa fonction dans le marché de l'art : être un passeur audacieux et obstiné entre l'artiste qui innove et le public. Deux grands marchands l'inspirent. Comme Ambroise Vollard, il a le goût du risque, et l'exemple de Paul Durand-Ruel l'incite à exiger l'exclusivité de la production du peintre. En échange, Kahnweiler assure à « ses » artistes la tranquillité matérielle. Les quatre mousquetaires du cubisme se retrouvent ainsi sous contrat chez lui : Picasso, Braque, Gris et Léger. L'indéfectible Masson, en rupture progressive de surréalisme, rejoint aussi la galerie. Kahnweiler développe alors une véritable stratégie pour acclimater le cubisme, tant auprès des amateurs français et étrangers qu'auprès des grands marchands européens. Il se tourne également vers le difficile marché nord-américain.

Entre 1915 et 1920, l'Allemand Kahnweiler est contraint à l'exil à Berne. Il théorise, dans *Montée vers le cubisme*, l'aventure picturale dont il est le témoin actif. En 1921, de retour à Paris, son stock est mis sous séquestre et dispersé à vil prix. Éditeur audacieux, il publie Malraux* et Radiguet, alors inconnus. Entre 1928 et 1935, Kahnweiler, comme tant de ses confrères, survit à la crise.

Pendant l'Occupation, sa galerie échappe à l'« aryanisation », en restant dans les mains de sa belle-sœur Louise Leiris. Il se cache, comme juif, à la campagne. « Le paradis à l'ombre des fours crématoires », aura-t-il coutume de dire.

Après la guerre, Kahnweiler recouvre crédit et autorité. On sollicite sans discontinuer cet unique ambassadeur personnel autorisé de Picasso, de conférences en expertises. Théoricien, il conceptualise « le bouleversement que le cubisme a produit dans l'art occidental », dans son *Juan Gris* (1946). Il reste avant tout le génial marchand d'une génération, même si quelques percées vers l'art contemporain (Beaudin, Kermadec ou Hadengue) ne l'empêchent pas d'être aveugle à l'abstraction. Il meurt à Paris en 1979.

Alain Rubens

■ *Juan Gris. Sa vie, son œuvre, ses écrits*, Gallimard, 1946, rééd. Gallimard, 1990. — *Les Années héroïques du cubisme*, Braum, 1950. — *Mes galeries et mes peintures. Entretiens avec Francis Crémieux (1960)*, Gallimard, 1982. — *Confessions esthétiques*, Gallimard, 1963.

▒ P. Assouline, *L'Homme de l'art. D.-H. Kahnweiler (1884-1979)*, Balland, 1988, rééd. Gallimard, 1989. — P. Cabanne, « D.-H. Kahnweiler, le divin marchand », *Le Matin*, 24 novembre 1984. — P. Daix, « D.-H. Kahnweiler et les débuts du cubisme », *Beaux-Arts Magazine*, n° 19, décembre 1984.

KANAPA (Jean)

1924-1978

Né le 2 décembre 1924, ce fils de banquier est un jeune intellectuel révolté qui, au sortir de la guerre, hante Saint-Germain-des-Prés et se pique d'existentialisme et de littérature américaine, tout en préparant son agrégation de philosophie, avec succès. Mais, à peine a-t-il adhéré au PCF qu'il brûle ses idoles de la veille dans de violents pamphlets marqués au sceau du jdanovisme le plus délirant ; il publie, en 1947, *L'existentialisme n'est pas un humanisme*, où il traîne Sartre* et Camus* dans la boue ; puis, en 1950, *Le Traître et le prolétaire*.

Grand prêtre de la revue des jeunes intellectuels communistes, la *Nouvelle Critique**, il y développe un jdanovisme à la française, pourfendant tout ce qui n'est pas communiste et se solidarisant avec les aspects les plus ignobles du stalinisme finissant, en particulier lors des « grands procès » en Europe de l'Est et du « complot des blouses blanches ». Ayant campé sur ces positions bien après le XXe congrès du

PCUS, son orthodoxie le fait pénétrer dans les sphères de confiance : en 1957, il est nommé responsable de l'édition française de la revue du mouvement communiste international, *La Nouvelle Revue internationale*. Jean Kanapa, qui a épousé la même année, en secondes noces, une Russe proche de l'appareil soviétique, est mêlé de près à la vie du système soviétique international, tant à Prague qu'à Moscou.

C'est alors qu'il découvre les horreurs du système et se transforme en khrouchtchévien convaincu. Compromis dans « l'affaire Servin-Casanova », il est contraint en 1961 de se soumettre à une dure autocritique publique. Sa servilité lui vaut d'être nommé correspondant de *L'Humanité** à Moscou jusqu'en 1967 et de devenir membre titulaire du comité central en 1964. Mais Kanapa connaît trop les mœurs du sérail ; il a attendu son heure et celle-ci est enfin arrivée. Waldeck-Rochet remplace Thorez et Kanapa est son principal conseiller dans les relations avec les Soviétiques. Il fait alors partie de ceux en qui Moscou a confiance — avec Duclos et Raymond Guyot. Quand, en 1969-1970, W. Rochet tombe malade, les Russes poussent Marchais en avant et Kanapa en profite pour remplacer Guyot à la section de politique extérieure du PCF et au bureau politique. Il devient le plus proche conseiller de Marchais qu'il incite à s'éloigner toujours plus des Soviétiques et à opter pour un cours largement ouvert et plus démocratique. Il a sans doute rédigé le livre signé du nouveau secrétaire général, *Le Défi démocratique*. Il est le principal artisan du XXIIe congrès qui symbolise cette tentative de mutation du PCF. Succès sans lendemain. G. Marchais hésite à franchir le Rubicon de la rupture, d'autant que l'Union de la gauche réussit mal au PCF.

Kanapa n'aura pas le temps de voir s'effondrer son rêve de mutation du communisme français : dès le début de 1978, il ressent les premières atteintes d'un cancer du poumon qui va l'emporter en quelques mois, le 5 septembre 1978. Un peu plus d'un an plus tard, le PCF sera réaligné sur Moscou.

Stéphane Courtois

■ *Le Traître et le prolétaire ou l'Entreprise Koestler and Co Ltd*, Éditions sociales, 1950. — *Critique de la culture*, Éd. de la Nouvelle Critique, t. 1 : *Situation de l'intellectuel*, t. 2 : *Socialisme et culture*, 1957.

■ P. Robrieux, *Histoire intérieure du Parti communiste*, Fayard, t. 4, 1984.

KASTLER (Alfred)

1902-1984

Physicien et poète, prix Nobel de physique et défenseur vigilant des droits de l'homme, non conformiste parmi les physiciens, Kastler avait un esprit universel et s'engageait avec la conscience d'un citoyen du monde.

Né à Guebwiller en Alsace le 3 mai 1902, Kastler est issu d'une famille protestante ; son père est comptable, sa mère s'occupe de la paroisse. Son éducation se déroule entre deux cultures et cette dualité se révélera fructueuse pour son travail. Entré à l'École normale supérieure* à Paris en 1921, il obtient un diplôme d'études supérieures de chimie en 1926 puis enseigne dans le secondaire. Assistant à l'université de Bordeaux en 1931, il soutient cinq ans plus tard sa thèse d'État,

Recherches sur la fluorescence visible de la vapeur de mercure. Maître de conférences à Clermont-Ferrand en 1936, professeur à Bordeaux en 1938, il enseigne à partir de 1941 à la Sorbonne et à l'École normale supérieure avant de devenir professeur en 1945, puis professeur titulaire en 1952.

Kastler est un pionnier des méthodes optiques de détection des résonances hertziennes, un travail qui le conduit à concevoir en 1950 le *pompage optique*, créant ainsi les préconditions pour le développement du laser. Avec son très proche collaborateur Jean Brossel, il constitue en 1951 un groupe de recherche dans le laboratoire de physique de l'ENS, qui joue un rôle clé dans la recherche et la formation des jeunes physiciens français dès les années 50. Kastler est soucieux de nouer des contacts non seulement avec les autres groupes du laboratoire de physique de l'ENS, dirigé par Yves Rocard, mais surtout à l'échelle internationale. Membre tardif de l'Académie des sciences* en 1964 après une élection difficile, il obtient deux ans plus tard le prix Nobel. Il abandonne l'enseignement en 1968 et travaille comme directeur de recherches au Centre national de la recherche scientifique* jusqu'à sa retraite en 1972.

Au long de sa vie, Kastler exprime avec véhémence ses positions politiques et appartient au mouvement Pugwash, fondé en 1957. Il prend parti contre le racisme, l'antisémitisme et le fascisme dans le monde, met en garde contre les armes nucléaires, dénonce les guerres d'Algérie et du Vietnam*, soutient l'État d'Israël, plaide pour le droit à l'avortement, crée une Association d'aide aux scientifiques réfugiés, soulève des questions d'ordre écologique et prend à la fin de sa vie la défense des animaux. Européen convaincu, il est l'auteur d'un recueil de poèmes : *Europe, ma patrie. Chants en allemand d'un Européen français*. Il meurt le 7 janvier 1984 à Bandol.

Matthias Dörries

■ *La Diffusion de la lumière par les milieux troubles*, Hermann, 1952. — « Les scientifiques et le fascisme », *L'Express*, n° 368, 1958. — « Comment les étudiants ont été trahis », *Le Nouvel Observateur*, n° 188, 1968. — *Cette étrange matière*, Stock, 1976. — « Les gribouilles de la technologie », in *Suicide ou survie ? Les défis de l'an 2000*, Unesco, 1978. — *Europe, ma patrie*, Flinker, 2ᵉ éd. 1979. — « Désarmer les esprits », in N. Bernard et D. Le Bricquir (dir.), *La Colombe et l'encrier*, Syros, 1982. — *Œuvre scientifique*, CNRS, 1988, 2 vol.

▒ « Hommage à Alfred Kastler », *Cahiers laïques*, n° 200, 1985. — « Alfred Kastler », *Annales de physique*, n° 6, 1985. — « Hommage à Alfred Kastler », Bibliothèque de Physique Recherche, 1987.

KESSEL (Joseph)

1898-1979

Partageant son enfance entre Argentine, France et Russie, journaliste et écrivain prolifique, baroudeur intrépide, Joseph Kessel transforme sa vie en roman — tout en métamorphosant ses multiples expériences en fictions.

Issu de parents juifs russes, J. Kessel naît le 31 janvier 1898 dans la colonie argentine de Villa Clara où son père exerce la médecine. Après de brillantes études secondaires où sa vocation littéraire se dessine, il entre, licence de lettres en poche, au *Journal des débats* (1915) et y publie la même année son premier conte. Ainsi, Kessel couple d'emblée journalisme et littérature, constante de sa vie entière. Engagé en 1916 et affecté comme aviateur, volontaire pour la Sibérie (1918), il découvre l'Extrême-Orient (1919), l'Irlande (1921) et la Palestine (1926), explore l'Éthiopie (1930) avec H. de Monfreid. Il mène surtout une vie de plaisirs — jeu, alcool, femmes, drogues.

Ces expériences nourrissent une imposante production littéraire que G. Gallimard*, son premier éditeur, encourage. Aux souvenirs de Russie (*La Steppe rouge*, 1922) répondent les récits de guerre (*L'Équipage*, 1923) qui lui assurent un succès immédiat. Il enchaîne dès lors les romans — toujours inspirés de situations réelles. Ami des intellectuels (Cocteau*, Dufy, Radiguet...), des puissants (A. Tardieu, J. Chiappe) et des escrocs (Stavisky), Kessel publie par ailleurs de retentissantes enquêtes sur l'esclavage (*Le Matin*, 1930), Mermoz (*Paris-Soir*, 1938) ou Dunkerque (*Paris-Soir*, 1940). Dénonçant dans ses écrits les totalitarismes rouge et brun (*La Passante du Sans-Souci*, 1936), J. Kessel ne s'engage toutefois pas avant guerre, hormis pour la création de la LICA (1926).

Correspondant de guerre en 1939, Kessel, un temps favorable à Pétain, s'engage dans le réseau Carte dès 1941. Brûlé, il passe à Londres, accompagné de son neveu Maurice Druon, et s'engage dans les FFL en janvier 1943. Composant avec A. Marly et M. Druon le *Chant des partisans*, il témoigne sur la Résistance (*L'armée des ombres*, 1943) tout en combattant dans l'escadrille Sussex.

À la Libération, Kessel, outre de grands reportages pour Pierre Lazareff (naissance d'Israël, procès Eichmann), parfois repris en récits lucratifs (*Terre de feu*, 1948), mêle autobiographies romancées (*Le Tour du malheur*, 1950) et fictions, toujours tirées d'événements authentiques (*Le Lion*, 1958, *Les Cavaliers*, 1967). Miné par l'alcoolisme de sa troisième épouse, Michèle, il exalte également l'œuvre des Alcooliques anonymes (1960).

Comblé d'honneurs (Académie française* en 1962), riche et populaire (1 700 000 exemplaires pour *Le Lion*), vouant un culte à l'aventure et aux amis (Pagnol, Y. Courrière, H. Bogart...), Kessel (mort à Avernes en 1979) croit aux hommes plus qu'aux idéologies. Cette vision explique l'humanité de ses personnages, déchirés entre des aspirations contradictoires et son désintérêt pour la politique — malgré un sionisme avéré dès 1926 et un gaullisme constant de 1943 à 1969.

Olivier Wieviorka

■ *L'Équipage*, Gallimard, 1923. — *Belle de jour*, Gallimard, 1928. — *Mermoz*, Gallimard, 1938. — *Le Tour du malheur*, Gallimard, 1950. — *Le Lion*, Gallimard, 1958. — *Les Cavaliers*, Gallimard, 1967.

■ Y. Courrière, *Joseph Kessel ou Sur la piste du lion*, Plon, 1985.

KHÂGNES

Le père des « khâgnes » — « cagnes » avant 1914 — n'est autre que l'un des directeurs de l'École normale supérieure* de la rue d'Ulm, Fustel de Coulanges, qui, en 1880, demande la création de classes préparatoires équivalentes pour les lettres à celles des sciences. Ces « rhétoriques supérieures », qui deviennent « premières supérieures » au début du siècle, mettent une bonne trentaine d'années, si l'on excepte les parisiennes comme Louis-le-Grand et Henri-IV, à se mettre en place, les élèves continuant à préparer le concours dans les classes de rhétorique. Avant 1914, une quinzaine de lycées, y compris provinciaux, présentent au concours plus de 200 candidats, chiffre que l'on ne retrouve, après les pertes de la guerre, qu'à la fin des années 20.

Lieux par excellence des meilleurs élèves des lycées, voire des lauréats du concours général, les khâgnes sont surpeuplées par les fils d'enseignants. On y enseignera la quintessence des humanités classiques, jusqu'à l'ouverture de classes préparant à Fontenay-Saint-Cloud au milieu des années 60 et de khâgnes S dans les années 80, qui comprennent un enseignement de mathématiques et de sciences sociales menant au second concours lettres d'Ulm. Cette multiplication est parallèle au déclin relatif des khâgnes — les lettres ont perdu de leur prestige — et de leurs débouchés, au profit des sciences et d'autres filières comme Sciences-Po (Institut d'études politiques*), l'École nationale d'administration* (ENA) ou les « prépas » commerciales qui permettent de gagner plus sûrement les chemins de l'élite. À l'apogée des khâgnes — de l'entre-deux-guerres aux années 50 —, les professeurs sont au sommet de leur carrière et règnent parfois sur des classes pléthoriques. Certains marquent leurs élèves au-delà d'une simple influence dans leur discipline : dans *Notre avant-guerre*, Brasillach* qualifie d'« excellent éveilleur » André Bellessort*, son professeur d'hypokhâgne à Louis-le-Grand. Une distinction que méritent aussi, selon J.-F. Sirinelli, Alain*, le philosophe d'Henri-IV, qui voit, entre autres, passer dans sa classe Simone Weil*, Georges Canguilhem* et Julien Gracq*, ou à Lyon Jean Lacroix*, philosophe, et Joseph Hours, historien. Le dépoussiérage que fait subir à la littérature le futur académicien André Bellessort, le pacifisme qu'Alain transmet à ses disciples ou le catholicisme de gauche que fait rayonner Jean Lacroix, surplombent l'enseignement plus traditionnel des autres « maîtres ». Ce palmarès n'est pas innocent : à l'exception de Lyon, où notamment Lachièze-Rey, Jankélévitch* ou Jean Lacroix font intégrer des philosophes à la rue d'Ulm, ainsi que de Marseille, seules les khâgnes parisiennes obtiennent de bons résultats : une tendance qui ne s'est pas démentie.

Mais si les khâgnes se distinguent entre elles par leurs résultats au concours, leurs élèves diffèrent des autres étudiants, qu'ils ne fréquentent guère. L'intensité du travail auquel ils se soumettent, sa répétitivité — le « petit latin » ou le « petit grec » —, la tension liée à l'aléa et à la difficulté du concours, la vie en commun — et des pensionnaires encore plus — font de ces classes des sortes de « serres » où se développe une sociabilité bien particulière. La khâgne, pour les provinciaux qui sont venus tenter leur chance à Paris, ou pour les boursiers, est un lieu de découverte intellectuelle mais aussi d'épreuve : de la différence sociale, des mœurs parisiennes et de l'aisance qu'elles confèrent. Elles sont aussi le lien où se forgent des amitiés profondes et des réseaux. « Chaque fois qu'on prononce un nom à l'École des hautes études, confiait Pierre Vidal-Naquet* à Hamon et Rotman, c'est celui d'un ancien camarade de khâgne. » Le confinement est intellectuel : l'enseignement, prolongement du lycée, est pour une bonne part académique, et ce d'autant plus que les enseignants qui les peuplent appartiennent eux aussi à une tradition parfois ancienne : Alain ne se réfère-t-il pas à Jules Lagneau* ? L'apprentissage est enfin, pour une forte minorité, politique : le socialisme des années 30 doit beaucoup au rayonnement du khâgneux de Louis-le-Grand Georges Lefranc*, comme le maoïsme à la macération dans cette même khâgne de Robert Linhart, Jacques Broyelle, et Benny Lévy.

Frédérique Matonti

■ P. Bourdieu, « Épreuve scolaire et consécration sociale. Les classes préparatoires aux grandes écoles », *Actes de la recherche en sciences sociales*, n° 39, 1981. — H. Hamon et P. Rotman, *Les Intellocrates. Expédition en haute intelligentsia*, Ramsay, 1981, rééd. Bruxelles, Complexe, 1985. — J.-F. Sirinelli, *Génération intellectuelle. Khâgneux et normaliens dans l'entre-deux-guerres*, Fayard, 1988 ; « La khâgne », in P. Nora (dir.), *Les Lieux de mémoire*, vol. 2 : *La Nation*, t. 3, Seuil, 1986.

Klossowski (Pierre)

Né en 1905

Écrivain et artiste Pierre Klossowski est lié aux mouvements philosophiques vivant aux marges du surréalisme, à Georges Bataille* en particulier. Loin du schéma dominant marxiste, il affiche une ambition de modernité tournée vers « l'insurrection de la pensée » et la négation du « sens de l'histoire ».

Né en 1905, d'une famille d'artistes d'origine polonaise, Pierre Klossowski est le fils d'un historien d'art et peintre et d'une mère qui fut élève de Bonnard ; il est le frère du peintre Balthus. Rilke et Gide* font partie de son entourage de jeunesse, le second ayant un puissant ascendant sur lui. À partir de 1935, après avoir fréquenté les milieux de la Société de psychanalyse, il rencontre Georges Bataille avec lequel il noue des relations durables et qui lui présente André Breton* et Maurice Heine, l'associant au groupe antifasciste de *Contre-attaque* ; lui ouvrant les colonnes de sa revue *Acéphale*.

En pleine guerre, comme il le relate dans son premier roman, *Une vocation suspendue* (1950), il entre dans les ordres, une « autodéportation cynique », dira-t-il, au sein d'une Église qu'il entend réformer aux côtés des prêtres et moines résistants. Après la guerre, il revient à la vie laïque, publiant un ouvrage qui fait scandale : *Sade mon prochain*. Désormais, il se consacre à son œuvre littéraire et picturale, assuré que sa génération, écrit-il en 1955, est « emportée dans une remise en question de plus en plus frénétique de la réalité de ce monde et livrée à une incarnation de l'absence, non pas d'un monde absent de celui-ci, mais d'une *absence de monde* des choses et des êtres, au moyen du langage ». Il voit dans l'enseignement proclamant qu'il n'y a pas de vérité un signe de nihilisme implicite auquel ne fait que répondre plus explicitement la littérature.

Après la mort de Bataille en 1962, il demeure un pilier du nietzschéisme à la française, aux côtés de Maurice Blanchot*, et se consacre essentiellement à la création artistique qui prolonge et dépasse ses écrits érotiques. Il expose régulièrement depuis 1967 et des rétrospectives lui sont consacrées depuis 1981. La même année, il s'associe à la longue liste de personnalités qui condamnent le coup de force en Pologne du général Jaruzelski.

Laurence Bertrand Dorléac

■ *Sade mon prochain*, Seuil, 1947. — *La Vocation suspendue*, Gallimard, 1950, rééd. 1990. — *Roberte ce soir*, Minuit, 1953. — *La Révocation de l'édit de Nantes*, Minuit, 1959. — *Le Baphomet*, Mercure de France, 1965, rééd. Gallimard, 1987. — *Les Lois de l'hospitalité*, Gallimard, 1965. — *Nietzsche et le cercle vicieux*, Mercure de France, 1969. — *Les Derniers Travaux de Gulliver*, suivi de *Sade et Fourier*, Montpellier, Fata Morgana, 1974. — *Le Secret Pouvoir du sens* (entretiens avec A. Jouffroy), Écriture, 1994.

▒ J. Decottignies, *Klossowski, notre prochain*, Veyrier, 1985. — D. Wilhem, *Le Corps impie*, UGE, 1979. — Numéros spéciaux de *L'Arc*, 43, 1970 ; *Obliques*, 1978 ; *Revue des sciences humaines*, Lille, janvier-mars 1985.

Kojève (Alexandre) [Alexandre Kojevnikov]
1902-1968

Penseur énigmatique, Alexandre Kojève est surtout connu pour avoir tenu, de 1933 à 1939, un séminaire mémorable sur Hegel. Après 1945, il deviendra haut fonctionnaire et ne publiera que de rares articles, sans cesser d'intriguer ceux qui le fréquentent.

Né à Moscou le 11 mai 1902 dans une famille aisée, Alexandre Kojève (de son vrai nom « Kojevnikov ») perd son père en 1905 pendant la guerre russo-japonaise. Il est le neveu de Kandinsky, qu'il fréquentera ultérieurement, à Paris. En 1920, tout en se déclarant communiste, il quitte la Russie pour l'Allemagne, *via* la Pologne. De 1920 à 1926, il vit à Berlin et à Heidelberg, où il suit l'enseignement de Karl Jaspers, qui dirige aussi sa thèse, consacrée à « La philosophie religieuse de Soloviev ». Il y fait la connaissance d'Alexandre Koyré*, Russe comme lui, dont il épousera la belle-sœur en 1927 à Paris. C'est en 1926 qu'il s'installe avec sa future femme à Paris, où ils mènent une vie oisive et mondaine. Kojève étudie la philosophie des religions, les mathématiques et la physique. Ruiné en 1930, il écrit quelques articles et comptes rendus dans les *Recherches philosophiques*, revue fondée par A. Koyré, avant que celui-ci, nommé au Caire, ne lui propose de prendre sa succession au séminaire sur « la philosophie religieuse de Hegel » qu'il donne à l'École pratique des hautes études.

Kojève tiendra ce séminaire, qu'il consacre à une lecture serrée de la *Phénoménologie de l'esprit*, de 1933 à 1939. Il y aura comme auditeurs, assidus ou occasionnels, R. Aron*, G. Bataille*, J. Lacan*, E. Weil, G. Fessard*, R. Queneau*, M. Merleau-Ponty*, A. Adler, J. Hyppolite*, A. Breton*, Y. Picard, R. Caillois*. Le séminaire sera publié par les soins de Raymond Queneau en 1947. Non seulement ce fut l'occasion d'une rencontre avec la pensée de Hegel, qui était encore méconnu en France, mais en outre la lecture de Kojève était profondément originale. Valorisant la notion de négativité, il proposait de comprendre le texte de Hegel à partir de la dialectique du maître et de l'esclave, faisant de la dialectique l'apanage de l'histoire humaine. Cette lecture se trouva consonner avec les thèses alors en vogue de l'existentialisme. Dès lors devait devenir centrale la thèse hégélienne de la fin de l'Histoire, que Kojève interpréta successivement comme la domination de l'*american way of life*, puis, après un voyage au Japon en 1958, comme l'extension d'un mode de vie esthétisant et snob.

Après la guerre, Kojève devait tirer les conséquences pratiques de ses thèses sur la fin de l'Histoire et de la philosophie en choisissant de travailler à la gestion des échanges économiques internationaux. Il devint conseiller hors statut auprès du directeur des Relations économiques extérieures (DREE) du ministère de l'Économie, qui était alors son ami Robert Marjolin. Avec ce dernier, puis avec Bernard Clappier et Olivier Wormser, Kojève sera l'un des principaux négociateurs pour la France de divers accords internationaux, du plan Marshall à la CEE naissante. C'est d'ailleurs au cours d'une réunion de la CEE à Bruxelles, le 4 juin 1968, qu'il mourra d'une crise cardiaque.

Si l'on excepte quelques articles de revues, notamment publiés dans *Critique**, fondée par son ami Georges Bataille*, ou des contributions qui discutaient les thèses de Leo Strauss, qu'il avait connu avant guerre à Berlin et avec lequel il entretint une correspondance suivie, l'essentiel des textes de Kojève restèrent inédits de son vivant.

Joël Roman

■ *Introduction à la lecture de Hegel*, Gallimard, 1947. — « Tyrannie et sagesse », in L. Strauss, *De la tyrannie*, Gallimard, 1954. — *Essai d'une histoire raisonnée de la philosophie païenne*, Gallimard, 1968-1973, 3 vol. — *Kant*, Gallimard, 1973. — *Esquisse d'une phénoménologie du droit*, Gallimard, 1982. — *Le Concept, le temps et le discours. Introduction au système du savoir*, Gallimard, 1990.

■ D. Auffrey, *Alexandre Kojève*, Grasset, 1990. — V. Descombes, *Le Même et l'autre*, Minuit, 1979.

KOUCHNER (Bernard)

Né en 1939

Le lycée Voltaire à Paris est le cadre du premier engagement politique de Bernard Kouchner. Ce fils de médecin de gauche, né le 1er novembre 1939 à Avignon, s'inscrit vers l'âge de quatorze ans à l'Union des jeunesses révolutionnaires françaises et suit alors des cours de marxisme. Étudiant à la Faculté de médecine pendant la guerre d'Algérie, il rejoint l'Union des étudiants communistes (mais pas le PCF) par antifascisme. Il rencontre alors Jean Schalit qui l'attire à la rédaction de *Clarté**, dans laquelle il fait office de critique littéraire et où Emmanuel d'Astier de La Vigerie* le remarque et décide de l'associer à la création d'un mensuel, *L'Événement*.

Mais Bernard Kouchner, qui est devenu médecin, spécialisé en gastro-entérologie, ne croit plus, à l'automne 1968, au militantisme partisan et part pour le Biafra pour le compte du Comité international de la Croix-Rouge. Sur place, comme d'autres médecins, il veut rompre le silence imposé par la Croix-Rouge et alerter l'opinion internationale sur la situation des Biafrais. De retour à Paris, Bernard Kouchner livre son témoignage, sous le pseudonyme de « Bernard Gridaine », à *L'Événement*, mais ne suscite qu'indifférence.

En 1970, il participe à la création d'*Actuel* avec Jean-François Bizot, Michel-Antoine Burnier et Patrick Rambaud, puis repart sur le terrain, au Bangladesh cette fois. À son retour, le 21 décembre 1971, il fonde avec Max Récamier « Médecins sans Frontières », une association aux structures souples pouvant réagir immédiatement, dans l'urgence. Le même souci le mène à la fondation du comité « Un bateau pour le Vietnam », destiné à sauver les *boat people** qui fuient le Vietnam communiste. Pour se consacrer au navire hôpital *Île-de-Lumière*, Bernard Kouchner quitte « Médecins sans Frontières » en mai 1979 et fonde « Médecins du Monde » le 31 janvier 1980. L'idée qui sous-tend son action humanitaire est celle du « droit d'ingérence* », concept forgé par Jean-François Revel* dès 1979 et que Bernard Kouchner reprendra avec Mario Bettati dans un livre où ils font de ce droit un « devoir ». Ayant compris plus tôt que d'autres le pouvoir des médias, il n'hésite pas à les utiliser pour mobiliser l'opinion publique.

Les années suivantes voient son engagement politique, sous la présidence de François Mitterrand. Comme secrétaire d'État chargé de l'Action humanitaire en 1988, puis en tant que ministre de la Santé et de l'Action humanitaire, Bernard Kouchner se donne pour mission de faire de la France « une démocratie adulte en matière de santé publique ». Cependant, les élections de juin 1993 mettent fin à son mandat et le lancent à l'assaut de la députation européenne sur la liste socialiste. Il est élu le 12 juin 1994.

Isabelle Weiland-Bouffay

■ *L'Île-de-Lumière*, Ramsay, 1979. — *Charité business*, Le Pré-aux-Clercs, 1986. — *Le Devoir d'ingérence : peut-on les laisser mourir ?* (avec M. Bettati), Denoël, 1987. — *Les Nouvelles Solidarités. Actes des assises internationales*, PUF, 1989. — *Le Malheur des autres*, Odile Jacob, 1991. — *Dieu et les hommes* (avec l'abbé Pierre), Laffont, 1993.
▩ H. Hamon et P. Rotman, *Génération*, Seuil, 1987-1988, 2 vol.

KOYRÉ (Alexandre)
1892-1964

Acteur essentiel pour le développement de l'histoire des sciences, Alexandre Koyré a été aussi un homme fortement engagé dans les grands événements de ce siècle : sa vie illustre au plus haut degré les vertus philosophiques d'une culture cosmopolite. Né le 28 août 1892 à Taganrog (Russie), dans une famille de la bourgeoisie juive aisée, il commence en 1908 des études de philosophie à Göttingen : admirateur enthousiaste d'Edmund Husserl, il est venu y suivre son enseignement. En 1911, il quitte l'Allemagne pour la France et entreprend un mémoire sous la direction de François Picavet. Dès le début de la guerre, il s'engage dans l'armée française et y sert pendant deux ans, avant de rejoindre les rangs de l'armée russe. Il quitte définitivement son pays natal après la révolution d'Octobre et s'installe en France afin de poursuivre ses travaux d'histoire de la pensée religieuse dans le cadre de la Ve Section de l'École pratique des hautes études : ses premiers essais portent en effet sur l'idée de Dieu chez Descartes et saint Anselme, et sa thèse de doctorat, soutenue en 1929, est consacrée à la philosophie de Jacob Boehme. Parallèlement, il garde son intérêt pour la Russie en étudiant, à travers les affrontements d'idées, la formation du sentiment national (*La Philosophie et le problème national en Russie*, 1929). Nommé directeur d'études à l'École pratique des hautes études en 1932, il n'en reste pas moins un marginal dans l'Université française, en dépit de la qualité de ses relations avec Lucien Febvre*, Lucien Lévy-Bruhl* et Émile Meyerson. Son échec au Collège de France*, où il affronte en 1951 Martial Guéroult, défenseur du caractère intemporel de la vérité, en est la meilleure illustration.

Koyré fut un enseignant incomparable : c'est au cours de ses séminaires à l'École pratique des hautes études qu'il est passé progressivement de l'histoire religieuse à l'histoire des sciences et qu'il a construit son objet : l'analyse des substructures intellectuelles de la révolution galiléenne. À travers la reconstitution minutieuse des catégories de raisonnement et des principes métaphysiques à l'œuvre dans la pensée scientifique, Koyré étudie les théories et les protocoles d'expérimentation comme des produits de la restructuration d'autres configurations, religieuses et philosophiques notamment. En arrachant l'histoire des sciences à l'étude convenue des découvertes et en disqualifiant la notion de « précurseur », Koyré a recentré l'attention sur la question de l'émergence historique des problèmes scientifiques et sur les modes de structuration de ce qui est « pensable » à une époque donnée, à travers la grille que constituent les principes fondamentaux et les évidences axiomatiques. La destruction du Cosmos, conçu comme une totalité finie et ordonnée, au profit de la géométrisation de l'espace, extension homogène et nécessairement infinie, ne représente pas seulement un changement de conception, mais une transformation radicale des structures de la pensée.

Ce programme, dont on trouve la première mise en forme dans les *Études galiléennes* publiées en 1939, n'est pas éloigné de la méthodologie défendue par l'école des *Annales* : en prenant en compte les habitudes mentales et les temporalités propres à l'expérience savante, Koyré inscrivait en effet l'étude des développements de la physique dans l'histoire intellectuelle. Son travail a pris essentiellement la forme d'articles, réunis — certains seulement après sa mort — dans des volumes d'*Études*. En 1957, il offrit à un plus large public une vision synthétique de la « révolution spirituelle dont la science moderne est à la fois la racine et le fruit » *(Du monde clos à l'univers infini)*.

En 1940, Koyré se rallia au général de Gaulle et fut envoyé comme correspondant à New York, où il participa aux activités de l'École libre des hautes études et de la New School for Social Research, lieu de rencontre et de travail pour de nombreux chercheurs européens exilés. Après la guerre, il se partagea entre la France et l'Amérique. Il enseigna dans les plus grandes universités : il eut ainsi l'occasion de nouer des liens avec Panofsky à Princeton. Il joua un rôle considérable dans la constitution disciplinaire de l'histoire des sciences aux États-Unis. À sa mort, en 1964, il laissait une œuvre considérable, moins visible que les travaux de Cassirer ou de Panofsky, mais sans doute aussi décisive pour l'histoire de la pensée.

Jean-Louis Fabiani

■ *La Philosophie de Jacob Boehme. Études sur les origines de la métaphysique allemande*, Vrin, 1929, rééd. 1979. — *La Philosophie et le problème national en Russie*, Champion, 1929, rééd. Gallimard, 1976. — *Études d'histoire de la pensée philosophique*, Armand Colin, 1961, rééd. Gallimard, 1971. — *Introduction à la lecture de Platon*, suivi d'*Entretiens sur Descartes*, Gallimard, 1962. — *Études newtoniennes*, Gallimard, 1968 (1re éd. américaine : 1965). — *Études d'histoire de la pensée scientifique*, Gallimard, 1973 (1re éd. américaine : 1966). — *De la mystique à la science. Cours, conférences et documents (1922-1962)* (éd. par P. Redondi), EHESS, 1986.

■ G. Jorland, *La Science dans la philosophie. Les recherches épistémologiques d'Alexandre Koyré*, Gallimard, 1981. — *Mélanges offerts à Alexandre Koyré pour son 70e anniversaire*, Hermann, 1964, t. 1 : *L'Aventure de la science*, t. 2 : *L'Aventure de l'esprit*.

KRIEGEL (Annie)

1926-1995

Historienne, éditorialiste, devenue permanente du PCF, porte-drapeau de l'anticommunisme, Annie Kriegel a été tout cela, mêlant intimement une œuvre de chercheuse et une vie de combattante politique et intellectuelle dans le siècle.

Née dans une famille judéo-alsacienne du Marais, la jeune Annie Becker connaît l'enfance lycéenne cultivée de la petite bourgeoisie parisienne entre son père, représentant, sa mère et ses frères et sœur, dont un futur historien, Jean-Jacques Becker. Le baccalauréat passé, elle entre dans la Résistance en 1942 aux JC MOI ; à la Libération, elle retrouve la khâgne* du lycée Fénelon et entre à l'École normale supérieure* de Sèvres. Au sortir de l'agrégation d'histoire (1948), elle devient permanente du PCF ; chargée des étudiants et intellectuels de la Seine, elle écrit dans *La Nouvelle Critique** des articles vengeurs et laisse à certains le souvenir d'une stalinienne convaincue (Edgar Morin*, *L'Autocritique*).

Annie Kriegel est démise de ses fonctions en 1954 puis quitte le PCF en 1956 après les événements de Budapest. Revenue à l'enseignement, puis détachée au Centre national de la recherche scientifique*, elle rédige sa thèse sur les origines du communisme français sous la direction d'Ernest Labrousse*. Prenant ses distances à l'égard de son objet, elle analyse à travers un événement (le congrès de Tours) la greffe d'un fait politique international, le communisme, dans le contexte français. Son œuvre saisit les traits d'une véritable religion séculière informant la contre-société communiste. L'axe de ses recherches l'a située en marge des *Annales*, par sa volonté de restituer une fonction à l'événement et d'en saisir les structures différentes de celles de la longue durée.

D'abord maître-assistant à Reims, elle enseigne la sociologie politique à l'université Paris X-Nanterre depuis 1969. Sa fréquentation assidue du séminaire de Raymond Aron* à partir de la fin des années 60 l'influence, comme chercheur, et facilite la fin de sa migration politique. Ancienne collaboratrice de *France-Observateur**, elle devient chroniqueur régulier du *Figaro** à partir de 1976. Si sa passion pour l'histoire du communisme l'a conduite à patronner l'équipe de la revue *Communisme*, sa production récente s'est tournée vers la question juive et la défense de l'État d'Israël. Elle est morte le 26 août 1995 des suites d'un cancer.

Olivier Dumoulin

■ *Aux origines du communisme français*, Mouton, 1964, 2 vol. — *Les Communistes français. Essai d'ethnographie politique*, Seuil, 1968, rééd. 1985. — *Les Grands Procès dans le système communiste. La pédagogie infernale*, Gallimard, 1972. — *Communismes au miroir français. Temps, cultures et sociétés en France devant le communisme*, Gallimard, 1974. — *Les Juifs et le monde moderne. Essai sur les logiques d'émancipation*, Seuil, 1977. — *Le Système communiste mondial*, PUF, 1984. — *Réflexions sur les questions juives*, Hachette, 1984. — *Ce que j'ai cru comprendre*, Laffont, 1991.

KRISIS

C'est à l'été 1988 qu'est née la plus jeune des revues dirigées par Alain de Benoist*. Dépourvue de publicité, diffusée par abonnements (environ 600 abonnés en 1992), *Krisis* n'est pas loin de tenir le rythme annoncé de quatre livraisons annuelles.

À une époque réputée molle et décadente, anéantie par le clinquant et l'éphémère, *Krisis* se flatte d'opposer ce que suggère le sens même du vocable emprunté au grec : « déchirement, jugement, choix, décision ». Chaque numéro comporte 130 pages sur un thème central — évolution, tradition, nation, stratégie, etc. — dont l'intitulé est suivi d'un point d'interrogation, afin de souligner l'ampleur du débat qu'il annonce. Car *Krisis* se veut « lieu de débat ». Là où les intellectuels de tous bords se contentaient de manifester leur intérêt pour *Nouvelle École**, ils acceptent désormais, si les thèmes répondent à leurs propres préoccupations, de collaborer à une publication dont ils approuvent le sérieux et l'ouverture. Que l'on ouvre le numéro sept (février 1991) consacré à la morale : à côté de familiers de la Nouvelle Droite — Gabriel Matzneff, Thomas Molnar —, la parole est donnée à Michel Jobert et Bruno Étienne afin qu'ils s'expriment sur la guerre du Golfe*, tandis que l'on invite le philosophe André Comte-Sponville à se prononcer sur « béatitude et espoir ».

Durant quelques semaines de l'été 1993, la révélation de certaines convergences donna lieu, dans la presse, à une polémique confuse : écrire dans *Krisis*, est-ce illustrer la conviction d'Alain de Benoist selon laquelle les élites se rejoignent lorsqu'elles adhèrent à la « nécessité d'un travail de pensée » ? À vrai dire, de telles rencontres semblent avoir été favorisées par la conjoncture même de basse tension idéologique que stigmatise la revue.

Anne-Marie Duranton-Crabol

KRISTEVA (Julia)

Née en 1941

Julia Kristeva a été membre du groupe *Tel Quel** et a très largement contribué à la théorie du texte développée par celui-ci. Son travail, qui se situe à la croisée de la littérature, de la linguistique et de la psychanalyse, fait l'objet d'une large reconnaissance internationale.

Née en Bulgarie en 1941, Julia Kristeva a reçu une éducation francophone. Ayant bénéficié d'une bourse d'études dans le cadre des accords culturels franco-bulgares, elle arrive à Paris à la fin de l'année 1965, étudie à l'École pratique des hautes études, rencontre Roland Barthes*, Lucien Goldmann* (qui dirige son doctorat de 3e cycle sur les origines du roman), et Philippe Sollers* (qu'elle épousera en 1967). Ses premières interventions et ses premiers articles — réunis dans *Sèméiotikè* (1969) — suscitent un fort intérêt et quelques violentes polémiques. Dans un contexte culturel français marqué par le débat sur le structuralisme et son éventuel dépassement, Julia Kristeva propose une relecture de certains aspects méconnus du travail de Saussure (les anagrammes) et de l'œuvre du théoricien russe Bakhtine (le dialogisme). Ouvrant le structuralisme littéraire à la question de l'inconscient et à celle de l'histoire, Julia Kristeva exerce, dès ce premier ouvrage, une influence notable sur certains critiques d'avant-garde, notamment Roland Barthes. Universitaire, professeur à Paris VII, Julia Kristeva publie en 1974 son doctorat : *La Révolution du langage poétique*, somme qui, à partir des exemples de Mallarmé et Lautréamont, expose une ambitieuse et systématique théorie du texte littéraire.

Julia Kristeva entre dans le comité de rédaction de *Tel Quel* en 1970 ; elle s'engage avec la revue dans la lutte politique, aux côtés du PCF, puis en faveur de la révolution culturelle chinoise. Elle fait partie, en 1974, de la délégation qui se rend en Chine et, la même année, elle publie *Des Chinoises* aux Éditions Des femmes. Au cours des années 70, elle aborde également la question du féminisme dans plusieurs contributions théoriques, reprises dans *Polylogue* (1977).

Attentive dans ses études au questionnement freudien, elle devient psychanalyste, membre de l'IPA. Sa pratique, son expérience de la cure, nourrissent certains de ses ouvrages comme *Histoires d'amour* (1983) ou *Les Nouvelles Maladies de l'âme* (1993). Les domaines d'interventions de Julia Kristeva sont nombreux, comme le veut sa conception de l'intellectuelle, marquée par le souvenir et l'exemple de Mme de Staël. Dans *Étrangers à nous-mêmes* (1988), son expérience de l'exil et du cosmopolitisme l'amène à une réflexion politique sur la richesse du fait national et les dangers de l'exclusion. La littérature, présente dans chacun de ses ouvrages, reste son lieu d'attache essentiel, comme le démontre, en 1994, la publication de son essai sur Proust*. Julia Kristeva a également signé deux romans : *Les Samouraïs* (1990), fiction autobiographique et évocation romancée de l'histoire intellectuelle récente ; *Le Vieil Homme et les loups* (1991), étrange fable politique et policière sur les thèmes du deuil et de la haine.

Julia Kristeva compte au nombre des intellectuels français dont le travail connaît le retentissement international le plus large. Ses ouvrages de théorie littéraire mais également ses essais plus récents constituent à l'étranger — notamment dans l'Université — des ouvrages de référence.

Philippe Forest

■ *La Révolution du langage poétique. L'avant-garde à la fin du XIXe siècle : Lautréamont et Mallarmé*, Seuil, 1974. — *Histoires d'amour*, Denoël, 1983. — *Étrangers à nous-mêmes*, Fayard, 1983. — *Les Samouraïs*, Fayard, 1990.

KUNDERA (Milan)

Né en 1929

Romancier et essayiste, Kundera commence à être connu pendant les années 60, à la grande époque de libération progressive de la société tchèque. Son roman *La Plaisanterie* (1967) devient alors l'œuvre modèle de cette nouvelle liberté conquise au pouvoir totalitaire. C'est à peu près au même moment (en juin 1967) qu'il prononce son fameux discours au Congrès des écrivains tchécoslovaques. Son argumentation : l'étouffement idéologique de la liberté de création plonge une culture dans l'insignifiance et pousse une nation en marge de l'Europe, sinon hors l'Europe. Le Congrès, qui s'est vite transformé en une critique virulente de l'idéologie dominante, fut sévèrement condamné par le pouvoir ; néanmoins, il a conduit à l'explosion du Printemps de Prague*, huit mois plus tard. Dès le début, le caractère spécifique de l'« engagement » de Kundera est donc clair : son but n'est pas la création d'un art conçu comme l'arme d'une lutte antitotalitaire (contre l'art procommuniste, un art anticommuniste), mais la défense de l'art qui ne soit déformé par *aucun* assujettissement à *aucune* politique et qui garde toute son autonomie.

Après l'invasion russe de la Tchécoslovaquie, toute son œuvre est mise à l'Index et Kundera est invité en France, où il s'installe durablement. Il se consacre pleinement à ses romans, qui commencent alors à faire le tour du monde, mais il n'évite pas les discussions de l'époque. Signalons surtout son essai : *Un Occident kidnappé ou la Tragédie de l'Europe centrale* (publié en 1983 dans *Le Débat**, traduit dans le monde entier). L'importance de ses idées n'est pas seulement politique (les pays de l'Europe centrale appartiennent à la partie de l'Europe qui, depuis le IVe siècle, se conçoit comme l'Occident ; ils ont été, par le verdict de Yalta, déplacés dans la sphère d'une autre civilisation), mais surtout culturelle (l'Europe centrale est une partie *spécifique* de l'Occident : avec sa problématique des petites nations, avec son baroque, avec son Biedermeier, avec son hypertrophie du romantisme qui provoque dans le XXe siècle une magnifique révolte antiromantique soutenue surtout par la pléiade des romanciers qui sont les fondateurs du modernisme romanesque : Musil, Broch, Kafka, Gombrowicz). C'est certainement grâce à Kundera que la notion de l'Europe centrale (il récuse le terme *Mitteleuropa* qui « germanise » l'Europe centrale, multinationale par définition) est entrée dans notre conscience.

La plus grande initiative de Kundera se trouve toutefois ailleurs : c'est lui qui impose (par sa propre création ainsi que par ses deux livres d'essais : *L'Art du roman* et *Les Testaments trahis*) une autre vision du roman qui, selon lui, n'est pas un *genre* littéraire parmi d'autres mais un *art sui generis* ; l'art créateur des Temps modernes européens ; l'art qui examine l'existence humaine et en apporte des connaissances irréductibles et irremplaçables. Voilà le paradoxe de Kundera : ses engagements ont laissé des traces indélébiles dans l'histoire et, pourtant, en tant que romancier, il est passionnément opposé à tout engagement politique de l'art qui, selon lui, doit garder et cultiver sa spécificité, sans laquelle il perdrait sa raison d'être.

Dans le cadre du séminaire « Roman européen » que Kundera a tenu à l'École des hautes études en sciences sociales* durant quinze ans, naîtra (1993) *L'Atelier du roman*, revue qui se réclame de son héritage et qui accorde au roman sa place exceptionnelle dans l'histoire de l'Europe.

Lakis Proguidis

■ Chez Gallimard : *La Plaisanterie*, 1967 ; *Risibles amours*, 1968 ; *La vie est ailleurs*, 1970 ; *Jacques et son maître. Hommage à Denis Diderot*, 1971 ; *La Valse aux adieux*, 1972 ; *Le Livre du rire et de l'oubli*, 1978 ; *L'Insoutenable Légèreté de l'être*, 1984 ; *L'Art du roman*, 1986 ; *L'Immortalité*, 1990 ; *Les Testaments trahis*, 1993.

▒ M.N. Banerjee, *Les Paradoxes terminaux*, Gallimard, 1994. — K. Chvatik, *Le Monde romanesque de Milan Kundera*, Gallimard, 1995. — É. Le Grand, *Kundera ou la Mémoire du désir*, L'Harmattan, 1995. — C. Fuentes, « The Other K. », in *Myself with Others*, New York, 1975. — F. Ricard, in *Littérature contre elle-même*, 1985. — R. Rorty, in *Essais sur Heidegger et autres écrits*, PUF, 1995. — G. Scarpetta, in *L'Âge d'or du roman*, Grasset, 1996. — *Salmagundi*, n° 73, spécial Milan Kundera. — *The Review of Contemporary Fiction*, été 1989, dossier Kundera avec bibliographie des critiques importantes. — *Dix-neuf / vingt*, n° 1, 1996, dossier sur Milan Kundera.

L

LABERTHONNIÈRE (Lucien)

1860-1932

Né le 5 octobre 1860 à Chazelet (Indre), Lucien Laberthonnière est prêtre lorsqu'il entre en 1886 à l'Oratoire. Professeur de philosophie à Juilly, il suit en Sorbonne les cours de Boutroux, Brochard, Séailles. Déjà orienté vers une « critique du christianisme », il fait connaissance de Maurice Blondel* avec lequel il prend part en 1897 au IVe Congrès scientifique international des catholiques à Fribourg.

Supérieur du collège de Juilly (1900-1903), il y réunit Édouard Le Roy, Joseph Wilbois, Georges Fonsegrive, Victor Delbos, le Père Portal. Au moment de la politique anticongrégationnaliste, il réfléchit sur les rapports de l'Église et de l'État et développe une théorie de l'autorité servante dans *Théorie de l'éducation* (1901).

Après avoir publié ses *Essais de philosophie religieuse*, il correspond avec Henri Bergson*, Rudolf Eucken. Avec le Père Portal, il anime la Société d'études religieuses fondée en 1905 et rassemble nombre d'intellectuels chrétiens de la génération de Fonsegrive et Paul Bureau à celle de Paul Archambault. En 1905, il prend la direction des *Annales de philosophie chrétienne* avec Blondel. Mais, alors que lui-même s'est inquiété des idées de Marcel Hébert et d'Alfred Loisy*, il est suspecté de modernisme et doit répondre aux attaques de Mgr Turinaz, évêque de Nancy. Le 5 avril 1906, la condamnation par l'Index de deux de ses ouvrages, *Essais de philosophie religieuse* et *Le Réalisme chrétien et l'idéalisme grec*, ouvre une période de controverses et de dénonciations. En 1911, Laberthonnière polémique avec le jésuite Pedro Descoqs dans *Positivisme et catholicisme. À propos de « L'Action française »*, puis dans *Autour de l'Action française*. En 1913, les *Annales* sont condamnées et une sentence romaine, qui ne sera jamais levée, interdit à Laberthonnière de publier.

En 1915 il rédige néanmoins pour Mgr Chapon, évêque de Nice, un texte en réponse à la lettre pastorale publiée par les évêques allemands sur les responsabilités de la guerre : ce sera *La France et l'Allemagne devant la doctrine de la guerre*, repris dans *Pangermanisme et christianisme* (1945). La Société française de philosophie, dont il a été élu membre titulaire en octobre 1905, devient pour Laberthonnière un lieu privilégié de participation au débat intellectuel. En 1925-1927, il rédige également plusieurs des prédications de carême du Père Sanson à Notre-Dame de Paris, trouvant ainsi un moyen indirect d'exprimer publiquement ses idées sur « Le christianisme, métaphysique de la charité ». Malgré le silence auquel il est réduit, il demeure actif dans les milieux de l'œcuménisme, et exerce une forte influence sur de jeunes théologiens tels Henri de Lubac*. Il meurt le 6 octobre 1932 à Paris.

Pierre Colin

■ *Le Réalisme chrétien* (1904), précédé de *Essais de philosophie religieuse* (1903), Seuil, 1966. — *Esquisse d'une philosophie personnaliste*, Vrin, 1937. — *Pangermanisme et christianisme*, Vrin, 1945. — *Critique du laïcisme ou Comment se pose le problème de Dieu*, Vrin, 1948.

■ « Laberthonnière, l'homme et l'œuvre », *Oratoriana*, Beauchesne, 1972. — « Colloque Laberthonnière », *Revue de l'Institut catholique de Paris*, n° 8, octobre-décembre 1963.

LABROUSSE (Camille Ernest)

1895-1989

Pour une génération entière de la Sorbonne, la personnalité d'Ernest Labrousse fut d'abord celle d'un maître à penser l'histoire économique et sociale.

Fils d'un militant radical, propriétaire d'un magasin de nouveautés à Barbezieux, le jeune Ernest Labrousse, après des études d'histoire, adhère à la SFIO en 1916. D'abord proche de Jean Longuet, il vote pour l'adhésion à la IIIe Internationale ; il est alors rédacteur à *L'Humanité** mais la bolchevisation met fin, en 1924, à sa première carrière. Reprenant ses études en Faculté de droit, il se définit lui-même comme jaurésien, marxiste et marginaliste. Son apprentissage, il le doit avant tout aux aperçus statistiques de celui dont il devient l'assistant, Aftalion, et à l'œuvre de François Simiand*. Avec sa thèse de droit (1932), Ernest Labrousse marie ses nouveaux acquis scientifiques à son attirance originelle pour les causes de la Révolution. Grâce à l'histoire des prix, s'appuyant sur des preuves statistiques, il décrit l'Ancien Régime économique : économie multiséculaire, au jeu inélastique, gouverné par le mouvement des prix et des revenus. Travaillant sur des prix reconstruits grâce à la mercuriale, il s'expose à l'incompréhension des historiens attachés aux « vrais prix » (Débats de 1937).

Son échec à l'agrégation de droit, son enseignement à la IVe Section de l'École pratique des hautes études (1936) le rapprochent du milieu des historiens qui reconnaît peu à peu son œuvre par l'entremise de Georges Lefebvre* et des *Annales*. Après avoir soutenu sa thèse de doctorat ès lettres (1943), il est élu sur la chaire d'histoire économique et sociale de la Sorbonne.

Labrousse ancre l'histoire de la société dans celle de l'économie ; privilégiant les moments de crise, il lie la conjoncture courte des prix aux mouvements longs des revenus, dont la typologie — rente, profit, salaire — coïncide avec celle des groupes sociaux. Son programme d'histoire sociale (Rome, 1955) ouvre la voie des grandes thèses françaises sur le XVIIIe siècle et le XIXe siècle.

Absorbé par sa carrière d'historien, Labrousse fait un retour en politique comme directeur de l'éphémère cabinet Blum* de 1948, puis prend position contre la CED. En 1957, il participe à la fondation du « Comité socialiste d'études et d'action pour la paix en Algérie », qui amorce le regroupement de la « Nouvelle

Gauche », puis signe l'« Appel à l'opinion pour une paix négociée en Algérie » en octobre 1960. Il côtoie le PSU au début des années 60, avant de se rapprocher à nouveau du PCF à la fin de sa vie.

Olivier Dumoulin

■ *Esquisse du mouvement des prix et des revenus en France au XVIIIe siècle*, Dalloz, 1932. — *La Crise de l'économie française à la fin de l'Ancien Régime et au début de la Révolution*, Mouton, 1943. — *Histoire économique et sociale de la France*, t. 2, 3 et 4, PUF, 1970, 1976 et 1982.

▒ C. Charles, « Entretien avec Ernest Labrousse », *Actes de la recherche en sciences sociales*, avril-juin 1980. — *Conjoncture économique, structures sociales. Hommage à E. Labrousse*, EPHE, VIe Section, Mouton, 1974.

LACAN (Jacques)

1901-1981

La pensée de Lacan est l'une des plus marquantes de la seconde moitié du siècle : elle donne de l'inconscient découvert par Freud les concepts qui l'éclairent, en montrant que le sujet est foncièrement divisé du seul fait qu'il est parlant, mieux : un *parlêtre* (« le langage est la condition de l'inconscient »). Elle fait une brèche définitive dans les discours philosophiques qui, comme celui de Sartre*, croient pouvoir tout fonder sur l'unité de la conscience. Par son imprévisibilité, son style baroque et difficile, mais non pas obscur, Lacan a suscité les passions les plus extrêmes, assumant pour les intellectuels de ce temps la place intenable de l'Autre, voué à l'idéalisation et à la position de déchet qu'occupe l'analyste.

Né à Paris dans une famille de négociants en vinaigre, il fait ses études au collège Stanislas, s'initie aux contraintes du système de Spinoza et aux arcanes de la métaphore mallarméenne. Élève de G. de Clérambault, il devient psychiatre (thèse : *La Psychose paranoïaque dans ses rapports avec la personnalité*, 1932). Il épouse en secondes noces l'actrice Sylvia Bataille, deuxième femme de Georges Bataille*. Ami de surréalistes, il écoute par ailleurs les maîtres de son époque ; ainsi A. Kojève* l'introduit à la lecture de Hegel, dont il va tirer sa formule : « Le désir, c'est le désir de l'Autre. » Il rencontre M. Heidegger, R. Jakobson, C. Lévi-Strauss*. Il abrège lui-même son analyse avec R. Loewenstein. Mis en cause pour sa pratique de séances courtes, il sera exclu de l'Association psychanalytique internationale. Il fonde en 1964 l'École freudienne de Paris. Toute l'intelligentsia se presse à son séminaire, notamment à l'École normale supérieure* où Louis Althusser* l'a invité, puis à la Faculté de droit. Figure opposée à celle de l'intellectuel engagé, il fascine les étudiants gauchistes déçus par Mai 68. Récusant tous les amalgames bien-pensants freudo-marxistes, jusqu'à *L'Anti-Œdipe* de Deleuze* et Guattari*, il fait pourtant une place dans ses catégories à l'impossible gageure de gouverner, en la nommant « discours du maître ». La dénonciation de la plus-value par Marx vise en fait la « spoliation de la jouissance », dit-il alors à un auditoire encore politisé.

Sa carrière commence en 1936 avec « Le stade du miroir » *(Écrits)*, communication inspirée des observations du psychologue H. Wallon*, mais auxquelles Lacan donne une portée décisive pour la structuration du sujet humain. Il introduit en effet une nouvelle conception de l'imaginaire en psychanalyse, fondée sur l'identification — entre six et dix-huit mois — du petit enfant à son image inversée dans le miroir, alors que, biologiquement prématuré, celui-ci n'a pas encore atteint la maîtrise de sa motricité corporelle. Dans une phase jubilatoire, l'enfant anticipe donc son unité à venir et trouve dans le regard et la parole de sa mère la confirmation symbolique de cette identité, pourtant leurrante et aliénante. À vouloir maîtriser son double, il découvre la rivalité agressive avec tout semblable ultérieur. De cette image spéculaire provient le moi, instance imaginaire, fonction de méconnaissance par excellence, « oignon » de couches identificatoires. Pour sortir les analystes de la routine où ils dégradent l'héritage freudien dans les années 50, Lacan amorce un « retour à Freud » par une lecture serrée de sa clinique. Soucieux de refonder l'expérience analytique et sa transmission, il s'appuie sur la linguistique (F. de Saussure), la logique (G. Frege), plus tard sur des modèles mathématiques (topologie, nœuds borroméens). De Lévi-Strauss, il reprend l'idée que la structure symbolique détermine les choix possibles du sujet à son insu : dans une société dite primitive, l'appartenance à tel clan, marquée par le nom, exclut *a priori* tel mariage. Pour Lacan, le sujet dépend du signifiant comme l'antique messager grec ignorant l'inscription qu'on avait tracée sur son crâne. Symbolisant le manque pour les deux sexes, le phallus (et non l'organe, le pénis) est le signifiant du désir, et déjà pour le petit enfant (garçon ou fille) qui veut l'être pour sa mère. Dans la trilogie lacanienne — Imaginaire, Symbolique, Réel —, le primat revient à la fonction structurante du langage : c'est par l'advenue à la parole que le sujet devient humain, mais il l'est dès avant sa naissance, attendu dans les fantasmes et nommé dans le discours des parents. « L'inconscient est structuré comme un langage. » La réalité, « prêt-à-porter du fantasme », se distingue radicalement du Réel qui échappe à toute prise de l'Imaginaire, au désir de tout comprendre. Le réel est l'objet partiel, perdu, mythique (le sein pour la pulsion orale). Lacan le nomme objet *a* pour en souligner la fonction privative. La jouissance qu'on en attend l'excepte du domaine des autres représentations, le prélève sur l'image du corps, comme le sein, la voix, le regard. Il est ce qui fait parler et désirer le sujet, à son insu. Après Freud, Lacan rappelle que la sexualité, foncièrement traumatique pour le sujet lui-même, répugne au langage : elle est vouée au refoulement. Théoricien de la psychose, il en attribue l'origine au défaut d'une symbolisation primordiale. Si dans l'imaginaire le père est un idéal à dépasser, il incarne d'abord celui dont la parole sépare l'enfant de la mère, l'autorité ultime, la puissance de faire jouir la mère et de procréer. Faute de pouvoir reconnaître cette fonction symbolique qui organise le sens de toute existence humaine, un sujet peut basculer dans la psychose.

Lacan a formé plusieurs générations d'analystes — et nombre des plus grands. Ses catégories, passées dans la langue, sont aujourd'hui reprises par ses adversaires mêmes.

Jean-François de Sauverzac

■ *Écrits*, Seuil, 1966. — *Le Séminaire*, Seuil, 26 vol., 9 publiés dont : *Les Quatre Concepts fondamentaux de la psychanalyse* (1973), *Les Écrits techniques de Freud* (1975), *Les Psychoses* (1981), *L'Éthique de la psychanalyse* (1986).

■ J. Dor, *Introduction à la lecture de Lacan*, Denoël, 1985-1992, 2 vol. — P. Kaufmann (dir.), *L'Apport freudien. Éléments pour une encyclopédie de la psychanalyse*, Bordas, 1993. — É. Roudinesco, *Jacques Lacan. Esquisse d'une vie, histoire d'un système de pensée*, Fayard, 1993. — « Jacques Lacan », *Esquisses psychanalytiques*, n° 15, printemps 1991. — *Lacan avec les philosophes*, Albin Michel, 1991.

LACOSTE (Yves)

Né en 1929

Né en 1929 à Fès, Yves Lacoste est le plus connu des géographes français vivants, le seul véritablement familier au public cultivé en France. Mais cette notoriété se révèle paradoxale, car elle s'appuie sur des ruptures successives avec des institutions et des groupes pourtant puissants ou prometteurs.

La première rupture est épistémologique ; elle se produit au tout début des années 70. Après avoir été, pendant les années 50 et 60, un disciple fidèle des maîtres marxistes Pierre George* et Jean Dresch*, Lacoste se démarque nettement du discours de ce qu'on commence à appeler la « géographie classique » et qu'il caractérise, dans un ouvrage dirigé par François Châtelet*, comme l'« une des formes typiques d'un savoir préscientifique ». Ce faisant, il se détache autant du versant marxiste de ce discours que de la variante idéologiquement plus conservatrice. En fait, selon lui, ces deux conceptions partagent un économisme technicien, une expression « littéraire », un manque de culture en philosophie et dans les autres sciences sociales et surtout un empirisme terriblement prégnant. Lacoste aurait pu alors choisir de « naturaliser » en géographie les apports d'Althusser*, de Foucault* ou de Braudel*, qu'il est l'un des rares dans la discipline à pratiquer. Mais il opte pour une nouvelle rupture. En 1976, il participe, en parallèle avec l'historien Jean Chesneaux, à un « Mai 68 tardif ». Tout est politique, en effet : « La géographie, ça sert, d'abord, à faire la guerre. » En quelques mois paraissent le livre-pamphlet qui porte ce titre, le premier numéro d'*Hérodote* et la troisième édition de sa *Géographie du sous-développement*, qui sera exclue des manuels « Magellan » parce que trop militante au goût du directeur de la collection, Pierre George, ce qui signifie un nouvel éloignement vis-à-vis du « patron ».

Il y a dans les productions de cette époque une nette inflexion vers une géographie non plus tant intellectuellement critique que politiquement engagée. La question essentielle à poser à la géographie n'est pas, dit désormais Lacoste, « Qu'est-ce que c'est ? », mais « À quoi ça sert ? » Nimbé d'une aura d'universitaire-guérillero renforcée par des voyages au Vietnam au plus fort des bombardements américains, il est adulé par les étudiants et haï par l'*establishment* mandarinal, qui tire prétexte de l'inachèvement de sa thèse (d'État). Plus de vingt-cinq ans séparent sa brillante agrégation (1952) de l'accès définitif à un poste de professeur des universités. Au début des années 80, nouveau changement de cap, que traduit le sous-titre de la revue *Hérodote* — « revue de géographie et de géopolitique » en phase avec l'air du temps : l'exacerbation des logiques de blocs et l'émergence douloureuse, à gauche, d'une culture de gouvernement défient la prétention à fonder l'action politique sur la morale. Lacoste se sent à l'aise pour démonter, derrière les discours généreux, des ambitions de puissance qui tendent à devenir sous sa plume un principe dernier de l'explication géographique. Alors que son parcours universitaire avait été heurté, il s'impose facilement dans les médias, en renonçant, il est vrai, à ses ambitions théoriques initiales. Le paradigme géopolitique est étendu aux processus politiques internes aux sociétés, y compris aux démocraties. De « grands personnages » avides de pouvoir y complètent les rivalités interétatiques. Une telle conception du politique est jugée réductrice par certains de ses collaborateurs, d'où de nouvelles polémiques, dont Lacoste semble toujours tirer un surcroît d'énergie.

Il a pris aujourd'hui ses distances avec la géographie universitaire et adopte une posture de « conseiller du Prince ». En 1993, son plaidoyer en faveur des « amitiés traditionnelles » (serbes) de la France traduit bien en tout cas un choix clair en faveur de ce que l'on appelle dans les relations internationales le « paradigme réaliste », également mobilisé pour donner l'estocade à un tiers-mondisme qui l'avait autrefois tenté. N'est-ce pas là, finalement, le message essentiel qu'Yves Lacoste veut délivrer : le réel est plus fort que nos idéaux ?

Jacques Lévy

■ *Géographie du sous-développement*, PUF, 1965, rééd. 1976. — « La géographie », in F. Châtelet (dir.), *La Philosophie des sciences sociales, de 1860 à nos jours*, Hachette, 1973. — « Pourquoi Hérodote ? », *Hérodote*, n° 1, 1976. — *La géographie, ça sert, d'abord, à faire la guerre*, Maspero, 1976. — *Unité et diversité du tiers monde*, La Découverte, 1980. — *Contre les anti-tiers-mondistes et contre certains tiers-mondistes*, La Découverte, 1985. — *Géopolitiques des régions françaises* (dir. Y. Lacoste), Fayard, 1986, 3 vol. — *Questions de géopolitique*, Le Livre de Poche, 1988. — *Dictionnaire de géopolitique* (dir. Y. Lacoste), Flammarion, 1993.

LACOUTURE (Jean)

Né en 1921

D'origine bourgeoise et bordelaise (il est né en 1921, son père est chirurgien), Jean Lacouture suit d'abord un itinéraire sans surprise : collège de jésuites, Faculté de droit et de lettres de Bordeaux, École libre de sciences politiques* de Paris. La rupture se produit au sortir de la guerre lorsqu'il se porte volontaire pour l'Extrême-Orient et qu'il devient attaché de presse à l'état-major du général Leclerc : l'expérience indochinoise apparaît rétrospectivement comme la matrice de toutes ses prises de position ultérieures. Après un séjour au Maroc (1947-1949), il entre à *Combat** (1950-1951), au *Monde** (1951-1953), à *France-Soir* (1954-1956) en tant que correspondant en Égypte et à nouveau au *Monde* où il travaillera de 1957 à 1975. Il y obtient définitivement la reconnaissance de ses pairs grâce à ses articles riches et informés sur les événements d'Algérie, la guerre du Vietnam*, le conflit israélo-arabe, etc. Proche de Jean Daniel*, il appartient également au cercle des collaborateurs fidèles du *Nouvel Observateur** et flirte un temps avec la mouvance d'*Esprit**.

Ses nombreuses expériences sur le terrain, ses multiples rencontres et conversations avec les grands leaders politiques du moment (Hô Chi Minh, Nasser, Chou En-laï, Habib Bourguiba, etc.), font de lui un journaliste écouté. Ses sympathies avérées pour l'émancipation du Vietnam ou encore pour l'indépendance de l'Algérie le désignent comme un coryphée de la décolonisation. Ses articles précis, rigoureux et enlevés pécheront cependant parfois par manque de lucidité, en particulier à propos de la nature exacte du régime de Hanoï. Toujours est-il qu'il fait partie de ce bataillon de clercs qui a fortement dénoncé les méthodes américaines au Vietnam, mais aussi de la fugace équipée de quelques intellectuels célèbres, venus se poser sur le sol espagnol en septembre 1975 pour protester contre onze condamnations à mort décidées par le gouvernement du général Franco.

Son talent de plume et sa curiosité d'esprit l'incitent à élargir la palette de ses interventions : passionné d'opéra, de tauromachie et de rugby, il n'hésite pas à rendre compte de manifestations culturelles et sportives dans les colonnes de son journal. Très vite, il publie également des synthèses qui feront date comme *L'Égypte en mouvement* (1956) en collaboration avec sa femme, ou *Le Vietnam entre deux paix* (1965) ; ainsi que des ouvrages sur les grands de ce monde (*De Gaulle*, 1965 ; *Hô Chi Minh*, 1967 ; *Nasser*, 1971). De fil en aiguille, la veine biographique va peu à peu l'emporter sur les autres types d'écrits : paraîtront successivement *Léon Blum* (1977), *François Mauriac* (1980), *Pierre Mendès France* (1981), *De Gaulle* en trois volumes (1984, 1985, 1986). Ces trois derniers volumes font de lui un spécialiste reconnu de l'épopée gaullienne. Excellant dans l'art du portrait, il rencontre un grand succès auprès d'un public avide de récits de vie et de biographies. Lui-même responsable de collections au Seuil* de 1961 à 1982 (« L'Histoire immédiate » et « Traversée du siècle »), il scelle la rencontre entre les historiens de l'instant que sont les journalistes et l'univers des spécialistes en lançant sur le marché des ouvrages qui inaugurent un genre nouveau : la mise en perspective critique de l'actualité.

Rémy Rieffel

■ *Le Maroc à l'épreuve* (avec Simonne Lacouture), Seuil, 1958. — *La Fin d'une guerre* (avec P. Devillers), Seuil, 1960. — *Le Vietnam entre deux paix*, Seuil, 1965. — *Nasser*, Seuil, 1971. — *André Malraux, une vie dans le siècle*, Seuil, 1973. — *Léon Blum*, Seuil, 1977. — *François Mauriac*, Seuil, 1980. — *Pierre Mendès France*, Seuil, 1981. — *De Gaulle*, Seuil, 1984, 1985, 1986, 3 vol. — *Les Jésuites*, Seuil, 1991 et 1992, 2 vol.

LACROIX (Jean)

1900-1986

Né à Lyon le 23 décembre 1900, étudiant en droit et lettres aux Facultés catholiques, en philosophie avec Chevalier puis Brunschvicg* à Paris, Jean Lacroix est agrégé en 1927, enseigne en divers lycées puis à Lyon en khâgne* de 1937 à sa retraite (1968). Il meurt le 27 juin 1986 à Lyon.

Issu d'un milieu conservateur, Lacroix découvre Blondel* grâce au jésuite Auguste Valensin et fréquente la Société lyonnaise de philosophie. Sa rencontre avec Mounier* en 1928 lui fait découvrir un style d'engagement à la fois spirituel, intellectuel et politique. Son parcours est désormais inséparable de celui de son ami et cadet, et de la revue *Esprit**. Ni idéologie ni philosophie, le personnalisme est à ses yeux une inspiration pour le philosophe qui « transforme l'événement en expérience », partant du vécu et l'analysant pour comprendre l'homme et éclairer sa conduite. L'incarnation selon Péguy* inspire cette pensée sévère pour les évasions spiritualistes et attentive aux conditions économico-politiques, particulièrement à la médiation du droit.

Professeur à la méthode sûre et efficace, directeur d'une collection d'initiation philosophique, il est aussi un étonnant diffuseur, dans une chronique mensuelle au *Monde** (1944-1980) où il recompose avec rigueur et souci d'objectivité la pensée des auteurs dont il traite. Il répond aux demandes d'explication de ses lecteurs avec la même disponibilité qu'il accueille élèves et visiteurs.

Auteur de vingt ouvrages brefs et denses, de nombreux articles et conférences, notamment en Pologne, il entretient un dialogue constant avec ses amis philosophes — Jeanson*, Althusser*, les universitaires, ses anciens élèves, à la Société européenne de culture — et avec les intellectuels communistes, qui éprouvent sa patience. Ami proche et collaborateur de Perroux*, lié à Beuve-Méry* et au Père Dabosville aumônier de la Paroisse universitaire*, il fait le lien entre Mounier et les catholiques sociaux. Il allie la pleine adhésion à l'Église catholique au culte de la liberté de l'esprit qui l'amène à dénoncer cléricalismes et conformismes. Poursuivant l'élan révolutionnaire des années 30 et soucieux de comprendre « l'homme marxiste » pour relever son défi, il est un des artisans de l'évolution à gauche du monde catholique. À Lyon, en étroite collaboration avec ses amis jésuites, universitaires et autres, il participe à la vie culturelle et anime avec chaleur et humour, pendant plus de trente ans, le plus vivant des groupes « Esprit » de province.

Bernard Comte

■ *Personne et amour*, Lyon, ELF, 1942, rééd. Seuil, 1955. — *Vocation personnelle et tradition nationale*, Bloud et Gay, 1942. — *Le Sens du dialogue*, Neuchâtel, La Baconnière, 1944. — *Marxisme, existentialisme, personnalisme. Présence de l'éternité dans le temps*, PUF, 1949. — *Histoire et mystère*, Tournai, Casterman, 1962. — *Le Personnalisme comme anti-idéologie*, PUF, 1972.

■ B. Comte, « Semaines sociales et personnalisme : la médiation de Jean Lacroix (1935-1947) », in J.-D. Durand (dir.), *Cent ans de catholicisme social à Lyon et en Rhône-Alpes*, Éditions ouvrières, 1992, pp. 485-516. — « Jean Lacroix. Témoignages et documents », *Les Cahiers de l'Institut catholique de Lyon*, 1988.

LAFARGUE (Paul)

1842-1911

Journaliste, écrivain, militant, Paul Lafargue fut un des pionniers du courant socialiste français rallié aux thèses du marxisme.

Né le 15 janvier 1842 à Santiago de Cuba, descendant de mulâtres, Lafargue vécut à Bordeaux dans une famille de la bourgeoisie locale. Il effectua des études de médecine à Paris et prit part à l'agitation républicaine contre l'Empire. Influencé par Blanqui, il adhéra à la section française de l'Association internationale des travailleurs et rencontra peu après Karl Marx. Exclu de l'Académie après le congrès des étudiants de Liège en 1865, il vécut en émigration à Londres. Écrivant dans la presse d'opposition française, familier de Marx dont il épousa la fille Laura en 1868, considéré par son beau-père comme un « disciple de Proudhon », il fut un de ses alliés au sein du conseil général de la Ire Internationale. Revenu en France à la fin de l'Empire, il participa à Paris puis à Bordeaux aux mouvements socialistes. Solidaire de la Commune, il dut quitter la France pour l'Espagne en juin 1871. Délégué de l'Internationale, il y affronta les partisans de Bakounine. Dès lors, par son action et ses écrits, Lafargue se considéra comme un diffuseur du marxisme.

Revenu à Londres, en contact avec les émigrés français, membre du comité de rédaction de *L'Égalité*, hebdomadaire « collectiviste et révolutionnaire », à partir de 1880, Lafargue collabora à divers journaux par des articles théoriques, allant du pamphlet à une approche plus sereine ou polémique avec les maîtres de la pensée politique du temps. Coauteur en 1880 avec Guesde du premier « Programme électoral des travailleurs socialistes » dont les considérants furent composés par Marx, il fut un des dirigeants du Parti ouvrier français. Connaissant bien les socialistes étrangers, installé en France à partir de 1882, il fut de toutes les luttes qu'il compléta par des travaux de plume mis au service d'une défense d'un marxisme parfois étriqué. Ses articles et ses diverses interventions aux nombreuses références érudites tranchent par une volonté d'élargir le débat vers des horizons peu explorés alors, la critique littéraire, la langue, l'économie politique, l'anthropologie, la question de la femme ou la question coloniale.

Lafargue séjourna plusieurs fois en prison en raison de son activité. Élu député de Lille alors qu'il était emprisonné en 1891, il ne retrouva pas son siège deux ans plus tard. Il continua son action militante, ferme dans la défense du socialisme révolutionnaire, hostile aux tendances réformistes, mais ouvert au dialogue avec d'autres forces qui traversaient le mouvement ouvrier. Mais tout en demeurant dans le courant guesdiste, il prit des distances avec Guesde dès l'affaire Dreyfus*.

Les époux Lafargue se suicidèrent le 25 novembre 1911. Leurs obsèques furent l'occasion d'un rassemblement où l'on mesura leur rayonnement international.

Jacques Girault

■ *Le Droit à la paresse. Réfutation du droit au travail de 1848*, 1883, rééd. Climats, 1993. — *La Religion du capital*, 1887, rééd. Climats, 1995. — *La Propriété. Origine et évolution*, 1895. — *Les Trusts américains. Leur action économique, sociale et politique*, 1903. — *Le Déterminisme économique de Karl Marx. Recherches sur les origines et l'évolution des idées de justice, du bien, de l'âme et de Dieu*, 1909. — *Textes choisis* (introduction et notes de J. Girault), Éditions sociales, 1970.

■ C. Willard, *Le Mouvement socialiste en France (1893-1905). Les guesdistes*, Éditions sociales, 1965.

LAGACHE (Daniel)

1903-1972

Philosophe et médecin, psychanalyste et criminologue, porté toute sa vie à transcender les identités disciplinaires, Daniel Lagache laisse l'image d'un maître foisonnant, porté au tutorat d'élèves prometteurs plus qu'à l'éveil de disciples. Né à Paris le 3 décembre 1903, il prolonge, pour la branche paternelle, l'ascension de trois générations d'avocats de souche picarde et portés au respect du drapeau, et suit après son admission à l'École normale supérieure* (promotion 1924, celle d'Aron*, Sartre* et Nizan*) la voie déjà empruntée par Pierre Janet et Henri

Wallon*. Après l'agrégation de philosophie (1928), ses études de médecine le conduisent en 1935 au rang de chef de clinique, après une thèse sur les *Hallucinations verbales et la parole* (1934).

Il achève alors une analyse commencée en 1933 avec Rudolph Loewenstein et accède en 1937 à la Société psychanalytique de Paris. Maître de conférences (1937) en psychologie à l'université de Strasbourg, bientôt repliée à Clermont-Ferrand, il conjugue pendant la guerre activités résistantes et recherches sur la délinquance et la criminologie.

Titulaire de la chaire de psychologie en 1946 après sa thèse d'État sur *La Jalousie amoureuse*, entré pour vingt ans au Comité national de la recherche scientifique, il est dès lors du jury de toutes les thèses importantes de doctorat en psychologie. Pionnier de l'introduction à l'Université de la psychanalyse, il tient pour l'intégration de celle-ci à la psychologie (*Unité de la psychologie*, 1947). Largement ouvert au behaviorisme américain, servi par une bonne connaissance de l'allemand, il dirige aux PUF la prestigieuse « Bibliothèque de psychanalyse et de psychologie clinique ». Il est aussi le maître d'œuvre du *Vocabulaire de la psychanalyse* réalisé sous sa direction par Laplanche et Pontalis*. Praticien, il plaide pour une écoute régulière et met en garde l'analyste contre la fascination du pouvoir.

En 1953 il participe avec Lacan* et Françoise Dolto* à la création de la Société française de psychanalyse. L'isolement international de la SFP, aggravé par la défiance anglo-saxonne envers les pratiques lacaniennes, ne sera rompu que par la scission de 1964 qui portera Lagache à la présidence de l'Association psychanalytique de France, désormais reconnue par l'IPA. Tout au long de ces démêlés, il a tenté de préserver le pluralisme hexagonal face à la normalisation américaine. C'est à la lumière de ce libéralisme bienveillant qu'il est possible d'interpréter ses rares engagements politiques, à l'image de son « adhésion réfléchie » à la politique de Guy Mollet au nom du « salut et du renouveau de l'Algérie française ».

Ses dernières années sont assombries par la maladie qui l'emporte le 3 décembre 1972, voire par son échec à l'Académie française* (1967). Réticent devant les thèses de Michel Foucault*, il préfère alors se pencher sur cette autre composante de l'âge classique, celle que Thérèse d'Avila appelait la *loca de la casa*, la « folle du logis », la Fantaisie.

Yves Santamaria

■ *La Psychanalyse*, PUF, 1955. — *Œuvres complètes* (édition établie et présentée par É. Rosenblum), PUF, 1977.

▒ É. Roudinesco, *La Bataille de cent ans. Histoire de la psychanalyse en France*, t. 2, Seuil, 1986. — Numéro d'hommage de *Psychologie française*, t. 19, n° 4, 1974.

LAGARDELLE (Hubert)

1874-1958

Né le 8 juillet au Burgaud (Haute-Garonne), la carrière intellectuelle de Hubert Lagardelle, marquée par ses origines géographiques, s'étend sur une soixantaine d'années. Enracinées dans ses expériences provinciales, les diverses positions politiques qu'il adopta résultent toutes de sa volonté de défendre ce qu'il appelait « l'homme réel » contre « l'homme abstrait » que la Révolution française avait dégagée. Cette dernière notion incluait l'intellectuel et constitue donc l'une des facettes de l'anti-intellectualisme dont il fut un éminent représentant.

Le fils de grand propriétaire foncier qu'il était, ayant bénéficié d'une solide éducation à Toulouse, rallia le Parti ouvrier français de Jules Guesde en 1893. En 1895, il fonda sa première revue, *La Jeunesse socialiste*, dans les premiers numéros de laquelle Georges Sorel* publia des articles. À la suite de sa rupture avec le POF (1897), il multiplia les voyages en Europe de l'Est. En 1899, il épousa une militante socialiste ukrainienne Zina Gogounzwa et créa un nouveau périodique, *Le Mouvement socialiste**. Jusqu'au déclenchement de la guerre, les principales activités intellectuelles de Lagardelle furent celles d'un publiciste et d'un directeur de revue, en même temps que celles d'un enseignant, à partir de 1902, au Collège libre des sciences sociales* ainsi qu'à l'Université nouvelle de Bruxelles. Entre 1903 et 1907, à son domicile de l'avenue Reille, dans le XIVe arrondissement de Paris, se rencontrèrent les principaux théoriciens du syndicalisme révolutionnaire et les dirigeants de la CGT.

Mobilisé en août 1914, il fut désigné en 1916 comme secrétaire général du Comité d'action économique de la région militaire Toulouse-Pyrénées centrales. Après les hostilités, il conserva ses préoccupations régionales en créant la revue *La Région de Toulouse et des Pyrénées* en 1921 et en collaborant plus tard à *L'Information régionale* et au très influent *Sud-Ouest économique* publié à Bordeaux. Après être rentré à Paris en 1929, Lagardelle devint, entre 1930 et 1932, l'un des principaux collaborateurs de la revue *Plans* fondée par Philippe Lamour. En 1933, Henry de Jouvenel lui demanda de venir travailler avec lui à l'ambassade française de Rome. Il resta en Italie jusqu'en 1940 où il établit des relations personnelles avec Mussolini dont le régime fasciste l'enthousiasmait comme en témoigne l'un de ses articles publié en 1935 dans le volume 10 de l'*Encyclopédie française*.

L'armistice de 1940 le poussa à rentrer en France. Il reprit contact avec d'anciens collègues désormais liés au régime de Vichy. Il fut ainsi nommé en avril 1942 secrétaire d'État au Travail responsable de l'application de la Charte du travail. L'échec qu'il essuya dans cette mission le contraint à la démission en novembre 1943. On le voit réapparaître deux mois plus tard parmi les auteurs d'articles de l'organe collaborationniste *La France socialiste*. Il défendit le maréchal Pétain et la Révolution nationale jusqu'en août 1944 et continua à défendre l'idée d'un « syndicalisme constructif ».

Arrêté en novembre 1944, il fut condamné aux travaux forcés à perpétuité mais dut être libéré en 1949 en raison de sa mauvaise santé. Il publia son dernier livre, *Mission à Rome : Mussolini*, en 1955 alors qu'il était âgé de 81 ans. Il mourut le 20 septembre 1958.

Jeremy Jennings

■ *L'Évolution des syndicats ouvriers en France*, Émancipatrice, 1900. — « Les intellectuels devant le socialisme », *Cahiers de la quinzaine*, 1902. — *La Grève générale et le socialisme*, Cornély, 1905. — *Socialisme et syndicalisme*, Rivière, 1906.

— *Le Socialisme ouvrier*, Giard et Brière, 1911. — *Sud-Ouest : une région économique*, Valois, 1929.

Lagneau (Jules)

1851-1894

Jules Lagneau est un héros philosophique d'un genre particulier, dans la mesure où sa notoriété posthume est le résultat du travail collectif de ses disciples. On a pu dire de lui qu'il avait été « sauvé par Alain* » de l'anonymat auquel auraient dû logiquement le condamner sa vie trop brève et son œuvre inexistante. À cet égard, il fait figure de l'« éveilleur » de l'un des principaux « éveilleurs » du XXe siècle. Né à Metz en 1851, fils d'une servante et d'un ancien domestique qui avait repris la petite affaire de chandelles de son patron, il connut une enfance difficile, marquée par une petite vérole maligne contractée à l'âge de cinq ans et la mort précoce de son père. Attiré par la philosophie, il ne fut jamais un brillant élève : les concours n'étaient pas son fort. Il n'arrivait jamais à achever ses dissertations, son élocution était lente et embarrassée. Il n'en fut pas moins admis à l'École normale supérieure* en 1872 et reçu à l'agrégation de philosophie en 1875. Il fit une carrière professorale tout à fait classique : il eut un premier poste à Sens, celui que Durkheim* devait occuper quelques années plus tard, puis fut nommé à Saint-Quentin et Nancy, avant de rejoindre le lycée de Vanves. Il regretta de ne pas avoir obtenu à Paris même le poste qui lui aurait évité des déplacements préjudiciables à sa santé. Intellectuel de première génération, il devait tout à l'univers scolaire. Aussi n'est-il pas étonnant qu'il ait été tenté par la construction d'une véritable théorie de l'enseignement secondaire, lui attribuant les plus hautes fonctions dans l'ordre de la connaissance. Il s'agissait selon lui d'un véritable enseignement supérieur, le lycée ne se distinguant de l'Université que par une différence de degré. Au sein de cet ensemble, la philosophie occupait une place prééminente. Avant de se consacrer à ce qui semble avoir été un véritable sacerdoce professoral, Jules Lagneau avait eu le projet d'étudier les sources juives du spinozisme, et avait mis à profit une année de congé pour réunir une importante documentation sur le sujet. Mais il se consacra par la suite pour l'essentiel à son enseignement, ne rédigeant que de très brefs textes, dont deux discours de distribution de prix (en 1880 et 1886) dans lesquels il affirmait que la pensée ne devait trouver sa fin qu'en elle-même.

C'est surtout aux souvenirs pieux de ses admirateurs, Alain et Michel Alexandre* en particulier, que nous devons de conserver la représentation d'un professeur véritablement consumé par sa tâche. « Le seul grand homme que j'aie rencontré », disait de lui le premier dans ses *Souvenirs sur Jules Lagneau*. Menant une vie ascétique, ne se nourrissant que d'œufs presque crus et de purées de légumes, il était roux, barbu et de haute taille, avec un front de penseur. Il incarnait le maître qui s'accomplit dans son enseignement oral en s'y engageant tout entier. L'ascétisme de Lagneau, qui ne répugnait pas dans sa jeunesse aux délicatesses de la vie mondaine, apparaît au moins en partie comme une recomposition de son personnage sous l'effet de la résignation. Au plus loin de la virtuosité rhétorique caractéristique de la philosophie spiritualiste antérieure à la IIIe République, l'enseignement de Lagneau est fondé sur le constat de la difficulté qu'il y a à exprimer une pensée par le langage. On peut voir dans cet embarras de parole la marque d'une trajectoire sociale atypique et l'effet d'un rapport compliqué à l'institution scolaire. Mais il est aussi l'indice de la profondeur philosophique qui s'affirme aux dépens d'autres formes d'expression disciplinaire. Par là, la reconstruction hagiographique de la figure du maître va bien au delà du cas particulier que constitue Lagneau : elle contribue à définir un type professoral qui fonctionne comme norme intellectuelle et comportementale de l'activité.

Les fragments qui restituent la philosophie de Lagneau illustrent de diverses manières le thème du caractère inévitablement personnel de la pensée. La réflexivité est au point de départ de toute investigation philosophique : l'universel est l'aboutissement du je pense. L'absolu qui couronne la réflexion, c'est Dieu entendu dans une définition intellectualiste qui caractérise par ailleurs l'ensemble de la pensée de Lagneau, qu'il s'agisse des leçons sur la perception ou sur le jugement. La philosophie doit être entendue comme l'acceptation de la nécessité lorsqu'elle s'accomplit dans l'action morale qui subordonne notre nature à l'Esprit. En rédigeant en 1892, deux ans avant sa mort, le manifeste de l'Union pour l'action morale, qui parut d'abord dans la *Revue bleue** sous le titre de *Simples notes*, il traduisit son idéalisme dans les termes d'une logique d'action et permit à son disciple Paul Desjardins* de créer les conditions d'un nouveau type de mobilisation intellectuelle, d'où devaient émerger à la fois le type de l'intellectuel dreyfusard et celui du militant de l'Action française*. La maladie qui l'emporta dans la force de l'âge ne lui laissa pas le temps de constater cet effet indirect de son enseignement.

Jean-Louis Fabiani

■ *Écris de Jules Lagneau* (réunis par les soins de ses disciples), Union pour la vérité, 1924.
▒ P. Assouline, *Gaston Gallimard. Un demi-siècle d'édition française*, Balland, 1984. — P. Bordaz, *Pour donner à voir. Au service des arts, du public et de l'État*, Cercle d'Art, 1987.

LAMOUR (Philippe)

1903-1992

Après avoir participé activement à la vie politique et intellectuelle de l'entre-deux-guerres, Philippe Lamour a choisi de se consacrer au lendemain de la Seconde Guerre mondiale à des engagements beaucoup plus concrets, tant dans le domaine du syndicalisme agricole et de la modernisation de l'agriculture qu'en matière d'aménagement du territoire*.

Philippe Lamour est né le 12 février 1903 à Landrecies (Nord). Il fait des études de droit à la Faculté de droit de Paris, où il participe (avec A. Philip*, Léo Lagrange, A. Parodi) aux réunions d'un groupe qui se réunissait autour du professeur Achille Mestre. En 1925, il adhère au Faisceau de Georges Valois*, dont il est exclu en 1928. Il tente alors de fonder un éphémère Parti fasciste révolutionnaire. En 1931, il joue un rôle déterminant dans la fondation d'une revue, *Plans*, qui se propose de rendre compte de l'évolution de l'art en relation avec les transformations des sociétés du XXe siècle, et à laquelle collaborent des artistes, comme

F. Léger*, J. Picart Le Doux ou Le Corbusier*, aussi bien qu'un théoricien du syndicalisme révolutionnaire comme Hubert Lagardelle* ou des représentants du groupe de L'Ordre nouveau*.

Après la disparition de *Plans*, tout en continuant ses activités d'avocat, il se rapproche des milieux de gauche et se tourne vers le journalisme et l'action politique, devenant un collaborateur régulier de *L'Œuvre* et de *Vu et lu*. En France, il participe à plusieurs grands procès de l'époque et plaide dans divers pays européens (Grèce, Yougoslavie, Roumanie, etc.) en tant qu'avocat de l'Association juridique internationale. En 1936, il est candidat malheureux du Front populaire à Sens. Entre 1936 et 1938, il est, en Espagne puis en Tchécoslovaquie, le correspondant de *L'Illustration*, de *Vu* et de *Messidor*. Engagé volontaire en 1939, il prend, après l'armistice, la direction d'une exploitation agricole dans l'Allier. Il s'installe ensuite dans le Gard, où le contraint à se réfugier une menace d'arrestation. À la Libération, il est adjoint au commissaire de la République du Langedoc pour les questions agricoles et dirige le quotidien *La Renaissance*.

Président de la Fédération des exploitants agricoles du Gard, il se lance dans le syndicalisme agricole et occupe, de 1945 à 1954, le poste de secrétaire général de la Confédération générale agricole, tout en étant membre du Conseil économique. En 1954, il quitte la CGA pour devenir président-directeur général de la Compagnie d'aménagement de la région du Bas-Rhône-Languedoc. Élu en 1962 à la présidence du Conseil supérieur de la construction, il collabore aux activités du Commissariat au Plan et à la mise en œuvre de la politique d'aménagement du territoire, dont il préside la Commission nationale après 1969. Parallèlement, il participe à l'aménagement du littoral languedocien ainsi qu'à une importante expérience de rénovation rurale dans les Alpes du Sud avec le parc du Queyras. Favorable à la politique de régionalisation, il préside le Comité économique et social de la région Languedoc-Roussillon. Il meurt le 25 juillet 1992.

Jean-Louis Loubet del Bayle

■ *Entretiens sous la tour Eiffel*, Renaissance du Livre, 1927. — *60 millions de Français*, Buchet-Chastel, 1967. — *Prendre le temps de vivre* (avec X. de Chalendar), Seuil, 1974. — *L'Écologie, oui, les écologistes, non*, Plon, 1978. — *Le Cadran solaire*, Laffont, 1980. — *Les Quatre Vérités*, Laffont, 1981.

■ P. Andreu, *Révoltes de l'esprit. Les revues des années 30*, Kimé, 1991. — J.-L. Loubet del Bayle, *Les Non-Conformistes des années 30. Une tentative de renouvellement de la pensée politique française*, Seuil, 1969.

LANGEVIN (Paul)

1872-1946

Par sa vie et son œuvre de physicien, de pédagogue et d'intellectuel engagé, Langevin incarne les trois valeurs qui forment les piliers de la France républicaine : la Science, l'École et le Peuple.

Né à Paris le 23 janvier 1872 dans une famille populaire de sensibilité républicaine, Paul Langevin est d'emblée un brillant sujet. Admis premier en 1888 à l'École de physique et chimie industrielle de la Ville de Paris, puis premier à l'École normale supérieure* en 1893, premier à l'agrégation de physique en 1897, soutenant sa thèse en 1902 sur l'ionisation des gaz, il est reconnu dès le début du siècle dans les milieux scientifiques internationaux comme un des chercheurs d'avant-garde de la physique atomiste. Jusqu'en 1918, c'est l'époque d'une production scientifique intense, orientée simultanément dans plusieurs directions, croisant celle d'Einstein, dont Langevin défend la théorie de la relativité dès 1911. Professeur à l'EPCI, dont il deviendra directeur en 1926, et au Collège de France* depuis 1909, il est, sans être militant, très lié à la Sorbonne républicaine des Curie*, de Perrin*, de Seignobos*.

Dreyfusard patriote, il mène pendant la guerre des recherches sur les ultrasons pour le repérage des sous-marins allemands, ce qui sera retenu pour son entrée au Panthéon. Après 1918, sa production scientifique est moins abondante, plus dispersée ; il se définit volontiers comme « spécialiste des généralités », ce qu'il faut entendre au plus haut niveau : invitation d'Einstein au Collège de France en 1922, présidence des Conseils scientifiques Solvay (la plus importante instance internationale de la physique), de 1928 à 1939. Mais, à l'image du scientifique, se surimposent de plus en plus celles de l'éducateur et du militant. Pour la première fois depuis la signature en 1898 de la pétition des intellectuels, Langevin s'engage ouvertement au lendemain de 1918, le conflit mondial lui ayant montré que la science ne suffit pas à ordonner le progrès de l'humanité. Selon une formule qu'il reprendra souvent, il faut agir pour combler « le retard de la justice sur la science, du développement moral sur le développement intellectuel et matériel de l'humanité ». Ses premiers engagements sont contre le blocus de la Russie et pour la défense des mutins de la mer Noire, suivis d'un vif intérêt pour les ambitions scientifiques de l'URSS. Mais, vice-président de la Ligue des droits de l'homme* depuis 1927, il est sans appartenance de parti : fondateur de l'Université ouvrière en 1932, il est également un des piliers de l'Encyclopédie française entreprise par A. de Monzie. De même, il est membre de la direction du Comité Amsterdam-Pleyel* en même temps que secrétaire de « Front commun » avec G. Bergery et qu'adhérent actif de l'Association française pour la SDN. C'est pourtant comme sympathisant du PCF qu'il patronne, en 1934, le Comité de vigilance des intellectuels antifascistes*, aux côtés de P. Rivet* et d'Alain*, avant de s'en retirer en 1936 devant les tenants du pacifisme intégral. Ses multiples fonctions font de lui une des figures intellectuelles du Front populaire.

Antimunichois déterminé, ce « compagnon de route » n'adhère pas alors au PCF, dont sont membres sa fille et son gendre, bien qu'il voie en celui-là le continuateur de la Révolution française, et dans le marxisme l'élargissement de la pensée des Lumières. *La Pensée**, qu'il fonde en 1939, est plus « la revue du rationalisme moderne », comme l'indique son sous-titre, que celle du matérialisme dialectique. Il est de ceux qui dénoncent le pacte germano-soviétique, et met, comme en 1914, ses compétences au service de l'effort de guerre, ce qui ne l'empêche pas de se faire témoin de moralité au procès des députés communistes en mars 1940.

Arrêté le 31 octobre 1940 par la Gestapo, mis au secret à la Santé plusieurs semaines, il est ensuite assigné à résidence à Troyes, non sans avoir entre-temps été révoqué par Vichy ; il jouit pourtant du soutien moral de l'Académie des sciences* (dont il est membre depuis 1934), en particulier de sa section de physique. Rentré à Paris en septembre 1944, il adhère alors au PCF, pour « prendre la place » de son gendre J. Solomon fusillé par les nazis.

Élu président de la Ligue des droits de l'homme, placé par ailleurs à la tête de France-URSS, il est nommé en novembre 1944 à la présidence de la Commission de réforme de l'enseignement. Il renoue ainsi avec un intérêt ancien pour les questions scolaires et pédagogiques, et affirme son souci de la culture générale (les « humanités modernes ») et sa préférence pour les méthodes actives. Après sa mort, H. Wallon* préside la Commission.

Il meurt à Paris le 19 décembre 1946, et entre au Panthéon en 1948 avec J. Perrin. Avec lui disparaît un des derniers dreyfusards, rationaliste convaincu que « la science doit tendre la main à la justice » pour le progrès de l'humanité.

Alain Monchablon

■ B. Bensaude-Vincent, *Langevin. Science et vigilance*, Belin, 1987 — P. Bicquard, *Paul Langevin, scientifique, éducateur, citoyen* (préface de J.-D. Bernal), Seghers, 1969. — P. Laberenne, *Paul Langevin, la pensée et l'action* (préfaces de F. Joliot-Curie et G. Cogniot), Éditions sociales, 1964. — A. Langevin, *Paul Langevin, mon père*, Éditeurs français réunis, 1971.

LANSON (Gustave)

1857-1934

Critique et historien de la littérature française, Lanson fut d'abord un professeur de rhétorique et un disciple de Brunetière* avant de devenir le patron de l'histoire littéraire en France, laquelle s'identifia longtemps à lui sous le nom de « lansonisme ». Normalien, agrégé en 1879, professeur à Bayonne, Moulins, Rennes, Toulouse, précepteur des enfants de la famille impériale à la cour de Russie, enfin professeur à Paris, aux lycées Michelet, Charlemagne et Louis-le-Grand, auteur d'une thèse sur *Nivelle de La Chaussée et la comédie larmoyante* (1887), Lanson devient en 1894 le suppléant de Brunetière à l'École normale supérieure*. Puis sa carrière s'accélère à l'époque de l'affaire Dreyfus*. Professeur à la Sorbonne en 1904, titulaire de la chaire d'éloquence française jusqu'en 1923, où une nouvelle chaire d'histoire littéraire du XVIIIe siècle est créée pour lui, successeur de Lavisse* à la direction de l'École normale supérieure de 1919 à 1927, il est la bête noire de Péguy*, et Sartre* se moque encore de lui.

Son influence est à son zénith entre l'affaire Dreyfus et la Séparation des Églises et de l'État*. Signataire des listes qui suivent « J'accuse » de Zola* dès le 16 janvier 1898, dreyfusard de la première heure, compagnon de Langlois et de Seignobos*, de Durkheim*, il collabore à l'École des hautes études sociales, et à *L'Humanité** en 1904. Il milite pour la démocratisation et la laïcisation des études secondaires, pour la substitution de l'histoire à la rhétorique, et, dans le supérieur, s'allie avec les historiens et les sociologues afin de donner une nouvelle légitimité scientifique aux études littéraires. Il applique la philologie classique à la littérature moderne, en particulier aux XVIIIe et XIXe siècles, et il appelle de ses vœux une vaste histoire sociale de la vie littéraire, dont Lucien Febvre* regrettera qu'elle soit restée à l'état de projet. Après des monographies conventionnelles comme ses *Bossuet* (1891) et *Boileau* (1892), son *Histoire de la littérature française* (1895) devient le manuel canonique de la IIIe République, et avec son *Voltaire* (1906), le XVIIIe siècle l'emporte sur le XVIIe pour la formation des citoyens. Ses éditions critiques des *Lettres philosophiques* de Voltaire (1909) et des *Méditations* de Lamartine (1915), ainsi que son *Manuel bibliographique de la littérature française moderne* (1909-1914) fixent les modèles de la recherche universitaire pour de longues décennies, mais Lanson ne cesse jamais d'écrire aussi dans des revues destinées au grand public.

Sa méthode, rigidifiée par ses élèves, comme Gustave Rudler dans ses *Techniques de la critique et de l'histoire littéraire* (1923), et réduite à l'étude positiviste des sources et des influences, contribua cependant à isoler les études littéraires du mouvement des idées jusqu'aux attaques de la nouvelle critique dans les années 60.

Antoine Compagnon

■ *Hommes et livres*, 1895, rééd. Slatkine, 1979. — *Méthodes de l'histoire littéraire*, 1925, rééd. Slatkine, 1979. — *Études d'histoire littéraire*, Champion, 1930. — *Essais de méthode, de critique et d'histoire littéraire*, Hachette, 1965.

▒ A. Compagnon, *La Troisième République des lettres*, Seuil, 1983. — G. Delfau et A. Roche, *Histoire, littérature*, Seuil, 1977.

LAPASSADE (Georges)

Né en 1924

Né à Arbus (Pyrénées), Georges Lapassade est issu d'une famille modeste (son père était un artisan) de tradition laïque et socialiste : promis à une carrière d'instituteur, il le sera pendant deux ans. Agrégé de philosophie, il devient enseignant en École normale, puis élabore sa thèse de doctorat, *L'Entrée dans la vie* (publiée en 1963), où il construit une théorie de « l'inachèvement de l'homme » avec des éléments des traditions marxiste et freudienne. Parallèlement, il travaille au Centre national de la recherche scientifique*, entre autres avec C. Faucheux, et s'intéresse à la psychosociologie américaine — notamment au « sociodrame » de Moreno. Proche du groupe Socialisme ou barbarie* et de C. Castoriadis*, d'E. Morin* et de la revue *Arguments** — dont il dirige un numéro (1960) sur la bureaucratie —, il publie en 1966 *Groupes, organisations, institutions*, ouvrage théorique fondateur de l'analyse institutionnelle, développée ultérieurement avec R. Lourau, analyse critique de la bureaucratie, notamment scolaire, préfigurant aussi les travaux de « pédagogie institutionnelle » de M. Lobrot ou J. Ardoino. Un poste à l'université de Tunis (1965) le conduit à s'intéresser aux phénomènes liés à la transe, et lui fait découvrir les objets et méthodes de l'ethnologie. Son *Procès de l'Université* (1969) lui vaut d'être invité au Canada pour appliquer ses théories à l'université de Montréal — « intervention sociologique » relatée dans *L'Arpenteur* (1971). Il continue aussi ses recherches de psychosociologie (*L'Analyseur et l'analyste*, 1971) qui le portent à s'intéresser aux théories du « potentiel humain » de W. Reich et de la *Gestalt* (*Socioanalyse et potentiel humain*, 1975).

À partir de 1973, il enseigne à l'UER de sciences de l'éducation de l'université de Paris VIII. Dès lors, il partage son temps entre une intense pratique pédagogique institutionnelle réflexive (« analyse interne ») et de nombreux voyages ethnographiques au Maroc, en Italie ou au Brésil où il poursuit ses travaux sur les rites de possession et les états modifiés de conscience (*Essai sur la transe*, 1975). Suite au déménagement de Paris VIII, de Vincennes à Saint-Denis, il est conduit à étudier les modes de socialisation des jeunes en banlieue. Dans ce cadre il multiplie les articles et les expériences (de la création d'une radio « sauvage » à celle d'une UV d'ethnologie sur la culture « hip-hop ») puis, après s'être penché notamment sur la question des « beurs » comme mouvement politique, se tourne vers l'ethnométhodologie, l'ethnosociologie et la sociologie urbaine et oriente ses recherches de terrain sur l'École (*L'Université en transe*, 1987, avec P. Boumard et R. Hess) ou la musique rap (*Le Rap*, 1990, avec P. Rousselot).

Ses travaux les plus récents, mettant en œuvre les méthodes interactionnistes de H. Mead ou A. Strauss, portent sur la construction de l'identité et la construction de la situation, notamment dans les cas de « déviance » scolaire (*Guerre et paix dans la classe*, 1993). Hormis un bref passage au Front homosexuel en 1971, l'engagement de Lapassade ne se définit pas tant sous le rapport du militantisme que sous celui des relations entre sa trajectoire intellectuelle et son parcours institutionnel : ses écrits autobiographiques (*Le Bordel andalou*, 1971, *L'Autobiographe*, 1978) illustrent sa contribution à la légitimation d'un rapport à la fois « marginal », « instrumental » et réflexif aux institutions.

Fabrice Toledano

■ *Groupes, organisations, institutions*, Gauthier-Villars, 1966. — *Procès de l'Université*, Belfond, 1969. — *L'Autogestion pédagogique*, Gauthier-Villars, 1971. — *Le Bordel andalou*, Éd. de L'Herne, 1971. — *L'Autobiographe*, Duculot, 1978. — *L'Ethnosociologie : les sources anglo-saxonnes*, Méridiens-Klincksieck, 1992.

LATREILLE (André)

1901-1984

Fils d'universitaire, né à Lyon le 29 avril 1901, André Latreille y fait ses études d'histoire. Agrégé en 1923, professeur de lycée, il est docteur en 1936, enseigne en faculté à Poitiers (1937-1944), puis à Lyon (1945-1971), après avoir été sous-directeur des Cultes au ministère de l'Intérieur (novembre 1944-août 1945). Membre correspondant de l'Institut (Sciences morales et politiques), il meurt le 25 juillet 1984.

André Latreille a été inséparablement historien, universitaire, catholique, provincial et Lyonnais, « patron », militant. Historien, il privilégie une histoire politico-diplomatique qui combine de multiples facteurs d'explication, et le goût des synthèses amples et fermes, élégamment écrites. Soucieux d'ouvrir la connaissance historique à ses contemporains, il publie, plutôt que des ouvrages d'érudition, des manuels pour étudiants, une chronique mensuelle dans *Le Monde** (1945-1972) et des ouvrages pour le grand public. Il fonde à Lyon la revue *Cahiers d'histoire* et un centre de recherches, le Centre littéraire universitaire de Saint-

Étienne, multiplie les cours et les conférences en France et à l'étranger. Ignorant les modes, il a assimilé l'apport des enquêtes de pratique religieuse, mais reste réticent devant les nouvelles problématiques des sciences humaines.

Sa religion, traditionnelle et éclairée, a été marquée par le groupe de travail de Jacques Chevalier et la *Chronique sociale* de Marius Gonin, qui l'a initié au journalisme dès 1923 dans *Le Salut public* de Lyon et l'a ancré dans un catholicisme social ami de la démocratie et du pluralisme. Il écrit dans *Politique*, *La Vie intellectuelle*, *Sept**, et se lie aux Semaines sociales* et à la Paroisse universitaire* qui l'appellent après 1945, ainsi que le Centre catholique des intellectuels français*, dans leurs organes directeurs. « Gaulliste » dès juin 1940, il met en garde les évêques contre un soutien aveugle au régime de Vichy. Ses titres de résistance et son autorité d'historien de la politique religieuse le font appeler aux Cultes pour gérer l'épuration de l'épiscopat et l'abolition des lois de Vichy ; il y réussit, mais démissionne quand son idée d'un règlement global est écartée. Se vouant à « défricher, élucider, pacifier » ce terrain, il plaide pour la paix scolaire et défend une laïcité ouverte en laquelle il voit, avec son ami Vialatoux, « la condition juridique de la liberté de l'acte de foi » (*Esprit**, 1948).

Personnalité lyonnaise notable, attaché au MRP puis au centrisme, il s'engage aussi, avec le Cercle Tocqueville, contre la torture et pour la négociation en Algérie*. En Mai 68, présent dans sa faculté occupée malgré son âge et son aversion pour le désordre et l'utopie, il participe à l'œuvre de réforme dont il a compris la nécessité.

Bernard Comte

■ *Napoléon et le Saint-Siège. L'ambassade du cardinal Fesch à Rome*, Alcan, 1935. — *L'Église catholique et la Révolution française*, Hachette, 1946-1950, 2 vol. — *Les Forces religieuses et la vie politique* (avec A. Siegfried), Presses de la FNSP, 1951. — *Histoire de Lyon*, t. 3, Lyon, Masson, 1951. — *Histoire du catholicisme en France* (avec R. Palanque, E. Delaruelle et R. Rémond), SPES, 1957-1962, 3 vol. — *De Gaulle, la Libération et l'Église catholique*, Cerf, 1978.

■ *André Latreille. Journée du 16 janvier 1985*, Lyon, Centre régional interuniversitaire d'histoire religieuse, 1985.

LAUGIER (Henri)

1888-1973

Henri Laugier ne fut sans doute pas un grand nom de la science française, mais peu d'hommes auront eu une telle importance dans la politique scientifique de notre pays au cours du XXe siècle.

Provençal, Henri Laugier est né le 5 août 1888 d'un père qui dirigeait l'École normale d'Aix-en-Provence (sa mère était la tante du géophysicien Jean Coulomb, directeur du Centre national de la recherche scientifique*) et c'est au bord de la Méditerranée qu'il meurt, dans sa villa Shady Rock du cap d'Antibes en 1973. Entre deux dates, une vie au service de l'homme et de la cité scientifique. Docteur en médecine (1913), docteur ès sciences (1921), Henri Laugier s'est intéressé à la physiologie du travail, collaborant avec des psycho-physiologues tels J.-M. Lahy,

E. Toulouse et H. Piéron et à la revue *Travail humain*. Chef de laboratoire à l'Institut Marey, puis du laboratoire de prophylaxie mentale à l'École pratique des hautes études, professeur au CNAM (1929), directeur d'un laboratoire de psychotechnique des Chemins de fer de l'État (qui deviendra l'un des premiers laboratoires du CNRS), en février 1937 Laugier prend la chaire de Louis Lapicque (physiologie générale) à la Faculté des sciences de Paris. C'est ce dernier qui l'avait semble-t-il introduit en maçonnerie (1911). Mais Laugier est un professeur qu'auront peu rencontré ses étudiants.

Au vrai, l'activité essentielle de Laugier a été d'influence et d'organisation. La première guerre dans les tranchées l'avait vu s'intéresser aux questions d'enseignement. Au lendemain du conflit, il rejoint les « Compagnons de l'Université nouvelle » (1921). En 1925, il dirige le cabinet du ministre de l'Éducation nationale, Y. Delbos. Puis il participe à la fondation de l'Union rationaliste (1930), un groupe de scientifiques — Bayet*, Langevin*, Perrin*, Prenant* — mus par le souci de penser l'avenir de la recherche française dans le sens du positivisme d'Auguste Comte, afin de pallier le retard que les laboratoires français n'ont cessé de prendre par rapport à leurs voisins depuis le début du siècle. Ses contacts et ses compétences — il avait le don particulier, dit G. Mineur, « de discerner d'un coup d'œil les bons scientifiques » (*Cahiers pour l'histoire du CNRS*, 1989/2) — le font distinguer par le physicien Jean Perrin en 1936 pour prendre la direction du Service de la recherche créé à l'Éducation nationale. Laugier entreprend d'y installer un dispositif qui aboutira au CNRS, dont il devient le premier directeur en octobre 1939 avec à ses côtés le physicien H. Longchambon. Il a un rôle important dans la mobilisation scientifique du pays, soutenant les travaux de Joliot* sur la fission de l'atome, et pousse à la prise de brevets liés à l'utilisation de la nouvelle énergie (pile et bombe atomiques, CNRS, 1939-1940). Avec le physicien P. Auger, il crée un dispositif moderne de documentation scientifique. Mais il n'oublie pas la politique et il se bat pour obtenir des visas destinés aux savants allemands victimes du nazisme (notamment le prix Nobel O. Mayerhof).

« Ce superbe combattant de la liberté » (Jean-Louis Crémieux-Brilhac) est révoqué par Vichy en juillet 1940. Commence un exil outre-Atlantique où il milite pour la France libre *(France for ever)* puis à Alger où, fin 1943, l'a appelé le général de Gaulle. À la Libération, Laugier ne reprend pas son poste à la direction du CNRS, le siège étant déjà occupé par F. Joliot. Il se voit confier les relations culturelles au Quai d'Orsay (1944-1946) — Laugier avait déjà pris des contacts « diplomatiques » avant guerre, notamment à la SDN — avant de prendre le secrétariat adjoint de l'ONU à New York où il est chargé des questions sociales et culturelles (1946-1951). De là, il jouera un rôle essentiel dans la création de l'Unesco (1948).

Rentré en France au début des années 50, il reprend sa chaire en Sorbonne, tandis que le Commissariat au Plan (Hirsch) lui confie le soin de présider sa Sous-commission de la recherche (1953). Laugier recommandera à Pierre Mendès France le nom de Longchambon pour le secrétariat d'État à la Recherche installé en 1954. De Zay — le ministre fondateur du CNRS — à Mendès, Laugier a ainsi assuré le lien de deux générations d'hommes politiques français soucieux de la recherche scientifique. Il l'a fait avec des idées novatrices, comme la nécessité de créer des instituts de recherche spécifiques, censés pallier les insuffisances de notre vieille université. De plus, comme il avait une conception moderne de la place des sciences sociales dans l'organisation de nos sociétés, il a préparé les programmes sociologiques de la future DGRST (1959).

Henri Laugier, humaniste de ce siècle, s'intéressait aussi aux arts. Proche de Picasso*, à sa mort, il fit don à l'État des collections qu'il avait pu rassembler avec son amie, Marie Cuttoli.

Jean-François Picard

■ *Combat de l'exil*, Montréal, 1943. — « Le Centre national de la recherche scientifique », *Revue d'Alger*, 1944. — *Du civisme national au civisme international*, Ophrys, 1972.

LAURENT (Jacques)

Né en 1919

Jacques Laurent-Cély naît le 5 janvier 1919 dans une famille de la moyenne bourgeoisie parisienne, d'un père avocat et d'une mère sœur d'Eugène Deloncle, futur fondateur de la « Cagoule ». Après des études secondaires au lycée Condorcet, il débute en 1938 une licence de philosophie à la Sorbonne. En 1936, il adhère à l'Action française*, très présente à Condorcet et assure jusqu'en 1939 la chronique littéraire de *L'Étudiant français*. Pourtant sceptique devant l'intransigeance et la rigidité du maurrassisme, il rejoint dès 1937 d'autres revues, proches du nationalisme intégral mais dissidentes et affiliées à la nébuleuse du « non-conformisme des années 30 » comme *Civilisation* ou *Combat**. René Vincent, rédacteur en chef de cette dernière, le fait entrer en 1942 au ministère de l'Information à Vichy, où, en plus de notes d'information destinées à la presse, il écrit de nombreux articles pour *Idées*, « revue de la Révolution nationale ». Soit désillusions dues à l'effondrement en 1940 d'une France adulée puis à l'échec d'un régime prônant pourtant des valeurs siennes mais n'ayant pas rempli ses espoirs, soit calcul provoqué par l'omniprésence sur la scène intellectuelle et politique de l'après-guerre de ses adversaires d'hier, Jacques Laurent se retire des débats de la Cité.

En 1947, il publie sous le pseudonyme de Cecil Saint-Laurent *Caroline chérie*, roman d'aventures teinté d'érotisme au succès rapide et massif. Si, la même année, il publie ses premiers articles depuis la Libération dans la revue *La Table ronde*, c'est pour fustiger le climat ambiant, l'absence de véritable cause politique à défendre et la littérature engagée. Ce dernier thème devient son cheval de bataille durant toutes les années 50 : talent littéraire n'implique pas lucidité politique et tout roman à thèse ne peut être que de piètre qualité, la liberté créatrice de l'auteur étant soumise aux contraintes d'une démonstration. *Paul et Jean-Paul* (1951), bref et plaisant pamphlet anti-sartrien rédigé autour de ce thème, lui donne une certaine notoriété et achève de l'installer dans ce rôle de pourfendeur de la littérature engagée. Il apparaît alors comme un des « Hussards », expression journalistique recouvrant plusieurs jeunes écrivains désignés de droite comme Antoine Blondin, Michel Déon ou Roger Nimier*.

En 1953, il fonde la revue *La Parisienne** et rachète en 1954 le journal *Arts**, espérant ainsi pouvoir faire s'exprimer des écrivains de tous bords, préoccupés de la seule création littéraire et artistique et non de la politique. Le style original et la qualité des contributeurs (Jouhandeau*, Léautaud*, Cocteau*, Morand*, Blondin, Audiberti...) assurent un bref succès à ces deux publications. Mais dès 1956-1957, cette tentative de cosmopolitisme littéraire et politique se révèle être un échec. La cause « Algérie française » provoque un retour de son engagement dans les années 60. Membre peu actif de l'OAS, il est surtout une virulente plume anti-gaulliste (*Mauriac sous de Gaulle*, 1964) et ce jusqu'à son départ pour une série de reportages au Vietnam en 1968 et 1969. Il en rapporte son premier texte réellement antimarxiste, *Choses vues au Vietnam* (1968), dernier texte polémique avant de se consacrer exclusivement à la littérature romanesque. Il obtient en 1971 le prix Goncourt pour *Les Bêtises* et entre à l'Académie française* en 1987.

Jacques Laurent appartient à cette catégorie d'intellectuels de droite, récusant ces deux termes, n'ayant effectivement adhéré à aucune structure politique, signé que peu de pétitions, écrit aucun texte réellement politique mais dont la sensibilité, la vision du monde véhiculée par leurs livres et leurs rares engagements, même si ce ne sont que des réactions à d'autres, justifient une telle classification.

Vincent Feltesse

■ Sous le nom de Jacques Bostan : *Compromis avec la colère*, Rodes, P. Berger chez Supervie, 1944. — Sous le nom de Cecil Saint-Laurent : *Caroline chérie*, Froissart, 1947. — Sous le nom de Jacques Laurent : *Paul et Jean-Paul*, Grasset, 1951. — *Mauriac sous de Gaulle*, La Table ronde, 1964. — *Au contraire*, La Table ronde, 1967. — *Les choses que j'ai vues au Vietnam m'ont fait douter de l'intelligence occidentale*, La Table ronde, 1968. — *Les Bêtises*, Tallandier, 1971. — *Histoire égoïste*, La Table ronde, 1976.

■ V. Feltesse, *Jacques Laurent dans le débat intellectuel et politique*, mémoire, IEP de Paris, 1992.

Lavisse (Ernest)

1842-1922

« Pape et maréchal de l'Université » (Daniel Halévy*), pédagogue national du primaire à l'enseignement supérieur... Ernest Lavisse a occupé une place centrale dans l'élite intellectuelle et politique de la IIIe République.

Né en Picardie, à Nouvion-en-Thiérache, ce fils d'un marchand de nouveautés entre à l'École normale supérieure*, puis passe l'agrégation. Professeur de lycée, il est remarqué par Victor Duruy, ministre de l'Instruction publique, qui en fait son conseiller. Sur la recommandation de Duruy, il devient précepteur du prince impérial (1868). Abattu par la chute de l'Empire et la défaite, Ernest Lavisse part trois ans à Berlin, où il élabore sa thèse d'État (*La Marche de Brandebourg sous la dynastie ascanienne*..., soutenue en 1875), tout en s'interrogeant sur les sources de la supériorité allemande. Nommé maître de conférences à l'École normale supérieure (1876), puis professeur à la Sorbonne (1888), son œuvre s'oriente vers la synthèse, plus préoccupée de restauration nationale que d'érudition. Trois entreprises collectives témoignent de cet effort : l'*Histoire générale, du IVe siècle à nos jours*, avec Alfred Rambaud (1892-1901), l'*Histoire de France* (1903-1911) et l'*Histoire de la France contemporaine* (1921-1922). Entouré des historiens universitaires les plus réputés et épaulé par le bibliothécaire de l'École normale supérieure, Lucien Herr*, Ernest Lavisse rédige lui-même le volume sur Louis XIV et la conclusion de l'*Histoire de France*. À ces ouvrages de synthèse universitaire s'ajoute le « petit Lavisse » (1876, refondu en 1884) ; utilisé par des millions d'écoliers, l'ouvrage célèbre les destinées indissociables de la nation et de la République ; l'historien a « le devoir social de faire aimer et de faire comprendre la patrie ».

Cependant, Ernest Lavisse, longtemps réservé à l'égard de la République, demeure un modéré. En témoigne, au moment de l'affaire Dreyfus*, son « Appel à l'union », paru dans *Le Temps* du 23 janvier 1899. Dreyfusien plus que dreyfusard, il veut avant tout mettre un terme au déchirement de la nation, et milite pour « la réconciliation et l'apaisement » en récusant l'opposition entre justice et armée.

À cette époque, son prestige et son pouvoir touchent à leur apogée. Entré à l'Académie française* en 1893, rédacteur en chef de *La Revue de Paris** (1894), il conseille Louis Liard pour la réforme des universités (1896). Directeur de l'École normale supérieure (1904), il est le conseiller d'une génération de normaliens.

Son empire institutionnel lui attire les attaques convergentes de Péguy* et de l'Action française* (1912), qui voient en lui l'introducteur des méthodes germaniques en histoire. Mais son œuvre de propagandiste inlassable au cours de la Première Guerre mondiale* (*Études et documents sur la guerre*, 1915) réconcilie avec lui une grande part de ses détracteurs.

Olivier Dumoulin

■ *Études sur l'histoire de la Prusse*, Hachette, 1879. — *Questions d'enseignement national*, Armand Colin, 1885.

■ P. Nora, « Lavisse instituteur national », in P. Nora (dir.), *Les Lieux de mémoire*, vol. 1 : *La République*, Gallimard, 1984.

LAZARE (Bernard)

1865-1903

Péguy* a dit de lui qu'il était un « saint », Léon Blum* l'a défini comme un « juste », d'autres l'ont appelé « prophète », pourtant (et est-ce un hasard ?), le nom du pionnier du combat dreyfusard, et l'un des tout premiers sionistes français, n'est guère passé à la postérité, ni dans le panthéon républicain en France, ni dans la mémoire collective de la nation née de l'idée sioniste.

Lazare Marcus Manassé Bernard, qui prit le pseudonyme littéraire de « Bernard Lazare », naquit à Nîmes en 1865 d'une famille juive aisée (son père vivait du commerce de la confection). Après des études secondaires et une courte période d'activité à la Société littéraire et artistique de Nîmes, le jeune homme, âgé de vingt et un ans, gagne Paris et s'inscrit en science des religions à l'École pratique des hautes études.

Cependant, le jeune Nîmois se sent surtout attiré vers les poètes symbolistes des années 1880, avec qui il s'essaie à diverses publications, participant en 1891 à la réalisation des *Entretiens politiques et littéraires*. Il mène, dans cette revue, une offensive contre le Parnasse et le naturalisme, et y fait paraître également des articles à connotation raciste à l'égard des juifs d'Europe de l'Est.

Son activité symboliste contribue à le rapprocher de cercles anarchisants, et il devient, en quelques années, l'un des publicistes libertaires parisiens les plus connus. Cette radicalisation politique n'interrompt pas ses questionnements sur le problème juif ; bien au contraire, il publie en 1894 un important ouvrage intitulé *L'Antisémitisme, son histoire et ses causes*, où se côtoient, pêle-mêle, des reliquats de ses vues judéophobes antérieures et des expressions philosémites nouvelles.

Dès 1895, Bernard Lazare se convainc de l'innocence du capitaine Dreyfus et devient ainsi, très certainement, le premier dreyfusard extérieur au cercle de la famille du capitaine. En 1896, il fait éditer à Bruxelles une brochure intitulée *Une erreur judiciaire. La vérité sur l'affaire Dreyfus* ; de cette date jusqu'à la décision d'amnistie, en 1899, il consacre le meilleur de son temps et de sa plume au combat pour la révision du jugement.

Tout en menant de front une intense activité journalistique et littéraire et en continuant de fréquenter ces milieux, il s'engage résolument dans une action contre toute marque d'antisémitisme. C'est alors qu'il se range aux côtés de Herzl pour appeler à la renaissance des droits nationaux des juifs. Bernard Lazare élabore une approche originale de la question nationale, et devient en 1898 membre du comité exécutif du Congrès sioniste.

Cependant, cet « anarchiste-sioniste » ne tarde pas à se sentir marginal, alors même que le camp dreyfusard-républicain remporte ses premiers succès, et que le mouvement sioniste affirme son organisation et sa ligne politique. Les dreyfusards de la dernière heure s'emploient à mettre sous l'éteignoir ce non-conformiste exigeant ; tout comme Péguy, il se sent de plus en plus étranger aux voies empruntées par la nouvelle élite politique. En 1902, Bernard Lazare, l'anticlérical intransigeant, pourfend, dans les *Cahiers de la quinzaine* de Péguy, les poursuites engagées par le gouvernement Combes à l'encontre des congrégations.

De même, dès 1899, ses relations avec le Congrès sioniste commencent à se détériorer : Bernard Lazare rejette la politique visant à courtiser le sultan ottoman tout en faisant silence sur les persécutions subies par les Arméniens, et il critique sévèrement le fait que l'un des tout premiers pas du Mouvement national juif consiste à fonder une banque. Sans cesser d'affirmer une fierté nationale juive, Lazare quitte le Congrès sioniste. Au cours des années suivantes, les dernières de sa brève existence, il s'emploie à venir en aide aux juifs persécutés en Europe de l'Est qu'il avait accablés de ses sarcasmes lorsqu'il était jeune. Il meurt en 1903, dans l'isolement et la douleur, victime d'un cancer.

Shlomo Sand

■ *L'Antisémitisme, son histoire et ses causes*, 1894, rééd. Éditions 1900, 1900. — *Contre l'antisémitisme. Histoire d'une polémique*, 1896, rééd. La Différence, 1983. — *Une erreur judiciaire. La vérité sur l'affaire Dreyfus*, Bruxelles, 1896. — *Comment on condamne un innocent*, Stock, 1898. — *Le Fumier de Job*, rééd. Circé, 1990.

J.-D. Bredin, *Bernard Lazare*, Fallois, 1992. — M.-R. Marrus, *Les Juifs de France à l'époque de l'affaire Dreyfus*, Calmann-Lévy, 1972. — N. Wilson, *Bernard Lazare*, 1978, rééd. Albin Michel, 1985.

LÉAUTAUD (Paul)

1872-1956

Auteur profondément pacifiste, à l'esprit empreint de scepticisme, Paul Léautaud est connu pour son *Journal littéraire*.

Né le 18 janvier 1872, rue Molière, de parents comédiens. Élevé par le père, il a une enfance et une adolescence solitaires. Nanti de son seul certificat d'études, il entre en 1887 dans le monde du travail. Apprenti, « bisto », premier clerc, il se cherche. Il fréquente la Comédie-Française, Molière forme son goût. En 1889, influencé par Mallarmé, il dédie ses poèmes à Jeanne Marié, son premier amour. Engagé volontaire en 1891, il est réformé en 1892, après une tentative de suicide.

En 1895, il rencontre Alfred Vallette, le fondateur des éditions et de la revue du *Mercure de France**, et publie dans cette dernière ses *Essais de sentimentalisme*. Époque de grande lecture, Stendhal, Renan, Mallarmé. Il fréquente les familiers de Vallette, poètes symbolistes de tendance anarchiste. Son pacifisme, pendant la Première Guerre mondiale*, irritera le *Mercure*. Il se lie avec Remy de Gourmont, fréquente Paupe, Schwob, Marguerite Moréno. Il noue une amitié féconde avec Valéry*. Dreyfusard, Léautaud est choqué par le comportement antidreyfusard de Valéry lors de la souscription du monument du colonel Henry.

Les Poètes d'aujourd'hui, paru au Mercure en 1900, consacre Léautaud. C'est aussi un adieu définitif à la poésie symboliste. *Le Petit Ami* (1903), *In memoriam* (1905), *Amours* (1906) le classent parmi les écrivains amoralistes qui scandalisent Proust*. En 1907, il prend la chronique dramatique au *Mercure*, sous le pseudonyme de « Maurice Boissard ». C'est une révélation.

En 1908, il entre comme « employé » au Mercure. Son destin est scellé : le *Journal* qu'il tient (1893-1956) va peindre le milieu littéraire qui gravite autour de la maison d'édition et de la revue. Il ne ménage personne et donne des aperçus saisissants des mœurs éditoriales, sans compter les portraits d'hommes de lettres ou de théâtre, de poètes ratés ou célèbres, de directeurs de revues, de journaux, de maisons d'édition, de gens de robe : Gide*, Valéry, Rachilde, Apollinaire*, Claudel*, Louis Jouvet, Guitry, Antoine, Paulhan*, Maurice Martin du Gard, Gaston Gallimard, Vallette, etc. En 1933, rencontre avec Marie Dormoy, sa dernière maîtresse, qui dactylographiera le *Journal*. La surprise sera de découvrir un style sans fard et corrosif : celui d'un historiographe du Mercure de France. Léautaud se révèle bourgeois dans ses goûts intimes, antidémocrate dans ses orientations politiques, misanthrope de caractère. Mallet le lance en 1951 avec ses *Entretiens* à la radio et en fait une vedette. Léautaud s'éteint à La Vallée-aux-Loups, le 22 février 1956.

Édith Silve

Journal littéraire, Mercure de France, 1954-1966, rééd. 1986, 3 vol. plus index. — *Œuvres*, Mercure de France, 1988. — *Entretiens avec Robert Mallet*, Mercure de France, 1988.

R. Mahieu, *Paul Léautaud (1872-1914)*, Minard, 1974. — É. Silve, *Paul Léautaud et le Mercure de France*, Mercure de France, 1985, rééd. 1994.

Le Bon (Gustave)

1841-1931

Fils de fonctionnaire né à Nogent-le-Rotrou, Gustave Le Bon est surtout connu aujourd'hui pour un livre, alors qu'il en a écrit une bonne quarantaine, sans compter d'innombrables articles : *La Psychologie des foules*, traduite en seize langues et constamment rééditée, donne l'image d'un ennemi de la démocratie, qu'il assimile à une barbarie moderne. Dans la biographie intellectuelle de Le Bon, ce n'est cependant qu'un aspect, certes capital, d'une pensée qui connaîtra plus d'une station.

Il est tout d'abord, après des études de médecine sous le Second Empire, un carabin plutôt positiviste. L'antichristianisme et le matérialisme sont d'ailleurs une dimension constante de sa conception du monde. Après la guerre de 1870 et la Commune, son intérêt se déplace de la nosographie individuelle vers la pathologie sociale. Le médecin devient « sociologue » et figure à ce titre parmi les fondateurs de la *Revue philosophique* de Théodule Ribot (1876). Deux ans plus tard, il entre à la Société anthropologique de Paris de Paul Broca, mais il en sortira rapidement convaincu que la « science sociale » — qui est désormais son projet scientifique — n'opère pas sur des corps, mais sur des idées, des sentiments (nous dirions aujourd'hui des « représentations ») qui gouvernent les « régions obscures de l'inconscient » humain.

Contre les explications juridiques et progressistes de l'histoire, Le Bon oppose désormais interminablement son propre « système » psychologique (« psychologique » voulant dire chez lui explication par l'instinct, l'inconscient collectif...). Il n'est donc pas outre mesure surprenant que son premier best-seller ait été *Les Lois psychologiques de l'évolution des peuples* (1894), qui précède d'un an *La Psychologie des foules*. L'objet véritable du médecin-philosophe s'y révèle être la question du pouvoir moderne à l'âge démocratique. Dans *La Psychologie politique et la défense sociale*, il fait la description d'un « Prince moderne », qu'il appelle le « psychologue-homme d'État », destiné à dompter l'hydre démocratique, dont il dessine le portrait terrifiant dans sa *Psychologie du socialisme* (1896) et sa *Révolution française et la psychologie des révolutions* (1912). Sorel*, qui voit en lui « le plus grand psychologue français », lui écrit que le grand péché qu'il a commis est « de ne pas posséder les diplômes d'un savant officiel ». Il y a là quelque chose de très bien vu : ce n'est pas dans l'Université républicaine — où il est fortement contré par Durkheim* et les siens —, ni dans le « parti intellectuel » lié à cette dernière, que Le Bon trouve du répondant, mais dans leurs marges et leurs contraires. C'est en effet dans l'élite militaire qu'il trouve ses disciples les plus... opérationnels. Jeune professeur à l'École de guerre à partir de 1906, Ferdinand Foch enseigne, en se prévalant par ailleurs des théories célèbres d'Ardant du Picq sur les « forces morales », une doctrine de la « troupe-foule » dont les références, avouées en tout état de cause, sont transparentes...

D'autre part, Le Bon a eu le génie de créer des contre-pouvoirs intellectuels de toutes pièces. Ce sont les célèbres déjeuners du mercredi, où se mêlent le gratin républicain (ce n'est pas le moindre paradoxe qu'un réactionnaire comme lui ait été, après le président Carnot, l'ami de Clemenceau, de Poincaré, de Briand) et scientifique. Ces déjeuners se tiennent d'ailleurs encore aujourd'hui, tout comme existe toujours, aux Éditions Flammarion, la « Bibliothèque scientifique », fondée la même année que les déjeuners (1902). Autre paradoxe : si, sur le plan épistémologique, il est aisé de repérer chez lui l'influence de doctrines jugées aujourd'hui peu recommandables (phrénologie, hypnotisme, théories de Gobineau), il n'en reste pas moins qu'il a contribué à donner la parole à de grands savants. L'un des premiers titres de la fameuse collection à jaquette saumon n'est-il pas *La Science et l'hypothèse* d'Henri Poincaré* ?

La guerre de 1914 joue le rôle d'un nouveau tournant pour cet homme pourtant très âgé et perclus d'honneurs qu'est Le Bon, une référence majeure des fameux « jeunes gens d'aujourd'hui » d'Agathon*, et de toute la contre-culture de droite. Le conflit l'oblige à mettre quelque peu entre parenthèses sa théorie fondamentale des peuples latins décadents, au profit d'une nouvelle distinction entre les nations anglo-saxonnes et le germanisme, illustration exemplaire de la barbarie toujours prête à refaire surface « aussi bien chez l'intellectuel que chez l'illettré ». Ce sont de telles considérations qui, reprises par Freud sur un plan anthropologique, feront plus pour la gloire de Le Bon que les efforts de ses disciples français, au reste peu nombreux. À sa mort en 1931, les déclarations d'un Mussolini l'auront profilé comme un précurseur des totalitarismes modernes, bien que lui-même ait toujours lorgné, ainsi qu'un de ses lecteurs, le jeune de Gaulle, vers un système de république « musclée » à l'américaine.

Sa « psychologie » des foules a connu un regain de curiosité au début des années 80. Dans un contexte marqué par le déclin des interprétations « économistes » de l'histoire, il était prévisible que Le Bon bénéficie à nouveau de l'intérêt, sinon de l'adhésion des intellectuels.

Daniel Lindenberg

■ Longtemps introuvables, sauf *La Psychologie des foules* (PUF, 1990), les œuvres de Le Bon sont aujourd'hui rééditées, en édition hors commerce, par la Société des amis de Gustave Le Bon.

■ B. Edelman, *L'Homme des foules*, Payot, 1981. — S. Moscovici, *L'Âge des foules*, Fayard, 1981. — R.A. Nye, *Origins of Crowd Psychology*, Londres, 1971.

Le Bras (Gabriel)

1891-1970

Juriste, canoniste, historien, sociologue, diplomate… on hésite à borner l'énumération des compétences et des activités de Gabriel Le Bras. À la fin des années 50, ce spécialiste de droit romain médiéval et de droit canonique enseigne aux Facultés de droit et de lettres de Paris, aux Ve (Sciences religieuses) et VIe (Sciences économiques et sociales) Sections de l'École pratique des hautes études et à l'Institut d'études politiques* ; il est aussi, depuis 1947, conseiller du ministère des Affaires étrangères pour les affaires religieuses.

Né à Paimpol le 23 juillet 1891, dans une famille de longue tradition maritime, Gabriel Le Bras est contrarié dans son projet d'entrer à l'École navale par les défauts de sa vue. Il fait donc des études de droit et de lettres à Rennes. Jeune agrégé de droit romain, il enseigne dès 1922 à Strasbourg, à la fois en Faculté de droit et à l'Institut de droit canonique de la Faculté de théologie catholique. Sensible aux « limites étroites de toute science particulière », il se lie logiquement avec Marc Bloch* et Lucien Febvre*. On comprend que ces amitiés l'aient amené à s'intéresser au peuple chrétien jusque là négligé par les historiens de l'Église.

« On recense les bœufs et les chevaux, mais qui songe à supputer le nombre des catholiques pratiquants, dont la place est peut-être aussi appréciable sur notre sol ! », écrit-il en 1931, de cette plume pittoresque et volontiers ironique qu'il a toujours cultivée, dans un article programme qui fit date : « Statistique et histoire religieuse. Pour un examen détaillé et pour une explication historique de l'état du catholicisme dans les diverses régions de France » (*Revue d'histoire de l'Église de France*, t. 17). Resté assez seul sur ce terrain jusqu'aux années 40, Le Bras reçoit alors le renfort éclairé de l'abbé Boulard, et de leur collaboration naissent la première carte religieuse de la France rurale (1947), de multiples enquêtes et des essais d'explication.

On considéra vite Le Bras comme le « père de la sociologie religieuse ». Sextuple erreur, rétorquait-il, « je ne suis que *l'un* des *initiateurs* de la *sociographie* de la *pratique* du *catholicisme*, en *France* ». Mais il sut laisser ses disciples s'engager dans des voies nouvelles, et c'est grâce à lui et avec lui que Henri Desroche*, François Isambert, Émile Poulat et Jacques Maître — tous précédemment mêlés à la crise du progressisme chrétien — purent fonder en octobre 1954 le Groupe de sociologie des religions du Centre national de la recherche scientifique*. Élu à l'Académie des sciences morales et politiques en 1965, Gabriel Le Bras est mort le 19 février 1970, laissant une œuvre considérable et largement dispersée, à la mesure de ses curiosités insatiables.

Yvon Tranvouez

■ *Introduction à l'histoire de la pratique religieuse en France*, Bibliothèque de l'EPHE, 1942 et 1945, 2 vol. — *Histoire du droit et des institutions de l'Église en Occident*, t. I : *Prolégomènes*, Sirey, 1955. — *Études de sociologie religieuse*, PUF, 1955 et 1956, 2 vol. — *Les Institutions ecclésiastiques de la chrétienté médiévale*, Bloud et Gay, 1959 et 1964, 2 vol. — *L'Église et le village*, Flammarion, 1976.

■ H. Desroche, « Gabriel Le Bras », suivi du « Discours synthétique d'un récipiendaire » prononcé par Gabriel Le Bras lors de sa réception à l'Académie des sciences morales et politiques en 1965, *Archives de sociologie des religions*, n° 29, 1970. — J.-R. Palanque, J. Gaudemet et Boulard, « Gabriel Le Bras », *Revue d'histoire de l'Église de France*, n° 156, janvier-juin 1970. — É. Poulat, *Poussières de raison*, Cerf, 1988, pp. 144-147.

Le Corbusier [Charles-Édouard Jeanneret]

1887-1965

Personnalité charismatique, chef de file pugnace du Mouvement moderne en architecture, considéré comme l'un des plus grands architectes du XXe siècle, Le Corbusier fut aussi peintre et écrivain, prêt à tous les combats pour faire triompher ses idées.

Né à La Chaux-de-Fonds en Suisse en 1887, Charles-Édouard Jeanneret suit le cours de l'École d'arts appliqués de sa ville. Il critique déjà, pour son traditionalisme, l'enseignement qui y est dispensé. Installé définitivement à Paris en 1917, il sera naturalisé français en 1930. Comme Auguste Perret, chez qui il a suivi des stages de formation en 1908-1909, Le Corbusier n'a jamais été officiellement diplômé des grandes écoles d'art. Tout jeune, alors qu'il construit des villas pour de riches compatriotes, il s'intéresse à l'habitat populaire et mène, dès 1914, ses premières recherches de construction industrialisée. Dans les maisons « Dom-ino » destinées à la reconstruction rapide des régions du Nord, il emploie des techniques de préfabrication et prône la participation des futurs habitants à l'élaboration de leur maison individuelle. Après avoir fait breveter le procédé « Dom-ino », il lance en 1921 sa célèbre formule « machine à habiter » dans la revue *L'Esprit nouveau* fondée l'année précédente avec le peintre Amédée Ozenfant. Il adopte alors le pseudonyme de « Le Corbusier », en signant des articles de critique architecturale dans cette « revue internationale d'esthétique », où écrivent notamment Aragon* et Cocteau*.

À partir de 1928, il anime les Congrès internationaux de l'architecture moderne (CIAM), rencontres périodiques où, avec un groupe d'architectes novateurs, il élabore les principes d'un urbanisme fonctionnaliste et d'une architecture de masse. Ces principes sont codifiés, après le Congrès d'Athènes de 1934, dans *La Charte d'Athènes*, en grande partie rédigée par Le Corbusier. Le texte, publié en France par ses soins en 1943, sera préfacé par Jean Giraudoux*. Titrée « pavillon des temps nouveaux, essai de Musée d'éducation populaire (urbanisme) », la construction des CIAM pour l'Exposition internationale* de 1937 en est le manifeste concret. Politiquement conservateur, Le Corbusier met ses espoirs dans tous les gouvernements qui usent de leur autorité pour construire pour le peuple. Après avoir bataillé pour imposer ses vues dans la construction de la cité-refuge de l'Armée du Salut à Paris en 1930, il réalise le siège central de l'Union des coopératives soviétiques de 1929 à 1936. En 1943, il fonde l'ASCORAL, « Assemblée de constructeurs pour une rénovation architecturale », dont les principales idées sur l'aménagement urbain formeront la base de l'urbanisme d'après guerre.

Doué d'un grand talent de polémiste, volontiers provocateur et porté à jouer les artistes maudits, il a passé sa vie à solliciter les pouvoirs publics pour se voir confier des commandes de grands chantiers où il aurait pu mettre en pratique ses idées d'organisation spatiale et sociale. Mais jusqu'au milieu des années 50, malgré les besoins de la reconstruction dans laquelle il place de grands espoirs, il a du mal à faire admettre la généralisation des toits en terrasse, les immeubles de béton, la séparation fonctionnelle des espaces urbains et la fin des pâtés de maisons haussmanniens. À partir de 1946, après des démêlés avec les habitants de Saint-Dié et de

La Rochelle, il obtient finalement du gouvernement la réalisation d'un ensemble d'habitations à Marseille, appelé par ses détracteurs la « maison du fada ».

Dans les années 50, sa renommée internationale grandit, en particulier avec la construction de monuments prestigieux comme la chapelle de Ronchamp dans le Jura et le couvent de La Tourette près de Lyon. En 1951, il devient l'architecte-conseil du gouvernement du Pendjab qui construit sa nouvelle capitale, Chandigarh. L'écart pourtant ne cesse de se creuser entre l'influence profonde qu'il exerce sur les milieux de l'architecture et de l'urbanisme et les réticences des pouvoirs publics à lui confier la réalisation de fragments urbains complets. C'est le paradoxe de cet architecte, plus intellectuel et théoricien que constructeur, salué par André Malraux lors de ses funérailles nationales, comme l'artisan de la révolution architecturale des temps modernes.

Danièle Voldman

■ *Vers une architecture*, Crès, 1923. — *Précisions sur un état présent de l'architecture et de l'urbanisme*, Crès, 1928. — *La Ville radieuse*, L'Architecture d'aujourd'hui, 1935. — *La Charte d'Athènes*, Plon, 1943.

▒ M. Besset, *Qui était Le Corbusier ?*, Skira, 1968. — S. von Moos, *Le Corbusier, l'architecte et son mythe*, Horizons de France, 1971. — *Le Corbusier. Catalogue de l'exposition du centenaire*, Beaubourg, 1987.

LEFEBVRE (Georges)

1874-1959

Né le 6 août 1874 à Lille où son père était comptable, Georges Lefebvre suit le parcours exemplaire des enfants de la petite bourgeoisie républicaine attachée à la promotion par l'école. Élève de l'école primaire publique puis boursier communal dans l'enseignement spécial, il obtient le baccalauréat dans cette section sans latin (1892). L'année suivante, il passe le baccalauréat classique, ce qui lui ouvre les portes de la Faculté des lettres de Lille où il est de nouveau boursier. Il obtient l'agrégation au bout de deux tentatives en 1899. Il entame alors une carrière de professeur du secondaire dans divers postes du Nord de la France au cours de laquelle il poursuit ses minutieuses recherches en vue de sa thèse sur *Les Paysans du Nord pendant la Révolution française* (1924). Il achève celle-ci après vingt ans de travail de bénédictin (1904-1924) et quelques années d'enseignement aux lycées Montaigne puis Henri-IV. Ce premier travail qui applique à l'histoire de la Révolution les intuitions économiques et sociales lancées par Jaurès* dans son *Histoire socialiste* permet à G. Lefebvre, à cinquante ans passés, d'accéder à une maîtrise de conférences à Clermont-Ferrand. Quatre ans plus tard, il rallie la Faculté des lettres de Strasbourg où se retrouvent une pléiade d'universitaires qui vont marquer leurs disciplines : Marc Bloch*, Lucien Febvre*, Maurice Halbwachs*. Avec eux, il participe à la fondation des *Annales d'histoire économique et sociale* (1929), tandis que la mort prématurée d'Albert Mathiez*, en 1932, le fait accéder à la direction des *Annales historiques de la Révolution française* et à la présidence de la Société des études robespierristes. Pour ce socialiste, militant laïque, le climat politique alsacien devient vite pesant dans les années 30. En 1935 il est élu à une maîtrise de conférences à la Sorbonne et, deux ans plus tard, il succède à Philippe Sagnac et devient titulaire de la chaire d'histoire de la Révolution française. Dès sa prise de fonctions, il obtient la création du nouvel Institut d'histoire de la Révolution française — qui existe toujours. Retraité en 1941, il poursuit cependant son enseignement sous forme de cours complémentaires jusqu'en 1945. Il meurt à Boulogne-sur-Seine le 28 août 1959.

Cette carrière lente n'a permis que tardivement à Georges Lefebvre de donner toute sa mesure. Elle fait ressortir d'autant plus la fécondité d'une œuvre à la fois abondante (21 ouvrages, 12 cours polycopiés, 5 directions d'ouvrages et 170 articles d'érudition ou de méthode, près de 500 comptes rendus) et novatrice par ses orientations. Avec lui, ce qui n'était que programmatique chez Mathiez, éclairer les fondements économiques et sociaux de la Révolution, devient réalité tangible et érudite. Par là G. Lefebvre participe complètement de ce qu'on a appelé la « révolution des *Annales* ». Il est aussi, avant E. Labrousse* ou P. Vilar, le premier à opérer la rencontre entre le marxisme et l'histoire universitaire et le premier à pratiquer l'histoire sociale agraire. Influencé par les durkheimiens (notamment son collègue Halbwachs), il a aussi essayé de comprendre les faits de mentalité collective au sein des classes populaires en période révolutionnaire (cf., en 1932, *La Grande Peur de 1789*, ses articles sur les foules révolutionnaires ou « Le meurtre du comte de Dampierre »). Il anticipe ainsi sur les travaux des années 60 d'un Michel Vovelle. Bien que son souvenir ait été presque exclusivement entretenu par l'extrême gauche de l'historiographie révolutionnaire (Albert Soboul* au premier rang), son effort de réflexion allié à une érudition sans faille en font un exemple et une référence durable pour tous les historiens ouverts sur les sciences sociales.

Christophe Charle

■ *La Grande Peur de 1789*, Armand Colin, 1932, rééd. 1988. — *Napoléon*, Alcan, 1935, rééd. PUF 1969. — *Le Directoire*, Armand Colin, 1946, rééd. 1971. — *La Révolution française* (nouvelle rédaction), PUF, 1951, rééd. 1989.

▒ J. Friguglietti, *Bibliographie de Georges Lefebvre*, Société des études robespierristes, 1972. — G.H. McNeil, « Georges Lefebvre (1874-1959) », in S.W. Halperin, *Some 20th-Century Historians*, Chicago, 1961, pp. 57-74. — Numéros spéciaux des *Annales historiques de la Révolution française*, n° 159, 1960, et n° 198, 1969.

LEFEBVRE (Henri)

1901-1991

Un des rares philosophes marxistes en France avec Althusser*, Henri Lefebvre est né le 16 juin 1901 à Hagetmau (Landes), dans une famille déchirée par la religion fanatique de la mère puis disloquée par la guerre. C'est un jeune philosophe chrétien en rupture de ban qui, après avoir frôlé la prêtrise et subi le choc de l'enseignement de Maurice Blondel* à Aix-en-Provence, arrive à la Sorbonne en 1919 et rejoint en 1924 le groupe Philosophies*. Il en apparaît précocement comme la tête philosophique, développant une « philosophie de la conscience » pétrie de saint Augustin, Pascal et Nietzsche qui préfigure la définition existentialiste de l'objet et de l'autre. « Du culte de l'"Esprit" au matérialisme dialectique » (*La Nouvelle Revue française**, décembre 1932), la découverte de la théorie de l'aliénation chez Hegel et le jeune Marx le conduit au marxisme et il adhère au PCF fin 1928. Quand le groupe éclate en 1929 sur l'« affaire » de la *Revue marxiste*, il reste communiste. Mais c'est en marge des cercles parisiens et de l'orthodoxie du Parti qu'il élabore à partir des années 30 une œuvre marxiste originale, en collaboration avec Norbert Guterman. Cantonné, lui qui n'a pas passé l'agrégation, dans des postes de collèges provinciaux, il est nommé en 1929 à Privas, puis déplacé d'office en 1931 à Montargis, après une manifestation contre la visite d'André Tardieu. Testée dans la petite revue *Avant-poste* (1933), puis dans les *Morceaux choisis* de Marx et de Hegel, développée dans *La Conscience mystifiée* (1936) et *Le Matérialisme dialectique* (1939), sa réflexion ne suscite alors l'intérêt que de quelques interlocuteurs personnalistes. Elle aboutira pourtant en 1947 à son livre majeur : *Critique de la vie quotidienne*.

Révoqué par Vichy en mars 1941, on retrouve Henri Lefebvre à la Libération capitaine FFI à Toulouse. Après un passage à Radio-Toulouse et un bref retour dans le secondaire, Georges Gurvitch* le fait entrer au Centre national de la recherche scientifique* en 1948. Ni ses titres de résistant ni sa reconnaissance académique n'expliquent pourtant qu'après 1945, pour peu de temps il est vrai, il ait fait figure de principal philosophe du PCF. Mais s'il est en première ligne dans l'attaque contre Sartre* et l'existentialisme (1946), s'il ne reste pas à l'écart de la campagne contre Nizan*, membre de *La Nouvelle Critique**, il est néanmoins impossible de le réduire à un philosophe stalinien. Très tôt attaqué pour son idéalisme hégélien, accusé de « révisionnisme » à partir de 1955-1956, il participe dès avant le XXe congrès à la lutte oppositionnelle. Expulsé de *La Nouvelle Critique* en 1957, il est « suspendu » du PCF en juin 1958. En 1959, *La Somme et le reste* dresse un bilan autobiographique et inaugure un parcours de plus de dix ans aux côtés et parfois à la tête de la contestation radicale, du « Manifeste des 121 »* à la revue *Arguments** et aux situationnistes, qu'il rencontre à Strasbourg où il est nommé professeur de sociologie en 1961. Passé de la sociologie rurale à la sociologie urbaine, sa réflexion sur la ville et l'espace débouche sur une critique de la société de consommation, de la quotidienneté et de la modernité qui l'apparente à un Marcuse et sur une lecture de la révolution comme « fête » (*La Proclamation de la Commune*, 1965) qui marque directement le mouvement étudiant. Nommé professeur à Nanterre en 1965, Lefebvre est un des inspirateurs du mouvement de Mai 68.

À partir des années 70, prenant acte de l'échec du mouvement critique sans pour autant abdiquer sa confiance dans le marxisme, il entame une réflexion plus ambitieuse sur l'État, la mondialité et sur le concept même de pensée. Ce retour aux sources philosophiques se double d'un tardif rapprochement avec l'idée révolutionnaire et le PCF, qui continue d'incarner pour lui une sorte de contre-société. Ultime parti pris, au moment de l'effondrement du marxisme et du communisme, qui n'a pas peu contribué à pérenniser sa figure de marginal.

Michel Trebitsch

■ *La Conscience mystifiée* (avec N. Guterman), Gallimard, 1936. — *Le Matérialisme dialectique*, Alcan, 1939. — *Critique de la vie quotidienne*, t. I : *Introduction*, Grasset, 1947. — *Le Marxisme*, PUF, 1948. — *La Somme et le reste*, La Nef de Paris, 1959, 2 vol. — *Introduction à la modernité*, Minuit, 1962. — *La Proclamation de la Commune*, Gallimard, 1965. — *La Révolution urbaine*, Gallimard, 1970. — *De l'État*, UGE, 1976-1978, 4 vol. — *Une pensée devenue monde*, Fayard, 1980.
▒ R. Hess, *Henri Lefebvre et l'aventure du siècle*, Métailié, 1988. — B. Le Grignou, *Henri Lefebvre ou les Miroirs de l'intellectuel engagé*, thèse, Rennes I, 1985, 2 vol. — N. Racine, « Henri Lefebvre », in *DBMOF*. — M. Trebitsch, « Philosophie et marxisme dans les années 30 : le marxisme critique d'Henri Lefebvre », in R. Robin (dir.), *L'Engagement des intellectuels dans la France des années 30*, Montréal, UQAM, 1990.

LEFEBVRE (Raymond)

1891-1920

Le destin de Raymond Lefebvre, disparu en mer Blanche au retour d'un voyage-pèlerinage en Russie, a fait de cet intellectuel pacifiste, admirateur de Tolstoï et de Romain Rolland*, rallié au bolchevisme, une figure légendaire du communisme naissant.

Né à Vire (Calvados) le 24 avril 1891, dans une famille de la bourgeoisie protestante, il restera marqué par sa foi religieuse, même après s'être affranchi de l'Église. Il se lie, au lycée Janson-de-Sailly à Paris, avec Paul Vaillant-Couturier*, qu'il entraînera, à partir de 1916-1917, dans ses initiatives pacifistes. Étudiant à l'École libre des sciences politiques*, où il rencontre Pierre Drieu La Rochelle*, il est influencé, en 1912-1913, par le pacifisme tolstoïen ; il fréquente le milieu des syndicalistes révolutionnaires de la CGT et s'abonne à la revue *La Vie ouvrière*.

Mobilisé en août 1914 comme infirmier, il est bouleversé par les horreurs de la guerre. En 1916, volontaire pour le front, il est ébranlé par une commotion cérébrale due à l'explosion de deux obus. Convalescent, il s'inscrit à la 16e section du Parti socialiste, pour le redresser dans un sens pacifiste. Réformé en mai 1917, il nourrit des projets de rassemblement des anciens combattants et des intellectuels, contacte Henri Barbusse*, et rend visite à Romain Rolland, qu'il admire, en Suisse. Ces projets se concrétisent avec l'appui d'Henri Barbusse : fondation de l'Association républicaine des anciens combattants (ARAC) en novembre 1917, du mouvement Clarté* ou Internationale de la pensée en mai 1919. En novembre 1919, candidat du Parti socialiste aux élections législatives à Paris, il se présente comme le porte-parole des anciens combattants et, au congrès socialiste de Strasbourg en février 1920, comme celui de la « génération massacrée ». Il abandonne dès 1919 tout espoir dans le wilsonisme, et son pacifisme se radicalise avec son adhésion à l'internationalisme bolchevik.

En juillet 1920, il part clandestinement en Russie, en tant que délégué du comité pour l'adhésion à la IIIe internationale, pour assister au IIe congrès de l'Internationale. Il y prend la parole et se prononce pour la création d'un parti épuré ; les lettres qu'il envoie le montrent enthousiasmé par le spectacle de la Russie nouvelle. À la fin septembre 1920, Lefebvre et ses deux compagnons de voyage, les syndicalistes Vergeat et Lepetit, décident de rentrer en France par la Norvège. On ignore si

Lefebvre, à ce moment, partage les critiques de son camarade anarchiste, Lepetit. Embarqués sur un bateau de pêche sur les bords de l'océan Arctique, ils disparurent en mer. Les conditions de leur départ, les circonstances de leur mort n'ont jamais été vraiment éclaircies.

Nicole Racine

■ *Le Sacrifice d'Abraham*, Flammarion, 1920. — *La Révolution ou la mort*, Clarté, 1920. — *La Guerre des soldats* (avec P. Vaillant-Couturier), Flammarion, 1920. — *L'Éponge de vinaigre*, Clarté, 1921. — *Esquisse du mouvement communiste en France*, Clarté, 1921.

▒ A. Kriegel, *Aux origines du communisme français (1914-1920)*, Mouton, 1964, 2 vol. — S. Ginsburg, *Raymond Lefebvre et les origines du communisme français*, Tête de Feuilles, 1975. — N. Racine, « Raymond Lefebvre », in *DBMOF*.

Lefort (Claude)

Né en 1924

Philosophe engagé, Claude Lefort est l'un des principaux artisans d'une renaissance de la philosophie politique en France, et notamment l'un des premiers à proposer une critique résolue et argumentée du totalitarisme. Cette situation lui vaudra d'être marginal dans l'institution philosophique, mais de jouer un rôle de premier plan auprès d'un petit nombre de fidèles.

Né en 1924, Claude Lefort est élève de Merleau-Ponty* au lycée Carnot pendant l'Occupation. Cette rencontre, qui deviendra une amitié que seule la mort de celui-ci interrompra, l'oriente vers la philosophie. Il passe l'agrégation en 1949. Parallèlement, Claude Lefort est un militant politique : trotskiste depuis 1943, il s'éloigne de ce courant pour fonder avec Castoriadis* le groupe Socialisme ou barbarie* en 1948. Ce sera là un des laboratoires de la pensée politique, examinant sans complaisance la réalité des pays de l'Est, le phénomène bureaucratique, mais aussi les évolutions de la société contemporaine, pour finalement mettre en cause les formes d'organisation en vigueur tant dans les partis de gauche que dans les groupes contestataires. C'est d'ailleurs sur ce point que Lefort rompt en 1958 avec Socialisme ou barbarie, contestant la logique dans laquelle le groupe lui paraît se situer : celle de la reconstruction d'un parti révolutionnaire.

Entre-temps, il aura été au cœur de plusieurs polémiques publiques, qui définissent assez bien la voie étroite qu'il emprunte pour situer l'action politique. La première vise Claude Lévi-Strauss*, à travers la préface qu'il avait donnée au recueil de Mauss*, *Sociologie et anthropologie* (1950). Lefort lui reproche de réifier l'action humaine dans des structures, dont les individus ne seraient que les agents. En sens inverse il s'en prend ensuite à Sartre*, dont l'article « Les communistes et la paix » (1952) lui paraît passer à l'extrême la capacité de l'individu à donner sens à n'importe quelle situation, en particulier autoriser Sartre à décréter le Parti communiste identique à la classe ouvrière. Il voit dans ce subjectivisme une conception fétichiste du parti et du prolétariat (*Les Temps modernes**, avril 1953). Après cette polémique, Lefort quitte *Les Temps modernes*, suivi de près par Merleau-Ponty.

En 1958, il crée *Informations et liaisons ouvrières*, devenu en 1960 *Informa-*

tions et correspondances ouvrières. À l'instigation d'Edgar Morin*, il collabore alors à *Arguments**, sans s'intégrer à ce groupe. À partir de 1960, infléchissant sa critique de la bureaucratie dans le sens d'une critique du totalitarisme, il suit le séminaire de Raymond Aron* jusqu'en 1967. En 1968, Lefort, Castoriadis et Morin accueillent avec faveur les événements de Mai, et proposent une des analyses « à chaud » qui ont le mieux résisté à l'épreuve du temps *(La Brèche).* Lefort y retrouve la confirmation de l'hypothèse centrale de son travail sur Machiavel : une pensée de la division du social et de l'institution du politique. Sa thèse, *Machiavel, le travail de l'œuvre*, expose cette analyse tout en explorant le rapport intime que noue une pensée à l'écriture. Cette double inflexion de sa réflexion n'a cessé depuis lors de s'approfondir, qu'elle s'exerce sur des événements politiques (l'Union de la gauche, la crise polonaise, la fin du communisme à l'Est ou l'affaire Rushdie, dont il est président du comité de défense, au début des années 90) ou sur des auteurs qu'il commente avec attention : La Boétie, Quinet, Tocqueville, mais aussi Hannah Arendt et Leo Strauss.

Homme de revues, Claude Lefort ne cesse d'en fonder de nouvelles, ou d'encourager ses élèves (Marcel Gauchet*, Marc Richir, Pierre Pachet, Claude Mouchard) à en créer, depuis *Textures* au début des années 70, jusqu'à *Passé présent* dans les années 80, en passant par *Libre* en 1977. Il se fera parfois éditeur, soit pour publier les œuvres posthumes de Merleau-Ponty (notamment *Le Visible et l'invisible*, Gallimard, 1964), soit en dirigeant aux Éditions Belin la collection « Littérature et politique », où il accueille des textes classiques (Milton, Camille Desmoulins, Quinet) ou des contemporains (France Yates, Michael Walzer). Mais son audience lui viendra aussi de la reconnaissance tardive de la nouveauté de son combat antitotalitaire, à partir du milieu des années 70, et de son approfondissement d'une pensée de la démocratie, qui loin de la réduire à une forme politique ou juridique, la comprend comme une « forme de société » inédite. Il recevra alors le renfort de revues comme *Esprit** et pourra, à travers son enseignement à l'École des hautes études en sciences sociales*, toucher un public un peu moins confidentiel que celui qu'il avait en tant que professeur de sociologie à Caen. Son œuvre, fondatrice du renouveau de la philosophie politique en France, apparaît bel et bien aujourd'hui comme un témoignage particulièrement rare de précocité et de lucidité, et valide une méthode qui s'est toujours voulue aussi écriture.

Joël Roman

■ *La Brèche* (avec E. Morin et C. Castoriadis), Fayard, 1968, rééd. Bruxelles, Complexe, 1988. — *Éléments d'une critique de la bureaucratie*, Genève, Droz, 1971, rééd. Gallimard, 1979. — *Machiavel, le travail de l'œuvre*, Gallimard, 1972. — *Un homme en trop. Réflexions sur « L'Archipel du Goulag »*, Seuil, 1976. — *Sur une colonne absente*, Gallimard, 1978. — *Les Formes de l'histoire*, Gallimard, 1978. — *L'Invention démocratique*, Fayard, 1981. — *Essais sur le politique (XIXe-XXe siècle)*, Seuil, 1986. — *Écrire. À l'épreuve du politique*, Calmann-Lévy, 1992.
▒ C. Habib et C. Mouchard (dir.), *La Démocratie à l'œuvre. Autour de Claude Lefort*, Éd. Esprit, 1993.

LEFRANC (Georges)

1904-1985

Historien de renom international, Georges Lefranc fut d'abord un militant politique amené au socialisme par l'horreur de la Grande Guerre. Né le 25 octobre 1901 au Mesnil-Rouxelin, près de Saint-Lô, fils d'un inspecteur de l'enseignement primaire, il entre à l'École normale supérieure* de la rue d'Ulm et obtient l'agrégation d'histoire et de géographie en 1927. Dans le creuset de la khâgne* et de l'ENS, il subit l'influence de maîtres prestigieux (Herr*, Bouglé*). Après avoir fondé le « Bloc des gauches d'hypokhâgne », il est à l'origine du Groupe d'études socialistes élargi aux ENS (1927), puis à la Fédération nationale des étudiants socialistes (1927), matrice de « Révolution constructive »* fondée en 1931 autour de onze universitaires qui écrivent en 1932 un livre-manifeste du même titre. Ce pamphlet dénonce les « faillites » des gauches françaises, appelle à un ressourcement du socialisme français autour des « institutions ouvrières » (coopératives, municipalités, syndicats), et à un élargissement des préoccupations internationales.

Au sein de la SFIO, Lefranc devient la cheville ouvrière de la tendance « Révolution constructive ». Il développe le planisme — volonté de socialiser graduellement l'économie mixte grâce à des techniciens — qu'il veut appuyer sur les classes moyennes, comme le Plan belge d'Henri de Man. Cette démarche fut accueillie favorablement à la CGT. Lefranc est l'auteur du Plan confédéral de septembre 1935 ; de même, Jouhaux lui permet de mettre en pratique son projet culturel — socialiser la culture, la vie et former des syndicalistes compétents — au sein de l'Institut supérieur ouvrier (1932-1939). En revanche, il ne séduit pas la majorité de la SFIO. Sa tendance se désagrège progressivement, et Lefranc développe un pacifisme parfois aveugle et un violent anticommunisme, en particulier dans la revue *Syndicats*. Son groupe disparaît au congrès de Royan (1938). Lefranc, qui est et restera munichois, persiste non sans naïveté dans *Redressement*, éphémère revue (1938-1939).

En 1940, il se rallie à Pétain au nom de la « politique de la présence », derrière R. Belin. Son épouse s'engage plus loin dans la collaboration. Par ses articles dans plusieurs journaux collaborationnistes, notamment *L'Œuvre*, Lefranc s'attire bien des rancunes. Il est écarté des responsabilités à la Libération, et entame une seconde carrière, comme journaliste, historien et professeur — il est réintégré dans l'Éducation nationale en 1951. Il collabore à *La Revue syndicaliste* de Belin et à *La République libre* de Paul Faure.

L'apport scientifique de ses travaux est incontestable, et lui vaut le grade de docteur sur titres en 1970. Ses deux ouvrages préférés étaient *Essais sur les problèmes socialistes et syndicaux* (1970) et *Jaurès et le socialisme des intellectuels* (1968). Des classiques demeurent, comme *Le Front populaire* (1966), *Le Mouvement socialiste sous la IIIe République* (1963). La remise de la Légion d'honneur rue d'Ulm, en octobre 1984, constitua une symbolique et tardive réhabilitation, peu avant son décès (à Mesnil-Saint-Denis, le 30 avril 1985).

Stéphane Clouet

■ S. Clouet, *De la rénovation à l'utopie socialistes*, Presses universitaires de Nancy, 1991. — G. Lefranc, « Rétrospectives », *Cahiers de l'OURS*, n° 116, 118 et 119, 1980.

LÉGER (Fernand)

1881-1955

Peintre, fondateur d'académie, théoricien de l'art, cinéaste, Léger pratique un art qui privilégie la représentation contrastée des objets contemporains et de la société technicienne. Son engagement est fait autant des audaces formelles de son œuvre que de ses prises de position militantes. Chez lui, la recherche d'un nouveau réalisme moderne va de pair avec un lyrisme communautariste qui le fera adhérer au Parti communiste sans toujours en adopter la ligne officielle.

Né en 1881 à Argentan, en Normandie, fils d'éleveur, il suit des cours de dessin d'architecture à Caen, avant d'entrer à l'École nationale des arts décoratifs et de fréquenter l'Académie Julian. Il réinterprète tout au long de sa carrière les expériences de la modernité depuis Cézanne, se liant à Cendrars, Robert Delaunay, le Douanier Rousseau, Max Jacob, Apollinaire*, Malevitch, Le Corbusier*, Ozenfant, Mondrian.

Mobilisé en août 1914 et gazé au front en 1916, la guerre le marque durablement et lui inspire des œuvres majeures (*Le Soldat à la pipe*, 1916, *La Partie de cartes*, 1917). Il dit y avoir découvert à la fois « le peuple français » et la magie d'une « culasse de canon de 75 ouverte en plein soleil ». En 1924, il fonde une académie qui bénéficiera d'un rayonnement international. Entre deux séjours aux États-Unis, il s'enthousiasme pour le Front populaire, fait partie des intellectuels appelant aux « États-généraux de l'intelligence française » tout en signant des œuvres monumentales à la gloire du « progrès ». Il adhère au Parti communiste français, de retour des États-Unis*, en 1945, prélude à une série d'œuvres dominées par la figure humaine : cyclistes et scènes de loisirs et de labeur (*Les Constructeurs*, 1950).

Comme Picasso*, il fait partie de ces intellectuels communistes dont la fréquentation du Parti ne fonde pas l'œuvre. Même s'il déclare que « c'est debout, en état de guerre contre la société », que ses œuvres ont été conçues et forgées, celles-ci ne doivent pas « participer à la bataille » mais être au contraire le repos après le combat des « luttes journalières ». Très tôt, il défend un « réalisme conceptuel » tout en se réjouissant de ce que la peinture se soit libérée du sujet et de la nature. S'il demeure fidèle au Parti jusqu'à sa mort, en 1955, il ne fait guère de concessions à sa ligne, au « réalisme socialiste » en particulier, n'assistant pas à ses réunions officielles durant la Guerre froide*. Il participe au Congrès des intellectuels pour la paix (Wroclaw, août 1948), à la manifestation de soutien à Henri Martin* en mars 1952, à l'accrochage « De Marx à Staline », en mai 1953 ; enfin, il signe un hommage aux Rosenberg* et une fresque pour l'Exposition internationale de la femme. Mais il ne reprend vraiment position qu'à partir de 1954, quand le Parti s'écarte du réalisme socialiste, et qu'il peut y réaffirmer sa conception pluraliste du réalisme, non comme « valeur absolue » mais « relative ».

Laurence Bertrand Dorléac

■ *Fonctions de la peinture*, Gonthier, 1965. — *Mes voyages*, Édito-Service, 1976.
▒ G. Bauquier, *Fernand Léger : vivre dans le vrai*, Maeght, 1987. — D. Berthet, *Le PCF, la culture et l'art*, La Table ronde, 1990. — P. Descargues, *Fernand Léger*, Cercle d'Art, 1955. — R. Garaudy, *Pour un réalisme du XXe siècle. Dialogue posthume avec Fernand Léger*, Grasset, 1968. — J. Verdès-Leroux, *Au service du Parti. Le Parti communiste, les intellectuels et la culture (1944-1956)*, Fayard / Minuit, 1983. — *Fernand Léger : la poésie de l'objet* (catalogue d'exposition), Centre Pompidou, 1981. — *Léger et l'esprit moderne* (catalogue d'exposition, dir. B. Contensou), Musée d'art moderne, 1982.

LE GOFF (Jacques)

Né en 1924

Jacques Le Goff est né le 1er janvier 1924 à Toulon d'un père professeur d'anglais et d'une mère qui renonce à ses leçons de piano pour l'élever. Ses études retardées par la guerre, il prépare à Louis-le-Grand son entrée rue d'Ulm (1945). Une recherche sur la naissance de l'université Charles lui vaut de partir comme boursier en Tchécoslovaquie, où il assiste en spectateur impuissant au coup de Prague (1948). L'agrégation passée (1950), la carrière de Le Goff devient itinérante, un an à Oxford, un an à l'École française de Rome, un an au Centre national de la recherche scientifique*, assistant de Michel Mollat à l'université de Lille. Son entrée à la VIe Section de l'École pratique des hautes études lui offre l'abri institutionnel conforme à son tempérament (1958).

Avec *La Civilisation de l'Occident médiéval* (Arthaud, 1966), il met en œuvre une histoire des mentalités, tout en soulignant les abus qui vident l'histoire de tout contenu social (*Faire de l'histoire*, 1973). Depuis le début des années 70, la dimension anthropologique de son œuvre s'accroît *(Pour un autre Moyen Âge)*, insérant le Moyen Âge dans une lente évolution structurale de l'an Mil jusqu'à 1800. Formé à la lecture des anthropologues (Mauss*, Lévi-Strauss*), influencé par le comparatisme d'un Dumézil*, à travers l'analyse des techniques du corps (influence de Mauss) et de la culture populaire (contes, recueils d'*exempla*, vies de saints), Jacques Le Goff restitue les valeurs, « noyau dur des mentalités », et au-delà l'imaginaire médiéval. Imaginaire religieux avec *La Naissance du purgatoire* (1981) ; imaginaire politique avec ses travaux sur Saint Louis qui cherchent à comprendre comment et pourquoi ses contemporains ont trouvé Saint Louis admirable.

Au-delà du territoire de l'histoire, l'engagement politique de Jacques Le Goff s'est situé surtout sur le terrain des droits de l'homme, en particulier en faveur de la Pologne, à laquelle le liaient son mariage et son amitié avec Witold Kula et Bronislaw Geremek. Son action d'*academic politician* est de première importance. Membre du comité de rédaction des *Annales* (1969), président de la VIe Section de l'École pratique des hautes études, puis de l'École des hautes études en sciences sociales* (1972-1977), animateur des « Lundis de l'histoire » sur France-Culture*, Jacques Le Goff détient un grand pouvoir intellectuel et institutionnel. Tant par sa démarche que par ses fonctions, il est l'une des figures clés de l'école des *Annales*.

Olivier Dumoulin

■ *Les Intellectuels au Moyen Âge*, Seuil, 1957. — *La Civilisation de l'Occident médiéval*, Arthaud, 1966. — *Pour un autre Moyen Âge*, Gallimard, 1977. — *Naissance du purgatoire*, Gallimard, 1981. — *L'Imaginaire médiéval*, Gallimard, 1985. — Avec Pierre Nora, direction de *Faire de l'histoire*, Gallimard, 1973, 3 vol. — Direction du *Dictionnaire de la Nouvelle Histoire*, Retz, 1979.

Leiris (Michel)

1901-1990

Né à Paris en 1901, mort à Saint-Hilaire en 1990, Michel Leiris eut le secret pour souci permanent. Par l'analyse et l'enquête autobiographique il s'attaqua à celui du Moi, par l'enquête ethnologique à celui des sociétés de brousse. Des arènes de la corrida à l'Opéra, il ne perdit pas ce fil. Son père travaillait chez un agent de change, Leiris devint vite employé de commerce après son baccalauréat (1918). Le musicien Roland Manuel lui fit rencontrer Max Jacob, qui l'introduisit dans le cercle du 45 rue Blomet (1921), où il devint l'ami d'André Masson, Roland Tual, Jean Dubuffet*, Juan Miro (1922). Là se croisaient aussi Georges Limbour, Antonin Artaud*, Georges Bataille*.

S'étant mis à composer des vers et à tenir un journal, il rejoignit en novembre 1924 le groupe surréaliste et participa au combat contre la guerre du Rif* (1924). Mais, rétif à la discipline imposée par Breton*, il prit ses distances dès avril 1927 pour rompre en février 1929. En 1926, il adhéra au Parti communiste. Il épousa la fille naturelle de la femme du marchand d'art Kahnweiler*. Secrétaire de rédaction puis gérant de la revue *Documents* (1929-1930), Leiris participa à la Mission ethnographique et linguistique Dakar-Djibouti (19 mai 1931 - 16 février 1933), après laquelle il publia de très subjectives et critiques notes de voyage (1934). Chargé du département d'Afrique noire au Musée d'ethnographie du Trocadéro, il suivit les cours de l'Institut et de l'École pratique des hautes études (1934-1938). Son analyse par le docteur Borel (1929-1934) précéda la rédaction de *L'Âge d'homme* (1935-1938). Il se rapprocha de *La Critique sociale** de Boris Souvarine*, puis fut un des fondateurs du Collège de sociologie* (1937-1939).

Démobilisé le 2 juillet 1940, il resta à Paris, travaillant au Musée de l'homme. Sa femme Louise devint propriétaire de la galerie Simon (Kahnweiler) pour contourner la mise sous séquestre des biens juifs. Membre du Comité national des écrivains* depuis 1943, Leiris signa le « Manifeste des écrivains français » pour l'épuration des lettres (*Les Lettres françaises**, 9 septembre 1944) et fit partie du comité directeur des *Temps modernes** (1944). Il reprit après guerre ses voyages en Afrique et aux Antilles et poursuivit sa quête autobiographique dans les quatre volumes de *La Règle du jeu (Biffures*, 1948 ; *Fourbis*, 1955 ; *Fibrilles*, 1966 ; *Frêle bruit*, 1976). Fidèle à ses convictions de gauche, il fut parmi les premiers à signer le « Manifeste des 121 »*, soutint Fidel Castro à Cuba* (1967-1968), s'engagea à plusieurs reprises contre la guerre du Vietnam*, mais se garda toujours des appareils. Après sa retraite du Centre national de la recherche scientifique* en 1971, il écrivit jusqu'en 1989, satisfaisant ainsi sa vocation première.

Alexandre Pajon

■ *L'Afrique fantôme*, Gallimard, 1934. — *La Langue secrète des Dogons de Sanga* (mémoire EPHE, 1938), Institut d'ethnologie, 1948. — *L'Âge d'homme*, Gallimard, 1939, rééd. précédée de *La Littérature considérée comme une tauromachie*, Gallimard, 1990. — *La Règle du jeu*, Gallimard, 1948-1976, 4 vol. — *Au verso des images* (recueil de textes sur A. Masson, F. Bacon et Giacometti), Montpellier, Fata Morgana, 1980. — *Journal*, Gallimard, 1992.

▒ P. Lejeune, *Lire Leiris. Autobiographie et langage*, Klincksieck, 1975. — R.-H. Simon, *Orphée médusée. Autobiographie de Michel Leiris*, L'Âge d'Homme, 1984.

LEJEUNE (Jérôme)

1926-1994

Jérôme Lejeune est né à Montrouge le 13 juin 1926. Son père était administrateur de sociétés. Après des études au collège Stanislas, il entre en Faculté de médecine. Il soutient sa thèse en 1951. À partir de 1953, il entreprend, sous les auspices de son maître le pédiatre Raymond Turpin, une carrière au Centre national de la recherche scientifique*. Il gravit régulièrement les degrés d'une carrière sans à-coups qui en font finalement un directeur de recherche à l'institut de Progenèse (1963), puis un professeur de génétique fondamentale dans une chaire fondée pour lui à la Faculté de Necker-Enfants-Malades (1964). Sa consultation reçoit, du monde entier, des enfants souffrant de débilité mentale. Il entre en 1982 à l'Académie des sciences morales et politiques et en 1984 à l'Académie de médecine.

En 1959, il a découvert, avec Raymond Turpin et Marthe Gautier, le premier exemple d'aberration chromosomique humaine, soit la présence de trois chromosomes 21 chez les mongoliens, d'où le terme dorénavant utilisé de « trisomie 21 » pour caractériser cette maladie. Il présente ces travaux pour son doctorat de sciences naturelles en 1960. Toute son œuvre ultérieure porte sur la pathologie chromosomique, la description de nouveaux syndromes et sur la débilité mentale, « cette immense détresse ». Ses recherches l'ont sensibilisé au sort des handicapés, au nom du respect de la personne humaine.

Autre facette de ce respect, fondée sur sa foi catholique, son engagement contre l'euthanasie, la contraception, la procréation assistée et, surtout, l'IVG, qu'il nomme « interruption des vies gênantes ». En 1968, il a ainsi dénoncé dans *Le Monde** les dangers des contraceptifs oraux. En 1987, il obtient que l'hôpital Notre-Dame-du-Bon-Secours, dont il est membre de l'association de gestion, ne pratique plus de fécondation *in vitro*, qu'il qualifie devant les évêques réunis en synode au Vatican de « pornographie biologique ». Lors du retentissant procès de Maryville, aux États-Unis, il dépose sur les dangers de la conservation des embryons par congélation (1989). Scientifique de renommée mondiale, il est sollicité par le Sénat américain pour établir « quand commence l'être humain ». « Chaque individu connaît un début très précis, le moment de sa conception », déclare-t-il, ajoutant que « la nature humaine de l'être humain, depuis la conception jusqu'à la vieillesse, n'est pas une hypothèse métaphysique, mais bien une évidence expérimentale » (23 avril 1981).

Depuis le début des années 70, Jérôme Lejeune a donc fortement milité contre la légalisation de l'avortement. Il a présidé le « Secours aux futures mères » et a été le conseiller de l'association « Laissez-les vivre », dont la politique se veut « explicative, normative, dissuasive et protectrice ». Proche de Jean-Paul II, membre depuis 1974 de l'Académie pontificale des sciences, il a été nommé par le pape président de la nouvelle Académie pontificale pour la vie (1er mars 1994).

Jérôme Lejeune est décédé le 3 avril 1994 d'un cancer du poumon.

Bénédicte Vergez-Chaignon

■ *Histoire naturelle des hommes*, Club du Livre civique, 1973. — *Laissez-les vivre. Non au génocide* (en collaboration), Lethielleux, 1975. — « Quand commence un être humain ? » (allocution prononcée le 23 avril 1981 devant la commission du Sénat américain sur la séparation des pouvoirs), in M. Dem, *Lettre à M. Quelconque sur les enfants artificiels et autres monstruosités nouvelles entre IVG et IVV*, Dion-Valmont, Dismas, 1987. — *Biologie, conscience et foi*, Téqui, 1985. — *L'Enceinte concentrationnaire. D'après les minutes du procès de Maryville*, Le Sarment-Fayard, 1990.

▒ P. Lechat, « Éloge de Jérôme Lejeune (1926-1994) », *Bulletin de l'Académie nationale de médecine*, t. 179, n° 7, séance du 10 octobre 1995.

LEMAÎTRE (Jules)

1853-1914

Né dans un milieu très modeste à Vennecy (Loiret), Jules Lemaître présente le profil type des élites promues par le système scolaire républicain, même s'il fit ses études primaires et secondaires au petit séminaire. Il fut reçu à l'École normale supérieure* en 1872 et à l'agrégation des lettres en 1875. Il enseigna cinq années durant au lycée du Havre comme professeur de rhétorique puis devint successivement maître de conférences à l'École supérieure des lettres d'Alger en avril 1880, chargé de cours de littérature française à la faculté de Besançon en 1882, enfin professeur de littérature française à la Faculté des lettres de Grenoble en 1884, mais renonça, cette même année, à une carrière universitaire pour embrasser celle des lettres.

Auteur d'une thèse sur *La Comédie après Molière et le théâtre de Dancourt* (1883), Lemaître s'essaya à plusieurs genres littéraires : la critique, dans laquelle ses contemporains lui reconnurent le plus grand talent et où il manifestait son hostilité à l'encontre des modes étrangères (tolstoïsme et wagnérisme) et de la littérature d'avant-garde (décadents et symbolistes), le roman, les nouvelles et les contes mais aussi le théâtre. Il eut l'occasion de collaborer à plusieurs périodiques : la *Revue bleue**, où il fit ses débuts, la *Revue des Deux Mondes**, *L'Écho de Paris*, *Le Journal des débats* dans lequel il publiait ses critiques dramatiques, *Le Temps*, où il rédigea pendant plusieurs mois des « Billets du matin » qu'il laissait anonymes. Plusieurs de ses articles donnèrent lieu à des recueils remarqués qui sont autant de témoignages sur les milieux politiques et intellectuels de la fin du XIXe siècle : *Les Contemporains* (1886-1889) ou *Impressions de théâtre* (1888-1890). Devenu chevalier de la Légion d'honneur en janvier 1888, il entra à l'Académie française* en 1895.

Lemaître fut aussi un intellectuel engagé qui se mêla de politique, sans beaucoup de talent, de l'aveu même de ses proches. Il y avait été conduit sous la pression de son égérie, la comtesse de Loynes, qui tenait un salon concurrent de celui de Mme de Caillavet dans lequel Anatole France* pouvait passer pour son alter ego. Mme de Loynes prétendait jouer Jules Lemaître contre Anatole France. En vain. Nationaliste, antimaçon mais républicain, Jules Lemaître fut l'une des grandes voix de l'antidreyfusisme. En janvier 1899, il devint l'actif président de la Ligue de la patrie française et n'hésita pas à s'occuper de tactique électorale dans les premières années du nouveau siècle. À l'automne 1900, il prit l'initiative de créer le comité central du Parti républicain nationaliste qui rassemblait Ligue de la patrie française, antisémites de Drumont* et socialistes français de Rochefort. Lemaître commençait alors une évolution vers les thèses de l'Action française* et l'antisémitisme duquel il s'était toujours tenu à distance. Ses *Opinions à répandre* (1901) traduisent ce parcours qui caractérise la dernière partie de sa vie.

Christophe Prochasson

■ *Les Contemporains*, Lecène et Oudin, 1886-1924. — *Le Député Leveau*, Lévy, 1891. — *Théories et impressions*, Société française d'imprimerie et de librairie, 1904. — *Bertrade*, Lévy, 1905.

▒ J.-P. Rioux, *Nationalisme et conservatisme. La ligue de la Patrie française (1899-1904)*, Beauchesne, 1977.

LEPRINCE-RINGUET (Louis)

Né en 1901

Louis Leprince-Ringuet est né le 27 mars 1901 à Alès, d'un père polytechnicien et ingénieur des Mines et d'une des filles de René Stourm, l'un des fondateurs de « Sciences-Po ». Aimant le dessin, le piano et le sport, il fait ses études au lycée Henri-Poincaré de Nancy, puis, à Paris, à Stanislas, où il croise Lacan*, et à Louis-le-Grand, avant d'intégrer l'École polytechnique* de relative justesse (1920). Après son service militaire en Rhénanie, il entre sans enthousiasme comme ingénieur dans le corps des PTT (1924), et s'occupe quelques années durant de l'entretien des câbles sous-marins. Au cours des années 20, outre la pratique assidue du tennis avec Jean Borotra rencontré à Polytechnique, ce fils de famille chrétienne et dreyfusarde milite assidûment dans les Équipes sociales de Robert Garric*. Il épouse en 1926 Denise Paul-Dubois, une des petites-filles de Taine. Veuf au bout de quelques mois, il se marie trois ans plus tard avec Jeanne Motte, avec laquelle il aura sept enfants. En 1929, il devient l'assistant de Maurice de Broglie dans son laboratoire privé de la rue de Chateaubriand.

Docteur ès sciences en 1933, il est nommé de façon quelque peu inattendue professeur de physique à Polytechnique en 1936. Il y restera jusqu'au lendemain de Mai 68, date à laquelle le ministre des Armées, Pierre Messmer, écartera ce professeur à l'indépendance d'esprit jugée encombrante. Entre-temps, il aura fondé un laboratoire duquel sortiront quelques-uns des grands physiciens français de l'après-guerre, comme Bernard Gregory et André Lagarrigue, et dont il garde la direction jusqu'en 1971. Il contribue aussi, avec Laurent Schwartz*, à la réforme de l'École polytechnique des années 60, qui transforme l'institution en un centre de formation scientifique moderne.

Membre de l'Académie des sciences* depuis 1949, commissaire à l'Énergie atomique en 1951, professeur au Collège de France* de 1959 à 1972 sur une chaire de physique nucléaire, Louis Leprince-Ringuet devient pour beaucoup de Français l'incarnation du savant humaniste et cultivé grâce à ses émissions télévisées. Peintre à ses heures perdues, parlant des sciences et du monde moderne, président de l'Organisation française du mouvement européen de 1974 à 1989, il est un exemple du savant philosophe se sentant responsable de la vie de la Cité. Pourtant l'image qu'offre cet ancien président de l'Union catholique des scientifiques français (1949-1965), membre de l'Académie pontificale des sciences depuis 1961, n'est plus celle de l'intellectuel rationaliste et militant à la façon d'un Paul Langevin*, mais celle de l'homme de sciences modéré et assumant sa foi.

Dominique Pestre

■ *Les Transmutations artificielles*, Hermann, 1933. — *Les Rayons cosmiques, les mésons*, Albin Michel, 1945. — *Des atomes et des hommes*, Fayard, 1958. — *Science et bonheur des hommes*, Flammarion, 1973. — *Le Bonheur de chercher. Jean Puyo interroge Louis Leprince-Ringuet*, Le Centurion, 1976. — *Le Grand Merdier ou l'Espoir pour demain*, Flammarion, 1977. — *Noces de diamant avec l'atome*, Flammarion, 1991.

▒ D. Pestre, *Physique et physiciens en France (1918-1940)*, Éd. des Archives contemporaines, 1984.

Le Roy Ladurie (Emmanuel)

Né en 1929

Auteur d'un best-seller, explorateur savant du climat, statisticien des compoix languedociens, professeur au Collège de France*, directeur de la Bibliothèque nationale, Emmanuel Le Roy Ladurie cumule les caractéristiques contradictoires de l'érudit et de l'homme public, tout en incarnant l'école historique des *Annales*.

Enfant d'une famille noble, monarchiste, catholique, de la campagne de Caen, le fils du ministre de l'Agriculture de Vichy est projeté à la Libération dans le milieu étranger des khâgnes* parisiennes ; il devient alors un militant modèle du PCF rue d'Ulm (entrée à l'École normale supérieure*, 1949). Le choc de Budapest et la rencontre du groupe Socialisme ou barbarie* précipitent son départ du PCF en 1956. Dès cette époque, une forte amitié le lie à deux pairs qu'il retrouve plus tard à l'EPHE, Denis Richet et François Furet*.

Entre-temps, reçu à l'agrégation en 1953, professeur au lycée de Montpellier, détaché au Centre national de la recherche scientifique* (1958-1960), assistant à Montpellier (1960-1965), il rédige sa thèse *(Paysans de Languedoc)*. Dès 1963 à la VIe Section de l'EPHE, son autorité lui vaut de succéder à Fernand Braudel* au Collège de France* (1973). Depuis 1969, il appartient à l'équipe dirigeante des *Annales ESC*.

Son œuvre est à l'origine tournée vers l'histoire économique et sociale. Toutefois, le modèle labroussien de la crise conjoncturelle, nourri des progrès de la démographie historique et de la connaissance de l'histoire du climat (*Histoire du climat depuis l'an mil*, 1967), aboutit à un modèle malthusien avant 1720 ; tributaire des aléas climatiques, la société d'Ancien Régime bute sur des niveaux maximaux de population indépassables jusqu'à la révolution agricole du XVIIIe siècle. Ce modèle multiséculaire du « monde plein » a depuis été contesté.

Mais les territoires de l'historien défrichés par Emmanuel Le Roy s'éloignent des rivages quantitatifs. Avec *Montaillou* (1975), l'historien transmute en document anthropologique les registres inquisitoriaux de l'évêque de Pamiers. Cette perspective des oppositions structurales commande la logique des affrontements sociaux autour du carnaval de Romans (1979). Qu'il s'agisse des jeux de l'amour ou de la survie des corps, c'est une histoire quasi immobile, celle des « sociétés froides » à laquelle Emmanuel Le Roy Ladurie nous convie.

Au faîte de la célébrité, Emmanuel Le Roy Ladurie prend en main les destinées de la Bibliothèque nationale (1987). À cette date, son œuvre inaugure un retour au récit et au fait national (t. 2 de l'*Histoire de France*, 1987).

Olivier Dumoulin

■ *Les Paysans du Languedoc*, SEVPEN, 1966. — *Le Territoire de l'historien*, Gallimard, 1973. — *Montaillou, village occitan, de 1294 à 1324*, Gallimard, 1975. — *Le Carnaval de Romans*, Gallimard, 1979. — *Paris-Montpellier, PC-PSU (1945-1963)*, Gallimard, 1982. — *L'État royal de Louis XI à Henri IV (1460-1610)*, t. 2 de l'*Histoire de France*, Hachette, 1987.

LETTRES FRANÇAISES (LES)

Nées dans la clandestinité sous l'égide du Front national, *Les Lettres françaises* passent d'abord pour l'organe du Comité national des écrivains* (CNE), avant que la Guerre froide* n'achève de les identifier avec le PC. Jdanoviste dans les années 50, l'hebdomadaire s'ouvre à partir de 1958 aux courants d'avant-garde et affirme une position de plus en plus autonome jusqu'à sa disparition en 1972.

Chargé de créer un journal littéraire clandestin, Jacques Decour* forme en 1941 une première rédaction avec Jean Paulhan*, mais son arrestation diffère la réalisation du projet qui est repris par Claude Morgan*. Dans la première livraison, datée de septembre 1942 et assurée par Morgan seul, paraît le manifeste de Decour qui pose le principe d'une lutte des écrivains en tant que tels contre l'oppresseur. À partir de 1943, grâce à Édith Thomas* qui a rétabli le contact avec Paulhan, les *LF* deviennent un véritable organe d'auteurs résistants. Éditoriaux politiques de Morgan, chroniques (le massacre d'Oradour), critiques (Paulhan éreinte *La Reine morte*), portraits d'écrivains « compromis » (Drieu La Rochelle* par Sartre* et Mauriac*, Giono* par Morgan), échos, invectives et mises en garde contre la collaboration intellectuelle (*La Nouvelle Revue française**, l'académie Goncourt), hommages aux victimes (à Decour, aux otages de Châteaubriant), poèmes de circonstance (Aragon*, Éluard*), publicité pour les ouvrages clandestins, le sommaire anonyme qui couvre aussi les noms de Blanzat, Blech, Cassou*, Farge, Fouchet*, Frénaud, Leiris*, Limbour, Masson, Parrot, Queneau*, Rousseaux, Roy*, Sadoul*, Seghers*, Tardieu, Triolet*, Thomas*, Vildrac*... ne cesse de s'étoffer. La parution se régularise jusqu'à devenir mensuelle à partir de février 1944. En septembre, le premier numéro des *LF* qui paraît au grand jour (fondateurs : Decour et Paulhan ; directeur : Morgan ; rédacteur en chef : G. Adam) s'ouvre sur le « Manifeste » du CNE qui appelle à demeurer « unis dans la victoire » et à châtier les « traîtres ». Alors que les éditoriaux de Morgan s'alignent sur la politique du Front national — épuration rigoureuse, intégration des FFI dans l'armée, fusion des mouvements de résistance en un parti —, de prestigieuses signatures s'attachent, dans le journal devenu hebdomadaire et qui tire à 190 000 exemplaires, à reconstruire la conscience nationale. Mauriac, Duhamel*, Maritain*, Sartre, Paulhan, Vercors*, Benda*, Cassou, Martin-Chauffier*, autant de collaborateurs de renom qui se joignent aux chroniqueurs réguliers (L. Parrot, G. Sadoul, G. Besson, G. Pillement, H. Malherbe) et qui en font à la fois l'hebdomadaire le plus représentatif de l'intelligentsia d'après guerre et un modèle de la politique d'ouverture du PC, le tout officieusement orchestré par Aragon*.

La prise de contrôle financier par le Parti en 1947, sans doute liée à la chute du tirage (il ne cessera, dès lors, de dégringoler : de 80 000 exemplaires en 1947 à 46 800 en 1953, puis 35 000 en 1958), se traduit par l'imposition de Pierre Daix* comme rédacteur en chef à la place de Loys Masson (qui avait lui-même suppléé G. Adam). Elle se traduit aussi par un raidissement des positions tant politiques (prosoviétiques) qu'esthétiques (jdanoviennes). Une équipe renouvelée se met en place, avec Kanapa*, Wurmser*, R. Lacôte, Moussinac. La Guerre froide conditionne aussi bien la « une » appelant à l'adhésion au Mouvement pour la paix* et justifiant les procès de l'Est, que les enquêtes sur « Qu'est-ce que la patrie » et sur la « Librairie française » dans le cadre d'une défense du livre français contre l'importation américaine. De même pour les attaques contre l'« abstraction » et l'« ahistorisme » de la philosophie existentialiste (Kanapa) et le « pessimisme » d'une esthétique de la « nausée » (Wurmser), ou encore l'édification des thèses de Lyssenko et du réalisme socialiste que l'on s'attache à ancrer dans une tradition réaliste française (Aragon). À deux reprises, les *LF* sont assignées en diffamation, par Kravchenko et par Rousset* qui aura gain de cause en 1951 au sujet de l'existence de camps en URSS. En 1953, Morgan est écarté et Aragon prend la direction du journal, qu'il assumera jusqu'à sa disparition. Dans l'équipe font leur entrée A. Villelaur, G. Boudaille, C. Dobzynski, C. Olivier. Le XXe congrès y a peu de répercussions, et le silence est gardé sur l'indécision du PC lors de la guerre d'Algérie, mais, dès 1958, les *LF* dénoncent la saisie de *La Question* d'Henri Alleg et louent *L'Affaire Audin* de P. Vidal-Naquet*, tandis que le « non » au référendum sur la Constitution est signé par des intellectuels communistes et progressistes.

L'ouverture des *LF* qui s'amorce dès lors, marquant leur autonomisation par rapport au Parti (avec lequel Aragon devient le seul intermédiaire), est illustrée par une enquête sur « l'avant-garde en 1958 » à laquelle répondent notamment Butor*, Robbe-Grillet*, Adamov, Ionesco*, Boulez*, Dutilleux et, l'année suivante, un débat organisé par les *LF* confronte les écrivains communistes aux nouveaux romanciers. En 1960 sont interviewés les fondateurs de *Tel Quel**. J.-P. Faye*, J. Ricardou et D. Roche* y collaboreront temporairement. La politique, dont la place est réduite à des interventions ponctuelles dans la nouvelle formule adoptée, marque une prise de distance avec l'URSS, depuis la réinterprétation du réalisme socialiste jusqu'à la condamnation de l'ingérence en Tchécoslovaquie, en passant par un article d'Aragon sur la condamnation des écrivains dissidents Daniel et Siniavski en 1966, et par un soutien des étudiants en Mai 68 (un numéro spécial recueillant des témoignages d'étudiants titrera « De la critique de l'Université à la critique de la société »). À partir de 1966, l'hebdomadaire étend son intérêt à l'avant-garde en sciences humaines, engage un spécialiste des nouvelles disciplines (R. Bellour) et publie des entretiens de Lévi-Strauss*, Foucault*, Deleuze*, puis, plus tard, de Barthes*, Benveniste*... Les conditions de sa disparition en 1972, sans doute moins dues aux raisons « économiques » invoquées qu'aux tensions entre une rédaction de plus en plus oppositionnelle et la direction du Parti, n'ont pas été tout à fait éclaircies.

Gisèle Sapiro

■ V.A. Conley, *Lire « Les Lettres françaises » (1942-1972)*, University of Wisconsin, 1973. — P. Daix, *J'ai cru au matin*, Laffont / Opera Mundi, 1976. — P. Olivera, *Louis Aragon entre littérature et politique : ses articles dans « Les Lettres françaises » de 1960 à 1972*, mémoire, CRHMSS, 1991.

LEVINAS (Emmanuel)

1905-1995

Penseur secret et difficile, Emmanuel Levinas n'est en rien conforme au modèle de l'intellectuel engagé qui domina en France après la guerre. Son œuvre, au carrefour de la phénoménologie et de la pensée juive, lui assura pourtant une renommée qui, bien que tardive, ne cesse d'aller croissant et de l'imposer comme l'un des tout premiers philosophes de la seconde moitié du XXe siècle.

Né dans une famille juive de Lituanie à Kaunas en 1905, Emmanuel Levinas vient étudier en France à l'université de Strasbourg en 1923. Il y suit notamment les enseignements de Charles Blondel et de Maurice Halbwachs*, et découvre la pensée de Bergson*, qu'il reconnaîtra toujours comme l'un des philosophes majeurs du XXe siècle. Il y fait la connaissance d'un autre étudiant de philosophie avec lequel il se lie d'amitié pour le reste de sa vie : Maurice Blanchot*.

Strasbourg est alors un lieu privilégié pour entrer en contact avec la pensée allemande, et Levinas s'initie à la phénoménologie. En 1928, il part pour Fribourg, où il suivra le dernier semestre d'enseignement de Husserl et le premier de Heidegger. Il publie en 1929 son premier article à propos des *Ideen* de Husserl. À son retour, en 1930, il soutient sa thèse consacrée à la théorie de l'intuition dans la phénoménologie de Husserl et publie, en 1931, en collaboration avec une autre jeune philosophe strasbourgeoise, Gabrielle Peiffer, la traduction des *Méditations cartésiennes* de Husserl.

De 1930 à la guerre, Levinas, délaissant l'agrégation, occupe diverses fonctions à l'École normale israélite d'Auteuil, qui forme les enseignants de l'Alliance israélite universelle*. Il y poursuit ses recherches philosophiques sur la phénoménologie, et publie divers articles, dont, en 1932, dans la *Revue philosophique*, le premier article consacré en France à Heidegger (« Martin Heidegger et l'ontologie »). Sa connaissance de l'Allemagne l'amène à être l'un des premiers à dénoncer, dès 1934, les dangers du nazisme (« Quelques réflexions sur la philosophie de l'hitlérisme », *Esprit**, novembre 1934). Mobilisé en 1939, il est fait prisonnier et ne reviendra qu'en 1945, pour retrouver l'École normale, cette fois-ci comme directeur. Son nom commence à faire timidement son apparition dans les milieux philosophiques, notamment grâce à l'amitié de Gabriel Marcel*, dont il fréquente les réunions hebdomadaires, et de Jean Wahl*, qui lui offre plusieurs occasions d'intervenir au Collège philosophique. Jean Wahl est aussi celui qui le conduit à préparer une thèse d'État, publiée en 1961 sous le titre *Totalité et infini*, et qui marque enfin la reconnaissance de l'œuvre de Levinas dans l'Université. Il est nommé en 1964 professeur à Poitiers, puis à Nanterre, avant de l'être à la Sorbonne.

La pensée de Levinas se développe sur un double versant : pensée philosophique ancrée dans l'une des traditions les plus techniques de la philosophie contemporaine, la phénoménologie, il se nourrit aussi de la tradition talmudique, qu'il enrichit de plusieurs leçons. Philosophe juif, il reste marginal dans le milieu philosophique. Mais philosophe de plein exercice, il n'est pas moins marginal au sein de la communauté juive. Sa recherche philosophique l'a conduit, en partant de Heidegger, à mettre en question le privilège de l'être dans la pensée. Selon Levinas, l'interpellation à la pensée vient d'un appel éthique, d'une sollicitation de l'autre. Ce n'est que dans l'espace ouvert par cette interpellation que de l'être se laisse appréhender, comme l'explicite le titre de son second grand ouvrage, *Autrement qu'être, ou Au-delà de l'essence*. Or cette prééminence de l'éthique se traduit aussi en primauté de la Loi, où Levinas retrouve un thème constant de la pensée juive. Emmanuel Levinas accomplit de la sorte une percée hors de la phénoménologie.

Salué et discuté en 1964 par un article célèbre de Jacques Derrida* (« Violence et métaphysique »), la pensée de Levinas connaît, à partir de la fin des années 60, une renommée croissante. Quoiqu'il n'ait guère fait allusion à Freud dans ses travaux, ses thèmes ne manquent pas de retenir l'intérêt d'une pensée française fortement marquée par la psychanalyse, notamment sous sa forme lacanienne.

Indépendamment de ses qualités philosophiques propres, la faveur croissante dont bénéficie l'œuvre de Levinas peut aussi s'expliquer par deux facteurs : à une génération juive qui refuse l'assimilation de ses pères sans pour autant choisir un retour strict à l'observance religieuse, il propose dans son œuvre, indépendamment de ses convictions propres, un judaïsme philosophique capable de préserver une référence identitaire sans s'enfermer dans une clôture religieuse. Plus largement, dans un contexte qui a vu émerger la critique des totalitarismes et qui dénonce le souci trop exclusivement politique de l'engagement philosophique des années 60, il offre une perspective éthique capable de fonder philosophiquement la notion de droits de l'homme différemment de l'idéalisme rationaliste. Issue d'un long cheminement solitaire, conduite dans une méditation aux accents religieux et méfiante vis-à-vis de la politique, cette pensée atypique a ainsi fini par exprimer son temps peut-être mieux que toute autre.

Joël Roman

■ *Théorie de l'intuition dans la phénoménologie de Husserl*, Vrin, 1930. — *De l'existence à l'existant*, Vrin, 1947. — *Le Temps et l'Autre*, Arthaud, 1947, rééd. Montpellier, Fata Morgana, 1979. — *En découvrant l'existence avec Husserl et Heidegger*, Vrin, 1949. — *Totalité et infini*, La Haye, Nijhoff, 1961. — *Difficile liberté*, Albin Michel, 1963. — *Quatre lectures talmudiques*, Minuit, 1968. — *Humanisme de l'autre homme*, Montpellier, Fata Morgana, 1972. — *Autrement qu'être, ou Au-delà de l'essence*, La Haye, Nijhoff, 1973. — *Du sacré au saint. Cinq nouvelles lectures talmudiques*, Minuit, 1977. — *De Dieu qui vient à l'idée*, Vrin, 1982. — *À l'heure des nations*, Minuit, 1988. — *Les Imprévus de l'histoire*, Montpellier, Fata Morgana, 1994.

▒ J. Derrida, « Violence et métaphysique. Essai sur la pensée d'Emmanuel Levinas », repris dans *L'Écriture et la différence*, Seuil, 1967. — A. Finkielkraut, *La Sagesse de l'amour*, Gallimard, 1984. — M.A. Lescourret, *Emmanuel Levinas*, Flammarion, 1994. — S. Petrosino et J. Rolland, *La Vérité nomade. Introduction à Emmanuel Levinas*, La Découverte, 1984. — « Emmanuel Levinas » (dir. M. Abensour et C. Chalier), *Cahiers de L'Herne*, n° 60, 1991 (bibliographie exhaustive). — « Exercices de la patience », n° 1, *Obsidiane*, 1980.

LÉVI-STRAUSS (Claude)

Né en 1908

Par l'ampleur de sa contribution théorique à l'anthropologie, Claude Lévi-Strauss est incontestablement une des figures intellectuelles majeures de la deuxième moitié du XXe siècle : pourtant, alors que l'après-guerre voit se développer le modèle de l'intellectuel engagé sur tous les fronts, il ne cesse de cultiver un rapport plutôt distant à l'égard de l'intervention du savant dans le monde social.

Né à Bruxelles en 1908, où son père, peintre spécialisé dans le portrait, s'était établi provisoirement, il a passé son enfance à Paris, dans le XVIe arrondissement. Petit-fils de rabbin, Claude Lévi-Strauss a grandi dans une atmosphère incroyante, bien que sa famille conservât une certaine proximité avec la tradition judaïque. Fasciné par Marx dès l'âge de seize ans, sous l'influence d'un jeune socialiste belge, il commence à militer activement au sein de la SFIO (il sera même secrétaire général du groupe des étudiants socialistes) et entreprend des études de philosophie. Après un mémoire d'études supérieures consacré aux « Postulats philosophiques du matérialisme historique » et des études de droit, il est reçu troisième à l'agrégation de philosophie en 1931, la même année que Simone Weil* et Ferdinand Alquié*. Claude Lévi-Strauss a souvent affirmé ne pas avoir eu de véritable vocation philosophique, mais avoir été bien plutôt passionné par l'action et la réflexion politique.

Après son service militaire, il est nommé professeur au lycée de Mont-de-Marsan. Candidat socialiste aux élections cantonales dans cette ville, il doit abandonner son projet de carrière politique à la suite d'un accident de voiture. Une seconde année d'enseignement, à Laon, finit de le convaincre de son peu de goût pour la pédagogie philosophique, et il accepte à l'automne 1934 un poste de sociologue à l'université de Sao Paulo. Il part pour le Brésil* en février 1935 et y enseigne jusqu'en 1938, aux côtés de Pierre Monbeig et de Fernand Braudel*. À la fin de la première année universitaire, il fait ses débuts d'ethnographe dans le Mato Grosso et publie un article remarqué sur les Bororo. À la tête d'une mission de quatre personnes, parmi lesquelles se trouve sa première femme, Dina Dreyfus, il entreprend une nouvelle expédition en 1938, qui le conduit jusqu'au pays Nambikwara, d'où il rapporte un texte sur la *Vie familiale et sociale des Indiens Nambikwara*. À son retour à Paris en 1939, il dépose le matériel ethnographique recueilli au Musée de l'homme. Après sa démobilisation, inconscient des dangers qu'il court, il se rend à Vichy en septembre 1940 pour demander sa réintégration au lycée Henri-IV. Il doit à la bienveillance d'un fonctionnaire d'être affecté à Montpellier, où il est révoqué au bout de trois semaines en raison des lois raciales. Grâce à Alfred Métraux et à Robert Lowie, qui appréciaient ses premiers travaux d'ethnologue, il est invité en 1941 à la New School for Social Research de New York. La rencontre décisive est celle de Roman Jakobson, qui lui est présenté par Koyré*. Il découvre à cette occasion la linguistique et le structuralisme, et entreprend la rédaction des *Structures élémentaires de la parenté*, thèse qu'il soutiendra en 1948 à Paris. Rappelé en France en 1944, il regagne New York l'année suivante comme conseiller culturel auprès de l'ambassade de France.

De retour en France en 1948, il est nommé au Centre national de la recherche scientifique* et devient sous-directeur au Musée de l'homme. La publication de sa thèse en 1949 lui vaut très vite une reconnaissance scientifique internationale. À partir d'un ensemble de données très important, Lévi-Strauss avait entrepris de mettre au jour les principes universels qui organisent les systèmes de parenté fondés sur des prescriptions et des prohibitions. La prohibition de l'inceste exprime le passage de la nature à la culture, de la consanguinité à l'alliance, à l'échange et à la réciprocité. La référence à la linguistique et le recours à la formalisation mathématique permettent à l'anthropologue de dégager les invariants mentaux qui sont au fondement des règles d'alliance, sans qu'il soit besoin de faire appel à la conscience du sujet. L'ouvrage a donné lieu à de nombreuses discussions critiques, auxquelles l'auteur s'est efforcé de répondre dans la deuxième édition publiée en 1967. Les thèses de Lévi-Strauss ont suscité un intérêt qui s'est étendu bien au-delà des cercles professionnels. Le compte rendu élogieux que lui consacra Simone de Beauvoir* dans *Les Temps modernes** ainsi que les commentaires de Georges Bataille* (repris dans *L'Érotisme*) ont contribué à lui conférer le statut d'un événement intellectuel, et à en faire une référence obligée pour le structuralisme philosophique et littéraire qui se développera dans les deux décennies suivantes.

En 1952, suite à une commande de l'Unesco, Lévi-Strauss publia *Race et histoire*, bref texte au retentissement considérable sur la diversité des cultures, qui portait condamnation anthropologique de toute forme de racisme. Mais c'est avec la publication de *Tristes tropiques*, autobiographie intellectuelle d'un genre nouveau, en 1955, que Lévi-Strauss devait encore élargir son audience : la réflexion désenchantée sur la pratique du terrain ethnographique auprès des Nambikwara, alliée à une méditation sur la place de l'homme dans l'univers, est devenue un classique du détachement intellectuel. L'œuvre proprement scientifique se développe sous la bannière du structuralisme avec *Anthropologie structurale I* (1958), à la fois manifeste et recueil méthodologique. L'élection au Collège de France* à la chaire d'anthropologie sociale en 1959, après deux tentatives infructueuses, la fondation en 1960 du laboratoire du même nom dont il prend la direction et la création en 1961 de la revue *L'Homme* témoignent de la consécration du chercheur et de l'importance prise par la discipline anthropologique. De 1964 à 1971, Claude Lévi-Strauss publie l'impressionnant « inventaire des enceintes mentales » que constituent les quatre volumes des *Mythologiques* : à partir d'un millier de récits, il dégage les principes de construction de la pensée mythique comme autant de déterminations de la fonction symbolique. La préoccupation de l'anthropologue pour l'esthétique, qui deviendra un fil conducteur dans les travaux des années 70 et 80, particulièrement fécondes, s'y manifeste clairement.

Claude Lévi-Strauss n'a jamais manqué de prendre ses distances avec les engouements idéologiques qui ont donné lieu à la vague structuraliste. Il a été aussi, après son abandon précoce de l'action politique, un intellectuel relativement en retrait. Son refus systématique de prendre position, de signer des manifestes ou d'utiliser la reconnaissance scientifique dont il est l'objet pour faire prévaloir son point de vue sur le monde le distingue très nettement d'un bon nombre de ses collègues. La répulsion qu'il a affichée pour les débordements de Mai 68, la réticence qu'il laisse poindre à l'égard des formes les plus bruyantes de l'anticolonialisme ou de l'antiracisme et les critiques virulentes qu'il adresse aux manifestations les plus déconcertantes de l'art contemporain pourraient conduire à le ranger dans le camp du conservatisme. En fait, Lévi-Strauss dissocie très clairement la figure de l'anthropologue scientifique de celle de l'intellectuel engagé : le monde est selon lui devenu trop complexe pour qu'un chercheur soit en mesure de prendre position sur tout ce qui arrive.

Jean-Louis Fabiani

■ *Les Structures élémentaires de la parenté*, PUF, 1949, rééd. Mouton, 1967. — *Race et histoire*, Unesco, 1952. — *Tristes tropiques*, Plon, 1955, rééd. 1973. — *Anthropologie structurale I*, Plon, 1958. — *Entretiens avec Claude Lévi-Strauss* (par G. Charbonnier), Plon / Julliard, 1961. — *La Pensée sauvage*, Plon, 1962. — *Le Totémisme aujourd'hui*, Plon, 1962. — *Mythologiques*, Plon, t. 1 : *Le Cru et le cuit*, 1964, t. 2 : *Du miel aux cendres*, 1967, t. 3 : *L'Origine des manières de table*, 1968, t. 4 : *L'Homme nu*, 1971. — *Anthropologie structurale II*, Plon, 1973. — *Le Regard éloigné*, Plon, 1983. — *De près et de loin* (D. Éribon et C. Lévi-Strauss), Odile Jacob, 1988. — *Histoire de lynx*, Plon, 1991.

■ F. Dosse, *Histoire du structuralisme*, La Découverte, 1990. — M. Hénaff, *Claude Lévi-Strauss*, Belfond, 1991.

LÉVY (Bernard-Henri)

Né en 1948

Écrivain né le 5 novembre 1948, essayiste et romancier, Bernard-Henri Lévy est une figure célèbre et controversée du monde intellectuel. Pour ses ouvrages qui ont suscité débats et polémiques, mais aussi comme intellectuel médiatique : charmeur, charismatique, il est omniprésent dans la presse et à la télévision — pour laquelle on lui prête dès le début de sa carrière un amour immodéré. Il est représentatif d'une époque où des intellectuels accèdent au vedettariat grâce aux médias et où les essais peuvent devenir des best-sellers. La critique qui vise cette transformation du débat intellectuel ne l'épargne pas.

Agrégé de philosophie, il est ancien élève de l'École normale supérieure*, où il eut pour professeur le philosophe marxiste Louis Althusser*. Mais, marqué par la lecture de Soljenitsyne, il se fait connaître au milieu des années 70 comme « chef de file » des « Nouveaux Philosophes », dont il est l'éditeur dans l'une des collections d'essais qu'il dirige chez Grasset* depuis 1973, « Figures » (il entrera en 1982 au comité de direction de Grasset). En 1977, *La Barbarie à visage humain*, où il participe à la critique du totalitarisme, de la « barbarie socialiste » et des maîtres à penser de sa génération, s'est vendu à 100 000 exemplaires. *Le Testament de Dieu* (1979), qui propose de faire du monothéisme la pierre de touche de la résistance à la barbarie, poursuit cette réflexion. Avec *L'Idéologie française* (1981), il entreprend d'explorer la « généalogie de nos démons », celle d'un « fascisme » français et de l'antisémitisme, dont il traque les signes chez Maurras*, Barrès*, Drieu* mais aussi Renan, Péguy*, ou Mounier*, au risque de l'amalgame et du procès d'intention. La thèse et la méthode du livre suscitent une avalanche de critiques dans les revues, *Le Débat**, *Esprit**, la presse, *Le Monde**, *Le Nouvel Observateur**, et de la part de nombreux historiens, et entraînent un certain discrédit pour son auteur dans le milieu universitaire — discrédit compensé par la faveur dont il jouit au sein du monde politique et dans une partie des médias.

Depuis le début des années 70, Bernard-Henri Lévy intervient régulièrement dans le débat public. Dans la presse, il a écrit dans *Le Quotidien de Paris* (une page hebdomadaire, en 1974), au *Matin* (une chronique hebdomadaire, en 1981-1982), donné des articles aux *Temps modernes** et au *Nouvel Observateur*. En 1985, il a été l'un des cofondateurs du mensuel *Globe*. Depuis 1993, il est titulaire d'un « Bloc-Notes » au *Point**. Il a fondé en mai 1990 sa propre revue, *La Règle du jeu*. Membre de comités, signataire de pétitions, il n'hésite pas à aller sur le terrain, a soutenu de nombreuses entreprises humanitaires, s'est engagé continûment en faveur des droits de l'homme, contre le racisme — en 1984, il parraine l'organisation antiraciste SOS-Racisme. Le thème du rôle et du statut de l'intellectuel, sur lequel il s'exprime fréquemment dans la presse (il lui consacre aussi une série d'émissions télévisées en 1991), est celui de l'*Éloge des intellectuels* (1987), un essai rapide, où il inscrit la responsabilité de l'intellectuel dans une filiation qui va de l'affaire Dreyfus* jusqu'à l'antiracisme, en passant par la vigilance antifasciste et l'anticolonialisme.

Dans le conflit qui déchire l'ex-Yougoslavie*, B.-H. Lévy s'efforce de mobiliser l'opinion contre la purification ethnique, et réclame notamment la levée de l'embargo sur la livraison d'armes aux Bosniaques — en mai 1994, il participe à la création d'une liste « L'Europe commence à Sarajevo » qui vise à placer la Bosnie au cœur de la campagne pour les élections européennes. Dans *La Pureté dangereuse* (1994), il définit le nouvel ennemi des démocraties, l'intégrisme, résultat d'une volonté de pureté à l'œuvre en Bosnie, au Rwanda, comme dans l'islamisme algérien ou le populisme. En 1996, il publie *Le Lys et la cendre*, journal et témoignage d'un écrivain engagé dans le conflit en Bosnie. Il reste depuis près de vingt ans l'un des intellectuels français les plus en vue.

Arnaud Senelier

■ *La Barbarie à visage humain*, Grasset, 1977. — *Le Testament de Dieu*, Grasset, 1979. — *L'Idéologie française*, Grasset, 1981. — *Éloge des intellectuels*, Grasset, 1987. — *La Pureté dangereuse*, Grasset, 1994. — *Le Lys et la cendre*, Grasset, 1996.

Lévy-Bruhl (Lucien)

1857-1939

Lucien Lévy-Bruhl est aujourd'hui bien oublié. On identifie le plus souvent son nom à la notion de « mentalité primitive », véritable repoussoir qui associe le péché ethnocentriste aux vices de l'ethnologie de cabinet. Le contraste est saisissant entre le discrédit qui le frappe aujourd'hui et la notoriété qu'il avait acquise dans le champ intellectuel français de l'entre-deux-guerres. Né à Paris le 10 avril 1857, fils de commerçant. Lévy-Bruhl était pourvu d'exceptionnelles qualités scolaires : il hésita entre les sciences, les humanités et une carrière musicale. Il finit par choisir l'École normale supérieure* et l'agrégation de philosophie, qu'il obtint en 1879, la même année que son condisciple Jean Jaurès*, dont il était politiquement proche et auquel il devait consacrer une biographie. Professeur de lycée en province jusqu'en 1883, à Poitiers puis à Amiens — où un beau mariage l'avait conduit à s'allier à la fille d'un diamantaire —, il enseigna en rhétorique supérieure au lycée Louis-le-Grand jusqu'en 1895, année de sa nomination comme maître de conférences suppléant à l'École normale. Entré à la Sorbonne en 1896, il y fut nommé professeur d'histoire de la philosophie moderne en 1904, tout en poursuivant à l'École libre des sciences politiques* un enseignement sur l'histoire des idées politiques que lui avait confié Émile Boutmy dès 1886.

À la différence de plusieurs de ses collègues philosophes qui s'étaient convertis à la sociologie dans le sillage de Durkheim* dont il était également l'ami, Lévy-Bruhl n'a jamais abandonné sa première identité. Successeur de Ribot à la tête de la *Revue philosophique* en 1917 — l'année de son élection à l'Institut —, il fut aussi un des piliers de la Société française de philosophie. Jusqu'en 1903, il ne publia, après sa thèse consacrée à *L'Idée de responsabilité* (1884), que des ouvrages d'histoire de la philosophie, portant notamment sur Jacobi et Comte. Il y défendait une définition technique de l'histoire de la discipline, en rupture avec celle que pouvait soutenir le spiritualisme, et il reconnaissait la nécessité de la recontextualisation des idées philosophiques. Les six ouvrages consacrés à la mentalité primitive sont tous postérieurs à 1910. Avec *La Morale et la science des mœurs* (1903), s'esquisse une réorientation sociologique de l'œuvre : la critique des morales théoriques (les méta-morales, qui échafaudent des théories sur des mœurs existantes) constitue le point de départ du livre, et s'appuie sur l'antinomie entre connaissance et prescription. La science des mœurs est au contraire attachée à l'analyse de réalités historiques, sans prétendre pour autant les « fonder ». Il est impossible d'isoler une nature humaine qui serait indépendante des conditions sociales de la pratique. La notion de mentalité est déjà à l'œuvre dans ce travail et permet de rendre compte de l'écart qui existe entre la logique des signes et la logique des images. S'étonnant, en 1903, de trouver incompréhensible des traductions d'anciens philosophes chinois, il approfondit son interrogation sur les types de pensée et se tourne vers la lecture critique des écoles ethnologiques. *Les Fonctions mentales dans les sociétés inférieures* inaugurent en 1910 une réflexion qui aboutira à six livres. Les fonctions mentales ne sont pas identiques dans tous les contextes : les primitifs pensent autrement que nous, parce que chaque groupe social interprète la réalité à travers des représentations collectives. Les représentations des primitifs sont mystiques, au sens où elles impliquent la croyance à l'action de forces surnaturelles. Dans la mentalité qualifiée de « prélogique », régie par la loi de participation, les êtres peuvent être à la fois eux-mêmes et autre chose. C'est ce qui explique l'insensibilité des primitifs aux démentis qu'apporte l'expérience aussi bien que leur misonéisme. Ces thèses furent reprises et approfondies dans *La Mentalité primitive* (1922) et dans *L'Âme primitive* (1927). Sensible aux critiques qui lui avaient été adressées concernant la coupure radicale entre les mentalités, Lévy-Bruhl réorienta sa réflexion dans les trois derniers ouvrages qu'il consacra à la question. *Le Surnaturel et la nature dans la mentalité primitive* (1931) est la première manifestation de cette redéfinition. Plus critique dans le choix de ses sources, il réduit l'importance de la dimension prélogique au profit de l'élément émotionnel. La mentalité primitive est caractérisée par la fusion entre l'expérience ordinaire et l'expérience mystique. Dans son dernier livre, *L'Expérience mystique et les symboles chez les primitifs* (1938), il soutient que le symbolisme naît lorsque la participation cesse d'être directement sentie pour être représentée. Ses *Carnets*, publiés après sa mort, laissent apparaître encore plus clairement le souci de se démarquer de la définition prélogique de la mentalité primitive : la structure logique de l'esprit humain est partout la même. Dès avant la guerre, Lévy-Bruhl est un intellectuel engagé. Ami de Jaurès, il professe des opinions de gauche, s'engage dans l'affaire Dreyfus* aux côtés des dreyfusards et contribue au financement de *L'Humanité** en 1904.

Après la guerre, Lévy-Bruhl se consacre en partie à la diffusion internationale de la pensée française : il multiplie les voyages dans le cadre de l'Alliance française, en Amérique du Nord et du Sud notamment. Il contribue à la constitution de la discipline anthropologique en créant en 1925 l'Institut d'ethnologie, où il appellera comme collaborateurs Paul Rivet* et Marcel Mauss*. La fin de sa vie, le 13 mars 1939, marque aussi la fin d'une époque universitaire, celle qui voit régner le philosophe rationaliste républicain.

Jean-Louis Fabiani

■ *L'Idée de responsabilité*, Hachette, 1885. — *La Philosophie d'Auguste Comte*, Alcan, 1900. — *La Morale et la science des mœurs*, Alcan, 1903, rééd. PUF, 1971. — *Les Fonctions mentales dans les sociétés inférieures*, Alcan, 1910. — *La Mentalité primitive*, Alcan, 1922. — *L'Âme primitive*, Alcan, 1927, rééd. PUF, 1963. — *Le Surnaturel et la nature dans la mentalité primitive*, Alcan, 1931, rééd. PUF, 1963. — *La Mythologie primitive*, Alcan, 1935, rééd. PUF, 1963. — *L'Expé-*

rience mystique et les symboles chez les primitifs, Alcan, 1938. — *Les Carnets de Lévy-Bruhl* (ouvrage posthume avec une préface de M. Leenhardt), PUF, 1949.
■ H. Bergson, *Les Deux Sources de la morale et de la religion*, Alcan, 1932. — C. Blondel, *La Mentalité primitive*, Stock, 1926. — J. Cazeneuve, *Lévy-Bruhl*, PUF, 1963. — « Autour de Lucien Lévy-Bruhl » (études réunies et présentées par D. Merllié), *Revue philosophique*, n° 4, octobre-décembre 1989.

LIBÉRATION

Libération est le produit d'une réflexion menée par de jeunes intellectuels et militants d'extrême gauche qui, après avoir forgé leurs premières armes dans les luttes d'indépendance (Algérie, Vietnam*), ont été en pointe dans le mouvement de 1968. Toutes les tentatives isolées pour faire vivre l'esprit de Mai au travers de publications révolutionnaires *(La Cause du peuple*, *Action*, *Les Cahiers de Mai*, *Tout et tout...)* avaient échoué. En revanche, deux expériences d'information nouvelle semblaient plus stimulantes : *Actuel*, organe mensuel de la contre-culture, et l'agence de presse Libération. L'APL, lancée en juin 1971 à l'initiative de Jean-Claude Vernier et de Claude-Marie Vadrot, et dirigée par Maurice Clavel*, entendait rendre compte de toutes les luttes du pays (des conflits sociaux aux combats des femmes) non couvertes, selon elle, par les grandes agences. Cependant, l'APL montrait ses limites. Il fallait prolonger son travail en créant un journal quotidien qui, en marge d'une presse jugée trop institutionnelle, donnerait la « parole au peuple », serait en prise directe avec la réalité des luttes, développerait un authentique journalisme de terrain, établirait aussi une indispensable passerelle entre les intellectuels et les militants. L'idée de *Libération* était née.

Le double caractère, intellectuel et militant, du nouveau quotidien est tout entier inscrit dans le processus qui amène à son lancement. Ses principes fondateurs (indépendance, contestation, égalitarisme absolu dans son fonctionnement) sont solennellement proclamés dans un manifeste rédigé, en novembre 1972, par Benny Lévy. Le noyau de l'équipe est constitué autour de Jean-Paul Sartre* qui accepte de diriger la publication. Quelques rares rédacteurs ont fait l'expérience de l'usine ; d'autres, plus exceptionnels encore, sont des « ouvriers intellectualisés ». Les maoïstes, dont beaucoup sont issus de la Gauche prolétarienne, dominent : Jean-Claude Vernier (centralien), Jean-René Huleu (le seul vrai journaliste), Serge July (qui, après avoir écrit dans *Clarté** et activement milité à l'Union nationale des étudiants de France* (UNEF), avait rompu avec le Parti communiste et rejoint le Mouvement du 22 mars). Mais *Libération* entend refléter toutes les sensibilités du gauchisme : le libertaire Philippe Gavi devient une pièce maîtresse du futur journal. Ses liens étroits avec de nombreux intellectuels (Michel Foucault*, Félix Guattari*) se révèlent précieux. L'équipe initiale constituée, il faut réunir des fonds : les comités *Libération*, chargés de promouvoir les souscriptions, sont largement épaulés par l'action des aînés. Foucault, Clavel, Sartre, non seulement versent leur obole, mais placent leur notoriété au service du projet. Tandis que Clavel sillonne la France et la Belgique, Sartre multiplie les interviews.

L'équipe de *Libération* publie un numéro zéro, le 5 février 1973. Un nouveau manifeste en huit points fixe la doctrine du journal (« L'information vient du peuple et retourne au peuple ») et la nature de sa future clientèle : les « travailleurs » et les « intellectuels ». Finalement, après plusieurs faux démarrages, le quotidien s'installe régulièrement dans les kiosques à partir du 22 mai 1973.

L'histoire du *Libération* des années 70 est surtout marquée par des crises de croissance successives qui, irrésistiblement, l'éloignent de ses objectifs initiaux. L'existence du quotidien est affectée par des difficultés financières chroniques. À plusieurs reprises, Sartre lui-même donne de la voix pour mobiliser les lecteurs. Des artistes sont sollicités pour des concerts de soutien au quotidien (comme à Pantin, en février 1975). Plus grave, sans doute, les collaborateurs du quotidien se déchirent sur son avenir. *Libération* reste un journal de militants de l'ultra-gauche peu diffusé, qui ne mord guère sur un lectorat ouvrier. Serge July, qui a pris un ascendant moral sur l'équipe, entend le rendre plus professionnel et le débarrasser des racines gauchistes. La plupart des fondateurs ne se reconnaissent pas dans cette ligne et préfèrent partir (Vernier, Huleu, Maggiori, Partouche...). Le renoncement de Sartre, malade, en mai 1974, renforce la position de S. July qui, devenu directeur de la publication, fait appel à Jean-Louis Péninou, Jean-Marcel Bouguereau, Françoise Fillinger (tous des anciens des *Cahiers de mai*) pour compléter une rédaction où se distinguent Marc Kravetz, Zina Rouabah et P. Gavi (ce dernier quittera finalement *Libération* en 1984 pour rejoindre *Le Nouvel Observateur**).

Le journal suspend sa publication à plusieurs reprises. Mais la vraie rupture intervient en février 1981 lorsque S. July convainc l'assemblée du journal de créer un nouveau *Libération*, fondé sur des principes neufs : rupture définitive avec le militantisme et professionnalisation ; rentabilité et recours à de nouvelles ressources (capitaux, publicité) ; renoncement à l'autogestion et hiérarchisation ; nouvelle équipe. Dans un contexte peu favorable à la presse quotidienne, *Libération*, relancé le 13 mai 1981, réussit à tripler sa diffusion entre 1981 (53 000 exemplaires) et 1994 (170 000).

Dans les années 70, *Libération* est un lieu d'expression privilégié pour une intelligentsia de gauche et d'extrême gauche soucieuse de bousculer les valeurs sociales, de fustiger le fonctionnement de l'ordre établi, de dénoncer les tabous, mais aussi de protester contre les atteintes aux droits de l'homme et à la liberté de la presse. Pendant l'été 1976, le quotidien lance « L'Appel du 18 joint. Manifeste pour la dépénalisation du cannabis », signé par la plupart des clercs qui, dès l'origine, ont soutenu l'expérience de *Libération* : Pierre Bourgeade, François Châtelet*, Gilles Deleuze*, Alain Geismar, Félix Guattari, André Glucksmann*, Edgar Morin*, Philippe Sollers*, etc. L'année suivante, en avril, il publie une pétition contre l'arrestation de Antonio Bellavita (ancien directeur de la revue *Contro-Informazione*, et monteur offset à *Libération*), accusé par les autorités italiennes de complicité avec les Brigades rouges. Des rédacteurs du *Nouvel Observateur* (Jean Daniel* en tête), Régis Debray*, Gilles Perrault, Marcelin Pleynet*, André Balland, Pierre Jean Oswald sont parmi les quatre cents signataires du texte.

Dans le nouveau *Libération*, l'intervention des intellectuels se fait plus distanciée. L'universitaire vient désormais porter le regard scientifique du spécialiste là où, autrefois, le maître à penser développait un discours militant. De nombreux universitaires, français ou étrangers, rendent compte des ouvrages récemment parus dans le cahier « Livres » (lancé en février 1987), sont interrogés sur l'actualité, nourrissent les analyses sur la société (Jean Baudrillard*, Serge Daney*, Paul Virilio*, Alain Touraine*...). Des dossiers spéciaux font appel aux compétences d'intellectuels quelquefois classés à droite (Hélène Carrère d'Encausse* sur l'Union soviétique de Gorbatchev, en 1985).

Néanmoins, dans les tribunes libres (les pages « Rebonds »), les intellectuels prenant position sur des débats sensibles de l'actualité, renouent parfois avec leur rôle d'éveilleurs des consciences. Ainsi, le 21 février 1991, *Libération* publie-t-il quatre textes collectifs sur la guerre du Golfe* : « Une guerre requise » (Alain Finkielkraut*, Alain Touraine* Élisabeth de Fontenay*...) ; « Contre la guerre » (Étienne Balibar, Pierre Bourdieu*, Tahar Ben Jelloun...) ; « Oui à la négociation » (Jean Daniel, Pierre Vidal-Naquet*, Maxime Rodinson*...) ; « Une guerre immonde » (Gilles Deleuze, René Schérer).

Au total, *Libération* caractérise bien l'évolution d'une intelligentsia qui, après avoir rompu avec le militantisme révolutionnaire dans les années 70, puis vécu la levée des grandes hypothèques idéologiques, s'attache désormais à défendre et à développer les idéaux universels de la société démocratique.

Christian Delporte

■ P. Fiole, « *Libé*, 15 ans après », *Stratégies*, 19 décembre 1988. — L. Greilsamer, « *Libération* n° 2184 : le dernier du genre », *Presse-Actualité*, avril 1981. — J.-C. Perrier, *Le Roman vrai de « Libération »*, Julliard, 1994. — F.-M. Samuelson, *Il était une fois « Libération »*, Seuil, 1979. — V. Tolédano, « Les dix ans du quotidien *Libération* », *Encyclopaedia Universalis*, 1984, pp. 319-324.

LIBERTÉ DE L'ESPRIT

De février 1949 à juillet 1953, la revue *Liberté de l'esprit*, sous-titrée « Cahiers mensuels destinés à la jeunesse intellectuelle », eut pour mission de reconquérir un champ intellectuel largement dominé par la gauche en cette période de Guerre froide*. Voulue et soutenue par le RPF, la paternité du titre de la revue revient à André Malraux*, alors responsable de la presse au sein du mouvement gaulliste. Il choisit comme rédacteur en chef Claude Mauriac*, ancien secrétaire particulier du général de Gaulle de 1944 à 1947. L'entreprise visait moins à exclure qu'à rassembler. Sous la bannière de l'antitotalitarisme, elle cherchait en fait à réunir tous les intellectuels qui ne pouvaient se reconnaître ni dans le communisme, ni dans son compagnonnage, tout en refusant le discrédit dont souffrait la droite intellectuelle dans l'après-guerre. « L'ensemble de nos compagnons s'accorde à refuser le totalitarisme de droite ou de gauche. Nous nous adressons donc ici à la jeunesse intellectuelle en lui parlant le langage de la bonne foi et de la mesure » (C. Mauriac). Cette apparente ouverture assura aux débuts de la revue une réelle et riche diversité.

Sous une présentation austère, qui sera reprise ultérieurement par *Le Nouvel Observateur**, près de 110 collaborateurs y ont signé un ou plusieurs articles. Ainsi, André Malraux, Gaëtan Picon, Jacques Soustelle*, Jules Monnerot*, Roger Caillois*, Raymond Aron*, Cioran*, Francis Ponge*, Léopold Sédar Senghor*,

Roger Nimier*, Jean Paulhan*, Thierry Maulnier* y écrivent à propos d'art, de poésie, de littérature, de droit, de politique ou d'actualité. François Mauriac*, à l'encontre de son fils Claude, n'y apporta aucun soutien. Le général de Gaulle et Georges Pompidou, décidés à ne pas expliciter le lien organique de la revue au RPF, s'abstinrent aussi de toute participation.

Claude Mauriac, assisté d'une secrétaire, était seul responsable de la ligne éditoriale de la revue. Très vite celle-ci s'essouffla au fur et à mesure que le combat gaulliste contre les institutions et contre le communisme perdait de sa légitimité, dès lors que le RPF rentrait peu à peu dans le jeu des partis. Les auteurs n'étaient pas rémunérés, et Claude Mauriac l'était à peine. Il recevait du RPF une enveloppe mensuelle de 100 000 (anciens) francs censée couvrir les frais de fabrication et de distribution. Avec un prix de vente moyen de 50 francs, il fallait vendre au moins 2 000 exemplaires pour équilibrer les comptes. Mais les ventes, à peine supérieures à la centaine d'exemplaires, se limitaient géographiquement à Saint-Germain-des-Prés. Les abonnements étaient peu nombreux, et seul Roger Martin du Gard* comptait parmi les célébrités. La quasi-absence de courrier des lecteurs, le manque de polémiques virulentes avec d'autres revues, prouvent que *Liberté de l'esprit* ne parvint pas à s'affirmer comme la représentante d'une intelligentsia gaulliste dans la France de l'après-guerre. Enfin, le sabordage politique du RPF en mai 1953 sonna le glas de la revue qui ne lui survécut que trois mois. Le gaullisme intellectuel d'André Malraux et de Claude Mauriac ne put avoir raison des vicissitudes du gaullisme politique.

Laurent Gardinier

■ J. Mossuz-Lavau, *André Malraux et le gaullisme*, Presses de la FNSP, 1982, pp. 74-93. — P. Ory et J.-F. Sirinelli, *Les Intellectuels en France, de l'affaire Dreyfus à nos jours*, Armand Colin, 1988, pp. 172-173.

LIGNES

Créée en novembre 1987 par Michel Surya, entouré de Daniel Dobbels et Francis Marmande, avec une périodicité de trois numéros par an, la revue *Lignes* s'assigne pour tâche de « penser le désordre du monde » et de réfléchir sur le politique à une époque où la gauche a renoncé à « changer l'ordre des choses ». Plusieurs numéros sont ainsi consacrés à la critique de la gauche au pouvoir (une « gauche gâchée », titre du n° 5), accusée d'avoir capitulé devant l'argent, de s'être convertie « au libéralisme et à sa paix cotonneuse ».

Chaque livraison s'articule autour d'un ou plusieurs thèmes : le nouvel ordre moral, les extrêmes droites française et européennes, les nationalismes, le racisme, le révisionnisme, la réforme du Code de la nationalité*, le retour du religieux, l'utopie, mais aussi la guerre (à l'occasion de la guerre du Golfe*, où la participation de la France est perçue comme une « abdication majeure » de la gauche française), l'URSS de Gorbatchev, la Yougoslavie* (*Lignes* donne alors la parole à des intellectuels yougoslaves, et s'interroge sur la fonction même de l'intellectuel), ou la décomposition politique de l'Italie.

Philosophes, écrivains, sociologues, politologues et historiens y apportent leurs contributions. Dès le premier numéro, on y relevait les noms de Claude Bourdet*, David Rousset*, Jean Baudrillard* et Jacqueline Risset, qui collabore régulièrement à la revue. Régis Debray*, Pierre Mertens, Jean-Noël Vuarnet, Félix Guattari*, Julia Kristeva*, Pierre-André Taguieff, Pierre Birnbaum, Jean-Luc Nancy, Sami Naïr, Étienne Balibar*, Jean-Christophe Bailly y ont écrit à plusieurs reprises.

D'abord accueillie par les Éditions Séguier, *Lignes* est depuis 1991 éditée et diffusée par Hazan.

Arnaud Senelier

Ligue des droits de l'homme

L'Affaire constitue la première affaire de la Ligue des droits de l'homme. La LDH est en effet fondée en pleine « crise hexagonale », par des dreyfusards, quelques semaines après le « J'accuse ! » de Zola* et Clemenceau. C'est au cours du procès de l'écrivain que quelques intellectuels, réunis par le très modéré Ludovic Trarieux, décident de se rassembler aux fins de faire appliquer le droit, mais aussi et surtout, en cet hiver 1898, de provoquer la révision d'un procès inique.

L'élargissement du champ d'action de la LDH, au-delà du dreyfusisme originel, ne se veut au départ que technique. Les premiers ligueurs apprennent peu à peu la politique, tout en la refusant. À leurs yeux, la Ligue ne peut s'apparenter à un groupe de pression et doit se limiter à une assistance juridique accordée à toute personne bafouée dans ses droits. Pourtant, parallèlement aux multiples interventions de son service contentieux — de 100, à sa fondation, à près de 20 000 au début des années 30 —, une dynamique politique la saisit.

Après la présidence du jaurésien Francis de Pressensé, la LDH abandonne des pratiques jusqu'alors très informelles et se dote de statuts articulés autour de trois pôles. Le comité central s'affiche comme l'instance suprême d'une direction collégiale issue du congrès annuel, moment fort de la vie et de l'avenir de la Ligue, réunissant les délégués des sections. La structure de base de l'association est bien la section, dont le nombre culminera à 2 450. Au niveau intermédiaire, les fédérations — il y en aura plus de 100 — organisent leurs congrès, leur propagande autour de dirigeants élus. Mais cette image de pure démocratie consensuelle doit être dépassée : le comité central a souvent connu de profonds affrontements, singulièrement dans l'entre-deux-guerres, liés quelquefois à des désaccords politiques ou parfois à une compréhension divergente des statuts et de leur application. De 8 000 adhérents en 1898 à près de 180 000 cotisants au milieu des années 30, le recrutement de la Ligue apparaît bien régulier. Néanmoins, l'association perd 30 000 membres avant 1914, pour vivre une nouvelle diminution pendant le Front populaire. Cela ne l'empêche pas de rayonner sur le monde intellectuel, et toujours la Ligue a regroupé des clercs de renom — Anatole France*, Ferdinand Buisson*, son troisième président, Lucien Herr*, Célestin Bouglé*, Charles Seignobos*, Alphonse Aulard, Léon Brunschvicg*, Charles Gide*, René Cassin*, Paul Langevin* ou Paul Rivet*. Mais elle a tout autant puisé au sein de la petite et moyenne bourgeoisie libérale, voire progressiste, et, à un moindre degré, dans les classes populaires.

L'expansion numérique et la diversification socioprofessionnelle s'expliquent, en fait, par la revendication forte d'une position de gauche à la fois centrale et fédératrice, critique et constructive : aux moments les plus forts des crises républicaines, la LDH a constitué un cartel politique, en rassemblant les gauches républicaines, les radicaux étant les plus nombreux jusqu'au milieu des années 20, les socialistes s'imposant dans la décennie suivante. Là encore, d'illustres noms peuvent être cités : Marcel Cachin, Albert Thomas, Salomon Grumbach, Pierre Renaudel, Joseph Paul-Boncour, Léon Jouhaux, André Philip*, Léon Blum*, Marcel Sembat, ou encore Albert Bayet*. En effet, au-dessus et en dehors des partis, sans programme ni doctrine strictement politiques, si la Ligue n'a eu de cesse de faire appliquer les principes fondamentaux de la Déclaration des droits de l'homme et du citoyen de 1789, comme de celle de 1793, elle les a réactualisés. Se posant comme magistrature morale, comme un « commencement d'organisation de la conscience humaine », selon les propres mots de Francis de Pressensé, elle s'est présentée, en écho, comme un lieu d'éthique politique — au sens premier du terme — minimale. L'application parfaite en fut les comités antifascistes de l'après-6 février, et davantage le Rassemblement populaire initié et mené, rue Jean-Dolent, par son quatrième président, Victor Basch*.

Ce rôle de rassemblement n'empêcha pas, loin s'en faut, les engagements pour la laïcité et la Séparation des Églises et de l'État*, pour la paix par l'arbitrage et le désarmement, pour le droit syndical. C'est pourtant le choix d'un juste milieu teinté de réalisme qui déclencha sans doute les oppositions internes : celle de Mathias Morhardt, Michel Alexandre*, Oscar Bloch et Séverine*, hostiles, pendant le premier conflit mondial, à l'idée justificatrice d'une guerre du droit. Celle de Félicien Challaye*, plus que critique à l'encontre de la thèse, défendue par Maurice Violette, d'une colonisation démocratique positive. Ou encore celle de Michel Alexandre, à nouveau, chantre du pacifisme intégral, condamnant avec Léon Émery, Gaston Bergery, Magdeleine Paz, Georges Pioch ou Élie Reynier, les options défensistes antifascistes des grands leaders de la Ligue, Victor Basch ou Émile Kahn. Et condamnant par ailleurs la position perçue comme stalinienne d'une LDH bien aveugle sur les procès de Moscou — le rapport de son avocat, Me Rosenmark, concluait, sur la base de leurs aveux, à la culpabilité des accusés, alors qu'elle avait été la première à enquêter en Russie, en 1918.

À plus d'un titre, la guerre de 1940 et l'Occupation constituent une césure. Ce n'est pas que la LDH ait alors dévié de ses principes fondamentaux — l'assassinat de Victor et Hélène Basch, par la Milice, le 10 janvier 1944, n'a pas seulement valeur exemplaire, et la très grande majorité des ligueurs fut résistante —, la coupure réside plus dans un constat matériel dressé à la Libération. La Ligue a été, en effet, la cible privilégiée des fascisme et nazisme qu'elle a combattus, notamment en accueillant leurs opposants. L'organisation démantelée retrouve, au lendemain du conflit, un siège pillé et endommagé, et il lui faut attendre près de dix ans pour le réoccuper, au prix d'un endettement problématique. Bien plus, elle a non seulement perdu ses archives mais aussi ses militants. On est loin alors de l'influence en profondeur qu'elle a pu exercer tout au long de l'entre-deux-guerres, par les conférences, les tracts, la presse — de son *Bulletin* aux très riches *Cahiers des droits de* *l'homme*, sans oublier les feuilles amies : *Le Quotidien*, *L'Œuvre* ou *La Lumière**, en particulier —, par sa présence parlementaire ou gouvernementale des deux décennies précédentes, lorsque l'exécutif était pour plus de la moitié issu ou lié à la Ligue.

Si les années 50 et 60 furent celles de la continuité idéologique, avec la participation de la Ligue aux grands débats sur la laïcité, le désarmement et la paix, les progrès scientifiques et leurs conséquences, ou la décolonisation, son vieillissement militant et ses difficultés à appréhender les situations nouvelles accentuèrent encore, sans nul doute, son déclin. L'idéologie communiste, dominante à gauche, ne correspondait pas à son idéal démocratique, tandis que la LDH, donnant alors l'image d'une structure d'accueil des minoritaires en rupture de ban avec les grands partis — Pierre Cot, Pierre Mendès France, Robert Verdier ou Daniel Mayer —, voyait ses rapports avec la SFIO s'assombrir. Il est vrai, par ailleurs, qu'elle ne prit que tardivement conscience de certains problèmes : son rappel au droit, pendant la guerre d'Algérie, par exemple, se fit attendre, et son appel à l'indépendance n'intervint qu'à l'hiver 1956...

Et pourtant, dans les années 90, avec sa petite dizaine d'employés, contre plus de quarante à son acmé, son rajeunissement opéré sous les présidences de Daniel Mayer et Henri Noguères, son déficit récemment résorbé et son immeuble fraîchement rénové sous la direction d'Yves Jouffa, la LDH connaît une renaissance. Une communication actualisée, des statuts modernisés, un groupe interparlementaire refondé, une diversification des valeurs défendues la placent quelquefois, rarement, sur une scène politique à tout le moins médiatique. Ce qui n'empêche pas un travail de fond anonyme mais efficace, en prise directe avec la réalité quotidienne, grâce à son service juridique, à ses commissions d'enquête, à ses vingt et une commissions nationales, à ses livres, revues — dont *Hommes et libertés* ou *Après demain* —, à ses bulletins, colloques. Grâce aussi à ses contacts réguliers et privilégiés avec des associations aux intérêts parfois similaires : la Ligue de l'enseignement, la Cimade, le Gisti, France-Terre d'asile, SOS-Racisme, né dans les locaux mêmes de la Ligue, et autres MRAP, LICRA, par exemple. Grâce enfin à sa place au sein de la FIDH (Fédération internationale des droits de l'homme) qu'elle contribua à fonder en 1922, aujourd'hui reconnue comme ONG accréditée, et à ses liens tissés avec les autres ligues.

Au demeurant, les décennies 70 et 80 et le tournant du siècle aujourd'hui engagé attestent d'un combat séculaire prolongé et mené par la première femme élue présidente, Madeleine Rebérioux*, et par son successeur, Henri Leclerc. Combat pour les femmes, contre l'extrême droite, pour les droits des soldats et des militaires, contre la peine de mort, contre les lois et tribunaux d'exception, pour la liberté et la transparence des médias, pour la solidarité et la paix internationale, contre l'apartheid. Avec des évolutions, cependant, qui ne sont pas des dénégations, à l'instar de la question des étrangers, la LDH passant de la défense des « indigènes » à la défense d'une citoyenneté accordée entre autres par le droit de vote pour les travailleurs immigrés aux élections locales. Avec des hésitations, souvent, par exemple au moment des victoires de la gauche — qu'elle avait appelées de ses vœux —, mais sans qu'elle ne devienne une courroie de transmission ; à cet égard, elle a toujours su conserver sa fonction d'aiguillon en critiquant maintes fois les réalisations ou omissions gouvernementales — affaire Greenpeace, etc.

De là une évidence : rassemblement de la gauche intellectuelle, la Ligue des droits de l'homme et du citoyen le fut et l'est encore à bien des égards, mais aussi mouvement d'« hommes de bonne volonté », dans sa mission de « bonne mémoire et de mauvaise conscience » de la démocratie et de la justice, selon l'expression de Gilles Perrault, et dans sa détermination de plaider l'avenir de l'homme dans la Cité.

Emmanuel Naquet

■ É. Agrikoliansky, *Le Comité central de la Ligue des droits de l'homme de 1945 à 1986*, mémoire, IEP, 1990 ; « Le comité central de 1958 à nos jours », *Hommes et libertés*, n° 65, janvier-mars 1992. — J. et M. Charlot, « Un rassemblement d'intellectuels. La Ligue des droits de l'homme », *Revue française de science politique*, vol. IX, n° 4, décembre 1959. — B. Deljarrie et B. Wallon, *Un combat dans le siècle*, EDI, 1988. — B. Main, « Un combat dans le siècle », *Hommes et libertés*, n° 51, mai-juin 1988. — M. Morhardt, *L'Œuvre de la Ligue des droits de l'homme*, Ligue des droits de l'homme, 1927. — G. Morin, « La LDH dans la guerre d'Algérie. Le droit comme ligne de conduite », *Hommes et libertés*, n° 62, juillet-août 1991. — E. Naquet, « Aux origines de la Ligue des droits de l'homme : affaire Dreyfus et intellectuels », *Bulletin du Centre d'histoire de la France contemporaine*, n° 11, 1990 ; « La Société d'études documentaires et critiques sur la guerre. Ou la naissance d'une minorité pacifiste au sein de la Ligue des droits de l'homme », *Matériaux pour l'histoire de notre temps*, n° 30, janvier-mars 1993. — M. Rebérioux, « La Ligue des droits de l'homme : une histoire bientôt séculaire », *Humanisme*, n° 203, mars-mai 1993. — J.-P. Rioux, « Une gaillarde octogénaire », *Hommes et libertés*, numéro spécial « Quatre-vingts années de combat », mai 1978.

LIPIETZ (Alain) [Guy Lipiec]

Né en 1947

Inlassable analyste des erreurs commises par la gauche en matière économique, Alain Lipietz s'est progressivement imposé, au cours de la décennie 80, comme un intellectuel militant désireux de redonner espoir à tous ceux qui attendent « un autre usage social de leur qualification, de leur esprit d'initiative ».

Diplômé de l'École polytechnique*, cet ingénieur économiste né le 16 septembre 1947 à Charenton-le-Pont est issu des Ponts et Chaussées et appartient, depuis 1973, au Cepremap (Centre d'études prospectives d'économie mathématique appliquées à la planification). Tout en étant chercheur au Centre national de la recherche scientifique*, il ne cesse de participer à des discussions dans des clubs, des associations ou dans des stages syndicaux, et tente de mener de front analyse théorique et engagement politique.

Il fait ses premières armes en découvrant l'œuvre de Karl Marx par le biais des travaux de Louis Althusser*, et fait partie de ce qu'on appellera l'« école de la régulation ». Il publie plusieurs ouvrages spécialisés chez Maspero*, et teste certaines de ses hypothèses dans des revues intellectuelles comme *Les Temps modernes**, *Le Débat**, ou dans des journaux, des magazines tels que *Le Monde diploma-*

*tique**, *Témoignage chrétien**, *Le Nouvel Observateur**, etc. Révélateurs de ses prises de position, les articles qu'il donne, entre 1982 et 1984, aux *Temps modernes*, portent sur « les conditions d'une base sociale pour le changement », « la crise de l'État-Providence », ou « la mondialisation de la crise générale du fordisme : 1967-1984 ». À la suite de l'arrivée de la gauche au pouvoir, ses travaux acquièrent peu à peu une audience plus large.

Déçu par la gestion économique mise en place par le nouveau gouvernement, il esquisse en 1984 une synthèse de l'échec du « keynésianisme de gauche ». *L'Audace ou l'enlisement*, sous-titré : *Sur les politiques économiques de la gauche*, en appelle à un sursaut décisif qui repose notamment sur l'alliance de l'autonomie, de l'initiative et de la solidarité. Il s'agit de reconstruire, aux yeux de l'auteur, une culture de gauche capable de lutter contre un ordre économique injuste. C'est la tâche à laquelle il s'attelle en réfléchissant aux problèmes de l'industrialisation dans le tiers monde (*Mirages et miracles*, 1985). Il infléchit ensuite sa pensée dans le sens de l'écologie politique. Face aux dangers qui menacent la planète, Alain Lipietz propose de remettre en cause le partage entre dirigeants et exécutants, de donner la priorité à la prévention des accidents et des maladies, à la croissance du temps libre ainsi qu'au développement régional (*Vert espérance. L'avenir de l'écologie politique*, 1993). Ce programme s'inscrit dans la logique d'un nouvel engagement puisqu'il est devenu porte-parole de la commission économique des Verts et conseiller régional d'Île-de-France.

Rémy Rieffel

■ *Le Tribut foncier urbain*, Maspero, 1974. — *Le Capital et son espace*, Maspero, 1977. — *Crise et inflation : pourquoi ?*, Maspero, 1979. — *L'Audace ou l'enlisement. Sur les politiques économiques de la gauche*, La Découverte, 1984. — *Mirages et miracles. Problèmes de l'industrialisation dans le tiers monde*, La Découverte, 1985. — *Choisir l'audace. Une alternative pour le XXIe siècle*, La Découverte, 1989. — *Berlin, Bagdad, Rio. Le XXIe siècle est commencé*, Quai Voltaire, 1992. — *Vert espérance. L'avenir de l'écologie politique*, La Découverte, 1993.

« Liste noire »

1944-1945

Premier initiateur d'une épuration des gens de lettres dès 1943, le Comité national des écrivains* (CNE) vote le 4 septembre 1944 une motion appelant le gouvernement à engager des poursuites contre les écrivains membres du groupe « Collaboration », de partis politiques ou de formations paramilitaires d'inspiration allemande, mais aussi contre ceux qui se sont rendus à des congrès en Allemagne, qui ont reçu des fonds de l'ennemi, ou qui ont aidé par leurs écrits ou leurs actes la propagande hitlérienne. Le CNE précise qu'il apportera son concours pour la mise en œuvre de ces mesures. Seul Paulhan* se lève pour défendre le « droit à l'erreur » de l'écrivain, objection repoussée. Une commission est constituée pour établir une liste des écrivains jugés « indésirables », que composent Debû-Bridel, Éluard*, Queneau*, Scheler, Vercors* et Vildrac*. G. Marcel* et A. Rousseaux, représentants d'une petite fraction du CNE qui déjà s'inquiète des critères de sélection, y sont bientôt adjoints. Le 9 et le 16 septembre paraît dans *Le Figaro littéraire** et dans *Les Lettres françaises** une première liste d'écrivains avec lesquels les membres du CNE s'engagent à n'avoir aucun rapport d'édition. La liste recense une centaine de noms, dont Ajalbert, Brasillach*, Bonnard*, Bordeaux*, Benjamin*, Béraud*, Céline*, Châteaubriant*, Drieu La Rochelle*, Fabre-Luce*, Giono*, Hermant*, Jouhandeau*, Maurras*, Montherlant*, Morand*, Rebatet*. Cependant, dès le mois d'octobre, le CNE va prendre ses distances avec l'épuration judiciaire, en la distinguant des sanctions « morales » infligées aux auteurs inscrits sur la liste, dont une deuxième version, modifiée, paraît le 21. Or c'est bien d'un boycott professionnel qu'il s'agit *de facto* à une époque où éditeurs et directeurs de publications, soucieux de se dédouaner, s'empressent d'annoncer les titres d'auteurs résistants, même si les membres du CNE prétendent n'engager qu'eux-mêmes. C'est cette « interdiction » de publication que Paulhan reprochera au CNE, auquel Vercors répondra par la parabole du *Petit pamphlet des dîners chez Gazette* où il dit refuser de se rendre là où on invite un violeur de petite fille.

La perspective d'une épuration avait, dès la libération de Paris, suscité un premier duel d'éditoriaux entre Camus*, qui réclamait dans *Combat** le châtiment au nom de la Justice, et celui-là même qui, en 1943, avait été l'un des premiers à dresser une liste de confrères disqualifiés, F. Mauriac* *(Le Figaro*)*. C'est la célèbre polémique rétroactivement baptisée par Camus « Justice et charité », bien que l'argumentation mauriacienne s'apparentât plus, en première instance, à la thématique gaullienne de « réconciliation nationale ». Au mois de décembre, Mauriac interviendra dans le procès d'H. Béraud en faveur de l'accusé. La condamnation à mort de Brasillach en janvier 1945 va faire apparaître avec plus de netteté les divisions internes qui s'esquissent déjà au sujet de la liste noire, et qui semblent opposer, par-delà les clivages idéologiques entre progressistes et gaullistes et quelques alliances de l'heure, une nouvelle génération à son aînée. Une pétition de recours en grâce en faveur de Brasillach est adressée à de Gaulle, signée par une soixantaine d'intellectuels, dont une douzaine d'« Immortels », parmi lesquels Valéry*, Mauriac, Duhamel*, membres du CNE comme Paulhan et Schlumberger, deux académiciens Goncourt (Dorgelès* et Billy) et des représentants de la droite comme T. Maulnier*. Camus, seul de la génération émergente à signer (S. de Beauvoir*, par exemple, a refusé) parce qu'il s'oppose à la peine de mort, a amorcé une révision de son intransigeance initiale qui se soldera par un constat des excès de l'épuration et de son échec.

Le mois suivant, alors que commence à circuler l'argument selon lequel l'épuration frapperait plus sévèrement les intellectuels que les collaborateurs économiques (symbolisés par les constructeurs du Mur de l'Atlantique), l'hebdomadaire *Carrefour** lance une enquête sur le thème de la responsabilité de l'écrivain. Vercors avance une distinction entre la responsabilité partagée dans une conjoncture de libre expression et la responsabilité en État policier où, ne pouvant être contredit, l'auteur porte les conséquences de son acte. Aveline* conçoit l'indulgence comme une atteinte à l'honneur de l'intellectuel. Considérant cette guerre comme idéologique et se plaçant non pas du point de vue du nationalisme mais des valeurs en cause (justice, liberté), M.-P. Fouchet* plaide la responsabilité de l'écrivain s'il prend parti. Alors que Seghers* tient les intellectuels pour aussi coupables que les collaborateurs économiques, Mounier*, tout en optant pour la responsabilité, réclame que les poids soient équilibrés sous ce rapport. É. Henriot insiste sur la responsabilité nationale mais, invoquant la « charité », suggère que « la justice peut absoudre » sans « exciper du droit à l'erreur ». Seuls G. Marcel et G. Duhamel imposent des restrictions à la notion de responsabilité, le premier mettant la condition de savoir à quoi l'on s'expose, le second soutenant que l'écriture n'engage que ceux qui en reconnaissent les conséquences.

Selon l'ordonnance du 30 mai 1945, une procédure d'épuration professionnelle est mise en place, instituant deux comités, l'un pour les gens de lettres, auteurs et compositeurs, l'autre pour les artistes. Instruit par des sociétés d'auteurs qualifiées par le gouvernement provisoire pour porter plainte (comme la Société des gens de lettres ou le CNE), le Comité d'épuration des gens de lettres est habilité à interdire de façon temporaire la réédition des œuvres qui ont entraîné la sanction ainsi que les œuvres nouvelles, articles, conférences, etc., et la perception des droits d'auteurs ou tout autre bénéfice provenant de la production culturelle. Les sanctions sont limitées à deux ans, ou, pour les personnes condamnées par une cour de justice, à la durée de la peine. Ajalbert et Châteaubriant, par exemple, se verront infliger les sanctions maximales, alors que Montherlant sera interdit pour un an sur la période écoulée, et que Giono, P. Benoit ou Cocteau* bénéficieront d'un non-lieu.

Ce faisant, la polémique autour de la liste noire, loin de s'étioler, va connaître de nouveaux rebondissements. En 1946, R. Lalou est exclu du CNE pour avoir enfreint la charte en publiant une anthologie où figuraient des auteurs inscrits sur la liste. Deux ans plus tard, Mauriac subira le même sort pour sa participation à *La Table ronde*. Alors que des noms comme celui de P. Benoit commencent à être rayés de la liste, le CNE jugeant que la sanction « morale » doit être limitée dans le temps selon le degré de « compromission », Paulhan démissionne du comité, suivi de J. Schlumberger, G. Duhamel et G. Marcel. Les arguments invoqués ne sont toutefois pas du même ordre : à la différence de Paulhan qui refuse de s'ériger en juge, les trois autres ne contestent pas le principe même d'une liste noire, mais ils en souhaitent la révision et une application plus nuancée. Attaqué pour avoir publié Giono et Jouhandeau dans les *Cahiers de la Pléiade*, Paulhan s'engage dans une controverse qui durera près de cinq ans. Pris à partie dans *L'Ordre* par Benda* qui vient de rééditer sa *Trahison des clercs* agrémentée d'une nouvelle préface adaptée à la conjoncture, dans *Les Lettres françaises* par Morgan*, dans *Action** par P. Hervé, il se confronte aussi à Vercors dans *Le Figaro littéraire*. Dans ses sept « Lettres aux membres du CNE », reprises dans *De la paille et du grain*, il continue de plaider le « droit à l'erreur », invoquant à l'appui le « défaitisme » de Rimbaud en temps de guerre et l'« antipatriotisme » de R. Rolland* dans *Au-dessus de la mêlée*. En 1952, il publie la *Lettre aux directeurs de la Résistance* où, s'attaquant à l'interprétation de l'article 75 du Code pénal, il allègue la légalité du régime de Vichy pour condamner l'épuration en bloc. Le pamphlet, publié par une maison qui demeure le symbole de la résistance intellectuelle, les Éditions de Minuit*, déclenche un nouveau duel de plumes avec C. Bourdet*, R. Stéphane* et L. Martin-Chauffier*. Ce dernier lui reprochera, dans la « Lettre à un transfuge de la Résistance », de faire abstraction des crimes commis sous l'Occupation. Jean Cassou* répliquera, quant à lui, aux Éditions de Minuit mêmes, par *La Mémoire courte* (1953), essai qui rétablit la Résistance comme « un fait moral, absolu, suspendu, pur ». Dernier sursaut d'un débat qui, par-delà la problématique morale, eut pour enjeu implicite la conservation ou la transformation du paysage littéraire d'avant guerre.

Gisèle Sapiro

■ J. Cassou, *La Mémoire courte*, Minuit, 1953. — J. Paulhan, *De la paille et du grain*, Gallimard, 1948 ; *Lettre aux directeurs de la Résistance (1952)*, suivie des *Répliques et contre-répliques*, Pauvert, 1968. — Vercors, *Petit pamphlet des dîners chez Gazette*, Aux dépens de l'auteur, 1947.

▒ P. Assouline, *L'Épuration des intellectuels*, Bruxelles, Complexe, 1985. — H. Lottman, *L'Épuration (1943-1953)*, Fayard, 1986.

LISTES OTTO

1940-1943

Dès le mois d'août 1940, les autorités allemandes mettent en place une censure du livre dont la première manifestation est la promulgation de listes d'interdiction de livres existants. Une première liste, intitulée *Liste Bernhard*, préparée à Berlin et Leipzig, recense 143 titres à caractère politique ; elle sert de base à une saisie opérée les 27 et 28 août chez les éditeurs, dans les librairies et dans les bibliothèques par la gendarmerie allemande avec l'aide de la police française. Dans la seule journée du 27 août, 20 362 livres seront saisis dans Paris et sa banlieue et, au 31 août, plus de 700 000 livres auront été entreposés dans un énorme garage réquisitionné à cet effet.

Dans le même temps, l'administration allemande s'est mise en devoir de préparer une nouvelle liste beaucoup plus complète à partir des fonds des Messageries Hachette qui diffusent la majorité des éditeurs français. Intitulée *Liste Otto. Ouvrages retirés de la vente par les éditeurs ou interdits par les autorités allemandes*, elle sera diffusée chez tous les libraires dès le 4 octobre avec un préambule en attribuant la responsabilité aux éditeurs. Ceux-ci auraient décidé de retirer de la vente les œuvres qui, « par leur esprit mensonger et tendancieux ont systématiquement empoisonné l'opinion publique française » ; sont particulièrement visées « les publications de réfugiés politiques ou d'écrivains juifs, qui, trahissant l'hospitalité que la France leur avait accordée, ont sans scrupules poussé à une guerre dont ils espéraient tirer profit pour leurs buts égoïstes ».

En juillet 1941 sont interdites les nouvelles publications et les réimpressions des ouvrages anglais parues après 1870 et, en juillet 1942, est diffusée une nouvelle édition de la liste Otto qui, sous le titre *Ouvrages littéraires français non désirables*, intègre les ouvrages qui avaient échappé au premier recensement et prend en compte les mesures d'interdiction intervenues depuis octobre 1940. Ainsi sont proscrites toutes les traductions des ouvrages anglais (à l'exception des classiques) et polonais, ainsi que les livres d'auteurs juifs (à l'exception des ouvrages scientifiques) et les biographies consacrées à des juifs.

Ces deux premières listes Otto sont classées par éditeur. La première concerne 135 maisons dont 82 n'ont qu'un titre interdit ; 19 ont plus de 10 titres interdits et 4 plus de 50 : Tallandier 51, les Presses universitaires de France 101, Fayard 110 et Gallimard 140. En tout, 1 060 titres plus quelques revues. 156 maisons sont concernées par la deuxième liste ; 93 n'ont qu'un titre interdit, 22 seulement ont plus de 10 titres et les quatre mêmes plus de 50. En tout, 1 170 titres.

En ce qui concerne les auteurs visés, on a le sentiment d'un vaste pêle-mêle. Trotski est interdit au même titre que Hoover, Blum* ou Daladier. Tous les livres de guerre dans lesquels les Allemands n'étaient pas représentés à leur avantage sont en principe bannis. Mais on constate qu'un recueil du poète Drouot, tué au front pendant l'autre guerre, est censuré, alors que l'œuvre anti-allemande d'un Barrès*, d'un Maurras* ou d'un Léon Daudet* reste autorisée. Les œuvres anticommunistes et trotskistes sont également interdites tant que l'URSS est alliée avec l'Allemagne. Un astérisque, qui n'est pas expliqué, signale les œuvres jugées, apparemment, particulièrement dangereuses. Celles notamment relatant la vie de Hitler ou critiquant trop violemment le IIIe Reich. Au niveau littéraire figurent bien entendu dans la liste les titres des écrivains allemands anti-hitlériens comme Thomas Mann, Vicky Baum ou Stefan Zweig, mais on y trouve aussi des écrivains français comme Paul Claudel*, Georges Duhamel*, François Mauriac*, Henri Troyat ou Jules Verne.

Une *troisième édition (complétée et corrigée), avec un appendice donnant la liste des auteurs juifs de langue française* est datée du 10 mai 1943. C'est la dernière liste. Intitulée *Ouvrages littéraires non désirables en France*, elle est cette fois classée par auteurs. On y trouve 934 titres de 706 auteurs et la totalité des œuvres de 41 auteurs. En annexe se trouve une seconde liste intitulée *Écrivains juifs de langue française (liste incomplète)*, qui comprend 739 auteurs, dont certains, comme Blaise Cendrars, y figurent par erreur.

Le total des saisies effectuées pendant l'Occupation à partir de ces différentes listes est difficilement appréciable. À la Libération, une enquête faite à la demande de la préfecture de la Seine estimera à 2 150 000 le nombre total de volumes saisis, représentant plus de 30 millions de francs.

Pascal Fouché

■ P. Fouché, *L'Édition française sous l'Occupation*, Bibliothèque de littérature française contemporaine, 1987 (2 vol.), en particulier, dans le vol. I, « Les listes d'interdiction » (pp. 19-44) et la reproduction en fac-similé de toutes les listes (pp. 287-347).

Loisy (Alfred)

1857-1940

Né le 28 février 1857 à Ambrières (Marne), Alfred Loisy entre en 1874 au grand séminaire de Châlons-sur-Marne. Son évêque, Mgr Maignan, l'envoie à la toute nouvelle École supérieure de théologie de Paris où il suit les cours de l'abbé Duchesne. Rentré après quelques mois dans son diocèse, Loisy est ordonné prêtre le 29 juin 1879 et occupe pendant deux ans une cure de campagne. De retour à

Paris, il sera bientôt répétiteur d'hébreu, puis chargé d'un cours d'exégèse, à l'Institut catholique, où il enseignera aussi l'assyrien, puis l'éthiopien. Il deviendra professeur titulaire après avoir soutenu sa thèse, le 7 mars 1890, sur *L'Histoire du Canon de l'Ancien Testament.*

L'enseignement et les premières publications de l'abbé Loisy le mettent au centre de ce qu'il est convenu d'appeler la « crise moderniste ». Sous ce nom, il faut d'abord entendre le trouble provoqué dans le catholicisme surtout français et italien par l'introduction des nouvelles méthodes historiques appliquées à l'exégèse de la Bible et à l'histoire des origines chrétiennes.

Privé de son enseignement à l'Institut catholique dès 1894, Loisy fait éclater la crise en publiant, en 1902, *L'Évangile et l'Église*, livre qui entend réfuter *L'Essence du christianisme* d'Adolf von Harnack. Mais le monde catholique est ébranlé par la manière dont Loisy légitime la fondation et les changements de l'Église. Ne va-t-il pas jusqu'à proposer le nouveau dogme de l'évolution des dogmes ? Les explications de Loisy n'apaisent pas le conflit, et Pie X condamne le modernisme en 1907. Cette fois, Loisy laisse libre cours à son ironie dans ses *Simples réflexions sur le décret du Saint-Office « Lamentabili sane exitu » et sur l'encyclique « Pascendi Dominici Gregis »* (1908). L'excommunication suit le 7 mars 1908.

À partir de 1909, Loisy occupe la chaire d'histoire des religions au Collège de France*, et il commence une nouvelle carrière intellectuelle au cours de laquelle, tout en continuant ses études sur la Bible, il réfléchit sur la fonction du sens mystique dans la vie de l'humanité, et s'efforce de promouvoir un christianisme élargi et dépouillé du dogmatisme théologique. Avant la guerre, et jusqu'en 1921, il participe à l'Union pour la vérité de Paul Desjardins*. Après le conflit international, il se fait, dans ses cours et dans ses livres, l'apôtre d'une religion de l'humanité, véritable religion de l'avenir, seule capable d'assurer la Paix des nations. Il meurt le 1er juin 1940 à Ceffonds (Haute-Marne).

Pierre Colin

■ *La Religion d'Israël*, Letouzey et Ané, 1901. — *L'Évangile et l'Église*, Picard, 1902. — *Autour d'un petit livre*, Picard, 1903. — *Choses passées*, Nourry, 1915. — *La Religion*, Nourry, 1917. — *Religion et humanité*, Nourry, 1926.

■ A. Houtin et F. Sartiaux, *Alfred Loisy, sa vie, son œuvre*, CNRS, 1960. — É. Poulat, *Critique et mystique. Autour de Loisy ou la conscience catholique et l'esprit moderne*, Le Centurion, 1984.

LONDRES (Albert)

1884-1932

En 1928, Albert Londres, après quatre mois passés en Afrique, dénonce, dans une longue enquête du *Petit Parisien*, la façon scandaleuse dont sont traités les Noirs. Colère de la presse coloniale. « Notre métier n'est pas de faire plaisir, non plus de faire du tort », répondra l'auteur dans l'avant-propos au livre qui, l'année suivante, réunira ses reportages. « Il est de porter la plume dans la plaie. » Cette profession de foi, Albert Londres l'illustrera avec éclat, dans les dix dernières années de sa carrière, au *Petit Parisien*.

Ses premiers reportages, c'est au *Matin* qu'il les a publiés, au tout début de la Grande Guerre. Ce provincial « monté » de Vichy — où il est né le 1er novembre 1884, de parents modestes hôteliers — à Paris pour y devenir poète a débuté comme rédacteur au *Salut public* — dirigé alors par Élie-Joseph Bois, vichyssois comme lui — avant d'entrer, en 1906, à la rubrique parlementaire du *Matin*. En 1914, le voici correspondant de guerre : en Champagne d'abord, où son article sur le bombardement de la cathédrale de Reims le fait remarquer ; dans le Nord ensuite, où il parcourt les champs de bataille ; dans les Dardanelles et sur la plupart des fronts enfin, où, ayant quitté *Le Matin* pour *Le Petit Journal*, il s'efforce de surmonter les rigueurs de la censure militaire. C'est l'époque où le grand reportage commence à gagner ses lettres de noblesse.

Dès lors, Albert Londres va sillonner le monde, du Moyen-Orient à l'Inde de Gandhi, en passant par la Russie des soviets et la Chine des « seigneurs de la guerre », pour le compte de différents journaux : après *Le Petit Journal*, ce sera *Excelsior*, puis *Le Quotidien*, dont il partira au lendemain d'un reportage sur la Ruhr, en 1923, lançant à son rédacteur en chef, qui lui reprochait de n'être pas dans la ligne du journal, ce mot devenu célèbre : « Un reporter ne connaît qu'une seule ligne : celle du chemin de fer. »

Par la qualité de son regard et celle de son écriture, Albert Londres s'impose comme un des grands de la profession ; mais c'est dans ses articles du *Petit Parisien* (où l'a fait venir Élie-Joseph Bois, rédacteur en chef de ce quotidien populaire), à partir de 1923, que s'affirme, au service de grandes causes, son engagement personnel. Qu'il fustige la cruauté du bagne, cette « usine à malheur », la sauvagerie des pénitenciers militaires, l'inhumanité des asiles, qu'il condamne la traite des Blanches en Argentine ou celle des Noirs en Afrique, il conçoit ses reportages comme autant de manifestes contre « l'indifférence ». Albert Londres disparaît le 16 mai 1932 dans l'incendie du *Georges-Philipar*, le bateau qui le ramenait de Chine.

Thomas Ferenczi

■ *Œuvres complètes*, Arléa, 1992. — *Câbles et reportages*, Arléa, 1993.

■ P. Assouline, *Vie et mort d'un grand reporter (1884-1932)*, Balland, 1989. — F. Londres, *Mon père*, Albin Michel, 1934. — P. Mousset, *Albert Londres, l'aventure du grand reportage*, Grasset, 1970.

LOUZON (Robert)

1882-1976

Des grains de sable se sont glissés dans la vie bien huilée de ce fils d'une famille de la bourgeoisie parisienne, enrichie lors de la vente des biens nationaux : la lecture d'Eugène Sue qui incite le jeune lycéen de Janson-de-Sailly à parcourir le Paris populaire avec son intime ami (et qui le restera sa vie entière) Robert Debré*, l'émotion qui se transforme en révolte devant la misère, l'affaire Dreyfus* qui les bouleverse et où ils perdent leurs illusions sur la justice républicaine, la fréquentation des milieux socialistes allemanistes, la lecture de l'étonnant *Père Peinard* d'Émile Pouget qui l'amène au syndicalisme d'action directe.

Après son doctorat en droit sur la propriété des mines en France et un diplôme de l'École des mines, Louzon est ingénieur dans des mines espagnoles puis devient directeur de l'usine à gaz de Saint-Mandé. Il croit à l'importance de la technique et de la connaissance économique mais il est persuadé que les intellectuels bourgeois, comme lui, doivent aider la classe ouvrière dans son combat révolutionnaire en l'éclairant sur les mécanismes de l'économie et non prétendre diriger le mouvement ouvrier. Ami d'Hubert Lagardelle*, il écrit dans *Le Mouvement socialiste* des articles... contre les intellectuels. Robert Louzon, orphelin de bonne heure et libre de sa fortune, peut manifester très concrètement ses sympathies. Il achète, en 1907, pour 110 000 francs, l'immeuble du 33 rue de la Grange-aux-Belles qu'il apporte en actif dans la Société Griffuelhes et Cie pour loger la CGT. La direction du gaz ne peut guère garder ce directeur d'usine qui offre un siège à une organisation syndicale et le révoque. Il est désormais tout à fait libre de dénoncer le trust du matériel des usines à gaz dans *La Vie ouvrière*.

Son activité de journaliste économique est militante, il n'est jamais rétribué pour un article et n'écrit que dans des revues comme *La Vie ouvrière* et *La Révolution prolétarienne** qui correspondent à ses engagements. Ses centaines d'articles sont informés, démystificateurs, paradoxaux, pour expliquer les rouages compliqués de l'économie, défendre l'inflation, combattre le mythe de la propriété, analyser les crises et l'impérialisme, en marxiste solide et peu orthodoxe. Il est fidèle au syndicalisme révolutionnaire, voyant dans le premier communisme les possibilités d'un parti vraiment ouvrier, rétif dès 1924 à la bolchevisation, dénonciateur des crimes et des mensonges staliniens et des déplorables conditions de vie des ouvriers et paysans soviétiques.

Robert Louzon s'engage très tôt dans la lutte anticolonialiste. En 1913, propriétaire d'une exploitation agricole en Tunisie où il expérimente des méthodes d'agriculture moderne, il se lie avec les militants du Destour. Après la Première Guerre mondiale* (qu'il fait, comme capitaine de zouaves, sans états d'âme, contrairement à ses amis Monatte et Rosmer, pour lutter contre le militarisme allemand), il assure le secrétariat de la Fédération communiste tunisienne et la direction de son journal, puis celle d'un journal en langue arabe, vite interdit. Condamné en 1922 à six mois de prison et à l'expulsion, il s'installe sur la côte d'Azur qui devient son port d'attache et où il vit de ses rentes puis de son capital. Pendant plus d'un demi-siècle (à l'exception de l'Occupation), il écrit sans cesse.

Dans les années 30, pacifiste, il est néanmoins partisan d'une lutte, même armée, contre le fascisme. Après un voyage au Maroc, pour tenter d'empêcher le recrutement des Marocains par les franquistes, il s'engage dans l'armée républicaine dont il est un des plus vieux combattants et, à son retour en France, s'emploie à aider les républicains espagnols mais aussi les émigrés italiens et allemands. Pour faciliter de délicates démarches, il arbore même sa Légion d'honneur octroyée pendant la guerre. Cela ne l'empêche pas, en 1939, de signer le tract « Paix immédiate ». Après un premier non-lieu, il est arrêté au début de 1940 et envoyé au camp de Bossuet en Algérie dont il est libéré en 1941. Il n'est plus qu'un spectateur inquiet et attentif jusqu'à la reparution de *La Révolution prolétarienne*, dont il remplit bien des colonnes et suscite souvent polémiques et même crises quand il se déclare en 1951 du parti américain ou quand il affirme violemment ses convictions pro-arabes et anti-israéliennes. Parallèlement il est le rédacteur, l'imprimeur, l'administrateur des *Études matérialistes*. Il reste fidèle à ses engagements pour l'indépendance des peuples coloniaux et contre le totalitarisme soviétique. La Yougoslavie de Tito l'intéresse et il y fait plusieurs voyages. La Chine le fascine et il fête ses quatre-vingt-dix ans à Pékin. Il meurt le 22 septembre 1976 à Antibes, son dernier article sur le néo-turgotisme est paru en février 1975.

Cet homme paradoxal, au physique à la G.B. Shaw, au mode de vie peu conformiste, à l'insatiable curiosité, aux amitiés multiples dans les milieux les plus divers, n'a apprécié son argent, ses diplômes, ses connaissances que pour la totale liberté qu'ils lui donnaient pour défendre un socialisme qui ne revête pas « les masques conscients ou inconscients de la contre-révolution ».

Colette Chambelland

■ *L'Économie capitaliste*, Librairie du travail, 1925, rééd. 1935. — *L'Ère de l'impérialisme*, Spartacus, 1948. — *La Chine*, Révolution prolétarienne, 1954.

LUBAC (Henri Sonier de)

1896-1991

Né à Cambrai le 20 février 1896, Henri de Lubac entre à dix-sept ans chez les jésuites dont il a d'abord été l'élève. La guerre, durant laquelle il sert comme combattant, interrompt ses études qu'il achève à Lyon (Fourvière) en 1926. Prêtre en 1928, il enseigne la théologie fondamentale (1929) aux Facultés catholiques de Lyon, ainsi que l'histoire des religions à partir de 1930. Installé en 1935 au scolasticat de Fourvière où le Père Fontoynont anime une vie intellectuelle intense, il est initié au bouddhisme et à l'hindouisme par l'abbé Monchanin. En avril 1941, Henri de Lubac alerte ses supérieurs sur le danger de propagation du paganisme nazi, en s'étonnant du silence de l'épiscopat. Principal collaborateur du Père Chaillet* à la rédaction des *Cahiers du témoignage chrétien* clandestins (1941-1944), il inspire la résistance spirituelle et le combat contre l'antisémitisme.

Après le vif succès du *Drame de l'humanisme athée* (1944), *Surnaturel. Études historiques* (1946) le rend suspect aux conservateurs romains. Visé en 1946 par les accusations contre la « nouvelle théologie », il est sanctionné en 1950 : on lui retire son enseignement et la direction des *Recherches de science religieuse*, il doit quitter Fourvière. Profondément atteint, il se soumet sans céder sur le fond, et redit sa fidélité à l'Église dont il scrute la réalité mystique (*Méditation sur l'Église*, 1951). Guidé par des aînés marqués par la crise moderniste (Huby, Valensin), lecteur de Blondel*, Péguy*, Claudel* comme de saint Thomas, il se fait historien des dogmes, de la patristique, de la théologie et de l'exégèse, mène un dialogue critique avec l'athéisme occidental et les spiritualités orientales, et défend son ami Teilhard de Chardin*. Préférant à l'exposé systématique le « paradoxe » qui renvoie au mystère, il alterne travaux savants et contributions à la formation du public chrétien. Cofondateur en 1941 de la collection « Sources chrétiennes », il collabore à la collection « Théologie », et s'intéresse aux origines chrétiennes de la pensée socialiste (*La Postérité spirituelle de Joachim de Flore*, 1979-1981).

Membre de l'Institut en 1958, il reçoit ensuite d'éclatantes réparations : nommé en 1960 par Jean XXIII à la commission théologique préconciliaire, il est expert au concile, Paul VI le consulte, Jean-Paul II le fait cardinal en 1983. Lié au groupe *Communio*, hostile à certains développements post-conciliaires dans lesquels il voit déviations et sécularisme, il se sépare d'une partie de ses anciens disciples qui l'estiment devenu conservateur. Plusieurs volumes de souvenirs livrent sa relecture des combats d'une longue vie qui s'achève à Paris le 4 février 1991.

Bernard Comte

■ *Catholicisme. Aspects sociaux du dogme*, Cerf, 1938. — *Le Drame de l'humanisme athée*, SPES, *1944*. — *Surnaturel. Études historiques*, Aubier, 1946. — *La Postérité spirituelle de Joachim de Flore*, Lethielleux, 1979 et 1981, 2 vol. — *Résistance chrétienne à l'antisémitisme. Souvenirs*, Fayard, 1988. — *Mémoire sur l'occasion de mes écrits*, Namur, Culture et Vérité, 1991.

▩ K.H. Neufeld et M. Sales, *Bibliographie d'Henri de Lubac s.j.*, Einsiedeln, 1971, complétée par M. Sales dans « Henri de Lubac. Le théologien à l'œuvre », *Communio*, 103, septembre 1992. — H.U. von Balthasar et G. Chantraine, *Le Cardinal Henri de Lubac. L'homme et son œuvre*, Lethielleux, 1983. — « Henri de Lubac (1896-1991) », *Recherches de science religieuse*, n° 80/3, juillet 1992.

LUCE (Maximilien)

1858-1941

Peintre néo-impressionniste engagé dans le combat anarchiste, Luce a joué le rôle clé d'intermédiaire entre les milieux libertaires et artistiques, à la fin du XIXe siècle.

Né en 1858 à Paris, il étudie la peinture dans l'atelier du peintre académique Carolus-Duran, avant de prendre part aux aventures de l'avant-garde parisienne qui découvre le pointillisme. Il peint des paysages mais aussi des scènes de la vie urbaine et ouvrière en écho à ses convictions révolutionnaires. Dès 1881, il fait partie du groupe anarchiste du XIVe arrondissement de Paris. En 1885, il rencontre Pouget, le fondateur du *Père Peinard* (dont il crée le premier frontispice), puis Grave, à la tête de *La Révolte*.

J. Christophe, dans *Les Hommes d'aujourd'hui* (1890), le décrit ainsi : « Ce néo-impressionniste, cet homme au chapeau déformé qui lit attentivement *La Révolte*, périodique anarchiste, en un café populaire, front bombé, nez socratique, tête ronde, cheveux châtains et barbe, yeux mélancoliques et vifs, lèvres épaisses et tordues, il y a du Vallès et du Zola* dans l'expression, avec les yeux d'un révolutionnaire plébéien. » Régulièrement suspecté par la police, il est arrêté (ainsi que son ami, le critique d'art Félix Fénéon*) après l'assassinat du président Sadi Carnot et emprisonné en 1894. Il contribue activement à illustrer les journaux anarchistes : il donne, jusqu'en 1900, plus de deux cents dessins à la presse de Pouget, puis continue, jusqu'en 1914, à défendre l'anarchisme, en participant à *La Voix du peuple*, à la *Feuille* de Zo d'Axa, à *L'Art social*, au *Chambard socialiste* et à *L'Almanach de la révolte*. De tous les artistes néo-impressionnistes, s'il est le plus engagé dans la cause libertaire — avec Pissarro* et le critique Fénéon —, sa production « militante » n'est pas sans lui poser des problèmes : il considère que l'art ne doit pas être servile et privilégier le sujet (la propagande), au détriment de la liberté d'inspiration, de la recherche formelle et technique.

Tout en prenant part au débat sur ce que devrait être un art engagé qui ne sombre pas dans la représentation élémentaire des « éternels miséreux », il illustre régulièrement les thèmes majeurs de l'anarchisme : la misère, la prostitution, les turpitudes des capitalistes ou, s'inspirant de son internement après le procès des Trente, l'humiliation et la solitude des prisonniers, en souvenir de Jules Vallès interné au même endroit.

Laurence Bertrand Dorléac

■ P. Cazeau, *Maximilien Luce*, Lausanne-Paris, Bibliothèque des Arts, 1982. — W. Herbert Eugenia, « Les artistes et l'anarchisme d'après les lettres inédites de P. Signac et d'autres… », *Le Mouvement social*, juillet-septembre 1961 ; *The Artists and Social Reform (France and Belgium, 1885-1898)*, New Haven, Yale University Press, 1961. — H. Lecouvey, « Le néo-impressionnisme et l'anarchisme dans la France fin de siècle », *Le Serment des Horaces*, n° 1, automne 1988-hiver 1989.

LUMIÈRE (LA)

La Lumière tient une place à part parmi les hebdomadaires politico-intellectuels de gauche de l'entre-deux-guerres. Par sa longévité — le journal paraît pendant treize ans, du 14 mai 1927 au 7 juin 1940 —, et par l'importance qu'il attache au combat politique immédiat, il se distingue de *Sept**, de *Marianne** et de *Vendredi**.

Le secret de cette longévité réside peut-être dans la détermination de son fondateur et directeur, Georges Boris*, qui mena deux combats en un : celui d'une presse de gauche et celui d'une presse intègre. L'expérience de la vénalité du *Quotidien*, qu'il a vécue à ses dépens, est en effet décisive : c'est après avoir dénoncé la « trahison » de ce journal de janvier à mars 1927, dans un mensuel créé pour l'occasion et intitulé *Toute la lumière*, que Boris fonde *La Lumière, hebdomadaire d'éducation civique et d'action républicaine*. L'orientation de la feuille est celle du « parti républicain », au sens où on l'entend alors : « Nous n'avons qu'un parti pris : servir la République sociale », lit-on sous le titre du journal. Hostile aux « puissances d'argent », *La Lumière* est aussi anticléricale, antifasciste et antinazie.

La direction du journal est d'essence intellectuelle. À la une, à côté du nom de Georges Boris, figurent ceux des cofondateurs : Alphonse Aulard*, historien de la Révolution, et Ferdinand Buisson*, président de la Ligue des droits de l'homme et prix Nobel de la paix 1927. Quant au comité de rédaction, il réunit avec le directeur, Albert Bayet*, professeur à l'École des hautes études et membre de la gauche du Parti radical, Émile Glay, secrétaire général adjoint de la Fédération des instituteurs et partisan résolu de la laïcité, et Georges Gombault, militant socialiste participationniste.

Par son engagement dans les luttes électorales, le journal s'attire la collaboration d'hommes politiques de gauche comme Pierre Cot, Pierre Mendès France, Gaston Bergery, Marcel Déat, Paul Ramadier, Jules Moch (P. Martien) et Vincent Auriol. Mais la direction veille à obtenir la contribution d'écrivains et de penseurs de l'époque. Georges Altmann et le philosophe Alain* sont des collaborateurs réguliers, tandis que paraissent occasionnellement les signatures de Victor Basch*, Francis Delaisi, Jules Isaac*, Bertrand de Jouvenel*, Jacques Kayser, Henri Lévy-Bruhl, Clara Malraux*, Paul Rivet*, Alfred Sauvy*, Roger Stéphane*, Edmond Vermeil, Léon Werth, et d'autres encore.

L'indépendance de *La Lumière* peut être constatée au fil de ses 683 numéros. Son financement repose en effet sur les abonnements, les souscriptions des lecteurs et la fortune personnelle de son directeur, qui diminue en proportion. Car les annonceurs ne se pressent pas pour utiliser cette feuille de gauche : en 1936, la publicité ne représente que 4 % des recettes. Le journal n'atteint pas de gros tirages : en 1936, au plus fort de son rayonnement, il dispose de 25 000 abonnés et d'une vente au numéro qui avoisine 15 000 exemplaires. Mais il réussit à se maintenir. En février 1939, il accueille comme collaborateurs réguliers Louis Martin-Chauffier*, Andrée Viollis* et André Wurmser*, que la disparition de *Vendredi* a laissés sans emploi fixe, et, en juin 1940, au moment de son interruption, *La Lumière* est encore riche de 20 000 abonnés.

À la Libération, devant le succès remporté par les thèses défendues avant la guerre dans *La Lumière*, et en raison de l'inflexion qu'il donne à son itinéraire personnel, Georges Boris décide de ne pas faire reparaître le journal.

Claire Andrieu

■ C. Bellanger, J. Godechot, P. Guiral et F. Terrou, *Histoire générale de la presse française*, t. 3 : *De 1871 à 1940*, PUF, 1972. — G. Boris, *Tactique et vérité. Lettre aux anciens collaborateurs de « La Lumière »*, juin 1946. — P. Ory et J.-F. Sirinelli, *Les Intellectuels en France. De l'affaire Dreyfus à nos jours*, Armand Colin, 1986. — M.-F. Toinet, *Georges Boris (1888-1960), un socialiste humaniste*, thèse, FNSP, 1969.

Lyotard (Jean-François)

Né en 1924

Né en 1924, Jean-François Lyotard fait des études supérieures de philosophie et est agrégé en 1950. Son premier poste d'enseignant est le lycée de Constantine, où il reste deux ans (1950-1952). Cette connaissance de l'Algérie le conduira à proposer des analyses denses et précises du conflit algérien, notamment dans *Socialisme ou barbarie**. Philosophiquement, son terreau de formation est la phénoménologie. C'est cette voie qu'il va continuer d'approfondir, tout en déplaçant les enjeux, dans sa thèse, *Discours, figure*, publiée en 1971. Dès ce moment-là, la question de l'esthétique est centrale pour sa philosophie, exigeant que la pensée se confronte à la singularité d'une œuvre.

Mais enseignant à « Vincennes » au lendemain de Mai 68, ce sont d'abord des intérêts politiques qui mobilisent Lyotard. Il publie alors plusieurs livres articulant une critique radicale des normes sociales dominantes mais aussi des « alternatives » freudiennes ou marxistes *(Économie libidinale)*. C'est à l'occasion d'un « dialogue » autour de ce livre, conduit par Jean-Loup Thébaud, que Lyotard mobilise les notions et les problèmes qui vont devenir centraux dans sa problématique ultérieure *(Au juste)*. Il s'agit de définir ce qui peut être le critère du jugement, dès lors qu'on ne dispose plus de référence universelle, de philosophie de l'histoire (la fin des grands récits), bref d'un langage commun qui pourrait fournir la mesure des différents « jeux de langage ».

Cette situation, que Lyotard baptise « post-moderne », il tente d'en explorer les différentes faces, notamment sur le plan de la rencontre entre genres différents (comme la technique et l'art, à l'occasion de l'exposition « Les Immatériaux », dont il est commissaire, en mars-juillet 1985), tout en cherchant à résister aux aspects délétères de la post-modernité, qui ne connaît d'autre loi que l'échange : c'est l'une des raisons de son attachement à la cause de la philosophie, qu'il manifeste en devenant président du Collège international de philosophie* en 1984-1986. Philosophiquement, il est aussi conduit à chercher chez Kant, dans la *Critique du jugement*, une analogie avec le jugement esthétique qui s'exerce sans concept. Dans le différend auquel nous voue l'irréductibilité des jeux de langage, il nous faut être kantiens. De cette façon, Lyotard retrouve des préoccupations éthiques qui sont celles de Levinas*, de plus en plus présent dans ses derniers essais.

Joël Roman

■ *La Phénoménologie*, PUF, 1954. — *Discours, figure*, Klincksieck, 1971. — *Dérive à partir de Marx et Freud*, 1973, rééd. Galilée, 1994. — *Des dispositifs pulsionnels*, 1973, rééd. Galilée, 1994. — *Économie libidinale*, Minuit, 1974. — *La Condition post-moderne*, Minuit, 1979. — *Au juste* (avec J.-L. Thébaud), Bourgois, 1979. — *Le Différend*, Minuit, 1984. — *L'Enthousiasme*, Galilée, 1986. — *Heidegger et les juifs*, Galilée, 1988. — *La Guerre des algériens*, Galilée, 1989. — *Moralités post-modernes*, Galilée, 1993.

■ J. Derrida et V. Descombes, *La Faculté de juger*, Minuit, 1985. — C. Ruby, *Le Champ de bataille, post-moderne / néo-moderne*, L'Harmattan, 1990. — « Jean-François Lyotard : réécrire la modernité », *Les Cahiers de philosophie*, Lille, 1988. — Numéro spécial de *L'Arc*, n° 64.

MADAULE (Jacques)
1898-1993

Né à Castelnaudary le 11 octobre 1898 dans une famille de petite bourgeoisie cultivée, étudiant à Toulouse, Jacques Madaule est agrégé d'histoire en 1922, professeur à Tunis puis membre de l'École française de Rome (1923-1925). Abandonnant l'archéologie, il enseigne à Poitiers (1925-1929) puis à Paris, aux lycées Rollin et Michelet (1935-1939). Il a découvert à Rome l'œuvre de Claudel*, qui l'a conduit à un catholicisme fervent bien différent de la religion conformiste de son enfance. Ayant fréquenté à Paris Maritain*, il est avant la guerre un des chroniqueurs politiques et culturels les plus réguliers d'*Esprit**. Candidat de la gauche chrétienne contre Chiappe aux élections municipales du VIe arrondissement de Paris en 1935, candidat MRP dans le Puy-de-Dôme en 1945, il est en 1945-1946 conseiller de Francisque Gay, ministre d'État puis vice-président du Conseil. Élu maire d'Issy-les-Moulineaux par la coalition des adversaires du PCF (1949-1952), il s'appuie sur celui-ci pour imposer des réalisations sociales, rompt avec le MRP et entre au Mouvement de la paix (1952) ; il préside le Comité national des écrivains* en 1964. Membre de l'Amitié judéo-chrétienne de France dès sa fondation en 1948, il la préside de 1949 à 1975 et se bat, notamment lors du concile Vatican II, pour une meilleure ouverture des catholiques au judaïsme et aux juifs.

Jacques Madaule a associé pendant un demi-siècle des solidarités apparemment contraires. Intellectuel de gauche engagé, socialiste partisan de l'adhésion à la IIIe Internationale en 1919, enthousiasmé plus tard par le Front populaire, résistant, signataire de nombreux manifestes, il a mené bien des campagnes, par la parole et l'écrit, de l'antifascisme de 1935 à l'opposition contre le Front national en 1983 en passant par les luttes anticolonialistes et la défense de la République en 1958. Critique catholique formé à l'école de Du Bos, exégète enthousiaste de l'œuvre de Claudel et éditeur de son théâtre, il a écrit aussi sur Dante, Dostoïevski, Barrès*, Teilhard*, Toynbee, Berdiaev* et Greene. Marqué par l'exemple de Mounier* autant que par sa pensée, il participe aussi aux activités de la Paroisse universitaire*. Historien attaché à la transmission du patrimoine national, il a rédigé pendant la guerre une grande *Histoire de France*, complétée ensuite, et s'est intéressé tardivement au drame de ses ancêtres albigeois.

Intensément présent aux conflits de son temps dont il a assumé les contradictions, Madaule a constamment associé le sens chrétien de la vocation unique des personnes et le goût humaniste des œuvres de culture au souci politique de la justice. Il meurt à Paris le 19 mars 1993.

Bernard Comte

■ *Le Génie de Claudel*, Desclée de Brouwer, 1933. — *Le Drame de Paul Claudel*, Desclée de Brouwer, 1936. — *Histoire de France*, Gallimard, 1962, 3 vol. — *Le Drame albigeois et le destin français*, Grasset, 1962. — *Les Juifs et le monde actuel*, Flammarion, 1963. — *Claudel et le langage*, Desclée de Brouwer, 1968. — *L'Interlocuteur*, Gallimard, 1972. — *L'Absent*, Gallimard, 1973.

MALLET (Serge)

1927-1973

Mort prématurément en juillet 1973 dans un accident de voiture, Serge Mallet ne put donner toute sa mesure de théoricien politique de la « Nouvelle Gauche », qu'il avait contribué à construire.

Né à Bordeaux en 1927, il est résistant en Charente. À la Libération, il adhère au Parti communiste, et devient correspondant départemental du journal *Ce soir*, avant d'être secrétaire de l'association d'éducation populaire proche de la CGT, « Peuple et culture », puis d'être permanent à « Tourisme et travail ».

Il rompt avec le PC en 1958, collabore alors à *France-Observateur*, puis au *Nouvel Observateur**, et crée avec d'autres scissionnistes (notamment Jean Poperen et François Furet*), « Tribune du communisme ». Ce groupe se joint en 1960 au PSA d'Alain Savary et Édouard Depreux et à l'UGS de Claude Bourdet* et Gilles Martinet pour fonder le PSU. Serge Mallet en sera alors l'un des principaux dirigeants, prenant une part active aux débats internes, mais surtout travaillant à doter cette nouvelle organisation d'un corps de doctrine propre. Il sera à ce titre l'un des principaux animateurs du Centre d'études socialistes (CES), qui publie au début des années 60 plusieurs brochures, dont certaines feront date (*Les travailleurs peuvent-ils gérer l'économie ?*, avec S. Mallet, C. Lefort*, P. Mendès France et P. Naville*, 1961 ; *Marxisme et sociologie*, avec S. Mallet, C. Lefort, E. Morin* et P. Naville, 1963).

Le marxisme doit être, à ses yeux, « révisé » (il se réfère d'ailleurs souvent à Bernstein), en particulier quant à ses fondements sociologiques. C'est ainsi qu'il est amené à proposer l'hypothèse d'une « nouvelle classe ouvrière », qui se distingue du prolétariat au sens classique du marxisme. Cette nouvelle classe ouvrière est salariée, souvent qualifiée : elle n'a pas « à perdre que ses chaînes ». Elle n'en est pas moins révolutionnaire, car le conflit n'est plus seulement un conflit articulé par l'exploitation : c'est un conflit de pouvoir dont l'enjeu est la gestion. Devenu universitaire, à l'École pratique des hautes études tout d'abord, puis à Vincennes, Serge Mallet a aussi fait porter son intérêt sur d'autres questions : celle des paysans et celle des minorités nationales en France et de la nécessaire régionalisation.

Cette sociologie conduisait donc à rompre avec l'économisme dominant dans la pensée marxiste orthodoxe, et à mettre au premier plan la lutte pour un « pouvoir ouvrier », pour le « contrôle », ou l'« autogestion ». En ce sens, Serge Mallet est à l'arrière-plan théorique des luttes de Mai 68 et de ce qui s'épanouira, dans les années 70, sous le nom de « socialisme autogestionnaire ».

Joël Roman

■ *Les Paysans contre le passé*, Seuil, 1962. — *La Nouvelle Classe ouvrière*, Seuil, 1963, rééd. 1969. — *Le Gaullisme et la gauche*, Seuil, 1965. — *Le Pouvoir ouvrier*, Denoël, 1975.

▒ É. Depreux, *Servitude et grandeur du PSU*, Syros, 1974. — M. Heurgon, *Histoire du PSU*, t. 1, La Découverte, 1995. — J.-F. Kesler, *De la gauche dissidente au nouveau Parti socialiste*, Toulouse, Privat, 1990.

MALRAUX (André)

1901-1976

Né avec le siècle (le 3 novembre 1901 à Montmartre), André Malraux offre l'exemple d'une vie et d'une œuvre profondément liées à l'aventure de son temps. Encore faut-il ne pas confondre l'homme et l'écrivain. Ses ouvrages ne rendent pas compte, au premier degré, de l'action, mais, transcendant les faits, obéissent à cette loi de métamorphose qui gouverne toute l'œuvre : « Transformer en conscience une expérience aussi large que possible. »

Dans ces cinquante années où le siècle met le monde en question, on trouve toujours présent André Malraux aux points chauds de l'histoire (de la montée révolutionnaire en Extrême-Orient à la guerre civile en Espagne*, de la montée des fascismes en Europe à la délivrance de Strasbourg). Il y gagnera sa dimension légendaire d'aventurier et de militant.

Parti à vingt ans avec sa jeune femme, Clara Goldschmidt, découvrir et s'approprier quelques statues khmères dans le temple abandonné de Banteaï-Strey au Cambodge, il dénoncera, en marge de sa condamnation, les méfaits du colonialisme et, sans même se rendre en Chine, dressera dans son roman *Les Conquérants* (1928) le tableau vivant de la révolution de Canton. *La Condition humaine* lui vaudra, cinq ans plus tard, le prix Goncourt et une réputation établie d'écrivain engagé.

Durant les années 30, Malraux manifeste par de nombreuses interventions (Congrès des écrivains à Moscou, président du Comité mondial de libération de Dimitrov, discours à Berlin, membre du presidium de la LICA) une courageuse et constante opposition à la menace fasciste, justifiant, en 1936, un engagement personnel dans la guerre d'Espagne avec la création de l'escadrille « España », et son livre *L'Espoir*, dernier ouvrage de forme romanesque pour témoigner du combat que sait mener l'homme contre les fatalités qui l'accablent, au nom des vraies valeurs que sont la fraternité et la dignité.

Fortement marqué par les événements (victoire de Franco, pacte germano-soviétique, invasion de la France) Malraux, réfugié dans le midi, rédige la première version de *La Psychologie de l'art*, *La Lutte avec l'ange* (manuscrit détruit, prétend-il, par la Gestapo, dont subsistera *Les Noyers de l'Altenburg* publié à Lausanne en 1943), et un important essai sur Lawrence d'Arabie, *Le Démon de l'absolu*, demeuré jusqu'alors inédit et devant paraître dans les *Œuvres complètes* en deuxième tome de la « Pléiade ». Donner un sens aux métamorphoses de l'histoire, c'est à ses yeux découvrir que la lutte d'aujourd'hui pour la grandeur et la survie de la nation peut prévaloir sur la lutte d'hier contre l'injustice sociale. Le militant se fait soldat, sous le nom de « colonel Berger ». Il crée la brigade Alsace-Lorraine, et choisit bientôt l'homme de son destin, Charles de Gaulle. Démobilisé, l'écrivain devient ministre. Délégué à la propagande du RPF, il retrouvera le Général en mai 1958, et assumera jusqu'au départ de celui-ci les fonctions de ministre des Affaires culturelles.

L'exercice du pouvoir a interrompu une réflexion majeure sur l'art (*Les Voix du silence*, 1951, *La Métamorphose des dieux*, 1957). Il la prolongera et la complétera dans les dernières années par de nombreux textes, et publiera (en 1967) ses *Antimémoires*.

Moins infidèle à lui-même qu'à l'image qu'il s'est politiquement donnée, Malraux n'est-il pas victime de sa légende ? Un principe conducteur domine pourtant sa pensée et replace la totalité de l'œuvre (des romans à la méditation sur l'art, en passant par les *Antimémoires*, les bien nommés) dans une perspective originale et cohérente : cette loi de métamorphose et de conquête sur le réel.

L'interrogation métaphysique sur l'art n'est pas, comme on l'a dit trop souvent, un chapitre nouveau de l'œuvre des dix dernières années, elle est au départ de l'aventure. « Toute forme qui arrache l'homme à la mort et le rend moins esclave... » *Les Voix du silence* (1951) sont aussi une réponse à ce roman révolutionnaire, singulièrement intitulé *La Condition humaine*. La fraternité des formes, comme la fraternité des hommes, invite à cet humanisme universel qui, chez Malraux, fonde l'unité de pensée, la défense des valeurs et la reconnaissance de l'héritage mondial comme témoignage de la victoire de l'homme sur son destin.

André Malraux meurt le 23 novembre 1976, et est enterré à Verrières-le-Buisson. Il laisse un ouvrage posthume, *L'Homme précaire et la littérature*, qui paraît en 1977.

André Brincourt

■ *Les Conquérants*, 1928, rééd. LGF, 1992. — *La Voie royale*, 1930, rééd. Gallimard, 1970. — *La Condition humaine*, 1933, rééd. Gallimard, 1986. — *L'Espoir*, 1937, rééd. Gallimard, 1992. — *La Métamorphose des dieux*, t. 1 : *Le Surnaturel*, t. 2 : *L'Irréel*, t. 3 : *L'Intemporel*, Gallimard, 1957-1976. — *Le Miroir des limbes : Antimémoires* et *La Corde et les souris*, Gallimard, « Pléiade », 1976.

■ A. Brincourt, *Malraux, le malentendu*, Grasset, 1986. — J. Lacouture, *André Malraux, une vie dans le siècle*, Seuil, 1976. — C. Malraux, *Nos vingt ans*, Grasset, 1986. — C. Tannery, *Malraux l'agnostique ou la Métamorphose comme loi du monde*, Gallimard, 1985.

MALRAUX (Clara)

1897-1982

Lorsque Clara Goldschmidt rencontre André Malraux*, elle a vingt-quatre ans ; lui n'en a pas encore vingt. Ce n'est pas une précision. C'est l'explication de leurs rapports. Juive allemande, elle lui ouvre les portes des musées d'Europe et l'initie à la pensée germanique : Nietzsche, Spengler, Keyserling. Elle le pousse hors des cénacles parisiens et facilite la découverte de « l'autre monde » — l'Asie. Elle sera, enfin, responsable de ses premiers engagements politiques.

Clara Malraux fait mieux que partager l'expédition aventureuse au Cambodge pour dérober les statues du petit temple abandonné de Banteaï-Strey ; elle saura éveiller le soutien des plus grands écrivains français pour délivrer son compagnon des autorités indochinoises. Sans doute est-ce là que commence son drame personnel. « Vivre avec André Malraux était un cadeau royal que je payais de ma propre disparition », dira-t-elle. Clara Malraux n'en reste pas moins elle-même, à condition de ne pas se reconnaître seulement comme l'épouse de celui qui met en place, et bientôt en vedette, son propre génie.

Née en 1897, elle va « occuper son siècle » et porter sur lui un regard de femme militante. Grâce à son esprit d'ouverture, à sa présence au centre même de l'intelligentsia, nous pouvons saisir les valeurs essentielles qui orientèrent toute sa vie, dans ses ouvrages comme dans son action (elle fut, en Espagne, membre du groupe Neu Beguin, à un moment proche du POUM, et appartint, durant l'Occupation, au mouvement « Combat »), soucieuse d'accueillir la pluralité des cultures dans un monde où le droit à la différence devient ce qu'elle a tenu pour « la vraie conquête du XXe siècle ». De son expérience relatée du kibboutz « En hahoresh », à la recherche, en Perse et en Afghanistan, des têtes gréco-bouddhiques, de sa biographie de *Rahel, ma grande sœur* (sur la société juive en Allemagne au début du XIXe siècle) aux rencontres pluriculturelles d'Indonésie, de sa participation aux débats de Pontigny* aux engagements du Front populaire — sa pensée dominante va à l'interpénétration fécondante des civilisations et à la défense de la dignité humaine. « Libre et insoumise, j'ai traversé ce siècle avec la passion de tout voir et de tout connaître... », a-t-elle écrit.

Les volumes qui, sous le titre *Le Bruit de nos pas*, constituent son autobiographie, font apparaître une vive critique à l'égard d'André Malraux. Elle n'y cache pas un règlement de comptes personnel — se réservant à elle seule une sévérité pour l'homme qui n'entache en rien la profonde admiration qu'elle sut garder à l'égard de l'écrivain. Divorcée en 1947 et mère de Florence Malraux, elle a vécu fidèle aux convictions premières jusqu'à ce 15 décembre 1982 où, à quatre-vingt-cinq ans, au moulin d'Andé en Normandie, elle s'est éteinte comme s'éteint une flamme — tenant à la main *Les Confessions de Jean-Jacques Rousseau*.

André Brincourt

■ *Portrait de Griselidis*, Colbert, 1945. — *La maison ne fait pas de crédit*, Temps actuels, 1946. — *Civilisation du kibboutz*, Gonthier, 1964. — *Java-Bali*, Rencontre, 1964. — *Le Bruit de nos pas*, Grasset, 1963-1979, 6 vol. — *Rahel, ma grande sœur. Un salon littéraire à Berlin au temps du romantisme*, Ramsay, 1980. — *Clara Malraux. Biographie-témoignage* (entretiens enregistrés par C. de Bartillat), Perrin, 1985.

▒ I. de Courtivron, *Clara Malraux, une femme dans le siècle*, Éd. de l'Olivier, 1992.

MANDOUZE (André)

Né en 1916

Si la notion d'intellectuel engagé a un sens, André Mandouze en est une parfaite illustration. Jamais cet universitaire, spécialiste des Pères de l'Église, n'aura séparé sa recherche et son enseignement de ses activités de chrétien militant, que ce soit dans la Résistance, ou les débats sur le progressisme, la décolonisation ou l'évolution de l'Église.

André Mandouze est né le 10 juin 1916 à Bordeaux. Lycéen, lecteur de *Sept**, puis de *Temps présent**, il adhère à la Jeunesse étudiante chrétienne*, où il est marqué par la forte personnalité du Père Dieuzayde. Ses études sont brillantes : École normale supérieure* et agrégation de lettres. Assistant à la faculté de Lyon en 1942, il joue un rôle de premier plan dans la Résistance, cumulant la direction officielle des *Cahiers de Notre Jeunesse* de l'ACJF — que Vichy tolérera jusqu'en juin 1943 —, la participation à la rédaction des *Cahiers* et du *Courrier* clandestins de *Témoignage chrétien**, et les tâches quotidiennes de diffusion et de contacts, le tout avec un mépris étonnant des règles de la plus élémentaire prudence.

Rédacteur en chef de *Témoignage chrétien* à la Libération, Mandouze veut poursuivre avec les communistes le rapprochement qui s'était opéré dans la lutte clandestine. Contré par le Père Fessard* et lâché par le Père Chaillet*, il démissionne en décembre 1945. Chargé d'enseignement à la Faculté des lettres d'Alger, il garde, grâce à Mme Sauvageot, une tribune à *Temps présent*, qui cesse de paraître en mai 1947. Quelques mois plus tard, Mandouze participe à la fondation de l'Union des chrétiens progressistes. Il justifie leur position dans « Prendre la main tendue », importante contribution à un volume collectif, *Les Chrétiens et la politique* (Paris, 1948). Mais il renonce en 1950 à prendre la direction du nouveau bimensuel chrétien de gauche *15/Quinzaine*.

Resté à Alger, il se consacre surtout au combat contre le colonialisme. La revue *Consciences algériennes* qu'il fonde en 1950 est bientôt interdite par les autorités françaises. Il lance en mars 1954 un nouveau titre, *Consciences maghrébines*, qui connaîtra le même sort. La guerre radicalise son engagement aux côtés des nationalistes algériens. Violemment contesté par les partisans de l'Algérie française, il est muté à Strasbourg en mars 1956. Arrêté en novembre, inculpé de « tentative de démoralisation de l'armée et de la nation », il est libéré au bout de cinq semaines grâce à une campagne d'opinion. Il continue le combat, en liaison notamment avec le réseau Jeanson*. L'indépendance lui vaut d'être nommé en 1963 directeur de l'enseignement supérieur de la nouvelle République algérienne, puis d'y poursuivre sa carrière. Il rentre en France en 1968 et enseigne alors à la Sorbonne jusqu'en 1985.

Il n'a jamais cessé de plaider — dans *Le Monde** ou *Esprit**, mais aussi le *Bulletin* (1955-1957) et la *Lettre* (1957-1987) — pour un catholicisme ouvert et œcuménique. Dès 1948 il avait fortement marqué la formule de son engagement : « primauté du spirituel » et « priorité du temporel ». Incapable d'être courtisan, facilement soulevé de saintes colères, il s'en est toujours pris aux équivoques des institutions chrétiennes et, plus largement, de toutes les adjectivations du christianisme.

Yvon Tranvouez

■ *La Révolution algérienne par les textes*, Maspero, 1961. — *Saint Augustin. L'aventure de la raison et de la grâce*, Études augustiniennes, 1968. — *Prosopographie de l'Afrique chrétienne*, CNRS, 1982.

▒ R. Bédarida, *Les Armes de l'Esprit : « Témoignage chrétien » (1941-1944)*, Éditions ouvrières, 1977. — H. Hamon et P. Rotman, *Les Porteurs de valises*, Albin Michel, 1979. — J.-P. Rouxel, *Les Chrétiens progressistes, de la Résistance au Mouvement de la paix*, thèse, Rennes, 1976.

« MANIFESTE DES 121 » : voir PÉTITIONS

MANNONI (Maud)

Née en 1923

Maud Mannoni a connu, à six ans, une douloureuse séparation d'avec la nourrice cinghalaise qui l'avait élevée à Colombo, où son père était consul. Et ce n'est pas sans une pointe de nostalgie qu'elle évoque parfois pour ses amis cet Éden perdu aux couleurs des récits de Rudyard Kipling. Transplantée en Belgique chez ses grands-parents, elle oublie les langues de son enfance, l'hindi et l'anglais, et doit apprendre le français. Elle vit sa jeunesse dans la solitude d'une « anesthésie affective » (*Ce qui manque à la vérité pour être dite*, 1988), jusqu'à ses études de criminologie à Bruxelles et à ses débuts d'analyste. (Elle adhère encore aujourd'hui à la Société belge de psychanalyse, affiliée à l'Association psychanalytique internationale.)

Mais c'est à Paris qu'elle se forme à l'analyse avec Françoise Dolto* dans les années 50, puis avec Jacques Lacan* — qui insiste pour qu'elle fasse une analyse avec lui —, et, en Angleterre, avec D. Winnicott. F. Dolto incite Octave Mannoni, alors analysant de Lacan, à rencontrer Maud, laquelle lui fait « grosse impression » lors d'un colloque à Royaumont* : « Libérée, féminine, très intelligente et clairvoyante [...], le plus grand de tous les charmes », écrit-il. Durant la guerre d'Algérie, Maud Mannoni est la seule analyste, avec J.-B. Pontalis*, à signer le « Manifeste des 121 »* pour défendre le droit à l'insoumission.

L'analyse la confronte constamment aux résistances inconscientes des parents face aux tentatives de guérison de leur enfant, celui-ci étant le porte-parole des conflits de la famille, et plus radicalement, comme elle l'avance, le symptôme de la mère (*Le Premier Rendez-vous avec le psychanalyste*, 1965 ; *L'Enfant, sa « maladie » et les autres*, 1967). L'institution psychiatrique, excluant l'écoute du symptôme ou du délire par un tiers neutre, rend impraticable l'exercice de la psychanalyse (*Le Psychiatre, son « fou » et la psychanalyse*, 1970) ; et si elle protège de l'angoisse, c'est souvent en condamnant l'enfant par un diagnostic de débilité et la médicalisation de la maladie (*L'Enfant arriéré et sa mère*, 1964). D'où le combat de Maud Mannoni, militante sans parti, contre les lourdeurs et l'arbitraire du pouvoir administratif et technocratique, afin d'imposer, à partir de 1969, un lieu paradoxal s'inspirant des expériences de l'antipsychiatrie (Ronald Laing, David Cooper) : l'École expérimentale de Bonneuil-sur-Marne.

Ouverte sur le dehors (lieux d'apprentissage, séjours en familles d'accueil, éventuellement à l'étranger), cette « institution éclatée » permet à l'enfant caractériel de partir et revenir, pour découvrir peu à peu son identité (*Éducation impossible*, 1973 ; *Un lieu pour vivre*, 1976). Un patient travail sur la présence et l'absence de l'autre s'y effectue avec les autistes, pour que, tout en découvrant les limites de leur propre image du corps, ils parviennent à supporter la séparation d'avec leur mère, sans éprouver l'angoisse d'être anéantis. Les psychothérapies ont lieu à l'extérieur de l'institution, laquelle n'a cessé de renouveler ses possibilités en empruntant aussi bien à l'expression gestuelle du théâtre de Grotowski, qu'à la pédagogie Freinet*, et en accordant une place aux ateliers de peinture comme aux effets libérateurs de la lecture de contes populaires.

Au lendemain de la dissolution par Jacques Lacan de l'École freudienne de Paris, Maud Mannoni a fondé, avec son mari et Patrick Guyomard, le Centre de formation et de recherches psychanalytiques, devenu, après une scission, « Espace analytique », qui est aussi le titre de la collection qu'elle dirige aux Éditions Denoël*.

Jean-François de Sauverzac

■ *L'Enfant arriéré et sa mère*, Seuil, 1964, rééd. 1981. — *Le Premier Rendez-vous avec le psychanalyste* (préface de F. Dolto), Denoël-Gonthier, 1965. — *L'Enfant, sa « maladie » et les autres*, Seuil, 1967, rééd. 1974. — *Le Psychiatre, son « fou » et la psychanalyse*, Seuil, 1970, rééd. 1979. — *Éducation impossible*, Seuil, 1973, rééd. 1994. — *Un lieu pour vivre*, Seuil, 1976, rééd. 1984. — *Un savoir qui ne se sait pas*, Denoël, 1985. — *Ce qui manque à la vérité pour être dite*, Denoël, 1988.

MARC (Alexandre) [Alexandre Marc-Lipiansky]

Né en 1904

Alexandre Marc a été l'homme d'un seul engagement, à la fois spirituel, philosophique et politique, qui a commandé toute son existence de militant inlassable au service des convictions « personnalistes » et « fédéralistes » de sa jeunesse.

Alexandre Marc-Lipiansky est né en 1904 à Odessa dans une famille de confession israélite. Chassé de Russie par la révolution, il termine ses études secondaires à Paris, avant d'entreprendre des études supérieures de philosophie à Iéna. Revenu en France, il acquiert une formation juridique et est diplômé de l'École libre des sciences politiques* en 1927. Sur la recommandation de Jules Isaac*, il entre aux Éditions Hachette tout en fondant une agence de presse, *Pax Presse*.

En 1929, il crée un centre de rencontres à vocation religieuse et œcuménique, le Club du Moulin-Vert, qui, en abordant les questions sociales et politiques, va donner naissance, en 1930, au mouvement L'Ordre nouveau*, dont il sera l'un des principaux animateurs jusqu'à la disparition de celui-ci en 1938. C'est notamment à son initiative que va se trouver associé au groupe Arnaud Dandieu*, avec qui il va contribuer à définir, entre 1930 et 1933, les orientations théoriques fondamentales qui feront de L'Ordre nouveau une des expressions du « personnalisme » des « non-conformistes des années 30 ». Désormais, Alexandre Marc va se faire l'infatigable porte-parole de ces idées. C'est ainsi qu'il est amené à participer, en 1932, à la fondation de la revue *Esprit** dans laquelle il publie plusieurs articles exposant les thèses de L'Ordre nouveau.

Converti au catholicisme après la mort de Dandieu, en octobre 1933, il écrit dans la revue dominicaine *La Vie intellectuelle* puis devient, en 1935, le secrétaire de rédaction de l'hebdomadaire catholique *Sept**, dont il rédige notamment la revue de presse sous le pseudonyme de « Scrutator », comme il collabore régulièrement, un peu plus tard, de 1937 à la guerre, à l'hebdomadaire qui lui succède, *Temps présent**. De même, il appartient à l'équipe qui fait reparaître cette publication, d'août 1940 à août 1941, sous le titre *Temps nouveaux*, tandis qu'il participe par ailleurs à la création clandestine des *Cahiers du témoignage chrétien*.

À la Libération, après avoir été interné en Suisse comme réfugié politique de 1943 à 1944, il collabore pendant quelques mois à *Témoignage chrétien**, puis se consacre entièrement à son engagement au service du fédéralisme européen. Il participe à la création du groupe La Fédération, et devient, en 1946, secrétaire général de l'Union européenne des fédéralistes, puis, en 1953, l'animateur du Mouvement fédéraliste européen et le conseiller de la revue *L'Europe en formation*. À côté de son engagement militant, il est l'auteur de nombreux ouvrages et articles exposant sa conception du fédéralisme « intégral », dont il s'efforcera jusqu'à sa retraite d'assurer la diffusion à travers une intense activité d'enseignement au sein d'institutions diverses, dont il est plus ou moins directement l'animateur, comme le Centre international de formation européenne, l'Institut européen des hautes études internationales de Nice ou le Collège d'études fédéralistes d'Aoste.

Jean-Louis Loubet del Bayle

■ *Jeune Europe* (avec R. Dupuis), Plon, 1933. — *Principes du fédéralisme* (avec R. Aron), Le Portulan, 1948. — *À hauteur d'homme. La révolution fédéraliste*, Je Sers, 1948. — *Europe, terre décisive*, La Colombe, 1959. — *Dialectique du déchaînement. Fondements philosophiques du fédéralisme*, La Colombe, 1961. — *L'Europe dans le monde*, Payot, 1965. — *Péguy et le socialisme*, Presses d'Europe, 1973. — *Révolution américaine, révolution européenne*, Lausanne, Centre de recherches européennes, 1977.

■ P. Andreu, *Révoltes de l'esprit. Les revues des années 30*, Kimé, 1991. — R. Aron, *Fragments d'une vie*, Plon, 1981. — A. Greilsamer, *Les Mouvements fédéralistes en France de 1945 à 1973*, Presses d'Europe, 1975. — E. Lipiansky et B. Rettenbach, *Ordre et démocratie. Deux sociétés de pensée : de L'Ordre nouveau au Club Jean-Moulin*, PUF, 1967. — J.-L. Loubet del Bayle, *Les Non-Conformistes des années 30. Une tentative de renouvellement de la pensée politique française*, Seuil, 1969. — C. Roy, *Alexandre Marc et la Jeune Europe (1904-1934). L'Ordre nouveau et les origines du personnalisme*, Nice, Presses de l'Europe, 1996. — *Le Fédéralisme et Alexandre Marc*, Lausanne, Centre de recherches européennes, 1974.

MARCEL (Gabriel)

1889-1973

Philosophe, homme de lettres, auteur dramatique, compositeur d'une trentaine de mélodies, Gabriel Marcel est né à Paris le 7 décembre 1889 dans une famille de la bourgeoisie libérale. Son père fut diplomate, administrateur de la Bibliothèque nationale et directeur des Beaux-Arts. Dès ses études de philosophie à la Sorbonne (1906-1910), il fréquente les dimanches de Xavier Léon*, directeur de la *Revue de métaphysique et de morale*. Agrégé en 1910, marié en 1914 avec Jacqueline Boegner, il enseigne en lycée jusqu'en 1922. Ensuite, lecteur chez Plon et Grasset*, il tient une chronique théâtrale pour *L'Europe nouvelle* de Louise Weiss* ; Jacques Rivière*, son condisciple à la Sorbonne, lui ouvre les pages de *La Nouvelle Revue française**, Jean Paulhan* publie son *Journal métaphysique* en 1928 ; il fréquente les Décades de Pontigny* et l'Union pour la vérité. Une correspondance avec l'augustinien Massignon* commencée dès 1912, l'amitié de Mauriac* qu'il choisira pour parrain, celle surtout de Du Bos qui lui confie (1927), chez Plon, la collection d'auteurs étrangers bientôt rebaptisée « Feux croisés », accompagnent sa conversion jusqu'au baptême par le Père Altermann en 1929. Il fréquente alors les Maritain* à Meudon, et collabore à la *Revue des jeunes*. Mais il prend vite ses distances avec le thomisme, et rencontre Blondel* en 1932. Marginal parmi les convertis, il tient à sa position de « passeur du seuil ».

Philosophe, Gabriel Marcel refuse le qualificatif d'« existentialiste chrétien », et s'affirme plus proche de Heidegger qu'il rencontre en 1946 à Fribourg, que de Sartre* auquel l'attribution du prix Nobel le scandalise. À la notion d'engagement dont il récuse la connotation partisane, il préfère celle de « disponibilité », à la rencontre entre éthique et ontologie. Ainsi le retrouve-t-on aux côtés de Mounier* pour la fondation d'*Esprit**, de Massis* lors du « Manifeste des intellectuels pour la défense de l'Occident », de Mauriac pour l'« Appel des catholiques en faveur du peuple basque » publié dans *La Croix* après Guernica. Maréchaliste en 1940 mais déjà proche d'Edmond Michelet, il hésite longtemps entre Pétain et de Gaulle. Membre du Comité national des écrivains* (CNE) à la Libération, il intervient en faveur de Maurras* et Brasillach*, dénonce la « liste noire »* dans une revue canadienne sous le titre « Philosophie de l'épuration. Contribution à une étude de l'hypocrisie dans l'ordre politique », mais ne démissionne pas du CNE avant 1947.

Critique dramatique aux *Nouvelles littéraires** de 1945 à 1968, il est élu à l'Institut en 1952, signe en octobre 1960 le « Manifeste des intellectuels français » contre le « Manifeste des 121 »*, mais intervient en 1967 en faveur de Régis Debray*, en 1972 contre les bombardements américains au Vietnam*. Entre-temps, il aura été convaincu en novembre 1970 par Paul Touvier* d'appuyer sa demande de grâce, se sera récusé avec indignation un mois plus tard après enquête, et aura révélé l'épisode dans *L'Express** en 1972. Il meurt à Paris le 8 octobre 1973.

Denis Pelletier

■ *Un homme de Dieu* (théâtre), Grasset, 1925. — *Journal métaphysique*, Gallimard, 1927. — *Être et avoir*, Aubier, 1935. — *Le Chemin de crête* (théâtre), Grasset, 1936. — *Le Mystère de l'être*, Aubier, 1951. — *Pour une sagesse tragique et son au-delà*, Plon, 1968. — *Entretiens Paul Ricœur-Gabriel Marcel*, Aubier, 1968. — *En chemin vers quel éveil*, Gallimard, 1971.

▒ *Entretiens autour de Gabriel Marcel* (Décades de Cerisy, 1973), La Baconnière, 1976. — *Gabriel Marcel* (textes réunis par M. Sacquin), Bibliothèque nationale, 1989.

MARGUERITTE (Victor)

1866-1942

Romancier à succès, auteur d'une soixantaine d'ouvrages vendus dans le monde entier à plus de 4 millions d'exemplaires, Victor Margueritte appartient à une lignée d'intellectuels engagés très tôt dans la bataille des idées et le combat politique : tour à tour féministe et eugéniste, nationaliste et internationaliste, patriote et pacifiste.

Né à Blidah (Algérie), l'écrivain est issu d'une famille de colons lorrains. Fils du général Margueritte, héros martyr de la guerre de 1870, et d'Eudoxie Mallarmé, cousine germaine du poète, il fréquente dès 1884 les cénacles symbolistes avant de s'engager à dix-neuf ans dans l'armée. Dix ans plus tard, il en démissionne pour se consacrer aux lettres. En collaboration avec son frère Paul (1860-1918), membre de l'académie Goncourt, il écrit, en pleine affaire Dreyfus*, les quatre volumes d'*Une époque*, vaste fresque patriotique au message ambigu. Féministes, les deux frères militent en faveur de l'union libre et du divorce par consentement mutuel.

Président de la Société des gens de lettres (1905-1907), V. Margueritte échoue en 1907 à l'académie Goncourt et aux élections sénatoriales dans les Ardennes. Ses nouvelles convictions de gauche le brouillent avec son frère. Seul, il publie *Prostituée* (1907) et les *Frontières du cœur* (1912) avant d'être mobilisé en 1914 dans les services de censure et de propagande. Mais converti au pacifisme, il rejoint en juin 1917 *Le Pays* et prend la défense de Caillaux.

Le scandale de *La Garçonne** (1922) et la radiation de l'Ordre de la Légion d'honneur parachèvent son évolution. L'apologie de l'avortement dans *Ton corps est à toi* (1927) s'accompagne d'une dérive germanophile du romancier. Habilement « retourné » par la Wilhelmstrasse, il prend la défense de l'Allemagne vaincue et réclame la révision du traité de Versailles. Non seulement Berlin finance ses essais pacifistes — *Les Criminels* (1925), *L'Appel aux consciences* (1925), *La Patrie humaine* (1931) ou *Debout les vivants !* (1932) —, mais aussi sa revue « révisionniste », *Évolution* (1926-1933), au-delà même de l'accession de Hitler au pouvoir.

Dans les années 30, cependant, Margueritte se rapproche de Barbusse* et du Parti communiste (Amsterdam-Pleyel*, Association des écrivains et artistes révolutionnaires*, Comité de vigilance des intellectuels antifascistes*...). Mais son discours antifasciste ne l'empêche pas de tendre la main à Hitler. Antimilitariste et partisan de l'objection de conscience, le membre d'honneur de la Ligue internationale des combattants de la paix se veut avant tout pacifiste intégral : plutôt la servitude que la guerre ! Munichois en 1938, il signe en septembre 1939 la pétition « Paix immédiate ».

Replié en zone Sud après la débâcle, l'écrivain fait l'éloge de la collaboration franco-allemande dans *L'Effort* de Spinasse (1940) et *L'Œuvre* (1941) de Déat : apôtre de Laval, il condamne Mers el-Kébir et la trahison gaulliste. Aveugle et aveuglé, l'intellectuel oublié ne connaîtra pas l'épuration : Victor Margueritte meurt le 23 mars 1942 à Monestier (Allier).

Patrick de Villepin

■ *Une époque (1870-1871)* (avec Paul Margueritte), 1898-1904, 4 vol. — *Le Désastre*, Plon, 1898. — *Les Tronçons du glaive*, Plon, 1900. — *Les Braves Gens*, Plon, 1901. — *La Commune*, Plon, 1904. — *La Garçonne*, Flammarion, 1922. — *Ton corps est à toi*, Flammarion, 1927. — *La Patrie humaine*, Flammarion, 1931.

■ J. Guirec, *Victor Margueritte, l'homme et l'écrivain*, Delpeuch, 1927. — P. de Villepin, *Victor Margueritte, la vie scandaleuse de l'auteur de « La Garçonne »*, François Bourin, 1991.

MARIANNE

Lancé le 26 octobre 1932 par Gallimard* dans un esprit avant tout commercial — offrir aux auteurs de la maison une tribune aussi attrayante que celles que possédaient déjà Fayard* *(Candide*)* et Horace de Carbuccia *(Gringoire*)* —, *Marianne* fut, jusqu'à l'apparition de *Vendredi** en 1935, le principal hebdomadaire de la gauche française. Destiné au grand public, largement illustré, couvrant les sujets les plus divers, ce journal fut d'abord une réussite technique et éditoriale. Il fut cependant aussi un réel organe d'opinion, et singulièrement l'un de ceux où s'exprimèrent avec le plus d'authenticité les contradictions de la génération qui, formée par la guerre, allait, la première, s'engager dans le combat antifasciste.

Autour d'Emmanuel Berl*, son directeur, et de Pierre Brossolette, son directeur technique, *Marianne* rassemble en effet une équipe prestigieuse et éclectique où se côtoient Marcelle Auclair et Pierre Drieu La Rochelle*, Jean-Richard Bloch* et Bertrand de Jouvenel*, Philippe Boegner et Ludovic-Oscar Frossard, Jean Effel et Ramon Fernandez*, jeunes talents ou célébrités qui composent un journal alerte, riche, curieux du monde et des choses.

C'est la liberté de ton qui est sans doute la principale caractéristique de *Marianne*, et elle se retrouve notamment en matière politique. D'abord soudée par sa sympathie à l'égard de la gauche — et notamment des radicaux —, son antifascisme et son pacifisme, l'équipe va en effet être rapidement traversée de courants contraires. Refusant que « les idées se mettent en uniforme », Emmanuel Berl va les laisser s'exprimer, ce qui permet à *Marianne* de rendre compte, mieux qu'aucun autre journal, de la crise que connaît alors la gauche. Tour à tour, l'hebdomadaire se fera donc l'avocat d'un radicalisme pur et dur, d'un néo-socialisme musclé, d'une « Révolution nationale » tournée contre les partis, d'un fascisme que Pierre Drieu La Rochelle décrit d'abord comme un « radicalisme renouvelé », d'une alliance des partis de gauche, puis d'un Front populaire sans communistes. En matière extérieure, c'est l'attentisme qui l'emporte, et l'égal refus du nazisme et du communisme. Avec la guerre d'Espagne*, cette position devient impossible à tenir et cela explique que *Marianne* soit vendu, en janvier 1937, à Raymond Patenôtre. L'échec est patent et, dans un de ses derniers articles, Emmanuel Berl explique à quel point il est tragique : « Fascisme, communisme, vains mots dont on nous abuse ! Ils ne signifient qu'un même recul de l'homme, une même menace pour la civilisation. L'homme doit se refuser également à chacun d'eux. » C'était vrai mais sans doute le temps imposait-il qu'un choix fût fait.

Bernard Laguerre

■ E. Berl, *Interrogatoire par Patrick Modiano*, Seuil, 1976. — B. Laguerre, *« Marianne » (1932-1936)*, Paris IV, 1983. — B. Morlino, *Emmanuel Berl*, La Manufacture, 1990.

MARITAIN (Jacques)
1882-1973

On pourrait dire de Jacques Maritain qu'il fut le plus grand intellectuel catholique de ce siècle. Celui en tout cas qui, par ses écrits et ses engagements aussi bien que par le rayonnement de sa pensée en Europe et aux Amériques, a été le plus constamment présent aux grands débats de son temps.

Né le 18 novembre 1882 à Paris d'une famille protestante libérale, il est le petit-fils de Jules Favre, l'un des pères fondateurs de la IIIe République. Élève du lycée Henri-IV, il se lie d'amitié avec Ernest Psichari*, le petit-fils de Renan. Ses premiers engagements se font à l'enseigne du dreyfusisme et du socialisme jaurésien. Étudiant à la Sorbonne, il rencontre Péguy* et suit les cours de Bergson* au Collège de France*. Avec sa femme Raïssa, une étudiante russe d'origine juive, il se convertit au catholicisme en 1906 sous l'influence de Léon Bloy*, leur parrain. Agrégé de philosophie, il découvre la *Somme théologique* de saint Thomas d'Aquin grâce au père dominicain Clérissac. Nommé professeur de philosophie à l'Institut catholique de Paris (1914), il s'affirme comme le maître à penser de la génération *antimoderniste* des années 20 (*Antimoderne*, 1922). Sa maison de Meudon est alors un lieu très fréquenté par les artistes (G. Rouault, G. Severini), les poètes (H. Ghéon, J. Cocteau*), les philosophes (N. Berdiaev*). Proche de l'Action française*, il s'en sépare après la condamnation pontificale de 1926 (*Primauté du spirituel*, 1927). Il anime des collections littéraires prestigieuses (« Le Roseau d'Or » chez Plon ; « Les Îles » chez Desclée de Brouwer) et participe à la fondation de revues comme *La Vie intellectuelle* (1928), *Esprit** (1932), ou encore l'hebdomadaire *Sept** (1934). Traduit en plusieurs langues, son maître livre, *Humanisme intégral* (1936), jette les bases d'une « nouvelle chrétienté », non plus « sacrale » comme au Moyen Âge, mais « profane » et ouverte aux valeurs du monde moderne.

Réfugié aux États-Unis* dès le début de la guerre, il se rallie précocement à de Gaulle et contribue, par ses écrits, à réconcilier la pensée chrétienne avec l'héritage des Lumières (*Les Droits de l'homme et la loi naturelle*, 1942 ; *Christianisme et démocratie*, 1943). En 1945, il est nommé ambassadeur de France au Vatican malgré les réserves d'une partie de l'entourage de Pie XII où l'on assimile volontiers « maritanisme » et « progressisme ». Professeur à l'université de Princeton (1948-1960), il se retire à Toulouse chez les Petits Frères de Jésus à la suite de la mort de sa femme Raïssa en novembre 1960. *Le Paysan de la Garonne* (1966), véritable pavé dans la mare de l'Église post-conciliaire, marque son retour dans la vie intellectuelle parisienne. À sa mort survenue le 28 avril 1973, le pape Paul VI, son ami, dira de lui qu'il fut « un maître dans l'art de penser, de vivre et de prier ».

Philippe Chenaux

■ *Antimoderne*, Revue des Jeunes, 1922. — *Trois réformateurs*, Plon, 1925. — *Primauté du spirituel*, Plon, 1927. — *Humanisme intégral*, Aubier, 1936. — *Christianisme et démocratie*, New York, Maison française, 1943. — *L'Homme et l'État*, PUF, 1953. — *Le Paysan de la Garonne*, Desclée de Brouwer, 1966.

■ J.-L. Barré, *Jacques et Raïssa Maritain : les mendiants du ciel*, Stock, 1995. — H. Bars, *Maritain en notre temps*, Grasset, 1959. — B. Hubert et Y. Floucat, *Jacques Maritain et ses contemporains*, Desclée de Brouwer, 1991. — *Cahiers Jacques Maritain*, publiés par le Cercle Jacques et Raïssa Maritain de Kolbsheim, depuis 1980.

MAROC : LES INTELLECTUELS AVANT LA DÉCOLONISATION

En 1578, lors de la bataille dite des « Trois Rois », le Maroc défendit son indépendance face aux Portugais, et y gagna d'échapper pendant plus de trois siècles à toute domination, y compris turque. Mais figé dans cette résistance, le système politique et culturel se bâtit sur un culte effréné de l'identité et s'enferma dans l'espace national. Dans les campagnes, les marabouts, sortes de saints locaux, encadraient les populations sur la base d'un charisme personnel et de faibles connaissances coraniques. Les villes étaient tenues par la classe des commerçants et des oulémas. Autour du sultan, l'administration centrale — le *Maghzen* — était composée d'oulémas, issus des familles dirigeantes et ayant pour fonction la légitimation et le maintien de l'ordre politique et religieux. Ces lettrés traditionnels, juristes, historiens, historiographes, voire ethnologues, comme Moktar Soussi, étaient formés par un réseau d'écoles coraniques, de médersas et d'universités dont la très symbolique Qaraouyne de Fez.

Cet univers va se trouver confronté dès les années 1850 à une colonisation masquée, puis officielle avec l'établissement du protectorat français (1912). À la révolte initiale des tribus dans les campagnes, succède à partir de 1930 la contestation des villes inspirée par des intellectuels qui vont devenir les chefs du mouvement national, tel Allal El-Fassi, futur président du parti de l'*Istiqlal* [l'indépendance].

Ces intellectuels « salafistes » se fondent surtout sur un retour à l'islam des grands ancêtres — les aslafs — pour régénérer et purifier les pratiques religieuses, de manière à permettre au pays de résister à la pénétration étrangère. Cette doctrine, qui s'appuie sur les écrits d'Allal El-Fassi, Abdelkhaleq-Torrès, Ahmed Balafrej, est diffusée par la presse nationaliste et les écoles musulmanes, qui cherchent à concurrencer l'école européenne. Parallèlement, un autre courant de pensée, plus libéral et ouvert sur l'Europe mais plus marginal, se développe autour de Mohamed Bel Hassan El-Ouezzani, fondateur du Parti démocratique de l'indépendance.

Avec l'indépendance (1956) apparaissent les premières déceptions. Par son conservatisme, le salafisme ne sert plus qu'au maintien des structures établies, favorisant la pleine restauration du système maghzénien. La question du pouvoir est alors au cœur de la réflexion d'intellectuels comme Mehdi Ben Barka, partisan d'une révolution socialiste. Proche de lui, Abdallah Laraoui utilise le marxisme pour combattre l'aliénation et accéder à la modernité. « Comment être Autre tout en restant soi-même ? », s'interroge-t-il dans ses ouvrages, ses cours à l'Université et les articles qu'il donne à la revue *Lamalif*. Mohamed Abdel Jabri, qui popularise ses idées dans la presse de son parti, l'Union socialiste des forces populaires, cherche à lutter contre l'influence occidentale en retrouvant une pensée arabe autonome, maghrébine, nourrie de l'héritage andalou, mais bute sur le concept de laïcité. Abdelkébir Khatibi, enfin, plus ouvert sur l'Occident, centre sa réflexion sur la double culture, le bilinguisme, la pluralité d'un Maghreb imprégné, qu'il le veuille ou non, des idées venues d'Europe. Jalons de ces courants de pensée, les revues *Attaqafa al-Jadida* (1974-1983), de l'Union des écrivains, le *Bulletin économique et social du Maroc*, hérité du protectorat et devenu en 1988 *Signes du présent*, *Souffles* (1966-1972), *Lamalif* (1966-1988).

Aujourd'hui, les intellectuels se recrutent surtout parmi les écrivains qui utilisent le roman pour poser la question de l'individu et de son autonomie aussi bien politique que sociale.

Zakya Daoud

■ M. Abed Al-Jabri, *Al Khitab al arabi al moâçir* [Le Discours arabe contemporain], Casablanca, Al Marquaz al Thaqafi al Arabi, 1983 ; *Nahnu wa al turath* [Nous et notre patrimoine], Casablanca, Dar al Nachr al Maghribiya, 1985. — A. El-Fassi, *Al Naqd al Dahati* [L'Autocritique], Rabat, Istiqlal, 1979 ; *Maqassid al Charia al islamiyya* [Finalités de la loi islamique], Casablanca, 1979. — A. Khatibi, *Amour bilingue*, Montpellier, Fata Morgana, 1983 ; *Maghreb Pluriel*, Denoël, 1983. — A. Laraoui, *L'Idéologie arabe contemporaine*, Maspero, 1973 ; *La Crise des intellectuels arabes. Traditionalisme ou historicisme*, Maspero, 1973 ; *Esquisses historiques*, Rabat, Centre culturel arabe, 1992. — M.H. Ouezzani, *Al islam wa addawla haqiqat al hukm fi al Islam* [Islam et État, ou la réalité du pouvoir en Islam], Fez, Fondation M.H. Ouezzani, 1987 ; *Huriatu al fardi wa sultatu addawla* [Liberté de l'individu et autorité de l'État], Fez, Fondation M.H. Ouezzani, 1987. — M. Soussi, *Al Ma'soul* [Le Mielleux], Casablanca, Najah el Jadida, 1960-1961 ; *Sous al'alima* [Sous, la servante], Casablanca, Bennechra, 1984. — A. Tenkoul, « Les revues culturelles », *Librement* (Casablanca), n° 1, 1988.

Marrou (Henri-Irénée)

1904-1977

Antiquisant, musicologue (*Le Livre des chansons* paru en 1944 sous le pseudonyme d'« Henri Davenson »), collaborateur d'*Esprit**, épistémologue, Henri-Irénée Marrou incarne une figure d'intellectuel dans le siècle bien que son nom ait rarement dépassé le cercle des clercs.

Né à Marseille dans un milieu modeste, Henri-Irénée Marrou réussit un parcours scolaire brillant. Premier rue d'Ulm, deuxième à l'agrégation d'histoire, il part aussitôt comme pensionnaire de l'École de Rome (1930-1932) ; dès cette époque, la christianisation de l'Empire romain et son déclin sont au cœur de ses préoccupations historiographiques. Après quelques années d'enseignement à l'étranger, Le Caire, Naples, sa thèse sur *Saint Augustin et la fin de la culture antique* soutenue (1938), il débute sa carrière universitaire à Caen, Montpellier, puis Lyon (1940-1946).

Son humanisme chrétien l'a déjà poussé à rejoindre l'équipe d'*Esprit* dans lequel il dénonce avec lucidité l'inertie des intellectuels à la veille de la guerre (« Tristesse de l'historien » en 1939). À cette occasion, il démontre sa méfiance vis-à-vis des déterminations profondes de l'histoire telle que les *Annales* les perçoivent ; il y décèle la démission devant la fatalité. Pendant l'Occupation, ses cours fourmillent d'allusions hostiles à Vichy et il s'engage dans la Résistance. Au sortir de la guerre, il puise sans doute dans son expérience et dans sa lecture des spécialistes allemands le courage d'avancer une *retractatio* dans laquelle il abandonne la notion de déclin de l'Empire romain au profit de celle d'Antiquité tardive *(Spätantik)*.

Élu à la Sorbonne en 1946 à la chaire d'histoire des origines chrétiennes, il y enseigne jusqu'à sa retraite, animant un centre d'histoire des religions antiques. Poursuivant son œuvre érudite, épigraphie, archéologie romaine et chrétienne, édition de textes (Clément d'Alexandrie), son magistère le pousse à produire quelques grandes synthèses restées classiques, comme son *Histoire de l'éducation dans l'Antiquité*, son ouvrage classique sur la connaissance historique tout aussi loin du positivisme que du marxisme (1954), ou son *Saint Augustin* en collection de poche (1955). Précocement engagé contre la guerre d'Algérie, il dénonce la répression en publiant dans *Le Monde** du 5 avril 1956 : « France, ma patrie », qui évoque à propos de la torture les méthodes de la Gestapo. Cette « libre opinion » retentissante lui vaut une perquisition policière à son domicile. En 1967, son élection à l'Académie des inscriptions et belles lettres consacre la reconnaissance du savant.

Olivier Dumoulin

■ *Histoire de l'éducation dans l'Antiquité*, Seuil, 1948, rééd. 1972. — *Saint Augustin et la fin de la culture antique*, De Boccard, 1938-1949. — *De la connaissance historique*, Seuil, 1954. — *Patristique et humanisme. Mélanges Marrou*, Seuil, 1978. — *Décadence romaine ou antiquité tardive ? (IIIe-IVe siècles)*, Seuil, 1977. — *Crise de notre temps et réflexion chrétienne*, Beauchesne, 1978.

▒ M. Winock, *La République se meurt (1956-1958)*, Seuil, 1978, rééd. Gallimard, 1985.

MARTIN (affaire Henri Martin)

1950-1953

Henri Martin est né en 1927 dans un village du Cher, d'un père ouvrier et d'une mère catholique : il sera enfant de chœur puis franc-tireur partisan. Ce contexte et ce milieu, outre le patronyme, en feront pour Jean-Paul Sartre*, dans *L'Affaire Henri Martin*, un personnage typiquement français, reflétant « l'équilibre si rare de l'école laïque et de l'Église, de la fabrique et de la maison, du rationalisme et de la foi, en un mot de la civilisation industrielle et de la culture paysanne ».

Martin rejoint à seize ans les maquis du Cher, participe à la libération de Bourges et aux combats dans la poche de Royan. À la Libération, il s'engage dans la marine pour combattre les Japonais. Il devient mécanicien et se retrouve à Saigon à l'âge de dix-huit ans. Il découvre le Viêt-Minh et la guerre coloniale en même temps. Il est témoin d'actions et d'exactions de l'armée française qui provoquent son indignation. À trois reprises, il demande la résiliation de son engagement et son rapatriement. La marine finit par le faire rentrer en France et il est affecté à l'arsenal de Toulon. Bon marin, il monte en grade de façon régulière, quartier-maître puis second-maître mécanicien en 1949. Des tracts reprenant les thèmes de l'agitation communiste contre la guerre d'Indochine circulent dans Toulon. Le 13 mars 1950, Henri Martin est arrêté. Dénoncé, il est accusé de complicité dans le sabotage d'un navire de guerre, le *Dixmude*. Le procès s'ouvre devant le tribunal militaire de Toulon le 17 octobre 1950. La mobilisation communiste est intense en faveur du jeune marin issu de la Résistance, dont on fait un symbole flanqué en mineur d'un double féminin, Raymonde Dien, emprisonnée pour s'être couchée en février 1950 devant un train chargé de matériel militaire pour l'Indochine. Les compagnons de route du Parti sont actifs dans la défense d'Henri Martin, par exemple le capitaine de vaisseau en retraite Louis Héron de Villefosse, ancien chef d'état-major adjoint des Forces navales françaises libres, qui témoigne au procès.

Henri Martin est condamné à cinq années de réclusion et à la dégradation militaire pour atteinte au moral de l'armée, mais relaxé de l'inculpation pour complicité de sabotage. La campagne pour la libération d'Henri Martin est remarquablement orchestrée. Le slogan « Libérez Henri Martin ! » fleurit sur les murs, les intellectuels et les artistes sont mobilisés. Une jeune troupe, « Les Pavés de Paris », monte une pièce en trois actes et dix-neuf tableaux, *Drame à Toulon : Henri Martin*, à Paris, dans la salle de la Grange-aux-Belles, le 20 juin 1951, aux portes des usines, et à Brest, où Henri Martin est rejugé par le Tribunal maritime après que le verdict de Toulon eut été cassé par la Cour de cassation. Le 19 juillet, il est à nouveau condamné à cinq ans de réclusion. Sa détention à Melun dans une île de la Seine est associée à celle du capitaine Dreyfus dans l'île du Diable. Il se marie pourtant dans sa prison. Picasso* fait le portrait d'Henri Martin, que publient *Les Lettres françaises** le 7 novembre 1951. Éluard* écrit pour lui un poème, Aragon* aussi. Une toile de Boris Taslitzky, *Henri Martin bagnard*, est décrochée du Salon d'automne 1951 avec six autres, entraînant la tenue d'un meeting pour la liberté d'expression à la Mutualité le 21 novembre sous la présidence d'Aragon. Les appels, les pétitions se multiplient, listes d'universitaires lyonnais et parisiens, écrivains, intellectuels et artistes connus : Jean-Paul Sartre, Simone de Beauvoir*, Claude Bourdet*, Jean Cocteau*, Jean-Marie Domenach*, Michel Leiris*, Maurice Druon, Jacques Prévert*, Gérard Philipe, Louis Daquin, Picasso, Matisse, Jean Lurçat, Édouard Pignon... En mars 1952 se tient à Paris une exposition, « Témoignages pour Henri Martin », avec des œuvres de Picasso, Lurçat, Léger*. Une *Cantate pour Henri Martin*, composée par Serge Nigg et Françoise Monod, est interprétée par la Chorale populaire de Paris. Sartre publie chez Gallimard*, en 1953,

L'Affaire Henri Martin, qui paraît après la libération, discrète, du prisonnier le 2 août. Jean-Paul Sartre commente l'itinéraire d'Henri Martin, et les textes qui composent le volume sont signés de noms dont la diversité d'opinions politiques ou religieuses dit bien l'œcuménisme du rassemblement autour d'Henri Martin en ce temps de Guerre froide* : Hervé Bazin, Marc Beigbeder, Jean-Marie Domenach, Francis Jeanson*, Michel Leiris, Jacques Madaule*, Jacques Prévert, Vercors*...

Jean-Pierre A. Bernard

■ H. Parmelin, *Matricule 2078. L'Affaire Henri Martin* (couverture de Picasso), Éditeurs français réunis, 1953. — L. de Villefosse et J.-M. Domenach, « Peut-on laisser Henri Martin au bagne ? », *Esprit*, janvier 1952, publié en brochure par le Comité de défense Henri-Martin, 1952. — *L'Affaire Henri Martin* (commentaire de J.-P. Sartre), Gallimard, 1953. — « Henri Martin, marin de la liberté », supplément à *Regards* (340), 22 février 1952. — *Pour la libération d'Henri Martin. Témoignages. Des personnalités signent et déclarent*, Comité de défense Henri-Martin, 1952.

MARTIN-CHAUFFIER (Louis)

1894-1980

Né à Vannes dans une famille bretonne traditionnelle, Louis Martin-Chauffier reste fidèle sa vie durant à un catholicisme qu'il veut libre d'attaches avec les forces sociales établies. Du Front populaire à la Résistance, il embrasse les causes qui sont pour lui celles de la justice et qui en font, un temps, un compagnon de route des communistes.

Fils d'un médecin, il s'oriente d'abord vers des études de médecine. Mobilisé pendant la Grande Guerre comme médecin auxiliaire, il décide ensuite de préparer l'École des chartes, dont il sort archiviste-paléographe en 1921. Bibliothécaire à la Mazarine, il fait ses débuts dans le journalisme et la littérature, auxquels il va bientôt se consacrer. Directeur littéraire des Éditions Au Sans Pareil (1927-1930), il devient rédacteur en chef de *Lu dans la presse universelle* lancé par Lucien Vogel en 1931. André Gide* le charge de l'édition complète de ses *Œuvres*. Pacifiste, favorable à un rapprochement franco-allemand, il tient la chronique littéraire de *Notre temps* fondé par Jean Luchaire, mais en démissionne après l'avènement de Hitler. En 1935, ardent partisan du Rassemblement populaire, il est appelé à la rédaction en chef de l'hebdomadaire *Vendredi** et y donne la mesure de son talent de polémiste. Au moment de l'agression mussolinienne en Éthiopie*, il signe le manifeste de protestation des intellectuels de gauche comme celui des intellectuels catholiques. La guerre d'Espagne* bouleverse le chrétien qui condamne les violences contre les religieux mais dénonce la soumission de l'Église espagnole aux forces conservatrices et son ralliement au franquisme. Après la démission des directeurs de *Vendredi*, il prend la direction de l'hebdomadaire mais ne peut empêcher sa disparition. Entré comme éditorialiste à *Paris-Soir* en 1938, il collabore aussi à *Match*. À la fin de l'été 1940, il suit à Lyon *Paris-Soir*, tandis que sa femme Simone participe aux premiers mouvements de résistance en zone occupée. À Lyon, il milite dans le mouvement Libération-Sud et devient rédacteur en chef du journal *Libéra-*

tion. Délégué des Mouvements unis de résistance au comité directeur du Front national, membre du Comité national des écrivains*, fondateur du Comité national des journalistes, il est arrêté par la Gestapo en avril 1944 et déporté en Allemagne à Neuengamme, puis Bergen-Belsen. Il donne dans *L'Homme et la bête* un témoignage sur son expérience concentrationnaire.

Après sa libération, il reprend place dans les organismes issus de la Résistance, où les communistes jouent un rôle prépondérant mais mettent en avant les compagnons de route. En 1947, il est appelé à la présidence du Comité national des écrivains, puis de l'Union nationale des intellectuels. Il sera mis en cause par Jean Paulhan* au sujet de ses positions « intransigeantes » sur l'épuration dans la *Lettre aux directeurs de la Résistance* (1952). Hostile aux blocs, au réarmement allemand, persuadé que les États-Unis constituent une menace pour la paix, il milite aux Combattants de la paix. Il témoigne en faveur des *Lettres françaises** au procès Kravchenko (janvier 1949), mais prend parti pour Tito après son excommunication par Staline. Avec d'autres sympathisants du communisme, anciens résistants, il précise ses positions vis-à-vis de l'URSS dès 1946-1947 *(L'Heure du choix)* puis en 1951 *(La Voie libre)*. Conscient des difficultés à marcher aux côtés d'un parti qui n'admet pas la critique, il n'en continue pas moins, au début des années 50, à considérer que l'URSS sert la cause de la paix. Il ne tarde cependant pas à opérer la rupture : fin 1952, il démissionne de la présidence du CNE (à la suite d'une attaque contre Mauriac* dans *Les Lettres françaises*), puis quitte le Comité, en 1953, sur la question de l'antisémitisme sévissant dans les pays de l'Est. Au lendemain de l'insurrection hongroise, il fonde l'Union des écrivains pour la vérité. Durant la guerre d'Algérie*, il dénonce l'arbitraire des camps d'internement et l'usage de la torture, et en appelle au général de Gaulle *(L'Examen des consciences)*. À la fin de sa vie, il se consacre à son œuvre littéraire (récompensée en 1957 par le Grand Prix national des lettres). Il est un des premiers à dénoncer la renaissance du racisme et de l'antisémitisme à partir des années 70. La vigilance face à toute forme de racisme, la lutte contre l'oubli du passé, restèrent pour lui le premier devoir des survivants des camps.

Nicole Racine

■ *L'Homme et la bête*, Gallimard, 1947. — *L'Heure du choix*, Minuit, 1947. — *La Voie libre*, Flammarion, 1951. — *L'Examen des consciences*, Julliard, 1961. — « Lettre à un transfuge de la Résistance », in J. Paulhan, *Lettre aux directeurs de la Résistance*, Pauvert, 1968.

■ J. Imbert, *Notice sur la vie et les travaux de Louis Martin-Chauffier (1894-1980)*, Institut de France, 1983. — N. Racine, « Louis Martin-Chauffier », in *DBMOF*.

MARTIN DU GARD (Roger)

1881-1958

Roger Martin du Gard est né à Neuilly en 1881 au sein d'une famille de magistrats et de financiers. Après ses études secondaires, il entra en 1903 à l'École des chartes, dont il sortit archiviste-paléographe deux ans plus tard. 1908 fut l'année de son premier roman, *Devenir*. En 1910, il entreprit la rédaction de *Jean Barois*.

La vie de Martin du Gard n'a pas été celle d'un intellectuel engagé dans la politique, mais celle d'un homme réservé à l'égard des sollicitations partisanes. Il reprochait à son ami André Gide* de se laisser trop facilement détourner de son œuvre pour servir des causes politiques. Lui s'en tenait à ce qu'il savait faire, des romans ; aux livres de parler pour lui. Comme pour Julien Benda*, prendre parti n'était pas, à ses yeux, un devoir d'artiste ni de penseur. Cette distance voulue n'implique pourtant pas de froideur. Roger Martin du Gard fut un homme de convictions, tourmenté par l'histoire présente, qui a critiqué le dilettantisme et l'indifférence en ce domaine. Sa correspondance témoigne assez de la passion qui l'a conduit parfois à se joindre aux mouvements de la gauche pacifiste et libérale : en 1932, il a signé l'appel Amsterdam-Pleyel* « Pour un congrès international contre la guerre » ; en mai 1934, après de longues hésitations, il a adhéré au Comité de vigilance des intellectuels antifascistes* ; en 1935, il a signé la protestation contre l'appel des intellectuels de droite qui approuvaient l'intervention italienne en Éthiopie* ; en 1958 enfin, quelques mois avant sa mort, il s'est joint à J.-P. Sartre*, A. Malraux* et F. Mauriac* pour réclamer la fin de la torture en Algérie*. Ajoutons son discours pour la paix, à Stockholm, lors de la remise du prix Nobel (1937) et une lettre au RUP publiée en 1938. Toutes ces manifestations vont dans le même sens : défense de la paix et des libertés individuelles. Elles composent, au moins dans l'entre-deux-guerres, un profil d'homme de gauche, anticapitaliste, anticommuniste, pacifiste et individualiste, plus sûr de ses refus que de ses adhésions. Toute prise de position est suivie d'un doute, parfois d'un correctif, dans un va-et-vient de conviction et de scepticisme. Son idée du vrai intemporel lui fait craindre de se soumettre à l'actualité instable, mais il veut manifester les vraies valeurs *hic et nunc*, dans le cours réel du siècle. Aussi ses romans s'enracinent-ils dans l'histoire contemporaine.

Les héros de *Jean Barois* (1913) sont entraînés dans l'affaire Dreyfus* par leur combat antérieur contre l'autorité des dogmes religieux. La raison d'État fait partie, comme eux, des forces oppressives, en face de l'esprit de libre examen. La politique est donc seconde dans ce roman, mais elle occupe une grande place. Roger Martin du Gard a recréé l'atmosphère de l'Affaire, allant jusqu'à intégrer au roman de longs passages sténographiés du procès Zola*. La vision générale est inspirée de Péguy* *(Notre jeunesse)*, selon qui le combat désintéressé pour la justice a été récupéré par les politiciens. L'essentiel tient en la mise en évidence de l'efficacité d'un petit groupe d'intellectuels lucides et courageux. *Jean Barois* expose de façon positive (Barrès* l'avait fait négativement dans *Les Déracinés*) le rôle des intellectuels dans la vie politique. Malgré la technique du dialogue qui préserve l'ambiguïté du sens, la sympathie du lecteur est captée par les personnages actifs dont les mobiles sont purs. Ce fait donne au roman une valeur dreyfusiste incontestable.

Avec *L'Été 1914* (1936), septième partie des *Thibault*, l'objet des débats est la guerre, devenue à nouveau menaçante depuis l'arrivée de Hitler au pouvoir. Comme dans *Jean Barois*, une grande place est faite aux discussions idéologiques et politiques dans les semaines précédant le conflit. Jacques Thibault, révolutionnaire par pacifisme, s'oppose à son frère Antoine qui accepte les devoirs civiques. Parce qu'ils ne cessent de raisonner leur expérience et qu'ils cherchent à agir sur les autres, Jacques et ses amis méritent pleinement le nom d'intellectuels. Le roman raconte leur espoir (sauver la paix) et leur échec. Le sens du livre reste ambigu car il contient de quoi justifier plusieurs thèses, mais son pacifisme est fidèle à la plus forte conviction de l'auteur, attestée par ses lettres et par son discours de Stockholm. En 1938, favorable aux accords de Munich*, il va jusqu'à écrire : « Hitler plutôt que la guerre ! » et souhaite que son *Été 1914* réveille l'opinion publique des deux camps (supposant que les dictatures tolèrent une opinion publique) pour que les peuples refusent la guerre. Pacifisme intégral ? Antoine Thibault montre les faiblesses d'une telle position et fait donc contrepoids aux idées de Jacques. Ce roman orienté oblige ainsi le lecteur à réfléchir et lui laisse l'entière liberté de conclure. Selon ses termes, l'auteur s'est refusé à prouver, non à convaincre. Mais surtout, s'élevant au-dessus des opinions, il a su donner de l'histoire une vision tragique : elle broie les individus et semble obéir à des forces que l'esprit ne domine pas. Ce livre a puissamment touché les lecteurs de 1936-1939 et renforcé la sensibilité pacifiste, au détriment sans doute de l'esprit de résistance au nazisme.

Au fil des années, auteur et œuvre ont évolué. On peut distinguer trois étapes : avant 1914, l'âge de l'espoir en la raison, représenté par *Jean Barois* ; entre les deux guerres, une période de recherche tourmentée et passionnée, coupée de doutes, avec une obsession, la paix ; après 1940, l'âge des désillusions. Meurtri par un monde de fanatismes affrontés, sans se détacher des événements, Roger Martin du Gard revient à l'individu, à ses valeurs propres. *Maumort*, roman inachevé, révèle le regard rétrospectif d'un homme âgé sur son passé. La politique devait y occuper sa place, mais ces pages n'ont pas été écrites.

À travers cette évolution, le souci constant d'exercer une action par ses livres. Action indirecte, soumise aux conditions essentielles de l'art, mais plus profonde que celle de textes militants. « Je veux laisser mes livres parler pour moi », écrivait-il en 1936, refusant de signer une pétition. Le romancier a donc assumé la responsabilité du clerc, qui doit aider les autres à comprendre le monde, à l'ordonner, en se comportant en arbitre éclairé, non en partisan. Là réside peut-être l'essentiel de son témoignage de clerc qui n'a pas trahi.

Maurice Rieuneau

■ *Jean Barois*, 1913, rééd. Gallimard, 1972. — *L'Été 1914*, 1936, rééd. Gallimard, 1972. — *Œuvres complètes*, Gallimard, « Pléiade », 1955, 2 vol. (contient notamment *Jean Barois* et *Les Thibault*). — *Journal*, Gallimard, 1992-1993, 3 vol.
▒ « Hommage à Roger Martin du Gard (1881-1958) », *La Nouvelle Revue française*, décembre 1958, rééd. Gallimard, 1991.

MARTINET (André)

Né en 1908

Né à Saint-Alban-des-Villards (Savoie), le 12 avril 1908, ce fils d'instituteurs a grandi dans un milieu bilingue, car le patois savoyard était alors une réalité quotidienne autour de lui. Il ne le parlait pas lui-même mais il le comprenait, ce qui a déterminé chez lui dès l'enfance le goût de la langue de « l'autre ». Ce contact entre deux univers linguistiques lui a ainsi très vite fait comprendre que chaque langue découpe la réalité du monde à sa manière et a ouvert la voie à une carrière tout entière consacrée à la linguistique, qui est très précisément la recherche de ce en quoi chaque langue est différente de toutes les autres.

Après avoir passé l'agrégation d'anglais à l'âge de vingt-deux ans, il soutient en 1937 ses thèses de doctorat d'État sur le germanique ancien et sur la phonologie du mot en danois, partageant ainsi ses efforts entre les explications des faits diachroniques et la description rigoureuse des états synchroniques. Moins attiré par l'abstraction que par la démarche qui consiste à partir des réalités concrètes, il élaborera sa théorie en partant de la définition de ce qu'est une langue : un instrument de communication doublement articulé en éléments significatifs et en éléments phoniques distinctifs. Il dispensera son enseignement sur la scène internationale : à l'École pratique des hautes études de Paris, où une chaire de phonologie est créée pour lui en 1938, à l'université Columbia à New York, où il dirigera le Département de linguistique générale de 1947 à 1955, enfin à la Sorbonne puis à l'université René-Descartes (Paris V) de 1955 à 1977. Il est ainsi devenu le maître à penser de plusieurs générations de linguistes, aussi bien en France qu'à l'étranger, où sa renommée et ses livres, traduits dans dix-sept langues, l'ont amené à enseigner dans différents pays.

Rédacteur de la revue *Word* à New York de 1947 à 1965 et de la revue *La Linguistique* (PUF, Paris) depuis 1965, il crée en 1974 la Société internationale de linguistique fonctionnelle, qui réunit tous les ans autour de lui une centaine de linguistes. Ils y exposent les résultats de leurs recherches selon les méthodes de la linguistique fonctionnelle, que Martinet a développée en s'appuyant sur le principe fondamental de la pertinence communicative. Son attachement à ce principe de base explique aussi sa passion pour la géographie, dont les cartes sont établies en opérant un choix parmi les divers éléments de la réalité au nom d'une certaine pertinence.

Mondialement connu comme théoricien, Martinet l'est moins pour ses activités en linguistique appliquée. Il a pourtant depuis vingt ans mis au point, avec son épouse Jeanne Martinet, un système graphique fondé sur la phonologie du français permettant d'aborder avec succès l'apprentissage de l'écriture et de la lecture et de triompher sans douleur des difficultés de l'orthographe. Il est aussi, depuis 1980, le président du Centre mondial d'information sur l'éducation bilingue.

Pour résumer les traits essentiels de la linguistique de Martinet, on peut dire qu'elle se caractérise par le refus de tout *a priori* et le souci de ne jamais sacrifier les faits observés à la formation.

Henriette Walter

■ *La Prononciation du français contemporain (témoignages recueillis en 1941 dans un camp d'officiers prisonniers)*, Droz, 1945, rééd. 1971. — *Économie des changements phonétiques. Traité de phonologie diachronique*, Berne, Francke Verlag, 1955. — *La Description phonologique (avec application au parler franco-provençal d'Hauteville, Savoie)*, Genève, Droz, et Paris, Minard, 1956. — *Éléments de linguistique générale*, Armand Colin, 1960, rééd. 1980, traduction en 16 langues. — *La Linguistique synchronique*, PUF, 1965, rééd. 1970. — *Dictionnaire de la prononciation française dans son usage réel* (avec H. Walter), France-Expansion, 1973. — *Grammaire fonctionnelle du français*, Didier, 1979. — *Syntaxe générale*, Armand Colin, 1985. — *Des steppes aux océans. L'indo-européen et les « Indo-*

Européens », Payot, 1985. — *Mémoires d'un linguiste. Vivre les langues*, Quai Voltaire, 1993.

H. Walter et G.-P. Walter, *Bibliographie d'André Martinet et comptes rendus de ses œuvres* (avec B. Barré et F. Rouiller), précédée d'une notice biographique par J. Martinet, Louvain-Paris, Peeters, 1988.

MARTINET (Marcel)

1887-1944

Si, en 1908, Marcel Martinet, né à Dijon le 22 août 1887, d'une mère directrice d'école et d'un père gérant de pharmacie, « jette son froc secondaire aux orties », abandonne la préparation de l'agrégation de lettres, et quitte l'École normale supérieure* où il avait été admis l'année précédente, c'est autant par refus d'une carrière universitaire que pour se livrer tout entier aux deux passions qui ne le quitteront jamais : celle de l'écriture et celle d'une révolution libératrice. Il prend un emploi de rédacteur à l'Hôtel de Ville de Paris et rejoint les jeunes écrivains réunis autour de J.-R. Bloch*. Son choix littéraire est simple : ne pas séparer la novation littéraire et les idées révolutionnaires.

Politiquement, il se sent loin du socialisme traditionnel, électoraliste, et n'aime guère le socialisme des professeurs. Quand J.-R. Bloch lui fait lire *La Vie ouvrière*, petite revue à couverture grise créée, en 1909, par Pierre Monatte, il se sent proche de ce courant du syndicalisme révolutionnaire ; il apprécie la netteté du but, le sérieux des études et la clarté de l'expression. Avec eux il souhaite une société « d'hommes fiers et libres, amants passionnés de la culture de soi-même », selon les formules de Fernand Pelloutier*. Il partage leurs engagements : le difficile maintien des idées de paix et d'internationalisme après l'effondrement de 1914, l'espoir soulevé par la révolution russe qui l'amène, comme Monatte et Rosmer, à l'adhésion au communisme. Ils vivent ensemble le drame de le voir se transformer en un totalitarisme sanglant. Ce sont là les sources essentielles de ses œuvres : les grands chants lyriques de désespoir des *Temps maudits*, publiés en Suisse en 1917, avec l'appui de Romain Rolland*, les articles de *La Vie ouvrière* en 1919 et 1920 et de *L'Humanité** dont il assure la direction littéraire de 1921 à 1923. Malgré un grave diabète qui l'écarte d'un militantisme actif, il participe aux combats de *La Révolution prolétarienne** pour maintenir un syndicalisme indépendant et libre, dénoncer les crimes du stalinisme, comme ceux du colonialisme. Son rôle est particulièrement actif dans le Comité d'amnistie et de défense des Indochinois et des peuples colonisés. Il mobilise toutes les énergies de ses amis intellectuels pour la libération et la sortie de Russie de Victor Serge*.

Ses poésies intimistes et sensibles, aux vers libres bien scandés, ne lui semblent pas étrangères à ces combats politiques. Pour lui, le besoin de justice sociale et de dignité pour tous les hommes, l'amour, le vent, la mer, les roses sont tout un et sont sa vie même. Devant la montée des fascismes, la guerre, les négations et les mépris de l'homme, son désespoir est accru par un sentiment d'impuissance, aggravé par la maladie et par un douloureux choix sentimental. Il meurt à Saumur le 18 février 1944 ayant achevé son roman, *Le Solitaire*, où le héros qui mène une vie paisible et douce se suicide à la déclaration de guerre, après avoir revécu un grand amour de jeunesse. Ses écrits les plus forts nous parlent pourtant d'un certain espoir qui ne peut aller qu'avec le maintien d'une vraie culture, faite de vérité et de refus, d'amour, de nature et de poésie.

Colette Chambelland

■ *Les Temps maudits*, Demain, 1917. — *La Maison à l'abri*, Ollendorff, 1920. — *Civilisation française en Indochine*, 1933. — *Où va la révolution russe : l'affaire Serge*, 1933, rééd. Plein Chant, 1978. — *Chants du passager*, Corréa, 1934. — *Une feuille de hêtre*, Corréa, 1935. — *Le Solitaire*, Corréa, 1935.

MARTONNE (Emmanuel de)

1873-1955

Personnalité dominante de la géographie française de 1918 à 1944. Gendre et successeur à la Sorbonne de P. Vidal de La Blache*, spécialiste de géomorphologie, organisateur de la collectivité des géographes français et représentant celle-ci dans les organismes et manifestations internationaux, il a été un patron souhaitant établir sa discipline selon les normes académiques des sciences « dures ».

Emmanuel de Martonne est né le 1er avril 1873 à Chabris (Cher). Il est admis en 1892 à l'École normale supérieure* où il suit les cours de P. Vidal de La Blache. Il est reçu en 1895 à l'agrégation d'histoire et de géographie. Littéraire d'origine, il suit également un cursus en sciences naturelles pour approfondir sa formation, il se rend à Berlin et à Vienne pour suivre les cours et participer aux travaux des laboratoires de géographie physique. Il pratique assidûment la recherche sur le terrain en suivant et en organisant des voyages d'études. Il soutient en 1902 une thèse sur *La Valachie : essai de monographie géographique*. Ce travail s'inscrit dans le courant des études régionales dirigées par P. Vidal de La Blache. En 1907, il soutient un doctorat ès sciences sur *L'Évolution morphologique des Alpes de Transylvanie (Carpates méridionales)*. Dès sa nomination à Rennes en 1899, il innove en créant un Laboratoire de géographie, il fera de même en 1905 à Lyon, puis en 1923 à Paris. Sa spécialisation en géographie physique est consacrée en 1909 (année où il succède à P. Vidal de La Blache à la Sorbonne) par la publication de la première édition de son monumental *Traité de géographie physique*. Cet ouvrage abondamment illustré connaîtra six éditions successives et sera traduit en plusieurs langues. À la disparition de P. Vidal de La Blache (1918), il prend de nombreuses initiatives institutionnelles qui font de lui le leader de fait de la géographie française : création de l'Association de géographes français (1920), de l'Institut de géographie de l'université de Paris (1923), d'une École de cartographie. Il dirige dans les années 30 la préparation d'un *Atlas de France* qui sera publié en 1941. Il est aussi à la direction des *Annales de géographie* et dans l'édition de la *Géographie universelle* le continuateur de P. Vidal de La Blache. Dans cette collection de référence, il rédige deux volumes, sur *L'Europe centrale* (1931) et sur *La France : France physique* (1943). Il obtient de l'État français, en 1943, la création d'une licence et d'une agrégation de géographie. Ces dispositions étaient depuis longtemps réclamées par les géographes qui souhaitaient s'affranchir de ce qu'ils considéraient comme une tutelle historienne. Martonne façonne ce nouveau cursus universitaire en y introduisant des exercices spécifiques, notamment le commentaire de cartes. L'ensemble ne sera pas remis en cause en 1945.

E. de Martonne est aussi une figure internationale éminente : organisateur du Congrès de Paris en 1931, il introduit dans cette manifestation, sur le modèle des congrès scientifiques, la notion de programme précisément défini et suivi. Il est élu secrétaire (1931) puis président de l'Union géographique internationale (1935).

Son souci d'assurer à la géographie un statut de discipline scientifique est couronné par son élection à l'Académie des sciences* en 1940. À plusieurs reprises cependant le savant a dû sinon s'engager du moins faire entendre l'avis de la géographie quand celle-ci a été sollicitée. En 1918 et 1919, il participe en tant qu'expert des questions balkaniques et roumaines aux travaux du Comité d'études* comme secrétaire et traitant personnellement sept dossiers assortis de contributions cartographiques originales. Ce travail de géographie humaine débouche sur une pratique politique, la délimitation de territoires : la Roumanie issue des traités de 1919 et 1920 doit pour partie sa forme compacte aux arguments fournis par E. de Martonne aux négociateurs français. En tant que président de l'UGI de Martonne est confronté à partir de 1935 à l'opposition des géographes allemands influencés par le nazisme et qui contestent l'hégémonie scientifique des Français. Il reste à éclaircir sa réussite dans la démarche qu'il a effectuée à partir de 1941 à Vichy pour obtenir, en partie contre l'histoire, l'autonomie de la géographie universitaire. Ayant pris sa retraite en 1944, la maladie l'écarte peu à peu des débats scientifiques de la géographie. Il meurt le 25 juillet 1955 à Paris.

Jean-Louis Tissier

■ *Traité de géographie physique*, Armand Colin, 1909. — *Europe centrale* (t. 4 de *Géographie universelle*), Armand Colin, 1930. — E. de Martonne publie dans les *Annales de géographie* en 1920 trois articles directement issus de ses contributions pour les négociations de paix : « Le traité de Saint-Germain et le démembrement de l'Autriche-Hongrie », pp. 1-11 ; « L'État tchécoslovaque », pp. 161-181 ; « Essai de cartographie ethnographique des pays roumains », pp. 81-98.

■ J. Dresh, « Emmanuel de Martonne (1873-1955) », in *Les Géographes français*, Comité des travaux historiques et scientifiques, 1975.

MASCOLO (Dionys)

Né en 1916

Fils d'un immigré italien, bachelier autodidacte, Dionys Mascolo entre en 1942 comme lecteur chez Gallimard*. C'est par ce biais qu'il rencontre Marguerite Duras*, alors secrétaire de la commission de contrôle du Syndicat des éditeurs. Avec elle et Robert Antelme*, il fonde le « Groupe de la rue Saint-Benoît », auquel se joignent à la Libération Edgar Morin*, Maurice Nadeau*, Georges Bataille* et, plus tard, Maurice Blanchot* et Jean Schuster. Albert Camus* et Claude Roy* font quelques apparitions. En marge de toute bourgeoisie établie et des cénacles reconnus, le groupe est demeuré longtemps soudé par une étroite et vibrante amitié.

Venu à la politique par la lecture de Michelet et par un bref passage dans la Résistance (dans le même réseau que François Mitterrand), Mascolo adhère au PCF au printemps 1946. Son adhésion relève moins d'une sympathie active que d'un besoin de rupture avec l'ordre établi, ou rétabli, après le traumatisme de la guerre et la révélation de la Shoah. À l'instar du groupe, il professe un communisme critique, très hostile au jdanovisme culturel comme à la soviétophilie impénitente du Parti. Fin 1949, le procès Rajk est l'occasion d'une rupture bruyante, suivie d'une exclusion pour dérive « titiste ».

Après avoir fait paraître, en 1946, un choix de textes de Saint-Just, Mascolo publie en 1953 *Le Communisme*, qui se veut une réponse au *Matérialisme et révolution* de Jean-Paul Sartre*. Fidèle au matérialisme historique, l'auteur dénonce l'idéalisme sartrien, incompatible selon lui avec l'engagement révolutionnaire. Les relations s'amélioreront par la suite. Sartre, Mascolo et Bernard Pingaud publient en 1971 une brochure sur *Le Rôle des intellectuels dans le mouvement révolutionnaire* et Mascolo donne plusieurs contributions aux *Temps modernes**.

Avec le recul du temps, le combat anticolonialiste demeure l'activité la plus féconde de Dionys Mascolo. En 1955, il adhère au Comité des intellectuels français contre la poursuite de la guerre en Afrique du Nord, dont il est l'un des orateurs lors du meeting tenu salle Wagram le 27 janvier 1956. Ce comité est l'occasion d'un rapprochement avec les surréalistes (A. Breton*, J. Schuster), mais il ne survit pas à la tragédie hongroise, qui, sous l'impulsion de Claude Lefort*, marque la rupture avec les communistes. Mascolo tente ensuite de donner vie, avec M. Leiris*, E. Morin et J. Duvignaud*, à un éphémère Comité des intellectuels révolutionnaires. Il anime un temps, en 1958-1959, *Le 14 Juillet*, une revue antigaulliste qui ne compta que trois numéros.

L'apogée de son activité militante se situe en 1960 quand, battant le rappel des signataires, il est, avec Jean Schuster et quelques autres, le principal artisan du « Manifeste des 121* ». À la veille du procès Jeanson*, le 6 septembre, ce texte délibérément provocateur affirme le droit à l'insoumission et à la désertion dans la guerre d'Algérie.

Sympathisant de Mai 68, et encore du mouvement étudiant d'octobre 1986, Dionys Mascolo incarne assez bien une certaine bohème germanopratine, où les certitudes d'un communisme libertaire doivent s'accorder aux incertitudes d'un monde en perpétuelle invention.

Bernard Droz

■ *Le Communisme*, Gallimard, 1953. — *Lettre polonaise sur la misère intellectuelle en France*, Minuit, 1957. — *Autour d'un effort de mémoire : sur une lettre de Robert Antelme*, Nadeau, 1987.

▩ J.B. Winston, « Autour de la rue Saint-Benoît : An Interview with Dionys Mascolo », *Contemporary French Civilization*, été-automne 1994. — « Un itinéraire politique », *Magazine littéraire*, juin 1990.

MASPERO (François)

Né en 1932

François Maspero, né en 1932, est issu d'une famille à la longue tradition intellectuelle : son grand-père, Gaston Maspero, était égyptologue ; son père Henri a laissé son empreinte dans le domaine de la sinologie. À cet héritage humaniste s'ajoute un héritage politique : pendant la guerre, François Maspero apprend tragiquement ce que peut être l'engagement et ses conséquences ; il perd son frère, résistant tué au maquis, et ses parents sont déportés, sa mère à Ravensbrück, son père à Buchenwald où il meurt en 1945.

François Maspero fait des études d'anthropologie et de philosophie à Paris ; mais surtout il milite et prend parti dans l'affrontement idéologique qui fracture le climat politique à cette époque : il adhère au PCF en 1955 pour le quitter dès l'année suivante, minoritaire et en désaccord. Il diffuse le rapport Khrouchtchev, fait ses premières armes dans la librairie, à *Présence africaine** puis à *L'Escalier*, et ouvre enfin en 1959 « La Joie de lire », avec l'idée d'entretenir un lieu ouvert, littérairement et politiquement : « Je pensais qu'il fallait donner à lire, donner à voir. Mettre en question. Et que les lecteurs étaient assez grands pour comprendre et choisir. Ma responsabilité s'exerçait d'abord, bien sûr, dans mon choix d'éditeur, et j'en ai toujours répondu. Mais j'avais le respect du lecteur en l'estimant capable de juger sur pièces. Des pièces que souvent, justement, nul éditeur ne lui donnait. » La librairie comme l'édition sont liées au devoir d'informer, et à la nécessité d'agir : pendant la guerre d'Algérie, Maspero se fait « porteur de valises », témoigne du massacre parisien du 17 octobre 1961, répond des procès et inculpations ordonnés par le pouvoir, signe le « Manifeste des 121 »*, soutient le réseau Jeanson* à son procès. L'édition est avant tout un instrument au service d'une cause. C'est donc d'abord la cause anticolonialiste ; c'est aussi celle du tiers-mondisme, que François Maspero soutient par son catalogue (cent vingt et un textes publiés sur la question entre 1959 et 1968) ; c'est enfin les voix de tous les mouvements de libération nationale qu'il veut faire entendre, notamment ceux d'Amérique latine. Il part à Cuba*, il intervient dans l'affaire Debray* en Bolivie. Il entretient donc un dialogue politique *tricontinental*, comme l'illustre la revue du même nom, qu'il lance en 1968 ; mais parallèlement, au gré de ses rencontres militantes, il laisse s'exprimer toute l'extrême gauche française, ceux qui font partie de l'opposition au pouvoir en place : son catalogue est un outil pour penser l'histoire de la gauche, avec l'espoir d'un communisme qui retournerait à ses sources ; lui s'aligne pour sa part aux côtés des trotskistes.

Paradoxalement, Maspero n'est pas épargné par Mai 68 et ses conséquences : il est accusé, y compris par ceux qu'il souhaite servir, de faire du commerce avec les idéaux qu'il défend — de s'enrichir « aux dépens de la révolution ». Aux éditions, il est aux prises avec un statut de patron qu'on veut lui faire assimiler à celui d'« ennemi de classe », ainsi qu'à des difficultés de gestion de ce qui est devenu une maison de dimension importante. Un accident survenu en 1973 lui fait une première fois prendre ses distances. Le noyau fondateur des éditions se disperse, le statut d'éditeur politique est plus difficile à définir, tout comme celui de militant. En

1979, François Maspero est directeur de *L'Alternative*, revue « pour les droits et les libertés démocratiques à l'Est » : il s'agit de donner la parole aux opposants vivant dans les pays de l'Est, en donnant une image *vécue* du socialisme et non plus analysée théoriquement de l'extérieur. En 1981, François Maspero se retire progressivement de sa maison d'édition. Par l'écriture, il va exprimer une vision de son histoire en tant qu'elle a pu croiser l'histoire collective : deux romans mélangent fiction et autobiographie : *Le Sourire du chat* est le récit d'une enfance pendant la guerre et *Le Figuier* met en scène un libraire et un éditeur ; deux chroniques, *Les Passagers du Roissy-Express*, puis *Paris bout du monde*, explorent ces zones proches de nous où vivent les exclus sans qu'on les y remarque. Enfin, la biographie de Saint-Arnaud, grand colonisateur, réaffirme l'engagement anticolonialiste. François Maspero est également traducteur d'auteurs latino-américains, comme Alvaro Mutis, Cesar Lopez, Luis Sepulveda.

Sophie Martin

■ *Le Sourire du chat*, Seuil, 1984. — *Le Figuier*, Seuil, 1988. — « Quelqu'un de la famille » (entretien avec F. Maspero), *Les Temps modernes*, n° 531-533, octobre-décembre 1990. — *Les Passagers du Roissy-Express* (avec A. Frantz), Seuil, 1991. — *Paris bout du monde* (avec A. Frantz), Manya, 1992 — *L'Honneur de Saint-Arnaud*, Plon, 1993.

MASPERO / LA DÉCOUVERTE (Éditions)

C'est en 1959 que François Maspero* fonde les Éditions Maspero, pour prolonger l'activité de la librairie qu'il a créée quelques mois auparavant rue Saint-Séverin à Paris : « La Joie de lire ». Éditions et librairie naissent autour d'un même projet : publier et vendre des livres politiques dans un engagement militant extérieur aux partis. Il s'agit pour les cofondateurs (Georges Dupré, Jeanne Mercier, Jean-Philippe Bernigaud), quand ils diffusent le rapport Khrouchtchev, ou quand ils dénoncent l'impéritie de la quasi-totalité de la classe politique française face à la guerre d'Algérie, d'informer et de faire témoigner : publier devient nécessaire sous le poids des circonstances.

L'itinéraire des Éditions Maspero, indissociable du contexte politique, suit d'abord l'actualité algérienne, dénonçant la torture couverte et niée en haut lieu, soutenant le FLN, défiant la censure et ses saisies. Maspero acquiert ainsi une légitimité en étant le seul, avec les Éditions de Minuit* et celles du Seuil*, à braver le pouvoir en place. Fortes de ce crédit moral et politique, les éditions s'affirment à travers deux collections pivots : les « Textes à l'appui » d'une part, mêlant classiques et nouvelles tendances des sciences humaines ; les « Cahiers libres » d'autre part, une collection de documents donnant la parole aux acteurs de l'histoire, qui emprunte sa devise à Péguy* : « Ces cahiers auront contre eux les salauds de tous les partis. » En 1967, les Éditions prennent leur essor, le nombre de titres publiés, multiplié par deux l'année précédente, augmente encore de 20 % avec la création de la « Petite Collection Maspero ».

Les Éditions s'imposent grâce à quelques grandes signatures (Louis Althusser* et sa collection « Théorie », Pierre Vidal-Naquet*, Maurice Godelier...), avec des revues, *Partisans* (1961-1965) puis *Tricontinental* (1968-1971) qui font écho aux guérillas, luttes insurrectionnelles et anticoloniales de tous les continents à travers deux références idéologiques : le tiers-mondisme et le marxisme. Mais la raison d'être des Éditions, ce qui les distingue, c'est la tribune qu'elles offrent à de multiples groupes et groupuscules d'extrême gauche, dont elles se font le diffuseur exclusif.

C'est de là que naît la crise qui va toucher les Éditions dès 1970 : d'abord, ces publications militantes se multiplient sans être viables financièrement ; ensuite, la maison d'édition veut défendre des positions politiques allant à l'encontre de sa nature d'entreprise, qui doit « faire du profit » pour survivre : paradoxalement, seule la faillite des Éditions pouvait prouver leur désintéressement. De contestataire, la maison devient contestée : François Maspero, patron à son corps défendant, se heurte à la politisation de ses 50 salariés, aux campagnes de presse, à la reprise des procès et au pillage « idéologique » de « La Joie de lire » (2 000 francs de vols par jour en 1971) qui menacent l'existence même de la maison.

Les Éditions résistent donc mal à l'effervescence de l'après-68 : dès 1971, les fidèles se dispersent, les programmes de publication sont nettement réduits, et « La Joie de lire », mise en vente en 1973, échappe définitivement à François Maspero en 1976. La crise financière semble insoluble et l'image de gauche de la maison d'édition plus difficile à assumer. En 1980, un comité est constitué pour redéfinir une politique éditoriale ; *L'État du monde*, dirigé par Yves Lacoste*, et la collection « Pour débutants » sont créés. François Maspero laisse la place à François Gèze en novembre 1982, et les Éditions Maspero deviennent La Découverte, du nom de la collection la moins politique mais aussi la plus reconnue du catalogue. La Découverte ne veut pas pour autant brader ses origines militantes ; mais il lui faut désormais adapter cet héritage politique à des pratiques éditoriales et à une demande qui ne font plus de l'engagement une valeur en soi.

Sophie Martin

■ C. Liauzu, « Intellectuels du tiers monde et intellectuels français : les années algériennes des Éditions Maspero », in *La Guerre d'Algérie et les intellectuels français*, Bruxelles, Complexe, 1991, pp. 155-174. — C. Marker, *Les mots ont un sens*, vidéocassette, 1971. — « François Maspero, 20 ans d'édition politique », *Livres-Hebdo*, n° 12, 20 novembre 1979. — « Les Éditions Maspero deviennent La Découverte / Maspero », *Livres-Hebdo*, n° 51-52, 20 décembre 1982.

MASSES

L'histoire de la revue *Masses* est indissociable de celle du militant socialiste de gauche René Lefeuvre (1902-1988). Coopté en 1930 au secrétariat des Amis de *Monde**, la revue d'Henri Barbusse*, R. Lefeuvre devint responsable des groupes d'études qui s'étaient organisés autour de ce journal sur les questions les plus diverses : économie politique, arts, architecture, etc. Certains membres de ces groupes souhaitant que le résultat de ces études fût publié, une revue, *Masses* — dont le titre fut choisi en référence à la revue américaine *New Masses* —, fut donc créée et parut de janvier 1933 à juillet 1934. Michel Collinet, Kurt Landau, Michel Leiris*, Aimé Patri, Jacques Soustelle* (sous le pseudonyme de « Jean Duriez ») collaborèrent à cette publication dont R. Lefeuvre fut le gérant, et le principal rédacteur. *Masses* publia également de nombreux articles sur la situation du prolétariat allemand tout en appelant à l'unité des organisations ouvrières. La rupture de R. Lefeuvre avec *Monde*, en raison de sa campagne pour la libération de V. Serge*, fut pour beaucoup dans la fin de cette première expérience ; R. Lefeuvre fit alors paraître de décembre 1934 à avril 1935 un « hebdomadaire pour la culture révolutionnaire et l'action de masse », *Spartacus*, auquel succédèrent en mai 1935 les *Cahiers Spartacus*.

Toujours à l'initiative de R. Lefeuvre, parut à partir d'octobre 1935 une nouvelle série. « Revue de culture et d'action socialiste », *Masses* fut explicitement publiée sous la responsabilité d'une tendance de la SFIO constituée en septembre 1935, la « Gauche révolutionnaire », et fit une large place à des articles spécifiques à la vie du parti. Fortement influencé par les analyses de Rosa Luxemburg, son principal rédacteur y tint également une rubrique spécifique sur le syndicalisme dans laquelle il suivit les progrès de l'unification syndicale. Il s'interrogea tout particulièrement sur la signification des mouvements d'occupation d'usines que connaissait la France du Front populaire mais aussi sur les mouvements revendicatifs qui se développaient dans d'autres pays (Angleterre, Belgique, Hongrie, Suisse). Cependant, la dissolution de la Gauche révolutionnaire par les instances dirigeantes de la SFIO, le 18 avril 1937, mit fin à cette seconde expérience.

En janvier 1939, R. Lefeuvre, alors membre du Parti socialiste ouvrier et paysan, relança pour la troisième fois *Masses*, « revue de pensée et de critique révolutionnaire », mais cette nouvelle série où furent publiés des textes de V. Serge et J. Prévert* ne connut que trois numéros. Revenu à la SFIO après la guerre, R. Lefeuvre fit paraître une quatrième série de *Masses* (Socialisme et liberté) de 1946 à 1948. 14 numéros dont certains tirèrent jusqu'à 3 000 exemplaires parurent ainsi dans une optique où antistalinisme et anticommunisme eurent une tendance croissante à se confondre.

Michel Dreyfus

■ Les collections quasi complètes de ces quatre séries sont consultables à la BDIC où ont également été déposées les archives de R. Lefeuvre, les « Archives Spartacus ».

▒ M. Dreyfus et J.-L. Panné, « René Lefeuvre », in *DBMOF*. — J. Rabaut, *Tout est possible ! Les gauchistes français (1929-1944)*, Denoël-Gonthier, 1974.

MASSIGNON (Louis)

1883-1962

Islamiste de grand renom, Louis Massignon a bâti sa vie et sa pensée autour de l'idée qu'une politique musulmane de la France devait déboucher sur un mode de coexistence interconfessionnelle dans la plus totale non-violence.

Né à Nogent-sur-Marne le 4 novembre 1883, fils d'un sculpteur-graveur, Massignon reçoit une éducation chrétienne et entreprend, après une scolarité secondaire au lycée Louis-le-Grand, des études de philosophie et d'histoire. Très tôt, vers 1900, les deux pôles constitutifs de sa pensée commencent à se dessiner : le mysticisme et l'islam. Il fréquente l'abbaye bénédictine de Ligugé, où il rencontre J.-K. Huysmans. Après un diplôme d'études supérieures sur le Maroc d'après Léon l'Africain, sa carrière d'orientaliste commence avec une mission en Mésopotamie (1907-1908). Parallèlement à ses recherches sur le mystique Al-Halladj, il est nommé membre de l'Institut français d'archéologie du Caire. Mobilisé dans l'armée d'Orient, il remplit de 1917 à 1919 des fonctions auprès du haut-commissaire de France en Palestine et en Syrie. Entré au Collège de France* comme professeur suppléant, il est titularisé en 1926 et fonde la *Revue des études islamiques.* Directeur à l'École pratique des hautes études en 1933, membre de l'Académie arabe du Caire, il préside après la guerre l'Institut d'études iraniennes et fonde le Comité chrétien d'entente France-Islam.

L'œuvre de Massignon est centrée sur l'attachante figure d'Al-Halladj, mystique musulman mort sur le gibet en 922, à Bagdad, pour avoir chanté l'amour de Dieu en des termes que l'islam officiel jugea blasphématoires. Modèle de biographie exhaustive, *La Passion d'Al-Halladj*, parue en 1922 (bel exemple de célébration millénaire), ouvre de multiples questions sur les analogies entre mystiques chrétienne et musulmane, ainsi que sur une possible synthèse entre islam traditionnel et orthodoxe d'une part, islam dissident et ésotérique de l'autre. Débordant de la destinée de l'islam, le « cheikh admirable », selon Jacques Berque*, propose une compréhension de l'histoire fondée sur un certain nombre d'archétypes et vécue par une succession obscure de grands intercesseurs adonnés à la compassion universelle. D'où son admiration pour les grandes âmes « compatientes » comme Jeanne d'Arc ou Charles de Foucauld. D'où son affinité pour le Mahatma qui remonte aux années 20, et qui le conduit à présider, après la guerre, une Association des amis de Gandhi.

Les positions politiques de Louis Massignon se résument à une généreuse condamnation des excès du colonialisme, vécus comme une véritable violation de la vocation arabe de la France. Il a choisi de souffrir en intercédant pour les « exclus ». Adversaire déclaré du sionisme israélien, il a épousé la cause des réfugiés palestiniens. Fondateur en 1953, et principal animateur avec François Mauriac* du Comité France-Maghreb, il n'a cessé de batailler pour le retour du sultan marocain. Ayant voué sa vie au rapprochement des deux grandes religions monothéistes qui règnent sur l'Occident et sur l'Orient, son influence s'est portée sur le cardinal Montini, futur Paul VI, et sur la nouvelle approche de l'islam depuis le concile de Vatican II.

Massignon est mort à Paris, le 4 novembre 1962.

Bernard Droz

■ *La Passion d'Al-Halladj, martyr mystique de l'islam*, 1922, rééd. Gallimard, 1975, 4 vol. — *Parole donnée*, Julliard, 1962.

▩ J. Morillon, *Massignon*, Éditions universitaires, 1964. — « Massignon », *Cahiers de L'Herne*, 13, 1970.

MASSIS (Henri)

1886-1970

Né à Paris, passé par l'École nationale supérieure des arts décoratifs et par la Sorbonne, écrivain et journaliste, lauréat de l'Académie française* en 1929 avant de siéger sous la coupole en 1960, Henri Massis, esprit élégant, indépendant et éclectique, a été un grand témoin des mouvements intellectuels de son temps, plutôt qu'un acteur ou un véritable créateur. Ce n'est pas un hasard si son œuvre est dominée par une enquête célèbre sur la jeunesse d'avant 1914, par la rédaction de plusieurs manifestes, qui ont rallié une part appréciable de la droite catholique, et par des souvenirs, dont Maurras* est le héros. L'auteur des enquêtes sur *L'Esprit de la nouvelle Sorbonne* (1911) et sur *Les Jeunes Gens d'aujourd'hui* (1913), cosignées avec Alfred de Tarde sous le pseudonyme d'« Agathon »*, appartenait lui-même à cette nouvelle génération nationaliste, en quête de certitudes, de l'immédiat avant-guerre, dont Psichari* était le modèle. Marqué par le bergsonisme, il s'éloigna du philosophe après s'être converti au catholicisme. Attentif à ce qu'un autre écrivain, Étienne Rey, a appelé, en 1912, « la renaissance de l'orgueil français », Massis a reconnu, chez ses jeunes contemporains, la même préférence pour Péguy*, Claudel* et Maurras, le même rejet du régime parlementaire et des « excès romantiques », le même accent « belliqueux ». Goût de l'action, foi patriotique, renaissance catholique, réalisme politique — c'est en ces termes qu'il a caractérisé cette génération. Rapproché de Maurras par le Père Clérissac, Massis n'est devenu son compagnon de route qu'après la guerre — sans jamais écrire dans *L'Action française** —, au moment où le prestige du « nationalisme intégral » culminait dans les milieux catholiques. C'est alors qu'il rédigea, dans le plus pur style maurrassien, le « Manifeste du parti de l'intelligence », publié dans *Le Figaro** le 19 juillet 1919. Répondant à plusieurs manifestes pour « une internationale de la pensée » et pour « l'indépendance de l'esprit », inspirés par Barbusse* et Romain Rolland*, cet appel affirmait que la France, « gardienne de toute civilisation », avait vocation à fédérer intellectuellement « l'Occident » humaniste et chrétien contre le matérialisme bolchevique, et que le salut, « d'ordre spirituel », exigeait la « réfection de l'esprit public en France par les voies royales de l'intelligence et des méthodes classiques ». Ce texte, signé d'une pléiade d'écrivains catholiques, fut à l'origine de la création de *La Revue universelle**, dont le premier numéro parut le 1er avril 1920, avec Bainville* comme directeur et Massis comme rédacteur en chef (fonction qu'il occupa jusqu'en 1944). Jacques Maritain* y tenait la rubrique de philosophie, qu'il abandonna après la condamnation de l'Action française* par le pape en 1926.

Massis, qui a consacré en 1927 un livre à la *Défense de l'Occident*, reprit le thème à l'occasion d'un second manifeste, publié le 4 octobre 1935. Ce « Manifeste des intellectuels français pour la défense de l'Occident et la paix en Europe » était destiné à peser sur la décision de Laval, dans le débat sur les sanctions contre l'Italie à propos de la guerre d'Éthiopie*. Condamnant « le faux universalisme juridique de Genève », qui mettait en péril « l'avenir de la civilisation », les signataires (du cardinal Baudrillart à Paul Chack, en passant par Maurras, Henry Bordeaux*,

Robert Brasillach*, Gabriel Marcel* et André Rousseaux) se prononçaient pour la « conquête civilisatrice » de l'Abyssinie, « un des pays les plus arriérés du monde » ; ils saluaient en l'Italie « une nation où se sont affirmées, relevées, organisées, fortifiées, depuis quinze ans, quelques-unes des vertus essentielles de la haute humanité ». Le texte suscita une contre-offensive du Comité de vigilance des intellectuels antifascistes* (notamment des catholiques Mounier*, Borne*, Maritain, Madaule*, Guillemin*, P.-H. Simon*). Le débat annonçait déjà la logique paradoxale qui devait conduire une partie de la droite antigermaniste à la collaboration, et une partie de la gauche pacifiste à la Résistance.

Acquis aux nationalistes pendant la guerre d'Espagne*, et passionné, comme Maurras, par l'expérience de Salazar au Portugal, Massis se rallia, après la défaite, à Pétain. Chargé de mission au secrétariat général à la Jeunesse, où il s'opposa au projet de jeunesse unique copié sur le fascisme, il fut nommé par le Maréchal, en 1941, au Conseil national. C'est lui qui rédigea, en août 1944, le dernier message dans lequel le chef de l'État français s'efforçait d'accréditer la fable de l'épée et du bouclier. Son anticollaborationnisme notoire lui valut d'être « blanchi » à la Libération, après un mois d'internement administratif, bien qu'il n'ait à aucun moment renié ses engagements. En octobre 1961, Massis renouait avec ses anciens combats en apposant sa signature au bas d'un « Manifeste des intellectuels français », destiné à stigmatiser le « Manifeste des 121 »* en faveur de l'insoumission en Algérie. C'était le dernier acte d'un homme qui avait mis son honneur dans sa fidélité.

Alain-Gérard Slama

■ *Défense de l'Occident*, Plon, 1927. — *Évocations (1905-1911)*, Plon, 1931. — *Notre ami Psichari*, Flammarion, 1936. — *Les Cadets de l'Alcazar* (avec R. Brasillach), Plon, 1939. — *Chefs : les dictatures et nous*, Plon, 1939. — *Les idées restent*, Lyon, Lardanchet, 1941. — *Maurras et notre temps. Entretiens et souvenirs*, La Palatine, 1951, rééd. Plon, 1961.

▒ J.-F. Sirinelli, *Intellectuels et passions françaises. Manifestes et pétitions au XXe siècle*, Fayard, 1990. — M. Toda, *Henri Massis, un témoin de la droite intellectuelle*, La Table ronde, 1987. — E. Weber, *L'Action française*, Stock, 1962, rééd. Fayard, 1985.

MATHIEZ (Albert)

1874-1932

Historien et avocat de Robespierre, Albert Mathiez croit pouvoir fondre sa passion d'historien et ses convictions socialistes lorsqu'en 1920 il discerne dans « le jacobinisme et le bolchevisme deux dictatures nées de la guerre… avec pour but semblable la transformation de la société » *(Le Bolchevisme et le jacobinisme)*.

Fils de paysans comtois, cet athée est un intellectuel type de la IIIe République. Entré rue d'Ulm en 1893, il obtient l'agrégation d'histoire en 1897. Dreyfusard, ami de Péguy*, il milite avec ardeur pour le socialisme. Puis il élabore sa thèse au fil des postes de province et connaît, comme d'autres historiens de sa génération, l'attrait de Durkheim* et de l'équipe de *L'Année sociologique*, ce que trahissent ses thèses principale et secondaire soutenues en 1904 (*Essai sur les origines des cultes révolutionnaires*, *La Théophilanthropie et le culte décadaire*).

Disciple d'Alphonse Aulard*, ses dissentiments méthodologiques et politiques le conduisent à un véritable duel avec l'historien quasi officiel de la Révolution (1908). À travers les *Annales révolutionnaires* et la Société d'études robespierristes, Albert Mathiez élève une contre-orthodoxie face à la vision radicale de la Révolution selon Aulard. Ses préoccupations sociologiques le conduisent même à prendre brièvement le parti du chartiste monarchiste Augustin Cochin contre son maître. Après le bref épisode d'unanimisme national de la guerre, Mathiez se fait l'avocat de plus en plus exclusif de Robespierre, à l'heure où la révolution bolchevique lui paraît consacrer le projet jacobin. Lorsqu'il s'agit de succéder à Aulard, cela lui vaut d'être rejeté par la Sorbonne qui lui préfère le calme Philippe Sagnac. Quand en 1926 Albert Mathiez arrive à Paris comme suppléant de son rival de 1922, il a beaucoup changé. Entré dans une mouvance d'extrême gauche dissidente, il se démarque du communisme et suscite une pétition en 1930 pour s'inquiéter du sort du grand historien soviétique Tarlé. Bien qu'il préside toujours aux destinées de la Société d'études robespierristes, il retrouve une vision de l'histoire moins personnalisée avec une tentative pionnière pour conjuguer conjoncture économique et mouvements populaires (*La Vie chère et le mouvement social sous la Terreur*, 1927). Sa perception de l'histoire garde cependant son caractère polémique et téléologique. Albert Mathiez meurt d'une crise d'apoplexie le 25 février 1932 en plein cours, à l'amphithéâtre Michelet de la Sorbonne.

Olivier Dumoulin

■ *La Vie chère et le mouvement social sous la Terreur*, Payot, 1927, rééd. 1973.

■ J. Friguglietti, *Albert Mathiez, historien révolutionnaire (1874-1932)*, Société des études robespierristes, 1974

MAULNIER (Thierry) [Jacques Talagrand]

1909-1988

La carrière intellectuelle de Thierry Maulnier a été caractérisée par une profonde fracture correspondant à la Seconde Guerre mondiale. Après avoir été l'un des plus brillants essayistes politiques des années 30, il se consacrera après la Libération à des activités plus littéraires, de critique et de dramaturge.

Jacques Talagrand — son véritable nom — est né en 1909 à Alès, fils d'un professeur de tradition laïque. Élève de l'École normale supérieure*, il y est le condisciple de Robert Brasillach* et de Roger Vailland*. Dès 1930, Henri Massis* lui propose de collaborer à *La Revue universelle** et, à partir de 1931, il donne régulièrement des chroniques à *L'Action française**. Lié avec Jean-Pierre Maxence*, il contribue aux activités de *La Revue française* et collabore à *La Revue du siècle*. À travers ces articles, et avec la publication de l'essai *La crise est dans l'homme*, il participe à l'effervescence intellectuelle des « non-conformistes des années 30 », représentant au sein de la « Jeune Droite » de ces années un courant agnostique de sensibilité nietzschéenne. Un essai consacré à Nietzsche et un autre à Racine lui valent d'ailleurs le Grand Prix de la critique en 1935.

De 1936 à la guerre, tout en codirigeant, avec Jean de Fabrègues*, la revue *Combat**, il tente de donner un tour plus concret à un engagement qui, tout en étant très critique à l'égard du nazisme, se veut « nationaliste » et « socialiste », et il crée, en 1937, avec Jean-Pierre Maxence, un hebdomadaire de combat, *L'insurgé*, sous le double patronage de Drumont* et de Vallès*. En dépit de la singularité de certaines de ses positions, il devient en 1936 un collaborateur permanent de *L'Action française*. Il le reste durant les années 1940-1944, mais ne publie plus d'articles politiques après le débarquement allié en Afrique du Nord. Parallèlement, à partir de 1941, il commence à donner des articles au *Figaro**, où se poursuivra sa carrière de journaliste après la Libération.

Après 1945, prolongeant une orientation déjà en partie amorcée pendant l'Occupation, il se dégage de la politique pour se consacrer à son œuvre d'écrivain, d'auteur dramatique et de critique littéraire. Assurant la chronique théâtrale du quotidien *Combat** et de *La Revue de Paris**, il fonde en 1950, avec François Mauriac*, la revue *La Table ronde*, tout en restant, jusqu'à sa mort, un collaborateur régulier du *Figaro*. L'anticommunisme qui est le sien trouve désormais sa justification dans la défense des « valeurs libérales occidentales », l'amenant à présider l'Association France-États-Unis, tandis qu'il participe aux activités du Mouvement fédéraliste français et est un des éditorialistes du mensuel *Le XXe Siècle fédéraliste*. Élu à l'Académie française* en 1964, il meurt en 1988.

Jean-Louis Loubet del Bayle

■ *La crise est dans l'homme*, Alexis Redier, 1932. — *Nietzsche*, Alexis Redier, 1933. — *Demain la France* (avec R. Francis et J.-P. Maxence), Grasset, 1934. — *Mythes socialistes*, Gallimard, 1936. — *Au-delà du nationalisme*, Gallimard, 1938. — *La France, la guerre et la paix*, Lyon, Lardanchet, 1942. — *Violence et conscience*, Gallimard, 1945. — *Arrière-pensées*, La Table ronde, 1946. — *La Face de méduse du communisme*, Gallimard, 1952. — *L'Honneur d'être juif* (avec G. Prouteau), Laffont, 1971. — *Le Sens des mots*, Flammarion, 1976. — *Les Vaches sacrées*, Gallimard, 1977.

■ P. Andreu, *Révoltes de l'esprit. Les revues des années 30*, Kimé, 1991. — J.-L. Loubet del Bayle, *Les Non-Conformistes des années 30*, Seuil, 1969. — É. de Montety, *Thierry Maulnier*, Julliard, 1994. — P. Sérant, *Les Dissidents de l'Action française*, Copernic, 1979.

MAURIAC (Claude)

1914-1996

Fidèle apôtre du général de Gaulle, mais aussi fervent laudateur du philosophe Michel Foucault*, Claude Mauriac n'a cessé, sa vie durant, d'être fasciné par ces deux figures tutélaires dont le modèle s'est surajouté à la forte empreinte également exercée par son père, François Mauriac*.

Né en 1914 et élevé dans le sérail littéraire, Claude Mauriac poursuit d'abord des études supérieures à la Faculté de lettres et de droit de Paris, avant de devenir le secrétaire particulier du général de Gaulle (1944-1949), qui le marquera profondément et à l'égard duquel il témoignera toujours une profonde admiration. Auteur de nombreux essais sur des écrivains célèbres (Jean Cocteau*, André Malraux*, André Breton*, Marcel Proust*, etc.) et de romans remarqués (*Le Dîner en ville*, 1959, prix Médicis), il côtoie un temps les représentants du « Nouveau Roman » et publie un ouvrage sur *L'Allitérature contemporaine* (1958). Longtemps critique cinématographique au *Figaro littéraire** (1947-1972), collaborateur de nombreux journaux, il fréquente assidûment le milieu artistique et littéraire parisien. C'est en 1974 qu'il publie le premier tome d'un vaste et ambitieux projet qui ne comptera pas moins de dix volumes. *Le Temps immobile* se présente en effet comme une sorte de journal reconstruit qui, au moyen d'un savant montage de multiples fragments de sa propre existence, tente d'« approcher simultanément dans un même mouvement deux réalités contradictoires et de les réunir, celle du présent, celle du passé ». Cette œuvre singulière se révèle également un précieux document historiographique où l'auteur endosse l'habit du mémorialiste, et fait défiler sous nos yeux tous les personnages qui ont compté dans les lettres, la pensée et la politique pendant plus d'un demi-siècle.

L'engagement intellectuel de Claude Mauriac est d'abord celui du jeune directeur de la revue *Liberté de l'esprit** (1949-1953), qui sert de tribune aux intellectuels gaullistes membres ou compagnons de route du RPF. Il est ensuite celui d'un homme d'âge mûr, ébranlé par les événements de Mai 68, se lançant, à l'orée des années 70, dans le combat militant contre l'intolérance, le racisme et l'oppression, aux côtés de certains gauchistes de l'époque. On le vit donc signer des pétitions, tenir des conférences de presse, participer à des manifestations en compagnie de clercs célèbres tels que Michel Foucault, Gilles Deleuze*, Maurice Clavel*, Jean-Pierre Faye*, Jean-Paul Sartre* ou aux côtés d'Yves Montand, etc. On ne compte plus ses prises de position en faveur des immigrés du quartier de la Goutte-d'Or, des détenus dans les prisons françaises, des condamnés à mort espagnols, des dissidents soviétiques, des grévistes de la faim. Tantôt en Thaïlande et en Malaisie après avoir soutenu l'opération « Un bateau pour le Vietnam » (1976), tantôt au Cambodge pour participer à la « Marche pour la survie au Cambodge » (1980) ou au Salvador avec « Médecins sans frontières » (1985), il paie constamment de sa personne, soucieux de faire avancer le combat pour la liberté et la vérité dont il rend minutieusement compte dans son journal, témoin privilégié de ses doutes et de ses passions. Il est mort à Paris le 22 mars 1996.

Rémy Rieffel

■ *La Trahison d'un clerc*, La Table ronde, 1945. — *Malraux ou le Mal du héros*, Grasset, 1946. — *Conversations avec André Gide*, Albin Michel, 1951. — *Marcel Proust par lui-même*, Seuil, 1953. — *L'Allitérature contemporaine*, Albin Michel, 1958. — *Une certaine rage*, Laffont, 1977. — *L'Éternité parfois*, Belfond, 1978. — *Le Temps immobile*, Grasset, 1974-1988, 10 vol. — *Le Temps accompli*, Grasset, 1991-1993, 3 vol.

MAURIAC (François)

1885-1970

Chrétien, romancier, journaliste, François Mauriac offre l'exemple d'un itinéraire intellectuel et politique construit comme une tentative permanente de résoudre les conflits qui opposent en lui le catholique et le dreyfusard, l'homme d'ordre et le progressiste, le romancier et le journaliste.

François Mauriac est né le 11 octobre 1885 au cœur du Bordelais, terre en apparence immobile où il noue ses premières amitiés littéraires (avec Francis Jammes, Jacques Rivière* et Alexis Léger) et qui constitue la matrice de ses romans à venir. Issu d'une famille bourgeoise, catholique et conservatrice, l'adolescent grandit, jusqu'en 1907 — date à laquelle il quitte Bordeaux pour Paris où il prépare et réussit le concours de l'École des chartes —, dans cet univers traditionnel et protégé dont il épouse tout naturellement les réflexes politiques. Dès 1905 cependant, sa rencontre de quelques mois avec le Sillon de Marc Sangnier* est l'occasion pour lui d'une première remise en question de ses maîtres d'alors, Barrès* et Maurras*. Le catholicisme social de Sangnier le conduit à s'interroger sur l'infaillibilité politique d'une Église en rupture avec ses origines.

En 1914, François Mauriac a presque trente ans. Il a déjà entamé sa carrière d'écrivain. La Grande Guerre ne sera pas pour lui une expérience aussi déterminante que pour les autres hommes de sa génération : exempté pour raisons de santé, il ne participe pas directement aux combats et, malgré son pacifisme, il ne parviendra pas à tirer de ce « rendez-vous manqué » avec l'épreuve du feu une remise en question radicale du monde. Les années d'après guerre sont sans doute dans son itinéraire politique les plus conservatrices, marquées par des chroniques régulières dans des organes de la droite traditionnelle. Ce sont celles en tout cas de la gloire littéraire. En 1922 paraît son cinquième roman, *Le Baiser au lépreux*, qui l'impose comme un véritable écrivain. Romancier d'une grande fécondité, François Mauriac se voue entièrement à la littérature. Jusqu'au milieu des années 30, il publie presque chaque année la plupart de ses meilleurs romans. Son élection à l'Académie française* en 1933 lui apporte une consécration qui, curieusement, va coïncider à quelques années près avec le tarissement de sa veine romanesque.

Au moment où il paraît dépassé par la littérature, l'Histoire semble enfin le rattraper. Deux événements le conduisent à s'engager dans le combat politique en rompant avec la droite traditionnelle dont il est issu. Pour conjurer la menace fasciste, Mauriac dénonce dès 1935 l'intervention italienne en Éthiopie*. Puis, en 1937, le bombardement de Guernica lui fait prendre position en faveur des républicains espagnols. Enfin, le déclenchement de la guerre et l'Occupation vont le pousser à s'engager dans les rangs de la résistance intellectuelle. Dénonçant « l'excès de prosternations humiliées qui tient lieu de politique aux hommes de Vichy », il adhère au Comité national des écrivains*, collabore aux *Lettres françaises** clandestines et publie, aux Éditions de Minuit*, sous le pseudonyme de « Forez », *Le Cahier noir*, en août 1943. Dix ans décisifs viennent de s'écouler dans la vie de François Mauriac, qui voient se dessiner les lignes forces d'un engagement politique dicté par le choix de la fraternité contre l'autorité, du spirituel contre le temporel.

Le Mauriac de l'après-guerre est un homme qui, à soixante ans, a enfin pris le train de l'Histoire pour ne plus en descendre. Le romancier cède la place au chroniqueur engagé. De 1952 à sa mort, François Mauriac publie régulièrement son « Bloc-Notes », à *La Table ronde* d'abord. En 1952, révolté par la répression sanglante de l'insurrection marocaine et alors qu'on vient de lui attribuer le prix Nobel de littérature, il cautionne de son autorité le mouvement de décolonisation en assumant la présidence du Comité France-Maghreb. Ses positions étant devenues inconciliables avec celles de *La Table ronde*, il transporte son « Bloc-Notes » à *L'Express** où, entre 1953 et 1961, il soutient la cause de Pierre Mendès France puis du général de Gaulle — position qui devient peu à peu incompatible avec l'antigaullisme de l'hebdomadaire de Jean-Jacques Servan-Schreiber, et qui le conduit à confier son « Bloc-Notes » au *Figaro**.

François Mauriac s'est éteint le 1er septembre 1970 au terme d'une vie où les événements le sollicitèrent plus souvent sans doute qu'il ne l'aurait souhaité. Ces événements, il s'efforça en tout cas d'y répondre dans le respect d'« une certaine idée de la foi », porteuse d'une double exigence : l'alliance avec les humbles et le reniement des puissants.

Delphine Bouffartigue

■ *Dieu et Mammon*, Le Capitole, 1929. — *Bloc-Notes (1952-1957)*, Flammarion, 1959, rééd. Seuil, 1993. — *Mémoires intérieurs*, Flammarion, 1959. — *Nouveau Bloc-Notes (1958-1960)*, Flammarion, 1961, rééd. Seuil, 1993. — *Nouveau Bloc-Notes (1961-1964)*, Flammarion, 1968, rééd. Seuil, 1993. — *Nouveau Bloc-Notes (1965-1967)*, Flammarion, 1970, rééd. Seuil, 1993. — *Nouveaux Mémoires intérieurs*, Flammarion, 1965. — *Mémoires politiques*, Grasset, 1967. — *Dernier Bloc-Notes (1968-1970)*, Flammarion, 1971, rééd. Seuil, 1993.

▒ J. Lacouture, *François Mauriac*, t. 1 : *Le Sondeur d'abîmes (1885-1933)*, t. 2 : *Un citoyen du siècle (1933-1970)*, Seuil, 1980. — M. Winock, « Mauriac politique », *Esprit*, décembre 1967. — *Cahiers François Mauriac*, publiés régulièrement chez Grasset.

MAURRAS (Charles)

1868-1952

L'œuvre de Maurras ne se sépare pas de la ville provençale de Martigues où celui-ci naquit, le 20 avril 1868. Entre ses premiers engagements littéraires en faveur du Félibrige de Frédéric Mistral, puis de l'école « romane » néoclassique de Jean Moréas, et les choix politiques anti-individualistes et décentralisateurs qui le conduisirent au monarchisme, le lien est patent. Le passage s'est effectué à l'occasion de *Trois idées politiques* (1898), essai sur Chateaubriand, Michelet et Sainte-Beuve, dans lequel Maurras découvrit sa méthode, l'« empirisme organisateur », en opposant la démarche expérimentale et logique de l'auteur des *Lundis*, à l'« anarchisme » lyrique et révolutionnaire des romantiques. On aurait tort, pourtant, d'exagérer la cohérence d'une pensée qui fut, d'abord, celle d'un écrivain.

Orphelin de père à six ans et sourd à quatorze, « monté » à Paris en 1885, Maurras s'est révélé très tôt un habile stratège, animé par une ambition et une force de conviction peu communes. Sa doctrine s'est élaborée à la lumière d'expériences successives. En 1887, cet incroyant, fasciné, toute sa vie, par le mystère de la foi, fit ses débuts de critique dans un journal catholique, *L'Observateur français*, où il côtoya quelques-uns des acteurs de l'« esprit nouveau » et du « ralliement » : chrétiens modernistes et représentants de l'Union pour l'action morale de Paul Desjardins*, qu'il ne tarda pas à combattre, mais dont sortirent en 1898 les deux fondateurs de la première Action française*, Henri Vaugeois et Maurice Pujo. En 1888, il fut séduit par le boulangisme de Maurice Barrès*, mais « sans adhérer à (son) esthétique », ni à l'« aspect de démagogie » du mouvement nationaliste. Très tôt antisémite « de cœur », avant de s'affirmer antisémite « d'État » — il s'est toujours défendu d'être antisémite « de peau » —, il n'en vota pas moins en 1889 pour « le juif Naquet », candidat boulangiste de son arrondissement. En 1895, la lecture de la traduction des *Discours à la nation allemande*, de Fichte, l'alerta sur la menace germanique et l'orienta, en réaction, vers le positivisme d'Auguste Comte. L'année suivante, un reportage aux premiers Jeux olympiques d'Athènes, où l'envoya *La Gazette de France*, lui donna la certitude que la démocratie conduisait à la décadence. Enfin, en 1898, l'affaire Dreyfus* fit éclater à ses yeux la nécessité machiavélienne du « politique d'abord » : le 6 septembre, après le suicide du colonel Henry, Maurras plaida la thèse du « faux patriotique » dans un article retentissant.

Désormais, dans son esprit, l'intérêt national, défini comme instinct de conservation, devait primer tout. La République, affaiblie par le principe démocratique et aliénée par les « quatre États confédérés » (juifs, protestants, maçons et métèques inféodés à l'étranger), était incapable de l'assumer. Seule une monarchie héréditaire, catholique, antiparlementaire, décentralisée et corporative, rejetant en bloc l'héritage révolutionnaire, était en mesure de maintenir l'unité d'une nation vivante, forte et participative : tel fut l'objet, en 1900, de son *Enquête sur la monarchie*, et, en 1910, de son principal essai de politique étrangère, *Kiel et Tanger*. Sur ces bases, Maurras, journaliste infatigable, prétendit réunir les droites légitimiste, orléaniste et bonapartiste rapprochées par l'Affaire, en les dotant non seulement d'une doctrine cohérente (le « nationalisme intégral », symétrique de la doctrine socialiste), mais en les poussant vers l'activisme antirépublicain. Dans l'histoire des droites françaises, le projet était sans précédent et n'eut pas d'imitateur. Il prit ainsi en main, au début du siècle, le petit mouvement nationaliste de l'Action française, fondé en 1899, dont il fit une ligue (1905), et qu'il dota d'un quotidien (1908), d'une force de frappe : les Camelots du roi (1908), et de courroies de transmission (l'Institut d'Action française* en 1906, le Cercle Fustel-de-Coulanges* en 1927, sans compter les journaux de province : *Nouvelle Guyenne*, *Éclair* de Montpellier...).

Après avoir loyalement joué, pendant la guerre, le jeu de l'Union sacrée, Maurras, victime d'un prestige dépassant de beaucoup le clan de ses partisans, reprit ensuite son cap, sans tirer les leçons de la montée du nazisme. Ce fut son drame. S'il fut élu à l'Académie française* en 1938, ses appels au meurtre, inspirés par sa haine de la démocratie et par son refus obstiné d'une guerre qu'il jugeait perdue d'avance (contre Schrameck, ministre de l'Intérieur du Cartel, en 1925, contre les parlementaires ayant voté les sanctions frappant l'Italie lors de la crise éthiopienne en 1935, contre Blum*, pendant la campagne électorale de mai 1936), rendirent inévitable la condamnation du Vatican, en décembre 1926 et le désaveu du comte de Paris en décembre 1937 ; ils lui valurent aussi huit mois de prison en 1936-1937. Il est remarquable cependant que, violent en paroles, Maurras n'ait jamais cru dans les chances d'un coup de force, pas même le 6 février 1934 — ce qui ne l'empêcha pas d'être ardemment partisan des nationalistes espagnols pendant la guerre d'Espagne*. Réfugié à Lyon après la défaite, il crut défendre les intérêts de « la France seule » en prônant, malgré son antigermanisme foncier et son rejet du collaborationnisme, l'obéissance inconditionnelle au maréchal Pétain, dont il accueillit les réformes, partiellement inspirées de sa doctrine, comme une « divine surprise » (*Le Petit Marseillais*, 9 février 1941). La passion aveugle de ses attaques contre les gaullistes et les juifs après novembre 1942, justifia sa condamnation à la réclusion perpétuelle et à la dégradation nationale en janvier 1945. Au prononcé du verdict, Maurras lança la fameuse apostrophe : « c'est la revanche de Dreyfus ! », censée traduire l'unité de son combat et de sa vie. Libéré en mars 1952 pour raison de santé, il mourut le 16 novembre. Après avoir cautionné de sa dialectique et de son verbe les pires démons de la droite, ce génie singulier était devenu sa mauvaise conscience.

Alain-Gérard Slama

■ *Le Chemin de Paradis*, Calmann-Lévy, 1895. — *Enquête sur la monarchie*, Nouvelle librairie nationale, 1900-1909, rééd. Porte-Glaive, 1986. — *Anthinéa*, Félix Juven, 1901. — *L'Avenir de l'intelligence*, Nouvelle librairie nationale, 1905, rééd. Le Trident, 1988. — *Kiel et Tanger (1895-1905)*, Nouvelle librairie nationale, 1910. — *Au signe de Flore*, Grasset, 1931. — *Mes idées politiques*, Fayard, 1937, rééd. Albatros, 1986. — *La Seule France. Chronique des jours d'épreuve*, Lyon, Lardanchet, 1941. — *Votre bel aujourd'hui. Dernière lettre à M. Vincent Auriol, président de la IVe République*, Fayard, 1953. — *Œuvres capitales*, t. 2 : *Essais politiques*, Flammarion, 1954 (réunit l'essentiel des écrits politiques). — *La République ou le Roi. Correspondance inédite (1888-1923)* (avec M. Barrès), Plon, 1970.
▩ P. Boutang, *Maurras. La destinée et l'œuvre*, Plon, 1984. — Y. Chiron, *La Vie de Maurras*, Perrin, 1991. — H. Massis, *Maurras et notre temps. Entretiens et souvenirs*, Plon, 1961. — J. McCearney, *Maurras en son temps*, Albin Michel, 1977. — V. Nguyen, *Aux origines de l'Action française. Intelligence et politique à l'aube du XXe siècle*, Fayard, 1991. — Z. Sternhell, *La Droite révolutionnaire (1885-1914). Les origines françaises du fascisme*, Seuil, 1978. — E. Weber, *L'Action française*, Stock, 1962, rééd. Fayard, 1985.

Mauss (Marcel)

1872-1950

Marcel Mauss, d'un point de vue générationnel et intellectuel, est le relais entre l'œuvre du fondateur de l'École française de sociologie, Émile Durkheim*, et les ethnologues, anthropologues et sociologues français qui allaient donner à cette entreprise son expansion, sa diversité et sa notoriété. À la fin du XXe siècle, certains de ses élèves, Louis Dumont*, Marcel Haudricourt ou Denise Paulme (qui assura la publication de son *Manuel d'ethnographie* en 1947), sont encore vivants. Durkheim, oncle maternel de douze ans son aîné, le traita en disciple et en assistant aux tâches parfois ingrates (Mauss vérifia les données statistiques du *Suicide* et rédigea des milliers de pages de comptes rendus pour *L'Année sociologique*). L'élève se vit attribuer un rôle clé : se consacrer à la religion, qui, selon Durkheim, jouait le rôle de matrice sociale que le matérialisme historique attribuait à l'économie, particulièrement chez les primitifs. Aussi Mauss, après avoir passé l'agrégation de philosophie, ne devint-il pas enseignant : il rejoignit la section de l'École pratique des hautes études (qui venait d'être créée après la suppression de la chaire de théologie catholique à la Sorbonne) et apprit le sanscrit. Accumulant les savoirs et les compétences, il s'engagea dans une thèse sur la prière, mais son premier grand travail publié fut *Le Sacrifice*, un fait social total, rédigé avec Henri Hubert, ami historien qui collabora régulièrement avec lui.

La guerre de 1914 fut une dure épreuve, pourtant surmontée : sportif et robuste (ce qui lui permit de réfléchir aux techniques du corps, une de ses spécialités d'ethnologue), il s'engagea à l'âge de quarante-trois ans comme interprète et fut sur le théâtre des grandes batailles avec des troupes anglaises ou australiennes. Il revint chargé de médailles, et cruellement atteint : son cousin André, le fils unique et élève d'Émile Durkheim, était mort au combat, et son père, profondément atteint par ce deuil, sombra dans une sorte de mélancolie stoïque, dont il mourut en 1917. Mauss et ses amis, Paul Fauconnet, Célestin Bouglé*, Maurice Halbwachs*, reprirent l'entreprise durkheimienne — publication des cours et inédits du disparu, et rédaction de nombreux articles et ouvrages marqués par une vision évolutionniste de l'histoire des sociétés, l'importance accordée aux faits, et la recherche des catégories sociales universelles (le don par exemple). Et aussi un certain rejet ou mépris pour les travaux d'autres écoles : ni Bronislaw Malinowski, ni Max Weber, ni Freud n'ont grâce aux yeux de Mauss.

Jeune étudiant parisien, Mauss avait rejoint les rangs des socialistes français et fut un des fondateurs de *L'Humanité**. Il admirait Jaurès*, dont il était un proche, et qui fut dans le domaine politique ce que Durkheim fut pour sa vie intellectuelle. Aussi, le bolchevisme ne lui apparut nullement comme une aurore se levant à l'Est mais comme un danger. Il resta, comme Blum*, dans la vieille maison et collabora au *Populaire*. La même année où paraît le fécond *Essai sur le don*, il publie un article sur le bolchevisme, ébauche d'un ouvrage jamais achevé, pas plus qu'il ne terminera son livre sur la nation. Mauss, qui avait fréquenté les milieux socialistes révolutionnaires russes en exil à Paris, effectua un bref voyage en Russie en 1905 pour étudier le mouvement des coopératives. Car, en cohérence avec la théorie sociologique durkheimienne, il fut un coopérateur actif et militant : l'association des producteurs n'est-elle pas un moyen de lutter contre l'anomie qui menace les sociétés modernes et une anticipation préparatrice du socialisme ?

On se gardera d'ironiser sur l'absence de travail de terrain chez le pionnier des ethnologues français qui, en s'appuyant sur une quantité formidable de lectures, écrivit en détail sur les primitifs sans avoir jamais quitté les limites de l'Europe. Car, si l'ethnologie est liée à un regard qui permet de saisir à la fois la différence de l'autre et la logique de ses conduites et pensées, Mauss, qui investit tant dans la vie de la société française, y était inscrit dans une sorte de mise à distance, toujours maintenue et souvent pénible, qui lui rendait intelligible et sensible l'altérité. La famille Mauss-Durkheim était une famille de rabbins installée depuis de très nombreuses générations dans la région vosgienne. Comme Durkheim, Mauss rompit dès l'adolescence avec la religion parentale. Nulle conversion, cependant, et un fort maintien des liens familiaux et d'un sentiment de spécificité. L'antisémitisme est supporté — ainsi les manifestations de haine contre les juifs lors de l'affaire Dreyfus* à Épinal — comme un fait social qui a sa logique, et la France républicaine est l'objet d'une forme de culte.

En octobre 1940, Mauss est chassé du Collège de France* où il avait été élu en 1930 (chaire de « philosophie sociale »). Il est privé de l'appartement de la Ville de Paris où il habitait ; il se consacre à sa femme, plus jeune que lui, de santé fragile. Il porte l'étoile jaune, qu'il coud lui-même sur son manteau. Il n'enseignera plus, n'écrira plus, sa mémoire l'abandonne comme si l'horreur du temps l'atteignait, comme une autre horreur avait atteint son oncle en 1917.

En 1950, les PUF publient (dans une collection dirigée par Georges Gurvitch*) un recueil de textes de Mauss, auquel, en 1956, Claude Lévi-Strauss* donne une introduction, qui montre l'importance du symbolisme dans sa théorie ; dans la même période et pour les mêmes raisons, il est une des références de Lacan*, qui l'avait croisé dans les milieux de la revue *Minotaure* (où l'on trouvait aussi Michel Leiris* et André Masson), qui s'intéressait aux arts et aux sociétés primitives. Une édition (partielle) des *Œuvres* de Mauss était publiée en 1968-1969. Les textes politiques en étaient exclus, en dépit de leur grand intérêt : au milieu des années 90, leur publication est annoncée. Elle devrait mieux faire apparaître l'importance et l'unité de son entreprise.

Dominique Colas

■ *Sociologie et anthropologie* (introduction de C. Lévi-Strauss), 1956. — *Œuvres* (préface de V. Karady), Minuit, 1968-1969, 3 vol.
■ M. Fournier, *Marcel Mauss*, Fayard, 1995.

MAXENCE (Jean-Pierre) [Pierre Godmé]

1906-1956

Par l'activité journalistique et politique qui a été la sienne, Jean-Pierre Maxence a joué un rôle appréciable dans la vie intellectuelle des années 1925-1945. Son itinéraire et ses engagements sont représentatifs de certains des débats intellectuels et politiques qui ont marqué l'entre-deux guerres.

Connu sous le pseudonyme de « Jean-Pierre Maxence », Pierre Godmé, fils d'un entrepreneur de travaux publics, est né en 1906. En 1925, il commence à collaborer à l'hebdomadaire *La Gazette française*, dont le directeur, Amédée d'Yvignac, l'introduit dans le milieu littéraire du « Roseau d'Or », où il devient un fidèle de Jacques Maritain* et d'Henri Massis*. Chrétien convaincu, il entre pour quelques mois au séminaire d'Issy-les-Moulineaux en 1926, puis, revenu à la vie civile, il devient gérant d'une petite librairie et, se plaçant sous le patronage de Péguy*, dirige, de 1928 à 1931, une revue, *Les Cahiers*, qui se présente comme l'organe d'une « révolution spirituelle » d'inspiration chrétienne et néo-thomiste, tout en s'ouvrant à de jeunes poètes comme Reverdy ou Max Jacob.

En novembre 1930, il devient rédacteur en chef de *La Revue française*. Il se lie avec Thierry Maulnier* et Robert Brasillach* et se rapproche alors de l'Action française, sans y adhérer car il lui reproche de ne pas s'intéresser suffisamment aux problèmes sociaux. Dans les années 1930-1933, il est considéré comme un des représentants d'une « Jeune Droite » qui cherche à se renouveler en participant à la nébuleuse des « non-conformistes des années 30 ». Progressivement, son engagement spirituel et philosophique initial va faire place à des prises de position plus directement politiques, qui s'exprimeront particulièrement dans un livre, *Demain la France*, publié au lendemain des émeutes de février 1934, en collaboration avec Thierry Maulnier et son frère le romancier Robert Francis.

L'antiparlementarisme et l'anticapitalisme virulents qui caractérisent *Demain la France* se retrouvent dans son engagement au sein de la ligue La Solidarité française, au service de laquelle il met ses talents d'orateur, comme dans les orientations très activistes de l'hebdomadaire *L'Insurgé*, qu'il crée, en 1937, avec Thierry Maulnier, sous le double patronage de Drumont* et de Vallès*. Parallèlement, tout en collaborant aux revues *La Revue du siècle* et *Combat**, il est, de 1935 à la guerre, à l'hebdomadaire *Gringoire**, un critique littéraire écouté pour le brio de ses chroniques. Témoin et acteur du mouvement des idées dans les années 30, il s'en fera l'historien dans son *Histoire de dix ans (1929-1939)*.

En 1941, à son retour de captivité, il est favorable au régime de Vichy et publie de nombreux articles dans des publications qui exposent et développent la doctrine de l'État français, comme les revues *Idées* ou *France*. Installé à Paris, il reprend ses activités de critique littéraire, collaborant à *Paris-Midi* et codirigeant, avec le poète résistant Robert Desnos*, la page littéraire d'*Aujourd'hui*. Dans le même temps, il est directeur des services sociaux du Commissariat aux prisonniers et use régulièrement des possibilités administratives que cette fonction lui assure pour faciliter le fonctionnement d'un réseau d'assistance aux évadés et aider le transfert en province d'enfants juifs menacés par les mesures raciales. À la Libération, inscrit sur la « liste noire »* du Comité national des écrivains*, il s'exile en Suisse, où, tout en ayant repris des activités de professeur, il crée un Centre d'études thomistes et où il meurt le 16 mai 1956.

Jean-Louis Loubet del Bayle

■ *Charles Péguy* (avec N. Gorodetzky), Desclée de Brouwer, 1931. — *Positions I*, Gallimard, 1931. — *Positions II*, Gallimard, 1933. — *La Guerre à sept ans*, Gallimard, 1934. — *Demain la France* (avec R. Francis et T. Maulnier), Grasset, 1934. — *Histoire de dix ans*, Gallimard, 1939.

■ P. Andreu, *Révoltes de l'esprit. Les revues des années 30*, Kimé, 1991. — J.-L. Loubet del Bayle, *Les Non-Conformistes des années 30. Une tentative de renouvellement de la pensée politique française*, Seuil, 1969. — J.-L. Maxence, *L'Ombre d'un père*, Éd. Libres-Hallier, 1978.

MAYDIEU (Jean-Pierre)

1900-1955

Né le 23 mars 1900 dans une famille de la bourgeoisie industrielle bordelaise, le Père Maydieu fut avant tout homme de revue et de contacts. Après des études au collège des marianistes de la rue du Mirail qu'avait fréquenté avant lui Mauriac*, il fait partie de la promotion centralienne de 1923, puis entre à l'école d'artillerie de Fontainebleau. Confronté au cours de son noviciat dominicain à Angers (1925-1926) à la condamnation de l'Action française* par Rome, cet ancien Camelot du roi, qui fit partie de la garde rapprochée de Maurras*, choisit vite son camp. Ordonné prêtre en 1930, il est assigné au Cerf à l'issue de ses études au Saulchoir* (1932), et intègre en 1935 l'équipe dirigeante de *La Vie intellectuelle*, fer de lance dominicain de la lutte contre le maurrassisme. Éditorialiste à *Sept** et animateur des Amis de la revue (1934-1937), il joue un rôle analogue auprès des laïcs de *Temps présent** de 1937 à 1940.

Mobilisé en 1939, prisonnier de guerre à Orléans, il s'évade en juin 1940 et s'engage dans la Résistance. Proche de François Mauriac* dont il a attiré l'attention sur les dangers du fascisme au moment de la guerre d'Éthiopie*, ami d'Edmond Michelet avec lequel il aide l'universitaire allemand Dietrich von Hilbebrand à gagner le Brésil sous de faux papiers (été 1940), ce « moine combattant » (Mauriac) multiplie les déplacements entre Paris, Lyon et la Suisse. Introduit à Uriage* par Beuve-Méry* au début de 1941, il se fait l'interprète de la Résistance auprès de Dunoyer de Segonzac. Par Jean Paulhan*, il participe dès l'automne 1941 à la fondation des *Lettres françaises** et du Comité national des écrivains*, dont il est dès lors membre. Il poursuit en parallèle son œuvre éditoriale. *La Vie intellectuelle* s'étant sabordée en juin 1940, il fonde à Lyon les Éditions de l'Abeille, que dirige Maurice Montuclard*, et les cahiers « Rencontres » qui publient en 1943 l'ouvrage d'Henri Godin et Yvan Daniel, *La France, pays de mission ?*, texte fondateur de la mission ouvrière. Arrêté le 19 mars 1944 comme il tentait de passer la frontière pour porter *Le Songe* de Vercors* à son éditeur suisse, il est détenu à Annecy jusqu'à la Libération.

Il reprend alors la direction de *La Vie intellectuelle* qu'il conserve jusqu'à sa mort à Paris le 27 avril 1955. Attentif à la présence catholique en politique, il y prend contre Gaston Fessard* la défense d'*Esprit** et des chrétiens progressistes, sans céder à la tentation de l'unité d'action avec le PCF. Animateur du groupe de la Paroisse universitaire* de Saint-Cloud, il multiplie les conférences en France et à l'étranger, participe aux Rencontres internationales de Genève (1949), collabore à la Société européenne de culture. Écrivain rigoureux et peu prolixe en dehors des revues qu'il a animées, il laisse l'image d'un authentique médiateur intellectuel et d'un résistant de la première heure.

Denis Pelletier

■ *Le Christ et le monde*, Hartmann, 1946. — *Le Désaccord*, PUF, 1952. — *Catéchisme pour aujourd'hui*, Cerf, 1954.

■ J. Charbonnel, *Edmond Michelet*, Beauchesne, 1987. — J. Lacouture, *François*

Mauriac, Seuil, 1980. — « Le Père Maydieu », *La Vie intellectuelle*, août-septembre 1956.

MERCURE DE FRANCE

Le *Mercure de France* est fondé en 1889 par dix jeunes écrivains : G. Albert Aurier, Jean Court, Louis Denise, Louis Dubus, Louis Dumur, Remy de Gourmont, Julien Leclercq, Ernest Raynaud, Jules Renard*, Albert Samain, réunis autour d'un rédacteur en chef : Alfred Vallette. La revue, qui veut être d'avant-garde, publie de la poésie, des nouvelles, de la critique littéraire, mais aussi de la littérature étrangère, s'intéresse à l'actualité culturelle, aux arts plastiques (on parle de Gauguin, de Van Gogh). D'abord littéraire, le périodique s'ouvre ensuite aux sciences humaines (l'ethnologue Arnold Van Gennep* y écrira régulièrement), aux sciences et à la politique. Il est l'un des principaux organes du symbolisme, mais, ouvert à tous les courants littéraires et aux avant-gardes, il domine la scène littéraire française jusqu'à la Première Guerre mondiale*. On y lit des poètes, des dramaturges, des romanciers et des essayistes aussi importants que Léon Bloy*, Francis Carco, Paul Claudel*, Georges Duhamel*, André Gide*, Francis Jammes, Pierre Louÿs, François Mauriac*, Henri de Régnier, Paul Valéry*… Sans oublier Paul Léautaud* qui, sous le nom de « Maurice Boissard », tient la chronique théâtrale, aux digressions devenues célèbres. Le salon de Rachilde, l'épouse de Vallette, titulaire de la rubrique des livres, fréquenté par les écrivains de la revue, est un pôle de sociabilité actif. On se presse à ses « mardis ». À compter de 1894, la fondation d'une maison d'édition, marquée par son souci de la qualité et son mépris des tirages, s'inscrit dans le prolongement de l'activité de la revue. Vallette édite parmi tant d'autres Gide, Claudel, Louÿs, Régnier, Jarry, Gourmont, Villiers de L'Isle-Adam (mais refuse Proust*…), et, en littérature étrangère, Novalis, Hardy, Kipling, Nietzsche, dont ce sont les premières traductions françaises, Gorki, ou Wells.

Éclipsée par *La Nouvelle Revue française**, vieillie, la revue connaît un affaiblissement dans l'entre-deux-guerres. En 1935, à la mort de Vallette, la maison est reprise par Georges Duhamel, puis en 1938 par Jacques Bernard, dont les sentiments pro-hitlériens lui vaudront d'être jugé et condamné à la Libération. Malgré les efforts de J. Bernard pour la relancer, la revue ne paraît plus de juin 1940 à décembre 1946. Après la guerre, le *Mercure* sera dirigé par S. Silvestre de Sacy puis par Gaëtan Picon, son dernier animateur. Maurice Nadeau* y collabore un temps, Yves Florenne, Lucie Mazauric, Claude Pichois y tiennent des rubriques, on y lit encore de la poésie — Pierre Reverdy, Yves Bonnefoy, René Char* —, et une place est faite à la critique contemporaine avec Philippe Sollers* ou Roger Caillois*. En 1965, la revue disparaît, la maison d'édition est alors rachetée par Gallimard et animée par Simone Gallimard jusqu'à sa mort en 1995.

Séverine Nikel

■ P. Léautaud, *Journal littéraire*, Mercure de France, 1955-1966. — É. Silve, *Paul Léautaud et le « Mercure de France »*, Mercure de France, 1985.

MERLEAU-PONTY (Maurice)

1908-1961

Figure de premier plan de la philosophie française d'après guerre, Maurice Merleau-Ponty dut sans doute à sa disparition prématurée une partie de l'éclipse qui frappa son œuvre durant de nombreuses années. Le retour au premier plan, dans les courants contemporains de la philosophie, de la philosophie politique d'une part, et de la phénoménologie d'autre part, devrait lui permettre de retrouver la place qu'il n'aurait jamais dû perdre.

Né en 1908 à Rochefort, Maurice Merleau-Ponty perd son père à la veille de la Première Guerre mondiale*. Il fait ses études secondaires au Havre, puis à Paris. Reçu en 1926 à l'École normale supérieure*, où il côtoie Sartre*, il passe l'agrégation en 1930. Il commence alors une carrière de professeur dans l'enseignement secondaire, d'abord à Beauvais, puis à Chartres. Parallèlement, il entame des recherches sur la perception, et obtient une bourse d'études pour approfondir le sujet en 1933-1934. C'est l'école de psychologie de la forme allemande (Köhler, puis Goldstein) qui le conduit à la phénoménologie de Husserl. En 1939, il part étudier les inédits de Husserl à Louvain, où ils ont été recueillis après sa mort. La guerre interrompt ce travail. À l'automne 1940, après avoir été démobilisé, il enseigne au lycée Carnot. Il publie alors le premier résultat de ses recherches, *La Structure du comportement*, suivi, après la guerre, de *La Phénoménologie de la perception*. Il y récuse les psychologies associationnistes qui dominaient jusqu'alors, proposant de comprendre la perception comme mise en rapport globale d'une conscience et d'un monde, et donc comme engageant une ontologie.

Pendant la guerre, il retrouve Sartre, avec lequel il participe à un éphémère groupe de Résistance, « Socialisme et liberté ». Mais c'est surtout à la Libération que leurs chemins se rencontrent. Comme Sartre, Merleau-Ponty demande à la phénoménologie husserlienne des outils pour renouveler la philosophie française, dont les tendances dominantes oscillent alors entre spiritualisme et positivisme. Il est aussi comme lui en recherche d'un engagement philosophique en prise sur son temps. Aussi fera-t-il partie du noyau fondateur des *Temps modernes**, dont il refuse cependant de devenir codirecteur, mais dont il assume, surtout les premières années, la direction effective, en particulier politique. Il poursuit parallèlement sa carrière universitaire, étant, de 1949 à 1952, professeur de psychologie de l'enfant et de pédagogie à la Sorbonne.

Aux *Temps modernes*, Merleau-Ponty, alors plus politique que Sartre, s'engage résolument aux côtés du Parti communiste et de l'URSS. Il s'agit d'une solidarité vigilante, inquiète, mais qui ne doute pas encore que le marxisme soit une bonne grille d'interprétation de l'histoire : tel est l'« attentisme marxiste » qu'il définit dans *Humanisme et terreur* (1947). Plus que le schisme yougoslave, c'est la guerre de Corée qui ébranle Merleau-Ponty. Entre-temps, Sartre s'est rapproché du Parti communiste, et c'est lui qui donne à Merleau-Ponty des leçons de marxisme. La polémique de Sartre avec Claude Lefort*, consécutive à la publication de « Les communistes et la paix » (1952-1953), signe la brouille entre les deux amis, confortée par la publication en 1955 des *Aventures de la dialectique*, dont une bonne part est consacrée à réfuter l'« ultra-bolchevisme » de Sartre, et le dogmatisme avec lequel celui-ci oppose la liberté de l'action et l'objectivité du monde. Ce n'est que peu de temps avant la mort de Merleau-Ponty que quelques tentatives de rapprochement auront lieu.

Depuis cette époque, Merleau-Ponty, qui entre-temps a été nommé au Collège de France* (1953), s'éloigne de la politique, choisissant le silence et une forme d'abstention pour échapper aux dilemmes qui lui semblent miner tout engagement dans une histoire qui s'obscurcit. Ce n'est que vers la fin des années 50 qu'il tentera quelques pas en direction de Mendès France et de la nouvelle gauche que celui-ci fédère alors autour de lui. Mais ces années de retrait de la scène publique sont aussi des années d'une grande fécondité philosophique, comme l'attestent les résumés de cours au Collège de France et les publications posthumes, notamment *Le Visible et l'invisible*. Approfondissant le mouvement de réflexion qui lui fait explorer dans ses premiers travaux le sol perceptif de toute pensée et de tout jugement, Merleau-Ponty y dépasse une anthropologie du corps situé vers une ontologie de la chair, c'est-à-dire de la réceptivité première du sensible, et de la réversibilité du sentir, dont la tension entre le voyant et le visible est l'expression la plus développée. C'est au milieu de ce travail que Merleau-Ponty meurt brutalement le 3 mai 1961.

Si l'on excepte un petit nombre de fidèles, au premier rang desquels Claude Lefort, qui se fera l'éditeur posthume des inédits, la pensée de Merleau-Ponty n'aura guère de postérité dans les années qui suivirent immédiatement sa disparition. En revanche, vers le milieu des années 70, une nouvelle génération philosophique devait réemprunter son chemin, qu'elle y soit conduite par la critique des totalitarismes et le souci d'une politique capable de penser l'événement, ou par la postérité spécifique que Merleau-Ponty avait fournie à la phénoménologie husserlienne. Qu'il s'agisse de domaines aussi divers que celui de l'esthétique, de la pensée de l'action, de la philosophie de l'histoire ou de l'ontologie, sa pensée ne cesse d'exercer une influence de plus en plus profonde.

Joël Roman

■ *La Structure du comportement*, PUF, 1942. — *Phénoménologie de la perception*, Gallimard, 1945. — *Humanisme et terreur*, Gallimard, 1947. — *Sens et non-sens*, Nagel, 1948. — *Les Aventures de la dialectique*, Gallimard, 1955. — *Le Visible et l'invisible*, Gallimard, 1964. — *La Nature. Notes, cours du Collège de France*, Seuil, 1995.

▒ R. Barbaras, *De l'être du phénomène*, Grenoble, Jérôme Millon, 1991. — C. Lefort, *Sur une colonne absente. Écrits autour de Merleau-Ponty*, Gallimard, 1978. — M. Richir et É. Tassin (dir.), *Merleau-Ponty : phénoménologies et expériences*, Grenoble, Jérôme Millon, 1992. — J.-P. Sartre, « Merleau-Ponty vivant », in *Situations IV*, Gallimard, 1964. — A.-T. Tymieniecka (dir.), *Merleau-Ponty : le psychique et le corporel*, Aubier, 1988. — « Hommage à Merleau-Ponty », *Les Temps modernes*, octobre 1961. — *Cahiers de philosophie*, n° 7, 1989. — *Esprit*, juin 1982.

MESSAGER EUROPÉEN (LE)

Créé en 1987 chez POL, *Le Messager européen* se propose de « renouer les fils d'une conversation interrompue » au sein de l'Europe et de « reconstituer une communauté européenne au sens premier de république des esprits », comme l'annonce son directeur Alain Finkielkraut* dans l'éditorial du premier numéro. Cette revue annuelle sans abonnement, tirée à 3 000 exemplaires, reçoit le soutien durant deux ans de la Fondation Saint-Simon* et compte dans son « comité de patronage » à sa création : Élisabeth de Fontenay*, François Furet*, Pierre Hassner, Danilo Kis, Milan Kundera*, Octavio Paz, Philip Roth, Jacques Rupnik, Danièle Sallenave et Pierre Soulages. Quelques-uns écriront pour *Le Messager européen*, contribuant à la diversité des sujets et des styles. Ainsi, le premier numéro s'intéresse aux « divers aspects de l'industrie culturelle : la mode, la publicité, le rock, l'*entertainment* télévisé, etc. », comme à la pensée de Heidegger. Pour Alain Finkielkraut, « la tâche du *Messager européen* est [...] de faire en sorte que le rejet du totalitarisme débouche non sur une apologie béate de la société de consommation, mais sur la redécouverte et la défense des vraies valeurs — sans guillemets — de la culture et de la démocratie », démocratie dont il analyse la définition : « Dans un cas, la liberté, c'est l'épanouissement ; dans l'autre, la liberté, c'est l'émancipation. Qu'est-ce qu'émanciper ? C'est arracher l'homme au triple étau de la tradition, de la nécessité, de l'ignorance. »

Le troisième numéro traite donc de l'émancipation de l'homme à travers un dossier sur l'éducation, ponctué d'extraits de textes de Condorcet, Nietzsche, Arendt et dans lequel les rédacteurs revendiquent la possibilité pour les jeunes gens d'acquérir le maximum de culture, car « seule cette culture permet en effet de forger le goût et le jugement ». Ce numéro trois, en pleine affaire Rushdie, se clôt sur une « conspiration des misomuses », une liste de phrases critiques de Jacques Chirac, Sir Geoffrey Howe, Jimmy Carter et l'agence Tass envers l'écrivain iranien ; la rédaction annonce par ailleurs au sommaire du numéro suivant un dossier sur l'affaire, mais un changement d'éditeur modifie ce projet.

En effet, en 1990, *Le Messager européen* suit sa rédactrice en chef, Danièle Sallenave, aux Éditions Gallimard* où son prochain ouvrage paraît. L'arrivée de la revue rue Sébastien-Bottin donne naissance à une collection « Le Messager », qui accueille Primo Levi et Philippe Sollers*. La forme du *Messager européen* change peu et son objectif reste le même : apporter une réflexion sur ce qui s'est passé à l'Est depuis un demi-siècle. Il s'efforce de réfléchir sur le concept de barbarie, effort accru à partir de 1991 puisque l'accent est porté sur les conflits en ex-Yougoslavie*. Les numéros s'intéressent alors, sur près de 400 pages chacun, au « destin des petites nations », aux origines historiques de la « question slovène », aux effets de la Seconde Guerre mondiale entre Serbes et Croates, à « La Yougoslavie : prison des peuples », à ce qu'Alain Finkielkraut appelle « le crime d'être né ».

Depuis 1993, le comité de rédaction comprend Vaclav Belohradsky, Béatrice Berlowitz, Élisabeth de Fontenay, Petr Kral, Robert Legros, Roger Rotmann ; Danièle Sallenave l'a quitté pour *Les Temps modernes**. La revue est le rendez-vous annuel d'écrivains et de philosophes qui ne veulent pas se résigner à la scission géopolitique Est-Ouest et qui tracent les portraits d'« hommes dans de sombres temps » : Hugo Sonnenschein, Constantin Noïca, Nicolas Steinhard, Simone Weil*, Simon Doubnov ; tous à la recherche d'une idée de la démocratie.

Isabelle Weiland-Bouffay

MESSIAEN (Olivier)

1908-1992

Compositeur d'inspiration religieuse, Olivier Messiaen fut aussi un enseignant très actif qui eut une influence considérable sur plusieurs générations de compositeurs.

Né le 10 décembre 1908 en Avignon, Olivier Messiaen est le fils d'un professeur d'anglais, traducteur de Shakespeare, et de la poétesse Cécile Sauvage. Il entre alors au conservatoire de Paris en 1919 où il poursuit ses études jusqu'en 1930. Sa carrière débute en 1931 lorsqu'il devient titulaire de l'orgue de l'église de la Trinité à Paris, poste qu'il conservera toute sa vie. Il crée avec André Jolivet, Daniel Lesur et Yves Baudrier, le groupe « La Jeune France » (1936) qui anime des concerts et se propose, dans un manifeste rédigé par Baudrier, de favoriser « une musique vivante dans un même élan de sincérité, de générosité, de conscience artistique ». Se réclamant de Berlioz, la Jeune France s'oppose à l'esthétique desséchante, en particulier celle du Groupe des Six*, et souhaite réintroduire l'expressivité dans la musique.

La même année, il débute une longue carrière d'enseignant à l'École normale de musique et à la Schola cantorum, puis, à partir de 1941, au conservatoire de Paris où il restera jusqu'en 1978. Dans ses cours d'analyse et de composition, Messiaen fait profiter les étudiants de sa culture, de sa curiosité musicale et de ses recherches dans le domaine du rythme. Si Pierre Boulez* fut parmi les premiers à bénéficier de son enseignement, il précéda nombre de compositeurs importants après 1945, français et étrangers. C'est dans le cadre des cours de Darmstadt qu'il compose en 1949 les *Modes de valeurs et d'intensités*, qui exercèrent une influence décisive, notamment sur Pierre Boulez et Karlheinz Stockhausen, dans l'élaboration de la technique de composition sérielle.

Écrites pour l'orgue, le piano ou l'orchestre, les œuvres de Messiaen sont influencées par la foi chrétienne, mais aussi par ses vastes connaissances ornithologiques. Consacré tant en France qu'à l'étranger, il reçoit la commande du ministère des Affaires culturelles, dirigé par André Malraux*, d'une œuvre à la mémoire des morts des deux guerres (1964), *Et exspecto resurrectionem mortuorum*, qui fut donnée à la Sainte-Chapelle puis à la cathédrale de Chartres en présence du général de Gaulle. Il passe plusieurs années à l'écriture d'un vaste opéra, *Saint François d'Assise* (1975-1983). Olivier Messiaen décède à Paris le 28 avril 1992.

Yannick Simon

■ *Technique de mon langage musical*, Leduc, 1944. — *Entretiens avec Olivier Messiaen* (par C. Samuel), Belfond, 1967.

■ S. Gut, *Le Groupe Jeune France*, Champion, 1984. — H. Halbreich, *Olivier Messiaen*, Fayard / SACEM, 1980.

MILLIEZ (Paul)

1912-1994

La carrière professionnelle, médicale et universitaire, de Paul Milliez s'est déroulée comme un parcours sans faute : interne « médaille d'or » des hôpitaux de Paris en 1936, médecin des hôpitaux en 1946, professeur agrégé en 1949, il devient professeur de clinique médicale à la Faculté de médecine de Paris en 1962 et doyen de la Faculté de médecine Broussais-Hôtel-Dieu en 1969 jusqu'à sa retraite en 1981. Outre ses très nombreux écrits techniques sur l'hypertension et les maladies rénales, il a publié plusieurs ouvrages de réflexion sur le sens et la pratique de la profession médicale ainsi que sur la relation entre les médecins et les malades. Mais dans la tradition des médecins humanistes, Paul Milliez a aussi épousé les grandes causes de son siècle pour lesquelles il a milité avec toute sa foi catholique (il se dit « congénitalement chrétien ») et son poids de notable.

Tous ses combats pour la dignité de la personne humaine ont été suscités par la haute idée qu'il se faisait du rôle social du médecin, appelé comme praticien et comme intellectuel à intervenir dans la Cité, sans pour autant entrer en politique. On retiendra des nombreuses causes qu'il a défendues, trois de ses engagements les plus significatifs. Pendant la guerre, il « penche du bon côté », en faisant partie du groupe de médecins qui, avec Louis Pasteur Vallery-Radot*, Bertrand Fontaine, Robert Debré* et Robert Merle d'Aubigné, fondent le Comité médical de la Résistance. Un quart de siècle plus tard, l'effervescence estudiantine des années 1968-1969 lui a permis, malgré sa position de doyen, de dénoncer les carences du système hospitalier français. À cette occasion, en opposition avec les pratiques mandarinales de ses pairs, il manifeste dans la rue avec ses étudiants pour réclamer des réformes de l'enseignement médical. Sensibilisé depuis les débuts de sa carrière médicale à la détresse des femmes, il s'engage alors en faveur de la liberté de l'avortement. Il témoigne en 1972 au procès de Bobigny* et milite pour une révision de la loi. Cette prise de position hardie lui vaudra la désapprobation publique du Conseil de l'ordre des médecins. Autant que son goût de l'écriture et de la persuasion, l'incompréhension de son entourage professionnel l'encourage sans doute à publier livres de souvenirs et essais où il expose les raisons de ses engagements.

Danièle Voldman

■ *Médecin de la liberté*, Seuil, 1980. — *Une certaine idée de la médecine*, Ramsay, 1981. — *Du bon usage de la vie et de la mort*, Fayard, 1983. — *Ce que je crois*, Grasset, 1986. — *Ce que j'espère*, suivi de *Journal d'une drôle de guerre*, Odile Jacob, 1989.

MILNER (Jean-Claude)

Né en 1941

Né en 1941, Jean-Claude Milner a fait ses études à Paris. Il a été élève à l'École normale supérieure* du temps qu'Althusser* y dirigeait les études de philosophie et que Lacan* y trouvait accueil pour son séminaire. Professeur à l'université Denis-

Diderot de Paris VII, directeur d'une unité de recherche au Centre national de la recherche scientifique*, il occupe dans la linguistique contemporaine une position éminente par ses travaux de syntaxe, accessibles en particulier dans trois grands livres qui associent propositions empiriques, constructions théoriques et analyses épistémologiques (*De la syntaxe à l'interprétation*, 1978 ; *Ordres et raisons de langue*, 1982 ; *Introduction à une science du langage*, 1989, Seuil). Ce programme constitue une bifurcation significative par rapport à celui de la grammaire générative chomskyenne : il disjoint de toute définition touchant l'essence du langage l'enquête empirique sur les données de langue comme la théorie de leur représentation, et fonde l'autonomie de la linguistique face aux sciences cognitives ou aux recherches sur l'intelligence artificielle.

Cette activité de professeur, de chercheur et de savant aurait pu ne donner lieu qu'aux reconnaissances des spécialistes. Mais la singularité de la position de J.-C. Milner parmi les penseurs contemporains tient à une conjonction d'œuvres distinctes : sur la ligne continue des travaux scientifiques se superposent les fragments d'un Lacan selon l'ordre des raisons (*L'Amour de la langue*, 1978 ; *Les Noms indistincts*, 1983 ; *L'Œuvre claire*, 1995) et des textes d'intervention politique (*De l'école*, 1984 ; *Constat*, 1992 ; *L'Archéologie d'un échec*, 1993 — tous livres parus aux Éditions du Seuil, sauf *Constat*, chez Verdier). L'unique méthode consiste à construire des modèles qui expliquent les phénomènes, qu'il s'agisse de restituer la matrice des propos et des conduites de la gauche au pouvoir ou la forme de l'espace où se loge la pensée de Lacan. C'est sur la question de l'école* que ce matérialisme discursif a produit ses résultats les plus dévastateurs par rapport au « ronron » progressiste. Toute une génération de lecteurs a expérimenté les effets salubres de la transformation qui fait passer, par inversion d'un seul signe, du doute indéfini de « Qu'est-il utile de savoir ? » à la radicalité de « Qu'est-il utile d'ignorer ? ». La première question adhérait à une description sociologique de l'institution, la seconde fait apparaître qu'une théorie de l'école peut être entièrement déduite à partir de l'axiome : dans une société, il existe des savoirs, et ces derniers sont transmis par un corps spécialisé dans un lieu spécialisé.

Le mode d'existence de ces livres les uns par rapport aux autres définit une entreprise dont le dessein n'est ni dit ni caché, mais, en chaque occurrence, à nouveau signifié : « Il n'est rien de si frivole ou de si indigne qu'on ne doive y appliquer sa pensée. » Il faut tout l'humour que procure la liberté de penser pour revendiquer la position d'« amateur » dans une société où toute légitimité vient soit à l'expert, soit aux médias. Encore faut-il entendre sous *amateur* le verbe *aimer* : faire ce que l'on aime faire, et, sous ce *faire*, restituer l'éthique du maximum qu'est la générosité selon Descartes ou la Déclaration des droits rédigée par Robespierre, c'est-à-dire les conditions de possibilité d'un « procès de langage que contraint la vérité », programme ambitieusement simple des *Cahiers pour l'analyse* que fondait en 1966 J.-C. Milner avec A. Grosrichard, J.-A. Miller et F. Regnault.

Françoise Kerleroux

■ *De la syntaxe à l'interprétation*, Seuil, 1978. — *L'Amour de la langue*, Seuil, 1978. — *Ordres et raisons de langue*, Seuil 1982. — *Les Noms indistincts*, Seuil, 1983. — *De l'école*, Seuil, 1984. — *Introduction à une science du langage*, Seuil, 1989.

— *Constat*, Verdier, 1992. — *L'Archéologie d'un échec*, Seuil, 1993. — *L'Œuvre claire*, Seuil, 1995.

MINC (Alain)

Né en 1949

Le lycée Louis-le-Grand mène Alain Minc, né le 15 avril 1949 à Paris et fils d'un chirurgien-dentiste, à l'École des mines. Puis l'Institut d'études politiques* de Paris lui permet d'accéder à l'École normale d'administration* (ENA), dont il sort major de la promotion Léon Blum (1973-1975). Son premier poste le conduit à l'Inspection des finances, de laquelle il se met en disponibilité après avoir dirigé avec Simon Nora le *Rapport sur l'informatisation de la société*. Il rejoint alors le secteur privé en entrant dans la Compagnie Saint-Gobain en 1979 en tant que directeur financier ; il la quitte avec le titre de directeur en 1986.

Sa qualité d'expert économiste lui ouvre les colonnes de *L'Express** et du *Débat** en 1980. Il multiplie dès lors les ouvrages, neuf entre 1984 et 1993. Écrits dans lesquels il développe ses thèses sur le déclin économique, inévitable, de l'Europe, sur un « après-crise » qui exige davantage d'État. Il y explique l'idée du modèle étato-libertaire sans lequel la crise ne peut être surmontée ni la « finlandisation » de l'Europe évitée. S'intéressant donc tour à tour à l'avenir de l'Hexagone *(La Machine égalitaire)* et à celui de la Communauté européenne *(La Grande Illusion)*, il soutient, en 1989, qu'il n'existe pas de question européenne mais une question allemande. C'est pour cette raison qu'il faut, selon lui, promouvoir l'Europe communautaire aux dépens de l'Europe continentale et établir une confédération politique entre Paris et Bonn pour conjurer la dérive allemande vers l'Est. En 1992, il prône la ratification du traité de Maastricht qui ne doit pas seulement être le rendez-vous d'un marché mais une solution pour l'équilibre européen en danger face à la chute du communisme.

Alain Minc, président de la Société des lecteurs du *Monde** depuis 1985, connaisseur des médias, les utilise pour apostropher les Français en 1992 et leur montrer les dangers d'un populisme contre lequel il propose un remède : le mendésisme, que Jacques Delors, représentant d'une gauche moderne et renouvelée, peut incarner. Dans *Le Nouveau Moyen Âge*, où est plongé le monde de l'après-communisme, il prône un « pessimisme actif » contre le « pessimisme existentiel » des Français.

Alain Minc, président d'AM conseil après avoir été le bras droit de Carlo De Benedetti à la CERUS, pense que, face à la fin des idéologies, les intellectuels (qu'il côtoie notamment à la Fondation Saint-Simon*, dont il est le trésorier) ont un rôle à tenir : ils ont, selon lui, le devoir de participer au débat sur la forme politique de cette Europe surgie des décombres du nazisme et qui doit survivre à l'agonie du communisme. En 1994, il préside la commission chargée de la rédaction d'un rapport commandé par le Premier ministre, Édouard Balladur : *La France de l'an 2000*.

Isabelle Weiland-Bouffay

■ *L'après-crise est commencé*, Gallimard, 1984. — *Le Syndrome finlandais*, Seuil, 1986. — *La Machine égalitaire*, Grasset, 1987. — *La Grande Illusion*, Grasset, 1988. — *L'Argent fou*, Grasset, 1990. — *La Vengeance des nations*, Grasset, 1991. — *Français, si vous osiez*, Grasset, 1991. — *Le Nouveau Moyen Âge*, Gallimard, 1993.

MINISTÈRE DE LA CULTURE (débat sur le)

1981...

Si les années 80 s'étaient ouvertes sur le « silence » des intellectuels, elles se refermaient par une vive remise en cause de l'une des actions les plus visibles de la « décennie Mitterrand » : la politique culturelle de l'État, symbolisée par son ministre de tutelle, Jack Lang. Le débat n'est pas vraiment nouveau — en 1968, par exemple, le peintre Jean Dubuffet dénonçait un ministère « police de la culture, avec ses préfets et commissaires » — mais il connaît, à la fin des années 80, une ampleur jusque-là ignorée.

En 1987, la publication de *La Défaite de la pensée* d'Alain Finkielkraut* ouvre une vaste polémique. L'auteur, philosophe et essayiste, dénonce le déclin de la culture. De fait, c'est contre le relativisme culturel — le « tout culturel » — que se construit la démonstration. Certes, la politique menée par Jack Lang depuis 1981, reprise dans ses grandes lignes par François Léotard en 1986 pendant la cohabitation, n'est pas au centre du débat. Cela étant, Alain Finkielkraut estime que cette politique a très largement contribué, en prenant en compte des domaines jusqu'alors ignorés par le ministère (le rock, la mode...), à cette dissolution de la culture dans le tout culturel. Dans son *Éloge des intellectuels*, Bernard-Henri Lévy* s'inscrit dans la même filiation intellectuelle. Le chef de file des « Nouveaux Philosophes » pointe aussi le « malaise dans la culture ». Quant au ministère de la Culture, il est accusé de concourir à légitimer ce malaise en réhabilitant la part « mineure » de la culture. Signe des temps, la même année est publiée la traduction de *L'Âme désarmée*, ouvrage de l'universitaire américain Allan Bloom, consacré à la dénonciation du système d'enseignement des États-Unis qui, en acceptant d'intégrer la culture des minorités, aurait contribué à la confusion des valeurs. La publication conjointe de ces trois ouvrages, très largement commentée pour les deux premiers, offre un outillage théorique qui allait bientôt permettre une remise en cause plus directe du ministère.

En 1990, la publication par le ministère d'une enquête sur les pratiques culturelles des Français réactive et élargit la polémique. Les conclusions soulignent notamment l'échec de la démocratisation culturelle et le maintien des barrières matérielles et symboliques qui limitent l'accès à la culture dite « classique ». Les réactions sont diverses : Régis Debray*, tout en insistant sur le rôle fondamental de l'écrit, invite le ministère de la Culture à édifier une télévision plus culturelle ; Alain Finkielkraut voit dans les attendus mêmes de l'enquête l'engloutissement de la culture dans les pratiques culturelles et dénonce, comme en 1987, une nouvelle trahison des clercs.

Mais c'est à l'automne 1991, avec la publication de l'ouvrage de Marc Fumaroli* *L'État culturel*, que le débat prend un tour nouveau. L'ensemble de la presse française, bientôt rejoint par la télévision et par la radio (France-Culture*), se fait l'écho de la polémique suscitée par les thèses défendues par l'auteur. De surcroît, deux des principales revues du paysage intellectuel français, *Esprit** (octobre 1991 et février 1992) — Emmanuel Mounier*, hypothétique « ministre de la Culture » de Vichy, est au centre d'une des polémiques suscitées par l'ouvrage — et surtout *Le Débat** (mai-août 1992), ouvrent leurs colonnes aux nombreux contradicteurs. Au-delà de ces débats médiatiques, la légitimité universitaire vient également couronner la démarche de Marc Fumaroli : le 6 juin 1992, le Collège international de philosophie* organise une rencontre autour de *L'État culturel*. Le public est également sensible à ce débat, certes hautement médiatisé, et, pendant de nombreuses semaines, l'ouvrage occupe les meilleures places des différents palmarès publiés dans la presse spécialisée. L'auteur de *L'État culturel* appartient à l'une des institutions les plus prestigieuses du paysage universitaire français : le Collège de France*. Titulaire, depuis 1986, d'une chaire intitulée « Rhétorique et société en Europe (XVIe-XVIIe siècles) », cet historien des formes littéraires et artistiques de l'Europe moderne est l'auteur d'une œuvre reconnue par la communauté scientifique internationale : notamment *L'Âge de l'éloquence* (1980) et *Héros et orateurs, rhétorique et dramaturgie cornéliennes* (1990). Méconnu du grand public pour ses importants travaux, Marc Fumaroli intervient donc ici dans le domaine de l'histoire des politiques culturelles de la France contemporaine. Aussi ne choisit-il pas la forme académique, mais adopte-t-il, non sans brio, la forme du pamphlet. Reste que la raison sociale l'emporte ici sur la forme : pour bien des commentateurs, Marc Fumaroli est considéré comme le spécialiste incontesté de la question qu'il présente.

La thèse mérite examen : aujourd'hui, la « politique culturelle » fait de l'État un pourvoyeur universel de « loisirs de masse » et de « produits de consommation ». L'État-Providence apparaît alors, en s'appuyant sur des fonds publics, comme un concurrent du marché culturel. Cette confusion, qui s'incarne dans le « tout culturel », provient bien de l'identification de la culture au tourisme. Dès lors, cette culture obsessionnelle propagée par une bureaucratie culturelle toujours plus nombreuse en vient à prendre les proportions d'une religion de la modernité. La « Fête de la musique », la « Fureur de lire », les « commémorations » (en premier lieu le Bicentenaire), sans oublier les grands travaux présidentiels, concrétisent la manipulation sociologique impulsée par l'État, nouveau Léviathan culturel au service d'un parti et d'une idéologie politique. Mais ce « portrait de l'État culturel » n'est que le résultat des politiques amorcées bien avant l'arrivée au pouvoir des socialistes en 1981. Marc Fumaroli propose dès lors une véritable esquisse des origines historiques de l'État culturel. Le modèle de l'État culturel est à rechercher dans le *Kulturkampf* bismarckien puis dans les manipulations staliniennes et nazies. En France, c'est Vichy qui se trouverait à la source de la présente action culturelle. André Malraux*, par la volonté, proclamée dès la création du ministère de la Culture en 1959, de « rendre accessibles les œuvres capitales de l'humanité [...] au plus grand nombre possible de Français », aurait accéléré la domination de la « culture audiovisuelle de masse ». L'État socialiste, à partir de 1981, ne fera que reprendre et mener à son terme cette ligne. En digne héritier de la philosophie politique de Tocqueville et de Raymond Aron* (à qui le livre est dédié), Marc Fumaroli se présente en militant d'un État libéral qui opposerait à nos sociétés de consommation et de loisirs quelques contre-feux : essentiellement un système d'éducation, ainsi que quelques butoirs légaux et fiscaux. Dans cette perspective, la culture devient essentiellement une affaire individuelle : « Les arts ne sont pas des plats divisibles indéfiniment et égalitairement. Ce sont les échelons d'une ascension : cela se désire, cela ne s'octroie pas. » Ainsi, le principal ennemi de la démocratie libérale est bien la culture de masse.

Reste, et c'est sans doute l'essentiel, que l'ouvrage de Marc Fumaroli peut être compris comme un révélateur, véritable symptôme d'une interrogation sur la place et la définition de la culture dans nos sociétés contemporaines. Si l'ouvrage s'inscrit alors dans une tradition éditoriale bien établie depuis quelques années, il bénéficie d'une médiatisation exceptionnelle. En effet, la thèse n'est pas nouvelle et Marc Fumaroli l'a exprimée pour une large part dès 1982 dans les colonnes de la revue *Commentaire**, mais sa très large diffusion en France comme à l'étranger et le contexte politique lui donnent alors un relief certain. De plus, même si certains historiens (Bernard Comte, Antoine Compagnon, Jean-Pierre Rioux) nuancent fortement la généalogie proposée par Marc Fumaroli, sa démonstration est reprise telle quelle par la plupart des médias. De même, le silence de Jack Lang et du ministère de la Culture a peut-être conforté la perspective critique. Reste que le succès de *L'État culturel*, exacerbé sans aucun doute par les polémiques sur la Très Grande Bibliothèque et des perspectives électorales proches (législatives de mars 1993), réactualise un débat déjà ouvert. Aussi la nouveauté réside surtout dans la mise en cause virulente de la légitimité même du ministère de la Culture. Certes, Marc Fumaroli ne propose pas une suppression totale de la structure ministérielle, mais plaide pour une restriction à la sphère patrimoniale.

En 1992, *L'Utopie française, essai sur le patrimoine*, de Jean-Michel Leniaud, préfacé par Marc Fumaroli, manifeste la permanence de ce débat. Et, à quelques mois des élections, les ouvrages de Henry Bonnier *(Lettre recommandée à Jack Lang et aux fossoyeurs de la culture)* et de Zadig, pseudonyme d'un groupe d'intellectuels appartenant aux Cercles universitaires proches de la droite *(L'Implosion française)*, ne font que radicaliser, non sans quelques réductions, les propos de Marc Fumaroli. Au moins, l'objectif est ici clairement affiché : la suppression du ministère de la Culture. Zadig ne manque pas de signaler les intellectuels désormais de référence : « Il est vital pour la culture que ceux qui auront demain la responsabilité des destinées de la France aient lu et médité Steiner, Bloom, Lussato, Finkielkraut, Fumaroli, ou le retour à la vraie culture. »

À ces critiques libérales, proches de l'opposition d'alors, l'année 1993 ajoute une remise en cause qui se veut de gauche et qui, de plus, provient du sérail même de l'administration culturelle. Michel Schneider, énarque, auteur entre autres d'ouvrages sur Schumann et Glenn Gould, directeur de la Musique et de la Danse au ministère de la Culture de 1988 à 1991, rejoint Marc Fumaroli sur plusieurs points : la dissolution de l'art dans la culture, l'instrumentalisation politique de la culture par un ministère au service des « créateurs » et l'importance excessive accordée à la médiatisation. Mais, aux solutions libérales de Marc Fumaroli, l'auteur de *La Comédie de la culture* oppose l'impératif du service public : l'obligation, pour un État démocratique, de réduire l'inégalité ; l'accès aux œuvres doit donc passer par l'éducation artistique. Ce volet éducatif essentiel compléterait un ministère de la Culture réduit à deux autres fonctions (la préservation du patrimoine et la diffusion démocratique de l'art), voire éclaté au sein d'autres structures ministérielles. L'ouvrage, longuement commenté dans la presse nationale et même régionale, connaît un beau succès public. Et comme pour *L'État culturel* deux ans plus tôt, le plateau de « Bouillon de culture », émission animée par Bernard Pivot sur France 2, donne lieu, en février 1993, à un débat vif : Michel Schneider se retrouve bien seul face à Jack Lang, Pierre Boulez* et Edmonde Charles-Roux.

Par une politique et une communication qui épousent depuis 1981 au plus près l'air du temps, dans un contexte de changement annoncé de gouvernement, le ministère de la Culture se trouve sur la sellette. Évincé en partie des débats civiques, concurrencé dans la Cité et sur la scène médiatique par les « créateurs » et autres « médiateurs », l'intellectuel défend ici son pré carré, voire la visibilité de son action. Jouant une triple partition (style de l'écriture, ton polémique, érudition revendiquée), il tente de concilier une légitimité intellectuelle (en évitant cependant les règles internes du champ intellectuel) tout en recherchant un succès médiatico-commercial (par ailleurs dénoncé). « Il s'agit toutefois moins de diffuser, sous une forme "vulgarisée", les résultats de la production savante, que de donner des apparences "savantes" à des propos polémiques et proprement politiques » (V. Dubois).

Philippe Poirrier

■ H. Bonnier, *Lettre recommandée à Jack Lang et aux fossoyeurs de la culture*, Éd. du Rocher, 1992. — A. Finkielkraut, *La Défaite de la pensée*, Gallimard, 1987. — M. Fumaroli, *L'État culturel. Essai sur une religion moderne*, Fallois, 1991. — J.-M. Leniaud, *L'Utopie française. Essai sur le patrimoine*, Mengès, 1992. — B.-H. Lévy, *Éloge des intellectuels*, Grasset, 1987. — M. Schneider, *La Comédie de la culture*, Seuil, 1993. — Zadig, *L'Implosion française*, Albin Michel, 1992.
■ V. Dubois, « Politiques culturelles et polémiques médiatiques », *Politix*, n° 24, décembre 1993. — « Culture et politique », *Le Débat*, n° 72, mai-août 1992. — « Culture et société », *Les Cahiers français*, n° 260, mars-avril 1993.

MINUIT (Éditions de)

Dans le monde de l'édition française, les Éditions de Minuit représentent un cas singulier. Fondées dans la clandestinité par Pierre de Lescure et Jean Bruller, elles publient comme premier titre, en 1942, *Le Silence de la mer* de Jean Bruller-Vercors*. Entreprise éditoriale clandestine la plus aboutie — vingt-cinq plaquettes, pour la plupart de luxe, publiées au mépris de la censure allemande et « aux dépens de quelques lettrés patriotes » jusqu'en août 1944 —, c'est également la seule à être parvenue à maintenir une indépendance vis-à-vis de tous les mouvements de résistance en général et des communistes en particulier. Auréolées d'un immense prestige à la Libération, ayant à leur catalogue l'auteur le plus populaire de l'heure, Vercors, c'est un avenir radieux qui semble s'ouvrir à elles. En fait, les lendemains vont rapidement déchanter.

Ce n'est qu'en 1953 que les Éditions de Minuit conquerront leur place dans le monde de l'édition normalisé. Pour cela, il leur aura fallu multiplier les affrontements. Luttes internes — à partir de 1948, c'est un jeune homme de vingt-trois ans, Jérôme Lindon, dont la belle-famille a investi dans la maison, qui préside à leur destinée — et luttes externes — se dégager de la mainmise communiste, réussir à s'imposer face à la maison Gallimard* — secouent violemment leurs premières années. Leur situation financière demeure précaire mais leur catalogue s'enrichit : en 1947-1949, Bataille*, Blanchot*, Klossowski* ; en 1950, la reprise de la revue *Critique** ; en 1951, la première publication d'un grand refusé, Beckett*. Jérôme Lindon et Georges Lambrichs, alors directeur littéraire de la maison, aidés en sous-main par Jean Paulhan* qui envoie aux Éditions de Minuit des « refusés de la NRF », constituent ainsi un premier — et discret — pôle littéraire.

Mais il faudra attendre quelques années de plus pour qu'émerge véritablement aux Éditions de Minuit un nouveau modèle éditorial. Deux artisans : Jérôme Lindon, toujours, accompagné cette fois d'Alain Robbe-Grillet* (auteur maison depuis 1953 avec *Les Gommes*). En 1957-1958, les Éditions de Minuit réussissent à articuler une double entreprise de subversion : l'une est d'ordre esthétique — le « Nouveau Roman » (*La Modification* de Michel Butor* obtient le prix Renaudot 1957) — ; l'autre est d'ordre politique — la dénonciation de la torture pratiquée par l'armée française en Algérie* (*Pour Djamila Bouhired*, de Georges Arnaud et Jacques Vergès, en 1957 ; *La Question*, d'Henri Alleg, en 1958). En préservant l'autonomie de la littérature tout en s'engageant activement dans le siècle, les Éditions de Minuit non seulement apportent une réponse à la théorie de l'heure — celle de Jean-Paul Sartre* et de la « littérature engagée » — mais trouvent aussi l'élixir d'une — éternelle ? — jeunesse. Menant de front plusieurs entreprises de subversion, elles évitent le piège de l'inévitable fossilisation. 1957, c'est aussi, aux Éditions de Minuit, un courant marxiste critique avec la revue puis la collection (1960) *Arguments** (Georg Lukács, Herbert Marcuse).

Une fois finie la guerre d'Algérie, nouveau déplacement : moins le politique au sens strict que la société au centre des interrogations. Les sciences humaines deviennent un pôle cardinal de leur projet éditorial : Pierre Bourdieu* dirige la collection « Le Sens commun » (1965) ; Jean Piel, à partir de 1967, la collection « Critique » (Gilles Deleuze*, Jacques Derrida*, Jean-François Lyotard*). La secousse de Mai 68 se lit à leur catalogue : homosexualité, féminisme, antifreudisme témoignent que les Éditions de Minuit sont toujours « jeunes », n'hésitant pas à réactiver sans cesse leur marginalité. 1969 aurait dû être, pour elles, l'année de la consécration : Beckett est prix Nobel de littérature ; c'est pourtant celle où elles amorcent leur engagement propalestinien en publiant *Pour les Fidayine* de Jacques Vergès. Il fallait bien une bombe comme celle-là pour être sûres de ne pas être tout à fait honorables... Dans les années 90, en dépit d'un nouveau Nobel de littérature (Claude Simon* en 1985) et deux prix Goncourt (Marguerite Duras* en 1984, Jean Rouaud en 1990) et cinquante ans d'existence, pas une ride ?

Anne Simonin

■ P. Bourdieu, « Champ intellectuel et projet créateur », *Les Temps modernes*, n° 246, novembre 1966. — J. Debû-Bridel, *Les Éditions de Minuit. Historique*, Minuit, 1945. — V. Duclert, *Minuit. La résistance littéraire en France (1940-1944)*, mémoire (non déposé). — A. Simonin, *Les Éditions de Minuit (1942-1955)*. Le *devoir d'insoumission*, IMEC, 1994 ; « La littérature saisie par l'histoire. Nouveau Roman et guerre d'Algérie aux Éditions de Minuit », *Actes de la recherche en sciences sociales*, n° 111-112, mars 1996. — Vercors, *La Bataille du silence. Souvenirs de Minuit*, Presses de la Cité, 1967, rééd. Minuit, 1992.

MIRBEAU (Octave)

1848-1917

L'œuvre et la personnalité de Mirbeau se sont imposées au tournant du siècle par la verve polémique et les scandales qui ont accompagné la production journalistique et littéraire de cet écrivain. Né au sein d'une famille de petite bourgeoisie normande, d'un père officier de santé, Mirbeau fut de 1859 à 1863 pensionnaire dans un collège jésuite d'où il ressortit définitivement hostile au cléricalisme. Après le baccalauréat (1866), il fit de vagues études de droit et résolut de mauvaise grâce de se vouer au notariat. Cette orientation fut interrompue par sa participation à la guerre de 1870 dont les horreurs lui rendirent à jamais odieuses les excitations patriotiques et militaires. Pourtant, aux lendemains du conflit, il devait mettre, douze ans durant, son talent de plume au service de la droite.

Il entame une carrière journalistique à *L'Écho de Paris* animé par un des dirigeants du mouvement bonapartiste, Henri Dugué de La Fauconnerie. Sous l'Ordre moral, il sera même chef de cabinet du préfet de l'Ariège et, après le 16 mai, rédacteur en chef d'une feuille bonapartiste locale. Revenu à Paris, il est recruté en 1880 comme secrétaire particulier du directeur du *Gaulois* Arthur Meyer, inaugurant ainsi une longue et chaotique collaboration. Dans le contexte issu du krach de l'Union générale, il anime de juillet 1883 à janvier 1884, un brûlot hebdomadaire, *Les Grimaces*, commandité par un banquier, où les républicains opportunistes et leurs liens avec les puissances financières sont pris à partie avec virulence ; l'organe s'attaque aux juifs représentés comme emblématiques des méfaits du capitalisme.

Une grave crise sentimentale conduit alors Mirbeau à une retraite de plusieurs mois en Bretagne et l'amène à reconsidérer entièrement une phase de sa vie qu'il assimilera à une « prostitution ». Son évolution vers l'extrême gauche commence. Il renie ses manifestations d'antisémitisme, donne dans *Le Gaulois* des articles anticolonialistes, combat le boulangisme. Il lit Kropotkine et finira par se déclarer anarchiste. Il collabore à *La Révolte* de Jean Grave dont il préface *La Société mourante et l'anarchie* (1894), s'élève contre les « lois scélérates » et ne cesse de stigmatiser l'autorité sous toutes ses formes : famille, école, politique, armée, capital, Église, État. Sa collaboration à un organe de grande diffusion fondé en 1892, *Le Journal*, élargit considérablement sa notoriété. Il s'engage à fond dans les rangs dreyfusistes aux côtés de *L'Aurore* et de *La Revue blanche**, intervenant dans tous les grands moments de l'Affaire : « J'accuse », les procès Zola*, le procès Picquart, le procès de Rennes. Il prend la parole dans de nombreux meetings où sa sécurité physique est parfois dangereusement menacée ; il contribue financièrement au combat en faveur de Dreyfus*. À la fin de cette période, le *Journal d'une femme de chambre* (1900) lui vaut un beau succès de librairie. À partir de 1902, il tend à privilégier sa production littéraire et écrit notamment deux pièces de théâtre, *Les affaires sont les affaires* (1903) et *Le Foyer* (1908). En souvenir du combat dreyfusiste, il tiendra cependant à collaborer à *L'Humanité** naissante, sans dépasser le début de 1905.

Aux combats pour l'avant-garde politique, s'ajouteront ceux menés pour l'avant-garde esthétique. Il défend au théâtre les apports de Jarry et d'Ibsen, d'Henri Becque et de Maeterlinck, ceux d'Antoine et Lugné-Poë. Il prendra parti pour Wagner, César Franck, Debussy. Il soutient, contre l'art académique, Maillol et surtout Rodin, de même que des peintres comme Cézanne, Gauguin, Renoir, Utrillo, Pissarro* et son cher Monet.

À partir de 1909, sa santé décline rapidement. Il participera encore au combat contre la peine de mort et blâmera sévèrement la répression frappant la CGT au moment des grandes grèves et de la lutte contre les menaces de guerre. Il meurt désespéré par le conflit mondial en 1917.

Géraldi Leroy

■ *L'Abbé Jules*, 1888, rééd. Albin Michel, 1988. — *Le Jardin des supplices*, 1899, rééd. Grasset, 1987. — *Sébastien Roch*, Charpentier, 1890. — *Le Journal d'une femme de chambre*, 1900, rééd. Gallimard, 1984. — *Les affaires sont les affaires*, Fasquelle, 1903. — *Le Foyer*, Fasquelle, 1908.

▒ J.-F. Nivet et P. Michel, *Octave Mirbeau*, Séguier, 1990.

MNOUCHKINE (Ariane)

Née en 1939

La voie paraissait étroite pour conjuguer un « théâtre populaire* » dans le sillage de Vilar*, un engagement politique qui relèverait plutôt de Brecht et un état d'esprit fils naturel de Mai 68 ; c'est ce que réalisent pourtant Ariane Mnouchkine et le Théâtre du Soleil, funambules de l'art dramatique.

Ariane Mnouchkine est née à Boulogne-sur-Seine en 1939 d'une mère anglaise et d'un père d'origine russe, producteur de cinéma (les films Ariane). Étudiante en psychologie, elle fonde en 1959 l'Association théâtrale des étudiants de Paris, matrice du Théâtre du Soleil (1964).

Assez rapidement, le groupe rencontre le succès avec *La Cuisine* d'Arnold Wesker (1967). Dans la foulée de Mai 68, la troupe adopte l'ambition de la création collective, dont elle sera longtemps le plus brillant représentant (des *Clowns*, 1969, à *L'Âge d'or*, 1975) ; leur objet : l'histoire, celle du peuple ; leur outil : peut-être la commedia nouvelle rêvée par Copeau*. C'est à l'occasion de *1789*, recherche d'un théâtre populaire fondée sur un mythe collectif, que la compagnie s'installe à la Cartoucherie de Vincennes (1970), qui deviendra une véritable cité du théâtre. Après un épisode cinématographique *(Molière)*, Ariane Mnouchkine revient au texte et adapte un roman de Klaus Mann *(Méphisto)*, avant de plonger dans Shakespeare, revisité grâce aux techniques traditionnelles japonaises du *kabuki* et du *kathakali* (1981-1984). Changements dans les formes, mais toujours la même quête : « recréation du monde contemporain par les moyens du théâtre », sans jamais sacrifier la forme (l'outil théâtral) au discours à tenir. Avec *Norodom Sihanouk* (1985) et l'*Indiade* (1987), l'histoire contemporaine est directement interrogée ; collaboration nouvelle avec un auteur, Hélène Cixous*, qui vint alors puiser dans le travail du Soleil le miel de son écriture. Le retour aux grands classiques, grecs cette fois *(Les Atrides)*, doit, outre son intérêt intrinsèque, irriguer le futur travail sur la France résistante de Jean Moulin, comme l'expérience shakespearienne avait permis de se confronter aux grandes tragédies asiatiques contemporaines. Théâtralité (avec des formes « décalées » dans le temps ou l'espace : *commedia dell'arte*, théâtre de foire, *kabuki*, etc., donnant une grande place à la corporéité de l'acteur) et histoire sont assurément les deux sources majeures du travail d'Ariane Mnouchkine dont le goût pour la fête théâtrale aux accents communautaires n'a paradoxalement jamais entaché une option politique de gauche clairement affichée. Au mois d'août 1995, en signe de solidarité avec les populations de Bosnie et de protestation contre l'immobilisme occidental, Ariane Mnouchkine mène 27 jours de grève de la faim, avec quatre autres artistes. Le mois précédent, elle avait été parmi les premiers signataires de la déclaration d'Avignon qui dénonçait l'impuissance des gouvernements occidentaux et de l'ONU.

Serge Added

■ R. Temkine, *Mettre en scène au présent*, t. I, La Cité / L'Âge d'Homme, 1977. — *Le Théâtre*, Bordas, 1980.

MONDE

Monde, hebdomadaire culturel et politique créé par Henri Barbusse* (1928-1935), veut intervenir dans le débat sur les rapports entre création et révolution. Sa couverture illustrée, souvent due à de grands peintres (Georg Grosz, Marquet, Dufy, Derain, Picasso*, Juan Gris, Miro, Cocteau* et bien d'autres), la qualité de ses collaborateurs (Victor Serge*, Poulaille*, E. Berl*, Giono*...), la richesse et la variété des rubriques (critiques littéraire, théâtrale, musicale, création), mais aussi l'ambiguïté, voire les contradictions, de ses positions en font l'intérêt. *Monde*, d'obédience communiste à ses débuts, prend ses distances assez tôt, avant d'être remis au pas à partir de l'été 1933. La revue traverse plusieurs crises, est attaquée en 1930, lors du congrès de Kharkov, notamment pour son hostilité au principe des écrivains ouvriers et pour son « éclectisme ». À partir de 1931, *L'Humanité** relaiera ces attaques. Barbusse défend encore une certaine autonomie (ainsi il publie en 1933 une annonce pour *L'Histoire de la révolution russe* de Trotski) mais les deux dernières années de *Monde* seront plus orthodoxes.

L'idéologie explicite est assez sommaire : se voient pourfendus Proust* comme décadent, Mauriac* comme représentant de la bourgeoisie, l'Aragon* surréaliste comme « déliquescent », Lemonnier et Thérive (chefs de file de l'école « populiste ») pour leur faux réalisme. Un article présentant en 1930 « le point de vue des écrivains prolétariens d'URSS » estime que la littérature française « ignore le fait social », à quelques exceptions près (Dabit*, Guilloux*, Giono, Poulaille, collaborateurs de la revue et/ou recensés par elle) mais dont l'art est « empirique ». On leur oppose les correspondants ouvriers *(rabkors)* auxquels la revue s'ouvre en partie (un appel de Marc Bernard en 1932 suscite des envois de manuscrits), mais auxquels s'oppose notamment Victor Serge. Celui-ci rappelle la fragilité du critère de l'origine de classe, estime qu'écrire est un métier et que l'ouvrier, s'il écrit, ne peut que « tomber [...] dans le poncif d'agitation ».

Serge, qui sera ensuite critiqué pour « trotskisme », est défendu au sein de la revue par Magdeleine Paz, qui montre (humour involontaire ?) que son refus de l'ouvriérisme étroit et de l'étatisme culturel s'inspire des directives de 1925 du CC du PCUS... De tels débats, constants dans la revue, mais parfois peu visibles, lui enlèvent quelque peu l'aspect normatif qu'elle revêt au premier abord, notamment son caractère modélisant et prescriptif, flagrant dans les articles de critique littéraire.

La problématique culturelle de *Monde* prépare le Front populaire : *Monde* propose, comme l'écrit Malraux* en 1934, de modifier la place de l'intellectuel (oppositionnel en Occident, en accord avec les masses en URSS), mais surtout estompe les notions de classe, cherche à rassembler, sur la base de l'antifascisme, tous les « hommes de bonne volonté ». Souvarine* lui reproche en 1934 sa « sociologie pacifico-humanitaire philanthropique », et l'explique ironiquement par la nécessité de conquérir une large audience, l'aide financière soviétique s'étant tarie. La revue de Barbusse, malgré des collaborateurs souvent brillants et des sujets ambitieux, ne parviendra pas, dans son souci de plaire à trop de lecteurs différents, à élaborer une alternative culturelle.

Anne Roche

■ D. Bonnaud-Lamotte, *Sous le feu de l'informatique. La revue « Monde » (1928-1935)*, Presses universitaires de Reims, 1989.

MONDE (LE)

À l'origine, l'héritage lourd du *Temps* : une relation privilégiée avec le monde des Académies, de la littérature classique, de la Sorbonne traditionnelle. Il en reste aujourd'hui le rituel, respecté par le journal, de la publication intégrale des discours de réception sous la coupole. Mais à mesure que les années ont passé, l'éloignement s'est marqué. Jadis, il semblait tout naturel que les « feuilletonistes » vedettes venus du *Temps*, tels Robert Kemp pour le théâtre ou Émile Henriot pour les lettres, fussent membres, quasiment ès qualités, de l'Académie française*. Pierre-Henri Simon*, qui succéda à Henriot au journal, fut encore élu à son tour et la chaîne se perpétua avec Bertrand Poirot-Delpech. Mais celui-ci est aujourd'hui le seul journaliste du *Monde* dans ce cas. Aucun des directeurs successifs n'a cherché à suivre l'exemple de ses prédécesseurs de la rue des Italiens avant la guerre, qui étaient presque automatiquement cooptés, tôt ou tard, quai de Conti. Peu à peu, *Le Figaro** s'est substitué à son rival du soir dans cette situation spécifique — non sans subir à son tour les quelques pesanteurs qui pouvaient en résulter parfois.

Beuve-Méry* fit bientôt appel à la collaboration régulière d'intellectuels venus d'ailleurs ; il ne s'agissait pas, en général, de plumes portées par une grande notoriété parisienne, de droite ou de gauche, mais plus souvent d'universitaires de province, recrutés au confluent de la démocratie chrétienne et de la biographie propre du directeur : tels les Lyonnais André Latreille* pour l'histoire et Jean Lacroix* pour la philosophie, ou encore Étienne Gilson*, professeur d'histoire de la philosophie médiévale au Collège de France*, qui joua un rôle important, en même temps que Maurice Duverger*, juriste de l'université de Bordeaux, et que le poète catholique Pierre Emmanuel*, dans l'engagement du *Monde* en faveur du « neutralisme », au cours des années 1948-1951.

Un signe frappant de cet enracinement spécifique fut donné par le soutien qu'Hubert Beuve-Méry, lui-même ancien professeur à Prague, avant la guerre, trouva dans les facultés de la France entière, selon des solidarités spontanément constituées, quand une grave crise parut sur le point de le chasser au profit d'une nouvelle direction MRP, atlantiste de stricte obédience, et hostile à l'émancipation des colonies.

À telle enseigne qu'y furent toujours moins fortes qu'ailleurs les connivences des réseaux germano-pratins. Est-ce à dire que les colonnes du *Monde* aient été fermées aux intellectuels parisiens reconnus sur la place ? Certainement pas. Tout en laissant les combats de gauche les plus engagés (notamment sur le problème algérien) se conduire dans les hebdomadaires qui s'épanouirent dans les années 50, le journal prit bientôt figure de lieu d'intervention obligé pour tous ceux qui comptaient dans les cercles de la philosophie, de l'histoire ou de la sociologie : chacun sachant qu'il trouverait là le seul média qui les assurerait à coup sûr d'atteindre tous leurs pairs. C'est ainsi que les pétitions collectives, ce genre particulier et très français d'intervention, se portent depuis lors rue des Italiens plus spontanément que nulle part ailleurs.

On nota parfois quelques ostracismes individuels, mais peu de sectarisme ; guère de place aux communistes de stricte obédience, et quasiment pas du tout pour la droite extrême ; un large éventail autour d'un noyau constitué au centre gauche, avec généralement une place spéciale faite, au moins jusqu'au début des années 80, à quelques individualités solitaires proches des directeurs successifs et qui s'effacèrent avec eux.

Une conséquence en est que *Le Monde* a rarement lancé les modes intellectuelles successives, mais qu'il a toujours été attentif — du « Nouveau Roman » au structuralisme, de la « Nouvelle Histoire » aux « Nouveaux Philosophes » — à en scruter la naissance et à en accompagner l'essor. Rares furent ainsi les emballements brusques, l'exemple de la sinophilie débridée des années 70 étant peut-être une exception — encore fut-elle loin de toucher tous les départements du journal.

Dans son rôle de mentor (ses adversaires diraient de « donneur de leçons »), *Le Monde* ne déteste pas d'ailleurs tancer ou aiguillonner la « corporation » des clercs. On se rappelle ainsi la grande enquête lancée dans ses colonnes par Max Gallo au début des années Mitterrand pour déplorer le « silence des intellectuels »* et s'efforcer de les en faire sortir.

En somme, aujourd'hui comme hier, le journal entretient avec la plupart des intellectuels français, francophones ou francophiles, des relations définies par un attachement qui se nourrit d'irritations familiales, de proximités critiques et en définitive du sentiment plus ou moins avoué que *Le Monde* leur demeure indispensable.

Jean-Noël Jeanneney

■ J.-N. Jeanneney et J. Julliard, *« Le Monde » de Beuve-Méry ou le Métier d'Alceste*, Seuil, 1979. — M. Legris, *« Le Monde » tel qu'il est*, Plon, 1976.

MONDE DIPLOMATIQUE (LE)

Fondé en mai 1954 à la veille de la conférence de Genève, *Le Monde diplomatique* fut d'abord un mensuel de pagination réduite (8 pages), dont le sous-titre, « Journal des cercles diplomatiques et des grandes organisations internationales », désignait le public restreint auquel il s'adressait. Sous la houlette de l'ancien diplomate François Honti, son rédacteur en chef jusqu'en 1972, il s'attache à l'actualité internationale dans un esprit proche de l'ONU, et connaît une croissance remarquable, passant d'un tirage de 5 000 exemplaires à 80 000 en moyenne en 1972, pour une diffusion de plus de 62 000. La qualité de la réflexion et la rigueur de l'information, que *Le Monde diplomatique* revendiquera tout au long de son histoire, et que signale au lecteur un appareil de notes inhabituel dans la presse, expliquent ce succès. Il est lié aussi à l'impact d'événements internationaux comme la révolution cubaine et la guerre des Six Jours, qui élargissent sa diffusion auprès d'un public d'enseignants, d'universitaires, d'étudiants et de cadres lui-même en expansion.

Entreprise longtemps artisanale grandie à l'ombre du *Monde** de Beuve-Méry* dont il partageait l'approche volontiers éthique de l'actualité internationale, *Le Monde diplomatique* présente l'originalité de s'appuyer sur une équipe de rédaction réduite faisant appel à de nombreux collaborateurs dans le monde. Sa croissance se poursuit sous l'impulsion de Claude Julien, ancien chef du service étranger du *Monde* devenu rédacteur en chef de 1973 à 1990, puis d'Ignacio Ramonet qui lui succède.

Claude Julien a façonné l'image du *Monde diplomatique*, devenu sous sa direction un des pivots du tiers-mondisme en France, marqué, de la guerre du Vietnam* à la guerre du Golfe*, par la dénonciation constante de l'impérialisme américain. Le journal fut aussi le relais du renouveau des approches géopolitiques sous l'impulsion d'Yves Lacoste*, un de ses collaborateurs issu comme nombre d'entre eux du milieu des Éditions Maspero*. Si *Le Monde diplomatique* résiste à la crise du tiers-mondisme* au cours des années 80, il le doit autant à la pugnacité d'un Claude Julien ou d'un Alain Gresh qu'à la qualité maintenue de son information au cœur même de la polémique. Très tôt, *Le Monde diplomatique* a attiré l'attention sur des phénomènes comme la résurgence des intégrismes religieux dans le monde, les déséquilibres internationaux induits par l'essor des technologies scientifiques et des moyens de communication, l'enjeu politique de la maîtrise du patrimoine mondial agro-biologique, la montée des inégalités en France et dans les pays industriels. La crise du socialisme à l'Est lui profite, sa diffusion payante passe de 108 000 exemplaires en moyenne mensuelle en 1990 à 160 000 en 1993, orientée à plus de 30 % vers l'étranger. Fondée en 1987, la collection thématique « Manières de voir », qui réunit des articles parus dans le journal, est devenue trimestrielle en 1990. Elle s'est doublée en 1992 d'une autre série d'ouvrages, « Savoirs », réalisés en collaboration avec de grands organismes scientifiques.

Denis Pelletier

■ T. Grandeau, *Le Tiers-Mondisme du « Monde diplomatique »*, mémoire, Paris X, 1986. — R. Rieffel, *La Tribu des clercs. Les intellectuels sous la Ve République*, Calmann-Lévy, 1994.

MONNEROT (Jules)

1909-1995

L'itinéraire qui mena l'étudiant martiniquais Jules Monnerot des rangs de l'anticolonialisme en 1932 à la liste du Front national aux élections européennes de 1989 est-il aussi rectiligne qu'il a voulu le dire ? Fils d'un avocat communiste de Fort-de-France, Jules Monnerot rejoignit le lycée Henri-IV puis la Sorbonne, où il obtint un doctorat ès lettres, et s'orienta vers la sociologie. Il publia en 1932 avec des amis antillais *Légitime défense*, qui dénonçait les compromissions de la bourgeoisie de couleur dont ils étaient issus. Cette révolte s'appuyait alors sur la psychanalyse, le surréalisme et le marxisme. La lecture de Pareto, Sorel*, Michels, Mosca, Croce, Weber et des revues non conformistes, compléta sa formation en l'éloignant de la tradition durkheimienne et du marxisme. S'il conçut le projet du Collège de sociologie*, il refusa de le rejoindre une fois fondé, dénonçant en lui un nouveau « cénacle littéraire » sans réelle efficacité.

Après avoir été attaché à la Bibliothèque nationale et journaliste, il dirigea une exploitation agricole jusqu'en 1949. Il s'isola, rédigea des textes romanesques, un essai sur *La Poésie moderne et le sacré* (1945) et surtout *Sociologie du communisme* (1949). Ses activités pendant la guerre ont laissé peu de traces, il dit avoir été recherché par l'*Abwehr* en 1945. Membre du premier comité de rédaction de *Critique** (1946), il soutint le général de Gaulle et devint conseiller national RPF (1948-1953). Il donna des cours à l'École supérieure de guerre (1951-1958). Son projet d'un vaste traité de sociologie était subordonné à la dénonciation du caractère religieux et conquérant de l'impérialisme communiste. Il fit alors figure d'analyste pénétrant et novateur, jouant le rôle de sociologue-consultant spécialiste du communisme. Les concepts mis en œuvre devaient beaucoup à Bataille* (homogène / hétérogène) et Caillois* *(Les Formes du sacré)*, ainsi qu'aux efforts de formalisation de la sociologie anglo-saxonne.

Tributaire d'une vision hiérarchique et élitiste de la société, convaincu du rôle de groupes restreints de réflexion et d'action, il continua son activité dans des mouvements tels Progrès et liberté, ou le Club de l'Horloge*. Il se posa en défenseur de la « préférence occidentale » contre les menaces de « subversion » et de « submersion », prit position contre l'indépendance algérienne. Hostile aux « supercheries » de la démocratie représentative, il rejoignit le Front national et son conseil scientifique. Favorable à l'intervention française dans la guerre du Golfe*, il quitta cette dernière instance, sans abandonner le mouvement (1990). Il est mort le 3 décembre 1995.

Alexandre Pajon

■ « Enquête sur les directeurs de conscience », *Volontés*, n° 14, février 1939. — *Sociologie du communisme*, Gallimard, 1949, rééd. Hallier, 1979 (avec le sous-titre : *Échec d'une tentative religieuse du XXe siècle*). — *Sociologie de la révolution*,

Fayard, 1969. — *Intelligence de la politique*, Gauthier-Villars, 1977, 2 vol. — *« Désintox ». Au secours de la France décérébrée*, Albatros, 1987.

J.-M. Heimonet, *De la pensée à l'acte : Jules Monnerot*, Didier, 1984 ; *Jules Monnerot ou la Démission critique (1932-1990). Trajet d'un intellectuel vers le fascisme*, Kimé, 1993. — D. Hollier, « De l'équivoque entre littérature et politique », *Les Dépossédés*, Minuit, 1993, pp. 109-130.

MONOD (Gabriel)

1844-1912

Aujourd'hui méconnu ou caricaturé en père Fouettard de la méthode historique, Gabriel Monod fut, chronologiquement, le premier des « intellectuels », ces savants qui s'embarquèrent dans les tourbillons de l'affaire Dreyfus*.

Né le 7 mars 1844 à Ingouville, banlieue du Havre, il est issu de la haute société protestante, alsacienne par sa mère et déjà, du côté des Monod, européenne. Élève brillant, plusieurs fois lauréat du concours général, admis à l'École normale supérieure* en 1862 puis reçu premier à l'agrégation d'histoire en 1865, il se distingue de ses condisciples par la richesse de ses relations. Étudiant à Paris, il loge chez le pasteur Edmond de Pressensé et correspond avec Mgr Dupanloup. Jeune agrégé, il part pour un long voyage d'étude à Florence, où il rencontre sa future femme Olga, fille d'Alexandre Herzen, et grâce à Malwida von Meysenbug, Wagner, Nietzsche et Minghetti, puis en Allemagne, à Berlin et à Göttingen où il est l'élève de G. Waitz.

De retour à Paris, il devient la cheville ouvrière de l'introduction de la méthode critique en histoire et le grand maître de la professionnalisation du métier d'historien. Professeur d'histoire du Moyen Âge à l'École pratique et à l'École normale, il est le fondateur et le directeur de la *Revue critique* avec Gaston Paris, puis de la *Revue historique* (1876), l'animateur avec Gabriel Hanotaux de la Société historique et du Cercle Saint-Simon*, lieux de rencontre obligés des intellectuels des deux dernières décennies du siècle. Plus qu'Ernest Lavisse*, Gabriel Monod fut l'apôtre et le théoricien de l'histoire républicaine, celui qui lia avec force l'histoire, la méthode critique, la morale, la République et la Nation. Vrai érudit et spécialiste des questions scolaires, il se passionne pour les problèmes de son temps sans hésiter à s'engager, comme pendant la campagne de 1870 où il est ambulancier volontaire. C'est pourtant avec l'affaire Dreyfus qu'il devient un homme public, l'une des cibles privilégiées de l'extrême droite. Il fut le premier savant à s'engager publiquement pour la révision, appliquant la méthode historique à l'expertise du bordereau. Il resta par son activité incessante un des hommes clés du « dreyfusisme », agent recruteur d'envergure internationale, indéfectiblement fidèle au capitaine, habitué du salon de la marquise Arconati-Visconti et animateur de l'Université populaire* de Versailles.

Avec l'affaire Dreyfus s'est effondrée la synthèse politique et historiographique des années 1880-1890 qu'incarnait Monod. Il devient après celle-ci un témoin précieux et étonnamment ouvert des débats et des renouvellements de la discipline historique des années 1900. Il consacre notamment un long cours au Collège de France* (où il a été élu en 1905) et de très nombreux articles à Jules Michelet, qui fut son ami, où il relit et repense avec profondeur les espoirs, les ambiguïtés et les impasses de l'histoire méthodique et le projet d'une histoire totale. Il meurt le 9 avril 1912 à Versailles, laissant une œuvre importante mais éparse. Son chef-d'œuvre, *La Vie et la pensée de Jules Michelet*, ne fut publié qu'en 1924.

Rémy Rioux

■ *Allemands et Français. Souvenirs de campagne*, Sandoz et Fischbacher, 1872. — « Du progrès des études historiques en France depuis le XVIe siècle », *Revue historique*, t. 1, 1876. — *Les Maîtres de l'histoire : Renan, Taine, Michelet*, Calmann-Lévy, 1894. — « La méthode en histoire », *Revue bleue*, 46e année, 11 et 18 avril 1908. — *La Vie et la pensée de Jules Michelet*, Champion, 1924 (en reprint chez Slatkine, 1975).

■ C.-O. Carbonnel, *Histoire et historiens. Une mutation idéologique des historiens français (1865-1885)*, Toulouse, Privat, 1976. — R. Rioux, *Gabriel Monod. Visions de l'histoire et pratiques du métier d'historien (1889-1912)*, mémoire, université de Paris, 1990.

MONOD (Jacques)

1910-1976

Jacques Monod fut, entre 1965 et 1976, un des scientifiques français les mieux connus du grand public, prenant une part active aux grandes controverses qui agitaient alors la société française. Son livre, *Le Hasard et la nécessité* (1970) fut un best-seller et provoqua un des grands débats intellectuels de la seconde moitié du XXe siècle.

Né en 1910 dans une famille protestante, Jacques Monod passa sa jeunesse à Cannes. Il vint à Paris en 1928. Assistant à la Sorbonne, il fit un bref séjour dans le laboratoire de génétique de T.H. Morgan aux États-Unis et commença à travailler sur les besoins nutritifs des micro-organismes. Après s'être engagé pendant la guerre dans la Résistance, il rejoignit après la Libération le laboratoire d'André Lwoff à l'Institut Pasteur*. Il y développa le travail sur l'adaptation enzymatique chez les micro-organismes qui le mena, après quinze années d'effort et la « grande collaboration » avec le généticien François Jacob*, à une des plus importantes découvertes de la biologie moléculaire : la caractérisation des mécanismes qui, chez les micro-organismes, contrôlent l'activité des gènes.

L'importance de ces travaux fut sanctionnée par l'attribution en 1965 du prix Nobel de physiologie (ou médecine), en même temps que Jacob et Lwoff. Après avoir été professeur à la Faculté des sciences, J. Monod fut nommé au Collège de France* en 1967. Il prit en 1971 la direction de l'Institut Pasteur afin de redresser une situation matérielle et financière difficile. Atteint d'une anémie aplasique, J. Monod mourut le 31 mai 1976 à Cannes.

Par ses origines familiales (son père était peintre) et son mariage (son épouse Odette Bruhl était spécialiste de l'art tibétain), J. Monod était sensibilisé à l'art. Lui-même était musicien et il hésita longtemps entre une carrière musicale et la recherche scientifique. Il écrivit aussi en 1964 une pièce de théâtre intitulée *Le Puits de Syène*. J. Monod était aussi un grand navigateur et un alpiniste chevronné.

Une des premières interventions publiques de J. Monod fut son article, publié dans *Combat** le 15 septembre 1948, déniant aux théories de Lyssenko toute valeur scientifique. Il participa à la préparation du congrès de Caen (1er-3 novembre 1956), réuni à la demande de Pierre Mendès France pour réformer l'Université et la Recherche. Ses interventions se multiplièrent après l'attribution du prix Nobel en 1965 — action en faveur d'une politique du contrôle des naissances dans le cadre du Mouvement français pour le planning familial, combat pour la légalisation de l'avortement et de l'euthanasie, soutien aux scientifiques soviétiques emprisonnés, etc.

Dans son ouvrage *Le Hasard et la nécessité* (1970), J. Monod décrivait les résultats de la biologie moléculaire et esquissait le portrait de l'éthique de la connaissance objective que les progrès de la biologie imposaient à l'homme de science comme au citoyen. Ami d'Albert Camus* dès les années 50, J. Monod était adepte d'un existentialisme et d'un socialisme scientifique. Anticommuniste depuis l'affaire Lyssenko, opposé à la psychanalyse, attaché à la clarté du style et de la pensée, J. Monod était « en décalage » avec de nombreux intellectuels français, tels Sartre* ou Althusser*. Il était avant tout un scientifique, à une époque où les intellectuels s'étaient éloignés de la science et remettaient en cause les pouvoirs de la raison et l'idée de progrès.

Tout au long de sa vie, J. Monod n'intervint que dans les domaines où ses compétences scientifiques et la méthode objective lui donnaient autorité.

Michel Morange

■ Outre 135 publications scientifiques : « La victoire de Lyssenko n'a aucun caractère scientifique », *Combat*, 15 septembre 1948. — *Le Hasard et la nécessité*, Seuil, 1970. — *Lire*, novembre 1975, n° 2. — *Fonds Jacques Monod*, Service des archives de l'Institut Pasteur.

▒ H.F. Judson, *The Eighth Day of Creation. The Makers of the Revolution in Biology*, New York, Simon and Schuster, 1979. — *Hommage à Jacques Monod. Les origines de la biologie moléculaire* (présenté par A. Lwoff et A. Ullmann), Academic Press, 1980. — *Jacques Monod. Pour une éthique de la connaissance* (textes réunis et présentés par B. Fantini), La Découverte, 1988.

MONOD (William-Frédéric, dit Wilfred)

1867-1943

Apôtre du « christianisme social » au début du XXe siècle, le pasteur Wilfred Monod incarne un type d'intellectuel protestant engagé et ouvert, mais profondément enraciné dans une culture religieuse associant la piété à la rigueur morale.

Wilfred Monod est issu de la branche sacerdotale de la célèbre famille protestante des Monod. Né à Paris en 1867, fils et petit-fils de pasteurs réformés marqués par la tradition du Réveil, il reçoit une éducation très religieuse et abritée du monde extérieur. Au cours de ses études de théologie à Montauban, puis dans son premier poste pastoral de Condé-sur-Noireau, il est amené à remettre en cause les formes traditionnelles de charité et d'évangélisation protestantes. Il se rattache au courant du « christianisme social », et en devient vite un des chefs de file. Pasteur engagé, sinon « rouge », influencé par Jaurès*, il prône l'action commune des chrétiens et des socialistes pour construire un monde de justice. En poste à Rouen de 1898 à 1906, il y anime une « Solidarité », sorte de maison du peuple protestante où se noue le dialogue avec les militants ouvriers et les libres-penseurs. Il élabore en même temps dans son *Espérance chrétienne* les bases d'une théologie messianiste annonçant l'avènement sur terre du royaume de Dieu.

Sans jamais abandonner ses positions chrétiennes-sociales, Wilfred Monod recentre de plus en plus à partir de 1907 son activité sur les Églises protestantes, donnant la priorité à la « socialisation des chrétiens » sur « l'évangélisation des socialistes ». Il exerce alors des responsabilités ecclésiastiques importantes, et devient une des figures les plus connues et un des prédicateurs les plus écoutés du protestantisme français. Pasteur de la paroisse parisienne de l'Oratoire du Louvre, il est également, à partir de 1909, professeur à la Faculté de théologie de Paris. Hostile à la scission qui se produit au sein du protestantisme réformé, au lendemain de la séparation avec l'État*, entre orthodoxes et libéraux, il prend la tête d'une union d'Églises « centriste », appelant à une réunification qui ne se réalisera qu'en 1938. C'est également à son initiative qu'est créée en 1909 la Fédération protestante de France.

Il devient en outre après la guerre de 1914 un des principaux porte-parole du protestantisme français à l'étranger. Il participe ainsi à la création des deux mouvements œcuméniques, Life and Work et Faith and Order, qui fusionneront en 1948 dans le Conseil œcuménique des Églises ; il joue surtout un rôle important dans le premier mouvement, celui du « Christianisme pratique », fondé en 1925 à Stockholm. Wilfred Monod associe ce combat pour l'unité chrétienne à la lutte pour la paix, menée au sein de l'Alliance universelle pour l'amitié internationale par les Églises. Défenseur du pacifisme juridique, il place, comme ses amis du mouvement La Paix par le droit, et comme bon nombre d'intellectuels radicaux ou socialisants de sa génération, ses espoirs dans la Société des Nations, où il croit retrouver l'inspiration chrétienne-sociale. Sa conception du christianisme, plus poétique que doctrinale, très centrée sur la vie intérieure et « l'expérience religieuse », le conduit dans cette même période à fonder une sorte de communauté, ou de « tiers ordre protestant », le groupe des « Veilleurs ».

Après un apogée d'influence qu'on peut situer dans les années 20, Wilfred Monod subit à la fin de sa carrière la contestation ; la désertion de ses cours l'amène en 1937 à démissionner de la Faculté de théologie. Aux yeux de la jeune génération barthienne, il incarne alors un libéralisme théologique dépassé, dont la guerre et la crise auraient balayé les rêves humanitaires et progressistes. Mais c'est peut être justement son souci d'associer la vie religieuse à l'engagement terrestre, et de jeter des ponts entre les différentes familles de pensée, qui explique la redécouverte dont il est l'objet depuis les années 70 au sein du milieu protestant.

Rémi Fabre

■ *L'Espérance chrétienne*, t. 1 : *Le Roi*, t. 2 : *Le Royaume*, Vals-les-Bains, 1899 et 1901. — *Le Problème du Bien*, 1934, 3 vol. — *Après la journée. Souvenirs et visions (1867-1937)*, Grasset, 1938.

■ J. Baubérot, *Un christianisme profane ? Royaume de Dieu, Socialisme et modernité culturelle dans le périodique chrétien-social « L'Avant-garde »*, PUF, 1978 ; *Le Retour des huguenots*, Cerf-Labor et Fides, Paris-Genève, 1985 ; « Wilfred Monod », *Dictionnaire du monde religieux dans la France contemporaine*, t. 5 : *Les Protestants* (dir. A. Encrevé), Beauchesne, 1993. — L. Gagnebin, *Christianisme spirituel et christianisme social : la prédication de Wilfred Monod (1894-1940)*, Genève, Labor et Fides, 1987. — P. Poujol, « Wilfred Monod », *Revue du christianisme social*, 1965. — B. Reymond, *Théologien ou prophète ? Les francophones et Karl Barth avant 1945*, Lausanne, Symbolon-L'Âge d'Homme, 1985.

MONTANDON (George)

1879-1944

Le rôle joué par les rares ethno-raciologues français des années 30-40 n'est en rien comparable avec celui des anthropologues allemands au service du nazisme, ni par l'ampleur « scientifique », ni par l'ancrage institutionnel ou la fonction sociale et politique. George Montandon fut l'un d'entre eux.

Né en Suisse en 1879, Montandon part en 1909 en expédition en Éthiopie puis s'installe à Lausanne et y exerce la médecine. Lorsqu'éclate la Première Guerre mondiale*, il s'engage dans l'armée française. De 1919 à 1921, le Comité international de la Croix-Rouge l'envoie en Sibérie, pour organiser le retour de prisonniers. À la suite de ce voyage, jusqu'en 1926, Montandon manifeste une réelle sympathie pour le régime bolchevique.

En 1925, Montandon travaille au laboratoire d'anthropologie du Muséum national d'histoire naturelle de Paris, mais une rivalité l'oppose à l'ethnologue Paul Rivet*. Montandon évolue alors vers une conception plus personnelle de la science ethnique, prônant une hiérarchie des civilisations. En 1931, il est admis à l'École d'anthropologie de Paris, issue en droite ligne de l'ancienne Société d'ethnographie. Il y dispense des cours d'ethnologie, se consacre à définir le concept d'ethnie, étudie les productions humaines ainsi que les influences d'une culture sur une masse ethnique donnée. Ses livres de référence sont ceux des principaux représentants de l'école allemande d'« hygiène raciale » : Eugen Fischer et Hans F.K. Günther. En 1938, Montandon s'exprime publiquement et violemment pour la première fois comme militant antijuif.

Sous l'Occupation, Montandon joue un rôle actif dans la mise en œuvre de la politique raciale. Il publie son *Comment reconnaître le juif* (1940), puis dirige la revue antisémite *L'Ethnie française*. Fin 1941, dans le cadre du Commissariat général aux questions juives, il délivre des certificats d'appartenance ou de non-appartenance à la « race juive » après avoir soumis des sujets considérés comme « douteux » à un humiliant examen ethno-racial. En 1943, alors qu'il collabore avec les SS, il assure la direction de l'Institut d'études des questions juives et ethno-raciales. Le 3 août 1944, Montandon est victime d'un attentat à Clamart. On suppose qu'il est mort quelques jours plus tard en Allemagne.

Marc Knobel

■ *Au pays des Aïnou*, Masson, 1927. — *La Race, les races. Mise au point d'ethnologie somatique*, Payot, 1933. — *L'Ethnie française*, Payot, 1935. — *L'Alogenèse humaine*, Alcan, 1938.

■ L. Crips et M. Knobel, « Eugen Fischer et George Montandon : Théorie et pratique de l'« hygiène raciale » en Allemagne et en France », in *Entre Locarno et Vichy. Les relations culturelles franco-allemandes dans les années 30*, CNRS, 1993. — M. Knobel, « L'ethnologue à la dérive. Montandon et l'ethnoracisme », *Ethnologie française*, n° 2, avril-juin 1988.

MONTHERLANT (Henry de)

1895-1972

Écrivain admiré de Gide*, Mauriac* et Malraux*, Henry de Montherlant était « l'un des plus grands » pour André Breton*, et « le plus grand » pour Paul Valéry*. De *La Relève du matin* à *La Marée du soir*, entre 1920 et 1972, son œuvre couvre ainsi plus d'une moitié de siècle : œuvre d'essayiste et de romancier, de poète et de dramaturge, dont la variété suffirait seule à forcer la considération.

Montherlant est né à Paris le 20 avril 1895 : parents de moyenne noblesse, sans profession ni fortune. Des études assez chaotiques, faites surtout dans des établissements privés, le mènent au baccalauréat, obtenu à la veille de la guerre. Longtemps ajourné, il n'est mobilisé comme auxiliaire qu'en 1917. Bien qu'il ait été volontaire pour le front, sa participation aux combats fut quasiment nulle. Mais, blessé lors d'un exercice et décoré, il sut se parer du prestige d'un soldat héroïque.

À l'écrivain la guerre a rendu un autre service : présente dès *La Relève*, elle inspire directement le roman autobiographique du *Songe* (1922), puis le *Chant funèbre pour les morts de Verdun*. Montherlant se pose alors en nouveau Barrès* — Barrès du sport avec *Les Olympiques* (1924), de la tauromachie avec *Les Bestiaires* (1926) —, ancré dans la tradition catholique et patriotique, appelé à jouer lui aussi un rôle politique. De fait, le changement apparaît en 1925, quand il quitte la France pour séjourner dix ans en pays méditerranéen, notamment à Alger.

Rompant avec Barrès comme avec le christianisme, il prône désormais une morale hédoniste (*Aux fontaines du désir*, 1927). Destinée pour une bonne part à justifier l'homosexualité qu'il s'est efforcé de dissimuler le plus longtemps possible, il la proclame cependant compatible avec la grandeur et la qualité humaines. L'évolution affecte finalement les opinions politiques. Rentré en France (poèmes d'*Encore un instant de bonheur* et roman des *Célibataires*, 1934 ; *Service inutile*, 1935), Montherlant rejoint progressivement la gauche. Dans *L'Équinoxe de septembre* (1938), il prend violemment parti contre les accords de Munich*. Grâce au cycle romanesque des *Jeunes Filles* (4 volumes, de 1936 à 1939), il touche aux sommets d'une gloire internationale d'écrivain.

Sous l'Occupation, il élargit son registre : en 1942, *La Reine morte*, que suivit *Fils de personne*, révèle un grand auteur dramatique. Mais alors que son œuvre laissait présager la résistance, l'acceptation de la défaite (*Le Solstice de juin*, 1941), la docilité à l'égard de l'Allemagne exprimée dans des articles où il semble bien se rallier à l'Europe nazie, lui valent à la Libération d'être mis provisoirement en quarantaine. C'est une cassure : fin de l'essayiste, long silence du romancier. Montherlant ne se livre plus que dans les confidences de « Carnets » successifs ou par le biais du théâtre. En dépit d'échecs comme *Don Juan*, de demi-succès comme *Malatesta*, sa réputation de dramaturge est toutefois confirmée par *Le Maître de San-*

tiago (1948), *Port-Royal* (1954), *Le Cardinal d'Espagne* (1960), *La ville dont le prince est un enfant* (1967).

Élu à l'Académie française* en 1960, il revient enfin au roman où il manifeste des ressources intactes : *Le Chaos et la nuit* (1963), *Les Garçons* (1969) — doublet romanesque de *La Ville* —, *Un assassin est mon maître* (1971). À quoi s'ajoute, inspirée par la domination française en Afrique du Nord et achevée vers 1930, mais jamais encore intégralement publiée, *La Rose de sable* (1968). Menacé de cécité, Montherlant s'est donné la mort le 21 septembre 1972 dans son appartement parisien du quai Voltaire, réconcilié par le suicide avec la morale qu'on l'accusait d'avoir trahie en 1940.

Témoin de l'époque (guerre, sport, colonisation, montée du féminisme, crise de la famille), il est un maître du langage qui, ayant appris à gouverner son lyrisme, a exploité admirablement les possibilités du parler français. Dans une œuvre qui lui fut à la fois un masque et un refuge, l'exaltation des valeurs viriles donne le change sur la féminité dont il était porteur, tandis que — double expression du nihilisme — le chant du plaisir accompagne de hautains désespoirs.

Jean-Louis Garet

■ *Romans* (1959), *Essais* (1963), *Théâtre* (1972), *Romans II* (1982), Gallimard, « Pléiade ».

▒ J.-N. Faure-Biguet, *Les Enfances de Montherlant*, Plon, 1941. — P. Sipriot, *Montherlant sans masque*, Laffont, 1982 et 1990, 2 vol.

MONTUCLARD (Maurice)

1904-1988

Une vie coupée en deux, bouleversée en 1953 par une condamnation romaine : le destin de Maurice Montuclard s'apparente à celui d'autres intellectuels mêlés tout comme lui à la crise du progressisme chrétien.

Né le 21 octobre 1904 à Saint-Étienne, Maurice Montuclard est issu d'une région de chrétienté et d'une famille très pratiquante. Passé par le petit puis le grand séminaire, il entre en 1927 chez les dominicains de la province de Lyon. Prêtre en 1931, docteur en théologie en 1933, il est chargé en 1935 du cours de théologie morale et de philosophie sociale au studium dominicain de Saint-Alban-Leysse. Le jeune professeur, attentif aux effervescences de l'époque, fonde en janvier 1936 une « communauté » chrétienne non conformiste, rassemblant quelques prêtres et laïcs. Il y a chez eux, d'une part le sentiment de l'affadissement des milieux catholiques, incapables de faire face aux problèmes du monde moderne, et d'autre part la volonté de penser les voies et les conditions nouvelles d'un ordre social chrétien. L'expérience — pratique et réflexion — inquiétera le cardinal Gerlier, qui imposera la dissolution de la communauté en 1943.

Mais la guerre a ouvert d'autres horizons. Responsable depuis 1942 des Éditions de l'Abeille — qui continuaient en zone libre l'œuvre des Éditions du Cerf —, le Père Montuclard s'occupe de la publication du livre choc des abbés Godin et Daniel, *La France, pays de mission ?* Il est en contact avec l'équipe d'Uriage*, l'abbé Glasberg l'entraîne dans des activités clandestines d'aide aux juifs et aux réfugiés. Mais surtout il anime le mouvement « Jeunesse de l'Église », à la fois réseau intellectuel et centre de publication de *Cahiers* et documents divers.

Tout cela débouche après la Libération sur une nouvelle expérience communautaire, au Petit-Clamart, tandis que la réflexion se radicalise : on identifie le monde nouveau au monde ouvrier, et plus encore le mouvement ouvrier, au communisme. Dès lors, l'affirmation combinée du « primat de la foi » et de la « fidélité au réel et à l'histoire » conduit à une critique sévère de l'Église, qui tient « l'Évangile captif » dans la civilisation bourgeoise décadente, et à une conception provisoirement passive de la mission, simple « présence » des chrétiens dans la civilisation nouvelle en formation. Le Père Montuclard s'en explique dans *Les Événements et la foi* (1952). La hiérarchie catholique y voit une dangereuse imprégnation marxiste et la subordination de l'évangélisation à la révolution. L'ouvrage est mis à l'Index par le Saint-Office en mars 1953, tandis que le mouvement est condamné par l'assemblée des cardinaux et archevêques de France en octobre.

Dès le printemps, Maurice Montuclard avait demandé et obtenu sa réduction à l'état laïque. D'abord secrétaire administratif et social du comité d'entreprise de la SNECMA, il intègre en décembre 1956 le Centre d'études sociologiques du CNRS*. Il se consacrera dès lors surtout à la sociologie du travail et de l'industrie, tant au CNRS qu'à l'université de Provence. Il meurt le 22 décembre 1988.

Yvon Tranvouez

■ *La Dynamique des comités d'entreprise*, CNRS, 1963. — *Conscience religieuse et démocratie. La deuxième démocratie chrétienne en France de 1891 à 1902*, Seuil, 1965. — *Orthodoxies*, Cerf, 1977.

■ R. Wattebled, *Stratégies catholiques en monde ouvrier dans la France d'après guerre*, Éditions ouvrières, 1990. — *L'Instituant, les savoirs et les orthodoxies* (études réunies en souvenir de M. Montuclard), Aix-en-Provence, Publications de l'université de Provence, 1991.

MORAND (Paul)

1888-1976

Maître de la nouvelle mais écrivain prolifique, Paul Morand se situe à distance des intellectuels, malgré ses chroniques et son rôle dans la vie culturelle. Issu de la bourgeoisie parisienne aisée, fils du haut fonctionnaire et artiste Eugène Morand, il est né le 13 mars 1888 à proximité des Champs-Élysées, dans un milieu tout occupé par l'esthétique. Sa sensibilité se forme entre pessimisme et vitalité, à la lecture des naturalistes, de Schopenhauer et de Nietzsche, comme dans la découverte du sport et la pratique du voyage. En 1913, après l'École des sciences politiques, il est reçu premier au grand concours des ambassades et envoyé à Londres en tant qu'attaché. Entré dans la Carrière, il y sera soutenu par Philippe Berthelot, comme ses amis Giraudoux*, Claudel* et Saint-John Perse*. Curieux de tous et de tout ce qui se fait, il entre en littérature par la poésie (*Lampes à arc*, 1919). Il se révèle nouvelliste en 1921 par *Tendres stocks*, que préface Proust*, et triomphe dès 1922 avec *Ouvert la nuit*, suivi un an plus tard de *Fermé la nuit*. Il y « jazze » l'inquiétude européenne de l'après-guerre. Après *L'Europe galante* (1925), le fonctionnaire en congé va déployer une géographie romanesque universelle, de *Rien que la terre* (1926) à *La Route des Indes* (1936) en passant par *New York* (1929), le meilleur de ses portraits de villes.

Il réintègre les Affaires étrangères en 1938. La défaite le surprend à Londres, responsable de la mission de guerre économique. Il rejoint Vichy contre l'avis du gouvernement, qui le met à la retraite d'office. Membre du comité de rédaction du *Figaro** en 1934, il avait entrepris une œuvre de chroniqueur avec *Rond-point des Champs-Élysées*, peu après la charge xénophobe de *France la Doulce*. Tout en s'efforçant d'éviter le collaborationnisme, le journaliste publie en 1941 *Chroniques de l'homme maigre*, d'orientation maréchaliste, puis *Propos des 52 semaines* (1942) et *Excursions immobiles* (1944). C'est aussi l'époque de *L'Homme pressé* (1941). Au retour de Laval, il est chargé de mission et assume, entre autres fonctions, la présidence de la Commission de censure cinématographique (juillet 1942-juillet 1943). Puis, ministre plénipotentiaire envoyé à Bucarest, il devient enfin ambassadeur à Berne en juillet-août 1944.

Révoqué à la Libération, il est contraint à l'exil en Suisse. Désormais à l'écart de l'actualité, il s'affirme dans une œuvre classique, du *Flagellant de Séville* (1951) à *Venises* (1971). De jeunes écrivains comme Nimier*, Laurent* et Bory le soutiennent. Il est réintégré dans l'administration en 1953. Et il est élu à l'Académie française* en 1968, quand de Gaulle cesse de faire opposition. Il meurt à Paris le 23 juillet 1976.

Marc Dambre

■ *Monplaisir... en littérature* et *Monplaisir... en histoire*, Gallimard, 1967 et 1969. — *Poèmes*, Gallimard, 1973. — *Chronique du XXe siècle*, Grasset, 1980. — *Œuvres*, Flammarion, 1981. — *Lettres du voyageur*, Le Rocher, 1988. — *Entretiens avec Paul Morand*, La Table ronde, 1990. — *Nouvelles complètes*, Gallimard, « Pléiade », 1992, 2 vol.

▒ J.-F. Fogel, *Morand-Express*, Grasset, 1980. — G. Guitard-Auviste, *Paul Morand (1888-1976). Légende et vérités*, Hachette, 1981. — S. Sarkany, *Paul Morand et le cosmopolitisme littéraire* (suivi de trois entretiens avec l'écrivain), Klincksieck, 1968. — M. Schneider, *Morand*, Gallimard, 1971.

MORGAN (Claude) [Charles Lecomte]

1898-1980

Journaliste, romancier, militant communiste, Claude Morgan a joué, par le biais des *Lettres françaises** qu'il a dirigées de 1942 à 1953, un rôle médiateur dans le cadre de la politique d'ouverture du PCF à l'égard des intellectuels.

Fils de l'écrivain et académicien Georges Lecomte, Morgan a grandi à Paris dans le milieu de la bourgeoisie intellectuelle mondaine (sa mère tenait un salon littéraire). Après des études aux lycées Michelet puis Louis-le-Grand, il intègre l'École supérieure d'électricité. Malgré ses origines dreyfusardes, il se laisse séduire par l'Action française*, en qui il voit l'antidote des « combines politiques », et admire Mussolini. Tout en exerçant son métier d'ingénieur dans une usine, il commence à publier dans *Le Rempart*, tient une critique de livres dans *Vendémiaire* et se fait connaître par quelques romans. Signataire du manifeste des intellectuels opposés aux sanctions contre l'Italie fasciste à la suite de l'agression en Éthiopie*, il amorce peu après une mutation qui, du constat du traitement infligé aux ouvriers en 1935 sur son lieu de travail à la guerre d'Espagne*, le conduit à adhérer au PCF en 1937. Il collabore à la revue antimunichoise de R. de Jouvenel* *Les Volontaires*, publie des notes critiques dans *Commune**, et quitte son emploi en 1939 pour entrer, sur l'offre d'Aragon*, dans la rédaction de *Ce soir*. La signature du pacte germano-soviétique ne le trouble pas : l'URSS n'avait pas le choix, n'ayant pas obtenu l'autorisation de pénétrer en Pologne. Prisonnier de guerre, il est libéré en août 1941 et s'engage dans la Résistance. Chargé d'assister J. Decour* dans sa mission de créer un journal littéraire clandestin, il reprend le projet après l'arrestation de celui-ci en 1942, et fait des *Lettres françaises* un organe de la résistance intellectuelle. Aux Éditions de Minuit* clandestines, il publie un extrait de *La Marque de l'homme* sous le pseudonyme de « Mortagne » (1944). Se refusant à travailler pour la presse collaboratrice, il avait obtenu un poste au service des musées nationaux.

Directeur des *Lettres françaises* jusqu'en 1953, date où il est écarté, il y défend la ligne politique et esthétique du PC, mais n'évite pas quelques heurts avec Aragon. En 1948, il est assigné en diffamation dans le procès que Kravchenko intente au journal. Affecté en 1953 à la rédaction de la revue du Conseil mondial de la paix, *Horizons*, il dit avoir été saisi de « premiers doutes » lors du procès des blouses blanches, dont il a perçu les accents antisémites. Le rapport Khrouchtchev et l'intervention soviétique en Hongrie (où il avait été invité par l'Union des écrivains au cours de l'été 1956*) achèvent de le désolidariser du Parti. Avec Sartre*, Vercors*, Vailland*, Claude Roy* et d'autres intellectuels compagnons de route ou communistes, il signe un manifeste contre l'ingérence soviétique et, après avoir tenté en vain de lutter au sein du Parti, il ne renouvelle pas sa carte. Destitué de ses fonctions de journaliste, résolu à ne pas écrire pour la presse « bourgeoise », il se retrouve isolé du monde politique et littéraire (son éditeur, Ferenczi, meurt au moment de sa démission), et entreprend de publier, sous le pseudonyme de « Claude Arnaud », des essais scientifiques. Il ne perdra pourtant pas sa foi communiste, et appuiera à l'occasion la politique du PC. Il ordonnera ses souvenirs à la gloire des « Don Quichotte » parmi lesquels il compte d'Astier*, Éluard*, Vercors*, Che Guevara, Soljenitsyne, Pasternak, Yves Farge (sur lequel il publie un ouvrage), Garaudy*, Nazim Hikmet, Dubcek...

Gisèle Sapiro

■ *Chroniques des « Lettres françaises »*, Raisons d'Être, 1946, 2 vol. — *Les Don Quichotte et les autres*, Roblot, 1979.
▒ J. Verdès-Leroux, « Claude Morgan », in *DBMOF*.

MORIN (Edgar)

Né en 1921

Comme Diderot, Edgar Morin pourrait se dire qu'il a voulu être le banquier d'idées de son époque. L'encyclopédisme de ses curiosités et son refus des savoirs cloisonnés font de lui un héritier des « Lumières ». Son tempérament visionnaire et son effort de pensée pour relier l'histoire de l'homme à une histoire plus large de la nature, gardent quelque chose du XIXe siècle.

Edgar Morin est pourtant un homme profondément concerné par son temps qui a pris part plus intensément que beaucoup d'autres aux drames et aux aventures de son siècle et qui a voué toute son énergie intellectuelle à en déchiffrer le sens. Cette attention participante à la singularité historique de notre époque, grandiose par ses accomplissements technico-scientifiques, tragique par les folies sanguinaires que lui ont dictées ses engagements idéologiques, a fait d'Edgar Morin l'un des intellectuels les plus représentatifs de la France de la seconde moitié du XXe siècle ; un écrivain également dont l'œuvre imposante nous propose une véritable somme des problèmes et des débats de notre temps, une sorte de guide méthodique pour entrer et plus encore — c'est le titre d'un de ses livres — *pour sortir du XXe siècle*.

Sa formation d'intellectuel, il ne la doit pas à l'École normale supérieure* mais à l'école de la Résistance et (l'une l'ayant conduit à l'autre) à celle du Parti communiste. Enrôlé comme d'autres résistants dans l'armée d'occupation en Allemagne, il en rapporte son premier livre (*L'An zéro de l'Allemagne*, 1946). Dès 1949, il est en désaccord avec la ligne du Parti et se fait exclure deux ans plus tard. Devenu sociologue au Centre national de la recherche scientifique*, il s'intéresse à des sujets encore peu à la mode (*L'Homme et la mort*, 1951) ou peu consacrés comme le cinéma (*Le Cinéma ou l'Homme imaginaire*, 1956, *Les Stars*, 1957), les jeunes, la culture de masse (*L'Esprit du temps*, 1962), les formes ou les fantasmes de la modernité (*Commune en France*, 1967, *La Rumeur d'Orléans*, 1969). Un séjour californien au Salk Institute en 1969 lui permet de se familiariser avec la pensée systémique et de confronter les principes de raisonnement des sciences humaines à ceux des sciences biologiques (*Le Paradigme perdu*, 1973, *L'Unité de l'homme*, 1974). C'est le point de départ d'une quête épistémologique et théorique de plus de quinze ans (les 4 volumes de *La Méthode*), éclairée par les concepts de complexité et d'auto-organisation. Accueillie au début avec perplexité par ses collègues des sciences humaines, cette méditation sur la structure du vivant et de la connaissance a suscité en revanche un très vif intérêt chez les spécialistes des sciences exactes et biologiques. Elle s'impose désormais comme une œuvre majeure, introductrice de la nouvelle « episteme » qui commande aujourd'hui nos modes de pensée.

Sa réflexion politique, elle aussi, a dû souvent emprunter les chemins de traverse de la non-conformité. Il rompt avec la gauche qui se réclame ou s'accommode du stalinisme en pleine Guerre froide*, au moment où la plupart des intellectuels étaient tentés par des choix manichéens. Mais sa réflexion qui n'a jamais renoncé à une vision émancipatrice et universaliste de l'engagement dans l'histoire, doit se lire comme une critique de gauche de la gauche. En 1956, il fonde, avec d'autres intellectuels transfuges du communisme, la revue *Arguments** qui a su établir entre la gauche sartrienne des *Temps modernes** et la gauche chrétienne d'*Esprit** un espace de débat d'une étonnante liberté de ton et de pensée. Résolument révisionniste, cette revue qu'il a dirigée jusqu'à son sabordage en 1962 (non par manque de lecteurs mais par manque de convictions convergentes chez les auteurs) a soulevé la plupart des questions qui vont investir le champ politique dans les deux décennies suivantes : crise du communisme, de la technocratie, décolonisation, prise de conscience écologique, libération sexuelle, nouveaux styles de vie. N'ayant cédé ni au dogme sartrien des « mains sales » ni au dogme structuraliste de la « mort du sujet » qui ont régné successivement sur l'intelligentsia parisienne, Edgar Morin se sent proche des idées autogestionnaires de Claude Lefort* et Cornélius Castoriadis* (*Introduction à une politique de l'homme*, 1965). Avec eux, il salue dans la révolte de Mai 68 l'annonce d'une possible mutation du politique *(Mai 68 : la brèche)* et garde ses distances au contraire face à la remontée de la gauche des années 70. Ni rallié ni ennemi des socialistes au pouvoir après 1981, il se rapproche d'eux à mesure qu'eux-mêmes s'éloignent d'un communisme en décomposition (*Le Rose et le noir*, 1984) et redécouvre avec eux le besoin d'Europe (*Penser l'Europe*, 1987).

Avec *Autocritique* (1959), Edgar Morin inventait, en même temps qu'il lui donnait son chef-d'œuvre, un genre littéraire qui va faire fortune en France : l'autobiographie de l'intellectuel ex-communiste. Il réinventait également, dans la tradition de Montaigne et de Rousseau, un principe d'analyse qui impose de s'inclure dans le champ d'observation et de parler de soi pour mieux faire apparaître, dans sa généralité, « l'humaine condition ». Cette subjectivité assumée, qui n'a pas toujours évité les écueils du narcissisme, est pour lui plus qu'un procédé littéraire. C'est un principe de méthode et un principe de vie. S'il s'est refusé aussi bien à se retirer dans sa tour d'ivoire qu'à se faire l'homme lige d'une cause ou d'une Église, s'il a été en revanche à la fois journaliste (ses fréquentes interventions dans *Le Monde**, *Libération**, *Le Nouvel Observateur**...), essayiste, chercheur, plus soucieux de continuité dans le contenu de son message que dans sa forme, c'est parce qu'il ne conçoit pas d'obligation plus impérative pour l'intellectuel dans la Cité que celle de ne jamais abdiquer son devoir de parole.

André Burguière

■ *Autocritique*, Seuil, 1959, rééd. avec nouvelle préface 1994. — *Introduction à une politique de l'homme*, Seuil, 1965, rééd. 1969. — *Mai 68 : la brèche* (avec C. Lefort et C. Castoriadis), Fayard, 1968 ; nouvelle édition, suivie de *Vingt ans après*, Bruxelles, Complexe, 1988. — *La Rumeur d'Orléans*, Seuil, 1969 ; édition complétée avec *La Rumeur d'Amiens*, 1973 ; rééd. 1982. — *Terre-Patrie* (avec A.-B. Kern), Seuil, 1993.

MOSCOVICI (Serge)

Né en 1928

Serge Moscovici est reconnu comme étant le grand maître de la psychologie sociale. Il est à l'origine de l'introduction de la psychologie sociale dans la tradition de la recherche en Europe et de l'orientation de la psychologie sociale européenne.

Il a ouvert les domaines de l'histoire des représentations sociales, de l'étude des minorités actives et de la question de la psychologie collective, qui dominent aujourd'hui l'ensemble de la psychologie sociale. Il est aussi, à travers son œuvre anthropologique et son engagement, un pionnier de l'écologie politique en France.

Né en 1928 sur les bords du Danube, Serge Moscovici, fils de marchand de grains, passa toute son enfance en Bessarabie. En 1938, il fut exclu du lycée de Bucarest par les lois antisémites. Après avoir subi le pogrom de Bucarest en janvier 1941, il fut mis au « travail obligatoire » jusqu'au 23 août 1944, quand la Roumanie fut libérée par l'armée soviétique. C'est durant ces quatre années de guerre qu'il prit goût à la lecture et apprit à parler le français au contact, notamment, d'Isidor Goldstein, futur Isidore Isou. Compagnon avec lequel il fonda la revue *Da*, revue d'art et de littérature éditée fin 1944, dans laquelle Isou publiait son premier manifeste pour le « verbisme » et Serge Moscovici un article sur la « lumiéro-peinture ». *Da* fut rapidement interdite par la censure en vigueur.

Ayant obtenu un diplôme d'ajusteur qualifié, Serge Moscovici travailla en usine jusqu'en 1947 où, alors qu'Isou gagnait la France, il essaya, vainement, de se rendre en URSS. Finalement, il quitta la Roumanie et, comme beaucoup, utilisant la filière des « camps de personnes déplacées » passant par la Hongrie, l'Autriche et l'Italie, entra en France un an plus tard. Arrivé à Paris en 1948, il travailla d'abord, pour survivre, dans la confection puis dans les chaussures en gros, en même temps qu'il entreprenait à la Sorbonne une licence de psychologie et menait une vie de noctambule.

Cette vie nocturne joua un rôle tout aussi déterminant que l'Université puisque c'est là qu'il se lia d'amitié avec bon nombre d'intellectuels, dont Paul Celan, Isaac Kiva et bien d'autres. À partir de 1950, il obtint une « bourse de réfugié » pour poursuivre ses études à la Sorbonne. Il suivit les séminaires d'Alexandre Koyré*, Friedmann*, Schwartzbart, entre autres, et fit sa thèse avec Lagache* sur la représentation sociale de la psychanalyse : *La Psychanalyse, son image et son public* (PUF, 1976). Il devint stagiaire au Centre national de la recherche scientifique*, dans une équipe avec laquelle il fit, en 1956, une étude sur la reconversion industrielle et la politique de changement dans la chapellerie de la haute vallée de l'Aude (Armand Colin, 1961). Une des toutes premières études de communauté qui faisait appel à l'ensemble des sciences sociales et qui considérait la vie personnelle et intime des acteurs comme un facteur important pour comprendre l'histoire globale de la communauté. Sa formation fut complétée par l'invitation, dans les années 60, aux États-Unis, à l'Institut for Advanced Studies de Princeton et de Stanford. Plus tard, c'est à la New School for Social Research qu'il sera convié comme professeur et où il enseignera, parallèlement à ses séminaires à l'École des hautes études en sciences sociales*, où il est directeur d'étude, jusqu'en 1995.

Si le travail de Serge Moscovici est dominant dans le domaine de la psychologie sociale, son œuvre anthropologique est tout aussi remarquable. Lié à la création du département d'ethnologie de l'université Paris VII dans les années 70, il a marqué, avec *Essai sur l'histoire humaine de la nature* (Flammarion, 1968), *La Société contre nature* (UGE, 1972) et *Hommes domestiques et hommes sauvages* (UGE, 1974), toute la génération de 1968 tant écologiste que féministe. Considérant les sociétés du point de vue de la nature, il est un des grands inspirateurs de l'écologie politique — il se présentera plusieurs fois aux législatives et aux européennes sur des listes écologistes. Reformulant la question anthropologique Nature-Culture, c'est, sur la lancée de 1968, à une remise en question en profondeur de la société occidentale qu'il s'attaque. Critiquant l'anthropologie d'alors qui voyait l'inceste comme une question d'échange des femmes, Serge Moscovici reposa le problème de l'inceste comme la question des femmes dans la société des hommes, allant jusqu'à affirmer que le seul inceste vrai est celui de la mère, et à se demander si la proposition de l'inceste comme étant à l'origine de la séparation du monde des hommes (la culture) de la nature ne serait pas plus simplement la question du pouvoir des hommes sur les femmes.

Pascal Dibie

■ *Jean-Baptiste Baliani, disciple et critique de Galilée*, Hermann, 1967. — *Essai sur l'histoire humaine de la nature*, Flammarion, 1968. — *La Société contre nature*, UGE, 1972. — *Hommes domestiques et hommes sauvages*, UGE, 1974. — *La Psychanalyse, son image et son public*, PUF, 1976. — *Psychologie des minorités actives*, PUF, 1979. — *L'Âge des foules*, Fayard, 1981. — *Psychologie sociale* (dir. S. Moscovici), PUF, 1984. — *La Machine à faire les Dieux*, Fayard, 1988.

MOUNIER (Emmanuel)

1905-1950

Fondateur du personnalisme et de la revue *Esprit**, Emmanuel Mounier fut pour toute une génération un maître à penser. Sa mort prématurée ne l'a pas empêché de jouer un rôle capital, en particulier dans les milieux chrétiens de gauche, qui excéda largement les cercles intellectuels.

Né en 1905 à Grenoble dans une famille d'origine paysanne, Mounier y fait ses études, et y suit notamment l'enseignement de Jacques Chevalier, philosophe bergsonien qui sera plus tard ministre de Vichy. En 1927, il vient à Paris pour préparer l'agrégation de philosophie, qu'il réussit brillamment. Jacques Maritain* accueille dans la collection qu'il dirige chez Plon, « Le Roseau d'Or », *La Pensée de Charles Péguy*, écrit en collaboration avec Georges Izard* et Marcel Péguy. C'est d'ailleurs à Meudon, chez les Maritain, qu'avec Georges Izard et André Deléage, Mounier songe à la création d'un mouvement qu'il veut en rupture avec le « désordre établi », et qui puise chez Péguy* une bonne part de son inspiration. En août 1932, lors d'une rencontre à Font-Romeu, les groupes « Esprit » sont lancés, ainsi que la revue. Dès lors, la vie de Mounier se confond avec la revue, à laquelle il sacrifie sa carrière et son œuvre personnelle : la majeure partie de ses ouvrages paraissent d'abord dans la revue. Dans le premier numéro, Mounier publie un volumineux manifeste sous le titre-programme : « Refaire la Renaissance. » Il y définit la tâche d'*Esprit* sur un plan tant moral que politique, comme la nécessité d'une « révolution personnaliste et communautaire », qui s'oppose à la fois à l'individualisme libéral et au collectivisme étatiste, qu'il soit fasciste ou communiste. Il s'agit, en s'opposant à « l'identification du spirituel et du réactionnaire », de retrouver le sens d'une action incarnée. Durant les années d'avant guerre, la revue s'attache à scruter les signes de mutation politique et culturelle, et tente de donner corps à ce programme, notamment en prônant l'intervention durant la guerre d'Espagne*. Sous l'influence de Paul-Louis Landsberg notamment, Mounier prend conscience du danger croissant que représente le nazisme. À l'automne 1938, la majorité de la rédaction d'*Esprit* est résolument anti-munichoise, sans pour autant renier son hostilité au traité de Versailles.

Après la défaite, Mounier choisit de faire reparaître *Esprit* en zone Sud, en compagnie de fidèles de la revue comme Jean Lacroix*, et de nouveaux venus comme Marc Beigbeder, malgré l'opposition d'une autre partie des collaborateurs de la revue (P.-A. Touchard, G. Zérapha, P. Vignaux*). Il estime alors possible sinon d'infléchir le régime, du moins de faire entendre une voix dissonante. Déjouant les pièges de la censure, c'est effectivement ce que fait la revue, en s'opposant au statut des juifs (« Péguy et le problème juif », février 1941) ou en proposant des orientations différentes de celles du régime, notamment en direction de la jeunesse. Mais très vite le double jeu n'est plus possible et la revue est interdite en août 1941. En septembre, Mounier, qui avait pris un certain ascendant sur l'équipe qui animait l'École des cadres d'Uriage* (Dunoyer de Segonzac, Beuve-Méry*, Dumazedier...), s'était vu interdire l'accès à l'école. De même, il est exclu du mouvement culturel Jeune France*, dont il était un des animateurs. Il est emprisonné par Vichy en février 1942, en raison de ses contacts avec Henri Frenay, le fondateur de Combat, puis assigné à résidence. Finalement jugé à l'automne, il est acquitté, mais passe alors la fin de la guerre dans la clandestinité. C'est pour lui une période de repli intérieur, d'autant plus qu'il doit faire face, avec sa femme, à la maladie de sa fille aînée (une encéphalite, consécutive à une vaccination, la laissera gravement diminuée). Il écrit alors *L'Affrontement chrétien*, belle méditation sur l'esprit de résistance du christianisme, ainsi que *Le Traité du caractère*, où, sous l'influence de Jacques Lefrancq, il tente de donner un fondement scientifique de nature psychologique à ses intuitions sur la personne, sans toujours éviter le piège d'un certain positivisme, et sans inclure les recherches les plus novatrices de la psychologie phénoménologique.

L'après-guerre est pour Mounier une des périodes les plus productives : d'une part, *Esprit*, qui s'est enrichi de nouveaux venus issus de la Résistance (Jean-Marie Domenach*), est au cœur des projets qui inspirent la reconstruction, et tentent de régénérer la démocratie en lui insufflant davantage de « social ». De fait, de nombreux collaborateurs d'*Esprit* (Jean-Marie Soutou, Joseph Rovan*) participent à des cabinets ministériels, et la revue rayonne largement sur tout un milieu de hauts fonctionnaires et de syndicalistes. À travers son groupe politique, animé par Paul Fraisse, elle participe activement aux débats de l'après-guerre. D'un autre côté, les chantiers ouverts ne manquent pas : la réconciliation franco-allemande, dont dès 1945 Rovan se fera le chantre dans la revue (« L'Allemagne de nos mérites »), le problème colonial. Avec la Guerre froide* toutefois, Mounier va réviser radicalement ses positions anticommunistes d'avant guerre. Durant ces quelques années, *Esprit* se fera peu ou prou compagnon de route, au risque de mettre sa vigilance sous le boisseau : la défense de la paix, alliée à un certain ouvriérisme sont les motifs de cette complaisance, à laquelle mettront un terme fin 1949, début 1950 la découverte de la répression en Union soviétique, le procès Rajk (en novembre 1949, François Fejtö* publie un article retentissant : « L'affaire Rajk est une affaire Dreyfus internationale »), et le schisme titiste.

Mais les enjeux plus philosophiques ne sont pas oubliés : concurrencé sur son terrain même, celui de l'action d'influence à travers une revue, par Sartre qui a fondé *Les Temps modernes** en compagnie d'un ancien membre des groupes « Esprit », Merleau-Ponty*, Mounier tente de faire le point dans plusieurs ouvrages : l'*Introduction aux existentialismes* (1947) rappelle la pluralité des courants philosophiques qui composent cette nébuleuse, et situe le personnalisme comme l'une des branches de l'existentialisme chrétien. Il publie aussi en 1949 un « Que sais-je ? » intitulé *Le Personnalisme* qui résume et précise les grands traits de sa pensée : la personne comme noyau de relations, distincte de l'individu abstrait, le sens de l'engagement, la dialectique du prophétisme et du charnel.

À sa mort brutale en mars 1950, Mounier laisse l'image d'un « remarquable éducateur politique » (Michel Winock). De fait, il aura accompagné plusieurs générations catholiques sur le chemin d'un engagement temporel résolu en faveur des valeurs démocratiques, tant en France qu'à l'étranger (notamment en Pologne, en Italie, en Espagne et en Amérique latine). Mais son témoignage est aussi celui d'un intellectuel combattant, dont les engagements ne sont pas dérivés, mais correspondent au contraire à une exigence interne de la pensée : « L'événement sera notre maître intérieur. » Aussi l'aventure collective d'*Esprit* lui survivra-t-elle, animée d'abord par Albert Béguin*, puis par Jean-Marie Domenach.

Joël Roman

■ *Œuvres*, Seuil, 1961-1963, 4 vol.

▒ B. Comte, *Une utopie combattante : l'École des cadres d'Uriage*, Fayard, 1991. — J.-M. Domenach, *Mounier*, Seuil, 1972. — G. Lurol, *Mounier*, t. I, Éditions universitaires, 1990. — M. Winock, *Histoire politique de la revue « Esprit »*, Seuil, 1975. — « Emmanuel Mounier », *Esprit*, décembre 1950.

Mouvement socialiste (Le)

Conçu par son fondateur, Hubert Lagardelle*, comme un « laboratoire d'idées » et un « organe de documentation », ce périodique, dont le premier numéro parut le 15 janvier 1899, constitue un témoin de l'histoire mondiale du mouvement ouvrier et socialiste. Il est aussi le vecteur de la théorie syndicaliste révolutionnaire la plus cohérente. C'est dans ses pages que Georges Sorel* publia en 1906 la première version des *Réflexions sur la violence*.

Initialement défini comme une « revue bimensuelle internationale » puis, à partir de 1910, comme « revue de critique sociale, littéraire et artistique », *Le Mouvement socialiste* passa par plusieurs phases. La revue se présente elle-même sous la forme de trois séries : la première (1899-1904) rassemble 140 numéros, la deuxième (1904-1907) 47 numéros, la troisième (1907-1914) 77 numéros. Elle fut alternativement bimensuelle, brièvement hebdomadaire et, en principe, mensuelle à partir de 1903. *Le Mouvement socialiste* changea en outre fréquemment d'éditeur.

À ses débuts, très proche de la librairie de Péguy, il fut ensuite successivement publié par Jacques, Cornély, Marcel Rivière* et enfin par Giard et Brière. Lors de la période Rivière, un projet de collection d'ouvrages liée à la revue, « La Bibliothèque du Mouvement socialiste », fut mis sur pied. Les difficultés financières conditionnèrent largement toute l'histoire du périodique de Lagardelle qui y engouffra sa fortune personnelle. *Le Mouvement socialiste* ne dépassa jamais le niveau des 1 000 abonnés.

La composition du comité de rédaction fut également soumise à de nombreux changements en fonction des modifications de la ligne idéologique et politique suivie par la revue. Elle fut d'abord dreyfusarde, soutenant ce que Lagardelle désignait comme « l'intervention humanitariste de Jaurès* » tout en restant hostile au « socialisme réformiste, parlementaire et gouvernemental ». À partir de 1904, Jaurès devint le principal adversaire. Sous l'influence de Sorel et de Berth*, *Le Mouvement socialiste* évolua vers le syndicalisme révolutionnaire. La « crise » de la CGT et le départ de Sorel et Berth brisèrent l'élan qui portait la revue. Dans ses dernières années, sa direction effective revint à Jean-Baptiste Séverac.

Le lectorat du *Mouvement socialiste* était surtout composé d'intellectuels de gauche, d'universitaires, d'étudiants et de quelques leaders syndicaux. Le véritable succès de la revue réside dans sa capacité à rassembler un très grand nombre de collaborateurs (plus de 500) venus d'horizons géographiques très divers. Robert Michels, Benedetto Croce, Rosa Luxemburg, Karl Kautsky se comptent parmi ceux-ci. En outre, c'est grâce au *Mouvement socialiste* que des intellectuels de gauche eurent l'occasion de faire en secret la rencontre de leaders syndicaux comme Victor Griffuelhes, Georges Yvetot ou Alphonse Merrheim.

Jeremy Jennings

■ M. de Flers, « *Le Mouvement socialiste* (1899-1914) », *Cahiers Georges Sorel*, 5, 1987 ; *Lagardelle et l'équipe du « Mouvement socialiste »*, thèse, IEP de Paris, 1982. — « Lettere di Giorgio Sorel a Uberto Lagardelle », *Educazione fascista*, XI, 1933. — « Lettres de Georges Sorel à Édouard Berth », *Cahiers Georges Sorel*, 3-4, 1985-1986.

MUNICH

1938

Au pacifisme traditionnel d'une partie de la gauche, s'était ajouté, depuis la guerre d'Éthiopie*, un pacifisme de droite, fortement empreint d'opportunisme puisqu'il résultait de la volonté de laisser les mains libres aux régimes fasciste et nazi. La crise munichoise, qui éclate en septembre 1938, va être l'occasion donnée à ces deux pacifismes de nouer des convergences et de se réunir au sein d'un courant « ultrapacifiste » qui, bien souvent, sera l'antichambre de la collaboration.

C'est de la seconde moitié des années 30 qu'on peut dater l'apparition, à gauche, d'un mouvement proprement ultrapacifiste. C'est en effet à ce moment que, contre un Romain Rolland* ou un Jean Guéhenno*, hautes figures du pacifisme s'il en fut mais qui plaident désormais le devoir de résistance des démocraties face aux dictatures, commence à émerger un courant plus radical, incarné par des hommes comme Félicien Challaye*, Léon Émery ou Jacques Alexandre : à leurs yeux, le pacifisme est un absolu avec lequel on ne saurait transiger, aucune cause ne méritant qu'on fasse la guerre pour elle. C'est ce mouvement qui prend, en juin 1936, contre Pierre Gérôme, le contrôle du Comité de vigilance des intellectuels fascistes* (CVIA), celui-ci abandonnant alors l'antifascisme pour épouser le pacifisme intégral, dans une hostilité de plus en plus marquée à l'égard du communisme, perçu comme belliciste.

C'est également l'hostilité envers le communisme et la sympathie à l'égard des dictatures qui expliquent le cheminement d'une partie de la droite : soupçonnant les partisans de la résistance à l'Allemagne de n'être guidés que par des motifs idéologiques, elle développe en réaction un pacifisme exacerbé qui, assimilant toute volonté de défense de la France au communisme, finit par confondre anticommunisme et refus de défendre les intérêts nationaux. Apparu avec la guerre d'Éthiopie, ce néo-pacifisme se nourrit de la victoire du Front populaire et de l'arrivée au pouvoir de Léon Blum* (considéré, parce que juif, comme naturellement enclin à entraîner la France dans une guerre contre l'Allemagne), se développe avec la guerre d'Espagne*, puis au cours des années 1937-1938.

À partir de l'*Anschluss*, la coupure droite / gauche cède progressivement le pas devant la coupure pacifisme / résistance. Témoin de cette évolution, l'appel à l'union nationale que publie, le 20 mars 1938, le quotidien communiste *Ce soir* (mais également *Le Temps*) : signé par Aragon*, Bernanos*, Chamson*, Colette*, Descaves*, Gillet, Guéhenno, Malraux*, Maritain*, Mauriac*, Montherlant*, Romains*, Schlumberger, il est immédiatement dénoncé par *La Flèche* (de Gaston Bergery) et *Les Feuilles libres de la quinzaine* (de Léon Émery) qui publient, le 25 mars, un contre-manifeste intitulé « Refus de penser en chœur ». Signé par Alain*, André Breton*, Félicien Challaye, Jean Giono*, Marcel Martinet*, ce texte refuse « l'enrôlement anticipé », de même qu'il refuse « d'accréditer à la légère la rumeur d'un danger extérieur imminent — rumeur qui peut bien servir une manœuvre de haute politique mais qui, dans l'état présent de l'Europe, constitue un attentat au bon sens, à la dignité et à l'intérêt profond du pays ».

C'est dans ce climat qu'éclate la crise tchécoslovaque. La France y est mise en demeure de choisir entre la résistance (et donc l'alliance avec l'URSS) et l'apaisement (et donc l'alignement sur la politique britannique). À l'exception des communistes, tous les partis se divisent, de même que le monde intellectuel, les uns demandant que tout soit mis en œuvre pour assurer l'intégrité territoriale de la Tchécoslovaquie (c'est le sens du télégramme qu'adressent, le 11 septembre 1938, à Chamberlain et Daladier, Romain Rolland, Paul Langevin* et Francis Jourdain*), les autres que tout soit mis en œuvre pour sauvegarder la paix (c'est le sens du télégramme qu'adressent, le lendemain, aux mêmes, Alain, Jean Giono et Victor Margueritte*).

La signature des accords de Munich* marque la victoire de l'idéologie pacifiste mais annonce son reflux : tout ce qui pouvait être concédé, l'honneur y compris, l'a été ; rien ne peut plus l'être, sauf à sacrifier également le pays. C'est pourquoi l'ultrapacifisme devient une chapelle dont les membres, regroupés au sein du *Centre de liaison contre la guerre*, n'ont plus guère d'influence sur l'opinion.

À droite même, une minorité continue bien, autour de Charles Maurras*, à préférer Hitler à Blum, mais elle est très largement discréditée : le célèbre article « Faut-il mourir pour Dantzig ? », que Marcel Déat publie, le 4 mai 1939, dans *L'Œuvre*, est très largement condamné.

L'ampleur de ce déclin apparaît nettement lorsqu'on considère l'histoire de la dernière tentative menée par les ultrapacifistes pour arrêter la guerre. Le tract « Paix immédiate » que lance, le 13 septembre 1939, dix jours après l'entrée en guerre, Louis Lecoin, est certes signé par quelques personnalités éminentes (Alain, Alexandre, Félicien Challaye, Léon Émery, Jean Giono, Henri Jeanson*, Henry Poulaille*, Ludovic Zoretti), mais celles-ci sont peu nombreuses et certaines d'entre elles, notamment Alain et Jean Giono, rétracteront par la suite leur signature : l'entrée en guerre, et les conditions dans lesquelles elle s'est faite, brise définitivement l'ultrapacifisme.

Cette fin laisse un goût amer. Le pacifisme, jusqu'aux années 30, c'était, en dépit de la Première Guerre mondiale*, une espérance et une image : l'espérance d'une grève générale qui permettrait de stopper le massacre et, même à tort, l'image de Jaurès* assassiné. Mais les tribulations de l'ultrapacifisme des années 30, le parcours que suivront, par la suite, certains de ses représentants les plus célèbres, vont, pour longtemps, effacer cette image et marquer ce courant d'indignité.

Bernard Laguerre

■ C. Prochasson, *Les Intellectuels, le socialisme et la guerre*, Seuil, 1993. — J.-F. Sirinelli, *Intellectuels et passions françaises. Manifestes et pétitions au XXe siècle*, Fayard, 1990. — Z. Sternhell, *Ni droite, ni gauche*, Seuil, 1983. — M. Vaïsse, « Le pacifisme français des années 30 », *Relations internationales*, 53, printemps 1988. — P. de Villepin, « Le pacifisme intégral dans les années 30 », *Relations internationales*, 53, printemps 1988.

MUSÉE NATIONAL DES ARTS ET TRADITIONS POPULAIRES

Par la création du Musée en 1937, Paris comblait son retard. Nombre de capitales européennes, en effet, avaient leur musée d'ethnographie nationale depuis la fin du XIXe siècle : Stockholm, la première (1873), Berlin, Oslo, Vienne, etc. L'absence de ce type de musée à Paris s'expliquait par la différenciation séculaire, dans la société française, entre culture savante et culture populaire, et par la prévalence des beaux-arts, dans le système des musées, sur les arts appliqués, sur les sciences et sur les techniques. Un puissant mouvement d'intérêt pour les arts et les traditions populaires s'était pourtant manifesté tout au long du XIXe siècle en France, stimulé par les travaux des sociétés savantes et par les recueils des folkloristes, dont la manifestation la plus éclatante avait été la création, puis la multiplication de musées d'ethnographie régionale comme celui de Quimper (1874), celui d'Arles (1896) ou celui de Honfleur (1900). L'idée de créer un musée national des traditions populaires avait pourtant été formulée dès 1886 dans la *Revue des traditions populaires* (aujourd'hui *Ethnologie française)*, et une première ébauche en avait été réalisée en 1884 par la « Salle de France » du Musée d'ethnographie du Trocadéro. C'est au sein de cet établissement, alors dirigé par Paul Rivet*, qu'allait naître, à l'occasion de l'Exposition* coloniale de 1931, l'idée de localiser en des lieux distincts les collections d'ethnographie des pays « exotiques » et celles des arts et traditions populaires « nationales », à la manière dont on sépare, dans les pays d'Europe centrale, *Völkerkunde* et *Volkskunde*, mais à la façon aussi dont on renouvelle, dans les universités anglo-saxonnes, l'ethnographie et le folklore par l'anthropologie et par l'archéologie.

Le projet prend donc corps, fin 1936, d'un grand musée dont l'aire de compétence soit nationale. Un gouvernement de Front populaire, une Exposition internationale, un Congrès international créent des circonstances favorables pour concevoir un musée du peuple pour le peuple. « La France, lit-on dans les textes fondateurs, n'a pas encore rendu cet hommage au génie de son peuple. » Il lui faut un musée « à l'usage des populations laborieuses et de la jeunesse scolaire ». Confié à Georges-Henri Rivière*, auparavant assistant de Paul Rivet au Musée du Trocadéro, ce nouveau département des musées nationaux est provisoirement installé dans le tout récent palais de Chaillot. Convaincues de la profondeur des changements qui affectent la société française, ses équipes se lancent dans la recherche et la collecte sur le terrain. Quand la guerre survient et que le régime de Vichy s'installe, la rhétorique du retour aux valeurs traditionnelles et l'idéalisation des vertus paysannes entrent en consonance avec le projet de musée. Rivière ne soutient pas, comme Rivet, les mouvements de résistance. Ses chantiers abritent cependant des dizaines de jeunes intellectuels et d'architectes, qui échappent ainsi au Service du travail obligatoire en Allemagne. La paix revenue et le régime de Vichy abattu, l'équipe du musée contribuera de façon décisive à l'élaboration de la discipline scientifique qui prendra bientôt le nom d'« ethnographie folklorique », puis d'« ethnographie française » et enfin d'« ethnologie française », en intégrant plusieurs apports : celui des folkloristes, au premier rang desquels il faut citer Van Gennep* ; celui des sociologues, des ethnologues et de Marcel Mauss* ; celui des historiens de l'école des *Annales* emmenés par Lucien Febvre* ; et celui des géographes et des linguistes conduits par Albert Demangeon* et par Albert Dauzat. Dans le même temps, les chercheurs du Musée affermissent une conception scientifique de la collection ethnographique sous le magistère d'André Leroi-Gourhan et sous l'impulsion de personnalités comme Marcel Maget, Louis Dumont* et Claudie Marcel-Dubois. Les collections s'enrichissent de manière spectaculaire, les expositions de préfiguration se succèdent, une vingtaine de 1957 à 1963, les objets et les documents s'entassent dans l'attente d'une présentation appropriée : au siège provisoire de Chaillot, il faut substituer un nouveau siège.

Ce sera chose faite en 1969, au milieu d'innombrables difficultés. Associé au Centre national de la recherche scientifique* depuis 1966, dirigé par Jean Cuisenier de 1968 à 1987, l'établissement ouvre sa galerie d'étude en 1972, sa galerie du grand public en 1975. La muséographie en est « fonctionnaliste », dans l'esprit voulu par son concepteur d'origine et selon l'esthétique prévalant à l'époque. Elle est marquée par le goût des formes abstraites et par le choix d'une gamme de noirs-gris-blancs destinée à faire valoir les objets pour eux-mêmes. Les équipes sont renforcées. On reprend le fil interrompu des expositions temporaires : vingt-deux de 1973 à 1987, dont deux au Grand Palais. On multiplie les recherches, dans un champ intellectuel profondément modifié au fil des années. L'anthropologie sociale et ses sources anglo-saxonnes ont en effet acquis droit de cité grâce aux enseignements de Lévi-Strauss*, l'histoire et l'archéologie se sont ouvertes aux intérêts des ethnologues, la folkloristique elle-même, longtemps cantonnée au recueil des traditions orales, est en plein renouvellement sous l'effet conjoint du structuralisme, de la psychanalyse et de la sémiotique. Un défi est désormais lancé : penser les arts et traditions populaires non comme l'expression d'une société paysanne ou d'une classe ouvrière qui l'une et l'autre s'enfoncent dans le passé, mais comme le fait de pratiques sociales ordinaires et contemporaines. De puissants défis émergent avec la généralisation de l'intérêt pour les « racines », la revalorisation des sources régionales de la culture française, les débats sur l'ethnicité et l'intégration des populations immigrées, l'interrogation grandissante sur l'identité culturelle française elle-même au sein de la culture européenne. Détenteur d'un immense patrimoine d'objets et de documents, le Musée donne à comprendre comment les arts de la pratique sociale ordinaire se conjuguent avec les arts de la pratique sociale élégante. Il convie à penser la profondeur des sources et l'obscurité des origines, lieux de tous les recommencements.

Jean Cuisenier

■ J. Cuisenier, *L'Art populaire en France*, Fribourg, Office du Livre, 1975, rééd. Arthaud, 1987. — G.-H. Rivière, A. Desvalles et D. Gluck, *Arts populaires des pays de France*, Meudon, Cuenot, 1975-1976, 2 vol. — *Le Débat*, n°s 65 et 70, Gallimard, 1991 et 1992. — *Ethnologie française*, depuis 1971 (revue trimestrielle de la Société d'ethnologie française, publiée par le Centre d'ethnologie française, fait suite à *Arts et traditions populaires* ; éditée à Paris par Armand Colin, avec le concours du Centre national de la recherche scientifique). — Catalogues d'exposition, depuis 1957, notamment, aux Galeries nationales : *Hier pour demain. Art, traditions et patrimoine*, 1980 ; *Costume, coutume*, 1987, Réunion des Musées nationaux.

MUSÉE PÉDAGOGIQUE

Fondé en 1879, le Musée pédagogique est l'une des institutions qui ont contribué à diffuser l'esprit de la République éducatrice. Sa mission était triple : capitaliser les informations sur l'enseignement primaire, français et étranger ; faire connaître aux enseignants les directives de leur ministère ; contribuer au débat sur les méthodes et les fins de l'éducation.

Jusqu'à la Seconde Guerre mondiale, il remplit ces missions avec des moyens modestes, mais une efficacité certaine. Ses ressources ont largement contribué à l'élaboration du *Dictionnaire de pédagogie et d'instruction primaire* (1887) dirigé par F. Buisson* et qui fut, avec ses 8 000 colonnes serrées, une véritable somme, diffusant largement chez les instituteurs un corpus de connaissances théoriques et pratiques et, au-delà, une vision de l'école républicaine, imprégnée de science et de morale. Publiée par le Musée depuis 1882, la *Revue pédagogique* fut de son côté, pendant soixante ans, à la fois le moniteur officieux de l'enseignement primaire et un lieu de débats donnant la parole aux plus hauts fonctionnaires de l'instruction publique et à ses universitaires les plus prestigieux (G. Compayré, J. Guillaume, E. Levasseur, F. Pécaut, E. Lavisse*...) tout en invitant les instituteurs eux-mêmes à « penser et chercher » pour briser la routine inhérente à leur métier. Le Musée fut alors également la « maison commune » de l'enseignement primaire, puis aussi secondaire : de nombreuses associations pédagogiques y avaient leur siège, y tenant congrès, publiant des revues, diffusant de nouvelles méthodes ou de nouveaux moyens d'enseignement, tels la radio ou le cinéma scolaires.

L'entre-deux-guerres vit cependant la légitimité intellectuelle du Musée pédagogique contestée par de nouvelles instances et de nouveaux réseaux : syndicalisme enseignant, partis politiques révolutionnaires, mouvements pédagogiques libertaires proposaient une vision alternative tout à la fois de l'enfant, de l'école et de la société. Devenu Institut pédagogique national en 1956, puis Institut national de recherche et de documentation pédagogique en 1970, l'établissement connut dans l'après-guerre une double mutation. D'une part, ses moyens et ses missions se multiplièrent, au rythme de l'« explosion scolaire » (c'est son directeur de l'époque, Louis Cros, qui popularisa la formule). D'autre part, et au même rythme, l'enseignement devint toujours davantage le champ de conflits de toute nature, pédagogiques, politiques, corporatifs, catégoriels : l'établissement y perdit définitivement la fonction de magistère pédagogique officieux qu'il avait exercée jusqu'alors.

Il tenta en conséquence de se définir de nouvelles légitimités. L'une était d'ordre documentaire : elle fut et reste confiée au Centre national de documentation pédagogique, créé en 1976, qui édite massivement une littérature d'accompagnement ou de soutien à l'enseignement. Cette production se distingue peu, dans son inspiration, de celle que diffuse l'édition scolaire traditionnelle, mais fait accéder des enseignants motivés au rang d'auteurs, édités sans filtre scientifique ni commercial. L'autre légitimité est d'ordre scientifique. Dans tous les pays développés, la recherche en éducation connut, dans les années 60, un essor foudroyant. L'Université française comme le Centre national de la recherche scientifique* se révélant globalement incapables d'organiser ce nouveau champ de recherches, l'IPN, puis l'INRDP et enfin l'Institut national de recherche pédagogique (INRP), qui hérita spécifiquement de cette mission en 1976, bénéficièrent d'un large monopole dans des formes de recherche liées à l'expérimentation pédagogique de terrain.

Lieu d'engagement, de recherche ou d'expertise ? L'INRP a été longtemps un établissement ambigu, d'autant qu'il coopère avec une recherche universitaire où émergent des « sciences de l'éducation » visant souvent la distinction dans l'hermétisme, tout en étant lui-même censé répondre à une demande institutionnelle profondément anxieuse d'image, d'échéances et de court terme. Surtout, un siècle de fréquentation scolaire de plus en plus systématique et prolongée a fait de la majorité des Français, parents et enseignants, des émetteurs autonomes d'opinions sur l'école, directement relayés par les médias. S'en trouve diluée la légitimité de tout discours d'origine syndicale, politique ou scientifique. Prenant acte, en outre, des tendances lourdes à la décentralisation du système, l'INRP cherche aujourd'hui sa voie en couplant ses recherches avec deux fonctions justifiant encore l'existence d'une maison commune au monde éducatif : la création de ressources pour la formation des formateurs, et la gestion de la mémoire de l'institution scolaire elle-même.

Pierre Caspard

■ P. Caspard-Karydis et A. Chambon (dir.), *La Presse d'éducation et d'enseignement (XVIIIe s.-1940)*, CNRS et INRP, 1981-1990, 4 vol. — R. Guillemoteau, *Du Musée pédagogique à l'Institut pédagogique national (1879-1956)*, CNDP, 1979. — J. Majault, *Le Musée pédagogique. Origines et fondation (1872-1879)*, CNDP, 1978. — P. Nora, « Le *Dictionnaire de pédagogie* de F. Buisson, cathédrale de l'école primaire », in *Les Lieux de mémoire*, vol. 1 : *La République*, Gallimard, 1984, pp. 353-378.

Musée social

Quel contraste entre l'inauguration solennelle par les plus hauts personnages de la République, le 28 mars 1895, du Musée social dans un hôtel particulier de la rue Las Cases en plein faubourg Saint-Germain, le banquet de 300 couverts où l'on porte des toasts aux lois sociales et aux devises républicaines, et en février 1896, la première (après la publication des statuts) *Circulaire du Musée social* sur « Le trade-unionisme anglais et les raisons de son succès ». Il est vrai que l'institution est originale, par son statut de fondation (créée le 19 mai 1894 et reconnue d'utilité publique le 31 août 1894), par sa structure, mêlant étroitement sections d'études, enquêtes, missions, bibliothèque ouverte à tous, plus encore par la conception de la question sociale des fondateurs et des réseaux qui vont œuvrer autour de l'institution.

L'ampleur prise par la fondation peut étonner, tant l'idée de départ était modeste : rendre permanent le pavillon d'économie sociale de l'Exposition universelle* de 1889 qui rassemblait toutes les traces des institutions et des actions susceptibles « d'améliorer le sort matériel et moral des classes laborieuses ». Un premier dépôt fut fait au Conservatoire national des arts et métiers. Mais cela parut bien court et, à dire vrai, bien ennuyeux que d'exposer maquettes, graphiques, statuts de mutuelles, de coopératives ou de caisses de retraite. Émile Cheysson et, surtout, Jules Siegfried, pensent qu'il faut associer des activités de recherche, d'enquêtes, de conseils à cette simple exposition. Malgré son poids de parlementaire et de ministre, Jules Siegfried ne trouve pas une aide suffisante de l'État pour créer une institution originale, souple et… riche. Il rencontre alors le comte Aldebert Pineton de Chambrun, député de la Lozère sous le Second Empire, mécène des arts et des lettres, soutenant Wagner à qui il consacre un ouvrage, organisant, dans son hôtel de Bourbon Condé, des concerts sur les plus beaux orgues privés de Paris, pris d'une passion sociale qui lui fait se déclarer « socialiste d'État de la tendance Bebel », président des cristalleries de Baccarat où son beau-père avait créé des institutions sociales. Il a déjà, en souvenir de sa femme, fondé des chaires d'économie sociale au Collège de France* et à l'École libre des sciences politiques*. Sans descendance, il pense que sa fortune lui permet de créer cette fondation dont lui parlent avec flamme ses amis leplaysiens et dont le nom de Musée social lui plaît par sa neutralité.

La dotation initiale (immeubles de rapport, actions, propriété de l'hôtel de la rue

Las Cases), la structure souple, la qualité des animateurs des sections d'études et des salariés, l'absence d'idéologie dominante et une totale liberté d'esprit permettent au Musée social d'avoir une vision neuve d'un monde qui bouge. Des enquêteurs, jeunes et adeptes de méthodes modernes d'investigation scientifique, loin des monographies traditionnelles, suivent les congrès syndicaux, les luttes ouvrières, les créations de coopératives et de mutuelles, la situation de l'agriculture. Ils ramènent tracts, brochures, journaux qui viennent enrichir le fonds de la bibliothèque où se retrouvent, toutes opinions confondues, tous ceux qui veulent s'informer et travailler sur la question sociale en France mais aussi dans de nombreux pays où le Musée social a des correspondants réguliers ; riche, il n'hésite pas à envoyer Albert Métin étudier le socialisme néo-zélandais, et André Siegfried la situation en Australie.

Des réseaux se constituent, mêlant les politiques et les techniciens pour influer sur la préparation de lois sur l'habitat social, sur l'hygiène sociale, sur la protection sociale, sur les assurances agricoles. Ils jouent un rôle essentiel dans des créations comme celles de la Fédération de la mutualité et du Crédit agricole. Les travaux des sections, les publications, les recherches faites grâce à la bibliothèque ont une particulière importance pour l'évolution des connaissances sur le monde ouvrier, pour la mise en forme de l'urbanisme moderne, pour des solutions aux problèmes agricoles, plus tard pour le regroupement de certaines féministes.

La plus grande originalité du Musée social est d'avoir pu, jusqu'à nos jours, garder sa structure et son indépendance, malgré les aléas des dévaluations et de l'inflation, en sachant abandonner ce que d'autres faisaient mieux.

Colette Chambelland

■ Revues du Musée social : *Circulaires mensuelles* (1896-1900), *Annales et Mémoires et documents* (revue mensuelle, 1900-1913), *Le Musée social* (revue mensuelle, 1914-1939), *Les Cahiers du Musée social* (1944-1963), *Vie sociale* (revue mensuelle puis bimestrielle depuis 1963).

■ C. Chambelland (dir.), *Le Musée social en son temps*, L'Atelier, 1995. — J. Horne, *Republican Social Reform in France : The Case of the Musée Social*, thèse, New York University, 1992.

NADEAU (Maurice)

Né en 1911

Né à Paris le 21 mai 1911, Maurice Nadeau incarne la figure type de l'intellectuel-médiateur qui, par ses activités multiples dans le monde des lettres, a joué un rôle primordial dans le développement et le rayonnement de la littérature et des idées de son temps.

Issu d'un milieu très modeste, orphelin d'un père mort au champ d'honneur pendant la Première Guerre mondiale*, cet « élément méritant de la IIIe République » comme il s'est défini lui-même dans ses « Mémoires littéraires » (*Grâces leur soient rendues*, Albin Michel, 1990) a pu poursuivre ses études au-delà du certificat d'études comme boursier, et intégrer l'École normale supérieure* de Saint-Cloud au début des années 30. Militant trotskiste, il se lie avec Pierre Naville* aux côtés duquel il fait ses premières armes dans la presse, à *La Vérité*, organe du mouvement trotskiste. Naville l'introduit auprès des cercles surréalistes où il rencontre André Breton* qui lui confie avec Benjamin Péret* la fabrication de *Clé*, l'éphémère bulletin de la Fédération internationale des artistes révolutionnaires indépendants. Proche de la Résistance, il reste fondamentalement après la guerre un homme de gauche, faisant partie du comité d'organisation du Rassemblement démocratique et populaire* (RDR), créé en 1948 sous le parrainage de Sartre* et Rousset*, et qui s'efforce de trouver à gauche une troisième voie entre le communisme et l'atlantisme. Il est surtout, en septembre 1960, à l'origine, avec Maurice Blanchot*, Robert Antelme* et Dionys Mascolo*, du « Manifeste des 121 »* défendant « le droit à l'insoumission dans la guerre d'Algérie ».

Après la publication, en 1945, d'une *Histoire du surréalisme* qui fit date, Maurice Nadeau abandonne l'enseignement pour se consacrer à la littérature qu'il aborde par le biais de la critique et de l'édition. D'abord journaliste pendant quelques mois aux *Temps modernes** où il remplace Étiemble* comme critique de romans, il collabore aussi à *Combat**, où Pascal Pia* lui confie en 1945 la responsabilité de la rubrique littéraire. Il y défend des auteurs comme Queneau*, Leiris*, Michaux ou Ionesco* ; il y publie en 1947 le premier article sur Beckett*.

Ayant quitté *Combat* après le départ de Pia, il collabore dans les années 50 au *Mercure de France**, à *L'Observateur** puis à *L'Express**. En 1953, grâce à René Julliard, il crée sa propre revue, *Les Lettres nouvelles*, qui va lui permettre de promouvoir la littérature à laquelle il est attaché, une « littérature qui se cherche [...] entre l'engagement sartrien et l'esthétisme des nouveaux hussards ».

Également éditeur (aux Éditions du Pavois où il édite en 1947 *Les Jours de notre mort* de David Rousset, chez Corréa, chez Julliard de 1953 à 1964, puis aux Éditions Denoël*), Maurice Nadeau a toujours fait preuve d'audace et d'originalité choisissant, en marge de la vogue du premier roman, de donner leur chance à de jeunes auteurs (c'est lui qui publie en 1965 le premier roman de Georges Perec*, *Les Choses*) ou de faire connaître des auteurs étrangers comme Henry Miller, Malcolm Lowry, Witold Gombrowicz.

Critique ou éditeur, il s'est distingué par ses positions antistaliniennes. En 1957, il dénonce sévèrement l'attitude d'Aragon* qui vient de publier *Le Roman inachevé*, ce qui lui vaut les foudres de ses confrères de la presse communiste mais aussi du *Monde** où Jacques Madaule* l'accuse de déshonorer la critique. Attentif à la prise de parole des dissidents russes, il consacre un numéro spécial des *Lettres nouvelles* au *Dégel* et publie l'un des premiers livres sur le Goulag, *Récits de Kolyma*, de Varlam Chalamov. Toujours soucieux d'explorer de nouvelles voies, Maurice Nadeau a fondé en 1966 avec François Erval *La Quinzaine littéraire* et créé en 1979 sa propre maison d'édition.

Delphine Bouffartigue

■ *Histoire du surréalisme*, 1945, rééd. Seuil, 1970. — *Documents surréalistes*, 1948, rééd. Seuil, 1970. — Éditions des *Œuvres* du marquis de Sade, 1948. — *Littérature présente*, Buchet-Chastel, 1953. — *Michel Leiris et la quadrature du cercle*, 1963. — *Gustave Flaubert* (Grand Prix de la Critique), 1969, rééd. Les Lettres nouvelles, 1980. — *Le Roman français depuis la guerre*, 1970, rééd. Le Passeur, 1992.

NAVEL (Georges)

1904-1993

Georges Navel est sans doute l'exemple le plus probant d'un don de l'écriture qui ne doit rien à l'enseignement et qui s'épanouit malgré toutes les adversités d'une vie précaire d'insoumis.

Né en 1904 à Maidères en Meurthe-et-Moselle, dernier né d'une famille ouvrière de treize enfants, il est de son propre aveu peu attiré par l'école. Après un séjour en Algérie pendant la Première Guerre mondiale*, revenu à Lyon, et pressé de vivre, il triche sur son âge pour se faire engager dans un atelier de chaudronnerie. Malgré les exhortations de ses frères militants syndicalistes révolutionnaires, il quitte l'usine. Son désir de revoir l'Algérie le pousse à Marseille ; un accident l'amène à l'hôpital où il apprend l'armistice. À dix-sept ans, tout en travaillant chez Berliet, il fréquente assidûment la Grande Bibliothèque de Lyon et découvre Gorki, Verlaine, Platon. Il revoit l'Algérie en 1922 et y observe l'envers du décor qui l'avait tant séduit huit ans auparavant, la condition des Algériens et celle des ouvriers. En 1923, il retrouve l'usine chez Berliet. Mais il rêve d'une vie « à la Jack London, une vie complète ». Un accident chez Citroën le décide à ne plus accepter le joug de l'usine. Dans cette volonté de rejeter tout ce qui peut atteindre la liberté, qui va jusqu'à la désertion, il organise son existence au gré des travaux et des emplois qui se présentent. Pendant près de vingt-cinq ans en Provence, il vit de besognes saisonnières, des vendanges, des cueillettes de figues, de pommes ou de cerises selon les saisons, de la récolte du sel à Hyères, même si parfois il doit se louer dans un chantier et devenir terrassier. Comme il le dira lui-même : « Je n'ai pas pratiqué tous les métiers, j'ai eu des occupations. » Elles lui font croiser Édouard von Bendemann, lequel lui conseille d'aller voir Bernard Groethuysen*. Il fait sa rencontre à *La Nouvelle Revue française** et lui propose ses poèmes pour un numéro spécial de la revue en 1933. Leur correspondance qui ne se terminera qu'à la mort de Groethuysen, son « père éternel », constituera *Sable et limon* (1952).

1936 et le manque de travail le ramènent à Paris, sur le chantier de la future Exposition universelle*. Il est déjà reparti en Provence lors des grèves et de l'avènement du Front populaire. Il préfère alors gagner l'Espagne* avec les Brigades internationales. Plus tard entre ses travaux d'apiculteur et son maquis des Maures, il commence à écrire *Travaux*, un hommage à la classe ouvrière et à sa famille, « un appoint de sympathie au monde du travail », qui paraîtra en 1945 et sera unanimement salué, non pas comme un livre de littérature prolétarienne, ce qu'il récuse catégoriquement, mais comme une œuvre littéraire. C'est chez Gallimard* qu'il publie son livre suivant, *Parcours* (1950). Jean Giono* préfacera *Chacun son royaume* (1952).

Un emploi stable de correcteur en 1954 n'est pas une renonciation à sa vie intellectuelle active. De même qu'il signe le « Manifeste des 121 »*, il est un des premiers collaborateurs de *Libération**. Georges Navel fera un ultime voyage dans son passé avec *Passages* (1982), avant de mourir à Laval-d'Aix, le 1er novembre 1993.

Françoise Werner

■ *Travaux*, Stock, 1945, rééd. Gallimard, 1979. — *Parcours*, Gallimard, 1950. — *Sable et limon*, Gallimard, 1952, rééd. 1989. — *Chacun son royaume* (préface de J. Giono), Gallimard, 1960. — *Passages*, Le Sycomore, 1982, rééd. Gallimard, 1991.

■ « Georges Navel ou la seconde vue » (dir. G. Meudal), *Le temps qu'il fait*, Cognac, 1982.

NAVILLE (Pierre)

1904-1993

Surréaliste, communiste, dirigeant trotskiste, membre du Parti socialiste unitaire, de l'Union de la gauche socialiste puis du Parti socialiste unifié, Pierre Naville fut un militant actif. Il fut aussi un « intellectuel intégral », selon le mot de Gérard Rosenthal, doué d'une culture encyclopédique et d'une exceptionnelle capacité de travail.

Né à Paris le 1er février 1904, Pierre Naville est issu d'une famille maternelle catholique et d'une famille paternelle protestante d'origine genevoise (il fut baptisé le même jour au temple et à l'Église), bourgeois libéraux et cultivés. Il en hérite, outre un capital culturel et financier, un réseau de relations : son père, le banquier Arnold Naville, fournira le local du Bureau central de recherches surréalistes*.

C'est un ami d'André Gide*, de Paul Painlevé*, de Gaston Gallimard*, du colonel Lawrence… Après sa scolarité à l'École alsacienne (Paris), Pierre Naville s'inscrit d'abord à des cours de peinture (il ne cessera d'ailleurs jamais de peindre ni de dessiner) puis en Sorbonne (1921-1923), où, à défaut d'achever sa licence de philosophie, il rencontre Henri Lefebvre* et Georges Politzer*. Il s'intéresse aussi à l'embryologie, à la physique d'Einstein, à la psychanalyse et à la psychologie du comportement, alors inconnue en France, sans oublier une passion pour les mathématiques qui ne se démentira jamais. Il n'y a pas dispersion d'intérêts dans la vie de Pierre Naville mais une curiosité et un travail d'élaboration permanents doublés d'une activité militante intense.

À partir de 1923, il collabore à la revue *L'Œuf dur*, où il signe ses premiers textes poétiques, et se lie avec Aragon*, Breton* et leur entourage. Il est, en 1924 et 1925, codirecteur de *La Révolution surréaliste* avec Benjamin Péret*. Éloigné du groupe par son service militaire qu'il effectue en pleine guerre du Rif*, il en sera pourtant un des catalyseurs politiques. Il cherche à convaincre ses compagnons du *Temps du surréel* de la nécessité de l'engagement sur le terrain de la lutte des classes : c'est le message de *La Révolution et les intellectuels (Que peuvent faire les surréalistes)*, auquel Breton répond par *Légitime défense*. Naville milite dès 1925 dans une cellule communiste de son régiment et adhère, fin 1926, aux Jeunesses communistes et au Parti. Secrétaire du Mouvement des jeunesses communistes, puis rédacteur de son journal *L'Étudiant d'« avant-garde »*, il ouvre les colonnes de *Clarté**, dont il prend la codirection avec Marcel Fourrier en juin 1926, aux surréalistes. Les débats avec ces derniers n'ont pas été sans conséquences. Breton, Péret, Unik, Éluard*, Aragon* adhèrent au Parti en juin 1927. Mais Pierre Naville s'en est déjà éloigné, pour se rapprocher des thèses de l'Opposition de gauche. La rupture avec Breton en 1927 et l'exclusion du PC en février 1928 marquent le début d'une carrière militante tout au service de Trotski rencontré à Moscou en novembre 1927 et de l'Opposition de gauche. Pierre Naville approfondit aussi à l'époque ses lectures de Lénine et Marx et ébauche les écrits sur De Man, Eastmann, la psychanalyse et le behaviorisme qui ne seront publiés qu'à partir de la Seconde Guerre mondiale.

Membre du secrétariat international de l'Opposition de gauche à partir de 1930, il participe au mouvement pour la fondation de la IVe Internationale, puis, en 1938, à la conférence fondatrice. Mobilisé en 1939, il est fait prisonnier en juin 1940, puis libéré en avril 1941. C'est alors qu'il reprend ses études, commence le cycle de publications de ses ouvrages majeurs et entame une carrière professionnelle. En 1943, il est nommé directeur du Centre d'orientation professionnelle du Lot-et-Garonne à Agen. Revenu à Paris en 1944, il fonde, avec Bruno Bettelheim et Gilles Martinet, *La Revue internationale*. Il entre au Centre national de la recherche scientifique* en octobre 1944, section psychologie. Mais c'est en sociologie (et en particulier en sociologie du travail) qu'il acquiert une notoriété qui a pu parfois porter ombrage à ses autres travaux. Il soutient sa thèse d'État (*De l'aliénation à la jouissance*, publiée comme premier volume du *Nouveau Léviathan*) en 1956 et devient sous-directeur du Centre d'études sociologiques. Son activité professionnelle et scientifique ne l'empêche pas de militer en participant à la fondation du

Parti socialiste unitaire puis de l'Union de la gauche socialiste et du Parti socialiste unifié, dont il sera membre du comité national de 1961 à 1969. Après son départ du CNRS, il continue à écrire et à travailler inlassablement. Il meurt à Paris le 24 avril 1993.

Les nombreuses traductions qui ont été faites de ses ouvrages en diverses langues prouvent une reconnaissance qui dépasse largement les frontières de l'Hexagone. L'œuvre de Pierre Naville est marquée au sceau de ce que l'on pourrait appeler un pessimisme utile : « Rien de nous cependant ne peut être entendu hors de ce dessein d'accompagnement de l'homme à sa perte pour que cette perdition soit utile » (*Itinéraires personnels*, texte inédit).

Gérard Roche

■ *La Révolution et les intellectuels*, 1926, rééd. Gallimard, 1975. — *Paul Thiry d'Holbach et la philosophie scientifique au XVIIIe siècle*, Gallimard, 1942. — *Psychologie, marxisme, matérialisme*, Rivière, 1948. — *Le Nouveau Léviathan*, Anthropos / Galilée, 1957-1988, 8 vol. — *Traité de sociologie du travail* (dir. P. Naville), Armand Colin, 1961-1962, 2 vol. — *L'Espérance mathématique*, t. 1 : *Le Temps du surréel*, Galilée, 1977 ; t. 2 : *Le Temps des guerres. Mémoires imparfaites*, La Découverte, 1987. — *Trotski vivant*, Nadeau, 1979. — *Correspondance (1929-1939)* (avec Léon Trotski, Denise Naville et Jean Van Heijenoort), L'Harmattan, 1989.

NEF (LA)

C'est en juillet 1944 à Alger que fut fondée *La Nef* par Robert Aron* et son amie Lucie Faure*, l'épouse d'Edgar Faure. Celui-ci rapporte dans ses Mémoires qu'il fut à l'origine du nom de la revue : *La Nef* pour « Nouvelle équipe française », signifiant ainsi la nécessité de contribuer à l'émergence d'une nouvelle élite. *La Nef* se propose alors de réunir et d'offrir une tribune à des écrivains résistants de métropole et d'Afrique du Nord ainsi qu'à des Français émigrés, notamment en Angleterre et aux États-Unis. Au sommaire des premiers numéros figurent les noms de Maurice Druon, collaborateur assidu de la revue, Pierre Jean Jouve, Georges Izard*, Jacques Decour*, Paul Éluard*, Henri Focillon, Paul Valéry*, Louis Aragon*, Henri Troyat, Julien Green, Paul Claudel*, Paul Léautaud*, Albert Camus* et bien sûr Robert Aron. Les débuts de la revue furent matériellement difficiles : pénurie de papier, de textes inédits et d'abonnés. À la Libération, en 1945, *La Nef* s'installe à Paris et s'affirme comme une revue avant tout littéraire, attentive à l'actualité éditoriale et artistique, grosse désormais de quelque 170 pages. Elle est alors éditée par Albin Michel, avant de l'être par Julliard, puis Tallandier. Des numéros spéciaux sont publiés : « Les Allemands », « Littérature soviétique », « L'esprit européen », « Tableau politique de la France »... Dans les années 50, la revue doit beaucoup à la complémentarité des époux Faure dans le monde politique, littéraire et artistique. Lucie Faure la dirige sans partage après le départ de Robert Aron.

En 1952, sans doute pour des raisons financières, *La Nef*, de mensuelle, devient trimestrielle, publiant des articles sur un même sujet d'actualité. Elle associe des sensibilités différentes et affirme sa volonté d'aider à la détente. Sous l'influence d'Edgar Faure, elle s'est toujours préoccupée de la Russie et de l'URSS. En décembre 1956, *La Nef* change à nouveau de formule. Dans un contexte dominé par la guerre d'Algérie et la désaffection croissante des Français pour la IVe République, elle souhaite contribuer plus étroitement au débat d'idées en se proposant de devenir une revue mensuelle illustrée par des photographies et à dominante politique. Un tiers de chaque numéro est consacré à un dossier. *La Nef* se dote alors d'un comité de rédaction qui réunit Louis Dalmas, Maurice Druon, Jacques Duhamel, Georges Izard, Édouard Sablier et Hector de Galard. Ce dernier est rédacteur en chef de la revue de décembre 1957 à septembre 1975, avec une interruption au début des années 60.

Les circonstances qui ont entouré le retour du général de Gaulle au pouvoir en 1958 conduisent la rédaction de *La Nef* à faire part à ses lecteurs, dans un numéro spécial (juin 1958), du « tragique déchirement » qui l'amène à faire profession de vigilance. La revue appelle à un large regroupement de la gauche. Réservée à l'égard de la Ve République — elle offre par exemple à François Mitterrand une tribune quasi mensuelle —, elle ne peut pas pour autant ne pas soutenir la politique algérienne du général de Gaulle. En janvier 1960, *La Nef* redevient trimestrielle. Délaissant l'actualité la plus immédiate, la revue publie, dans les années 60, des cahiers thématiques sur les grands sujets du moment : l'espace, la médecine, les formes nouvelles de la démocratie, l'armée, la télévision, la police, la coexistence pacifique, ou bien encore l'ordinateur. Elle se présente comme un lieu de débats rassemblant, sur le plan politique, les oppositions de gauche et du centre et quelques individualités de la majorité gaulliste. Edgar Faure utilise *La Nef* pour lancer, en 1963, un débat sur son idée de « nouveau contrat social ». Dans les années 70, les thèmes retenus sont significatifs des préoccupations et des grandes questions de société que 1968 a contribué à mettre au premier plan : la société de consommation et la croissance zéro, la condition féminine, l'amour et la sexualité, la justice, le modèle américain, la psychanalyse, les gauchismes, le tiers monde, les couples ou bien encore l'avenir de la gauche.

La Nef survécut peu d'années au décès de Lucie Faure, en 1978. Elle s'est maintenue jusqu'en 1981 sous la direction d'Agnès Faure-Oppenheimer. Pendant plus de trente ans, à travers différentes formules, cette revue eut toujours le souci de témoigner d'une très grande curiosité intellectuelle confinant à un éclectisme revendiqué, d'être un lieu de débats, de confrontations et de découvertes, Favorable à la construction européenne, elle fut constamment ouverte sur l'étranger. Elle fut un bon oscillographe des secousses et des vibrations de ces trois décennies.

Éric Duhamel

■ E. Faure, *Mémoires I*, Plon, 1982.

NÉGATIONNISME

1978...

La publication en 1978 par le quotidien *Le Monde** d'une lettre de Robert Faurisson a mis soudain en lumière une simple affirmation présentée comme la vérité : ni le génocide des juifs durant la Seconde Guerre mondiale, ni les chambres à gaz, leur instrument, n'avaient existé. Faurisson, maître de conférences à l'université de Lyon II, n'était pas alors un parfait inconnu : il s'était déjà signalé par un travail, très polémique, de critique littéraire, en particulier sur Rimbaud. En l'occurrence, il ne faisait que reprendre et développer un argumentaire que Paul Rassinier (1906-1967), militant socialiste, pacifiste, résistant, déporté, avait avancé avant lui, dans les années 60, avec un succès limité. Cet argumentaire se caractérise par une sorte de parti pris méthodologique qui décrète une conclusion *a priori* à laquelle la recherche ensuite devra se conformer : l'étude se limite, dans cette perspective, à la recension des contradictions inévitables entre les différents témoignages ou les différentes sources. Le document remis en cause, quelle que soit son importance, est ensuite promu au titre de pièce essentielle du « mythe génocidaire », et dans le même temps ces contradictions sont habilement élevées au rang de contre-preuves exemplaires, une seule dispensant d'en chercher d'autres. Ainsi, par cette double promotion, se trouvent détruits définitivement, on nous l'assure, le « mythe d'Auschwitz » et du même coup la « religion du génocide »... Au besoin, et c'est plus que fréquent, la nécessité de résultat engendre, de la part de ces non-historiens qui se targuaient pourtant de l'être, des pratiques malhonnêtes : tronquer les textes, falsifier les chiffres, solliciter les témoignages ou pratiquer une amnésie récurrente et opportune.

Ces conclusions autant que cette démarche ont engendré deux types de réactions, diamétralement opposées. D'une part, l'extrême droite collaborationniste avec Maurice Bardèche*, les antisémites professionnels comme Henri Coston, ont apporté un soutien sans faille, quoique discret tout d'abord, à celui par qui le scandale, leur vérité, arrivait : Rassinier fut publié dans leurs maisons — Les Sept Couleurs, La Librairie française —, il se procura leurs livres et s'en inspira, il encensa ceux-là mêmes qui l'avaient encensé, si éloignés qu'ils fussent de son ancienne famille politique. À sa mort en 1967, l'extrême droite se désintéressa, semble-t-il, de cette question, pour s'y pencher à nouveau, tardivement, en 1983.

Depuis 1978, un groupuscule d'ultra-gauche, la Vieille Taupe, scission très lointaine de Socialisme ou barbarie*, se battait aux côtés de Faurisson, en publiant ses livres, créant une revue dédiée à sa cause, multipliant les tracts : pour la défense, mise en avant dans un premier temps, de la liberté d'expression, puis pour la dénonciation pure et simple du « mythe » génocidaire. Cette étrange alliance qui fit se côtoyer sous une même bannière l'extrême droite, l'extrême gauche et un prophète aux petits pieds comme Faurisson, ne se fit pas sans déchirements : elle était le fruit d'égarements idéologiques qui firent sombrer l'activisme révolutionnaire dans un messianisme paranoïaque.

En un réflexe salutaire, la communauté historienne, à l'inverse, se dressa à partir de 1978 contre ce pseudo-courant historique aux francs relents antisémites qu'elle avait auparavant négligé. Une polémique s'engagea, qui ne prenait pas ce nom, d'articles en droits de réponse, de rectificatifs en pétitions. Elle fut amplifiée par une série d'institutions — anciens déportés, LICRA... — qui assignèrent Faurisson en justice, comme Rassinier quinze ans auparavant. Ainsi, la presse attisant un feu qui n'aurait jamais dû s'étendre, se développa un climat délétère, et violent parfois, où venaient s'affronter une mémoire bafouée, meurtrie, et un désir forcené de scandale et de reconnaissance. Des polémiques marginales fleurirent, parfois cocasses, parfois dramatiques : l'on vit ainsi le grand linguiste américain Chomsky prendre le parti de Faurisson, en avançant avec assurance, mais quelques contradictions, la défense de la liberté d'expression. Il se trouva même un jury, certes politiquement orienté, d'universitaires accordant la mention « très bien » à une thèse de doctorat révisionniste soutenue en 1985 par un militant d'extrême droite, Henri Roques : la thèse fut annulée l'année suivante par arrêté ministériel. Pierre Vidal-Naquet* contribua, avec d'autres historiens, à placer ce qui était devenu une « affaire » sur le niveau plus serein et moins affectif de la rigueur scientifique, et à remettre les contre-vérités révisionnistes à leur juste place et dans leur perspective tout idéologique. Une loi, la loi Gayssot, fut votée le 14 juillet 1990, qui permettait, entre autres choses, de condamner les personnes contestant « un ou plusieurs crimes contre l'humanité » ; pour imparfaite et limitative de la liberté d'expression et de recherche qu'elle soit — et à ce titre réprouvée par les historiens —, force est de constater qu'elle est parvenue à réduire — un temps — l'activisme des révisionnistes et a contribué, jusqu'à l'affaire Garaudy, à sortir du débat intellectuel une question qui, signe de l'époque, l'avait agité durant une dizaine d'années.

Florent Brayard

■ F. Brayard, *Comment l'idée vint à M. Rassinier. Naissance du révisionnisme*, Fayard, 1996. — P. Vidal-Naquet, *Les Assassins de la mémoire*, La Découverte, 1987.

NICOLET (Claude)

Né en 1930

Professeur à Paris I, directeur de l'École française de Rome, Claude Nicolet, bien qu'il ait renoncé à une carrière politique, n'a jamais dissocié sa pratique d'historien de Rome de son engagement civique. Il a fait sienne la formule de Mommsen : « Que le monde est triste pour celui qui n'y voit que des formules de mathématiques ou des inscriptions latines ! »

Né à Marseille en 1930, Claude Nicolet fait ses études au lycée Thiers, où il prépare avec succès le concours de l'École normale supérieure*. Reçu à l'agrégation d'histoire (1954), il est détaché au cabinet de Pierre Mendès France (1956) aux côtés duquel il s'est engagé au sein du Parti radical. Conseiller de Mendès France, il garde toutefois une certaine réserve humaniste face au règne de « l'expert » et au triomphe de la science en politique qu'exprime le colloque de Caen de 1956.

Quand Mendès France quitte son ministère, Claude Nicolet part pour l'École de Rome (1957-1959). Sacrifiant la politique, bien qu'il redevienne rédacteur en chef des *Cahiers de la République* (1961-1963), il est nommé maître de conférences à Tunis (1959-1961), puis maître-assistant, maître de conférences et enfin professeur à l'université de Caen (1961-1969). À ce moment, sa thèse sur l'ordre équestre a déjà assis sa réputation auprès des spécialistes, comme en témoignent ses séjours à l'Institute for Advanced Study et son élection à la Sorbonne (1969). Confrontant « les sources littéraires aux certitudes épigraphiques », la thèse de Claude Nicolet dépasse l'étude politique d'un groupe pour aboutir, grâce à la méthode prosopographique, à une histoire des structures sociales ; cette approche qui tend à déceler la légitimité sociale d'un ordre juridico-politique est en rapport avec la réflexion de Nicolet sur la République et la France.

Défenseur de la laïcité, ses ouvrages de réflexion sur le politique aujourd'hui cherchent à retisser la trame du lien social et à établir les fondements d'une raison républicaine. Face à l'expertise, au retour du communautarisme et à la société civile, Nicolet croit à la spécificité du politique dont la vie parlementaire lui semble une dimension à réhabiliter (« Rapport sur l'Instruction civique », *Le Débat**, 1985).

De la mort de la République romaine à la volonté de restaurer le rôle du Parlement aujourd'hui, le nouveau directeur de l'École de Rome (1992), tout en distinguant avec rigueur engagement et science, démontre qu'une logique essentielle peut unir l'une et l'autre.

Olivier Dumoulin

■ *L'Ordre équestre à l'époque républicaine (321-43 av. J.-C.)*, De Boccard, t. 1, 1966 ; t. 2, 1974. — *Le Métier de citoyen dans la Rome républicaine*, Gallimard, 1976. — *L'Idée républicaine en France. Essai d'histoire critique (1789-1924)*, Gallimard, 1982. — *L'Inventaire du monde. Géographie et politique aux origines de l'Empire romain*, Fayard, 1988. — *Rendre à César. Économie, société, fiscalité dans la Rome antique*, Gallimard, 1989. — *La République en France. État des lieux*, Seuil, 1992.

NIMIER (Roger)

1925-1962

L'écrivain s'est donné le nom de Nimier de La Perrière par goût pour la France des mousquetaires, autant que pour narguer les systèmes dominants de l'après-guerre. Il est né à Paris le 31 octobre 1925 dans une famille bourgeoise plutôt aisée. La mort précoce d'un père en 1939 conduit le bachelier brillant du lycée Pasteur de Neuilly à prendre un emploi commercial dès 1942, quand il commence des études de lettres et de philosophie à la Sorbonne. Volontaire à la Libération, il est recruté au 2e hussards en mars 1945, trop tard pour aller au feu. *Le Hussard bleu* lui ouvre les portes du journalisme à la fin de 1950. Rédacteur en chef de l'hebdomadaire *Opéra* jusqu'en 1952, puis inspirateur des pages littéraires de *Carrefour**, il est attaché de 1953 à 1956 au groupe Lazareff, en qualité de directeur littéraire du *Nouveau Femina**. Après quoi, il assume d'importantes fonctions aux Éditions Gallimard*, jusqu'à sa mort accidentelle en voiture le 28 septembre 1962. Membre du comité directeur de l'hebdomadaire *Arts** en 1959-1960, il avait aussi été critique dramatique du *Nouveau Candide* en 1961-1962.

Adolescent séduit par les idées littéraires et les dissidents de l'Action française*, il traverse l'immédiat après-guerre en coquetterie avec le royalisme contre-révolutionnaire que suggère *Perfide* en 1950. La même année, en sept essais adressés à Bernanos* mais selon un héritage maurrassien, *Le Grand d'Espagne* rassemble des articles dont certains ont paru dans le mensuel gaulliste de Claude Mauriac*, *Liberté de l'esprit**, en particulier la diatribe de février 1949 contre Sartre*, Breton* et Camus*. De là vient l'étiquette définitive de « fasciste », présente dans la chronique « Grognards et hussards » de Bernard Frank (*Les Temps modernes**, décembre 1952). Elle sera revitalisée par la signature du « Manifeste des intellectuels » le 7 octobre 1960. Ainsi se confirme la divergence qui le séparait de Mauriac et de sa *Table ronde* des années 1949-1950.

Le Hussard bleu est un roman dédié à un ami mort à la guerre, comme *Les Enfants tristes* à un camarade juif victime du génocide. Le premier avec *Les Épées*, le second avec *Histoire d'un amour*, représentent la guerre, puis les chemins d'un après-guerre à l'autre. Ils constituent la chronique d'un nouveau mal du siècle. Romancier silencieux après 1953, masqué de dandysme, Nimier critique et éditeur poursuit sa généreuse entreprise de réhabilitation en faveur des « épurés » de 1944 : Chardonne*, Morand*, Jouhandeau*, Fraigneau et, surtout, Céline* (*Lettres à la NRF*, Gallimard, 1991).

Marc Dambre

■ *Les Épées*, Gallimard, 1948. — *Le Hussard bleu*, Gallimard, 1950. — *Le Grand d'Espagne*, La Table ronde, 1950. — *Les Enfants tristes*, Gallimard, 1951. — *Histoire d'un amour*, Gallimard, 1953. — *Journées de lectures*, Gallimard, 1965. — *L'Élève d'Aristote*, Gallimard, 1981. — *Les écrivains sont-ils bêtes ?*, Rivages, 1990.

▒ M. Dambre, *Roger Nimier, hussard du demi-siècle*, Flammarion, 1989. — *Cahiers Roger Nimier*, n° 1 à 6, Association des Cahiers Roger Nimier, 1980-1989. — *Roger Nimier quarante ans après « Le Hussard bleu »* (actes du colloque international de mars 1990), Association des Cahiers Roger Nimier / Bibliothèque nationale, 1995.

NIZAN (Paul)

1905-1940

Paul Nizan est mort à trente-cinq ans, le 23 mai 1940, dans un obscur combat de retardement de la poche de Dunkerque. L'homme que tue une balle allemande est un ancien militant communiste fort actif qui vient de rompre avec son parti et se bat sous l'uniforme britannique, comme officier de liaison. Cet écrivain prometteur, couronné du prix Interallié 1938 pour *La Conspiration*, laisse derrière lui le manuscrit d'un nouveau roman, qui ne sera jamais retrouvé. Déjà commence à monter la calomnie, orchestrée par les communistes, selon laquelle il aurait été parmi eux un espion au service de la Préfecture de Police : on la retrouve après guerre, dans un roman de son ancien camarade (et ennemi juré) Louis Aragon*,

Les Communistes. Cette rupture, cette mort et cette rumeur enterreront le souvenir de Nizan pendant une vingtaine d'années. Bref, jusqu'au-delà de la mort, ce jeune homme inquiet et sarcastique aura subi de plein fouet ce qui le hantait incessamment : l'absurdité.

En apparence, tout aurait dû lui sourire. Ce fils d'ingénieur, né en province (à Tours, le 7 février 1905) mais tôt installé à Paris, a fait d'excellentes études, qui l'ont conduit jusqu'à la rue d'Ulm. Là, il brille parmi un petit groupe de futurs agrégés de philosophie (comme lui) dénommés Raymond Aron*, Simone de Beauvoir*, Jean-Paul Sartre*. Il contribue à orienter son cousin (par alliance) Claude Lévi-Strauss* vers l'ethnologie. Au dire de ses « petits camarades », il est celui auquel on accorde le plus bel avenir. Il ouvre d'ailleurs celui-ci à grand fracas avec un pamphlet vif et acide, *Aden Arabie* (1931), grand message d'adieu qu'un jeune homme doué adresse à la « culture bourgeoise ».

Mais les choses sont moins simples. Ses parents sont, à ses yeux, dépareillés et son père, hanté par l'angoisse. Dans son premier roman, *Antoine Bloyé* (1933), domine le thème de la trahison de classe : Bloyé, tout comme M. Nizan père, est un enfant du peuple que les études ont fait passer de l'autre côté et qui ne se remettra jamais de ce porte-à-faux. Le fils lui-même est loin de trouver d'emblée sa voie. Celui qui choisit en 1928 d'adhérer au petit et semi-clandestin Parti communiste a eu, trois ans auparavant, une tentation à l'autre extrême : il a fait un passage (éclair) au Faisceau de Georges Valois*. Bref, il a avant tout un compte à régler avec ses origines petites-bourgeoises. Ses tentatives pour créer, avec Georges Friedmann*, Norbert Guterman, Pierre Morhange et Georges Politzer* la première *Revue marxiste* française en font l'un des premiers philosophes « de profession » à rejoindre le PCF, mais l'entreprise, en 1929, tourne court au bout de sept numéros. L'enseignement en province et le militantisme à la base déçoivent tout autant le jeune homme, qui a soif d'en découdre au sommet et, quittant l'Éducation nationale, passe en 1932 au journalisme et à *L'Humanité**. Mais le Parti se méfie de l'orgueil intellectuel. Nizan multiplie les besognes militantes, publie un deuxième pamphlet, *Les Chiens de garde* (1932), qui aggrave sa rupture avec la philosophie universitaire. Il écrit avec talent des articles fort orthodoxes. En 1934, il séjourne à Moscou mais ce jeune stalinien anxieux n'a rien d'un agent du Komintern. L'étoile d'Aragon monte à son détriment ; en 1937, le Parti assigne à Nizan le rôle de chroniqueur diplomatique du grand quotidien populaire *Ce soir*. C'est dans cette position privilégiée que le surprend le pacte germano-soviétique. Ce n'est pas son éloignement consécutif qui paraîtra impardonnable au PC, mais le fait que, seul intellectuel communiste à agir ainsi, il aura l'audace, après l'entrée de l'Armée rouge en Pologne, de publier sa rupture dans la presse.

Aujourd'hui, la figure de Nizan, réhabilitée par Sartre (préface à la réédition d'*Aden Arabie*, en 1960), brille d'un éclat sombre, exemple tragique des déchirements de l'intellectuel communiste en même temps qu'écrivain de haute volée, auteur de trois chefs-d'œuvre, respectivement dans l'ordre du pamphlet *(Aden Arabie)*, du roman militant (*Le Cheval de Troie*, 1935) et du roman idéologique *(La Conspiration)*. Les héros de ce dernier, son livre le plus abouti, rêvent de changer le monde. Deux ou trois réussissent seulement à se changer eux-mêmes ; à leurs risques et périls. Prescience de l'auteur.

Pascal Ory

■ *Aden Arabie*, 1931, rééd. Maspero (avant-propos de J.-P. Sartre, éd. de 1960), 1976. — *Antoine Bloyé*, 1933, rééd. Grasset, 1978. — *Le Cheval de Troie*, 1935, rééd. Gallimard, 1968. — *La Conspiration*, 1938, rééd. Gallimard, 1973.

■ B. Alluin et J. Deguy, *Paul Nizan écrivain* (actes du colloque Paul Nizan des 11 et 12 décembre 1987), Presses universitaires de Lille, 1988. — A. Cohen-Solal, *Paul Nizan, communiste impossible*, Grasset, 1980. — Y. Ishagpour, *Paul Nizan : l'intellectuel et le politique entre les deux guerres*, La Différence, 1990. — H. Nizan, *Libres mémoires*, Laffont, 1989. — P. Ory, *Nizan : destin d'un révolté*, Ramsay, 1980. — J. Steel, *Paul Nizan : un révolutionnaire conformiste ?*, Presses de la FNSP, 1987.

NORA (Pierre)

Né en 1931

Fils de chirurgien, né en 1931, Pierre Nora évolue tout au long de sa jeunesse au sein de la grande bourgeoisie parisienne. Par son frère aîné, Simon Nora, il côtoie l'élite dirigeante et certains représentants éminents de l'intelligentsia de gauche. Il participe, dès 1948, à la fondation d'une petite revue, *Impudence*, en compagnie de Pierre Vidal-Naquet* et de quelques amis. Après une hypokhâgne au lycée Henri-IV, puis une khâgne* au lycée Louis-le-Grand, il échoue au concours de l'École normale supérieure* et se tourne vers la Sorbonne, où il obtient l'agrégation d'histoire en 1958. Nommé enseignant à Oran (1958-1960), il publie, à son retour, chez Julliard, *Les Français d'Algérie* (1961), qui rencontre la faveur du public et lui ouvre les portes de *France-Observateur**. Fort de son succès, il lance en 1964, chez le même éditeur, la collection « Archives », qui inaugure la diffusion de livres de poche inédits à vocation documentaire et historique, promis à un bel avenir.

Introduit dans la forteresse Gallimard* en 1965, ayant pressenti avant tous les autres les modifications de la sensibilité intellectuelle du moment, il crée en 1966 la « Bibliothèque des sciences humaines », dont les plus beaux fleurons sont les ouvrages d'Émile Benveniste* *(Problèmes de linguistique générale)*, de Michel Foucault* *(Les Mots et les choses)*, de Georges Dumézil* *(Mythe et épopée)*, de François Jacob* *(La Logique du vivant)*, etc. Simultanément, il fonde la collection « Témoins » où seront publiés des témoignages et des enquêtes comme, par exemple, *L'Aveu* d'Arthur London, *Le Voyage à Ixtlan* de Carlos Castaneda, ou *Contre tout espoir* de Nadejda Mandelstam. Au tournant des années 70, continuant sur sa lancée, il fonde la collection « Bibliothèque des histoires », où les ouvrages de Michel de Certeau*, de Georges Duby*, de Michel Foucault, de Jacques Le Goff*, d'Emmanuel Le Roy Ladurie* révèlent au grand public les historiens des *Annales* et favorisent l'éclosion de recherches importantes. Pierre Nora s'impose donc comme un homme de jonction essentiel entre Gallimard, *Le Nouvel Observateur** et l'École des hautes études en sciences sociales* (où il est nommé en 1976) : le réseau de la « Nouvelle Histoire » doit sans aucun doute une partie de sa notoriété au médiateur hors pair de Gallimard.

Face au retournement de la conjoncture intellectuelle qui suit 1975, Pierre Nora tente de redessiner la carte des nouveaux enjeux politiques, économiques, culturels en lançant en 1980, avec l'aide de Marcel Gauchet*, la revue *Le Débat**, « parce qu'en France il n'y en a pas ». En appelant à un régime de démocratie intellectuelle, la revue, placée sous le sceau de l'histoire, la politique, la société, va donner la parole aux représentants des sciences exactes et des sciences humaines, encourager la percée d'une nouvelle génération de clercs (A. Finkielkraut*, P. Yonnet, G. Lipovetsky, etc.) et participer à certaines polémiques (la célébration du Bicentenaire de la Révolution française, le projet de la Très Grande Bibliothèque). Parallèlement, il met sur pied, à partir de 1984, une vaste entreprise de réévaluation de l'identité et de la symbolique française *(Les Lieux de mémoire)*, qui le désigne comme l'un des historiens les plus influents dans le débat intellectuel du moment.

Rémy Rieffel

■ *Les Français d'Algérie*, Julliard, 1961. — *Faire de l'histoire* (dir. P. Nora et J. Le Goff), Gallimard, 1974, 3 vol. — *Les Lieux de mémoire* (dir. P. Nora), Gallimard, 1984 à 1993, 7 vol.

NOUVEAUX « INTELLECTUELS » ?

Privilège théorique des intellectuels patentés (professeurs, écrivains, scientifiques, artistes), l'engagement public et proclamé en faveur d'une cause n'a, dans les faits, que très brièvement été l'apanage exclusif d'une catégorie particulière de la population. Sans doute les signataires des pétitions relatives à l'affaire Dreyfus* se recrutent-ils, pour la quasi-totalité d'entre eux, chez les écrivains et parmi les membres de l'Université. Mais, avec le temps, on assistera à un double mouvement : le premier concerne le titre même d'intellectuel qui, d'abord réservé aux membres des sphères littéraire et universitaire, sera progressivement reconnu à des personnes issues d'autres cercles — artistes, journalistes, membres des professions libérales, ingénieurs. Le second, auquel nous nous intéresserons plus particulièrement ici, a trait à l'évolution plus générale qu'a connue l'engagement proclamé, et au fait que les intellectuels, quels qu'ils soient, qui en étaient autrefois les seuls acteurs, ont vu progressivement leur rôle se réduire, tandis que s'accroissait celui de catégories s'appuyant sur d'autres critères de légitimité.

On ne saurait comprendre cette évolution sans revenir d'abord sur les origines, et plus précisément sur la signification initiale de l'engagement des intellectuels. Cet engagement obéit en effet à trois ressorts principaux : premièrement, les intellectuels sont des hommes qui ont pour métier de réfléchir ; leur pensée a donc une valeur exemplaire. Deuxièmement, les intellectuels possèdent une certaine notoriété, et cette notoriété rejaillit sur les causes qu'ils défendent ; elle a une valeur d'entraînement. Troisièmement, les intellectuels sont des hommes vivant dans le concept et loin des querelles ; on ne peut les soupçonner d'être guidés par l'esprit partisan ; leur engagement a donc une valeur objective. Exemplarité et légitimité, notoriété, objectivité, tels sont les trois piliers sur lesquels repose l'engagement intellectuel. Mais il est clair que, dès l'origine, ces piliers sont fragiles : nul ne contestera aux intellectuels que leur métier les prédispose à la réflexion ; il est cependant évident qu'ils ne sont pas les seuls dans ce cas. L'élévation générale du niveau de formation grignotera progressivement l'avantage dont les universitaires et les écrivains disposaient à la fin du XIXe siècle, au point de le faire pratiquement disparaître.De la même façon, la célébrité de certains écrivains ou professeurs leur permet sans doute de promouvoir des causes qui, sans eux, seraient demeurées ignorées, mais, outre que cette célébrité fut toujours le fait d'une infime minorité d'entre eux, elle ne fut jamais leur apanage et fut très rapidement débordée par celle qui découlait de la présence dans les médias. On pouvait enfin considérer que l'engagement des intellectuels était d'autant plus remarquable qu'il était le fait de personnes se présentant comme étrangères au débat politique ; il apparut rapidement que l'engagement pouvait devenir une spécialité, les intellectuels engagés dans cette voie pouvant de moins en moins être considérés comme abstraits des luttes partisanes.

Dès le début, à vrai dire, l'engagement des intellectuels repose sur une contradiction : c'est au nom de la qualité de sa réflexion, de son autonomie et de son indépendance d'esprit que l'intellectuel prend position ; il ne peut cependant aller jusqu'au bout de sa prise de position, c'est-à-dire s'engager, sans sortir, ne serait-ce qu'un instant, du rôle qui est le sien — rôle qui, justement, fonde la légitimité de son intervention. En d'autres termes, c'est parce qu'il est un intellectuel que son engagement a une valeur particulière mais, en s'engageant, il renonce implicitement à son statut d'intellectuel, statut dont pourtant il se prévaut. Cette contradiction, qui sera au cœur des réflexions menées par un Charles Péguy*, un Julien Benda*, un Jean Guéhenno*, n'empêchera pas l'émergence et la consolidation, à partir des années 20, de la figure de « l'intellectuel engagé » qui dominera le paysage français jusqu'au milieu des années 70. Figure évolutive au demeurant, la mineure (engagé) se substituant progressivement à la majeure (intellectuel) comme référent, cette substitution ayant momentanément pour effet d'aboutir à une nouvelle définition de l'intellectuel : pendant quelques décennies, l'intellectuel sera l'intellectuel qui s'engage ; il arrivera même, poussant la substitution jusqu'à son terme, qu'on définisse l'intellectuel comme celui, quel qu'il soit, qui s'engage.

À partir de la fin des années 70, le climat change. Sans doute est-ce la conséquence d'une progressive acceptation, par les élites ou proclamées telles, des fondements du jeu démocratique : un homme, une voix. Cette acceptation coïncide cependant avec une chute brutale du pouvoir détenu par les intellectuels sur l'opinion : d'une part, parce que bon nombre d'intellectuels renient alors publiquement leurs engagements passés et qu'il apparaît ainsi qu'ils peuvent se tromper ; d'autre part et surtout, parce que l'intellectuel se voit détrôné, en termes de notoriété, par de nouveaux acteurs, issus des médias, et dont l'impact sur l'opinion est sans commune mesure avec le leur.

En apparence, c'est alors une sorte de médiocratie qui s'installe, fondée sur la primauté du « Vu à la télé ». Mais, en vérité, les choses sont beaucoup plus complexes : la notoriété procurée par les médias est indiscutable ; il n'est plus du tout certain, en revanche, que la notoriété soit synonyme de pouvoir sur l'opinion. Dans cette mesure, c'est moins l'intellectuel qui subit un déclin de son influence que le maître à penser, le porteur de sens de façon plus générale. Ce n'est pas l'intellectuel qui est rejeté, c'est l'autorité, la prétention de quelque individu que ce soit à être investi d'on ne sait quelle légitimité et omni-compétence. La montée en puissance des médias, le foisonnement des discours et des proclamations, l'explosion de l'information et de la connaissance entraînent une dévalorisation de la fonction de gourou, deux types d'acteurs pouvant prétendre à le remplacer : le démagogue, d'une part, dont le succès s'appuie sur la séduction ; le sage, d'autre part, investi du rôle de grande conscience, dont la légitimité ne découle ni de la science, ni de la notoriété, ni du talent, mais d'on ne sait quel mélange de bon sens et de capacité à inspirer confiance.

Ni Yves Montand, en son temps, ni, plus récemment, Bernard Tapie ou l'abbé Pierre ne sauraient être considérés comme les avatars d'Émile Zola*, d'André Gide* ou de Jean-Paul Sartre*. Le maître à penser omniscient d'hier, qui incarnait à lui seul l'intelligence en action, a disparu. On peut le regretter ; encore faut-il comprendre que son existence signifiait la persistance, au sein du système démocratique, d'une forme de pensée fondamentalement aristocratique (le peuple a besoin d'être guidé).

Bernard Laguerre

Nouvelle Critique (La)

Créée en pleine Guerre froide* — son premier numéro paraît en décembre 1948 —, *La Nouvelle Critique* est au cœur du dispositif de la « bataille idéologique incessante contre la réaction », selon le mot d'Étienne Fajon, que le Parti communiste français et le Kominform entendent mener. Dans une conjoncture idéologique dominée par l'existentialisme, une vie intellectuelle prise encore dans le cycle éditorial et hiérarchisée selon les positions adoptées par chacun, acteurs ou institutions, pendant l'Occupation, *La Nouvelle Critique* naît pour concurrencer, en vain d'ailleurs, *Les Temps modernes** autour de Sartre* et *Esprit** autour de Mounier*. « Revue du marxisme militant » selon son sous-titre d'alors, elle est animée par de jeunes militants, Annie Besse (qui deviendra Annie Kriegel*), Pierre Daix*, Jean-Toussaint Desanti*, Victor Leduc, et dirigée par Jean Kanapa*, agrégé de philosophie et ancien élève de Jean-Paul Sartre.

Fut-elle véritablement l'épicentre de la diffusion des thèses de Jdanov et de Lyssenko ? Plus vraisemblablement, elle obéit à un partage des rôles. Tandis que le courant matérialiste, encyclopédiste et humaniste dans la lignée d'Helvétius est diffusé à *La Pensée**, le courant socialiste, scientifique et stalinien, au sens où l'on se réfère à Staline, est plus présent dans *La Nouvelle Critique*. Dès son premier numéro, la revue confie ainsi à Fougeron*, quelques semaines après le Salon d'automne où il prit son tournant « nouveau réaliste » en exposant ses *Parisiennes au marché*, un premier article qui rappelle combien il est « nécessaire avant tout de mettre l'accent sur la *réalité du contenu social* du sujet ». Un an plus tard, dans son numéro 8, paraît, et notamment sous la plume de Jean-Toussaint Desanti, l'ensemble « Science bourgeoise et science prolétarienne ». On y lit encore la critique des *Annales*, de la sociologie, comme la condamnation de la psychanalyse, bien qu'elle se fît moins virulente qu'ailleurs.

L'hémorragie des intellectuels communistes après la répression de l'insurrection hongroise en novembre 1956 oblige à renouveler quasi totalement l'équipe de 1948. Jacques Arnault devient rédacteur en chef en 1959. Il choisit de s'appuyer de nouveau sur une équipe de jeunes intellectuels, les philosophes Michel Verret et Michel Simon, les historiens François Hincker, Antoine Casanova, les germanistes Pierre Juquin et André Gisselbrecht.

La Nouvelle Critique se permit alors quelques incursions dans les domaines réservés aux politiques. Ce fut notamment le cas de son numéro de décembre 1963 consacré à la première analyse du culte de la personnalité, dont Michel Verret fut la cheville ouvrière. Il en fut de même lors de la prise de position de la revue en faveur d'Althusser* à l'occasion du débat autour de l'humanisme (numéros de mars 1965 à février 1966) qui opposa le philosophe de la rue d'Ulm et le philosophe du bureau politique, Roger Garaudy*. La revue est, dès lors, en partie suspecte aux yeux de la direction du Parti. Dans le même temps, cette controverse philosophique ouvrait la voie au débat des philosophes de Choisy-le-Roi, en janvier 1966, et contribuait à la tenue du comité central d'Argenteuil de mars 1966 qui permit aux intellectuels de libérer de toute tutelle idéologique les débats dans le domaine des arts et des lettres.

La suspicion qui entoura la revue au milieu des années 60, comme la nécessité pour le Parti communiste de s'assurer le concours des nouvelles couches intellectuelles, les ITC (intellectuels, techniciens et cadres), conduisirent à la mise en place d'une nouvelle formule, illustrée, et dont le format ressemblait dorénavant aux news-magazines des années 60 et non plus aux revues de l'après-guerre. Préparée pendant près de deux ans, elle s'inscrit dans la logique générale de l'« aggiornamento » du PCF et publie son premier numéro en février 1967. Francis Cohen devient son directeur, il le sera jusqu'au bout, et Antoine Casanova son rédacteur en chef.

La Nouvelle Critique se situe dans le mouvement de révision théorique qu'entame le PCF. Aussi, au fil des ans, défend-elle, tout en restant strictement orthodoxe, le « nouveau cours tchécoslovaque », la « voie française au socialisme », l'« abandon de la dictature du prolétariat » ou encore l'Union de la gauche et les thèses eurocommunistes. Contrairement aux années 60, elle ne prend plus d'initiative en ce domaine.

Si l'on s'en tient à son registre plus strictement intellectuel, dès 1967, *La Nouvelle Critique* apparaît comme une « tête chercheuse ». Elle accueille par exemple les membres de *Tel Quel**, avec lesquels elle organise deux colloques consacrés à la linguistique, en avril 1968 et en avril 1970. La philosophe Christine Buci-Glucksmann et le littéraire Claude Prévost en furent les principaux artisans, côté *Nouvelle Critique*. Dans le même temps, la revue dialogue avec les *Cahiers du cinéma**, avant de rompre pendant l'été 1971 avec ces deux publications, converties pour un temps au maoïsme. Cette politique d'ouverture culturelle se retrouve encore avec l'organisation de débats entre psychanalystes et marxistes par Catherine Clément, ou avec la relecture des historiens des *Annales* et l'introduction de la sociologie, disciplines autrefois condamnées. Elle lui permet, dans une conjoncture dominée par le Programme commun, d'atteindre les sommets de sa diffusion (environ 10 000 abonnés) autour de 1972 et de conquérir un public pour moitié composé d'étudiants.

En 1976, Antoine Casanova est remplacé par François Hincker, secondé par un secrétaire général, Arnaud Spire. La majorité du comité de rédaction de la revue, profondément engagée dans l'Union de la gauche, souvent membre de la Fédération de Paris, au bord de la normalisation, se fait de plus en plus critique vis-à-vis de la stratégie des politiques, comme de leurs méthodes de commandement. Auteur de deux numéros contestataires — avril 1978 et octobre 1978 — après la défaite de la gauche aux législatives du printemps 1978, la revue est en butte à la répression menée à l'encontre des contestataires à la fin des années 80. Supprimée en même temps que *France nouvelle* et remplacée, comme cet hebdomadaire, par *Révolution*, elle publie son dernier numéro en janvier 1980.

Frédérique Matonti

NOUVELLE ÉCOLE

Modeste brochure ronéotypée à sa fondation en 1968, *Nouvelle École* a pris rapidement l'allure soignée d'une revue de grand format dont chaque numéro, épais de plus de cent pages, équivaut à une somme sur un ou plusieurs thèmes donnés. Son fondateur et directeur, Alain de Benoist*, tient à préciser qu'elle est distincte du Groupement de recherche et d'études pour la civilisation européenne* (GRECE), encore que la liste de ses rédacteurs montre une étroite proximité, de Michel Marmin à Pierre Vial, Jean-Claude Valla et Jean-Claude Rivière. Il en va de même pour le choix des sujets : eugénisme, éthologie, Indo-Européens, Richard Wagner, Ernst Jünger, Carl Schmitt, Martin Heidegger…

Les adeptes de *Nouvelle École* insistent sur la densité de ses textes, sur la nouveauté de ses références culturelles, sur son ouverture aux idées élaborées hors de l'Hexagone, dont témoigne un vaste réseau de correspondants à l'étranger. Quoiqu'ils aient fait parfois connaître leurs réticences quant à l'économie générale de la revue, des intellectuels français et étrangers parmi les plus prestigieux lui ont apporté leur caution, par l'envoi de compliments publiés dans la revue ou, mieux, en acceptant de figurer à son comité de patronage. Ce sont par exemple Arthur Koestler et Mircea Eliade, les académiciens Pierre Gaxotte*, René Huyghe, Thierry Maulnier*, le prix Nobel Konrad Lorenz, ainsi que Louis Pauwels* et Julien Freund. Même brève, la présence discutée de Georges Dumézil* — duperie ou connivence — est caractéristique du trouble qu'a suscité *Nouvelle École*. Ni le patronage d'universitaires au lourd passé, tel l'Allemand F. Altheim, ni la tonalité d'un texte de Jean Parvulesco célébrant la revue — « Ceux de *Nouvelle École* réarment-ils le front de la Chaussée boréale ? » — ne contribuent à le dissiper.

Tirée, à son apogée, en 7 000 à 10 000 exemplaires selon les numéros, et largement diffusée à l'étranger, *Nouvelle École* a connu une publication irrégulière dès la fin de la décennie 70, puis un rythme alangui, à raison d'un numéro par an, suivi d'un abandon discret après le nº 46 de l'automne 1990, comme si *Krisis** mobilisait désormais toutes les énergies.

Anne-Marie Duranton-Crabol

■ M. Billig, *De la psychologie à la « science des races ». L'internationale raciste*, Maspero, 1981. — A.-M. Duranton-Crabol, *Visages de la Nouvelle Droite. Le GRECE et son histoire*, Presses de la FNSP, 1988.

NOUVELLE REVUE (LA)

Juliette Adam (1836-1936) — Juliette Lamber sous son nom de plume —, veuve d'Edmond Adam, amie de Gambetta, égérie des cercles républicains, femme de lettres et de salon, aimait à raconter qu'elle avait fondé *La Nouvelle Revue* en octobre 1879 en suivant un ancien conseil donné par George Sand : « Il n'y a plus de grandes places littéraires que pour les vieux à la *Revue des Deux Mondes* ; il faut créer un organe nouveau pour les jeunes, une nouvelle revue. » C'est l'un de ses proches, Calmann Lévy, qui par son appui dans la direction de l'entreprise et surtout par son ferme soutien financier, lui permit de s'installer au 80 rue Taitbout et de créer une revue littéraire, dont Flaubert, avec *Bouvard et Pécuchet*, et Maupassant, avec *Pierre et Jean*, assurèrent les premiers succès. La revue réussit à satisfaire une de ses ambitions, le lancement de jeunes auteurs : Pierre Loti surtout, fils spirituel de Juliette Adam, Paul Bourget*, Paul Margueritte, Léon Daudet* en bénéficièrent pleinement dans leur ascension littéraire.

Grâce à une livraison bimensuelle de près de 150 pages, diffusée par la Librairie Flammarion* au prix de 2,50 francs, *La Nouvelle Revue, politique, littéraire et artistique* put développer, à côté des lettres et d'un intérêt soutenu pour l'histoire, une abondante rubrique d'actualité, « La quinzaine », agrémentée de photographies en noir et blanc : des sujets politiques — la défense des idées républicaines, à l'origine —, financiers, coloniaux y prenaient place, accompagnés des traditionnels carnet, revue dramatique, mode. Le républicanisme céda le pas bien avant la fin du siècle à un antidreyfusisme militant : *La Nouvelle Revue* fut un des titres les plus engagés dans la propagande antidreyfusarde, orchestrée par le théoricien nationaliste Jules Soury*, qui réunit en 1902 ses articles de *La Nouvelle Revue* dans un ouvrage de combat, *Campagne nationaliste (1899-1901)*.

D'emblée, la tonalité nationale, et surtout la passion antigermanique, conféra à la revue une coloration forte que J. Adam entretenait dans une lettre mensuelle sur la politique étrangère, où elle exprimait « la violente amour que nous avons de la Gaule ». Les successeurs de Mme Adam conservèrent au XXe siècle l'engagement résolument national. Pierre-Barthélemy Gheusi, critique musical et futur directeur de l'Opéra-Comique, nommé directeur de *La Nouvelle Revue* en 1899, en fit le bastion de la campagne pour l'alliance franco-russe.

En 1908, le critique et auteur dramatique Henri Austruy arriva aux commandes, qu'il partagea pendant quelques années avec Johannès Gravier. La revue s'enferma dans la germanophobie militante, trempée à l'épreuve de 1914 où le mot d'ordre devint « *Delenda est Teutonia* ». H. Austruy pilota la revue jusqu'à la disparition de celle-ci en 1939 et fut secondé dans les années 30 par le rédacteur en chef P.-L. Roussel. Sous sa direction, les idées politiques d'origine, libérales et démocrates, évoluèrent vers celles des milieux strictement nationalistes. *La Nouvelle Revue* resta cependant avant tout une revue littéraire et mondaine, mais ne parvint plus à remplir sa vocation à être le creuset de la jeune littérature et à accueillir des noms prestigieux, à la mesure de ceux qui avaient fait son renom au tournant du siècle. Après avoir vu le volume de ses livraisons diminuer, la revue cessa de paraître en octobre 1939.

Anne Rasmussen

■ B. Brumel, *Le Nationalisme dans « La Nouvelle Revue », de l'idée républicaine à l'antidreyfusisme (1879-1900)*, mémoire, IEP de Paris, 1986. — M. Cormier, *Madame Juliette Adam ou l'Aurore de la IIIe République*, Bordeaux, Delmas, 1934. — V. Duclert, « Les revues dreyfusardes en France : l'émergence d'une société intellectuelle », *La Revue des revues*, 17, 1994.

NOUVELLE REVUE FRANÇAISE (LA)

Selon François Mauriac*, la *NRF* fut, durant ses années de jeunesse, la « rose des vents » de la culture française.

Créée par un groupe d'amis qui avaient assisté à la disparition de *La Revue blanche**, de *L'Ermitage* auxquels certains collaboraient, *La Nouvelle Revue française* prend son vrai départ en février 1909. André Gide*, Jean Schlumberger, Henri Ghéon, Jacques Copeau*, André Ruyters et Marcel Drouin entendent œuvrer pour le renouveau de la littérature et de la critique littéraire. Dès le premier numéro la revue offre à ses lecteurs un extrait de *La Porte étroite* de Gide. Pendant sa première année, celle qui est rapidement devenue la *NRF* réunit les signatures et les contributions de Jean Giraudoux*, d'Edmond Jaloux et de Paul Claudel*.

En 1911, le secrétariat de la revue est confié à un jeune collaborateur des débuts, intime du « cercle », Jacques Rivière*. Avec Gaston Gallimard* comme éditeur, la *NRF* devient de mois en mois l'« évangile », comme le dit le jeune François Mauriac*, de toute une jeunesse à laquelle elle révèle André Suarès*, Paul Valéry*, Ibsen, Saint-John Perse*, Charles Du Bos, Alain-Fournier, sans se cantonner à la littérature, sachant se mettre à l'unisson du formidable enthousiasme que créent les Ballets russes. En 1914, c'est la *NRF* qui publie les premiers extraits d'*À la recherche du temps perdu* que Gallimard va éditer après l'avoir négligé. Mais la revue n'est pas qu'un florilège de textes, elle maintient un regard aigu sur toutes les formes de culture et au-delà des frontières.

La guerre met une terme provisoire à cette floraison de talents et d'opinions. La revue suspend sa parution en septembre 1914.

En juin 1919, alors qu'elle reprend son cours, on mesure les vides de l'absence d'Alain-Fournier, de Charles Péguy* et de Guillaume Apollinaire*. André Gide mis en retrait, Copeau se consacre au théâtre et Ghéon s'éloigne mais Jacques Rivière annonce un langage nouveau, un libéralisme qui n'aura rien de commun avec l'indifférence, et « une neutralité politique » qui ne saura être confondue avec le détachement et le dilettantisme. Plus encore qu'avant la guerre, la *NRF* attire les jeunes auteurs, acceptant de voir se révolter les anciens contre la publication de textes qu'ils jugent inadmissibles. Paul Claudel menace de n'y plus participer en constatant que Rivière voue sa *Reconnaissance à Dada* en 1920, laisse paraître *L'Extra* de Louis Aragon* ou des passages de *Sodome et Gomorrhe* de Proust*.

La revue accueille André Breton*, François Mauriac, Ramon Fernandez*, Paul Morand* et tant d'autres, ce qui fait dire à Joseph Delteil : « Et c'est un fait aussi que si l'on supprime de la littérature actuelle les noms de tous les écrivains publiés à la *NRF*, eh bien, il ne reste pas grand-chose. »

La mort brutale de Jacques Rivière en 1925 pourrait faire craindre une profonde secousse, mais « l'esprit NRF » est bien ancré. Jean Paulhan*, qui assistait déjà Rivière depuis 1920, reprend bientôt la direction, réintègre André Gide à sa place initiale. Avec des hommes nouveaux dans la rédaction, comme Bernard Groethuysen*, Benjamin Crémieux, Charles Du Bos et Jean Cassou*, la revue aborde tous les problèmes. Gide y publiera ses réflexions à son retour d'URSS, Julien Benda* des passages de *La Trahison des clercs* même si ce n'est pas du goût de Gabriel Marcel*. D'autres auteurs sont venus grossir les rangs, comme Georges Bernanos*.

En juin 1940, la *NRF* dirigée par Jean Paulhan décide d'arrêter sa publication. Otto Abetz juge qu'il faut la faire reparaître et Pierre Drieu La Rochelle*, auteur de la maison, accepte la direction avec pour principe qu'elle doit dorénavant être une revue politique. Sans hésiter, Georges Bernanos, Paul Claudel, Jules Romains* et François Mauriac ont refusé d'y participer. Les noms de Julien Benda, André Suarès, Jean Wahl* sont absents des sommaires en raison de leurs origines juives. Il n'est pas question de mentionner Thomas Mann ou Stefan Zweig. On remarque les nouvelles signatures d'Alfred Fabre-Luce*, d'Abel Bonnard* ou d'Alphonse de Châteaubriant* aux côtés de celles d'André Gide, de Ramon Fernandez, Jean Giono*, Marcel Aymé*, Marcel Jouhandeau*, Brice Parain et Claude Roy*. Jean Paulhan s'est résolument rangé dans la Résistance, écrivant dans une revue qui porte ce nom avant de fonder dans la clandestinité, avec Jacques Decour*, *Les Lettres françaises**, et de participer avec Vercors* à la mise en place des Éditions de Minuit* en 1942. La *NRF* de guerre continuera à paraître jusqu'en juin 1943.

En 1944, elle est frappée d'interdiction, une sanction qui sera levée eu égard à la personnalité de Paulhan et de Gaston Gallimard qui ne s'est jamais entremis dans cette entreprise. Paulhan reprendra la direction de la revue en 1953. Mais cette fois la guerre a causé une fracture douloureuse aux séquelles durables. La reprise des *Lettres françaises* par Louis Aragon* comme organe culturel du Parti communiste français, la création de revues nouvelles comme *Les Temps modernes** par Jean-Paul Sartre*, annoncent l'ère de la littérature et de la culture engagées voire militantes. La maturité de la *NRF* contrainte de se rebaptiser *Nouvelle Nouvelle Revue française* s'annonce prudente et réservée. Si elle se fait remarquer par ses numéros spéciaux d'hommages, à André Gide (1951), Paul Claudel (1955) ou André Breton (1966), ce n'est pas dans ses pages qu'on assiste à la dernière « aventure » collective de la littérature française, l'avènement du Nouveau Roman.

Françoise Werner

■ A. Anglès, *André Gide et le premier groupe de « La Nouvelle Revue française ». La formation du groupe et les années d'apprentissage (1890-1910)*, Gallimard 1979. — J. Cabanis, *Dieu et la NRF (1909-1949)*, Gallimard, 1994. — P. Hebey, *L'Esprit NRF*, Gallimard, 1990 ; *« La Nouvelle Revue française » des années sombres (1940-1941)*, Gallimard, 1992. — J. Lacouture, *Une adolescence du siècle. Jacques Rivière et la NRF*, Seuil, 1994.

NOUVELLES LITTÉRAIRES, ARTISTIQUES ET SCIENTIFIQUES (LES)

Le premier hebdomadaire consacré à la vie « artistique et scientifique » naît en octobre 1922 de l'association d'un écrivain, Maurice Martin du Gard — directeur de la publication jusqu'en 1936 —, d'un fils de famille, Jacques Guenne, et d'un journaliste, Frédéric Lefèvre, soutenus par l'éditeur Larousse. La nouveauté, c'est d'abord le support. Cet hebdomadaire culturel, conçu sur le format d'un quotidien, veut battre en brèche le monopole des revues et proposer un organe culturel bon marché qui, « par la précision de son information, son impartialité tant politique que littéraire [puisse permettre au public] de suivre à peu de frais les diverses manifestations de la vie intellectuelle dans leurs tendances les plus audacieuses ou les plus traditionnelles » (n° 2, 28 octobre 1922). En 1926, avec 150 000 lecteurs, *Les Nouvelles littéraires*, « huit pages, huit sous », seront devenues une bonne affaire. La longévité du titre témoigne de son succès : *Les Nouvelles littéraires* dureront, moyennant quelques avatars, jusqu'en 1984, avec un tirage compris entre 60 000 et 70 000 exemplaires. Ce n'est pas tant par l'avant-gardisme de ses choix littéraires que se signale la publication — qui entérine l'académisme en littérature française, avec certaines audaces dans le domaine étranger (Joyce, Mansfield, Woolf, Ibsen, Strindberg figurent au sommaire dès les années 20) — que par son orientation délibérément littéraire à un moment où le politique mobilise nombre d'écrivains, et par l'invention de rubriques appelées à faire date. En novembre 1924, Frédéric Lefèvre lance ses « Une heure avec... » : il emmène le grand public en visite chez le grand écrivain. Il ne révélera pas d'auteurs à proprement parler — si l'on excepte Bernanos* — mais imposera un genre : l'interview littéraire. En 1930, Georges Charensol, successeur de René Crevel* au secrétariat de rédaction depuis 1925, crée une rubrique consacrée au cinéma, d'abord confiée à Jean Prévost*, puis, à la Libération, à Alexandre Arnoux. C'est également aux *Nouvelles littéraires* que l'on doit le premier « grand concours de mots croisés » en 1925 et la publication de la première liste des « plus forts tirages de l'édition française depuis dix ans », en 1955.

Jusque dans les années 30, *Les Nouvelles littéraires* jouiront d'une position de quasi-monopole sur le marché des hebdomadaires culturels ; elles seront ensuite concurrencées à droite par *Je suis partout** (1931), à gauche par *Marianne** (1932) et *Vendredi** (1935). À la Libération, elles connaîtront de grandes difficultés pour reparaître, malgré leur interruption en juin 1940 : il leur sera demandé d'épurer leur rédaction de certains « collaborateurs », Maurice Martin du Gard et André Thérive (qui, depuis 1925, s'occupait des « consultations grammaticales ») notamment ; quant à Edmond Jaloux, leur chroniqueur littéraire depuis 1924, il lui est reproché d'avoir passé la guerre en Suisse.

C'est une rédaction renouvelée qui assure la reparution du journal en avril 1945 : Robert Kemp signe le feuilleton littéraire, Gabriel Marcel* s'occupe de la critique dramatique. La position du journal, qui maintient une ligne purement littéraire, ne se stabilise à nouveau qu'en 1949 : les principales revues nées de la guerre ont fait faillite ; Georges Charensol devient leur rédacteur en chef (il le demeurera jusqu'en 1962). Mais *Les Nouvelles* ne seront jamais plus cette « fabrique de gloire » qu'elles ont été avant guerre.

En 1979, *Les Nouvelles littéraires* ne se vendent plus qu'à quelques milliers d'exemplaires. Philippe Tesson en devient propriétaire, et confie à Jean-François Kahn* la direction de la rédaction. De l'hebdomadaire purement culturel qu'elles étaient, *Les Nouvelles littéraires* se transforment en publication politique d'approche culturelle. Grâce à une équipe dynamique, aux idées de J.-F. Kahn, et à une nouvelle maquette, le journal atteint une vente moyenne de 70 000 exemplaires. Cependant, en 1981, à la suite de la victoire socialiste à la présidentielle et aux législatives, Philippe Tesson affiche des positions personnelles de plus en plus hostiles à la nouvelle majorité. Jean-François Kahn, qui avait conçu une ligne « contre le stalinisme de gauche et le stalinisme de droite », estime qu'il n'est plus possible de diriger un hebdomadaire en désaccord total avec son propriétaire. Finalement, en 1984, J.-F. Kahn reprend le journal, qui avait connu entre-temps plusieurs propriétaires : 40 % des journalistes, le reste du personnel, les locaux de la rue Christine, les machines, sont mis au service de *L'Événement du jeudi**, qui entame sa carrière.

Anne Simonin

■ M. Barrière, « La fabrique de gloire », *Mercure de France*, n° 765-768, mai-juin 1930. — G. Charensol, *De Montmartre à Montparnasse. Entretiens avec Jérôme Garcin*, François Bourin, 1990. — M. Dehaye, *« Les Nouvelles littéraires, artistiques et scientifiques » (1925)*, Université catholique de Louvain, 1970. — J. Léonard, *Tables de l'hebdomadaire « Les Nouvelles littéraires, artistiques et scientifiques » (octobre 1922-décembre 1924)*, Université catholique de Louvain, 1969.

NOUVEL OBSERVATEUR (LE)

Le 13 avril 1950, le premier numéro de *L'Observateur* — « politique, économique et littéraire » — est dans les kiosques. L'hebdomadaire, qui sous ses différents avatars — *France-Observateur* puis *Le Nouvel Observateur* — serait pour plusieurs décennies le « moniteur de la gauche non communiste » est lancé.

L'hebdomadaire est né de la rencontre de Claude Bourdet*, de Gilles Martinet et de Roger Stéphane*. L'esprit de la Résistance (dont Bourdet, Martinet et Stéphane mais aussi Maurice Laval et Hector de Galard ont fait l'expérience) imprègne *L'Observateur*. L'hebdomadaire se consacre dès sa création à la défense du *neutralisme* et à un combat anticolonialiste. À distance du Parti communiste comme de la SFIO, « soucieux de sauvegarder les chances d'un socialisme démocratique », ce lieu de réflexion politique ouvert aux courants rénovateurs de la gauche joue durant les années 50 un rôle déterminant dans la constitution de la Nouvelle Gauche.

De présentation austère, *L'Observateur* des débuts est pauvre, et les rédacteurs, bénévoles, occupent le plus souvent un autre emploi. Cinq millions d'anciens francs prêtés par la mère de Roger Stéphane ont permis de faire démarrer l'entreprise — une société de onze fondateurs au capital de 220 000 francs —, ainsi que les 1 500 abonnements versés à l'avance par des lecteurs de *Combat**, décidés à suivre Claude Bourdet. Peu à peu les ventes s'accroissent de 15 000 à 30 000 exemplaires. Le 15 avril 1954, à la suite d'un litige portant sur son titre, *L'Observateur* se transforme en *France-Observateur*, sans que son contenu en soit modifié. L'année suivante, il double son volume. À la fin des années 50, les ventes avoisinent 80 000 exemplaires.

L'Observateur — puis *France-Observateur* — attire la gauche intellectuelle. S'y retrouvent nombre d'anciens communistes avec Claude Roy*, Roger Vailland*, Henri Lefebvre*, François Châtelet*, Annie Kriegel* et Dominique Desanti* ; des sociologues et historiens : François Furet*, Serge Mallet*, Jacques Ozouf*, Denis Richet, qui y amènent à leur tour Pierre Nora* et Jean-François Revel*. Maurice Nadeau* anime les pages littéraires, où il accueille Michel Butor*, Alain Robbe-Grillet*, Nathalie Sarraute*, Bernard Frank, Edgar Morin*. Pour le cinéma, André Bazin* et Jacques Doniol-Valcroze, fondateurs des *Cahiers du cinéma**, puis André S. Labarthe et Robert Benayoun de *Positif*, assurent la critique.

En 1963, *France-Observateur* traverse une crise due à ses liens avec le PSU, à la suite de laquelle Claude Bourdet quitte le journal ; elle est aggravée par la chute des ventes consécutives à la fin de la guerre d'Algérie*. L'année suivante, Claude Perdriel et Jean Daniel*, venu de *L'Express**, rachètent l'hebdomadaire. Le 19 novembre 1964, avec un volume accru, *Le Nouvel Observateur* paraît. L'hebdomadaire a rompu ses attaches avec le PSU et veut rassembler la gauche non communiste. On y réfléchit à l'avenir de la gauche. On s'y passionne pour Mai 68. L'opposition à la guerre du Vietnam* et la sympathie pour les révolutions du tiers monde s'inscrivent dans la continuité de *France-Observateur*. La diffusion prend un nouvel essor : de 110 000 exemplaires à plus de 300 000 en 1974 et 380 000 en 1981. Il est devenu en 1995 le premier hebdomadaire français d'information.

Jean Daniel, Maurice Clavel*, Jean Lacouture*, Françoise Giroud*, Jules Roy, Jacques Julliard donnent chroniques et éditoriaux à cet hebdomadaire d'opinion. Mais la force du *Nouvel Observateur* réside aussi dans ses rubriques sociales et culturelles. Les reportages sociologiques, les enquêtes sur les jeunes, le soutien accordé au féminisme (le 5 avril 1971, le « Manifeste des 343 contre l'avortement » y est publié) et à la libération des mœurs anticipent ou accompagnent l'évolution des mentalités et des conduites. Et les pages culturelles, animées par la volonté d'être à l'avant-garde des débats intellectuels et accordant une place importante aux sciences humaines et à l'histoire, attirent presque tous les intellectuels non communistes. Ainsi, Edgar Morin, Roland Barthes*, Jean Duvignaud*, Serge Mallet (anciens d'*Arguments**), André Gorz*, Michel Foucault*, André Glucksmann*, Bernard-Henri Lévy*, Claude Lévi-Strauss*, Pierre Rosanvallon* et les historiens de la période précédente, mais aussi Emmanuel Le Roy Ladurie*, Mona Ozouf*, Georges Duby* y ont collaboré plus ou moins régulièrement. Michel Cournot, Jean-Louis Bory, Guy Dumur, Robert Abirached ont fait la réputation des critiques de cinéma et de théâtre.

Cet hebdomadaire fait par des journalistes professionnels avec la collaboration d'intellectuels de gauche pour un large public, comprenant une part importante d'intellectuels et d'enseignants réalise depuis trente ans une concentration exceptionnelle d'universitaires et d'écrivains, de membres du Collège de France*, du Centre national de la recherche scientifique* ou de l'École des hautes études en sciences sociales*.

Séverine Nikel

■ J. Daniel, *L'Ère des ruptures*, Grasset, 1979. — L. Rioux, *« L'Observateur » des bons et mauvais jours*, Hachette, 1982. — P. Tetart, *Naissance et ligne politique d'un hebdomadaire de gauche : « L'Observateur » (1950-1954)*, mémoire, IEP de Paris, 1989 ; *« France-Observateur » (1950-1964). Histoire d'un courant de pensée intellectuel*, thèse, IEP, 1995.

OBSERVATEUR (L') : voir **NOUVEL OBSERVATEUR (L')**

OCTOBRE

Le groupe Octobre demeure dans la mémoire collective le représentant français du théâtre d'agit-prop. La grande notoriété future de certains de ses membres (les frères Prévert, Raymond Bussières, Yves Allégret, Jean-Paul Le Chanois, Jean-Louis Barrault, Roger Blin, Mouloudji, etc.) n'y est sans doute pas pour rien. Néanmoins, la qualité et la virulence de ses interventions en avaient fait, déjà pour les observateurs de l'époque, l'un des plus beaux fleurons d'un mouvement plus général.

Le théâtre d'agit-prop, essentiellement défini par son militantisme en faveur du mouvement ouvrier, toucha toute l'Europe de l'entre-deux-guerres. L'éclosion de ces pratiques, très développées en URSS et en Allemagne, fut plus tardive et moins abondante en France. La Fédération du théâtre ouvrier de France (FTOF) naquit en janvier 1931. Fille hexagonale de l'Union internationale du théâtre ouvrier (UITO) fondée un an plus tôt à Moscou, elle fédéra l'activité de nombreuses troupes à travers tout le pays, notamment grâce à sa revue *La Scène ouvrière*, qui faisait connaître les activités des compagnies, menait une réflexion sur leurs pratiques et surtout diffusait des textes. Tous ces groupes amateurs n'avaient pas un Jacques Prévert* dans leurs rangs ! En 1934, Jean-Paul Lechanois devint secrétaire général et promut une politique visant à améliorer la qualité des textes et des pratiques théâtrales. La FTOF quittait doucement ainsi son caractère de grande orthodoxie politique des débuts pour développer l'« outil » théâtral ; évolution confirmée et accentuée par sa mutation en Union du théâtre indépendant de France (UTIF) en avril 1936. La FTOF revendiquait alors l'affiliation de 300 troupes. En furent membres, outre « Octobre », les groupes « Masses » (Roger Legris), « Douze », les « Blouses bleues » de Bobigny, ou encore le groupe « Mars » (Sylvain Itkine).

« Octobre » naquit du groupe « Prémices » créé en 1929. Une tendance plus militante désirait adopter la pratique du chœur parlé et fonda le « groupe de choc Prémices ». Le contact s'établit alors avec J. Prévert (début de 1932) à l'occasion du spectacle initial « Vive la presse » présenté à la Fête de *L'Humanité** en mai. Le nom « Octobre » était une référence directe à la révolution bolchevique, une idée de Lou Tchimoukow. Au caractère militant, Prévert ajouta l'esprit corrosif et impertinent, proche des surréalistes, qui était le sien. L'activité du groupe était très souvent liée à l'actualité. À partir d'un événement (l'arrivée au pouvoir de Hitler, une grève chez Citroën), un texte était écrit puis répété en quelques jours et joué dans les lieux adéquats (sorties d'usine, meetings, etc.). En juin 1933, « Octobre » fit le voyage de Moscou, pour représenter la France aux Olympiades internationales du théâtre ouvrier, avec trois « spectacles » : *La Bataille de Fontenoy*, *Citroën* et *Sauvez les nègres de Scottborough* (chœur parlé créé lors du meeting de Paris en mars 1933 en faveur des neuf Noirs d'Alabama injustement condamnés à mort pour le viol d'une femme blanche). À Moscou, « Octobre » remporta le premier prix. Autre sommet de son activité, le dernier spectacle. Roger Blin, arrivé en juin 1935 pour *La Revue bretonne*, présenta J.-L. Barrault à J. Prévert. De cette rencontre naquit *Le Tableau des merveilles*, adapté d'une nouvelle de Cervantès. Mise en scène par Barrault au printemps 1936, la pièce eut un grand succès.

Adhérent de la FTOF, très proche du Parti communiste, « Octobre » maintint néanmoins une indépendance plutôt goguenarde. Ses membres étaient, certes, dans la « mouvance » communiste, mais n'étaient pas tous au PCF. La période était marquée par des luttes sociales intenses et la montée européenne du fascisme. Les spectacles concernaient aussi bien les questions économiques et sociales (*Rien ne vaut le cuir*, sur la crise) que les questions directement politiques (*Le Réveillon tragique*, sur la guerre, ou *Le Palais des mirages* et *Mange ta soupe et tais-toi*, sur les ligues). Du point de vue théâtral, le refus du lieu « théâtre » et l'utilisation du chœur parlé introduisaient une rupture par rapport au théâtre traditionnel « bourgeois ». Par cette transgression formelle des codes établis, le théâtre d'agit-prop dépassait la simple mise en action d'un discours politique. Cette pratique peut légitimement revendiquer le titre de « théâtre populaire »*. Les préoccupations sociales, le public visé et touché, bien souvent les acteurs eux-mêmes, tout concorde à le lui attribuer. Il faut néanmoins la distinguer de la branche principale de ce qui est communément appelé « théâtre populaire » (de Pottecher à Vilar* en passant par Gémier, Romain Rolland* et Copeau*). L'acception du mot *peuple* opère un partage fondamental. Pour les uns, le peuple est l'ensemble de la société, le peuple-nation qu'il faut rassembler et unir. Pour l'agit-prop, le peuple est la classe ouvrière et ses alliés qu'il faut conforter dans leur combat de classe. Ce type de pratique eut ses heures de gloire dans les moments de fortes luttes sociales ; il échoua dans la durée dès lors que l'accalmie ou la concorde nationale régnaient. Ce n'est donc pas uniquement pour des raisons de difficultés financières, ou d'attirance professionnelle pour le cinéma de nombre de ses membres, que le groupe « Octobre » disparut à l'automne 1936. L'arrivée du Front populaire, avec un PCF abandonnant par trop (à leurs yeux) *L'Internationale* pour *La Marseillaise*, signa sa disparition comme si les périodes de « construction » se révélaient fatales à ce « théâtre-anti ».

Serge Added

■ C. Amey, « L'expérience française du théâtre d'agit-prop », in *Le Théâtre d'agit-prop de 1917 à 1932* (ouvrage collectif), Lausanne, L'Âge d'Homme, 1978, 4 vol., t. 3, pp. 129-143. — J. Bessen, « Un théâtre ouvrier révolutionnaire français (1918-1935) », *Les Cahiers de l'animation*, n° 60, 1987-II. — M. Fauré, *Le Groupe Octobre*, Bourgois, 1977. — M. Rebérioux, « Théâtre d'agitation : le groupe Octobre », *Le Mouvement social*, avril-juin 1975, n° 91.

ORDRE NOUVEAU (L')

Avec ses quarante-cinq numéros mensuels, de mai 1933 à septembre 1938, *L'Ordre nouveau* constitue l'un des éléments les plus représentatifs de la nébuleuse « non conformiste » de l'« esprit des années 30 ».

Dès 1929, Alexandre Marc* avait suscité la formation d'un groupe de réflexion assez informel, le Club du Moulin-Vert, au sein duquel se côtoyaient catholiques (G. Marcel*, Y. Congar*), protestants (D. de Rougemont*, M. Dominice) et orthodoxes (Berdiaev*, Kowalewsky). Initialement issu de préoccupations éthiques et religieuses, ce Club du Moulin-Vert en était rapidement parvenu à une réflexion plus globale, dans le cadre de laquelle, en particulier sous l'influence de Robert Aron* et Arnaud Dandieu*, il s'agissait de promouvoir une « révolution spirituelle » en vue de l'édification d'un « ordre nouveau ».

Après avoir collaboré à plusieurs revues, notamment, de novembre 1931 à juillet 1932, à la revue *Plans* de Philippe Lamour*, le groupe ainsi constitué parvint peu à peu, essentiellement grâce à Denis de Rougemont, à se doter d'une tribune qui lui fût propre, avec la publication en mai 1933 de la première livraison de *L'Ordre nouveau*, dont le comité de rédaction comprenait Robert Aron, Claude Chevalley, Arnaud Dandieu, Henri Daniel-Rops*, Jean Jardin, Alexandre Marc et Denis de Rougemont. Dès ce premier numéro, le mouvement définissait ainsi sa démarche : « Contre le désordre capitaliste et l'oppression communiste, contre le nationalisme homicide et l'internationalisme impuissant, contre le parlementarisme et le fascisme, L'Ordre nouveau met les institutions au service de la personnalité et subordonne l'État à l'homme. »

L'Ordre nouveau se caractérise en effet par son rejet global du monde des années 30 et par son souci de promouvoir une « révolution radicale », sous le patronage d'influences diverses au rang desquelles figurent notamment Proudhon, Kierkegaard, Nietzsche et Péguy*. Convaincus que les intellectuels ont un rôle central à assumer dans cette révolution, les auteurs de la revue s'assignent donc une fonction décisive : dénoncer la décadence, annoncer et définir la civilisation nouvelle, et par là même la préfigurer pour la rendre possible.

Dénoncer : *L'Ordre nouveau* pourfend systématiquement l'ordre « bourgeois » en multipliant les analyses dans les domaines les plus variés (sociologie, économie, politique, religion, philosophie, culture, urbanisme, etc). Rationalisme stérile, matérialisme, individualisme, déresponsabilisation des masses, scandale moral d'un capitalisme déshumanisant, abrutissement généré par une culture de consommation standardisée, hypocrisie et imposture des régimes parlementaires : dans tous les domaines se manifeste une profonde crise de civilisation.

Annoncer, définir, préfigurer : récusant les fausses solutions totalitaires, la revue en appelle à une révolution communautaire fondée sur la personne, individu « libre et responsable » inséré dans un tissu culturel et social régénéré. Dans cette perspective, la révolution sera avant tout « spirituelle » : c'est par la multiplication des « conversions » que se mettra en place le nouvel ordre, marqué par la combinaison de ses aspects technicistes (économie corporative planifiée et rationalisée) et de ses aspects libertaires (démocratie directe dans un cadre fédéraliste).

Issu d'une tradition intellectuelle foncièrement rétive à tout esprit de système, au croisement des remises en cause théoriques liées à l'émergence de l'ère des masses et des profonds traumatismes provoqués par le choc de la Première Guerre mondiale*, *L'Ordre nouveau* entend donc se situer en marge des clivages politiques établis (« ni droite ni gauche »). Sa recherche de voies nouvelles et sa réelle originalité en font ainsi un courant complexe, tant il est vrai que sont manifestes, dans la critique et la dénonciation, certaines similitudes avec des pensées réactionnaires ou, surtout, fascisantes, cependant que dans le même temps s'expriment un refus sans appel de tout embrigadement totalitaire et une vision des rapports sociopolitiques clairement située aux antipodes de toute forme d'autoritarisme.

Pascal Balmand

■ P. Balmand, « Les jeunes intellectuels de l'"esprit des années 30" : un phénomène de génération ? », *Cahiers de l'Institut d'histoire du temps présent*, 6, novembre 1987 ; « "Intellectuel(s)" dans *L'Ordre nouveau* : une aristocratie de prophètes », in D. Bonnaud-Lamotte et J.-L. Rispail, *Intellectuel(s) des années 30. Entre le rêve et l'action*, CNRS, 1990. — E. Lipiansky, « L'Ordre nouveau », in E. Lipiansky et B. Rettenbach, *Ordre et démocratie, deux sociétés de pensée : de L'Ordre nouveau au Club Jean-Moulin*, PUF, 1967. — J.-L. Loubet del Bayle, *Les Non-Conformistes des années 30. Une tentative de renouvellement de la pensée politique française*, Seuil, 1969. — Z. Sternhell, *Ni droite ni gauche*, Seuil, 1983.

ORMESSON (Jean d')

Né en 1925

Écrivain à succès, journaliste et académicien, Jean d'Ormesson possède la plupart des attributs de l'intellectuel médiatique et mondain des années récentes. Ses prises de position politiques le désignent en outre comme un représentant de poids de la droite intellectuelle, à laquelle il a contribué à redonner quelque vigueur.

Le parcours de cet écrivain, né à Paris en 1925, doit sans aucun doute beaucoup aux bonnes fées qui se sont penchées sur son berceau : une illustration familiale fameuse (son père et son oncle furent ambassadeurs), une aisance financière et culturelle peu commune. Passé par les lycées Henri-IV et Louis-le-Grand, il est reçu en 1944 à l'École normale supérieure* et décroche l'agrégation de philosophie en 1949. Un an plus tard, il est nommé à l'Unesco au poste de secrétaire général du « Conseil international de la philosophie et des sciences humaines » par l'entremise de Jacques Rueff, ami de son père. Il y préside encore aux destinées de la revue *Diogène**. Collaborateur de nombreux journaux (*La Parisienne**, *Arts**, *Paris-Match*, *Le Figaro**) et conseiller technique dans plusieurs cabinets ministériels (1958-1965), il s'adonne à sa passion favorite : l'écriture. Ses premiers romans, publiés dans les années 50 et 60 chez Julliard ou chez Gallimard*, ne rencontrent guère d'écho. Il faut attendre la sortie, en 1971, de *La Gloire de l'Empire*, qui obtient le Grand Prix du roman de l'Académie française, pour que son talent éclate au grand jour.

Roger Caillois*, son collègue à l'Unesco, le fait entrer au comité de lecture de Gallimard (1971-1974), qui représente pour lui la « terre promise ». Il est élu en

1973 à l'Académie française*, dont il demeurera longtemps le plus jeune membre. En 1974, il se retrouve à la tête du *Figaro* avec le titre de directeur, puis de directeur général. Il y fait preuve d'un libéralisme de bon aloi et éprouve une grande admiration à l'égard de son « confrère » Raymond Aron*, dont il suivra l'exemple en démissionnant en 1977 au moment de la confrontation avec le nouveau propriétaire du journal, Robert Hersant. Son roman suivant, *Au plaisir de Dieu* (1974), figurera pendant de nombreux mois sur la liste des best-sellers et donnera lieu à une célèbre adaptation télévisée. Coqueluche des médias, et ravi de l'être, il intervient fréquemment sur les sujets les plus divers, la politique, les mœurs, la culture, et figure parmi les invités privilégiés de Bernard Pivot à « Apostrophes »*.

Il n'en continue pas moins à défendre un point de vue libéral, dans les colonnes du *Figaro Magazine**, ou dans le cadre du CIEL (Comité des intellectuels pour l'Europe des libertés) fondé en 1978. Il appelle à voter pour les candidats de la droite aux élections présidentielles, en particulier pour Valéry Giscard d'Estaing. Pourfendeur de l'Union de la gauche, il n'a de cesse de dénoncer, tout au long de la décennie 80, les errements et les erreurs du régime mitterrandien. Il jouit, à l'orée des années 90, d'une notoriété exceptionnelle, cumulant les titres et les réussites, au risque d'abuser parfois de sa gloire médiatique.

Rémy Rieffel

■ *Au revoir et merci*, Gallimard, 1966. — *La Gloire de l'Empire*, Gallimard, 1971. — *Au plaisir de Dieu*, Gallimard, 1974. — *Dieu, sa vie, son œuvre*, Gallimard, 1981. — *Le Vent du soir*, Lattès, 1985. — *La Bonheur à San Miniato*, Lattès, 1987. — *Garçon, de quoi écrire* (avec F. Sureau), Gallimard, 1989. — *Histoire du juif errant*, Gallimard, 1990. — *Mon dernier rêve sera pour vous*, Lattès, 1993. — *La Douane de mer*, Gallimard, 1994. — *Presque rien sur presque tout*, Gallimard, 1996.

OZOUF (Jacques)

Né en 1928

Agrégé d'histoire, directeur d'études à l'École des hautes études en sciences sociales*, Jacques Ozouf est commentateur politique au *Nouvel Observateur** depuis sa fondation en 1964 (il collaborait déjà à *France-Observateur* depuis 1962).

J. Ozouf est né à Alençon le 8 septembre 1928 dans une famille socialiste très attachée à la laïcité. Après des études secondaires au lycée Henri-IV à Paris et des études d'histoire à la Sorbonne, il a été reçu à l'agrégation en 1954, et a été nommé dans un premier poste au Mans. L'année suivante, après leur mariage, Jacques et Mona Ozouf* obtiennent un poste double à Caen, où ils resteront cinq ans. Malgré les efforts de ses amis, il n'est entré au Parti communiste qu'en 1954, pour en sortir dès 1956* « sur la Hongrie », comme on disait alors. J. Ozouf a été maître-assistant au cours des deux premières années du Centre universitaire de Vincennes, future université de Paris VIII, avant d'être élu directeur d'études à l'EHESS.

Devenu un des meilleurs spécialistes de l'analyse électorale, il a commenté les élections à *Preuves** (« La France a-t-elle changé ? », février 1966 ; « La gauche en sursis », mai 1967 ; « Élections-traduction », octobre 1968). Puis à *Esprit**

(« Géographie des élections législatives », mars 1973 ; « L'élection présidentielle de mai 1974 », juillet 1974). Enfin à *Projet*, en 1977 : « Des municipales aux législatives, au fil des sondages ». Une étude aussi sur les municipales de 1977, dans *L'Opinion française en 1977* (Presses de la FNSP, 1978).

J. Ozouf s'est imposé d'emblée comme historien de l'enseignement avec *Nous, les maîtres d'école*, chez Julliard, en 1967, ouvrage issu d'une vaste enquête auprès des anciens instituteurs de la IIIe République, et plusieurs fois réédité. En collaboration avec Mona Ozouf, il a présenté l'ensemble de cette enquête sous le titre *La République des instituteurs* (Hautes Études-Gallimard-Seuil, 1992). Entre-temps, J. Ozouf avait publié, en collaboration avec François Furet*, *Lire et écrire, l'alphabétisation des Français de Calvin à Jules Ferry*, aux Éditions de Minuit* en 1977.

Il a édité, avec Pierre Nora*, le Journal du président Vincent Auriol (*Mon septennat*, Gallimard*, 1970), et présenté l'année 1953-1954 dans l'édition en sept volumes d'Armand Colin, *Journal du septennat* (1971).

Denis Condroyer

■ *Nous, les maîtres d'école*, Julliard, 1967. — *Lire et écrire. L'alphabétisation des Français de Calvin à Jules Ferry*, Minuit, 1977. — *La République des instituteurs* (avec Mona Ozouf), Hautes Études / Gallimard / Seuil, 1992.

OZOUF (Mona)

Née en 1931

Mona Ozouf a quatre ans lorsque meurt son père. Jeune instituteur de l'école publique de Plouha (Côtes-d'Armor), celui-ci laisse à sa fille, selon ses propres termes, « une Bretagne bretonnante où cet anticlérical fréquentait les régionalistes cléricaux et où l'homme d'extrême gauche amassait contes, légendes et traditions, alliant Chateaubriand et Victor Hugo, Renan et le *Barzaz-Breiz*, Eschyle et les anarchistes irlandais. Tout cela m'a donné envie de comprendre ce que ce pouvait être la singularité française. Nous sommes le pays d'un message universel où le national et le local, le général et le particulier, l'égalité et l'inégalité jouent double jeu ».

Élève en troisième, à Saint-Brieuc, de Renée Guilloux (femme de l'écrivain Louis Guilloux*), Mona Ozouf y prend goût à la littérature et aux idées. Elle gagne ensuite Paris pour préparer l'École normale supérieure*. Elle se destine à la philosophie, tout en fréquentant un groupe de jeunes historiens, alors communistes, autour de François Furet* et de Jacques Ozouf*, qui deviendra son mari. Elle n'en apprécie pas moins l'enseignement du poète-magicien Gaston Bachelard* et du catholique Henri Gouhier, spécialiste de Descartes et d'Auguste Comte.

Agrégée de philosophie, Mona Ozouf commence au lycée Pasteur de Caen, puis rejoint Paris. C'est alors qu'elle s'oriente vers l'histoire et collabore — après sa rupture définitive avec le Parti communiste en 1956 — au jeune *France-Observateur*, devenu par la suite *Le Nouvel Observateur**. Dans son premier livre, *L'École, l'Église et la République (1871-1914)* (1962), Mona Ozouf se montre déjà attentive aux bigarrures de la vie réelle. Les chiffres et les documents ne contrarient jamais chez elle la recherche des témoignages et des récits, mais leur donnent un sens plus vif. Un nouvel exemple en est donné dans *La République des instituteurs* (1992), œuvre commune de Jacques et Mona Ozouf, témoignage de reconnaissance à cette école laïque qui fut leur famille. Les auteurs, sans masquer les faiblesses ou les étroitesses du système, réfutent les accusations faites au long des années 70, selon lesquelles l'école primaire aurait été le bras armé de la bourgeoisie encadrant et normalisant le peuple, tout en permettant aux élites républicaines de s'autoreproduire. « Apprendre la France à l'école, témoigne-t-elle, ce n'était pas apprendre un nationalisme, mais tenter d'apprendre l'humanité, recevoir un passeport pour échapper aux contraintes ou aux fatalités du sort. L'école nous apprenait ainsi que les inégalités sont provisoires, que l'on peut les corriger. » Ce même souci de la singularité — doublé d'une même répugnance pour le différencialisme, qu'il soit confessionnel, philosophique ou sexuel — s'exprime dans *L'École de la France* (1984) : « Comment faire de l'Un et de l'indivisible avec du multiple et du disparate ? Du même avec du divers ? C'est la question du dissemblable et de l'égalité dans la formation de notre tradition nationale. » Thèmes que l'on retrouve dans *La Fête révolutionnaire* (1976) et le *Dictionnaire critique de la Révolution française* (1988), coédité avec François Furet, l'une des références les plus influentes du Bicentenaire.

Ces enquêtes mènent bientôt Mona Ozouf sur la trace de celles qui, depuis les salons de Mme du Deffand jusqu'à Simone de Beauvoir*, furent confrontées, elles aussi, aux contradictions des Lumières et de la République — l'homme se réservant longtemps le droit de savoir quelle liberté convient aux femmes. Pour Mona Ozouf, la « singularité française » se caractérise toutefois par l'évitement du féminisme à l'anglo-saxonne. Les femmes ne se constituent pas, en France, sur le modèle communautariste anglo-saxon. Il n'y aura pas, toutes rebelles qu'elles soient, séparatisme et guerre des sexes. « Il en résulte, écrit-elle, une société particulière [où les différences sont] utilisées avec bonheur, en jouant des ressources de la séduction et de l'ambiguïté des rapports amoureux ; bref, en parcourant le clavier infini du romanesque. »

Jean-Maurice de Montremy

■ *L'École, l'Église et la République (1874-1914)*, Cana, 1982, rééd. Seuil, 1992. — *L'École de la France*, Gallimard, 1984. — *Dictionnaire critique de la Révolution française* (avec F. Furet), Flammarion, 1988. — *L'Homme régénéré*, Gallimard, 1989. — *La Fête révolutionnaire (1789-1799)*, Gallimard, 1989. — *Terminer la Révolution. Mounier et Barnave dans la Révolution française* (avec F. Furet), Presses universitaires de Grenoble, 1990. — *La Gironde et les girondins* (avec F. Furet), Payot, 1991. — *La République des instituteurs* (avec J. Ozouf), Seuil / EHESS / Gallimard, 1992. — *Les Mots des femmes* (Marie du Deffand, Isabelle de Charrière, Manon Rolland, Germaine de Staël, Claire de Rémusat, George Sand, Hubertine Auclert, Colette, Simone Weil et Simone de Beauvoir), Fayard, 1995.

PAGES LIBRES

Jusqu'en 1906, *Pages libres* fut marquée par la personnalité de son principal animateur : Charles Guieysse, fils de l'ancien ministre des Colonies, Paul Guieysse. Ancien élève de l'École polytechnique*, Charles Guieysse avait commencé une carrière militaire. Capitaine d'artillerie lors de l'affaire Dreyfus*, il démissionna d'une armée qui ne lui semblait pas respecter l'honneur sur lequel il avait fondé toute son éthique. Il s'engagea dans le mouvement des Universités populaires* en prenant en charge le secrétariat de l'association qui les réunissait. Il eut en outre de fréquents rapports avec les leaders syndicaux. Lecteur de Georges Sorel*, il prit part à l'aventure du syndicalisme d'action directe, notamment en participant à la rédaction de la Charte d'Amiens.

Pages libres fut pensée comme un prolongement de l'expérience des Universités populaires. La revue, lancée le 5 janvier 1901, fut l'œuvre d'un groupe à la tête duquel se trouvaient quatre hommes : Charles Guieysse, qui assumait l'essentiel du travail dans les débuts de la revue, Maurice Kahn, Georges Moreau et Daniel Halévy*. Autour de la revue gravitaient, entre autres, Julien Benda*, Pierre-Georges La Chesnais et André Spire. Ce nouveau périodique fut financé grâce à un emprunt de 8 000 francs, à quoi vinrent s'ajouter les ressources personnelles de Guieysse. Conçue sur le mode d'une coopérative, *Pages libres* prétendait devenir le centre d'une véritable communauté. C'est dans cet esprit que Guieysse instaura des adresses aux lecteurs dont il remplissait les couvertures de la revue.

Le succès vint rapidement. Dès février 1901, Guieysse annonçait 1 000 abonnés et, en 1909, année de sa fusion-disparition dans *La Grande Revue**, il en comptait 7 000. Son lectorat, moitié parisien, moitié provincial, était composé d'une forte proportion d'instituteurs. Son rayonnement paraît bien avoir très largement dépassé le nombre de ses seuls abonnés et frôlé, selon Guieysse, les 10 000 lecteurs. Proche des *Cahiers de la quinzaine**, *Pages libres* en partagea un temps l'histoire au 8 rue de la Sorbonne : le loyer était réparti et un service commun de librairie fut mis sur pied. Cette communauté fit long feu, les caractères des uns et des autres s'accommodant mal.

Malgré sa réussite, *Pages libres* cessa tôt sa parution. Ce paradoxe s'explique en partie par le retrait précoce de Guieysse, qui quitta la revue à la fin de l'année 1906, vraisemblablement lassé par sa tâche devenue trop lourde et par des dissensions internes. En septembre 1907, Daniel Halévy prit, à son tour, ses distances, après avoir tenté de s'emparer du contrôle de la revue avec l'aide d'André Spire. Maurice Kahn parvint néanmoins à maintenir la revue à un fort bon niveau. Francis Delaisi, Georges Sorel, Jean-Baptiste Séverac, Albert Thierry y publièrent de solides études. Alain* y donna régulièrement ses « Propos d'un Normand » à partir de juillet 1907. Puis, à compter du 10 octobre 1909, *Pages libres* parut sous la forme d'un cahier supplémentaire de *La Grande Revue*.

Christophe Prochasson

■ C. Arnould, « Charles Guieysse », in *DBMOF*. — C. Prochasson, *Les Intellectuels, le socialisme et la guerre (1900-1938)*, Seuil, 1993, pp. 55-60.

PAINLEVÉ (Paul)

1863-1933

La carrière de Paul Painlevé, mathématicien puis ministre, enfin président du Conseil, est une belle illustration de cette *République des professeurs* évoquée par Albert Thibaudet (Grasset, 1927) à propos de cette IIIe République, radicale, libre-penseuse et franc-maçonne, et qui entre dans son âge de raison au début du XXe siècle. Éclairée par le positivisme comtien, elle n'hésite pas à confier à d'éminents savants de lourdes tâches ministérielles : le chimiste Marcelin Berthelot*, le mathématicien Émile Borel, le physicien Jean Perrin*... L'opinion que des savants n'agiront pas moins bien que d'autres à la tête du gouvernement ne déplaît pas à Marianne ; elle explique le destin de Paul Painlevé.

Il est né à Paris en 1863, et de brillantes études, École normale supérieure* (1883), agrégation, l'ont conduit à l'enseignement de ce cette discipline placée au sommet de la classification des sciences, selon Auguste Comte : les mathématiques. Lauréat de l'Académie des sciences* en 1890 (il y sera élu en 1902), il devient à trente-deux ans titulaire de la chaire de mathématiques à la Faculté des sciences de Paris (mécanique rationnelle). Mais le mathématicien ne dédaigne pas les applications de la science et il s'intéresse de près à l'aviation naissante. En fait, le calcul s'avère rapidement indispensable au développement de l'aéronautique et — après que les premiers « fous volants » eurent réussi à faire décoller d'invraisemblables assemblages de toile et de bois qui devaient plus à l'art du bricolage qu'aux connaissances des lois de l'aérodynamique — l'aviation apparaît à Painlevé, qui sera l'un des premiers « passagers » de Wilbur Wright ou d'Henri Farman (1908), comme un extraordinaire champ d'application de la mécanique des fluides. Professeur d'aviation à l'École supérieure d'aéronautique en 1909 après avoir été professeur à l'École polytechnique* (1905), Paul Painlevé est probablement le premier auteur dans le monde d'un traité théorique sur ce sujet : *Pour l'aviation* (1909). Le savant achèvera d'ailleurs sa carrière politique comme ministre de l'Air en 1930, ce qui lui vaudra de poser la première pierre du nouveau ministère installé boulevard Victor à Paris.

Entre-temps, sa carrière a bifurqué de la recherche universitaire vers la politique, à cause de l'affaire Dreyfus*. Painlevé est un acteur important de l'Affaire, puisque, pressenti pour faire une expertise du bordereau — la pièce destinée à confondre le capitaine Dreyfus —, il acquiert la conviction d'une machination qu'il établit lors du procès en révision (1899). Painlevé est membre fondateur de la Ligue des droits de l'homme* créée par les dreyfusards et il se voit bientôt incité à briguer une députation. Son entrée à la Chambre résulte d'une élection réussie dans le Ve arrondissement de Paris en 1910, où le socialiste indépendant Viviani lui a cédé le siège. Il sera plus tard député de l'Ain (1928). À la Chambre, Painlevé se spécialise dans les questions militaires puisqu'il est rapporteur du budget des armées et qu'il œuvre, en particulier, pour le développement d'une marine moderne. La Première Guerre mondiale* le voit accéder à son premier maroquin ministériel : l'Instruction publique en 1915. C'est ensuite le ministère de la Guerre puis la présidence du Conseil en 1917. L'« année terrible » du premier conflit mondial qui voit au printemps le sanglant échec de l'offensive Nivelle sur le front français (17 000 morts), puis les mutineries et le désarroi de l'arrière. Painlevé prend la décision de remplacer Nivelle en nommant les généraux Pétain (général en chef) et Foch (chef de l'État-major). Le pays se prépare alors au grand retournement de la guerre, la révolution bolchevique (la rupture de l'alliance franco-russe) et l'entrée en guerre des États-Unis.

Painlevé a-t-il été le protecteur de Pétain ? Certes il a choisi et aidé le nouveau chef des armées à dédramatiser les mutineries du printemps 1917. Mais on note qu'après la guerre, alors qu'il anime l'opposition dans la Chambre bleu horizon, il doit se défendre en publiant un livre : *Comment j'ai nommé Foch et Pétain*. C'est d'ailleurs au sein de cette opposition parlementaire que Paul Painlevé, avec Édouard Herriot, le patron du radicalisme, bâtissent une nouvelle majorité qui revient aux affaires en 1924 sous le nom de « Cartel des gauches ». Painlevé à qui est confié une nouvelle fois le portefeuille de la Guerre, nomme encore Philippe Pétain — qui a la réputation d'un soldat républicain — à la direction des opérations dans l'insurrection du Rif*. Painlevé sera encore le ministre de la Guerre (1925-1929) de majorités de centre-gauche favorables au désarmement (il soutient aussi la SDN), comme des majorités de centre-droit (Raymond Poincaré). Il est même redevenu brièvement président du Conseil (avril-octobre puis octobre-novembre 1925). Confronté au difficile problème de la dette publique, afin de juguler l'inflation et de tarir la fuite des capitaux, ses propositions courageuses d'un impôt exceptionnel et d'un report de remboursement d'emprunts publics sont rejetées par le Parlement. Paul Painlevé s'éteint en octobre 1933, quelques mois à peine après l'arrivée des nazis au pouvoir en Allemagne. Un événement dont certains pressentent déjà quel danger il représente pour la « République des professeurs ».

Jean-François Picard

■ *Sur les lignes singulières des fonctions analytiques*, thèse, 1887. — *Pour l'aviation*, 1909. — *Ce que disent les choses* (avec H. Poincaré), 1912. — *Cours de mécanique de l'École polytechnique*, 1920. — *De la science à la défense nationale*, 1931.

PALMARÈS D'INTELLECTUELS DANS LA PRESSE

La notion de palmarès implique l'idée de jugement mais surtout de classement que ne comportaient pas les enquêtes, comme celle de Jules Huret* qui, en 1881, s'attachait seulement à recueillir des opinions d'écrivains sur des écrivains. Si dans les années 80 se succèdent des bilans, des photographies de la situation intellectuelle en France, à Paris en fait (comme l'indiquent les dossiers dans *Le Nouvel Observateur** : « Le pouvoir intellectuel en 1990 » et « La pensée en 1992 »), peu de palmarès sont publiés dans les magazines.

En 1981, le mensuel *Lire*, dirigé par Bernard Pivot, créateur d'un des baromètres officieux de la littérature française, l'émission de télévision « Apostrophes »*, puis en 1989 *L'Événement du jeudi**, font paraître le leur. Les énoncés sont alors les suivants :

1981 : « Quels sont les trois intellectuel(le)s vivants, de langue française, dont les écrits vous paraissent exercer en profondeur le plus d'influence sur l'évolution des idées, des lettres, des arts, des sciences, etc. ? »

1989 : « Établissez la liste des cinq personnalités vivantes incarnant, selon vous, le pouvoir intellectuel, étant entendu que peuvent être cités aussi bien des essayistes, écrivains, enseignants, que des cinéastes, comédiens, chanteurs, journalistes, etc. »

Les jurys sont composés de la manière suivante :

1981 : question envoyée à 600 personnes, 448 réponses : des académiciens, des écrivains, des écrivains-enseignants, des enseignants, des étudiants, des professionnels du livre, de la presse écrite, de la radio-télévision, des arts et spectacles, des hommes et femmes politiques.

1989 : question envoyée à 700 personnes, environ 400 réponses : représentants de la « société intellectuelle » : journalistes, écrivains, universitaires, libraires, éditeurs, comédiens, artistes, etc.

Les élus enfin :

1981 : Claude Lévi-Strauss*, Raymond Aron*, Michel Foucault*, Jacques Lacan*, Simone de Beauvoir*, Marguerite Yourcenar*, Fernand Braudel*, Michel Tournier, Bernard-Henri Lévy*, Henri Michaux...

1989 : Claude Lévi-Strauss et Bernard Pivot premiers *ex aequo*, François Furet*, Pierre Nora*, Angelo Rinaldi, Pierre Boulez*, Emil Michel Cioran*, François Mitterrand...

Dans une analyse du palmarès de *Lire*, Pierre Bourdieu* précise que le malentendu sur la composition du groupe des juges « encourage le lecteur à prendre pour un verdict des intellectuels sur les intellectuels ce qui est en réalité la vision qu'un ensemble de juges dominé par les journalistes-intellectuels et les intellectuels-journalistes a du monde intellectuel ». En effet, ce n'est pas un vote du grand public, des lecteurs par exemple comme dans le dossier présenté par *L'Express** en 1981, constitué à partir des listes des « succès de la semaine » établies entre 1974 et 1981 d'après les ventes d'ouvrages. On y trouve dans l'ordre : Pierre-Jakez Hélias, Alain Peyrefitte pour les essais, Jeanne Bourin, Jean d'Ormesson*, Maurice Genevoix pour les romans. Cependant, les femmes dans les palmarès ne sont pas en aussi bonne place que l'auteur de *La Chambre des dames*. En effet, dans le classement de 1981, les premières à apparaître sont Simone de Beauvoir et Marguerite Yourcenar en cinquième et sixième positions. Et en 1989, plus de quinze personnes sont classées avant Françoise Verny, l'éditrice.

En huit ans, l'écrit a perdu du terrain au profit de la télévision, comme le prouve la présence de Bernard Pivot. Un privilège est donc accordé dans le palmarès aux hommes de médias ou aux intellectuels fortement médiatiques, même ponctuellement, comme François Furet* en 1989, année du bicentenaire de la Révolution française dont il est spécialiste. Parallèlement, on assiste à l'extension du genre « intellectuel », avec une nouvelle définition sociale de l'« intellectuel », c'est-à-dire celui qui sait utiliser les médias.

En reprenant l'analyse de Pierre Bourdieu, on peut conclure que le palmarès est une bonne mesure d'une des visions du monde intellectuel, celle « des hommes et des femmes, nous dit *Lire*, qui, par leur activité professionnelle, exercent eux-mêmes une influence sur le mouvement des idées et sont détenteurs d'un certain pouvoir culturel ». Et le palmarès n'est sans doute pas davantage.

Isabelle Weiland-Bouffay

■ « Les plus forts tirages depuis dix ans », *L'Express*, 16 avril 1955. — « Les best-sellers du septennat », *L'Express*, mars 1981. — « Le hit-parade des intellectuels », *Lire*, n° 68, avril 1981. — « Après Sartre qui ? », *Le Matin Magazine*, n° 1737, 25 septembre 1982. — « 1989 : le pouvoir intellectuel en France », *L'Événement du jeudi*, 2-8 février 1989.

▒ P. Bourdieu, « Le hit-parade des intellectuels français, ou qui sera juge de la légitimité des juges ? », *Actes de la recherche en sciences sociales*, n° 52-53, 1984.

PARISIENNE (LA)

L'écrivain Jacques Laurent* fonde la revue mensuelle *La Parisienne* en 1953 et la finance par les best-sellers qu'il a signés « Cecil Saint-Laurent ». Il s'entoure de journalistes et d'écrivains, André Fraigneau, André Parinaud, François Sentein ; François Michel accueille d'abord la revue chez lui (1 avenue de Tourville, Paris VIIe), dans une ambiance qui exclut l'esprit de sérieux. La profession de foi liminaire de Laurent fait appel à tous les talents et refuse le clivage droite-gauche, mais se met « en situation » contre la doctrine sartrienne de l'engagement littéraire. Née en janvier 1953 comme *La Nouvelle NRF*, *La Parisienne* participe à la « guerre des revues » au sein d'un champ intellectuel en recomposition. Se voit contesté le magistère de François Mauriac* à *La Table ronde*, d'où Laurent a précisément lancé en 1951 *Paul et Jean-Paul*, parallèle entre Sartre* et Bourget*. Aux *Temps modernes**, en décembre 1952, Bernard Frank vient d'attaquer Laurent, Blondin et Nimier*, « fascistes » regroupés derrière le fanion du *Hussard bleu*. Aussi *La Parisienne* va-t-elle être perçue comme l'organe anti-sartrien de la jeune droite littéraire. Les signatures nombreuses d'« épurés » comme Fraigneau, Jouhandeau* et Morand*, ou de l'essayiste Paul Sérant, peuvent confirmer l'identification, bien qu'on y lise aussi souvent Audiberti, Cingria, R. Guérin, ou encore, un texte comme *Le Droit à la paresse* de Paul Lafargue*.

Diffusée en kiosque à Paris et en province, et par abonnements (« public » de 6 000 à 10 000 lecteurs selon son directeur), la revue ne parvient pas à étendre son réseau d'abonnés, malgré le supplément *Les Cahiers de « La Parisienne »* en 1955. Elle s'arrête en octobre 1955, après trente-deux livraisons. Mais dix-huit autres paraîtront de mai 1956 (numéro « François Mauriac ») à mars-avril 1958. Jaune de couverture et non plus gris-violet, la revue est bimestrielle à partir de l'été 1957. Jacques Laurent a pour rédacteur en chef François Nourissier, dont l'orientation libérale lui paraît compenser celle du groupe éditorial bailleur de fonds (la Société du « Petit Parisien »). Cette *Parisienne* seconde époque parvient à attirer la gauche, par exemple J.-F. Revel* et, par exception, B. Frank, J. Duvignaud*, E. Morin*. Moins structurée, elle continue de rassembler des critiques, des chroniques, et d'accorder la première place à la littérature. Peu à peu, Laurent s'en désintéresse, au profit de son hebdomadaire *Arts*, et, dans la conjoncture du printemps 1958, il interrompt la publication de la revue.

Marc Dambre

■ M. Déon, *Bagages pour Vancouver*, La Table ronde, 1985, chap. 4. — J. Laurent, *Histoire égoïste*, La Table ronde, 1976, chap. 20 ; *Les Années 50*, La Manufacture, 1989.

PAROISSE UNIVERSITAIRE

C'est en décembre 1910 que Joseph Lotte (1875-1914), un professeur du lycée de Coutances récemment converti au catholicisme sous l'influence de Charles Péguy*, lance le projet d'un *Bulletin des professeurs catholiques de l'Université* destiné à rompre l'isolement spirituel de ces derniers au sein de l'école publique. Sa mort au front en interrompt la diffusion, le bulletin est repris en 1918 par Pierre Heinrich, professeur d'histoire en khâgne* au lycée du Parc à Lyon. D'autres réseaux locaux du même type se mettent en place, notamment autour de l'institutrice Marie Silve qui fonde le *Bulletin aux Davidées* en décembre 1916. Les premières Journées des universitaires catholiques se tiennent à Fourvière en 1922, la condamnation de l'Action française* secoue le jeune mouvement et conduit au retrait d'Heinrich. C'est en 1929 seulement que l'Union des professeurs catholiques de l'Université se dote d'une structure nationale et d'un nouveau bulletin, le *Bulletin Joseph Lotte*. Premier aumônier national, Pierre Paris trouve en 1932 au mouvement le nom dès lors consacré de « Paroisse universitaire ».

En dépit de la méfiance de l'épiscopat, la PU revendique d'emblée une double fidélité à l'Église et à l'École. Sous l'impulsion de l'oratorien Pierre Dabosville (1909-1976), son aumônier national de 1946 à 1962, elle devient le fer de lance d'une laïcité d'ouverture qui s'exprime dans les *Cahiers de la Paroisse universitaire*, devenus *Cahiers universitaires catholiques* en 1948. Proche du Père Montuclard* ainsi que de la mission ouvrière, Dabosville oriente le mouvement vers une spiritualité accueillante aux courants de pensée contemporains. Animées par des universitaires tels André Latreille*, Henri-Irénée Marrou*, René Rémond*, Jean Guitton* et les philosophes Louis Bourgey (1901-1974) et Pierre Jouguelet (1913-

1975), les sessions réunissent alors 1 000 à 2 000 participants chaque année pendant la semaine pascale, et la PU profite de la croissance rapide des effectifs enseignants.

La crise qui secoue le mouvement en 1962 est le résultat de tensions multiples apparues au cours des années précédentes : conflit de générations au moment de la guerre d'Algérie, lorsque l'apolitisme des anciens heurte de front la volonté d'engagement des plus jeunes en faveur de l'indépendance ; tensions structurelles liées aux revendications d'autonomie des équipes techniques (enseignement technique) fondées en 1951 et surtout des équipes enseignantes (enseignement primaire, 1940-1942) ; tensions avec l'épiscopat, qui reproche à Dabosville son action en faveur d'une paix scolaire de compromis et souhaite asseoir sa tutelle sur la PU. Imposées par la hiérarchie, la démission de Dabosville et l'autonomie des équipes enseignantes marquent le début d'un déclin qui est sans doute aussi le tribut payé à l'apaisement de la guerre scolaire et à l'intégration des catholiques à l'enseignement public, auxquels la PU a contribué par un engagement intellectuel longtemps pionnier.

Denis Pelletier

■ P. Dabosville (dir.), *Foi et culture dans l'Église d'aujourd'hui*, Fayard / Mame, 1979. — E. Fouilloux, « Joseph Lotte entre Rome et la République », *Cahiers universitaires catholiques*, novembre-décembre 1980. — J. Guitton, *Marie Silve et la spiritualité laïque*, Éd. du Foyer de Comminges, 1978. — R. Rémond, « Les catholiques dans l'Université française au XXe siècle », *Cahiers universitaires catholiques*, mars-avril 1985.

PASTEUR VALLERY-RADOT (Louis)

1886-1970

Petit-fils de l'illustre savant, Pasteur Vallery-Radot a acquis assez de notoriété pour être autorisé en 1945 à transformer son dernier prénom en patronyme. Si « faire toujours admirer plus Pasteur » a constitué l'un des buts de son existence, ce grand médecin, résistant, gaulliste, passionné d'art et de littérature, présente une personnalité à multiples facettes.

Pasteur Vallery-Radot est né à Paris en 1886 ; son enfance est dominée par la vieillesse du grand homme, dans une atmosphère un peu triste et confinée. Il va cependant manifester rapidement son « non-conformisme », au cours d'une jeunesse tumultueuse et dorée. Étudiant brillant mais longtemps peu assidu, il se montre surtout féru de modernité culturelle. En 1902, à l'âge de seize ans, il est enthousiasmé par la musique de *Pelléas et Mélisande*. Il vouera toute sa vie un culte à Claude Debussy, dont il est devenu l'ami et le confident. On le voit aussi avant 1914 fréquenter D'Annunzio et le « Tout-Paris d'avant-garde ».

Attiré par l'aventure et par l'Orient, il s'engage en 1912 dans l'armée turque et participe comme médecin-soignant à la guerre des Balkans. Volontaire pour une unité combattante en 1914, il rapportera de ses deux années de tranchées un livre intitulé *Pour la terre de France, par la douleur et la mort*. Qualifié par la censure de « lugubre et surtout pessimiste », l'ouvrage sera interdit en 1916. Son auteur n'y mettait pourtant nullement en doute la nécessité de la défense de son pays, pour lequel il éprouve un « amour violent, passionné ».

C'est ce patriotisme intransigeant qui l'amène en 1940 à rejeter le régime de Vichy et à entrer très tôt en résistance. Il se rattache à l'Organisation civile et militaire et organise le service de santé national de la Résistance. À la Libération, il est secrétaire d'État à la Santé, puis ambassadeur en Amérique latine. Élu député RPF en 1951, il démissionnera de ses fonctions en 1952, mais gardera des liens d'amitié avec le général de Gaulle. Il se brouillera pourtant en 1962 avec « l'homme qu'il avait le plus aimé et admiré » : il fait partie de ces gaullistes qui n'ont pu accepter l'indépendance de l'Algérie. La politique n'a cependant représenté pour lui qu'un engagement exceptionnel. L'essentiel de son activité et de son œuvre intellectuelle est consacré à la médecine.

Ses travaux de chercheur portent sur l'étude des maladies rénales et sur les phénomènes d'allergie ; il peut être considéré comme un des pères de l'allergologie. Dirigeant un grand service à l'hôpital Bicêtre dès 1928, professeur à la Faculté de médecine, il incarne bien la figure du « grand patron », sinon du « mandarin », autour duquel gravitent de nombreux collaborateurs et disciples. Dans sa pratique soignante, il reste très attaché à l'observation clinique, fondant autant son diagnostic sur l'intuition et la connaissance du malade que sur les analyses de laboratoire. « Professeur volant », plutôt que « médecin sans frontières », il effectue de nombreux voyages à l'étranger. Outre l'édition des œuvres complètes de Pasteur, qu'il a menée à bien de 1924 à 1939, Pasteur Vallery-Radot a consacré plusieurs ouvrages à la déontologie et l'évolution de son métier. Il y défend la tradition de la médecine humaniste, qu'il estime, à la fin de sa carrière, menacée par une dérive techniciste, et par l'ultra-spécialisation.

On retrouve son humanisme dans sa passion pour l'art et pour la littérature. Très lié avec Paul Valéry*, il a gardé les goûts de sa jeunesse pour le symbolisme, a fréquenté dans les années 20 « Le Bœuf sur le toit », côtoyé Ravel*, Dunoyer de Segonzac, André Gide* et bien d'autres. Entré à l'Académie française* en 1946, couvert d'honneurs, il continuera, non sans coquetterie, à se définir comme un « non-conformiste ». Son évolution vers la droite et l'amertume qu'il manifeste à la fin de sa vie ne suffisent pas à altérer l'originalité d'un homme qui a, au cours de son existence, multiplié les expériences. Ami des plus grands, il apparaît, plus qu'un penseur original, comme un témoin privilégié de son temps.

Rémi Fabre

■ *Pasteur inconnu*, Flammarion, 1934. — *Les Grands Problèmes de la médecine contemporaine*, Flammarion, 1936. — *Tel était Claude Debussy*, Julliard, 1958. — *Médecine à l'échelle humaine*, Fayard, 1959. — *Mémoires d'un non-conformiste*, Grasset, 1966.

■ É. Wolff, « Discours de réception à l'Académie française », séance du 19 octobre 1972.

PAULHAN (Jean)

1884-1968

De 1925 à sa mort, l'influence de Jean Paulhan sur le monde littéraire et intellectuel, par le biais de *La Nouvelle Revue française**, fut considérable. Critique pénétrant, il chercha à définir une logique des mots et des idées. Patriote, il combattit tous les sectarismes politiques. Écrivain subtil et déconcertant, Jean Paulhan se considérait comme le « premier venu » et aimait le secret.

Issu d'une famille protestante nîmoise, fils du philosophe Frédéric Paulhan, il prépare une licence de lettres et de philosophie à la Sorbonne, suit des cours à Sainte-Anne et fréquente des anarchistes russes. De 1908 à 1912, il est professeur et chercheur d'or à Madagascar. Son premier livre naît de cette expérience, *Les Hain-Tenys Merinas* (1913), recueil et analyse de proverbes malgaches. Rentré en France, il se marie, est mobilisé en 1914, blessé en 1916. Cela lui inspire ses premiers récits (*Le Guerrier appliqué*, 1917). Proche des surréalistes au lendemain de la guerre, il devient, en 1920, secrétaire de Jacques Rivière*, alors directeur de la *NRF* ; il lui succède après sa mort, en 1925. Jusqu'à la défaite de 1940, il se consacre à la revue, où il organise un champ de débat le plus ouvert possible. Maître d'œuvre dans les coulisses de la vie littéraire — il alimente aussi des publications telles que *Commerce* et *Mesures* —, Paulhan est un point fixe par lequel passe à peu près tout ce qui compte dans les lettres françaises. Il marque la *NRF* de son goût pour l'intelligence et de son intuition littéraire dénuée de tout dogmatisme.

Antifasciste, proche du Front populaire (il est élu, en 1935, conseiller municipal à Châtenay-Malabry sur une liste socialiste), Paulhan s'élève, en 1938, contre les accords de Munich*. Après la défaite, il abandonne la revue à Drieu La Rochelle*, collabore à *Résistance*, l'organe du réseau du Musée de l'homme, et fonde, avec Jacques Decour*, *Les Lettres françaises** clandestines. Il est l'une des chevilles ouvrières des Éditions de Minuit*, tout en conservant de multiples responsabilités chez Gallimard*. En 1941 paraît son essai majeur : *Les Fleurs de Tarbes, ou la Terreur dans les lettres*. Il travaillera jusqu'à la fin de sa vie à la seconde partie de ce livre, qui restera inachevée. Membre fondateur du Comité national des écrivains*, Paulhan démissionne avec fracas de cet organisme en 1946, condamnant les « listes noires »* de l'épuration et défendant le « droit à l'erreur » de l'écrivain dans ses « lettres aux membres du Comité national des écrivains » (recueillies dans *De la paille et du grain*, 1948). La publication de sa *Lettre aux directeurs de la Résistance* en 1952 ranimera la polémique. De 1946 à 1952, il dirige *Les Cahiers de la Pléiade* (où il publie Céline* et Jouhandeau* en disgrâce), puis, à partir de 1953, *La Nouvelle NRF* avec l'aide de Marcel Arland* et de Dominique Aury. Il écrit, à cette époque, des essais sur la peinture moderne (*Braque le patron*, 1945, *Fautrier l'enragé*, 1949, *L'Art informel*, 1962), et la préface à *Histoire d'O* de Pauline Réage, dont il a remis le manuscrit à J.-J. Pauvert (« Du bonheur dans l'esclavage », 1954). Malgré sa position défavorable à l'abandon de l'Algérie, il marque son soutien au général de Gaulle à l'occasion de son discours de réception à l'Académie française* en 1963. Jusqu'à sa mort, à Neuilly-sur-Seine, il donne progressivement une tonalité mystique à sa réflexion sur le langage (*Le Clair et l'obscur*, 1958).

Frédéric Badré

■ *Entretiens sur des faits divers*, Gallimard, 1945. — *Les Causes célèbres*, Gallimard, 1950. — *Œuvres complètes*, Cercle du livre précieux, 1966-1970, 5 vol. — *Choix de lettres*, Gallimard, 1986 et 1992, 2 vol.

■ J. Bersani (dir.), *Jean Paulhan le souterrain* (colloque de Cerisy), UGE, 1976. — Les *Cahiers Jean Paulhan* sont édités chez Gallimard depuis 1982.

PAUWELS (Louis)

Né en 1920

Écrivain et journaliste, Louis Pauwels est un intellectuel en marge, au parcours atypique. Passionné d'ésotérisme, païen puis catholique conservateur, compagnon de route temporaire de la Nouvelle Droite, puis chantre du libéralisme économique, il s'est fait connaître du grand public par *Le Matin des magiciens*, la revue *Planète* et *Le Figaro Magazine**, qui ne jouissent guère de légitimité intellectuelle.

Issu d'un milieu ouvrier, il devient instituteur pendant la guerre qu'il traverse sans engagement. Sa formation est marquée par l'influence de la pensée mystique et son admiration pour Céline* et Montherlant*. À la Libération, il participe à la fondation de l'association « Travail et culture », organisme de culture populaire subventionné par l'État dont il est secrétaire général (1945-1949) et devient journaliste, tout en se consacrant à l'écriture de romans. Il est secrétaire de rédaction de *Gavroche*, hebdomadaire littéraire du Parti socialiste, puis reporter à *Carrefour**, au *Figaro littéraire**, à *Combat** (1945-1949) et éditorialiste à *Paris-Presse*. Rédacteur en chef de *Combat* (1949-1950), d'*Arts** (1952-1955), il écrit dans *La Parisienne** et fréquente les « hussards », il devient ensuite directeur de la rédaction de *Marie-France* (1956-1962).

À la suite du succès de son roman *Saint-Quelqu'un* (1956), Georges Gurdjieff lui est recommandé par un ami ; il suit son enseignement durant deux ans. *Le Matin des magiciens* (1961), écrit en collaboration avec Jacques Bergier, remporte un succès considérable. Influencé par les écrits du jésuite évolutionniste Pierre Teilhard de Chardin*, et par la pensée du spiritualiste René Guénon*, le livre procède d'un désir de réconcilier la science avec la spiritualité. La revue *Planète*, lancée en octobre 1961, prolonge *Le Matin des magiciens*. Ces deux entreprises, où se côtoient science et fiction, occultisme et ésotérisme, sont portées par la conviction que « l'homme est aussi une créature qui contient de l'éternel », qu'il existe « un autre monde » et par le désir d'« aller au-delà des causalités restreintes », des idées reçues et du rationalisme, en remettant le « vieux fonds humain transhistorique » en circulation (« le réalisme fantastique »). La revue eut jusqu'à 100 000 abonnés.

À partir de 1971, le nom de Pauwels apparaît régulièrement associé à celui du Groupement de recherche et d'études pour la civilisation européenne* (GRECE) et d'Alain de Benoist*, pour des colloques et des articles. L'antimarxisme, l'antiégalitarisme, l'antichristianisme rapprochent l'écrivain de la Nouvelle Droite, qui lui semble l'héritière des recherches de *Planète*. En octobre 1977, devenu directeur des services culturels du *Figaro* où Robert Hersant l'a nommé, il appelle quelques membres du GRECE au *Figaro Dimanche*, puis au *Figaro Magazine*, créé en octobre 1978. Fortement ancré à droite, ce magazine de grande diffusion, d'information générale et de loisirs, est animé les premières années par un projet de reconquête idéologique du champ intellectuel et culturel, indûment monopolisé par la gauche. Un dessein qui rencontre la stratégie *métapolitique* de la Nouvelle Droite, dont *Le Figaro Magazine* se fait le vecteur jusqu'en 1981. L'hebdomadaire évolue alors vers le libéralisme économique, et se consacre à l'opposition vigoureuse au pouvoir socialiste. Les éditoriaux au style virulent de Pauwels, où il dénonce toutes les décadences, suscitent à plusieurs reprises la polémique. Louis Pauwels a été élu à l'Académie des beaux-arts en 1985. En 1994, il a quitté la direction générale du *Figaro Magazine*, où il reste éditorialiste.

Séverine Nikel

■ *Le Matin des magiciens*, Gallimard, 1961. — *Lettre ouverte aux gens heureux*, Albin Michel, 1971. — *Comment devient-on ce que l'on est*, Stock, 1978. — *Le Droit de parler* (recueil d'éditoriaux du *Figaro Magazine*), Albin Michel, 1981. — *La liberté guide mes pas* (recueil d'éditoriaux du *Figaro Magazine*), Albin Michel, 1984.

▩ G. Véraldi, *Pauwels ou le Malentendu*, Grasset, 1989. — M. Winock, « Le phénomène *Planète* », in *Chronique des années 60*, Seuil, 1987.

PCF : LES BATAILLES DU LIVRE

À l'origine de cette initiative originale du Parti communiste, les réflexions d'Elsa Triolet* formulées en 1947 et 1948 dans des discours et des articles, rassemblées en 1948 dans un livre intitulé *L'Écrivain et le livre, ou la Suite dans les idées*. La compagne de Louis Aragon* y développe sa définition de l'écrivain, sa conception d'une littérature engagée et appelle à une mobilisation résolue pour mieux diffuser la littérature progressiste au moment où déferle « la propagande de l'ennemi ». Cet appel aurait fait long feu sans l'intervention décisive du Kominform. En novembre 1949, à Budapest, une conférence plénière de cet organisme adopte une résolution finale qui fait de la lutte pour la paix la priorité des priorités et recommande à cet effet d'intensifier « l'édition et la diffusion de la littérature dénonçant les préparatifs de guerre ».

Le PCF, Elsa Triolet en tête, bien que non officiellement membre de ce parti, livre de mars 1950 et jusqu'en juin 1952 pas moins de seize « batailles du livre » dans des départements français. À l'initiative des fédérations départementales, ce sont au total 63 écrivains, communistes et compagnons de route, qui animent des réunions, cherchent à vendre des livres et à ouvrir des bibliothèques. Les plus actifs sont André Wurmser* (13 batailles), Georges Soria (12), Pierre Daix* (11), tandis que, parmi les célébrités, Louis Aragon, Elsa Triolet, Paul Éluard* et Tristan Tzara* se déplacent chacun trois fois. Les organisateurs privilégient la littérature progressiste française ou étrangère (soviétique en premier lieu), mais aussi les classiques du peuple français, les maîtres de la littérature russe et les livres politiques. Les résultats sont décevants, les auditoires clairsemés, les militants peu mobilisés, les ventes guère encourageantes et les auteurs se lassent vite. L'objectif d'atteindre un public peu habitué à lire, en particulier ouvrier, a échoué.

Cet épisode révèle la volonté — moderne — du PCF de politiser les questions de la lecture publique et de s'en emparer. Il atteste aussi l'existence de tensions entre la direction du Parti, pour qui cette initiative relève d'une préoccupation exclusivement politique — les livres, explique François Billoux, responsable de la section idéologique, sont des « petits meetings à domicile » —, et les intellectuels qui, tout en partageant cette nécessité, recherchent aussi un contact direct avec le peuple et veulent « créer avec la lecture un sport nouveau et populaire » (Aragon).

Marc Lazar

■ D. Caute, *Les Compagnons de route (1917-1968)*, Laffont, 1979. — M. Kuhlmann, N. Kuntzmann et H. Bellour, *Censure et bibliothèques au XXe siècle*, Cercle de la Librairie, 1989. — M. Lazar, « Les "batailles du livre" du Parti communiste français (1950-1952) », *Vingtième siècle, revue d'histoire*, 10, avril-juin 1986. — J. Verdès-Leroux, *Au service du Parti. Le Parti communiste, les intellectuels et la culture (1944-1956)*, Fayard / Minuit, 1983.

PÉGUY (Charles)
1873-1914

Péguy est né à Orléans d'une mère rempailleuse de chaises et d'un père (qu'il ne connut pas) menuisier, mort des suites de la guerre de 1870. Il grandit dans un milieu populaire et artisanal imprégné de fortes convictions républicaines, laïques et patriotiques. À l'issue de brillantes études secondaires, il entra au lycée Lakanal pour préparer l'École normale supérieure*. Ayant échoué, il fit son service militaire puis revint préparer le concours avec succès au collège Sainte-Barbe. Rue d'Ulm, où il subit l'influence de Jaurès*, Herr* et Andler*, il se classe parmi les socialistes au printemps 1895 et adhère sans doute au groupe des étudiants collectivistes. En congé à Orléans pendant l'année universitaire 1895-1896, il y commence une *Jeanne d'Arc* et continue à déployer un ardent prosélytisme socialiste teinté de kantisme et d'anarchisme. De retour à Paris, il collabore à la *Revue socialiste* à partir de février 1897. À la fin de cette même année, il se marie, démissionne de l'École et ouvre le 1er mai suivant une librairie socialiste sous le nom d'un ami, Georges Bellais*. Cette période est marquée par son engagement très actif dans le dreyfusisme. Il signe la deuxième pétition appelant à la révision, presse Jaurès* et les autres leaders de son parti pour qu'ils se déclarent nettement en ce sens, intervient à la tête des groupes d'étudiants dreyfusistes dans les bagarres du Quartier latin. Son engagement et son intransigeance se manifestent aussi dans quelques interventions journalistiques et surtout dans la rubrique des « notes politiques et sociales » de *La Revue blanche**.

Le congrès des organisations socialistes de décembre 1899 introduit une fêlure radicale au sein de cette allégresse militante. Péguy interprète la décision qui y est prise de contrôler la presse du mouvement comme une tentative d'établissement d'une vérité officielle échappant à la contestation et par là comme une négation de l'essence du combat dreyfusiste. Il se hâte de préparer le lancement des *Cahiers de* *la quinzaine** dont le premier numéro est daté du 5 janvier 1900 et qui se propose de dire la vérité sans tenir compte d'aucune autorité. De là, il entretiendra un dialogue souvent polémique avec ses contemporains. Il ne tardera pas à dénoncer la « décomposition du dreyfusisme ». Tout en s'affirmant alors non chrétien et même anticlérical, il critiquera vivement l'appui donné par les socialistes à la politique du gouvernement Combes envers l'Église catholique : il y décelait la volonté d'imposer une « métaphysique d'État », par le moyen notamment d'un monopole de l'enseignement. Contre cette tentation, les *Cahiers* redonnèrent la série d'articles publiés par Raoul Allier dans *Le Siècle* plaidant en faveur d'une séparation des Églises et de l'État* effectuée dans un esprit de véritable tolérance. Péguy incriminera tout aussi vigoureusement, à la suite de Georges Sorel* dont il admirait la pensée non conformiste, ce qu'il considérait comme la dégénérescence parlementaire du socialisme, c'est-à-dire l'attention exagérée portée aux combinaisons politiciennes, le recours à une phraséologie stéréotypée et l'alignement de fait sur les positions petites-bourgeoises du radicalisme. La crise franco-allemande de 1905 cristallisera ces critiques visant le socialisme officiel.

La conviction de la prochaine agression allemande réactive en lui l'ardent patriotisme de son enfance en même temps qu'elle l'incite à préserver les traditions nationales menacées d'anéantissement. Sous la catégorie péjorative de « monde moderne », il désigne les courants oublieux, sous prétexte d'attachement au progrès, du passé culturel et religieux, contribuant ainsi à exposer à un péril mortel le patrimoine dans ce qu'il a d'essentiel. Quant au « parti intellectuel », il regroupe les théoriciens de cette idéologie progressiste et scientiste qui sont dans un rapport organique avec un État dont ils s'emploient à légitimer les valeurs. En 1910, *Le Mystère de la charité de Jeanne d'Arc* rend public son retour à la foi catholique et manifeste hautement sa rupture avec les certitudes positivistes de son temps. Son anxiété sur l'avenir de la France taxe de verbalisme parlementaire, de bavardage pseudo-révolutionnaire, finalement d'illusion criminelle les diverses formes syndicalistes et socialistes de lutte contre la guerre. Tout en protestant de sa fidélité à l'idéal socialiste qu'il juge alors dévoyé par la SFIO, il appuie délibérément les républicains centristes au pouvoir car il voit en eux les seuls artisans conséquents de la défense nationale. Le sentiment de l'urgence l'amène à entrer de plain-pied dans le sursaut nationaliste qui saisit la France ; il fait silence sur les grandes grèves de 1906-1909, il tait toute critique sur les expéditions coloniales qu'il égale lyriquement à l'épopée de la conquête romaine ; il appuie vigoureusement la loi de trois ans. Pourtant, il s'obstinera à garder son indépendance personnelle et refusera de répondre aux sollicitations de la droite et de l'extrême droite royaliste qui avaient cru un moment pouvoir le récupérer. On se gardera de classer cet inclassable tué au front, à la tête de ses hommes, dès les premiers jours de la bataille de la Marne.

Géraldi Leroy

■ *Le Mystère de la charité de Jeanne d'Arc*, 1910. — *Notre jeunesse*, 1910. — *Victor-Marie, comte Hugo*, 1910. — *La Tapisserie de sainte Geneviève et de Jeanne d'Arc*, 1912. — *L'Argent, L'Argent suite, Ève*, 1913.

▩ R. Burac, *Charles Péguy*, Laffont, 1994. — S. Fraisse, *Péguy et le monde antique*,

Armand Colin, 1973. — D. Halévy, *Péguy et les « Cahiers de la quinzaine »*, Grasset, 1979. — J. Isaac, *Expériences de ma vie*, t. 1 : *Péguy*, 1959. — G. Leroy, *Péguy entre l'ordre et la révolution*, Presses de la FNSP, 1981.

PELLETIER (Madeleine)
1874-1939

Cheveux courts, costume masculin, Madeleine Pelletier arbore fièrement sa singularité de femme médecin, féministe et socialiste. Née à Paris le 18 mai 1874 dans une famille de commerçants pauvres, marquée par une très mauvaise relation avec sa mère, elle garde de son enfance un profond ressentiment contre l'injustice sociale et sa condition de femme. Autodidacte, c'est grâce aux Universités populaires* et à ses rencontres dans le milieu anarchiste qu'elle peut compléter son instruction et passer le bac en 1896 avant d'entamer des études de médecine. En 1902, appuyée par le quotidien féministe *La Fronde**, M. Pelletier est autorisée à passer le concours d'internat des asiles d'aliénés ; elle devient ainsi la première femme aliéniste. Sa carrière ayant tourné court, elle gagne mal sa vie comme généraliste, mais ses ambitions, politiques et théoriques, sont plus larges que l'exercice de la médecine. Très vite son statut de médecin lui ouvre des portes dans les milieux progressistes : franc-maçonnerie, guesdisme, hervéisme. Ses « galons » de militante l'aident à faire accepter une motion en faveur du vote des femmes lors du congrès SFIO de Limoges en 1906 et à obtenir l'appui de ses candidatures aux élections de 1910 et 1912 ; mais les rapports sont conflictuels avec ses compagnons de lutte. En 1920, elle opte pour la IIIe Internationale. Toutefois, déçue après un « aventureux voyage en Russie communiste », elle se tourne vers les anarchistes.

Féministe, Madeleine Pelletier ne se contente pas de militer ou de diriger un groupe favorable à l'égalité civile et politique des sexes (« La Solidarité ») et une modeste revue (*La Suffragiste*, 1908-1914). Elle souhaite théoriser l'émancipation des femmes et propose, en s'appuyant sur sa formation en anthropologie et en psychologie, une analyse de l'aliénation féminine très singulière, qui la conduit à revendiquer l'abolition de la famille, la masculinisation des filles, le droit à l'avortement et la liberté sexuelle. Toutefois, au niveau personnel, cette analyse tempérée par son refus profond de la féminité l'amène, en attendant l'avènement d'un monde égalitaire, à pratiquer une chasteté et un célibat militants. Ses idées autant qu'un caractère peu commode la marginalisent dans un mouvement aux préoccupations plus réformistes. Inculpée pour avoir pratiqué des avortements et déclarée irresponsable, elle est internée à l'asile Perray-Vaucluse où elle s'éteint dans l'anonymat en décembre 1939.

Laurence Klejman et Florence Rochefort

■ *Le Célibat, état supérieur*, Caen, Imprimerie caennaise, s.d. — *La Femme en lutte pour ses droits*, Giard et Brière, 1908. — *L'Émancipation sexuelle de la femme*, Giard et Brière, 1911. — *L'Éducation féministe des filles*, Giard et Brière, 1914, rééd. Syros, 1978. — *Mon aventureux voyage en Russie communiste*, Giard, 1922. — *La Femme vierge* (roman), Bresle, 1933.

■ F. Gordon, *The Integral Feminist, Madeleine Pelletier (1874-1939)*, Polity Press,

1990. — C. Sowerwine et C. Maignien, *Madeleine Pelletier, une féministe dans l'arène politique*, Éditions ouvrières, 1992. — *Madeleine Pelletier (1874-1939). Logique et infortune d'un combat pour l'égalité*, Côté Femmes Éditions, 1992.

PELLOUTIER (Fernand)

1867-1901

Le fondateur du syndicalisme français n'est pas un ouvrier, mais un journaliste ; ce n'est pas non plus un socialiste, mais un anarchiste. Enfin, il est mort à trente-trois ans, à l'âge où aujourd'hui beaucoup de dirigeants commencent à peine leur carrière.

Né à Paris d'un père commis des Postes, Fernand Pelloutier arrive à l'âge de douze ans à Saint-Nazaire où celui-ci venait d'être nommé. De ses premières années au petit séminaire de Guérande, il ne retirera pas grand-chose, sinon un solide anticléricalisme. Un peu plus tard, au collège de Saint-Nazaire, il fait une connaissance décisive pour son orientation ultérieure : Aristide Briand. Un échec au baccalauréat (1885), et Fernand Pelloutier abandonne ses études pour devenir journaliste et bientôt rédacteur en chef à *La Démocratie de l'Ouest*, journal à la curieuse périodicité tri-hebdomadaire, dont les avatars vont rythmer le début de sa carrière publique. C'est là qu'on le voit passer successivement d'un radicalisme avancé à un socialisme de nuance guesdiste : mais il ne s'y attarde pas et s'affirme vite anarchiste, ou plutôt libertaire. Car il sera toujours hostile à la « propagande par le fait », c'est-à-dire au terrorisme et, à l'inverse, partisan décidé de l'éducation. Il soutient Aristide Briand lors de la première tentative électorale de celui-ci (1889), du reste infructueuse, et rédige la première ébauche d'un projet dont les deux amis seront les promoteurs à l'échelle régionale, puis bientôt nationale, la grève générale. Et surtout, il prend contact avec le milieu ouvrier, dont il souligne dans ses premiers écrits les tristes conditions. Véritable enquête sociale qui sera à l'origine d'une de ses publications les plus importantes, *La Vie ouvrière en France* (1900).

Revenu à Paris au début de l'année 1893, il se mêle à la bohème littéraire et politique, donnant des contributions à *L'Aurore*, au *Journal du peuple* de Sébastien Faure*, à *La Cocarde* de Barrès*, à *L'Art social* de Gabriel de La Salle, etc. Fidèle au républicanisme de sa jeunesse, en dépit de son orientation vers l'anarchisme, il fait campagne en faveur de Dreyfus et condamne l'antisémitisme : c'est à cette occasion qu'il fait la connaissance de Bernard Lazare. Parallèlement, Fernand Pelloutier suit avec passion le développement du mouvement ouvrier dès le début de la décennie. Au début de 1894, il représente Saint-Nazaire à la Fédération des bourses du travail qui s'est constituée deux ans auparavant (1892), en opposition à la Fédération nationale des syndicats dominée par les guesdistes. C'est sous son impulsion qu'un congrès commun, réuni à Nantes en septembre 1894 pour tenter de rapprocher les deux organisations, se prononce massivement en faveur du principe de la grève générale, ce qui provoque le départ des guesdistes.

Peu favorable à la fondation, l'année suivante (1895), de la CGT (Confédération générale du travail) au congrès de Limoges, qui tente à son tour de regrouper l'ensemble des organisations syndicales existantes, Pelloutier s'identifie désormais à la Fédération des bourses, dont il est devenu le secrétaire et l'animateur. Il lui reste à peine six années à vivre et, sous son impulsion, les Bourses du travail qui regroupent l'ensemble des travailleurs syndiqués sur le plan local, toutes professions confondues, connaissent un essor remarquable, cependant que la CGT, organisée sur la base de fédération de métiers ou d'industries, stagne.

Journaliste dans l'âme, il lance en février 1897 *L'Ouvrier des Deux Mondes*, mensuel qui ne durera que deux ans, mais qui par sa rigueur, l'ampleur de son information, son ouverture internationale, suscite l'intérêt et l'admiration de tous ceux qui touchent au monde ouvrier, de Georges Sorel* et Jean Jaurès*, jusqu'à Léon de Seilhac, l'animateur du Musée social*. Il participe au Congrès international de Londres (1896), qui voit le dernier affrontement au sein de la même organisation des politiques et des syndicalistes, des socialistes et des anarchistes.

Mais sa santé, déjà fort précaire, ne cesse de s'altérer. Épuisé par le travail et par des conditions d'existence qui côtoient la misère, il ne survit que grâce à une modeste subvention que Millerand lui accorde sur intervention conjointe de Sorel et de Jaurès. Il meurt le 13 mars 1901, laissant une œuvre importante, et une vision syndicale qui lui survivra. Celle d'un syndicalisme indépendant, à la fois modéré et organisateur dans ses méthodes, révolutionnaire dans sa visée : celle qui avait pour ambition de créer, selon ses propres expressions, une « société d'hommes fiers et libres » composée d'individus qui auraient été, à son image, « des amants passionnés de la culture de soi-même ».

Jacques Julliard

■ *La Vie ouvrière en France* (avec Maurice Pelloutier), Schleicher, 1900. — *Histoire des Bourses du travail. Origine, institutions, avenir* (préface de G. Sorel), Schleicher, 1902.

▒ J. Julliard, *Fernand Pelloutier et les origines du syndicalisme d'action directe*, Seuil, 1971, rééd. 1985.

PENSÉE (LA)

Le numéro 1 de *La Pensée* paraît à l'hiver 1944. En réalité, la revue dirigée alors par Paul Langevin*, Frédéric Joliot-Curie*, Henri Wallon*, Georges Tessier et Georges Cogniot* est l'héritière de deux publications. D'une part, trois numéros de *La Pensée* sont parus en 1939, sous la houlette de Paul Langevin et Georges Cogniot. Selon celui-ci, c'est Georges Politzer* qui en inventa le sous-titre — « revue du rationalisme moderne » — et Dimitrov qui donna son aval au projet. Le deuxième numéro proposait un article de Marcel Prenant* sur « Génétique, racisme et faits sociaux », et l'article de Politzer, « Dans la cave de l'aveugle », une réfutation de Bergson* et de Gabriel Marcel*. D'autre part, pendant l'Occupation, Jacques Decour*, secrétaire de rédaction de la première *Pensée*, Georges Politzer et Jacques Solomon, parallèlement à leur expérience de *L'Université libre*, animèrent clandestinement *La Pensée libre*. Deux numéros purent paraître, le premier en février 1941, le second en février 1942, au moment où sont arrêtés les responsables de la revue. C'est notamment dans ce numéro que fut publié le manifeste du Front national des écrivains, bientôt relayé par *Les Lettres françaises**.

La Pensée est l'héritière de cette double histoire et oppose dans son premier éditorial le « rationalisme lucide et fervent », la « vitalité de l'intelligence française », à « tous les obscurantistes », avant de rendre hommage à ses anciens collaborateurs « morts pour la France, morts pour les droits de la pensée ». C'est donc dans la tradition du courant matérialiste, encyclopédiste et humaniste que s'inscrit la revue, aux côtés de collections comme « Les Classiques du peuple » ou « Grandes figures » aux Éditions sociales, où parurent La Mettrie, Condillac, d'Holbach. Elle entend ainsi démontrer l'enracinement du marxisme dans la tradition du matérialisme français. Des hommes comme Georges Cogniot, son directeur jusqu'en 1976, René Maublanc, professeur de philosophie à Henri-IV et secrétaire de rédaction de la revue jusqu'à sa mort en 1960, Marcel Cornu qui le remplace à ce poste, Henri Wallon, membre de son comité directeur, et l'historien Jean Bruhat* qui se définit comme « l'homme de *La Pensée* », incarnent ce courant, héritier de la IIIe République. Les activités d'animation de *La Pensée* prolongent ces ambitions, puisqu'elles s'attachent, au fil des années, aux anniversaires de Jean-Jacques Rousseau ou au centenaire des *Misérables*.

Revue apparemment d'une « génération intellectuelle » plus ancienne que celle des animateurs de *La Nouvelle Critique**, elle est moins impliquée que celle-ci dans les productions les plus novatrices du marxisme. Aussi s'engage-t-elle moins, lors de la Guerre froide*, dans la diffusion des thèses lyssenkistes ou jdanoviennes. Cette opposition n'en demeure pas moins insuffisante. C'est en effet dans *La Pensée* que paraissent, aux débuts des années 60, une partie des articles de Louis Althusser*, rassemblés plus tard dans *Pour Marx*. Mais c'est aussi à leur propos, devant le comité directeur de *La Pensée*, et plus particulièrement face à Georges Cogniot, que le philosophe doit venir justifier ses thèses afin de se disculper de l'accusation de « révisionnisme ». C'est également à cette même époque que, en dépit des réticences de Georges Cogniot, paraît l'ensemble consacré au mode de production asiatique, initié par Jean Chesneaux. C'est encore dans *La Pensée* qu'après Mai 68 Louis Althusser fait paraître son texte sur les appareils idéologiques d'État, contesté par les philosophes les plus orthodoxes du PCF.

Antoine Casanova, ancien rédacteur en chef de *La Nouvelle Critique* et, dans les années 90, membre du bureau politique du PCF, remplace Georges Cogniot à la direction de *La Pensée* en 1976. La revue, demeurée trimestrielle, est depuis 1979 rattachée à l'Institut de recherches marxistes.

Frédérique Matonti

■ J. Bruhat, *Il n'est jamais trop tard. Souvenirs* (avec M. Trebitsch), Albin Michel, 1983. — G. Cogniot, *Parti pris. 55 ans au service de l'humanisme réel*, t. 1 : *D'une guerre à l'autre* ; t. 2 : *De la Libération au Programme commun*, Éditions sociales, 1976. — A. Simonin, *Les Éditions de Minuit (1942-1955). Le devoir d'insoumission*, IMEC, 1994. — J. Verdès-Leroux, *Au service du Parti. Le Parti communiste, les intellectuels et la culture (1944-1956)*, Fayard / Minuit, 1983 ; *Le Réveil des somnambules. Le Parti communiste, les intellectuels et la culture (1956-1985)*, Fayard-Minuit, 1987.

Perec (Georges)

1936-1982

Étrange projet en apparence que celui qui consiste à vouloir enrôler dans la cohorte bruyante des intellectuels, cet homme discret que fut Georges Perec, ce littérateur malicieux plus occupé à faire plier la langue qu'à vouloir changer le monde. Étrange si l'on oublie seulement qu'il fut aussi un écrivain de son temps et qu'une partie de son œuvre s'inscrit parfaitement, en lui donnant forme, dans l'histoire générationnelle.

Georges Perec est né le 7 mars 1936 à Paris, de parents immigrés, juifs polonais. Origines décisives pour le petit garçon qui va très tôt apprendre ce qu'être orphelin de l'Histoire veut dire. « L'Histoire avec sa grande hache » l'arrache à ses racines en lui ôtant son père d'abord, mort « au champ d'honneur », puis sa mère, déportée à Auschwitz. Après la guerre, Georges Perec est élevé à Paris par son oncle et sa tante. Bachelier, il entame en 1954 des études d'histoire rapidement abandonnées. Dès la fin des années 50, plusieurs romans non publiés, un projet de revue non abouti, des contributions régulières à *Partisans*, revue lancée à l'automne 1961 par François Maspero*, témoignent de sa volonté de devenir écrivain. Ses articles dans *Partisans* lui permettent d'ailleurs d'exprimer sa conception de la littérature : aux antipodes de la littérature engagée comme du Nouveau Roman, il milite pour une littérature réaliste, à la fois saisie du réel historique et expression d'une expérience individuelle. En 1965, *Les Choses*, son premier roman publié couronné par le prix Renaudot, lui permettent de mettre en pratique ces aspirations théoriques. Cette « histoire des années 60 », sous-titre de l'ouvrage, est un témoignage immédiat sur ce que Jean Duvignaud* a appelé « l'incoercible difficulté d'exister dans ces années 60 ». Enfants sans pères et sans repères, frôleurs d'histoire qui ont manqué le train de la Résistance comme celui de la guerre d'Algérie, les héros des *Choses* sont des personnages emblématiques de leur génération. Georges Perec a écrit avec *Les Choses* une manière d'autobiographie collective, un morceau d'histoire générationnelle, réflexion lucide et angoissée sur son époque, à ses yeux désertée par le sens de l'Histoire et envahie par la profusion coercitive des objets. Refus d'une Histoire qui se dérobe ? Georges Perec entame en 1966 une autre aventure marquante de sa carrière d'écrivain en rejoignant l'Ouvroir de littérature potentielle. L'OuLiPo sera pour Perec un espace ludique où, à défaut de se colleter avec l'Histoire, on saisit la langue à bras-le-corps pour des facéties brillantes, les romans lipogrammatiques par exemple (*La Disparition* en 1969, *Les Revenentes* en 1972).

Mais Georges Perec ne s'est pas mis définitivement en congé d'Histoire. Il renoue avec elle en 1975, au singulier d'abord, dans une curieuse tentative autobiographique, *W ou le Souvenir d'enfance*. Puis en 1978, l'année où il reçoit pour *La Vie mode d'emploi* le prix Médicis, il conjugue, dans *Je me souviens*, les souvenirs pluriels, la mémoire collective d'une génération, la sienne toujours. Avec *Je me souviens*, écriture de l'infra-histoire, Georges Perec restitue à sa génération les signes perdus d'une connivence retrouvée. Par la mémoire qui lui rend un passé, cette génération en quête d'elle-même s'inscrit enfin dans l'Histoire. Et Georges Perec invente à sa manière les « lieux de mémoire ».

Georges Perec est mort le 3 mars 1982 d'un cancer des bronches.

Delphine Bouffartigue

■ *Les Choses* (prix Renaudot), Julliard, 1965. — *Quel petit vélo à guidon chromé au fond de la cour ?*, Denoël, 1966. — *Un homme qui dort*, Denoël, 1967. — *La Disparition*, Denoël, 1969. — *W ou le Souvenir d'enfance*, Denoël, 1975. — *Je me souviens*, Hachette, 1978. — *La Vie mode d'emploi* (prix Médicis), Hachette, 1978. — *Récits d'Ellis Island : histoire d'errance et d'espoir* (avec R. Bober), Le Sorbier, 1980.

▒ C. Burgelin, *Georges Perec*, Seuil, 1988 (bibliographie exhaustive). — « Georges Perec », *L'Arc*, n° 76, 1976.

PÉRET (Benjamin)
1899-1959

Poète surréaliste, longtemps ignoré par une grande partie de la critique littéraire, et militant révolutionnaire d'extrême gauche, Benjamin Péret est resté fidèle toute sa vie à ce double engagement, délibérément séparé. Incarnant dans sa vie et dans son œuvre les choix subversifs (écriture automatique, antimilitarisme, anticléricalisme et anticapitalisme) du premier groupe surréaliste français, Péret a animé, avec son ami André Breton*, le mouvement surréaliste jusqu'en 1959, et a ainsi participé à la plupart des rassemblements d'intellectuels français anticolonialistes et antifascistes de l'entre-deux-guerres et des années 50 en restant radicalement hostile au nationalisme (de la Résistance, par exemple) et au stalinisme. Parallèlement à ses activités militantes dans des groupes révolutionnaires lors de ses séjours au Brésil* (1929-1931), en Espagne* (1936-1937) et au Mexique (1941-1948), Péret s'est intéressé à l'univers mythologique ancien de l'Amérique du Sud qu'il a contribué à faire connaître en France du point de vue de ses rapports avec l'imagination poétique.

Né à Rezé (Loire-Atlantique), fils d'un employé des « contributions indirectes », Victor, Maurice, Paul, Benjamin Péret est élevé par sa mère après l'abandon par le père, dès 1901, du foyer familial. Sa scolarité est très courte : après l'école primaire supérieure puis une école « technique » assurant une préparation aux Arts et Métiers, il abandonne ses études, à quatorze ans, sans aucun diplôme. Contraint par sa mère à l'engagement dans l'armée en 1917, il en sort en 1919, encore plus révolté. Dès 1920, Péret participe activement aux manifestations du groupe « dada » à Paris et collabore à *Littérature*. Codirecteur des deux premiers numéros de *La Révolution surréaliste** en 1924-1925, Péret écrit ensuite régulièrement dans toutes les publications surréalistes. Journaliste, puis, dès 1932, correcteur d'imprimerie tout en collaborant à de nombreux périodiques (*Clé*, *Combat**, *Arts**, *Le Libertaire*), Péret, auteur d'une vingtaine d'ouvrages de poésie ou de contes illustrés par de nombreux peintres surréalistes, a toujours vécu dans des conditions matérielles difficiles.

Après une adhésion de trois mois au Parti communiste français, en 1927, et jusqu'à la fondation, en 1948, avec G. Munis du « Fomento obrero revolucionario », Péret a un parcours politique original qui le conduit à l'Opposition de gauche pendant les années 30 avant de devenir trotskiste, pour ensuite critiquer de l'intérieur les positions de la IVe Internationale, puis rompre avec celle-ci.

Norbert Bandier

■ *Anthologie des mythes, légendes et contes populaires d'Amérique*, Albin Michel, 1960. — *Œuvres complètes*, t. 1, Losfeld, 1969. — *Le Déshonneur des poètes*, Corti, 1986. — *Œuvres complètes*, t. 4 et 5, Corti, Association des Amis de Benjamin Péret, 1987 et 1989.
▒ J.-M. Goutier, *Benjamin Péret*, Veyrier, 1982.

PERRIN (Jean)
1870-1942

L'importance de l'illustre physicien Jean Perrin, inhumé au Panthéon, ne tient pas seulement à ses découvertes scientifiques mais également à une activité politique mise au service de la science.

L'œuvre scientifique de Jean Perrin couvre tout le champ de la physique, de la particule à l'univers, de l'étude du mouvement brownien qui prouve la réalité moléculaire (congrès Solvay, 1911) à l'astrophysique où il avance que l'énergie du soleil procède de la « condensation de l'hydrogène en hélium » (1920) ; on parle aujourd'hui de fusion nucléaire. Ce grand physicien est d'extraction modeste. Jean Perrin est né à Lille en 1870 au hasard d'une garnison de son père, sous-officier sorti du rang. Normalien (1891), Perrin fait partie d'un groupe de jeunes chercheurs — le couple Curie, A. Cotton, P. Langevin* — intéressés par une nouvelle physique post-newtonienne, celle des particules et des quanta. En 1898, il crée à la Sorbonne la chaire de chimie-physique dont il restera titulaire jusqu'à sa mort. Dans son laboratoire, il étudie les rayons cathodiques et met en évidence (avec J.-J. Thomson) l'existence de la particule d'électricité, l'électron. Ainsi, Perrin est l'auteur d'une conception de la structure discontinue de la matière, objet d'un livre fameux (*Les Atomes*, publié en 1913), et récompensée par le prix Nobel de physique en 1926 (il sera élu à l'Académie des sciences* deux ans plus tard).

Personnalité scientifique de niveau international, ce qui est devenu rare dans la France de l'entre-deux-guerres, J. Perrin jouit d'une aura personnelle souvent évoquée à propos de son apparence : « les yeux clairs, une auréole de cheveux et de barbe blonde, un faune... » (c'est un séducteur), animant des discussions avec ses amis autour du thé servi dans la verrerie du labo. Le groupe qui gravite autour de Perrin puise sa cohésion dans une vision commune de la société et dans un engagement politique qui remonte à l'affaire Dreyfus*. Perrin adhère au socialisme de son condisciple normalien Léon Blum*. Les Langevin, Borel, Curie, les jeunes Joliot, mais aussi le physiologiste L. Lapicque ou l'historien C. Seignobos* forment une sorte de famille scientifique qui prend ses vacances ensemble. Pour ces savants, nul doute que le progrès de l'humanité ne s'identifie aux avancées de la science. Mieux, la rationalité scientifique doit aider à élaborer les lois d'une société humaine meilleure, ce que Perrin résume en évoquant « ... la Science, notre Religion ». Loin de rester spéculative, cette philosophie s'incarne dans une « Union rationaliste » créée en 1930 et dont les membres investissent le champ politique, que ce soit pour militer comme Langevin, ou pour prendre des responsabilités ministérielles comme l'a fait Borel et comme le fera Perrin (en 1936 et 1938).

Dès les lendemains de la Première Guerre mondiale*, Perrin a entrepris une campagne pour doter la France des institutions scientifiques modernes qui lui font défaut. Avec le physiologiste André Mayer (Collège de France*) et grâce à une subvention d'Edmond de Rothschild, il ouvre un Institut de biologie physico-chimique rue Pierre-Curie, à Paris (1926-1928). Deux vraies innovations dans cet institut : l'idée d'une recherche interdisciplinaire pour résoudre certaines grandes questions posées à la science (le cancer), puis un système de bourses qui permet de rémunérer des chercheurs à plein temps. L'Institut donne à Perrin l'idée d'étendre le dispositif au niveau national. D'où la réalisation avec Mayer d'une Caisse nationale des sciences (1930), puis la réunion d'un véritable parlement scientifique destiné à évaluer l'activité des boursiers scientifiques, le Conseil supérieur de la recherche (1933). C'est en fait le double noyau d'un CNRS* qui, après le passage de Perrin dans deux éphémères secrétariats d'État à la Recherche, sera installé en 1939 (englobant des réalisations comme l'Observatoire de Haute-Provence dont il est aussi le promoteur).

Il n'en est que plus paradoxal que ce grand scientifique n'ait guère cru à la pertinence d'une politique de la science ou d'une recherche programmée telles qu'on les envisage de nos jours, *a fortiori* de fonctionnarisation des chercheurs. « L'Esprit souffle où il veut » est une formule qui l'avait amené comme secrétaire d'État à envisager de créer un système de médailles scientifiques, sorte de Nobel tricolore, qui lui valut des démêlés avec une partie de la communauté savante (notamment avec Yves Rocard, son collègue physicien et père du futur Premier ministre) plus soucieuse d'utiliser les deniers publics pour faire fonctionner les laboratoires. Quoi qu'il en soit, les conceptions de Perrin l'ont largement emporté et fondent la vocation du CNRS d'aujourd'hui en faveur d'une science fondamentale et désintéressée. Au moment de l'Exposition universelle* de 1937, Perrin est à l'origine d'une réalisation pédagogique remarquable, le Palais de la découverte.

Malgré ses soixante-dix ans, la guerre puis la débâcle entraînent le fougueux physicien sur les routes de l'exil. Embarqué sur le paquebot *Massilia* en juin 1940, Perrin finit par se réfugier aux États-Unis* avec les siens, où il meurt à New York. Son fils Francis (1901-1991), qui l'accompagne depuis le laboratoire de la Sorbonne, sera le digne continuateur de l'œuvre paternelle. Francis Perrin, qui était déjà un physicien de renom avant la Seconde Guerre mondiale, a participé à la recherche atomique des années de guerre. Nommé au Collège de France, il succédera à F. Joliot à la tête du Commissariat à l'énergie atomique (1950).

Jean-François Picard

■ *Rayons cathodiques et rayons de Roentgen*, thèse, 1897. — *Les Atomes*, Alcan, 1913. — *Les Éléments de la physique*, Albin Michel, 1929. — *Grains de matière et grains de lumière*, Hermann, 1935, 4 fascicules. — *L'Organisation de la recherche scientifique en France*, Nouvelle imprimerie administrative, 1938. — « Unchanging French Spirit », *Free World*, New York, 1942.

PERROT (Michelle)

Née en 1928

« L'air du temps », ainsi Michelle Perrot baptise-t-elle, avec cruauté ou lucidité, l'esquisse d'autobiographie écrite (*Essais d'égohistoire*, Gallimard, 1987) à la demande de Pierre Nora*. De fil en aiguille, l'historienne de la grève, des prisons et des femmes peint son activité comme le reflet, à peine décalé, d'interrogations nées de leur temps. Il est vrai que, fille de la moyenne bourgeoisie parisienne, éduquée dans un cours privé à la morale très catholique, rien ne la prépare à vivre l'histoire en militante et en chercheuse. Cependant, dès son entrée à la Sorbonne (1946), sa sensibilité religieuse au social l'amène à côtoyer les militants communistes. Sa volonté d'aller aux pauvres associée à son admiration intellectuelle font d'elle une étudiante d'Ernest Labrousse* sous la direction duquel elle rédige son mémoire de diplôme d'études supérieures sur les coalitions ouvrières de la première moitié du XIXe siècle. L'agrégation réussie (1951), elle est nommée à Caen où elle devient compagnon de route du PCF (adhésion au Mouvement de la paix, à l'Union des femmes de France), pour enfin adhérer en 1954. Ces années de militantisme déterminent ses activités intellectuelles d'alors. « Budapest » et le retour à Paris marquent la fin de cet engagement.

Grâce à un détachement au Centre national de la recherche scientifique* (1957-1960) puis à un poste en Sorbonne (1962-1970), c'est par le biais de la recherche historique que Michelle Perrot exprime son intérêt pour les questions sociales. Sa thèse sur les ouvriers en grève à la fin du XIXe siècle illustre sa volonté de donner la parole au monde ouvrier, tout en opposant « au flou des appréciations qualitatives l'irréfutable dureté métallique du nombre ». Mai 68 marque l'écriture de cette thèse (1972) et la pousse à quitter la Sorbonne pour Paris VII (maître-assistant 1970-1973, professeur en 1973).

À partir de ce moment, Michelle Perrot ouvre des chantiers collectifs plus que des entreprises individuelles, d'abord aux côtés de Michel Foucault* sur la prison. Contrairement à beaucoup d'historiens qui contestent l'œuvre du philosophe au nom de la réalité sociale, elle s'inspire d'une pensée qui insiste sur l'autonomisation du discours et dépiste son influence formatrice sur le réel.

Ainsi se prépare-t-elle à son nouveau « front pionnier » : l'histoire des femmes, qui repose pour une part sur la mise en évidence du rôle formateur de la représentation sur le comportement social des femmes. Affirmant « le rapport des sexes comme structure élémentaire de l'histoire », Michelle Perrot se refuse toutefois à faire de l'histoire des femmes un ghetto, la clé unique des rapports sociaux comme en témoignent les différents chantiers collectifs qu'elle a animés sur ce thème. « L'air du temps », formule un peu légère pour une œuvre qui associe étroitement existence, conscience et science.

Olivier Dumoulin

■ *Les Ouvriers en grève. France (1871-1890)*, Paris-La Haye, Mouton, 1974. — *L'Impossible Prison. Recherches sur le système pénitentiaire au XIXe siècle*, Seuil, 1980. — *Histoire des femmes* (dir. avec G. Duby), Plon, 1990-1992.

Perroux (François)
1903-1987

Par l'étendue de sa culture économique, la variété de ses apports théoriques et la dimension éthique de son œuvre, François Perroux s'inscrit, quoique de manière hétérodoxe, dans la tradition des économistes classiques. Né à Lyon le 19 décembre 1903, il connaît après ses études chez les maristes puis à l'université de Lyon un itinéraire académique exceptionnel. Docteur en 1926, agrégé des sciences économiques à vingt-quatre ans (1928), il est professeur d'économie politique à Lyon (1928-1937) puis à la Sorbonne (1935-1955), avant d'être élu au Collège de France* en 1955. Polyglotte et voyageur, docteur *honoris causa* de multiples universités en Europe, en Amérique latine et au Canada, auteur d'une cinquantaine d'ouvrages, il meurt à Paris le 2 juin 1987.

Dès les années 30, François Perroux a introduit en France la pensée de Schumpeter qu'il a côtoyé comme boursier de la Fondation Rockefeller à Vienne en 1934. Son dialogue avec Carl Schmitt n'exclut pas une hostilité marquée, dès *Les Mythes hitlériens*, au nazisme, dont le séparent son humanisme chrétien et son attachement à l'individualisme épistémologique. Collaborateur de *La Vie intellectuelle* et d'*Esprit**, il prône pourtant une organisation du marché par la Communauté de travail et la corporation, et appelle de ses vœux une « révolution nationale » dès 1938. Membre de la commission de la Constitution (1941-1942), puis secrétaire général de la Fondation Carrel* (septembre 1942-décembre 1943), cofondateur d'« Économie et humanisme »*, il prend ses distances avec Vichy dans la collection « Renaître » publiée en 1942-1944, sans aller jusqu'à la rupture.

À la tête de l'Institut supérieur d'économie appliquée (ISEA) qu'il fonde en 1944, il élabore avec une équipe de jeunes économistes pour le Plan Monnet les outils de la comptabilité nationale. L'ISEA est alors le principal foyer de diffusion en France de la pensée keynésienne. Toutefois, volontiers hétérodoxe, excellent connaisseur de Marx dont il préface l'édition pour la « Pléiade » (1955), intéressé par la théorie du don de Marcel Mauss* qu'il intègre à sa réflexion économique, Perroux construit une œuvre originale à l'écart de toute référence. Convaincu dès 1948 que « les relations de pouvoir ne sont pas extérieures aux phénomènes économiques, elles en sont l'essence même », il s'efforce de reformuler la théorie walrasienne de l'équilibre général en y intégrant les idées d'asymétrie et de domination. S'il n'a pas fait école, ses travaux en économie du développement, en particulier à la tête de l'IEDES de 1960 à 1969, ont largement inspiré l'école française du développement, et sa réflexion sur l'organisation du marché a trouvé écho dans les théories de la régulation.

Denis Pelletier

■ *Le Problème du profit*, Giard, 1926. — *La Pensée économique de Joseph Schumpeter*, Dalloz, 1935. — *Les Mythes hitlériens*, Lyon, 1935 ; rééd. augmentée : *Des mythes hitlériens à l'Europe allemande*, LGDJ, 1940. — *Les Comptes de la nation*, PUF, 1949. — *L'Europe sans rivages*, PUF, 1954. — *Économie et société. Échange, contrainte, don*, PUF, 1960. — *L'Économie du XXe siècle*, PUF, 1961. — *Pour une philosophie du nouveau développement*, Aubier-Unesco, 1981.

▩ F. Denoël (dir.), *François Perroux*, Lausanne, L'Âge d'Homme, 1990. — C. Villanueva, *Problèmes de l'incarnation en politique : la notion de communauté chez François Perroux*, mémoire, EHESS, 1993. — *Notes et documents pour une recherche personnaliste* (Institut international Jacques Maritain), n° 26, septembre-décembre 1989.

« PETITES » MAISONS D'ÉDITION

En 1890, 11 000 nouveaux titres sortent des imprimeries ; dans l'entre-deux-guerres ce sont, chaque année, environ 14 000 nouveautés qui arrivent dans les librairies ; un peu plus pour l'après-Seconde Guerre mondiale et plus du double dans les années 80 et 90. Quelle part revient aux « petites » maisons d'édition ? Question bien délicate. En effet, la comptabilité n'est pas — sur l'ensemble du siècle — très fiable, et la définition de « petite » maison d'édition reste sujette à controverse. D'autant plus qu'une « petite » maison tend à devenir « moyenne » puis « grande », à moins qu'elle ne soit absorbée au cours de son évolution… On le voit, la rigueur scientifique est ici malmenée. Aussi, prudemment, nous évoquerons quelques maisons dont l'aura éditoriale se manifeste encore, sachant que l'exhaustivité en ce domaine est vaine.

Néanmoins, il est possible de repérer 468 éditeurs en 1900 et 463 en 1954 qui vivent essentiellement de leurs activités éditoriales. La plupart de ces maisons, qui se trouvent à Paris (les deux tiers au moins), occupent moins de 25 salariés et ont un capital familial. La « petite » maison d'édition fonctionne avec un, deux ou trois collaborateurs, pas toujours rémunérés, et, de fait, prend davantage de risques que les maisons installées. C'est pourquoi la « mortalité infantile » est élevée… Mais lorsque le cap des six-sept ans est passé, la maison peut espérer ne s'éteindre qu'avec son fondateur, ou continuer avec ses héritiers. Généralement, la « petite » maison d'édition naît à côté d'une activité de librairie, et portée par elle. Le dépôt-vente, l'autodiffusion, le suivi des stocks, etc., s'effectuent dans le cadre de la librairie. Le travail éditorial se fait en plus. Souvent avec des amis écrivains ou journalistes qui amènent des auteurs. Ces derniers bénéficient d'un soutien qu'ils ne peuvent trouver ailleurs. Un échec commercial n'entache guère la complicité qui existe entre l'éditeur et l'auteur. C'est du reste une telle politique d'auteur qui assure à l'éditeur un avenir. Il mise sur un jeune talent, et la confirmation de ce dernier devient celle de la maison d'édition. La « petite » maison d'édition repose sur la conviction d'un éditeur ou d'une petite équipe. La passion du livre et la volonté de participer au combat des idées transforment le travail de l'éditeur en militantisme. On pourrait presque dire que l'éditeur « engagé » précède l'auteur « engagé »…

Marcel Hasfeld lance La Librairie du Travail (1917-1937) pour assurer les idéaux syndicalistes et révolutionnaires d'une tribune qu'aussi bien la « bourgeoisie » et le « parti stalinien » leur refusent. Cet anarcho-syndicaliste va donc, dans le cadre d'une coopérative ouvrière d'édition, publier de nombreuses brochures visant à informer les travailleurs et à les doter d'une « culture prolétarienne », base de leur émancipation. Le catalogue reflète bien les discussions d'alors : Romain Rolland*, Maxime Gorki, Marcel Martinet*, Léon Werth, Robert Louzon*, Victor Serge*, Léon Trotski, Alfred Rosmer, etc. Au même moment, Marcel Rivière* permet à de jeunes universitaires de publier leurs thèses et lance la publication des *Œuvres complètes* de P.-J. Proudhon.

René Hilsum, qui anime vers 1912 une revue intitulée *Vers l'idéal*, fonde sept ans plus tard les Éditions Au Sans Pareil qui publient la revue *Littérature* de Louis Aragon*, André Breton* et Philippe Soupault* et de ces derniers *Les Champs magnétiques*. Il ouvre également une librairie, avenue Kléber, qui accueille les activités dadaïstes puis surréalistes. Au Sans Pareil édite Picabia, Max Jacob, B. Cendrars, des ouvrages de luxe pour collectionneurs et le roman de Marguerite Yourcenar*, *Alexis ou le Traité du vain combat*, que Gallimard* a refusé. La crise économique des années 30, la concurrence des autres maisons, les dissensions au sein des surréalistes, etc., obligent le fondateur à fermer boutique. C'est aussi le cas pour La Sirène, créée en 1917 par Paul Laffitte, qui publie Cendrars, Apollinaire*, Cocteau*, Radiguet, etc., et qui doit, pour payer ses dettes, s'associer à Georges Crès, puis être rachetée. C'est encore le cas pour les Éditions du Sagittaire installées dans la librairie de la famille Kra, également éditeurs. Philippe Soupault, le directeur littéraire, publie Delteil et Salmon, et traduit Tagore et Pirandello. Après bien des mésaventures, cette maison sera liquidée en 1967.

José Corti, libraire depuis 1925, rachète les Éditions Le Rouge et le Noir, fondées en 1928 par H. Lamblin, et lance sa propre marque. Il publie *Au château d'Argol* de Julien Gracq* en 1938, ainsi que ses autres écrits, associant son nom à celui de sa maison. Il publie également Albert Béguin* *(L'Âme romantique et le rêve)* qui lui apporte certains textes de Gaston Bachelard*. On mesure à quel point la rencontre d'un auteur et de « son » éditeur est décisive dans le destin des deux protagonistes de la même aventure : l'édition. Le milieu qui favorise une telle alchimie des affinités peut être « littéraire » (le mouvement surréaliste par exemple), « idéologique » (comme chez Marcel Rivière ou plus encore chez Georges Valois*, qui éditera bon nombre de « non-conformistes » des années 30, sans oublier les plus récentes Éditions Copernic, créées par le Groupement de recherche et d'études pour la civilisation européenne* (GRECE) en 1976, ou les Éditions Le Labyrinthe qui, à partir de 1982, leur succèdent), « politique » (comme les Éditions de Minuit*, que Vercors* favorise pour résister au régime de Vichy et au nazisme, ou comme les Éditions François Maspero*, créées en 1959 en opposition à la présence française en Algérie et plus généralement en opposition à toutes les formes d'impérialisme).

Les maisons moyennes et bien évidemment les grands groupes multimédias sont attentifs au travail de découvreur des « petites » maisons. Un auteur étranger inconnu est traduit pour la première fois par un « petit » éditeur, cela marche, il est aussitôt « acheté » par une grande maison. Il en va de même pour la réédition d'un écrivain « oublié » ou pour le jeune auteur qui « promet ». Parfois, la « petite » maison trouve son équilibre avec son éventail d'auteurs et peut s'imposer. C'est le cas des Éditions Galilée, créées par Michel Delorme, qui éditent J.-F. Lyotard*, P. Virilio*, J. Derrida*, J. Baudrillard*, etc. C'est aussi le cas des Éditions de Minuit que dirige Jérôme Lindon et qui restent fidèles à leurs auteurs fidèles ! On ne dira jamais assez le rôle essentiel des « petites » maisons d'édition dans le travail intellectuel, dans l'éclosion romanesque, dans l'approfondissement de la liberté de penser.

Thierry Paquot

■ M.-C. Bardouillet, *La Librairie du Travail*, Maspero, 1977. — E. Buchet, *Les Auteurs ou Ma vie d'éditeur*, Buchet-Chastel, 1969. — R. Chartier et J.-H. Martin (dir.), *Histoire de l'édition française*, t. 4 : *Le Livre concurrencé (1900-1950)*, Fayard / Cercle de la Librairie, 1991. — J. Corti, *Souvenirs désordonnés (...-1965)*, Corti, 1983. — P. Fouché, *Au Sans Pareil*, Bibliothèque de littérature française contemporaine, 1983 ; *La Sirène*, Bibliothèque de littérature française contemporaine, 1984 ; *L'Édition française sous l'Occupation (1940-1944)*, Bibliothèque de littérature française contemporaine, 1985. — P. Soupault, *Mémoires de l'oubli*, Lachenal & Ritter, 1981-1986, 3 vol. — Vercors, *Cent ans d'histoire de France*, t. 3 : *Les Nouveaux Jours*, Plon, 1984.

PÉTITIONS

Lorsque paraît, le 14 janvier 1898, la pétition dreyfusarde qu'on appellera bientôt le « Manifeste des intellectuels », aucun de ses signataires ne sait qu'il vient de mettre en place l'une des formes appelées à devenir canoniques de l'engagement des clercs. Sans doute y a-t-il eu auparavant des pétitions d'écrivains ou d'artistes, comme celle de 1889 en faveur de Lucien Descaves*, poursuivi par le ministre de la Guerre pour son livre *Sous-offs*. Rassemblant les signatures de Barrès* et Zola*, il s'agissait d'une pétition corporatiste et pas encore politique. La deuxième différence tient à la stratégie employée par le petit nombre des dreyfusards : faire poids à défaut de pouvoir faire nombre. Il ne s'agit plus, comme ce fut le cas sous la Révolution, de rassembler le plus de signatures possible pour peser sur la donne politique, mais de la modifier par la qualité des signataires. Le titre ou le diplôme est utilisé, ainsi que l'écrit C. Charle, « comme un argument d'autorité contre une autre autorité judiciaire et politique ». Barrès, dans le camp des antidreyfusards, l'a vite senti : « Tous ces aristocrates de la pensée tiennent à afficher qu'ils ne pensent pas comme la vile foule. »

Toute pétition désormais bien construite déploiera des stratégies — supports, ordre et choix des signataires — qui sont inséparablement pression et présentation de soi. La Ligue de la patrie française, lorsqu'elle entend répondre au « Manifeste », publie d'abord des pétitions où les signatures sont regroupées par corporations : « Manière de résumer la société qui est, selon la vision organiciste de Barrès, non une collection d'individus, mais une association de professions soudées entre elles par des valeurs nationales communes », souligne encore C. Charle. Les suivantes, après le succès des pétitions dreyfusardes en faveur de Picquart, mettent en avant les universitaires, placés juste après les académiciens, pour exprimer, comme le fait l'un de ses signataires, professeur à la Sorbonne, qu'« il n'est point vrai que la masse [de l'Université] suit ».

Une pétition est donc, dès alors, fabriquée par ses initiateurs en mobilisant les réseaux qu'ils ont à leur disposition. Herr* avait pensé à Barrès — il refusa —, qui participait comme lui à l'avant-gardiste *Revue blanche**. En 1925, la pétition rédigée par Barbusse* contre la guerre du Rif*, parue dans *L'Humanité**, le 2 juillet, est le fait d'un trio tout aussi avant-gardiste : *Clarté**, les surréalistes, et le groupe Philosophies*. En 1960, le « Manifeste des 121 » est porté par deux revues, *Les Temps modernes** et *Les Lettres nouvelles*, comme par d'anciens communistes autour de Dionys Mascolo*, et par la fine fleur des Éditions de Minuit*, autour de Jérôme Lindon. Le « Manifeste des intellectuels français », réponse aux 121, permet, lui, de repérer le poids du Mouvement national unitaire d'action civique, mais aussi des catholiques traditionalistes, de la maison d'édition La Table ronde*, et des écrivains de droite que l'on nomme les « Hussards ». Une pétition est composée — matériellement mais aussi intellectuellement — selon des dosages subtils. Le nombre de signataires peut enfin dégager une aura magique — les « 121 » signataires pour le droit à l'insoumission, comme les « 343 » pour l'avortement. La recherche de la notoriété modifie progressivement l'identité sociale des signataires. Les artistes, longtemps pris au sens restreint du terme, voient leur catégorie s'étendre progressivement aux acteurs lors du Front populaire, puis aux chanteurs (Montand dès les années 50). Mais c'est surtout avec les pétitions contre la guerre du Vietnam* (D. Seyrig, G. Bedos, H. Aufray, M. Piccoli, M.-F. Pisier) qu'on les retrouve en grand nombre. Cette émergence des artistes connus du grand public — qui ne fait que confirmer la logique première des pétitions — permet aux femmes d'être plus nombreuses à accéder au cercle très fermé des signatures recherchées, d'autant que le « Manifeste des 343 » les a placées en première ligne. Enfin, les années 80 — avec notamment les pétitions de soutien à François Mitterrand organisées par le ministre de la Culture, Jack Lang — accréditent cette banalisation du statut d'intellectuel, le conférant à des catégories qui en étaient autrefois exclues.

Les pétitions adverses de l'affaire Dreyfus* n'avaient pas fait qu'opposer des signataires, elles étaient aussi porteuses de valeurs. Durkheim* pour les dreyfusards et Brunetière* pour les antidreyfusards ne s'y sont pas trompés. Alors que Brunetière accuse les clercs de dissoudre la patrie au profit de l'individualisme, Durkheim répond en faisant de l'individualisme la véritable religion de la modernité. Aussi peut-on repérer, au moins jusqu'à l'après-Mai 68, des clivages idéologiques simples : nationalisme et internationalisme avant la guerre ; internationalisme et défense de l'Occident après 14-18 ; nationalisme et antifascisme dans les années 30 ; défense du colonialisme et défense des colonisés puis tiers-mondisme dans l'après-guerre. Ainsi, lorsque Romain Rolland* rédige la « Déclaration d'indépendance de l'esprit » parue dans *L'Humanité* le 26 juin 1919, que signent Barbusse, J.-R. Bloch* ou J. Romains*, il entend retrouver une « union fraternelle » après une guerre qui a vu « l'abdication presque totale de l'intelligence du monde et son asservissement volontaire aux forces déchaînées ». Quelques semaines plus tard, sous un texte d'Henri Massis*, s'alignent les signatures de Maurras*, Bainville*, Maritain*, Bourget* ou Valois*. Ils entendent défendre le « parti de l'intelligence [...] que nous prétendons servir pour l'opposer à ce bolchevisme qui [...] s'attaque à l'esprit et à la culture, afin de mieux détruire la société, nation, famille, individu ». On retrouve le même type de clivages après le 6 février 1934 : la liste des signataires varie peu de l'appel « aux travailleurs » qui donne naissance au Comité de vigilance des intellectuels antifascistes*, à la pétition de soutien aux

Éthiopiens face à l'agression italienne publiée dans *L'Œuvre* en octobre 1935, et à la « Déclaration des intellectuels républicains au sujet des événements d'Espagne » parue dans *Commune** en décembre 1936. En face, A. Bonnard*, A. Hermant* et Drieu La Rochelle*, par exemple, signent à la fois le manifeste « Pour la défense de l'Occident » qui soutient l'Italie face aux menaces de sanctions de la SDN, « sous prétexte de protéger en Afrique l'indépendance d'un amalgame de tribus incultes », et, en décembre 1937, le « Manifeste aux intellectuels espagnols » paru dans *Occident* qui entend montrer que « la vraie France et la vraie Espagne sont et restent unies ».

Cette structuration générale en deux camps n'est pas surprenante, d'abord parce que chaque lutte, pétition contre pétition et camp contre camp, réitère les gestes fondateurs de l'affrontement primitif. « Ici, comme au temps de l'affaire Dreyfus, nous assistons au conflit de deux esprits, de deux conceptions de la justice, de la vie politique et du devenir de l'humanité », écrit l'un des signataires de l'appel en faveur des Éthiopiens. Ensuite, parce que la pétition se préoccupe plus de trouver des élans lyriques que de proposer des analyses complexes. Enfin, parce que toutes les situations historiques ne se prêtent pas à ce mode d'expression. Quasi inexistante en 1914 et surtout pendant la Seconde Guerre mondiale, où l'engagement politique passe par d'autres chemins, la pétition qui se propose d'aller au-devant de l'opinion publique pour l'ébranler demeure une arme de paix, même en période troublée. En cela, le « Manifeste des 121 », jamais publié intégralement en France du fait de la censure, donnant lieu à nombre d'inculpations, et finalement utilisé par les avocats dans le cadre du procès des « porteurs de valises », constitue une limite. En revanche, la longévité des signataires — Barbusse pendant toute l'entre-deux-guerres, Breton* des années 20 aux années 60, Sartre* de l'après-guerre à sa mort — remet en cause l'étanchéité des camps. Rivet*, animateur du Comité de défense des intellectuels antifascistes après le 6 février 1934, est ainsi devenu un signataire de l'« Appel pour le salut et le renouveau de l'Algérie française ».

Des pétitions échappent néanmoins à cette logique de la mobilisation d'un camp contre l'autre : le Manifeste contre l'intervention soviétique, du 8 novembre 1956, signé de membres du PCF et de « compagnons de route » comme Sartre ou Vercors*, ou celui du 22 novembre signé par certains des plus grands intellectuels du PCF comme Picasso* et Wallon*, sont à la fois des manières symboliques de rompre un ancien engagement, pour la première, et des façons de porter une dissidence interne sur la place publique, pour la seconde. Les données propres au fonctionnement du Parti communiste alimentent à plusieurs reprises ce type de pétitions, comme en 1978 la pétition d'Aix, signée par des intellectuels communistes et des élus municipaux, puis en 1980 celle, massive et unitaire — 140 000 signatures — d'« Union dans les luttes », qui contestent l'une et l'autre les orientations prises par la direction du Parti.

Enfin, certaines pétitions ne peuvent donner lieu à des contre-pétitions, parce que les deux camps ne disposent pas des mêmes forces (les pétitions de la gauche intellectuelle dans l'après-guerre par exemple), ou parce que la cause défendue est en partie corporative (celles demandant la libération de Malraux* en septembre 1924, ou de Régis Debray* en mai 1967), enfin parce que les engagements se font de manière segmentaire et non plus globale et ne peuvent donc ressusciter l'affrontement primitif entre les deux France : l'« Appel du 18 Joint » pour la dépénalisation de la consommation de la marijuana ou le soutien à la candidature présidentielle de Coluche à la fin des années 70 en sont les exemples les plus caricaturaux.

Frédérique Matonti

■ C. Charle, *Naissance des intellectuels (1880-1900)*, Minuit, 1990. — A.-M. Duranton-Crabol, « Appartenance et engagement politique. À propos du Manifeste des intellectuels français (1960) », in « Sociabilités intellectuelles. Lieux, milieux, réseaux » (dir. N. Racine et M. Trebitsch), *Les Cahiers de l'IHTP*, n° 20, mars 1992, CNRS. — N. Racine, « Bataille autour d'*intellectuel(s)* dans les manifestes et contre-manifestes de 1918 à 1939 », in D. Bonnaud-Lamotte et J.-L. Rispail (dir.), *Intellectuel(s) des années 30. Entre le rêve et l'action*, CNRS, 1989. — J.-F. Sirinelli, *Intellectuels et passions françaises. Manifestes et pétitions au XXe siècle*, Fayard, 1990.

Liste des signataires du « Manifeste des 121 »

Arthur Adamov, Robert Antelme, Michel Arnaud, Georges Auclair, Jean Baby, Hélène Balfet, Marc Barbut, Robert Barrat, Simone de Beauvoir, Jean-Louis Bédouin, Marc Begbeider, Robert Benayoun, Yves Berger, Maurice Blanchot, Roger Blin, Dr Bloch-Laroque, Arsène Bonnafous-Murat, Geneviève Bonnefoi, Raymond Borde, Jean-Louis Bory, Jacques-Laurent Bost, Pierre Boulez, Vincent Bounoure, André Breton, Michel Butor, Guy Cabanel, François Châtelet, Simone Collinet, Georges Condominas, Michel Crouzet, Alain Cuny, Jean Czarnecki, Dr Jean Dalsace, Hubert Damisch, Adrien Dax, Jean Delmas, Danièle Delorme, Solange Deyon, Jacques Doniol-Valcroze, Bernard Dort, Jean Douassot, Simone Dreyfus, René Dumont, Marguerite Duras, Françoise d'Eaubonne, Yves Elléouet, Dominique Éluard, Escaro, Charles Estienne, Jean-Louis Faure, Jean-Paul Faure, Dominique Fernandez, Jean Ferry, Louis-René des Forêts, Dr Théodore Fraenkel, Bernard Franck, André Frénaud, Jacques Gernet, Louis Gernet, Édouard Glissant, Georges Goldfayn, Christiane Grémillon, Anne Guérin, Daniel Guérin, Jacques Howlett, Édouard Jaguer, Pierre Jaouen, Gérard Jarlot, Robert Jaulin, Alain Joubert, Pierre Kast, Henri Kréa, Serge Laforie, Robert Lagarde, Monique Lange, Claude Lanzmann, Robert Lapoujade, Henri Lefebvre, Gérard Legrand, René Leibowitz, Michel Leiris, Paul Lévy, Jérôme Lindon, Éric Losfeld, Robert Louzon, Olivier de Magny, Florence Malraux, André Mandouze, Maud Mannoni, Jacqueline Marchand, Jean Martin, Renée Marcel-Martinet, Jean-Daniel Martinet, Andrée Marty-Capgras, Dionys Mascolo, François Maspero, André Masson, Pierre de Massot, Marie-Thérèse Maugis, Jean-Jacques Mayoux, Jehan Mayoux, Andrée Michel, Théodore Monod, Marie Moscovici, Georges Mounin, Maurice Nadeau, Georges Navel, Claude Ollier, Jacques Panijel, Hélène Parmelin, Marcel Péju, Jean-Claude Pichon, José Pierre, André Pieyre de Mandiargues, Roger Pigault, Édouard Pignon, Bernard Pingaud, Maurice Pons, J.-B. Pontalis, Jean Pouillon, Madeleine Rebérioux, Paul Rebeyrolle, Denise René, Alain Resnais, Jean-François Revel, Paul Revel, Évelyne Rey, Alain Robbe-Grillet, Christiane Rochefort, Maxime Rodinson, Jacques-Francis Rolland, Alfred Rosmer, Gilbert Rouget, Claude Roy, Françoise Sagan, Marc Saint-Saëns, Jean-Jacques Salomon, Nathalie Sarraute, Jean-Paul Sartre, Renée Saurel, Claude Sautet, Catherine Sauvage, Lucien Scheler, Jean Schuster, Robert Scipion, Louis Seguin, Geneviève Serreau, Simone Signoret, Jean-Claude Silbermann, Claude Simon, Siné, René de Solier, D. de La Souchère, Roger Tailleur, Laurent Terzieff, Jean Thiercelin, Paul-Louis Thirard, Tim, Andrée Tournés, Geneviève Tremouille, François Truffaut, Tristan Tzara, Vercors, J.-P. Vernant, Pierre Vidal-Naquet, J.-P. Vielfaure, Anne-Marie de Vilaine, Charles Vildrac, Claude Viseux, François Wahl, Ylipe, René Zazzo.

Les pétitions du mouvement social de l'automne 1995

1. Pour une réforme de fond de la Sécurité sociale

« En prenant clairement parti en faveur d'un plan de réforme de la Sécurité sociale, qui s'engage dans "la mise en place d'un régime universel d'assurance maladie financé par l'ensemble des revenus", comme l'a dit Nicole Notat, la CFDT a fait preuve de courage et d'indépendance d'esprit.

« Chacun sait que la situation de la Sécurité sociale ne pouvait plus s'accommoder de replâtrages qui se soldaient en définitive par une hausse des cotisations et une baisse des prestations. En s'engageant sur la voie d'une cotisation étendue à tous les revenus, pas seulement salariaux, le plan Juppé a pris acte de l'archaïsme d'un système qui pénalisait l'emploi et dont la philosophie était restrictive en termes d'accès aux soins. En proposant de développer la maîtrise médicalisée des dépenses de santé et d'aller vers un suivi individuel des patients, il engage une inflexion de la politique de santé vers une action davantage préventive. Enfin, en proposant de modifier la gestion des systèmes de santé par le vote du budget de la Sécurité sociale par le Parlement, il peut ouvrir la voie à un véritable débat public sur les options de la politique sanitaire et sociale et sur les rôles respectifs du Parlement et des partenaires sociaux. Sur ces trois points, la réforme est une réforme de fond qui va dans le sens de la justice sociale.

« Bien entendu, le plan gouvernemental comporte des aspects contestables : ceux-ci concernent la politique familiale, l'avenir des systèmes de retraite et en filigrane la politique fiscale qui peuvent susciter de légitimes inquiétudes sur leurs principes et leur mise en œuvre. Ils mériteraient une démarche d'analyse et de concertation de même nature que celle du *Livre blanc sur les retraites*. Notre engagement en faveur des mesures de fond prises concernant l'assurance maladie vaut engagement de vigilance accrue sur ces autres points. Mais, vu les atermoiements de la gauche politique sur ces questions, nous, intellectuels, militants associatifs, responsables politiques ou experts, nous entendons nous aussi prendre nos responsabilités et nous engager à défendre des options qui visent à sauvegarder un système qui garantisse à la fois la solidarité et la justice sociale » *(24 novembre 1995)*.

SIGNATAIRES AU 1er DÉCEMBRE 1995 : Gilles Achache, Claude Alphandéry, Élie Arié, Guy Aznar, Jacqueline Aznar, Louis Barcet, Jean Bastide, Pascal Beau, Claire Beauville, Pascale Beck, Daniel Behar, Alain Blanc, Pierre Bouretz, Dominique Bourg, Rony Brauman, Guy Brouté, Pascal Bruckner, Bernard Brunhes, André Bruston, Henri Bussery, Jean-Yves Calvez, Bertrand Cassaigne, Roland Cayrol, Gilbert Cette, Louis Chauvel, Jacques Chérèque, Daniel Cohen, Henry Colombani, Jeannette Colombel, Guy Coq, Daniel Croquette, Simone Daret, Daniel Defert, André Delvaux, André Demichel, Francine Demichel, Michel Dessaigne, Jean-Philippe Domecq, Jacques Donzelot, Brigitte Dormont, François Dubet, Nicolas Dufourcq, *Échanges et projets*, Alain Ehrenberg, Corinne Ehrenberg, Bernard Eme, Philippe Essig, Hughes Feltesse, Alain Finkielkraut, Jean-Paul Fitoussi, Jean-Baptiste de Foucauld, Patrick Gagnaire, Marc Gagnière, Antoine Garapon, Jean-Pierre Gattégno, Xavier Gaullier, François Gèze, Jacques Le Goff, Yvon Graïc, Benoît Granger, Alfred Grosser, Jean-Yves Guérin, Jean-Paul Guislain, Hervé Hamon, Pierre Hassner, Jean-Paul Jean, Isabelle Jegouzo, Marie-Ève Joël, Jacques Julliard, Pierre Kahn, Sylvain Kahn, Serge Karsenty, Antoine Kerhuel, Jean de Kervasdoué, Jean-François Laé, Jean-Louis Laville, Antoine Lazarus, Marie-France Lecuir, Claude Lefort, Jean Le Gac, Antoine Lejay, Thierry Lehnebach, Jean-Claude Le Maire, Christian Le Pape, Maximilienne Levet, Jacques Lévy, Yves Lichtenberger, Daniel Lindenberg, Claude Llabres, Michel Lucas, Henri Madelin, Philippe Madinier, Marie Maes, Nicole Maestracci, Michel Marian, Jean Marquet, Frédéric Martel, Antoine Martin, Hélène Mathieu, Maïté Mathieu, Christian Mellon, Pierre-Michel Menger, Christine Meyer-Meuret, Martine Michelland-Bidegain, Denys Millet, Georges Minzière, Najet Mizouni, Thierry Monel, Olivier Mongin, Francis Montes, Jacques Moreau, Daniel Mothé, Olivier Nora, Denis Olivennes, Érik Orsenna, Maurice Pagat, Serge Paugam, Luc Pareydt, Marie-Claire Picard,

Bernard Perret, Michelle Perrot, Guy Peyronnet, Philippe Pibarot, Jean-Pierre Pillon, Françoise Piotet, Jean-Claude Pompougnac, René Pucheu, Hughes Puel, Yves Raynouard, Gilles-Laurent Rayssac, Gilles Renaudin, Paul Ricœur, Jacques Rigaudiat, Robert Rochefort, Joël Roman, Pierre Rosanvallon, Guy Roustang, Denis Salas, Gérard Sarazin, Michel Schneider, Isabelle Séguin, André Senik, Alfred Simon, Martin Spitz, Henri-Jacques Stiker, Serge Ter Ovanessian, Irène Théry, Henri Théry, Marie-Olga Théry, Michel Théry, Paul Thibaud, Véronique Thiebaut, Alain Thomasset, Guy Tissier, Sylvie Topaloff, Armand Touati, Jean-Claude Toubon, Alain Touraine, Henri Vacquin, Louis-André Vallet, François Vidal, Georges Vigarello, Jérôme Vignon, Bertrand Wallon, Michel Wieviorka, Michel Winock, Jean-Pierre Worms, André Wormser, Gérard Wormser.

PARMI LES SIGNATAIRES AU 4 JANVIER 1996 : Jean-Pierre Chrétien, Laurence Cossé, Michel Crozier, Alain Etchegoyen, Pierre Grémion, Gérard Israël, Philippe Levillain, Bernard Pingaud, Antoine Prost, Joseph Rovan, Renaud Sainsaulieu, Jean-Louis Schlegel, Dominique Schnapper, Laurent Schwartz, Daniel Soulez-Larivière, Antoine Spire, Paul Veyne, Dominique Wolton.

2. Appel des intellectuels en soutien aux grévistes

« Face à l'offensive déclenchée par le gouvernement, nous estimons qu'il est de notre responsabilité d'affirmer publiquement notre pleine solidarité avec celles et ceux qui, depuis plusieurs semaines, sont entrés en lutte ou s'apprêtent à le faire. Nous nous reconnaissons pleinement dans ce mouvement qui n'a rien d'une défense des intérêts particuliers et moins encore des privilèges mais qui est, en fait, une défense des acquis les plus universels de la République. En se battant pour leurs droits sociaux, les grévistes se battent pour l'égalité des droits de toutes et de tous : femmes et hommes, jeunes et vieux, chômeurs et salariés, travailleurs à statut, salariés du public et salariés du privé, immigrés et français. C'est le service public, garant d'une égalité et d'une solidarité aujourd'hui malmenées par la quête de la rentabilité à court terme, que les salariés défendent en posant le problème de la Sécurité sociale et des retraites. C'est l'école publique, ouverte à tous, à tous les niveaux et garante de solidarité et d'une réelle égalité des droits au savoir et à l'emploi que défendent les étudiants en réclamant des postes et des crédits. C'est l'égalité politique et sociale des femmes que défendent celles et ceux qui descendent dans la rue contre les atteintes aux droits des femmes. Tous posent la question de savoir dans quelle société nous voulons vivre. Tous posent également la question de l'Europe : doit-elle être l'Europe libérale que l'on nous impose ou l'Europe citoyenne, sociale et écologique que nous voulons. Le mouvement actuel n'est une crise que pour la politique gouvernementale. Pour la masse des citoyens, il ouvre la possibilité d'un départ vers plus de démocratie, plus d'égalité, plus de solidarité et vers une application effective du Préambule de la Constitution de 1946 repris par celle de 1958. Nous appelons tous nos concitoyens à s'associer à ce mouvement et à la réflexion radicale sur l'avenir de notre société qu'il engage ; nous les appelons à soutenir les grévistes matériellement et financièrement » *(4 décembre 1995).*

SIGNATAIRES AU 9 DÉCEMBRE 1995 : A. Accardo, P. Alliès, J.-C. Amara, C. Amey, I. Amin, S. Amin, J.-L. Amselle, H. André-Bibot, T. Andréani, B. Appay, D. Ardisson, L. Arloff, L. Astre, C. Attias-Donfut, D. Aubert, L. Aubrac, R. Aubrac, Y. Augeat, P. Bachelet, P. Bacot, M. Bacot-Decriaud, M. Bacqué, É. Balibar, A. Barbara, D. Barbet, R. Barroux, M.-C. Baron, S. Baron, A.-M. Barrère, C. Barrère, C. Barrier-Lynn, J. Bart, M.-H. Barthe, F. Battagliola, P. Bauby, C. Baudelot, S. Beaud, N. Beaurin, P. Beckouche, M. Belissa, G. Benaich, S. Benani, Y. Bénot, D. Bensaïd, D. Berger, M. Berot-Inard, A. Bertho, A. Bertrand, M.-J. Bezard, M. Bihan, J. Biard, J. Bidet, A. Bidet-Mordrel, M. Bigoteau, A. Bihr, M. Bitard, P. Boccara, L. Boltanski, Y. Bosc, J.-C. Boual, S. Bouchet, P. Bouhnik, J. Bouquin, R. Bourderon, P. Bourdieu, S. Bourmeau, J. Boutet, J. Boutin, P. Bouvier, M. Bozon, P. Bretécher, T. Brisson, A. Brossat, D. Brousolle, P. Broué, F. Brun, F. Brunel, I. Bucchioni, C. Buchman, S. Bukiet, P. Buirette, G. Burmod, M. Butel, D. Cabréra, M. Cacouault, M.-A. Caloc, P. Cames, Y. Careil, J. Carricaburn, M. Cartier, G. Casanova, E. Cassin, D. Cardon, J.-C. Castella, R. Castro, B. Chabaud, P. Champagne, F. Chagniot, C. Chantepy, G. Chaouat, V. Charbonnier, B. Charlot, E. Charron, F. Chateauraynaud, M. Chatellier, J.-P. Chauveau, B. Chavaroche, A. Cheiban, Y. Chemi, E. Chemla, J.-C. Chevalier, G. Clancy, Y. Clot, P. Cohen-Séat, A. Collinot, A. Collovald, A.-M. Colmou, S. Combe, D. Combes, J.-C. Combessie, M. Commin, J.-C. Compain, A. Comte, S. Condon, P. Corcuff, M.-C. Cormier-Salem, A. Couba, L. Coudard, B. Coulmont, P. Cours-Salies, G. Courty, I. Coutant, M. Cressent, D. Damamme, M. Darmon, M. Darriet, A. Davisse, F. Davisse, S. Dayan, A. d'Autume, J.-F. Debat, S. de Brunhoff, G. de La Pradelle, B. de l'Estrale, A. de Mengin, V. de Rudder, F. de Singly, D. Daeninckx, J.-L. Deatte, A.-M. Debatisse, D. Debatisse, J. Debouzy, M. Debouzy, R. Debray, J. Debroux, C. Decaster, J. Defrance, N. Dehan, C. Dejours, N. Delanoé, J.-C. Delaunay, J.-P. Deléage, M. Deleplace, F. Delasalle, P. Delasalle, E. Delmer, C. Delphy, J. Delteil, J. Deniot, N. Depraz, J. Derrida, M. Deschamps, R. Desné, A. Desrosière, A. Détraz, R. Di Ruzza, D. Diatkine, N. Dodier, J.-P. Dollé, R. Dorandeu, F. Dosse, B. Dréano, F. Dreyfus, M. Dreyfus, C. Dubar, S. Duchesne, F. Ducouson-Linhart, I. Dufresne, F. Duroux, B. Dussart, N. Dussuleau, M. Eddy, N. Edelman, M. Ely, A. Ernaux, B. Escoubef, Ch. Eyssalet, N. Eyssalet, J.-B. Eyraud, R. Fabre, J.-P. Fall, J.-M. Faure, J. Favret-Saada, M. Ferrand, C. Ferté, G. Filoche, N. Finot, S. Fol, S. Fortino, F. Fortunet, A. Fouque, D. Fougeyrollas-Scwebel, Ch. Fournier, B. François, N. Fratellini, Y. Fremion, M. Freyssenet, Ph. Fritsch, J.-Y. Gacon, J. Gaillot, B. Gaïti, R. Galissot, M. Gollac, J.-P. Garnier, F. Garnier, B. Garnot, F. Gaspard, C. Gautier, A. Gauthier, F. Gauthier, D. Gaxie, L. Gentis, J.-C. Gillet, J. Girault, D. Godineau, Y. Golay, E. Goldsmith, C. Grignon, A. Grimaldi, B. Gainot, A.-M. Garat, D. Guenoun, M. Guessaz, J. Guillaumou, H. Guillou, J. Habel, M.-C. Habib, Y. Hantala, P. Hassenteufel, J. Heinen, S. Herr, M. Hersent, B. Hervieu, J.-Ph. Heurtin, E. Hiard, F. Hincker, M. Husson, F. Imbert, S. Israël, C. Ingersborn, A. Jacquard, P. Jacquin, Ch. Jalaudin, F. Jésus, A. Jollet, T. Jonquet, I. Joseph, J.-P. Jouary, M. Joubert, J. Jourdhieu, A. Joxe, M. Jung, M. Kail, M. Kail, K.S. Karol, F. Keck, C. Kerber, D. Kergoat, J. Kergoat, K. Kergopoulos, S. Klingberg-Brossat, M. Koskas, G. Koubi, H. Krivine, F. Laborie, E. Labrousse, B. Lacroix, P. Ladrière, C. Lafaye, F. Lafon, R. Lagache, J.-B. Lagrave, B. Lahire, M. Langlois, P. Lantz, N. Lapierre, A. Laugier, M.-C. Lavabre, A. Laville, G. Lazuech, O. Le Cour Grandmaison, D. Leborgne, D. Lebret, M.-H. Lechien, Ch. Lederman, J.-A. Léger, P. Lehingue, G. Leider, G. Lemarchand, C. Lemieux, R. Lenoir, M. Lequenne, D. Le Queau, D. Leschi, C. Lestrat, J.-L. Le Toqueux, C. Levy, J.-P. Levy, D. Linhart, R. Linhart, M. Löwy, I. Löwy, G. Loirand, J. Lojkine, F. Loloum, F. Lordon, J. Lyon-Caen, S. Magri, S. McEvoy, D. Maillard, H. Maler, M. Marini, C. Marry, P. Marry, M. Marpsat, R. Martelli, J.-P. Martin, F. Matonti, O. Masclet, G. Massiah, G. Mauger, H. Maury, N. Mayer, F. Mazière, D. Memmi, B. Michaux, G. Michelat, J. Minces, J.-Y. Molier, G. Molina, J.-P. Molinari, A. Monnier, F. Morvan, D. Motchane, P. Mouraud, G. Moureau, J.-C. Mouret, R. Mouriaux, J.-L. Moynot, L. Mozère, N. Murard, A. Muxel, S. Naïr, M. Najman, D. Nicolaïdis, A. Nizard, M. Odeye-Sinz, D. Ougard, X. Papais, M.-Ch. Pascal, F. Payen, G. Pécout, W. Pelletier, C. Pennetier, J.-M. Pernot, G. Perrault, G. Perrier, V. Péroussapore, C. Peyrard, R. Pfefferkorn, M. Pialoux, J. Pierret, M. Pigenet, M. Pinçon, P. Pinell, J. Pinto, L. Pinto, F. Platone, F. Poirier, C. Poliak, L. Pourinet, E. Preteceille, M. Prum, B. Pudal, H. Puiseux, A. Querrien, L. Quétier, Y. Quiniou, P. Quinqueton, P. Rainer, M. Rebérioux, J.-C. Renoux, J.-J. Reparet, J.-N. Retière, J. Rigaudiat, M. Riot-Sarcey, R. Robin, J.-Y. Rochex, C. Rogerat, P. Rolle, M.-T. Roly, D. Rome, A. Roux, P. Rozenblatt, Ch. Ruby, Th. Ruf, A.-G. Saimot, Y. Salesse, Ch. Salmon, C. Samary, R. Samson, C. Sardais, M. Sarrier, F. Sawicki, R. Scarparto, L. Schwartzenberg, B. Seibel, M. Selim, D. Senotier, M.-J. Serrazin, L. Sève, R. Silberman, P. Silberstein, M. Simier, M. Sinean, J. Singer, Y. Sintomer, F. Sitel, D. Sivadon, R. Skoutelski, B. Slama, I. Sommier, J. Soncin, C. Spiga, A. Spire, Y. Struillou, F. Subileau, A. Suillerot, M. Surduts, P.-A. Taguieff, M. Tallard, L. Tanguy, P. Tancelin, L. Tarrin-Ramé, S. Rame, J.-P. Terrail, E. Terray, J. Texier, J.-P. Terrenoire, A. Thébaud-Mony, N.-E. Thevenin, L. Thevenot, M.-N. Thibault, D. Thin, H. Thoroval, J.-P. Thuillier, Ch. Topalov, A. Tosel, M. Tournier, X. Toutain, J. Trillaud, J. Trat, E. Traverso, R. Trempé, M. Vakaloulis, M.-F. Valetas, A. Valtier, E. Varikas, J. Varin, M. Verret, P. Vidal-Naquet, K. Vie, C. Villeneuve-Gokalp, J.-M. Vincent, M. Vlady, S. Volkoff,

M. Vovelle, M. Vuaillat, S. Wahnich, E. Wallon, G. Wasserman, F. Weber, B. William-Sigg, F. Wolff, S. Wolikow, J.-C. Zancarini, M. Zancarini-Fournel, B. Zarca, C. Zaza, M.-H. Zylberberg-Hocquard.

Peuple et culture

Une double initiative est à l'origine de l'association « Peuple et culture » : celle de Joffre Dumazedier à Grenoble, le 5 décembre 1944, qui lance sous ce nom un groupement, à vocation nationale, qui relaiera l'action de la commission « éducation » du Comité départemental de la Libération ; celle de Gilles Ferry à Annecy qui façonne dans la villa des Marquisats un « Peuple et culture de Haute-Savoie ». Le 27 novembre 1945, l'équipe d'Annecy se rattache à celle de Grenoble. En juin 1946, l'association commune s'installe à Paris. Elle y siège depuis lors (27 rue Cassette dans le VIe arrondissement) sans avoir jamais renié son régionalisme originel.

Ses militants sont des anciens de l'École des cadres d'Uriage* passés à la résistance, des maquisards venus des « équipes volantes » du Vercors, des syndicalistes de la CGT, des animateurs de mouvements de jeunesse et de sport, des baroudeurs de l'éducation populaire chrétienne et des « œuvres » laïques, de jeunes ruraux et des intellectuels férus de « sciences sociales ». Tous ont l'ambition, bien dans l'air du temps et fièrement exposée dans un *Manifeste* élaboré à l'été 1945, de promouvoir enfin, dans l'esprit de la Résistance et dans la fidélité au programme du CNR, une authentique culture populaire qui « ne saurait être qu'une culture commune à tout peuple : commune aux intellectuels, aux cadres, aux masses. Elle n'est pas à distribuer. Il faut la vivre ensemble pour la créer ».

Peuple et culture milite ainsi pour un unanimisme de création qui donnera à chaque personne la connaissance et le pouvoir ; pour un « nouvel humanisme » qui dégagera de nouvelles élites de compétence et d'excellence. On y valorise la culture du métier et la technique face à la culture « bourgeoise », on y promeut « l'entraînement mental » qui musclera l'esprit, on tente de porter une culture dans tous les lieux de production et de rassemblement des énergies, en animant des associations-relais dans les entreprises, les quartiers, les clubs de loisir, les lieux d'enseignement, les foyers culturels.

C'est dire que cette association, issue de si riches laboratoires alpins, a expérimenté ensuite dans la France de la IVe et de la Ve République toute la panoplie de cette « action » et de ce « développement » culturels qui deviendront aussi, peu à peu, affaire d'État : ciné-clubs, festivals, maisons de la culture, maisons de jeunes, décentralisation théâtrale, progrès de la lecture publique, planification culturelle, autant d'initiatives où l'on a rencontré souvent de très actifs animateurs-gestionnaires issus de Peuple et culture.

Divisé avec la Guerre froide*, durablement affaibli depuis lors, P et C a dû prendre acte de l'échec de son populisme culturel des heures ensoleillées de la Libération, passer du « peuple » au « public », voire au « non-public ». Mais le mouvement a sans doute survécu jusqu'à nos jours par la force de son ambition proprement pédagogique : ses fiches de lecture, ses programmes d'animation pour ciné-clubs, ses bulletins et sa revue, sa collection « Regards sur... » aux Éditions du

Seuil*, ont formé des milliers d'animateurs socioculturels bénévoles ou professionnels et ouvert l'esprit de quelques bonnes centaines de milliers de Français.

Jean-Pierre Rioux

■ J.-P. Rioux, « Une nouvelle action culturelle ? L'exemple de Peuple et culture », *La Revue de l'économie sociale*, avril-juin 1985. — *Peuple et culture (1945-1965)*, Peuple et culture, 1965.

PHILIP (André)

1902-1970

Universitaire, au carrefour du christianisme social et du socialisme réformiste, André Philip exerce une influence triple, comme homme politique, écrivain et orateur, enseignant et conférencier.

Né le 28 juin 1902 à Pont-Saint-Esprit d'un père officier de carrière décédé en 1911, il est élevé par sa mère dans la religion protestante. Vice-président de la Fédération française des étudiants chrétiens, il rédige une thèse de doctorat de sciences économiques et une autre de droit et sciences juridiques. Agrégé d'économie politique en 1926, il exerce à la Faculté de droit de Lyon. Ses voyages sont prétextes à recherches et publications, sur l'expérience du gouvernement travailliste, l'évolution du capitalisme américain, les problèmes indigènes et l'administration anglaise en Inde.

Adhérent de la SFIO, il propage en France les théories de Henri de Man, dont il résume l'ouvrage majeur, *Au-delà du marxisme*. Il collabore à toutes les entreprises planistes, milite avec « Révolution constructive »*, anime des conférences à l'Institut supérieur ouvrier de la CGT, des séminaires à Pontigny*, écrit dans *L'Homme réel*, *Esprit**, le *Bulletin de X-Crise**, publie à la Librairie Valois*... Protestant, adepte de Karl Barth, André Philip est un des rares intellectuels socialistes à revendiquer sa foi, il préside la section française des socialistes-chrétiens et collabore à sa presse.

Pacifiste convaincu, il publie des ouvrages sur la paix, s'inscrit au barreau pour défendre des objecteurs de conscience, s'engage dans les mouvements paneuropéens et au Comité de vigilance des intellectuels antifascistes*. Député socialiste du Rhône en 1936, il est un des quatre-vingts parlementaires à voter contre les pleins pouvoirs au maréchal Pétain le 10 juillet 1940. Animateur de Libération-Sud, il rejoint Londres puis Alger, où il est nommé commissaire à l'Intérieur de la France libre.

Président de la commission de la Constitution, ministre de l'Économie de plusieurs gouvernements, il prend une part fondamentale à l'installation de la IVe République. Privé de son siège de député du Rhône en 1951, il reprend ses cours à la faculté de Paris et se consacre au développement du Mouvement européen dont il préside de 1950 à 1964 la branche socialiste.

La guerre d'Algérie et l'intervention franco-anglaise à Suez en font un contempteur du « molletisme ». Son ouvrage *Le Socialisme trahi*, lui vaut d'être exclu de la SFIO. Partisan d'une rénovation doctrinale du socialisme, hostile aux conditions du retour du général de Gaulle, il adhère au PSA puis au PSU, mais, en accord avec sa politique d'indépendance vis-à-vis des États-Unis, rallie le général de Gaulle après la fin du conflit algérien. Il collabore à *Esprit*, à *La Gauche européenne* et aux *Cahiers de la République*. Ses derniers combats sont en faveur des pays en voie de développement.

Gilles Morin

■ *L'Angleterre moderne*, Crès, 1925. — *Le Problème ouvrier aux États-Unis*, Alcan, 1927. — *L'Inde moderne. Le problème social et politique*, Alcan, 1930. — *Sécurité et désarmement*, Cahiers bleus, 1932. — *Le Christianisme et la paix*, Je Sers, 1932. — *L'Europe unie et sa place dans l'économie internationale*, PUF, 1953. — *Le Socialisme trahi*, Plon, 1957. — *Les Socialistes*, Seuil, 1967.

■ G. Bacot, *André Philip. Humanisme et socialisme*, mémoire, Paris II, 1970. — L. Philip, *André Philip*, Beauchesne, 1988.

PHILOSOPHIES

Fondé en 1924 par quelques étudiants en philosophie à la Sorbonne, Pierre Morhange, Norbert Guterman, Georges Politzer*, Henri Lefebvre*, le petit groupe « Philosophies » participe de l'histoire des avant-gardes des années 20. Quatre revues éphémères scandent un parcours qui le mènera du « pré-existentialisme » au marxisme et au communisme.

Parrainée par Max Jacob et Jean Grenier, la revue *Philosophies* aura cinq numéros de mars 1924 à mars 1925. Si l'audace littéraire reste mesurée, le groupe, mieux le « trust des fois » prône, contre le spiritualisme bergsonien et l'idéalisme critique dominant la philosophie universitaire, un « nouveau mysticisme » qui débouche sur la critique des valeurs occidentales. La critique du « nihilisme européen » (Jean Grenier) ou le *Pamphlet contre les catholiques de France* (Julien Green, alias Théophile Delaporte) fraient la voie à une « philosophie de la conscience » proche de Heidegger et de Sartre* esquissée par Henri Lefebvre dans un véritable manifeste qui en appelle à la révolution « totale ». Au nom de cette « révolte de l'esprit », le groupe se rapproche des surréalistes et du communisme : en été 1925, *La Révolution surréaliste*, *Clarté* et *Philosophies*, par opposition à la guerre du Rif*, signent en commun le manifeste « La Révolution d'abord et toujours » et projettent un front uni des avant-gardes qui se brisera dès l'automne sur la question décisive de la politisation.

À *Philosophies* succèdent deux cahiers de *L'Esprit* (mai 1926, janvier 1927). Rejoint par Georges Friedmann*, le groupe, prônant le « retour au concret », se replie sur des positions phénoménologiques, sous l'influence de Jean Wahl* et de sa lecture de la « conscience malheureuse » hégélienne, mais cette découverte de la théorie de l'aliénation chez Hegel le conduit au jeune Marx. Rêvant un instant de mettre en pratique un communisme abstrait dans une utopique « île de la Sagesse », la plupart décident, sous l'impulsion de Paul Nizan*, qui les a rejoints à son retour d'Aden, d'adhérer au Parti communiste. Grâce à l'argent de Friedmann, ils fondent une maison d'édition, Les Revues, qui publiera une dizaine d'ouvrages, parmi lesquels le pamphlet de Politzer (François Arouet), *La Fin d'une parade phi-*

losophique : le bergsonisme, et surtout, de février à septembre 1929, *La Revue de psychologie concrète*, qui n'aura que deux numéros, et *La Revue marxiste*, qui en aura sept.

Patronnée par le vieux Charles Rappoport, alors en délicatesse avec la direction du PCF, *La Revue marxiste* prétendait faire œuvre théorique, et c'est elle en effet qui publie les premiers textes de jeunesse d'Engels et de Marx. Sa célébrité sulfureuse lui vient cependant de l'invraisemblable scandale, évoqué dans le *Second Manifeste du surréalisme*, de « la roulette de Monte-Carlo » où Morhange va perdre l'argent des Revues. Informée par Politzer, qui se met désormais avec Nizan au service du Parti, la direction du PCF enquête et exclut Morhange et Guterman. C'est la fin du groupe Philosophies, malgré un dernier sursaut en 1933 quand Henri Lefebvre, à l'écart au moment de l'« affaire », lance avec les exclus Morhange et Guterman la revue *Avant-Poste*, dont les trois numéros sont un terrain d'essai pour ses recherches sur l'aliénation et la critique de la vie quotidienne.

Michel Trebitsch

■ B. Burkhart, *Priests and Jesters : The « Philosophies » Circle and French Marxism between the Wars*, thèse, Washington, Georgetown University, 1986. — A. Caubet, *Le Groupe Philosophies. Avant-gardes culturelles et avant-gardes politiques en France dans les années 20*, DES, Paris I, 1981. — M. Trebitsch, « Le groupe Philosophies et les surréalistes (1924-1925) », *Mélusine*, n° 11, 1990.

PIA (Pascal)

1903-1979

Journaliste, critique littéraire, Pascal Pia revendiqua le « droit absolu au néant », mais cet intellectuel, à qui Camus* dédia *Le Mythe de Sisyphe*, a joué un rôle qui ne peut être oublié.

Né à Paris le 15 août 1903 d'un père employé de commerce, orphelin de guerre à douze ans, Pascal Pia exerce très tôt de petits métiers. Très jeune, il se rapproche de groupes anarchistes. En 1921, il fréquente les milieux de jeunes gens qui se retrouvent autour de la revue *Action* ; il y rencontre André Malraux*, qu'il fascine par sa culture. Pia travaille pour des érudits et l'édition sous le manteau. Il publie dans *La Nouvelle Revue française** des critiques à la demande de Paulhan*. Dans les années 30, il gagne sa vie comme journaliste, à l'hebdomadaire *La Lumière**, comme secrétaire de rédaction du *Progrès de Lyon* en 1936, puis comme chef des informations générales à *Ce soir* (dirigé par Jean-Richard Bloch* et Aragon*) en 1937-1938. Après avoir quitté le quotidien communiste, il est appelé par Jean-Pierre Faure à la rédaction d'*Alger républicain*, d'inspiration socialiste Front populaire, dès le lancement du journal en octobre 1938 à Alger. Pia, qui assume la responsabilité de la publication, y fait entrer Camus ; *Alger républicain*, devenu *Le Soir républicain*, est suspendu en janvier 1940. Après sa démobilisation, secrétaire de rédaction à *Paris-Soir*, Pia suit le journal à Lyon en zone non occupée, où il dirige la rédaction jusqu'au sabordage de novembre 1942 ; il est en contact avec les journalistes résistants du *Progrès*. Il entre dans le mouvement clandestin « Combat » et devient rédacteur en chef du journal *Combat** clandestin. En août 1943,

Claude Bourdet* l'appelle à Paris au titre de secrétaire adjoint des Mouvements unis de résistance. Il est chargé en 1944 de préparer la publication au grand jour de *Combat*. Le 21 août 1944 paraît le premier numéro, illustré par un éditorial de Camus. Sous la direction de Pia entouré d'une brillante équipe, *Combat* tient une place à part dans la presse issue de la Résistance, incarnant un « journalisme critique ».

Fin mars 1947, Pia décide de ne plus revenir à *Combat* ; les difficultés financières, les divergences politiques avec Camus, son évolution vers le gaullisme peuvent expliquer ce départ. Pia accepte de diriger avec Albert Ollivier l'agence de presse du RPF ; à la demande d'André Malraux, il prend la direction de l'hebdomadaire du RPF, *Le Rassemblement* (1951-1954). Il tient la chronique littéraire de l'hebdomadaire *Carrefour**. Il devient éditorialiste au *Journal du Parlement* puis rédacteur en chef ; à partir de 1960, il y prend position contre la politique algérienne du général de Gaulle. Après 1971, il se consacre aux travaux d'histoire et d'érudition littéraires. Son dernier ouvrage, publié en 1978, est le catalogue en deux volumes des livres de l'Enfer de la Bibliothèque nationale. Il meurt à Paris le 27 septembre 1979.

Nicole Racine

■ *Baudelaire par lui-même*, Seuil, 1952. — *Apollinaire par lui-même*, Seuil, 1954. — *Romanciers, poètes et essayistes du XIXe siècle*, Denoël, 1971.

▒ R. Grenier, *Pascal Pia ou le Droit au néant*, Gallimard, 1989. — J. Guérin, *Camus et le premier « Combat »*, Érasme, 1990. — M. Nadeau, *Grâces leur soient rendues*, Albin Michel, 1990. — « Fragments d'un combat (1938-1940). *Alger républicain* », *Cahiers Albert Camus*, 3, Gallimard, 1978. — « Pascal Pia » (par J.-J. Marchand, M. Arland, M. Bernard, N. Franck, etc.), *Les Lettres nouvelles*, 1981 (voir « Essai d'une bibliographie »).

Picasso (Pablo)

1881-1973

L'œuvre emblématique de Picasso domine à la fois l'histoire de l'art moderne et la vie intellectuelle européenne. *Guernica* surtout imposa l'idée que l'artiste moderne pouvait représenter l'histoire et s'engager en évitant la logique propagandiste. Même si son engagement n'est pas réductible à son adhésion au Parti communiste, son nom est associé au rayonnement intellectuel de celui-ci après la guerre.

Né le 25 octobre 1881 à Malaga en Espagne, d'un père artiste, Pablo Picasso fait en art ses classes à Barcelone où il s'imprègne de la révolte de la génération de 1898 et de modernité. À partir de 1900, son séjour parisien lui fait découvrir les avant-gardes ; il consacre alors ses œuvres à la représentation des exclus. Installé au Bateau-Lavoir* en 1904, il se lie d'amitié avec Apollinaire*, Braque et les Stein qui lui font rencontrer Matisse. Avec ce dernier et Derain, il se tourne vers le primitivisme dont sortiront en 1907 *Les Demoiselles d'Avignon*. Il bouleverse les traditions et, se liant avec Braque, initie l'aventure cubiste. Après 1917, il se met au diapason de son époque en réinterprétant les règles de l'art de façon suffisamment personnelle et spectaculaire pour incarner la « modernité ». La guerre d'Espagne* suscite ses premières œuvres engagées : *Sueno y mentira de Franco* et surtout *Guernica*, fruit d'une commande pour le pavillon républicain de l'Exposition universelle* de 1937, inspiré par le bombardement allemand d'une petite ville du Pays basque. Après avoir passé l'Occupation à Paris, interdit de cimaise et attaqué par les adversaires de l'art moderne comme figure tutélaire de la révolte permanente et de « l'étranger », il incarne à la Libération l'esprit de résistance et la grandeur de l'école de Paris. Il fait partie du Front national des arts formé par le Parti communiste auquel il adhère en octobre 1944, déclarant que c'est ainsi la suite logique de sa vie et de son œuvre, qu'il ne considère pas la peinture « comme un art de simple agrément, de distraction », mais qu'il a conscience d'avoir toujours « lutté » par son art, en « véritable révolutionnaire ».

Au Parti communiste, il gagne une famille symbolique, une sociabilité, un prestige auprès d'un certain public qui ne se dément pas, malgré les attaques sporadiques de l'intérieur. En 1953, son portrait de Staline est contesté en raison de sa représentation « inédite » du chef : un communiqué officiel du secrétariat du Parti — inspiré par Lecœur — reproche à Aragon* son manque de vigilance. En 1948, il fait partie du groupe d'intellectuels invités au Congrès des intellectuels pour la paix (Wroclaw), aux côtés de Fernand Léger*, Irène Joliot-Curie*, Vercors*, Pierre Seghers*, Paul Éluard* et Aimé Césaire*. Mises à part ses œuvres directement liées aux événements, *Le Charnier* (1944-1945), *Les Massacres de Corée* (1951), *Guerre* et *Pax* (1952), il excelle surtout dans le combat communiste en faveur de la paix : l'une de ses *Colombes* servira d'emblème à la propagande nationale et internationale du Parti à compter du Congrès de la paix qui se tient à Paris en 1949 et auquel il assiste. Picasso restera au Parti communiste jusqu'à la fin de sa vie, sans renoncer à sa liberté de création ni s'interdire, de temps à autre, de manifester son sens critique, proche en cela des positions d'Édouard Pignon et d'Hélène Parmelin. En 1956* en particulier, dans une pétition concernant les silences du Parti à propos des événements de Pologne et de Hongrie, qui réclame la convocation d'un congrès extraordinaire. On le retrouve aux côtés d'intellectuels communistes et non communistes, mobilisés contre la guerre américaine au Vietnam* en mars 1968 puis en 1970.

Laurence Bertrand Dorléac

■ D. Berthet, *Le PCF, la culture et l'art*, La Table ronde, 1990. — Brassaï, *Conversations avec Picasso*, Gallimard, 1964. — P. Cabanne, *Le Siècle de Picasso*, Denoël, 1975. — D. Caute, *Le Communisme et les intellectuels français (1914-1966)*, Gallimard, 1967. — P. Daix, *La Vie de peintre de Pablo Picasso*, Seuil, 1968 ; *Picasso créateur. La vie intime et l'œuvre*, Seuil, 1987. — A. Fermigier, *Picasso*, Le Livre de Poche, 1969. — J.-L. Ferrier, *De Picasso à Guernica*, Denoël, 1985. — J. Verdès-Leroux, « L'art de parti. Le PCF et ses peintres (1947-1954) », *Actes de la recherche en sciences sociales*, n° 28, juin 1979 ; *Au service du Parti. Le Parti communiste, les intellectuels et la culture (1944-1956)*, Fayard / Minuit, 1983. — *Picasso im Zweiten Weltkrieg*, Musée Ludwig, Cologne, 1988.

PISSARRO (Camille)

1830-1903

Peintre dont la filiation avec l'avant-garde impressionniste qui bouleverse les conventions visuelles s'accompagne d'un combat politique anarchiste, Pissarro est né à Saint-Thomas aux Antilles en 1830 d'une famille de commerçants juifs dont il reprend les affaires avant de se consacrer à sa carrière artistique. À partir de 1855, il fait ses classes à l'École nationale supérieure des beaux-arts, puis à l'Académie suisse où il rencontre Monet et Cézanne. Il participe au Salon des refusés de 1863, aux réunions du café Guerbois où se regroupe l'avant-garde culturelle et aux grandes expositions impressionnistes. À partir de 1884, il privilégie le thème de la ville puis se laisse tenter par les recherches divisionnistes avant de revenir à l'impressionnisme en 1892.

À la fin du siècle, au moment où la France, secouée par les scandales, connaît une vague d'attentats, il se rallie à la cause anarchiste aux côtés de ses amis artistes néo-impressionnistes : Signac, Cross, Angrand et Luce. Il lit les ouvrages fondamentaux de Proudhon, Kropotkine, Spencer, la presse de Grave et Pouget qu'il finance — malgré ses propres difficultés —, soit directement, en contribuant à éponger ses dettes, soit par des œuvres qui viennent enrichir ses colonnes, ses brochures ou ses tombolas.

Vers 1885, il rencontre Grave, le fondateur des *Temps nouveaux* ; en 1889, Pouget, à la tête du *Père Peinard*, par l'entremise du Club d'art social (de Tabarant) qui se réunit dans les locaux de *La Revue socialiste* avec le projet de promouvoir l'artisanat d'art. S'il n'est pas impliqué dans les actions terroristes, il évite de justesse l'emprisonnement après l'assassinat du président Sadi Carnot. Comme ses amis néo-impressionnistes, il est jugé au procès des Trente en 1894, où la défense originale des artistes et du critique Fénéon* décourage l'accusation.

S'il voit dans l'anarchisme la possibilité de renouer avec une liberté individuelle qui assurerait la pureté de sa création — il rêve d'une cité idéale et sans contrainte où l'art occuperait une place de choix —, il refuse de faire passer le thème propagandiste avant la forme et la technique qui doivent, avant tout, rendre l'art révolutionnaire. Ce faisant, il renâcle à illustrer le discours militant. Quand il s'y résout, c'est sur les thèmes traditionnels de l'anarchisme : la misère, la spéculation, la prostitution enfantine, la reconnaissance du vol ou la surpopulation.

Laurence Bertrand Dorléac

■ *Les Turpitudes sociales* (préface par A. Fermigier), Genève, Skira, 1972.
▒ J. Bailly-Herzberg, *Correspondance de Camille Pissarro (1865-1905)*, PUF, rééd. Valhermeil, 1980-1991. — B. Nicolson, « The Anarchism of Camille Pissarro », *The Arts*, 2, 1947. — B. Recchilongo, *Camille Pissarro : Grafica anarchica*, Rome, Istituto della enciclopedia italiana, 1981. — R. Shikes et P. Harper, *Pissarro*, Flammarion, 1981.

PLAN DU 9 JUILLET 1934

Élaboré dans le contexte de l'après-6 février 1934, le « Plan du 9 juillet » est le symbole d'une certaine forme d'engagement qui prévalait dans ce début des années 30, années du « non-conformisme » et des voies de traverse. Sans grande portée réelle ni originalité véritable quant à son contenu, il n'en marque pas moins une date dans l'évolution des formes de réseaux et de sociabilités qui réussissent à lier intellectuels, politiques, ingénieurs et hauts fonctionnaires.

Le Plan fait date par sa présentation symbolique. Depuis une conférence tenue en Sorbonne, le 12 mars 1934, sous l'égide de l'École de la paix de Louise Weiss*, l'inspirateur, Jules Romains*, joue le rôle de l'écrivain reconnu qui réunit puis encadre des « jeunes gens » dont l'âge est supposé garantir la nouveauté et le désintéressement des propositions ainsi que leur succès auprès des « forces vives de la nation » (voir l'introduction au *Plan du 9 juillet* édité par Gallimard* en 1934, p. 13). La mystique du regroupement liée à la création d'une équipe nouvelle, tout au long des quatre mois de réunions et de débats, justifie le dépassement de soi et de ses origines idéologiques face au spectre de la guerre civile. Les dix-neuf signataires du Plan doivent symboliser la réunion spectaculaire de tous les courants politiques : le fait d'accepter une telle « convergence » prouve en retour leur capacité à rompre avec les clivages anciens tout en justifiant le titre de rénovateurs qu'ils revendiquent au sein de leur mouvement respectif. Outre Jules Romains, qui ne représente que lui-même, on trouve ainsi des néo-socialistes (Paul Marion), des jeunes radicaux, des représentants de la Jeune République, des Jeunesses patriotes (Roger de Saivre) ou des Croix de Feu (Bertrand de Maud'huy). Enfin — quadrature du cercle —, s'ils sont tous présentés comme jeunes, ce sont aussi des compétences : « Ces jeunes hommes ne sont pas des gamins » (Jules Romains, p. 9), certains ont des « fonctions importantes dans l'État » ou dans la machine économique. Les anciens polytechniciens, membres du groupe X-Crise* (Louis Vallon, Jean Coutrot), apportent leur caution aux littéraires. Aussi le Plan n'est-il pas un « manifeste » de plus ; il décline un véritable « programme commun » destiné à être déposé « dès demain » sur « la tribune d'une Assemblée constituante » (Jules Romains). C'est le degré maximal de l'engagement politique en même temps que l'effacement de la notion d'intellectuels (le terme n'est d'ailleurs jamais prononcé) au profit d'un « nous » qui ne renvoie qu'à lui-même (le « Groupe » auteur du Plan).

Affaire de présentation, de regroupement et de conception originale, le Plan du 9 juillet, par son contenu, est cependant un miroir très fidèle et plutôt conformiste des débats de son temps. Par le souci de renouveler l'élite de la nation grâce à une méritocratie scolaire élargie et l'appel aux nouvelles « forces morales » que sont les syndicats (ouvriers et patronaux), les anciens combattants et la « jeunesse », il relève de la tradition renanienne d'une réforme intellectuelle et morale de la nation. Par son chapitre sur la « réforme de l'État », plutôt modéré sur le fond, il répond au principal enjeu politique de l'année 1934, celui de la révision des institutions parlementaires. Par l'appel à une politique extérieure qui cherche à la fois la fermeté et — malgré Hitler — les voies de la conciliation avec l'Allemagne, il répond aux inquiétudes de la génération pacifiste bien représentée ici par Jules Romains. Enfin, par le projet de réorganisation économique marquée par la volonté d'encadrer, de réguler et de prévoir le cours des choses, selon l'inspiration dominante de Jean Coutrot, le Plan ajoute sa pierre aux appels multiples en faveur de la troisième voie ; ni capitalisme ni dirigisme, ni libéralisme ni socialisme.

Le manque d'originalité du texte se vérifie dans le positionnement des réactions une fois le texte rendu public par l'intermédiaire de *Marianne** puis d'une brochure éditée par Gallimard. Le Plan suscite des réactions qui retrouvent et accusent ces fractures partisanes qu'il voulait dépasser. À *L'Humanité**, Paul Vaillant-Couturier* parle de « déclamation fasciste », et Léon Blum*, dans *Le Populaire*, raille la juxtaposition des réformes par le terme de « bouillabaisse ». Les seuls soutiens déclarés viennent des organes auxquels collaborent certains des signataires du Plan (*L'Homme nouveau* ou *L'Aube*) ou des interventions ponctuelles de personnalités engagées dans leur propre parcours « non conformiste », tels Renaudel ou Déat, mais aussi Jacques Kayser et Pierre Mendès France.

Devant cet impact faible et décevant, le Groupe du 9 juillet renonce à son ambition initiale de se transformer en Mouvement. Le 29 octobre 1934, dans une réunion organisée au Musée social*, Jules Romains limite la vocation du groupe à celle d'« une sorte de bureau d'études ». L'évolution tant politique qu'intellectuelle lui est d'ailleurs contraire. La démission de Doumergue en novembre 1934 sonne l'échec d'une « réforme de l'État » initiée par le gouvernement et qui a d'ailleurs divisé les « juillettistes ». Plus encore, la dynamique intellectuelle née de la réaction quasi immédiate au 6 février 1934 — le Comité de vigilance des intellectuels antifascistes* (CVIA) commence à se constituer au début du mois de mars — favorise nettement une nouvelle polarisation à gauche du monde intellectuel. Le Plan parrainé par Jules Romains n'a pas su obliger le monde intellectuel ni même une partie de celui-ci à se recomposer par rapport à lui. L'antifascisme l'emporte sur la convergence, plus affichée que réelle, des « non-conformistes » du 9 juillet.

Nicolas Roussellier

■ *Plan du 9 juillet. Réforme de la France proposée par le Groupe du 9 juillet* (avant-propos de J. Romains), Gallimard, 1934.
■ O. Dard, *Les Novations intellectuelles des années 30 : l'exemple de Jean Coutrot*, thèse, IEP de Paris, 1993, pp. 242-325. — O. Rony, *Jules Romains ou l'Appel au monde (1886-1970)*, Laffont, 1992.

PLEYNET (Marcelin)

Né en 1933

Poète, romancier, historien et critique d'art, Marcelin Pleynet — né à Lyon en 1933 — est l'un des principaux animateurs, dans les années 60-70, de la revue *Tel Quel** dont les partis pris marxistes, structuralistes et psychanalytiques dominent alors la scène intellectuelle française. Il décline ceux-ci à sa façon dans *Stanze* (1973). C'est à la fin de la décennie qu'il évoquera ses relations avec la gauche et l'extrême gauche, parlant à leur propos d'une « expérience d'oppression » qui l'a toujours éloigné de tout militantisme.

Dans le domaine artistique, il tend dans un premier temps vers une histoire qui prendrait en compte le sens des œuvres d'art en s'appuyant sur une analyse plastique, psychanalytique, sociale, politique. Son *Enseignement de la peinture*, publié en 1971, est un exemple d'utilisation de la pensée contemporaine où l'art moderne devient un outil de connaissance capable d'éclairer les pratiques sociales et individuelles.

Après avoir contribué à faire connaître l'art contemporain américain, il devient le critique et théoricien du mouvement Support / Surface (1970-1972) réunissant Arnal, Bioulès, Cane, Devade, Dezeuze, Dolla, Grand, Pagès, Saytour, Valensi, Viallat et Pincemin. Ce mouvement répond au projet de déconstruction de *Tel Quel*, applicable à la peinture ; il s'agit de révéler l'envers de l'art en démystifiant le projet artistique romantique et de prendre la peinture uniquement pour ce qu'elle montre. Il est alors proche du mensuel de réflexion sur l'art contemporain *Art Press** tout comme il le sera un peu plus tard de la revue *Documents sur*.

Il se consacre de plus en plus à prendre partie pour cet « étranger » qu'est le créateur, soumis à des conflits que la structure sociale ne peut prendre en charge. Demeurant un observateur attentif des formes artistiques, il pense qu'elles ont à jouer un rôle majeur et note dans ses *Chroniques d'un journal ordinaire*, en 1980 : « L'histoire moderne qui fut écrite par les idéologies et les politiciens, nous devons aujourd'hui nous employer à la laisser s'écrire par les artistes... ils ont n'en doutons pas tout autre chose à dire. »

Laurence Bertrand Dorléac

■ *Lautréamont par lui-même*, Seuil, 1967. — *L'Enseignement de la peinture*, Seuil, 1971. — *Stanze*, Seuil, 1973. — *Les Trois Livres*, Seuil, 1984. — *Les Modernes et la tradition*, Gallimard, 1990. — *Le Propre du temps*, Gallimard, 1995.

POINCARÉ (Henri)

1854-1912

Homme de science aux multiples curiosités et activités, Poincaré est en général présenté comme le dernier savant « universel ». Mathématicien puissant et productif, orfèvre en physique mathématique et en mécanique céleste, il enseigna également l'électrotechnique et laissa quatre ouvrages de réflexions épistémologiques. Si sa notoriété est relative, son influence sur la communauté scientifique française du début du XXe siècle est considérable.

Né à Nancy le 29 avril 1854, Henri Jules Poincaré, dont le père était professeur à la Faculté de médecine de Nancy, est issu d'une ancienne famille lorraine. Reçu premier à Polytechnique et à Normale en 1873, il opte pour la première. Après une thèse brillamment soutenue en 1879, il est nommé maître de conférences à la Sorbonne (1881) grâce à l'intervention de son père et de C. Hermite, mathématicien influent à la Sorbonne et à l'Académie. C'est le début d'une brillante carrière universitaire, couronnée par de nombreux prix qui établissent sa réputation internationale, par l'élection en 1887 à l'Académie des sciences*, en 1909 à l'Académie française*, ainsi qu'à de multiples académies étrangères. Outre une contribution considérable aux divers champs des mathématiques (quelque 1 700 pages publiées au cours des années 1880), son ouverture à d'autres disciplines élargit sa sphère d'influence. Professeur de physique mathématique à la Sorbonne en 1886, il devient l'un des grands physiciens français (un traité de physique mathématique en 14 tomes) et marque une génération de mathématiciens et de physiciens. Successeur de Tisserand à la chaire d'astronomie mathématique et mécanique céleste en 1896, il enseigne à partir de 1904 l'astronomie générale à Polytechnique où il a été répétiteur d'analyse dès les années 1880. Enfin, l'École professionnelle supérieure des P et T l'appelle de 1904 à 1910 pour renforcer son enseignement d'électricité théorique.

Impliqué dans tous les grands débats de son époque, mais radicalement éloigné de tout engagement politique, ce catholique n'en intervient pas moins dans l'affaire Dreyfus* avec une netteté qui en fait un des savants dreyfusards les plus caractéristiques. Constatant que la théorie pseudo-mathématique et graphique élaborée par Bertillon pour confirmer que Dreyfus est bien l'auteur du « bordereau » menace non seulement l'ordre juridique mais aussi l'ordre scientifique, il s'élève contre cette méthode au procès de Rennes, par l'intermédiaire de son collègue Paul Painlevé* appelé à déposer devant le Conseil de guerre. La Cour de cassation le charge en avril 1904 de statuer de la validité scientifique des théories de Bertillon en compagnie des mathématiciens Paul Appell et Gaston Darboux. Avec eux, il dresse un réquisitoire contre cette « fausse science » qui n'accepte aucune règle de la méthode scientifique. Morale professionnelle et éthique du savoir scientifique motivent l'engagement inattendu de ce savant politiquement modéré mais pénétré de la question du devenir de la science. Elles expliquent aussi son action en faveur d'une entente internationale entre savants, que manifeste son adhésion à l'association « Die Brücke » fondée par le savant autrichien Ostwald en 1911. Poincaré meurt à Paris le 17 juillet 1912.

Michel Atten

■ *La Science et l'hypothèse*, Flammarion, 1902. — *La Valeur de la science*, Flammarion, 1905. — *Science et méthode*, Flammarion, 1908. — *Dernières pensées*, Flammarion, 1913. — *Œuvres*, Gauthier-Villars, 1931-1954.

■ V. Duclert, *L'Usage des savoirs. L'engagement des savants et l'affaire Dreyfus*, thèse, Paris VIII, 1995. — E. Lebon, *Henri Poincaré. Biographie. Bibliographie analytique des écrits*, Gauthier-Villars, 1909.

POINT (LE)

En juin 1971, sept journalistes, Claude Imbert, Olivier Chevrillon, Georges Suffert, Jacques Duquesne, Pierre Billard, Robert Franc, Henri Trinchet, et deux gestionnaires, Philippe Ramond et Michel Bracciali, démissionnent avec fracas de *L'Express** de Jean-Jacques Servan-Schreiber. Simon Nora, alors directeur général de la Librairie Hachette, avance 26 millions de francs pour aider ces dissidents, chrétiens de gauche et proches du Club Jean-Moulin*, à concrétiser le projet d'un hebdomadaire. Le premier numéro du *Point*, conçu au 37 de l'avenue Pierre-Ier-de-Serbie et qui adopte le format « magazine », paraît le 25 septembre 1972. Son éditorial annonce une volonté d'indépendance vis-à-vis du monde politique qui ne doit attendre ni « méchanceté, ni complaisance » de sa part.

L'équilibre financier de la SA Presse et Information, au capital de 486 000 francs, est atteint en 1975. L'équipe a tenu son pari de conquérir 150 000 acheteurs au bout d'un an et, en 1976, 1 493 000 personnes, principalement des cadres des grandes villes françaises, lisent *Le Point* chaque semaine. L'hebdomadaire, installé au 140 rue de Rennes, a pour sous-titre « hebdomadaire d'information » et couvre l'ensemble de l'actualité à travers six rubriques : Nation, Monde, Économie, Environnement, Société et Culture. Tout en traitant les sujets de société, l'équipe réserve plus de 50 % de ses couvertures à la politique malgré un certain désintérêt des lecteurs pour la chose publique.

En 1982, le groupe Matra de Jean-Luc Lagardère, lié par des contrats d'armement avec l'État, prend le contrôle d'Hachette ; l'équipe dirigée par Chevrillon, Imbert et Ramond craint pour son indépendance et quitte son actionnaire majoritaire. Nicolas Seydoux, alors PDG de la Gaumont, entre à la première place dans le capital du *Point*. Le journal est sauvé mais des déchirements internes apparaissent et les départs de Ramond, Chevrillon, Suffert et Duquesne se succèdent jusqu'en 1985. En 1990, *Le Point* enregistre son premier déficit, qui s'élève à 17,8 millions de francs et qui peut s'expliquer par une image érodée face à la concurrence plus âpre des trois autres newsmagazines au sein d'un marché publicitaire en récession. Bernard Wouts, ancien administrateur du *Monde**, est alors appelé au poste de président-directeur général. Et une fois les finances rétablies, l'année 1992 voit la Générale occidentale, déjà propriétaire de *L'Express**, prendre 40 % du capital de l'hebdomadaire de Claude Imbert.

Ce dernier, l'un des seuls pères fondateurs encore présents, choisit Denis Jeambar en 1993 pour lui succéder au poste de directeur de la rédaction, demeurant lui-même directeur général et directeur éditorial. En 1994, il se félicite de ventes s'élevant à 302 500 exemplaires, avec deux tiers d'abonnements, et d'une ligne directrice sans heurt depuis sa création, proche du centre droit et des socialistes modérés mais refusant d'être un journal d'opinion et par conséquent peut-être un véritable lieu d'expression pour les intellectuels. Claude Imbert pense combler la lacune en offrant à Bernard-Henri Lévy* une chronique hebdomadaire, que celui-ci n'hésite pas à intituler « Bloc-Notes » comme jadis François Mauriac*.

En juillet 1995, à la suite du départ de D. Jeambar pour Europe 1, C. Imbert reprend la direction de la rédaction.

Isabelle Weiland-Bouffay

■ C. Brunel, « Une bougie pour *Le Point* », *Lectures pour tous*, n° 237, octobre 1973. — M. Jamet, « *Le Point* : un newsmagazine à l'état pur », *Communication et langage*, n° 52, 2e trimestre 1982. — Y.-M. Labé, « L'identité du *Point* sur la sellette », *Le Monde*, 18 septembre 1992. — R. Rieffel, *La Tribu des clercs. Les intellectuels sous la Ve République*, Calmann-Lévy / CNRS, 1993.

POLITIQUE AUJOURD'HUI ET POLITIQUE HEBDO

Quand paraît, en janvier 1969, son premier numéro, le mensuel *Politique Aujourd'hui* a déjà une préhistoire. Son fondateur, Paul Noirot (de son vrai nom : Henri Blanc) est en effet jusqu'en 1968 le rédacteur en chef de la revue communiste *Démocratie nouvelle*. Celle-ci prend position pour le printemps de Prague*, puis pour le Mai étudiant. Elle est « suspendue », et c'est pour l'essentiel son comité de rédaction qui fonde *Politique Aujourd'hui*, avec, entre autres, Gilbert Badia, Raymond Jean, Madeleine Rebérioux*, et, du côté non communiste, Jacques Berque*, Paul Blanquart et Pierre Joxe.

La revue est alors marquée par les problèmes du mouvement communiste international : la Tchécoslovaquie est d'ailleurs le thème de son premier numéro. Succès suffisant pour que soit envisagée la publication d'un hebdomadaire. Une première formule sort à l'automne 1970, mais, trop ambitieuse, ne dure que six mois. Une nouvelle formule, à l'automne 1971, s'appuie sur une souscription réussie, puis sur quelques soutiens financiers, dont celui de René Seydoux. Et avec Évelyne Le Garrec, Roger Dosse, Claude Angéli... se dessine la charpente d'une équipe plus diversifiée.

Politique Hebdo connaît alors une première inflexion : la dimension communiste et internationale est relativisée au profit d'une focalisation sur les mouvements sociaux ; *Politique Hebdo* devient la tribune des Lip, du MLAC, des antinucléaires, des homosexuels, des antimilitaristes. Dans la foulée, la rédaction s'élargit : à Patrick Rotman, qui est membre de la Ligue communiste révolutionnaire, comme à Hervé Hamon, qui est au PSU. En 1975, l'équilibre financier est atteint : 35 000 exemplaires vendus, à 4 francs et avec un volume qui oscille entre 32 et 50 pages.

À partir de 1976, les progrès de l'Union de la gauche aidant, on note un élargissement du côté communiste (par l'intermédiaire de Jean Elleinstein*) et du côté socialiste. Le CERES (Didier Motchane) est très présent, mais aussi les amis de Pierre Joxe : Guy Perrimond, secrétaire de rédaction de *Démocratie nouvelle*, puis de *Politique Hebdo*, est d'ailleurs devenu l'un de ses proches collaborateurs.

Politique Hebdo apparaît alors comme porteur d'un projet diffus de regroupement : des trotskistes de la LCR à la gauche socialiste, en passant par le PSU, les écologistes des « Amis de la Terre » et les communistes critiques. Mais *Politique Hebdo* ne pourra porter son projet au-delà de 1978. Bien que le journal ait atteint son équilibre d'exploitation, les ventes ne sont pas suffisantes pour combler les dettes de la première formule. Il cesse de paraître à la fin de l'année 1978.

Politique Aujourd'hui, devenu trimestriel, n'a durant cette période jamais interrompu sa parution et durera jusqu'en 1986, sans cependant jouer le rôle auquel postulait *Politique Hebdo*.

Jacques Kergoat

■ P. Noirot, *La Mémoire ouverte*, Stock, 1977.

POLITZER (Georges)

1903-1942

Jeune philosophe en colère, apparatchik communiste, héros de la Résistance, ces trois instantanés résument-ils la brève destinée de l'émigré de Transylvanie arrivé à Paris en 1921 ? Né le 3 mai 1903 à Nagyvarad (devenue la roumaine Oradea-Mare en 1918) dans une famille de la bourgeoisie juive hongroise assimilée, Georges Politzer, en révolte contre son milieu, participe à quinze ans à la Commune de Budapest, puis quitte la Hongrie pour Vienne, où il suit les séminaires de la Société psychanalytique, puis pour Paris, où il s'inscrit en philosophie à la Sorbonne. Avec ses amis Norbert Guterman et Szolem Mandelbrojt, deux émigrés polonais, il participe en 1924 à la fondation du groupe et de la revue *Philosophies**. De Schelling, qu'il traduit en 1926, à Freud, qu'il est un des premiers à introduire en France, il se réclame d'une « révolution philosophique » qui conduira le groupe au marxisme. En 1929, il adhère au Parti communiste, participe à la création de la *Revue marxiste* et de la *Revue de psychologie concrète*, qui est sa chasse gardée, et s'attaque, dans un brûlot remarqué, à la « parade philosophique » du bergsonisme.

Naturalisé dès 1924, agrégé de philosophie en 1926, son désir effréné d'intégration n'explique pas seul qu'à l'automne 1929, quand éclate l'« affaire » de la *Revue marxiste*, il choisisse, comme Nizan*, de se mettre « au service » du Parti. Nommé professeur à Cherbourg, puis Vendôme, Évreux et Saint-Maur, il entre au Bureau de documentation de la CGTU, puis à celui du PCF, et devient en 1932 responsable de la commission économique du comité central. Rejetant tout son passé théorique, notamment la psychanalyse, il se mue en spécialiste d'économie politique. Enseignant à l'École centrale d'Arcueil et à l'Université ouvrière, son « cours de marxisme », réédité après sa mort *(Principes élémentaires de philosophie)*, deviendra un véritable manuel pour les militants. Avec le Front populaire, la nouvelle orientation du PCF l'incite à un « retour philosophique » : il développe, notamment lors de l'hommage à Descartes en 1937 ou de la fondation de *La Pensée** en 1939, la thèse d'un marxisme héritier des Lumières, forme moderne du rationalisme.

Chargé, selon certaines sources, de transmettre en juin 1940 au gouvernement les propositions de direction clandestine du PCF pour la défense de Paris, Politzer est un des inspirateurs de la résistance intellectuelle communiste. Il a l'idée de *L'Université libre*, lancée à l'automne 1940, et, en février 1941, de *La Pensée libre*, où il publie « Révolution et contre-révolution au XXe siècle » contre le théoricien nazi Alfred Rosenberg. Arrêté à Paris par la Brigade spéciale avec sa femme Maï le 15 février 1942, remis aux Allemands le 20 mars, il est longuement torturé et fusillé comme otage au Mont-Valérien le 23 mai 1942.

Michel Trebitsch

■ *Critique des fondements de la psychologie*, t. 1 : *La Psychologie et la psychanalyse*, Rieder, 1928 (réunis de manière discutable avec d'autres textes dans *Écrits*, t. 1 : *La Philosophie et les mythes*, et t. 2 : *Les Fondements de la psychologie*, Éditions sociales, 1969). — (François Arouet), *La Fin d'une parade philosophique, le*

bergsonisme, Les Revues, 1929. — *Principes élémentaires de philosophie*, Éditions sociales, 1946 (rééd. sous le titre *Principes fondamentaux de philosophie*, 1954).
▩ J. Milhau, « Georges Politzer ou le retour philosophique », *La Pensée*, mai-juin 1972. — N. Racine, « Georges Politzer », in *DBMOF*.

PONGE (Francis)

1899-1988

L'auteur du *Parti pris des choses* (1942) n'est pas simplement le poète des objets, ou de la nature. Le naturaliste épicurien s'est toujours explicitement situé dans une perspective en dernière instance « humaniste » : « L'homme est à venir. L'homme est l'avenir de l'homme [...] Non pas vois (ci) l'homme, mais *veuille* l'homme. » La figure de cet « homme » pongien se modifie sans doute quelque peu, au fil de l'histoire personnelle du poète et de son évolution idéologique : c'est d'abord l'homme nouveau d'après l'exploitation capitaliste, puis l'homme réduit à un fil après l'épisode barbare (nazisme, guerre), enfin l'homme transfiguré par la lumière de l'Art. Il reste que Francis Ponge s'est toujours préoccupé de l'articulation entre sa position de sujet social et politique et sa pratique d'écrivain. Moins spectaculairement « engagé » qu'André Breton* ou Aragon*, il le fut tout aussi constamment dans les faits et tout aussi nécessairement quant à sa pensée poétique.

En 1917, Ponge, alors en hypokhâgne à Louis-le-Grand, écrit un petit texte qui se termine par ces mots : « Société hideuse de débauche. » Adolescent bourgeois très loin d'être en rupture avec son milieu familial, il porte néanmoins sur la société dans laquelle il vit un jugement radical. Dès le début des années 20, le sentiment de honte et de dégoût s'est transformé en conviction : le jeune homme est devenu « socialiste » sans toutefois s'engager de façon précise et concrète. Jeune bourgeois anarchisant, il va rejoindre en 1929, pour très peu de temps, les rangs des surréalistes à un moment (l'époque du second *Manifeste*) où ceux-ci se politisent plus décidément. À cette première phase de la vie de Ponge correspond sa pratique de la poésie comme une arme (les « satires »), comme « moyen de sévir ». Violent à l'occasion, par exemple lorsqu'il s'écrie, à la manière des plus déchaînés de ses futurs amis : « Et tire, tire, tue, / Tire sur les autos ! » Proche des surréalistes dans le diagnostic qu'il porte sur la société telle qu'elle est, mais éloigné d'eux aussi en ce sens qu'il récuse d'une part les principes d'une poétique contre-réaliste, et que d'autre part il les perçoit comme des « anarchistes de cabinet », alors que lui, après s'être dans un premier temps « déclassé » (années 20), va se « prolétariser » au moment de son mariage (1931) en entrant en qualité d'employé aux Messageries Hachette.

Il devient alors secrétaire adjoint du syndicat des cadres CGT de son entreprise, et c'est à ce titre qu'il conduit la grève avec occupation des locaux pendant le Front populaire, ce qui entraîne son licenciement en 1937. Il se retrouve au chômage. Sa poétique répond alors à sa condition : textes brefs par nécessité de fait, qu'il considère comme autant de petites « bombes » à retardement (hermétisme, concentration d'énergie explosive), préparées dans le secret, contres les idées et les valeurs (esthétiques) dominantes : objets simples, pauvres, choix du « monde muet » (comme la classe ouvrière). Ponge ne se considère pas comme un intellectuel révolutionnaire, et c'est pourquoi il ne participe à aucune des manifestations bruyantes et ne collabore à aucune des revues de gauche durant ces années 30 : il fait *partie* de la classe opprimée, et c'est depuis ce lieu qu'il pratique l'expression, comme un acte de résistance ; de même, la question de l'adhésion au Parti communiste ne va pas se poser pour lui en termes théoriques, mais comme en prolongement « réaliste » à l'action syndicale : efficacité, rigueur, discipline, telles sont les vertus (« bolcheviques ») qu'il reconnaît alors à ce parti auquel il adhère en 1937 et qu'il ne quittera que dix ans après. Dès 1941, il entre en contact avec le Front national, et ça n'est pas en tant qu'écrivain mais comme journaliste (car il écrit au *Progrès de Lyon*) qu'il participe activement à la Résistance. Son travail de poète est au plus loin du lyrisme patriotique alors dominant : Ponge écrit de courts textes savamment cryptés, et par ailleurs se livre à l'expérience du texte « ouvert » (la « rage de l'expression »), en quête de formes nouvelles. À l'engagement politique direct répond un engagement littéraire très éloigné de l'esthétique volontariste prônée par ses plus proches camarades. Lorsque, à la Libération, Aragon confie à Ponge les pages culturelles de l'hebdomadaire *Action**, celui-ci est déjà en porte à faux avec les directives du Parti, notamment en matière d'art et de littérature. Sans renier du jour au lendemain la dimension critique du matérialisme historique, il proteste au nom de l'individu, et de tout ce qui, dans le destin de l'homme, est irréductible au « politique ».

Retour à la solitude, à l'écriture. Mais jamais Ponge ne pourra écrire en oubliant ce qu'il appelle un sentiment de « responsabilité civile ». Il ne cessera de vouloir penser la condition et la fonction sociales de l'artiste : « En somme, qu'est-ce qu'un artiste ? C'est quelqu'un qui n'explique *pas du tout* le monde, mais qui le change. » Au-delà de l'adhésion marxiste, Ponge reprend à son compte la célèbre onzième thèse sur Feuerbach : l'artiste n'est à ses yeux ni un philosophe ni un intellectuel, mais le seul vrai révolutionnaire… Et ceci restera vrai pour lui même lorsque, influencé par André Malraux*, il croira s'apercevoir que depuis un certain temps déjà il était « gaulliste » *sans le savoir*. C'est en tant que tel qu'en 1976 il donnera, pour l'inauguration du Centre Pompidou, l'*Écrit Beaubourg*, suivi deux ans plus tard d'un « essai de prose civique », sous le titre *Nous mots français*, d'inspiration délibérément « réactionnaire ».

Qu'en est-il exactement de cette conversion tardive ? Une fois le marxisme liquidé, l'Histoire cessait d'avoir un sens, ou même d'être pensable comme telle : elle n'était plus qu'un « songe » ou un chaos. Le sujet Prolétariat faisait place au sujet Artiste d'un côté, à la figure du « Héros » de l'autre : Malherbe et le général de Gaulle (« hommes providentiels »). L'autre composante de ce ralliement au gaullisme serait le « nationalisme » ou plutôt peut-être le « patriotisme » pongien, soit : une « certaine idée de la France » et de la *francité*, comme il dit. Mais cette France, Ponge se refuse à l'envisager seulement comme « une nation catholique (chrétienne) », il veut la penser en ses origines païennes, gréco-latines, celtes, germaniques et autres, comme synthèse d'héritages et de cultures. Pour l'écrivain, l'incarnation vivante de cette « notion complexe » de la France c'est, bien sûr, la langue, l'institution par excellence : si le héros de la Libération est aussi aux yeux de Ponge le restaurateur et le sauveur des institutions, le poète est pour sa part quelque chose comme un « ministre » (au sens tout à la fois politique et religieux) de la langue-patrie, il exerce *en tant qu'écrivain* une responsabilité civique. Mais cette responsabilité implique une liberté absolue : l'art n'est au service de rien, il relève d'une « insubordination résolue aux idées ». Cette autonomie radicale, Ponge ne l'a pas toujours affirmée avec la même insistance mais elle a toujours été présente dans son œuvre ; elle en est sans doute le dernier mot.

Jean-Marie Gleize

■ *Proèmes*, Gallimard, 1948. — *Pour un Malherbe*, Gallimard, 1965. — *Entretien avec Philippe Sollers (1967)*, Gallimard / Seuil, 1970.

▒ J.-M. Gleize, *Francis Ponge*, Seuil, 1988. — J. Thibaudeau, *Francis Ponge*, Gallimard, 1967. — *Francis Ponge* (colloque de Cerisy), UGE, 1977. — « Francis Ponge », *Cahiers de L'Herne*, 1986.

PONTALIS (J.-B.) [Jean-Bertrand Lefèvre-Pontalis]

Né en 1924

Agrégé de philosophie, docteur en psychologie, ancien chargé de cours au Centre national de la recherche scientifique* puis à l'École pratique des hautes études, Pontalis, qui préfère ses initiales « Jibé » à son prénom, a renoncé au « Lefèvre ». La famille compte un historien, homme politique du Second Empire, et un archéologue. L'un des élèves préférés de J. Lacan*, dont il publie une transcription des premiers séminaires dans le *Bulletin de psychologie*, Pontalis est un des rares psychanalystes, avec Maud Mannoni*, à signer pendant la guerre d'Algérie le « Manifeste des 121 »* sur le droit à l'insoumission. Menacé d'un blâme, il est défendu par Maurice Merleau-Ponty*, qui fait valoir qu'un fonctionnaire peut signer une pétition. Avec Jean Laplanche, Pontalis procède à une mise au point fondamentale, historique et critique, de la doctrine freudienne (*Fantasme originaire, fantasmes des origines, origine du fantasme*, 1964 ; *Vocabulaire de la psychanalyse*, 1967). Lui qui n'est pas germaniste entreprend, toujours avec Laplanche, la traduction des œuvres complètes de Freud, aventure qui s'achèvera par des éditions séparées et la rupture de leur amitié. Analysé par Lacan, il le quitte avec d'autres disciples en fondant l'Association psychanalytique de France en 1964. Pontalis a toujours été un homme de revues. Il commence à écrire en 1945 dans *Les Temps modernes** de J.-P. Sartre*, qui éditera, vingt ans plus tard, son premier recueil d'articles, *Après Freud*, disqualifiant les « nouveaux guérisseurs » (dont Moreno, avec son psychodrame). Il se sépare de Sartre lorsque celui-ci soutient la Gauche prolétarienne et il s'oppose à lui sur la publication du témoignage d'un patient qui voulait imposer à son thérapeute la présence d'un magnétophone en séance. L'image de Pontalis finit par s'identifier à celle qu'il a donnée de la psychanalyse dans ses collections et revues, parmi lesquelles « Connaissance de l'inconscient » qui fait connaître les grands noms anglo-saxons en ce domaine (B. Bettelheim, D.W. Winnicott, H. Searles) et la *Nouvelle Revue de psychanalyse*, dont les numéros ont exploré, pendant près de vingt-cinq ans, grâce à un éventail interdisciplinaire, des thèmes en marge de la théorie : l'archaïque, la croyance, la passion, le dehors, le dedans, etc. Admirateur de l'intelligence à l'œuvre dans la littérature, Pontalis la déchiffre dans les textes de Flaubert, Michel Leiris*, Henry James, Valéry*. Il dirige aujourd'hui une collection littéraire chez Gallimard*, « L'un et l'autre ». Il s'est essayé lui-même à l'écriture romanesque (*Loin*, 1980). Avec un réel bonheur de style et une exigence philosophique qu'il doit à sa formation de phénoménologue, il a enrichi l'analyse de la jouissance du rêveur dans l'adhésion à son rêve.

Jean-François de Sauverzac

■ *Après Freud*, 1965, rééd. Gallimard, 1993. — *Fantasme originaire, fantasmes des origines, origine du fantasme* (avec J. Laplanche), 1964, rééd. Hachette, 1985. — *Vocabulaire de la psychanalyse* (avec J. Laplanche), PUF, 1967. — *Entre le rêve et la douleur*, Gallimard, 1977. — *La Force d'attraction*, Seuil, 1990.

PONTIGNY / CERISY

C'est en 1906 que Marie-Amélie et Paul Desjardins* achetèrent, après la séparation des Églises et de l'État*, l'ancienne abbaye cistercienne de Pontigny, dans l'Yonne, dont les bâtiments mis aux enchères dataient du XIIe siècle. Dès l'été 1910, Paul Desjardins y instaura les « Décades de Pontigny », auxquelles vint presque toute l'Europe intellectuelle, politique et étudiante. Les membres de la première *Nouvelle Revue française**, qui y organisèrent chaque année leur « entretien d'été », furent parmi les premiers fidèles à constituer en 1912 une « Société de l'abbaye de Pontigny » destinée à soutenir financièrement le généreux projet de Paul Desjardins... Parmi les Décades les plus remarquables d'avant la Première Guerre mondiale, il y eut : « La poésie contemporaine » en 1910 ; « Art et poésie : libres conversations sur le tragique » en 1911 ; « Philosophie, religion, histoire : critique rationaliste, mysticisme. Critique mystique du rationalisme » en 1912 ; « Droit des peuples. Défense nationale et impérialisme » en 1913.

Transformé en hôpital militaire pendant la Première Guerre mondiale, l'abbaye de Pontigny ne put reprendre son œuvre de « rapprochement national et international » qu'en 1922. Mais l'éclat et le retentissement donnés à ces réunions par Paul Desjardins et ses hôtes trouvèrent entre les deux guerres leur apogée ; trois principaux axes de réflexion — l'humanisme et les humanités, la philosophie et les questions religieuses, la politique contemporaine et l'histoire — furent traités au cours de décades aux intitulés remarquables, comme « Miroir de l'honneur. Culture de la fierté par la fiction » (1922), « Le trésor poétique réservé ou De l'intraduisible » (1923), « L'empreinte chrétienne » (1926), « Jeunesse d'après guerre, à cinquante ans de distance » (1928), « Imago Mundi Nova. Imago Nulla. Un univers sans figure et le courage de vivre » (1929), « Sur le baroque et sur l'irréductible diversité du goût suivant les peuples » (1931), « De la transmission des valeurs, d'une génération à une autre ; d'une classe sociale à une autre ; d'une nation à une autre » (1932), « Sur le caractère révolutionnaire des événements actuels. Veut-on la Révolution ? » (1933), « D'une restauration de l'intolérance dans les États totalitaires, et de l'abandon des conquêtes de l'humanisme » (1934), « Au sujet de l'ascétisme et de son pouvoir créateur » (1935), « La volonté du mal » (1936), « Vocation sociale de l'art dans les époques de trouble mental et de désespoir » (1937), « L'ombre de

César et le régime des masses » (1938), ou encore « La destinée » (1939)... Malheureusement, les archives de toutes ces décades allaient être confisquées par la Gestapo, qui vit en Pontigny, non sans raison, un important foyer d'activistes antinazis. Pour suppléer à la disparition des correspondances et des comptes rendus, l'on peut lire dans les journaux intimes de Gide*, Copeau*, Du Bos, Mauriac*, Martin du Gard* et dans les Mémoires de Berdiaev*, Maurois, Clara Malraux* et de quelques autres grands témoins, comment s'exerçait, de manière parfois déroutante, l'autorité intellectuelle de Paul Desjardins, ce que pouvaient donner dix jours de conclave dans une « abbaye laïque », comment se déroulaient les débats en commun dans la bibliothèque, les conversations privées sous la charmille et les inattendus jeux de société.

Malgré tous les événements qui devaient sonner le glas des Décades — la déclaration de guerre, le réaménagement de l'abbaye en hôpital militaire et le décès de Paul Desjardins, en mars 1940 —, « l'esprit de Pontigny » surgeonna, de l'été 1942 à l'été 1944, aux États-Unis, au Mount Holyoke College (Massachusetts), à l'instigation de Gustave Cohen et de quelques intellectuels réfugiés... Mais au lendemain de la guerre, il fallut vendre l'abbaye de Pontigny. La fille de Paul Desjardins, qui avait épousé en 1926 celui qu'il tint longtemps pour son successeur, Jacques Heurgon, accepta alors la proposition d'Henri Goüin : elle céda une partie de la bibliothèque de Pontigny à l'abbaye de Royaumont* où elle organisa à son tour des colloques, de 1947 à 1952. Puis, elle remit en état le château de Cerisy, dans la Manche — hérité de sa mère, qui avait elle-même racheté, en 1925, cette demeure normande du début du XVIIe siècle à son frère ruiné —, et décida d'en faire le nouveau cadre des Décades, dès 1952. C'est alors dans un esprit nouveau, qui s'est adapté à l'évolution des mentalités et de la recherche universitaire, qui s'est souvent axé autour d'une personnalité, que les Décades de Cerisy ont filialement succédé aux Décades de Pontigny. Au rythme de trois à cinq par été, plus d'une centaine de colloques se sont tenus à Cerisy, jusqu'à la mort d'Anne Heurgon-Desjardins en 1977 : les plus mémorables eurent pour thème la philosophie, en présence de Martin Heidegger en 1955 ; « Théorie et histoire » autour d'Arnold Toynbee en 1956 ; Raymond Queneau* en 1960 ; « Une nouvelle littérature : *Tel Quel* » en 1963 ; « La sexualité » en 1965 ; « Littérature et paralittérature » et « Centenaire du *Capital* » en 1967 ; « Nouveau Roman : hier et aujourd'hui » en 1971 ; « Nietzsche aujourd'hui ? », Artaud* et Bataille* en 1972 ; Claude Simon* en 1974 ; Francis Ponge* en 1975 ; Boris Vian* en 1976 ; Roland Barthes* en 1977.

Depuis 1978, ce sont les deux filles d'Anne Heurgon-Desjardins, Édith Heurgon et Catherine Peyrou — aidées par Maurice de Gandillac, qui vint pour la première fois à Pontigny en 1934, par Jacques Peyrou et Jean Ricardou —, qui mènent, à un rythme soutenu et avec une ouverture manifeste vers les sciences, les nouvelles technologies, les arts de l'image, la musique, le terroir normand, cette entreprise culturelle unique qui a su accompagner tout le XXe siècle.

Claire Paulhan

■ *Paul Desjardins et les Décades de Pontigny* (études, témoignages et documents inédits présentés par A. Heurgon-Desjardins), PUF, 1964. — *Cerisy : trente ans de colloques et de rencontres*, Bibliothèque municipale de Caen, 1983.

POSITIF

Née en 1952 de l'engagement cinéphile de quatre étudiants lyonnais, *Positif* s'inscrit dans le sillage de *La Revue du cinéma*, des *Cahiers du cinéma**, de *Raccords*, fondée en 1950 par Gilles Jacob, et de *L'Âge du cinéma*, revue surréaliste dirigée par Ado Kyrou, Robert Benayoun et Georges Goldfayn. La découverte par toute une génération, après 1945, d'artistes de génie comme Eisenstein, Welles, Buñuel ou Hitchcock et l'accès à une abondante production américaine grâce aux accords Blum / Byrnes expliquent cette prolifération de publications parmi lesquelles s'imposeront, souvent en s'opposant, *Positif* et les *Cahiers du cinéma*. Si *Positif* est moins connu du grand public que les *Cahiers*, c'est qu'elle n'a pas suscité de nouvelle vague de cinéastes, ni édifié de théorie impliquant une quelconque politique des auteurs. En revanche, durant les quarante-trois ans de son activité critique, et tout particulièrement depuis le milieu des années 60, elle a signalé et souvent imposé avant les autres les cinéastes et les œuvres les plus remarquables dans toutes les cinématographies, sans préjuger des genres ni des modes de production des films : Wajda, Pialat, Ruiz, Kubrick, Scorsese, Wenders, King Hu, Greenaway, Angelopoulos, Rosi, Boorman…

Dès ses premières livraisons lyonnaises, sous l'impulsion de son directeur-fondateur Bernard Chardère, *Positif* apporte un ton nouveau, péremptoire et passionné, pour exprimer sa révolte contre l'ordre et les bien-pensants, les gaullistes comme les staliniens, et défendre un cinéma porteur d'un contenu social et politique. Volontairement anti-esthétique, cette attitude qui prône un art engagé est à mille lieues de la critique formaliste et objective alors de règle aux *Cahiers*. Anticonformiste, *Positif* porte aux nues la série B et ses avatars. Engagée à gauche, elle soutient Jules Dassin, Paul Strand ou Fred Zinneman, les films sociaux de Robert Menegoz. Anticolonialiste, elle défend René Vautier et lutte contre la guerre d'Algérie (plusieurs membres du comité de rédaction seront signataires du « Manifeste des 121 »*). Le combat contre la censure, à travers la rubrique « Les Infortunes de la vertu », et l'exaltation de l'érotisme sous l'influence du surréaliste Ado Kyrou et d'Éric Losfeld, éditeur de la revue de 1959 à 1973, complètent la première image de marque de *Positif*. Si la pensée politique n'est pas, toutefois, monolithique, qui va du mendésiste Roger Tailleur au trotskiste Paul-Louis Thirard, en passant par l'ex-communiste Raymond Borde ou les surréalistes Robert Benayoun et Gérard Legrand, elle est unifiée par un même humour pataphysicien, friand de canulars, fausses nouvelles et pseudonymes facétieux.

La querelle esthétique et théorique récurrente avec les *Cahiers du cinéma* conduit *Positif* à un certain aveuglement sectaire, vouant aux gémonies (1954) « quelques réalisateurs trop admirés [des *Cahiers*] : Hawks, Lang, Preminger, Mankiewicz, Ray, Cukor, Hitchcock, Kazan ». À l'apolitisme de la critique d'André Bazin* et de ses émules, on préfère l'engagement sartrien, la description sociale du Mexique de Buñuel à la dimension métaphysique de certains films d'Hitchcock, se coupant ainsi d'une grande part de la réalité cinématographique. Bien que réceptive aux débats de 1968, *Positif* restera cependant à l'écart de toute surenchère. C'est à l'époque même où la politisation de la critique fait l'objet d'un consensus, que le positionnement des deux revues s'inverse paradoxalement. *Positif* laisse aux *Cahiers* devenus maoïstes le discours militant et révolutionnaire, préférant aux œuvres d'avant-garde qui font les délices de l'intelligentsia, l'analyse esthétique de films « commerciaux » (Coppola, Scorsese), dénigrés en raison même de leur mode d'exploitation. L'air du temps nuira pourtant à la cohésion du groupe. En désaccord avec les choix esthétiques de la revue, quelques-uns iront rejoindre les rangs structuralistes ou creuser leur propre sillon (Seguin, Kyrou, Borde, Buache, Török).

Mais avec l'arrivée d'une nouvelle génération (Masson, Bourget, Jeancolas, Niogret...), *Positif* reste fidèle, dans les années 70 et 80, à son même credo : la défense et l'illustration de tout le cinéma, l'évaluation vigilante de l'actualité en toute indépendance des modes, la contribution à l'histoire rétrospective du cinéma. La richesse documentaire éclectique du contenu, la pertinence, désormais sereine, des jugements, la fréquentation assidue de tous les festivals de la planète, installent aujourd'hui *Positif*, sous l'impulsion érudite de Michel Ciment, à une place qu'aucune autre revue française n'est en mesure de lui disputer, malgré un tirage relativement faible (12 000 exemplaires, dont 20 % d'abonnés).

Thierry Frémaux

Poulaille (Henry)

1896-1980

Outre son œuvre, Henry Poulaille a attaché son nom à un mouvement pour lequel il milita dans les années de l'entre-deux-guerres, celui de l'École et de la littérature prolétariennes.

Né à Paris en 1896 dans une famille très modeste, il fut très jeune obligé de faire nombre de petits métiers : rinceur de bouteilles, vendeur de journaux, porteur dans les gares, etc. Influencé par l'écrivain suisse C.F. Ramuz, il lui dédie son premier roman, publié en 1925 : *Ils étaient quatre*. La même année sort son recueil de nouvelles publiées dans *L'Humanité** : *Âmes neuves*.

En juillet 1930, paraît son livre-manifeste, *Nouvel âge littéraire*, nom qu'il donnera à la revue qu'il fonde en 1931. En l'espace de onze numéros, elle publiera des textes de Jean Giono*, Maïakovski, Upton Sinclair, Blaise Cendrars, Knut Hamsun, Stefan Zweig ou Boris Pasternak. La même année paraît le roman autobiographique de Poulaille qui reste sans doute son œuvre la plus importante, *Le Pain quotidien*. L'année suivante, le groupe du *Nouvel âge* proclame son indépendance de toute obédience marxiste et fonde une École prolétarienne. Dès 1933, des auteurs-fondateurs du groupe se rallient à *Commune**, la revue du PCF dirigée par Henri Barbusse* et qui compte aussi dans son comité André Gide*, Romain Rolland*, Aragon* et Paul Nizan*. Poulaille rompt avec le groupe et fonde une nouvelle revue, *Prolétariat*, qui n'aura que douze numéros. Il devient une cible des communistes réunis autour de Jean Fréville qui prônent le « réalisme socialiste ». Poulaille continue sa route et, malgré les critiques et le poids de l'appareil du PCF, fonde le cercle du « Musée du Soir ». Une nouvelle revue naît, *À contre-courant*, tout aussi éphémère que les précédentes. Il continue son œuvre littéraire avec *Les Damnés de la terre* (1935). En 1936, le revue *Esprit** publie en supplément. Ses *Cahiers de* *littérature prolétarienne*. L'année suivante, Poulaille donne la suite de son autobiographie, *Pain de soldat*, puis *Les Rescapés*.

Pendant la Seconde Guerre mondiale, Henry Poulaille entreprend des recherches sur la culture populaire ancienne et se consacre à des études précieuses : *La Grande et Belle Bible des Noëls anciens du XII*e *au XVI*e *siècle* (1942), *La Fleur des chansons d'amour du XVI*e *siècle (1943)*, *Les Chansons de toile du XII*e (avec Régine Pernoud) (1946), *La Grande Bible des Noëls anciens du XVII*e *et du XVIII*e *siècle* (1949), *Noëls régionaux et Noëls contemporains* (1954). Dès 1945, il lance une revue, *Maintenant*, qui vivra jusqu'en 1948 et, en 1946, il crée, avec Arnold Van Gennep, *Le Folklore vivant*, « cahiers internationaux d'art et de littérature populaires ». En trente-trois ans de travail éditorial, il a révélé et imposé des auteurs comme Jean Giono et C.F. Ramuz. Henry Poulaille est mort à Cachan en 1980.

Françoise Werner

■ *Le Pain quotidien*, 1930, rééd. Grasset, 1986. — *Pain de guerre*, 1937. — *Le Rescapé*, 1938. — *La Grande Bible des Noëls anciens*, 1942.

▒ M. Ragon, *Histoire de la littérature prolétarienne en France*, Albin Michel, 1974.

POULANTZAS (Nicos)

1936-1979

Penseur marxiste critique, Nicos Poulantzas a analysé la diversification sociale au sein du capitalisme contemporain et été l'un des premiers à insister sur la relative indépendance du politique dans les démocraties contemporaines.

Né en Grèce en 1936, Nicos Poulantzas commence ses études à Athènes, avant de les poursuivre à Heidelberg, puis à Paris, au début des années 60. De formation juridique et philosophique, marqué par l'héritage de l'école de Francfort, et notamment d'Habermas, il s'attache alors à développer une interprétation sartrienne du droit, qu'il livre dans des articles de la revue *Archives de la philosophie du droit* (en 1963 et 1965), puis dans sa thèse, *Nature des choses et droit*. Parallèlement, il collabore aux *Temps modernes**, auxquels il va donner des articles sur la théorie marxiste de l'État (de 1964 à 1966).

Il s'éloigne ensuite de cette référence sartrienne pour s'inspirer des catégories d'Althusser*. Son propos est alors de comprendre le rôle de l'État, de façon non réductionniste, à la différence de la plus grande part de la tradition marxiste, s'inscrivant ainsi dans les pas d'Antonio Gramsci. En 1968, il publie *Pouvoir politique et classes sociales*, qui tente de rendre compte de cette autonomie relative du pouvoir politique.

Cette analyse l'amène non seulement à opposer clairement la démocratie, et le type spécifique d'État et d'oppression politique qu'elle connaît, aux formes plus violentes de la domination, mais encore à distinguer, au sein de celles-ci, entre fascisme et dictature. Refusant ainsi les confusions habituelles du langage politique et polémique, il montre tout ce qui sépare un pouvoir qui développe son emprise totale sur la société d'une structure de répression violente, mais limitée à la seule sphère politique (comme c'est le cas pour les dictatures d'Amérique latine ou celle de la Grèce des colonels).

Dans les années 70, Poulantzas, qui enseigne alors à l'université de « Vincennes », fonde aux PUF la collection « Politiques », où il publie divers travaux de sociologie de la France contemporaine, mais aussi des auteurs étrangers (F.H. Cardoso ou le théoricien italien Pietro Ingrao), ainsi qu'un colloque important sur la *Crise de l'État* (1976). Son itinéraire le conduit, du sein même de la tradition marxiste, au seuil d'une « réévaluation de l'État de droit » (Daniel Lindenberg), notamment dans son dernier ouvrage, *L'État, le pouvoir, le socialisme*. Il choisit de se donner la mort le 10 octobre 1979.

Son rôle aura été important auprès de ceux qui, au sein de la tradition marxiste, cherchent à en réévaluer les concepts pour mieux embrasser le réel politique contemporain, qu'ils soient issus de l'extrême gauche ou, comme le groupe de la revue *Dialectiques*, du Parti communiste.

Joël Roman

■ *Pouvoir politique et classes sociales*, Maspero, 1968. — *Fascisme et dictature*, Maspero, 1970, rééd. Seuil, 1979. — *Les Classes sociales dans le capitalisme aujourd'hui*, Seuil, 1974. — *La Crise des dictatures*, Maspero, 1975. — *L'État, le pouvoir, le socialisme*, PUF, 1981.

▒ C. Buci-Glucksmann, *La Gauche, le pouvoir, le socialisme. Hommage à Nicos Poulantzas*, PUF, 1983.

POURRAT (Henri)

1887-1959

Né dans une famille de négociants catholiques d'Ambert (Puy-de-Dôme), Henri Pourrat, après ses études secondaires, présente avec succès le concours d'entrée à l'Institut agronomique. Mais, frappé par la tuberculose, il doit renoncer à exercer une profession et s'installe définitivement à Ambert. Il commence à publier dans des revues locales des essais sur l'histoire et la culture auvergnate et, à l'occasion de premières recherches sur le conte populaire, engage une correspondance avec l'ethnographe Van Gennep. En raison de sa maladie, il n'est pas mobilisé en 1914 mais il est profondément marqué par la tuerie où il perd un ami proche. Il connaît son premier succès littéraire avec *Gaspard des montagnes* (Albin Michel, 1922), récit qui mêle habilement tradition orale, faits divers des « canards » du XIXe siècle et péripéties feuilletonesques. Dans l'entre-deux-guerres, Pourrat développe une œuvre littéraire qui s'inspire de la culture populaire auvergnate et devient un écrivain reconnu. Il lance en 1928 la collection « Champs » aux Horizons de France et est lauréat en 1931 du prix du roman de l'Académie française*. Il est aussi l'auteur de nombreux essais sur la paysannerie. Le paysan, pour Pourrat, c'est l'homme du pays qui dans le contact intime avec la terre cultive les authentiques valeurs humaines. À l'occasion d'écrits sur le site de Gergovie, il développe le thème du paysan-soldat gaulois, dont l'Arverne serait l'héritier (*La Cité perdue*, SPES, 1935). Il achève en septembre 1940 *L'Homme à la bêche, histoire du paysan à travers les âges* (Flammarion, 1941), qui veut être le panorama de la civilisation paysanne à travers les âges et les pays. L'internationalisme terrien de Pourrat donne une vision éthique de la paysannerie universelle et atemporelle, qu'il imagine sous les traits de petits propriétaires indépendants pratiquant la polyculture. Sa mystique paysanne et ses attaques contre les plaisirs de la modernité sont proches des thèmes de la Révolution nationale pétainiste. Le gouvernement de Vichy tente de faire de Pourrat son écrivain officiel. Lauréat du Goncourt 1941 pour son essai *Vent de mars* (Gallimard, 1941), il est célébré par les instances et la radio vichystes. Lui-même publie de très nombreux articles dans la presse régionale et les organes pétainistes. En 1942, il publie *Le Chef français* (Marseille, Laffont), à la gloire du Maréchal. Mais l'écrivain d'Ambert reste très éloigné des positions du Tout-Paris de la collaboration : il cesse de donner des articles à *La Nouvelle Revue française** en 1940 et dédie *Vent de mars* à son ami Jean Paulhan*. Après la guerre, Pourrat délaisse l'essayisme idéologique pour se consacrer plus particulièrement à la publication d'études sur l'Auvergne et à la publication de son volumineux *Trésor des contes* (Gallimard, 10 tomes, 1948-1959). Son œuvre (des dizaines de volumes, des centaines d'articles) s'inscrit dans la recherche d'une culture populaire archétypique à laquelle l'écrivain veut restituer sa vitalité.

Anne-Marie Thiesse

■ B. Bricout, *Le Savoir et la saveur. Henri Pourrat et le « Trésor des contes »* (préface de M. Soriano), Gallimard, 1992. — B. Bricout (éd.), *Contes et récits du Livradois, textes recueillis par Henri Pourrat*, Maisonneuve et Larose, 1989. — C. Faure, « *Vent de mars* d'Henri Pourrat : prix Goncourt 1941 ou la consécration d'une œuvre littéraire par le régime de Vichy », *Bulletin du Centre d'histoire économique et sociale de la région lyonnaise*, n° 1, 1982.

Prélot (Marcel)
1898-1972

Marcel Prélot fut un personnage clé du développement d'un courant démocrate-chrétien en France. Son rôle fut à la fois d'ordre intellectuel et politique. Juriste et constitutionnaliste, intellectuel d'influence à l'intérieur de sa famille de pensée, il mena aussi une carrière d'homme politique avant et après la Seconde Guerre mondiale.

Son parcours initial décrit bien les lieux et les relais d'un certain type d'engagement catholique entre les deux guerres. C'est par l'entrée à la Faculté libre (catholique) de Lille dès 1923 qu'il devient universitaire, avant d'être nommé professeur à la faculté de Strasbourg. C'est par l'intermédiaire de l'ACJF (Association catholique de la jeunesse française), dont il préside la commission des études, qu'il entre en politique avec la création du Parti démocrate populaire en 1924. On le retrouve dans la plupart des initiatives qui jalonnent la vie de ce courant démocrate d'inspiration chrétienne minoritaire mais influent.

Homme de synthèse et historien des idées, il joua, pour le PDP, le rôle de théoricien ou plutôt de rassembleur de théories un peu disparates, entre popularisme italien de Sturzo dont il fut le traducteur, personnalisme de Paul Archambault et reprise des thèses institutionnalistes de Maurice Hauriou. De cela témoignent son

Manuel politique de 1928, rédigé avec Jean Raymond-Laurent, et son rôle dans plusieurs revues de mouvance démocrate-chrétienne, notamment *Politique* (1927), dont il est le secrétaire. Il fut aussi le principal constitutionnaliste du courant et joua un rôle important à la fois pour assumer un ancrage démocratique (suffrage universel, républicanisme, parlementarisme) et pour développer un réformisme d'inspiration catholique (néo-corporatisme, décentralisation, participation). Enfin, il fut, notamment avec la publication de son essai sur le régime de Mussolini (1936), un inspirateur de l'antifascisme qui marqua sa famille intellectuelle et politique.

On le retrouve à l'origine de la revue *Liberté* parue en novembre 1940 — la réunion fondatrice a eu lieu à son domicile —, éditée à Marseille sous l'égide de François de Menthon et qui, tout en ménageant Pétain, appelle à la lutte contre l'Allemagne (Liberté fusionne avec le Mouvement de libération nationale de Frenay pour donner naissance à Combat en décembre 1941). Après la guerre, il poursuit une grande carrière de professeur de droit et entame un parcours parlementaire. Nommé professeur à la Faculté de droit de Paris et à l'Institut d'études politiques* en 1949, son enseignement et ses manuels touchent plusieurs générations d'étudiants. Gaulliste, il est élu député RPF du Doubs en 1951 puis sénateur du même département en 1959 et en 1962. Il demeure inspiré cependant par ses engagements de catholique libéral et démocrate. La fronde qu'il mène contre les nouvelles institutions de la Ve République lui vaut d'être exclu du groupe gaulliste du Sénat en 1969. Il dénonçait alors le « gouvernement personnel » et la nature de « monocratie plébiscitaire » du régime.

Nicolas Roussellier

■ *Manuel politique. Le programme du Parti démocrate populaire* (avec J. Raymond-Laurent), SPES, 1928. — *L'Empire fasciste. Les origines, les tendances et les institutions de la dictature et du corporatisme italiens*, Sirey, 1936.

▒ J.-C. Delbreil, *Centrisme et démocratie-chrétienne en France. Le Parti démocrate populaire, des origines au MRP (1919-1924)*, Sorbonne, 1990.

Première Guerre mondiale

1914-1918

Les intellectuels français pendant la Première Guerre mondiale ont été d'abord des soldats comme les autres. Aucune disposition n'avait été prévue, ne serait-ce que pour les utiliser au mieux de leur compétence. Alors qu'en Allemagne et dans le Royaume-Uni, on essaya de protéger les artistes, ce ne fut pas le cas en France, encore que beaucoup de peintres cubistes aient été utilisés dans les services du camouflage. Aucun intellectuel n'essaya d'échapper à ses obligations militaires et de lutter contre la guerre. Le personnage de Jacques dans *Les Thibault* a été — malgré les recherches de Roger Martin du Gard* — totalement inventé. Certains même, dispensés d'obligations militaires en raison de leur âge, de leur état de santé ou de leur nationalité, comme Henri Barbusse* ou Blaise Cendrars, s'engagèrent volontairement. À l'instar des autres catégories de la société française, la jeune génération des intellectuels paya un prix considérable à la guerre. Quelques écrivains déjà célèbres furent tués ou moururent des suites de leurs blessures, Charles Péguy*, Ernest Psichari*, Louis Pergaud, Guillaume Apollinaire*, mais beaucoup plus nombreux parmi les morts furent ceux qui n'étaient qu'à l'aube de leur carrière. L'anthologie des écrivains morts à la guerre mentionne 525 noms, mais il n'y a pas de véritable critère pour déterminer qui est écrivain et qui ne l'est pas. En revanche, on sait que sont tombés 239 élèves ou anciens élèves de l'École normale supérieure*, dont 107 en cours de scolarité, environ 8 000 instituteurs, 460 professeurs du secondaire, 260 professeurs de l'enseignement supérieur, chiffre d'autant plus impressionnant que ces derniers n'étaient guère plus d'un millier au total et souvent trop âgés pour être mobilisés. Les coupes furent semblables dans le jeune clergé, 14 % des prêtres et des séminaristes. À défaut que tous ces morts au combat aient été des intellectuels, c'est le terreau intellectuel de la nation qui avait été en partie détruit.

Deuxième caractère, les intellectuels non combattants ne conçurent pas de ne pas prendre leur place dans l'effort de guerre. Ils le firent de deux façons : de façon indirecte en peuplant souvent les bureaux de la censure où ils furent les fidèles instruments des instructions gouvernementales, et de façon directe en alimentant la propagande, en fourbissant les armes idéologiques du combat patriotique, d'autant que pratiquement pour la première fois de l'histoire une guerre fut assez longue et assez totale pour que dans les différents pays la propagande devienne une arme, à destination de l'étranger, mais aussi à destination de la nation elle-même. D'une façon imagée, cette propagande fut appelée en France le « bourrage de crâne », même si cette formule peut prêter à discussion.

Dans ce domaine, le rôle des universitaires fut particulièrement important. Le Comité d'études* et de documents sur la guerre, présidé par Ernest Lavisse* et dont le secrétaire était Émile Durkheim*, comprenait dans ses rangs Charles Andler*, Joseph Bédier, Henri Bergson*, Jacques Hadamard, Ernest Denis, Émile Boutroux… Il s'employa à dénoncer la barbarie allemande. Dans cet effort de propagande de la France, le rôle d'Henri Bergson, envoyé par deux fois en mission aux États-Unis, celui de Julien Luchaire en Italie, furent particulièrement notables.

Parmi les intellectuels, il est particulièrement utile d'analyser l'attitude des écrivains, même si la censure, qui pouvait s'appliquer à toutes les publications, ne laissait pas passer des textes à connotations pacifistes, et encore moins défaitistes.

Dans une première période, les écrivains, dans les articles de journaux ou dans leurs ouvrages, sont unanimes à communier dans le patriotisme, au moins dans leur expression publique, depuis l'incontestable chef de file qu'est Maurice Barrès* jusqu'à Anatole France*. Tandis que le premier n'hésite pas à exalter les « bonnes blessures », la gloire d'être défiguré par une balle en plein visage, la gaieté des tranchées, le second, dans une série d'articles qui furent rassemblés dans un recueil, *Sur la voie glorieuse*, dénonçait la barbarie et le militarisme allemands, exaltait l'armée et l'héroïsme français. « Ils sont partis avec une gaieté charmante », écrit-il des soldats. Beaucoup d'écrivains estiment qu'ils ont à être des « guides de l'opinion publique ». Le sommet de cette période est marqué par l'attribution du prix Goncourt en 1915 à René Benjamin* pour son roman *Gaspard* qui décrivait une guerre en dentelles, les idylliques havres de repos qu'étaient les hôpitaux militaires ; s'il arrivait à des combattants de tomber, c'était toujours avec des phrases patriotiques aux lèvres.

Par la suite, les choses allaient changer : si Barrès, comme un certain nombre d'écrivains, continue à faire, sans nuances, œuvre patriotique et à distribuer un message optimiste et héroïque, même si ses notes personnelles permettent de savoir qu'il s'était mis à douter, devant l'horreur des pertes, de la mission qu'il s'était assignée, il apparaît toute une littérature dont le signe distinctif est d'être écrite la plupart du temps par des combattants et de donner de la guerre une peinture réaliste. Ce fut le cas de Georges Duhamel* avec *La Vie des martyrs* (1917) et *Civilisation (1914-1918)* (1918), de Roland Dorgelès* avec *Les Croix de Bois*, de Maurice Genevoix et surtout d'Henri Barbusse*. *Le Feu*, sauf dans un dernier chapitre à connotation pacifiste ou internationaliste, appartient à la même catégorie, mais il jouit d'une réputation particulière parce que, publié en feuilleton dans un nouveau journal non conformiste, *L'Œuvre*, puis en volume à la fin de 1916, il fut immédiatement un gros succès de librairie et, après *Gaspard* en 1915, c'est lui qui obtint le prix Goncourt en 1916.

Faut-il voir là un changement d'attitude radical des intellectuels et en particulier des écrivains face à la guerre ? Certes, un homme comme Anatole France, qui continue à publier des textes patriotiques, confie dès 1915 à sa correspondance privée des messages de plus en plus pacifistes. Le silence d'un certain nombre d'écrivains devient de plus en plus remarquable — Valéry*, Gide*, Proust*, Alain* —, encore que ce silence n'ait pas toujours eu le même sens. Mais, globalement, ce qui a changé, ce n'est pas l'attitude face à la guerre, c'est l'attitude face à sa description, dont l'optimisme, rapidement insupportable chez les soldats, l'était devenu également chez les civils. C'est probablement Henri Barbusse qui l'a le mieux exprimé en répondant aux attaques dont il était l'objet : « Les soldats font leur devoir et le feront jusqu'au bout pour des raisons plus hautes que la peur de la misère, de la souffrance et de la mort » (6 juillet 1918).

Jusqu'au bout, dans leur masse, même en l'exprimant de façon différente, même si l'horrible massacre ne pouvait que les indigner, les intellectuels ont été, comme le reste de la nation, convaincus que la France ne devait pas être vaincue.

Jean-Jacques Becker

■ J.-J. Becker et G. Colin, « Les écrivains, la guerre de 1914 et l'opinion publique », *Relations internationales*, n° 24, hiver 1980.

PRENANT (Marcel)

1893-1983

Lors de l'affaire Lyssenko — c'est-à-dire dans le débat provoqué à la fin des années 40 par les théories d'un agronome soviétique qui défend la transmission héréditaire des caractères acquis en récusant les avancées de la génétique contemporaine —, la position du professeur Marcel Prenant nous révèle le destin d'une génération d'universitaires français écartelée entre son engagement politique et sa carrière scientifique.

Né le 15 janvier 1893 à Champigneulles en Lorraine, Marcel Prenant est le fils d'un professeur d'histologie à la Faculté de médecine de Paris. L'histologie — la science des tissus de la matière vivante — est étroitement liée à la théorie de la vie cellulaire. Marcel Prenant suit le chemin paternel. Normalien (1911), il soutient son doctorat ès sciences en 1922. Il est nommé chef de travaux au laboratoire de Roscoff (1924-1928) dépendant de la Faculté des sciences de Paris. C'est un lieu où se rencontrent des chercheurs dont certains appelés à un brillant avenir, comme Jacques Monod*, futur prix Nobel (1966), ou Georges Teissier, beau-frère du précédent et directeur du futur CNRS*. En 1937, Marcel Prenant prend la chaire et le laboratoire d'anatomie et de physiologie comparée de la Faculté des sciences de Paris. En fait, son intérêt se porte sur la zoologie dynamique où, comme il l'écrit dans son autobiographie (*Toute une vie à gauche*, 1980), son « violon d'Ingres » est l'écologie, plus précisément la biocénotique, c'est-à-dire les actions réciproques des êtres vivants et du milieu qu'ils colonisent. Le premier colloque d'écologie scientifique sera organisé par lui avec le concours du Centre national de la recherche scientifique et de la Fondation Rockefeller en janvier 1950.

Cependant Prenant est aussi l'homme d'un engagement politique jamais démenti. Très tôt il milite dans la gauche extrême. À la veille de la Première Guerre mondiale*, il prend le secrétariat des « Étudiants socialistes révolutionnaires », où il succède à Henri Laugier*. Le lendemain du conflit (pendant lequel il s'est bien battu) le voit suivre la IIIe Internationale, et le fait adhérer d'esprit sinon toujours de fait au Parti communiste. Le Parti le charge en 1931 d'animer une Université ouvrière où la lecture du *Capital* de Marx se substitue chez notre zoologiste à la « dialectique de la nature » *(op. cit.)*. Le militantisme de Prenant s'exprime au cours des années 30 par sa participation à la réunion de l'Internationale communiste à Amsterdam en 1932 qui aboutit au mouvement contre la guerre « Amsterdam-Pleyel »*. En 1934, l'année qui suit la prise de pouvoir des nazis en Allemagne et après sa participation au procès Dimitrov (le soi-disant incendiaire du Reichstag), Prenant œuvre à l'installation d'un Comité de vigilance des intellectuels antifascistes* (CVIA) présidé par l'ethnologue Paul Rivet*, mais dont le chef de file est le physicien Paul Langevin*, proche du PCF. Au Comité de vigilance, Prenant se dit plus proche de ce dernier que de la tendance pacifiste représentée par le philosophe « idéo-socialo-anarchiste Alain ».

La Seconde Guerre mondiale le voit entrer en Résistance. À son sommet, puisque Charles Tillon le nomme chef d'état-major des FTP en 1942. Arrêté, torturé et déporté à Neuengamme, ces faits de guerre qui montrent l'indiscutable courage physique de l'intellectuel le font élire, à la Libération, membre du comité central du Parti communiste français. Cependant, à partir de 1948, il est pris, comme il le dit lui-même, « entre le marteau et l'enclume » de l'affaire Lyssenko. Prenant refuse de cautionner des théories scientifiques aberrantes — dont il va chercher l'explication à Moscou lors d'une séance ubuesque de l'Académie des sciences soviétique : « Monsieur Prenant, lui déclare T. Lyssenko, solennel, voyez ici la différence entre des graines de blé et des graines de seigle... » —, mais il expose dans la revue *La Pensée** (no 25, octobre 1949) la vision stalinienne d'une science double, c'est-à-dire l'opposition entre une « science bourgeoise » et la « science prolétarienne » chère au camarade Jdanov, le responsable du Kominform. Cependant, Prenant doit quitter le comité central l'année suivante et rompre avec le Parti huit ans plus tard au moment de la guerre d'Algérie.

Marcel Prenant nous paraît représentatif de certains grands universitaires français paradoxalement aussi convaincus par des idées progressistes que leur magistère semble être resté mandarinal. Ainsi, pour lui, nul doute que l'Université était la seule et unique garante de la science pure et désintéressée en face d'un CNRS dirigé par ses amis Joliot et Teissier, mais portant l'opprobre d'être resté sous l'emprise du patronat, voire de fonctionner sous la coupe des grandes fondations scientifiques nord-américaines (dont on doit signaler qu'il fut pourtant le bénéficiaire). Il dénonce à l'occasion son collègue Longchambon, ministre de la Recherche de Mendès France : « Plus homme d'affaires que professeur » (*La Pensée*, janvier 1958). À la fin de sa vie, il devait voir les événements de 1968 comme une nouvelle tentative de destruction de l'Université française par… les trusts.

Jean-François Picard

■ *Études histologiques sur les péroxydases animales*, Doin, 1924. — *Géographie des animaux*, Armand Colin, 1933. — *Biologie et marxisme*, Éditions sociales internationales, 1935. — *Darwin*, Éditions sociales internationales, 1938. — *Toute une vie à gauche*, Encre, 1980.

PRÉSENCE AFRICAINE

À la fin de l'année 1947 paraît à Paris la revue *Présence africaine* fondée par Alioune Diop (1910-1980). Sénégalais d'origine musulmane converti au catholicisme, il enseigne la littérature avant d'occuper les fonctions de chef de cabinet du gouverneur général de l'AOF en 1946 et celle de sénateur du Sénégal, siégeant dans les rangs de la SFIO, de 1946 à 1948, puis se consacre à l'animation de *Présence africaine*. Dans la lignée du mouvement de la négritude (L.S. Senghor*, A. Césaire*…), *Présence africaine* se propose d'être une tribune pour l'expression de l'originalité africaine en matière de pensée et d'art et pour la définition d'une « culture nègre » en rupture avec les partisans de l'assimilation culturelle. Dans ce contexte de domination coloniale, la censure avait sévi à l'encontre des revues *Légitime défense* et *L'Étudiant noir* qui dénonçaient l'aliénation culturelle et politique. Ainsi, dans ses propos liminaires (n° 1, octobre-novembre 1947), A. Diop présente une image rassurante pour les autorités politiques en affirmant que la « revue ne se place sous l'obédience d'aucune idéologie philosophique ou politique ». Cette volonté affirmée de ne pas être « annexé » explique peut-être la composition éclectique du comité de patronage qui réunit des personnalités intellectuelles de familles politiques et philosophiques différentes, même si elles ont en commun un questionnement de la situation coloniale : A. Gide*, P. Rivet*, E. Mounier*, le Père Maydieu*, T. Monod, J.-P. Sartre*, A. Camus*, M. Leiris*, L.S. Senghor, P. Hazoumé, R. Wright, A. Césaire et la direction de la *Revue internationale*. Dans les premiers numéros, Sartre, Gide, Mounier, Naville*, entre autres, présentent des textes de fond sur la question des implications politiques de la colonisation et sur la problématique d'une pensée et d'un art authentiquement nègres, tandis que des ethnologues comme M. Griaule*, G. Balandier* et T. Monod apportent de l'eau au moulin de l'originalité de la civilisation africaine. Paradoxalement, les collaborateurs noirs de la revue s'exposent comme écrivains, poètes, artistes (B. Dadié, A. Sadji, L.S. Senghor, D. Cissé, B. Diop, R. Wright) en publiant leurs œuvres mais sans engager de débat sur l'aliénation culturelle. Senghor, député du Sénégal, participe activement aux premiers numéros mais ne publie que des poèmes et des annotations sur des ouvrages. En revanche, Césaire, député de la Martinique, n'apparaît plus dans le comité de patronage de la troisième livraison de la revue et ne s'y engagera vraiment qu'en 1955 (cette même année, les Éditions Présence africaine publieront le *Discours sur le colonialisme*), lorsque l'option d'émancipation littéraire rejoindra plus explicitement l'option de libération politique.

Dès son apparition, la revue exprime un triple souci : promouvoir une esthétique de la production littéraire et poétique noire ; réhabiliter « la civilisation africaine » par des articles sur l'histoire précoloniale et les valeurs traditionnelles et affirmer des principes spiritualistes ou mystiques (A. Diop, L.S. Senghor, ainsi que E. Mounier, P. Rivet et le Père Maydieu sont de fervents catholiques et, en 1949, la première publication des Éditions Présence africaine est l'ouvrage du Père Tempels sur *La Philosophie bantoue*). À partir des années 50, les Éditions publient des auteurs ou personnalités (A. Césaire, Richard Wright, A. Biyidi, Dadié, F. Oyono, Cheikh Amidou Kane, A. Hampaté Bâ, Cheikh Anta Diop, Sembène Ousmane, Birago Diop, L.G. Damas) dont beaucoup occuperont après les indépendances de hautes fonctions administratives nationales ou internationales (Depestre...) et politiques (Senghor, Dadié, Kenyatta, Nyerere, N'Krumah, Sékou Touré...). Autour de *Présence africaine*, les intellectuels noirs (africains, malgaches, antillais, américains) se rencontrent, s'organisent et font émerger la question de la responsabilité de l'intellectuel noir vis-à-vis des populations colonisées. C'est en 1956, lors du premier Congrès international des écrivains et artistes noirs, initié par *Présence africaine*, qu'ils exprimeront collectivement leurs prises de positions anticolonialistes et qu'ils s'engageront publiquement dans une lutte contre le fait colonial. À l'issue de ce congrès est créée la Société africaine de culture (établie à Dakar depuis 1978 et présidée depuis 1980 par A. Césaire), dirigée par A. Diop, qui incarnera, dans une optique culturaliste et panafricaniste, la lutte des intellectuels noirs pour promouvoir une « culture et une personnalité authentiquement noires ». Cette quête s'affirme, d'une part, dans des publications, des colloques, des séminaires et des congrès, sur les littératures orales traditionnelles, l'histoire ancienne de l'Afrique, les religions et les philosophies africaines, sur la musique, l'art et le cinéma (Festival mondial des arts nègres : Dakar 1966, Lagos 1977) et, d'autre part, dans la diffusion d'œuvres originales d'écrivains, de poètes et d'essayistes noirs. Après les indépendances, la revue et les Éditions (publiées par la SAC avec le concours financier de l'Unesco depuis 1984 et du Centre national des lettres depuis 1988) publient nombre d'articles sur les problèmes du tiers monde noir en prenant pour cheval de bataille la dénonciation du néo-colonialisme culturel et économique.

En 1989, les quelque 800 abonnements, en majorité hors de France (certains pays africains et les États-Unis), ne suffisent plus à garantir la rentabilité de l'entreprise. La revue cesse de paraître et les Éditions n'honorent plus que les contrats sur lesquels elles s'étaient engagées. La revue ne sera relancée, sous la forme exclusive de numéros spéciaux, qu'en 1995. L'orientation résolument culturaliste de *Présence africaine* et la philosophie politique qu'elle suppose ne semblent pas faire l'unanimité parmi la nouvelle génération d'intellectuels (P.J. Hountondji) qui expriment la nécessité d'une réflexion critique sur les structures sociopolitiques des régimes africains post-coloniaux.

Laurence Proteau

■ V.Y. Mudimbe (dir.), *The Surreptitious Speech. « Présence africaine » and the Politics of Otherness (1947-1987)*, Chicago / Londres, The University of Chicago Press, 1992.

PRESSE SATIRIQUE

Nantie d'une longue et belle tradition (de Daumier et Philipon à A. Gill), la presse satirique avait souffert cependant, tout au long du XIXe siècle, d'une histoire mouvementée, ponctuée par une succession de lois répressives, de saisies et de procès d'interdiction. Avec la loi du 29 juillet 1881 et la fin de siècle, la presse satirique était enfin entrée dans une ère nouvelle, celle de la liberté d'expression. On ne comptait pas moins de 200 titres au tournant du siècle et on vit même apparaître des maisons spécialisées dans l'édition de journaux humoristiques et satiriques (comme celle de F. Juven, fondateur du *Rire* en 1894). Dès lors, les feuilles pamphlétaires contribuèrent à aviver les passions politiques de la fin du XIXe et du début du XXe siècle. Ainsi, aux feuilles proboulangistes, comme *La Bombe* de P. Sémant, *Le Pilori* ou *La Charge*, répondirent les journaux hostiles à Boulanger, comme *Le Boulangiste* (devenu *Le Barnum*) ou *Le Troupier*. L'affaire Dreyfus* suscita même l'émergence d'organes de circonstance. En février 1898, quelques jours après le « J'accuse » de Zola*, Forain et Caran d'Ache créèrent *Le Psst* antidreyfusard. Leurs adversaires répliquèrent aussitôt en fondant *Le Sifflet*, servi par le crayon d'Ibels et d'Hermann-Paul. Les luttes politiques favorisèrent l'apparition de feuilles « spécialisées » (anticléricales, par exemple : *Les Corbeaux*, en 1905 ; *La Calotte*, en 1906). L'extrême gauche eut toujours largement recours à ce type de presse (*Le Père Peinard*, 1889 ; *Le Chambard socialiste*, en 1893 ; *La Feuille* de Zo d'Axa, en 1897, avec Steinlen et Hermann-Paul, notamment). On retiendra aussi *Le Canard sauvage*, 1903 (O. Mirbeau*, J. Renard*, A. Jarry, Steinlen, Hermann-Paul, Iribe), et surtout *L'Assiette au beurre*, qui s'attaqua avec virulence à toutes les « institutions ». Fondé en 1901 par Schwartz, repris par A. de Joncières en 1904, l'hebdomadaire, qui eut pour rédacteur en chef H. Guilbeaux, cessa de paraître en 1912. Presque exclusivement composé de dessins (dus à environ 200 caricaturistes, dont Camara, Delannoy, Florès, Galanis, Grandjouan, Hermann-Paul, Jossot, Naudin, d'Ostoya, Radiguet, Vallotton), *L'Assiette au beurre* avait un tirage moyen de 25 000 à 40 000 exemplaires.

Pendant la Grande Guerre, la plupart des feuilles satiriques (comme *Le Rire*, devenu *Le Rire rouge* ou *La Baïonnette*) se mirent au service de la propagande. Ce fut précisément pour réagir contre la censure et le « bourrage de crâne » que naquirent deux périodiques, issus des tranchées, qui devaient passer à la postérité : *Le Crapouillot* et *Le Canard enchaîné*. Le premier, fondé par J. Galtier-Boissière en juillet 1915, ne tira guère à plus de 1 500 exemplaires jusqu'en 1918. En revanche, sa diffusion grimpa à 120 000 dans les années 30. « Anticonformiste », *Le Crapouillot*, revue trimestrielle, ouvrit ses colonnes à des hommes de tendances politiques et d'horizons variés : P. Drieu La Rochelle*, A. Warnod, H. Béraud*, Forain, Dunoyer de Segonzac, P. Mac Orlan, G. Bofa, F. Carco, C. Roger-Marx, J.-L. Vaudoyer, J. Rostand, R. Lefebvre*, C. Blanchard, H. Jeanson, R. Dorgelès*, M. Vaucaire, etc. *Le Canard enchaîné*, créé par M. Maréchal en septembre 1915 (ses véritables débuts datent de juillet 1916), rénovant le style des journaux d'échos (inauguré par *Le Cri de Paris* en 1897), regroupa d'abord G. de La Fouchardière, R. Dorgelès, V. Snell, R. Bringer, A. Dahl et les caricaturistes H.-P. Gassier et L. Laforge. Très vite, l'équipe s'élargit à P. Scize, P. Bénard, J. Rivet, E. Raynaud (dit Tréno), A. Breffort, R. Buzelin, R. Salardenne et aux dessinateurs Guilac, Ferjac, Monier, Grove, Effel, etc. En 1937, Galtier-Boissière (qui collaborait aussi au *Canard enchaîné*) et Jeanson quittèrent l'hebdomadaire avec éclat, le jugeant trop favorable aux communistes. À la fin des années 30, *Le Canard enchaîné* tirait à environ 250 000 exemplaires. Néanmoins, l'entre-deux-guerres fut caractérisé par le reflux de la presse satirique. De nombreux titres sombrèrent ; d'autres eurent une existence plus ou moins éphémère (par exemple, *Le Charivari*, proche des maurrassiens et dirigé par Sennep en 1927, qui compta parmi ses collaborateurs E. Buré, T. Maulnier*, J.-P. Maxence*, S. Arbellot, Bib, Soupault, sortit son ultime numéro en 1937). *Le Rire* survécut grâce à des numéros spéciaux confiés à de grands caricaturistes (Sennep, Roy, Ben, Chancel). La crise s'accentua après guerre.

Le Crapouillot, malgré le talent de P. Dominique, de J.-L. Bory ou de Sennep, périclita et disparut, dans sa version originale, en 1966. *Le Canard enchaîné* (sous la direction de P. Bénard, puis de R. Tréno et de R. Fressoz), qui renouvela constamment son équipe (on citera notamment Y. Grosrichard, J. Gauthier, M. Lebesque, Y. Audouard, J.-P. Grousset, G. Macé, C. Angéli, les caricaturistes Cabrol, Escaro, Moisan ou Cabu), continua à prospérer (500 000 exemplaires à la Libération ; 400 000 aujourd'hui). La publication astucieuse, en mars 1958, des articles d'A. Philip* sur Sakhiet *(France-Observateur*)* et de J.-P. Sartre* sur la torture *(L'Express*)*, censurés par le gouvernement Gaillard, constitua l'un des moments forts de son combat pour la liberté d'expression. Dans la lignée de *L'Assiette au beurre*, une nouvelle génération de journaux satiriques, violemment hostiles au pouvoir, s'imposa dans les années 60 et 70, à l'initiative du dessinateur Siné (*Siné-Massacre*, en 1962-1963 : neuf numéros, neuf procès), de F. Cavanna, Cabu, Gébé, Reiser, Willem ou Wolinski, notamment *Charlie Hebdo* (1970-1982). Les débuts des années 90 ont été marqués par deux tentatives pour relancer le genre (*La Grosse Bertha* et le nouveau *Charlie Hebdo*).

Christian Delporte

■ C. Bellanger (dir.), *Histoire générale de la presse française*, t. 1 à 4, PUF, 1969-1975. — E. et M. Dixmier, *« L'Assiette au beurre »*, Maspero, 1974. — J. Lethève, *La Caricature et la presse sous la IIIe République*, Armand Colin, 1961, rééd. 1986. — P.-P. Sagave, « La France : les pouvoirs caricaturés (1830-1870) », in C. Delporte et L. Gervereau (dir.), « L'image du pouvoir dans le dessin d'actualité », numéro spécial de *Matériaux pour l'histoire de notre temps*, juillet-septembre 1992. — *De De Gaulle à Mitterrand*, BDIC, 1989. — « La satire politique », numéro spécial du *Crapouillot*, avril 1959.

PRÊTRES-OUVRIERS (crise des)

1953-1954

« Ils sont notre fierté », écrivait François Mauriac*, et « à vrai dire nous ne pouvons même pas imaginer qu'un jour ils puissent n'être plus là ». C'était en octobre 1953, on venait d'apprendre que Rome voulait mettre fin à l'expérience des prêtres-ouvriers. « Il n'était vraiment que temps d'intervenir ! », rétorquera Paul Claudel* six mois plus tard, une fois l'affaire close. Mais de quoi s'agissait-il ?

La mission ouvrière était née de la rencontre entre les analyses des abbés Godin et Daniel sur le détachement religieux de la classe ouvrière (*La France, pays de mission ?*, 1943) et les initiatives inédites prises par des prêtres soit en France (le Père Loew, docker à Marseille dès 1941), soit en Allemagne dans la captivité et l'aumônerie clandestine du STO. Le statut de prêtre-ouvrier n'avait pas été programmé dès l'origine. Ce n'est que peu à peu, à mesure que chacun découvrait sur le terrain le rôle déterminant du travail dans la structuration de la vie ouvrière, qu'un certain nombre de prêtres avaient demandé l'autorisation de s'embaucher en usine. Ils étaient une centaine en 1953, séculiers et réguliers, qui avaient obtenu des franchises pour ce ministère inhabituel, puis en étaient venus à prendre des libertés qu'on ne leur avait pas formellement concédées. On leur reprochait de collaborer avec les communistes, voire d'être contaminés par la pensée marxiste, et d'altérer gravement la nature du sacerdoce. À l'été 1953, le Vatican exigea le démantèlement du dispositif. Les ordres religieux rappelèrent leurs sujets, l'épiscopat annonça la fin de l'expérience le 19 janvier 1954. Les intéressés dénoncèrent le « choix impossible » qui leur était imposé entre l'Église et la classe ouvrière. Une soixantaine d'entre eux refusèrent de se soumettre.

L'émotion de l'opinion se mesure aisément à la masse des articles que la presse consacra à cette affaire, et bien au-delà des lieux habituels du débat religieux. Les quelques reportages à sensation consacrés à ces prêtres peu ordinaires depuis 1949 les avaient rendus sympathiques à l'opinion. Aux intellectuels, les mesures romaines reposaient la question d'une rencontre entre les catholiques et la gauche, communiste ou non. S'y ajoutèrent en février les sanctions frappant sept dominicains accusés de participer à leur dérive, quatre théologiens (Boisselot, Chenu*, Congar* et Féret) et les trois provinciaux de l'ordre en France. Dès lors, la dénonciation par Claude Bourdet* d'une « nouvelle inquisition », dans *L'Observateur d'aujourd'hui*, fit écho aux articles de Sirius (Beuve-Méry*) dans *Le Monde** et de la communiste Annie Besse (Annie Kriegel*) dans *La Nouvelle Critique**. À l'exception de quelques auteurs liés aux fractions les plus conservatrices du catholicisme (Jean Madiran dans *Rivarol*), même les plus favorables à la condamnation romaine témoignèrent de leur sympathie à l'égard des prêtres-ouvriers (Pierre Andreu, *Grandeur et erreurs des prêtres-ouvriers*, 1955). Dès l'automne 1953, la gauche chrétienne s'était mobilisée autour d'*Esprit**, *La Vie intellectuelle*, la *Quinzaine*. Cette mobilisation connut son point d'orgue lors du meeting organisé rue de Grenelle le 19 février, que suivit la déclaration d'une cinquantaine d'intellectuels catholiques, publiée dans *Le Monde* du 25, et dont l'auteur était François Perroux*.

Le sentiment que Rome s'attaquait à la spécificité du catholicisme de France donna à la crise un tour politique et diplomatique. « J'avais dit au prosecrétaire d'État que l'on risquait de voir se créer une atmosphère qui, *mutatis mutandis*, ressusciterait celle de l'affaire Dreyfus », nota Wladimir d'Ormesson, ambassadeur de France près le Saint-Siège. Conseiller du Quai d'Orsay pour les affaires religieuses, Gabriel Le Bras* fut chargé d'une mission officieuse auprès de Rome. « Toute l'aile marchante de l'Église de France est atteinte affreusement », écrivit François Mauriac*, qui plaida « pour un nouveau concordat » entre la République et Rome (*Le Figaro**, 16 février).

Il faut bien prendre la mesure de l'enjeu. Que les Éditions de Minuit* aient accueilli le plaidoyer des prêtres-ouvriers insoumis (*Les Prêtres-ouvriers*, 1954) a valeur de symbole. Gilbert Cesbron leur avait consacré en 1952 un roman à succès, *Les saints vont en enfer*, qui avait déplu profondément à ceux qu'il mettait en scène. Car pour eux, précisément, la classe ouvrière n'était pas l'enfer et ils n'étaient pas des saints. Et si la hiérarchie ne tolérait plus leur transgression des *normes* ecclésiales, ils répondaient en opposant leur *expérience* du monde ouvrier. Comme Loisy* et les modernistes au début du siècle, ils étaient passés dans *un autre monde*, qu'ils ne pouvaient plus penser dans les catégories du catholicisme intransigeant.

Yvon Tranvouez

■ O. Cole Arnal, *Prêtres en bleu de chauffe*, Éditions ouvrières, 1992. — F. Leprieur, *Quand Rome condamne*, Cerf / Plon, 1989. — É. Poulat, *Naissance des prêtres-ouvriers*, Casterman, 1965 ; *Une Église ébranlée*, Casterman, 1980.

PREUVES

Preuves, revue publiée à Paris sous les auspices du Congrès pour la liberté de la culture et dirigée par François Bondy, paraît mensuellement du printemps 1951 à l'été 1969.

On peut se représenter le fonctionnement de *Preuves* comme un édifice à trois niveaux. Le rez-de-chaussée voit converger des hommes venus de la gauche et de l'extrême gauche parisienne antistalinienne la plus déterminée. C'est d'abord Jacques Carat, le secrétaire de rédaction, lui-même membre de la SFIO. C'est le cas de trois autres membres du comité de rédaction : Paul Parizot, un proche de David Rousset*, venu du Parti communiste internationaliste ; Gustav Stern (dit Gérard Sandoz), un journaliste de l'AFP en étroite relation avec la social-démocratie allemande ; Louis Mercier Vega, un anarchiste internationaliste spécialiste des problèmes d'Amérique latine. L'entresol, lui, est européen. L'antitotalitarisme de *Preuves* est en effet étroitement associé à une orientation fermement européenne. La revue agrège ainsi le milieu européiste français où se côtoient des hommes comme Henri

Frenay, André Philip*, André Fontaine, Georges Vedel ou Henri Froment-Meurice. Le premier étage enfin est intellectuel, littéraire, et artistique. Il est bien entendu constitué par les personnalités les plus représentatives du Congrès pour la liberté de la culture qui s'expriment régulièrement dans la revue : Aron*, Sperber, Koestler, Silone, Rougemont*, Jeanne Hersh, etc. Mais il est surtout marqué par l'orientation spécifique que lui impriment François Bondy et Constantin Jelenski. Appartenant au cercle de la revue polonaise en exil *Kultura*, Constantin Jelenski rejoint le secrétariat international du Congrès pour la liberté de la culture à Paris en 1952. Les deux hommes sympathisent immédiatement. Ils ont en commun d'être l'un et l'autre des critiques littéraires de talent dont les orientations sont complémentaires, et François Bondy a toujours considéré Constantin Jelenski comme le coanimateur de *Preuves*.

De toutes les revues publiées à Paris dans l'après-guerre, *Preuves* est non seulement l'une des plus ouvertes à la politique européenne mais incontestablement la plus ouverte aux courants littéraires et artistiques européens de l'après-guerre. Toutefois, durant la décennie 50, la situation de *Preuves* est paradoxale : elle est perçue à gauche et au centre gauche comme une revue de propagande américaine droitière de guerre froide. Elle entre à peine à l'École normale supérieure* et l'évocation de son nom déclenche les huées dans les khâgnes* où, si l'on n'est pas nécessairement communiste, on est majoritairement anti-anticommuniste, comme le sont alors *Les Temps modernes**, *Esprit** et *France-Observateur**.

La répression de la révolution antitotalitaire hongroise de l'automne 1956 modifie le panorama intellectuel et transforme du même coup la situation de *Preuves* à Paris. Du point de vue de la vie intérieure de la revue, c'est cependant l'épanouissement du premier révisionnisme centre-européen, le révisionnisme polonais de 1955, qui est déterminant pour son devenir.

De 1955 à 1965, *Preuves* connaît la période la plus brillante de son histoire. En Europe centrale, la brèche ouverte par le révisionnisme polonais permet à la revue de nouer de nouveaux liens avec les intellectuels libres de l'autre Europe. Bondy et Jelenski ont le souci de l'autonomie littéraire et intellectuelle des démarches et des œuvres sans imposer une catégorisation politique *a priori*. Cette approche est particulièrement appréciée dans les pays sous contrôle soviétique où la revue peut pénétrer. Le second phénomène qui contribue à l'identité de *Preuves* à son apogée est la collaboration progressive (qui vaut ralliement) des intellectuels et des universitaires français qui s'éloignent ou rompent avec le Parti communiste autour de l'année 1956*. La revue constitue ainsi un maillon important dans la cristallisation d'un milieu intellectuel antitotalitaire dont le rôle apparaîtra décisif une décennie plus tard.

Mais la fin de la décennie 60 est plus amère. Sans être déstabilisée par le scandale qui touche le Congrès pour la liberté de la culture, *Preuves* est sévèrement affectée par les mesures de réorganisation de la Fondation Ford. François Bondy retourne à Zurich en 1969. En 1970, une nouvelle formule trimestrielle fait son apparition qui n'a plus qu'un lointain rapport avec l'ancienne. Cette formule reste stable jusqu'en 1974, date à laquelle un nouveau schéma financier doit être trouvé : la revue change une nouvelle fois de main et le titre disparaît.

Une partie de l'héritage de *Preuves* est repris par une jeune revue, *Contrepoint* (dont le premier numéro paraît en 1970), puis par *Commentaire** qui se constitue autour de Raymond Aron (en 1977). *Preuves* sort du purgatoire en 1989 avec la publication à Paris d'une anthologie dont la mise en place en librairie coïncide avec la chute du mur de Berlin.

Pierre Grémion

■ P. Grémion, « *Preuves* dans le Paris de guerre froide », *Vingtième siècle*, n° 13, janvier 1987 ; *« Preuves », une revue européenne à Paris* (introduction, choix de textes et notes, postface de F. Bondy), Julliard, 1989 ; *Intelligence de l'anticommunisme. Le Congrès pour la liberté de la culture à Paris (1950-1975)*, Fayard, 1995. — K. Jelenski, « *Kultura*. La Pologne en exil », *Le Débat*, n° 9, janvier 1981.

PRÉVERT (Jacques)
1900-1977

Artiste aux talents multiples, Jacques Prévert se fit connaître assez tard du grand public par la publication d'un recueil de poèmes, *Paroles* (1945), qui lui assura le culte de la jeunesse des années 50.

Né en 1900 à Neuilly, dans une famille aisée mais qui connut la ruine, Jacques Prévert dut travailler dès treize ans. Lors de son service militaire, il fait la connaissance d'Yves Tanguy, lequel l'intègre au « groupe » du 54 de la rue du Château, point de rencontre et de réunion de Marcel Duhamel, Philippe Soupault*, Louis Aragon* et Robert Desnos* dans le XIVe arrondissement. Ceux-ci rejoignent les rangs des surréalistes en 1925, mais cosignataire en 1930 d'*Un cadavre*, manifeste contre Breton* dans lequel il ne ménage pas sa hargne, Prévert quitte le mouvement. Il travaille alors pour le groupe Octobre*, fondé en 1932, qui s'occupe de monter des œuvres engagées et remporte le premier prix des Olympiades internationales des théâtres ouvriers à Moscou en 1933. Ensemble, Prévert, Georges Duhamel, Jean Dasté, Roger Blin, Jean-Paul Le Chanois et Brunius travailleront jusqu'en 1936. La rencontre de Marcel Carné va permettre à Jacques Prévert d'épanouir son talent dans des scénarios et des dialogues de films, seul ou avec son frère Pierre, de deux ans son cadet, qui l'a déjà accompagné dans son engagement surréaliste : *L'affaire est dans le sac* (1932), *Le Crime de M. Lange* pour Jean Renoir* en 1936, les trois plus grandes réussites de Marcel Carné : *Drôle de drame* (1937), *Les Visiteurs du soir* (1942), *Les Enfants du paradis* (1944). Ces preuves d'un talent aussi riche que diversifié, fournissant au cinéma ses plus belles répliques, ont grandement contribué à faire de ces films des classiques du cinéma. Jacques Prévert travaille également avec Jean Grémillon pour les dialogues de *Lumière d'été* (1943) et des *Disparus de Saint-Agil* de Christian-Jacque.

Son recueil de poèmes *Paroles*, paru en 1945, projette l'esprit anticonformiste et libertaire de Jacques Prévert sous les feux de la célébrité. La mise en musique de certains de ces textes par Joseph Kosma ajoutera encore à la popularité de l'auteur grâce aux interprétations des Frères Jacques et d'Yves Montand. *Spectacle*, en 1951, éveille moins d'intérêt, ainsi que *La Pluie et le beau temps* (1955). Mais Jacques Prévert n'a pas épuisé ses talents, il fait des collages, *Fatras* (1966). Il écrira encore des livres pour enfants : *Hebdromadaires*, en collaboration avec Vladimir Pozner (1972), *Contes pour les enfants pas sages* et *Lettres des îles Baladar* (1977). Il meurt à Paris en avril 1977.

Françoise Werner

■ *Paroles*, Gallimard, 1945, rééd. 1976. — *Spectacle*, Gallimard, 1951. — *Fatras*, Gallimard, 1966. — *Choses et autres*, Gallimard, 1972. — *Contes pour les enfants pas sages*, Gallimard, 1977.
■ G. Guillot, *Les Prévert*, Seghers, 1967. — A. Laster, *Jacques Prévert, un poète*, Gallimard, 1980. — J. Queval, *Jacques Prévert*, Mercure de France, 1955.

Prévost (Jean)

1901-1944

Rarement un écrivain a pu, comme Prévost, mériter le titre, dévalorisé dans notre siècle mais prisé au XVIIIe, de « polygraphe ». Cela suffit-il à expliquer pourquoi ses livres, louangés par les plus exigeants de ses contemporains, ont pu tomber aussi vite dans l'oubli ? Comme si ce destin fulgurant contredisait son message d'humanisme et scellait par son inachèvement l'échec d'une œuvre qui se voulait pourtant cohérente.

Né à Saint-Pierre-lès-Nemours le 16 juin 1901 dans une famille d'enseignants, Jean Prévost allait suivre le cursus des meilleurs boursiers de la IIIe République : interne au lycée de Rouen, à Henri-IV (où il devint l'un des disciples les plus actifs et fervents d'Alain*), puis à l'École normale supérieure*. Ce sera pour quitter l'enseignement, après une suppléance au lycée Michelet et un séjour à Cambridge, et se tourner vers la littérature.

Il donne alors un exemple peu commun de vigueur intellectuelle : vingt-cinq volumes publiés en une vingtaine d'années, dans des genres aussi divers que l'étude du corps *(Plaisirs des sports)*, les souvenirs *(Dix-huitième année)*, les romans dans la veine populiste *(Les Frères Bouquinquant*, *Rachel*, *Le Sel et la plaie* et *La Chasse du matin)*, l'éthique *(Tentatives de solitude* et *Essai sur l'introspection)*, l'histoire *(Usonie, esquisse de la civilisation américaine)*, la poésie *(L'Amateur de poèmes)* et la critique *(Les Épicuriens français)*, sans oublier ses biographies de Montaigne, Philibert Delorme et Gustave Eiffel, sa thèse sur Stendhal, de nombreuses préfaces (dont celle du *Mémorial de Sainte-Hélène*) et sa traduction des *Noces de sang* de Garcia Lorca (avec sa première femme, Marcelle Auclair).

Mais cette activité n'est pourtant qu'une des facettes de sa production : critique dans *La Nouvelle Revue française** de 1924 à 1940, il seconde Adrienne Monnier dans son éphémère *Navire d'Argent* et se fait journaliste pour *L'Intransigeant*, *L'Europe nouvelle*, *Marianne**, *Vendredi**, *Les Nouvelles littéraires**. Il dirigera aussi, avec Fabre-Luce* et Pierre Dominique, de 1933 au début 1934, l'hebdomadaire politique *Pamphlet*, reflet d'une époque confuse. Collaborateur du quotidien *Paris-Soir* replié à Lyon de 1940 à 1942, il coordonnera le numéro de *Confluences** « Problèmes du roman ».

La Résistance allait donner à ce moraliste, adepte des valeurs « viriles » de l'amitié, de la maîtrise du corps, de l'ascèse sportive, la tragique occasion d'allier la pensée et l'action. De la fin 1943 à l'été 1944, Jean Prévost (alias « Capitaine Goderville ») allait jouer un grand rôle dans l'organisation du maquis du Vercors en liant son destin à son héroïque histoire. Il est fusillé le 1er août 1944 au Pont-Charvet, près de Sassenage.

Pascal Mercier

■ *Plaisirs des sports*, Gallimard, 1925. — *Dix-huitième année*, Gallimard, 1929. — *Les Frères Bouquinquant*, Gallimard, 1930. — *La Création chez Stendhal*, Mercure de France, 1959. — *Derniers poèmes*, suivi de *L'Amateur de poèmes*, Gallimard, 1990.

■ M. Bertrand, *L'Œuvre de Jean Prévost*, University of California Press, 1968. — J. Garcin, *Pour Jean Prévost*, Gallimard, 1994. — O. Yelnik, *Jean Prévost. Portrait d'un homme*, Fayard, 1979. — *Jean Prévost* (hommage collectif), s.l.n.d. [Grenoble, 1964].

PRINTEMPS DE PRAGUE

1968

Avant l'invasion de la Tchécoslovaquie par les troupes du Pacte de Varsovie, il n'est guère que les revues intellectuelles qui, au sein du PCF, aient fait un véritable écho aux idées du Printemps de Prague, dont la chute de Novotny, en janvier 1968, a préparé l'avènement. *L'Humanité** s'est longtemps contentée d'y lire des péripéties de sérail, tandis qu'à l'extérieur du Parti communiste les bouleversements ont peu attiré l'attention. Pour nombre d'intellectuels communistes alors en charge de responsabilités, la Tchécoslovaquie a toujours été proche. Pierre Daix*, alors rédacteur en chef des *Lettres françaises**, a été détenu avec Arthur London, déporté à Mauthausen, et a participé comme lui à l'organisation de la résistance du camp, avant de devenir son gendre dans les années 60. Lorsque éclatent les procès de Prague en 1952, ce sont certains de ses camarades de résistance et de déportation, et au premier chef Artur London, qui furent arrêtés et condamnés. Louis Aragon*, ami des poètes Laco Novomesky, rencontré en 1934 au Ier congrès des écrivains soviétiques, puis arrêté en 1954, et Vitezslav Nezval, mort en 1958, comme du peintre Adolf Hofmeister, a lui aussi contribué à ouvrir, tout au long des années 60, *Les Lettres françaises* à l'art et à la culture tchécoslovaques. À *La Nouvelle Critique**, le rédacteur en chef adjoint, André Gisselbrecht, connaît également bien les pays de l'Est et leurs intellectuels. Il a, par exemple, piloté le numéro de *La Nouvelle Critique* de 1964 où figure le colloque de Prague consacré à la décadence. Parce qu'il est germaniste et que leurs essais ont principalement paru en allemand, il a pu lire les écrits des intellectuels, économistes ou philosophes, qui ont donné naissance au « socialisme à visage humain ».

Aux hasards des proximités biographiques s'ajoute une proximité idéologique. Ainsi, en dehors des liens personnels d'Aragon et de Daix, *Les Lettres françaises* entretiennent des relations avec *Literarny Listy*, la revue de l'Union des écrivains tchécoslovaques. Les deux publications ont, en effet, tenté de produire dans le domaine de l'art une critique marxiste, après le rejet du réalisme socialiste. C'est cette proximité qui, pendant le Printemps de Prague, conduit *Les Lettres françaises* à publier, entre mars et juillet 1968, quatre interventions d'Édouard Goldstücker, devenu président de l'Union des écrivains tchécoslovaques. De même, Roger Garaudy* a participé au colloque sur Kafka organisé à Liblice en 1963, et a fait de cette intervention l'un des chapitres de *D'un réalisme sans rivages*.

Cette proximité idéologique est d'autant plus ressentie que les intellectuels tchécoslovaques, loin d'être écartés des décisions politiques comme furent la plupart du temps ceux du PCF, ont participé à l'élaboration des réformes qui ont permis l'instauration du « socialisme à visage humain ». C'est, en effet, dès 1963 que les partisans d'une réforme économique ont vu un débouché concret à leurs travaux par la création d'un groupe de travail dirigé par l'économiste Ota Sik, puis, en 1965, celle d'un groupe de recherches interdisciplinaire sur la révolution scientifique et technique, confié à Radovan Richta. Parallèlement, les congrès des Unions des écrivains, des compositeurs ou des journalistes et leurs organes ont entamé une critique du régime. Les projets de réforme économique et en particulier la critique de la planification bureaucratique ont conduit en 1966 à la constitution d'une commission pour une réforme politique présidée par le juriste Zdenek Mlynar, un communiste réformiste. Ce sont les travaux de ces trois commissions qui sont directement à l'origine du Programme d'action, intitulé « La voie tchécoslovaque au socialisme », base de la réforme, dévoilé en avril 1968. La découverte de ce fondement du Printemps de Prague alla de pair chez les intellectuels communistes français avec celle du sméralisme — du nom de Bohumir Smeral, fondateur du PCT — comme théorisation d'une voie originale au socialisme. Pierre Daix publia à ce sujet une série de reportages enthousiastes dans *Les Lettres françaises* en avril 1968.

Les réactions des intellectuels communistes à la répression du Printemps de Prague sont unanimes. Abasourdis, puis rassérénés par la condamnation de l'invasion par le bureau politique du PCF, ils mesurent également que chez nombre de militants communistes demeure un réflexe de soutien inconditionnel à l'URSS. Dès le lendemain, et dans les semaines qui suivent, le bureau politique du PCF subit les attaques de ce courant par l'intermédiaire de Jeannette Thorez-Vermeersch, tandis qu'à l'inverse le philosophe Roger Garaudy déplore la tiédeur du PCF.

Pierre Grémion a montré comment, à l'extérieur du PCF, le processus tchécoslovaque avait été d'abord peu ausculté, puis lu à travers le prisme des événements de Mai, et présenté en août comme une « utopie assassinée ». Seule la « deuxième gauche » de Michel Rocard et Gilles Martinet, les situationnistes et les trotskistes constituent en 1968 de véritables lecteurs et d'authentiques soutiens de l'expérience tchécoslovaque.

Exposant ses idées, défendant le Printemps de Prague, et protestant contre la répression, les intellectuels communistes n'ont pas reçu le soutien escompté des responsables politiques du PCF. *Démocratie nouvelle* voit l'un de ses numéros bloqué, *La Nouvelle Critique* doit batailler pour sortir son numéro de novembre, et, en octobre 1968, Roger Garaudy, déjà en délicatesse vis-à-vis de son parti, est blâmé par *L'Humanité* pour avoir préfacé *Liberté en sursis, Prague 68*, ouvrage d'anciens dirigeants du Printemps de Prague. Selon nombre d'intellectuels communistes, la direction de leur parti, soucieuse de défendre l'unité du mouvement communiste international, a en effet peu à peu tiédi ses critiques à l'égard de l'URSS, et finalement entériné la normalisation. *Démocratie nouvelle* supprimée dès décembre 1968, il n'y a plus guère que *Les Lettres françaises* à se faire l'écho de la protestation contre la répression en Tchécoslovaquie. Louis Aragon y consacre ainsi huit articles entre 1969 et 1971. Cette critique précipite très vraisemblablement la disparition en 1972 de la revue, qui est à la fois victime de la suppression des abonnements dans les pays du Comecon, et du refus de la direction du PCF de renflouer ce déficit.

Les effets du Printemps de Prague et de sa répression sur les intellectuels communistes furent contradictoires. Certains, tentés par l'adhésion, virent dans la désapprobation exprimée une justification de leur entrée au PCF et franchirent le pas. Les critiques menées pour la première fois à l'encontre de l'URSS par le PCF purent venir encore recouvrir des doutes antérieurs. Mais ces réactions ne furent pas les plus importantes. Ce recouvrement est en effet demeuré imparfait : l'affaire tchécoslovaque fonctionne bien au contraire comme une sorte d'autorisation à se montrer critique à l'égard des politiques. Il provoque encore un décentrement des intérêts. L'espoir placé dans le communisme de l'Est est peu à peu abandonné au profit du communisme du Sud, et en particulier du PCI.

Plus profondément encore, une autre croyance est ébranlée. « Et voilà qu'en fin de nuit, au transistor, nous avons entendu la condamnation de nos illusions perpétuelles. Que disait-elle, cette voix d'ombre, derrière les rideaux encore fermés du 21 août à l'aube ? Elle disait que l'avenir avait eu lieu, qu'il ne serait plus qu'un recommencement. » Cet extrait de la préface donnée par Louis Aragon à *La Plaisanterie* du romancier tchécoslovaque Milan Kundera* exprime par excellence le doute qui désormais taraude les intellectuels communistes : le stalinisme n'est-il pas un horizon obligé ? Cet ébranlement peut, comme chez Pierre Daix, conduire à des démissions rapides. Celles-ci, contrairement à 1956*, furent rares, compte tenu des ambiguïtés du PCF. Plus fréquemment, le doute chemina silencieusement et alimenta en partie, dix ans plus tard, les démissions — cette fois massives — des intellectuels communistes à l'issue de la contestation de 1978.

Frédérique Matonti

■ P. Daix, *Prague au cœur*, Julliard, 1968, éd. augmentée d'une « Petite suite parisienne », UGE, 1974 ; *J'ai cru au matin*, Laffont, 1976. — F. Fejtö, *Histoire des démocraties populaires*, t. 2, Seuil, 1969. — P. Grémion, *Paris / Prague. La gauche face au renouveau et à la régression tchécoslovaques*, Julliard, 1985. — P. Tigrid, *Le Printemps de Prague*, Seuil, 1968.

PRIVAT (Éditions)

C'est en 1839 à Toulouse que, jeune employé de librairie, Édouard Privat (1809-1887) s'associe avec un bailleur de fonds pour reprendre la librairie de son ancien patron, le libraire-imprimeur Paya. Lorsque l'association prend fin en 1849, le « libraire-éditeur » Édouard Privat est à la tête d'une entreprise prospère qui va occuper une place privilégiée dans la vie toulousaine et favoriser l'ascension d'une famille tôt inscrite parmi les notabilités de la ville.

À l'unique héritier d'Édouard, Paul (1851-1908), succède son fils aîné Édouard, né en 1876, qui débute à la librairie en 1898, au sortir de l'École des chartes. C'est alors la grande époque de la maison Privat à laquelle Édouard, second de la dynastie, donne un rayonnement qui dépasse les frontières du monde intellectuel de Toulouse. Chargé d'honneurs et de responsabilités professionnelles locales et nationales, président de multiples sociétés savantes et charitables, Édouard meurt sans enfant en 1934, laissant l'usufruit et la gestion de l'entreprise à sa femme Madeleine, laquelle fera appel après la Seconde Guerre mondiale à Pierre Privat, fils d'un frère cadet d'Édouard.

Important libraire de gros (cette activité sera abandonnée en 1964) et libraire de détail, le premier Édouard bâtit sa clientèle sur les manuels scolaires, les classiques, les ouvrages de piété et l'histoire locale, dont il approvisionne tout le Sud-Ouest. Il possède déjà une expérience d'éditeur lorsqu'il entreprend une nouvelle édition de la monumentale *Histoire générale de Languedoc*, publiée au XVIIIe siècle par deux bénédictins et pour laquelle il se fait imprimeur. Cette œuvre savante et ambitieuse, commencée après la guerre de 1870, en même temps qu'elle mobilise jusqu'en 1904 une pléiade de spécialistes, va donner à la maison Privat son assise scientifique. Éditeur des facultés dès 1887, Privat est au cœur de l'École historique méridionale avec, notamment, les *Annales du Midi*, lancées en 1889 et toujours vivantes.

Partenaires des autorités académiques, les Privat n'en cultivent pas moins de bonnes relations avec l'archevêché, dont ils éditent depuis 1860 les livres liturgiques. Cette part catholique reste chez les Privat une constante de leur activité éditoriale dont témoigne l'association qu'ils nouent dans les années 50 avec le groupe Bayard-Presse, par le biais de coéditions de catéchismes avec Le Centurion.

Ainsi, il n'y a pas lieu de s'étonner que ce soit par l'intermédiaire du recteur de l'Institut catholique que Georges Hahn entre en 1952, comme directeur des éditions, dans une maison à la recherche d'un second souffle. L'érudition ne rapporte guère ; la crise dans l'Église gêne la production des catéchismes et l'heure n'est plus à la *Grammaire latine simple et complète* de Paul Crouzet, coéditée avec Didier, qui fit les beaux jours de tous les lycées de France de 1903 à 1948. Sous la conduite de Georges Hahn, les sciences humaines, alors en plein essor, s'emparent du catalogue Privat, renouvelant ainsi la marque de la vieille maison, parallèlement à un fructueux secteur éditorial d'histoire des régions de France, mis en route dans les années 60, à l'intention d'un large public.

À la mort de Pierre Privat en 1983, le relais familial s'opère mal. Le rachat de l'entreprise en 1988 par les Éditions Bordas, que motive la présence d'une librairie bien implantée dans une grande métropole régionale, met fin à l'autonomie de Privat et fait désormais entrer ce qui reste de la grande dame toulousaine dans la stratégie du Groupe de la Cité.

Jacqueline Pluet-Despatin

■ B. Brézet, *Librairie et édition à Toulouse au XIXe siècle : la Maison Privat (1849-1914)*, thèse, École des chartes, 1991. — J. Vedel, *Étude d'une clientèle : la Maison Privat de Toulouse (1839-1934)*, mémoire, Toulouse, 1962. — *Les Édouard-Privat. Cent années d'une librairie française (1839-1939)*, Toulouse, Privat, 1952, rééd. 1989. — *150 ans d'histoire du livre chez Privat* (catalogue de l'exposition,

Musée des Augustins, novembre 1989-janvier 1990), Privat et IMEC, 1989. — *Les Édouard-Privat, libraires-éditeurs à Toulouse : un siècle de bibliothèque familiale (1849-1949)* (catalogue thématique), Toulouse, Suzette Privat, 1991.

PRIX LITTÉRAIRES

Les prix jouent un rôle central dans la vie littéraire française. En 1924, on en recensait vingt-quatre ; en 1994, ils seraient environ mille cinq cents décernés par l'Institut de France, des académies ou des jurys divers. Le premier prix date de 1323, mais il faut attendre le début du XXe siècle pour que les prix littéraires deviennent une distinction convoitée. C'est en 1903 que, conformément au testament de Jules et Edmond de Goncourt, est remis, par une académie de dix écrivains créée à cet effet, le premier « prix Goncourt » destiné à encourager les lettres, et un genre en particulier, le roman, mais aussi à assurer la vie matérielle des auteurs et à rendre plus étroites leurs relations de confraternité. L'année suivante, en réaction à cette entreprise considérée comme misogyne, vingt-deux femmes, rassemblées autour de la revue *La Vie heureuse* et ayant à leur tête Anna de Noailles, lancent un autre prix, destiné autant aux femmes qu'aux hommes de lettres. Le nom de la revue ayant changé, l'intitulé du prix évoluera : de « prix Vie heureuse », il deviendra « prix Femina-Vie heureuse », et enfin « prix Femina ». En 1926, des courriéristes littéraires, las d'attendre le ventre creux la proclamation des résultats du Goncourt traditionnellement faite à la fin d'un déjeuner chez Drouant, décident eux aussi de réserver un salon dans le même restaurant et de décerner un prix : ce sera le prix Théophraste Renaudot, du nom du père de la presse française. Même scénario, quatre ans plus tard, mais cette fois dans les salons du Cercle Interallié, où les dames du Femina délibèrent : des journalistes improvisent un jury, et décernent leur prix. L'accord se fait sur le deuxième livre d'un jeune romancier, *La Voie royale* d'André Malraux* (vingt-neuf ans). Personne ne prend très au sérieux cette initiative, à l'exception de son éditeur, Bernard Grasset, qui, informé par téléphone, commande immédiatement les bandes pour entourer le volume. Le prix Interallié est né. Entre 1903 et 1930, le paysage des prix littéraires est fixé : ils pourront croître et multiplier, aucun n'atteindra la renommée des « quatre grands », à une exception près : le prix Médicis. Fondé en 1958 par Gala Barbisan et Jean-Pierre Giraudoux, il doit récompenser un auteur « qui débute ou n'a pas une notoriété correspondante à son talent et apportant un ton et un style nouveau ».

Si l'on admet, avec Robert Kanters, que le prix littéraire « est l'adaptation du mécénat au régime démocratique, [...] c'est le mécénat des fortunes privées et de la bourgeoisie », alors la vie littéraire française est la plus démocratique qui soit : n'importe qui peut écrire un livre, être couronné par un prix et vivre de sa plume. C'est, en tout cas, ce qu'aurait souhaité Edmond de Goncourt qui, obsédé par les dures conditions de travail faites aux écrivains à l'ère industrielle, voulut leur offrir une rente (5 000 francs-or de l'époque, une somme importante ; de nos jours, un chèque symbolique de 50 francs), leur permettant d'abandonner les besognes alimentaires qui les détournaient de leur œuvre. Les prix assurent effectivement une plus grande indépendance économique aux écrivains. Aujourd'hui moins par leur montant que par les tirages qu'ils laissent espérer : un Goncourt, c'est 120 000 à 500 000 exemplaires vendus dans l'année qui suit l'attribution ; un Femina, de 80 000 à 150 000 ; un Renaudot, de 60 000 à 120 000 ; un Interallié, de 100 000 à 200 000 ; et un Médicis, de 30 000 à 240 000.

Mais les prix littéraires remplissent aussi une autre fonction : ils banalisent, en lui assurant une plus grande diffusion, la littérature d'avant-garde. À l'exception des époques de crise nationale telle la Seconde Guerre mondiale où les prix peuvent couronner des livres en accord avec l'idéologie du régime de Vichy, la « littérature prix littéraire » (Catherine Claude) ne se réduit pas à une littérature conventionnelle ou politiquement correcte. Les différents prix, attribués lors de la « rentrée littéraire » de novembre, forment un dispositif permettant une correction successive des choix. Le Goncourt, par l'audience qu'il procure au livre primé, reste « le prix des prix » décerné à une littérature dite « classique » ; le Femina fonctionne comme un double, plus cohérent que le modèle lui-même ; au Renaudot dans l'entre-deux-guerres, puis au Médicis échoit la mission de détecter les talents les plus novateurs. À Céline*, en 1932, les jurés Goncourt préfèrent Guy Mazeline, pour *Les Loups*. Le jury du Renaudot saute sur l'occasion et décerne son prix au *Voyage au bout de la nuit*. Même scénario en 1957, le Goncourt récompense *La Loi* de Roger Vailland*, le livre où l'écrivain prend ses distances avec le Parti communiste. Le Renaudot consacrera donc *La Modification* de Michel Butor* et assurera l'audience du Nouveau Roman. Le Médicis élargira la brèche, distinguant les auteurs du Nouveau Roman ou apparentés (1958, Claude Ollier ; 1961, Philippe Sollers*), et maintiendra une tradition de rupture, récompensant, en 1978, une œuvre singulière, *La Vie mode d'emploi*, de Georges Perec*.

La littérature dite « marginale » figure aussi au palmarès des prix. Dans les années 50, le genre policier conquerra ses lettres de noblesse avec les Grands Prix de l'Humour noir (1954 et 1957), dotés d'une « écharpe funéraire portant la mention : "À notre regretté lauréat" ». Si *Bonjour tristesse* de Françoise Sagan (1954) fut un énorme succès, et un non moindre scandale, ce fut aussi l'entrée dans les lettres d'une romancière saluée par le prestigieux prix des Critiques (qui comptait parmi ses membres Maurice Blanchot*, Jean Paulhan*, Jean Starobinski* et Maurice Nadeau*).

À l'aune des prix littéraires, la littérature française n'est pas si mal évaluée. Quelle est alors la cause des violentes critiques, des bouderies définitives (1932, Lucien Descaves*) ou des démissions fracassantes de certains jurés, Goncourt notamment (1968, Louis Aragon* ; 1977, Bernard Clavel) ? De la fermeture progressive de ces institutions qui sont devenues les chasses gardées d'un trio d'éditeurs, Gallimard*, Grasset*, Le Seuil*. Les enquêtes sociologiques concernant la répartition des prix sont accablantes : pour les années 70-80, 82 % des prix échoient à ces trois éditeurs ; 70 % des jurés sont sous contrat chez eux ! Les démissions, tout comme les élections « ratées » d'un nouveau juré (tel Félicien Marceau, qui ne fut pas élu en 1971 à l'académie Goncourt à cause de son appartenance à la maison Gallimard, dont certains académiciens souhaitaient limiter l'influence parmi eux), sont l'occasion d'explications orageuses, parfois publiques.

Mais ces moments de fièvre ne remettent pas en question une évolution fondamentale, la transformation de la république des lettres en une synarchie.

Anne Simonin

■ P. Assouline, « Les dessous du Goncourt », *Lire*, n° 194, novembre 1991. — M. Caffier, *L'Académie Goncourt*, PUF, 1994. — C. Claude, « Le phénomène des prix littéraires », *La Nouvelle Critique*, n° 64, mai 1973. — H. Hamon et P. Rotman, *Les Intellocrates. Expédition en haute intelligentsia*, Ramsay, 1981, rééd. Bruxelles, Complexe, 1985. — R. Kanters, « Esquisse d'une sociologie des prix littéraires », *Preuves*, n° 35, janvier 1954. — G. Sapiro, « Académie française et académie Goncourt dans les années 40 : fonction et fonctionnement des institutions de la vie littéraire en période de crise nationale », *Texte*, n° 12, 1992. — « Prix littéraires », *Quid*, Laffont, 1995.

PROUST (Marcel)

1871-1922

Dans la vie de Proust, trois occasions essentielles marquent l'engagement politique : l'affaire Dreyfus*, les lois anticléricales, la guerre de 1914-1918. Son œuvre a créé, elle aussi, des personnages d'intellectuels : écrivains, artistes, professeurs, grands médecins. Du Boulbon incarne ainsi ces médecins qui ne croient pas à la médecine, ces philosophes qui ne croient pas à la philosophie et en tirent une supériorité. La carrière de Proust se déroule sous le signe de la minorité et de l'hétérodoxie. Son milieu, son père, haut fonctionnaire de la République et, comme inspecteur général des Services sanitaires, numéro deux du ministère de la Santé, sa faiblesse physique, son désir de faire oublier ses pratiques sexuelles, tout le prédisposait au conformisme. Or, dès qu'il connaît l'injustice du sort réservé à Dreyfus, il se donne sans compter, recueille la signature d'Anatole France*, assiste indigné au procès Zola*, qu'il raconte immédiatement dans *Jean Santeuil*. En revanche, justice rendue à Dreyfus, il refuse, lui agnostique, de poursuivre dans leurs retranchements les « cléricaux », devenus minoritaires, s'oppose à l'expulsion des congrégations, à la confiscation des biens du clergé, craint que l'on ne transforme les cathédrales en musées, alors qu'elles n'ont de sens que comme lieux de culte.

Pendant la Grande Guerre, il se montre patriote, mais non chauvin, ni même nationaliste. S'il lit *L'Action française** et *Le Figaro**, il achète aussi le *Journal de Genève*, où il espère trouver les seules nouvelles non censurées. Il approuve les tentatives de médiation des Bourbon-Parme et s'exprime à travers les propos peu orthodoxes du baron de Charlus pendant la guerre. Comme Saint-Loup, il pratique le respect de l'adversaire et ne cesse pas de dire « l'empereur Guillaume ». Il voit dans la rivalité entre « le corps Allemagne et le corps France » la même querelle passionnelle et jalouse qui oppose deux amants, prenant ainsi la hauteur de l'historien ou du psychologue au cœur même du conflit, ce qui ne l'empêche pas de montrer aussi le malheureux permissionnaire contemplant du dehors les restaurants illuminés et remplis d'« embusqués » ou de sentir combien l'intervention de l'aviation transforme la guerre.

Quant à ses personnages, dès *Jean Santeuil*, nous trouvons M. Beulier, professeur de philosophie, maître néo-kantien de Proust, et parrain de la *Revue de métaphysique et de morale*, et plusieurs écrivains qui annoncent Bergotte. Dans *À la recherche du temps perdu*, les principaux personnages d'artistes, Elstir, Vinteuil, et d'écrivains, Bergotte, se tiennent éloignés de tout engagement politique. Swann, cependant, qui a raté sa vocation et n'a pu mener à bien ses travaux sur Vermeer, est dreyfusard ; M. de Charlus, qui n'a pas non plus exploité ses nombreux dons, prend violemment position contre la guerre de 14-18. Brichot, lui, inspiré à ce moment par Reinach (écrivant sous le nom de « Polybe »), rédige des articles farouchement militaristes.

Après la guerre, nouvel épisode qui est la conséquence de la victoire. Des écrivains nationalistes, Bourget*, Bainville*, Halévy*, Jaloux, Maurras*, Massis*, publient dans *Le Figaro* (19 juillet 1919) un manifeste « pour un parti de l'intelligence », où ils réclament une « fédération intellectuelle de l'Europe et du monde », sous l'égide de la France « gardienne de toute civilisation ». Proust se dresse avec vigueur contre ce chauvinisme intellectuel. Il n'y a pas, selon lui, d'intelligence spécifiquement française : on ôte sa valeur générale à une œuvre en voulant la « nationaliser ». Et d'ajouter cette leçon : « Pourquoi prendre vis-à-vis des autres pays ce ton si tranchant dans des matières comme les lettres, où on ne règne que par la persuasion ? »

Ainsi, ce qui caractérise d'abord les combats de Proust dans le siècle, c'est la lutte, proche de celle de Montaigne et de Voltaire, contre le sectarisme, antisémite, militariste, sexiste, belliciste ou chauvin. C'est alors qu'il sort de son confort bourgeois, mais aussi de son lit de grand malade, au service non d'une classe mais des hommes, des minorités, non des vainqueurs.

Jean-Yves Tadié

■ *À la recherche du temps perdu* (J.-Y. Tadié éd.), 1913-1927, rééd. Gallimard, « Pléiade », 1987-1989, 4 vol. — *Jean Santeuil*, 1952, Gallimard, « Pléiade », 1971. — *Contre Sainte-Beuve*, 1954, Gallimard, « Pléiade », 1971.

▒ G. Cattaui, *Marcel Proust*, Éditions universitaires, 1959. — R. Dreyfus, *Souvenirs sur Marcel Proust*, Grasset, 1926. — C. Mauriac, *Proust par lui-même*, Seuil, 1953. — A. Maurois, *À la recherche de Marcel Proust*, Hachette, 1949. — G.D. Painter, *Marcel Proust*, Mercure de France, 1966, 2 vol. — J.-F. Revel, *Sur Proust*, Julliard, 1960. — J.-Y. Tadié, *Lectures de Proust*, Colin, 1971 ; *Proust et le roman*, Gallimard, 1971 ; *Proust*, Belfond, 1983.

PSICHARI (Ernest)

1883-1914

Psichari a incarné le renouveau religieux, patriotique et nationaliste qui a saisi une partie de l'opinion dans les quelques années précédant 1914. Il a été vivement célébré à ce titre par des auteurs comme Bourget*, Barrès*, Péguy*, Massis*. Il était fils de Jean Psichari, professeur à l'École des hautes études et à l'École des langues orientales. Par sa mère, il était petit-fils de Renan. Sous l'affaire Dreyfus*, le salon de ses parents fut l'un des lieux de réunion des intellectuels favorables à la révision. Le jeune Ernest y rencontra les principaux leaders du dreyfusisme militant, de Clemenceau à Jaurès*. Dans les mêmes moments, il fit la connaissance de Jacques Maritain*. Par la suite, chez la mère de ce dernier, Geneviève Favre, il rencontra Charles Péguy*. Dans le prolongement de ses idées socialisantes d'alors, il participa à l'animation des Universités populaires* de la rue Mouffetard et du faubourg Saint-Antoine. Ses études secondaires s'achevèrent au lycée Henri-IV (baccalauréat en 1900). Il s'orienta ensuite vers une licence de philosophie obtenue à la Sorbonne en 1903, mais, parallèlement, il suivait au Collège de France* les cours de Bergson* qui ont sans doute ébranlé les certitudes du rationalisme positiviste dans lesquelles il avait baigné auparavant. Pendant cette période, une grave crise sentimentale le conduisit à une tentative de suicide et à une phase d'errances désespérées.

Il est incorporé à l'automne 1903 dans un régiment d'infanterie à Beauvais où la discipline l'aide à se ressaisir. Convaincu des bienfaits de la vie militaire, il se rengage et commence à procéder à un remodelage complet de son système de valeurs. De septembre 1906 à septembre 1907, il fait partie de la mission du colonel Lenfant au Congo. De l'Afrique noire, il rapporte *Carnets de route* et *Terres de sommeil et de soleil*. De décembre 1909 à novembre 1912, il sert en Mauritanie. Ses expériences de « pacificateur » et son itinéraire intellectuel et spirituel seront retracés, sous le couvert d'un récit romanesque, dans *L'Appel des armes*, qui sera publié en 1913. Une thématique typiquement traditionaliste le conduit à exalter sans retenue ni nuance le métier de soldat et la mission colonisatrice qu'il assigne à la France. Au contact de la foi des Maures et dans les solitudes du désert, il ressent surtout, de plus en plus insistant, l'appel de Dieu.

À son retour en France, guidé par Jacques et Raïssa Maritain ainsi que par le Père Clérissac, il se convertit et reçoit le baptême. Dès lors, son zèle religieux est égal à son zèle militaire ; il est même admis en octobre 1913 dans le tiers ordre de saint Dominique. Il sera tué dès le début de la guerre, au mois d'août 1914, en Belgique. *Le Voyage du centurion* (1916) donnera un témoignage ultime de son évolution.

Géraldi Leroy

■ *Terres de sommeil et de soleil*, 1908. — *L'Appel des armes*, 1913. — *Le Voyage du centurion*, 1916.

■ P. Pedech, *Ernest Psichari ou les Chemins de l'ordre*, Tequi, 1988. — H. Psichari, *Ernest Psichari, mon frère*, Plon, 1933.

QUENEAU (Raymond)

1903-1976

L'architecte du texte, le mathématicien du verbe que fut Raymond Queneau, l'inventeur du « néo-français » qui contribua, avec un Céline*, à codifier l'écriture de la langue orale, s'évertua si bien à effacer toute trace de ses engagements passés qu'il manqua convaincre la postérité de son détachement à l'endroit de la politique. On doit à Noël Arnaud d'avoir le premier rétabli son parcours intellectuel, auquel la périodisation de l'alternance entre les années « rationalistes » et engagées et celles de « quête métaphysique » et de scepticisme politique confère toute sa cohérence.

Né au Havre, fils d'un magasinier-comptable au ministère des Colonies qui tenait avec sa femme un commerce de mercerie, Queneau fait ses études au lycée du Havre et s'inscrit à la Sorbonne en 1920. Licencié ès lettres mention philosophie, il conserve un vif intérêt à la fois pour les mathématiques et pour les jeunes disciplines des sciences sociales (anthropologie, ethnologie, histoire des religions, psychanalyse). Son entrée dans le champ intellectuel est une adhésion à l'avant-garde sur tous les fronts. Dès 1924, il fréquente le Bureau central de recherches surréalistes* et contribue bientôt à *La Révolution surréaliste*. Revenu de son service au Maroc, il se lie avec le groupe de la « dissidence » surréaliste formé par Prévert*, Tanguy et M. Duhamel. Il rompt avec Breton* en signant le tract *Un cadavre*, réplique au *Second manifeste du surréalisme* qui fustigeait Bataille* et Leiris*, et consignera son expérience déçue mais décisive dans un roman, *Odile* (1937). En 1931, il adhère au Cercle communiste-démocratique de Souvarine* et rédige dans *La Critique sociale** des notes de lectures aux accents polémiques. Il y publie avec Bataille une « critique des fondements de la dialectique hégélienne », qui, dira-t-il, prétend rénover la « dialectique matérialiste sclérosée » à l'aide de la psychanalyse et de la sociologie. L'année suivante, il adhère au Cercle de la Russie neuve et au Front commun contre le fascisme de Gaston Bergery.

Féru des travaux de René Guénon* sur la pensée orientale et le traditionalisme, il est marqué par un voyage en Grèce en 1932. Il suit de 1932 à 1939 l'enseignement de Puech sur la gnose, et ceux de Koyré* et de Kojève* sur Hegel à l'École pratique des hautes études (on lui doit la publication des cours du dernier en 1947). Il participe de 1937 à 1939 à l'expérience du Collège de sociologie*. Son premier roman, *Le Chiendent*, paraît chez Gallimard* en 1933. De 1936 à 1938, il tient une chronique à *L'Intransigeant*, puis entre comme lecteur d'anglais chez Gallimard avant de devenir, en 1941, secrétaire général de la maison. C'est aussi une période de crise spirituelle et de désengagement qu'appuie la conception du non-agir taoïste. S'il marque sa sympathie pour le Front populaire, s'oppose au fascisme, collabore à *Vendredi**, les pièces maîtresses de ses prises de position d'alors, le *Traité des vertus démocratiques* et les poèmes politiques dont « Munich », demeurent inédites de son vivant. Sous l'Occupation, il refuse de collaborer à *La Nouvelle Revue française** dirigée par Drieu La Rochelle* et adhère en 1943 au Comité national des écrivains*. Il en sera, après la Libération, membre du comité directeur et de la commission chargée d'établir la « liste noire »* des écrivains. Parmi les articles qu'il publie de 1944 à 1945 dans *Front national*, certains retrouvent une résonance nettement politique. Directeur de l'*Encyclopédie de la Pléiade*, il participe durant cette période à nombre de jurys littéraires dont il démissionne en 1959, à l'exception du prix Tabou et de l'académie Goncourt qui l'avait coopté en 1951. Démissions qui augurent son effacement définitif de la vie publique et un retour à la métaphysique qui donnera naissance aux poèmes de *Morale élémentaire* parus en 1975, un an avant sa mort. Entré au Collège de pataphysique en 1950, il n'a cessé de poursuivre ses recherches formelles en littérature, et a présidé les travaux de l'OuLiPo.

Gisèle Sapiro

■ *Bâtons, chiffres et lettres*, Gallimard, 1965. — *Le Voyage en Grèce*, Gallimard, 1973. — *Journal (1939-1940)*, suivi de *Philosophes et voyous*, Gallimard, 1986. — *Œuvres complètes*, t. 1 : *Poésies*, Gallimard, « Pléiade », 1989 (t. 2 et 3 en préparation). — *Traité des vertus démocratiques*, Gallimard, 1993.

▒ J. Queval et A. Blavier, *Album Queneau*, Veyrier, 1984. — E. Souchier, *Raymond Queneau*, Seuil, 1991. — « Raymond Queneau », *Cahiers de L'Herne*, 1975. — « Raymond Queneau », *Europe*, n° 650-651, juin-juillet 1983.

QUILLARD (Pierre)

1864-1912

Poète « fin de siècle », Pierre Quillard est un écrivain dreyfusard qui maintient son engagement civique après l'Affaire en se consacrant à la défense du peuple arménien et à la Ligue des droits de l'homme*.

Né à Paris le 14 juillet 1864, il se fait connaître par son mystère symboliste, *La Fille aux mains coupées* (1886), suivi du recueil *La Gloire du verbe*. Qualifié de « divin » par Saint-Pol Roux, mais apprécié aussi de Leconte de Lisle, de Sully-Prudhomme et de Catulle Mendès, il est un des grands espoirs de la jeune poésie et un familier du monde des « petites revues ». Ancien élève de l'École des chartes, spécialiste de Théocrite, il traduit Porphyre, Jamblique, Sophocle et Herondas. Il est de surcroît chargé de la rubrique des poèmes au *Mercure de France** fondé en 1890. Quillard se situe alors dans la mouvance anarchiste, collabore aux *Entretiens politiques et littéraires* de Vielé-Griffin (1892), à *L'En dehors* de Zo d'Axa (1891-1893) et aux *Temps nouveaux* de Jean Grave.

De son combat dreyfusard demeure essentiellement *Le Monument Henry*, c'est-à-dire les listes des souscripteurs en faveur de la veuve du colonel Henry, « classées méthodiquement et selon l'ordre alphabétique », qu'avait publiées *La Libre Parole*, en décembre 1898 et janvier 1899. Quillard stigmatise ce « mémorial de honte, un répertoire d'ignominie » où s'étalent « la folie sanglante, la férocité, la sottise, les crapuleuses injures, les provocations à la haine et au meurtre des juifs »...

La grande cause de Pierre Quillard fut celle du peuple arménien. Professeur à l'École arménienne de Constantinople, il dénonce les massacres commis sous l'égide d'Abdul Hamid, combat violemment la politique du ministre des Affaires étrangères Gabriel Hanotaux. Il est le fondateur et rédacteur en chef d'une revue bimensuelle, *Pro Armenia*, dont le premier numéro paraît le 25 novembre 1900. Solidement aidé par le parti Dachnak et son représentant en France, Loris-Melikov, il a pu réunir un prestigieux comité de rédaction pour patronner la revue : Clemenceau, Anatole France*, Jaurès*, Pressensé et, jusqu'au début de 1904, Eugène de Roberty. Pierre Quillard est donc au cœur de tout le mouvement de sympathie et de solidarité envers le peuple arménien qui devient d'ailleurs plus complexe avec la montée du parti Jeune-Turc. *Pro Armenia*, qui souhaite une rénovation démocratique de l'ensemble ottoman, cesse de paraître le 20 septembre 1908. Membre fondateur de la Ligue des droits de l'homme, Quillard y joue un rôle croissant aux côtés de Pressensé, devient vice-président en 1907 et remplace Mathias Morhardt au secrétariat général en mai 1911. Il meurt peu après, âgé de seulement quarante-sept ans, le 4 février 1912 à Neuilly.

Gilles Candar

■ *La Question d'Orient et la politique personnelle de M. Hanotaux*, Stock, 1897. — *Le Monument Henry*, Stock, 1899. — « Pour l'Arménie. Mémoire et dossier », *Cahiers de la quinzaine*, 1902. — *La Question arménienne*, Street, 1905.

▒ J. Huret, *Enquête sur l'évolution littéraire*, 1891, rééd. Thot, 1982. — J. Maitron, *Le Mouvement anarchiste en France*, Maspero, 1975. — M. Rebérioux, « Jaurès et les Arméniens », *Jean Jaurès*, n° 121, mai-juillet 1991. — A. Ter Minassian, *La Question arménienne*, Roquevaire, Parenthèses, 1983.

RADIO (la)

Dès sa naissance, la radio se définit comme un lieu de culture, dans un double entendement : comme lieu de production et comme lieu de diffusion. Les programmes se nourrissent des meilleurs fruits de la culture et trouvent leurs principaux aliments dans le répertoire musical et théâtral, dans les conférences des professeurs, dans les causeries des hommes de lettres. Très tôt écrivains et artistes sont associés à sa programmation et siègent dans les instances de réflexion sur les émissions. De nombreux écrivains, professeurs, musiciens font partie des associations qui gèrent les stations et construisent ses émissions. Des auteurs s'interrogent sur la spécificité du langage radiophonique et inventent de nouvelles formes de communication pour le « huitième art ». Ainsi, la radio montre, dès son origine, une vocation culturelle qu'elle entretient par des relations suivies avec les intellectuels.

Cette association de la radio et des clercs est marquée, cependant, d'une certaine défiance. Sans revenir aux diatribes d'un Georges Duhamel contre la « téhessef » qui s'inscrivent dans une inquiétude plus générale sur la modernité, nombreux sont ceux qui s'effraient du pouvoir corrupteur, de la trop grande facilité intellectuelle de la radio, qui redoutent sa dépendance à l'égard des pouvoirs de l'argent ou de ceux de la politique, qui craignent les manipulations que permet le montage. Les hommes de lettres appréhendent encore, comme les artistes et les sportifs, que le média ne les pille à force d'exploiter leurs œuvres et qu'il ne fasse main basse sur leur public. En bref, le débat est résumé par la question posée aux participants des rencontres internationales de Genève en 1955 : « La culture est-elle mise en péril par les nouveaux moyens de diffusion, le cinéma, la radio et la télévision ? »

Pourtant, ces inquiétudes ne rompront jamais la vieille alliance entre des radios et des intellectuels, qui entretiennent encore aujourd'hui un commerce fait de familiarité et de circonspection. Certes, la multiplication des formats radiophoniques depuis le début des années 80 s'est plutôt fait au profit des radios musicales qui alignent leur programmation sur les ventes de disques. Cependant, loin des polémiques vitriolées de la télévision, la radio, dans sa diversité, a maintenu quelques ambitions intellectuelles ; elle l'a fait au prix d'une fragmentation, d'une spécialisation des tâches et des professionnels, des émissions et des stations. Ainsi, se développa pendant l'Occupation ce laboratoire de l'art radiophonique que fut le Studio d'essai. Avec une propension pédagogique plus affirmée, la chaîne France-Culture témoigne également de ce rôle culturel cantonné à un support spécialisé. Néanmoins, les stations généralistes affirment elles aussi une vocation pour le savoir et la culture. Qu'on pense aux concerts de musique classique diffusés le dimanche soir par RTL, aux débats enflammés des critiques du « Masque et la plume » sur France-Inter, aux reconstitutions de « La Tribune de l'histoire », ou encore à ces rencontres quotidiennes qu'organisa pendant des lustres Jacques Chancel... Des radios ont hébergé les débats d'intellectuels, elles leur ont offert des tribunes, elles leur ont permis de développer des recherches esthétiques... sans être pourtant devenues, sauf de manière exceptionnelle, une tribune politique pour les hommes de lettres. Des échanges sur les affaires de la Cité ont pu et peuvent y prendre place, mais la radio n'a jamais été ce forum des affaires civiques que sont par exemple devenues certaines revues intellectuelles comme *Esprit** ou *Les Temps modernes**. La radio propose ainsi une définition plus professionnelle que politique de l'intellectuel. Aussi avons-nous délimité, parmi tant d'autres possibles, trois espaces de cette rencontre entre les intellectuels et la radio : les recherches du Club d'essai, les ambitions de France-Culture, les fréquentations de Jacques Chancel.

Le Club d'essai, ou la création radiophonique. Dès ses premières émissions, au début des années 20, la radio s'interroge sur sa construction, sur la manière dont elle crée de l'intérêt chez les auditeurs, sur ce qu'elle leur apporte. Les auteurs radiophoniques vivent l'éclosion d'un art nouveau et cherchent à en fixer les règles et les canons. Leur enthousiasme et leur foi restent pourtant limités à un petit cercle de poètes, de dramaturges, de journalistes et ne se retrouvent guère dans les programmes des stations. Cette même volonté de penser une radio construite, instructive et artistique est à l'origine d'une expérience originale de la radio française, le Studio d'essai. Créé en 1942 par Pierre Schaeffer*, il est la voix de la Nation française au moment de la Libération, puis se développe surtout après 1945.

Pendant la guerre, les moyens dont dispose le Studio d'essai sont limités : l'équipe ne produit pas d'émissions, le Studio est conçu comme lieu de formation et de réflexion pour les professionnels de la radio. Le premier stage en 1942 réunit de jeunes comédiens frais issus du Conservatoire, Jacques Copeau* et les professionnels de l'équipe pour une initiation au langage spécifique de la radio. Il est suivi par des réalisateurs, des preneurs de son, des ingénieurs qui s'appliquent, suivant la mission générale que s'est donnée le Studio d'essai en 1943, à trouver les éléments d'une « doctrine des émissions artistiques ».

En 1946, sous l'impulsion de Wladimir Porché qui est alors directeur de la Radiodiffusion nationale, le Club d'essai renaît sous une autre forme, avec un nouveau directeur, le poète Jean Tardieu, et de moyens augmentés. Il ne s'agit plus seulement d'un centre de recherche et de formation des professionnels de la radio ; une antenne est mise à sa disposition et le Club peut enfin donner vie à ses recherches d'une « esthétique radiophonique raisonnée », comme le voulait Jean Tardieu. Le poète veut attirer à la radio des esprits de valeur et en faire un lieu de rencontre des intellectuels. De fait, nombre d'écrivains acceptent alors d'intervenir au Club d'essai : Gide* ou Léon-Paul Fargue rencontrent par exemple François Billetdoux. La musique concrète, l'adaptation de grands textes littéraires, les entretiens avec des auteurs réputés sont les fleurons de sa programmation, mais le Club s'intéresse également aux émissions de variétés, en particulier avec « Le Cabaret de la plume d'autruche » d'Agnès Capri et André Frédérique. Ces travaux sont reconnus par les professionnels : de nombreuses émissions reçoivent le prestigieux prix Italia.

Si la programmation ambitieuse du Club d'essai le marginalise même au sein de la radio publique, ses membres partagent en revanche une conception commune du public : les sondages sont alors peu appréciés des professionnels français, qui privilégient une approche qualitative des auditeurs. Dans cette optique, le Club d'essai organise des rencontres et des discussions avec le public à travers les radio-clubs, organisés à la manière des ciné-clubs. De manière très novatrice, Jean Tardieu encourage également le développement de recherches : le Centre d'études radiophoniques, dirigé par Roger Blin, veut inciter universitaires et chercheurs à s'intéresser à la radio, en particulier grâce à la publication d'une revue aux ambitions académiques. Ainsi, des recherches sont conduites sur la prononciation française, l'influence de la radio sur l'évolution de la culture musicale, la stéréophonie...

Certes, l'émetteur était de très faible puissance, les moyens financiers et humains du Club très limités, le poste n'était audible que dans la région parisienne, la durée des programmes était brève (d'abord une douzaine d'heures par semaine puis elle augmenta progressivement). Pourtant, l'expérience marqua les professionnels de la radio, elle se perpétua en particulier dans le Groupe de musique concrète et dans l'Atelier de création radiophonique, mais aussi, plus tardivement dans la création de France-Culture.

Les ambitions de France-Culture. Faut-il spécialiser la programmation des stations de radio au risque de créer des ghettos culturels, au risque d'une ségrégation des publics ? Le débat est aussi ancien que la radio : en novembre 1957, la radio publique restructure ses stations et les spécialise : parmi les quatre nouveaux postes, France III, l'ancienne chaîne nationale, est consacrée à la « haute qualité artistique et culturelle », elle ne comporte pas d'informations mais propose le soir un bulletin approfondi d'études politiques. Elle veut être la « chaîne de l'art et de la culture », de la « grande musique », du théâtre sérieux, des émissions scientifiques et éducatives. En 1963, elle connaît encore quelques transformations « pour tenir compte de la concurrence croissante de la télévision et la diffusion du transistor » et, au mois de décembre, reçoit le nom de « France-Culture ». Depuis lors, elle se consacre à l'histoire, aux beaux-arts et à la musique, aux lettres et aux spectacles, aux sciences et aux techniques, au monde contemporain... refusant ce qui fait le quotidien de presque toutes ses consœurs : l'animation et le jeu.

Loin des feux de la rampe et des sollicitudes du politique, France-Culture est pourtant à plusieurs reprises, comme France-Musique, l'objet de réformes. En 1966, Pierre de Boisdeffre décide de confier les matinées à des producteurs spécialistes à la fois d'un domaine culturel et de la radio : elles sont désormais consacrées à des thèmes variés qui rendent compte de la diversité des champs que veut couvrir la station. En 1973, à l'occasion de la deuxième grande réforme, Jacques Sallabert introduit plus de souplesse dans la répartition des tranches horaires, cherche à unifier le ton des émissions mais surtout fait sortir France-Culture des studios en multipliant les reportages ; les domaines d'intérêt sont encore accrus.

Ces réformes, comme celles qui suivent, ont souvent pour origine une interrogation récurrente et polémique : un média financé par des fonds publics peut-il se désintéresser de son audience et diffuser des programmes qui s'adressent à une élite ? La question s'est posée aux débuts des années 90 de manière exacerbée à propos de la chaîne franco-allemande Arte*, mais elle accompagne aussi toute la vie de France-Culture, qui se voit régulièrement reprocher son coût, mesuré à l'aune de son auditoire. Pourtant, le reproche semble peu adapté : la station ne consomme, dans les années 90 comme vingt ans plus tôt, que le vingtième environ du budget de la radio publique, avec sa centaine de salariés et de producteurs réguliers. Son audience n'est pas dérisoire : chaque jour, près d'un demi-million de personnes l'écoutent, et près de dix fois plus occasionnellement. Enfin et surtout, à la différence de France-Musique qui a des concurrents privés, France-Culture est quasiment seule à défendre un format radiophonique spécifique, défini par la place de la création et du montage.

Disparues de toutes les antennes publiques comme privées (à de rares reliquats nocturnes près), les fictions radiophoniques ne sont pas de simples lectures d'œuvres littéraires mais des mises en ondes, avec bruitage, effets sonores et jeu spécifique des comédiens. Pour la station, le rôle de la fiction est autant de maintenir des liens très forts avec le monde du spectacle vivant, avec les comédiens, avec les auteurs, que de nourrir l'antenne. France-Culture est un des plus gros employeurs de comédiens et signe chaque année près de deux cents contrats avec des auteurs. La chaîne a aussi une longue tradition, parfois interrompue, de production de spectacles vivants et de débats publics, de participation à des festivals. C'est ainsi que, sous la direction de Jean-Marie Borzeix, France-Culture organise chaque été, dans le cadre du Festival de Montpellier, les « Journées de Pétrarque » — une confrontation publique entre des intellectuels sur un grand thème philosophique ou politique. Chère (le tiers du budget pour une douzaine d'heures par semaine) mais prestigieuse (elle reçoit régulièrement des prix internationaux), la fiction est ainsi conçue comme garantie de créativité. Les émissions de montage jouent, elles, sur toutes les possibilités temporelles de la radio, utilisant le différé, le conjuguant avec le direct ; elles se nourrissent d'archives sonores et de reportages. Prise entre la tentation du recours aux archives et celle des discussions avec les experts, France-Culture s'est donné pour règle de maintenir une certaine égalité de temps entre le direct et l'enregistré.

Souvent accusée d'être bavarde, jargonnante et hermétique, la station joue en fait sur un ensemble d'engagements difficiles. Elle fait de l'information mais ne se veut pas soumise aux contraintes de l'immédiat. Elle intéresse peu les politiques mais a souvent servi de refuge aux journalistes des autres stations publiques écartés de l'antenne. Elle a une définition extensive de la culture et n'est pas maîtresse de ses programmes musicaux. Elle s'est confiée à des producteurs, maîtres de leur temps, ce qui rigidifie la programmation mais lui assure souvent continuité et compétence. La création et la connaissance, le chemin est aride.

Les « Radioscopies » de Jacques Chancel. Depuis qu'elle existe, la radio se nourrit de la parole, consomme des mots, jongle entre parlé et musique. Des formules rhétoriques nombreuses ont été utilisées depuis les années 30 pour mettre en scène cette parole : la conférence, le dialogue, le questionnaire, le discours, le communiqué, l'interview... Jacques Chancel s'enorgueillit d'avoir inventé un genre nouveau, la conversation, dans son émission « Radioscopie ». Si la radio use dès ses débuts de l'entretien, par exemple avec Jean Amrouche* ou Robert Mallet après la guerre, « Radioscopie » a pour elle la longévité et la notoriété.

En octobre 1968, Roland Dordhain, directeur de la Radiodiffusion, cherche à renouveler la grille de France-Inter, secouée par les événements de Mai et usée par les années ; Chancel, alors journaliste à *Paris-Jour*, collaborateur de « Madame Inter », lui propose une émission d'entretien, un face-à-face avec des personnalités.

Pendant plus de vingt ans (avec une interruption entre 1983 et 1988), Jacques Chancel reçoit chaque jour à 17 heures en direct sur l'antenne. Près de cinq mille personnes sont « radioscopées ». Des écrivains comme Marguerite Yourcenar*, Jorge-Luis Borges, Albert Cohen, Jean-Paul Sartre* ou Henry de Montherlant*, des musiciens, des hommes de théâtre, des comédiens, des hommes politiques, et puis des architectes, plus tardivement, des inconnus, des anonymes venus parler d'une passion, d'une vie. Chancel fuit la polémique et esquive les affrontements, même s'il ne refuse pas toujours un discret parfum de scandale, par exemple lorsqu'il reçut Lucien Rebatet*. Le principe n'est pas de mettre en cause, ni même de mettre en scène, tout juste de mettre en valeur.

L'émission se donne à voir comme une rencontre, fortuite et spontanée, où celui qui parle est guidé par celui qui écoute. Le choix des personnes n'obéit à aucune logique d'ensemble, il se fait au hasard des goûts et, justement, des rencontres, sans entretien préalable, ni préparation commune. L'auditeur entendra deux voix qui se cherchent, se connaissent et se dévoilent. Comme l'avait écrit Catherine Clément, le principe est puissant et ne peut manquer de réussir ; « mais la rencontre sera à dominante psychologique. Jacques Chancel, sa voix, sa tonalité, sa disponibilité rencontre "quelqu'un", acteur, politique, médecin ou curiosité humaine, il s'agira de la montrer sous ses aspects les plus "humains". Là réside sa force principale dans l'usage du subjectif, il s'en sert avec sûreté ».

L'audience de l'émission est longtemps élevée. De nombreuses « Radioscopies », reprises en cassette, deviennent des best-sellers de la collection sonore de Radio-France ; des livres enfin proposent une sélection d'entretiens. En 1972, la télévision propose à Jacques Chancel de faire une émission, « Le Grand Échiquier ». Plus tard, il devient directeur des programmes. Les « Radioscopies » sont devenues un nom commun et Jacques Chancel l'interprète de la radio-télévision populaire et culturelle.

La radio n'est pas devenue l'outil de prédilection des intellectuels ; les débats sur l'art radiophonique se sont aujourd'hui éteints, les lettres comme la musique ou le théâtre trouvent des tribunes plus généreuses dans la presse, plus peuplées à la télévision. Pourtant, la radio, en ses chaînes spécialisées, en ses émissions particulières, permet des rencontres durables entre les hommes de culture, invités, producteurs, journalistes et auditeurs.

Cécile Méadel

■ L. Bodard, trois articles sur Chancel in « La télé de Lucien Bodard », *France-Soir*, 18, 19 et 20 janvier 1973. — C. Brochand, *Histoire générale de la radio-télévision*, t. 1 : *1921-1944*, t. 2 : *1944-1974*, La Documentation française, 1994. — C.-B. Clément, « Rencontrer Jacques Chancel... Artisan-portraitiste et joueur d'échecs », *Le Monde*, 28 juin 1976. — O. Corroenne, *L'Atelier de création radiophonique de France-Culture*, mémoire, Université libre de Bruxelles, 1985. — H. Eck, « À la recherche d'un art radiophonique », in « Politiques et pratiques culturelles dans la France de Vichy », *Les Cahiers de l'IHTP*, 8, juin 1988. — H. Eck (dir.), *La Guerre des ondes. Histoire des radios de langue française pendant la Deuxième Guerre mondiale*, Communauté radiophonique des programmes de langue française, 1985. — H. Glévarec, *Le Travail des gens de radio*, DEA, Paris VII / EHESS / ENS Fontenay, 1992. — C. Méadel, « De la formation des comportements et des goûts : une histoire des sondages à la radio-télévision dans les années 50 », *Réseaux*, n° 39, 1989 ; *Histoire de la radio des années 30. Du sans-filiste à l'auditeur*, INA et Anthropos-Économica, 1994. — O. Michel, *L'Écriture et l'expression radiodramatique contemporaine*, maîtrise, Paris III, 1975. — J.-F. Remonté et S. Dupoux, *Les Années radio (1949-1989)*, Gallimard, 1989. — P. Schaeffer, *Machines à communiquer*, Seuil, 1970. — J. Tardieu, *Grandeurs et faiblesse de la radio. Essai sur l'évolution, le rôle créateur et la portée culturelle de l'art radiophonique dans la société contemporaine*, Unesco, 1969. — R. Veillé, *La Radio et les hommes*, Minuit, 1952.

« RADIOSCOPIE » : voir RADIO (la)

RASSEMBLEMENT DÉMOCRATIQUE RÉVOLUTIONNAIRE (RDR)

Le 27 février 1948 parut dans de nombreux journaux un appel du comité pour le Rassemblement démocratique révolutionnaire (RDR). Plusieurs militants venus de l'extrême gauche avaient été à l'origine de ce mouvement : Georges Altmann, ancien journaliste à *Monde**, le journal de H. Barbusse*, résistant, rédacteur en chef au journal *Franc-tireur* ; les anciens trotskistes David Rousset* — devenu collaborateur de ce journal —, Gérard Rosenthal et Jean Rous qui devait être le secrétaire général du nouveau mouvement. Daniel Benédite, Paul Fraisse de la revue *Esprit**, Jean Ferniot, Bernard Lefort, Charles Ronsac furent également à l'origine de cette initiative qui reçut bientôt un renfort précieux avec le ralliement de Jean-Paul Sartre*. Créé au lendemain du « coup de Prague », le RDR se donnait pour objectif de rassembler « dans l'action tous ceux qui ne pensent pas que la guerre et le totalitarisme sont inévitables ».

S'opposant tout à la fois au Parti communiste et au Rassemblement du peuple français, le RDR connut durant quelques mois un développement rapide dont le meeting tenu salle Pleyel le 13 décembre 1948 représenta le point culminant. À la tribune furent en effet présents ce soir-là, outre J.-P. Sartre, Albert Camus*, André Breton*, Jef Last, Carlo Levi, Theodor Plievier, Richard Wright, ainsi que des intellectuels venus d'Espagne, d'Inde, de Madagascar, du Maroc, du Vietnam. Tant dans les milieux intellectuels qu'à l'échelle internationale, le RDR connut d'abord une audience apparemment spectaculaire, surtout en raison de la présence de Sartre.

Pourtant, l'existence du RDR fut éphémère, en raison des fractures provoquées dans la société française par la Guerre froide*. La recherche d'appuis politiques et financiers aux États-Unis (D. Rousset s'y rendit personnellement au début 1949) fut une première cause de tensions entre une minorité qui était prête à accepter, sous certaines conditions, le Pacte atlantique et la majorité du RDR qui voulait travailler avec les communistes. Les conséquences du « schisme yougoslave » au sein du monde communiste aggravèrent ces contradictions qui ne purent être surmontées lors de la première conférence nationale du RDR (28-29 juin 1949). Le départ de J.-P. Sartre en octobre 1949 porta un coup de grâce à ce mouvement — qui ne semble pas voir dépassé les 2 000 adhérents à son apogée — et les efforts de J. Rous pour le relancer furent vains : le RDR, cette « démocratie intellolibertaire », selon l'expression d'Annie Cohen-Solal, entra rapidement en crise avant de disparaître dès la fin de l'année 1949.

Michel Dreyfus

■ A. Cohen-Solal, *Sartre (1905-1980)*, Gallimard, 1985. — Voir les biographies de G. Altmann, J. Rous et D. Rousset in *DBMOF*.

RAVEL (Maurice)

1875-1937

La conscience musicale de Maurice Ravel est inséparable de sa conscience sociale. Si son éveil à la politique ne survint guère avant la Première Guerre mondiale*, son intérêt pour celle-ci devint alors une force directrice de son œuvre pour le reste de sa vie.

Élève de Gabriel Fauré au Conservatoire, Ravel s'y fit bientôt connaître pour l'indépendance de son esprit. Il rejoignit alors un groupe de jeunes gens non conformistes surnommés les « Apaches ». L'irrespect de Ravel envers l'orthodoxie musicale lui valut, au scandale de tous, de se voir refuser à plusieurs reprises le prix de Rome et l'amena à s'opposer à la faction musicale conduite par Vincent d'Indy* et les musiciens de la Schola cantorum, de plus en plus dominante. Réagissant contre leur rôle prépondérant, il contribua à la fondation d'une société rivale : la Société musicale indépendante.

Écrivain clair et pénétrant, Ravel ne craignit pas d'exprimer son hostilité ouverte contre le conservatisme du « scholisme ». Il ne répugna pas non plus à faire front aux critiques les plus importants de son époque quand il les jugeait injustes envers ceux qu'il admirait. Parmi ces derniers se trouvait Claude Debussy. Dans la revue de gauche les *Cahiers d'aujourd'hui*, il répliqua ainsi au puissant critique du *Temps*, Pierre Lalo, qui s'en était pris aux *Images* de Debussy.

En butte aux excès de la propagande, durant la Première Guerre mondiale, il se montra sensible aux récriminations des soldats issus des milieux populaires. Bien que très patriote, il dénonça le chauvinisme et, en dépit des incessantes menaces de représailles dont il était l'objet, refusa d'adhérer à la Ligue nationale pour la défense de la musique française qui prétendait interdire l'interprétation d'œuvres allemandes ou autrichiennes contemporaines. Internationaliste de tempérament, Ravel défendit la musique de Schoenberg et le droit des compositeurs français d'écouter et d'étudier les œuvres de leur choix. Dans son *Tombeau de Couperin*, il n'en rend pas moins hommage à la musique française du XVIIIe siècle et aux camarades tombés au champ d'honneur.

Après la guerre, Ravel adhéra au Parti socialiste. Il refusa la Légion d'honneur en 1920. L'après-guerre vit par ailleurs une transformation sensible de son style musical. Dans son « Esquisse autobiographique » de 1928, il affirme que des œuvres telles que sa *Sonate pour violon et violoncelle* et *L'Enfant et les sortilèges* se caractérisent par un nouveau « dépouillement ». Il reconnaît également avoir subi l'influence du jazz. Dans le même temps, il prit la défense de jeunes musiciens qui le considéraient pourtant parfois comme un compositeur démodé. Ravel soutint également Jean Wiener contre les attaques antisémites dont il était la victime et orchestra en 1920 ses *Mélodies hébraïques* (1913) pour représentation. Sa défense des compositeurs juifs se poursuivit dans les années 30, durant lesquelles Ravel recueillit et aida financièrement des musiciens fuyant la persécution nazie.

Jane Fulcher

■ M. Marnat, *Maurice Ravel*, Fayard, 1986. — A. Orenstein, *Ravel, Man and Musician*, New York, Columbia University Press, 1975.

REBATET (Lucien)
1903-1972

Rarement un intellectuel, de son vivant comme après sa mort, a coalisé une haine aussi constante. Le nom de Lucien Rebatet est rituellement associé à une double faute que le temps ne peut absoudre : la trahison du patriote qui a mis son intelligence au service de l'ennemi ; la trahison du clerc qui a légitimé le crime contre l'humanité et prêché une philosophie ayant tenu l'intelligence en ennemie. C'est probablement une des raisons pour lesquelles la réflexion historienne a tant tardé à s'intéresser à son cas, reflétant le malaise de notre mémoire « collective » et son hésitation à choisir entre le désir d'oublier et le devoir de mémoire. En fait, tout semble avoir été organisé pour que Lucien Rebatet reste à jamais enseveli sous *Les Décombres*, le bréviaire du collaborationnisme le mieux écrit, le plus violent, le plus lu sous l'Occupation, livre symbole qui signe le déshonneur d'une certaine France.

L'histoire de Rebatet est peut-être l'histoire d'une énigme : celle d'un homme de culture qui finit par subordonner son talent et ses goûts à une sorte de folie culturicide. Car jusqu'à l'âge de vingt-cinq ans, ce fils de petite bourgeoisie provinciale avait choisi de tout sacrifier à sa passion des arts et à son vague rêve d'être écrivain. Ni les études ni la politique ne trouvent place dans sa morale dandyste. Lorsque le hasard le fait entrer à l'Action française*, en 1929, Rebatet voit d'abord le moyen de se tirer d'une déveine sociale qui l'a réduit à n'être qu'un modeste employé d'assurances.

Critique musical et de cinéma — sous le pseudonyme proustien de « François Vinneuil » —, il se constitue très vite une réputation d'indépendance et de non-conformisme qui dépasse largement l'audience du quotidien. Les prises de position esthétiques ou politiques de Maurras* ne suscitent chez lui qu'un rire indulgent ; cependant L. Rebatet, que son passage chez les Pères a rendu viscéralement anticlérical, apprécie son côté « vieux bohême mécréant ». Surtout, comme sa vision du monde résolument pessimiste lui a très tôt fait choisir le parti de Baudelaire opposant « à l'insanité démocratique le vieux bon sens de Joseph de Maistre », il se sent proche du chef de l'Action française qui offre alors à ses contemporains la critique la plus radicale de la démocratie.

Le 6 février 1934 et le Front populaire, sur fond de rejet de l'émigration et de peur de la guerre, marquent son entrée en polémique. D'emblée très critique devant « l'inaction française », Rebatet découvre en Maurras un « apologiste passionné de la continuité » impropre à l'action révolutionnaire. Accueilli à *Je suis partout**, dont il devient le principal collaborateur, c'est lui qui donne à l'hebdomadaire sa tonalité extrémiste. La politique de L. Rebatet se résume en un antijudaïsme de type raciste (il y consacre deux numéros spéciaux en 1938 et 1939) qui dissimule l'attraction que le nazisme et son « nouveau monde moral » exercent sur lui.

Le défaite de 1940 peut devenir dans cette perspective une occasion inespérée pour la France, sous l'égide allemande, de liquider son passé démocratique, s'affranchir de sa référence judéo-chrétienne, et s'ouvrir à des enjeux post-nationaux. C'est ce qui est exposé dans *Les Décombres* (Denoël, 1942), récit de l'itinéraire politique de Rebatet qui a les allures d'une épopée pamphlétaire exterminatrice. Mais dans ce premier livre, que Radio-Paris sacre « livre de l'année », tient toute l'aberration collaborationniste. L'auteur célèbre les valeurs martiales et guerrières du fascisme mais montre, sous le regard complice du vainqueur, une complaisance névrotique à scruter les signes de la « dégénérescence » nationale, érigeant la soumission en vertu. Il annonce la fin du règne de l'intellectuel au moment où il acquiert ce statut tant convoité dont il ne sortira pas : à l'image du « collaborateur » de Sartre*, il « parle au nom de la force mais il n'est pas la force ».

C'est pour ce livre, et au nom de la responsabilité de l'intellectuel, que Lucien Rebatet est condamné à mort à la Libération. Gracié, il met à profit ses années de prison pour tenter de devenir enfin un « véritable écrivain ». Avec *Les Deux Étendards*, il semble faire retour au temps de sa jeunesse, au temps d'avant le péché politique. Mais ce vaste roman autobiographique se présente comme le dévoilement intime des étapes fondatrices d'une pensée antihumaniste et antichrétienne hors de laquelle cet engagement fasciste ne pourrait se concevoir. Si ce livre abrège le séjour carcéral de Rebatet, son échec commercial l'oblige à renouer avec le journalisme polémique : en 1958, il entre à *Rivarol*, hebdomadaire des post-vichystes, qu'il transforme en organe de combat antigaulliste. *Une histoire de la musique* (Laffont, 1969) vient rappeler l'autre face du personnage. Pourtant, son passé compromis le hante : il meurt le 24 août 1972 en rédigeant ses *Mémoires d'un fasciste* qui paraîtront en 1976 avec une version expurgée des *Décombres*.

Robert Belot

■ *Les Décombres*, Denoël, 1942. — *Les Deux Étendards*, Gallimard, 1952, rééd. 1991. — *Mémoires d'un fasciste*, Pauvert, 1976, 2 vol.

▒ R. Belot, « Les lecteurs des *Décombres* : un témoignage inédit du sentiment fasciste sous l'Occupation », *Revue des guerres mondiales et des conflits contemporains*, n° 163, juillet 1991 ; *Lucien Rebatet, un itinéraire fasciste*, Seuil, 1994.

REBÉRIOUX (Madeleine)

Née en 1920

Historienne et militante, Madeleine Rebérioux réalise depuis près de quarante ans la synthèse entre ses objets d'étude, ses domaines d'activité et ses convictions, sous l'égide de Jaurès* à qui elle consacra sa thèse.

Née le 8 septembre 1920 à Chambéry, Madeleine Amoudruz fait sa khâgne* au lycée Blaise-Pascal de Clermont-Ferrand. Jeune sévrienne marquée par l'Occupation (son frère est pris dans une rafle en 1943, sa sœur et son beau-frère sont arrêtés pour résistance), agrégée d'histoire, elle adhère au Parti communiste et siège au conseil municipal de Mulhouse de 1948 à 1950. Mais c'est essentiellement le combat anticolonialiste qui sera déterminant pour elle : professeur de lycée, elle anime à partir de 1957 un Comité de défense des libertés contre la guerre en Algérie, puis devient secrétaire du Comité Maurice Audin aux côtés de Pierre Vidal-Naquet* et de Laurent Schwartz*. En 1960, elle fait partie des fondateurs de *Vérité-Liberté*, qui diffuse à propos de la guerre d'Algérie des articles et des documents que la presse refuse de publier ou qui ont été censurés. Mais, bien qu'elle ait publié en 1959 aux Éditions sociales des extraits de Jaurès *(Contre la guerre et la politique coloniale)*, ces activités la mettent en délicatesse avec le Parti, et cela d'autant plus qu'elle signe en 1961 le « Manifeste des 121 »*.

Assistante et finalement professeur à la Sorbonne, elle ajoute à ses responsabilités dans le mouvement universitaire contre la guerre du Vietnam* des fonctions de direction au SNESup. En Mai 68, elle est, avec J. Bruhat*, J.-P. Vernant*..., de ces intellectuels communistes qui s'efforcent de trouver un terrain d'entente entre leur attachement au PCF et leur engagement sans restriction dans le mouvement. De même, elle est de l'aventure de *Politique Aujourd'hui**, qui lui vaut, en février 1969, d'être exclue du Parti communiste, auquel elle ne reviendra pas, tout en se considérant comme une « ancienne communiste non repentie ». Elle est un des fondateurs en 1968 de l'université de Vincennes (Paris VIII), tout en multipliant les publications sur le socialisme français (elle anime la Société d'études jaurésiennes) et la IIIe République (*La République radicale ?*, 1975) et en dirigeant la revue *Le Mouvement social* de 1971 à 1982. Passionnée par l'histoire culturelle, elle devient vice-présidente de l'établissement public du Musée d'Orsay (1981-1987) et s'efforce d'y mettre en place des orientations associant l'histoire et les arts.

Convaincue, comme Jaurès, de la complémentarité du socialisme et des droits de l'homme, comme de l'union des intellectuels et du mouvement des travailleurs, elle multiplie les responsabilités au sein de la Ligue des droits de l'homme*, à laquelle elle adhéra dès la guerre d'Algérie, et dont elle est présidente de 1991 à 1995, renouant ainsi avec une ancienne tradition de direction universitaire de cette association.

Alain Monchablon

■ *Jaurès : Contre la guerre et la politique coloniale*, Éditions sociales, 1959. — *La Deuxième Internationale et l'Orient* (avec G. Haupt), Cujas, 1967. — « Le socialisme français de 1875 à 1914 », in *Histoire générale du socialisme*, t. 2, PUF, 1974. — *La République radicale ? (1898-1914)*, Seuil, 1975. — *Jaurès et la classe ouvrière*, Maspero, 1976. — *Les Ouvriers du Livre et leur fédération*, Temps actuels, 1981. — *Ils ont pensé les droits de l'homme (1789-1793)*, EDI-LDH, 1989. — *L'Extrême Droite en question*, EDI-LDH, 1991.

RÉFUGIÉS ALLEMANDS PENDANT L'ENTRE-DEUX-GUERRES

Après 1933, Paris devint la capitale de l'émigration antinazie. Le nombre des réfugiés en France n'excéda pas 30 000, mais on trouvait parmi eux les plus grands noms de la littérature allemande (H. Mann, K. Mann, B. Brecht, A. Seghers, C. Einstein, W. Benjamin, E. Toller, A. Döblin, E.M. Remarque, L. Feuchtwanger, J. Roth, H. Kesten, F. Hessel, W. Hasenclever, A. Kerr, M. Sperber, A. Koestler, R. Leonhard, E. Weiss, T. Plievier, S. Kracauer). L'opposition politique était représentée par des socialistes comme R. Hilferding, R. Breitscheid, Max Braun, H. Kuttner, des membres de la SAP comme P. Fröhlich, W. Fabian, J. Walcher, des communistes comme F. Dalhem, H. Wehner ou Willi Münzenberg. La France accueillit aussi des plasticiens comme Max Ernst et Hans Hartung, des acteurs comme Peter Lorre, Erich von Stroheim, des metteurs en scène comme Max Reinhardt et Erwin Piscator, des journalistes comme L. Schwarzschild, G. Bernhard.

Elle jouissait alors d'une solide réputation de pays d'asile. L'admiration que portaient nombre d'écrivains allemands à sa tradition de libéralisme, sa proximité d'avec le Reich, l'existence de formes d'opposition comme le mouvement Amsterdam-Pleyel*, constituaient autant de raisons de la choisir comme lieu d'exil. Les années 30 avaient été marquées par une intense politisation des intellectuels qui avaient à cœur de s'engager. Le nombre important de réfugiés politiques — 4 000 à 5 500 communistes, 3 000 à 3 500 sociaux-démocrates, 600 pacifistes et démocrates —, les liens particuliers que certaines organisations allemandes, ainsi la KPD ou la SoPaDe, entretenaient avec les partis français, expliquent l'exceptionnelle intensité que prit en France la mobilisation intellectuelle des émigrés contre le national-socialisme.

C'est en France que fut élaborée une large part des publications politiques — livres, tracts, journaux destinés à être introduits clandestinement dans le Reich, grâce à des éditions comme les Éditions du Carrefour. L'importance de Paris comme capitale de la propagande antifasciste était renforcée par la présence de Willi Münzenberg, dont le Konzern, tout au long des années 20-30 en Allemagne, donna aux publications communistes une qualité exceptionnelle. L'une des réalisations parisiennes les plus importantes de W. Münzenberg fut la rédaction et la publication du *Livre brun (Braunbuch über Reichstagbrand und Hitlerterror)*, recueil de documents, d'informations, d'analyses tiré à un nombre considérable d'exemplaires dans presque toutes les langues et qui établissait clairement la culpabilité des nazis dans l'incendie du Reichstag. Plusieurs journaux allemands purent reparaître à Paris. Face à l'anéantissement, le 10 mai 1933, de tous les livres qui symbolisaient l'esprit progressiste de la culture allemande, les exilés reconstituèrent à Paris la « Bibliothèque de la liberté » ou « Bibliothèque des livres brûlés » *(Freiheitsbibliothek)*, officiellement inaugurée le 10 mai 1934. Organisée sous l'égide de l'Association de défense des écrivains (SDS), avec la collaboration de Willi Münzenberg, comprenant dans son comité des personnalités aussi différentes que R. Rolland*, H. Mann, L. Feuchtwanger, H.G. Wells, L. Lévy-Bruhl*, elle avait pour but de recueillir tous les livres brûlés et interdits en Allemagne, de rassembler des ouvrages indispensables à l'étude du national-socialisme, mais aussi des articles et des documents. C'est aussi à Paris que fut créé l'INFA (Institut pour l'étude du fascisme), destiné à l'analyse et à la dénonciation du national-socialisme. Se proposant d'éditer en plusieurs langues un bulletin hebdomadaire qui fournirait à la presse des informations sur le IIIe Reich, il rassembla de 1933 au premier semestre 1935 un assez grand nombre d'émigrés allemands et fut soutenu par des personnalités françaises (Langevin*, les Joliot-Curie*, Malraux*, B. de Jouvenel*, Soupault*, Cogniot*, Wallon*, Prenant*).

Paris fut aussi le lieu des plus grandes mobilisations politiques et culturelles de l'époque contre le régime hitlérien, tel en 1935 le Congrès pour la défense de la culture*. La tentative de construire à Paris un « Front populaire allemand » *(Volksfront)* pour réconcilier les partis de la gauche allemande suscita souvent l'adhésion enthousiaste d'un grand nombre d'exilés, tel Heinrich Mann. Cet espoir d'une union politique des forces de l'exil était inséparable du succès du Front populaire français, de la participation de tant d'écrivains étrangers, de militants, à la guerre d'Espagne*. Si l'on ajoute les multiples actions du Comité mondial contre la guerre et le fascisme, les meetings organisés autour des comités pour obtenir la libération de Thälmann, de Dimitrov, des communistes et socialistes emprisonnés par les nazis, il ne fait aucun doute que, jusqu'à la guerre, la France représenta l'un des foyers les plus actifs de l'émigration antifasciste, tant sur le plan politique que culturel.

Après l'échec du Front populaire, la situation des réfugiés ne cessa de se dégrader. La crise économique, le climat d'antisémitisme et de xénophobie attisé par la presse de droite et d'extrême droite, la peur de Hitler, les désignaient comme des obstacles à l'entente franco-allemande. Nombre de mesures limitèrent leur liberté de déplacement, la possibilité d'obtenir un emploi ou une simple carte d'identité. Les mesures positives prises en faveur des émigrés politiques sous le Front populaire furent abrogées, toute activité politique leur était strictement interdite. L'assignation à résidence s'accompagnait de l'institution de « centres d'internement » destinés aux étrangers qui devaient être soumis « à des mesures de surveillance plus étroites ».

À la fin de l'année 1939, le droit d'asile ne fut plus reconnu. Le décret du 1er septembre (article 2) les déclarait officiellement « sujets ennemis » et, avant même l'ouverture des hostilités, un grand nombre d'entre eux seront arrêtés, suspectés d'être « des agents de la cinquième colonne ». Des listes de personnes furent établies par le gouvernement Daladier, sous la responsabilité d'une circulaire d'Albert Sarraut, ministre de l'Intérieur. Les citoyens du Reich surpris en France par le début de la guerre comme les antifascistes durent rejoindre des centres de rassemblement. Ils ne pouvaient quitter leur domicile sous peine d'être mis en état d'arrestation. Ils durent se rendre par milliers dans ces centres où des « commissions de criblage » les répartissaient en catégories. Ceux qui résidaient à Paris furent rassemblés au stade olympique de Colombes, avant d'être envoyés dans différents camps en province. À l'automne 1939, on leur proposa d'entrer dans la Légion étrangère ou de demeurer dans les camps et d'être traités comme « ennemis ». Les hommes devaient être rassemblés au camp du Vernet en Ariège, les femmes suspectes à la prison de la Roquette à Paris, les autres à Rieucros en Lozère. Ceux dont le départ était considéré comme possible devaient demeurer dans des centres, sous détention administrative.

Après la capitulation de la France, la seule possibilité de sauver leur vie était liée à l'obtention d'un visa américain, d'une garantie financière (affidavit) mais aussi à la possession d'un certificat de libération des camps d'internement français, de visas de transit espagnol et portugais. La parcimonie avec laquelle les visas étrangers étaient accordés, l'absence de possibilité matérielle de quitter la France contraignirent certains à passer clandestinement les Pyrénées (W. Benjamin, H. Mann). La convention d'armistice qui prévoyait la livraison de tous les Allemands internés en France au Reich poussa plusieurs éminents représentants de la culture de Weimar au suicide (W. Benjamin, C. Einstein, W. Hasenclever). Un certain nombre de militants communistes ou sociaux-démocrates (F. Dalhem, R. Hilferding, R. Breitscheid, E. Busch) furent livrés à la Gestapo par le gouvernement du maréchal Pétain.

Jean-Michel Palmier

■ G. Badia (dir.), *Les Barbelés de l'exil*, PUG, 1979. — A. Betz, *Exil et engagement. Les intellectuels allemands et la France (1930-1940)*, Gallimard, 1991. — J.-M. Palmier, *Weimar en exil. Le destin de l'émigration allemande en Europe et aux États-Unis*, Payot, 1988.

Réfugiés antifascistes italiens pendant l'entre-deux-guerres

Inaugurée par une première vague massive au tout début des années 20, l'émigration antifasciste italienne en France a connu une forte accélération au lendemain de la prise du pouvoir par Mussolini, puis au cours des années 1925-1926, qui sont celles de la mise en place de la dictature. Après cette date, l'effectif des réfugiés « politiques » — souvent difficiles à distinguer de la masse des migrants du travail — se stabilise autour de 30 000 ou 40 000 personnes, parmi lesquelles on dénombre moins de 10 000 militants actifs.

À la différence de ce qui s'est passé ou de ce qui se passera pour d'autres émigrations politiques (les Russes après la révolution de 1917, les Allemands et les Autrichiens après l'avènement du nazisme et l'Anschluss, les Espagnols en 1939), les « intellectuels » ne représentent qu'une très petite fraction de la population réfugiée en France pour des raisons directement liées à la victoire du fascisme. Celle-ci, en effet, est composée dans son immense majorité de travailleurs manuels et de militants syndicalistes et politiques, que l'on peut, à la rigueur, ranger, avec

Gramsci, dans la catégorie des « intellectuels organiques ». D'autre part, les dirigeants des grandes organisations politiques interdites par le régime — communistes, anarchistes, socialistes relevant des diverses mouvances de ce mouvement, républicains, libéraux, démocrates-chrétiens — appartenaient souvent, avant de prendre le chemin de l'exil, à des professions intellectuelles. Ils étaient journaliste, comme Luigi Campolonghi, le fondateur de la Ligue italienne des droits de l'homme, avocat comme Sandro Pertini, universitaires comme Nello Rosselli ou Silvio Trentin, historien de renommée internationale comme Gaetano Salvemini, etc. Certains seront d'ailleurs contraints à abandonner pour une durée plus ou moins brève leur activité initiale : Pertini sera pendant quelque temps ouvrier maçon à Cannes, Trentin manœuvre dans une imprimerie à Toulouse, Giorgio Amendola employé à la messagerie du journal *L'Humanité**. Mais, surtout, il s'agit pour la plupart de personnalités pour lesquelles la profession exercée en Italie constituait déjà une activité secondaire en regard de leur participation active à la vie et au militantisme politiques.

Cette élite de l'immigration politique n'en constitue pas moins un milieu producteur de culture, rassemblé autour d'un certain nombre de journaux, de revues, de mouvements, de lieux de convivialité (par exemple le salon de Mme Ménard-Dorian). Ses membres fréquentent les hommes politiques et les intellectuels français antifascistes. Ils écrivent dans des journaux français et publient souvent leurs livres à la Librairie Valois*. Leur production éditoriale et journalistique relève le plus souvent du *politique*. On trouve parmi eux peu de littérateurs, de philosophes, de savants et d'artistes, autrement dit de purs intellectuels, et surtout les grands noms qui illustrent durant le *ventennio* fasciste ces divers secteurs de la culture italienne sont à peu près absents du petit monde des exilés.

Plus curieusement encore, ce sont parfois des personnalités qui ont eu des sympathies pour le fascisme, comme le poète Ungaretti, ou qui appartiennent au mouvement mais qui sont tombés provisoirement en disgrâce, comme Curzio Malaparte, qui ont choisi de s'exiler (le second pour un temps très bref au début des années 30). La raison de cette abstention ? La relative tolérance du régime à l'égard de ceux qui, occupant une position de choix dans l'*establishment* intellectuel et artistique, acceptent sinon de participer à la glorification du fascisme, du moins de produire des œuvres qui — même quand elles ne lui sont pas favorables (c'est le cas par exemple d'un livre comme *Les Indifférents* de Moravia) — ne se livrent pas à une critique ouverte de la dictature : une tolérance largement tactique, et mûrement concoctée dans les hautes sphères du pouvoir, en ce sens qu'elle permet à ce dernier de fonder le consensus réel dont il a joui jusqu'à la fin des années 30 sur autre chose que la répression terroriste qui a caractérisé les régimes hitlérien et stalinien, ainsi que la dictature franquiste au lendemain de la guerre civile.

Pierre Milza

■ A. Garosci, *Storia dei Fuorusciti*, Laterza, 1953. — P. Milza, *Voyage en Ritalie*, Plon, 1993. — S. Tombaccini, *Storia dei Fuorusciti italiani in Francia*, Milan, Mursia, 1988.

RÉGIONALISTES (mouvements et écrivains)

Le terme *régionalisme* apparaît dans la langue française tout à la fin du XIXe siècle, simultanément dans les domaines politique et culturel. Il est créé et diffusé par de jeunes intellectuels d'origine provinciale qui veulent lutter contre le centralisme et l'hégémonie parisienne. De l'aveu même de ses promoteurs, le régionalisme n'a pas de définition précise mais veut rassembler, par-delà les divisions politiques, toutes les bonnes volontés désireuses de redécouvrir et valoriser ce qui seraient les forces vives de la nation française, à savoir le Peuple (paysan) et ses traditions, les particularités authentiques des « petites patries » et des provinces. Le plus actif des régionalistes est Jean Charles-Brun (1870-1946), agrégé de lettres, félibre, républicain catholique et exégète de Proudhon. À son initiative est créée en 1900 la Fédération régionaliste française qui entend rassembler les militants régionalistes des diverses provinces. Les adhérents de la Fédération régionaliste française, qui existe jusque dans les années 60, ne seront jamais que quelques centaines. Mais ce sont des notables politiques ou culturels de second rang (l'avocat Jules Mihura, le sculpteur Jean Baffier, le docteur Le Fur, par exemple) qui exercent une certaine influence sur la vie publique de la IIIe République. Durant de nombreuses années, le président de la Fédération régionaliste est Louis Marin, républicain de droite et membre de cabinets ministériels. Au comité d'honneur de la Fédération, on retrouve des membres éminents du personnel politique de la IIIe République (Joseph Paul-Boncour, Paul Deschanel, Paul Doumer, Justin Godart, etc.).

Grâce à l'infatigable activité de ses promoteurs, qui multiplient discours, conférences et publications, le terme *régionalisme* connaît vite une grande vogue. Il est utilisé pour désigner tout ce qui n'est pas Paris et le centralisme : les réunions d'originaires de telle ou telle province, les projets de développement des transports interprovinciaux, le tourisme, les fêtes folkloriques, les foires annuelles provinciales... Aucune mesure de décentralisation politique ou administrative ne sera jamais envisagée sérieusement, mais l'invocation au régionalisme, notion vague et consensuelle, sert d'identité nationale de secours dans les périodes de crise. Ainsi, la partie française de l'Exposition internationale* de 1937 est placée sous le signe du régionalisme « pour symboliser l'union de tous les Français », comme l'indique explicitement Edmond Labbé, commissaire général de l'Exposition.

C'est surtout dans le domaine culturel que se manifeste le régionalisme. Dans la décennie 1890-1900, de multiples revues, organes de nouvelles associations culturelles, ont été créées dans les villes de province, souvent à l'initiative de jeunes étudiants : *L'Âme latine*, *Gallia* et *La Revue provinciale* à Toulouse, *Le Beffroi* à Lille, *Le Jardin de la France* à Blois, *L'Ardèche littéraire* à Aubenas, etc. Elles publient des études littéraires, historiques, géographiques, ethnographiques. Très vite apparaissent des volontés de fédéralisation transrégionale. L'un des animateurs actifs de ce fédéralisme culturel provincial est Alphonse-Marius Gossez, cofondateur du *Beffroi*, historien et professeur dans l'enseignement primaire supérieur. Revues régionales et congrès d'intellectuels provinciaux avancent le projet d'une union transrégionale pour lutter contre l'hégémonie parisienne dans le champ culturel. La Société des gens de lettres de province est fondée en 1919, sous l'égide de l'avocat bordelais Vital-Mareille. Son premier président est Ernest Pérochon, instituteur vendéen et prix Goncourt 1920, les vice-présidents étant Joseph de Pesquidoux (Gascogne), Philéas Lebesgue (Picardie), Jacques Toutain (Normandie), etc. Alphonse-Marius Gossez dirige l'organe de la Société, *La Renaissance provinciale*. En 1924 est constituée une Académie des dix de province, qui décerne un prix annuel : y siègent notamment Anatole Le Braz (Bretagne), Émile Guillaumin (Bourbonnais), Achille Millien (Nivernais), Théophile Féret (Normandie), etc. Sous le coup de cette offensive provinciale, la Société des gens de lettres installée à Paris crée en son sein, en 1932, un Centre régionaliste sous la direction de Charles-Brun. Dans l'entre-deux-guerres se poursuit le mouvement de fondation d'associations et revues régionales qui rassemblent écrivains locaux, érudits et universitaires : *L'Essor* (Bourgogne), *L'Auvergne littéraire*, *La Grive* (Ardennes), par exemple. Se multiplient les œuvres littéraires, notamment les romans dits « régionalistes ». Ils rencontrent le succès auprès du public et auprès des jurys de prix littéraires : *Nêne*, de Pérochon (Goncourt 1920), *Raboliot*, de Maurice Genevoix (Goncourt 1925), *Le Serviteur*, d'Henri Bachelin (Femina 1918), *Grand-Louis l'Innocent*, de Marie Le Franc (Femina 1927), *Mervale*, de Jean Rogissart (Renaudot 1937), etc. Les éditeurs parisiens lancent des collections régionalistes : même la NRF ouvre une collection des « Livres du Pays » où « Paris », il est vrai, est plus représenté que le Périgord !

Parmi les écrivains régionalistes, on trouve assez peu de paysans. Deux « travailleurs de la terre », seulement, obtiennent quelque notoriété. Émile Guillaumin (1873-1951), fils de métayer bourbonnais, publie avant la Première Guerre mondiale* des romans consacrés à la vie rurale tout en militant comme syndicaliste paysan. Après 1918, il rédige surtout des articles sur la vie rurale et sert de mentor aux jeunes écrivains régionalistes. Philéas Lebesgue (1869-1958), agriculteur picard, est un étonnant autodidacte qui tient les rubriques de littératures portugaise, grecque, brésilienne et serbo-croate au *Mercure de France**. Tout en cultivant la petite propriété familiale, il rédige quantité d'essais et d'innombrables poésies sur la vie rurale. Soutenu par les associations littéraires régionalistes et quelques intellectuels parisiens, il a un grand succès auprès des instituteurs, par l'intermédiaire notamment de la revue professionnelle *Les Primaires*. Quelques gentilshommes ruraux figurent aussi parmi les écrivains régionalistes, comme Joseph de Pesquidoux (1869-1946), grand propriétaire terrien du Gers, auteur du *Livre de raison* (Plon, 1925-1932), qui entre à l'Académie française* en 1936, ou Alphonse de Châteaubriant* (1877-1951), auteur de *La Brière* (1923), qui glisse, dans les années 30, vers l'apologie du national-socialisme et dirige sous l'Occupation le journal collaborateur *La Gerbe**. Mais la majeure partie des écrivains et intellectuels régionalistes appartiennent aux classes moyennes. Nombre d'entre eux travaillent dans la presse, comme le Nivernais Henri Bachelin, ou sont membres du corps enseignant, comme l'instituteur ardennais Rogissart ou le géographe auvergnat Lucien Gachon. Les enseignants, et tout particulièrement les instituteurs, montrent un vif intérêt pour le régionalisme culturel et participent activement aux études d'histoire locale et aux collectes ethnographiques. Les manuels de lecture de la

IIIe République font la part belle aux extraits de prose régionaliste qui donnent une vision sereine des campagnes françaises.

Les régionalistes jouent un grand rôle dans la constitution de l'ethnographie, par leurs publications et la fondations de nombreux musées de terroir. Jean Charles-Brun participe activement à la création du Musée des arts et traditions populaires, inauguré à Paris en 1937. Les responsables d'associations régionalistes sont aussi souvent à l'origine de syndicats d'initiative et se préoccupent du développement touristique.

Après la défaite de 1940, le gouvernement pétainiste reprend le terme de *régionalisme*, version aimable et consensuelle de l'identité nationale sous la IIIe République, pour en faire un maître mot de la Révolution nationale. Il développe les aspects les plus spectaculaires du régionalisme culturel (fêtes folkloriques, renaissance des vieilles coutumes) tout en les encadrant dans un discours franchement réactionnaire. Nombre de militants régionalistes sont séduits par une propagande qui les met sur le devant de la scène culturelle, mais peu d'entre eux s'engagent dans la voie de la collaboration et de la soumission au national-socialisme. À la Libération, le régionalisme est fortement stigmatisé par cette association avec le régime pétainiste. Le mouvement entre en déclin : c'est d'ailleurs le moment où s'efface la génération qui l'a créé et porté, celle qui est née aux alentours de 1870. Le terme de *régionalisme* ressurgit seulement dans l'après-Mai 68, associé à un anti-étatisme d'extrême gauche.

Anne-Marie Thiesse

■ J. Charles-Brun, *Le Régionalisme*, Bloud, 1911. — C. Faure, *Le Projet culturel de Vichy. Folklore et Révolution nationale (1940-1944)*, Presses universitaires de Lyon, 1989. — « Régionalismes », *Ethnologie française*, 3, 1988. — C. Gras et G. Livet, *Régions et régionalisme en France du XVIIIe siècle à nos jours*, PUF, 1977. — E. Labbé, *Le Régionalisme et l'Exposition internationale de Paris (1937)*, Imprimerie nationale, 1936. — A.-M. Thiesse, *Écrire la France. Le mouvement littéraire régionaliste de langue française de la Belle Époque à la Libération*, PUF, 1991.

RÉMOND (René)

Né en 1918

René Rémond est né en 1918 à Lons-le-Saunier où son père était directeur d'une entreprise de construction mécanique. Au cours de brillantes études à Paris, il est reçu à l'École normale supérieure* (1942) puis à l'agrégation d'histoire (1945). Après un passage à la Sorbonne, au Centre national de la recherche scientifique* et à la faculté de Clermont-Ferrand, il est nommé en 1956 directeur d'études et de recherches à la Fondation nationale de sciences politiques. Docteur ès lettres en 1959, il devient professeur à l'Institut d'études politiques* de Paris en 1960. C'est dans le cadre de cette institution et de l'université de Nanterre, dont il est président de 1971 à 1976, qu'il exercera l'essentiel de son activité d'enseignant et de chercheur. Parallèlement, il participe à la gestion et au fonctionnement de nombreux organismes officiels : Conférence des présidents d'université, Comité national de la recherche scientifique, Comité consultatif des universités, Comité des programmes de la télévision, Conseil d'administration de l'ORTF, puis de Radio-France et d'Antenne 2, Conseil supérieur de la magistrature, etc. Ses multiples responsabilités le conduisent à entretenir des rapports étroits avec le monde politique, sans pour autant troquer son statut d'expert pour celui d'acteur à part entière.

À l'image de sa carrière professionnelle, ses centres d'intérêt sont fort diversifiés, de l'Amérique anglo-saxonne à l'histoire religieuse en passant par celle des droites françaises. Il s'attache à développer l'histoire contemporaine, longtemps négligée par ses pairs, et dont il s'impose comme l'un des maîtres en suscitant de multiples travaux et en incitant sans cesse à défricher de nouveaux territoires d'études. Son œuvre met l'accent sur le politique considéré comme l'activité suprême de l'homme en société, et aboutit à la direction d'une sorte de livre-manifeste, *Pour une histoire politique* (1988). Constamment réédité depuis 1954, *La Droite en France de 1815 à nos jours* est considéré comme un classique du genre.

Le rôle d'expert qu'il a tenu au moment de l'affaire Touvier* est à la rencontre entre son œuvre d'historien et son engagement catholique. Responsable universitaire de la Jeunesse étudiante chrétienne* (JEC) dont il est devenu ensuite le secrétaire général (1946-1947), il est vice-président général de l'Association catholique de la jeunesse française (ACJF) de 1946 à 1949. Engagé dans la Paroisse universitaire*, il sera élu président du Centre catholique des intellectuels français* (CCIF) en 1965. Peu porté à apposer sa signature au bas de manifestes, il écrit en revanche régulièrement dans la grande presse (*Le Monde**, *La Croix*, *Le Point**, etc.) et commente les soirées électorales à la radio et à la télévision. Il a, de la sorte, contribué à vulgariser la science politique auprès du grand public et à estomper les frontières entre histoire contemporaine et journalisme.

Rémy Rieffel

■ *La Droite en France de 1815 à nos jours*, Aubier, 1954, rééd. augmentée sous le titre *Les Droites en France*, 1982. — *Les États-Unis devant l'opinion française (1815-1852)*, Armand Colin, 1962, 2 vol. — *La Vie politique en France*, t. 1 : *1789-1848*, et t. 2 : *1848-1879*, Armand Colin, 1965 et 1969. — *Introduction à l'histoire de notre temps*, Seuil, 1974, 3 vol. — *L'Anticléricalisme en France de 1815 à nos jours*, Fayard, 1976, rééd. Bruxelles, Complexe, 1985. — *La Règle et le consentement. Gouverner une société*, Fayard, 1979. — *Notre siècle (1918-1988)* (avec J.-F. Sirinelli), Fayard, 1988. — *Paul Touvier et l'Église* (dir. R. Rémond), Fayard, 1992. — *Histoire de la France religieuse*, t. 4 : *XXe siècle*, Seuil, 1992. — *La politique n'est plus ce qu'elle était*, Calmann-Lévy, 1993.

RENARD (Jules)

1864-1910

Jules Renard est né à Châlon-sur-Maine, en Mayenne, dans une famille où les attaches à la terre paysanne — celle, radicale et dure à la peine, de la Nièvre — étaient récentes et fortes. Après une enfance dont il reprend plus d'un épisode dans *Poil de Carotte*, le jeune Renard monte à Paris finir ses études. Il est refusé à l'École normale supérieure* et se lance simultanément dans la recherche d'un emploi et d'un éditeur pour ses premiers essais littéraires, des poésies, des nouvelles qui tendent au naturalisme, et un roman qui demeurera inédit.

Ces recherches et ces écrits ouvrent à Renard une société intellectuelle, littéraire et artistique que l'on retrouvera dans les mille et quelques pages de son *Journal* : Marcel Schwob et Tristan Bernard qui compteront parmi les meilleurs amis de Renard, Léon Blum*, Jean Moréas, Léon Daudet*, Edmond Rostand, Lucien Guitry, Sarah Bernhardt, Alphonse Allais, etc. Jules Renard publie en 1890 un recueil de nouvelles, *Sourires pincés*, suivi de nombre d'autres : *Coquecigrues*, *Le Vigneron dans sa vigne*... La marque de Renard est d'emblée dans *Sourires pincés* : une écriture incisive, de plus en plus concise et poétique ; une inspiration qui n'est ni symboliste, comme nombre des fréquentations de Renard le seront, ni naturaliste, ni simplement humoristique. Son théâtre, qui assurera sa célébrité de son vivant *(Le Plaisir de rompre*, *Le Pain de ménage*, *La Bigote)* est tout aussi inclassable.

Parallèlement à son existence parisienne, où il compte parmi les écrivains socialement actifs et reconnus, de l'académie Goncourt aux revues littéraires (il est l'un des membres fondateurs du *Mercure de France**), Renard garde avec la terre de son enfance, Chitry, une relation étroite. Il y passe, en famille, une partie de l'année. Les paysans de la Nièvre lui sont une source d'inspiration privilégiée *(Les Bucoliques*, *Ragotte)* : au filtre du style et de l'acuité de Renard, leur description prend force d'un constat qui dépasse le régionalisme.

Chitry (dont il est conseiller municipal puis maire, jusqu'à sa mort) comme Paris, où il fréquente et admire Jean Jaurès*, le poussent à adopter des prises de position fortement teintées de socialisme. Proche de Blum*, il est dreyfusard, antimilitariste et anticlérical. Tant dans la Nièvre, qu'il parcourt pour des conférences et des lectures, et à laquelle il réserve, dans *L'Écho de Clamecy*, un certain nombre de ses écrits, qu'à Paris, où il est associé aux débuts hésitants de *L'Humanité**, Jules Renard se révèle une voix particulière et prenante au service des idéaux républicains et laïques.

Il meurt prématurément le 22 mai 1910 d'une artériosclérose.

Anne-Sylvie Homassel

■ *Sourires pincés*, Lemerre, 1890. — *Coquecigrues*, Ollendorf, 1893. — *Le Vigneron dans sa vigne*, Mercure de France, 1894. — *Histoires naturelles*, Flammarion, 1896. — *Poil de Carotte*, Flammarion, 1894 et 1902. — *Mots d'écrit*, Nevers, Cahiers nivernais, 1908. — *Causeries*, Nevers, Cahiers nivernais et du Centre, 1910. — *Journal*, Bernouard, 1925 à 1927, rééd. Gallimard, « Pléiade », 1965.
■ G. Perros, « Jules Renard », in *Papiers collés*, Gallimard, 1960. — M. Toesca, *Jules Renard*, Albin Michel, 1976.

RENOIR (Jean)

1894-1979

Issu d'une famille d'artistes, second fils du peintre Auguste Renoir, frère de l'acteur Pierre Renoir, Jean est né à Paris en 1894. S'il découvre dès l'âge de deux ans les charmes ensorcelants du septième art, il attendra cependant la Seconde Guerre mondiale et le repos forcé dû à une blessure à la jambe pour se forger une solide culture cinématographique. Dans ses *Mémoires*, Jean Renoir rapporte les journées passées dans l'obscurité à avaler à dose massive tous les films projetés dans les salles parisiennes. Mais bien avant ces découvertes, et après s'être essayé à la céramique, il se lance dans l'aventure de la réalisation. N'ayant aucune introduction dans les studios, il finance lui-même son premier film, en vendant les toiles de son père, mort en 1919. Par la suite, Renoir mobilisera par trois fois les fonds de généreux donateurs.

Après quelques tâtonnements, Renoir impose sa marque artistique. Réprouvant de manière débonnaire les démarches esthétiques intellectualistes de certains de ses confrères, le réalisateur tourne des films qui, sous la superficialité du bonheur apparent, expriment le tragique de l'existence. En 1931, son premier succès, *La Chienne*, lui permet d'être considéré comme un véritable auteur. Dès lors se succèdent les réussites, publiques ou d'estime. Agrégeant autour de lui les célébrités du cinéma français (Pierre Prévert, Jacques Becker, Claude Autant-Lara), Renoir signe coup sur coup *La Nuit du carrefour* (1931), *Boudu sauvé des eaux* (1932), *Madame Bovary* (1934), *Toni* (1935), *Le Crime de Monsieur Lange* (1936), *Une partie de campagne* (1936), *La Grande Illusion* (1937), *La Marseillaise* (1937), un des films les plus représentatifs du Front populaire, conçu pour être un film « pour le peuple et par le peuple » et financé par une souscription nationale animée par la CGT, puis *La Bête humaine* (1938) et *La Règle du jeu* (1939). Dans tous ces films, à la différence de Marcel Carné, indissociablement lié dans ses chefs-d'œuvre à Jacques Prévert*, Renoir porte seul son génie.

En 1940, la guerre le surprend en Italie, d'où il part pour les États-Unis*. D'abord hébergé à New York par Robert Flaherty, il s'installe à Hollywood, où naissent *Swamp Water* (1941), *This Land is Mine* (1943), et *Salute to France* (1944). Au vrai, cette période paraît bien pâle par contraste avec la décennie française qui vient de s'achever. Renoir déplore le taylorisme du mode de production hollywoodien, tout comme la dureté des relations de travail régnant dans l'économie des studios. Revenu en France à la Libération, il signe encore sept films. Mais hormis *Le Carrosse d'or* (1953), aucun n'arrive à la hauteur des réalisations d'avant guerre. De plus en plus attiré par l'Inde, il est parti y tourner *Le Fleuve* en 1951.

Si Renoir n'a jamais affiché des convictions aussi fortes que celles de ses contemporains cinéastes, il peut cependant être situé, au moins jusqu'en 1940, dans la mouvance des partis de gauche. Lié au mouvement Octobre*, il se rapprochera des communistes, tout en demeurant fondamentalement un humaniste. L'humaniste et le grand réalisateur, c'est sans doute ce qu'a voulu récompenser le jury du Festival de Bruxelles de 1958 en consacrant *La Grande Illusion*, cinquième meilleur film de l'histoire du cinéma.

François Garçon

■ *Ma vie et mes films*, Flammarion, 1974.
▒ C. Gauteur, *Renoir, la double méprise (1925-1939)*, Éditeurs français réunis, 1980. — D. Serceau, *Jean Renoir, l'insurgé*, Le Sycomore, 1981 ; *Jean Renoir, la sagesse du plaisir*, Cerf, 1985.

RÉSEAUX DU PROTESTANTISME BARTHIEN : LA REVUE *HIC ET NUNC*

La réflexion théologique de Karl Barth représente assurément l'un des piliers majeurs du protestantisme européen du XXe siècle et à ce titre elle se trouve notamment à l'origine de courants particulièrement actifs et féconds chez les protestants français. Parce qu'il s'agit d'une théologie dialectique fondée sur l'absolue altérité de Dieu, et parce qu'à cet égard elle s'écarte radicalement de tous les héritages du protestantisme libéral et de l'orthodoxie piétiste, elle ne pouvait en effet que séduire les jeunes intellectuels protestants de l'entre-deux-guerres, majoritairement soucieux d'un virage doctrinal radical.

Dans les années 30, étudiants et jeunes pasteurs se font ainsi les propagateurs d'un barthisme militant qu'incarnent en particulier la revue *Foi et vie*, animée par Pierre Maury, et la Fédération nationale des étudiants protestants*, autour notamment de Suzanne de Dietrich. Mais l'un des réseaux les plus représentatifs de la nébuleuse barthienne est sans doute celui de l'éphémère revue *Hic et Nunc*, publiée de novembre 1932 à janvier 1936.

Fondée par R. Jézéquel, H. Corbin*, R. de Pury et D. de Rougemont*, qui constituaient la véritable cheville ouvrière intellectuelle et éditoriale de l'entreprise, la revue se proposait, face à ce qu'elle estimait être l'affadissement du protestantisme français dans un monde embourgeoisé et matérialiste, de proposer « ici et maintenant » un message engageant la totalité de l'existence, en portant « un témoignage protestant sur des problèmes actuels ». Contre les tendances de réduction du protestantisme à une simple morale humaniste et sociale, *Hic et Nunc* voit en effet dans le barthisme une tentative de désanthropomorphisation de l'expérience religieuse qui permet, via les influences conjointes de Kierkegaard, Nietzsche et Dostoïevski, un retour à l'intégralisme radical des réformateurs. Aussi la revue s'oriente-t-elle vers l'analyse de questions internes au protestantisme, mais elle consacre par ailleurs une large place à la dénonciation philosophique, éthique et politique de la civilisation « bourgeoise », matérialiste et productiviste. Par là même, *Hic et Nunc* s'affirme comme une revue de combat à la recherche d'un dépassement, dans la mouvance d'une jeunesse intellectuelle en quête de révolution spirituelle.

Après la Seconde Guerre mondiale, ce barthisme militant deviendra pour plusieurs décennies un barthisme triomphant : avec P. Maury à la Faculté de théologie de Paris, avec R. de Pury à Lyon, ou encore avec G. Casalis et A. Dumas à la « Fédé », des générations de protestants français soucieux d'articuler leur foi et leur engagement social et politique apprendront à déchiffrer l'existence à travers les lignes de la monumentale *Dogmatique* de Karl Barth. Les jeunes contestataires des années 30 auront ainsi joué un rôle décisif dans la définition d'une culture théologique et d'une vision du monde profondément renouvelées.

Pascal Balmand

■ B. Reymond, *Théologien ou prophète ? Les francophones et Karl Barth avant 1945*, Lausanne, L'Âge d'Homme, 1985.

RESNAIS (Alain)

Né en 1922

Alain Resnais est un cinéaste conscient des limites de l'art engagé, qui puise aux sources de l'histoire en privilégiant une réflexion sur le temps et l'imaginaire. *Nuit et brouillard*, surtout, qui le fit connaître, demeure une œuvre majeure de la mémoire nationale, la première à servir — jusque dans les établissements d'enseignement — d'illustration et de garde-fou sur le génocide.

Il est né à Vannes en 1922, d'un père pharmacien. Tandis que ses études souffrent de sa santé fragile, il se passionne pour Proust* et le surréalisme, croit vouloir devenir comédien, entre au cours Simon (en 1941) et le quitte en 1943 pour un court passage à l'IDHEC. Il réalise des films semi-professionnels à partir de 1946 et connaît ses premiers succès avec des courts-métrages, *Van Gogh* en 1948, *Guernica* en 1950, l'année de *Les statues meurent aussi* (en collaboration avec Chris Marker) sur le thème de la destruction de l'art africain par la colonisation. Le film obtient le prix Jean-Vigo mais la commission de censure refuse de lui donner son visa d'exploitation.

Avec le poète et romancier Jean Cayrol* (ancien déporté), il réalise *Nuit et brouillard* (1955), juxtaposant des documents d'époque et des images des camps au moment du tournage. Il répond alors à une commande du Comité d'histoire de la déportation de la Seconde Guerre mondiale, comme il acceptera celles du ministère des Affaires étrangères pour un film sur la Bibliothèque nationale (*Toute la mémoire du monde*, 1956), de l'Institut national d'hygiène et de sécurité (*Mystère de l'atelier quinze*, 1957), ou des usines Pechiney (*Le Chant du styrène*, 1958).

Ses longs métrages suivront, peu nombreux, compte tenu des contraintes du système de production. De façon générale, ses films, bâtis autour de textes d'écrivains : Marguerite Duras*, Alain Robbe-Grillet*, Jean Cayrol, Jorge Semprun*, David Mercer, Jacques Sternberg, Henry Bernstein, Alan Ayckbourn, sans forcément renvoyer directement aux événements, font écho aux enjeux d'une époque, qu'il s'agisse de *Hiroshima mon amour* (1959) sur la guerre atomique, de *Muriel ou le Temps d'un retour* (1963) sur fond de guerre d'Algérie, *La guerre est finie* (1966) sur la lassitude des militants communistes espagnols, *Loin du Vietnam* (collectif 1967) ou *Stavisky* (1974).

On le retrouve, aux côtés des intellectuels engagés qui adhèrent à l'automne 1960, au « Manifeste des 121 »* ; en 1972, contre la politique américaine au Vietnam*, signant une lettre au président des États-Unis, qui dénonce les « méthodes hitlériennes » de son pays contre le peuple vietnamien et lui demandent de signer l'accord de paix déjà proposé.

Laurence Bertrand Dorléac

■ Filmographie : *Van Gogh*, 1948. — *Gauguin*, 1950. — *Guernica*, 1950. — *Les statues meurent aussi*, 1950. — *Nuit et brouillard*, coréal. J. Cayrol, 1955. — *Toute la mémoire du monde*, 1956. — *Mystère de l'atelier quinze*, 1957. — *Le Chant du styrène*, 1958. — *Hiroshima mon amour*, 1959. — *L'Année dernière à Marienbad*, 1961. — *Muriel ou le Temps d'un retour*, 1963. — *La guerre est finie*, 1966. — *Loin du Vietnam* (collectif), 1967. — *Je t'aime, je t'aime*, 1969. — *Stavisky*, 1974.

— *Providence*, 1977. — *Mon oncle d'Amérique*, 1980. — *La vie est un roman*, 1983. — *L'Amour à mort*, 1984. — *Mélo*, 1986. — *I want to go home*, 1988. — *Smoking no smoking*, 1993.
▩ R. Benayoun, *Alain Resnais, arpenteur de l'imaginaire*, Stock, 1980. — M. Oms, *Alain Resnais*, Rivages, 1988. — J.-D. Robb, *Alain Resnais, qui êtes-vous ?*, Lyon, La Manufacture, 1986. — F. Thomas, *L'Atelier d'Alain Resnais*, Flammarion, 1989. — Numéros de revues : *Cahiers du cinéma*, n° 97, 1959 ; *Image et son*, n° 128, 1960 ; *L'Arc*, n° 31, 1967 ; *Cinéma 80*, n° 259-260, 1980 ; *La Revue du cinéma*, n° 397, 1984 ; *Études cinématographiques*, n°s 40-42, 64-68, 100-103.

RESTANY (Pierre)

Né en 1930

Fondateur et théoricien du Nouveau Réalisme depuis les années 60, Pierre Restany mène à l'échelle internationale une réflexion doublée d'un puissant activisme sur la nature moderne, l'objet industriel, le devenir de l'art contemporain. Son goût de la polémique en fait le critique le plus facilement associable au projet insurrectionnel de l'art moderne.

Né en 1930, il a passé son enfance au Maroc. Après des études universitaires en France, en Italie et en Irlande, en lettres puis en histoire de l'art, il débute sa carrière de critique au début des années 50. Proche de la revue *Cimaise*, il fréquente la galerie Facchetti, rencontre et défend des artistes abstraits (lyriques). Il interprète les virtualités et les limites de la peinture abstraite aussi bien française qu'américaine, après sa rencontre déterminante, en 1955, avec Yves Klein, qui l'amène à reconsidérer ses valeurs. Se réclamant d'un « humanisme critique », il publie le *Manifeste du Nouveau Réalisme*, à Milan, le 16 avril 1960, avant de fonder le groupe chez Yves Klein, avec Arman, Dufrêne, Hains, Villeglé, Raysse, Spoerri et Tinguely, auxquels viendront s'ajouter César, Rotella, Christo, Deschamps et Niki de Saint Phalle. Il annonce que « les nouveaux réalistes ont pris conscience de leur singularité collective. Nouveau Réalisme = nouvelles approches perceptives du réel ». Il s'agit alors pour eux d'utiliser l'art comme une lecture critique et organiciste de la réalité « urbaine et sociale ».

Considéré comme un trublion sur la scène française qui, lorsqu'il essaye d'imposer le Nouveau Réalisme, découvre à peine l'abstraction, Restany tente d'exporter ses convictions aux États-Unis ; en Italie, il gagne vite en popularité, constituant de solides réseaux, en particulier autour des revues *Domus* (revue d'art et d'architecture à laquelle il collabore depuis 1963) et *Ars*. On le retrouve aux quatre coins du monde, à chaque tournant et à chaque insurrection : en France, en Mai 68, selon lui le « symptôme annonciateur du changement radical de société », même s'il entre alors en conflit avec l'orthodoxie gauchiste. À l'été 1978 (lors de la flambée écologiste), il remonte en bateau le rio Negro qui lui inspire un manifeste sur le « naturalisme intégral » et le rapport nature / culture. Politiquement plutôt proche du gaullisme, il déplore son avarice en matière de « promotion culturelle » tout en critiquant la politique socialiste qui débouche, selon lui, sur un appauvrissement de la vie culturelle.

Laurence Bertrand Dorléac

■ *Le Livre rouge de la révolution picturale*, Milan, Apollinaire, 1968. — *Les Nouveaux Réalistes*, Planète, 1968. — *Livre blanc, objet blanc*, Milan, Apollinaire, 1969. — *Le Nouveau Réalisme*, UGE, 1978. — *L'Autre Face de l'art*, Galilée, 1979. — *Une vie dans l'art* (entretiens avec J.-F. Bory), Neuchâtel, Ides et Calendes, 1983. — *60/90. Trente ans de Nouveau Réalisme*, La Différence, 1990.
■ *Pierre Restany, le cœur et la raison* (catalogue), Morlaix, 1991.

REVEL (Jean-François)

Né en 1924

Auteur d'une trentaine d'ouvrages ayant eu en France et à l'étranger un important retentissement, historien des idées, philosophe, journaliste, directeur de collection chez divers éditeurs, éditorialiste littéraire (1966-1971) puis éditorialiste politique (1971-1979) à *L'Express**, directeur de *L'Express* (1979-1981), éditorialiste au *Point** depuis 1982, Jean-François Revel est réputé pour son talent de polémiste, connu pour son érudition sans faille, honni parfois pour l'humour de ses propos et la force de ses convictions obsessionnelles. Autant par goût que par nécessité, il appartient à la catégorie, selon lui singulièrement dépeuplée, des intellectuels critiques qui s'obstinent à penser que l'erreur n'a ni patrie ni parti de prédilection et qui refusent de confondre les limites de l'objectivité historique avec le droit à la « déformation volontaire et délibérée des faits ».

Né à Marseille en 1924, normalien et agrégé de philosophie, Revel a enseigné la philosophie à Tlemcen, aux Instituts français de Mexico et de Florence, puis à Lille et à Paris. Il quitte l'enseignement en 1963 mais garde de cette expérience un attachement particulier aux questions relatives à l'éducation — fustigeant au passage les incohérences des multiples réformes scolaires et la « trahison des profs ». En 1957, Revel pénètre avec fracas dans l'univers intellectuel de l'après-guerre avec *Pourquoi des philosophes ?*, pamphlet dans lequel il dénonce les impasses de la philosophie universitaire traditionnelle et les insuffisances des nouveaux maîtres à penser (dont Sartre*, Merleau-Ponty*, Lacan*, Lévi-Strauss*). Revel répond à ses détracteurs dans *La Cabale des dévots* (1962) : confondant dévotion et réflexion, la « plupart des intellectuels qui se rangent à gauche politiquement sont, aujourd'hui, en France, intellectuellement réactionnaires » — phénomène favorable, selon lui, à la diffusion d'une pensée totalitaire.

Jean-François Revel n'a jamais rompu avec la philosophie, la littérature ou la poésie, comme en témoignent ses écrits : *Sur Proust, remarques sur « À la recherche du temps perdu »* (1960), *Baudelaire polémiste* (1968), *Descartes inutile et incertain* (1976), ou les nombreux articles et livres sur la philosophie occidentale (*Penseurs grecs et latins*, 1968 ; *La Philosophie classique*, 1969 ; *Histoire de la philosophie occidentale, de Thalès à Kant*, 1994). Cette fidélité à l'art de « déceler les faux » donne une coloration originale à l'œuvre de Revel, qui introduit, au détour d'une analyse des médias, des mœurs politiques ou des constellations diplomatiques, une interrogation philosophique sur la vérité, la nature humaine, ou la liberté. Dans les références innombrables qui étayent les thèses de l'auteur, Socrate et Démosthène cohabitent avec Lénine, Tocqueville ou Machiavel. Ceci confère une unité à des travaux portant sur des sujets aussi divers que les phénomènes de société (révolution sexuelle, drogue, racisme, accidents de la route...), l'évolution des sciences et des techniques, les communications, la politique française et internationale.

À travers tous ces sujets, Revel poursuit une inlassable réflexion sur la démocratie, le moins imparfait des régimes politiques et promu depuis peu au rang de norme universelle mais menacé par les assauts du totalitarisme et du terrorisme ou miné par ses propres insuffisances. En 1959, *Le Style du Général* inaugure ainsi une réflexion sur la dérive médiatique de la politique, thème repris dans *La Grâce de l'État* (1981) et élargi dans *La Connaissance inutile* (1988), et sur la « présidentocratie » française, cette « monarchie bananière » dont Revel examine les rouages dans *En France* (1965), *Lettre ouverte à la droite* (1968), *Le Rejet de l'État* (1984) et *L'Absolutisme inefficace* (1992). Dévoyée et affaiblie par ses serviteurs, la démocratie fait montre d'une singulière complaisance à l'égard de son principal agresseur, le totalitarisme, qui, dans sa variante communiste, trouve encore des adeptes, malgré la faillite économique et l'abolition des libertés qu'il suppose nécessairement (*Ni Marx ni Jésus*, 1970 ; *La Nouvelle Censure*, 1977). En 1983, dans *Comment les démocraties finissent*, Revel souligne ainsi que la démocratie risque bien de n'être qu'une « brève parenthèse » dans l'histoire si les dirigeants occidentaux ne parviennent pas à abandonner les « cadres mentaux de la défaite démocratique » et à sortir de leur aveuglement politique face aux illusoires gains de la détente. Saluant dans *Le Regain démocratique* (1992) le « rétablissement relatif de la situation des démocraties » — rétablissement indépendant de leur action et même de leur volonté —, Revel tempère la brusque euphorie démocratique conséquente à l'effondrement du bloc communiste et à l'évolution du tiers monde. Il rappelle ainsi qu'il ne suffit pas qu'un dictateur tombe pour qu'une démocratie naisse et qu'« au moment où l'humanité ressent le besoin d'une démocratie universelle [...] ce modèle se corrompt, se dénature, se falsifie en son centre ».

Libéral impénitent, au sens politique du terme, Jean-François Revel a proposé dans ses ouvrages divers remèdes destinés à éradiquer les « besoins psychiques » que le totalitarisme satisfaisait : dépassement des nationalismes, rétablissement de la séparation et de l'équilibre des pouvoirs, adéquation entre le progrès des connaissances et l'efficacité de l'action ou de la décision, meilleure prise en compte des aspirations sociales des gouvernés, responsabilité des gouvernants, et à terme instauration d'une « démocratie mondiale » que Revel définissait en 1970 comme un « gouvernement mondial » né d'une « seconde révolution mondiale » visant à supprimer les relations internationales, et de manière plus modeste en 1992 comme la simple « démocratisation du plus grand nombre possible de sociétés, chacune gardant sa spécificité ». Souvent considéré comme étant un penseur de droite, Revel se définit lui-même comme « homme de gauche », la principale erreur commise par ses détracteurs étant de n'avoir jamais compris que « Churchill était bien plus à gauche que Staline ».

Ariane Chebel d'Appollonia

■ *Pourquoi des philosophes ?*, Julliard, 1957. — *La Cabale des dévots*, Julliard, 1962. — *Lettre ouverte à la droite*, Albin Michel, 1968. — *La Tentation totalitaire*, Laffont, 1976. — *Comment les démocraties finissent*, Grasset et Fasquelle, 1983, rééd. Grasset, 1984. — *Le Regain démocratique*, Fayard, 1992.

RÉVOLTES LOGIQUES (LES)

Le titre de cette revue vient du poème de Rimbaud « Démocratie » où il dénonce les « monstrueuses exploitations militaires industrielles » qui se dissimulent derrière ce nom. La revue refuse d'imputer à Marx, qui est une de ses références centrales, une responsabilité dans le Goulag. Pourtant, l'entreprise n'est pas un nouvel avatar de la tentative surréaliste de marier le poète des *Illuminations* et l'auteur du *Manifeste du Parti communiste. Les Révoltes logiques* sont nées à la fin de la période militante qui a suivi 1968 : quand son premier numéro paraît en 1975, Valéry Giscard d'Estaing est président de la République et Jacques Chirac son Premier ministre. Deux mouvements intellectuels très différents, mais dont les effets se recoupent, se développent à cette époque : la reprise commentée et théorisée de l'ouvrage de Soljenitsyne *L'Archipel du Goulag**, et les efforts tentés par Gilles Deleuze* et Félix Guattari* dans *L'Anti-Œdipe* pour dépasser Marx et Freud. S'affirmant à contre-courant du désenchantement qui frappe le gauchisme, la revue refuse aussi ce qui apparaît comme volonté de maîtrise dans l'héritage du maoïsme.

L'ancrage disciplinaire est celui de l'histoire et de la philosophie : la sociologie, en tant qu'elle fonctionne par catégories objectivisantes, est absente. Les articles ont souvent l'aspect de mise à la lumière de documents peu accessibles plongeant dans le passé des luttes ouvrières (la Commune de Paris, Barcelone 1936), dans les premiers combats féministes (les tisseuses de soie, dont l'histoire est occultée par celle des canuts), dans les formulations utopiques, dans l'analyse de formes marginales de la culture ouvrière (les cafés-concerts des années 1850). Des interviews (militants ouvriers des années 20), des extraits de journaux personnels (ceux d'un établi des années 60), des carnets de voyage (en Irlande) s'ajoutent à la gamme des genres. Le XIXe siècle français est la période la plus visitée, comme s'il était le réservoir du savoir et d'un espoir qui y cherche sa légitimation rétrospective. La couverture comme les textes sont illustrés (nombreuses gravures du XIXe siècle ou *Cavalerie rouge* de Malevitch pour un numéro sur les voyages) mais, malgré quelques recherches typographiques, sobrement et même pauvrement. Car si on n'a pas affaire à une revue militante, il s'agit d'une entreprise fragile, que sa marginalité, accentuée par l'éloignement de 1968, sans cesse menace, faute de l'appui d'un éditeur puissant ou d'une institution riche.

Sur les premiers numéros est indiqué un sous-titre qui définit un programme : « Cahier du Centre de recherche sur les idéologies et les révoltes ». Mais nulle adresse institutionnelle : ce n'est pas un organisme officiel, même si beaucoup des membres du comité de rédaction (Jacques Rancière, Daniel Lindenberg), et d'abord son directeur de la publication, Jean Borreil, sont rattachés à l'université de Vincennes (Paris VIII), base du gauchisme universitaire. L'éditeur est une petite maison, Solin, qui publie d'autres revues (notamment *Gardes-Fous* ou *Actes*). Elle reçoit peu de publicité : pour « 10-18 », collection de poche typique de la culture de la période, *Libération** première formule, *Les Temps modernes** avec qui les relations sont tendues.

La revue, trop faiblement diffusée, en dépit d'appels à ses lecteurs, disparaîtra en 1984 après des tentatives de transformation éditoriale. Elle avait constamment critiqué le mélange de dogmatique stalinienne et d'esprit radical-socialiste qui caractérisait le Programme commun de la gauche. Mais la victoire de François Mitterrand accorda à ses promoteurs quelques bénéfices, à travers la création du Collège international de philosophie*, établissement dérogatoire lancé par Jean-Pierre Chevènement, ministre de la Recherche du gouvernement Mauroy. De plus, par un effet classique d'acceptation à retardement des programmes scientifiques novateurs, l'esprit des *Révoltes logiques* trouva un débouché partiel dans des entreprises éditoriales comme *L'Histoire des femmes*, publiée aux Éditions Plon, dont deux des tomes sont sous la responsabilité de Geneviève Fraisse et d'Arlette Farge, qui avaient été très impliquées dans la revue.

Dominique Colas

Révolution constructive

Révolution constructive est d'abord le segment d'une génération née autour de 1905, composée de onze jeunes gens issus de la petite bourgeoisie : Georges Lefranc*, fondateur du groupe, et, par ordre alphabétique : Pierre Boivin, Suzanne Boully, Maurice Deixonne, Jacques Godard, Max Grignon, Jean Itard, Ignace Kohen, Émilie Lamare, Claude Lévi-Strauss*, Robert Marjolin. Ces hommes d'horizons géographiques divers furent tôt sensibilisés à l'horreur de la guerre, au pacifisme, et aux idées socialistes.

Plusieurs serres chaudes réunirent les « Onze » : Paris et ses réseaux de clientèles et d'amitiés, les khâgnes*, les étudiants socialistes, des maîtres ou inspirateurs communs, politiques comme Déat, universitaires comme L. Herr*, L. Bernard, C. Bouglé*. La première matrice de Révolution constructive est le Bloc des gauches interkhâgnal, fondé par Lefranc en novembre 1922, puis le Groupe d'études socialistes (1926), enfin la Fédération nationale des étudiants socialistes (1927), qui dispose d'une revue et a des antennes en Belgique et en Suisse. Les jeunes socialistes y expriment leur rêve de régénération politique, morale, esthétique.

Voilà le terreau culturel impatient et passionné des « Onze », qui fondent en 1931 le groupe de Révolution constructive. Ils publient en 1932 chez Valois leur livre-manifeste, *Révolution constructive*. « Révolution », car il fallait bousculer les « bonzes » du Parti, se ressourcer chez Marx mais aussi chez Allemane, Jaurès* et les syndicalistes du début du siècle ; « constructive », car il fallait, tout en « refusant de parvenir » (Albert Thierry), revivifier les institutions ouvrières (syndicats, coopératives, municipalités), bâtir de nouvelles formes de culture — l'impact du Belge Henri de Man sera croissant à cet égard —, intégrer les expériences étrangères, assez satisfaisantes (austro-marxisme d'O. Bauer, planisme belge) ou décevantes (le SPD, le travaillisme, le bolchevisme), tirer les conséquences des « faillites » des gauches françaises en 1924 et 1932.

Ainsi Révolution constructive est-elle officialisée comme tendance au sein de la SFIO en 1933. Elle développe l'idée du Plan belge, la nécessité d'une économie mixte, récupérant les masses inquiètes et instables. Ce planisme est accueilli avec réserve dans le parti : au mieux, on le considère comme une mode intellectuelle, au pire comme une transition vers le fascisme, souvent comme une volonté de « saucissonner » le socialisme et de lui faire perdre son âme. La scission de l'aile droite en 1933, puis l'émeute du 6 février 1934 soudent le parti autour de Blum*. Révolution constructive éclate ; certains reprochent à Lefranc et Deixonne une attitude excessivement critique à l'égard de Blum. Le dernier carré de fidèles se retrouve autour d'un groupe et d'une revue éphémère, *Redressement*, et milite pour la « paix à tout prix ». Le planisme fut mieux accueilli à la CGT. Lefranc est chargé par Jouhaux de rédiger le Plan confédéral (septembre 1935) et la CGT fait droit à son projet culturel de former une élite ouvrière par le biais de l'Institut supérieur ouvrier fondé en 1932.

Le désastre de 1940 emporte tout. Certains, tels les Lefranc, choisissent Vichy pour des raisons syndicales de « politique de la présence » derrière Belin ; Albertini devient le bras droit de M. Déat. D'autres s'engagent dans la Résistance et préparent la France ou l'Europe de l'après-guerre : Pierre Dreyfus sera PDG de Renault, Robert Marjolin secrétaire général de l'OECE (1948), vice-président de la CEE, expert et « sage » recherché. Ainsi Révolution constructive, mouvement parmi d'autres, a-t-elle servi de tremplin politique à nombre de syndicalistes et de hauts fonctionnaires décidant en cercles restreints et informels l'avenir de notre pays.

Stéphane Clouet

■ S. Clouet, *De la rénovation à l'utopie socialiste*, Presses universitaires de Nancy, 1991. — G. Lefranc, *Essais sur les problèmes socialistes et syndicaux*, Payot, 1970. — J.-L. Loubet del Bayle, *Les Non-Conformistes des années 30*, Seuil, 1969. — J.-F. Sirinelli, *Générations intellectuelles*, Fayard, 1968.

RÉVOLUTION PROLÉTARIENNE (LA)

En janvier 1925, *La Révolution prolétarienne*, « revue mensuelle syndicaliste-communiste », naît de la révolte d'un groupe de syndicalistes révolutionnaires devant l'évolution du Parti communiste et des organisations syndicales. Là où ils avaient vu l'espoir d'un parti ouvrier et d'un syndicalisme indépendant et libre, ils constatent l'assujettissement du syndicat au Parti, l'étouffement des discussions, l'obéissance aveugle aux mots d'ordre, le mensonge organisé sur les luttes de pouvoir et la situation réelle en URSS. Pierre Monatte, Alfred Rosmer, Victor Delagarde, Maurice Chambelland, Robert Louzon, Ferdinand Charbit, militants d'avant guerre et nés de la guerre se retrouvent dans le « noyau » pour assurer rédaction et administration tout en exerçant leurs professions et en militant à la CGT ou à la CGTU. *La Révolution prolétarienne* constitue une expérience exceptionnelle dans le mouvement ouvrier, par sa durée puisqu'elle existe encore, sous une forme différente, mais n'a cessé de paraître que de la déclaration de guerre à octobre 1947 (date où a été supprimée l'autorisation préalable de publication).

Cette publication mensuelle (bimensuelle de 1927 à 1939) sur une aussi longue durée rend difficile une approche globale. Cependant, Monatte, Rosmer, Chambelland, Louzon, puis Charbit, Hagnauer, qui ont assumé les fonctions de gérants, d'administrateurs, de responsables de la rédaction, ont donné à la revue des lignes directrices. Tous, malgré des divergences parfois profondes, voulaient donner aux militants syndicaux un outil de réflexion pour une action sérieuse, réfléchie, qui n'obéisse pas à des mots d'ordre extérieurs. Cela supposait, d'abord, une totale indépendance financière : la revue n'a vécu que par ses abonnés et cela n'a guère été facile. Les appels aux abonnements et aux abonnés de soutien sont nombreux. Les comptes, dont l'authenticité peut être vérifiée par les archives, sont publiés régulièrement. Le nombre des abonnés s'est toujours situé entre 1200 et 1800 et leur répartition géographique et professionnelle correspond aux implantations des minoritaires de la CGTU et, après 1947, des syndicalistes de Force ouvrière qui ne sont pas dans la ligne de Jouhaux et de Bothereau. Si, en 1947, de nouveaux militants se joignent au groupe, par la suite, un vieillissement se fait nettement sentir et ne permet que rarement une action directe et vive dans les organisations syndicales.

Les particularités de *La Révolution prolétarienne*, outre ce souci méticuleux de transparence financière qui, seule, peut assurer une réelle indépendance, tiennent à son mode de fonctionnement soudant une équipe où le dialogue est ouvert avec les lecteurs dans le respect des opinions. La revue se structure avec des grands articles théoriques, des études documentées et précises sur les grèves, les industries, les luttes, des comptes rendus des congrès syndicaux et des rubriques régulières comme le « Carnet du sauvage » de Pierre Monatte, les « Notes d'économie et de politique » de Robert Louzon, la « Renaissance du syndicalisme » de Maurice Chambelland. Le maintien ou la reconquête de l'indépendance syndicale, la reconstruction de l'unité syndicale (de 1925 à 1935 comme après 1948), l'examen théorique et pratique des luttes sont le ciment essentiel du noyau dont tous sont, dans la période de leur pleine activité, des militants non permanents des organisations où la vie est souvent difficile. Des amitiés se nouent aussi dans les réunions à Paris et en province et les repas fraternels.

Les problèmes internationaux tiennent une très grande place. La moisson d'informations sur l'URSS et, plus tard sur les démocraties populaires, est considérable, non seulement sur les affaires internes de l'Internationale communiste, mais aussi sur les conditions de vie des ouvriers, l'étouffement de leurs luttes et, très tôt, sur les prisons et les camps. Dès 1928, une rubrique est ouverte : « Emprisonnés, déportés ». Cette constance de l'antistalinisme est longtemps considérée par les militants de *La Révolution prolétarienne* comme une fidélité à l'idéal communiste trahi. Ils ressentent souvent leur impuissance. Ce souci de la vérité est aussi une force et rassemble autour d'eux des militants mais aussi des intellectuels comme Marcel Martinet*, Simone Weil*, Victor Serge*, Max Eastman, Daniel Guérin*, Michel Collinet, Ignazio Silone, Nicola Chiaromonte, Raymond Postgate qui écriront, et bon nombre d'autres qui sont des abonnés de soutien, intéressés par cet anticommunisme ouvrier et syndical.

Tous vont être unis aussi dans la lutte contre le fascisme italien, dénoncé très tôt, contre le nazisme, contre le franquisme. Le pacifisme les divise, comme le problème de l'intervention en Espagne*. Certains s'engagent au côté des républicains, certains se retirent des groupes pacifistes en refusant le pacifisme intégral. Les études, les informations, les campagnes sont très nombreuses aussi sur les luttes des peuples coloniaux. Il y a une constante de la guerre du Rif* à la guerre d'Algérie, malgré, à ce moment-là, quelques divergences. Mais il faut noter aussi le refus de soutenir sans conditions des positions uniquement nationalistes, militaristes ou totalitaires comme ce fut le cas vis-à-vis d'Hô Chi Minh et du FLN. Les articles sur ces problèmes, comme sur les questions économiques et financières étonnent parfois par leur diversité, leur ampleur, leur originalité. Ils sont le témoignage d'une conception de la formation des militants syndicaux, loin des mots d'ordre et des slogans.

La Révolution prolétarienne est l'œuvre d'hommes réellement intégrés dans l'action syndicale, intellectuels par leur culture, bien différente de la notion même de culture militante, qui ont voulu faire d'une revue un réel espace de liberté.

Colette Chambelland

■ C. Gras, *Alfred Rosmer et le mouvement révolutionnaire international*, Maspero, 1971. — P. Monatte, *La Lutte syndicale*, Maspero, 1976. — *Syndicalisme révolutionnaire et communisme. Les archives de Pierre Monatte*, Maspero, 1968.

REVUE BLANCHE (LA)

La Revue blanche fut sans doute la plus brillante des revues dreyfusardes. Son prestige tient autant à l'éminence de ses collaborateurs — un concentré cohérent de l'intelligentsia avancée des années 1900 — qu'à l'étendue et à la pertinence des débats qu'elle abrite. Écrite par Blum*, Gide*, Fénéon*, Proust*, Renard*, Péguy*, Apollinaire*, Verlaine, Jarry, Mallarmé, Benda*, Jammes, Gourmont, Debussy ou Tristan Bernard, *La Revue blanche* est illustrée par Toulouse-Lautrec, Vuillard, Pierre Bonnard, Maurice Denis, Manet, Vallotton… Ces jeunes gens traitent de la littérature comme des mœurs, de politique comme de science, de l'avant-garde au théâtre comme de l'affaire Dreyfus*, de beaux-arts comme de sport.

Elle naît à Liège en décembre 1889, en un temps d'efflorescence : *La Conque*, *Le Banquet*, le *Mercure de France* sont contemporains. Ses fondateurs : des fils de familles aisées, étudiants en droit (Joë Hogge, Auguste Jeunhomme) et aspirants poètes symbolistes (Paul et Charles Leclercq, Louis-Alfred Natanson). Quatre pages, 15 centimes, 1 300 exemplaires, bientôt 115 abonnés : elle se veut « ouverte à toutes les opinions, à toutes les écoles ».

En octobre 1891, *La Revue blanche* prend son souffle et passe à Paris avec de nouvelles ambitions, et de nouveaux commanditaires. D'origine polonaise et juive, munificents bailleurs de fonds, voici les frères Natanson : Alexandre, directeur timide ; Thadée, époux de la déjà légendaire Misia, éperdu de peinture et ami du roi Mallarmé ; Louis-Alfred, alias Alfred Athys, survivant du quintette fondateur, marié à une actrice et fou de théâtre. À leurs côtés, un secrétaire de rédaction,

Lucien Muhlfeld, à qui succède Félix Fénéon* en 1895, et des responsables réguliers de rubriques : Léon Blum puis André Gide rendent compte des romans, Claude Debussy des concerts, Gustave Kahn de la poésie. Et toutes sortes de collaborateurs extérieurs.

La Revue blanche est installée rue des Martyrs, elle paraît deux fois par mois sur une cinquantaine de pages et atteint la dizaine de milliers d'exemplaires autour de 1900. Elle s'est dotée, dès 1897, de sa propre maison d'édition adjointe (qui sera revendue à Fasquelle), où elle publie Claudel*, Tchekhov, Mirbeau*, et s'était auparavant essayée aux suppléments comiques, *Le Chasseur de chevelures* (1893-1894) confié à Tristan Bernard et Pierre Veber, puis *Nib* (1895). Le 15 avril 1903 paraît le 237e et dernier numéro de « l'amicale, à tous prête *Revue blanche* » (Mallarmé).

La Revue blanche est symboliste, elle vénère Verlaine et Mallarmé. Elle sait aussi, à travers Muhlfeld et Proust, louer Anatole France* et Barrès* au nom de la « clarté » et brocarder, sous la plume de Gide et de Marcel Drouin, l'éloquence vaine de Bourget* ou de Bouhélier. Elle soutient ardemment la révélation, sur scène et dans le roman, de l'inspiration scandinave (Ibsen, Strindberg, Grieg, Bjoernson), et bien sûr « ses » peintres, qui lui donnent dessins, tableaux, articles. Mais Fagus, son autre chroniqueur d'art avec Thadée, sait admirer Picasso* dès 1900. En musique, Édouard Dujardin, qui flanque Debussy, est l'un des premiers wagnériens de France, ce qui n'empêche en rien les thèses anarchistes de trouver un bienveillant écho dans la revue, défendues notamment par Fénéon, Zo d'Axa et par Paul Robin, apôtre oublié de l'avortement libre. Autres domaines abordés : l'occultisme, par Sedir, en des temps où théosophes et rose-croix obsèdent certains, la science (Charles Henry), le sport, que Tristan Bernard et Léon Blum prennent au sérieux, les faits divers (Fénéon, Charles-Louis Philippe). Jarry publie 160 textes échevelés, Paul Adam des récits de voyage, Franc-Nohain des contes, Henri de Régnier des portraits littéraires...

La Revue blanche est tout autant un organe politique. Longue enquête sur la Commune en 1897 (45 réponses publiées, dont celle de Louise Michel et de Nadar), et surtout engagement dans l'affaire Dreyfus. Le 1er février 1898, la revue prend parti sous le titre « Protestation ». Le 15 février, Lucien Herr* attaque Barrès : « L'homme qui, en vous, hait les Juifs et hait les hommes d'outre-Vosges, soyez sûr que c'est la brute du XIIe et le barbare du XVIIe. Et croyez que le monde moderne serait peu de chose, s'il n'était l'avènement du droit nouveau, la lente croissance d'une volonté raisonnable, maîtresse de ces instincts et tueuse de ces haines. » Le mois suivant, alors que Zola* passe en cour d'assises, la revue publie un « Hommage à Zola ». Ensuite, Lucien Herr, Péguy*, Benda* enfoncent le clou.

La Revue blanche ne put faire face à ses charges financières et interrompit ses livraisons en 1903. Elle reste un exemple de revue littéraire et artistique engagée.

Olivier Barrot

■ O. Barrot et P. Ory, *« La Revue blanche »*, Presses de la Cité, 1989, rééd. 1994. — G. Bernier, *« La Revue blanche », ses amis, ses artistes*, Hazan, 1991. — A.B. Jackson, *« La Revue blanche »*, Minard, 1960.

REVUE BLEUE

En décembre 1863, l'éditeur Germer Baillière fonda à Paris, à l'initiative d'Odysse Barot, deux publications sœurs, au rythme hebdomadaire et aux abonnements couplés, la *Revue des cours littéraires de la France et de l'étranger* et la *Revue des cours scientifiques*. Ancien auxiliaire d'Émile de Girardin à *La Presse*, Odysse Barot, le premier directeur des deux revues, était un journaliste chevronné qui se consacra à la littérature, tout en prônant la complémentarité des deux cultures scientifique et humaniste au nom de l'encyclopédisme. Les deux revues, destinées à un public instruit assez restreint, diffusaient à leur intention une sélection des cours du Collège de France*, de la Sorbonne et des conférences marquantes présentées dans les sociétés savantes. C'est la personnalité d'Eugène Yung, né en 1827, qui marqua le plus profondément les publications jumelles à leurs débuts, au point de l'inscrire à leur fronton comme leur fondateur. Après la guerre, en juillet 1871, Yung prit avec Émile Alglave la direction des deux revues, qui élargirent leur mission initiale et adoptèrent alors leur titre définitif : la *Revue politique et littéraire*, dite *Revue bleue*, et la *Revue scientifique*, dite *Revue rose*. Yung, normalien littéraire, proche de Taine, avait fait carrière dans le journalisme : ancien de la *Revue des Deux Mondes** et du *Journal des débats*, il confirma les options républicaines de Barot et fit de la *Revue bleue*, en partie vouée à la politique, un organe d'inspiration libérale. Il s'inscrivait explicitement dans le courant de reconquête intellectuelle passant par la diffusion des idées et des méthodes allemandes. Son objectif d'« entreprise civique » nécessitait l'élargissement du public de la revue : elle s'adressa désormais à un large public cultivé, parmi lequel figuraient nombre de fonctionnaires et de professeurs. Yung brisa aussi l'étroitesse de la revue en conviant des collaborateurs étrangers, tels Mommsen ou Max Müller, et en l'ouvrant à des œuvres d'imagination. Les nouvelles d'Alphonse Daudet, Maupassant, Tourgueniev, Bourget* firent leur entrée dans la *Revue bleue*. Mais l'originalité de la revue s'affirma surtout dans le genre critique : Anatole France*, Jules Lemaître*, Jean-Jacques Weiss en constituaient les piliers.

L'orientation universitaire de la *Revue bleue* se confirma dans les années 1890, après la mort de Yung, sous la direction de l'historien et temporaire ministre de l'Instruction publique Alfred Rambaud, un proche de Lavisse*, puis sous la conduite d'Henri Ferrari. La *Revue bleue* était solidement établie dans ses positions académiques et faisait figure de revue sérieuse, donnant « audience aux compétences ». Ainsi, par exemple, dans le domaine philosophique, elle était la revue non spécialisée qui jouait le plus grand rôle pour informer le public de l'actualité philosophique, à laquelle l'écrivain Paul Gaultier consacra une rubrique à partir de 1909. Bergson* fit d'ailleurs durablement partie des proches. Très intéressée par l'Allemagne, la revue contribua à la réception en France de l'œuvre de Nietzsche et de Schopenhauer. La *Revue bleue* jouissait avant 1914 d'un incontestable succès. Elle pouvait ainsi maintenir une parution hebdomadaire de 48 colonnes, alors que ses consœurs généralistes s'en tenaient habituellement à un rythme mensuel. Signe de leur légitimité universitaire et républicaine — n'avaient-elles pas toutes deux soutenu Dreyfus* en son temps ? —, un grand banquet réunit en 1912 pour le cinquantenaire des deux revues, la bleue et la rose, pléthore d'académiciens de toutes les sections de l'Institut, Barrès*, Richepin, Régnier, Picard, Perrier, d'Arsonval, Appell, Boutroux, Bergson, Vidal de La Blache*, et des représentants du monde politique, Bourgeois, Deschanel, Ribot, Barthou, Chautemps, Painlevé, tous contributeurs réguliers. Pourtant, cette reconnaissance officielle peut être davantage attribuée à la *Revue scientifique* qu'à sa jumelle littéraire. Autant la *Revue rose*, sous l'impulsion du physiologiste Charles Richet*, jouissait du quasi-monopole en matière de haute culture scientifique, autant la *Revue bleue* avait, quant à elle, affaire à forte concurrence, dans son registre propre. La place était en effet déjà prise par la *Revue des Deux Mondes*, ainsi que le déplorait Paul Flat, écrivain devenu directeur de la *Revue bleue* en 1908, après y avoir tenu des critiques régulières depuis les années 1890. La *Revue bleue*, qui fonctionnait selon un modèle semblable à celui de son aînée des deux mondes, ne parvint pas à lui ravir la vedette. Cette ambition pouvait susciter les sarcasmes de quelques journalistes critiques : « La *Revue bleue* est à la *Revue des Deux Mondes* ce que l'Odéon est à la Comédie-Française », pouvait-on entendre avant 1914. Comme la revue de Buloz, elle cherchait les talents confirmés et ne fit guère œuvre novatrice. La *Revue bleue* « n'est pas une revue de jeunes », soulignait en 1920 son nouveau directeur Paul Gaultier, qui avait aussi racheté la *Revue rose* pour la confier à Charles Moureu. Spécialiste d'art, de morale et de psychologie, directeur de la Bibliothèque de philosophie scientifique, lié aux milieux du Centre de synthèse, Gaultier préférait tenir les ambitions encyclopédiques des débuts, plutôt que de dévoyer la revue en un projet littéraire qu'elle n'avait jamais eu. Fournir un « organe de pensée supérieur » pour aider à la traversée de la « crise universelle » dans un « but purement national » : avec Gaultier, le projet intellectuel et national des débuts ne prit pas une ride.

La *Revue bleue*, qui n'avait connu d'interruption ni en 1870 ni en 1914, mais avait au contraire ardemment contribué à la propagande patriotique, disparut en septembre 1939, sans pouvoir renaître par la suite. La *Revue rose* poursuivit jusqu'en 1952. À sa disparition, l'encyclopédisme et le rapprochement des cultures avaient définitivement vécu.

Anne Rasmussen

■ J.-L. Fabiani, *Les Philosophes de la République*, Minuit, 1988, pp. 113-115. — « Le cinquantenaire de la *Revue bleue* », *Revue politique et littéraire*, 15 juin 1912.

REVUE DE PARIS (LA)

En 1894, l'éditeur parisien Paul Lévy, fils de Calmann, reprit le titre *La Revue de Paris*, qui avait connu diverses éphémères fortunes au cours du XIXe siècle ; il finança largement l'entreprise et conçut le grand projet de concurrencer la *Revue des Deux Mondes**, dans la tradition des prestigieuses revues culturelles. La revue bimensuelle s'installa au faubourg Saint-Honoré et fut confiée à une direction à deux têtes : côté politique, le professeur orientaliste James Darmesteter, tôt relayé par l'historien Ernest Lavisse* jusqu'en 1914, côté littéraire, le critique dramatique Louis Ganderax — transfuge de la revue de Buloz —, auquel succéda en 1912 l'académicien Marcel Prévost. Ce dernier, évoluant après la guerre vers la droite nationaliste, quitta *La Revue de Paris* pour fonder sa propre maison, les Éditions de France, et leur revue. D'emblée, *La Revue de Paris* se distingua de son illustre concurrente par son orientation républicaine, accusée par la présence dans le secrétariat de rédaction de Lucien Herr* et Fernand Gregh, qui tentèrent sans succès de persuader Lavisse de l'engager dans le combat dreyfusard. La revue épousa toutefois tardivement la cause du capitaine Dreyfus.

La *Revue* ouvrit en fanfare avec la publication d'un inédit, les *Lettres à l'étrangère* de Balzac, et fidélisa ses lecteurs par la diffusion en feuilletons de grands romans contemporains, *Les Déracinés* de Barrès*, *Le Lys rouge* d'A. France*…, tout en invitant nombre d'écrivains étrangers, Dostoïevski, Kipling, D'Annunzio ou Wells. Les abonnés ne dépassaient cependant pas le chiffre de 600 à 700 en 1911. La revue ne défendait pas d'école littéraire, mais il était à la fois prestigieux et rémunérateur d'y écrire, comme le reconnaissaient Proust* ou Claudel*. Gide* lui-même, en 1912, proposa son roman *La Porte étroite* à *La Revue de Paris* : par la suite, il affirma que c'était à la lenteur de Ganderax, qui avait tardé à accepter le manuscrit, que l'on devait *La Nouvelle Revue française**. À côté des lettres, la revue privilégiait la critique artistique ou littéraire, l'histoire, l'économie politique et la diplomatie.

Vendue par Calmann-Lévy à Édouard Frisch, comte de Fels, après une interruption de la publication pendant les années de guerre, la revue fut confiée à la direction d'André Chaumeix puis de Marcel Thiébaut, ami d'André Maurois qui le considérait comme un des meilleurs critiques du siècle. Il occupa la fonction de 1925 jusqu'à sa mort en 1961. Si la revue, devenue bimensuelle, affirma encore son orientation littéraire, en publiant les textes inédits d'écrivains parmi les plus en vue : Claudel, Aymé*, Jouhandeau*, Giono*, Bazin, Cendrars, Pieyre de Mandiargues, plus tard Montherlant*, Yourcenar* ou J. Laurent*, en revanche ses affinités politiques évoluèrent sensiblement. Interrompue sous l'Occupation, la revue était après 1945 bien éloignée des courants de pensée tenant le haut du pavé du Paris intellectuel. Représentative d'une littérature de forme classique, elle ouvrait ses tribunes à des porte-parole de la tradition : M. Thiébaut lui-même pour les livres, T. Maulnier* pour le théâtre, R. Huyghe pour l'histoire de l'art, P. Guth pour les « portraits », P. Gaxotte* ou P. Erlanger pour l'histoire. Mais concurrencée sur le terrain de l'actualité politique et scientifique par des revues réputées plus modernes, plus illustrées et « frivoles », confrontée à la disparition de la génération des écrivains classiques, *La Revue de Paris* ne parvint pas au cours des années 60, sous la direction du comte André de Fels et d'Edmée de La Rochefoucauld, à se renouveler. Elle abandonna la partie en 1970 et fut absorbée par *Réalités*, à la maquette plus attrayante.

Périodique de culture générale destiné à un public cultivé, *La Revue de Paris* eut une longévité peu commune : son âge d'or reste néanmoins limité au début du XXe siècle, quand elle sut se frayer une voie originale entre la conservatrice *Revue des Deux Mondes* et l'audacieuse *NRF*, sans toutefois parvenir jamais à égaler leur retentissement.

Anne Rasmussen

■ V. Duclert, « Les revues dreyfusardes en France : l'émergence d'une société intellectuelle », *La Revue des revues*, 17, 1994. — T. Loué, « Une grande revue française à la fin du XIXe siècle : *La Revue de Paris* (1894-1914) », *Bulletin du Centre d'histoire de la France contemporaine*, 11, 1990. — J.-Y. Mollier, *L'Argent et les lettres. Histoire du capitalisme d'édition (1880-1920)*, Fayard, 1988, pp. 380-386.

REVUE DES DEUX MONDES

La revue naquit de la fusion en février 1830 de *La Revue des Deux Mondes, recueil de la politique, de l'administration et des mœurs*, fondée en août 1829, et du *Journal des voyages*. Devenue bimensuelle à partir de juillet 1831 sous la direction du typographe suisse François Buloz, la nouvelle revue se taille vite un espace propre dans le paysage des périodiques français. De situation financière robuste, pour échapper aux pressions politiques, la *Revue* se transforme en 1845 en société par actions au capital de 425 000 francs. Dotée encore d'une équipe rédactionnelle prestigieuse — où figurent parmi d'autres George Sand et Alfred de Musset, Sainte-Beuve et Gustave Planche, mais aussi Victor Cousin, Edgar Quinet, Henri Blaze de Bury et Charles de Mazade —, la *Revue des Deux Mondes* s'acquiert au long du XIXe siècle une prééminence inébranlable dans la hiérarchie des revues.

Du radicalisme de ses débuts, la *Revue* se déplace, après 1848, et en même temps que son public, vers le camp de la conservation sociale. Sous l'Empire, elle compte déjà plus de 10 000 abonnés et dispose d'un réseau de vente impressionnant. Anatole et Paul Leroy-Beaulieu, Taine, Renan, Émile Boutmy viennent rejoindre ses rangs. Soumise à la sévérité de la censure impériale, elle mène une opposition feutrée et ne redevient un véritable organe d'opinion qu'après 1860.

À la mort de François Buloz en 1877, c'est son fils Charles qui en prend la direction jusqu'en 1893, date à laquelle il dut céder sa place à Ferdinand Brunetière*. Brunetière apporta un vent nouveau dans la *Revue*. Sous sa conduite, elle poursuivit une engagement religieux de plus en plus affirmé et son évolution conservatrice s'accentua. Polémiste passionné lui-même, Brunetière fit souvent de la *Revue* un organe de combat pour la défense de la cohésion sociale et nationale.

À l'aube du XXe siècle, la *Revue des Deux Mondes*, installée depuis 1884 dans le magnifique hôtel Beauharnais au 15 rue de l'Université, jouit d'un prestige incontestable, réunissant des collaborateurs tels que Pierre Loti, Paul Bourget*, Maurice Barrès*, François Coppée*, René Bazin et Henri de Régnier. Elle constitue alors, au même titre que l'Académie française*, un « rempart de la tradition et de la bonne société contre l'anarchie en marche, politique, intellectuelle et morale ».

L'académicien et sénateur Francis Charmes, son chroniqueur politique depuis 1896, prend la direction de la *Revue* en 1906. Or sa politique beaucoup trop tempérée et sage fut incapable de relever le niveau de l'abonnement devant la concurrence de la presse quotidienne et des nombreuses revues nouvelles d'avant-garde.

Lorsque René Doumic devint en 1915 le nouveau directeur-gérant, une action suivie et appuyée de publicité et de rénovation de la *Revue* s'imposait. Doumic sut ramener la *Revue* dans le cours de son temps, tout en respectant ses traditions et les habitudes séculaires des abonnés. Dans ce but, les dîners annuels de la *Revue*, inaugurés en 1921, et les fêtes de son centenaire, célébré en grand faste en 1929, constituaient autant de campagnes publicitaires de prestige.

Pendant l'entre-deux-guerres, la *Revue* atteint alors le niveau d'une institution littéraire et connaît sa période d'expansion maximale. Elle est le lieu d'expression par excellence des élites de la nation, bastion des autorités académiques, politiques et militaires, toujours à la défense de l'ordre établi et de la grandeur de la France. En recrutant ses collaborateurs presque exclusivement dans ces milieux, la *Revue des Deux Mondes* relie en un seul réseau les hauts lieux du pouvoir en France — pouvoir de consécration littéraire et aussi pouvoir politique et militaire — et instaure un lieu d'échanges et de contacts, de références communes et d'ancrage des valeurs partagées aligné sur les sensibilités des droites. Faisant preuve de solidité et de vitalité, la *Revue* atteint en 1939 son chiffre de tirage le plus élevé et réalise 6 millions de francs de recettes. Elle est alors diffusée en 93 pays dans le monde.

Après Doumic se succédèrent à la direction de la *Revue* André Chaumeix (1937-1944), Firmin Roz (1948-1954), C.-J. Gignoux (1954-1966) et Jean Vigneau (1966-1970). La *Revue* fusionna en 1956 avec *Hommes et mondes* de Bernard Simiot en conservant son titre. En 1972, sous la direction de Jean Jaudel, la *Revue* devient mensuelle et prend le titre de *La Nouvelle Revue des Deux Mondes*. En 1982, elle reprend son titre d'origine (*Revue des Deux Mondes*). Après Jean Bothorel, le directeur de la rédaction est, depuis 1995, Bruno de Cessole.

Anne Karakatsoulis

■ G. de Broglie, *Histoire politique de la « Revue des Deux Mondes » de 1829 à 1979*, Librairie académique Perrin, 1979. — A. Karakatsoulis, *La « Revue des Deux Mondes » de 1920 à 1940 : une revue française devant l'étranger*, thèse, EHESS, 1995. — P. Régnier, « Littérature nationale, littérature étrangère au XIXe siècle : la fonction de la *Revue des Deux Mondes* entre 1829 et 1870 », in M. Espagne et M. Werner (dir.), *Philologiques III : Qu'est-ce qu'une littérature nationale ? Approches pour une théorie interculturelle du champ littéraire*, MSH, 1994.

REVUE DES REVUES (LA)

La Revue des revues, créée en juin 1890, répondait au mot d'ordre original de « vulgariser en langue française les idées qui circulent dans le monde entier » : elle proposait « aux savants et aux lettrés, aux hommes spéciaux, aux personnes occupées » une sélection des meilleurs articles des périodiques français et étrangers, sous une forme résumée, selon une devise qu'elle ne quitta plus : « Peu de mots, beaucoup d'idées. »

Ernest W. Smith, un proche de W.T. Stead, le directeur de *The Review of Reviews*, revue londonienne dont l'audience était alors estimée à près de 200 000 lecteurs, s'était inspiré de ce précédent pour lancer à Paris, rue Saint-Honoré,

La Revue des revues, en misant sur la vogue des compilations bibliographiques et le sentiment de l'interdépendance nouvelle des nations et des réseaux d'informations. Son entreprise pourtant ne parvint pas à trouver une clientèle, et lorsque Jean Finot le remplaça aux commandes en 1892, il reprit une revue à la publication irrégulière et au fichier de 23 abonnés... Jean Finckelhaus (1858-1922), dit Jean Finot, Polonais naturalisé français en 1897, qui avait pratiqué le journalisme dans des revues anglaises et américaines, fut à l'origine du redressement de la revue. Il l'ouvrit véritablement sur l'étranger, avec à la fin du siècle les collaborations de Cesare Lombroso, Max Nordau, Enrico Ferri, Tolstoï, August Strindberg, Herbert Spencer, Knut Hamsun... Jean Finot mit en œuvre une stratégie publicitaire, fondée sur les primes pour abonnés, développa les illustrations, créa des suppléments comme, en 1900, *La Grande Revue de l'Exposition*, vouée à la vulgarisation ; surtout, il transforma le principe de la revue, en donnant une extension constante aux articles originaux, à côté de l'analyse des périodiques internationaux. En 1900, la revue, devenue bimensuelle et installée avenue de l'Opéra, reçut ainsi le titre plus conforme *La Revue et Revue des revues*, augmenta son volume (700 pages par trimestre) et sa diffusion, au prix de 20 francs par an. Elle vécut sa période la plus florissante, matérialisée par une série d'absorptions — *La Contemporaine* (1902), *La Revue Blanche** (1903), la *Renaissance latine* (1905) — qui consistaient surtout en rachat d'abonnés. Cette politique reflétait aussi l'intérêt de la revue pour ses consœurs dont elle rendait compte : les revues généralistes au premier chef (*Correspondant*, *Revue des Deux Mondes**, *La Grande Revue**, *Nouvelle Revue*, *Mercure de France**...), revues de sciences sociales, revues d'art ou de littérature secondairement. La revue proclamait le principe d'unité des études sociales, servait de tribune au pacifisme et à la « défense des peuples opprimés », prônait le rapprochement des classes et se voulait indépendante de toute influence politique ou religieuse. *La Revue* confirma son évolution en 1919, quand elle adopta la nouvelle dénomination *Revue mondiale* (puis : *Revue des intérêts internationaux* en 1932) exclusivement vouée à l'inédit. Elle interprétait le contexte de l'après-guerre comme la consécration de ses idées et poursuivait ses préoccupations « de greffer sur les intérêts nationaux ceux de l'humanité solidaire de nos destinées ».

Louis-Jean Finot reprit la *Revue mondiale* à la mort de son père (1922) et s'adjoignit Gustave Babin comme rédacteur en chef, mais ne recruta plus les collaborateurs prestigieux qui avaient fait sa renommée. La revue ne parvint pas à faire face aux difficultés financières qui contraignirent à espacer la parution (mensuelle), à diminuer le volume, puis à interrompre définitivement la publication en février 1936.

Anne Rasmussen

■ P. Fréchet, « Il était une fois *La Revue des revues* (1890-1936) », *La Revue des revues*, 6, automne 1988.

REVUE D'ÉTUDES PALESTINIENNES

La *Revue d'études palestiniennes* est l'un des trois périodiques financés par l'Institut des études palestiniennes fondé en 1963 à Beyrouth afin d'aider au développement des recherches sur le conflit israélo-arabe et la question palestinienne. Le *Journal of Palestine Studies* et une *Revue d'études palestiniennes* en langue arabe furent les deux premières publications de l'Institut traitant du problème palestinien, destinées à un peuple parlant majoritairement ces deux langues. Ce n'est qu'au début des années 80 que fut envisagé de lancer une revue en langue française. Chargé de se renseigner sur les conditions de distribution en France, Élias Sanbar, rencontrant de multiples difficultés, en parle à un de ses amis, le philosophe Gilles Deleuze*, qui l'introduit auprès de son éditeur, Jérôme Lindon. Les Éditions de Minuit* acceptent de diffuser la revue.

Le premier numéro de la *Revue d'études palestiniennes* (trimestrielle) paraît à l'automne 1981. Son directeur est Roger Nab'aa, un Libanais résidant à Beyrouth, où est alors rédigée la partie documentaire de la revue. À l'été 1982, Beyrouth est assiégé. Les communications avec l'extérieur sont rompues. Il est capital, aux yeux de la rédaction, que la revue paraisse à temps afin de témoigner de la poursuite de la lutte des Palestiniens. Ce sera possible grâce à l'aide financière de la branche américaine de l'Institut des études palestiniennes (« Massacres de Beyrouth », nº 5, automne 1982). Dès lors, le centre de la revue se déplace à Paris ; Élias Sanbar, qui réside dans cette ville, en devient le rédacteur en chef (nº 7, printemps 1983). Le tirage courant est de 2 500 exemplaires, avec des sommets à 7 500, à l'exemple du numéro contenant le texte de Jean Genet*, « Quatre heures à Chatila » (nº 6, hiver 1983).

Pendant douze ans, la revue a œuvré à la légitimation de la cause palestinienne en donnant la parole aux Palestiniens et en montrant les multiples visages d'une société où les femmes (« Sept Palestiniennes accusent », nº 51, printemps 1994) et les enfants (« Soulèvement général. La révolte des pierres », nº 27, printemps 1988) jouent un rôle fondamental. Elle a également ouvert le débat sur la question brûlante du conflit avec Israël avec des articles au ton modéré, accueillant le point de vue d'Israéliens de gauche et témoignant de l'existence de mouvements démocratiques, en lutte contre la situation dans les territoires occupés (par exemple « Une séance à la Knesset : le 16 décembre 1987 », nº 27, printemps 1988). *La Revue d'études palestiniennes* est une revue engagée : si les oppositions démocratiques de l'OLP ont la parole, Yasser Arafat, symbole de la Résistance nationale palestinienne, est peu ou pas contesté. À l'exception des périodes de crise (« La crise du Golfe », nº 37, automne 1990), la dimension arabe n'est abordée qu'en liaison avec la cause palestinienne. L'intérêt pour d'autres conflits internationaux est très récent (« Bosnie, entre la meute et le fusil », nº 48, été 1993).

Auprès d'intellectuels palestiniens comme Édouard Saïd, Mahmoud Darwish ou Rajah Shehadeh, ont publié dans ses colonnes : Maxime Rodinson*, Jean Genet, en premier lieu, mais aussi Gilles Deleuze, Madeleine Rebérioux*, Pierre Vidal-Naquet* ou J.M.G. Le Clézio, Serge Daney* et Juan Goytisolo. La reconnaissance mutuelle avec Israël est désormais acquise. En septembre 1994, la *Revue d'études palestiniennes* change de formule : une nouvelle histoire commence.

Anne Simonin

REVUE HEBDOMADAIRE (LA)

Comme plusieurs revues littéraires fondées à la fin du XIXe siècle, en phase d'extension du capitalisme d'édition, *La Revue hebdomadaire* fut une entreprise d'éditeur, celle d'Eugène Plon et de sa maison, Plon, Nourrit et Cie, qui choisit Félix Jeantet comme rédacteur en chef. La revue, dont le premier numéro parut le 28 mai 1892, s'installa au siège de Plon, au Grand Hôtel Montaigne du 8 rue Garancière. Son argument de vente — 50 centimes le numéro de 160 pages — reposait sur la périodicité hebdomadaire, liée au droit de publier la première et en exclusivité, après l'apparition en volume, « les romans des principaux écrivains de ce temps ». Les premiers collaborateurs, Alphonse Daudet*, Paul Bourget*, Abel Hermant*, Pierre Loti, Anatole France*, Paul Hervieu, Marcel Schwob, Émile Zola*, confièrent à la revue des œuvres qui furent diffusées sous la forme d'articles « à suivre dans le prochain numéro ».

Sous-titrée « Romans, histoire, voyages », la revue accordait aussi une large place à l'actualité, à travers les chroniques littéraires (Jean Carrère, Édouard Rod, puis Henry Bordeaux*), musicales (Paul Dukas), dramatiques (Louis Ganderax, à ses débuts), politiques (Louis Franville, Paul Adam) ou diplomatiques (Gabriel Hanotaux). À la veille de la guerre, la revue, désormais dirigée par l'ancien diplomate Fernand Laudet, avait pris de l'ampleur, absorbé en 1908 *Le Monde moderne*, une revue mensuelle illustrée ; elle publiait un supplément le samedi et multipliait le nombre de ses rubriques de variétés. Souvent en proie aux critiques, surnommée « le requin hebdomadaire » par la comtesse de Noailles, une de ses collaboratrices, ou taillée en pièces par Péguy* en 1911 dans les *Cahiers de la quinzaine**, s'orientant vers une littérature plus académique, elle put difficilement résister à la concurrence suscitée par la création chez Plon, en 1922, des *Nouvelles littéraires**.

La Revue hebdomadaire s'était, dès sa naissance, explicitement ancrée dans la tradition de la droite conservatrice, et s'affirmait catholique. Une enquête menée après guerre auprès de jeunes écrivains sur leurs maîtres à penser définit le panthéon de la revue : Maurras*, Barrès* et Bourget. C'est toutefois la personnalité de François Le Grix, critique littéraire à ses débuts, qui la marqua le plus fortement : il la dirigea du début des années 20 jusqu'au dernier numéro du 26 août 1939, assisté de Robert de Saint-Jean comme rédacteur en chef. Délaissant la « cause libérale » que la revue prônait encore en 1919, il imprima au fil des années une direction plus politique, dans ses propres chroniques ou dans le choix de ses collaborateurs (Gonzague Truc, René Pax, René Gillouin, Bertrand de Jouvenel*...). Très combative, nationaliste et contre-révolutionnaire, la revue devint un organe de combat contre la République parlementaire. En 1934, *La Revue hebdomadaire* se voulut un « Centre d'information, de liaison et de propagande » en faveur de l'« Ordre français », fonctionnant comme une fédération de toutes les ligues et mouvements monarchistes, autour de René Dommange, Xavier Vallat, et surtout de Philippe Henriot, héros de la revue. Le Grix ne cacha pas ses sympathies pour la cause fasciste, et perçut dès 1934 des subventions régulières de l'Italie mussolinienne, malgré lesquelles il échoua à contrôler définitivement *L'Ami du peuple*, repris par Taittinger. S'il rejeta en 1939 les régimes totalitaires, leur « fanatisme » exclusivement tourné vers « des fins matérielles », ce fut pour réclamer le retour à une France peuplée de « paroisses », « une communauté paysanne et chrétienne encore animée d'un esprit de foi et de charité ». *La Revue hebdomadaire* disparut dans la tourmente de l'entrée en guerre et ne connut pas l'instauration du régime qu'elle avait appelé de ses vœux.

Anne Rasmussen

■ C. Bellanger (dir.), *Histoire générale de la presse française*, t. 3, PUF, 1972.

REVUE UNIVERSELLE (LA)

Le 19 juillet 1919, en réponse à la *Déclaration d'indépendance de l'esprit* de Romain Rolland* et Henri Barbusse* (*L'Humanité**, 26 juin 1919), *Le Figaro** publiait un texte de Henri Massis*, le *Manifeste du parti de l'intelligence*, proclamant la nécessité de la défense intellectuelle et spirituelle de l'Occident chrétien contre la barbarie des « puissances de dissolution, d'ignorance et d'argent », et l'urgence de la restauration d'un limes de l'intelligence contre les doctrines démocratiques et le « désordre libéral et anarchique ». À la suite de ce texte, en avril 1920, naissait *La Revue universelle*. Son programme tout maurrassien en appelait aux « écrivains de la Renaissance intellectuelle et nationale », dont les 54 signataires du manifeste constituaient le vivier, et souhaitait explicitement organiser la réponse à « l'Internationale de la Révolution » qui, elle, pouvait s'appuyer sur des journaux et revues soutenant sa cause. Maurras* fut à l'origine directe du lancement de la revue, à laquelle il affecta 50 000 francs, pris sur le legs fait à l'Action française* par un jeune royaliste mort à la guerre, Pierre Villard. Jacques Maritain* apportait également 50 000 francs dans l'entreprise, et attestait par sa présence que *La Revue universelle*, diffusant les idées d'AF, se consacrerait aussi à la pensée thomiste. Maurras installa la revue boulevard Saint-Germain (elle déménagea ensuite rue du Dragon), appela Jacques Bainville*, personnalité qui s'imposait à tous, à la direction, et confia à Massis la fonction de rédacteur en chef.

La Revue universelle participait d'une batterie de moyens mis en œuvre pour élargir les milieux de réception de la pensée monarchiste : selon Massis, le stade du laboratoire, propre à l'avant-guerre, était dépassé. À côté des organes officiels de l'Action française, destinés aux militants, *La Revue universelle*, « une publication alliée et autonome » — comme *Candide** —, cherchait à toucher de nouveaux publics. Elle réussit à atteindre une audience respectable, tirant à 4 000 exemplaires en 1924, 9 000 en 1930, à un rythme bimensuel. Outre les collaborateurs fidèles de l'AF (Daudet*, Thibon*, Johannet, Valois*, Reynold, Gaxotte*...), *La Revue universelle* accueillait des articles de Bourget*, Barrès*, les frères Tharaud*, Montherlant*, Bernanos*, Mauriac*, le cardinal Mercier ou le général Lyautey... La revue voulait être le parti de l'intelligence, et aussi le porte-parole de la jeunesse. Massis attira en effet à la revue de brillantes jeunes recrues à la fin des années 20 : Maulnier*, Brasillach*, Maxence* ou Bardèche*.

L'orientation de *La Revue universelle* ne connut guère de variations dans l'entre-deux-guerres. Elle dut cependant faire face, en 1927, à un épisode douloureux pour la petite famille de la revue : la rupture avec Maritain, responsable de la rubrique de philosophie, consécutive à la condamnation pontificale de l'Action française* ; par la suite, les attaques contre « les faux docteurs d'*Esprit** » se multiplièrent. La revue choisit aussi de se séparer de Brasillach à la suite d'un article enthousiaste sur « le congrès de Nuremberg », en octobre 1937 : *La Revue universelle*, nationaliste avant tout et très anti-allemande, parfois antisémite, s'opposait à ce que la France adhère à un modèle étranger, de plus si éloigné de l'universalisme catholique.

Sous l'Occupation, la publication, interrompue depuis juin 1940, fut relancée en 1941 et subventionnée par l'État français. Massis, devenu naturellement directeur à la mort de Bainville en février 1936, installa la rédaction à Lyon et dénonça conjointement les agents de Londres et de Moscou : la revue prôna sans réserve la Révolution nationale.

À la Libération, elle fut suspendue par application de l'ordonnance de 1945 frappant la presse collaboratrice. Après une éphémère tentative de reprise en 1950, une nouvelle revue mensuelle vit le jour en 1974 — et poursuit aujourd'hui sa publication — sous le titre *Revue universelle des faits et des idées*, avec un tirage de 3 500 exemplaires. Étienne Malnoux en assurait la direction, assisté de Jules Daphand et Jean de Beauregard. Le premier numéro publia le programme inchangé de 1920 et déclara assumer l'intégralité de l'héritage de *La Revue universelle*. L'idée obsédante du déclin dans les domaines moral, national, économique, culturel, la dénonciation de l'immigration, vue comme une part de la nouvelle barbarie, s'y conjuguaient à la célébration des grandes figures du nationalisme français : la revue, restée liée à l'Action française, revendique l'appartenance à « l'arsenal contre-révolutionnaire » et veut toujours être la revue de l'intelligence. À ce titre, elle se flattait, en 1974, de pouvoir attirer nombre d'intellectuels, de Gustave Thibon* à Michel Déon, de Pierre Gaxotte à Raoul Girardet*.

Anne Rasmussen

■ M. Toda, *Henri Massis, un témoin de la droite intellectuelle*, La Table ronde, 1987. — E. Weber, *L'Action française*, Stock, 1962.

Revues juives

Les juifs n'étant pas une simple communauté religieuse, il va de soi que la presse juive est bien plus qu'une collection de périodiques « confessionnels », et qu'on y traite de bien d'autres choses que de théologie ou d'histoire sainte. Du moins est-ce la situation aujourd'hui, car il est vrai qu'au XIXe siècle des publications comme *L'Univers israélite* et les *Archives israélites* sont animées d'un ardent patriotisme français, mais avec un horizon principalement consistorial. Et s'il y a un mouvement de « retour aux sources » chez de jeunes intellectuels juifs avant 1914, inspiré par la lecture de... Barrès* et stimulé par les blessures de l'affaire Dreyfus*, il n'y a rien qui corresponde en France à ce qu'a pu être vers 1905 une grande revue de renaissance culturelle comme *Der Jude* en Allemagne. Une revue comme *Foi et réveil* (1913), bien qu'empreinte d'un esprit plus ouvert, reste rabbinique. Si des juifs, même sionistes, s'abonnent à des revues à cette époque, les *Cahiers de la quinzaine** ou *La Revue blanche** répondent tout à fait à ce qu'ils attendent, y compris s'il s'agit de réfléchir sur le nationalisme juif ou sur l'antisémitisme...

L'après-guerre va apporter du nouveau avec l'entrée en scène d'une revue juive de langue française d'un genre inédit et l'apparition d'un type d'intellectuel pour qui l'identité n'est plus essentiellement religieuse, mais « culturelle » ou même « nationale » (sionisme). La *Revue juive* est liée à l'écrivain Albert Cohen, qui veut alors (1924) doter le sionisme d'un important organe littéraire en langue française. Il ne réussira à le faire vivre que l'espace d'une année (six numéros). En 1925, un véritable gotha de l'esprit se succédera dans ses colonnes, d'Einstein à Max Jacob, en passant par Sigmund Freud. La *Revue juive* préfigure un type de revue, juive et universelle à la fois, faisant appel à des plumes prestigieuses de toutes origines, qui va s'épanouir après 1945.

À cette date en effet, après la Catastrophe, les vénérables *Archives israélites* et autres *Univers israélite*, symboles d'une communauté consistoriale resserrée autour de ses notables, ont vécu. Quant à la non moins vénérable *Revue des études juives*, si elle subsiste comme la « Société » (1880) dont elle est l'émanation directe, elle ne touche plus, malgré la qualité de ses directeurs (Georges Vajda, Gérard Nahon), qu'un public d'érudits. Encore plus confidentielles sont les *Archives juives* publiées par la Commission française des archives juives, fondées par le grand historien Bernard Blumenkranz, qui publie également la collection « Franco-Judaïca » (chez Privat*). Mais il est une autre branche de l'érudition qui naît de la volonté de ne pas laisser oublier le génocide lui-même, dans tout son contexte (antisémitisme, histoire de la Résistance, histoire de la collaboration d'État). C'est ainsi qu'est né, en 1946, *Le Monde juif*, organe du fameux Centre de documentation juive contemporaine, dont le directeur actuel est Serge Klarsfeld.

Mais le paysage des revues juives est, dans les années 90, dominé par des publications d'un genre assez différent, puisqu'elles privilégient l'engagement dans les débats du jour, ou même le témoignage, sans oublier pourtant — judaïsme oblige — la fonction de connaissance, historique ou philosophique en particulier. On peut citer pour les années du deuxième après-guerre deux revues d'une très grande tenue intellectuelle, *Évidences* (soutenue par l'American Jewish Committee), une sorte de *Preuves** juif, avec beaucoup de collaborateurs communs, et la *Revue de la pensée juive*, organe des « libéraux » de la rue Copernic, dont le directeur n'est autre que Robert Aron*, ancien animateur d'*Ordre nouveau**, revenu au judaïsme pendant l'Occupation. Dans un secteur proche, celui d'un judaïsme religieux « ouvert », on peut signaler *L'Amandier fleuri*, qui succède à *Foi et réveil* d'avant guerre, toujours avec le même directeur, le grand-rabbin Maurice Liber, grande figure d'intellectuel juif « immigré », à la fois traditionaliste et partisan des Lumières.

Aujourd'hui, il est difficile de dénombrer toutes les publications, car certaines d'entre elles sont délibérément en marge du champ intellectuel général. Ainsi, *Kountrass*, qui paraît à Jérusalem (c'est le cas de plusieurs revues de langue française comme *Dispersion et unité* ou *Ariel*, qui ont souvent un caractère officiel), reflète les vues de l'aile ultra-orthodoxe non « hassidique », comme d'autres publications pour leur part patronnées par les Hassidim de Loubavitch. Faut-il classer cette publication missionnaire avec les deux étoiles de première grandeur au firmament de la « Communauté » que sont respectivement *Les Nouveaux Cahiers* et *Pardès* ? Ces deux revues ont un point commun : elles sont liées à l'Alliance israélite universelle (fondée en 1860), la plus prestigieuse institution du franco-judaïsme, sans être son organe officiel (statut réservé aux *Cahiers de l'Alliance israélite universelle*, bulletin distribué uniquement par abonnements). *Les Nouveaux Cahiers* paraissent depuis 1965 et, sous la houlette de Gérard Israël, ancien de l'« École d'Orsay », offrent une structure unique de dialogue avec la société française (catholique en particulier) et dans la communauté elle-même (sur la question israélo-palestinienne ou à propos des conflits entre laïcs et « religieux »). Récemment, la revue de la rue La Bruyère a reçu du sang neuf en raison de la disparition des revues « post-soixante-huitardes » et néo-juives *Traces* et *Combat pour la Diaspora*.

Quant à la revue *Pardès*, elle incarne, sous la direction de Shmuel Trigano, une renaissance de la pensée juive qui veut éviter le Charybde de l'assimilation « jacobine » tout autant que le Scylla de l'obscurantisme néo-orthodoxe. Fonctionnant sur le principe du numéro thématique (c'est souvent aussi le cas des *Nouveaux Cahiers*), elle traite, avec la caution d'Annie Kriegel*, de tous les sujets qui intéressent, comme l'indique son ancien logo, l'« anthropologie », l'« histoire », la « philosophie » et la « littérature » appliquées aux juifs et au judaïsme. Éditée par Le Cerf, ce qui symbolise un certain rapprochement avec l'aile judéophile de l'Église catholique, cette revue est une des plus originales réalisations intellectuelles du judaïsme français de la fin du XXe siècle.

Daniel Lindenberg

■ J.-C. Kupermine, « Le retour des revues juives », *La Revue des revues*, n° 6, automne 1988.

REVUES SURRÉALISTES

De 1924 à 1969, la poésie, les prises de position théoriques et les reproductions d'œuvres surréalistes ont été successivement diffusées par *La Révolution surréaliste*, *Le Surréalisme au service de la Révolution*, *Minotaure*, *Informations surréalistes*, *Néon*, *Médium*, *Le Surréalisme, même*, *Bief*, *La Brèche* et *L'Archibras*. En majorité, expression directe et « officielle » du mouvement, ces revues ont été le plus souvent dirigées par André Breton*, jusqu'à sa mort en 1966, ou par Jean Schuster. Abondamment illustrées, toutes manifestèrent, à des degrés divers, le soin extrême apporté par les surréalistes à la présentation et à l'originalité de leurs publications.

Dès décembre 1924, le groupe parisien manifeste sa singularité par la forme donnée à *La Révolution surréaliste* ; avec une couverture vermillon et de nombreuses photographies (dues le plus souvent à Man Ray), de format plus grand que les autres revues littéraires de la période, elle imite aussi l'austérité de *La Nature*, une revue scientifique. Dirigée jusqu'au numéro 3 par Péret* et Naville*, puis par Breton, cette revue paraît assez régulièrement en 1925, puis les livraisons s'espacent jusqu'au dernier numéro en décembre 1929. Elle publie des poèmes et des chroniques des membres du groupe, mais aussi des « textes automatiques », des « rêves » et les réponses à deux grandes enquêtes lancées par les surréalistes auprès des écrivains : « Enquête sur le suicide » (nº 2, janvier 1925) et « Enquête sur l'amour » (nº 12, décembre 1929). C'est dans cette revue que paraissent pour la première fois les « adresses » (au pape, au dalaï-lama...) d'Artaud*, « Le surréalisme et la peinture » et *Le Second Manifeste du surréalisme* de Breton. Avec pour « dépositaires » principaux à Paris la Librairie Gallimard*, puis la Libraire José Corti, un tirage évoluant de 1 000 à 3 000 exemplaires ordinaires, et des ventes de 1 000 exemplaires environ pour les derniers numéros, cette revue est aussi diffusée par abonnement en France et à l'étranger.

Plus ouverte au marxisme-léninisme, *Le Surréalisme au service de la Révolution*, avec sa couverture fluorescente, est liée à la Librairie et aux Éditions Corti, du numéro 1 (juillet 1930) jusqu'aux numéros 3 et 4 (décembre 1931). Elle reparaît seulement en 1933 avec le soutien des Éditions des Cahiers libres pour les deux dernières livraisons. Les collaborateurs sont presque exclusivement des surréalistes français ou serbes ; et, à partir de 1933, des étudiants martiniquais de Paris, animateurs par ailleurs de *Légitime défense*. Comme pour *La Révolution surréaliste*, les contenus des numéros, partagés entre la défense de la poésie et la défense de la Révolution, sont aussi préparés lors de réunions dans l'appartement de Breton, rue Fontaine, ou lors de rencontres apéritives quotidiennes dans différents cafés. Animée par un groupe en crise, cette revue se vend peu : 350 exemplaires pour les premiers numéros.

Quant à *Minotaure*, c'est seulement à partir du numéro 10 (hiver 1937) que son éditeur, Albert Skira, s'adjoint un comité de rédaction surréaliste (avec notamment Breton, Heine et Mabille). Pour les trois dernières livraisons, jusqu'en mai 1939, les collaborations sont donc presque entièrement dues aux surréalistes, qui se sont engagés à limiter leurs prises de position au plan strictement artistique, dans cette « revue artistique et littéraire » de facture luxueuse aux rubriques très variées.

Outre les problèmes matériels de la guerre et de l'après-guerre, la présentation modeste, sous forme de brochures ou feuilles imprimées, d'*Informations surréalistes* (éditées en 1944 par La Main à Plume), de *Néon* (1948-1949) et des huit premiers numéros de *Médium* (1952-1953), traduit aussi la marginalisation du surréalisme dans le champ littéraire. Avec *Le Surréalisme, même* (5 numéros de 1956 à 1959), éditée par J.-J. Pauvert, le groupe retrouve une publication soignée qui laisse apparaître des intérêts nouveaux pour la bande dessinée ou la chanson populaire. Tandis que les 12 livraisons (1958-1960) de *Bief*, éditées par Le Terrain vague, sont dirigées par Gérard Legrand, tous les numéros de *La Brèche* (1961-1965) ont Breton pour directeur et un comité de rédaction composé de R. Benayoun, G. Legrand, J. Pierre et J. Schuster. Ce dernier dirige ensuite *L'Archibras* (7 numéros de 1967 à 1969), qui, outre la participation de surréalistes tchèques, s'ouvre à des écrivains non surréalistes et consacre des numéros spéciaux à « Mai 1968 » ou à l'invasion de la Tchécoslovaquie par les troupes soviétiques en août 1968.

Norbert Bandier

■ N. Bandier, *Analyse sociologique du groupe surréaliste français et de sa production (1924-1929)*, doctorat, Lyon II, 1988. — C.A.S., *Revues surréalistes françaises (1929-1946)* (inventaire analytique), CNRS, 1993.

RICHET (Charles)

1850-1935

La vie et l'activité de Charles Richet ne peuvent se résumer à celles du professeur de médecine. Durant toute sa longue existence (1850-1935), il a débordé d'énergie comme en témoignent l'accumulation de ses titres et récompenses, ses très nombreuses, et parfois curieuses, publications, l'étendue déconcertante de ses sujets d'intérêt.

Charles Richet commence par marcher sur les traces de son père, grand chirurgien parisien. Interne des hôpitaux de Paris (1874), docteur en médecine et docteur ès sciences (1878), agrégé (1879), il se tourne vers la physiologie. Il franchit rapidement les étapes d'une carrière remarquable : professeur de physiologie à la Faculté de médecine de Paris (1887), membre de l'Académie de médecine (1898). Jusqu'au prix Nobel de médecine qui, en 1913, récompense ses travaux sur l'anaphylaxie, porteurs de découvertes essentielles dans l'étude des allergies et des réactions immunitaires.

En parallèle, il s'adonne avec enthousiasme à bien d'autres activités. La création littéraire, d'abord, l'occupe, avec des romans, sous le pseudonyme de « Charles Épheyre », des fables, des pièces de théâtre. Mais aussi des ouvrages historiques, des essais qui montrent l'éclectisme de ses intérêts : bibliographie, psychologie, espéranto, mais aussi eugénisme. Selon lui, la « sélection humaine » doit être mesurée à l'aune de l'augmentation de l'intelligence, apanage des races blanches, au prix de l'élimination (dont les moyens sont tus) des « anormaux ». Il présidera la Société française d'eugénique. Il s'investit aussi dans l'aviation naissante au point de travailler, entre 1888 et 1904, à un aéroplane qui volera quatre fois. Dans les années 1895-1914, son engagement dominant reste toutefois le pacifisme. Essais, articles, conférences, textes de fiction, tout lui est bon pour dénoncer les horreurs de la guerre et prôner l'arbitrage international. Il se lie alors à Camille Flammarion et Frédéric Passy. En 1914, « résolument pacifiste, résolument patriote », il se résigne à la guerre pour la défense de l'indépendance nationale et dans l'espoir que la paix définitive en naîtra.

Par la suite, sans délaisser le pacifisme, il se consacre de plus en plus à l'étude de la « métapsychique », terme qu'il a forgé en 1905, réfutant ceux de surnaturel ou supranormal. Il considère qu'il s'agit là de phénomènes naturels qui n'ont pas encore été expliqués par les lois physiques appropriées et qu'il convient de les étudier selon les méthodes scientifiques habituelles. Il est correspondant de la Society for Psychical Research anglaise, dont il assumera plus tard la présidence, et où siègent alors certains esprits éminents comme le chimiste Sir William Crookes. Ce groupe se heurte en France à l'incrédulité, aussi Richet s'efforce-t-il de convaincre les « savants », payant de sa personne sous forme de préfaces, allocutions et même livres, dont un *Traité de métapsychique* (1922), et se rendant un peu partout pour assister à des démonstrations médiumniques.

L'année de sa mort, il publie un dernier essai, *Au secours !*, où il défend la liberté et la paix contre les « sanglantes nuées des Soviets » et les « pompeuses proclamations des Germains ». Après avoir stigmatisé l'antisémitisme et le culte des Aryens, il conclut : « Devant les protestations pacifistes de Hitler et des Soviets, nous sommes forcés, nous, les pacifistes français — et tous les Français sont pacifistes — de nous tenir sur nos gardes. »

Bénédicte Vergez-Chaignon

■ *Les Guerres et la paix. Étude sur l'arbitrage international.* Schleicher, 1899. — *Les Coupables*, Flammarion, 1916. — *Abrégé d'histoire générale*, Hachette, 1919. — *Traité de métapsychique*, Alcan, 1922. — *Au secours !*, Peyronnet, 1935.

▒ A. Mayer, « Notice nécrologique de M. Charles Richet », *Bulletin de l'Académie nationale de médecine*, séance du 14 janvier 1936. — M. Rouzé, *Les Nobels scientifiques français*, La Découverte, 1988.

RICŒUR (Paul)

Né en 1913

Lecteur infatigable, Paul Ricœur a peut-être dû à la modestie d'une philosophie qui se livre rarement d'emblée, mais toujours au détour d'un commentaire ou d'une critique, de n'avoir eu que tardivement, du moins en France, la reconnaissance qu'il mérite.

Né en 1913 à Valence, Paul Ricœur perd très tôt ses deux parents (sa mère meurt six mois après sa naissance et son père est tué au front en 1915). Recueilli par ses grands-parents, puis par une tante, il fait ses études au lycée de Rennes, puis à l'université de cette même ville, avant de les poursuivre à la Sorbonne. En 1935, il réussit l'agrégation et se marie. À Paris, il fréquente les vendredis de Gabriel Marcel*, où il découvre la pensée de Husserl. Les années d'avant guerre le voient s'engager à la SFIO et dans les mouvements pacifistes, sous l'influence d'André Philip*, avec lequel il se lie alors. Mobilisé en 1939, fait prisonnier, il passera la guerre en camp de prisonniers. Il y rencontre Mikel Dufrenne, avec lequel il lit Jaspers, et traduit au crayon, dans les marges d'un exemplaire qu'il s'était procuré, les *Ideen I* de Husserl (sa traduction sera publiée par Gallimard* en 1950). De 1945 à 1948, il enseigne au Collège cévenol du Chambon-sur-Lignon, dont la communauté protestante s'était illustrée par le soutien qu'elle avait apporté aux juifs persécutés. Il y rencontre alors des quakers américains, qui l'inviteront ensuite aux États-Unis, ce qui sera à l'origine de sa carrière américaine. C'est après la Libération qu'il prend contact avec la revue *Esprit**, dont l'orientation lui paraît recouper certaines de ses préoccupations. En 1956, quand il sera nommé à la Sorbonne après avoir enseigné à l'université de Strasbourg, il s'installera avec sa femme aux « Murs Blancs », la propriété de Châtenay-Malabry acquise par Mounier* afin d'y regrouper quelques amis proches d'*Esprit*. Chroniqueur philosophique attitré de la revue, il y publiera plusieurs articles importants, sans pour autant négliger une collaboration continue avec des revues qui se situent dans la sphère du protestantisme social (notamment *Temps nouveaux*). Parallèlement à ces engagements, il poursuit une carrière universitaire, jalonnée de nombreux travaux. Sa thèse tout d'abord, soutenue en 1950, qui porte sur la philosophie de la volonté, mais qui est marquée par un souci d'élucidation phénoménologique de l'émergence du volontaire sur fond d'involontaire. Curieux de tout, Ricœur se défie des postures philosophiques de la radicalité et de l'originalité. Aussi est-ce en recourant à chaque fois à des langages techniques qu'il formulera une philosophie originale, qui n'a cessé de se dire de diverses manières, tout en présentant une grande continuité. Si le Ricœur des années 50 est d'abord phénoménologue, celui des années 60 s'investit dans les sciences humaines, en premier lieu la psychanalyse freudienne. La relecture qu'il propose de l'œuvre de Freud, si elle fait de la psychanalyse une grille herméneutique éminente, qui impose à la réflexion sur soi une médiation, suscitera nombre de malentendus avec ceux qui, dans la mouvance lacanienne, font de l'inconscient le véritable auteur de nos actions. Dans la décennie suivante, ses séjours aux États-Unis aidant, Ricœur aura recours au langage de la philosophie analytique, se faisant ainsi l'un des premiers introducteurs en France de ce courant philosophique, mais faisant aussi la preuve, face à ses collègues d'outre-Atlantique, que le *linguistic turn* n'annule pas une réflexion éthique ou ontologique. Il assumera de la sorte un rôle de passeur d'autant plus efficace qu'il sera discret.

Parallèlement à son œuvre philosophique, Ricœur n'a cessé d'être un penseur engagé, qui met la question politique au cœur des paradoxes qu'il affronte. C'est ainsi que l'événement de Budapest est au principe de l'article capital sur « Le paradoxe politique » qu'il publie dans *Esprit* en 1957. En 1955, il visite la Chine en compagnie de Michel Leiris*, Armand Gatti, René Dumont*, Jean Lurçat. Mais son engagement porte aussi sur la question universitaire, qui lui est proche et lui tient à cœur. Il est l'un des artisans du numéro spécial d'*Esprit*. « Faire l'Université », en 1964, et délaisse en 1966 la Sorbonne pour la jeune université de Nanterre, dont l'expérience lui semble prometteuse. La contestation étudiante de Mai 68, qu'il accueille avec bienveillance, lui paraît exiger une réforme de l'Université, dans laquelle il s'engage en devenant recteur en 1969. Mais la violence gauchiste des années suivantes, le mépris du savoir et du travail universitaire ainsi que la démagogie de certains de ses collègues le conduiront à démissionner en 1970. C'est alors qu'il s'éloignera de la France pour enseigner désormais surtout aux États-Unis, à Yale puis à Chicago, après un séjour à Louvain.

Parallèlement à son travail d'enseignant et de directeur de recherches, il se consacre aussi à développer la recherche philosophique. C'est ainsi qu'il fonde, en 1966, en compagnie de François Wahl*, la collection « L'Ordre philosophique », aux Éditions du Seuil*, ou qu'il prend, en 1974, la succession de Jean Wahl* à la tête de la *Revue de métaphysique et de morale*, ou qu'il réalise, en 1978, une grande enquête pour le compte de l'Unesco sur la philosophie dans le monde. Il encouragera, enfin, le renouveau des recherches husserliennes dans le laboratoire du Centre national de la recherche scientifique* qu'il dirigera.

Durant les années 80, Ricœur livrera ses travaux philosophiques les plus personnels, rassemblant ainsi les pièces du puzzle édifié au cours de sa carrière. Deux massifs émergent alors : celui formé par *Temps et récit*, qui propose une réinterprétation de l'histoire à la lumière des développements de l'épistémologie historique, mais aussi des théories contemporaines du récit, et celui de *Soi-même comme un autre*, où il propose une éthique qui saurait s'articuler sur une politique, c'est-à-dire sur le monde des institutions. Dans ces deux ouvrages, il retrouve l'élan phénoménologique initial, articulant une éthique de l'action à une ontologie de la passivité, de l'être affecté.

Joël Roman

■ *Karl Jaspers et la philosophie de l'existence* (avec M. Dufrenne), Seuil, 1947. — *Philosophie de la volonté*, Aubier, 1950-1960, 3 vol. — *Histoire et vérité*, Seuil, 1955. — *De l'interprétation*, Seuil, 1965. — *Le Conflit des interprétations*, Seuil, 1969. — *La Métaphore vive*, Seuil, 1975. — *Temps et récit*, Seuil, 1983-1985, 3 vol. — *Du texte à l'action*, Seuil, 1986. — *Soi-même comme un autre*, Seuil, 1990. — *Lectures 1, 2, 3*, Seuil, 1991-1994.

■ O. Mongin, *Paul Ricœur*, Seuil, 1994. — *Les Métamorphoses de la raison herméneutique* (dir. J. Greisch et R. Kearney), Cerf, 1992. — *Esprit*, numéro spécial, juillet-août 1988.

RIF (guerre du)

1925

En 1912, la France et l'Espagne instaurent leur protectorat au Maroc. Mais la « pacification » du pays demandera un tiers de siècle. Le principal foyer de résistance est le Rif, montagne berbère largement autonome à l'égard du *Makhzen* (administration du sultan), et abritant une société paysanne segmentaire, régie par un système de conseils *(Jemaa)* des chefs de familles.

Cette guerre difficile vaudra à Lyautey une disgrâce, et c'est Pétain qui viendra à bout de la *Jumhuryia*. La traduction de ce terme par « République » pose problème : quel est le contenu du projet d'Abd el-Krim ? Comment les intellectuels français de l'époque conçoivent-ils l'avenir d'un Maroc qui refuserait la colonisation-civilisation ? La conquête est-elle légitime ou illégitime ? Curieusement, les débats des années 20 ignorent les pages splendides de Jaurès* qui, sans complaisance ni naïveté, rappelant la grandeur de l'islam, y décelait une « faculté d'évolution et d'adaptation à toutes les possibilités d'avenir », des « forces morales neuves », un appétit de liberté, d'indépendance, le « sens du droit », et dénonçait dans la colonisation une barbarie écrasant les germes de modernité (Chambre des députés, 28 juin 1912).

C'est du Parti communiste, aiguillonné par la IIIe Internationale, que vient l'initiative de la première campagne anticolonialiste de notre histoire. Campagne qui n'a guère dépassé la périphérie de la vie politique et syndicale. La grève d'octobre 1925, qui se limite aux adhérents de la CGTU, marque la fin du mouvement. L'activisme ne supplée pas les obscurités des disputes théoriques et des tournants stratégiques du Komintern, l'ignorance des réalités maghrébines. Il n'empêche que l'épisode dépasse la péripétie, qu'il s'inscrit dans une onde d'ébranlements coloniaux et impose la question des relations entre mouvement ouvrier et mouvements nationalistes.

Le Rif concerne aussi les intellectuels, soit en raison des combats d'idées liés à la Grande Guerre, soit en raison d'un intérêt — même superficiel — envers l'Orient. Barbusse* adresse un « Appel aux travailleurs intellectuels », dans l'esprit pacifiste (« c'est la guerre qu'il faut déshonorer ») et en référence aux principes des « droits des peuples à quelque race qu'ils appartiennent à disposer d'eux-mêmes » (*L'Humanité**, 2 juillet 1925). Riposte à l'Appel, le « Manifeste des intellectuels aux côtés de la patrie » (*Le Figaro**, 7 juillet) l'emporte en quantité comme en qualité institutionnelles : Henri Massis* rallie ce qui compte à l'Institut, chez les médecins, les juristes, dans l'Université, la presse, la littérature (Valéry*, Maurois, Mauriac*...), les familles spirituelles chrétiennes et le président du Consistoire des israélites.

La cause est donc entendue. Mais la revue *Clarté**, mobilisée aux côtés du groupe Philosophies* et des surréalistes, tout en attendant que les Mongols viennent nous libérer de la civilisation, lance une enquête auprès des « personnalités de gauche », qui permet de dessiner leur atlas mental. 52 réponses pour 200 courriers : le chiffre confirme que l'affaire n'a pas grande importance. À la différence de la droite, la gauche condamne le colonialisme d'agression et d'exploitation. Mais trois textes seulement affirment le droit du peuple marocain à l'indépendance. C'est que là où la droite voit « tribus, violence, pillards, haine », la majorité des pacifistes et démocrates voient aussi « un aventurier féodal, pirate, chef de brigands », des « petits sultanats féroces », des « tyranneaux à demi sauvages ». L'Aurès restera « la terre de prédilection de bandits de droit commun ou de bandits d'honneur », répétera Albert Bayet* en 1954. Pour Victor Basch*, l'état de civilisation auquel parviennent les peuples colonisés est infiniment supérieur à leur état antérieur. Alain* exprime la sensibilité dominante en marquant la prééminence du droit à « l'indépendance individuelle sur celui d'un peuple inorganisé qui n'a pas en lui-même de droit réel ». On voit l'actualité des enjeux soulevés par le Rif dans les passions intellectuelles françaises.

Cette actualité apparaît encore dans la réponse de Romain Rolland* qui prophétise l'insurrection des « masses tourbillonnantes » d'Afrique et d'Asie et une guerre des races, la « fureur du guêpier » tournée contre l'Occident mais aussi contre Moscou. René Maran, prix Goncourt en 1924 — premier Antillais à y accéder —, tout en déplorant le conflit, souhaite qu'on en termine vite, car « l'islamisme, aux écoutes de nos faiblesses, aux aguets de nos défaillances, attend, immobile »... À la lumière du Rif, bien des conflits prennent un air de déjà-vu ou un goût de revenez-y.

Claude Liauzu

■ C. Liauzu, *Aux origines des tiers-mondismes. Colonisés et anticolonialistes en France (1919-1939)*, L'Harmattan, 1982.

Rist (Charles)

1874-1955

Historien et praticien de l'économie, Charles Rist reste dans l'histoire comme un des artisans du redressement financier de 1926-1928.

Né à Prilly, près de Lausanne, en 1874, il est issu d'une famille de la bourgeoisie protestante alsacienne, repliée en Suisse, puis dans la région parisienne après la guerre de 1870. Il fait ses études à Versailles et à la Faculté de droit de Paris. Docteur et agrégé dès 1899, il enseigne l'économie politique à l'université de Montpellier, puis à celle de Paris à partir de 1913. Il s'est d'abord surtout intéressé aux questions sociales sur lesquelles portaient ses deux thèses. Hostile au marxisme, il est marqué par le saint-simonisme et par la pensée de Proudhon. Protestant, dreyfusard, gendre de Gabriel Monod*, animateur de l'Université populaire* de Montpellier, il peut apparaître au début de sa carrière comme un homme de gauche. Mais son évolution intellectuelle va assez vite l'amener à donner la primauté à l'étude des purs mécanismes économiques sur les problèmes sociaux.

Il entreprend en 1903 avec Charles Gide* une *Histoire des doctrines économiques depuis les physiocrates*, classique maintes fois réédité depuis sa première parution en 1909. Les questions monétaires et financières constituent désormais sa principale préoccupation. Largement isolé, il dénonce en 1919 les sophismes et les illusions présidant à la politique des réparations. La notoriété qu'il acquiert à cette époque explique sa nomination en mars 1926 dans le comité des experts appelé au chevet du franc. Quand il en présente en juillet le plan de redressement à Joseph Caillaux, celui-ci le convainc de « ne pas rester grammairien toute sa vie » et d'accepter la charge de sous-gouverneur de la Banque de France. À ce poste, qu'il occupera jusqu'en 1930, il joue, avec le gouverneur Moreau, un rôle important dans la stabilisation Poincaré. Reconnu à l'échelle internationale, il sera successivement sollicité pour résoudre les problèmes financiers de la Roumanie, la Turquie, l'Espagne et l'Autriche. Il connaîtra cependant moins de succès face à la crise des années 30. Représentant la France à la conférence de Londres en 1933, il défend la parité-or du franc. Il semble aussi avoir influencé la politique de déflation de Laval, ne se ralliant à la dévaluation qu'au printemps 1936. Hostile au Front populaire, il est avec Paul Baudoin et Jacques Rueff un des experts auxquels Léon Blum* doit faire appel au moment de la « pause ». Il apparaît alors comme l'homme des milieux d'affaires, d'autant plus qu'il siège depuis 1933 au conseil d'administration de Suez et de Paribas, et qu'il préside la Banque ottomane. Il ne renonce pas pour autant à ses activités scientifiques. Après un bref retour à l'université, il fonde en 1933 avec la collaboration de Robert Marjolin l'Institut scientifique de recherches économiques et sociales. Il publie en 1938 son *Histoire des doctrines relatives au crédit et à la monnaie*.

Fidèle à ses racines alsaciennes et protestantes, vieux républicain, Charles Rist refusera sous l'Occupation de suivre la pente de son milieu et de servir le régime de Vichy. Dans son *Journal de la guerre et de l'Occupation*, il fustige avec une étonnante virulence l'attitude des élites sociales, dont la stupidité n'a pour lui d'égale que la lâcheté. On se prend à regretter que cet intellectuel ait parfois bridé son talent de polémiste et n'ait jamais voulu intervenir publiquement en dehors de sa sphère de compétences. Adversaire déterminé du keynésianisme, il aura cependant l'occasion de dénoncer vigoureusement les politiques dirigistes et inflationnistes de l'après guerre. Jusqu'à sa mort, en 1955, il défend à contre-courant ses « quelques vérités économiques élémentaires », réclame inlassablement le retour à l'étalon-or, à l'équilibre budgétaire, à l'indépendance des banques d'émission. Il peut alors faire figure de « classique attardé », figé dans ses analyses anciennes. Plus complexe, la pensée de ce pragmatique qui se méfiait des systèmes théoriques, fussent-ils anglo-saxons, a connu une incontestable postérité au début de la Ve République dans le plan inspiré par son ami Jacques Rueff et dans les positions défendues par de Gaulle.

Rémi Fabre

■ *La Journée de travail de l'ouvrier adulte en France*, thèse, Leroux-Denis, 1898. — *Histoire des doctrines économiques depuis les physiocrates jusqu'à nos jours* (avec C. Gide), Sirey, 1909. — *Les Finances de guerre de l'Allemagne*, Payot, 1921. — *Histoire des doctrines relatives au crédit et à la monnaie depuis John Law jusqu'à nos jours*, Sirey, 1938. — *Défense de l'or*, Sirey, 1953. — *Une saison gâtée. Journal de la guerre et de l'Occupation (1939-1945)* (présentation par J.-N. Jeanneney), Fayard, 1983.

■ C.-J. Gignoux, *Notice sur la vie et les travaux de Charles Rist (1874-1955)*, Académie des sciences morales et politiques, séance du 15 juin 1959. — « Charles Rist (1874-1955) : l'homme, la pensée, l'action », *Revue d'économie politique*, Sirey, 1956.

RIVET (Paul)

1876-1958

Homme de science, socialiste, Paul Rivet apparaît comme une figure d'intellectuel symbolisant les aspirations unitaires de la gauche et incarnant le vieux rêve de l'alliance des intellectuels et des ouvriers.

Né le 7 mai 1876 à Wasigny (Ardennes), fils d'un percepteur des contributions directes, Rivet commence une carrière de médecin militaire. À la suite d'un séjour de cinq ans en Équateur en tant que médecin de la mission géodésique française, il s'intéresse à l'ethnologie des populations amérindiennes. Nommé en 1909 assistant du Muséum d'histoire naturelle, il quitte l'armée et publie ses premiers travaux. Mobilisé en 1914 comme médecin-chef, il reste deux ans au front puis est envoyé à Salonique et en Serbie. Au lendemain des hostilités, il s'efforce de faire prévaloir dans les réunions d'américanistes ses conceptions d'internationalisme scientifique. Il est élu en 1928 à la chaire d'anthropologie du Muséum, puis directeur du Musée d'ethnographie du Trocadéro ; il rêve de réunir en un « Musée de l'homme » les différentes collections du Muséum et du Trocadéro. Ce rêve se réalise à l'occasion de l'Exposition internationale* de 1937 lorsque est prise la décision d'édifier le palais de Chaillot. Conçu par Rivet et ses collaborateurs, Georges-Henri Rivière* et Jacques Soustelle*, le Musée de l'homme veut être aussi un centre d'éducation populaire.

Au lendemain des événements de février 1934, Paul Rivet accepte de présider le

Comité de vigilance des intellectuels antifascistes* (CVIA), entouré d'Alain* et de Paul Langevin*. Il devient le « premier élu » du Front populaire ayant réussi à faire l'unité d'action sur son nom à Paris, au second tour des élections municipales de mai 1935. Relevé de ses fonctions par le gouvernement de Vichy en novembre 1940, il fait partie du groupe de Résistance connu sous le nom de « réseau du Musée de l'homme ». Sous la menace d'une arrestation par les Allemands, il accepte en 1941 l'invitation de ses rendre en Colombie pour créer un Institut d'ethnologie. En raison de son action en faveur de la France libre, il est nommé en 1943 délégué du Comité français de libération nationale par le général de Gaulle, puis attaché culturel au Mexique pour toute l'Amérique latine ; il crée à Mexico l'Institut français d'Amérique latine et la Librairie française de Mexico. À son retour en France, il est élu député socialiste de la Seine aux Assemblées constituantes de 1945 et 1946, puis à l'Assemblée nationale de novembre 1946. Son opposition à la politique du Parti socialiste en Indochine et à Madagascar lui vaut d'être exclu du parti en 1949. Il rejoint l'Union progressiste, dont il démissionne en 1953 pour protester contre le refus d'investiture à Pierre Mendès France. Favorable à une émancipation graduelle des peuples colonisés, à une politique libérale de réformes, mais hostile aux différentes influences religieuses qui marquent le mouvement nationaliste algérien, il se rapproche durant la guerre d'Algérie des partisans de l'Algérie française au nom d'une tradition laïque et républicaine. À la demande du gouvernement Guy Mollet, il accepte de défendre la position de la France dans l'affaire algérienne, au siège de l'ONU à New York. Sans rejoindre la gauche anticolonialiste, il marque ultérieurement sa déception vis-à-vis de la politique algérienne de ses amis socialistes. À la fin de sa vie, il écrit un « Testament politique » révélant ses désillusions d'homme de science et d'homme de gauche.

Nicole Racine

■ *Mélanges Paul Rivet*, université de Mexico, 1958 (bibliographie).
▒ P. Duarte, *Paul Rivet por êle mesmo*, São Paolo, Editora Anhembi, 1960. — N. Racine, « Paul Rivet », in *DBMOF*. — *Paul Rivet, fondateur du Musée de l'homme (1876-1958)* (texte de G. Soustelle, préface de P. Champion), Musée de l'homme, 30 juin-septembre 1976.

Rivière (Georges-Henri)

1897-1985

Neveu du peintre et collectionneur Henri Rivière, Georges-Henri Rivière étudie après son baccalauréat dans les classes d'harmonie et d'orgue du Conservatoire de Paris. Il engage une carrière de maître de chapelle, notamment à l'église de Saint-Louis-en-l'Île, mais s'adonne aussi à la musique profane : il compose ainsi, dans les années 20, des chansons pour Joséphine Baker. Dans le contexte des années folles, il participe à la vie du Tout-Paris des arts et des lettres, fréquentant, comme les futurs surréalistes, les grands mécènes tout en suivant les cours de l'École du Louvre. De 1925 à 1928, Georges-Henri Rivière est attaché au collectionneur David-Weill comme conseiller artistique.

En 1928, Paul Rivet* fait appel à sa collaboration pour préparer la réorganisation du Musée d'ethnographie. Sous-directeur du musée, Georges-Henri Rivière participe à l'organisation de nombreuses expositions (notamment à celles qui sont consacrées à l'expédition Dakar-Djibouti et aux statues de l'île de Pâques). Il est alors sollicité pour préparer au palais de Chaillot le futur Musée d'ethnographie française, créé officiellement en 1937 sous le nom de Musée des arts et traditions populaires*. Son nom est désormais attaché à l'ethnographie du domaine français. Conçue comme musée-laboratoire de recherches, l'institution des Arts et traditions populaires veut concilier les exigences de la collecte raisonnée, de l'étude scientifique et de la vulgarisation de haut niveau. Dans le contexte du « retour à la terre » pétainiste, le musée prend un premier essor (même si des raisons matérielles ne permettent pas encore l'ouverture de salles d'exposition) mais Georges-Henri Rivière parvient à ne pas le laisser trop dépendant d'une demande politique et idéologique immédiate.

Directeur du musée jusqu'en 1967, il organise le nouveau Musée des arts et traditions populaires au bois de Boulogne. Ce musée national, selon une conception originale, comprend une galerie d'études, présentant typologiquement, selon les principes de Leroi-Gourhan, outils et objets, ainsi qu'une galerie culturelle qui met en scène, thématiquement, les éléments de la culture rurale. Georges-Henri Rivière prend aussi une part active dans la création de nombreux musées régionaux.

Premier titulaire d'une chaire d'enseignement sur les arts populaires à l'École du Louvre, auteur d'innombrables articles et préfaces sur les musées et l'ethnographie, conférencier, Georges-Henri Rivière est plus un homme d'action qu'un théoricien et il ne participe guère aux débats d'école dans les sciences sociales. Esthète soucieux de rigueur scientifique, voulant promouvoir la connaissance d'une culture populaire vivante, il dirige, et souvent engage, de vastes entreprises de recherche et de collecte (études, dès les années 30, sur la culture ouvrière, l'architecture rurale et le mobilier régional) et il participe aux grandes entreprises de recherche coopérative des années 60 (sur l'Aubrac, le Châtillonnais). Il est à l'origine de la notion d'écomusée, création restituant sur son site la vie matérielle et culturelle d'une communauté sociale et professionnelle. Sollicité comme conseiller par de nombreux musées étrangers, Georges-Henri Rivière a été de 1948 à 1963 directeur de l'ICOM (Conseil international des musées), une organisation non gouvernementale affiliée à l'Unesco.

Anne-Marie Thiesse

■ *L'Aubrac* (dir. G.-H. Rivière), CNRS, 1970-1986, 8 vol. — *Arts populaires des pays de France* (avec A. Desvallées et D. Glück), Meudon, Jean Cuenot, 1975 et 1976, 2 vol.

▒ *Ethnologie française*, 1987, 1 (numéro d'hommage à Georges-Henri Rivière).

RIVIÈRE (Jacques)

1886-1925

Le nom de ce jeune Bordelais reste attaché à la fondation et à la jeunesse de *La Nouvelle Revue française**. Né en 1886, c'est en 1903 qu'il fait la connaissance d'Henri Alban Fournier à la khâgne* du lycée Lakanal. Il n'est pas reçu à l'École normale supérieure* et échoue à l'agrégation de philosophie mais il entre dans le « cercle » des fondateurs de la *NRF*, à laquelle il collabore dès le premier numéro et dont il devient le secrétaire en 1911. En 1909, il a épousé la sœur de celui qui est devenu Alain-Fournier. À la *NRF*, il a sauvé *La Recherche du temps perdu* de l'abandon.

La guerre vient briser ces élans affectifs et créateurs. Alain-Fournier est tué en septembre 1914, Jacques Rivière est prisonnier en Saxe. Il commence à rédiger son essai publié en 1918, *L'Allemand*, et un roman, *Aimée*. Durant sa captivité il pense déjà au « langage nouveau » que devra adopter la revue, la paix revenue. Déterminé à ce qu'elle renaisse et s'ouvre à tous les nouveaux talents, il est décidé à agir seul à sa direction, ce qui ne va pas sans une éviction de Gide*, qui demeure rédacteur. Dès septembre 1919, en trois articles, Rivière rompt avec l'Action française*, et condamne les velléités d'Henri Ghéon de fonder un « parti de l'intelligence ».

La *NRF* s'ouvre grâce à lui aux nouveaux courants, du dadaïsme et du surréalisme. André Breton*, Aragon* sont accueillis dans la revue, au risque d'une menace de départ de Paul Claudel*. La jeunesse, l'enthousiasme et la disponibilité de Jacques Rivière drainent tous les talents nouveaux : François Mauriac*, André Malraux*. Lui-même est en train de mûrir un projet de réconciliation franco-allemande, de communauté européenne, lorsqu'il meurt brutalement de la fièvre typhoïde en février 1925.

Françoise Werner

■ *De la sincérité envers soi-même*, Gallimard, 1912. — *L'Allemand. Souvenirs et réflexions d'un prisonnier de guerre*, Gallimard, 1918. — *Carnets (1914-1917)* (préface de P. Emanuel), Fayard, 1974. — *Correspondance Jacques Rivière - Alain-Fournier (1904-1917)*, Gallimard, 1991, 2 vol. — *Correspondance Jacques Rivière - Gaston Gallimard (1911-1924)*, Gallimard, 1994. — *Correspondance Marcel Proust - Jacques Rivière (1914-1922)*, Gallimard, 1976. — « Correspondance Antonin Artaud - Jacques Rivière », in *L'Ombilic des limbes*, Gallimard, 1968. — « Correspondance Jacques Rivière - Paul Claudel », *Cahiers Paul Claudel*, n° 12, 1984. — « Correspondance Jacques Rivière - Jacques Copeau » et « Correspondance de Jacques et Isabelle Rivière », *Bulletin des amis de Jacques Rivière et d'Alain-Fournier*.

▒ P. Beaulieu, *Jacques Rivière*, La Colombe, 1956. — J. Lacouture, *Une adolescence du siècle. Jacques Rivière et la « NRF »*, Seuil, 1994.

RIVIÈRE (Librairie Marcel Rivière)

Fondée en 1902 à Paris, la Librairie des sciences politiques et sociales, sise au 31 rue Jacob, affirme ses liens avec l'École libre* de la rue Saint-Guillaume. Il s'agit au départ d'une entreprise modeste, spécialisée dans la publication de brochures politiques et de cours, dont l'activité, comme il est souvent d'usage, est complétée par le commerce de livres d'occasion. En cela, elle ne se distingue en rien des librairies spécialisées qui assurent ainsi leur trésorerie. C'est après la Première Guerre mondiale* que, sous l'impulsion de Marcel Rivière, son rayonnement s'accroît, grâce notamment à la publication de l'œuvre de Georges Sorel*. On trouve d'ailleurs cette société en 1937 sous la raison sociale Librairie Marcel Rivière et Cie dans les registres du greffe du tribunal de commerce.

À la fin du XIXe siècle, la grande librairie d'économie politique est celle de Guillaumin, ancien carbonaro, formé à l'économie par Adolphe Blanqui. Leur tribune est le *Journal des économistes* fondé en 1841. Guillaumin publie les ténors de la pensée libérale, Say, Garnier, Bastiat, et assure la diffusion des idées de ce groupe de pression qui réclame à la fois le libre-échange et l'enseignement de l'économie politique. Le contre-feu est allumé en 1887 par la *Revue d'économie politique*. Félicité Guillaumin assume la succession de la librairie de la rue de Richelieu en 1865 mais, peu avant 1908, le fonds, devenu classique grâce à la collection célèbre des « Grands économistes », est absorbé par la maison Alcan*. Après 1918, Félix Alcan lance avec Célestin Bouglé* la « Collection des réformateurs sociaux » et permet à celui-ci de commencer la publication de l'œuvre complète de Proudhon. Ce sont des parties de ces fonds qui se retrouvent dans le catalogue de la Librairie Marcel Rivière dans les années 30 et en constituent l'armature principale.

Dans le domaine de la pensée économique et sociale, les deux principaux piliers de la librairie sont, après 1918, Célestin Bouglé et Albert Thomas. Le premier, qui continue à travailler parallèlement avec Alcan, dirige la « Bibliothèque d'information sociale », le second anime la collection « Les Documents du socialisme », qui publie C. Andler*, J. Guesde... Le catalogue propose aussi la « Bibliothèque du mouvement prolétarien », qui rassemble l'ensemble des contributions des principaux militants du syndicalisme contemporain, ainsi qu'une *Histoire des partis socialistes de France* sous la direction d'A. Zévaès. M. Rivière édite alors également la *Revue d'histoire économique et sociale*.

Ce foyer de réflexion sur les sciences sociales, le syndicalisme, le socialisme offre par ailleurs à E. Peillaube, de l'Institut catholique de Paris, une tribune sur mesure en éditant la *Revue de philosophie*, fondée en 1900, et deux collections : « Études philosophiques » et la « Bibliothèque de philosophie expérimentale ». Mais l'essentiel de la pensée catholique de l'entre-deux-guerres, qui fera date à partir des années 30, est publiée ailleurs, soit par des maisons de stricte obédience catholique, soit par exemple par Fernand Aubier qui édite G. Marcel*, J. Maritain*, accueille à leurs débuts les collaborateurs d'E. Mounier* et crée, autour du Père de Lubac*, la collection « Théologie » en 1942. Ce secteur de toute façon n'est pas le plus important chez M. Rivière en regard des publications de brochures ou de manuels d'économie appliquée.

Valérie Tesnière

ROBBE-GRILLET (Alain)

Né en 1922

Ingénieur agronome de formation, Alain Robbe-Grillet, chef d'école du « Nouveau Roman », a exercé sur son époque une influence intellectuelle considérable. À partir de ses premiers romans et articles, il devient, grâce au caractère radical de ses ouvrages et à sa vigueur polémique, une célébrité internationale, mais aussi un objet de controverse. Il ne cesse depuis, dans des romans, cinéromans, films, essais, interviews, auto-fictions, etc., de troubler l'ordre dans les milieux littéraires.

Robbe-Grillet est né à Brest, de parents qu'il qualifiera d'« anarchistes d'extrême droite ». Après le lycée à Brest puis à Paris, il entre à l'Institut national d'agronomie en 1942. En 1943, il part en Allemagne au titre du Service du travail obligatoire. Diplômé en 1945, il est chargé de mission à l'Institut national des statistiques jusqu'en 1948. Il fait alors des recherches biologiques et écrit son premier roman, *Un régicide*, demeuré inédit jusqu'en 1978. Nommé ingénieur à l'Institut des fruits et agrumes tropicaux en 1950, il fait des séjours au Maroc, en Guinée et à la Martinique. Rapatrié en 1951 pour raisons de santé, il commence dès lors sa carrière littéraire avec *Les Gommes* (1953, prix Fénéon) et *Le Voyeur* (1955, prix des Critiques), devenant, dès 1955, conseiller littéraire aux Éditions de Minuit*. Il se marie en 1957 avec Catherine Rstakian. La même année, il publie *La Jalousie*, suivie, en 1959, par *Dans le labyrinthe*, roman charnière entre le mode romanesque des années 50 et celui, encore plus radical, des années 60 et 70. En 1972, il dirige un séminaire sur le roman à New York University, qui marque le début d'une longue collaboration.

Publiés précédemment dans la presse ou en revue, les essais réunis dans *Pour un nouveau roman* (1963) sont, avec *L'Ère du soupçon* de Nathalie Sarraute* (1956), le texte-manifeste du « Nouveau Roman ». Ce mouvement littéraire rassemble des écrivains novateurs comme Sarraute, Butor* et Claude Simon*. Sous différentes appellations, « école de Minuit », « école du Regard » et « école du Refus », ces écrivains ont en commun de refuser les conventions du réalisme mimétique. Ils déclarent la faillite de la littérature engagée et insistent sur l'autonomie de l'artiste ainsi que sur la nécessité de nouvelles formes pour exprimer une réalité nouvelle. « Au lieu d'être de nature politique, l'engagement c'est, pour l'écrivain, la pleine conscience des problèmes actuels de son propre langage... », écrit Robbe-Grillet. Parmi les tout premiers signataires du « Manifeste des 121 »*, l'auteur des *Gommes* fournit la preuve que l'on peut, à la fois, être un écrivain « dégagé » et un citoyen « engagé » dans les problèmes de son époque. Robbe-Grillet s'attaque à l'humanisme tragique et anthropomorphique de Sartre* et Camus*, qui montrent l'homme faisant face à un univers hostile. L'univers, affirme-t-il, n'est ni hostile ni complice : les choses sont simplement là. Les critiques l'accuseront de « chosisme » et d'un formalisme inhumain ; il répond que le refus de la « profondeur » métaphysique n'implique en rien l'abandon de l'humain, même si le personnage traditionnel a disparu. Si les traditionalistes condamnent son iconoclasme et son penchant pour l'érotisme sadique, les « modernes » — Barthes*, Ricardou et Blanchot* entre autres — relèvent les aspects objectifs, subjectifs, phénoménologiques, psychologiques, ludiques, etc., de son œuvre. Et Robbe-Grillet continue, avec son humour caractéristique, de modifier sa position et de produire des textes qui ne cessent de dépasser les « explications » critiques. Il démontre, en effet, de façon exemplaire, l'étroite relation entre critique et création qui caractérise le modernisme : ses « nouveaux romans », commentant et critiquant leurs propres procédés, prennent le relais des essais critiques et nous invitent à réfléchir sur les procédés par lesquels nous nous inventons nous-mêmes, et la façon dont nous racontons notre propre vie.

Valérie Minogue

■ *Pour un nouveau roman*, Minuit, 1963. — *La Maison de rendez-vous*, Minuit, 1965. — *Projet pour une révolution à New York*, Minuit, 1970. — *Djinn*, Minuit, 1981. — *Le Miroir qui revient*, Minuit, 1985. — *Angélique ou l'Enchantement*, Minuit, 1988.

▒ J.-J. Brochier, *Alain Robbe-Grillet*, Lyon, La Manufacture, 1985. — B. Morrissette, *Les Romans des Robbe-Grillet*, Minuit, 1971. — *Nouveau roman hier, aujourd'hui* (colloque de Cerisy), UGE, 1972, 2 vol. — *Robbe-Grillet* (colloque de Cerisy), UGE, 1976, 2 vol. — *Obliques*, XVI-XVII, 1978.

Robin (Paul)

1837-1912

Paul Robin est né à Toulon dans un milieu aisé qui lui permit de poursuivre des études scientifiques jusqu'à l'École normale supérieure* où il fut reçu en 1858. Il fut en outre licencié ès sciences et plein d'une confiance dans les vertus du savoir scientifique comme dans les mérites de l'éducation. La première partie de sa vie le voit militer dans les rangs de la Ire Internationale. Proche de Bakounine mais aussi, un moment, de Marx, il fut finalement exclu de l'organisation en 1870. Ne participant pas à la Commune, il se dégagea progressivement de la vie politique au cours des années 1870 pour se consacrer à une œuvre pédagogique.

Ami de Ferdinand Buisson*, qui le fit nommer inspecteur primaire en 1879, il collabora au *Dictionnaire de pédagogie* que celui-ci dirigeait. Il se mit alors à publier une série d'articles, notamment dans la revue *Philosophie positive*, dans lesquels il défendait l'idée d'une « éducation intégrale » fondée sur des idées communautaires, l'intérêt porté au corps et la mixité. En 1881, il prit la direction de l'orphelinat Prévost à Cempuis (Oise) où il tenta de mettre en œuvre ses idées. En 1894, il dut quitter ses fonctions. Il tombait victime d'une cabale de presse principalement animée par le journal de Drumont*, *La Libre Parole*, qui dénonçait l'« immoralité » de l'institution dirigée par Robin. Ce penseur de la pédagogie, qui inspira Sébastien Faure* ou Francisco Ferrer et s'inscrit dans la lignée des Pestalozzi, Montessori ou Decroly, se replia alors sur l'action néo-malthusienne qui marque la dernière partie de sa vie.

En août 1896, il fonda la Ligue de la régénération humaine, dont il devint le président. En décembre, il fit paraître un périodique, lié à la Ligue, *Régénération*, où se défendaient les idées de contrôle des naissances et de droit à l'avortement. Initié cette même année au Grand-Orient de France, il fit effort, en vain, pour propager dans ce milieu ses idées néo-malthusiennes. Il en fut vite écarté. Proche des féministes — il entretint de bonnes relations avec Nelly Roussel* —, il en critiquait pourtant l'action, trop orientée, à son goût, vers la conquête des droits civiques. L'émancipation des femmes passe, selon lui, par la libre maternité. En août 1900, il était présent au Congrès malthusien puis fit la connaissance, en 1902, d'un cordonnier anarchiste, Eugène Humbert, à qui il confia l'animation de la Ligue. En 1908, des désaccords opposèrent les deux hommes. Robin se déchargea alors de toute responsabilité tandis que Humbert alla fonder son propre périodique : *Génération consciente*.

Épuisé, malade, séparé de sa femme depuis 1900, en butte à de nombreuses polémiques de presse, fréquemment fondées sur des calomnies, Paul Robin mit fin à ses jours le jour anniversaire de sa révocation de l'orphelinat Prévost.

Christophe Prochasson

■ *Dégénérescence de l'espèce humaine, causes et remèdes. Communication à la Société d'anthropologie de Paris*, Stock, 1896. — *Contre et pour le malthusianisme*, Stock, 1897. — *Contre la nature*, 1900. — *Le Néo-Malthusianisme, la vraie morale sexuelle, le choix des procréateurs, la graine, prochaine humanité*, Librairie de « Régénération », 1905.

▒ N. Brémand, *Paul Robin. De l'éducation intégrale à l'orphelinat de Cempuis*, maîtrise, Toulouse-Le Mirail, 1992. — C. Demeulenaere-Douyère, *Paul Robin (1837-1912), un militant de la liberté et du bonheur*, Publisud, 1994. — J. Maitron, « Paul Robin », in *DBMOF*.

ROCHE (Denis)

Né en 1937

Né le 21 novembre 1937, Denis Roche publie son premier recueil poétique — « Forestière Amazonide » — en juin 1962 dans la revue *Écrire* dirigée au Seuil* par Jean Cayrol* et vouée à la découverte de jeunes et nouveaux talents. À la fin de cette même année 1962, Denis Roche entre au comité de rédaction de *Tel Quel**, revue fondée deux ans auparavant par Philippe Sollers*. Sans toujours en partager toutes les options politiques et théoriques, Roche compte parmi les principaux représentants de ce mouvement littéraire d'avant-garde. Il publie *Récits complets* (1963), *Les Idées centésimales de Miss Elanize* (1964), *Éros Énergumène* (1968), *Le Mécrit* (1972), ouvrages réédités en 1995 en un seul volume sous le titre : *La poésie est inadmissible*, et qui imposent leur auteur comme l'une des figures les plus radicales de la nouvelle poésie. L'écriture de Roche est recherche d'une Beauté nouvelle qui passerait par la mise en question, voire la mise à mort de l'idéologie poétique. De titre en titre, l'entreprise gagne en violence libératoire, jusqu'au point final du *Mécrit*, livre étonnant d'un adieu définitif à la poésie. Le projet consistait à « ramener la production poétique vers son point de plus extrême méculture, le point zéro, à l'évidence, de la poéticité ». L'auteur déclare : « Mon mot est dit. Je suis au bout de ce voyage emmerdant où j'avais tout à dire... j'annonce alors, entre deux livres, que c'est fini. Et comment ! »

D'autres livres suivront : *Louve basse* (1976), fiction autobiographique où, dans un lyrisme nouveau, se disent le désordre et la violence de la vie ; *Dépôts de savoir et de technique* (1980), ouvrage expérimental s'essayant à une nouvelle esthétique de la représentation littéraire au-delà de la dichotomie prose / poésie. Dans les années 80, Denis Roche se consacre, entre autres, à une intense activité photographique, d'où une série de livres et d'expositions en France et à l'étranger. Dans le numéro spécial des *Cahiers de la photographie* consacré à Denis Roche, Gilles Mora évalue ainsi l'importance de l'œuvre « photobiographique » de Roche : « Denis Roche est l'un de ceux qui, ces dernières années, ont le plus apporté à l'idée de photographie pure... Le concept, aujourd'hui généralisé, d'acte photographique, serait moins complexe et fructueux sans la pratique et la réflexion de Denis Roche. Le premier, il a montré les états de désir de la photographie, sa liberté de manœuvre, la capacité ludique de son dispositif... »

Écrivain, photographe, Denis Roche joue également un rôle important dans la vie littéraire par ses responsabilités éditoriales. En 1971, il quitte Tchou pour Le Seuil, où il entre au comité littéraire. En 1974, deux ans après sa démission du comité de rédaction de *Tel Quel*, il lance rue Jacob la collection « Fiction & Cie », publiant essais, poèmes, romans, français ou étrangers. Il est responsable encore des « Contemporains », collection consacrée aux grands écrivains d'aujourd'hui. L'œuvre de Denis Roche ne relève pas de ce que l'on nomme ordinairement la littérature engagée. Pourtant, son auteur, à plusieurs reprises, a pris position dans le débat intellectuel et politique. Ainsi en juin 1995 où, pour protester contre la victoire du Front national aux élections municipales, Roche décide l'annulation de l'exposition photographique qui devait lui être consacrée à Nice. Pendant l'été 1995, cette décision suscite un large débat sur l'éventuel boycott par les artistes des communes d'extrême droite. Denis Roche a exposé et défendu sa position dans *Lettre ouverte à quelques amis et à un certain nombre de jean-foutres* (Fourbis, 1995).

Philippe Forest

■ *Louve basse*, Seuil, 1976, rééd. 1990. — *Dépôts de savoir et de technique*, Seuil, 1980. — *Dans la maison du sphinx*, Seuil, 1992. — *La poésie est inadmissible*, Seuil, 1995.

■ C. Prigent, *Denis Roche*, Seghers, 1977. — *Les Cahiers de la photographie*, n° 23, 1989. — « Denis Roche vingt ans plus tard », *Java*, n° 9, hiver 1992-1993. — « Denis Roche au complet », *Art Press*, n° 198, janvier 1995.

RODINSON (Maxime)

Né en 1915

Maxime Rodinson est né à Paris, le 26 janvier 1915, dans une famille juive très pauvre. Jeune autodidacte, obligé de travailler à l'âge de quatorze ans, il écume littéralement tout ce que la capitale pouvait alors proposer de cours du soir, de conférences et débats sur l'histoire des religions, thème qui s'impose d'emblée à sa prédilection. Encouragé par les ethnologues Marcel Mauss* et Paul Rivet*, il accède à l'École des hautes études, où il enseigne l'éthiopien et le sud-arabique anciens. Un séjour à Beyrouth, où il fut fonctionnaire au service des Antiquités, ouvre une série de voyages dans la région et un enseignement d'ethnologie générale du Proche-

Orient. Militant progressiste et anticolonialiste, membre du PCF de 1937 à 1958, il a dirigé la revue *Moyen-Orient*.

Auteur d'un *Mahomet* et de diverses études sur les écritures sémitiques, Rodinson s'est surtout proposé à l'attention du grand public par la démarche marxiste qui sous-tend ses travaux sur le monde arabo-musulman. Dans *Islam et capitalisme* (1966) et *Marxisme et monde musulman* (1972), il s'interroge sur les spécificités du capitalisme en terre d'Islam et sur le rôle du marxisme comme idéologie laïque mobilisatrice du progrès, pour parvenir à des conclusions nuancées et modérément optimistes. Le recours à l'islam comme force conservatrice de résignation sociale ne pourra être contourné que par un *aggiornamento*, par une synthèse organique des valeurs religieuses traditionnelles et des préceptes novateurs d'organisation et de morale sociales.

Au regard du problème israélo-arabe, Maxime Rodinson a développé les vues d'un antisionisme de principe qui lui a valu la vive hostilité de certaines sphères du judaïsme français, sans lui gagner toujours pour autant la totale sympathie des intellectuels arabes.

L'expression la plus radicale de son hostilité à la création d'un État juif sur une terre arabe se situe, au début des années 50, dans le cadre d'un engagement stalinien (« Sionisme et socialisme », *La Nouvelle Critique**, nº 43, février 1953). Si l'auteur a regretté depuis l'outrance de son propos, il maintient comme regrettable la création d'Israël, et condamne sans complaisance les erreurs et les crimes perpétrés sous l'aile du mouvement sioniste. Dans *Israël et le refus arabe* (1968) et *Peuple juif ou problème juif ?* (1981), il reste fidèle à deux idées majeures : le sionisme n'est pas le corollaire obligé de la persistance d'une identité juive ; l'État d'Israël n'est pas un État socialiste, et moins encore un État idéal, en raison du principe de subordination qu'il entretient, tant à l'intérieur qu'à l'extérieur, sur les populations arabes. Mais considérant cet État comme réalisé et internationalement légitimé, il plaide pour les forces progressistes qui le feraient évoluer vers un État égalitaire et réellement démocratique.

Bernard Droz

■ *Mahomet*, Club français du livre, 1961, rééd. Seuil, 1989. — *Islam et capitalisme*, Seuil, 1966. — *Israël et le refus arabe*, Seuil, 1968. — *Marxisme et monde musulman*, Seuil, 1972. — *Les Arabes*, PUF, 1979. — *Peuple juif ou problème juif ?*, Maspero, 1981. — *L'Islam : politique et croyance*, Fayard, 1993.

Rolin (Olivier)

Né en 1947

Ancien normalien, ancien maoïste, Olivier Rolin, tout en s'imposant comme l'un des meilleurs romanciers de sa génération, s'est senti tenu de dénoncer à plusieurs reprises les faiblesses de la diplomatie française face aux États tyranniques.

Olivier Rolin est né le 17 mai 1947 à Boulogne-sur-Seine. Son père, médecin colonial, puis administrateur de la France d'outre-mer, était un ancien combattant de la 1re division des Forces françaises libres. La situation de son père amène Olivier Rolin à faire une partie de ses études secondaires au lycée de Dakar, où il passe la première partie de son baccalauréat en 1962. De retour à Paris, il entre au lycée Louis-le-Grand, pour son baccalauréat de philosophie, et pour préparer ensuite le concours d'entrée à l'École normale supérieure*. En khâgne*, il poursuit aussi une vie militante, qu'il a commencée à l'UEC dès sa classe terminale. Il quitte les Étudiants communistes pour participer au congrès fondateur de l'UJCML (Union des jeunesses communistes marxistes-léninistes), et collabore à l'organe de celle-ci, *Servir le peuple*.

Admis à l'ENS de la rue d'Ulm en 1967, il participe à la fondation de la Gauche prolétarienne à l'automne 1968. Il devient membre de son comité exécutif, s'occupant des entreprises violentes de la GP. À l'ENS, il travaille un peu la philosophie avec G. Deleuze* et L. Althusser*, mais quitte ses études, pour entrer dans la vie clandestine, dirigeant la Nouvelle Résistance populaire, petite organisation armée de la GP.

Après l'autodissolution de la Gauche prolétarienne, O. Rolin revient à la vie « civile ». Il gagne sa vie soit comme chauffeur-livreur, soit en épluchant les Pères de l'Église pour la Fondation Mesnil. Ce dernier emploi lui avait été trouvé par Jean Devisse, professeur d'histoire médiévale à l'université de Vincennes, et ami de ses parents qu'il avait connus en Afrique. C'est par l'intermédiaire de celui-ci que Rolin trouve un emploi, de rédacteur d'abord à *L'Histoire* puis d'éditeur au Seuil*. Là, en 1982, il participe à la rédaction d'un ouvrage collectif, *Pour la Pologne*, dont les droits d'auteur sont versés au syndicat Solidarnosc.*

En 1983, il entame, en publiant *Le Phénomène futur*, une carrière de romancier exigeant, difficile, mais bientôt reconnu. Il publie aussi des reportages, pour *Le Nouvel Observateur**, *Libération**, *City Magazine*, *L'Événement du jeudi**, à la suite de ses voyages en Argentine, au Tchad, en Pologne, au Liban. En 1987, l'un de ces reportages devient un livre : *En Russie*. O. Rolin obtient le prix Femina, en 1994, pour *Port-Soudan*.

C'est surtout dans *Libération*, où il fut d'abord critique littéraire, qu'Olivier Rolin est intervenu, souvent avec éclat, contre l'indifférence française aux exterminations ethniques et contre une politique étrangère — notamment celle de Roland Dumas — un peu trop « compréhensive » pour les dictatures du Moyen-Orient. Il se rend trois fois à Sarajevo au cours de la guerre de Bosnie, pour protester contre l'agression serbe. En février 1996, c'est lui qui, au Centre Pompidou, introduit la conférence de Salman Rushdie, depuis sept ans menacé par la fatwa, et qui venait présenter son roman *Le Dernier Soupir du Maure*.

Denis Condroyer

■ *Le Phénomène futur*, Seuil, 1983. — *Le Bar des flots noirs*, Seuil, 1987. — *En Russie*, Quai Voltaire, 1987. — *Sept villes*, Rivages, 1988. — *L'Invention du monde* Seuil, 1993. — *Port-Soudan*, Seuil, 1994. — Sous le pseudonyme d'« Antoine Liniers », O. Rolin a collaboré avec F. Furet et P. Reynaud à *Terrorisme et démocratie*, Fayard, 1985.

Rolland (Romain)

1866-1944

Né le 29 janvier 1866 à Clamecy dans la Nièvre, élève de l'École normale supérieure*, agrégé d'histoire (1889), docteur en histoire de l'art (musicologie) (1895), Romain Rolland devient professeur à la Sorbonne. À partir de 1912, il se consacre uniquement à son œuvre littéraire. Écrivain déjà réputé avec le succès de son grand roman *Jean-Christophe* publié entre 1903 et 1912, il s'intéresse au socialisme, mais c'est avec la guerre de 1914 que Romain Rolland entre véritablement dans le champ politique. À vrai dire, le retentissement de ses prises de position fut probablement plus grand après la guerre que pendant la guerre elle-même, bien qu'il ait reçu en 1916 le prix Nobel de littérature.

Surpris en Suisse par une guerre à laquelle il ne s'attendait pas, dégagé d'obligations militaires, il y reste. L'article qu'il donne au *Journal de Genève*, écrit le 22 septembre et publié dans le numéro des 22-23 septembre 1914, intitulé « Au-dessus de la mêlée », est resté le symbole de la pensée de Romain Rolland et a provoqué à la fois l'enthousiasme de quelques-uns et la haine de beaucoup d'autres. En réalité, R. Rolland ne se plaçait au-dessus de la mêlée que dans la mesure où la victoire de la Marne avait assuré que la guerre, au moins dans l'immédiat, ne tournerait pas au désavantage de la France. Sans renier en rien sa condition de Français, il se voulait européen, notion peu répandue à l'époque. Plus encore que la guerre, ce qu'il déplore c'est l'affrontement entre Européens. Devant la perspective de l'appel aux troupes coloniales, R. Rolland eut cette phrase : « L'aspect d'un grand peuple d'Europe acculé, faisant tête à ces hordes sauvages, me serait impossible à supporter sans révolte. » Incompris en France où le recueil *Au-dessus de la mêlée* était publié à la fin de 1915, parce que, sauf dans une certaine mesure au sein de journaux socialistes et syndicalistes, il ne pouvait être admis qu'un Français restât au-dessus de la mêlée, il ne le fut guère ailleurs et, en juillet 1915, il dressait un constat d'échec de son action. Silencieux jusqu'à la fin de 1916, il publiait alors deux articles : « Aux peuples assassinés » et « La route en lacets qui monte ». Sa pensée avait évolué vers l'idée de la révolution nécessaire. D'européenne, elle tendait à devenir internationale. Néanmoins, quand la révolution russe se présente, il prend ses distances, parce qu'elle risque de mettre la France en péril en cas de paix séparée avec l'Allemagne. En outre, il ne peut en admettre les violences. C'est par antipathie pour la révolution russe qu'il refuse de répondre à l'appel de Barbusse* de participer à *Clarté**, dont le premier numéro paraissait en novembre 1921. Le refus de la violence — idée de fond chez Romain Rolland — le conduit à une rude polémique avec l'historien communiste de la Révolution française, Albert Mathiez*, lorsqu'il affirme que les massacres de la Terreur avaient détourné de la France révolutionnaire les sympathies de l'élite intellectuelle européenne.

Encore que la guerre ait donné à R. Rolland une stature exceptionnelle, son grand rôle était terminé. Dans une première période il se désintéresse de l'Europe — même s'il contribue en 1932 au lancement de la revue *Europe**. Sa civilisation, estime-t-il, a fait faillite et il s'intéresse à la pensée de l'Inde. Puis il se rapproche de l'Union soviétique, dont il excuse les crimes au nom de l'avenir. Progressivement, son attitude se radicalise pour s'identifier totalement aux positions soviétiques, même s'il ne fut jamais membre du Parti communiste. Son second mariage en 1934 avec Marie Koudacheva, une Soviétique profondément bolchevique, apparaît comme le symbole de cette évolution, de même que son second grand roman, *L'Âme enchantée*, qu'il achève cette même année. Européen dans *Jean-Christophe*, il plaide la cause de l'URSS à la fin de *L'Âme enchantée.*

Personnalité emblématique pendant le Front populaire, certains des grands procès en URSS, puis le pacte germano-soviétique, le conduisent à douter du communisme. Dans une lettre à Édouard Daladier, publiée par *Le Temps* du 19 septembre 1939, il manifeste « son entier dévouement à la cause des démocraties, de la France et du monde aujourd'hui en danger ». Convaincu d'avoir été infidèle à lui-même dans la période précédente, il se retire de toute action politique. À Vézelay, où il s'était installé en 1938, il meurt le 30 décembre 1944 et sa mort ne soulève que peu d'intérêt.

Jean-Jacques Becker

■ *Jean-Christophe*, Albin Michel, 1904-1912. — *Mahatma Gandhi*, Stock, 1924. — *Péguy*, Albin Michel, 1944, 2 vol. — *Mémoires*, Albin Michel, 1956.
▒ J.-B. Barrère, *Romain Rolland par lui-même*, Seuil, 1955. — R. Cheval, *Romain Rolland, l'Allemagne et la guerre*, PUF, 1963. — D.J. Fisher, *Romain Rolland and the Politics of Intellectual Engagement*, Berkeley, California University Press, 1988. — J. Robichez, *Romain Rolland*, Hatier, 1961.

ROMAINS (Jules) [Louis Farigoule]

1885-1972

De son vrai nom Louis Farigoule, Jules Romains est né le 26 août 1885 à Saint-Julien-Chapteuil en Haute-Loire. Cependant, son enfance est essentiellement parisienne, son père exerçant la profession d'instituteur. Il grandit dans un milieu où domine l'idéal laïc et rationaliste de la IIIe République. Lui-même paraît représenter pleinement le modèle d'ascension sociale du régime puisque, après un passage de dix ans au lycée Condorcet, avec notamment Léon Brunschvicg* pour professeur, il est reçu second au concours d'entrée de l'École normale supérieure* en 1905. Il obtient par la suite une licence ès sciences en 1908, puis, en 1909, une agrégation de philosophie, discipline qu'il enseignera jusqu'en 1919. De ces années-là date la formation de l'idée qui va animer la quasi-totalité de son œuvre : l'unanimisme conçu comme l'expression de l'âme collective d'un groupe, en quelque sorte de ce qui s'y ajoute quand il devient plus que la somme de ceux qui le composent. Sont ainsi publiés le recueil de poèmes *La Vie unanime* (1908) et les romans *Mort de quelqu'un* (1911) et *Les Copains* (1913).

La célébrité viendra après la guerre, cette fois-ci grâce au théâtre, en particulier avec *Knock*, créé en 1923 par Louis Jouvet : à la fin des années 20, il est l'un des trois dramaturges les plus joués dans le monde avec Luigi Pirandello et George Bernard Shaw. Il s'investit alors dans la composition de son œuvre majeure, *Les Hommes de bonne volonté* (27 volumes publiés de 1932 à 1946), vaste fresque englobant les années 1908 à 1933, et dans laquelle se déploie toute la sensibilité de Jules

Romains au travers d'un humanisme libéral certes généreux, mais échouant face aux forces de l'Histoire, les hommes de bonne volonté ne sachant pas toujours se reconnaître et agir ensemble. Après s'être intéressé aux avant-gardes tant littéraires que politiques avant 1914, il rejoint le radicalisme et se lie notamment à Édouard Daladier. Dans les années 30, ses prises de position sont diverses, mais parfois difficiles à articuler entre elles : tentative de rénovation de la République dans la lignée non-conformiste (*Le Plan du 9 juillet*, 1934), soutien au Front populaire, antifascisme, pacifisme, défense de l'amitié franco-allemande (*Le Couple France-Allemagne*, 1934) même longtemps après l'accession de Hitler au pouvoir, et présidence du Pen Club international. Jules Romains illustre bien le climat d'instabilité idéologique qui règne durant cette période, où les valeurs de la IIIe République, qui sont les siennes, sont remises en cause.

Après la Seconde Guerre mondiale, qu'il passe aux États-Unis et au Mexique, il est élu à l'Académie française* en 1946. Son œuvre garde en abondance, surtout par l'intermédiaire d'essais et de souvenirs, mais son audience fléchit. Il évolue vers un conservatisme qui s'exprime chaque semaine dans *L'Aurore* de 1953 à 1971, et qui l'amène à défendre l'Algérie française et à mener le « cartel des non » face au général de Gaulle en 1962. Il meurt le 14 août 1972.

Philippe Le Claffotec

■ *Problèmes européens*, Flammarion, 1933. — *Le Couple France-Allemagne*, 1934, rééd. Flammarion, 1965. — *Ai-je fait ce que j'ai voulu ?*, Wesmaël-Charlier, 1964. — *Les Hommes de bonne volonté*, 1932-1946, rééd. Laffont, 1988-1989, 4 vol.

▩ J.-L. Loubet del Bayle, *Politique et civilisation. Essai sur la pensée politique de Jules Romains, Drieu La Rochelle, Bernanos, Camus, Malraux*, Toulouse, Presses de l'Institut d'études politiques, 1981. — « Jules Romains face aux historiens contemporains » (École normale supérieure, 13-14 novembre 1985), *Cahiers Jules Romains*, Flammarion, 1990.

ROMIER (Lucien)

1885-1944

Sans être un intellectuel de premier plan, Lucien Romier exerça, au cours de l'entre-deux-guerres, un type d'influence qui dépasse le seul registre du journalisme professionnel. Par sa formation, la situation qu'il occupe au centre de plusieurs réseaux et la dernière partie de sa trajectoire — à Vichy —, il illustre un type d'engagement situé à la frontière du monde intellectuel et du monde politique.

Issu d'une vieille famille du Beaujolais, de parents aisés, propriétaires, il commence des études littéraires à Lyon avant d'entrer à l'École des chartes en octobre 1905. Une seule influence est notable au cours de ces années de formation, celle du milieu catholique social lyonnais, comme en témoigne la rencontre et l'amitié de Marius Gonin, directeur de la *Chronique sociale*. Entre 1905 et la guerre, Lucien Romier amorce une carrière d'historien placée sous l'égide de professeurs influents — Abel Lefranc, Gabriel Monod* — et d'une forte capacité de travail. Il soutient et publie sa thèse dès 1909, séjourne à l'École française de Rome de 1909 à 1912, publie deux nouveaux volumes d'histoire diplomatique en 1913-1914 et entre à la rédaction de la *Revue du XVIe siècle* en 1913.

Contre la perspective promise d'une grande carrière universitaire et académicienne, la guerre, comme dans de nombreux cas d'itinéraires intellectuels, joua un rôle brutal de rupture. Sans combattre — il était réformé en raison d'une santé fragile —, il se mobilisa à sa façon et s'improvisa, en l'espace de deux années (1917-1919), « expert » des questions industrielles et financières. Recruté par l'intermédiaire de l'historien Henri Hauser au sein de l'Association nationale d'expansion économique (créée en 1915) pour participer à une enquête sur la production française (1917), Lucien Romier « devient » économiste. Une seconde carrière, elle aussi très rapide, le mène, dès janvier 1920, au poste de rédacteur en chef de *La Journée industrielle* puis, après un passage au *Figaro** (février 1925-février 1927), à celui de principal porte-plume du mouvement fondé par Ernest Mercier en 1925, le Redressement français, qui rassemble hauts fonctionnaires, « technocrates » et intellectuels.

Entre 1925 et 1934, il se retrouve ainsi au centre d'importants débats de son temps comme de nombreux réseaux de natures diverses. Devenu le premier grand journaliste de vulgarisation économique, à une époque marquée par les phénomènes nouveaux de l'inflation ou de la rationalisation industrielle, il nourrit le débat sur la nécessaire modernisation de la France face à son « retard » ou son « déclin » d'après guerre (industrie, équipement, régions économiques, réforme administrative, réforme de l'État) en même temps que les peurs suscitées par le spectre du machinisme et de la standardisation à l'américaine. Auteur à succès, son influence cumule plusieurs types de réseaux, celui des milieux d'affaires, celui des hommes politiques (Herriot lui propose un ministère en 1926 et Briand l'envoie en mission officielle pour étudier le modèle industriel américain en 1927) et celui des journalistes et des écrivains (il publie au *Temps*, à la *Revue des Deux Mondes**), sans oublier le milieu du catholicisme social auquel, à sa manière, il reste fidèle (il participe aux Semaines sociales* de 1926 et 1927).

Sa carrière de grand publiciste culmine entre juin 1934 et la défaite de 1940, lorsqu'il détient l'éditorial du *Figaro* après l'éviction de François Coty et la reprise en main du journal par l'équipe de Pierre Brisson. Dépassant les seules questions économiques, il aborde de plus en plus les problèmes liés à la situation internationale. Difficilement classable sur l'échelle politique, poincariste, néo-libéral et réformateur, représentant de la génération « réaliste » et « moderniste » dans les années 20, il est aussi conservateur, critique de l'industrialisme et de la société de masses, encore proche d'un certain traditionalisme catholique et censeur du déclin de la politique étrangère française.

À partir de juin 1940, il cesse pratiquement sa collaboration au *Figaro* et souffre d'une santé de plus en plus déficiente. Appelé par Pétain en février 1941, il devient pour plus de deux ans son principal conseiller politique et, semble-t-il, le plus intime. Nommé ministre d'État sans portefeuille en août 1941, il le reste après le retour de Laval en avril 1942. En liaison avec le Conseil national où il retrouve de nombreuses personnalités proches de lui (Henri Moysset, Jacques Bardoux), il tente de définir des réformes d'ordre administratif (régionalisation économique) et institutionnel. Mais, il ne parvient pas à contrebalancer l'emprise que Laval acquiert sur Pétain et, lui-même très diminué, meurt en janvier 1944.

Nicolas Roussellier

■ *Explication de notre temps*, Grasset, 1925. — *Idées très simples pour les Français*, Kra, 1928.

■ M. Cointet, *Le Conseil national de Vichy. Vie politique et réforme de l'État en régime autoritaire*, Aux Amateurs de Livres, 1989. — C. Roussel, *Lucien Romier (1885-1944)*, France-Empire, 1979.

ROMILLY (Jacqueline de)

Née en 1913

Première femme élue au Collège de France*, deuxième femme élue à l'Académie française*, Jacqueline de Romilly occupe une place exceptionnelle au sein de l'Université française. Elle est née le 26 mars 1913 à Chartres. Son père, Maxime David, élève de Durkheim* et de Lévy-Bruhl*, était normalien et agrégé de philosophie. Il allait être tué au début de la guerre, et c'est par sa mère seule qu'elle fut élevée, une mère qui écrivait des contes et des nouvelles et lui donna le goût de l'écriture. Brillante élève au lycée Molière à Paris, elle obtint en 1930 deux prix au concours général, en version latine et en version grecque. Tout naturellement, elle prépara le concours d'entrée à l'École normale supérieure*, qu'elle intégra en 1933. La prestigieuse école de la rue d'Ulm était réservée en principe aux jeunes gens. Mais, au début des années 30, les jeunes filles pouvaient y prétendre, bien que l'École de Sèvres leur fût normalement destinée.

Agrégée en 1936, Jacqueline David enseigna à Bordeaux et Montpellier, jusqu'à ce que les lois raciales mises en place par le gouvernement de Vichy l'écartent de l'enseignement. Mariée à Michel Worms de Romilly depuis 1940, elle mit à profit ses loisirs forcés pour rédiger la thèse qu'elle soutint en 1947 sur « Thucydide et l'impérialisme athénien ». Le grand historien grec allait occuper désormais une place à part dans sa vie : elle lui consacrera deux autres ouvrages et assurera la traduction de son œuvre aux Belles Lettres. Nommée maître de conférences à la Faculté des lettres de Lille en 1949, elle est élue en 1957 à la Sorbonne dans la chaire de langue et littérature grecques. En 1973, elle est élue au Collège de France. Le titre de sa chaire, « La Grèce et la formation de la pensée morale et politique », indique l'orientation qu'elle donne à son enseignement : rechercher dans les œuvres de la littérature grecque l'origine d'un certain nombre de notions qui structurent l'histoire de la pensée en Occident : la loi, la démocratie, la liberté, la tolérance.

Cependant, dans le même temps, elle se consacre à deux autres activités d'écriture : la défense de l'enseignement d'une part, la fiction romanesque de l'autre. Au lendemain des événements de 68, elle avait publié un livre qui marquait son souci de résister à l'atmosphère qui régnait alors dans les universités, *Nous autres professeurs*. Elle allait revenir sur le problème quelques années plus tard avec un livre intitulé *L'Enseignement en détresse* (1984) et prendre la tête d'une croisade pour la défense des langues anciennes et plus précisément du grec. En 1989, elle est élue à l'Académie française*. Elle avait publié deux ans auparavant un ouvrage au ton très personnel (*Sur les chemins de Sainte-Victoire*, 1987). Un roman et un recueil de nouvelles ont paru depuis, témoignant de ses préoccupations nouvelles, sans que pour autant la Grèce soit oubliée (*Pourquoi la Grèce*, 1992), cette Grèce qui est au cœur de son œuvre.

Claude Mossé

■ *Thucydide et l'impérialisme athénien*, Les Belles Lettres, 1947, rééd. Neuchâtel, La Baconnière, 1964. — *Histoire et raison chez Thucydide*, Les Belles Lettres, 1956, rééd. 1967. — *La Tragédie grecque*, PUF, 1970, rééd. 1982. — *L'Enseignement en détresse*, Fallois, 1984. — *Les Grands Sophistes dans l'Athènes de Périclès*, Fallois, 1988.

ROSANVALLON (Pierre)

Né en 1948

Économiste, sociologue et historien, militant politique et permanent syndical, enfin chercheur et enseignant, Pierre Rosanvallon se distingue par un itinéraire original qui l'a mené de HEC à l'École des hautes études en sciences sociales* (EHESS) en passant par la CFDT et le Parti socialiste.

Pierre Rosanvallon est né le 1er janvier 1948 à Blois d'un père ingénieur et d'une mère professeur ; en 1966 il réussit le concours de HEC. Dès sa sortie de l'école (1969), il est recruté comme conseiller économique de la CFDT et rédacteur en chef de *CFDT aujourd'hui*. À cette date, il développe l'idée d'une gauche moins étatiste autour d'un idéal autogestionnaire (*L'Âge de l'autogestion. Pour une nouvelle culture politique*) qu'expose aussi la revue *Faire* qu'il anime.

Acteur des assises du socialisme en 1974, proche de Michel Rocard, Pierre Rosanvallon renonce cependant à poursuivre la carrière politique qui s'offre à lui pour se consacrer à la recherche. En 1978, il soutient un troisième cycle d'histoire à l'EHESS et commence une carrière d'enseignant-chercheur, d'abord comme directeur de recherches à Paris IX-Dauphine (1977-1983) dans le cadre d'un programme qu'il anime avec Jacques Delors, puis à l'EHESS (1984). Après la soutenance de sa thèse d'État (1985) l'œuvre de Pierre Rosanvallon se scinde en deux blocs. Tout d'abord une œuvre d'historien à la recherche des relations entre l'État et l'individu dans la société libérale et démocratique. Cette question centrale anime *Le Moment Guizot*, son travail sur l'État et le citoyen depuis 1789, et enfin son *Sacre du citoyen* qui tente de comprendre l'élaboration d'une culture démocratique. Ces thèmes, qu'il développe aussi dans ses contributions au *Dictionnaire critique de la Révolution* de François Furet* et Mona Ozouf*, il tente de les atteindre en articulant l'histoire sociale et une « histoire plus conceptuelle qui ne se réduit pas de son côté à l'étude des grands auteurs ». Les liens intellectuels qui l'unissent à François Furet en ce domaine l'amènent à lui succéder à la tête du Centre Raymond-Aron (1992).

Parallèlement, sa réflexion sur la politique contemporaine — notamment dans ses chroniques de *Libération** — s'essaie à cerner la spécificité de la démocratie à la française, tout en esquissant, « entre la dénonciation des utopies et le pragmatisme rétréci », de nouvelles perspectives démocratiques. La pensée de l'analyste et de l'acteur contemporain découle directement de son regard sociologique et historique.

Olivier Dumoulin

■ *Pour une nouvelle culture politique* (avec P. Viveret), Seuil, 1977. — *Le Capitalisme utopique*, Seuil, 1979, repris sous le titre : *Le Libéralisme économique : histoire de l'idée de marché*, Seuil, 1989. — *Le Moment Guizot*, Gallimard, 1985. — *La République du centre* (avec J. Julliard et F. Furet), Calmann-Lévy, 1988. — *La Question syndicale*, Calmann-Lévy, 1988. — *L'État en France de 1789 à nos jours*, Seuil, 1990. — *Le Sacre du citoyen. Histoire du suffrage universel en France*, Gallimard, 1992.

Rosenberg (affaire)

1950-1953

L'affaire Rosenberg a bouleversé le monde des intellectuels. Elle commence en juillet 1950, lorsque Julius Rosenberg est arrêté, à New York, par des agents du FBI. Peu après, Ethel subit le même sort. L'un et l'autre sont accusés d'avoir espionné en faveur de l'Union soviétique. Leur procès se déroule, en mars 1951, devant un tribunal fédéral de New York. Le 5 avril, le juge Irving Kaufman rend son verdict : « Votre crime est pire qu'un meurtre, dit-il. [...] En plaçant entre les mains des Russes la bombe A, [...] vous avez par votre conduite [...] provoqué l'agression communiste en Corée, et la mort de plus de 50 000 personnes. [...] La Cour vous condamne à la peine capitale. »

Jusque-là, les intellectuels restent silencieux, y compris aux États-Unis. C'est le 15 août 1951 qu'un hebdomadaire progressiste de Grande-Bretagne, le *National Guardian*, publie un éditorial qui a pour titre : « La condamnation des Rosenberg. S'agit-il de l'affaire Dreyfus de l'Amérique de la Guerre froide ? » En novembre, un *Comité national pour faire justice aux Rosenberg* lance son premier appel à New York. Sans obtenir des résultats spectaculaires. À la fin de l'année 1952, voilà que les adhésions se multiplient. Des comités surgissent en Angleterre, en France, en Israël, en Autriche, en Italie, en Suisse, en Allemagne, en Australie, en Nouvelle-Zélande, à l'est du Rideau de Fer. Les communistes ont décidé d'entrer en campagne. C'est qu'un procès vient de commencer en Tchécoslovaquie qui aboutira, en décembre, à la condamnation à mort de Rudolf Slansky et de quelques autres. Les condamnés sont juifs, tout comme les médecins soviétiques qui auraient fomenté « le complot des blouses blanches ». Or, l'antisémitisme ne saurait exister dans un régime socialiste. En conséquence, ces juifs sont coupables de diffuser le sionisme, qui équivaut à l'impérialisme américain et au colonialisme. Dans *L'Humanité**, Jacques Duclos fait savoir que « la condamnation des espions atomiques Julius et Ethel Rosenberg est un exemple d'antisémitisme, tandis que l'exécution de huit juifs en Tchécoslovaquie la semaine dernière n'en est pas un ».

Dès lors, le mouvement de protestation ne cesse de grossir. En France, journaux et périodiques, toutes opinions confondues, publient des articles d'information, posent des questions à la justice américaine et lancent des appels à la clémence. Dans *France-Observateur**, Claude Bourdet* assure que « [les Rosenberg] sont offerts par un peuple en holocauste au mythe de la haine, comme d'autres malheureux juifs aussi ont été ou vont être sacrifiés au mythe identique et contraire en vigueur dans l'autre moitié du monde ». *Le Figaro**, sous la plume de Thierry Maulnier* et celle de Rémy Roure, rejoint *Le Populaire* pour regretter que « Eisenhower ait fourni "deux martyrs" de plus à la propagande stalinienne ».

L'exécution des condamnés, retardée par les procédures judiciaires, a lieu le 19 juin 1953. Elle ne met pas un terme à l'expression de l'indignation. De France, 80 000 cartes postales sont expédiées à la Maison Blanche. Plusieurs milliers de personnes manifestent sur la place de la Concorde. Les lettres échangées en prison par les deux époux paraissent chez Gallimard* sous le titre *Lettres de la maison de la mort*. *L'Humanité* affiche une caricature qui montre Eisenhower souriant de toutes ses dents, chaque dent remplacée par une chaise électrique. Hubert Beuve-Méry* rédige, sous le pseudonyme de « Sirius », un éditorial qui pose la question : « Justice est faite, [mais] quelle justice ? » Enfin, dans *Libération** du 22 juin, Jean-Paul Sartre* estime que tous les Américains portent une responsabilité, qu'ils ne sont pas dignes de conduire le monde occidental, qu'ils viennent de commettre une folie criminelle : « Attention, conclut-il, l'Amérique a la rage. Tranchons tous les liens qui nous rattachent à elle, sinon nous serons à notre tour mordus et enragés. »

Un demi-siècle plus tard, la vérité nous échappe un peu moins. En dépit des appels à la clémence lancés par le pape Pie XII ou par le président Vincent Auriol, des articles vengeurs et des manifestations plus ou moins spontanées, il est plus que vraisemblable que les Rosenberg n'étaient pas innocents. Ils ont fait partie d'un réseau d'espionnage. Ont-ils révélé à l'Union soviétique les secrets de la bombe atomique ? Sans doute non. Ils ne méritaient pas la mort. Avec leur consentement, une propagande habile les a métamorphosés en martyrs. Ils ont cru qu'ils servaient Staline, le communisme et la paix. Et si l'on s'était servi d'eux ?

André Kaspi

■ A. Kaspi, « Les Rosenberg étaient-ils coupables ? », *L'Histoire*, n° 181, octobre 1994. — R. Radosh et J. Milton, *Dossier Rosenberg*, Hachette, 1985. — J.-F. Sirinelli, *Deux intellectuels dans le siècle, Sartre et Aron*, Fayard, 1995.

ROSTAND (Jean)

1894-1977

Biologiste, humaniste, moraliste et vulgarisateur des sciences de la vie, Jean Rostand a eu une grande influence intellectuelle sur les générations d'hommes et de femmes de son époque qui se sont inspirées de sa pensée comme exemple d'un modèle éthique. Abolitionniste, combattant vigoureux contre l'atome militaire, mondialiste convaincu, il a été toujours présent pour défendre la dignité humaine quand celle-ci était bafouée et rabaissée. Biologiste, il a laissé d'intéressants travaux concernant la biologie de la reproduction et du développement et a défendu le droit d'être naturaliste. Enfin, son œuvre de vulgarisation scientifique a promu la génétique en France et a permis au public d'avoir accès aux connaissances biologiques.

Jean, Cyrus Rostand naît le 30 octobre 1894 à Paris. Son père, Edmond Rostand (1868-1918), est poète et auteur dramatique (Académie française*, 1901) ; sa mère, Rosemonde Gérard (1871-1953), compose des vers et laissa de nombreux recueils de poésie. Il est le frère du poète et romancier Maurice Rostand (1891-1968) et le petit-fils de l'économiste Eugène Rostand (Académie des sciences morales et politiques). Très jeune, il montre sa passion pour les sciences naturelles. Il a pour modèle Jean-Henri Fabre. Adolescent, sa culture s'étend aux œuvres de Claude Bernard, Charles Darwin, Félix Le Dantec, Ernst Haeckel, etc., mais aussi à Zola* et aux volumes de la « Bibliothèque rationaliste » des Éditions Schleicher. Il est licencié ès sciences naturelles en 1915.

Son œuvre moraliste est dans la lignée littéraire des François de La Rochefoucauld, Nicolas Chamfort et Maurice Martin du Gard. Témoin particulièrement perspicace de la société et des mœurs des années d'après la Première Guerre mondiale* (*Le Retour des pauvres*, 1919, publié sous le pseudonyme de « Jean Sokori » ; *Les Familiotes, et autres essais de mystique bourgeoise*, 1925), il poursuit son œuvre de moraliste avec les *Pensées d'un biologiste* (1939).

Homme de vérité, il a milité pour la vérité intellectuelle et pour celle du cœur. Il se présentait comme appartenant « à ceux-là qui savent goûter l'inimitable amertume du vrai et, plus que par tous les ornements de l'art, sont touchés par la nudité des cœurs ». Biologiste engagé, il dénonça la « science fausse » et les « fausses sciences » qui correspondent à ces « façons variées dont la vérité scientifique peut se trouver adultérée par les "sorciers" de toute espèce, par les fanatiques de toute idéologie, et même, à leur insu, par de véritables savants ». Défenseur du patrimoine naturel et de la cause de l'homme, la citoyenneté du monde représentait pour lui un salut : « Être citoyen du monde, c'est parier pour la survie de l'humanité. » En biologie, ses recherches sur la gynogenèse, sur l'effet protecteur de la glycérine sur le sperme congelé, « l'effet Rostand » (1949), sur la génétique et la tératologie des amphibiens, le feront connaître comme un expérimentateur habile et un observateur précis. Il publia plus de quatre-vingts livres et de nombreux articles scientifiques. Il a été élu à l'Académie française* le 16 avril 1959 au fauteuil d'Édouard Herriot. Il meurt chez lui, à Ville-d'Avray, le 4 septembre 1977.

Jean-Louis Fischer

■ *Les Chromosomes, artisans de l'hérédité et du sexe*, Hachette, 1928. — *Pensées d'un biologiste*, Stock, 1939. — *Hommes de vérité*, Stock, 1942 et 1948, 2 vol. — *Science fausse et fausses sciences*, Gallimard, 1958. — *Inquiétude d'un biologiste*, Stock, 1967. — *Les Étangs à monstres. Histoire d'une recherche (1947-1970)*, Stock, 1971. — *Confidences d'un biologiste* (textes réunis et présentés par J.-L. Fischer), La Découverte, 1987, rééd. Presses Pocket, 1990.
■ A. Tétry, *Jean Rostand, prophète clairvoyant et fraternel*, Gallimard, 1983.

ROUGEMONT (Denis de)

1906-1985

Auteur prolifique traduit en dix-sept langues, Denis de Rougemont appartient à cette catégorie d'intellectuels qui, sans nécessairement atteindre une notoriété de tout premier plan, exercent leur influence par un rayonnement diffus et par un réseau de relations diversifié, dans le cadre d'une action délibérément limitée à la sphère de l'écriture et des idées.

Né le 8 septembre 1906 à Couvet, dans la région de Neuchâtel, Rougemont est issu d'une vieille famille de notables locaux consacrant traditionnellement leur existence à l'étude et à la vie politique cantonale. Fils de pasteur, il voyage très jeune en Allemagne et en Europe centrale, et publie des articles littéraires et philosophiques dans diverses revues helvétiques tout en poursuivant ses études dans les universités de Neuchâtel, Vienne et Genève. Puis, sa licence de lettres obtenue, il gagne Paris en 1930 pour y travailler chez « Je Sers », une maison d'édition protestante. Dès lors prend corps une activité intellectuelle foisonnante qui fait de lui une sorte de plaque tournante, de relais entre divers pôles de la sociabilité intellectuelle parisienne : au sein de la nébuleuse du « non-conformisme des années 30 », il prend une large part à la naissance et à la vie de *L'Ordre nouveau** et d'*Esprit** ; dans le même temps, il collabore régulièrement à *La Nouvelle Revue française**, et anime *Hic et Nunc**, une petite revue protestante d'inspiration barthienne. Marqué notamment par Proudhon, Kierkegaard et Karl Barth, Rougemont s'affirme alors comme un théoricien précoce de l'engagement ; partisan d'une morale concrète fondée sur le personnalisme, il en définit les bases par l'essai (*Politique de la personne*, 1934), le témoignage du « journal non intime » (*Journal d'Allemagne*, 1938), ou encore l'analyse des grands mythes européens (*L'Amour et l'Occident*, 1939).

Envoyé aux États-Unis* par le gouvernement suisse en 1940, il y séjourne jusqu'en 1947. Professeur à l'École libre des hautes études de New York, rédacteur des émissions de « La Voix de l'Amérique parle aux Français », il oriente alors définitivement sa réflexion vers la nécessité d'un fédéralisme brisant les cadres anciens de l'État-nation. Dès son retour sur le vieux continent, il joue donc un rôle très actif dans la « campagne des congrès » du mouvement européen naissant (notamment à La Haye en 1948), et cherche à mettre en place un tissu d'organismes au service d'une Europe de la culture, principalement par la création du Centre européen de la culture (1950), de la Fondation européenne de la culture (1954), ou de l'Institut universitaire d'études européennes de Genève (1963), où il enseigne jusqu'à sa mort.

Installé dans la banlieue genevoise, il multiplie ainsi les ouvrages consacrés à la culture européenne (*L'Aventure occidentale de l'homme*, 1957), tout en s'engageant par ailleurs au sein du Congrès pour la liberté de la culture* (après avoir pris part au congrès de Berlin en 1950, il écrit régulièrement dans *Preuves** et préside le comité exécutif du mouvement de 1952 à 1966). Néanmoins — ou par conséquent ? — assez peu présent dans les débats médiatiques des années 60, il retrouve un nouvel écho public dans les années 70, en particulier avec *L'avenir est notre affaire* (1977), où s'expriment pour la dernière fois sa constante critique du matérialisme productiviste et son fédéralisme de tonalité libertaire. Modèle possible de « l'Homo europeanus », selon l'hommage que lui porte Saint-John Perse*, il meurt à Genève le 6 décembre 1985.

Pascal Balmand

■ *Politique de la personne*, Je Sers, 1934. — *Penser avec les mains*, Albin Michel, 1936. — *L'Amour et l'Occident*, Plon, 1939. — *L'Aventure occidentale de l'homme*, Albin Michel, 1957. — *Journal d'une époque*, Gallimard, 1968. — *L'avenir est notre affaire*, Stock, 1977.

■ J.-L. Loubet del Bayle, *Les Non-Conformistes des années 30. Une tentative de renouvellement de la pensée politique française*, Seuil, 1969. — *Denis de Rougemont, l'écrivain, l'Européen* (hommage collectif), Neuchâtel, La Baconnière, 1976. — *Denis de Rougemont, du personnalisme au fédéralisme* (actes du colloque international organisé par le Centre européen de la culture), Neuchâtel, La Baconnière, 1989.

ROUSSEL (Nelly)

1878-1922

« Féministe intégrale », Nelly Roussel fit de sa courte vie un combat lumineux pour la justice et l'égalité des sexes. Militante audacieuse, oratrice et journaliste, elle inscrit la contraception parmi les droits essentiels des femmes. Issue de la bourgeoisie catholique, elle découvre grâce à son mariage en 1898 avec le sculpteur socialiste Henri Godet, de quinze ans son aîné, de nouvelles perspectives. Dreyfusards, actifs à la Ligue des droits de l'homme*, à *La Libre-Pensée* et dans les Universités populaires*, ils partagent désormais le même idéal. Sa rencontre avec le néo-malthusien Paul Robin* enrichit le féminisme naissant de la jeune Nelly. Aux côtés des revendications d'égalité civile et politique, elle place la nécessité pour les femmes de pouvoir échapper aux grossesses rapprochées qui entravent leur liberté et leur épanouissement. Loin de dévaloriser la maternité, Nelly Roussel entend la faire reconnaître, de même que le travail ménager, comme une fonction sociale. Mais, hormis Henri Godet, ni les néo-malthusiens ni les libres-penseurs n'accepteront de la suivre dans la lutte féministe.

Passionnée dès son plus jeune âge par le théâtre, elle utilise dans ses conférences ses dons de comédienne, son éloquence et sa grâce. Militante professionnelle, elle expose à plus de deux cents reprises ses idées en France et en Europe. Journaliste, elle enrichit de ses analyses la doctrine féministe dans les colonnes de *La Fronde** et d'*Action*, réfutant souvent avec humour les arguments de ses nombreux adversaires. Au sein du mouvement féministe, N. Roussel occupe une place à part. Elle fait partie des grandes figures, son talent force le respect, mais bien peu la suivent sur le terrain du néo-malthusianisme. Elle ne cherche d'ailleurs pas à s'imposer et milite dans un petit groupe, l'Union fraternelle des femmes, qui se consacre à la diffusion d'une culture féministe.

Pendant la Première Guerre mondiale*, déjà affaiblie par la tuberculose, elle laisse transparaître son désarroi dans ses poèmes *(Ma forêt)*. Participant à l'effort de guerre, elle n'en affirme pas moins son pacifisme en défendant l'institutrice Hélène Brion accusée de défaitisme. Dans les colonnes de *L'Équité*, elle soutient l'action féministe en faveur du travail des femmes et du droit de vote. Séduite par la révolution russe, elle renonce toutefois à adhérer au Parti communiste, refusant de rompre avec le mouvement féministe dont l'autonomie lui paraît, au contraire, primordiale. Elle trouve dans *La Voix des femmes* la tribune où défendre ce credo et appeler à « la grève des ventres » contre les lois natalistes. C'est lors de ces derniers combats qu'elle meurt d'épuisement en décembre 1922, laissant le soin à son époux et à leurs deux enfants de publier ses œuvres.

Florence Rochefort

■ *Quelques lances rompues pour nos libertés*, Giard et Brière, 1910. — *Trois conférences*, M. Giard, 1930. — *Derniers combats*, L'Émancipatrice, 1932. — *L'Éternelle Sacrifiée* (préface, notes et commentaires de D. Armogathe et M. Albistur), Syros, 1979.

■ L. Klejman et F. Rochefort, *L'Égalité en marche. Le féminisme sous la IIIe République*, Presses de la FNSP / Des femmes, 1989. — F. Ronsin, *La Grève des ventres*, Aubier, 1980.

ROUSSET (David)

Né en 1912

Homme politique issu du trotskisme, journaliste et écrivain, David Rousset fonde en grande partie ses engagements d'intellectuel sur son expérience concentrationnaire durant la Seconde Guerre mondiale. Il dénonce les stigmates du totalitarisme dans l'expérience soviétique, servant de cible aux défenseurs de l'URSS.

Né le 18 janvier 1912 à Roanne (Loire), dans un milieu protestant (darbyste), d'un père ouvrier métallurgiste, il fait des études de philosophie et de littérature à la Sorbonne. Il adhère aux Étudiants socialistes en 1931. Trotskiste (de 1933 à 1945), après s'être fait exclure des Jeunesses socialistes, en juillet 1935, il s'appuie sur l'organe *Révolution* et fonde, au début 1936, la Jeunesse socialiste révolutionnaire avec Fred Zeller et le Parti ouvrier internationaliste, en juin de la même année. Il mène à partir de cette époque une action anticolonialiste, s'intéressant aussi bien au Maroc, à l'Algérie, à l'Indochine qu'à la Tunisie.

Déporté en Allemagne (1943-1945), pour faits de Résistance, il s'appuie après la guerre sur son expérience personnelle pour décrire avec précision les rouages de *L'Univers concentrationnaire*, retenant vite l'attention de la critique et du public. Prenant ses distances vis-à-vis du marxisme, il est à l'origine, en 1948, avec Georges Altmann, du Rassemblement démocratique révolutionnaire* (RDR), surnommé le « parti de Sartre* et de Rousset », à l'existence éphémère, et qui veut concilier, en période de Guerre froide, son projet de « transformation radicale du régime social par la solution socialiste », son internationalisme, sa solidarité européenne, son neutralisme, son anticolonialisme et son opposition au RPF et au Parti communiste.

En 1949, à la suite de l'affaire Kravchenko, il lance un appel à ses camarades anciens déportés afin qu'ils forment une commission d'enquête chargée de juger de la nature des camps soviétiques, suscitant les attaques du PCF et l'incompréhension du milieu intellectuel, réserve qui ne fait que s'accentuer les années suivantes lorsqu'il passe de la « gauche » au gaullisme et qu'il participe à la revue libérale *Preuves**, envisagée comme un relais de l'influence américaine. À partir des années 50 surtout, il réussit à mettre sur pied, à l'échelle internationale, des structures durables de lutte contre le travail forcé. En novembre 1956, il s'élève contre la répression soviétique en Hongrie, à l'initiative du Congrès pour la liberté de la culture* ; en 1957, contre la répression en Algérie (il est de la création du Comité Audin). En 1966, quelque temps après le retrait par le gouvernement des forces françaises de l'OTAN, il signe le manifeste du « groupe des 29 » favorable à la politique étrangère du général de Gaulle et, presque au même moment, l'appel à constituer des « comités de soutien au peuple vietnamien ». En Mai 68, il fait partie des « gaullistes de gauche » qui soutiennent le mouvement étudiant. Il est élu la même année député de l'Isère, au titre de l'Union démocratique pour la République (1968-1971), avant d'être réélu comme non-inscrit (jusqu'en 1973), tout en s'éloignant du mouvement gaulliste. En décembre 1981, il se rallie à tous ceux qui se déclarent solidaires du syndicat polonais Solidarnosc*.

Après avoir gagné sa vie avant la guerre comme correspondant politique et économique de *Life* et *Fortune*, il collabore, après la Libération, aux médias : *Demain**, *Preuves**, *Arguments**, *Le Monde**, *Nouveau Candide*, au *Figaro littéraire** (où il est grand reporter, 1963-1966), à l'ORTF et à France-Culture* (à partir de 1973).

Laurence Bertrand Dorléac

■ *L'Univers concentrationnaire*, Éd. du Pavois, 1946, rééd. Hachette, 1993. — *Les Jours de notre mort*, Éd. du Pavois, 1947, rééd. Hachette, 1993. — *Le pitre ne rit pas*, Éd. du Pavois, 1948, rééd. Bourgois, 1979. — *Les Entretiens sur la politique* (avec G. Rosenthal et J.-P. Sartre), Gallimard, 1949. — *Pour la vérité sur les camps concentrationnaires. Un procès antistalinien à Paris* (avec T. Bernard et G. Rosenthal), Éd. du Pavois, 1951. — *La Société éclatée, de la première à la seconde révolution*, Grasset, 1973. — *Sur la guerre. Sommes-nous en danger de guerre nucléaire ?*, Ramsay, 1987.

▒ É. Copfermann, *David Rousset, une vie dans le siècle, fragments d'autobiographie*, Plon, 1991.

ROVAN (Joseph)

Né en 1918

Joseph Rovan est né à Munich le 25 juillet 1918, fils unique dans une famille bourgeoise d'origine juive, convertie au protestantisme, que les crises économiques amènent à gagner Vienne en 1921, puis Berlin en 1929. Fuyant le nazisme, elle s'installe à Paris en 1934. Le garçon n'a que quelques connaissances scolaires en français. Il l'apprend vite au lycée, passe son bac en 1935-1936, puis, de front, deux licences (allemand et droit) et un diplôme de Sciences-Po. Ses sympathies intellectuelles vont à la fois vers le catholicisme de gauche d'*Esprit**, et vers le pacifisme : il séjourne au Contadour* en 1938 et 1939, et garde le souvenir de l'accueil fraternel reçu de Giono*. Mais la guerre va modifier sa vie. Engagé volontaire en 1940, il retrouve ses parents en Ardèche. Il gagne ensuite Lyon, où il entre vite dans la Résistance. Il s'y spécialise dans la production de faux papiers tout en travaillant pour le réseau de « Témoignage chrétien »*. Arrêté à Paris en février 1944, il se convertit au catholicisme en prison. Il passe dix mois à Dachau, de juillet 1944 à la fin d'avril 1945.

En 1945, après avoir reçu la Légion d'honneur à titre militaire, il est naturalisé français. Il sera secrétaire de rédaction d'*Esprit* (1945-1946) tout en étant le collaborateur d'E. Michelet pour gérer le plus humainement possible les camps de prisonniers allemands en France. Une de ses vocations les plus durables est née : promouvoir et renforcer une collaboration franco-allemande, en faisant comprendre en France la nécessité d'aider une Allemagne démocratique. Autre vocation : la culture populaire, l'éducation permanente : il est secrétaire général de Peuple et culture* de 1945 à 1978. De 1947 à 1951, il est chef du Service de la culture populaire dans l'administration française en Allemagne, où il remet sur pied les Universités populaires*, tout en organisant rencontres et colloques. Puis une mission de l'Unesco l'envoie en Italie. En 1958, il entre à nouveau au cabinet d'E. Michelet, devenu garde des Sceaux, et tente de promouvoir une réforme des prisons, en même temps qu'il participe à la préparation des négociations sur l'Algérie qui aboutiront aux accords d'Évian.

Docteur d'État sur travaux en 1969, il enseigne dès 1968 à Paris VIII-Vincennes, qu'il ne quittera qu'en 1981 pour terminer sa carrière en 1986 à Paris III. Parallèlement, il prend en 1978 la direction du BILD (Bureau international de liaison et de documentation franco-allemand) qu'il continue à animer, éditant notamment *Documents*, « revue des questions allemandes ». Il parle chaque semaine à la radio allemande, et il écrit : plus de quinze ouvrages sur l'Allemagne, sur l'Europe, sur la démocratie ; des articles innombrables. Il se pense de gauche, mais n'est guère catalogué comme tel : opposant à tout totalitarisme, il reste anti-marxiste comme antifasciste et anti-intégriste. Né Bavarois, Auvergnat d'adoption par sa femme, il est un véritable Européen.

Pierre Citron

■ *Allemagne*, Seuil, 1955. — *Histoire du catholicisme politique en Allemagne*, Seuil, 1957. — *Une idée neuve, la démocratie*, Seuil, 1962. — *Histoire de la social-démocratie allemande*, Seuil, 1979. — *La Bavière*, Arthaud, 1981. — *L'Allemagne du changement*, Calmann-Lévy, 1983. — *Contes de Dachau*, Julliard, 1987. — *Konrad Adenauer*, Beauchesne, 1987. — *Citoyen d'Europe*, Laffont, 1992. — *Histoire de l'Allemagne, des origines à nos jours*, Seuil, 1994.

■ « Joseph Rovan, penseur et acteur du dialogue franco-allemand », *Documents*, 1989.

ROY (Claude)

Né en 1915

Poète, romancier, critique littéraire, journaliste, écrivain engagé, conseiller d'édition, cet homme de culture a d'abord habité les extrêmes de la politique française, celui de droite puis celui de gauche, avant d'occuper les positions d'une gauche intellectuelle plus soucieuse d'éthique que de politique partisane.

Né le 28 août 1915 à Paris, C. Roy est issu d'une famille de la petite bourgeoisie charentaise. Au cours de ses études aux Facultés de lettres et de droit de Paris, il est séduit par le « Politique d'abord ! » de Charles Maurras*. Militant aux étudiants d'Action française, il collabore, entre 1935 et 1939, à *L'Étudiant français*, à *L'Action française**, à *La Revue universelle**, ainsi qu'à *Combat**, revue de

Thierry Maulnier* et de Jean-Pierre Maxence*. En 1937, Robert Brasillach*, dont il vient de faire la connaissance, l'entraîne à *Je suis partout**, où il signe ses premiers articles « Claude Orland », avant de reprendre son vrai nom à partir de février 1938. Mobilisé en septembre 1939 dans les chars, il est fait prisonnier, s'évade, et gagne la zone non occupée. Là, il participe à « Jeune France »*, collabore à la presse et à la radio vichystes. C'est dans *L'Action française* du 31 juillet 1941 qu'il publie un pamphlet contre Chardonne* et Montherlant*, qui lui vaut la sympathie de René Laporte et de Pierre Courtade*. En 1942, dénoncé par la presse collaborationniste, C. Roy entre dans la Résistance clandestine, avant d'adhérer en 1943 au Parti communiste.

Membre du Comité national des écrivains* à la Libération, C. Roy collabore aux journaux de gauche (*Front national*, *Action**...) et publie, à côté de ses recueils de poésie (*Le Poète mineur*, 1949 ; *Un seul poème*, 1955), ses premiers romans (*La nuit est le manteau des pauvres*, 1949 ; *À tort ou à raison*, 1955), des grands reportages (*Clefs pour l'Amérique*, 1949 ; *Clefs pour la Chine*, 1953), et ses essais littéraires qui lui valent peut-être le plus de renom (*Descriptions critiques*, 1950 ; *Le Commerce des classiques*, 1953).

En novembre 1956*, indigné par l'invasion soviétique de la Hongrie révoltée, il publie une protestation, qui lui vaut une exclusion temporaire du PCF. À la suite du coup de force du 13 mai 1958, Roy demande sa réintégration, juste avant d'apprendre la pendaison d'I. Nagy et de ses compagnons ; il publie alors, le 26 juin 1958, dans *France-Observateur**, sa « vraie lettre de démission », qui s'achevait par ces mots : « Je continue à croire qu'on peut désirer que la paix s'affermisse au sommet, sans que ce sommet soit celui des gibets. »

Défenseur d'un « socialisme à visage humain » avant la lettre, Claude Roy épouse les combats de la gauche intellectuelle, anticolonialiste et antistalinienne, signant notamment le « Manifeste des 121 »* et déposant au procès Jeanson*. Après la fin de la guerre d'Algérie, Claude Roy, qui collaborait à *France-Observateur*, est de l'équipe du *Nouvel Observateur** dirigé par Jean Daniel*. Il y poursuit, parallèlement à ses livres, sa carrière de critique littéraire et de critique d'art, sans hésiter à prendre parti dans l'actualité politique, quand celle-ci met en cause les fondements de la démocratie, comme c'est le cas lors de l'étouffement du Printemps de Prague* pendant l'été 1968.

À partir de 1969, il entame la quête de sa propre identité dans un vaste « essai d'autobiographie », où se succèdent *Moi je* (1969), *Nous* (1972), *Somme toute* (1976), où il écrit sa profession de foi de « marxiste-taoïste » ou « libéral-libertaire ». Vaste somme, suivie de plusieurs tomes de *Journal*, où toute une génération intellectuelle est décrite à travers la vie d'une âme sensible, à la Stendhal. Depuis 1980, Claude Roy lutte contre un cancer ; comme disait O. Paz dans un article du *Nouvel Observateur*, « la matière première de la poésie de Roy est sa vie, vue et sentie, dite et entendue, à partir d'un maintenant précaire ». C'est à travers sa poésie, en effet, que C. Roy nous livre, avec courage et élégance, ses plus beaux témoignages sur son mal : *À la lisière du temps*, *Permis de séjour*, *La Fleur du temps* et *Le Voyage d'automne*.

Sheila Hallsted-Baumert

■ *Le Malheur d'aimer*, Gallimard, 1958, rééd. 1972. — *L'Homme en question*, Gallimard, 1960. — *Défense de la littérature*, Gallimard, 1968. — *Poésies* (préface de P. Gardais et J. Roubaud), Gallimard, 1970. — *La Dérobée*, Gallimard, 1987. — *Le Rivage des jours (1990-1991)*, Gallimard, 1992.

▒ J. Verdès-Leroux, *Au service du Parti. Le Parti communiste, les intellectuels et la culture (1944-1956)*, Fayard / Minuit, 1983.

ROYAUMONT

Implantée en bordure de la forêt de Chantilly, l'ancienne abbaye de Royaumont a servi, particulièrement de 1945 à 1970, de cadre privilégié à de nombreux colloques qui ont attiré la fine fleur de l'intelligentsia nationale et internationale. Mélange d'académisme et d'innovation, elle a pris en quelque sorte le relais des Décades de Pontigny*, et demeure l'un des plus beaux fleurons des « monastères laïcs » du XXe siècle.

À l'initiative d'Henri Goüin, mécène inspiré et gardien du temple diligent, écrivains, savants, artistes, hauts fonctionnaires ne cesseront de s'y rencontrer au long des décennies d'après guerre. En témoignent notamment les « colloques philosophiques internationaux de Royaumont », mis sur pied par un comité directeur prestigieux que préside Gaston Berger, assisté d'un secrétaire très actif, Lucien Goldmann*. Ces rencontres autour de « Blaise Pascal » (1954), « Descartes » (1955), « La pensée et l'œuvre de Karl Marx » (1956), « L'œuvre et la pensée de Husserl » (1957), « La philosophie analytique » (1958), « La dialectique » (1960), « Nietzsche » (1971), favorisent la confrontation entre chercheurs de diverses spécialités, tels Claude Lévi-Strauss*, Gabriel Marcel*, Martial Guéroult, Jean-Toussaint Desanti*, Henri Lefebvre*, Jean-Pierre Vernant*, Michel Foucault*, Gilles Deleuze*, etc. Royaumont fonctionne comme une instance de consécration dont le rayonnement s'étend également aux rencontres autour de la littérature (Roland Barthes*, Marcel Arland*, Alain Robbe-Grillet*, François Nourissier*...) et des sciences sociales en pleine ascension, comme la psychanalyse (Jacques Lacan*, Françoise Dolto*, Daniel Lagache*), ou la sociologie (Georges Balandier*, Jean Duvignaud*, Edgar Morin*). C'est alors l'âge d'or de cette institution originale reposant sur l'activité du « Centre culturel international » (1947-1953) que dirige Gilbert Gadoffre, puis du « Cercle culturel » sous la houlette de Marc-André Béra, auquel succédera Alain Crespelle.

La création, en 1964, de la « Fondation Royaumont (Goüin-Lang) pour le progrès des sciences de l'homme » confirme la vocation pluridisciplinaire du lieu, et l'ambition très significative de célébrer les vertus de l'humanisme au moment de la vague structuraliste. La thématique des colloques demeure riche et s'ordonne autour de trois axes : les problèmes de société (« Quel avenir attend l'humanité ? », 1961 ; « Pour ou contre la peine de mort », 1961 ; « Le planning familial », 1963...) ; la culture et la communication (« Le signe et les systèmes de signes », 1962 ; « La pensée interdisciplinaire », 1962 ; « Culture "supérieure" et culture "de masse" », 1963...) ; la politique et la gestion culturelles (« Les problèmes de l'autogestion et de l'autoformation », 1962 ; « Aménagement et nature », 1965) avec des représentants de l'administration et des responsables du Club Jean-Moulin*.

Déstabilisée par les événements de Mai 68, Royaumont parvient à rebondir à l'orée de la décennie suivante avec la fondation du « Centre Royaumont pour une science de l'homme », dirigée par John Hunt, Edgar Morin et Massimo Piattelli-Palmarini. Les échanges entre philosophes, sociologues, historiens, mais aussi biologistes, biochimistes et physiciens, donneront lieu à la publication de plusieurs ouvrages (*L'Unité de l'homme*, 1974 ; *Le Fait féminin*, 1978 ; *Théories du langage, théories de l'apprentissage*, 1979, avec Jean Piaget* et Noam Chomsky). Ils sont le chant du cygne d'une institution désormais confrontée aux difficultés du mécénat culturel. Depuis lors, l'influence de Royaumont, sans être négligeable, s'est fortement estompée.

Rémy Rieffel

ROYER (Clémence)

1830-1902

Philosophe et femme de sciences, cette femme exceptionnelle, traductrice et introductrice en France de l'*Origine des espèces* de Darwin dès 1862, fut une autodidacte avide de tous les savoirs, une théoricienne soucieuse de solutions concrètes pour les ouvriers, les femmes, les peuples, les races.

Née le 21 avril 1830 à Nantes, Clémence Royer est fille d'officier légitimiste et son éducation, éclectique, se fait entre l'exil et l'institution religieuse. Sa boulimie de savoir, qui fera d'elle sans doute la plus grande autodidacte de son temps, et son goût de la transgression des interdits officiels et officieux concernant les femmes, la mettent au cœur du monde intellectuel et politique entre la Suisse où elle rencontre les réfugiés politiques du Second Empire et Paris où elle se lie avec diverses sociétés intellectuelles, celles du *Journal des économistes*, de la Société d'anthropologie et de *La Philosophie positive*. Sa préface à la traduction de l'*Origine des espèces* l'a fait connaître par le scandale de cette double affirmation : que l'homme est concerné par cette nouvelle théorie de l'évolution, que Dieu par conséquent n'est plus la cause de la création. Elle explicitait Darwin sans l'accord de ce dernier, et de plus elle le discutait, accumulant dans sa traduction notes et commentaires idéologiques : le plus célèbre étant son choix de traduire « sélection » par « élection » ! Darwin changera de traducteur après la troisième édition tout en laissant Clémence Royer republier sa traduction.

La notoriété de Clémence Royer vint de ce scandale, puis de ses nombreuses interventions, écrites et orales, dans tous les domaines : de la théorie de l'impôt à l'amélioration du sort de la classe ouvrière, de l'analyse des peuples et des nations, des races et des singes à l'origine des mondes et aux sciences de la vie. Mais le Beau aussi l'intéresse, ainsi que la littérature : son roman *Les Jumeaux d'Hellas*, libertaire, anticlérical, féministe, est censuré par Rome. Car Clémence Royer a l'esprit des Lumières en même temps que la foi laïque de la République (nécessairement élitaire) naissante : libre-penseuse, elle est aussi fondatrice avec Maria Deraismes de la première loge mixte, « Le Droit humain ». Engagée par sa personnalité même dans la lutte féministe, féministe en acte plus qu'en paroles car elle n'aimait ni les étiquettes, ni les embrigadements, Clémence Royer inaugura en 1860 à Lausanne un cours de philosophie uniquement destiné aux femmes et dont il nous reste l'introduction ; puis à la fin de sa vie, elle devint une collaboratrice régulière de *La Fronde**.

Geneviève Fraisse

- Traduction de Charles Darwin, *De l'origine des espèces*, Guillaumin, 1862. — *Théorie de l'impôt ou la Dîme sociale*, Guillaumin, 1862. — *Les Jumeaux d'Hellas*, Paris-Bruxelles, 1864. — *Origine de l'homme et de la société*, Guillaumin, 1869. — *Le Bien et la loi morale*, Guillaumin, 1881. — *Natura rerum. La Constitution du monde*, Schleicher, 1900.
- G. Fraisse, *Clémence Royer, philosophe et femme de sciences*, La Découverte, 1985.

RUSSIER (affaire)

1969

L'affaire Gabrielle Russier, du nom de ce jeune professeur de lettres qui s'est suicidée le 1er septembre 1969 après une tumultueuse passion avec l'un de ses élèves, connut un grand retentissement dans la France d'après-Mai 68. Les parents du jeune garçon, universitaires et proches du Parti communiste, furent alors accusés d'avoir, à travers leur acharnement à séparer les deux amants et leur plainte pour « détournement de mineur », poussé Gabrielle à mettre fin à ses jours.

Jean Cau* avait fustigé dans *Paris-Match* la liaison du professeur et de son élève en des termes tellement crus et violents qu'une polémique éclata. Mais très peu d'intellectuels furent hostiles à Gabrielle Russier et, parmi les 80 professeurs signataires d'un texte, rédigé par les parents du jeune homme pour justifier leur comportement, aucune célébrité. Le président Pompidou rendra même un hommage ambigu à la défunte en récitant, lors d'une conférence de presse, un poème de Paul Éluard*, « Comprenne qui voudra », consacré… aux femmes tondues après la guerre. Raymond Jean, écrivain et universitaire, s'engagea après le drame pour défendre celle qu'il avait soutenue et qui avait été son étudiante, et publia « Pour Gabrielle » en introduction aux *Lettres de prison* écrites par Gabrielle Russier lors de ses incarcérations.

La France entière se passionne pour une polémique qui dépasse vite les milieux intellectuels. Les revues, les hebdomadaires, la presse quotidienne populaire s'affrontent. Michel Del Castillo s'inspire de ce fait divers pour son roman *Les Écrous de la haine* (1970) et le cinéaste André Cayatte joue les prolongations au cinéma avec *Mourir d'aimer* (1971) qui connaît un réel succès.

L'âge de la majorité (vingt et un ans à l'époque), le droit d'aimer un homme plus jeune lorsque l'on est une femme, divorcée, mère et professeur, l'opposition entre « anciens » et « modernes » à l'école, le rôle des juges, de la détention provisoire, l'hypocrisie d'une partie de la gauche en matière de mœurs, surtout lorsqu'il s'agit de ses propres enfants, furent autant de sujets de polémique réveillés par l'affaire. Son écho considérable ne s'explique que par sa double dimension, idéologique et affective, et par son contexte : toutes les prises de position étaient radicalisées dans une société encore bloquée. Véritable « mélo » et happening politico-judiciaire, ce fait divers a joué comme un *remake* en accéléré et personnalisé de Mai 68. Symbole, figure emblématique, victime expiatoire d'une société où des changements profonds s'amorçaient, Gabrielle Russier a servi à dénoncer les archaïsmes et contradictions d'une société encore très conformiste. Confrontée et mise en conflit avec toutes les grandes institutions en crise (Famille, École, Université, Justice), elle incarnait l'opposition entre deux systèmes de valeurs.

A posteriori et dans les mémoires, c'est, paradoxalement, moins l'engagement des intellectuels (Raymond Jean, Jean Lacouture*...) aux côtés de Gabrielle Russier, dans la continuité des prises de positions antérieures, que la vague d'émotion populaire qui perdure. L'affaire a cependant marqué une génération de lycéens et de professeurs et reste un symbole.

Corinne Bouchoux

■ Gabrielle Russier, *Lettres de prison*, précédées de « Pour Gabrielle » par Raymond Jean, Seuil, 1970.

■ C. Bouchoux, « L'affaire Gabrielle Russier », *Vingtième siècle, revue d'histoire*, n° 33, janvier-mars 1992. — R.-H. Guerrand, *C'est la faute aux profs*, La Découverte, 1987.

S

Sacco et Vanzetti (affaire)

1921-1927

Les deux anarchistes italo-américains Nicolas Sacco et Bartolomeo Vanzetti ont été condamnés à mort en juillet 1921 et exécutés le 22 août 1927. Ils étaient vraisemblablement innocents du meurtre du caissier de South Baintree (Massachusetts) pour lequel ils ont comparu devant le juge Thayer. Mais, pour le tribunal composé de notables de la côte Est aveuglés par leur *red-scare* (« peur des rouges »), l'engagement politique ainsi que les origines des deux hommes prouvaient leur culpabilité. La campagne pour leur acquittement, commencée aux États-Unis au cours du procès lui-même, gagna l'Europe immédiatement après le verdict. En France, l'Union anarchiste, les communistes de la jeune SFIC et la Ligue des droits de l'homme* mobilisèrent ponctuellement leurs membres et leurs sympathisants à partir du mois d'août 1921.

Parmi les intellectuels, ce furent quatre grandes figures de la gauche pacifiste, Romain Rolland*, Henri Barbusse*, Séverine* et Anatole France*, qui intervinrent les premiers publiquement. Le 22 octobre, ils consignèrent un télégramme au président des États-Unis qui demandait la grâce des deux anarchistes. Anatole France, fort de son prestige international, le compléta dix jours plus tard d'un vibrant appel au peuple américain publié par *The Nation.* « Sacco et Vanzetti ont été condamnés pour un crime d'opinion. Cela fait horreur de penser, argumentait-il, que des êtres humains payent de leur vie l'exercice du droit le plus sacré [...] »

Cette nouvelle affaire Dreyfus* — la comparaison surgit en France sous toutes les plumes — mobilisa à partir de 1926, malgré la présence des communistes, des cercles beaucoup plus larges quand l'innocence des deux anarchistes sembla bel et bien établie par les aveux du Portugais Medeiros, et que la révision du procès fut une nouvelle fois repoussée. L'ensemble de la gauche radicale et socialiste et de très nombreux intellectuels en rangs dispersés demandèrent leur grâce, les uns par des prises de position dans la presse, d'autres, plus audacieux, en apparaissant aux meetings et aux manifestations organisés par le très anarchisant Comité Sacco et Vanzetti — que dirigeaient Louis Lecoin et Nicolas Faucier — et par la Ligue des droits de l'homme. Au même moment aux États-Unis, John Dos Passos interviewait les deux prisonniers et publiait leur récit, attirant enfin l'attention de la presse américaine.

Les communistes français, selon les consignes de l'IC soucieuse initialement de jeter à son avantage les bases d'un front unique élargi aux classes moyennes, mobilisèrent également leurs troupes, appelant ouvriers et intellectuels à s'unir dans la lutte. Mais *L'Humanité** ne mena vigoureusement campagne que dans les dernières semaines avant l'exécution annoncée. Au contraire, l'engagement des militants anarchistes, socialistes radicaux et de la Ligue des droits de l'homme, s'exprima effectivement jusqu'à l'exécution des deux anarchistes. En avril 1927, vingt-six écrivains, dont quelques académiciens, signèrent ainsi une pétition rédigée par Séverine et Georges Pioch. Ce sont ces mêmes personnalités qui firent en partie le succès du meeting organisé le 23 juillet au Cirque de Paris par la Ligue des droits de l'homme et le Comité Sacco et Vanzetti. Et le 9 août, Marie Curie* elle-même, peu coutumière de ce genre de démarche, adressa avec Anna de Noailles et Séverine un télégramme au gouverneur du Massachusetts. Toute la presse parisienne, même la royaliste *Action française** et le très conservateur journal *Le Temps*, émue par la longue détention et les souffrances des deux hommes, plaidait il est vrai l'indulgence.

Mais, après l'exécution, le 22 août à minuit, seuls les intellectuels les plus radicaux (les surréalistes, les « clartéistes » de Pierre Naville* et les communistes) soutinrent publiquement la violente manifestation de protestation qui eut lieu le lendemain sur les grands boulevards à Paris, ainsi que les initiatives qui devaient honorer la mémoire des deux anarchistes. Les affrontements avec la police qui en résultèrent mirent un terme à l'indulgence des intellectuels de droite qui, dès lors, réitérèrent leurs anathèmes contre leurs jeunes pairs révolutionnaires. Les intellectuels avaient en somme joué dans l'affaire Sacco et Vanzetti les rôles que leur proposaient les diverses organisations, pour qui ils furent surtout de brillants auxiliaires ou de prestigieux porte-drapeaux.

Annie Burger-Roussennac

■ R. Creagh, *Sacco et Vanzetti*, La Découverte, 1985. — J.-P. Fouillet et A. Rebeyrol, *L'Affaire Sacco et Vanzetti vue par « Le Libertaire » et « L'Humanité »*, mémoire, Paris I, 1971. — A. France, *Trente ans de vie sociale (1915-1924)* (textes recueillis et publiés sous la dir. de C. Aveline), Émile-Paul, 1969. — P. Milza, « Sacco et Vanzetti : autopsie d'une affaire (1921-1928) », *L'Histoire*, n° 126, octobre 1989.

SACHS (Maurice) [Maurice Ettinghausen]

1904-1945

L'œuvre et le destin de Maurice Ettinghausen, dit « Maurice Sachs », du nom de sa mère, constituent un prisme privilégié bien que méconnu pour appréhender les phases contrastées de la vie intellectuelle et artistique en France dans la première moitié du XXe siècle. Si son œuvre est inégale, parfois hâtive, et son destin sujet à toutes les controverses, voire à toutes les condamnations, il n'en reste pas moins que cette figure trouble fut celle d'un témoin du Paris de l'entre-deux-guerres, des années folles jusqu'aux premières années de l'Occupation.

Issu d'une famille bourgeoise déchirée, il est jeté très jeune dans l'entourage effervescent de Jean Cocteau* avec lequel il entretient des rapports ambivalents d'idolâtrie et de rejet. C'est Cocteau qui préside à ses premières grandes rencontres formatrices. Il lui fait connaître, entre autres, Jacques et Raïssa Maritain*, qui favorisent sa conversion au catholicisme au point qu'il voudra même, un temps, devenir prêtre. Abandonnant cependant le séminaire, Sachs rencontre Max Jacob, dont, devenu un temps éditeur d'art, il tentera de vendre les dessins. Puis, après avoir suivi une cure analytique auprès du docteur René Allendy, un des introducteurs de la psychanalyse en France, il part pour les États-Unis pour une tournée de conférences, qui donneront lieu à un livre publié à New York, *The Decade of Illusion*, où il évoque le Paris héroïque, « capitale de la pensée », de la décennie 1918-1928, si créative.

De retour à Paris, en 1933, il rend visite à André Gide*, sur lequel il écrira un petit livre, et qui l'incite à consacrer un ouvrage, un rien hagiographique, à Maurice Thorez. C'est sous ses auspices qu'il se lance alors à la conquête de Gallimard*, où il devient directeur des collections « catholique » et « détective ». Il collabore à *La Nouvelle Revue française**, avec notamment un article important, « Contre les peintres d'aujourd'hui » (juillet 1934), où il défend ardemment Soutine, digne successeur à ses yeux de Rembrandt.

La déclaration de guerre le surprend à Caen où il se lie d'amitié avec deux philosophes, Ferdinand Alquié* et Yvon Belaval. C'est surtout avec ce dernier, lui-même admirateur de Cocteau et de Max Jacob dans sa jeunesse, qu'il entretiendra une correspondance suivie depuis l'Allemagne nazie où, bien que juif, il est parti comme travailleur volontaire, et où il mourra d'épuisement en 1945. Par fidélité, après guerre, Yvon Belaval se fera l'éditeur, à la NRF, de l'œuvre posthume de Maurice Sachs.

Personnage à l'identité instable (juif, homosexuel, voleur, alcoolique, « traître », il se vouait à lui-même une haine suicidaire), ce n'est pas un hasard si on le trouve au cœur, explicitement ou non, de maints romans de Patrick Modiano.

Henri Raczymow

■ *Le Sabbat. Souvenirs d'une jeunesse orageuse*, Corréa, 1946, rééd. Gallimard, 1979. — *La Chasse à courre* (présentation par Y. Belaval), Gallimard, 1949. — *La Décade de l'illusion*, Gallimard, 1950. — *Derrière cinq barreaux* (présentation par Y. Belaval), Gallimard, 1952. — *Tableaux des mœurs de ce temps* (présentation par Y. Belaval), Gallimard, 1954.

■ J.-M. Belle, *Les Folles Années de Maurice Sachs*, Grasset, 1979. — A. Brunschwig, *Maurice Sachs écrivain*, doctorat, Paris III, 1974. — V. Leduc, *La Bâtarde*, Gallimard, 1964. — H. Raczymow, *Maurice Sachs ou les Travaux forcés de la frivolité*, Gallimard, 1988.

SADOUL (Georges)

1904-1967

Après ses études, Georges Sadoul, né à Nancy en 1904, monte à Paris en 1926 pour y rejoindre son ami, Louis Aragon*, qui lui présente peintres et écrivains surréalistes, au café Cyrano de la place Blanche. Durant quelques années, Sadoul ne quitte plus les pas d'Aragon*, l'accompagnant par exemple lors du voyage en URSS de l'automne 1930.

Après la visite au barrage de Dnieprogues, le célèbre poème *Front rouge*, qui traduit la « révélation » communiste partagée par les deux amis, entraîne, en mars 1932, la rupture au sein du groupe surréaliste. Sadoul se range dans le camp d'Aragon, face à Breton*, et participe désormais à de nombreux organes communistes.

Il dirige *Mon camarade*, puis, tient, à partir de 1934, des chroniques littéraires dans *Commune**, la revue dirigée par Vaillant-Couturier*, et cinématographiques dans *Regards*, l'hebdomadaire de Léon Moussinac. À partir de 1938, il se consacre avec une ardeur compulsive à son grand projet : « écrire l'histoire du cinéma depuis les origines et dans tous les pays ». Néophyte en la matière, Sadoul tire sa force de cette faiblesse, ce qu'a compris Henri Langlois, le fondateur de la Cinémathèque : « La force de Sadoul, sa qualité d'historien, résulta de sa totale ignorance. C'est celle-ci, dont il avait parfaitement conscience, qui l'obligea à traiter l'Histoire du cinéma comme l'Histoire du haut Moyen Âge. » Sadoul est en effet le premier à consulter systématiquement les archives. Les deux premiers volumes de son histoire, couvrant *L'Invention du cinéma (1832-1897)* et *Les Pionniers du cinéma (1897-1909)*, écrits en large partie durant la drôle de guerre, sont publiés en 1946 et 1947 par Denoël*, bientôt rejoints par *Le cinéma devient un art* (1909-1920), et couronnés par une synthèse générale parue chez Flammarion en 1949, l'*Histoire d'un art : le cinéma des origines à nos jours*. Traduits en de nombreuses langues, ces volumes assurent la réputation, presque la gloire, de Georges Sadoul.

Entre-temps, cependant, l'historien avait joué un rôle actif dans les mouvements de la Résistance. « Commis voyageur » du Comité national des écrivains*, comme il l'écrit, Sadoul est naturellement amené à participer à ses deux principales revues : *Les Lettres françaises**, dont le premier numéro paraît en septembre 1942, et, lié aux comités du cinéma, *L'Écran français*, créé en décembre 1943. C'est aux *Lettres françaises* qu'il tient chronique, vingt-cinq ans durant, de novembre 1944 à août 1967. C'est à *L'Écran français* que Sadoul, entre 1945 et 1950, mène la bataille contre le cinéma hollywoodien, celui qui envahit les écrans après la guerre.

Défenseur de la « qualité française » (qui couvrait parfois beaucoup de médiocrité) et du cinéma soviétique contre l'« aliénante usine à rêve » hollywoodienne (malgré ses chefs-d'œuvre), Sadoul a mené d'une main vigoureuse la cinéphilie communiste d'après guerre. Mais la Nouvelle Vague marque une inflexion importante dans sa carrière critique. *Les Lettres françaises* soutiennent d'emblée Godard* et Truffaut, et se rallient ainsi au cinéma moderne. Sadoul, en fin de compte, même s'il a « raté » le cinéma classique américain, aura lié deux bouts d'une chaîne, le cinéma primitif dont il s'est fait l'historien minutieux et le cinéma moderne qu'il a salué avec enthousiasme à travers la Nouvelle Vague. Ce cercle esthétique menant de l'historien au critique est tout à l'honneur d'un intellectuel communiste, contredisant ainsi l'hommage lancé par André Wurmser* dans *L'Humanité** du 16 octobre 1967, trois jours après la mort de Sadoul : « Tu étais un critique communiste, tu n'étais pas un esthète… »

Antoine de Baecque

■ *Histoire générale du cinéma*, 1946-1954, rééd. Denoël, 1973, 6 vol. — *Histoire d'un art : le cinéma, des origines à nos jours*, Flammarion, 1949 (régulièrement réédité et remis à jour). — *Aragon*, Seghers, 1967. — *Journal de guerre (1939-1940)*, UGE, 1977, rééd. L'Harmattan, 1994. — *Chroniques du cinéma français (1933-1967)*, UGE, 1979. — *Chroniques et entretiens*, Denoël, 1984. — *Charlie Chaplin*, Ramsay, 1991 (éd. définitive).

SAINT-EXUPÉRY (Antoine de)

1900-1944

Écrivain, pilote de ligne et inventeur, Saint-Exupéry a imposé un style héroïque de dépassement et de spiritualité conjugué à une vie d'aventurier. Il demeura souvent en marge des milieux intellectuels en leur préférant l'action.

Il est né à Lyon le 29 juin 1900, dans un milieu aristocratique, d'un père inspecteur d'assurances (qui meurt lorsqu'il a quatre ans), le comte Jean-Marie de Saint-Exupéry, et d'une mère d'origine provençale. Élevé chez les jésuites puis chez les marianistes de Fribourg, il échoue au concours de l'École navale et fréquente l'École nationale supérieure des beaux-arts (section architecture). Il passe son brevet d'aviation durant son service militaire en 1921, avant d'être promu sous-lieutenant de réserve l'année suivante. Pilote de ligne sur le parcours Toulouse-Casablanca, il mettra plus tard en service les lignes de Patagonie, accomplissant des missions délicates comme pilote d'essai.

Homme d'inquiétude matérielle et spirituelle, il multiplie les actions dangereuses transformant l'avion et le désert en instruments de réflexion et de méditation. La notoriété lui vient de *Vol de nuit* (1931) qui lui ouvre les portes du journalisme *(Marianne**, *Paris-Soir)* en le faisant passer du statut de romancier à celui d'intellectuel. Curieux de l'actualité, en 1937, il veut savoir ce que le nazisme a fait des Allemands et part sur son Simoun à Berlin et à Wiesbaden. En 1939, année de parution de *Terre des hommes* (qui obtient le prix du roman de l'Académie française*), il voyage en Allemagne avec Henry Bordeaux*, visite à Berlin l'école des chefs aux côtés d'Otto Abetz et en revient dégoûté. Il refuse l'offre de Giraudoux* d'être détaché au Service de l'information et effectue d'héroïques missions de guerre en mai-juin 1940. Exilé aux États-Unis* en 1941, il est affecté par l'indifférence des Américains et les divisions de la communauté française. Son *Pilote de guerre*, publié en février 1942, devient un best-seller aux États-Unis, interprété comme une réponse au *Mein Kampf* de Hitler et affirmant, par-delà la défaite, l'obligation de défendre les droits de l'homme, thème qu'il reprend dans *Lettre à un otage* (1943). Il est, dès juillet 1942, persuadé de la nécessité d'un débarquement en Afrique du Nord. Le 29 novembre, il publie dans le *New York Times Magazine* et le *Canada de Montréal* un appel à la réconciliation des Français, sous l'autorité militaire et stratégique américaine, ce qui lui vaut de nombreux reproches et une discussion vive avec Maritain*. Il meurt en héros, en mission de guerre, le 31 juillet 1944.

Laurence Bertrand Dorléac

■ *Courrier sud*, Gallimard, 1929, rééd. 1972. — *Vol de nuit*, Gallimard, 1931. — *Terre des hommes*, Gallimard, 1939, rééd. 1972. — *Pilote de guerre*, New York, Reynal and Hitchcock et Éd. de la Maison française, 1942, rééd. 1976. — *Lettre à un otage*, New York, Brentano's, 1943, rééd. Gallimard, 1974. — *Le Petit Prince*, New York, Reynal and Hitchcock, 1943, rééd. Gallimard, 1987. — *Citadelle*, Gallimard, 1948, rééd. 1982. — *Œuvres complètes*, t. I (dir. M. Autrand et M. Quesnel), Gallimard, « Pléiade », 1994 (nouvelle édition).
■ E. Chadeau, *Saint-Exupéry*, Plon, 1994. — É. Deschodt, *Saint-Exupéry : biographie*, Lattès, 1980. — R. Tavernier, *Saint-Exupéry en procès*, Belfond, 1967. — P. Webster, *Saint-Exupéry, vie et mort du Petit Prince*, Le Félin, 1993.

SAINT-JOHN PERSE [Alexis Léger]

1887-1975

Poète et diplomate français né à Pointe-à-Pitre (Guadeloupe) et mort à Giens, Saint-John Perse a tenu obstinément à dissocier son identité de poète de celle du diplomate. Aussi la question de savoir dans quelle mesure il appartient à la catégorie des intellectuels demande-t-elle que l'on considère tour à tour ses deux activités et que l'on nuance les réponses.

Entré dans la carrière diplomatique en 1914, Alexis Léger fut deuxième secrétaire à la légation de France à Pékin de 1916 à 1921, directeur de cabinet d'Aristide Briand de 1925 à 1932, puis secrétaire général du Quai d'Orsay de 1934 à 1940. Par profession d'abord et par choix ensuite après son exil volontaire aux États-Unis* en 1940, Alexis Léger n'appartint pas à la catégorie des intellectuels qui s'engagèrent formellement dans la vie politique de la Cité. Pendant la période active de sa carrière diplomatique, contraint à la discrétion par son statut de haut fonctionnaire, il se présentait lui-même comme le contraire d'un meneur d'hommes. « Je suis aujourd'hui un homme au service de l'État. » En outre n'ayant accès ni au Parlement, ni au conseil des ministres, il n'avait pas les moyens de s'exprimer sur le devant de la scène politique. En revanche, dans les coulisses, à l'ombre de l'esprit fédéraliste de Briand, il travailla efficacement au resserrement de la solidarité franco-britannique et du réseau d'alliances particulières de la France (Petite Entente). Plus précisément, il prêta la main au pacte de sécurité rhénan de Locarno (1925), rédigea le *Mémorandum sur l'organisation d'un régime d'union européenne* (1930) et le projet franco-russe (1935). Il apparaît plus mystérieux que, après avoir été écarté du Quai d'Orsay pour avoir été dénoncé comme belliciste par le parti de l'armistice, il n'ait pas cherché à intervenir directement, depuis les États-Unis*, dans le débat qui opposait les défenseurs de la France libre, dont il faisait partie, et les pétainistes. Ce silence s'explique, pense-t-on, par un antigaullisme viscéral, par un respect des institutions poussé jusqu'à l'aveuglement, mais plus encore par la décision de répondre aux appels pressants de l'écriture poétique.

C'est précisément dans cette œuvre poétique et, en particulier, dans les poèmes écrits en exil — *Exil*, *Vents* et *Amers* —, prolongés par le *Discours au banquet Nobel* (1960) qu'est présentée une figure du créateur qui s'apparente à celle de l'intellectuel : une conscience lucide appliquée à dénoncer les servitudes du temps afin d'ouvrir la voie à un humanisme de l'énergie spirituelle. « La vie est toute action ; l'inertie est la mort. » La plus grande originalité de la poétique persienne, au regard de poésies apparemment plus abstraites comme celle de Mallarmé ou de Valéry*, est en effet d'avoir érigé la poésie non seulement en mode de connaissance du réel absolu mais surtout en mode de vie intégrale. Aussi doit-elle à ce double postulat le privilège inouï de se poser en ultime recours dans les crises de l'esprit : « Est-il chez l'homme plus saisissante dialectique et qui de l'homme engage plus. »

Henriette Levillain

■ *Œuvres complètes*, Gallimard, « Pléiade », 1987.

▒ H. Levillain, *Sur deux versants. La création chez Saint-John Perse d'après les versions anglaises de son œuvre poétique*, Corti, 1987. — M. Sacotte, *Saint-John Perse*, Belfond, 1991. — R. Ventresque, *Les Antilles de Saint-John Perse. Itinéraire intellectuel d'un poète*, L'Harmattan, 1993.

Salons

Le tournant du siècle fait apparaître une remarquable prolifération des salons. La tradition des salons littéraires, regroupant dans des soirées régulières des réseaux d'écrivains, reste vivante. Mallarmé, Heredia réunissent à leur domicile les jeunes poètes parnassiens et symbolistes ; Rachilde accueille les collaborateurs du *Mercure de France**. Les écrivains célèbres ou en passe de l'être fréquentèrent un demi-siècle durant chez Mme Aubernon, renommée pour l'étiquette pointilleuse qu'elle faisait régner à ses dîners. Mme de Pierrebourg réunissait aussi de nombreux écrivains, en premier lieu Paul Hervieu. Une même assistance se voyait chez Mme Bulteau, qui usait du pseudonyme de « Foemina » et dont Paul-Jean Toulet fut longtemps le protégé.

Les grands salons mondains réalisent un type de sociabilité disparu de nos jours. Leur référence est en effet l'aristocratie qui, dans une période où s'affirme la République, cherche à maintenir son ancien prestige par la surenchère dans le raffinement. Le phénomène du snobisme décrit par Proust* traduit la fascination qu'elle exerce encore. La grande bourgeoisie, détentrice du pouvoir, vise quant à elle à se légitimer en se dotant d'une image sociale comparable. Face à ces deux pôles s'étagent quantité de salons de moindre importance. Au nombre des salons aristocratiques les plus réputés, on comptera ceux de la comtesse de Chevigné née Laure de Sade, de la duchesse de Clermont-Tonnerre, de Rosa de Fitz-James, de Mélanie de Pourtalès, de la comtesse Potocka. Celui de la princesse de Polignac était surtout voué à la musique. La maison la plus prestigieuse fut assurément celle de la « beauté reine, la comtesse Greffulhe, splendide et rieuse » (Marcel Proust). De très haute naissance, suprêmement élégante, elle fascinait d'autant plus les snobs mondains que l'accès à son salon était des plus difficiles. À l'inverse des autres « salonnières », dont l'activité se bornait au cercle des habitués, elle joua un rôle public de mécène en matière artistique. Elle contribua à la diffusion des impressionnistes et fonda en 1890 la Société des grandes auditions musicales de France qui, outre Berlioz et Wagner, inscrivit à son programme des compositeurs contemporains français et étrangers, dont Mahler et Schoenberg, faisant connaître en même temps Caruso, Chaliapine, Arthur Rubinstein. La comtesse Greffulhe aida en outre les Ballets russes à se produire en France. Dans un autre domaine, elle intervint dans la recherche scientifique en faveur de Branly et de Marie Curie*. Son rayonnement était tel qu'elle put se permettre de se prononcer pour Dreyfus* sans que son milieu lui en tînt rigueur. Aux confins des salons aristocratiques, le salon de Mme Lemaire accueillait nobles et grands bourgeois mêlés. Peintre elle-même, elle recevait dans son atelier les artistes de son temps et organisait souvent des auditions musicales.

La mondanité politico-littéraire règne chez Geneviève Strauss, veuve de Georges Bizet, remariée avec Émile Strauss, l'avocat des Rothschild. « Le salon de Geneviève, le faubourg Saint-Germain y va comme au Chat noir et Le Chat noir comme au faubourg Saint-Germain » (F. Gregh). Sans cérémonie excessive y étaient accueillis Meilhac, Hervieu, Hermant*, entre autres, et particulièrement les auteurs (Porto-Riche, Bernstein) et les acteurs (Réjane, Simone) dramatiques. Au moment de l'Affaire, elle choisit le parti de la révision, ce qui entraîna le départ de quelques-uns de ses fidèles comme le dessinateur Forain. Chez Mme de Caillavet venait le Tout-Paris intellectuel et politique, Poincaré, Clemenceau, Barthou, Loti, Adrien Hébrard. Anatole France* était l'ornement principal de ce salon. L'Affaire y fixa certains de ses familiers mais en conduisit d'autres chez Mme de Loynes. Le salon de cette dernière, éclectique à ses débuts, évolua vers la droite boulangiste et nationaliste, réunissant Barrès*, Rochefort, Drumont*, Léon Daudet*, Coppée*, Déroulède, Jules Lemaître*.

D'autres salons, moins soucieux de mondanité au sens qui vient d'être décrit, affirment une vocation surtout politique. À la fin du Second Empire et dans les débuts de la IIIe République, l'élite républicaine se retrouvait chez l'égérie de Gambetta, Juliette Adam, qui devait évoluer vers un nationalisme conservateur. La marquise Arconati-Visconti accordait l'hospitalité à des personnalités dreyfusistes et anticléricales ; Jaurès* fut chaleureusement invité jusqu'en 1905-1906, date où son action pacifiste et l'appui donné aux revendications ouvrières le rendirent peu à peu indésirable. Le personnel radical et socialiste était également reçu chez Mme Ménard-Dorian qui fut une dreyfusiste convaincue. À l'opposé, la comtesse de Martel (Gyp en littérature) animait un salon fortement teinté d'antisémitisme.

Les bouleversements issus de la guerre mirent fin à ce type de sociabilité salonnière. L'importance du phénomène est difficile à cerner exactement, mais elle a été réelle comme donne à le penser le nombre de ceux qui cherchèrent à s'y faire admettre. Ils ont fourni matière au roman psychologique à la Bourget* de même qu'*À la recherche du temps perdu*. Ils ont été, pour les hommes politiques et les intellectuels, des lieux de concertation informelle où s'échangeaient les informations, se testaient les idées et s'élaboraient des stratégies. Ils ont servi de tremplin à de jeunes talents auxquels la fréquentation de personnalités importantes conférait les relais nécessaires à leur ascension. Mais on doit reconnaître que la sociologie de la clientèle des salons les situait globalement dans les fractions conservatrices de la société. Ils ont généralement servi à la diffusion des valeurs dominantes, non pas à la promotion des avant-gardes.

Géraldi Leroy

■ É. Carassus, *Le Snobisme et les lettres françaises, de Paul Bourget à Marcel Proust*, Armand Colin, 1966. — L. Rièse, *Les Salons littéraires parisiens, du Second Empire à nos jours*, Privat, 1962.

SANGNIER (Marc)

1873-1950

Intellectuel tourné vers l'action, Marc Sangnier fut l'homme de deux grandes causes : la démocratie et la paix. Son nom est indissociablement lié à l'histoire du mouvement catholique social et de la démocratie chrétienne en France au XXe siècle dont il représente l'une des figures emblématiques.

Né le 3 avril 1873 à Paris, Marc Sangnier est issu de la grande bourgeoisie libérale parisienne. La lignée maternelle s'affirme prépondérante : son arrière-grand-mère, Mme Lancelot, tenait un salon littéraire fréquenté par les « romantiques » (Alfred de Vigny) ; son grand-père, Charles Lachaud, avait été un avocat célèbre sous le Second Empire. Élève du collège Stanislas (1879-1894), Marc Sangnier est « un héritier » (Madeleine Barthélemy-Madaule). Marqué comme d'autres jeunes catholiques de sa génération par les enseignements « révolutionnaires » du pape Léon XIII (*Rerum novarum*, 1891) appelant les chrétiens au Ralliement à la République (1892), il adhère à l'idéal du christianisme et de la démocratie dans l'esprit des Lamennais, Lacordaire et Ozanam et fonde (1899) un mouvement de jeunes, « le Sillon », pour sa propagation. Davantage qu'un mouvement structuré, celui-ci se veut « une amitié, une vie » groupée autour de la personnalité charismatique de son leader dans le but de mettre au service de la démocratie française les forces vives du catholicisme. Pour Marc Sangnier, la démocratie est en effet « cette organisation sociale qui tend à porter au maximum la conscience et la responsabilité civiques de chacun » (*Le Sillon, esprit et méthode*, 1905). D'abord reconnu et même encouragé par Rome, le Sillon, devenu entre-temps « le plus grand Sillon », est condamné en 1910 par le pape Pie X pour avoir voulu passer de la « mystique » à la « politique » démocratique.

Marc Sangnier se soumet mais refuse de « se retirer dans une inaction séduisante mais coupable » (lettre au pape). Il fonde le quotidien *La Démocratie* (1910-1914) et surtout la ligue de la Jeune République (1912) qui, après la guerre, avec la bénédiction du pape Benoît XV, organisera des grands congrès internationaux pour la paix et la réconciliation franco-allemande (Bierville, 1926). Député de Paris non inscrit en 1920, il refuse de prendre la tête d'un regroupement politique des démocrates chrétiens français mais acceptera, en 1944, la présidence d'honneur du Mouvement républicain populaire (MRP), « où il voyait l'aboutissement de ses espérances près d'un demi-siècle plus tôt » (Jean-Marie Mayeur). Il aura droit, à sa mort survenue le jour de la Pentecôte de 1950, à des obsèques nationales en la cathédrale Notre-Dame à Paris.

Philippe Chenaux

■ *L'Éducation sociale du peuple*, Rondelet, 1899. — *Le Sillon, esprit et méthodes*, Au Sillon, 1905. — *L'Esprit démocratique*, Perrin, 1905. — *Le Plus Grand Sillon*,

Au Sillon, 1907. — *L'Histoire et les idées du Sillon*, Au Sillon, 1908. — *La Lutte pour la démocratie*, Au Sillon, 1908. — *Autrefois*, Bloud et Gay, 1933.
▒ M. Barthélemy-Madaule, *Marc Sangnier (1873-1950)*, Seuil, 1973, rééd. 1990. — J. Caron, *Le Sillon et la démocratie chrétienne (1894-1910)*, Plon, 1966. — J.-M. Mayeur, *Des partis catholiques à la démocratie chrétienne (XIX*e*-XX*e *siècle)*, Armand Colin, 1980.

SARRAUTE (Nathalie)

Née en 1900

Ennemie jurée de toute catégorisation, Nathalie Sarraute ne se range dans aucun camp ; son œuvre foncièrement interrogative consiste en romans, pièces de théâtre, textes poétiques, essais critiques et un livre de souvenirs, *Enfance* (1983). Ses ouvrages ont été traduits en vingt-cinq langues, et elle a donné des conférences un peu partout dans le monde.

Nathalie Tcherniak est née le 18 juillet 1900 à Ivanovo-Voznessensk, en Russie, d'une mère écrivain et d'un père chimiste, qui divorcent quand elle a deux ans. Elle vient alors à Paris, et le français sera sa première langue. Après le lycée Fénelon, et une licence d'anglais à la Sorbonne en 1920, elle passe une année à Oxford. Dotée d'une vaste culture cosmopolite, elle hérite non seulement de Proust*, qui l'a fortement marquée, mais aussi de Joyce, Woolf, Kafka et Dostoïevski. Elle fait son droit à Paris, y rencontre Raymond Sarraute, et l'épouse en 1925.

Attirée un moment par le Parti communiste, elle change d'avis après avoir vu le terrorisme à l'œuvre en Russie en 1936. Elle exerce au barreau de Paris jusqu'à l'Occupation, quand son ascendance juive l'oblige à se réfugier à la campagne.

Son premier livre, *Tropismes* (1939 et 1957), contient les germes de toute son œuvre ; ces textes brefs explorent une nouvelle couche infra-psychologique dans les relations interpersonnelles, mettant en scène des sensations presque imperceptibles qu'elle nomme « tropismes ». À partir de 1947, elle publie des essais critiques et des extraits de roman dans *Les Temps modernes**. En 1949 paraît son premier roman, *Portrait d'un inconnu*, avec une préface de Sartre*, qui en relève le caractère contestataire. Sapant l'autorité du narrateur, Sarraute dénonce la tyrannie de la caractérisation, et commence une longue lutte, tant dans son théâtre que dans ses romans et essais, contre la rigidité et l'idéologie cachée du langage. En 1956, *L'Ère du soupçon* (ce titre devient l'emblème de toute une époque intellectuelle qui s'interroge sur le rôle de l'écrivain) rassemble des essais qui refusent tout engagement autre qu'artistique (elle signera pourtant le « Manifeste des 121 »*), rejettent l'illusionnisme du vieux réalisme, et affirment la nécessité de nouvelles formes littéraires. Ce faisant, ils posent les fondements du mouvement « Nouveau Roman ». Sarraute et Robbe-Grillet*, malgré de grandes différences d'esthétique, seront des chefs de file dans ce groupement d'écrivains novateurs (qui rapproche Butor*, Simon* et Pinget, entre autres) et Sarraute contribuera largement à la création du nouveau climat critique des années 50 et 60.

Les Fruits d'or, en 1963, lui valent le Prix international de littérature et c'est en 1963 qu'elle écrit la première de ses six pièces de théâtre (*Théâtre*, 1978). Chaque œuvre de Sarraute, par ses réflexions probantes sur la forme littéraire et sur les tendances totalitaires du langage, implique une mise en question fondamentale, qui porte non seulement sur la littérature mais sur le concept de la réalité, et sur la relation entre le fictif et le réel.

Valérie Minogue

■ *L'Ère du soupçon*, Gallimard, 1956. — « Ce que je cherche à faire », in *Nouveau Roman : hier, aujourd'hui*, UGE, 1972, 2 vol. — *Enfance*, Gallimard, 1983. — Une édition « Pléiade » de ses œuvres est en préparation.

▒ S. Benmussa, *Nathalie Sarraute : qui êtes-vous ?*, Lyon, La Manufacture, 1987. — A. Rykner, *Nathalie Sarraute*, Seuil, 1991. — « Nathalie Sarraute », *L'Arc*, 95, 1984. — « Aujourd'hui Nathalie Sarraute », *Digraphe*, n° 32, mars 1984. — « Nathalie Sarraute », *Revue des sciences humaines*, n° 217, 1990.

Sartre (Jean-Paul)

1905-1980

Philosophe et écrivain, engagé dans tous les combats publics de son temps, nul n'incarne mieux que Jean-Paul Sartre la figure de l'intellectuel français.

Né en 1905, Sartre est très tôt orphelin de père : il grandira entre sa mère et ses grands-parents à Paris puis à La Rochelle, après le remariage de sa mère. Il a raconté son enfance dans *Les Mots*. En 1920, de retour à Paris, il rencontre au lycée Henri-IV Paul Nizan*, avec qui il se lie d'amitié. Ils préparent ensemble le concours de la rue d'Ulm, où Sartre fera la connaissance de Raymond Aron*. Après un échec à l'agrégation en 1928, il est reçu premier en 1929, la seconde place étant attribuée à Simone de Beauvoir*, avec laquelle il a préparé l'oral. Dès l'enfance, Sartre écrit des romans et des nouvelles. En 1931, il est nommé professeur de philosophie au lycée du Havre, qui servira de modèle pour le Bouville de *La Nausée*, publié en 1938. Il découvre Husserl en 1933, par l'intermédiaire de Raymond Aron revenu d'Allemagne. Ses premiers travaux philosophiques publiés (*La Transcendance de l'ego* en 1937, *L'Imagination* en 1936, puis *L'Imaginaire* en 1940) élaborent une psychologie phénoménologique.

Sartre est mobilisé en 1939. La drôle de guerre est pour lui une période de nombreuses lectures et d'écriture intense comme l'attestent les carnets publiés après sa mort. En mai 1940, Paul Nizan, vilipendé par les communistes pour avoir désapprouvé le pacte germano-soviétique, est tué à Dunkerque. Sartre est fait prisonnier en juin, et parvient à se faire libérer en mars 1941. De retour à Paris, il participe avec Merleau-Ponty* et les Desanti* à un éphémère groupe de Résistance, « Socialisme et liberté ». Il écrit *Les Mouches*, qui est représentée en 1943, dans une mise en scène de Charles Dullin. Il publie en 1943 *L'Être et le néant*. Ce livre, monument de plus de 600 pages, est une œuvre philosophique ambitieuse et difficile : Sartre y propose une réévaluation de l'ontologie à partir d'une phénoménologie d'inspiration husserlienne. Il y met en place les grands thèmes de sa philosophie (la liberté, la contingence, la mauvaise foi). Il faudra attendre la Libération, et le succès que vaudront à Sartre son théâtre et ses romans, pour que ce travail commence à être discuté par un public plus large que celui des philosophes professionnels.

À la Libération, la polémique sur l'existentialisme, accusé par les catholiques comme par les communistes d'être une philosophie du désespoir, fournit à Sartre l'occasion d'une conférence publique qui, éditée, permettra un accès plus direct à sa pensée : *L'existentialisme est un humanisme*. Il approfondit alors les thèses de *L'Être et le néant*, dans le dessein de leur donner une suite centrée sur l'éthique, ce dont témoignent les *Cahiers pour une morale* publiés de façon posthume. Néanmoins, l'existentialisme devient un thème à la mode, désignant l'état d'esprit d'une génération avide de vivre après quatre ans de guerre, et peu soucieuse de se conformer aux valeurs bourgeoises d'avant guerre. La vie de bohème (relative) que mène Sartre, sa liaison avec Simone de Beauvoir en font l'emblème de cette jeunesse.

Il lance en 1945 une revue, *Les Temps modernes**, dont le comité comprend, entre autres, Raymond Aron, Maurice Merleau-Ponty, Jean Paulhan*, Étiemble*. Très vite, sous l'influence de Merleau-Ponty, auquel Sartre délègue la direction effective de la revue, celle-ci va s'engager dans un compagnonnage critique avec les communistes, conduisant les autres fondateurs au départ. Pour sa part, Sartre participe à la fondation du RDR (Rassemblement démocratique révolutionnaire*) avec, notamment, David Rousset*. Celui-ci n'aura qu'une existence éphémère, tant en raison de ses dissensions internes que des pressions que font sur lui les communistes, en particulier au sein du Mouvement de la paix. Puis la situation s'inverse : ébranlé par la contestation croissante à l'Est, par l'attitude des communistes durant la guerre de Corée, Merleau-Ponty prend ses distances avec le Parti communiste, tandis que Sartre s'en rapproche, allant jusqu'à écrire en 1952 un long article, « Les communistes et la paix », qui est un plaidoyer pour le Parti. Vivement pris à partie dans les colonnes mêmes des *Temps modernes* par Claude Lefort*, un élève de Merleau-Ponty, puis par ce dernier dans le livre qu'il publie en 1955, *Les Aventures de la dialectique*, Sartre rompt avec son ami et engage désormais la revue dans un compagnonnage poussé avec les communistes. De la même époque date la brouille avec Camus*, *Les Temps modernes* ayant publié, sous la plume de Francis Jeanson*, une recension particulièrement critique de *L'Homme révolté*. Ce n'est qu'après la mort de Camus et de Merleau-Ponty que Sartre renouera le dialogue en deux articles d'hommage particulièrement émouvants.

Sartre s'engage alors dans une confrontation philosophique aiguë avec le marxisme, qu'il livrera dans *Questions de méthode* (1958), et considérablement amplifiée dans la *Critique de la raison dialectique* (1960). Cette remise en chantier de sa pensée correspond à un effort pour rompre avec l'individualisme et l'idéalisme qu'il croit déceler rétrospectivement dans *L'Être et le néant*, pour tenter de construire une anthropologie qui intégrerait les analyses marxistes de l'aliénation et de l'exploitation. Il débouche sur une pensée de l'histoire comme « totalité détotalisée », cherchant ainsi à laisser ouvert l'avenir tout en validant le sens des actions humaines. Cette refonte conceptuelle marquera toutefois moins que les nombreuses analyses de style phénoménologique que Sartre consacre dans cet ouvrage aux modes d'existence collectifs : le contraste entre la série et le groupe en fusion en est l'exemple le plus fameux.

Après 1956* et la répression de Budapest, Sartre prend des distances croissantes avec le Parti communiste. En même temps, il s'engage, ainsi que *Les Temps modernes*, dans les combats en faveur de la décolonisation, et dans l'opposition à la guerre d'Algérie. Certains des membres de la revue, comme Francis Jeanson, organiseront même un réseau de soutien au FLN, avant de prendre parti pour l'insoumission, dans le « Manifeste des 121 »*, que Sartre signera. En 1961, il fait l'apologie de la violence libératrice du colonisé dans une préface aux *Damnés de la Terre* de Frantz Fanon*.

Désormais, il reporte sur les déshérités du tiers monde les espoirs de rupture révolutionnaire qu'il mettait naguère dans le prolétariat français. S'installant définitivement dans le rôle de l'intellectuel critique refusant radicalement tout compromis, il refuse en 1964 le prix Nobel avant d'accueillir avec enthousiasme les événements de Mai 68. Les années post-68 seront pour Sartre celles de l'engagement gauchiste où, parfois heurté par certaines attitudes, il n'en décide pas moins de mettre sa notoriété et son impunité (« On n'embastille pas Voltaire », aurait déclaré de Gaulle en 1961) au service de multiples groupes gauchistes. C'est ainsi qu'il deviendra notamment directeur de *La Cause du peuple*, de *J'accuse*, puis fera partie des fondateurs du quotidien *Libération**. C'est d'ailleurs avec la mauvaise conscience d'être resté un intellectuel bourgeois qu'il publie au début des années 70 son monumental *Flaubert*, où il s'efforce de montrer comment une vie singulière récapitule son temps.

Pendant les dernières années de sa vie, Sartre s'engage dans un dialogue étroit avec Pierre Victor / Benny Lévy, ancien dirigeant de *La Cause du peuple* qui s'est rapproché de la tradition juive. La tonalité éthique de ses derniers entretiens avec lui, publiés au moment même de sa mort par *Le Nouvel Observateur**, étonneront certains de ses fidèles lecteurs. Il avait toutefois souscrit au combat contre le totalitarisme communiste en s'associant, sous l'égide d'A. Glucksmann*, avec Raymond Aron qu'il retrouve alors à l'opération « Un bateau pour le Vietnam », destinée en 1979 à recueillir les *boat people** qui fuient le Vietnam communiste réunifié.

Figure controversée de l'intellectuel, davantage en raison du tour absolu qu'il donne à ses engagements successifs que de la teneur même de ceux-ci, Sartre servira de repoussoir à la génération qui le suivra. Ses membres récusent le moralisme latent de ses prises de position politiques, ou blâment son aveuglement, ou encore opposent, comme Michel Foucault*, « l'intellectuel spécifique » au généraliste qu'il aurait été. Mais l'autre aspect de l'œuvre de Sartre continue de forcer le respect : une capacité de travail considérable mise au service d'une intelligence brillante, toujours en éveil, et dont la générosité constante conduira Herbert Marcuse à le qualifier un jour de « conscience du monde ».

Joël Roman

■ *L'Être et le néant*, Gallimard, 1943. — *Nekrassov*, Gallimard, 1946. — *Situations*, Gallimard, 10 vol. de 1947 à 1976. — *Théâtre I*, Gallimard, 1947. — *Les Mains sales*, Gallimard, 1948. — *Le Diable et le bon Dieu*, Gallimard, 1951. — *Critique de la raison dialectique*, Gallimard, 1960, rééd. en 2 vol., 1985. — *L'Idiot de la famille*, Gallimard, 1971-1972, 3 vol. — *Œuvres romanesques*, Gallimard, « Pléiade », 1981. — *Cahiers pour une morale*, Gallimard, 1983. — *Les Carnets de la drôle de guerre*, Gallimard, 1983.

■ R. Aron, *Histoire et dialectique de la violence*, Gallimard, 1973. — A. Cohen-Solal, *Jean-Paul Sartre* (biographie), Gallimard, 1985. — J. Colombel, *Jean-Paul Sartre*, Le Livre de Poche, 1985, 2 vol. — M. Contat et M. Rybalka, *Les Écrits de*

Sartre, Gallimard, 1970 (bibliographie exhaustive). — D. Hollier, *Politique de la prose*, Gallimard, 1982. — J.-F. Sirinelli, *Deux intellectuels dans le siècle : Sartre et Aron*, Fayard, 1995. — P. Vertraeten, *Violence et éthique*, Gallimard, 1972. — *Obliques*, numéros spéciaux : n° 18-19, 1979, et n° 24-25, 1981. — « Témoins de Sartre », *Les Temps modernes*, 1991.

SATIE (Érik)
1866-1925

La musique, comme les œuvres en prose d'Érik Satie, constituent un commentaire aigu de la vie culturelle et politique de son temps. Compositeur d'avant-garde, Satie fut également un militant politique, successivement membre des Partis radical, socialiste puis communiste.

Né à Honfleur d'une mère anglaise protestante et d'un père catholique, Satie connut une enfance bouleversée. Ayant perdu sa mère à un très jeune âge, il fut élevé par ses grand-parents paternels qui le rebaptisèrent catholique (son premier baptême avait été anglican) et lui firent étudier le piano avec pour professeur l'organiste de l'église locale. À la mort de sa grand-mère, il fut ramené à Paris par son père. Celui-ci, critique à l'encontre de l'enseignement officiel, fit assister Érik aux conférences du Collège de France* et embaucha un précepteur pour l'enseignement du grec et du latin. Éditeur de musique, il fut également le premier à publier les chansons écrites par son fils à ses débuts.

Jeune homme, Érik Satie fut attiré par la vie de bohème. Il fréquentait les cabarets et y découvrit un humour auquel il fut sensible. Alphonse Allais le marqua pour toute sa vie. En 1891, il devint pianiste au « Chat Noir », puis à l'« Auberge du Clou », où il se lia d'amitié avec l'écrivain Contamine de Latour et le compositeur Claude Debussy. Latour lui fit connaître les écrits du chef de l'association des Rose-Croix, le « Sâr » Joséphin Péladan, et l'entraîna dans la secte. Plusieurs œuvres sortirent de cette période, parmi lesquelles les *Sonneries de la Rose-Croix* et une pièce pour un drame de Péladan, *Le Fils des étoiles*.

Bientôt déçu par la secte, Satie fonda sa propre église, la facétieuse « Église métropolitaine de l'art du Jésus conducteur ». De telles entreprises fantaisistes finirent par épuiser son modeste héritage. En 1898, il fut contraint de s'installer à Arcueil dans une humble maison, en pleine banlieue ouvrière. Il continua à y composer dans un style pseudo-médiéval naïf : *Geneviève de Brabant*, un drame en miniature sur un texte de Latour, et *Trois morceaux en forme de poire*. Influencé par l'environnement social d'Arcueil, il s'engagea, en 1908, dans le Parti radical et radical-socialiste. Il s'occupa alors d'un patronage laïc dans lequel il enseignait le solfège. Il organisa également plusieurs concerts et fêtes locales. Tout ceci ne l'empêcha pas d'obtenir en 1908 le diplôme de contrepoint de la très conservatrice Schola cantorum que dirigeait Vincent d'Indy*. L'ironie ne cessa pas de s'affirmer dans ses compositions ultérieures où il eut souvent recours à l'art du contrepoint qu'il détournait savamment *(Préludes flasques pour un chien)*.

À la veille de la Première Guerre mondiale*, l'engagement politique de Satie se renforça tandis que ses liens avec l'avant-garde musicale se multiplièrent. Il adhéra à la SFIO après l'assassinat de Jean Jaurès*. En 1917, il collabora avec Cocteau* et

Picasso* dans la réalisation du ballet provocateur *Parade*. Dans les années 20, il devint le guide esthétique de Cocteau et de la plupart des membres du Groupe des Six*. En 1923, il fonda un autre groupe dans le cadre du Collège de France qu'il dénomma « École d'Arcueil ». Il adhéra alors au Parti communiste. Proche des mouvements Dada et surréaliste, comme le traduit son ballet *Mercure*, il collabora en 1924 avec René Clair et Francis Picabia à la création du ballet dadaïste *Relâche*. Il publia également dans des revues dadaïstes comme *Action*, *Le Mouvement accéléré* ou *Création*. À sa mort, son influence était considérable sur les avant-gardes musicales des années 20.

Jane Fulcher

■ A.L. Gillmor, *Érik Satie*, Boston, Twayne, 1988. — N. Perloff, *Art and the Everyday. Popular Entertainment and the Circle of Érik Satie*, Oxford, Clarendon, 1991. — P.-D. Templier, *Érik Satie*, Rieder, 1932. — O. Volta, *Érik Satie, Écrits*, Champ libre, 1977.

SAULCHOIR (le)

« Le Saulchoir » (expression wallonne signifiant saulnaie ou bois de saules) est ce lieu-dit près de Kain-lez-Tournai, en Belgique, où les dominicains de la province de France établirent leur ancien couvent d'études *(studium generale)* de Flavigny-sur-Ozerain (Côte-d'Or) en 1904, après les expulsions combistes. Il a laissé son nom, depuis le petit livre mis à l'Index du Père Chenu* (1937-1942), à une véritable *école de théologie* qui a marqué plusieurs générations de chrétiens, et formé, à l'exemple du Père Congar*, quelques-uns des grands théologiens dominicains de l'époque préconciliaire.

L'histoire du Saulchoir (1904-1974) peut se diviser en trois grandes périodes que découpent les deux guerres mondiales. La première, avant 1914, est celle des commencements et des tâtonnements. Malgré la tempête moderniste, elle voit la naissance d'une revue, la *Revue des sciences philosophiques et théologiques* (1907), et l'adoption d'un nouveau programme d'études *(ratio studiorum)* pour l'ensemble de l'ordre, gages d'un certain pluralisme méthodologique et d'une exigence scientifique dont le Père Ambroise Gardeil, régent des études de 1894 à 1911, sera le vivant symbole et qui portera tous ses fruits au lendemain de la guerre.

De la fondation de l'Institut historique d'études thomistes (1921) à celle de la Société thomiste (1923), elle-même éditrice d'un *Bulletin thomiste* (1924) et d'une *Bibliothèque thomiste*, la deuxième période se caractérise d'abord par sa vitalité et sa fécondité au plan scientifique. Sous la houlette du tandem Lemonnyer-Mandonnet, l'école s'oriente résolument vers une démarche de type historico-critique visant à « faire bénéficier, comme l'écrira le Père Chenu, la lecture de saint Thomas de la technique et de la lumière que les procédés modernes de l'exégèse ont procurées à l'explication des textes dans la pédagogie universitaire contemporaine » (*Une école de théologie : le Saulchoir*, 1937). Parallèlement, grâce au Père Chenu, régent des études de 1932 à 1942, le couvent déploie une intense activité dans le domaine apostolique en organisant des sessions d'études et des récollections à l'intention des militants de la JOC. « C'est le temps des enthousiasmes » (P. Dubarle), qui prend fin avec la condamnation romaine de 1942.

Après 1945 s'ouvre une troisième période pour le Saulchoir, qui effectue à partir de 1937 son retour progressif dans la région parisienne, à Étiolles. À la régence du Père Thomas Philippe (1942-1956), parachuté de Rome pour remettre le couvent dans le droit chemin de l'orthodoxie thomiste, succède celle, plus sereine, du Père Jérôme Hamer (1956-1962), qui lui permet de renouer, à l'heure du Concile, avec sa tradition d'ouverture. La crise de Mai 68, « sorte de réplique de ce qui se passait au Quartier latin », entraînera un bouleversement complet des études et la fermeture du collège (1974) après son transfert à Paris.

Philippe Chenaux

■ M.-D. Chenu, *Une école de théologie : le Saulchoir* (avec les études de G. Alberigo, E. Fouilloux, J. Ladrière et J.-P. Jossua), Cerf, 1985. — J.-P. Jossua, « Le Saulchoir : une formation théologique replacée dans son histoire », *Cristianesimo nella storia*, XIV/1, février 1993. — *L'Hommage différé au Père Chenu*, Cerf, 1990.

Sauvy (Alfred)

1898-1990

Démographe, économiste, Alfred Sauvy appartient à cette catégorie d'intellectuels qui, tels de nombreux ingénieurs-économistes (comme Jean Fourastié*, dont il est le quasi-contemporain), tiennent, au-delà de leur compétence propre et de leur univers professionnel, à saisir l'opinion de grandes questions de notre temps.

Né le 31 octobre 1898 dans une famille de viticulteurs des Pyrénées-Orientales (à Villeneuve-de-la-Raho), il a gardé de ses origines le goût pour le rugby. Reçu à l'École polytechnique* en 1920, il s'oriente vers le métier de statisticien. En 1922, il entre à la Statistique générale de la France, dont il devient le chef du service économique. Il y acquiert l'attention pour la conjoncture, par l'observation précise des indices quotidiens relatifs aux principales variables (prix, production, emploi, salaires...). Cela nourrit l'un des thèmes récurrents de ses ouvrages : l'observation correcte, débarrassée de tout *a priori* théorique ou moral, doit conduire l'expert à informer l'opinion (« L'information est la clé de la démocratie ») et à « éclairer l'action » du responsable politique, seul habilité à décider. En 1938, il publie *Essai sur la conjoncture et la prévision économique*.

Alfred Sauvy est associé de manière éphémère à l'action gouvernementale. D'abord en 1936, il participe au cabinet de Charles Spinasse, ministre socialiste de la nouvelle Économie nationale dans le premier gouvernement Blum*. Il contribue à intéresser à l'expérience certains de ses camarades d'X-Crise*, tel Jean Coutrot, et fonde l'Institut de conjoncture. Inclassable politiquement, il survit à la dislocation de la majorité de Front populaire, puisqu'on le retrouve au sein du cabinet de Paul Reynaud, appelé aux Finances par Daladier en novembre 1938 pour assurer une relance libérale. En compagnie de Michel Debré, il participe à la rédaction des articles des décrets-lois qui mettent pratiquement fin à la loi des quarante heures. Il évoque dans plusieurs ouvrages de souvenirs cette brève association au pouvoir

(*De Paul Reynaud à Charles de Gaulle*, 1972 ; *La Vie en plus. Souvenirs*, 1981), ou de réflexion rétrospective (*L'Économie du diable*, 1976 ; *De la rumeur à l'histoire*, 1985). Il y célèbre en particulier les quelques mois de la reprise de 1938-1939, jugée par lui trop méconnue. L'épisode est analysé comme une illustration de la grande lucidité manifestée face aux faits par Paul Reynaud qui, dans l'entre-deux-guerres, « a eu raison sur tout ».

Désormais éloigné du pouvoir, il se consacre à la recherche et à l'enseignement à l'Institut d'études politiques* (1945-1959), puis au Collège de France* (1959-1969), siège comme personnalité scientifique au Conseil économique et social (1947-1974) et représente durant près de quarante ans la France à l'ONU dans la Commission de la statistique, puis de la population (1945-1981). Et pendant plusieurs décennies, il livre des notes de lecture au journal *Le Monde**.

Comme plusieurs ingénieurs-économistes de sa génération, frappé par le contraste entre la stagnation d'avant guerre et la croissance postérieure, il s'affirme résolument antimalthusien (« Croître ou vieillir, il faut choisir »). Dans le souci d'articuler démographie et économie, il soutient que le vieillissement démographique de la France d'avant 1939 se trouverait à l'origine d'un malthusianisme économique assez général (analysé dans son *Histoire économique de la France entre les deux guerres*, 1965-1975), mais contesté par plusieurs historiens. Dans quelques ouvrages rétrospectifs, il revient sur les erreurs de politique économique commises au cours du XXe siècle, faute d'une connaissance suffisante de la conjoncture (*Mythologie de notre temps*, 1965 ; *Légendes du siècle*, 1990). Il dénonce également l'existence d'un divorce entre les faits et l'opinion due, selon lui, à une certaine hypocrisie sociale (*Le Pouvoir et l'opinion*, 1949 ; *L'Opinion publique*, 1956 ; *La Nature sociale*, 1957). Loin de se rattacher à une école de pensée, il s'attache à définir des mesures pragmatiques d'un « socialisme libéral », ou encore à plaider pour un socialisme du possible (*Le Plan Sauvy*, 1960 ; *Le Socialisme en liberté*, 1970 et 1974).

Sa principale activité de recherche le conduit vers la démographie. Dès 1937, il établit des « projections de population ». Il participe à la création du Haut Comité de la population en 1939 (et en demeure un membre éminent pendant un demi-siècle), puis, au sortir de la guerre, il fonde et dirige l'Institut national d'études démographiques (1945-1962), ainsi que la revue *Population* (1946-1975). Il rédige deux traités, qui occupent une place majeure dans la formation de plusieurs générations de démographes : *Richesse et population* (1943), *Théorie générale de la population* (1952-1954). Il contribue à la création des allocations familiales et milite avec Robert Debré* pour le redressement démographique (*Des Français pour la France*, 1946). Ses études démographiques le conduisent à souligner les effets de l'évolution de la population dans une triple direction. D'abord, sur les disparités de développement entre États. Le 14 août 1954, Alfred Sauvy invente pour *L'Observateur** l'expression « tiers monde ». Il souligne, à plusieurs décennies de distance, la spécificité des problèmes démographiques du tiers monde (*De Malthus à Mao Tsé-toung*, 1958 ; *La Tragédie du pouvoir*, 1978), jusqu'à, récemment, mettre en évidence les déséquilibres entre une Europe riche et vieillissante face à un Sud jeune mais pauvre (*L'Europe submergée. Sud-Nord dans trente ans*, 1987). Il publie également une série d'ouvrages traitant des contrastes existants entre classes d'âge dans les pays industrialisés (*La Montée des jeunes*, 1959 ; *La Révolte des jeunes*, 1970 ; *La France ridée*, 1979). Enfin, il propose une analyse antimalthusienne de lutte contre le chômage par l'adaptation de la structure de la main-d'œuvre aux besoins de l'appareil de production, assortie de propositions concrètes (*L'Économie du diable*, 1977 ; *La Machine et le chômage*, 1980 ; *Le Travail noir et l'économie de demain*, 1984). Sa curiosité le conduit aussi vers des chemins de traverse, particulièrement sur la fin de sa longue vie de recherche (*Aux sources de l'humour*, 1988 ; *Les Pensées de Tristan Bernard*, 1989). Il meurt à Paris le 30 octobre 1990.

Esprit indépendant, peu classable parmi les courants de pensée institutionnalisés, Alfred Sauvy apparaît comme un intellectuel représentatif de cette génération de polytechniciens-économistes, marqués par les drames de la dépression des années 30 et soucieux de mettre leur culture humaniste au service d'une pensée résolument antimalthusienne.

Michel Margairaz

■ *Conjoncture et prévision économiques*, PUF, 1943. — *La Population, ses lois, ses équilibres*, PUF, 1944. — *Théorie générale de la population*, PUF, 1954-1956, 2 vol., rééd. 1963-1966. — *De Malthus à Mao Tsé-toung*, Denoël, 1958. — *Malthus et les deux Marx*, Denoël, 1963. — *Mythologie de notre temps*, Payot, 1965. — *L'Opinion publique*, PUF, 1967. — *Croissance zéro ?*, Calmann-Lévy, 1973. — *La Fin des riches*, Calmann-Lévy, 1975. — *La Machine et le chômage*, Dunod, 1980. — *L'Europe submergée*, Dunod, 1987. — *Aux sources de l'humour*, Odile Jacob, 1988.

▩ A. Girard, *L'Institut national d'études démographiques. Histoire et développement*, INED, 1986. — M. Lévy, *Alfred Sauvy, compagnon du siècle*, Lyon, La Manufacture, 1990.

SCELLE (affaire)

1925

Professeur à la Faculté de droit de Dijon, Georges Scelle était connu pour ses opinions pacifistes. En septembre 1923, le Congrès pacifiste de Bâle adopta son rapport qui demandait l'admission de l'Allemagne au sein de la SDN. Homme de gauche, collaborateur du *Progrès civique*, cet ancien combattant de la Première Guerre mondiale*, au mérite incontesté, soutint le Cartel. Dans l'ouvrage collectif (écrit avec Célestin Bouglé*, Albert Demangeon*, Lucien Lévy-Bruhl*, Charles Rist*, Charles Seignobos* et Gaston Jèze) *La Politique républicaine*, il préconisait une politique ouvrière très avancée.

L'incident qui attacha son nom à une affaire révélant l'influence acquise par l'Action française* auprès des étudiants du Quartier latin se produisit à la suite d'un arrêté venant lui confier un cours de droit international à la Faculté de droit de Paris pour le second semestre 1924-1925. Ses ennemis dénoncèrent le favoritisme dont Scelle semblait avoir profité grâce à ses appuis politiques. Son poste de chef de cabinet du ministre du Travail, Justin Godart, au moment de cette nomination pouvait entraîner toutes les interprétations. Nombre de ses collègues avaient également compris cette décision comme une atteinte intolérable aux franchises universitaires.

Les étudiants hostiles décidèrent d'empêcher Scelle d'accomplir son enseignement. Les chahuts furent monstres lors de la première leçon, le 2 mars 1925. Pour la deuxième, la police dut pénétrer dans la faculté pour en chasser les militants d'Action française qui s'y tenaient barricadés. Le cours dut être suspendu entre le 9 et le 28 mars. Il reprit au jour dit, mais de sérieux incidents eurent de nouveau lieu à l'intérieur de l'enceinte universitaire. Des étudiants nationalistes s'enfermèrent dans les locaux pour résister aux forces de police. Plusieurs dizaines d'agents et d'étudiants furent blessés et l'on procéda à de nombreuses arrestations. Le ministre de l'Instruction publique, François-Albert, un ancien normalien qui ne cachait guère le peu de sympathie qu'il portait aux étudiants en droit, ferma la faculté et suspendit le doyen Henri Berthélemy.

Durant ces événements, les étudiants de gauche avaient été presque absents. Seule la Ligue d'action universitaire républicaine, aux journées d'études de laquelle Scelle eut l'occasion de participer ultérieurement, avait tenté de répliquer. Les forces lui avaient manqué à l'intérieur de l'École de droit. L'Association générale des étudiants, organisation corporative contrôlée par des éléments royalistes, relaya efficacement la campagne lancée par l'Action française. Elle était fort bien représentée, à Paris comme en province, dans le milieu des étudiants en droit, en médecine et en pharmacie. L'École normale supérieure* de la rue d'Ulm était en revanche le principal pôle de la résistance s'opposant à l'offensive lancée par les nationalistes. Une pétition y circula, des manifestations de soutien à Georges Scelle et à François-Albert y furent organisées, et les normaliens continuaient de fréquenter les cours durant les journées de grève décrétées par les juristes hostiles à la nomination de Scelle. Ils se rendaient même parfois dans ceux qui ne relevaient pas de leur spécialité. Un arrêté du 11 avril 1925 vint pourtant sanctionner ce qui apparut comme une défaite du gouvernement. La nomination de Scelle fut rapportée. Le 10 juillet 1925, le conseil de faculté désigna le catholique Louis Le Fur, ancien professeur à la Faculté de droit de Rennes, comme professeur à la Faculté de droit de Paris, Le Fur avait déjà été désigné avant que le premier arrêté du gouvernement nommant Georges Scelle ne soit tombé. Henri Berthélemy retrouva également son poste de doyen. La Faculté de droit triomphait.

Christophe Prochasson

■ Georges Scelle, *Le Pacte des nations et sa liaison avec le traité de paix*, Tenin, 1919 ; *Le Droit ouvrier. Tableau de la législation française actuelle*, Armand Colin, 1922 ; *L'Œuvre politique de la Société des Nations (1920-1923)*, PUF, 1923 ; « Le problème ouvrier », in *La Politique républicaine*, Alcan, 1924, pp. 333-388.

▒ J.-F. Sirinelli, *Génération intellectuelle. Khâgneux et normaliens dans l'entre-deux-guerres*, Fayard, 1988, pp. 229-241.

SCHAEFFER (Pierre)

1910-1995

Il est difficile d'avoir une vision d'ensemble de l'œuvre de Pierre Schaeffer, car, tout au long de sa carrière, il a exercé en parallèle ses talents d'écrivain, de compositeur, de professionnel et de théoricien des mass-media. Il a également créé de nombreuses institutions.

Pierre Schaeffer est né le 14 août 1910 à Nancy dans une famille de musiciens. À côté d'une scolarité classique, il suit les cours du Conservatoire de Nancy en solfège et en violoncelle. En 1929, il entre à l'École polytechnique*, puis, en 1931, à l'École supérieure d'électricité et des télécommunications. Jeune ingénieur, il est affecté en 1936 à la radiodiffusion française. Dans le même temps, il travaille l'analyse musicale sous la direction de Claude Arrieu et de Nadia Boulanger. Il publie également son premier ouvrage, une biographie, *Clotaire Nicole*. Les sillons de sa carrière se creusent déjà, médias, musique, essais ; il ne les quittera plus. Démobilisé, il rencontre Emmanuel Mounier*. Il fonde à Vichy, en 1940, le mouvement Jeune France* et improvise une radio, Radio-Jeunesse. Il est de ces chrétiens de trente ans, anciens du scoutisme ou des équipes sociales, qui se disent qu'il ne convient pas de baisser les bras face au chaos. La suite lui montre vite la naïveté de cet espoir. Fin 1941, il quitte Vichy et travaille à la radio de Marseille. Il remonte à Paris et fonde en 1943 le Studio d'essai. Lors d'un stage qu'il organise à Beaune en 1942 autour de Jacques Copeau*, il comprend que la radio appelle un genre spécifique. Il réalise alors la « Coquille à Planètes » (1943-1944), le premier feuilleton qui témoigne d'une véritable écriture radiophonique. À la même époque, en 1943, il entre dans la Résistance. On lui doit la couverture radiophonique de la Libération de Paris, avec les directs de Pierre Crénesse, les appels téléphoniques de Paul Éluard*, le tout entrecoupé de tirs de mitrailleuses.

Le Club d'essai radiophonique fait suite au Studio, alors que le développement de la télévision étouffe déjà cet art naissant. En 1953, cependant, il crée la Société de radiodiffusion d'outre-mer. Fin 1959, il fonde le Service de la recherche de l'ORTF qu'il dédie à l'audiovisuel et aux nouvelles formes de communication sociale. Pendant une quinzaine d'années, ce service abrite ou fait éclore de nombreux talents. Dans le même temps, il s'investit dans le Mouvement universel pour la responsabilité scientifique (MURS), puis dans les réflexions du Club de Rome. Il s'associe au mouvement d'idées contre la bombe atomique, notamment à Pugwash, où il fait la connaissance de savants conscients du risque nucléaire, tels que Pincus et Oppenheimer. De cette rencontre naîtra la série « Un certain regard », qui leur donnera l'accès aux médias français. Cette série constitue une mémoire précieuse de la vie intellectuelle de la fin des années 60 et du début des années 70. À côté des atomistes, on y consulte Gaston Bachelard*, François Jacob*, Roman Jakobson, Jean Piaget, Claude Lévi-Strauss* et bien d'autres. En 1974, Pierre Schaeffer propose la création de l'INA. De 1974 à 1981, il est membre du Haut Conseil de l'audiovisuel.

Le musicien Schaeffer, avec l'aide technique de Jacques Poullin, invente la musique concrète, ainsi nommée parce qu'elle procède de données réelles enregistrées, à l'inverse de la musique traditionnelle, qui relève d'une conception abstraite, notée sur une partition. En octobre 1948, la diffusion des Études « aux chemins de fer », « au tourniquet », « aux casseroles » a un retentissement international. En 1949, Pierre Henry rejoint Pierre Schaeffer. La plus célèbre des œuvres qu'ils créent en commun, *Symphonie pour un homme seul*, fait le tour du monde avec le ballet de Maurice Béjart. Pierre Schaeffer crée en 1951 le Groupe de recherche de musique concrète qui deviendra en 1958 le Groupe de recherches musicales. Lui-même renonce à la création musicale. Mais ses cours au Conservatoire de Paris ainsi que ses deux ouvrages de base : *À la recherche d'une musique concrète* (1952) et le *Traité des objets musicaux* (1966) font date. L'écrivain, enfin, a publié quelques romans et divers essais dont les plus marquants concernent les médias : *Machines à communiquer* (t. 1 : *Genèse des simulacres*, t. 2 : *Pouvoir et communication*) parues en 1970 et en 1972, puis *Les Antennes de Jéricho* (1978). Prenant à contre-pied la métaphore macluhanienne du village planétaire, il montre que la communication directe entre les auteurs et le public est une fiction. Ironie de l'histoire, le prix McLuhan lui a été décerné en 1991.

Pierre Schaeffer a participé de deux façons à la vie intellectuelle de son époque : par ses positions, par ses créations, mais aussi, et en cela il innove, par les dispositifs de communication qu'il a organisés et qui ont facilité considérablement les prises de parole. On lui doit à ce propos l'âpre défense, après la Libération, du service public comme garant de ces dispositifs. Il est mort le 22 août 1995 aux Milles dans les Bouches-du-Rhône.

Jacques Perriault

■ *Clotaire Nicole*, Seuil, 1938. — *À la recherche d'une musique concrète*, Seuil, 1952. — *Traité des objets musicaux*, Seuil, 1966. — *Machines à communiquer*, Seuil, t. 1 : *Genèse des simulacres*, 1970 ; t. 2 : *Pouvoir et communication*, 1972. — *Les Antennes de Jéricho*, Stock, 1978. — *Prélude, choral et fugue*, Flammarion, 1981. — *Faber et sapiens*, Belfond, 1986.

▒ S. Brunet, *Pierre Schaeffer*, Richard Massé, 1969. — *Pierre Schaeffer*, t. 1 : *Ingénieur et/ou artiste ?*, t. 2 : *La Recherche ?* (réalisation : M. Huillard ; entretiens : J. Perriault), série Océaniques, Production FR3 / Sodaperaga, 1991.

SCHWARTZ (Laurent)

Né en 1915

Laurent Schwartz est né le 5 mars 1915 à Paris d'une famille juive d'origine alsacienne. Son père, Anselme Schwartz, était chirurgien. C'est à l'École normale supérieure* qu'il se fiance, sa femme (née M.-H. Lévy) est mathématicienne comme lui (ENS 1934). C'est Bourbaki, écrit-il dans sa notice de l'Académie des sciences* — où il sera élu en 1975 — qui l'oriente vers l'algèbre et la topologie pour l'analyse fonctionnelle (cours de J. Dieudonné). Agrégé de mathématiques en 1937, il travaille pendant la guerre à la Faculté de Strasbourg repliée à Clermont-Ferrand. Dans des conditions difficiles, c'est là qu'il soutient sa thèse sur l'étude des sommes d'exponentielles réelles par les méthodes d'analyse fonctionnelle. Rayé des cadres de l'enseignement supérieur du fait des lois raciales de Vichy, il n'est soutenu que par le Centre national de la recherche scientifique* (CNRS) au poste modeste d'attaché de recherche, ainsi que par une « Aide à la recherche scientifique » de l'industriel Michelin. À la Libération, Laurent Schwartz est nommé à Grenoble, puis il prend l'une des chaires de mathématiques de l'université de Nancy aux côtés de son collègue Jean Dieudonné (1945-1952). En 1950, la médaille Fields — le Nobel des mathématiciens — récompense ses travaux sur la théorie des distributions. Trois ans plus tard, il est nommé à la Faculté des sciences de Paris où il détient bientôt la chaire de calcul différentiel et intégral (Institut Henri-Poincaré), qu'il gardera jusqu'en 1969. En 1959, Laurent Schwartz est nommé professeur d'analyse mathématique à l'École polytechnique*, jusqu'en 1980 à l'exclusion d'une suspension de trois ans à la suite de circonstances évoquées ci-dessous. De 1980 à 1983, il enseigne à l'université de Paris VII, tout en continuant à publier (semi-martingales et géométrie différentielle).

Le professeur Schwartz est resté toute sa carrière enseignant et chercheur. Il a d'ailleurs une conception du rôle du CNRS comme soutien de l'Université. Lorsqu'en 1950 cet organisme entreprend de bâtir un « plan quinquennal » d'équipement de la recherche, il s'étonne comme membre du Comité national de voir que quatre-vingts bourses sont proposées en philosophie contre seulement quarante en mathématiques. Schwartz tance le CNRS pour son laxisme en matière d'embauche et, dans une formule appelée à quelque postérité, conseille de recruter « moins de chercheurs et plus de "trouveurs" ». Avec son collègue André Lichnérowicz (Collège de France*) et le directeur de l'Enseignement supérieur, Gaston Berger, il participe au colloque de Caen (1956) qui prélude à une modernisation de l'Université. Tristement remise en cause, dit-il, en 1968. Laurent Schwartz a exposé ses vues dans un ouvrage au titre significatif : *Pour sauver l'Université* (1984), car il continue de dénoncer les déficiences de notre enseignement supérieur.

Le professeur Schwartz n'est pas resté à l'abri de sa tour d'ivoire universitaire. Il est aussi l'homme qui sut mettre sa carrière en cause pour défendre ses convictions. En 1936, refusant d'adhérer au Parti communiste à cause des premiers procès de Moscou, il rallie la IVe Internationale : Schwartz restera trotskiste durant une dizaine d'années. Il milite clandestinement pendant l'Occupation (Clermont, Grenoble), tandis que la Libération lui vaut quelque polémique avec le « parti des fusillés ». « Lui qui est sincère que fait-il chez les trotskistes ce nid d'espions capitalistes ? », lui demande son collègue Joliot. Schwartz adhère à la Nouvelle Gauche, puis participe à la fondation du PSU. Ses convictions s'expriment dans la lutte contre les guerres coloniales. Indochine d'abord, puis Maroc et Tunisie, enfin la guerre d'Algérie. Il participe au « Comité des intellectuels contre la poursuite de la guerre en Afrique du Nord ». Cette campagne culmine lors de l'arrestation par l'armée française d'un universitaire algérois qui milite pour l'indépendance, Maurice Audin. Audin disparaît, victime des sévices qu'il a subis, mais Schwartz organise sa soutenance de thèse (en son absence) et entreprend avec Vidal-Naquet* de révéler les circonstances de sa disparition (Comité Audin). En 1960, la signature du « Manifeste des 121 »* (intellectuels) contre la guerre d'Algérie vaut à Laurent Schwartz une révocation de l'École polytechnique (école militaire). L'engagement du professeur Schwartz pour l'indépendance de l'Algérie restera incontestablement un fait majeur du dernier chapitre « colonial » de l'histoire de France.

Réintégré à Polytechnique en 1963, Laurent Schwartz continuera de militer, notamment contre la guerre du Vietnam* et pour les droits de l'homme dans tous les pays et sous tous les régimes.

Jean-François Picard

■ *Études des sommes d'exponentielles réelles*, thèse, Hermann, 1943. — *Théorie des distributions*, Hermann, 1950-1951, 2 vol. — Préface à *L'Affaire Audin* de P. Vidal-Naquet, Minuit, 1958. — *Semi-martingales sur des variétés et martingales conformes sur des variétés analytiques complexes*, 1978. — *Pour sauver l'Université*, Seuil, 1984. — « L'enseignement victime de l'égalitarisme », *Esprit*, 1991.

SCHWARTZENBERG (Léon)

Né en 1923

Léon Schwartzenberg est né en 1923 à Paris où il a passé sa jeunesse. Après la défaite de 1940, il a suivi sa famille en zone libre. Écarté de la médecine par le *numerus clausus* pris à l'encontre des étudiants juifs, il commence des études de droit et suit, à Toulouse, l'enseignement que V. Jankélévitch* dispense chez lui. À la suite de l'arrestation de ses deux frères, en février 1943, il entre dans la clandestinité puis rejoint le maquis. Après la Libération, il reprend à Paris ses études de médecine et s'oriente vers l'hématologie. Il est attaché à l'hôpital Saint-Louis (1958), assistant à l'hôpital Gustave-Roussy de Villejuif (1963), puis professeur agrégé de cancérologie (1971).

C'est pendant les années 70 qu'il commence à se faire connaître du grand public par des prises de position, souvent atypiques, en particulier sur l'euthanasie, qu'il avoue avoir pratiquée, et sur la nécessité de dire la vérité aux patients. Très présent dans les médias où sa personnalité chaleureuse et sincère fait merveille, il incarne au fil des années tout d'abord une sorte de transparence médicale, puis une grande voix, intervenant sur des problèmes de société qui dépassent son domaine professionnel : l'enfance martyrisée, la torture, l'immigration, l'arrêt des essais nucléaires. Léon Schwartzenberg se définit lui-même comme un homme de gauche. Compagnon de route du Parti communiste après la guerre, il s'est ensuite rapproché du Parti socialiste, sans jamais pourtant adhérer à aucune formation politique, par idéalisme. C'est donc comme représentant de la société civile, représentant fort populaire, qu'il est sollicité pour entrer dans le gouvernement de Michel Rocard, le 26 juin 1988. Sa nomination comme ministre délégué à la Santé est accueillie avec un certain étonnement par le corps médical. Surtout, il soulève, en quelques jours, un tollé de la part de l'opposition, mais aussi de son ministre de tutelle et du Parti socialiste, en annonçant la création du carnet de maladie à disposition de chaque patient, la fourniture de produits de substitution aux toxicomanes ou le dépistage systématisé, mais non obligatoire, du sida. Dès le 6 juillet, le Premier ministre lui demande sa démission. Il est élu en 1989 parlementaire européen sur la liste socialiste.

Profondément utopiste, Léon Schwartzenberg accorde en outre le plus grand crédit au pouvoir des intellectuels. En mai 1994, il accepte donc de prendre la tête de la liste « L'Europe commence à Sarajevo » lancée pour les élections européennes par un groupe où figurent Michel Féher, Romain Goupil, Pascal Bruckner*, Bernard-Henri Lévy* et André Glucksmann*. Des dissensions se font rapidement jour sur l'opportunité d'aller jusqu'au scrutin. Emmené par B.-H. Lévy, une partie du groupe choisit de se retirer dès lors que la question bosniaque est prise en compte par les partis politiques. Mais Léon Schwartzenberg, Antoine Sanguinetti, Alain Touraine*, Claude Bourdet*, Francis Jeanson*, Michel Polac et une partie des collectifs contre la purification ethnique décident le maintien parce qu'« on ne peut pas jouer avec les institutions ». Un moment créditée de 12 % des intentions de vote, la liste ne recueille le 12 juin 1994 que 1,6 % des voix. Elle aura surtout suscité un débat animé sur l'engagement et le sort du conflit bosniaque.

Bénédicte Vergez-Chaignon

■ *Changer la mort* (avec P. Viansson-Ponté), Albin Michel, 1977. — *Requiem pour la vie*, Le Pré-aux-Clercs, 1985. — Préface à *La Paix surarmée*, Pour la Science / Belin, 1987. — *La Société humaine*, Belfond, 1988. — *Face à la détresse*, Fayard, 1994.

SEGALEN (Victor)

1878-1919

Né le 14 janvier 1878, dans un quartier populaire de Brest, d'un père breton, instituteur, au caractère effacé, et d'une mère autoritaire et au catholicisme borné, Segalen fait ses études à l'École de médecine de Brest, puis à l'École de Bordeaux, en 1898. Sa mère contrôle sa vie sentimentale et religieuse, et le conduit à rompre une liaison. Après une dépression nerveuse, il découvre l'œuvre de Huysmans et manifeste son goût pour l'étude des religions disparues et pour l'inconscient. Il soutient en 1902 sa thèse, « L'observation médicale chez les écrivains naturalistes », et donne au *Mercure de France** son premier article : « Les synesthésies et l'école symboliste ». Devenu médecin, Segalen s'installe à Tahiti (1903-1904). *Les Immémoriaux* (Mercure de France, 1907) témoignent de ses interrogations sur Gauguin, qui vient de mourir, et sur la civilisation polynésienne. Cette œuvre influencera la démarche des ethnologues de la seconde moitié du XXe siècle. De retour en France, il projette d'écrire un livret : *Siddharta*, pour Debussy, rencontré à Paris. Puis à Brest, en 1908, il renoue avec un camarade de collège, Henry Manceron, rentré de Chine. Cette rencontre est à l'origine du second départ de Segalen.

En 1909, il s'embarque pour Pékin, où Gilbert de Voisins le rejoint. À l'inverse de Claudel*, à qui il rend visite à T'ien-tsin, Segalen va se dépouiller, dans ses expéditions au cœur de la Chine, de son regard d'Occidental, tout en se refusant l'immersion culturelle. La Chine lui inspire des œuvres fortes, dont *Le Fils du Ciel*, *Édit funéraire*, *Stèles* et *Briques et tuiles* qui regroupe ses notes prises entre les étapes. En 1910, il se lie avec Maurice Roy, qui a ses entrées au palais impérial et qui lui inspirera le personnage de son roman *René Leys*. Il assiste avec un dégoût empreint d'aristocratie à la révolution qui met fin au pouvoir impérial en 1911.

Chargé d'une mission archéologique en 1913-1914, il découvre la plus ancienne statue jamais exhumée jusque-là. Son dernier voyage en 1917 est un adieu à la terre chinoise.

Rentré en France, dépressif, fragilisé par l'opium, son corps est retrouvé par son épouse, le 23 mai 1919, près du gouffre de Huelgoat, décor emblématique qui donne à penser que le poète a choisi le site de sa mort comme le fait l'empereur dans *Édit funéraire*. Nombre de ses textes poétiques nourris de ses voyages sont restés inédits jusqu'à ces vingt-cinq dernières années.

Édith Silve

■ *Les Immémoriaux*, Mercure de France, 1907, rééd. Seuil, 1985. — *René Leys*, 1922, rééd. Gallimard, 1978. — *Le Fils du Ciel*, Flammarion, 1975. — *Essai sur l'exotisme*, Fata Morgana, 1978, rééd. Le Livre de Poche, 1986. — *Briques et tuiles*, Fata Morgana, 1987.

▒ G. Manceron, *Victor Segalen*, Lattès, 1991.

SEGHERS (Pierre)

1906-1987

« Éditeur et homme de lettres » ou « poète et éditeur », ces deux définitions que Pierre Seghers a pu donner de lui-même indiquent clairement l'orientation d'une vie et d'une carrière, construites toutes deux autour de l'expression poétique et de sa diffusion.

Né à Paris, c'est en Haute-Provence que Seghers passe sa jeunesse, et à Carpentras, où il finit ses études secondaires dans un collège. Petit-fils d'un ébéniste flamand et fils d'un ébéniste devenu chimiste par amour de la photographie, c'est aussi comme celui d'un artisan que Seghers caractérisait son propre parcours. La rencontre qui décide de sa vocation est celle, en 1932, du graveur Louis Jou qui l'initie à la pratique du métier d'imprimeur et l'encourage à publier son premier recueil, *Bonne-Espérance* (1938). Ses débuts d'éditeur se font pendant la « drôle de guerre » et se poursuivent durant l'Occupation. Seghers, avec une modeste revue (d'abord publiée « aux Armées » puis à Villeneuve-lès-Avignon), *Poètes casqués*, rebaptisée *Poésie 40, 41*..., bénéficie du soutien des meilleurs auteurs (Aragon*, Éluard*, Mauriac*) et contribue au lancement de toute une génération de poètes dont il publie également des recueils en plaquette. (*Le Tombeau d'Orphée* de Pierre Emmanuel, 1941 ; *Neige et vingt poèmes* d'Alain Borne, 1941 ; *Les Rois mages* d'André Frénaud, 1943).

Installé à Paris peu après la Libération, il fonde l'essor de sa maison sur une collection, « Poètes d'aujourd'hui », qui connaît dès son premier numéro consacré à Éluard un large succès. Elle lui permet de diversifier sa production dans la « littérature générale » et de constituer un très remarquable catalogue de livres édités. Un des atouts de cette réussite réside dans la création de son propre réseau de diffusion (l'Inter, appelé à un grand développement après sa fusion avec Forum) qui lui donne les moyens de sauvegarder son indépendance commerciale et idéologique, malgré son adhésion au Parti communiste de 1946 à 1953. Il s'éloigne progressivement du PC après des voyages dans les pays de l'Est, et manifeste ses doutes dans un poème intitulé « Le mur du son ». Seghers a voulu faire œuvre de poète en s'intégrant d'abord dans le sillage de la Résistance littéraire, mais il s'est ensuite orienté vers une inspiration plus solitaire et plus inquiète. Ayant vendu ses Éditions à Robert Laffont, il relança aussi sa revue *Poésie* sous forme de livraison annuelle. Mort en 1987, il n'eut pas le temps de voir son entreprise éditoriale se fondre dans un ensemble plus vaste, au point de risquer de perdre son identité.

Pascal Mercier

■ *Pierre Seghers* (par l'auteur), Seghers, 1967, rééd. 1973. — *La Résistance et ses poètes*, Seghers, 1974. — *Le Temps des merveilles*, Seghers, 1978.

■ I. Higgins, « Une poésie à hauteur d'homme », in *La Littérature française sous l'Occupation* (actes du colloque de Reims, 30 septembre - 1er et 2 octobre 1981), Presses universitaires de Reims, 1989. — C. Seghers, *Pierre Seghers, un homme couvert de noms*, Laffont, 1981.

SEIGNOBOS (Charles)

1854-1942

Seignobos passe aujourd'hui pour le contre-modèle de l'historien. Il le doit aux *Annales*, qui se sont définies par opposition à l'histoire universitaire qu'il incarnait, après la mort de Lavisse* en 1922.

Enseignant l'histoire à la Sorbonne sous des titres divers de 1890 à 1925 où il prend sa retraite comme professeur d'histoire politique des temps modernes et contemporains, Seignobos a en effet joué un rôle majeur dans l'organisation des études et la définition des normes professionnelles. C'est en outre une figure de l'*establishment* universitaire, passant ses vacances à l'Arcouest avec les Joliot-Curie*, Jean Perrin*, Émile Borel et quelques autres, qui l'ont surnommé « le Capitaine », et prenant son bain de mer quotidien jusqu'à plus de quatre-vingts ans. Mais il mérite mieux que les jugements à l'emporte-pièce que L. Febvre* lui a décochés avec sa verve étincelante.

Issu d'une famille protestante de notables républicains — son père, avocat, fut pendant dix ans député de l'Ardèche —, après l'École normale supérieure* et l'agrégation où il fut reçu premier (1877), Seignobos effectua en Allemagne un voyage d'étude de deux ans. Il apprécie l'érudition germanique et la formation en séminaire à la critique des textes, mais il n'en est pas un imitateur servile. « L'histoire — écrira-t-il dans le bilan de son voyage — a pour but de décrire, au moyen des documents, les sociétés passées et leurs métamorphoses [...] Une collection de renseignements sur les documents et leurs auteurs n'est pas une science. Connaître tous les textes et les précautions à garder pour s'en servir, ce n'est pas savoir ce qu'on en peut tirer, ce n'est même pas encore savoir ce qu'il faut y chercher » (« L'enseignement de l'histoire en Allemagne », *Revue internationale de l'enseignement*, 15 juin 1881, pp. 586-587).

Son œuvre, où affleurent ses convictions dreyfusardes et pacifistes, est celle d'un professeur plus que d'un chercheur : de vastes synthèses, dont les meilleurs exemples sont ses volumes de l'*Histoire de la France contemporaine* de Lavisse (« le

Lavisse et Seignobos ») et qui sont restés pendant un demi-siècle la référence obligée des historiens de la IIIe République.

L'*Introduction aux études historiques* qu'il a publiée avec Langlois en 1898 a fait de lui le théoricien de l'histoire « positiviste », mais l'ouvrage de méthodologie qu'il a publié seul en 1901 est beaucoup plus élaboré. Certes, il dissocie l'établissement des faits à partir des documents, nécessité prioritaire, et l'interprétation qui vient ensuite. Il ne voit pas l'interaction entre les questions, les hypothèses et le choix des documents, la construction des faits. Mais son historiographie, tributaire d'un contexte dominé par le modèle de la méthode expérimentale, était avant tout dirigée contre l'histoire rhétorique des dilettantes. C'est caricaturer Seignobos que de lui faire dire que les faits existent « positivement » dans les documents — il insiste sur le travail d'imagination de l'historien — ou encore que l'histoire se limite à l'exposé des faits.

Pas davantage il ne s'est limité à l'histoire politique. On peut discuter la façon dont il traite l'économique et le social, mais il leur attribue de l'importance. Il a publié deux histoires de la « civilisation » et il a toujours donné pour objet à l'histoire l'étude de la société. C'est la raison pour laquelle elle doit être enseignée, selon lui, à tous les élèves du secondaire : « elle permet de donner des connaissances précises en matière de société » et de faire comprendre comment les sociétés se transforment (*Conférence du Musée pédagogique. L'enseignement de l'histoire*, 1907). Il a d'ailleurs joué un rôle dans la définition des programmes d'histoire après la réforme de 1902.

La position de Seignobos doit beaucoup à cet ancrage institutionnel : professeur, il conçoit l'histoire pour un public d'étudiants destinés à enseigner dans le secondaire. D'où le primat du récit et l'importance, non exclusive, du politique. Au demeurant, ses critiques ont intégré ses leçons et repris son programme autant qu'ils l'ont contesté.

Antoine Prost

■ *Le Régime féodal en Bourgogne jusqu'en 1360*, 1882, rééd. Slatkine, 1975. — *Histoire de la civilisation*, Masson, 1885, 2 vol., rééd. 1987. — *Histoire politique de l'Europe contemporaine*, Armand Colin, 1897. — *La Méthode historique appliquée aux sciences sociales*, Alcan, 1901. — Tomes 6, 7, 8 et 9 de l'*Histoire de la France contemporaine* (dir. E. Lavisse), Hachette, 1921. — *Histoire sincère de la nation française*, Rieder, 1933, rééd. PUF, 1982. — *Essai d'une histoire comparée des peuples de l'Europe*, Rieder, 1938.

▒ Notice de C. Charle, *Les Professeurs de la Faculté des lettres de Paris*, vol. 1, INRP et CNRS, 1985. — W.R. Keylor, *Academy and Community. The Foundation of the French Historical Profession*, Cambridge (Mass.), Harvard University Press, 1975.

SEMAINES SOCIALES DE FRANCE

Universités itinérantes du catholicisme social, les Semaines sociales sont nées de l'initiative de Marius Gonin, directeur à Lyon de la *Chronique des comités du Sud-Est* (devenue en 1909 *Chronique sociale de France*), et d'Adéodat Boissard, professeur aux Facultés catholiques de Lille, sur le modèle allemand des Universités volantes d'été créées par l'abbé Hitze et l'industriel Brandt, et dans le prolongement de l'encyclique *Rerum novarum*. La première se tient en août 1904 à Lyon en présence de 450 auditeurs. Dans le comité de patronage présidé par Mgr Coullié figurent les recteurs des instituts catholiques de Lyon, Toulouse et Paris, Mgr Petit, aumônier de l'Œuvre des cercles, plusieurs abbés démocrates dont les abbés Cetty, Dehon, Lemire et Naudet, ainsi que des laïcs parmi lesquels Léon Harmel, Georges Fonsegrive, Georges Goyau, Albert de Mun et Marc Sangnier*.

Sous la présidence d'Henri Lorin, les Semaines se heurtent jusqu'à la guerre aux accusations de modernisme social, et ne doivent leur survie qu'au choix d'intervenants à l'orthodoxie irréprochable et au soutien, souvent sourcilleux, de Rome. Elles connaissent leur apogée sous les présidences d'Eugène Duthoit (1919-1933), puis de Charles Flory (1945-1959), réunissant alors environ 2 000 participants lors de chaque session annuelle. L'arrivée dans l'entre-deux-guerres d'une seconde génération d'intellectuels, tels Jean Lacroix*, Pierre-Henri Simon* ou François Perroux*, permet la greffe sur le catholicisme social du personnalisme d'*Esprit**, en dépit de la méfiance de Mounier*. Relayées dans l'opinion par la *Chronique sociale* que dirigent Gonin, Joseph Folliet puis Georges Hourdin*, par l'Action populaire* jésuite et par l'Union nationale des secrétariats sociaux fondée en 1921, les Semaines témoignent de l'originalité d'un engagement intellectuel catholique structuré en réseau, soucieux de former des militants, et formulé à travers la médiation de la question sociale.

Suspendues sous l'Occupation, les Semaines s'ouvrent à la Libération à une meilleure compétence économique, cependant que prévalent désormais les questions politiques nationales et internationales, en particulier celle de la décolonisation. Mais la crise de l'Action catholique et la déconfessionnalisation du syndicalisme chrétien provoquent leur déclin et conduisent à renoncer en 1973 aux sessions nationales. Leur remise à l'honneur en 1987, à un rythme désormais biennal, témoigne du renouveau de la doctrine sociale de l'Église sous le pontificat de Jean-Paul II, dans un cadre marqué par la recherche de l'identité catholique au sein d'une société sécularisée.

Denis Pelletier

■ P. Droulers, « L'Action populaire et les Semaines sociales de France », *Revue d'histoire de l'Église de France*, vol. 67, 1981. — P. Lecrivain, « Les Semaines sociales de France », in D. Maugenest (dir.), *Le Mouvement social catholique en France au XXe siècle*, Cerf, 1990, pp. 151-166.

SEMPRUN (Jorge)

Né en 1923

Jorge Semprun est issu d'une grande famille républicaine espagnole. Son grand-père maternel, Antonio Maura, était chef du parti conservateur et fut plusieurs fois ministre du roi Alphonse XIII. Mais son fils, Miguel Maura, oncle de Jorge, fut l'un des fondateurs de la République en 1931. Du côté paternel, José Maria Semprun Gurrea, avocat, professeur de philosophie du droit à l'université de Madrid, fut le fondateur de la revue *Cruz y Raya* avec José Bergamin, correspondant de la revue *Esprit** en Espagne.

Né à Madrid le 10 décembre 1923, J. Semprun a fait des études secondaires interrompues par la guerre civile et un départ à l'étranger, son père étant chargé d'affaires de la République aux Pays-Bas. En 1939, sa famille émigre en France. Lui est interne au lycée Henri-IV à Paris, où il passe le baccalauréat, et obtient un deuxième prix de philosophie au concours général de 1941. Il doit abandonner ses études de philosophie pour raisons matérielles. Dès 1942, il a des contacts avec la Résistance, à laquelle il participe activement à partir de 1943 (réseau Jean-Marie Action). En septembre 1943, il est arrêté par la Gestapo à Joigny, puis déporté en janvier 1944 à Buchenwald, où il milite dans l'organisation communiste clandestine du camp, jusqu'à la libération par les Américains en avril 1945.

Après la guerre, Semprun vit à Paris, où il gagne sa vie en faisant du journalisme et des traductions, notamment pour l'Unesco. En 1953, il fait son premier voyage clandestin dans l'Espagne franquiste, avec pour mission de réorganiser les milieux intellectuels. Pendant une dizaine d'années, il s'adonne au travail clandestin, en Espagne la plupart du temps. En 1956, il est coopté au bureau politique du PC espagnol, dans la vague de la réforme khrouchtchévienne après le XXe congrès. Il est exclu du PCE en 1964, après une longue période de discussions internes.

C'est en 1963, au moment de son rejet de la politique communiste, qu'il publie son premier livre, *Le Grand Voyage*. Dès lors, J. Semprun se consacre à la littérature et au cinéma. Il écrit, entre autres, le scénario des films d'Alain Resnais, *La guerre est finie* (1966) et *Stavisky* (1974).

Depuis 1970, il vit entre Paris et Madrid, et enrichit son œuvre en empruntant tour à tour le français et l'espagnol. En 1988, il devient ministre de la Culture du gouvernement socialiste de Felipe Gonzalez, jusqu'en mars 1991. Il obtient un grand succès pour son roman *L'Écriture ou la vie*, inspiré par son expérience de la déportation, en 1994.

Denis Condroyer

■ *Le Grand Voyage*, Gallimard, 1963. — *Autobiographie de Federico Sanchez*, Seuil, 1978. — *La Deuxième Mort de Ramon Mercader*, Gallimard, 1984. — *La Montagne blanche*, Gallimard, 1986. — *L'Écriture ou la vie*, Gallimard, 1994.

SENGHOR (Léopold Sédar)

Né en 1906

Écrivain, homme politique, Léopold Sédar Senghor, à la croisée de l'Afrique et de l'Occident, est le type accompli de l'« intellectuel métis ». Se nourrissant des valeurs de la négritude et des idées du christianisme social, sa vie se traduit par une longue lutte en faveur de la civilisation noire dans le cadre d'un dialogue équilibré des cultures.

L.S. Senghor est né le 9 octobre 1906 à Joal, au Sénégal. Son père est un traitant-éleveur christianisé d'ethnie sérère. Le jeune garçon est envoyé à l'âge de sept ans chez les missionnaires. Mais déjà il se heurte à ses précepteurs qui contestent l'existence d'une culture noire : « Nous sommes des civilisés d'une autre civilisation », rétorque-t-il. Il arrive à Paris en 1928 et prépare à Louis-le-Grand l'entrée à l'École normale supérieure* dans la même classe que Georges Pompidou, qui devient son ami. Senghor fréquente surtout le milieu afro-antillais et fonde, avec Aimé Césaire* et le Guyanais Damas, le journal *L'Étudiant noir*, première expression de la négritude. Reçu à l'agrégation de grammaire en 1935, le Sénégalais devient professeur à Tours, puis à Saint-Maur. Fait prisonnier en 1940, Senghor profite de la captivité pour relire les auteurs gréco-latins et européens. C'est alors que, dépassant la négritude sans la renier, sinon sous forme de « négritude-ghetto », il s'ouvre à la perspective d'une « civilisation de l'universel ».

« Tombé dans la politique » en 1945, Senghor est élu député SFIO de la deuxième circonscription Sénégal-Mauritanie et entame une irrésistible ascension politique qui le conduit, après sa rupture avec le Parti socialiste, au gouvernement d'Edgar Faure en 1955 et du général de Gaulle en 1958. Parallèlement, il poursuit une œuvre poétique qui scande les phases de sa carrière publique. *Chants d'ombre* coïncident en 1945 avec sa première élection, *Éthiopiques*, en 1956, avec l'adoption de la loi-cadre pour l'Afrique, *Nocturnes* avec son accession à la présidence de la République du Sénégal en 1960. Ayant procédé à une « relecture africaine de Marx et d'Engels », couronnée par un ralliement aux idées de Teilhard de Chardin*, Senghor s'efforce d'instituer dans son pays une sorte de social-démocratie pour nation en développement dont il se veut le théoricien et praticien. Il devient vice-président de l'Internationale socialiste en 1976. Il souhaite aussi faire du Sénégal une « Grèce noire », et multiplie à cet effet les initiatives culturelles, comme le « Festival des arts nègres ». Après avoir instauré en 1974 un « multipartisme » partiel, Senghor, fait exceptionnel en Afrique, démissionne volontairement de son mandat le 31 décembre 1980. Il est élu à l'Académie française* en 1984, et partage sa vie entre Dakar et la France.

Jean-Pierre Biondi

■ *Chants d'ombre*, Seuil, 1945. — *Hosties noires*, Seuil, 1948. — *Anthologie de la nouvelle poésie nègre et malgache* (préface de J.-P. Sartre), PUF, 1948. — *Éthiopiques*, Seuil, 1956. — *Nocturnes*, Seuil, 1961. — *Liberté*, Seuil, t. 1 : *Négritude et humanisme*, 1964, t. 2 : *Nation et voie africaine du socialisme*, 1971, t. 3 : *Négritude et civilisation de l'universel*, 1977, t. 4 : *Socialisme et planification*, 1983, t. 5 : *Le Dialogue des cultures*, 1993. — *Lettres d'hivernage*, Seuil, 1973.

▒ M. Aziza, *L.S. Senghor, la poésie de l'action*, Stock, 1980. — J.-P. Biondi, *Senghor ou la Tentation de l'universel*, Denoël, 1993. — J.-L. Hymans, *L'Élaboration de la pensée de L.S. Senghor*, Presses de la FNSP, 1964.

SÉPARATION DES ÉGLISES ET DE L'ÉTAT

1905

La légende dorée des intellectuels français, qui magnific le rôle fondateur de l'affaire Dreyfus*, oublie trop souvent celui de la Séparation des Églises et de l'État, sinon pour opposer les intellectuels républicains solidaires du camp laïque aux catholiques hostiles. C'est ignorer que, dans la « guerre des deux France », la Séparation fut le tournant à partir duquel les tendances conciliatrices commencèrent à l'emporter, permettant à terme la pacification du conflit, grâce notamment à l'intervention d'intellectuels des deux camps.

De part et d'autre, l'affaire Dreyfus a exacerbé les passions. Côté catholique, si les propos de l'ancien positiviste Ferdinand Brunetière*, directeur de la *Revue des Deux Mondes**, sur les « faillites partielles de la science » et le « besoin de croire » semblent prometteurs, la question de la séparation redouble celle de la lutte contre les congrégations enseignantes, qu'Albert de Mun dénonce avec lyrisme. Dans l'autre camp, les congrès de la Ligue française de l'enseignement donnent lieu à des débats de haute tenue sur l'idée et la morale laïques. Ernest Lavisse* développe dans les *Annales de la jeunesse laïque* une conception « ouverte et ferme » de la laïcité, qui justifie la séparation par la distinction entre le sentiment religieux légitime et l'esprit dogmatique qui abaisse la raison : « Être laïque, ce n'est pas limiter à l'horizon visible la pensée humaine, ni interdire à l'homme le rêve et la perpétuelle recherche de Dieu [...] : c'est refuser aux religions qui passent le droit de gouverner l'humanité qui dure. » Autre collaborateur de la revue, Anatole France* est plus incisif, et prône dans *L'Église et la République* la dénonciation d'un concordat par lequel l'État donne à l'Église catholique « les armes dont elle [le] frappe ».

Le projet déposé en octobre-novembre 1904 par Émile Combes se situe dans cette logique de combat et place les Églises sous la haute surveillance de l'État républicain. Il provoque la réaction immédiate du quotidien *Le Siècle*, dont la direction protestante a toujours milité contre le cléricalisme. Raoul Allier, laïc protestant, professeur de philosophie à la Faculté de théologie de Paris, membre d'une Église déjà séparée de l'État, y publie 22 articles dénonçant le projet de Combes. Une enquête menée auprès de 33 personnalités paraît en parallèle avec les articles d'Allier, l'ensemble sera édité par Péguy* dans les *Cahiers de la quinzaine** avec une préface d'Henri Brisson, ancien président du Conseil et haut dignitaire de la maçonnerie. Au même moment, Georges Renard, professeur au Collège de France*, présente un rapport également critique à la commission exécutive de l'Association nationale des libres-penseurs de France : le projet « aboutit pour les Églises à un système contradictoire d'arbitraire administratif, de tracasseries policières et de privilèges économiques ». L'Association ne saurait lui « accorder ni son approbation ni son appui ».

Le rejet du projet par la commission parlementaire (28 novembre 1904), la démission de Combes affaibli par l'« affaire des fiches » (janvier 1905) ouvrent la voie à un projet plus libéral. Beaucoup d'adversaires laïques du projet de Combes ne souhaitent pas aller jusqu'au compromis que Jean Jaurès* négocie en coulisses avec Ribot, A. de Mun, Brunetière et Denys Cochin : l'article 4 cautionne indirectement l'autorité de la hiérarchie catholique sur les fidèles, les associations culturelles disposeront des édifices religieux publics si elles se conforment « aux règles générales du culte dont elles se proposent d'assurer l'exercice ». Traité de « socialiste papalin », Jaurès souhaite une pacification durable, afin que « la démocratie puisse se donner tout entière à l'œuvre immense de réforme sociale que le prolétariat exige ».

La loi votée sous l'impulsion de Briand maintiendra ces dispositions libérales. Si Rome la refuse, 23 personnalités catholiques, dont une majorité d'intellectuels (la présence de 6 membres de l'Académie française* et de 5 membres de l'Institut les fera qualifier de « cardinaux verts »), défendent dans une lettre aux évêques l'« essai loyal » d'une loi qui, selon leurs propos, n'empêche pas « de croire ce que nous voulons [et] de pratiquer ce que nous croyons ». Brunetière est à l'origine de ce texte, auquel Albert de Mun réplique : « On ne fait pas l'essai loyal de l'apostasie. » Moins de vingt ans plus tard, la loi servira de terrain de réconciliation entre Rome et la France. Obscurs comme Allier ou illustres comme Jaurès, des intellectuels ont donc joué en l'occasion un rôle historique important en faveur d'une logique conciliatrice. Le fait demeure trop ignoré, comme si la mission donnée en France aux intellectuels consistait à privilégier les logiques d'affrontement au détriment de celles qui pacifient le « vivre ensemble ».

Jean Baubérot

■ J. Baubérot, *Vers un nouveau pacte laïque ?*, Seuil, 1990. — J.-M. Mayeur, *La Séparation des Églises et de l'État*, Éditions ouvrières, 1991. — E. Poulat, *Liberté-laïcité*, Cerf / Cujas, 1987.

SEPT

La naissance de l'hebdomadaire *Sept*, le 3 mars 1934, s'inscrit dans le prolongement de la condamnation de l'Action française* par le Saint-Siège en 1926, et de l'effort qui s'ensuit pour diffuser les directives de Pie XI auprès des catholiques français. Publié par les éditions dominicaines du Cerf, que dirige le Père Bernadot, *Sept* rejoint ainsi, au sein de la « presse de Pie XI », des revues comme *La Vie spirituelle* ou *La Vie intellectuelle*.

Mais si sa création est explicitement encouragée par le pape, *Sept* n'en est pas moins, dès ses débuts, un lieu de dialogue où s'expriment hommes d'Église et laïcs : les Pères Bernadot et Boisselot y côtoient Joseph Folliet, Pierre-Henri Simon* ou Étienne Borne*, tandis qu'Étienne Gilson* et Jacques Maritain* font figure de maîtres à penser du journal. Jeunes pour la plupart, ces collaborateurs laïques sont presque tous de formation universitaire (normaliens, agrégés de lettres, d'histoire, de philosophie...) et, bien qu'ils soient issus d'horizons politiques très divers, ont en commun un même refus de l'engagement politique partisan. Sur ce point, l'équipe de rédaction ne saurait transiger : « Ni de droite, ni de gauche, indépendants de la politique pour mieux servir la Cité, louant le bien, dénonçant le mal, nous n'avons de comptes à rendre qu'à la Vérité », est-il affirmé dans le numéro du 14 mars 1934. En accord avec ce principe, *Sept* se propose de faire œuvre d'éducation, en proposant aux catholiques une réflexion sur les événements de l'actualité qui s'inspire de la doctrine enseignée par l'Église. Aux analyses suggérées par la conjoncture mais de portée générale (« L'ordre catholique et l'action catholique », « Le chrétien dans la Cité »...), sont donc associées des prises de position à l'égard des problèmes politiques majeurs de la décennie (le Front populaire, la guerre d'Espagne*, la montée des fascismes).

De façon soudaine, le 27 août 1937, le journal annonce sa disparition en invoquant des difficultés financières. Cette explication ne trompe personne car, si la situation financière de *Sept* a toujours été précaire, elle n'a jamais été dramatique, et les recours possibles ne manquent pas, de la souscription auprès des lecteurs au soutien des Éditions du Cerf. De plus, le tirage de *Sept* n'a jamais cessé d'augmenter depuis sa création, pour atteindre une moyenne de 50 000 exemplaires chaque semaine — certains numéros spéciaux, comme en février 1937 celui sur « Le Christ et l'ouvrier », étant publiés à 150 000 exemplaires. Il est probable que sa suppression soit imputable aux dénonciations successives dont il a fait l'objet au Saint-Office, tant de la part de catholiques de droite en France, contempteurs des « rouges chrétiens », que d'évêques italiens et espagnols, ulcérés par l'opposition de *Sept* à l'invasion italienne en Éthiopie* et par son refus de reconnaître, dans l'insurrection franquiste, une « croisade » pour sauver la civilisation occidentale.

Tangi Cavalin

■ A. Coutrot, *« Sept » : un journal, un combat (mars 1934-août 1937)*, Cana, 1982. — É. Fouilloux, « *Sept* et *Temps présent* : des "rouges chrétiens" ? », *Lettre*, n° 231, novembre 1977.

Sept (La) et Arte

Arte se fait connaître du public en diffusant, à partir du 28 septembre 1992, sur le réseau hertzien occupé jusqu'alors par la chaîne commerciale La Cinq. Cette chaîne culturelle avait déjà une histoire courte mais dense.

Il s'agit d'abord d'un « remords du pouvoir », selon le mot d'un responsable socialiste en 1986. Après avoir annoncé la création de chaînes privées en janvier 1985, amorçant le mouvement qui conduira à la domination du Paysage audiovisuel français par les chaînes commerciales, François Mitterrand ouvre la voie à la création d'une chaîne culturelle dans une déclaration au Collège de France*, le 14 mai 1985. La SEPT (Société d'édition de programmes de télévision) est constituée en mai 1986. Elle devient ensuite un enjeu diplomatique. C'est le gouvernement issu des élections de mars 1986 qui envisage sa transformation en chaîne franco-allemande, officialisée par un traité signé le 2 octobre 1990.

La Sept commence par accumuler des programmes. Diffusée par le satellite TDF1 (qu'on reçoit essentiellement par l'intermédiaire des réseaux câblés) à partir de mai 1989, elle dispose de « fenêtres de programmation » sur FR3, le samedi, entre 1990 et 1992. Puis, le 23 avril 1992, après la disparition de La Cinq, Jean-Noël Jeanneney, secrétaire d'État à la Communication, annonce l'installation d'Arte, la chaîne franco-allemande qui a pris le relais de La Sept, sur le réseau de la chaîne commerciale. Le nouveau gouvernement Balladur ne remet pas en cause cette décision, malgré le vœu de tel député qui souhaite renvoyer Arte sur le câble. La « loi Carignon » votée en décembre 1993 prévoit même la diffusion sur le même réseau, avant 19 heures, d'une chaîne « de l'éducation, de la formation et de l'emploi ».

La structure juridique est complexe. Deux sociétés productrices, la Sept (société anonyme à capitaux publics) et Arte-Deutschland (filiale des chaînes de télévision publique allemande), sont associées dans un GIEE (Groupement d'intérêt économique européen) installé le 30 avril 1991 à Strasbourg. Le nom « Arte » correspond en français à Association relative aux télévisions européennes. Ce GIEE essaie de s'élargir à d'autres partenaires européens : la RTBF (Radio-télévision belge francophone) a, la première, rejoint Arte en 1993.

Par son contenu, Arte est une chaîne très singulière, qui n'a cessé de se démarquer de ses voisines « généralistes ». Structure des programmes d'abord : les documentaires de toute nature (art, histoire, géographie, société) dominent, ce qui redonne sa place à un genre qui avait fortement décru dans les années 80. L'émission phare de la chaîne fut « Histoire parallèle », dans laquelle Marc Ferro conviait un historien à commenter une semaine de la Seconde Guerre mondiale vue par les actualités cinématographiques de deux pays différents. La chaîne a également opté pour une organisation en « soirées thématiques » : la télévision s'offre à nous comme en rayons de bibliothèque, parcourant des sujets aussi divers que « les étrangers », « Édith Piaf », « le surréalisme », « Saint-Pétersbourg ». L'installation sur le réseau hertzien, la pression de la concurrence, poussent cependant à une programmation « horizontale » propre à « fidéliser » le téléspectateur. La chaîne diffuse tous les soirs un bref journal sans présentateur, et offre aussi des « créneaux » réguliers de films et de magazines (par exemple sur l'animation ou le cinéma).

Arte, très vite critiquée pour la modestie du public touché malgré un succès critique évident, occupe, en moyenne mensuelle, 1 % du temps d'écoute total des téléspectateurs. Plus grave peut-être, elle touche une part restreinte du public. En mars 1993, ils n'ont été que 8,6 % des téléspectateurs à regarder Arte au moins 15 minutes consécutives. On lui reproche parfois de concevoir des émissions trop hermétiques, sans souci pédagogique. La concurrence est telle, cependant, qu'un changement de ton ne suffirait peut-être pas à élargir sensiblement son public. Quelles que soient les critiques, Arte constitue une mine d'émissions culturelles dans un paysage audiovisuel qui paraît tout entier voué au divertissement et au commerce.

Jérôme Bourdon

■ « Une chaîne culturelle, pourquoi ? », *Dossiers de l'audiovisuel*, n° 48, mars-avril 1993, Institut national de l'audiovisuel.

SERGE (Victor) [Victor Kibaltchich]

1890-1947

Militant anarchiste, puis communiste, puis oppositionnel proche de Trotski avant de s'en séparer, emprisonné par Staline, Victor Serge fut un des tout premiers écrivains dissidents revenus d'URSS, dont il se fit le procureur jusqu'à sa mort à Mexico en 1947. Il prit véritablement conscience de sa vocation d'écrivain en 1928, quelques semaines après son expulsion du Parti bolchevik. Faut-il considérer cette évolution comme un pis-aller pour lui, explicable par l'impossibilité où il se croyait alors de poursuivre le combat politique, ou plutôt y voir une « conversion » et le besoin de témoigner ? Cette évolution intérieure de V. Serge le révéla à ses propres yeux comme un véritable écrivain et non plus seulement comme un journaliste politique de talent, contrairement à ce qui a été trop souvent dit.

Né à Ixelles dans la banlieue de Bruxelles, de parents russes exilés, V. Serge reçut de ceux-ci sa première instruction, puis, après avoir suivi les cours d'un institut durant un an, vécut de plusieurs métiers. Dès son plus jeune âge, il s'intéresse à la littérature et fait preuve d'une insatiable « soif d'apprendre » : de 1906 à 1912, il écrit de nombreux articles dans la presse du mouvement libertaire qu'il a rallié après un bref passage dans les rangs des Jeunesses socialistes. En 1909, il quitte la Belgique pour Paris, où il rencontre Rirette Maîtrejean, qui devient sa compagne. Inculpé de recel d'armes dans l'affaire de la bande à Bonnot, il est condamné en 1913 à cinq ans de réclusion et d'interdiction de séjour.

Libéré en janvier 1917, il peut, au terme de pérégrinations, rejoindre la révolution russe. Il adhère au Parti communiste russe en mai 1919, travaille au service des Éditions du Komintern, puis devient chef de la propagande en Europe centrale. De 1922 à 1925, il séjourne à Berlin, en URSS et à Vienne et publie de nombreux articles dans la presse communiste, française (notamment *Clarté**) et internationale. Il y traite en particulier des problèmes relatifs à la culture prolétarienne : ses conceptions sur l'art révolutionnaire seront reprises en 1932 dans *Littérature et révolution*.

Proche de l'opposition trotskiste, il est arrêté une première fois en 1928, mais libéré au bout de 36 jours sous l'effet de l'opinion internationale. Tenu désormais pour suspect, il est à nouveau arrêté le 8 mars 1933 et déporté dans l'Oural. De nombreux intellectuels français se mobilisent alors dans un Comité pour la libération de Victor Serge : G. Duhamel*, M. Martinet*, J.-R. Bloch*, R. Rolland*, C. Vildrac*, etc. Son cas est évoqué par M. Paz et G. Salvemini lors du Congrès international pour la défense de la culture* (Paris, 1935). Libéré en avril 1936, V. Serge poursuit son activité politique et littéraire en Belgique puis en France à partir de 1937, où il s'efforce, en vain, d'unifier les diverses composantes de l'extrême gauche contre les procès de Moscou et la répression stalinienne en Espagne* contre les anarchistes et le POUM.

Ayant vécu au début de la Seconde Guerre mondiale dans la banlieue marseillaise en compagnie d'A. Breton* et de B. Péret*, il peut gagner le Mexique, où il arrive en septembre 1941. Collaborant à de très nombreuses revues, « révisant le marxisme tout en lui restant fidèle », il poursuit son évolution politique en réfléchissant sur la doctrine de Marx, le socialisme, l'URSS, Staline, Trotski, le totalitarisme, se passionne pour la civilisation mexicaine précolombienne et contemporaine ainsi que pour les écrits de B. Bettelheim et de F. Kafka. Un de ses romans, *Les Derniers Temps*, est publié au Canada et aux États-Unis, tandis que ses autres œuvres, *Mémoires*, *L'Affaire Toulaev* et *Les Années sans pardon* dérangent et sont refusées.

Après la guerre, V. Serge reprend sa collaboration aux revues françaises *La Révolution prolétarienne**, les *Cahiers Spartacus*, *Masses**, où il défend les principes d'un socialisme libertaire contre le stalinisme. Influencé par le personnalisme depuis la fin des années 30, la correspondance qu'il échange avec Emmanuel Mounier* de 1945 à 1947 révèle les divergences qui existent alors entre lui et l'intelligentsia de gauche que représente la revue *Esprit** : il lui reproche une trop grande complaisance à l'égard du stalinisme et s'inquiète désormais que le philosophe du personnalisme succombe aux sirènes du communisme. La mort prématurée de cet éternel exilé pour qui le combat politique et la littérature étaient deux composantes indissociables a mis fin à ce débat.

Michel Dreyfus

■ *Mémoires d'un révolutionnaire (1901-1941)*, rééd. Seuil, 1978. — *Les Révolutionnaires*, rééd. Seuil, 1980. — Cf. la « Bibliographie choisie de V. Kibaltchich, dit Victor Serge », in *Victor Serge. Vie et œuvre d'un révolutionnaire* (colloque de l'Institut de sociologie de l'Université libre de Bruxelles, 21-23 mars 1991), *Socialisme*, n° 226-227, juillet-octobre, 1991.

▒ J. Rière, M. Dreyfus et N. Racine, « Victor Serge », in *DBMOF*. — « Hommage à Victor Serge pour le centenaire de sa naissance », *Cahiers Henry Poulaille*, n° 4-5, mars 1991.

SERRES (Michel)

Né en 1930

Penseur longtemps marginal, tant dans l'Université qu'à l'égard des principaux courants de pensée des années 60 et 70, Michel Serres a su faire entendre dans la production philosophique française un ton nouveau, marqué par son souci de dialogue avec les sciences exactes. C'est toutefois par ses essais sur l'éducation ou l'écologie qu'il a marqué un large public, témoignant ainsi de ses profondes qualités pédagogiques.

Né en 1930, Michel Serres interrompt ses études entamées à l'École navale en 1949 pour préparer l'École normale supérieure*, où il entre en 1952. Apprenti philosophe, il conserve de sa première formation le goût des sciences exactes, et soutient en 1954 un mémoire sur les structures algébriques et topologiques, tout en fréquentant le groupe Bourbaki. Il passe l'agrégation de philosophie en 1955. Il enseigne successivement à Clermont-Ferrand puis à Vincennes, tout en préparant une thèse sur les modèles mathématiques du système de Leibniz.

Les intérêts théoriques de Michel Serres, ainsi que ses polémiques fréquentes contre l'ignorance scientifique des philosophes, ne sont pas du goût de tous, et c'est un département d'histoire, à l'université de Paris I, qui lui donnera asile en 1969, pour un enseignement d'histoire des sciences. Ses travaux de l'époque le montrent soucieux d'intégrer à la réflexion philosophique les développements les plus récents des sciences. Il publie de nombreux articles, en particulier dans la revue *Critique** (dont il intègre le comité en 1969, par l'intermédiaire de Michel Foucault*) qu'il réunit ensuite dans les volumes successifs intitulés *Hermès*, où il se plaît à mettre en évidence les modèles thermodynamiques qui sous-tendent les textes les plus divers : ceux de Bergson* bien sûr, mais aussi de Jules Verne ou la bande dessinée d'Hergé, *Tintin*.

Revenant sur l'interprétation moléculaire et statistique qu'a donnée Boltzmann du second principe de la thermodynamique, il la relie aux travaux de Wiener en cybernétique, et bientôt à ceux de Prigogine sur la thermodynamique à l'écart de l'équilibre. Il se dit alors à la recherche de ce qu'il appelle le « passage du Nord-Ouest » (usant d'une métaphore maritime qui fournira le titre d'un de ses livres) entre les sciences de la nature et les sciences de l'homme, qu'il rencontrera dans la pensée de René Girard* : l'analogie de la crise sacrificielle et du surgissement d'un ordre à partir d'un désordre moléculaire le conduiront à célébrer en Girard le penseur de l'origine des sociétés et à reprendre à sa manière les intuitions girardiennes (comme en témoignent deux livres, *Le Parasite* et *Rome, le livre des fondations*).

Il ne s'agit toutefois pas pour Serres de s'enfermer dans la construction d'un nouveau système : confessant volontiers son encyclopédisme, il en donnera de nombreuses preuves au cours des années 80, en dirigeant la collection de réédition de textes « Corpus des œuvres de philosophie en langue française » à partir de 1986 (chez Fayard*), ou en s'engageant, avec Pierre Lévy et Michel Authier, dans un ambitieux programme pédagogique placé sous l'égide du président de la République François Mitterrand (dont il fera la connaissance *via* Jacques Attali*, que ses propres recherches avaient conduit dans les mêmes parages que Michel Serres), les arbres de connaissance. Tandis que l'Académie française* reconnaît son talent en 1990, il développe ses intuitions sur l'enseignement et l'éducation, ou sur l'écologie dans plusieurs essais qui lui assurent une grande renommée.

Joël Roman

■ *Le Système de Leibniz et ses modèles mathématiques*, PUF, 1968, 2 vol. — *Hermès I, II, III, IV, V*, Minuit, 1969-1980. — *Esthétiques. Sur Carpaccio*, Hermann, 1975. — *La Naissance de la physique dans le texte de Lucrèce*, Minuit, 1977. — *Le Parasite*, Grasset, 1980. — *Genèse*, Grasset, 1982. — *Éléments d'histoire des sciences*, Bordas, 1989. — *Le Contrat naturel*, François Bourin, 1990. — *Le Tiers instruit*, François Bourin, 1991. — *Éclaircissements* (entretiens avec B. Latour), François Bourin, 1991. — *Les Origines de la géométrie*, Flammarion, 1993. — *Atlas*, François Bourin, 1994.

SEUIL (Éditions du)

Créées en novembre 1935 par Henri Sjöberg, publiciste, au 23 rue du Parc-Montsouris, les Éditions du Seuil n'auront jusqu'en 1945 qu'une activité assez restreinte. Après la publication d'un recueil de poèmes et d'un livre pour enfants, le fondateur rencontre, dans un groupe d'intellectuels chrétiens, Jean Bardet, vingt-sept ans, et Paul Flamand, vingt-huit ans, qui décident de quitter le premier la porcelaine et le second la bijouterie pour prendre en main la destinée de la maison qu'ils installent en 1937 au 1 rue des Poitevins. Sans appuis financiers, ils imaginent une forme d'édition originale, le « contrat de commandite » : associant l'auteur du texte, leur travail et un industriel qui paie les frais d'imprimeur, ils partagent en trois les bénéfices. Trois livres paraîtront avant la guerre. Tandis que Jean Bardet est fait prisonnier puis poursuivi pour avoir fait imprimer de fausses cartes d'identité, Paul Flamand participe à Jeune France* et rencontre Hubert Beuve-Méry* et Emmanuel Mounier*. Grâce à du papier de luxe, les Éditions du Seuil peuvent reprendre leur activité en publiant des livres d'art avec Georg, Villon, Gromaire. En 1943, *Étoile au grand large*, les pensées de Guy de Larigaudie, un célèbre chef scout tué en 1940, est leur premier succès. Le 1er octobre 1945, les Éditions du Seuil sont transférées au 27 rue Jacob dans un hôtel particulier qu'elles occupent toujours.

Dès l'origine, la maison s'oriente dans deux directions principales : la littérature et les sciences humaines, parmi lesquelles la spiritualité tient une telle place qu'on a accusé la maison d'être subventionnée par le Vatican et les jésuites. Plutôt « catholique de gauche », elle s'est en fait révélée très œcuménique et ouverte sur le monde, réunissant des hommes aussi différents que Mounier jusqu'à sa mort en 1950, ses successeurs à la direction d'*Esprit** Albert Béguin* et Jean-Marie Domenach*, Jean Daniélou* ou Paul-André Lesort et publiant des textes de Teilhard de Chardin*, de Charles de Foucauld, de Maître Eckhart, de Jacques Berque* ou Élie Wiesel. Dès la fin de la guerre, Emmanuel Mounier revenu à Paris relance sa revue *Esprit*, qui demeurera toujours indépendante, en même temps qu'il crée des collections « Esprit » au sein du Seuil. Albert Béguin, professeur à Bâle pendant la guerre où il avait lancé les « Cahiers du Rhône », vient poursuivre sa collection, qui abritera notamment Pierre Emmanuel* et Jean Cayrol*, devenus deux des figures emblématiques du Seuil. Après les cahiers *Dieu vivant**, Paul-André Lesort, avec « Maîtres spirituels » et « Le Livre de vie », régnera longtemps sur les collections de spiritualité ; c'est lui qui publie la nouvelle traduction de la Bible par le chanoine Osty.

Aux mains d'Albert Béguin et Emmanuel Mounier, puis de François Wahl* de 1957 à 1989, les sciences humaines sont rapidement devenues un des secteurs prépondérants de la maison ; des auteurs comme Roland Barthes*, Edgar Morin*, Ivan Illich, Alain Touraine* ou Michel Crozier* y donnent fidèlement leur œuvre. Dans la collection « Le Champ freudien » sont accueillis les *Écrits* de Lacan* et, avec Paul Ricœur*, François Wahl fonde « L'Ordre philosophique » dont le retentissement sera international. « Poétique » accueille Gérard Genette* et Tzvetan Todorov* dans une collection fondamentale. « L'Histoire immédiate » dirigée par Jean Lacouture* puis Jean-Claude Guillebaud, « Combat » de Claude Durand, et « L'Univers historique » de Jacques Julliard et Michel Winock composent le domaine historique et politique de la maison. Pour couvrir le scientifique, après « Le Rayon de la science » d'Étienne Lalou, il est fait appel à Michel Chodkiewicz, qui reprend la revue *Atome* pour en faire *La Recherche*. En 1978, il y adjoindra *L'Histoire*.

Autour du Seuil et de tous ces courants intellectuels ont également gravité *Le Monde** d'Hubert Beuve-Méry, le Club Jean-Moulin* et les partisans de la décolonisation. Tous y ont trouvé un espace intellectuel leur permettant de défendre leurs idées.

Dans le domaine littéraire, romans français et étrangers tiennent une part égale. Les grands succès avec, à partir de 1951, la série des *Don Camillo* de Guareschi, puis *Le Guépard* de Lampedusa et *Le Dernier des Justes* de Schwarz-Bart, prix Goncourt en 1959, ou *Au nom du fils* d'Hervé Bazin, mais aussi Musil, Soljenitsyne, Grass et Ben Jelloun accompagnent les œuvres de jeunes écrivains publiées par Jean Cayrol puis Claude Durand dans la collection « Écrire » ; Philippe Sollers*, Jean-Pierre Faye* et Régis Debray* y ont notamment fait leurs débuts.

Le Seuil permettra à Philippe Sollers de créer, de façon indépendante, la revue *Tel Quel** et la collection du même nom qui marqueront dès le début des années 60 l'avant-garde littéraire, avant de quitter la maison. Depuis 1974, Denis Roche*, dans « Fiction & Cie », abrite les textes les plus expérimentaux.

Précurseurs, les Éditions du Seuil l'ont été aussi avec le livre au format de poche. Dès 1951 est fondée la collection « Écrivains de toujours », sous la direction de Francis Jeanson* ; puis ce seront « Solfèges » de François-Régis Bastide, « Petite planète » de Chris Marker, « Société » de Robert Fossaert, « Le Temps qui court » de Lesort puis Michel Winock, « Politique » de Jacques Julliard et, depuis 1970, la série des collections « Points » (romans, histoire, politique, sciences, etc.) avec, en 1981, l'anticonformiste « Points-Virgule ».

Jean Bardet et Paul Flamand ont pris leur retraite en 1979, laissant la direction du Seuil à Michel Chodkiewicz. Celui-ci, en 1989, a passé la main à Claude Cherki, qui lui avait déjà succédé à la direction de la Société des Éditions scientifiques, éditant *La Recherche* et *L'Histoire*. Le capital est resté aux mains des familles des deux fondateurs et à une Société civile du personnel du Seuil qui, depuis 1970, détient près de 30 %. Cette formule originale est destinée à sauvegarder l'indépendance d'une maison qui est un modèle de réussite éditoriale au XXe siècle par l'éclectisme et la rigueur dont elle fait preuve.

Pascal Fouché

■ M. Alphant, « La marche du Seuil », *Libération*, 1er juin 1989. — H. Chabrier, « Les barons de l'édition. Le Seuil », *Art*, n° 69, 18-24 janvier 1967. — F. Piault, « Le Seuil : croître pour rester "moyen" », *Livres-Hebdo*, n° 38, 21 septembre 1990. — *Sur Le Seuil*, Seuil, 1979. — « Les cinquante ans du Seuil », *Livres-Hebdo*, n° 25, 17 juin 1985.

SÉVERINE [Caroline Rémy]

1855-1929

« Si je m'étais trompée ? » Séverine, seule femme parmi les grands noms du journalisme des années 1890, s'arroge le droit de douter publiquement de ses choix, consciente de sa responsabilité d'intellectuelle. Née à Paris en 1855, Caroline Rémy souffre toute son enfance de l'étroitesse d'esprit et de cœur de son milieu familial. Mariée jeune, elle reprend vite sa liberté et devient lectrice dans une famille aisée dont elle épousera le fils. Sa rencontre fortuite avec l'ancien communard Jules Vallès, en 1880, bouleverse sa vie. Devenue sa disciple, elle apprend le journalisme et le b a-ba de la révolution en l'aidant à relancer *Le Cri du peuple*. C'est alors qu'elle adopte son pseudonyme de « Séverine ». À la mort du maître en 1885, elle prend la direction du journal et tente en vain d'en garder l'esprit d'ouverture jusqu'en 1888. Son indépendance l'expose à une campagne ignominieuse aussi bien dans la presse de droite que d'extrême gauche. Elle entame cependant une brillante carrière dans des tribunes de tous bords *(Le Gaulois*, *L'Éclair*, *Gil Blas)* qui laissent libre cours à son talent de polémiste, à ses reportages sur le vif — au fond d'une mine après un coup de grisou —, aux confidences à son « cher public ».

Fidèle à Vallès, amie de tous les opprimés et des animaux, Séverine conserve un fond de socialisme libertaire, généreux et sentimental, toutefois non dénué d'ambiguïté. Ainsi soutient-elle le boulangisme et cautionne-t-elle, par sa collaboration, *La Libre Parole* d'Édouard Drumont* (1894) et la petite revue « antijuive » de G. Téry, *L'Œuvre*. Antisémite, Séverine ? Elle s'en défend. Elle fut d'ailleurs parmi les premiers à s'engager en faveur de Dreyfus, notamment dans les colonnes du quotidien féministe *La Fronde**. Elle n'en rejoint pas pour autant le mouvement du droit des femmes. Bien qu'elle fût partisane de l'égalité des sexes, et même favorable dès 1892 au droit à l'avortement, Séverine est opposée au droit de vote. Ce n'est qu'en 1914, pendant la campagne suffragiste qui agite alors la France, qu'elle prend le train en marche. Très active, elle fédère les associations et organise l'imposante manifestation « en l'honneur de Condorcet » de juillet 1914. Pour mieux reprendre ensuite sa chère indépendance.

Pacifiste lors de la Première Guerre mondiale*, elle connaît un moment difficile. Elle n'en témoigne pas moins au procès d'Hélène Brion, l'institutrice féministe révoquée pour défaitisme. La révolution russe l'enthousiasme et la conduit à adhérer au Parti communiste en 1921. Elle sera « excommuniée » en 1923 après avoir refusé de démissionner de la Ligue des droits de l'homme* dont elle est un des plus anciens membres. Son dernier combat sera de soutenir Sacco et Vanzetti*. Chroniqueuse active *(Paris-Soir*, *La Volonté)* jusqu'à sa mort en 1929 à Pierrefonds, Séverine reste un esprit libre et révolté, ennemie de tout dogmatisme.

Laurence Klejman et Florence Rochefort

■ *Notes d'une frondeuse*, Simonis-Empis, 1894. — *Vers la lumière... Affaire Dreyfus... Impressions vécues*, Stock, 1900. — *Line*, Grès, 1921. — *Choix de papiers* (annotés par É. Le Garrec), Tierce, 1982.

▒ B. Lecache, *Séverine*, Gallimard, 1921. — É. Le Garrec, *Séverine*, Seuil, 1982.

SFIO ET PS : INSTITUTIONS CULTURELLES

Les années 1905-1914 sont dominées par Jaurès* et le socialisme des intellectuels. *L'Humanité** s'impose comme un grand quotidien national (80 000 exemplaires en 1912). *Le Socialiste*, fondé par Guesde, est un bulletin intérieur qui donne des études théoriques et des comptes rendus de congrès. *La Revue socialiste*, créée par Benoît Malon puis dirigée par Georges Renard, Rouanet et Fournière, est relancée par Albert Thomas. *Le Mouvement socialiste** (1899-1914) de Lagardelle*, proche du syndicalisme révolutionnaire, apparaît au début du siècle plus dynamique. *La Vie socialiste* (1904-1905) de Pressensé, *Le Socialisme* d'inspiration guesdiste et toutes les publications régionales restent davantage sur le terrain purement politique. Les militants peuvent lire aussi Charles Andler* qui prône, dans *La Civilisation socialiste* (1912), une régénération culturelle, le rationaliste Georges Renard ou encore Georges Sorel* et son disciple Berth* hantés par la décadence.

Jaurès s'emploie à maintenir l'unité, mais il est sans doute plus admiré et aimé que véritablement compris. La synthèse dreyfusarde s'épuise et les Universités populaires* s'essoufflent. La SFIO cherche à faire vivre sa propre culture, en constituant des écoles de formation, en diffusant livres et brochures, en assurant une propagande nationale, mais cet effort est loin d'être achevé à la veille de la guerre.

Celle-ci, l'assassinat de Jaurès et la pratique de l'Union sacrée amènent la SFIO à restructurer ses cadres de pensée. Sans doute, le socialisme de gouvernement incarné par Albert Thomas semble en échec à la fin du conflit. Après le congrès de Tours, la SFIO entreprend sa reconstruction avec une « tête », Paul Faure, secrétaire général du parti, de formation guesdiste, et un « cœur », Léon Blum*, directeur du *Populaire*, secrétaire du groupe parlementaire qui, face à la concurrence communiste, entendent rester fidèles à l'esprit de la « vieille maison ». Il ne faut pas négliger néanmoins le renouveau doctrinal, initié par le programme de 1919 préparé par Blum qui préconise le contrôle de la production nationale par des chambres économiques. Des revues s'ouvrent aux expériences étrangères, dans une optique modérée (*La Vie socialiste*, de Renaudel) ou révolutionnaire (*La Bataille socialiste*, de Zyromski), ou encore dans un effort de synthèse à gauche (la *Nouvelle revue socialiste*, de Longuet et Frossard, entre 1925 et 1931). *Le Populaire* lui-même s'intéresse à l'austro-marxisme, au travaillisme, au socialisme belge, au bolchevisme. La culture socialiste est également vivifiée par les contacts avec la CGT* (l'Institut supérieur ouvrier de 1932 à 1939), l'ouverture aux classes moyennes, les relations avec la franc-maçonnerie, les organisations laïques, les intellectuels... Nombre de socialistes militent au Comité de vigilance des intellectuels antifascistes* (CVIA) ou aux auberges de jeunesse, encadrent les Faucons rouges... Dans les années 30, après la scission néo, le débat est animé par de petites revues, souvent à gauche du parti : *Révolte* (1931-1934), *Combat marxiste* (1933-1936), *Idée et action* (1936-1937), *L'Étudiant socialiste* (depuis 1926)...

La Libération écarte la plupart des vieux cadres, attentistes ou partisans de la « politique de présence » à Vichy. Guy Mollet privilégie les structures du parti : comité directeur, congrès, fédérations, même si la propagande cherche à se tourner vers les femmes, les étudiants, l'outre-mer, la culture et le cinéma (Marceau Pivert). De nombreux intellectuels écrivent cependant dans *Arguments et ripostes* ou *La Revue socialiste* (1947-1972) dirigée par Ernest Labrousse*, puis, après la CED, par Weill-Raynal. L'expérience de *Demain*, en 1957, est très intéressante, mais la guerre d'Algérie éloigne toute une génération intellectuelle de la SFIO. Dans les années 60, le renouvellement de l'idéologie socialiste a lieu pour l'essentiel dans les clubs de pensée (Cercle Tocqueville), plus ou moins militants (Club Jean-Moulin*, Club des jacobins de Charles Hernu...) et au PSA transformé en PSU après 1960. La plupart des clubs se regroupent en 1964 dans la Convention des institutions républicaines de Mitterrand. Conscient des difficultés, Guy Mollet encourage les débuts du CERES (1964), mais, après les traumatismes de Mai 68 et de l'échec de Defferre en 1969, les socialistes se regroupent en un nouveau Parti socialiste à Épinay (1971). La culture initiale de celui-ci, inspirée par Chevènement et le CERES, se déplace vers la gauche. Lutte de classes, autogestion, front de classes, sont les thèmes à la mode. *La Nouvelle Revue socialiste* (1972-1992) ne parvient pas à s'imposer face aux revues de tendances : les *Cahiers de l'ERIS* de Poperen, *Frontière* puis *Repères* et *Non* du CERES, *Faire* et *Intervention* considérés comme rocardiens... L'expérience du pouvoir (1981) et les tournants idéologiques qu'elle entraîne imposent bien des reconsidérations, que tente de synthétiser le congrès de l'Arche (1991) qui adopte une nouvelle déclaration de principes. Les difficultés politiques du Parti socialiste, à la recherche de son identité, et concurrencé par les écologistes, entraînent au début des années 90 une nouvelle floraison de clubs : *Témoin* avec Jacques Delors, le Centre Galilée et la revue *Vu de gauche* lancés par Jean Poperen, le Mouvement des Citoyens, en dissidence, avec Max Gallo et Chevènement, et les Bulletins de la Gauche socialiste (Dray, Lienemann...) et des divers courants (Jospin, Rocard, Mermaz...). Fondé en 1969 par Guy Mollet, l'OURS (Office universitaire de recherches socialistes) s'est affirmé autour de solides archives, d'une riche bibliothèque et a su élargir son cercle de chercheurs (cahier et revue bimestrielle, journal mensuel). La culture propre au parti semble avoir toujours du mal à s'imposer : *Vendredi** (1989-1994) remplace *L'Unité* (1972-1986), mais, comme *Vendredi Idées* (1992-1993) et l'Institut socialiste d'études et de recherches (ISER), animé dans les années 70 par Jean Pronteau et Colette Audry*, finit par s'effacer. Le PS cherche à réorganiser son effort de culture et de formation autour de la Fondation Jean-Jaurès et du Centre Condorcet.

Stéphane Clouet

■ A. Bergounioux et G. Grunberg, *Le Long Remords du pouvoir. Le Parti socialiste français*, Fayard, 1992. — J. Droz (dir.), *Histoire générale du socialisme*, PUF, 1972 à 1978, 4 vol. — G. Lefranc, *Le Mouvement socialiste sous la IIIe République*, Payot, 1963. — H. Portelli, *Le Socialisme français tel qu'il est*, PUF, 1980.

SIÈCLE (le)

Voici une aimable association, dont le seul but avoué est de permettre à ses membres de dîner ensemble une fois par mois. C'est donc, si l'expression n'avait pris un tour par trop ambigu, un « club de rencontres ». Fondé le 2 septembre 1944 par le publiciste Georges Bérard-Quélin, le Siècle se propose, selon ses statuts, de rapprocher diverses catégories de Français « sensibles à la chose publique ». Il vise à rapprocher notamment des « personnalités politiques, des hauts fonctionnaires, des syndicalistes, des industriels, des financiers, des journalistes, des membres de professions libérales ». Rien, on le voit, n'a été prévu pour les tourneurs sur métaux, les ouvriers agricoles saisonniers ou les épiciers maghrébins. Pour le dire autrement, le Siècle est un club fermé, réservé à une élite cooptée selon de subtils critères coutumiers. Rien n'y interdit, par exemple, d'y recruter des membres du Front national ou de la Ligue trotskiste révolutionnaire, voire du Parti communiste. Il se trouve seulement qu'on n'en rencontre pas.

Pour être membre du Siècle, il faut être français, âgé de moins de soixante-six ans, sauf dérogations spéciales, exercer à un niveau élevé une activité professionnelle dans l'une des catégories énumérées plus haut, avoir été proposé par deux « parrains ». Il faut encore que la candidature, éprouvée par un catéchuménat d'au moins une année, sous la forme de quatre dîners minimaux, ait été ratifiée par la majorité absolue des membres du conseil, chaque vote « contre » annulant deux votes « pour ». On ne s'introduit pas au Siècle par effraction, on ne s'y maintient pas sans un minimum d'assiduité, dûment contrôlée, qui garantit la conformité permanente de chacun de ses membres avec le corps et l'esprit de l'institution. Le président du conseil d'administration de l'association est une personnalité de rayonnement national. Depuis 1944, le Siècle a été présidé par Alof de Lovencourt, Ludovic Tron, Pierre Moussa, Jacques Fauvet*, Marcel Boiteux, Jérôme Monod, Jean François-Poncet, Maurice Ulrich, Simon Nora, Roger Fauroux, Marceau Long, Jacques Rigaud.

En 1995, les effectifs du Siècle étaient de 570, auxquels s'ajoutaient 200 invités, dont certains étaient destinés à devenir à leur tour membres de l'association. À la même date, 30 % d'entre eux étaient dans le secteur public, mais 40 % du privé venaient de la fonction publique. On y comptait ainsi une trentaine de parlementaires et une vingtaine de journalistes. Une soixantaine de membres appartenaient à l'enseignement ou à la recherche, une vingtaine au monde culturel, une quarantaine aux professions libérales. Une centaine de membres travaillaient dans des banques ou des établissements financiers, une soixantaine dans l'industrie. Ces proportions ne donnent qu'une faible idée des fonctions réelles des membres qui appartiennent pour la plupart à cette catégorie interprofessionnelle qualifiée aujourd'hui de « décideurs ».

Les dîners ont lieu un mercredi de chaque mois, au siège du Touring Club de France, place de la Concorde. En raison de la croissance de l'association, tous les membres ne peuvent être conviés à chacun des dîners, et une rotation a été instituée. Les dîners se prennent par table de six, selon un plan et une alternance établis par les responsables de l'association. Chaque table est présidée par un membre du conseil ou une personnalité en tenant lieu. En principe, une conversation s'engage, très libre ou plus guindée, selon que les convives réunis ce soir-là entretiennent entre eux des relations anciennes ou des affinités particulières. La plupart des conversations gravitent autour des affaires publiques avec, compte tenu de la personnalité de la majorité des membres, une préférence pour les sujets économiques. Mais la politique tient aussi évidemment une grande place. Souvent plus que les repas proprement dits, l'apéritif qui précède, pris debout entre tous les invités du jour, est un grand forum bruissant où s'échangent adresses, informations, services et amabilités. Une règle non écrite veut que les propos tenus, qui associent, aux limites précisées plus haut, adversaires politiques ou concurrents industriels, restent privés et ne donnent lieu à aucune exploitation extérieure. Cette règle, rarement transgressée, donne une haute idée de la cohésion — voire de l'exclusivisme — de l'élite dirigeante française. Cela n'empêche nullement des relations de s'approfondir, des intrigues de s'esquisser, des plans de carrière de s'échafauder. Le Siècle témoigne, de par sa composition et son mode de fonctionnement, de l'existence en France d'une super-élite, réunissant l'élite des grandes catégories de dirigeants, sous l'hégémonie de l'aristocratie économico-financière du pays.

Jacques Julliard

SIEGFRIED (André)

1875-1959

Ni intellectuel d'engagement ni universitaire véritable, André Siegfried conquiert malgré tout, entre la fin des années 20 et les années 50, une situation d'influence au sein de la petite république des essayistes politiques.

Héritier de la République, fils de Jules Siegfried, ancien ministre de centre gauche, de tradition libérale et protestante, il est un enfant de la bonne société de la Côte-d'Ingouville, au Havre, avant les études à Paris et le lycée Condorcet, l'École libre des sciences politiques* puis un doctorat en droit. Mais il est aussi, à sa manière, un atypique : par sa passion du voyage (un tour du monde de vingt-trois mois en 1900-1901) et sa connaissance directe de l'étranger, et par sa volonté de tout noter, chiffrer et observer. Sa thèse de doctorat ès lettres est donc un compte rendu de voyage *(La Démocratie en Nouvelle-Zélande)* plutôt que l'exégèse de livres ou d'archives. Pour le reste de sa carrière, il doit ses succès publics à cet exercice scrupuleux et méthodique des récits de voyages mis au goût scientifique de son temps (des tableaux économiques, des analyses politiques, des considérations de psychologie collective).

Face à la question de l'engagement, André Siegfried semble marcher à reculons ; d'abord des tentatives électorales malheureuses, ensuite l'adoption d'une attitude de prudence et de mise à distance. Entre 1902 et 1910, il échoue quatre fois aux élections législatives malgré son nom et le soutien de son père. Pourtant, ce sont ces passages dans l'arène et les enquêtes sur le terrain qui lui permettent, dans le même temps, de consacrer une étude savante et novatrice à la France de l'Ouest : le *Tableau politique de la France de l'Ouest* (1913), considéré comme l'œuvre fondatrice d'une certaine science politique française. Faute de reconnaissance (elle ne sera que tardive) de la part des tenants des sciences sociales (ni celle des sociologues durkheimiens, ni celle du géographe Vidal de La Blache*), ce début d'œuvre « scientifique » (selon les critères d'aujourd'hui) n'a guère de suite ni de rôle majeur dans le succès personnel de son auteur.

Après la guerre (il est interprète auprès de l'armée britannique) et un passage par la nouvelle diplomatie internationale (il est sous-chef puis chef de la section économique du service français de la SDN de 1920 à 1922), la véritable célébrité et l'influence lui sont acquises à partir de la publication, en 1927, des *États-Unis aujourd'hui*. Son livre fait écho à l'un des grands débats de cette fin des années 20 et du début des années 30 sur la portée du nouvel industrialisme et du machinisme face aux valeurs traditionnelles (voir aussi sa *Crise britannique* de 1931). Il n'endosse pas pour autant un rôle d'intellectuel engagé. Professeur à l'École libre des sciences politiques depuis 1911, conférencier tous azimuts et toujours grand voyageur, il est élu à l'Académie des sciences morales et politiques (1932), est titulaire d'une chaire de « géographie économique et politique » au Collège de France* (1933) et assure une collaboration régulière au *Figaro** à partir de 1934, et ce, jusqu'à sa mort.

Attentiste mais, plus encore, bienveillant à l'égard du régime de Vichy, il développe, selon des idées qui sont chez lui déjà anciennes, des enseignements et des écrits (articles du *Temps*) proches d'une géographie racialisante où les notions de hiérarchie des peuples, de défense de l'Occident et d'inassimilabilité (notamment des juifs) reprennent et systématisent sous des couleurs à la fois savantes et littéraires (Barrès* revendiqué) un certain nombre de préjugés partagés par son milieu social et intellectuel, protestants libéraux compris. Élu à l'Académie française* en octobre 1944 et devenu le premier président de la Fondation nationale des sciences politiques en 1945, cette approche en termes de psychologie des peuples inspire encore ses derniers écrits (*L'Âme des peuples* de 1950).

Nicolas Roussellier

■ *Tableau politique de la France de l'Ouest sous la III*e *République*, Armand Colin, 1913, rééd. Imprimerie nationale, 1995. — *Les États-Unis d'aujourd'hui*, Armand Colin, 1927. — *La Crise britannique au XX*e *siècle*, Armand Colin, 1931, rééd. 1975. — *Mes souvenirs de la III*e *République. Mon père et son temps. Jules Siegfried (1838-1922)*, Éd. du Grand Siècle, 1946. — *L'Âme des peuples*, Hachette, 1950.

■ P. Birnbaum, *« La France aux Français ». Histoire des haines nationalistes*, Seuil, 1993 (chap. 5). — P. Favre, *Naissance de la science politique en France (1870-1914)*, Fayard, 1989. — *L'Œuvre scientifique d'André Siegfried* (colloque pour la célébration du centenaire d'André Siegfried), Presses de la FNSP, 1975.

SILENCE DES INTELLECTUELS

1983

Le 26 juillet 1983, dans *Le Monde**, Max Gallo, alors porte-parole du gouvernement socialiste, s'interroge : « La gauche abandonnerait-elle la bataille des idées ? » Dans un long article, il pose le diagnostic d'une crise de la gauche intellectuelle « en plein émiettement » et s'inquiète des tensions qu'il décèle entre celle-ci et le nouveau pouvoir. Agitant la menace de la victoire idéologique de la droite, il appelle les intellectuels à réfléchir sur le politique et à intervenir dans le débat d'idées, pour conclure : « Le succès de la gauche dépendra pour une grande part du mouvement des idées qui librement animera les esprits. » Son propos est relayé dans le même quotidien par une enquête signée Philippe Boggio, les 27 et 28, intitulée « Le silence des intellectuels de gauche ». Le journaliste y fait état du malaise qui tiendrait les « clercs » à l'écart de la politique, ceux-ci se consacrant à leurs travaux ou à la littérature — une distance déjà évoquée par *Le Nouvel Observateur**, dès août 1981, et *Esprit** (novembre-décembre 1981). Il se fait l'écho de Régis Debray*, déplorant que ses pairs ne veuillent accepter aucune fonction officielle. La raison de cet éloignement ? Les élections de mai-juin 1981 auraient été « une victoire à contretemps ». La complaisance des socialistes à l'égard du communisme (présence de communistes au gouvernement et affaire de la Pologne), alors que la critique antisoviétique est un pôle essentiel de la réflexion intellectuelle, serait un motif central de leurs réticences (il citait à ce propos Alain Finkielkraut*, André Glucksmann* ou Bernard-Henri Lévy*).

Ces trois articles déclenchent une série de réactions et de commentaires qui alimentent la controverse et remplissent les colonnes du *Monde* tout au long du mois d'août. Un certain nombre de témoignages viennent étayer la thèse de P. Boggio.

D'autres, en revanche, contestent l'interprétation du « silence ». L'écrivain Vercors*, suivi par des enseignants, s'oppose à la thèse de la déception : les intellectuels sont circonspects, patients. Surtout, on s'interroge sur la fonction de l'intellectuel. Est-ce son rôle de soutenir le gouvernement, d'accepter des responsabilités politiques ? Pour le sociologue Jean Duvignaud*, la pensée n'étant pas en danger, l'intervention des intellectuels n'est pas requise. Et l'historienne Madeleine Rebérioux* note que si le nombre de pétitions est moindre, c'est qu'il y a moins de raisons de pétitionner. Le professeur de médecine Léon Schwartzenberg* insiste sur la fonction de vigilance critique de l'intellectuel et Lionel Stoleru sur sa nécessaire indépendance à l'égard de tout pouvoir. Le sociologue Jean Baudrillard* juge une « aberration », un « péril » que de vouloir associer les intellectuels au pouvoir *(Le Matin)*. Et le psychanalyste Félix Guattari* renvoie la balle dans le camp du gouvernement, en lui demandant d'exprimer des projets afin d'ouvrir le débat. Le problème est donc mal posé et les attentes du gouvernement illégitimes ou erronées.

Enfin, on met en cause la définition de la catégorie « intellectuels ». Madeleine Rebérioux relève sa limitation à quelques essayistes et philosophes renommés. Et l'écrivain Paul Sérant dénonce un débat qui ne concerne que les vedettes du monde intellectuel. Jean Gattegno (lui-même directeur du Livre et de la Lecture au ministère de la Culture) juge illusoire la réduction de l'activité politique des intellectuels à la signature de pétitions ou à leurs articles dans la presse. L'implication d'un intellectuel dans la vie de la Cité prend d'autres formes, négligées par Boggio et Gallo. Il cite ainsi l'activité de Félix Guattari dans son association transculturelle et la création par François Châtelet*, Jean-Pierre Faye* et Jacques Derrida* du Collège international de philosophie*. Quant à Jean-Pierre Faye, il dénonce « le silence des intellectuels » comme un produit de la « machine à information ».

À certains égards, en effet, ce débat avait les allures d'un feuilleton estival consacré aux états d'âme de la « haute intelligentsia ». Plus profondément, il traduisait une interrogation sur le rôle des intellectuels, leur rapport avec le pouvoir (la gauche n'était-elle pas leur famille ?) et la forme de leur engagement dans la vie politique. Il s'inscrivait aussi dans le cadre d'une crise du magistère intellectuel liée à la disparition du modèle d'engagement sartrien, à la disqualification du système de pensée marxiste mais aussi à la médiatisation du débat intellectuel.

Séverine Nikel

■ « Changement intellectuel ou changement des intellectuels ? » (table ronde : A. Finkielkraut, P. Ory, J. Revel, M. Winock), *Le Débat*, mai-septembre 1987, n° 45.

SIMIAND (François)

1873-1935

Économiste souvent dans l'ombre, ignoré par la Faculté de droit, François Simiand n'a pas trouvé la célébrité au Collège de France*, mais son œuvre exerce une grande influence sur les historiens de l'économie.

Né à Gières en 1873, fils d'instituteur, François Simiand est un lauréat idéal de la IIIe République ; deuxième rue d'Ulm (1892), premier à l'agrégation de philosophie (1896), il appartient alors au groupe des élèves socialistes de l'École normale supérieure* qu'anime Lucien Herr*. Disciple de Durkheim*, il collabore à *L'Année sociologique* dès sa fondation (1898). Trois années à la Fondation Thiers lui permettent de réorienter son cursus avec une thèse de droit *(Le Salaire des ouvriers des mines en France)*. Sa vision des sciences sociales le pousse à critiquer les historiens adorateurs du politique, de l'individuel et du chronologique (1903).

Bibliothécaire du ministère du Commerce (1901-1906), puis du ministère du Travail de 1906 à 1921, ses amitiés politiques et ses compétences font de lui un homme d'influence, chef du cabinet d'Albert Thomas (1915-1917), directeur du travail chargé de l'adaptation de la législation alsacienne à la France en 1919-1920. À cette date débute sa carrière d'enseignant : professeur au CNAM (1919), chargé de conférences d'histoire et statistique économique à la IVe Section de l'École pratique des hautes études (1924) pour aboutir au Collège de France* (1932). Cependant, son œuvre sera lente à s'imposer. À partir de séries parallèles de prix et de salaires, François Simiand détermine des phases A et B de montée (croissance) et de baisse (récession) des prix qui s'insèrent dans une théorie d'ensemble des rapports sociaux en fonction des anticipations des patrons et des ouvriers selon les mouvements de leurs prix et de leurs revenus. D'essence monétariste, cette description de la conjoncture va marquer l'histoire économique et sociale en France, en particulier celle d'Ernest Labrousse* et de ses disciples. François Simiand meurt en 1935 à Saint-Raphaël.

Olivier Dumoulin

■ « Méthode historique et sciences sociales », *Revue de synthèse historique*, 1903, rééd. *Annales ESC*, 1960. — *Le Salaire des ouvriers des mines de charbon. Contribution à l'étude économique du salaire* (thèse de droit, 1904), *Journal de la Société statistique de Paris*, 1908. — *Les Fluctuations économiques à long terme et la crise mondiale*, Alcan, 1932. — *Recherches anciennes et nouvelles sur le mouvement général des prix du XVIe au XIXe siècle*, Donat-Montchrestien, 1933.

▒ J. Bouvier, « Feu François Simiand ? », *Annales ESC*, n° 5, 1973. — M. Cedronio, *François Simiand. Méthode historique et sciences sociales*, 1988. — M. Lévy-Leboyer, « L'héritage de François Simiand : prix, profit et termes de l'échange au XIXe siècle », *Revue historique*, n° 1, 1970.

SIMON (Claude)

Né en 1913

Claude Simon n'est pas, au sens strict, un intellectuel. Se définissant exclusivement comme romancier, il a toujours refusé la notion d'engagement au sens que lui donnait J.-P. Sartre*. Pourtant, comme plusieurs auteurs du Nouveau Roman, il a constamment manifesté une grande sensibilité aux combats de gauche, tout en participant au cours des années 50 et 60 à des débats consacrés aux relations entre écriture et politique.

Claude Eugène Henri Simon est né à Tananarive le 10 octobre 1913 dans une famille de la moyenne bourgeoisie. Son père, officier formé à l'École de Saint-Cyr, était issu d'une lignée de petits vignerons comtois, tandis que sa mère, appartenant à la bourgeoisie bien pensante de la région de Perpignan, comptait un général de la Révolution et de l'Empire parmi ses ancêtres, dont il est notamment question dans *Histoire*. Orphelin très tôt de père et de mère, Claude Simon fut élevé dans sa famille maternelle, qui le destinait à un emploi d'officier. Mais en 1936, il est à Barcelone, au cœur de la guerre civile espagnole qu'il évoque souvent dans ses romans, en particulier *Le Palace* et *Les Géorgiques*, qui reprennent des éléments de l'*Hommage à la Catalogne* de George Orwell. Au cours d'un voyage en Europe, il découvre également l'Allemagne de Hitler, la Pologne et l'Union soviétique.

Nourri, comme il le précise lui-même, « de toute une littérature révolutionnaire », Claude Simon aurait pu basculer complètement dans le combat politique durant sa jeunesse. La guerre, cependant, semble avoir profondément modifié son regard sur l'engagement, et au-delà, sur l'idéologie et sur l'Histoire. Cavalier dans le premier escadron du 31e régiment de dragons en 1940, sur le front belge, il fut aux premières loges pour assister au désastre de l'armée française. Ces événements se retrouvent dans presque tous ses romans, en particulier *La Route des Flandres*. Pour Claude Simon, la guerre, synonyme de régression, révèle la fragilité de la civilisation : il n'y a pas de sens de l'Histoire. Comme d'autres auteurs du Nouveau Roman (Nathalie Sarraute*, Alain Robbe-Grillet* surtout, rencontré chez l'éditeur Jérôme Lindon), il fonde sa conception de la littérature sur un rejet de la linéarité du roman traditionnel et s'est toujours opposé à l'idée d'une littérature engagée. Il y a pour lui une séparation stricte entre ce que peut la littérature et ce qu'exige la dignité d'un homme : s'il n'a pas hésité à prendre position pendant la guerre d'Algérie par exemple, en intervenant au procès Jeanson* et en signant le « Manifeste des 121 »*, il a aussi toujours affirmé qu'une œuvre, littéraire ou non, n'a pas à servir une cause, mais à opérer sa propre révolution formelle. Durant les années 60, Claude Simon fut sollicité par toute une génération de critiques et d'universitaires marxistes en rupture avec Sartre et les communistes, comme Sollers* ou Ricardou. Peu à peu cependant, il s'est abstrait des débats théoriques, privilégiant exclusivement un travail d'écriture consacré par le prix Nobel de littérature en 1985.

William Kadouch Chassaing

■ *L'Herbe*, Minuit, 1958. — *La Route des Flandres*, Minuit, 1960. — *Le Palace*, Minuit, 1962. — « Le romancier et la politique : et si les écrivains révolutionnaires jouaient le rôle de la presse du cœur ? », *L'Express*, 25 juillet 1963. — « Deux écrivains répondent à Jean-Paul Sartre. Claude Simon : pour qui donc écrit Sartre ? », *L'Express*, 28 mai 1964. — *Histoire*, Minuit, 1967. — *Les Géorgiques*, Minuit, 1981. — « Claude Simon, la route du Nobel » (entretien avec M. Alphant), *Libération*, 10 décembre 1985. — *L'Acacia*, Minuit, 1989.

▒ L. Dällenbach, *Claude Simon*, Seuil, 1988. — *Claude Simon* (colloque de Cerisy), UGE, 1975. — « Claude Simon », *Revue des sciences humaines*, n° 220, octobre-novembre 1990, Presses universitaires de Lille.

SIMON (Pierre-Henri)
1903-1972

Pierre-Henri Simon est né le 16 janvier 1903 à Saint-Fort-de-Gironde (Charente-Maritime), où son père était notaire. Scolarisé tard, pour l'année du baccalauréat, à l'école Fénelon de La Rochelle, il est ensuite khâgneux à Louis-le-Grand et entre en 1923 rue d'Ulm, où il se lie à Henri Guillemin*, Jean Guitton* et Georges Izard*, tout en adhérant aux Jeunesses patriotes fondées en 1924 par Pierre Taittinger dans le cadre de la Ligue des patriotes. Professeur aux lycées de Saint-Quentin et de Chartres, il occupe en 1928 la chaire de littérature française à l'Université catholique de Lille.

C'est là, en 1931, qu'il connaît la crise qui le fera abandonner, par loyauté, son attirance vers Paul Bourget*, Maurice Barrès* et Charles Maurras*... Il fera un passage aux Équipes sociales de Robert Garric* et aux *Cahiers de la nouvelle journée* de Paul Archambault. Surtout, il participe à l'aventure d'*Esprit**, dont il sera correspondant à Lille : dès le cinquième numéro de la revue, il donne un long article sur « Le problème de l'Éducation nationale » qui sera publié, aux Éditions du Cerf, dans *L'École et la nation.* En 1936, dans la collection « Esprit », il publie un pamphlet sur *Les Catholiques, la politique et l'argent*, dont les thèses firent scandale. Le général de Castelnau, dans un article de six colonnes en première page de *L'Écho de Paris*, dénonça « l'ennemi masqué de l'Église entré hypocritement dans la bergerie ». Mgr Cholet, archevêque de Cambrai et maurrassien, critiqua le livre mais ne retira pas sa chaire à Pierre-Henri Simon.

Il continuera sa collaboration à *Esprit* et participera à *Sept** et à *Temps présent**. Cependant, le reste de sa carrière d'enseignant se déroulera à l'étranger : il sera professeur de littérature française à l'École des hautes études de Gand et, de 1949 à 1963, à la Faculté des lettres de Fribourg (Suisse).

Fait prisonnier en Bretagne en juin 1940, il lance un bulletin clandestin dans l'oflag IV D à Nuremberg et achève la guerre au camp de représailles de Lübeck.

Son sens de l'honneur, son incapacité à la compromission lui font publier *Contre la torture*, en mars 1957, quand commençaient à être connues en métropole les méthodes utilisées par des militaires français contre le terrorisme algérien. Sa vibrante protestation eut un large écho et une véritable efficacité politique.

Parallèlement à sa carrière universitaire, Pierre-Henri Simon a publié une quarantaine de volumes, menant une carrière d'essayiste, de critique et de romancier : venu au roman pendant sa captivité, il publie *L'Affût* en 1946, *Les Raisins verts* en 1950, *Les hommes ne veulent pas mourir* en 1953 et la trilogie des *Figures à Cordouan* de 1960 à 1971. Le dernier volume, *Sagesse du soir*, est considéré comme très autobiographique et testamentaire. L'humanisme de Pierre-Henri Simon n'annonce ni l'apothéose ni la catastrophe, et tente « un pari raisonnable pour l'homme et pour les produits de son génie : la culture et la société ».

Appelé par Hubert Beuve-Méry* en 1961 à tenir le feuilleton littéraire du *Monde**, il est élu en 1966 à l'Académie française* où l'avaient précédé trois critiques du *Monde* (Émile Henriot, Robert Kemp et Marcel Brion) et où le suivra Bertrand Poirot-Delpech. Critique littéraire, il considère de son rôle de guider le public selon son goût ou ses valeurs, plutôt que de décrypter des textes selon une théorie, ou une psychanalyse : il a été un critique de discernement plutôt que de technique.

Il meurt à Paris le 20 septembre 1972, au cours d'une opération chirurgicale. Il avait donné de son itinéraire des bilans provisoires, dans *Portrait d'un officier* (1958), *Ce que je crois* (1966) et *Parier pour l'homme* (1973). Intellectuel difficilement classable, dégagé plutôt qu'engagé, convaincu sans être inféodé, fidèle à ses origines catholiques et bourgeoises tout en gardant ses distances, c'est au nom même de sa tradition que Pierre-Henri Simon a su prendre des positions en rupture radicale avec l'ordre établi quand celui-ci révoltait ses fidélités.

Jean-Pie Lapierre

■ *L'École et la nation. Aspects de l'éducation nationale*, Cerf, 1934. — *Les Catholiques, la politique et l'argent*, Montaigne, 1936. — *Discours sur la guerre possible*, Cerf, 1937. — *Recours au poème. Chants du captif*, Cahiers du Rhône, 1943. — *Mauriac par lui-même*, Seuil, 1953. — *Contre la torture*, Seuil, 1957. — *Portrait d'un officier*, Seuil, 1958. — *Ce que je crois*, Grasset, 1966. — *Parier pour l'homme*, Seuil, 1973.

▒ *Témoin de l'homme : hommage à Pierre-Henri Simon* (collectif), Éditions universitaires de Fribourg, 1994.

SOBOUL (Albert)

1914-1982

Né en Algérie en 1914, orphelin très jeune, ayant perdu son père à la guerre et sa mère à l'âge de huit ans, Albert Soboul est élevé à Nîmes, par sa tante, directrice de l'école de jeunes filles de la ville. Brillant étudiant, il monte poursuivre ses études d'histoire au lycée Louis-le-Grand puis en Sorbonne. Là, dans le Paris de la fin des années 30, il se donne deux passions qui occuperont l'ensemble de sa vie : la Révolution française et le communisme. Il découvre la première à travers un mémoire d'histoire sur les idées politiques et sociales de Saint-Just, et adhère au Parti en 1939 après avoir été un membre actif du mouvement des étudiants communistes. La guerre est pour Soboul un autre moment décisif. Il y fait l'épreuve du feu — résistant (FTP) dans les maquis des Ardèches à partir de 1942 — et s'initie à sa vocation d'enseignant lorsqu'il est nommé au lycée de Montpellier en 1940.

Au sortir de la guerre, la vie d'Albert Soboul s'organise à partir de ses trois centres d'intérêt privilégiés : la Révolution, le communisme, l'enseignement. Pour résumer les quarante années de cette carrière, on pourrait dire que, s'il pratique chacune de ses passions avec un charisme certain, les croisements et les interférences révèlent un Soboul beaucoup plus dogmatique et autoritaire. Brillant chercheur, historien modèle, Soboul l'est certainement, sous la direction de son maître Georges Lefebvre*. Sa thèse sur la sans-culotterie parisienne, en 1958, le prouve amplement, tout comme ses écrits sur *La Civilisation et la Révolution française* (1970-1977). Admirable enseignant (aux lycées de Montpellier, Marcelin-Berthelot de Saint-Maur, puis Henri-IV, entre 1945 et 1960), doublé d'un homme affectueux et généreux — « Marius » — tenant table ouverte à ses amis et à ses étudiants, Soboul l'est tout autant. Communiste fidèle et paradoxal, enfin, puisque sans jamais varier ses engagements, il ne se reconnaît pas dans le marxisme orthodoxe et conteste parfois ouvertement la ligne du PCF. Mais, lorsqu'il est en même temps historien *et* communiste, Soboul propose une œuvre à la portée beaucoup plus contestable, contribuant par exemple à figer le récit de la Révolution en un dogme intouchable (*Précis d'histoire de la Révolution*, 1962). De même, l'enseignant fascinant, le directeur de recherches généreux peut se faire cassant, autoritaire, intolérant, tenant d'une main très ferme le destin d'un cercle de plus en plus large d'étudiants français et internationaux.

La carrière universitaire d'Albert Soboul correspond enfin à l'âge d'or puis au déclin de l'école « jacobine » de l'histoire de la Révolution française. Héritier de Mathiez* (qui n'enseigna pas à la Sorbonne), puis de Lefebvre, Soboul prend en charge la chaire d'histoire de la Révolution française à l'université de Paris en 1967 (après avoir enseigné sept ans à l'université de Clermont-Ferrand), et règne dès lors en mandarin sur les études révolutionnaires classiques, dirigeant l'un des séminaires d'histoire les plus fréquentés dans le Paris effervescent des années 70. Cependant, en Angleterre et aux États-Unis tout d'abord, en France ensuite, des interprétations dites « révisionnistes » sapent les fondements de la vision jacobine de la Révolution. En 1965, François Furet* et Denis Richet attaquent ouvertement l'interprétation soboulienne d'une Révolution comme avènement, classe contre classe, de la bourgeoisie française. Dès lors, la guerre est ouverte, souvent virulente, où Albert Soboul perd peu à peu influence et crédit sur la scène intellectuelle française et internationale. Il meurt en septembre 1982, laissant une œuvre importante, trop souvent oubliée aujourd'hui, mais aussi le champ libre à des recherches renouvelées et désormais plus indépendantes des partis pris idéologiques.

Antoine de Baecque

■ *Les Sans-Culottes parisiens en l'an II*, Clavreuil, 1958. — *Les Campagnes montpelliéraines à la fin de l'Ancien Régime*, PUF, 1958. — *Précis d'histoire de la Révolution française*, Éditions sociales, 1962. — *Le Procès de Louis XVI*, Julliard, 1966. — *La Civilisation et la Révolution française*, Arthaud, 1970-1977. — *Comprendre la Révolution*, Maspero, 1981.

SOCIALISME OU BARBARIE

Ils sont un petit nombre, au sein de la Section française de la IVe Internationale (trotskiste), à se regrouper en 1946 sur la base d'une critique du trotskisme orthodoxe. Parmi ceux-ci, notamment, deux jeunes hommes d'une vingtaine d'années, Cornélius Castoriadis* et Claude Lefort*. À l'automne 1948, sortis de l'organisation, ils continuent à se réunir régulièrement et conçoivent le projet d'une revue, dont le premier numéro paraît en mars 1949. *Socialisme ou barbarie*, « organe de critique et d'orientation révolutionnaire », ne se veut pas une publication de confrontation d'opinions entre penseurs, économistes ou philosophes, mais au contraire un instrument destiné à fournir des outils de travail à « l'avant-garde des ouvriers manuels et intellectuels ». Le groupe politique se maintient, qui se réunit deux fois par mois en séance plénière pour discuter de questions politiques et organise après chaque numéro de la revue une séance de discussion sur ses contenus, à laquelle participe une quarantaine de personnes. Pour adhérer à l'organisation, il faut être coopté, suivre des séances de formation, être en accord programmatique avec la direction, respecter une discipline collective et verser des cotisations qui seront, avec les recettes des abonnements, la seule source de financement de la revue.

Se considérant comme les seuls à poursuivre l'analyse marxiste de la société moderne et à continuer de poser sur une base scientifique le problème du développement historique du mouvement ouvrier, les têtes pensantes de *Socialisme ou barbarie*, dissimulées derrière des pseudonymes (« Chaulieu » et « Cardan » pour Castoriadis, « Montal » pour Lefort...) vont nourrir les quelque cent à deux cents pages bimestrielles puis trimestrielles de leur publication de réflexions théoriques sur la nature de la bureaucratie, du stalinisme et du parti révolutionnaire ainsi que sur l'évolution du capitalisme, et pratiques sur les principaux événements politiques qui jalonnent le cours des années. Les événements de Hongrie seront à l'origine de la publication, en décembre 1956, d'un numéro où s'expriment leur originalité politique et l'acuité de leur esprit critique.

Socialisme ou barbarie fonctionne comme une organisation politique, avec son lot de désaccords et de scissions, et reste guidée, de ses origines jusqu'à sa disparition, par Cornélius Castoriadis. S'y côtoient à diverses périodes des intellectuels comme Jean Laplanche ou Jean-François Lyotard*, ainsi que des collaborateurs issus du monde ouvrier, notamment de chez Renault comme Daniel Mothé.

Après avoir prévu une troisième guerre mondiale qui n'aura pas lieu, puis à partir de 1953 une radicalisation du mouvement social qui avortera en France, s'il se développera dans les pays de l'Est, *Socialisme ou barbarie* disparaît après la publication de son quarantième numéro en juin 1965. Sans explications. Ce n'est qu'en juin 1967 qu'une lettre sera envoyée aux abonnés. Les conditions sociales ont changé, les conflits politiques sont étouffés depuis l'arrivée au pouvoir de De Gaulle, leur explique-t-on, ce qui rend illusoire tout espoir de construire enfin le parti révolutionnaire et de voir les masses prendre en charge la gestion de la société. Le groupe et la revue n'ont donc, pour l'heure, plus d'objet et « rien ne permet d'escompter une modification rapide de la situation ». Un an plus tard, c'était pourtant Mai 68. On dira que *Socialisme ou barbarie* en a été un des principaux précurseurs.

Sandrine Treiner

■ C. Castoriadis, *La Société bureaucratique*, Bourgois, 1990. — J.-F. Lyotard, *La Guerre des Algériens (1956-1963)*, Galilée, 1989. — *« Socialisme ou barbarie. » Anthologie : grèves ouvrières en France (1953-1957)*, Acratie, 1985.

SOCIÉTÉS DES AMIS DE...

[NOM DE SOCIÉTÉ : *titre de la revue éditée* (année du premier numéro)]

ASSOCIATION « AMITIÉ CHARLES PÉGUY » : *L'Amitié Charles Péguy. Bulletin d'informations et de recherches* (1978).

ASSOCIATION BLAISE CENDRARS : *Feuilles de route. Bulletin de liaison de l'Association Blaise Cendrars* (1979).

ASSOCIATION DES AMIS D'ALFRED JARRY : *L'Étoile absinthe* (1979).

ASSOCIATION DES AMIS D'ALPHONSE DAUDET : *Le Petit Chose* (1978).

ASSOCIATION DES AMIS D'ANDRÉ GIDE : *Bulletin des amis d'André Gide* (1968).

ASSOCIATION DES AMIS D'HENRY POULAILLE : *Cahiers Henry Poulaille* (1989).

ASSOCIATION DES AMIS DE GEORGES PEREC : *Cahiers Georges Perec* (1985).

ASSOCIATION DES AMIS DE JACQUES AUDIBERTI : *Cahiers Jacques Audiberti. L'Ouvre-Boîte* (1973).

ASSOCIATION DES AMIS DE JEAN GIONO : *Giono. Bulletin de l'Association des amis de Jean Giono* (1972).

ASSOCIATION DES AMIS DE JEAN GIRAUDOUX : *Cahiers Jean Giraudoux* (1972). *Bulletin des amis de Jean Giraudoux.*

ASSOCIATION DES AMIS DE LA FONDATION SAINT-JOHN PERSE : *Souffle de Perse. Revue de l'Association des amis de la Fondation Saint-John Perse* (1991). *Cahiers Saint-John Perse.*

ASSOCIATION DES AMIS PASSÉS, PRÉSENTS ET FUTURS D'ISIDORE DUCASSE : *Cahiers Lautréamont. Bulletin de l'Association des amis passés, présents et futurs d'Isidore Ducasse* (1987).

ASSOCIATION FRANCIS JAMMES : *Association Francis Jammes. Bulletin* (1983).

ASSOCIATION INTERNATIONALE DES AMIS DE CHARLES-LOUIS PHILIPPE : *Les Amis de Charles-Louis Philippe* (1936).

ASSOCIATION INTERNATIONALE DES AMIS DE VALERY LARBAUD : *Cahiers des amis de Valery Larbaud* (1967).

ASSOCIATION « LES AMIS DE RAMUZ » : *Les Amis de Ramuz. Bulletin* (1981).

ASSOCIATION MARGUERITE YOURCENAR : *Cahiers Marguerite Yourcenar. « Regards sur l'œuvre de Marguerite Yourcenar »* (1987).

ASSOCIATION POUR L'ÉTUDE DE LA PENSÉE DE SIMONE WEIL : *Cahiers Simone Weil* (1978).

ASSOCIATION POUR L'ÉTUDE DE PAUL LÉAUTAUD ET DES REVUES LITTÉRAIRES DE SON ÉPOQUE : *Cahiers Paul Léautaud* (1987).

CENTRE HENRI POURRAT : *Cahiers Henri Pourrat* (1981).

CERCLE D'ÉTUDES JACQUES ET RAÏSSA MARITAIN : *Cahiers Jacques Maritain* (1980).

INSTITUT CHARLES DE GAULLE : *Espoir. Revue de l'Institut Charles de Gaulle* (1972).

L'AMITIÉ HENRI BOSCO : *Cahiers Henri Bosco* (1979).

LES AMIS D'EMMANUEL MOUNIER : *Bulletin des amis d'Emmanuel Mounier* (1952).

LES AMIS DE PANAÏT ISTRATI : *Cahiers Panaït Istrati* (1985).

SOCIÉTÉ « AMIS DE MARCEL AYMÉ » : *Cahier Marcel Aymé* (1982).

Société d'études jaurésiennes : *Jean Jaurès. Bulletin de la Société d'études jaurésiennes* (1960).

Société d'études soréliennes : *Mil neuf cent, revue d'histoire intellectuelle* (1983).

Société des amis de Colette : *Cahiers Colette* (1977).

Société des amis de Jules Romains : *Bulletin des amis de Jules Romains* (1974).

Société des amis de Louis Aragon et Elsa Triolet : *Faites entrer l'infini. Journal de la Société des amis de Louis Aragon et Elsa Triolet* (1986).

Société des amis de Marcel Proust et des amis de Combray : *Bulletin Marcel Proust. Bulletin des amis de Marcel Proust et des amis de Combray* (1950).

Société des amis de Jean Cocteau : *Cahier Jean Cocteau* (1971).

Société des lecteurs de Jean Paulhan : *SLJP : Société des lecteurs de Jean Paulhan. Cahiers* (1980).

Société littéraire des amis d'Émile Zola : *Les Cahiers naturalistes* (1955).

Société Paul Claudel : *Bulletin de la Société Paul Claudel* (1958).

Isabelle Weiland-Bouffay

Solidarnosc

1981

Dans la nuit du 12 au 13 décembre 1981, l'état de guerre est déclaré en Pologne par le général Jaruzelski. Un grand nombre de dirigeants politiques et de syndicalistes de Solidarnosc (Solidarité), le syndicat libre créé à la suite des accords de Gdansk le 31 août 1980, sont arrêtés. Le gouvernement français déplore « l'enchaînement des événements qui a conduit à l'arrestation des dirigeants du mouvement syndical Solidarité » et évoque sa « vive émotion », mais l'attention se porte sur les commentaires du Premier ministre P. Mauroy, qui se « refuse à toute ingérence dans les affaires polonaises », et du ministre des Relations extérieures C. Cheysson, qui, lui aussi, parle d'affaires intérieures polonaises. On retient surtout sa réponse à la question de savoir ce que le gouvernement compte faire : « Bien entendu, nous n'allons rien faire. »

La réaction des intellectuels français à cette atteinte à la liberté des Polonais se double aussitôt d'une vive critique à l'égard du gouvernement socialiste. A. Glucksmann*, par exemple, parle de complicité gouvernementale avec la terreur de l'Est (*Libération**, 18 décembre). Mais la protestation prend aussi la forme traditionnelle des pétitions, qui sont, en cette occasion, nombreuses. La mobilisation est considérable. La première pétition est adressée, le 14 décembre, par C. Castoriadis* au *Monde**, qui aurait refusé de la publier. Sur le ton de l'indignation, le texte prend à partie les dirigeants socialistes et appelle à la condamnation sans équivoque de toutes les formes de totalitarisme ; on y relève les noms de J.-M. Domenach*, J. Julliard, E. Morin*, P. Rosanvallon*, A. Touraine*, P. Vidal-Naquet* — l'École des hautes études en sciences sociales* y est bien représentée. Le 15 décembre, un appel est publié dans *Libération*, qui critique l'attitude du gouvernement et l'alliance des socialistes avec le PCF, signé notamment par P. Bourdieu*, P. Chéreau*, M. Duras*, Costa Gavras, A. Glucksmann, B. Kouchner*, M. Foucault*, C. Mauriac*, Y. Montand, J. Semprun*, S. Signoret, et P. Vidal-Naquet. Le même jour, le chanteur Y. Montand, dont le rôle va croissant dans le débat intellectuel autour du thème de la critique antisoviétique, le commente sur Europe 1. Le lendemain, une réunion rassemble intellectuels et syndicalistes à la CFDT, parmi lesquels P. Bourdieu, M. Foucault, J. Julliard, P. Rosanvallon, et A. Touraine.

Alors que le gouvernement revient à une attitude plus ferme, les pétitions continuent de fleurir, laissant de côté la polémique avec le pouvoir, pour se concentrer sur la solidarité avec les Polonais et la défense des droits de l'homme : le 23 décembre, un appel d'écrivains et de scientifiques (parmi les premiers signataires : G. Deleuze*, J.-P. Faye*, F. Guattari*, V. Jankélévitch*, le Pr Schwartzenberg*, A. Vitez*) ; le 24, un appel lancé par la CFDT et 50 intellectuels, dont le ton est plus doux que celui des précédents et dont le texte inclut une citation de F. Mitterrand, signe que la crise est apaisée (avec des signatures du Collège de France* et de l'EHESS) ; le 25, une pétition de plus de 4 000 intellectuels et scientifiques (signatures réunies par J. Le Goff*), etc. Mais, malgré le rassemblement d'intellectuels et d'artistes à l'Opéra, en hommage et solidarité avec la Pologne, organisé par le gouvernement, le 22 décembre, le malaise reste profond entre le gouvernement et les intellectuels. La présence des communistes au gouvernement et le soupçon de complaisance à l'égard de l'Union soviétique sont au cœur de cette crise, dans un contexte de critique antitotalitaire et antisoviétique.

Séverine Nikel

■ O. Bétourné, A. François, J. Julliard, J.-R. Masson, O. Rolin et M. Winock, *Pour la Pologne*, Seuil, 1982.

SOLLERS (Philippe) [Philippe Joyaux]

Né en 1936

Romancier, essayiste, animateur de la revue *Tel Quel**, Philippe Sollers a été, dans les années 60 et 70, l'un des chefs de file de l'avant-garde. Directeur de *L'infini*, il compte parmi les principales figures de la littérature française de la fin du XXe siècle.

Né le 28 novembre 1936 à Talence, Philippe Sollers (de son vrai nom : Joyaux) connaît très jeune la célébrité. Étudiant à l'ESSEC (ses parents espèrent qu'il prendra la direction de l'usine familiale), il publie en 1957 dans la revue *Écrire*, dirigée par Jean Cayrol*, une nouvelle intitulée, *Le Défi*. François Mauriac* consacre à ce texte et à son auteur un élogieux article dans son « Bloc-Notes ». L'année suivante, Sollers signe au Seuil* un premier roman — *Une curieuse solitude* — qui suscite les éloges de la critique et donne à Louis Aragon* la matière d'un article fleuve dans *Les Lettres françaises**.

Considéré comme l'un des grands espoirs du jeune roman français, Sollers, en 1960, fonde, au Seuil, avec quelques amis, une revue littéraire intitulée *Tel Quel*. À la tête de celle-ci, il tourne le dos au classicisme romanesque de ses débuts et s'affirme comme un écrivain d'avant-garde. Son second roman, *Le Parc* (1961), proche par certains aspects du « Nouveau Roman », obtiendra le prix Médicis. Ce livre et ceux qui suivront — *Drame* (1965), *Nombres* (1968), *Lois* (1972) — consacrent en Sollers un écrivain de premier plan dont les ouvrages et les thèses suscitent de savantes analyses signées Foucault*, Barthes*, Derrida* ou Julia Kristeva* (qu'il épouse en 1967). Sous sa direction effective, *Tel Quel* s'engage dans la lutte politique (marxisme, d'abord favorable au PCF, puis maoïsme) et devient l'un des « hauts lieux » de la « pensée 68 », revue où se développe une théorie nouvelle du texte littéraire et de ses rapports à la politique et aux sciences humaines.

Après avoir signé son ouvrage le plus ambitieux, *Paradis* (1981), Sollers, en 1982, quitte les Éditions du Seuil pour Gallimard*. Il fonde la revue *L'Infini* et publie *Femmes* (1983), best-seller, roman à thèse (« le monde appartient aux femmes, c'est-à-dire à la mort ») et roman à clés mettant en scène son auteur, ainsi que Barthes, Althusser* et Lacan*. Dans cette nouvelle veine réaliste suivront d'autres ouvrages, parmi lesquels *Portrait du joueur* (1984), *La Fête à Venise* (1991) et *Le Secret* (1993). Loin d'une stratégie révolutionnaire devenue à ses yeux impraticable, Sollers, de roman en essai, développe une conception nouvelle de l'engagement. Dénonçant la mise en place d'une « grande Tyrannie » planétaire (manipulation des corps, des marchandises et des esprits), il explore les différentes formes de dissidences (artistiques, religieuses ou érotiques) dont dispose aujourd'hui un individu soucieux de préserver sa liberté.

Les articles de critique littéraire et artistique qu'il donne au *Monde**, ses nombreuses interventions dans la presse et à la télévision font de lui un personnage inclassable, mais très présent, jouant de sa singularité, non-conformiste à la recherche du statut d'écrivain classique.

Philippe Forest

■ *Paradis*, Seuil, 1981. — *Femmes*, Gallimard, 1983. — *Théorie des exceptions*, Gallimard, 1986. — *La Fête à Venise*, Gallimard, 1991.

▒ R. Barthes, *Sollers écrivain*, Seuil, 1979. — P. Forest, *Philippe Sollers*, Seuil, 1992. — *Histoire de « Tel Quel »*, Seuil, 1995.

SOREL (Georges)

1847-1922

Georges Sorel est l'une des figures les plus controversées de l'histoire intellectuelle du XXe siècle. Son image s'apparente à une série de Janus : ancien ingénieur qui rédige avec un sérieux tout scientifique et conçoit du mépris pour les généralisations littéraires romantiques, mais aussi penseur de « l'héroïsme » en quête d'une morale pour la renaissance sociale, tour à tour partisan d'une classe de travailleurs autonome et révolutionnaire, et proche de cercles conservateurs voire réactionnaires, apportant un soutien enthousiaste à la révolution russe et revendiqué comme père spirituel par le fascisme italien. « L'énigme Sorel » n'a cessé d'intriguer les nombreux chercheurs qui l'ont appréhendée par le biais des paradigmes conventionnels.

Né à Cherbourg en 1847 dans une famille bourgeoise catholique confrontée à des difficultés matérielles, Sorel entre en 1865 à l'École polytechnique* après de brillantes études secondaires. En 1867 commence sa carrière d'ingénieur des Ponts et Chaussées. C'est dans le cadre de sa charge qu'il fait la connaissance d'une infirmière d'origine rurale qui deviendra la compagne de sa vie. À partir de 1886, Sorel commence peu à peu à publier des articles à caractère philosophique et historique ; en 1889 paraissent ses deux premiers ouvrages : *Contribution à l'étude profane de la Bible* et *Le Procès de Socrate*.

En 1892, Sorel se démet soudainement de sa charge professionnelle. Il s'installe à côté de Paris et se joint, l'année suivante, au comité de rédaction des deux premières revues marxistes françaises. Jusqu'à la fin de 1897, Sorel rédige lui-même près du tiers des articles du *Devenir social*, tout en se forgeant une conception marxiste hétérodoxe et non politique. De 1898 à la fin de 1902, dans le même camp qu'Édouard Bernstein, il se consacre tout entier à la critique des organisations marxistes, soutient le camp des « dreyfusards » et participe à la direction de l'École des hautes études sociales. Malgré une pension laissée par sa mère et ses propres économies, Sorel, pour survivre matériellement, est de plus en plus contraint à chercher une rémunération sous la forme de travaux de critique littéraire qu'il accomplit avec le plus grand sérieux dans les domaines les plus variés : philosophie des sciences, histoire des religions, et ce, pour toutes sortes de revues.

Déçu de la « révolution dreyfusienne », l'aiguisement des luttes sociales suscite chez Sorel une radicalisation croissante jusqu'à faire de lui le « théoricien » du syndicalisme révolutionnaire. Il collabore à nouveau à la revue *Le Mouvement socialiste**, où il publie les *Réflexions sur la violence* qui contribueront notablement à son renom. Pourtant, l'année 1908, où les *Réflexions* paraissent sous forme d'un livre, le verra également renoncer aux espérances révolutionnaires placées dans la CGT, ainsi que dans le mythe de la guerre générale. Sorel s'abandonne à un pessimisme profond et nourrit une hostilité forte envers la démocratie, qui se traduit par un rapprochement intellectuel avec la droite conservatrice et antisémite, et même par un compagnonnage surprenant avec l'extrême droite.

Ce « flirt » sera sans lendemain, et dès 1914, Sorel se considère à nouveau comme « un fidèle serviteur du prolétariat ». La guerre accentue sa coupure avec la droite tandis que « l'Union sacrée » suscite son écœurement. Il ne publie guère même s'il continue d'écrire sur des sujets philosophiques, détachés du politique. La révolution russe réveille ses espérances ; de 1918 à sa mort, en 1922, il exprimera un soutien permanent au bolchevisme.

Sorel connut en Italie une étonnante destinée : ami des grands philosophes contemporains, pris comme modèle par une jeune génération intellectuelle dont une partie allait chevaucher la vague nationaliste ; la propagande fasciste, en quête de prestigieux soutiens intellectuels l'annexera, après sa mort, comme partisan du « Duce ». Ce contresens sera perpétué par une historiographie naïve durant de nombreuses années, mais nul doute, cependant, que l'écriture sorélienne, provocatrice et non dénuée de contradictions, n'ait contribué à une telle destinée.

Shlomo Sand

■ *D'Aristote à Marx*, 1894, rééd. Rivière, 1935. — *Le Système historique de Renan*, Jacques, 1905-1906. — *Réflexions sur la violence*, 1908, rééd. Seuil, 1989. — *Les Illusions du progrès*, 1908, rééd. Genève, Slatkine, 1981. — *Matériaux d'une théorie du prolétariat*, 1919, rééd. Genève, Slatkine, 1981. — *De l'utilité du pragmatisme*, Rivière, 1921.

■ G. Goriely, *Le Pluralisme dramatique de Georges Sorel*, Rivière, 1962. — J.R. Jennings, *Georges Sorel. The Character and Development of his Thought*, Londres, Macmillan, 1985. — J. Julliard et S. Sand (dir.), *Georges Sorel en son temps*, Seuil, 1985. — S. Sand, *L'Illusion du politique. Georges Sorel et le débat intellectuel 1900*, La Découverte, 1985. — J.L. Stanley, *The Sociology of Virtue. The Social and Political Theories of Georges Sorel*, Berkeley, University of California Press, 1981.

SOUPAULT (Philippe)
1897-1990

Auteur prolifique de recueils de poésie, de romans, d'essais et d'œuvres radiophoniques, éditeur d'anthologies, Soupault a exercé de nombreux emplois dans la presse écrite et dans la radiodiffusion. Ce poète qui, avec Breton*, a animé le groupe Dada à Paris, avant de participer aux débuts du surréalisme, a obtenu en 1974 le Grand Prix de poésie de l'Académie française*, et en 1977 le Grand Prix national des lettres.

Marie Ernest Philippe Soupault, troisième fils d'un médecin renommé des hôpitaux de Paris, naît dans une famille de la bourgeoisie parisienne. Le grand-père maternel, ancien avocat à la Cour de cassation et au Conseil d'État, s'est retiré dans sa propriété de Chaville, tandis que le grand-père paternel, maire de Villeneuve-le-Roi, dirige une raffinerie à Paris. À la mort de son père, il a sept ans, et c'est le mari de sa tante maternelle, un des frères Renault, qui se charge de l'éducation des enfants Soupault. Inscrit dans un collège religieux, puis au lycée Condorcet dans les sections « classiques », il obtient son baccalauréat en 1915. Il entre à la Faculté de droit, sur décision du conseil de famille, puis est incorporé dans l'armée en 1916. Pendant les hospitalisations qui jalonnent son service militaire, Soupault découvre la revue *Sic* et entre en relation avec Apollinaire* qui l'invite aux réunions poétiques du café de Flore. En 1918 il y rencontre Breton, qui devient son ami et l'introduit dans le milieu littéraire d'avant-garde. Soupault publie des poèmes dans *Sic*, *Nord-Sud*, et, en 1919, après l'expérience de l'écriture « automatique » des *Champs magnétiques*, il crée avec Breton et Aragon* la revue *Littérature* pour laquelle ils obtiennent les collaborations de Gide*, Cendrars, Valéry*, Fargue, Max Jacob, entre autres. Dadaïste très actif lors de l'association entre Tzara* et *Littérature*, Soupault se rallie cependant à Breton après sa rupture avec Dada et participe au début du mouvement surréaliste en collaborant aux premiers numéros de *La Révolution surréaliste*.

En rupture avec sa famille, Soupault, marié, père d'une fille, est placé depuis 1920 devant la nécessité de trouver des revenus réguliers que son activité poétique ne peut lui procurer. Engagé à sa démobilisation comme fonctionnaire au Commissariat aux essences et pétroles, il occupe ensuite en 1923 un emploi de cadre dans le service des transports de rails et poutrelles d'une entreprise sidérurgique, tout en poursuivant une activité littéraire diversifiée. En 1923-1924, il est directeur de *La Revue européenne*, signe un contrat chez Grasset* pour quatre romans, dirige des collections aux Éditions du Sagittaire, et participe au comité de rédaction des *Nouvelles littéraires**. Si ces fonctions facilitent les publications de ses amis surréalistes, elles représentent une compromission pour les plus jeunes d'entre eux. Exclu du mouvement surréaliste en 1926, Soupault poursuit sa carrière d'écrivain parallèlement à un métier de journaliste-reporter. De 1938 à 1940, il anime une campagne antifasciste sur Radio-Tunis où il a été nommé directeur de l'information. Radié puis emprisonné par le gouvernement de Vichy, il se réfugie à Alger où il dirige quelques mois Radio-Alger, avant de devenir directeur de collection aux Éditions Charlot. De 1943 à 1945, il séjourne sur les continents américains, où il rétablit le fonctionnement de l'AFP pour le gouvernement provisoire de la France libre. Chroniqueur littéraire aux *Lettres françaises** de 1946 à 1947, puis chargé de mission à l'étranger pour l'Unesco, il devient producteur d'émissions radiophoniques de 1951 à 1977. Auteur de plus de quatre-vingt-dix livres, dont certains ont été traduits en anglais ou allemand, Soupault a aussi beaucoup écrit sur le cinéma, le jazz ou la peinture et a continué à publier des poèmes jusqu'à la fin de sa vie.

Norbert Bandier

■ *Philippe Soupault, le poète* (éd. par J. Chénieux-Gendron), Klincksieck, 1992. — *Vingt mille et un jours* (entretiens avec S. Fauchereau), Belfond, 1980.

SOURY (Jules)

1842-1915

Récemment redécouvert comme maître à penser de Maurice Barrès*, Jules Soury a été à la fois philologue, exégète et critique, historien et psychophysiologiste (spécialiste du cerveau), philosophe et doctrinaire politique.

Jules Auguste Soury est né le 28 mai 1842 à Paris dans une famille très pauvre. Apprenti à douze ans, passionné par l'étude il suit les cours de physique et de chimie de l'École des arts et métiers et entre en sixième, à dix-sept ans, au lycée Louis-le-Grand. En 1863, il entre à l'École impériale des chartes, dont il sort en 1867 avec le diplôme d'archiviste-paléographe. À partir de 1865, il étudie à la Salpêtrière l'anatomie du système nerveux central. En 1871, il devient rédacteur à la *Revue des Deux Mondes**, collabore au *Temps* et au *XIXe Siècle*, mais surtout à *La République française*, journal fondé par Gambetta, où il participe à la « revue des sciences historiques », puis à la « revue scientifique » dirigée par Paul Bert (1833-1886), qui ne cessera de le soutenir.

Disciple de Renan en tant qu'historien des religions, spécialiste de l'étude du système nerveux central dans une perspective matérialiste-biologique, mais aussi propagateur du monisme évolutionniste d'Haeckel, et à ce titre représentant français du « darwinisme social », Soury mène une longue carrière de savant. Le 30 novembre 1881, grâce à l'appui de Paul Bert devenu ministre, il est chargé d'une conférence d'histoire des doctrines contemporaines à l'École pratique des hautes études à la Sorbonne. Il y enseignera jusqu'au 30 décembre 1898. Dans les années 1890, les leçons scientifiques de Soury, agrémentées de digressions philosophiques, attirent le Tout-Paris intellectuel : Georges Clemenceau, Marcel Sembat, Anatole France* et Maurice Barrès (à partir de 1893) assistent à ses cours et s'entretiennent avec le maître. Barrès le considère comme l'« un des penseurs les plus audacieux de notre époque ».

En 1896, la mort de sa mère le plonge dans le désespoir. L'orientation pessimiste de son matérialisme agnostique se radicalise. Mais à la fin des années 1890, la contemplation mélancolique de l'insurmontable lutte universelle pour l'existence devient éloge de la guerre, école d'héroïsme. Cette conception héroïque de l'existence s'appuie sur un nihilisme ontologique pour assigner chaque humain à une destination exclusive : suivre le destin de sa lignée, de sa nation, de sa race. La fidélité à la voix des ancêtres est la seule source de transcendance qui puisse justifier l'existence, en tant que lutte pour la vie. Alors même qu'il sait que « les cieux sont vides », Soury se définit comme un « clérical athée de tradition catholique ».

En 1899, il s'engage dans la polémique antidreyfusarde, où ses interventions visent à légitimer le nationalisme xénophobe et l'antisémitisme politique par les théories « scientifiques » de l'hérédité, de la race et de la sélection. Soury devient alors le prophète d'un nouveau traditionalisme fondé sur le déterminisme de l'hérédité et de la race, érigeant cependant la défense de l'armée et de l'Église en impératif catégorique. L'antisémitisme exprime « une lutte de races entre l'Aryen » et le « Sémite », dotés de natures psychophysiologiques irréductibles. L'affaire Dreyfus* peut ainsi être réduite au conflit inévitable de deux types racialement déterminés de réactions devant l'existence : « La question des races a été ouverte par l'affaire Dreyfus », note Barrès le 21 octobre 1899. C'est l'année même où Soury commence à donner à *L'Action française** des articles virulents contre « la Porcherie contemporaine » dirigée par les francs-maçons, les juifs et les huguenots, articles repris dans son dernier livre, *Campagne nationaliste*, paru en 1902.

Il meurt le 10 août 1915 à Paris, dans un oubli complet. Selon ses dernières volontés, il eut des obsèques religieuses.

Pierre-André Taguieff

■ *Jésus et les Évangiles*, Charpentier, 1878 ; 3e éd. revue, corrigée et augmentée : *Jésus et la religion d'Israël*, Fasquelle, 1898. — *Le Système nerveux central. Structure et fonctions. Histoire critique des théories et des doctrines*, G. Carré et C. Naud, 1899, 2 vol. — *Campagne nationaliste (1899-1901)*, Imprimerie de la Cour d'appel, L. Maretheux, 1902.

▒ M. Barrès, *Mes cahiers*, t. 1 : *Janvier 1896-février 1898*, Plon, 1929 ; t. 2 : *Février 1898-mai 1902*, Plon, 1930. — M. Gauchet, *L'Inconscient cérébral*, Seuil, 1992, pp. 123-126. — Z. Sternhell, *Maurice Barrès et le nationalisme français*, Armand Colin, 1972, pp. 11-13 et 252-267 ; « Le déterminisme physiologique et racial à la base du nationalisme de Maurice Barrès et de Jules Soury », in P. Guiral et É. Temime (dir.), *L'Idée de race dans la pensée politique française contemporaine*, CNRS, 1977, pp. 117-138.

SOUSTELLE (Jacques)

1912-1990

L'antifascisme, la France libre et le gaullisme, la défense opiniâtre de l'Algérie française constituent les principaux engagements d'un intellectuel remarquablement doué, mais dont la récupération académique ne peut faire totalement oublier certains errements politiques.

Né en 1912 dans une famille de petite bourgeoisie protestante cévenole, Soustelle entre en 1929 à l'École normale supérieure* de la rue d'Ulm. À vingt ans, il est reçu premier à l'agrégation de philosophie. Une mission au Mexique décide de sa vocation d'ethnologue. Après avoir soutenu une thèse sur les Otomis du Mexique central, il est, aux côtés de Paul Rivet*, l'un des fondateurs du Musée de l'homme, dont il devient sous-directeur en 1937. Très proche alors du communisme, il anime le groupe « Masses » dirigé par René Lefeuvre. Membre actif du Comité de vigilance des intellectuels antifascistes* (CVIA), il collabore à diverses revues de gauche : *Regards*, *Spartacus*, *Vendredi**.

Rallié au général de Gaulle dès juillet 1940, il est chargé de coordonner, à Londres puis à Alger, les services de renseignement de la France libre. Ce fut d'abord le Bureau central de renseignements et d'action (BCRA) qui, à Alger, dut fusionner, non sans mal, avec les services vichyssois ralliés au général Giraud, pour donner la Direction générale des services spéciaux (DGSS). Ministre à la Libération, député du Rhône, Soustelle devient en 1947 secrétaire général du Rassemblement du peuple français et déploie là encore ses talents d'organisateur. Médiocrement traité par de Gaulle pour s'être prêté, en 1951, à une ébauche de combinaison gouvernementale, il reprend peu après sa liberté. Revenu à l'ethnologie, il fait paraître en 1955 *La Vie quotidienne des Aztèques*, un classique promis à un grand succès.

En janvier de la même année, Pierre Mendès France l'a nommé gouverneur général de l'Algérie, quelques mois après le déclenchement de la rébellion. Mal accueilli par le colonat européen, il opte dans un premier temps pour une démarche réformiste qui doit, selon lui, accélérer l'intégration des masses algériennes. Mais les massacres de septembre 1955 le confortent dans la voie de la répression. Opposé désormais à toute évolution libérale, il contribue, en 1958, au retour au pouvoir du général de Gaulle, avant de s'en désolidariser quand le chef de l'État choisit l'autodétermination qui conduit inévitablement à l'indépendance algérienne. Membre du Comité de Vincennes, il adhère en 1961 à l'OAS et dirige les relations extérieures du prétendu Conseil national de la résistance.

En exil jusqu'à l'amnistie de 1968, Soustelle publie abondamment des livres-souvenirs sur l'Algérie et des ouvrages de vulgarisation sur le Mexique. L'interaction de ses deux itinéraires est manifeste dans *Les Quatre Soleils*, plaidoyer pour le syncrétisme des civilisations où l'apport colonial ne saurait tarir la survivance des rites anciens. Ayant retrouvé un poste de professeur à l'École des hautes études, à nouveau député de Lyon en 1973, il est reçu à l'Académie française* en 1982. Il meurt le 7 août 1990.

Bernard Droz

■ *Mexique, terre indienne*, Grasset, 1936. — *La Vie quotidienne des Aztèques*, Hachette, 1955. — *Aimée et souffrante Algérie*, Plon, 1956. — *L'Espérance trahie (1958-1961)*, L'Alma, 1962. — *Les Quatre Soleils. Souvenirs et réflexions d'un ethnologue au Mexique*, Plon, 1967.

SOUVARINE (Boris) [Boris Lischitz]

1895-1984

Né en 1895 à Kiev, fils d'un artisan joaillier installé rue Cadet à Paris, Boris Lischitz reçoit une éducation laïque. Élève de l'école républicaine, il obtient un diplôme d'ouvrier d'art et s'éloigne très tôt de l'environnement familial. Autodidacte passionné, il s'intéresse aux questions sociales et politiques mais aussi à la culture classique. La mort de son frère aîné, en 1915, décide de son engagement pacifiste et socialiste. Il est l'un des tout premiers et rares militants à soutenir la révolution bolchevique. Secrétaire du Comité de la IIIe Internationale qui organise l'agitation en faveur des bolcheviks et prône l'adhésion à la IIIe Internationale fondée par Lénine (mars 1919), il joue un rôle déterminant dans la scission de la SFIO lors du congrès de Tours (décembre 1920) auquel ce polémiste ardent — il dirige le *Bulletin communiste* — ne peut assister, étant alors emprisonné sous l'inculpation de « complot contre la sûreté de l'État ».

Libéré en mars 1921, il se rend à Moscou et devient malgré une attitude peu conformiste, le premier Français à être associé à la direction de la IIIe Internationale, côtoyant Lénine, Trotski, Zinoviev, Boukharine, etc. Il rompt cependant en 1924 pour des raisons morales (refus des campagnes menées contre Trotski) mais aussi politiques (la subordination des PC à un régime qui s'enlise dans la dictature et la terreur). Il entreprend alors un travail critique qui le conduit à publier en 1935 son ouvrage majeur : *Staline. Aperçu historique du bolchevisme*. Dès 1927, il a dénoncé la nouvelle classe au pouvoir en URSS et, deux ans plus tard, a publié *La Russie nue* dans laquelle il analysait la condition ouvrière et paysanne. De 1931 à 1934, il dirigea *La Critique sociale**.

Dès cette époque, Boris Souvarine se situe à contre-courant des opinions admises, anime avec quelques proches une association des « Amis de la vérité en URSS », dénonce la collectivisation, les camps et les grandes purges. À partir de 1937, il collabore aux *Nouveaux Cahiers* fondés par Auguste Detœuf, Guillaume de Tarde, Jacques Barnaud.

Réfugié aux États-Unis à partir de 1941, il travaille avec les services secrets de la France libre. Une fois revenu en France (1947) et après avoir édité sa propre lettre d'informations, *L'Observateur des Deux Mondes* (1948), il collabore au *Bulletin d'études et d'informations de politique internationale* (plus tard *Est & Ouest*), à *Preuves**, puis fonde sa propre revue, *Le Contrat social* (1957-1968), largement ouverte aux historiens américains et aux mencheviks en exil.

Tout l'itinéraire de Souvarine fut déterminé par son adhésion puis son rejet du communisme. Grand témoin du siècle, homme d'une érudition hors du commun, il assuma, au prix de difficultés énormes, le rôle que Chateaubriand assigne à l'historien lorsqu'il se réfère au Tacite des *Annales*, dénonçant les crimes de Néron.

Jean-Louis Panné

■ *À contre-courant. Écrits (1925-1939)* (présentation J. Verdès-Leroux), Denoël, 1984. — *« La Critique sociale » (1931-1934)*, La Différence, 1983. — *Staline. Aperçu historique du bolchevisme*, 1935, rééd. Irréa, 1992. — *L'Observateur des Deux Mondes et autres textes*, La Différence, 1982. — *Souvenirs sur Panaït Istrati, Isaac Babel, Pierre Pascal*, G. Lebovici, 1985.
▒ J.-L. Panné, « Boris Souvarine », in *DBMOF* ; *B. Souvarine, le premier désenchanté du communisme*, Laffont, 1993.

STÉPHANE (Roger) [Roger Worms]

1919-1994

À l'âge de quinze ans, Roger Worms, né le 19 août 1919 dans une famille bourgeoise de gauche du XVIIe arrondissement de Paris, se voit attribuer un répétiteur en la personne de René Étiemble. Ce bon connaisseur et traducteur de Thomas Edward Lawrence, fait naître une véritable passion chez son élève pour l'auteur des *Sept piliers de la sagesse* et lui fait découvrir Gide*, Malraux* et Martin du Gard*. En 1936, le baccalauréat passé, Roger Worms devient journaliste à *Match* puis à *Paris-Soir*.

La guerre est pour lui l'occasion de rencontrer ses maîtres : Roger Martin du Gard d'abord en juillet 1940, qu'il suit à Nice, alors véritable salon littéraire où se côtoient Aragon*, Elsa Triolet* et Gide, à propos duquel il écrit : « Je ne crois pas lui avoir exprimé ma reconnaissance pour la liberté que j'avais apprise (reçue) de son œuvre. » Le jeune homme fait également la connaissance de Jean Cocteau*, mais la guerre est là et Roger Worms devient Roger Stéphane en entrant dans la Résistance par l'entremise de Jean Sussel, « pour » Jean Sussel, écrit-il. En effet, ne cachant ni ses amitiés, ni ses amours homosexuelles, il contera la plus douloureuse d'entre elles, marquée par le décès de Jean-Jacques Rinieri, dans *Parce que c'était lui*.

Après avoir passé vingt-sept mois en prison car jugé « dangereux pour la Défense nationale ou la Sécurité publique » par Vichy, Roger Stéphane, le jour de ses vingt-cinq ans, s'empare, au nom du gouvernement de la France libre, de l'Hôtel de Ville de Paris puis est chargé de mission auprès du ministre Adrien Tixier jusqu'en 1946. Par la suite, il reste le conseiller de nombreux hommes d'État comme Edgar Faure, Pierre Mendès France, François Mitterrand et surtout Charles de Gaulle, « la grandeur faite homme » selon Roger Stéphane, qui fonde en mai 1969 aux côtés de Michel Debré, Louis Joxe et Pierre Messmer, l'association « Présence du gaullisme ».

En 1950, après avoir écrit dans *Action**, il est l'un des fondateurs de *L'Observateur* qui deviendra *France-Observateur**) et demande à Jean Paulhan* d'y collaborer. L'hebdomadaire mène une violente campagne contre la guerre d'Indochine et l'armée, et à la suite d'articles sur la situation au Laos, Roger Stéphane est arrêté en février 1955 pour « atteinte à la sûreté extérieure de l'État par voie de presse ».

L'indignation de la gauche intellectuelle et le soutien de Lucie Faure* n'évitent pas son incarcération durant trois semaines à la prison de Fresnes.

Après son départ de *France-Observateur* en 1958 et le retour de Charles de Gaulle, celui qui avait été interdit à la RTF par Guy Mollet entre à la télévision. Il devient alors, selon Pierre Viansson-Ponté, le « témoin intéressé et clandestin du règne, en se taillant une principauté dans l'empire de la télévision » comme producteur durant plus de dix ans de nombreuses émissions, pour lesquelles il collabore avec André Malraux* ou Georges Duby*. En septembre 1969, il crée l'Agence française d'images afin de réaliser des reportages consacrés aux domaines politique, économique, social, culturel destinés aux télévisions du monde entier.

Toutefois, l'écriture conserve sa place dans la vie de ce collaborateur du *Monde** qui avoue que « tout au long de sa vie, il n'a rien aimé autant que d'admirer », et qui multiplie les portraits, de Montaigne, Sartre*, Stendhal. Ses Mémoires, qui s'arrêtent dans les années 60, apparaissent marqués par les rencontres et la mort, et ceci dès le titre même qui reprend l'avant-dernière phrase prononcée par André Gide* au cours de son agonie le 19 février 1951 : « Tout est bien. » Il s'est donné la mort à son domicile parisien le 4 décembre 1994.

Isabelle Weiland-Bouffay

■ *Chaque homme est lié au monde*, Grasset, 1945. — *Les Fausses Passions*, La Table ronde, 1956. — *T.E. Lawrence*, Gallimard, 1960. — *Autour de Montaigne*, Stock, 1986. — *La Gloire de Stendhal*, Quai Voltaire, 1987. — *Portrait souvenir de Jean Cocteau : entretien*, Tallandier, 1989. — *Tout est bien*, Quai Voltaire, 1989. — *Rue Laszlo-Rajk : une tragédie hongroise*, Odile Jacob, 1991.

STIL (André)
Né en 1921

Écrivain et journaliste communiste, André Stil est né à Hergnies (Nord) le 1er avril 1921 dans un milieu modeste. Son père artisan tailleur est obligé de tenir un débit de boissons pour faire vivre sa famille. À l'ombre du carreau de la mine et des usines sidérurgiques, l'enfance du jeune Stil se déroule heureuse. Nourri des récits de ses deux oncles mineurs, il peut affirmer sans exagération « être né avec la classe ouvrière penchée sur son berceau ».

Sa première conscience des réalités sociales, il la doit à la poursuite d'études secondaires au lycée Henri-Wallon de Valenciennes. Peu de fils d'ouvriers s'y retrouvent à l'époque. Il y rencontre surtout les représentants des grandes familles du textile, de la métallurgie, ou des gros agriculteurs du Cambraisis. C'est, selon lui, un véritable choc, qu'il analyse confusément comme « le sentiment d'avoir vécu plus bas que terre ». Dès 1936, avec l'arrivée au pouvoir du Front populaire, la question de l'engagement ne lui paraît avoir aucun sens, tant elle est une évidence : être du côté des opprimés, des pauvres, des « métallos ». A. Stil est dès lors communiste de cœur, en ignorant ce qu'est le communisme. C'est pourtant quelques années plus tard, dans la Résistance, comme nombre d'intellectuels de sa génération, qu'il rencontre le Parti. Jeune professeur, il entre en 1942 au Front national et participe à de nombreuses actions (parachutages, transports d'armes...), tout en poursuivant des études universitaires de philosophie à la faculté de Lille.

L'ascension d'A. Stil est fulgurante : secrétaire général du journal communiste *Liberté* à Lille dès la Libération ; en 1949, il est appelé par Aragon*, avec lequel il entretient des relations d'amitié à la rédaction en chef de *Ce soir*. Mais la direction du Parti le désigne déjà à de plus hautes tâches : en avril 1950, il est nommé rédacteur en chef de *L'Humanité** et fait son entrée au comité central du PCF. À vingt-neuf ans, grâce au contexte de la Résistance et surtout aux pertes importantes subies par le Parti communiste, A. Stil se retrouve au premier plan dans les combats de la Guerre froide*.

Passionné de littérature, il publie son premier ouvrage (un recueil de nouvelles) *Le Mot « mineur » camarades* en 1949. Mais sa conception de la littérature indissociable de l'engagement politique fait d'A. Stil, au début des années 50, une des figures de proue du réalisme socialiste français, ainsi d'ailleurs que le modèle type de l'intellectuel qui doit sa notoriété au Parti, qu'il sert et défend de tout son zèle. Dans deux recueils de nouvelles, et surtout un roman en trois volumes, *Le Premier Choc*, il accomplit sa mission, qui peut brièvement se résumer autour de la défense de l'URSS, du développement d'une propagande anti-américaine et de la construction du modèle mythique de l'homme communiste. L'Union soviétique reconnaissante lui décerne d'ailleurs en 1952 le prix Staline de littérature. Est-il alors surprenant que, dans une série d'articles envoyés de Budapest en novembre 1956, il puisse affirmer dans la capitale hongroise, en pleine répression soviétique : « Budapest recommence à sourire à travers ses blessures » ? Il rentre de Hongrie néanmoins ébranlé par ce qu'il venait de vivre, mais, devant la Fédération de la Seine, il dénonce les « crimes des insurgés » et l'ignoble « contre-révolution fasciste » qui aurait failli, sans l'intervention de l'armée soviétique, mettre un terme au socialisme hongrois. Le rédacteur en chef de *L'Humanité* faisait son devoir politique : défendre le modèle communiste au-delà de toutes les évidences.

Cette attitude semble être le prix de l'engagement de l'intellectuel organique (étroite dépendance vis-à-vis du parti qui lui donne son statut d'intellectuel, recul culturel souvent inexistant, forme de mysticisme dans l'engagement), mais aussi celui d'un attachement viscéral à ses origines sociales, à une tradition familiale et régionale, pour tout dire à une culture que l'on retrouve d'ailleurs dans tous ses ouvrages. Et c'est dans ce fonds particulier qu'André Stil saura puiser pour tenter de résoudre la tragédie que fut pour lui le rapport Khrouchtchev, ainsi que le repli progressif du PC du front culturel à partir de 1953 sous l'effet de l'évolution internationale. À la fin de 1956, le tournant pour lui est pris. En publiant *Le Blé égyptien* (nouvelles), il retrouve une forme de liberté créatrice qui le contraint à quitter son poste de rédacteur en chef de *L'Humanité* en 1959, tout en restant membre du comité central jusqu'en 1970. Toujours communiste, il est depuis 1977 membre de l'académie Goncourt et anime à Perpignan, où il réside, le Centre méditerranéen de littérature.

Didier Fischer

■ *Le Mot « mineur » camarades* (nouvelles), EFR, 1949. — *La Seine a pris la mer* (nouvelles), EFR, 1950. — *Le Premier Choc*, EFR, t. 1 : *Au château d'eau*, 1951 (prix Staline, 1952) ; t. 2 : *Le Coup de canon*, 1952 ; t. 3 : *Paris avec nous*, 1953. — *Le Blé égyptien* (nouvelles), EFR, 1956. — *Nous nous aimerons demain*, EFR, 1957. — *Beau comme un homme*, Gallimard, 1968. — *L'Optimisme librement consenti* (entretiens avec P.-L. Séguillon), Stock, 1979. — *Les Quartiers d'été*, Grasset, 1984. — *Gazelle*, Grasset, 1991. — *Une vie à écrire* (entretiens avec J.-C. Lebrun), Grasset, 1993. — *Du non au oui, le pari communiste*, Scandéditions, 1993.

STOCK (Librairie)

Si l'on veut illustrer les liens entre édition et combat politique au tournant du siècle, on doit évoquer la personnalité de Pierre-Victor Stock, soutien essentiel de la cause dreyfusarde, mais aussi celle d'Albert Savine, éditeur rival et malheureux en affaires, dont la librairie a accueilli de façon éclectique des défenseurs variés de causes politiques, avant d'être absorbée par celle de son plus proche concurrent, sise au Palais-Royal.

L'origine de la Librairie Stock, spécialisée dans la publication de pièces de théâtre, est ancienne. Jean-Nicolas Barba, installé dans le quartier à la fin du Premier Empire, devient un des éditeurs les plus célèbres et les plus prolifiques dans le genre. Mais ses successeurs ne sauront pas poursuivre sa stratégie commerciale efficace, pour le plus grand profit — indirect — des frères Lévy, qui fondent leur fortune sur les nouveautés du théâtre. En effet, Christophe Tresse, premier commis de Barba, se contente, avec son frère Nicolas, d'exploiter les titres existants du catalogue. La maison est fort en retrait, hors des grandes batailles qui commencent à structurer l'édition française moderne, quand Pierre-Victor Stock reprend le fonds de sa tante, Mme Tresse, née Stock, en 1885, après avoir d'abord travaillé avec le fils de celle-ci, Joseph.

Dynamique, Pierre-Victor Stock, tout en revitalisant la tradition de la maison, innove en soutenant le Théâtre libre d'Antoine, dont il est un ami personnel. Mais il semble avoir eu du mal à s'imposer, car roman et théâtre, touchés au premier chef par la crise de surproduction de l'édition, se vendent alors mal. Il assure sa trésorerie en assumant momentanément la direction du *Monde artiste*, important hebdomadaire des spectacles, mais aussi en publiant *Sous-offs* de Lucien Descaves* en 1890, qui lui valent un procès… et un beau succès de librairie (30 000 exemplaires vendus). Cette production romanesque liée à l'actualité politique lui permet de prendre d'autres risques, d'abord littéraires puis politiques : il publie la *Revue du monde nouveau*, à laquelle collaborent Banville, Heredia, Leconte de Lisle, Mallarmé et Charles Cros, ainsi que *Le Symboliste*, qui se solde par un échec, avec Paul Adam et Jean Moréas.

Stock donne ensuite progressivement à son fonds une orientation politique. Dès 1895, convaincu de l'innocence du capitaine Dreyfus* par Clisson et Lebrun-Renault, il s'exprime publiquement sur le sujet. Bernard Lazare*, habitué de sa librairie, lui demande alors de publier une brochure, *La Vérité sur l'affaire Dreyfus*, en 1896, à laquelle succèdent *Comment on condamne un innocent*, *Une erreur* *judiciaire*, *L'Affaire Dreyfus*, *Les Quatre Faces* et *Contre l'antisémitisme*. En 1898, coïncide avec le « J'accuse » de Zola* dans *L'Aurore* la publication chez Stock d'une *Histoire de la Commune* de Louise Michel dédicacée en ces termes : « Bon souvenir et amitiés à l'éditeur des anarchistes, Monsieur Stock. » C'est à ce moment que l'éditeur délaisse le catalogue traditionnel de la maison et édite, entre autres publications politiques, tout ce qui a un rapport avec l'Affaire : la documentation judiciaire en collaboration avec la Ligue des droits de l'homme*, l'hebdomadaire dévoué à la cause, *Le Sifflet*, contre le *Psst* antidreyfusard, des textes de Clemenceau, de Reinach, etc. Il paie de sa personne, en témoignant à la barre en faveur de Zola, assiste au procès de Rennes en 1899, se fait traiter de « crapule, bandit, prussien... ». En 1900, l'incendie du Théâtre-Français, qui touche sa librairie, aggrave sa situation financière : ce sont les indemnités reçues au titre du sinistre qui le tirent momentanément d'embarras, car ni Reinach ni les Rothschild ne lui prêtent de l'argent, jugeant son assise financière trop fragile. C'est pourtant la même année que P.-V. Stock réussit à racheter le fonds Savine au terme de longues tractations qui ont démarré en 1896. Il est vrai qu'Albert Savine, ruiné par la révolution cubaine, ne peut plus faire face à ses engagements auprès de ses auteurs et doit désormais vivre de sa plume. Ce rachat sauvera la maison Stock, car désormais le dreyfusisme ne fait plus recette. En effet, Savine dispose d'un catalogue remarquable de romans étrangers avec la collection « Bibliothèque cosmopolite » (Kipling, C. Doyle, Wilde, Tolstoï, Tourgueniev, Ibsen...) qui permet à Stock de se maintenir jusqu'à la guerre. Par ailleurs, selon toute probabilité, les deux éditeurs rivaux gravitaient indépendamment dans les cercles socialistes et anarchistes de l'époque. Les témoignages des intéressés sont silencieux sur ce point et la chronologie n'éclaire pas suffisamment. On notera toutefois que c'est après le rachat du fonds Savine que Stock crée, en 1902, la « Bibliothèque des recherches sociales » (B. Malon, Bernstein, Naquet, G. Renard, Kautsky...) et la « Bibliothèque des anarchistes » (Kropotkine, Malato, Reclus, Bakounine...). Or A. Savine a accueilli dans ses murs des nihilistes, des boulangistes, des antisémites et a publié de façon hétéroclite É. Drumont*, C. Malato, B. Malon, G. Darien... Il est vraisemblable que Stock a repris des contrats en souffrance de son confrère.

Savine jouait les mécènes jusqu'à sa ruine, Stock joue au poker et compromet la santé de sa firme, qui dispose pourtant d'un excellent catalogue pouvant être bien rentabilisé. Son secrétaire depuis 1910, Jacques Boutelleau, alias « Jacques Chardonne »*, lui propose alors de former une société en commandite, mais les pratiques de Stock entraînent un procès, que Boutelleau gagne peu avant la guerre. Il réussit à racheter la maison en 1921 avec Maurice Delamain, bien que Stock, ruiné, ait tout fait pour l'en empêcher. La firme mise désormais totalement sur le fonds littéraire étranger. P.-V. Stock exerce divers métiers sans rapport avec l'édition, tandis que Savine demeure forçat des traductions jusqu'à sa mort en 1927. Ce n'est qu'à la fin de sa vie que Stock, bénéficiant d'une petite rente, écrit les trois volumes du *Mémorandum d'un éditeur (1935-1938)*, où il relate notamment son combat dreyfusard. Il meurt en 1942, réconcilié avec Boutelleau.

La librairie a continué à publier en 1940. G. Heller, du côté des forces d'occupation allemandes, donne des assurances à J. Boutelleau, qui semble séduit. Sous son nom de plume de « J. Chardonne », il publie dans *La Nouvelle Revue française** de Drieu La Rochelle* un extrait de sa *Chronique privée de l'an 40* ; il participe, en 1941, au Congrès international d'écrivains organisé à Weimar et récidive en 1942. En 1944, il est emprisonné à Cognac et figure parmi les écrivains interdits du Comité national des écrivains*. Grâce à son fils mais aussi à J. Paulhan* et F. Mauriac*, l'enquête aboutit à un non-lieu en 1946. En 1961, la maison Stock passe chez Hachette sous la direction de Guy Schoeller.

Valérie Tesnière

■ C. de Bartillat, A. de Gourcuff et M. Prigent, *Stock (1708-1981) : trois siècles d'invention*, suivi d'*Une approche historique*, Bartillat, 1981. — G. Guitard-Auviste, *Chardonne*, Orban, 1984.

STOCKHOLM (appel de)

1950

L'« Appel de Stockholm » représente l'action la plus réussie du mouvement communiste international dans le cadre de la lutte pour la paix qui le mobilise totalement entre 1948 et 1952.

En août 1948, à l'initiative des Soviétiques, se déroule à Wroclaw en Pologne le Ier Congrès mondial des intellectuels pour la paix qui rassemble une quantité impressionnante de personnalités communistes et de compagnons de route. Il est marqué par un vif incident lorsque l'écrivain soviétique Fadeïev s'en prend en termes orduriers à Miller, Eliot, Malraux* et Sartre*, provoquant quelques défections notoires. Néanmoins, un manifeste qui rend les puissances occidentales responsables du danger de guerre est adopté et un comité permanent désigné. Celui-ci, avec d'autres organisations internationales procommunistes, convoque un Congrès mondial des partisans de la paix à Paris en avril 1949, auquel se rallient les Combattants de la paix, créés en 1948 par Yves Farge.

Soumis aux Soviétiques, le Mouvement des partisans de la paix regroupe de nombreux intellectuels (Joliot-Curie*, l'abbé Boulier, Sartre et bien d'autres) et orchestre une formidable campagne sur un thème simple : la dénonciation de la guerre nucléaire. La question est particulièrement sensible pour l'URSS, qui vient à peine de se doter de la bombe atomique. Le 19 mars 1950, le comité du Mouvement lance l'« Appel de Stockholm » qui exige notamment « l'interdiction absolue de l'arme atomique ». La simplicité du texte, l'activisme débridé des militants communistes qui consacrent l'essentiel de leur temps à recueillir des signatures, le prestige des intellectuels du Mouvement et des premiers signataires (Michel Simon, Jean Marais, Marc Chagall, etc.), la crainte d'un conflit armé qu'accentue le déclenchement des hostilités en Corée à l'été 1950, contribuent au succès de ce manifeste. Selon les chiffres officiels, certainement exagérés, 600 millions de personnes dans le monde le signèrent, dont 14 millions en France (en fait, sans doute 9,5 millions). En dépit des efforts du PCF, ce mouvement d'opinion ne se transforme pas en une vraie organisation de masse. Par la suite, le Mouvement de la paix lance d'autres opérations, avant de ralentir son activité du fait d'une réorientation de la stratégie soviétique. Mais l'essentiel a été atteint : le Mouvement de la paix a permis à Staline de digérer ses conquêtes européennes d'après guerre en mettant les Occidentaux dans l'impossibilité de recourir à la force. Il a démontré la capacité d'influence communiste qui repose sur l'utilisation des intellectuels de renom et la mise sur pied de structures adéquates.

Marc Lazar

■ P. Daix, *J'ai cru au matin*, Laffont, 1976. — D. Desanti, *Les Staliniens*, Verviers, Marabout, 1976. — A. Kriegel, *Le Système communiste mondial*, PUF, 1984. — O. Lecour Grandmaison, « Le mouvement de la paix pendant la Guerre froide : le cas français (1948-1952) », *Communisme*, 18-19, 1988. — B. Legendre, *Le Stalinisme français. Qui a dit quoi ? (1944-1956)*, Seuil, 1980.

SUARÈS (André)

1868-1948

Écrivain, critique, essayiste, poète, musicien, André Suarès, Grand Prix de littérature de l'Académie française* en 1935, a mené par ses écrits une lutte intransigeante contre le nazisme et autres formes de totalitarisme.

Né à Marseille le 12 juin 1868, d'une famille d'origine juive et italienne par le grand-père paternel, catholique par la femme de celui-ci, André était « israélite » par sa mère Charlotte Cohen. La question juive fut très tôt un objet de réflexion pour lui, qui avait trente ans lors de l'affaire Dreyfus*. Il s'exprime ainsi dans une lettre adressée à un inconnu : « Il y a plus d'une race en moi. Et je ne me sens d'aucune. Si les Juifs sont une race, qu'ils disparaissent. J'ai horreur de la race. Il n'est de race que là où il n'y a pas d'individus. À mes yeux, la race est le troupeau : la race est la Barbarie. Je fais la Guerre à tous les Barbares, en tous les ordres. Je suis antisémite avec les Juifs, et pour les Juifs avec les antisémites » (cité par R. Malletin, *Correspondance André Suarès-Paul Claudel (1904-1938)*, p. 201).

Aîné de trois enfants, Isaac-Félix-André Suarès fait ses études secondaires à Marseille, puis sa khâgne* au collège Sainte-Barbe. Il est reçu troisième à l'École normale supérieure*, où il se lie d'amitié avec Romain Rolland*. Il échoue à l'agrégation d'histoire, faute de se plier aux exigences rhétoriques de celle-ci. Il vit pendant une dizaine d'années dans l'obscurité, avant de se révéler à l'aube du nouveau siècle. Il a écrit des poèmes, des études, des pamphlets, mais sa farouche intransigeance lui a fermé la porte des éditeurs. Le 3 novembre 1903, Suarès perd son frère cadet Jean, tué dans un accident à Toulon. Ce deuil le plonge dans une affliction profonde, qui le décide à s'adresser à Paul Claudel*. Une longue correspondance s'ensuit, où Claudel s'efforce de convertir Suarès au catholicisme, mais en vain, malgré les inclinations d'André pour le christianisme.

Grâce à Claudel et à ses amis Maurice Pottecher et Édouard Latil, Suarès commence à publier ses œuvres. Ferdinand Brunetière*, un de ses anciens professeurs de la rue d'Ulm, lui fait obtenir le prix Montyon de littérature pour son essai sur la Bretagne, *Le Livre de l'émeraude*, de 1902. Le même Brunetière lui ouvre les pages de la *Revue des Deux Mondes** en 1903. Quatre ans plus tard, il entre à *La Grande Revue**, où il collabore soit sous son nom, soit sous le pseudonyme d'« Yves Scantrel » dans ses chroniques intitulées « Sur la vie ». Il publie aussi aux *Cahiers de la quinzaine** de Péguy*, en particulier des études sur Pascal, Dostoïevski et Tolstoï. Il collabore aussi à *La Revue de Paris* et à *Occident*, où il écrit notamment un texte intitulé « Messe de minuit » en 1910. En 1912, André Suarès fait partie de la première équipe de *La Nouvelle Revue française**, où Gide* l'introduit. Il y tient une « Chronique de Caërdal » jusqu'en 1940.

Auteur d'une œuvre profuse et largement méconnue, où concourent la poésie, l'essai, le théâtre, le portrait, A. Suarès est de plus en plus attentif à l'avenir de l'Europe dans les années 30. Hanté par la montée du totalitarisme — fasciste et stalinien —, contempteur des démissions des États démocratiques, il multiplie les analyses prémonitoires — notamment dans ses *Vues sur l'Europe*, sous presse en 1936, pilonnées aussitôt en raison de la remilitarisation de la Rhénanie, publiées enfin en avril 1939. L'ouvrage rassemblait des textes diversement parus entre 1930 et 1935, qui étaient des imprécations aussi violentes que lucides contre Hitler, Mussolini et Staline : « Hommes et régimes, ils sont trois qui ont la même racine, à Moscou, à Rome et à Berlin. Ils se vantent d'être des ennemis : ils sont frères ; le même esprit les anime, et la même action s'ensuit, de quelque couleur, d'ailleurs, qu'ils la colorent, celui-ci en noir, celui-là en rouge, et cet autre en jaune fiel strié de sang. » Pour l'édition de 1939, Suarès ajouta une postface incendiaire qui, sur le conseil de Grasset*, fut écartée et publiée sous forme de brochure, intitulée *En marge d'un livre*.

À soixante-douze ans, il doit fuir Paris le 11 juin 1940, peu de jours avant l'arrivée des nazis. Il se réfugie alors dans la Creuse, dans l'Ain, à Antibes, puis dans la région de Lyon, alors qu'il est recherché par la Gestapo puis par la Milice. Il regagne Paris en 1945, a le temps de publier encore quelques études, avant de mourir d'une crise d'urémie, à quatre-vingts ans, le 7 septembre 1948, laissant derrière lui une œuvre posthume considérable et méconnue.

Denis Condroyer

■ *Sur la mort de mon frère*, 1904. — *La Tragédie d'Elektre et Oreste*, 1905. — *Voici l'homme*, 1906. — *Portraits*, 1914. — *Vues sur Napoléon*, 1933. — *Vues sur l'Europe*, 1939, rééd. Grasset, 1991.

■ R. Parentié, *André Suarès l'insurgé*, 1990.

SUAREZ (Georges)

1890-1944

Journaliste et écrivain de l'entre-deux-guerres, Georges Suarez a suivi un itinéraire d'engagement qui l'a conduit, *via* le néo-pacifisme, l'anticommunisme, la critique de la République parlementaire, et l'antisémitisme tôt exprimé, jusqu'au collaborationnisme entre 1940 et 1944.

Après un passage à l'agence Havas comme correspondant à Vienne, Georges Suarez entre à la rédaction de *L'Écho national* (1922-1924), journal fondé par André Tardieu, principal continuateur de Clemenceau. Il intègre ensuite la rédaction du grand quotidien modéré *Le Temps* (1924-1928) et collabore au *Nouveau*

Siècle de Georges Valois* entre 1925 et 1928, avant d'accéder au poste de rédacteur en chef du nouvel hebdomadaire fondé par Horace de Carbuccia en 1928, *Gringoire**. Se voulant le représentant de la génération du feu, il défend, après 1932 et sa rupture avec Carbuccia, une nouvelle forme de pacifisme fondée sur la réconciliation avec l'Allemagne. Georges Suarez connaît aussi le succès à travers les deux grandes biographies qu'il fait paraître, celle de Clemenceau (1930) et celle de Briand (1938).

C'est surtout après le 6 février 1934 qu'il amorce un processus de radicalisation à l'image d'une bonne partie des intellectuels de droite. Rendant compte de l'émeute du 6 février, il stigmatise le parlementarisme, le radicalisme, la menace communiste et l'esprit d'affairisme « enfoui dans les coffres graisseux du judaïsme international ». Sans être à strictement parler un partisan des régimes fascistes, son anticommunisme et son antisémitisme, ses thèses favorables aux négociations avec l'Allemagne de Hitler, le font adhérer au Parti populaire français de Jacques Doriot en juin 1937. Il devient, en octobre 1938, rédacteur en chef de *Notre temps* de Jean Luchaire à un moment où ce dernier s'est séparé de son ancienne équipe de jeunes radicaux.

La période de l'Occupation est pour lui le sommet de sa carrière. Admirateur du maréchal Pétain dont il publie un portrait hagiographique, gros succès de librairie, partisan d'une collaboration avec l'Allemagne — « la collaboration est l'unique issue de notre défaite » —, il est le directeur d'*Aujourd'hui* (à partir de fin novembre 1940, après l'éviction d'Henri Jeanson) qui devient, sous son impulsion, l'un des principaux quotidiens de la presse collaborationniste parisienne (autour de 85 000 exemplaires en 1944). Si ses articles préfèrent alimenter le procès du régime de la IIIe République plutôt que le panégyrique des régimes nouveaux, celui de Hitler ou celui de Pétain, il n'en appelle pas moins, de 1942 à 1944, à une répression de plus en plus sévère contre les opposants à la politique de collaboration avec l'Allemagne, jugeant insuffisante la politique de Vichy contre les résistants et les juifs. Condamné à mort le 23 octobre 1944 par la Cour de justice de Paris pour intelligence avec l'Allemagne, il est exécuté le 5 novembre.

Nicolas Roussellier

■ *La Grande Peur du 6 février au Palais-Bourbon*, Grasset, 1934. — *Le Maréchal Pétain*, Plon, 1941.

▒ D. Wolf, *Doriot. Du communisme à la collaboration*, Fayard, 1969. — Cour de justice de la Seine, audience du 23 octobre 1944, sténographie judiciaire (cabinet René Bluet).

T

TABLE RONDE (Éditions de La)

Le parcours mouvementé des Éditions de La Table ronde, créées peu avant la Libération, s'inscrit dans un engagement de droite sous l'influence de Roland Laudenbach.

En 1944, Roger Mouton, fils d'un riche industriel, fonde les Éditions du Centre, constituées en SA le 19 juillet. Jean Cau* est nommé directeur administratif, et Roland Laudenbach, neveu de Pierre Fresnay et auteur, directeur littéraire. Leur activité éditoriale commence avec l'*Antigone* d'Anouilh*. Elle se poursuit avec la publication d'une revue de luxe à tirage limité dont le nom, *La Table ronde*, choisi par Jean Cocteau*, est attribué à la maison d'édition le 21 février 1945. André Fraigneau et Thierry Maulnier* lancent une collection de luxe, « Le Choix », inaugurée par *La Rencontre avec Barrès* de Mauriac*. Grâce à Laudenbach, beaucoup d'auteurs comme A. Fraigneau rejoignent La Table ronde : Bernard Pingaud, Paul Morand*, Maurice Bardèche*, Pierre Boutang*.

En janvier 1948, une revue littéraire mensuelle est créée pour contrer *Les Temps modernes** de Sartre* et sauvegarder la « liberté de l'esprit ». Codirigée par Mauriac et Maulnier, elle publie aussi Jean Paulhan*, Camus*, Raymond Aron*, Marcel Jouhandeau* et une jeune génération d'auteurs de la maison comme Henri Troyat, Claude Mauriac* ou Jean-Louis Curtis. Vers 1950, la reprise de la revue et des Éditions de La Table ronde par Plon entraîne une dispersion des auteurs maison — Mauriac renonce à l'entreprise en 1953, en rupture avec le milieu : « Expérience manquée, et d'ailleurs absurde dès le départ... », écrit-il dans son *Bloc-Notes*. Le groupe des « Hussards » les remplace : Antoine Blondin (futur prix Interallié), Roger Nimier*, Michel Déon et Jacques Laurent*. L'entrée de Colette Duhamel et de Gwenn-Aël Bolloré dans la société provoque l'arrivée de Roger Stéphane*, Bernard Franck et surtout Michel de Saint-Pierre, dont le roman *Les Aristocrates*, en 1954, est tiré à 85 000 exemplaires.

Dès 1957, sous l'impulsion de R. Laudenbach, la maison combat pour l'Algérie française et publie des ouvrages de Georges Bidault et Jean Brune. En octobre 1960, R. Laudenbach, directeur des Éditions, collabore à *L'Esprit public* aux côtés de Raoul Girardet*. En 1963, l'*Histoire de l'OAS* de J.-J. Susini est saisie par la police et, le 6 février 1965, un procès est intenté à Jacques Laurent pour son ouvrage *Mauriac sous de Gaulle*. En dépit de la publication d'auteurs de qualité comme Daniel Boulanger, les positions de Laudenbach conduisent à la fin de la participation de Gallimard* en 1974 dans la société, dont le capital est évalué à 5 millions de francs six ans plus tard.

Pour se démarquer de son image de droite, La Table ronde accueille Alphonse Boudard, Remo Forlani, Alain Bosquet et, en 1979, *La Chambre des dames* de Jeanne Bourin qui obtient un grand succès. Le départ de R. Laudenbach en 1985 et la séparation d'avec Grasset* en 1987 inaugurent une nouvelle histoire pour les Éditions dirigées en 1990 par Denis Tillinac.

Sophie Grandjean

■ P. Fouché, « L'édition (1914-1992) », *Histoire des droites en France*, t. 2 (dir. J.-F. Sirinelli), Gallimard, 1992. — R. Laudenbach, « Mode d'emploi », *Cahiers de La Table ronde*, hiver 1974. — J. Laurent, *Histoire égoïste*, La Table ronde, 1976. — P. Louis, *La Table ronde : une aventure singulière*, La Table ronde, 1992.

TARDE (Gabriel)
1843-1904

Né le 12 mars 1843 à Sarlat (Dordogne), issu d'une famille de robe remontant au XVIIe siècle, Gabriel de Tarde (il n'usera jamais de la particule pour signer ses œuvres) est le fils d'un officier devenu juge à Sarlat. Par sa mère, il descend également d'un milieu de notables (son grand-père était maire de Sarlat). Orphelin de père à sept ans, il est élevé au collège de jésuites de sa ville natale. Bachelier en 1860, souffrant d'une maladie des yeux, il ne s'inscrit en droit à Toulouse qu'en 1862. Grand lecteur de philosophie, il termine ses études à Paris, où il s'établit avec sa mère en 1865. De retour en Périgord en 1866, G. Tarde entame une carrière dans la magistrature en 1869 comme juge suppléant. Substitut à Ruffec (1873-1875), il revient à Sarlat comme juge d'instruction en 1875 et y demeure jusqu'en 1894. C'est donc en province, très loin de l'université, fréquentant un milieu de notables et de membres des professions libérales, qu'il entreprend de mettre sur le papier le fruit de ses réflexions de jeunesse, mêlant essais littéraires, « utopies », poésies et essais « sociologiques » ou psycho-sociologiques.

En 1880 commence la publication de ses premiers articles dans la *Revue philosophique* dirigée par Théodule Ribot. Tarde entame aussi sa correspondance avec les criminalistes italiens Lombroso, Garofalo et Ferri, et expose leurs thèses au public français mais rejette leur déterminisme physiologique dans son premier ouvrage « savant », *La Criminalité comparée* (1886). L'étude de la criminalité lui sert à fonder ses théories sociales et psychologiques sur l'imitation, déjà élaborées dans des textes restés inédits. Collaborateur des *Archives d'anthropologie criminelle*, à partir de 1887, il les codirige avec le docteur A. Lacassagne à partir de 1893. Deux livres fondent sa notoriété : *Les Lois de l'imitation* (1890) (six éditions et des traductions en russe, anglais, allemand et espagnol) et *La Philosophie pénale* (cinq éditions). Grâce à l'intervention d'amis haut placés il est nommé, début 1894, chef du bureau de la statistique judiciaire du ministère de la Justice et rédige les rapports qui accompagnent les douze volumes de statistiques de la criminalité. L'ingratitude de ce travail de bureau est compensée par une intense vie mondaine et la fréquentation des principaux intellectuels du temps. Il collabore aux revues intellectuelles *(Revue des Deux Mondes*, Revue de métaphysique et de morale, La Revue de Paris*, Revue internationale de sociologie, Revue bleue*)*, participe aux travaux de la Société de sociologie et à ceux de la Société des prisons. E. Boutmy l'invite à enseigner à l'École libre des sciences politiques* à partir de 1896 et il donne des conférences au Collège libre des sciences sociales*. Tarde connaît aussi la consécration académique sans être issu de l'Université. Grâce à son ami le psychologue T. Ribot, il est préféré à Bergson* en 1900 pour la chaire de philosophie moderne du Collège de France* et est élu à l'Académie des sciences morales et politiques la même année. Malgré le titre de sa chaire, Tarde fait un cours de sociologie.

Dans la dernière partie de sa vie et de son œuvre, Tarde défend ses théories contre les autres thèses sociologiques concurrentes. Contre l'économie politique libérale ou le marxisme, il insiste sur les fondements psychologiques de la vie économique ; contre l'organicisme, il affirme la primauté des individus et de la force de l'invention et de l'imitation comme loi de l'évolution sociale ; contre le darwinisme social, il voit dans l'association et la solidarité les fondements premiers des rapports humains, les luttes étant des moyens indirects d'établissement de plus grandes solidarités. Il rejette également tout évolutionnisme linéaire au nom de l'inventivité des individus et de la multiplicité des directions de l'histoire. Sa polémique la plus féroce l'oppose au durkheimisme, dans lequel il voit une métaphysique et une scolastique postulant des entités imaginaires pour fonder la sociologie en soi et pour soi ; pour lui l'individu, l'interpsychologie et les relations d'individus à individus sont les seuls fondements réalistes de la sociologie. Les durkheimiens dénoncent, eux, chez Tarde le flou et le cercle vicieux qu'implique la thèse de l'imitation comme fondement de la vie sociale et le manque de sérieux scientifique de ses preuves.

Ses livres en cette période de naissance des sciences sociales ont connu un succès public au-delà du cercle des spécialistes car ils mêlaient le langage de la science et de la philosophie, les idées dans l'air du temps, les allusions à l'actualité et un talent de plume qui les rendaient plaisants à lire. La trajectoire extra-universitaire et la vie écourtée de Tarde expliquent qu'il n'ait pas fondé d'école durable. Un regain d'intérêt se manifeste cependant pour son œuvre tant du côté de la psychologie sociale que de la science politique ou de la sociologie.

Christophe Charle

■ *La Logique sociale*, Alcan, 1893. — *Fragment d'histoire future*, Giard et Brière, 1896. — *L'Opposition universelle*, Alcan, 1897. — *Études de psychologie sociale*, Giard et Brière, 1898. — *Les Lois sociales*, Alcan, 1898. — *Les Transformations du pouvoir*, Alcan, 1899. — *L'Opinion et la foule*, 1900, rééd. PUF, 1989. — *Psychologie économique*, Alcan, 1902, 2 vol. — *Gabriel Tarde. Introduction et pages choisies par ses fils* (préface de H. Bergson), Louis Michaud, 1909.

▒ P. Favre, *Naissances de la science politique en France (1870-1914)*, Fayard, 1989. — J. Milet, *Gabriel Tarde et la philosophie de l'histoire*, Vrin, 1970.

TEILHARD DE CHARDIN (Pierre)

1881-1955

Né le 1er mai 1881 à Orcines près de Clermont-Ferrand, Pierre Teilhard de Chardin entre à dix-huit ans dans la Compagnie de Jésus. Orienté par Marcellin Boule vers la paléontologie humaine, maître de conférences de géologie à l'Institut catholique de Paris (1920-1925), docteur en sciences naturelles (1921), il quitte Paris en 1925 pour une succession de missions scientifiques en Chine où il participe aux fouilles qui aboutissent à la découverte du sinanthrope. Il sera aussi géologue de l'expédition Haardt-Citroën : *La Croisière jaune* (1931-1932).

Au cours de la guerre de 1914-1918, Teilhard avait formé l'ambition de construire une synthèse réconciliant la science, la philosophie et la théologie dans une vision unitaire de l'évolution cosmique, biologique et humaine. La lecture de *L'Évolution créatrice*, de Bergson*, complétée par la fréquentation amicale d'Édouard Le Roy lui avait donné l'idée d'une création qui se poursuit dans la durée. Maurice Blondel*, avec qui le Père Auguste Valensin le met en contact, l'aide à cerner la spécificité de l'action humaine dans la genèse universelle.

Dès 1925, une note de Teilhard sur le péché originel inquiète ses supérieurs qui le retirent de l'Institut catholique et l'envoient en Chine. Les textes ronéotés circulent mais, si l'on met à part les publications proprement scientifiques et quelques articles (ainsi dans les *Études** en 1937 : « Réflexions sur la crise présente » ; en 1939 : « La mystique de la science »), ses ouvrages sont tous posthumes. Déjà bien connu, le penseur religieux acquiert sa plus grande notoriété dans les dix années qui suivent sa mort.

Revenu de Chine en 1946, Teilhard fréquente durant ses désormais courts séjours en France des prêtres scientifiques tels que le Père de Saint-Seine, le Père Leroy, l'abbé de Lapparent, le Père Dubarle, le Père Russo qui se réunissent chez le Père Lejay. Il prend aussi contact avec le Centre catholique des intellectuels français* (CCIF). Si ses supérieurs le dissuadent de poser sa candidature au Collège de France*, il est en revanche élu à l'Académie des sciences*, donne des conférences, est invité à la Sorbonne pour un séminaire. Aux États-Unis, il rencontre Julian Huxley. À partir de 1951, chargé de mission par la Fondation Wenner-Gren, il fera plusieurs séjours de fouilles en Afrique du Sud, avant de regagner définitivement le siège de la Fondation à New York, où il travaillera jusqu'à sa mort.

Penseur et poète du religieux, Teilhard a élargi l'horizon du monde catholique : accueil de l'évolution comme catégorie centrale de la modernité *(Comment je crois)*, ouverture à l'apport spirituel de l'Extrême-Orient, reconnaissance de la valeur de l'activité humaine et de ses créations *(Le Milieu divin)*, universalisation de la conscience et incitation à penser le Christ aux dimensions du Cosmos *(La Messe sur le monde)*. Réagissant contre la séparation des savoirs, Teilhard milite en faveur de ce que nous nommons aujourd'hui « l'interdisciplinarité ». Il meurt à New York le 10 avril 1955 alors qu'il participe à la préparation d'un symposium sur « Les modifications de la Terre sous l'influence humaine ».

Pierre Colin

■ *Œuvres complètes*, Seuil, 1955-1976, 13 vol. — *Œuvres scientifiques*, Fribourg-en-Brisgau, 1971, 11 vol.

■ C. Cuénot, *Pierre Teilhard de Chardin. Les grandes étapes de son évolution*, Plon, 1958. — H. de Lubac, *La Pensée religieuse du Père Teilhard de Chardin*, Aubier, 1962. — É. Rideau, *La Pensée du Père Teilhard de Chardin*, Seuil, 1965.

TÉLÉVISION : ÉMISSIONS HISTORIQUES

À l'écrit comme à l'écran, l'histoire est la mieux diffusée de toutes les sciences sociales. Sous forme de récit, elle a connu une croissance considérable dans les années 60 et 70. L'histoire-fiction, souvent adaptée d'auteurs romanesques, a été le genre le plus populaire. La télévision française produit dès les années 50 des dramatiques historiques en costume (notamment la série « La caméra explore le temps », 1956-1965). *Les Rois maudits* (réal. Claude Barma, d'après Maurice Druon, 1975) est la dernière manifestation éclatante de cette tradition. La dramatique a été relayée par le feuilleton, plus populaire encore : par exemple *Thierry la Fronde* (réal. Robert Guez et Pierre Goutas, 1963-1966), *Le Chevalier de Maison-Rouge* (réal. Claude Barma, 1963, d'après Alexandre Dumas), *Les Compagnons de Jéhu* (1966), *Quentin Durward* (d'après Walter Scott, 1967).

Les documentaires historiques ont également été nombreux, puisant avec succès, pour la période contemporaine, aux archives (« Les Grandes Batailles », de Daniel Costelle, Jean-Louis Guillaud et Henri de Turenne, 1966-1970).

L'histoire entre aussi à la télévision par le biais des narrateurs, « Alain Decaux raconte », diffusé en direct, à partir de 1970. Son émission réapparaît en 1982, en différé, sous le titre « L'Histoire en question ». Enfin, l'histoire contemporaine a nourri les débats dans des émissions comme « Les Dossiers de l'écran » (lancé initialement sous le titre « Soirée historique » en 1967).

Si populaire soit-elle, l'histoire contemporaine n'a cependant pas échappé aux pesanteurs politiques de l'époque. La diffusion de *La Guerre d'Algérie* (Yves Courrière, 1970) n'est pas allée sans difficultés, tandis que le documentaire cinématographique de 1969 *Le Chagrin et la pitié* (André Harris, Alain de Sédouy, Marcel Ophuls), qui traite sans complaisance de la vie d'une petite ville de province sous l'Occupation, ne sera diffusé qu'en 1981.

L'américanisation progressive des programmes où dominent les fictions contemporaines (policiers, notamment), les coûts et la concurrence croissants ont précipité un recul de l'histoire dans les années 80. Les deux commémorations successives de la Révolution française (1989) et du centenaire de la naissance du général de Gaulle (1990) ont provoqué une remontée qui paraît seulement liée à la manie commémorative. Recyclant toujours plus vite les images du passé, la télévision évoque aujourd'hui surtout l'histoire contemporaine. Créé en 1993 sur FR3, « Les Brûlures de l'histoire », de Laure Adler et Patrick Rotman avec la collaboration de *L'Histoire*, adopte la formule d'un magazine des historiens, qui rappelle le mensuel de Georgette Elgey et Jean-Marc Leuwen, « Clio et les siens » (1966-1970, deuxième chaîne). La télévision produit encore occasionnellement des feuilletons historiques, avec une préférence marquée pour le XIXe siècle (*Maria Vandamme*, réal. Jacques Ertaud, TF1, 1989). L'imaginaire historique télévisuel, jadis d'une grande richesse, semble en voie de rétrécissement.

Jérôme Bourdon

■ J. Baudou et J.-J. Schleret, *Les Feuilletons historiques à la télévision française*, Huitième Art, 1992. — « L'histoire à la télévision », *Dossiers de l'audiovisuel*, n° 24, mars-avril 1989, Institut national de l'audiovisuel.

Télévision : émissions littéraires

L'histoire des émissions littéraires à la télévision française est très longue et très riche, au point qu'il est difficile de proposer un classement des émissions. Une émission domine, par sa longévité et son audience : dans « Apostrophes »* (1975-1990), Bernard Pivot réunissait chaque semaine, autour d'un thème, un groupe d'écrivains — interrogeant aussi parfois en tête à tête des « monstres sacrés » (Soljenitsyne*, Marguerite Yourcenar*). À l'étranger, cette série est apparue comme un symbole de la place exceptionnelle consacrée au livre par la télévision française.

Celle-ci avait très tôt exploré toutes les formules d'émissions littéraires. L'ancêtre fut « Lectures pour tous » (1953-1968), où Pierre Dumayet et Pierre Desgraupes pratiquaient l'interview confidence. Dans un esprit voisin, Claude Santelli produisit aussi « Livre mon ami » (1959-1968), magazine littéraire à rubriques multiples pour les jeunes, et, avec Françoise Verny, les « Cent livres des hommes » (1960-1973), qui mêlaient la reconstitution et l'interview de l'auteur et de personnalités liées à l'œuvre. Pierre Dumayet fut le producteur de nombreuses formules originales : les documentaires « Des milliers de livres écrits à la main » (1974-1976) exploraient le travail du manuscrit et les bibliothèques ; dans « Lire c'est vivre » (Antenne 2, 1975-1987), des lecteurs anonymes étaient invités à réagir, sur un plan personnel, à la lecture d'un chef-d'œuvre.

Dès l'époque d'« Apostrophes », on pouvait observer un appauvrissement progressif des dispositifs, dominés par le débat avec écrivains (et, beaucoup plus rarement, avec lecteurs). Les livres ont été fréquemment traités dans des rubriques d'actualité littéraire de magazines (c'est ce que fit « Droit de réponse », Michel Polac, TF1, 1981-1987). Dans une séquence d'« Aujourd'hui madame » (1975-1981), puis d'« Aujourd'hui la vie » (1981-1986), un écrivain dialoguait avec des lecteurs-téléspectateurs.

À partir de 1986, la concurrence a précipité le déclin des émissions littéraires. Le livre n'a pas disparu de la télévision, mais les émissions proprement littéraires ont reculé ou se sont raréfiées. La plus importante par son audience reste « Ex-libris » (hebdomadaire puis mensuelle, Patrick Poivre d'Arvor, TF1, depuis 1988), diffusée en deuxième partie de soirée. Bernard Rapp a repris une formule voisine d'« Apostrophes » dans « Jamais sans mon livre », dont l'audience est confidentielle. Le livre est souvent cité dans des émissions de plateaux ou de débats, mais il n'en est traité aux heures de grande écoute que si l'auteur est déjà une vedette.

Jérôme Bourdon

■ B. Pivot, *Le Métier de lire. Entretien avec Pierre Nora*, Gallimard / Le Débat, 1990. — « Littérature et télévision », *Dossiers de l'audiovisuel*, n° 29, janvier-février 1990, Institut national de l'audiovisuel.

TÉLÉVISION : ÉMISSIONS SCIENTIFIQUES

La critique des carences intellectuelles de la télévision est particulièrement vive lorsqu'il s'agit de la science. Depuis les années 70, les savants protestent de la faible place qui leur est faite, tandis que les professionnels, réalisateurs et programmateurs, soulignent les difficultés de rendre la science accessible.

En fait, l'histoire des émissions scientifiques est plus riche qu'il n'y paraît. On peut distinguer trois périodes, correspondant à trois dispositifs dominants qui se sont superposés sans s'annuler. Le premier est le reportage, qui correspond aux débuts des « Médicales » d'Igor Barrère et Étienne Lalou (1954). L'on y interviewe des savants sur leurs lieux de travail. Second dispositif, le débat apparaît en 1966 avec « Les Clefs du futur » de Roger Louis et Robert Clarke (émission qui disparaîtra en 1968). Depuis, le débat a reculé au profit de la grande mise en scène en studio conçue « comme un centre autour duquel s'articulent les machines à connaître la réalité » (Éric Fouquier et Eliseo Veron). On retrouve ce procédé qui combine reportage, débats, démonstrations, expériences, chez Laurent Broomhead (« Planète bleue », 1982), et, en 1992, chez François de Closets (« Savoir plus », avec Martine Allain-Regnault, France 2, qui aborde parfois des sujets scientifiques).

Ces dispositifs dominants n'empêchent pas des configurations plus marginales : l'interview approfondie avec de grandes figures de la science (dans « Un certain regard », du Service de la recherche de l'ORTF, 1964-1974) ; le reportage-jeu, autour d'une énigme scientifique, chez Michel Treguer (« Saga », sur TF1, première diffusion 1983).

À partir de 1986, le recul des émissions scientifiques est très net, et la déploration s'amplifie. À l'inverse des sciences sociales, dont les contenus sont plus proches du journalisme, les sciences « exactes » sont à peu près exclues de la télévision. Effrayés devant la difficulté de vulgariser, les réalisateurs la contournent parfois de façon maladroite, plaquant quelques informations scientifiques sur une personnalisation outrancière autour de la personne de l'animateur ou, en fiction, de la vie du savant.

Que sait-on de la science grâce à la télévision d'aujourd'hui ? Par le biais de magazines de santé ou d'émissions sur la nature et la vie des animaux, des éléments d'informations sur la biologie bénéficient d'une bonne diffusion. Médecins et explorateurs (Jacques Cousteau, qui associa dès les années 50 la découverte et la mise en scène télévisée) sont donc les héros de la science à l'écran. Sinon, les intercesseurs de la science font défaut, sauf quelques réussites exceptionnelles comme celle d'Hubert Reeves, astronome qui a rencontré depuis deux ans une curiosité nouvelle dans le public, ou plus occasionnelles pour Yves Coppens, paléontologue. Mais la paléontologie, réduite aux « origines de l'homme », a nourri aussi, depuis Darwin, nombre de « faits divers scientifiques ».

En tout état de cause, la culture scientifique a toutes les raisons de continuer à recevoir, sur le petit écran, la portion congrue. Le discours scientifique se réfugiera sans doute sur les chaînes thématiques de la télévision par câble (Planète, chaîne de documentaires) ou sur Arte*.

Jérôme Bourdon

■ É. Fouquier et E. Veron, *Les Spectacles scientifiques télévisés*, La Documentation française, 1985. — « Science et télévision », *Dossiers de l'audiovisuel*, n° 31, mai-juin 1990, Institut national de l'audiovisuel.

TÉLÉVISION : LES GRANDS COMMIS

L'intellectuel désireux de faire connaître son travail à la télévision doit passer par des intermédiaires : producteurs et/ou animateurs, adaptateurs d'œuvres littéraires, ils sont « les grands commis de la télévision ». Ils furent plus nombreux dans la télévision du passé, et leur renouvellement semble aujourd'hui problématique.

Ces grands commis, ce furent d'abord les réalisateurs de dramatiques, portant à l'écran des textes littéraires, ou des scénarios historiques originaux : ainsi Marcel Bluwal réalisateur du *Dom Juan* de Molière (1965) et des *60 000 fusils de Beaumarchais* (scénario de Marcel Moussy, 1966), Jean Kerchbron, qui se rendit célèbre pour ses réalisations de Racine en direct, ou encore Stellio Lorenzi, fils d'un immigré italien, diplômé de l'IDHEC, qui s'associe deux auteurs spécialisés dans l'histoire médiatique, André Castelot et Alain Decaux, pour produire « La caméra explore le temps » (1956-1965). Aux côtés des réalisateurs, des journalistes-producteurs, parfois écrivains eux-mêmes, se mirent de la partie : Max-Pol Fouchet*, créateur de la revue *Fontaine**, collaborateur de « Lectures pour tous » et auteur d'une série fameuse sur *Les Impressionnistes*, Michel Polac, journaliste-réalisateur-producteur, qui se fait connaître par des magazines littéraires (« Bibliothèque de poche », 1966-1967, « Post-scriptum », 1970-1971), ou encore Pierre Dumayet et Pierre Desgraupes, tous deux journalistes et hommes de radio, animateurs, auteurs de scénario (« En votre âme et conscience »).

Enthousiastes et peu préoccupés de l'audience, ces premiers intercesseurs ne sont pas des intellectuels. Ils se conçoivent comme des pédagogues. Ils tirent gloire de faire connaître des artistes, de faire vendre des livres.

Dans les années 70, ils sont relayés par une deuxième génération d'intercesseurs. Les journalistes multimédias, producteurs et animateurs de leurs émissions, dominent désormais la scène. Le plus connu est Bernard Pivot, critique littéraire du *Figaro** venu à la télévision en 1973. À ses côtés, on peut citer Patrick Poivre d'Arvor (présentateur sur Antenne 2 en 1976, puis présentateur du journal de 20 heures sur TF1 et animateur de « Ex-libris) », ou Jean-Marie Cavada qui, dans « La Marche du siècle » (FR3, depuis 1989), aborde de grands débats culturels en faisant souvent venir des intellectuels dont il met en valeur les productions : Michel Serres* est ainsi une de ses vedettes.

Rares sont les intellectuels (où même les éditeurs, à la notable exception de Françoise Verny, scénariste et productrice) qui ont essayé de se transformer en hommes de télévision. Beaucoup — comme Michel Foucault* — refusèrent, et certains refusent encore, toute collaboration. L'échec connu de Jean-Paul Sartre* (1976) pour réaliser, sur Antenne 2, une série d'émissions sur la France contemporaine, s'explique par des incompréhensions politiques mais aussi professionnelles entre deux milieux aux fonctionnements antinomiques. Les cas de collaborations réussies demeurent exceptionnels (l'adaptation, en 1978, du *Temps des cathédrales*, de Georges Duby*, qui fut aussi présentateur de la série, et le premier président de La Sept*).

Arte / La Sept : la chaîne culturelle a, dès les origines, servi de refuge à certains de ces grands commis de la culture télévisuelle, comme Michel Polac ou Jean-Marie Drot. Mais, refusant de personnaliser son antenne, elle n'a pas donné naissance à de grandes figures d'intermédiaires.

Jérôme Bourdon

■ C. Bosseno, « 200 téléastes français », *Cinémaction*, hors-série, 1990. — « Les professionnels de la télévision », *Sociologie du travail*, n° 4, 1993.

TEL QUEL ET L'INFINI

Le premier numéro de *Tel Quel* paraît en mars 1960 aux Éditions du Seuil*. Le comité de rédaction de la revue est composé alors de six écrivains âgés de moins de vingt-cinq ans, au nombre desquels Jean-Edern Hallier (qui jusqu'à son exclusion en 1963 assurera les fonctions de secrétaire général) et Philippe Sollers*, dont les premiers ouvrages ont suscité l'éloge de Mauriac* et d'Aragon*. Revue littéraire trimestrielle de présentation luxueuse et d'un caractère assez éclectique, *Tel Quel* entend se démarquer des théories de l'engagement développées aux *Temps modernes**, mais elle est également hostile aux « hussards » de la jeune droite antisartrienne. Parrainée par Ponge*, la revue se présente comme une sorte de jeune et moderne NRF*.

À partir de 1963, *Tel Quel* connaît un nouveau départ. Autour de Philippe Sollers qui s'en affirme comme le principal animateur, le comité ne cessera de se renouveler, accueillant des écrivains proches du « Nouveau Roman » comme Jean Ricardou, Jean Thibaudeau ou Jean-Pierre Faye*, des poètes comme Denis Roche*, Marcelin Pleynet* (nouveau secrétaire général) puis Jacqueline Risset. La revue se double d'une collection qui, outre ceux des telqueliens, publie certains des ouvrages de Roland Barthes*, Jacques Derrida*, Pierre Boulez* ou Julia Kristeva* qui, en 1970, entrera au comité de rédaction. Proposant souvent des textes d'une extrême complexité, la revue ne touchera jamais le grand public. À la fin des années 60, elle tire à près de 4 000 exemplaires, et seuls deux numéros — consacrés à Roland Barthes et à la Chine populaire — dépasseront les 10 000. Parmi les écrivains, les universitaires, les étudiants en lettres ou en philosophie, l'influence, cependant, est considérable, *Tel Quel* s'affirmant indiscutablement comme le pôle le plus dynamique et le plus audacieux de l'avant-garde. Les adversaires de la revue stigmatisent le terrorisme que celle-ci ferait régner sur les lettres françaises. En 1968, la revue publie sous le titre de *Théorie d'ensemble* une collection d'essais qui a valeur de manifeste ; elle lance également ses Groupes d'études théoriques, série de retentissantes conférences organisées à Saint-Germain-des-Prés dans l'effervescence de l'après-Mai.

L'histoire de *Tel Quel* est agitée et souvent haute en couleur. Elle est faite d'affrontements personnels, de querelles théoriques (sur le Nouveau Roman, le surréalisme ou le marxisme) et de prises de position politiques. Créée par des jeunes gens mobilisables, la revue naît dans le contexte sinistre de la guerre d'Algérie. Elle se politise dans la deuxième moitié des années 60, se rapprochant un temps du PCF, avant de rompre spectaculairement avec celui-ci en 1971 pour devenir maoïste. En 1974, une délégation de *Tel Quel* est officiellement invitée dans la Chine de la révolution culturelle, et ce voyage marquera la fin de la période révolutionnaire pour une revue qui consacre certains de ses derniers numéros aux États-Unis, à Joyce et la théologie ou à la critique du stalinisme.

Dans un contexte politique et culturel où la notion même d'avant-garde devient problématique, *Tel Quel* est amené à se redéfinir. En 1982, Philippe Sollers quitte Le Seuil pour Gallimard*. Ne pouvant conserver un titre dont la propriété appartient pour moitié à son ancien éditeur, il fonde une nouvelle revue dont le premier numéro paraît à l'hiver 1983. *L'Infini* est publié d'abord par Denoël* puis (à partir de 1987) chez Gallimard. Par sa présentation, sa périodicité, son format, la nouvelle revue, au titre près, semble la copie de l'ancienne. Elle se double d'une collection d'ouvrages. Marcelin Pleynet reste son secrétaire. Sur le fond, *L'Infini* semble renouer avec l'éclectisme des débuts de *Tel Quel*. La revue publie les textes de Sollers, Kristeva ou Kundera* et fait une place notable aux jeunes romanciers et essayistes. Elle consacre également des numéros spéciaux à la situation en Chine, en Europe de l'Est ou à l'actualité de Céline et de Voltaire. *L'Infini* veut être avant tout une revue littéraire mais, sous l'égide de Sollers, elle conçoit la littérature et l'art, pratiqués en tant que tels, comme les formes les plus aiguës de l'engagement et de la dissidence. En ce sens, *L'Infini* est aussi une revue politique, reposant sur le pari suivant : « qu'il y a, qu'il y aura, de plus en plus besoin d'une revue littéraire au temps de l'explosion de l'information et des réseaux de communication multiples. Plus la diversification spectaculaire et publicitaire augmente, et plus le langage concentré, médité, de la littérature peut le traverser en acte ».

Philippe Forest

■ Tel Quel, *Théorie d'ensemble*, Seuil, 1968.

▒ P. Forest, « L'éternel réflexe de réduction », *L'Infini*, 39, automne 1992 ; *Histoire de « Tel Quel » (1960-1982)*, Seuil, 1995. — J. Kristeva, « Mémoire », *L'Infini*, 1, hiver 1983. — P. Sollers, *Improvisations*, Gallimard, 1991. — I. Van der Poel, *Une révolution de la pensée : maoïsme et féminisme à travers « Tel Quel », « Les Temps modernes » et « Esprit »*, Amsterdam-Atlanta, Rodopi, 1992.

TÉMOIGNAGE CHRÉTIEN

En 1991, l'hebdomadaire *Témoignage chrétien* a fêté son cinquantième anniversaire, en faisant observer qu'il était le dernier journal de la presse clandestine de la Seconde Guerre mondiale à subsister. À vrai dire, si les *Cahiers du témoignage chrétien* de la clandestinité et l'hebdomadaire actuel se réclament de la même devise : « Vérité, justice, quoi qu'il en coûte », il est évident que les engagements — car dans les deux cas, il s'agit bien de presse engagée — ne se confondent nullement.

Créés en novembre 1941 à Lyon à l'instigation d'une poignée de jésuites assistés de quelques laïques, les *Cahiers du témoignage chrétien* ont attesté, dans une France dominée par le maréchalisme ambiant soutenu par la hiérarchie catholique, les exigences fondamentales de la conscience chrétienne en rappelant l'antinomie radicale entre le nazisme et l'Évangile. Fondateur des *Cahiers*, Pierre Chaillet*, professeur au scolasticat jésuite de Fourvière, spécialiste de la théologie allemande et patriote franc-comtois, a fait de ces fascicules clandestins un paradigme de la résistance spirituelle. Leur originalité n'était pas seulement de fournir aux lecteurs des informations et des documents destinés à confondre la propagande officielle, tant vichyssoise qu'allemande. C'était surtout de rappeler, face au paganisme hitlérien, les bases de la doctrine chrétienne, en particulier le rejet absolu de l'antisémitisme et l'affirmation du lien spirituel unissant juifs et chrétiens. Telles furent les lignes de force des *Cahiers*, à quoi il convient d'ajouter une autre particularité, le caractère œcuménique de l'entreprise et la collaboration constante entre protestants et catholiques.

Les véritables ancêtres de l'hebdomadaire actuel sont les *Courriers français du témoignage chrétien*, venus renforcer au printemps 1943 les *Cahiers* et élargir « le front de résistance spirituelle contre l'hitlérisme ». Cette feuille, à peu près mensuelle, entendait être une publication de lecture plus facile que les *Cahiers* et plus accessible à des publics divers. À la Libération se pose la question de savoir si l'œuvre du journal clandestin doit se poursuivre au grand jour par un périodique régulier. La Compagnie de Jésus donne son accord pour cette solution et André Mandouze*, responsable des *Courriers* depuis leur création, devient le premier rédacteur en chef de l'hebdomadaire, qui entend affirmer la présence des chrétiens dans la France libérée. *Temps présent**, l'hebdomadaire de Stanislas Fumet*, qui reparaît à la Libération, se saborde un an après, pour laisser la place au journal issu de la Résistance. Avec les années, directeurs et rédacteurs en chef se sont succédé. On peut citer les noms de Jean-Pierre Dubois-Dumée, Jean Baboulène, André Vial, Georges Suffert, Hervé Bourges, Claude Gault, etc. Quant au Père Chaillet, il renonce au journal en 1956. Quelques mois plus tôt, avait été nommé directeur le gérant, Georges Montaron, ancien jociste, et c'est lui qui a animé et dirigé l'hebdomadaire depuis lors. Fier de son titre et bénéficiaire du prestige des *Cahiers* clandestins, le journal affirme sa fidélité à l'Église, il traite de pastorale et donne la parole aux théologiens en vue. Solidaire des prêtres-ouvriers*, il a applaudi au concile Vatican II. Actuellement, il se veut le défenseur d'une Église du dialogue et a lancé en 1989 une revue trimestrielle intitulée *Croyants en liberté*. Plus récemment, il a soutenu Mgr Gaillot.

Comme son ancêtre clandestin, le journal a traversé des temps difficiles pour défendre des causes qu'il estimait de son devoir de soutenir, telles que la décolonisation, sans hésiter à dénoncer les pages noires de la politique de la France. Ainsi, en 1949-1950, Paul Mus, professeur au Collège de France*, publie une série d'articles sur la guerre d'Indochine, avec des témoignages accablants. Plus tard, *Témoi-*

gnage chrétien intervient avec courage et détermination pendant la guerre d'Algérie* au nom du respect de la dignité humaine. Il contribue à révéler les violences exercées de l'autre côté de la Méditerranée, en particulier la torture. En février 1957, il publie le « Dossier Jean Muller, de la pacification à la répression », témoignage bouleversant d'un chef scout tué en Algérie, ce qui lui vaut de passer pour « l'étendard de l'indépendance algérienne ». Les causes que soutient ce journal militant ne manquent pas et illustrent plus d'une fois la distance prise avec le *Témoignage chrétien* clandestin (choix pacifistes, appui inconditionnel de la cause palestinienne, etc.). Surtout, tandis que les *Cahiers* et *Courriers* des années 1941-1944, se refusaient à tout engagement politique, l'hebdomadaire se veut ancré à gauche, depuis l'adhésion naguère à la politique de Pierre Mendès France jusqu'à la tenace défense et illustration du socialisme démocratique.

Soutenu par un lectorat lui aussi engagé et fidèle, le journal, atteint par le vieillissement, n'en a pas moins vu diminuer son tirage depuis les années 80 et il se trouve à la recherche d'un nouveau souffle.

Renée Bédarida

■ *« Témoignage chrétien », « Cahiers » et « Courriers » (1941-1944)*, réédition intégrale en fac-similé, 1980, 2 vol.

▒ R. Bédarida, *Les Armes de l'esprit. Témoignage chrétien (1941-1944)*, Éditions ouvrières, 1977 ; *Pierre Chaillet, témoin de la résistance spirituelle*, Fayard, 1988. — *« Témoignage chrétien », cinquante ans d'histoire (1941-1991)*, Éd. du Témoignage chrétien, 1991.

TEMPS MODERNES (LES)

Le 1er octobre 1945 paraît dans les kiosques une nouvelle revue, *Les Temps modernes*. Sous l'égide de Sartre*, son lancement participe de la grande « offensive existentialiste » de l'automne 1945 que constituent en l'espace de quelques semaines la publication des deux premiers tomes des *Chemins de la liberté* de Jean-Paul Sartre, la parution du *Sang des autres* de Simone de Beauvoir* et la création de sa pièce *Les Bouches inutiles*, l'organisation enfin d'une conférence donnée par Sartre à la Mutualité sur le thème : « L'existentialisme est-il un humanisme ? » Autour de l'équipe dirigeante, formée à ses débuts de Sartre, Simone de Beauvoir et Maurice Merleau-Ponty* qui assume les fonctions de rédacteur en chef et de directeur politique, le premier comité de rédaction de la revue se compose de Raymond Aron* (lequel ne tarde pas à s'éloigner pour des raisons idéologiques), Albert Ollivier, Michel Leiris* et Jean Paulhan*. À ces noms, viendront dans les années suivantes s'ajouter ceux de Jacques-Laurent Bost, J.-B. Pontalis*, Jean Pouillon, Claude Lefort*, Francis Jeanson*, André Gorz*, Claude Lanzmann, Marcel Péju, Jean Cau*, Roger Stéphane*, Olivier Todd, etc.

« L'événement de la semaine est assurément la sortie de la première livraison des *Temps modernes* », note *Le Figaro**. « Elle est attendue comme la revue du tiers parti, à côté des deux grandes familles de disciplinés — la marxiste et la chrétienne — qui cherchent à agir, à s'imprimer sur le changement précipité des êtres et des choses. »

Le titre que s'est choisi la revue révèle d'emblée sa vocation : *Les Temps modernes* ont pour ambition d'analyser et de prendre position sur les questions significatives de l'époque, comme l'annonce la « présentation » du premier numéro : « Puisque l'écrivain n'a aucun moyen de s'évader, nous voulons qu'il embrasse étroitement son époque [...]. Nous ne voulons rien manquer de notre temps... » Cette époque, les collaborateurs des *Temps modernes* entendent s'y engager pleinement : « Notre intention est de concourir à produire certains changements dans la société qui nous entoure », et librement : « Notre revue prendra position en chaque cas. Elle ne le fera pas politiquement, c'est-à-dire qu'elle ne suivra aucun parti. »

Si, jusqu'au début des années 50, *Les Temps modernes* incarnent une pensée de gauche indépendante par rapport au Parti communiste, la ligne politique de la revue va s'infléchir sous l'influence de Sartre dont elle reflète l'évolution en matière d'engagement : passant d'une forme d'engagement virtuel et indirect dont le vecteur était la littérature, à l'adhésion véritable au mouvement de l'Histoire, Sartre était voué à rencontrer le Parti communiste, seule incarnation à ses yeux de la praxis révolutionnaire. Au moment donc où se produisent les premières désaffectations d'intellectuels à l'égard du Parti, Sartre publie dans la revue trois longs articles, « Les communistes et la paix » (1952-1954), qui entérinent ce rapprochement. À l'égard des communistes, *Les Temps modernes* sont passés de la « distance critique » au « ralliement critique ». Loin de faire l'unanimité au sein de la rédaction, cette prise de position sartrienne suscite conflits internes et remous et aboutit enfin au départ de Merleau-Ponty, et à celui de son disciple Claude Lefort, plus tôt formés au marxisme et au léninisme que Sartre, mais censeurs du régime stalinien.

C'est ce rapprochement avec le communisme qui est au fond de la querelle avec Camus* : la publication par ce dernier, en 1951, de *L'Homme révolté*, dénonciation de la dérive totalitaire du stalinisme, et l'éreintement qu'en produit Francis Jeanson dans *Les Temps modernes* en mai 1952 entérinent la rupture définitive entre Sartre et Camus.

Quinze ans après sa fondation, la guerre d'Algérie semble donner un nouveau souffle aux *Temps modernes*, mais, dans les années 60, le déclin de l'hégémonie sartrienne et la remise en question du modèle existentialiste lui font perdre sa position nettement dominante. Par ailleurs, l'influence croissante des sciences humaines aboutit à un transfert de la légitimité intellectuelle au profit de nouvelles revues spécialisées et affaiblissent l'audience des anciennes revues « militantes ». À la fin de la décennie, *Les Temps modernes* épousent encore l'air du temps et connaissent une orientation gauchiste et anti-institutionnelle qui culmine, en avril 1970, avec la publication d'un article de Gorz, « Détruire l'Université ».

C'est Claude Lanzmann qui a assuré la continuité en prenant la direction des *Temps modernes*. Le nom de la revue reste néanmoins indissociable de celui de son fondateur, Sartre, et de l'époque de l'après-guerre où, comme le souligne Anna Boschetti, elle sut incarner un « modèle inédit d'excellence intellectuelle, unissant la plus noble tradition philosophique à la présence dans l'actualité ».

Delphine Bouffartigue

■ A. Boschetti, *Sartre et « Les Temps modernes »*, Minuit, 1985. — M.-A. Burnier, *Les Existentialistes et la politique*, Gallimard, 1966. — A. Cohen-Solal, *Sartre*, Gallimard, 1985.

TEMPS PRÉSENT

La publication, le 5 novembre 1937, du premier numéro de l'hebdomadaire *Temps présent* manifeste la volonté d'un groupe d'intellectuels catholiques d'assumer l'héritage légué par *Sept**, l'un des périodiques soutenus par les éditions dominicaines du Cerf jusqu'à sa suppression par le Saint-Office en août 1937. Journal laïc, publié par les Éditions du Temps présent créées à cette occasion, le successeur de *Sept* se définit de façon autonome à l'égard de tout ordre religieux, et particulièrement de celui des dominicains. Ces derniers n'exercent donc plus aucune responsabilité dans la nouvelle société, même si l'administratrice du journal, Ella Sauvageot, leur est proche. Au sein de la rédaction, dans laquelle se retrouvent nombre des collaborateurs de *Sept*, de Joseph Folliet à Pierre-Henri Simon* en passant par François Mauriac* (qui signe gratuitement un « billet » hebdomadaire), le seul changement notable est la création d'un poste de « directeur de la rédaction » qu'occupe Stanislas Fumet*, venu des Éditions Desclée de Brouwer, sur la proposition de son ami Jacques Maritain*. À cette équipe, se joint Georges Hourdin*, lorsque en mai 1938 *Temps présent* rachète l'hebdomadaire *La Vie catholique* au bord de la faillite.

La continuité de *Temps présent* avec *Sept* s'étend également à son lectorat, preuve de la stabilité d'un courant d'opinion « catholique d'abord » : nombreux sont ceux qui, parmi ses 21 500 abonnés et ses 31 500 lecteurs, lisaient déjà *Sept*, tandis que les « Amis de *Sept* » poursuivent leur tâche de propagande sous le nom d'« Amis de *Temps présent* » (dont Charles de Gaulle est membre). Soutenus par des lecteurs actifs, dont beaucoup sont issus des mouvements d'action catholique spécialisée, le journal de la rue de Babylone se propose, « en dehors et au-dessus des partis » — comme l'indique son sous-titre —, de contribuer à l'édification d'une « nouvelle chrétienté » dont le projet a été esquissé par Jacques Maritain en 1936, dans son *Humanisme intégral*. Face aux menaces grandissantes que les totalitarismes font peser sur la paix, la rédaction de l'hebdomadaire s'engage dans des campagnes de presse qui fournissent autant d'occasions de mobiliser ses militants pour qu'ils s'efforcent de gagner de nouveaux abonnés, comme par exemple lors de la campagne « La paix par le Christ » qui débute en décembre 1938.

Après la défaite du printemps 1940 et malgré son antiparlementarisme, son rejet de la politique des partis, et son intérêt pour le régime du dictateur portugais Salazar, *Temps présent*, qui s'interrompt le 14 juin 1940 pour renaître à Lyon en décembre, sous le titre de *Temps nouveau*, adopte une attitude de plus en plus critique à l'endroit de l'État français, ce qui lui vaut une interdiction définitive en août 1941. Relancé par Pierre Bernard, cofondateur des Éditions du Temps présent, et dirigé à Saint-Étienne par Roger Radisson de mai 1942 à juillet 1944, *Positions*, « hebdomadaire de culture chrétienne », entend maintenir le principe de « primauté du spirituel », jusqu'à la renaissance de *Temps présent*, à Paris, le 26 août 1944. En dépit de tirages d'abord prometteurs (environ 100 000 exemplaires en 1945), le nouveau *Temps présent* disparaît le 16 mai 1947, après s'être intitulé *L'Amitié française* pendant ses quatre derniers mois, victime d'un effritement rapide de son audience et des dissensions nées entre ses collaborateurs au sujet de l'attitude à adopter à l'égard du gaullisme et du communisme.

Tangi Cavalin

■ S. Fumet, *Histoire de Dieu dans ma vie*, Mame, 1978. — G. Hourdin, *Dieu en liberté*, Stock, 1973. — M. Neyme, *Un hebdomadaire politique d'inspiration chrétienne : « Temps présent » (1937-1947)*, thèse, Faculté de droit et de sciences économiques, juin 1970.

THALAMAS (affaire)

1904-1908

En 1904, Amédée Thalamas (1867-1953) est professeur d'histoire au lycée Condorcet à Paris. Radical, franc-maçon, il exprime ses idées avec un rien de provocation (ou bien c'est une provocation qu'on lui prête). Devant ses élèves de seconde, il déclare que Jeanne d'Arc — dont le culte n'a cessé de se développer parmi les nationalistes — fut « sujette dès son enfance à des hallucinations auditives ». Début de la première « affaire Thalamas » : une protestation est lancée par des parents d'élèves, soutenue par un député, relayée par la presse, et, fin novembre, le professeur est muté au lycée Charlemagne.

À la rentrée universitaire de 1908, à la Sorbonne, Amédée Thalamas, fort du soutien de Lavisse* et de Durkheim*, doit présenter un cours sur la pédagogie de l'enseignement de l'histoire. De décembre 1908 à février 1909, il ne pourra jamais le professer dans des conditions normales. Son cours devient le point de focalisation des manifestations et contre-manifestations qui opposent, parfois violemment, les étudiants nationalistes et les étudiants républicains. La caisse de résonance de la Sorbonne, pour cette seconde « affaire Thalamas », est d'une tout autre puissance que l'échauffourée de 1904 rue du Havre.

L'aspect purement anecdotique de l'histoire est alors dépassé. D'abord parce que l'affaire Thalamas est un révélateur d'une politisation croissante de la jeunesse étudiante. Elle dessine une géographie politique du Quartier latin qui oppose le boulevard Saint-Michel, bruyamment tenu par les étudiants d'Action française*, et la rue d'Ulm, où les normaliens sont en majorité républicains. L'affaire Thalamas devient un affrontement de référence. C'est l'occasion de premiers engagements et la confirmation d'une sociabilité étudiante où l'apprentissage intellectuel se dissocie de moins en moins d'une forme d'apprentissage politique. Bien entendu, l'« affaire Thalamas », même si elle sert de banc d'essai à d'autres « affaires » du même genre, ne détermine pas, à elle seule, des convictions et des itinéraires d'engagement, malgré le rôle indéniable de l'Action française ou de la Fédération des étudiants républicains. Mais elle contribue à une atmosphère à laquelle n'échapperont plus les générations étudiantes et normaliennes de l'entre-deux-guerres.

Amédée Thalamas, député radical entre 1910 et 1914, devient inspecteur d'académie, recteur puis directeur de l'Instruction publique en Indochine.

Nicolas Roussellier

■ J.-F. Sirinelli, *Génération intellectuelle. Khâgneux et normaliens dans l'entre-deux-guerres*, Fayard, 1988, rééd. PUF, 1994 ; « Un boursier conquérant : Amédée Thalamas », *Bulletin du Centre d'histoire de la France contemporaine*, Paris X-Nanterre, n° 7, 1986.

THARAUD (Jérôme et Jean)

1874-1953 et 1877-1952

Frères jumeaux en écriture, Jérôme et Jean Tharaud détiennent sans doute un record mondial de collaboration littéraire et journalistique : plus de cinquante ans d'œuvres communes depuis leur journal d'adolescents, *Les Deux Pigeons*, jusqu'à leur dernier livre, *La Double Confidence* (1951). Nés respectivement le 18 mai 1874 et le 9 mai 1877 à Saint-Junien dans la Creuse, ils sont tôt orphelins de père et poursuivent à Paris des études commencées à Angoulême. Jérôme devient l'ami de Péguy* à l'École normale supérieure* et signe la pétition de *L'Aurore* en faveur de Dreyfus*. C'est chez Jean à Paris que Péguy entrepose d'abord les *Cahiers de la quinzaine** dont les deux frères sont des collaborateurs de la première heure. Ces années d'apprentissage seront évoquées dans *Notre cher Péguy* (1926).

Pendant quatre ans, Jérôme, premier lecteur de français au collège Eötvös de Budapest, court l'Europe et découvre les ghettos juifs, source d'inspiration des deux frères. Jean sort diplômé de l'École libre des sciences politiques* en 1901. De 1904 jusqu'à la guerre, Jérôme est le secrétaire de Maurice Barrès*, son cadet le supplée parfois. C'est pendant cette période — décrite dans *Mes années chez Barrès* (1928) — que les Tharaud accèdent à la notoriété : le prix Goncourt couronne en 1906 *Dingley, l'illustre écrivain*, critique de Kipling et de l'impérialisme anglais ; ils donnent *La Maîtresse Servante*, roman campagnard, *La Fête arabe*, dénonçant l'immigration en Algérie d'éléments non français, se rapprochent de Déroulède et des milieux nationalistes. Mobilisés au début de la guerre, ils rejoignent Lyautey au Maroc en 1917, se font les chantres de l'épopée coloniale dans *Rabat* (1919), *Marrakech* (1920) et *Fez* (1930). L'Académie française* leur attribue le Grand Prix de littérature en 1919.

De l'intérêt ambigu qu'ils portent aux milieux juifs d'Europe centrale, ils passent après la guerre à un antisémitisme sensible notamment dans *Quand Israël est roi* (1921), *Petite histoire des juifs* (1927) et surtout *Quand Israël n'est plus roi* (1933), dans lequel les menaces hitlériennes sont minimisées. L'apogée de leur succès date des années 30 : écrivains à la langue classique, ils sont — surtout Jérôme le plus nomade des deux frères — les envoyés spéciaux de grands journaux, publient reportages et romans sur l'Allemagne, l'Europe centrale, l'Italie, l'Espagne, l'Éthiopie, le Portugal ou la Syrie. Élus à l'Académie française, l'aîné en 1938, le cadet en 1946, ils sont proches de Pétain mais non collaborationnistes. Écrivains prolifiques — une soixantaine de livres en un demi-siècle —, auteurs de nombreux articles dans des journaux divers, les jeunes écrivains aux sympathies dreyfusardes sont devenus des gens de lettres conformistes et conservateurs. Jean meurt à Paris le 8 avril 1952, Jérôme à Varengeville le 28 janvier 1953.

Michel Leymarie

■ *Dingley, l'illustre écrivain*, Pelletan, 1906. — *La Fête arabe*, Émile-Paul, 1912. — *L'Ombre de la Croix*, Plon, 1917. — *Rabat ou les Heures marocaines*, Émile-Paul, 1918. — *Marrakech ou les Seigneurs de l'Atlas*, Plon, 1920. — *Quand Israël est roi*, Plon 1921. — *Notre cher Péguy*, Plon, 1926. — *Mes années chez Barrès*, Plon, 1928. — *Quand Israël n'est plus roi*, Plon, 1933. — *La Double Confidence*, Plon, 1951.

■ J. Bonnerot, *Jérôme et Jean Tharaud, leur œuvre*, La Nouvelle Revue critique, 1927. — Y. Foubert-Daudet, *La Règle du Je*, ERES, 1982. — R. Mathé (dir.), *Sur Jérôme et Jean Tharaud*, Trames, université de Limoges, 1983.

THÉÂTRE POPULAIRE

Le volontarisme culturel des milieux théâtraux a pris en ce siècle le nom de « théâtre populaire » ; leur volontarisme politique aussi, et il faut l'en distinguer. Le second, qui entend le terme *populaire* dans le sens de « classes populaires », voire uniquement de « classe ouvrière », a donné entre les deux guerres le mouvement d'agit-prop (le groupe Octobre* par exemple) ; qualifié de « théâtre d'intervention » dans les années 60, on en trouve de nos jours des descendances dans les démarches d'Augusto Boal (le théâtre de l'opprimé) ou d'Armand Gatti. On peut classer également, mais différemment, dans ce second secteur toute la mouvance brechtienne, dont la revue *Théâtre populaire* (1953-1964 ; Roland Barthes*, Émile Copfermann, Bernard Dort*, Robert Voisin...) fut un temps le porte-drapeau. Mais il sera ici question de la branche majeure, celle qui, de Pottecher à Vilar* en passant par Romain Rolland* ou Copeau*, fit de l'art dramatique un instrument d'acculturation des couches défavorisées et d'intégration, d'union géographique et sociologique du peuple-nation.

Le « peuple » était pour eux l'ensemble de la société. À étudier ce courant, on trouve sous-jacente mais centrale la question de l'union nationale. En dépit des différences, ils souhaitèrent tous rassembler dans les travées de la fête dramatique toutes les classes sociales. « Rassembler » fut donc le premier maître mot. Le deuxième fut « unir » (version républicaine, de Romain Rolland à Vilar et à la décentralisation théâtrale d'après la Seconde Guerre mondiale chère à Dasté), ou « faire communier » (version chrétienne de Copeau, d'Henri Ghéon ou de *Jeune France** dans les années-Vichy). Cette union, ou communion, devait se faire autour d'une vision commune du monde, d'où l'utilisation de thèmes largement accessibles (la Révolution française pour Rolland ou le fonds chrétien pour Chancerel, Copeau...). D'où également, pour tous, le recours massif aux classiques assumés et imposés comme un pilier de l'identité nationale. La question communautaire fut en effet au cœur de la démarche ; en tant que finalité plus ou moins clairement avouée (l'union nationale), et aussi comme pratique professionnelle centrée sur la troupe, communauté artistique rompant avec les pratiques individualistes du milieu théâtral.

La première tentative isolée vint de Maurice Pottecher à Bussang dans les Vosges en 1895. C'était l'époque des Universités populaires*, mises en œuvre dans les milieux socialisants et qui, par la culture, tendirent à intégrer les couches défavorisées. Dreyfus condamné et déporté, l'Affaire n'avait pas encore pris son envol. Le boulangisme n'était pas loin. Les progrès de l'instruction publique accéléraient l'unification de la France, et la question nationale sur le terreau de la perte de l'Alsace-Lorraine était une forte préoccupation. La seconde fut l'œuvre de Firmin Gémier, qui établit en 1911 une vaste entreprise de tournées (le Théâtre national ambulant). Pour des questions techniques et financières, ce fut un échec. Autre exemple de démarche individuelle, celle de Copeau en Bourgogne (1924-1929). Le livre de R. Rolland *Théâtre du peuple*, paru en 1903, théorisation de ce projet, en était, en 1926, à sa sixième édition. Mais le théâtre en province et en direction des plus défavorisés se heurta à de gros problèmes économiques.

Le mouvement put prendre de l'ampleur lorsqu'il rencontra une préoccupation étatique. En 1920, au sortir d'une guerre où la vie des tranchées avait transcendé les clivages sociaux, l'État accepta la création d'un troisième théâtre national, chargé de diffuser les œuvres du patrimoine aux classes défavorisées. Le Théâtre national populaire (TNP) fut confié à Gémier. L'inauguration se fit symboliquement le 11 novembre, jour de fête nationale. Puis la IIIe République estima sans doute avoir rempli son rôle en la matière, et se contenta de verser régulièrement des subsides au TNP. Le besoin d'un subventionnement public au théâtre, notamment en province, devint de plus en plus criant. Mais il fallut attendre les années-Vichy pour le voir se développer. L'association Jeune France, financée par l'État, entreprit, d'octobre 1940 à mars 1942, de relier les artistes et le peuple et fit du théâtre le fer de lance de sa démarche. Entièrement financées par le Commissariat à la lutte contre le chômage, plusieurs troupes basées en province sillonnèrent le pays en diffusant le patrimoine classique. Dans une France assommée par la défaite, privée de près de 2 millions des siens prisonniers en Allemagne, découpée en zones, la question nationale était sensible et Pétain tenta d'en faire le socle de sa légitimité. Le théâtre populaire version Copeau prit là de solides assises. À la Libération, la question demeurait très vive, bientôt accentuée par la décolonisation. On envoya le théâtre en province avec des deniers publics comme en terre de « mission », en commençant par l'Alsace-Lorraine qu'il fallait « refranciser ». Ce fut le premier âge de la décentralisation théâtrale (1945-1958), qui ressemblait fort à une centralisation culturelle : des animateurs envoyés de Paris et un répertoire où, là encore, les classiques prirent une part léonine. Vilar entreprit aussi la conquête d'un public géographiquement et socialement neuf en Avignon puis dans Paris et sa banlieue, et ce fut la grande aventure du TNP.

Malgré des survivances (peut-être Ariane Mnouchkine*), ce mouvement s'est éteint au tournant des années 60 et 70. Jusqu'à ce que, demain, une nouvelle crise nationale ne vienne le faire renaître de ses cendres.

Serge Added

■ Abirached (dir.), *La Décentralisation théâtrale*, Actes Sud, t. 1 : *Le Premier Âge (1945-1958)*, 1992, t. 2 : *Les Années Malraux*, 1993. — S. Added, *Le Théâtre dans les années-Vichy (1940-1944)*, Ramsay, 1992. — J. Caune, *La Culture en action. De Vilar à Lang, le sens perdu*, Presses universitaires de Grenoble, 1992. — J. Copeau, *Le Théâtre populaire*, PUF, 1941. — D. Gontard, *La Décentralisation théâtrale (1895-1952)*, SEDES, 1973.

THIBAUD (Paul)

Né en 1933

Farouche partisan de la décolonisation au moment de la guerre d'Algérie, Paul Thibaud, dont l'itinéraire s'est longtemps identifié à l'histoire de la revue *Esprit**, incarne la figure de l'intellectuel-directeur de revue qui n'a cessé de s'engager dans le débat public et de militer en faveur de la création de nouveaux espaces de délibération.

Né en 1933 dans un milieu très modeste, il poursuit d'abord des études en sciences politiques et en histoire à Paris, avant de militer à « Peuple et culture »* et d'entrer en 1957 à *Esprit*, dont il deviendra rapidement le secrétaire de rédaction. Il assume par ailleurs, lors du drame algérien, le statut de gérant de *Vérité-Liberté* qui s'assigne comme but de diffuser toute information interdite par la censure. Il seconde dans sa tâche Jean-Marie Domenach* et devient en 1967 rédacteur en chef d'*Esprit*. La revue, secouée par les événements de Mai 68, opère alors un véritable recentrage et tente de poser « les premiers jalons du recommencement ». Deux grands thèmes d'intervention seront en particulier privilégiés : la question de l'autogestion et de la « convivialité » inspirée des travaux d'Ivan Illich ; celle de l'expérience totalitaire, à la suite de la publication des écrits de Soljenitsyne.

À la tête de la revue, de 1977 à 1988, avec le titre de directeur, Paul Thibaud s'efforce, malgré une conjoncture défavorable aux revues intellectuelles qui voient leur lectorat s'amenuiser, de « réincorporer la culture dans le social », de formuler des exigences intellectuelles et morales à l'égard de la vie publique. Sous sa houlette, *Esprit* analyse, par exemple, la situation dans les pays de l'Est, celle de la démocratie et des droits de l'homme, ou encore le problème de l'individualisme. Il fait appel à une nouvelle génération de collaborateurs qui souhaitent, après l'arrivée de la gauche au pouvoir, redynamiser la vie civique et régénérer la politique. Il s'investit, en particulier, au début des années 80, dans le combat en faveur de Solidarnosc* en Pologne et dans la lutte contre le racisme. Catalysant les nouvelles interrogations du moment, il ouvre les colonnes de la revue aux débats sur l'éthique, la biologie ou le droit, avant de passer définitivement la main et de prendre du recul.

Devenu journaliste et essayiste indépendant, il rédige plusieurs ouvrages en collaboration avec d'autres auteurs, plaide pour une réidentification de l'école française puisque « le point décisif est la clarification du rapport de l'école avec son public, mais [que] le point fondamental est de savoir ce qu'il en est de la raison d'être culturelle et civique de l'institution ». La *Discussion sur l'Europe* (1992) se présente comme une condamnation d'une « tour de Babel parlementaire européenne » et comme un appel à l'invention d'un jeu de plus en plus ouvert entre les représentants des différentes nations. Toujours immergé dans les problèmes qui touchent à l'actualité, il s'efforce continuellement de lier élaboration théorique et réflexion sur la pratique.

Rémy Rieffel

■ *Entrer dans le XXe siècle. Essai sur l'avenir de l'identité française* (en collaboration), Secrétariat d'État au Plan, La Découverte, 1990. — *La Fin de l'école républicaine* (avec P. Raynaud), Calmann-Lévy, 1990. — *Discussion sur l'Europe* (avec J.-M. Ferry), Calmann-Lévy, 1992.

THIBAUDET (Albert)

1874-1936

Esprit universel et homme d'un terroir, Thibaudet fut à son époque le modèle du critique : celui qui, alliant modernisme et classicisme, sut se servir d'une philosophie pour rendre intelligible l'art le plus hermétique. Pour autant, son sort éditorial ne devait guère se différencier du lot commun des critiques de son temps et son œuvre est tombée dans un relatif oubli.

La formation d'Albert Thibaudet, né le 1er avril 1874 à Tournus dans une famille de vignerons, aura une grande influence sur ses conceptions de critique. D'abord élève au lycée de Tournus, il entre en rhétorique au lycée Henri-IV, avec pour professeur Bergson*, auquel il consacrera l'une des études de sa trilogie, *Trente ans de vie française*. Toutefois, après avoir enseigné la philosophie, c'est comme agrégé d'histoire et géographie qu'il débute, en 1908, sa carrière académique (d'abord dans des lycées puis dans des universités étrangères : York, Upsal, Genève). Virtuose du raccourci chronologique ou géographique, il a pu être taxé d'œcuménique par ceux qui lui reprochent certains de ses rapprochements, notamment dans son *Histoire de la littérature française de 1789 à nos jours*. Avec lucidité, saveur, intelligence profondeur et sympathie, il aborde tour à tour Mallarmé, Maurras*, Barrès*, Flaubert, Valéry*, Mistral, Amiel, Stendhal et Montaigne tout en se montrant, de 1911 à 1936, l'un des collaborateurs les plus réguliers de *La Nouvelle Revue française**, sans parler des nombreux articles qu'il a pu donner aussi à *La Phalange*, à *La Revue de Paris** ou au *Journal de Genève*.

Ses livres consacrés à la politique, surtout *La République des professeurs*, dans lequel il analysait l'expérience du Cartel des gauches, établirent définitivement sa réputation de critique (la distinction qu'il établit entre « héritiers » et « boursiers » fait aujourd'hui encore les délices des spécialistes de la science politique). Thibaudet est mort à Genève le 16 avril 1936.

Pascal Mercier

■ *La Poésie de Stéphane Mallarmé*, Gallimard, 1912, rééd. 1926. — *Trente ans de vie française* (Gallimard) : *Les Idées de Charles Maurras* (1920), *La Vie de Maurice Barrès* (1921), *Le Bergsonisme* (1923). — *La Campagne avec Thucydide*, Gallimard, 1922. — *La République des professeurs*, Grasset, 1927. — *Physiologie de la critique*, Nouvelle Revue critique, 1930, rééd. Nizet, 1962 et 1971. — *Idées politiques de la France*, Stock, 1932.

■ A. Anglès, « L'humanisme foisonnant d'Albert Thibaudet », in *André Gide et le premier groupe de « La Nouvelle Revue française »*, t. 2 : *L'Âge critique*, Gallimard, 1986, pp. 487-517. — J.C. Davies, *L'Œuvre critique d'Albert Thibaudet*, Paris, Droz, et Lille, Giard, 1955. — M. Devaud, *Albert Thibaudet critique de la poésie et des poètes*, Fribourg, Éditions universitaires, 1967. — A. Glauser, *Albert Thibaudet et la critique créatrice*, Boivin, 1952. — « Hommage à Albert Thibaudet », *NRF*, n° 274, 1er juillet 1936.

THIBERT (Marguerite)

1886-1982

Née le 31 janvier 1886 à Chalon-sur-Saône, Marguerite Thibert fut l'une des premières femmes à avoir soutenu un doctorat d'université (1926) et la responsable infatigable du service du travail féminin au Bureau international du travail de Genève. Sa thèse ne manquait pas de hardiesse aux yeux du savoir académique puisqu'elle portait sur *Le Féminisme dans le socialisme français de 1830 à 1850.* Il est vrai que son directeur était Célestin Bouglé*. Aussi ce travail était-il un hommage à ces féministes du XIXe siècle qui lui avaient permis, à elle et à sa sœur médecin, d'avoir « une vie intellectuelle conforme à nos goûts que ne limitait plus aucune interdiction légale ». Marguerite Thibert avait alors probablement oublié que l'une et l'autre préparèrent en cachette de leurs parents (le père est grossiste en quincaillerie) le baccalauréat. Et toutes deux avaient choisi des études difficiles pour les filles d'alors, philosophie pour la première, médecine pour la seconde.

Marguerite Thibert fut ainsi professeur de philosophie au collège Sévigné cependant qu'elle commençait à militer au Parti socialiste et à « La Paix par le droit ». Elle adhéra aussi à L'Union française pour le suffrage des femmes. Sa thèse fut aussi un point de départ : « Est féministe toute manifestation de l'activité féminine tendant à élargir le champ d'action des femmes », concluait-elle, sachant peut-être déjà qu'elle consacrerait le reste de son existence à défendre le travail des femmes : défendre leur droit au travail salarié d'abord, lutter contre leur exploitation spécifique aussi. Albert Thomas lui propose en effet le service du travail féminin du BIT en 1926 et elle y restera jusqu'en 1965.

De fait, le travail féminin est un enjeu essentiel du XXe siècle : parce que ce droit est mis en cause à chaque crise économique, parce que l'industrialisation a redistribué le travail à domicile, notamment en le renvoyant dans les pays pauvres. Ainsi, Marguerite Thibert mit en pratique son féminisme théorique : en voyageant partout dans le monde pour aider la structuration du travail féminin, sans oublier les aspects connexes, travail des enfants et immigration ; en insistant dès 1944 (déclaration de Philadelphie) sur la reconversion de la main-d'œuvre féminine dans l'économie de paix. Elle connut le féminisme d'après 1970 où elle vit surtout une demande de liberté sexuelle plus qu'une volonté de « promouvoir » la femme. Sans doute les féministes du XIXe siècle l'avaient-elles persuadée que la liberté des femmes était une question déjà élaborée ; le travail des femmes en revanche, même s'il fut âprement discuté au XIXe siècle, ne fut un débat général qu'au XXe siècle.

Geneviève Fraisse

■ *Le Féminisme dans le socialisme français de 1830 à 1850*, Giard, 1926 ; sa seconde thèse porte sur l'art saint-simonien.
▒ « Marguerite Thibert », *Citoyennes à part entière*, n° 28, février 1984.

THIBON (Gustave)

Né en 1903

Né à Saint-Marcel d'Ardèche, le 2 septembre 1903, dans une famille d'agriculteurs, Gustave Thibon interrompt sa scolarité dès 1914 pour travailler sur le domaine familial. Autodidacte, il entre en contact en 1929 avec Jacques Maritain*, qui lui fait publier en 1931-1932 ses premiers articles dans *La Revue thomiste*, puis un ouvrage sur la psychologie de Ludwig Klages. Mais l'indulgence de Thibon à l'égard de Maurras* et son refus de condamner le franquisme et plus encore un catholicisme tragique se référant à Pascal et de Maistre bien plus qu'à Thomas d'Aquin l'éloignent du milieu maritanien. Violemment hostile au personnalisme de Mounier*, Thibon développe une conception pessimiste de la société fondée sur les « communautés de destin » et le respect des hiérarchies « naturelles », qui l'inscrit sa vie durant dans le courant réactionnaire qui va de Vichy à la défense de l'Algérie française et à la nostalgie d'un ordre catholique autoritaire.

Relayé par un Massis* enthousiaste, son essai *Diagnostics* (1940) fait de Thibon le « philosophe officiel » de Vichy. Sous l'Occupation, il collabore à *La Revue universelle** et publie *L'Échelle de Jacob* (1942) et *Retour au réel* (1943). Il participe à la fondation d'« Économie et humanisme »*, accueille chez lui Simone Weil* qu'il révélera à l'opinion en publiant et préfaçant en 1947 *La Pesanteur et la grâce*. À la Libération, il doit à l'intervention de Gabriel Marcel*, préfacier de *Diagnostics*, de ne pas être inscrit sur la « liste noire »* du Comité national des écrivains*. Depuis le mas familial, il multiplie désormais les conférences en Europe et en Amérique du Nord, collabore à des publications comme *Itinéraires*, *France catholique*, *L'Anneau d'or* ou *L'Homme nouveau*. Il postface en 1956 la traduction d'un recueil de textes de Salazar, participe au sein du groupe « La Nation française » aux *Écrits pour une renaissance* (1958) aux côtés de Pierre Andreu*, Philippe Ariès*, Pierre Boutang* et Jules Monnerot*, préface en 1965 les *Souvenirs de prison de Charles Maurras*, témoignant ainsi de sa fidélité aux conceptions qui étaient les siennes dès les années 30.

Il affirme haut et fort sa marginalité à l'occasion de ses retours sur le devant de la scène, en 1964 lorsqu'il obtient le prix de littérature de l'Académie française*, en 1975 quand le succès de *L'Ignorance étoilée* est relayé par la presse et la télévision (« Le Grand Échiquier »). Ainsi dessine-t-il aux yeux d'une mouvance catholique conservatrice l'image même du sage, isolé dans son époque pour avoir su conserver intact son enracinement de « philosophe-paysan ».

Denis Pelletier

■ *La Science du caractère*, Desclée de Brouwer, 1933. — *Diagnostics. Essais de physiologie sociale*, Médicis, 1940. — *Nietzsche ou le Déclin de l'esprit*, Lyon, Lardanchet, 1948. — *Simone Weil telle que nous l'avons connue*, La Colombe, 1952. —

L'Ignorance étoilée, Fayard, 1974. — *Au soir de ma vie* (Mémoires recueillis et présentés par D. Masson), Plon, 1993.
▪ V.-H. Debidour, « Un défenseur des communautés organiques au XXe siècle : Gustave Thibon », in *Libéralisme, traditionalisme et décentralisation*, Armand Colin, 1952, pp. 125-137.

THOMAS (Édith)

1909-1970

Historienne, romancière et journaliste, Édith Thomas est aussi une haute figure de la Résistance intellectuelle par son rôle dans le Comité national des écrivains*, qu'elle reconstitue avec Jean Paulhan* et Claude Morgan* après la mort de Jacques Decour* en 1942. Les réunions du Comité se tiennent chez elle, 15 rue Pierre-Nicole, de février 1943 jusqu'à la Libération. Elle collabore aux *Lettres françaises** clandestines ainsi qu'aux Éditions de Minuit*, où elle publie ses *Contes d'Auxois* (1943). Elle participe également à l'anthologie *L'Honneur des poètes* (1943). Ses vers, écrits sous le nom d'« Anne », sont cités par le général de Gaulle dans son discours à Alger le 30 octobre 1943 sur l'intelligence en guerre.

Édith Thomas est née à Montrouge le 23 janvier 1909, fille d'un ingénieur agronome et d'une institutrice. À l'âge de seize ans, elle se convertit au protestantisme, inspirée par son identification à l'éthique dissidente des huguenots. Elle fait ses études à l'École des chartes, dont elle sort en 1931 avec le diplôme d'archiviste-paléographe. En 1933, *La Mort de Marie*, écrit au cours d'une longue maladie, obtient le Prix du premier roman. Engagée comme journaliste à *Ce soir* en 1935, et aux revues *Vendredi**, *Europe** et *Regards*, Édith Thomas fait des reportages sur la guerre d'Espagne*, l'Autriche, et diverses questions sociales. Compagnon de route du Parti communiste à partir de 1934, elle y adhère en 1942 et en démissionne avec éclat en décembre 1949, à la suite de l'affaire Tito. De 1948 jusqu'à sa mort à Paris le 7 décembre 1970, elle est conservateur aux Archives nationales.

À la seule exception de *Jeu d'échecs* (1970), peut-être son meilleur roman, les sept romans d'Édith Thomas datent d'avant 1945, alors qu'elle écrit ses huit essais historiques après la Libération. On peut cependant trouver une continuité de la vocation de romancière dans son choix d'explorer l'histoire d'une époque à travers la vie d'un individu ou d'un groupe d'individus. Les sujets de ses biographies historiques sont des femmes — et un homme, *Rossel* (1967) — qui tous partagent avec elle une recherche de cohérence et un engagement de conscience dans les luttes sociales et politiques de leur époque. Une autre affinité se révèle dans le choix des périodes historiques, en particulier la Commune, déplacement de sa fascination pour la période de défaite et de résistance qu'elle a vécue.

Bien que l'Occupation lui semble trop proche pour faire l'objet d'une approche historique, elle en laisse des témoignages importants, inédits de son vivant : un journal intime, le journal fictif d'un bourgeois pétainiste, et des Mémoires politiques rédigés en 1952, sous le titre : *Le Témoin compromis*.

Dorothy Kaufmann

■ *La Mort de Marie*, Gallimard, 1934. — *Contes d'Auxois* (sous pseudonyme), Minuit, 1943. — *Le Champ libre*, Gallimard, 1945. — *La Libération de Paris*, Mellottée, 1945. — *Jeanne d'Arc*, Hier et Aujourd'hui, 1947. — *Les « Pétroleuses »*, Gallimard, 1963. — *Rossel (1844-1871)*, Gallimard, 1967. — *Le Jeu d'échecs*, Grasset, 1970. — *Louise Michel*, Gallimard, 1971. — *Pages de journal (1939-1944)*, suivi du *Journal intime de Monsieur Célestin Costedet (1940-1941)* (éd. par Dorothy Kaufmann), Viviane Hamy, 1995. — *Le Témoin compromis* (éd. par Dorothy Kaufmann), Viviane Hamy, 1995.

■ J. Debû-Bridel, *La Résistance intellectuelle*, Julliard, 1970.

TIERS-MONDISME (crise du)

1978-1987

Plus qu'une crise, les polémiques autour du tiers-mondisme sont le résultat d'une recomposition du champ intellectuel entamée dès le milieu des années 70, dont elles auront peut-être été le terrain davantage que l'enjeu.

Nourrie par la désillusion que provoque l'évolution des régimes chinois, vietnamien et cambodgien, et par l'échec des grands modèles de développement des années 60, la remise en cause du tiers-mondisme est d'abord liée à l'itinéraire de la génération gauchiste issue du combat contre la guerre d'Algérie puis la guerre du Vietnam*, qui a transféré vers le tiers monde une utopie révolutionnaire dont l'URSS n'apparaissait plus comme le porteur. L'ouvrage de Simon Leys *Les Habits neufs du président Mao* (1971), publié et préfacé par l'ancien situationniste René Viennet et suivi en 1974 par *Ombres chinoises* (voir l'article « Chine populaire »), a précocement porté un regard lucide sur l'expérience chinoise. Mais c'est autour du *Nouvel Observateur** que se met en place en 1978 le premier inventaire critique. Il réunit anciens de l'UEC de 1962-1966 ou du maoïsme, tels Bernard Kouchner*, Gérard Chaliand, Jean-Pierre Le Dantec, et intellectuels issus de la gauche non communiste, de Jacques Julliard, qui a lancé le débat, à Jean Lacouture*, en passant par Claude Bourdet* et Jean Daniel*. Les Éditions du Seuil* relaient ce débat dont elles publient les pièces (*Le Tiers-Mondisme et la gauche*, 1979), après la publication, dans la collection « Interventions », des *Années orphelines* de Jean-Claude Guillebaud, constat désenchanté du décalage entre le mythe tiers-mondiste et la réalité du terrain. Le même milieu s'engage en novembre 1978 dans l'opération « Un bateau pour le Vietnam » en faveur des *boat people**, autour des ex-maoïstes Jacques et Claudie Broyelle et en compagnie de quelques « nouveaux philosophes » (Bernard-Henri Lévy*, André Glucksmann*). Cette opération, qui scelle les retrouvailles Sartre*-Aron*, ouvre sur les décombres du marxisme les premières passerelles avec les intellectuels libéraux du Comité des intellectuels pour l'Europe des libertés fondé en janvier précédent.

Par-delà un intermède auquel la victoire de la gauche en 1981 ne fut sans doute pas étrangère, la critique du tiers-mondisme tourne à la polémique après la dénonciation par Pascal Bruckner* d'une « haine de soi » occidentale caractéristique du tiers-mondisme (*Le Sanglot de l'homme blanc*, 1983). En janvier 1985, le président de Médecins sans frontières (MSF) Rony Brauman préside le colloque organisé par la toute nouvelle fondation Liberté sans frontières (LSF), « Le tiers-mondisme en question », où libéraux d'origines variées (Jean-François Revel*, Jean-Luc Domenach, Paul Thibaud*, Raoul Girardet*) et anciens gauchistes (Jacques Broyelle, Pascal Bruckner, Gérard Chaliand) prolongent aux dépens du « mythe tiers-mondiste » la rencontre esquissée en 1978. En octobre 1986, dix mois après que MSF a été expulsée d'Éthiopie par le gouvernement d'Addis-Abeba, LSF récidive avec un nouveau colloque, « Éthiopie, la pitié dangereuse. De l'aide aux victimes à l'aide aux bourreaux », largement relayé par l'édition et les médias. Simultanément, le Comité catholique contre la faim et le développement (CCFD), principale ONG du tiers-mondisme chrétien, se voit attaqué de l'extérieur par la droite intégriste et la presse du groupe Hersant, de l'intérieur par la dissidence du Secours catholique et les critiques de l'épiscopat. La contre-offensive tiers-mondiste s'organise autour du *Monde diplomatique** et du Groupe Malesherbes *(Actualité religieuse dans le monde, Croissance des jeunes nations)*. René Dumont* met l'exigence dreyfusarde au service du tiers monde *(Pour l'Afrique, j'accuse)* ; Yves Lacoste* choisit une position médiane, *Contre les anti-tiers-mondistes et contre certains tiers-mondistes* ; un colloque s'organise à l'Assemblée nationale autour de Jean-Pierre Cot sur le thème « Contre le tiers-mondisme ou contre le tiers monde ? ».

Sans doute la conjoncture politique hexagonale — revers de la gauche aux municipales de 1984, victoire de la droite aux législatives de 1986 — joue-t-elle un rôle dans la polémique. Mais la droite ne fut jamais tiers-mondiste, la crise est avant tout interne à la gauche intellectuelle. La polémique Bruckner-Dumont sur le plateau d'« Apostrophes »* (1er juillet 1983) est exemplaire d'un affrontement qui oppose la génération des précurseurs du tiers-mondisme, dont l'engagement est antérieur à la guerre d'Algérie, et la génération gauchiste qui a construit son itinéraire en se démarquant de son marxisme initial. Exemplaire encore l'itinéraire d'un Gérard Chaliand, fondateur en 1961 de la revue *Partisans*, critique lucide, au Seuil encore et dès 1976, des *Mythes révolutionnaires du tiers monde*, qui participe au colloque LSF mais prend ses distances avec l'esprit qui y a présidé dans un post-scriptum à sa contribution écrite. Enfin, il n'est pas indifférent qu'Alain Finkielkraut* *(La Défaite de la pensée)* fasse de l'évolution intellectuelle de Lévi-Strauss*, de *Race et histoire* (1952) au *Regard éloigné* (1983), l'un des nœuds de sa critique de « la trahison généreuse » que fut le tiers-mondisme, peu après que Tzvetan Todorov* a souligné dans *Le Débat** l'ambiguïté du relativisme de l'anthropologue. Peut-on ignorer en effet la coïncidence chronologique entre le repli du tiers-mondisme et le déclin du paradigme relativiste des sciences humaines, largement marqué par le structuralisme, auquel succède le retour d'une éthique universaliste fondée sur la relecture des Lumières ?

Denis Pelletier

■ R. Brauman (dir.), *Le Tiers-Mondisme en question*, Orban, 1986. — P. Bruckner, *Le Sanglot de l'homme blanc. Tiers-monde, culpabilité, haine de soi*, Seuil, 1983. — G. Chaliand, *Repenser le tiers monde*, Bruxelles, Complexe, 1987. — R. Dumont, *Pour l'Afrique, j'accuse*, Plon, 1986. — A. Finkielkraut, *La Défaite de la pensée*, Gallimard, 1987. — J.-C. Guillebaud, *Les Années orphelines*, Seuil, 1978. — R. Lacoste, *Contre les anti-tiers-mondistes et contre certains tiers-mondistes*, La Découverte, 1986. — C. Liauzu, « Le tiers-mondisme des intellectuels en question », *Vingtième siècle, revue d'histoire*, n° 12, octobre-décembre 1986 ; *L'Enjeu tiers-mondiste. Débats et combats*, L'Harmattan, 1987. — T. Todorov, « Lévi-Strauss entre universalisme et relativisme », *Le Débat*, n° 42, novembre-décembre 1986. — *Le Tiers Monde et la gauche*, Seuil, 1979.

TILLION (Germaine)

Née en 1907

L'ethnologue Germaine Tillion appartient à ce type d'intellectuels qui s'engage pour des causes où la quête de la vérité est centrale. Née le 30 mai 1907 à Allègre en Haute-Loire, Germaine se sent très proche de sa mère, historienne d'art. Attirée par des études longues, elle s'installe à Paris où elle obtient une licence de lettres et un diplôme de l'École nationale des langues orientales vivantes. De 1934 à 1940, elle effectue quatre missions scientifiques en Algérie, au cours desquelles elle réunit une documentation importante sur les populations nomades berbères de l'Aurès. Son quatrième séjour se terminant en mai 1940, elle rentre en France où le choc de la défaite la fait réagir.

Dès octobre 1940, grâce à ses contacts avec des officiers d'active, les colonels de La Rochère et Hauet, elle organise un noyau de résistants qui se greffe sur le réseau du Musée de l'homme, son milieu professionnel, autour d'Anatole Levitsky, de Boris Vildé et de Paul Rivet*. En février 1941, le réseau est décapité par l'arrestation d'une dizaine de membres dont plusieurs seront fusillés ou déportés. Arrêtée le 13 août 1942, internée puis déportée en octobre 1943 à Ravensbrück, où sa mère la rejoindra en février 1944 et mourra au camp, elle n'a qu'une idée : survivre pour faire connaître l'horreur de la déportation. Dès son rapatriement en juillet 1945, elle mène une série d'enquêtes sur les camps de concentration afin de faire la lumière sur ces faits. Dans cet esprit, elle publie une première étude sur Ravensbrück intitulée *À la recherche de la vérité* (1947). Délaissant les cultures africaines, durant une dizaine d'années, elle s'efforce de rassembler le plus de documents possible.

À partir de 1954, G. Tillion se penche à nouveau sur les problèmes algériens. Son action en faveur de la justice et de la vérité la conduit à prendre parti avec vigueur. Ayant d'abord accepté de repartir trois mois pour enquêter sur la population de l'Aurès, elle est ensuite nommée, de mars 1955 à février 1956, chargée de mission au cabinet Soustelle. À ce titre, on lui doit la création de centres sociaux destinés à faciliter la scolarisation et l'éducation des jeunes Algériens. Puis elle publie *L'Algérie en 1957* dans lequel, après avoir exposé le mécanisme d'effondrement de ce pays, elle conclut sur la nécessité absolue d'une entente entre les opposants. Dans *Les Ennemis complémentaires*, elle dénonce le terrorisme, la torture et l'enchaînement des deux processus.

En 1970, alors que l'existence des chambres à gaz est mise en doute par le mouvement négationniste, G. Tillion reprend ses recherches pour démonter les mécanismes de l'extermination méthodique. Son nouveau *Ravensbrück* sort aux Éditions du Seuil en 1973.

Dominique Veillon

■ *Ravensbrück*, Neuchâtel, La Baconnière, 1946, rééd. Seuil, 1973 et 1988. — *L'Algérie en 1957*, Minuit, 1957, rééd. sous le titre *L'Afrique bascule vers l'avenir*. — *Les Ennemis complémentaires*, Minuit, 1960. — *La République des cousins*, Seuil, 1982.

TODD (Emmanuel)

Né en 1951

Fils de l'écrivain Olivier Todd, Emmanuel Todd s'est fait connaître du monde intellectuel et politique par la publication de plusieurs essais retentissants dans le cours des années 80. Il est passé au premier rang de l'actualité politico-culturelle en offrant à Jacques Chirac, candidat élu à la présidence de la République en 1995, l'un des thèmes les plus forts de sa campagne : la dénonciation d'une « fracture sociale », représentation simplifiée de la lutte des classes et adaptée à des temps post-marxistes.

Après avoir passé un doctorat d'histoire (PhD) à Cambridge, préparé sous la direction du célèbre démographe britannique Peter Laslett, diplômé de l'IEP de Paris, Emmanuel Todd est nommé chercheur à l'Institut national d'études démographiques (INED). Il y développe des travaux d'historien et d'anthropologue, notamment dans l'analyse des structures familiales.

En 1976, il publie son premier ouvrage, *La Chute finale*. Dans ce livre remarqué, il annonce, contre l'opinion alors dominante, l'effondrement du système soviétique « dans dix, vingt ou trente ans ». Mais c'est comme observateur des structures familiales et par la mise en œuvre d'audacieuses corrélations qu'Emmanuel Todd suscite le plus de réactions. Avec la collaboration du démographe Hervé Le Bras, il publie en 1981 un ouvrage sur les bases culturelles et familiales de la diversité française dans lequel il procède à quelques recoupements originaux. Suscitant le scepticisme des spécialistes, il rencontre pourtant un important succès public. Son ouvrage *La Troisième Planète* systématise ses premières intuitions et connaît une fortune critique toujours mitigée ; mais l'historien protestant Pierre Chaunu* salue l'ouvrage comme décisif. Redéployant des thèses que le sociologue Frédéric Le Play avait avancées dans la deuxième moitié du XIXe siècle, Emmanuel Todd rend compte des diversités politiques à partir de l'analyse des structures familiales. Plusieurs ouvrages et interventions médiatiques suivent, qui creusent ce premier sillon.

Christophe Prochasson

■ *La Chute finale*, Laffont, 1976. — *L'Invention de la France* (avec H. Le Bras), Pluriel, 1981. — *La Troisième Planète. Structures familiales et développement*, Seuil, 1983. — *L'Invention de l'Europe*, Seuil, 1990. — *Le Destin des immigrés. Assimilation et ségrégation dans les démocraties occidentales*, Seuil, 1994.

TODOROV (Tzvetan)

Né en 1939

Auteur prolifique, Tzvetan Todorov suit un parcours qui, pour être profondément ancré dans une évolution personnelle, n'en épouse pas moins les contours de la vie intellectuelle parisienne et occidentale des trente dernières années. Il y exerce une influence assez importante, en France et à l'étranger (où son œuvre est traduite en plusieurs langues), non seulement comme critique et théoricien littéraire, puis comme essayiste et moraliste polymorphe, mais aussi en tant que codirecteur de la revue *Poétique* et de la collection du même nom (au Seuil*) avec Hélène Cixous* et Gérard Genette*.

Né en Bulgarie en 1939, Todorov étudie les lettres à l'université de Sofia, puis à Paris, où il s'installe en 1963. « Émerveillé », comme il le dira plus tard, par les textes des formalistes russes, il en présente une sélection, qu'il traduit, dans *Théorie de la littérature* (1966). Sa thèse de troisième cycle (écrite sous la direction de R. Barthes*) fixe les buts de la première étape de l'œuvre de Todorov : contribuer à une « science de la littérature », une « poétique, distincte de la description des œuvres littéraires » (1967). Cette phase vise aussi bien l'application de principes du formalisme et de la linguistique structurale à une œuvre particulière (comme le *Décaméron*) ou la constitution d'une poétique des genres littéraires (le fantastique, la poésie, le récit) que l'histoire critique de diverses théories concernant les rapports entre langage et littérature, le symbolisme et l'interprétation. Tout en élargissant son champ de recherches vers une plus grande diversité de sujets, d'œuvres et d'approches — de saint Augustin à Henry James et Dostoïevski, des sources de la sémiotique à la linguistique structurale, à Freud et à Bakhtine, sans oublier des théories et œuvres romantiques françaises et allemandes —, Todorov traverse une sorte de crise épistémologique et morale qui, dans les années 80, va changer radicalement les buts qu'il se propose, les thèmes abordés et le style de son écriture.

S'agissant des buts, on assiste à une véritable palinodie des premières ambitions scientistes, objectivistes. Là où, par exemple, il voulait « montrer pourquoi plusieurs interprétations sont possibles, et comment elles fonctionnent, plutôt que de valoriser certaines d'entre elles ou même de les grouper en rapport à telle ou telle norme » (1978), il cherche maintenant « à savoir à quoi ressemblerait une pensée juste de la littérature et de la critique, [...] quelle position idéologique est plus défendable que les autres » (1984), « non seulement comment les choses ont été, mais comment elles devraient être » (1989). Cet aspect normatif devient une sorte d'impératif catégorique, une mission morale qui s'étend, au-delà de la littérature, au monde, aux événements, à la vie sociale.

Du même coup, les thèmes de l'altérité, du rapport sujet / objet, l'aspect dialogique de la connaissance et de l'interprétation, ainsi que les problèmes sociopolitiques et moraux qui en découlent — ethnocentrisme, racisme, colonialisme —, prennent une place centrale. Son œuvre se retrouve alors sur un terrain où s'entrecroisent histoire, anthropologie culturelle et littérature. Qu'il traite en effet d'événements historiques (la conquête de l'Amérique, la Libération), ou bien d'histoire de la pensée sociale ou de la critique littéraire, Todorov présente son texte comme une narration ou un drame, soit classique (*Une tragédie française* respecte les trois unités), ou romantique (*La Critique de la critique* tourne au « roman d'apprentissage »), soit comme un « genre hybride » à mi-chemin entre l'essai moral et politique, la narration et le dialogue (1989). En tout cas, il s'agit de faire un « récit exemplaire » visant à une « représentativité » définie, non pas selon des critères établis dans les sciences sociales, mais comme illustration d'un point moral.

Les essais de la deuxième période présentent ce renversement comme une réforme morale, non sans échos rousseauistes. Un examen de conscience retrace la duplicité sous le régime soviétique, la découverte du « mal absolu », l'amour de la démocratie, le divorce « entre les dires et les faires » chez lui comme chez ses collègues (1989). Une continuité émerge pourtant de deux lignes de force : le goût des typologies, renforcées maintenant par leur aspect normatif porteur de jugement moral, et le besoin passionné de « reconnaissance » qui, à suivre les catégories même de l'auteur, semble être « de conformité » (1995), voire d'identité, au moment même où il cherche à atteindre l'*autre*. Ce paradoxe se retrouve dans l'ambivalence de l'auteur à l'égard de l'anthropologie. Au moment même où il entre dans son arène, prenant pour thèmes de réflexion ce qui fait la raison d'être de cette discipline, il lui tourne résolument le dos. C'est d'abord une critique peu nuancée de ceux qui ont cherché l'universel à travers les différences (comme Lévi-Strauss ou Montaigne) qu'il enferme dans un « relativisme culturel » condamné au nom d'une morale de l'engagement (1989) ; puis un déni sans appel que l'anthropologie comme science sociale puisse viser à une connaissance générale de l'homme (1995). À la place, Todorov propose une réflexion qui opère à l'intérieur d'une logique classique fortement marquée, avec un curieux retard, par une conception sartrienne du rôle des intellectuels.

Bernadette Bucher

■ *Théorie de la Littérature. Textes des formalistes russes*, Seuil, 1966. — *Littérature et signification*, Larousse, 1967. — *Grammaire du « Décaméron »*, La Haye, Mouton, 1969. — *Introduction à la littérature fantastique*, Seuil, 1970. — *Poétique de la prose*, Seuil, 1971. — *Théories du symbole*, Seuil, 1977. — *Les Genres du discours*, Seuil, 1978. — *Mikhaïl Bakhtine : le principe dialogique*, Seuil, 1981. — *La Conquête de l'Amérique*, Seuil, 1982. — *Critique de la critique*, Seuil, 1984. — *Nous et les Autres. La réflexion française sur la diversité humaine*, Seuil, 1989. — *Les Morales de l'histoire* (prix J.-J. Rousseau 1991), Grasset, 1991. — *Une tragédie française. Été 44 : scènes de guerre civile*, Seuil, 1994. — *La Vie commune. Essai d'anthropologie générale*, Seuil, 1995.

TOURAINE (Alain)

Né en 1925

L'itinéraire d'engagement d'Alain Touraine est marqué par la volonté de lier sociologie et interventions sociales. L'idée d'être sociologue ne lui est pas venue de sa formation intellectuelle mais d'un engagement en forme de fugue. Entré à l'École normale supérieure* en 1945, fils d'un grand médecin parisien, marqué par un milieu conservateur et lettré, il gagne subitement Raismes, près de Valenciennes, pour y travailler comme mineur pendant une année (1947-1948). Au moment où la France se reconstruit une figure de pays industriel contre le souvenir de la débâcle, il se construit sociologue hors de son milieu et contre la culture livresque. S'il revient pour passer l'agrégation d'histoire, il commence en fait un long apprentissage du métier de sociologue, sous l'influence de Georges Friedmann*, qui le fait entrer au Centre d'études sociologiques (CNRS) en 1950. De l'étude du travail des ouvriers de Renault-Billancourt à celui des mineurs de Lota et des métallurgistes de Huachipato au Chili (où il séjourne en 1956-1957), sa *conscience ouvrière* (titre de son livre-bilan de 1966) semble occuper entièrement la place d'un engagement partisan qu'il rejette — celui du Parti communiste.

Il devient directeur à l'École des hautes études en 1960 et fonde la revue *Sociologie du travail* (1959). Malgré une soutenance de thèse mouvementée en Sorbonne (1965), sa relative marginalité est vite démentie par son statut de chef de file de la sociologie des années 60. Il est l'un des principaux acteurs du débat sur la fin de la classe ouvrière et sur le remplacement de la lutte des classes pour la propriété par le conflit pour la maîtrise de l'organisation et du pouvoir. Aux côtés de ses prises de position anticoloniales, sa sociologie des luttes nouvelles, formulée hors de l'emprise du marxisme, le place en situation de porte-parole de la « nouvelle gauche ». Proche des revues *Arguments** et *Socialisme ou barbarie**, il fait aussi un court passage au PSU *via* le PSA.

Glissant d'une sociologie du travail industriel à une sociologie de la société post-industrielle, il cherche à reporter la charge de contestation sur des nouveaux mouvements sociaux qui viendraient prolonger plutôt que remplacer l'action ouvrière. En Mai 68, directeur du département de sociologie de Nanterre où il est arrivé en 1966, il préfère les échafaudages contestataires nanterrois et l'extension ouvrière de la grève au débordement festif de l'Odéon ou de la Sorbonne qu'au fond il déteste. Après la publication de sa somme de sociologie théorique en 1973 *(Production de la société)*, son engagement prend un caractère de plus en plus pratique. Très proche de la CFDT, favorable aux nouveaux mouvements (la contestation antinucléaire, le mouvement des femmes, le régionalisme), mais critique du Programme commun, préférant la diffusion de l'autogestion à l'objectif jugé archaïque des nationalisations jacobines, il tente de peser sur l'évolution de la gauche en occupant notamment une tribune hebdomadaire (1977) au journal *Le Matin*.

De même que l'objet d'une sociologie des mouvements sociaux post-industriels peut paraître beaucoup plus fuyant et imaginaire que celui de la sociologie ouvrière, de même l'objet d'un « réformisme radical », voguant en direction de l'« après-socialisme », peut, lui aussi, devenir fuyant à l'aune des années 80, entre l'expérience gouvernementale socialiste, plus proche de 1945 que de 1968, et le retour du libéralisme. Si Alain Touraine, qui a vécu puis défini sa vocation de sociologue comme indissociable d'une intervention sur la société, demeure, par ses livres ou ses articles du *Monde**, un intellectuel d'influence, il reste à savoir sur qui son influence peut gagner une réelle portée pratique.

Nicolas Roussellier

■ *La Conscience ouvrière*, Seuil, 1966. — *Le Mouvement de Mai ou le Communisme utopique*, Seuil, 1968. — *Un désir d'histoire*, Stock, 1977. — *Mort d'une gauche*, Galilée, 1979. — *L'Après-Socialisme*, Hachette, 1983.

TOUVIER (affaire)

« L'affaire Touvier » ne s'apparente pas aux débats qui ont périodiquement agité et divisé les intellectuels au XXe siècle. Elle n'a pas opposé les historiens les uns aux autres mais les a confrontés à une demande sociale d'une exigence brûlante. Défrayant la chronique vingt années durant, elle a contraint les historiens du temps présent à travailler dans l'urgence et dans un climat très passionnel.

À l'origine, un homme ordinaire devenu milicien. Employé subalterne à la SNCF, Paul Touvier a vingt-huit ans lorsqu'il entre, en janvier 1943, dans la Milice nouvellement créée. Trois mois plus tard, il est chef du Deuxième Service pour le département de la Savoie, bientôt pour le Rhône. En janvier 1944, enfin, il est promu chef régional du Deuxième Service et inspecteur national. Son activité de cadre de la Milice lui vaut d'être condamné à mort par contumace pour intelligence avec l'ennemi en 1946 et en 1947. Mais Paul Touvier n'est pas René Bousquet. C'est du menu fretin, en dépit des crimes dont il s'est rendu et a été reconnu coupable. Son activité personnelle n'attire pas plus que cela l'attention des publications savantes. Sa cavale ne braque pas non plus sur lui les feux de l'actualité. Il peut se targuer d'avoir déjoué les rigueurs de l'épuration et attendre placidement la prescription de ses peines principales. C'est son acharnement à obtenir, à partir de 1967, la remise des peines accessoires — une interdiction de séjour et la confiscation de ses biens — dont il est toujours frappé, qui le propulse sur le devant de la scène médiatique.

Le 23 novembre 1971, le président de la République Georges Pompidou gracie Paul Touvier de ses peines accessoires. Le 5 juin 1972, *L'Express** révèle la grâce en retraçant le parcours sanglant de l'ancien milicien aux heures noires de l'Occupation. L'affaire Touvier est née. Elle fait grand bruit. Interrogé le 21 septembre 1972 sur cette résurgence d'un passé qu'on eût pu croire révolu, Pompidou persiste et signe : « Le moment n'est-il pas venu de jeter le voile, d'oublier ces temps où les Français ne s'aimaient pas, s'entre-déchiraient et même s'entre-tuaient ? » La polémique croît cependant de plus belle. Bien au-delà de la personne de Touvier, le régime de Vichy devient, selon une formule d'Henry Rousso, spécialiste des années noires et de l'État français, « un enjeu de mémoire obsessionnel ». Plainte est déposée contre Touvier pour crime contre l'humanité. Toujours en fuite et apparemment introuvable, il n'est inculpé qu'en 1981. L'affaire s'enlise. On en est là de cette course de lenteur quand, le 24 mai 1989, la gendarmerie met un terme à une cavale de quarante-cinq ans en arrêtant Paul Touvier au prieuré intégriste Saint-François à Nice. Les historiens entrent alors en lice. Le 10 juin 1989, en effet, René Rémond*, président de la Fondation nationale des sciences politiques et l'un de ceux qui ont porté l'histoire du temps présent sur les fonts baptismaux, est sollicité par le cardinal Decourtray afin de constituer une commission pour examiner au plus près le rôle de l'Église catholique « dans cette sombre histoire ». Ulcéré par les insinuations qui mettent notamment en cause l'attitude de ses prédécesseurs immédiats à l'archevêché de Lyon, le primat des Gaules ouvre ses archives et entend bien vider l'abcès. Constituée dès le 29 juin, la commission réunit des spécialistes reconnus de la période. Leur situation est inconfortable. Travaillant en parallèle d'une instruction en bonne et due forme, ni accusateurs, ni avocats, ni juges, ces historiens doivent procéder à une expertise qui n'est pas banale.

Au terme d'un travail minutieux, exigeant et approfondi, la commission remet, le 6 janvier 1992, son rapport au cardinal Decourtray, qui en décide la publication. Les auteurs, qui ont circonscrit leurs recherches aux liens entre Touvier et l'Église, non sans restituer l'itinéraire et l'univers mental d'un collaborateur, ne cèlent rien des complicités, connivences et errements qui ont conduit une partie de la hiérarchie catholique à se fourvoyer dans la protection de Touvier. Quant aux raisons qui ont hissé un second couteau au rang de symbole, ils concluent : « [...] sans s'être donné le mot, ceux qui menèrent campagne pour sa grâce au nom d'une volonté de réconciliation aussi bien que ceux qui entendaient prendre leur revanche sur la République ont concouru à faire du sort de cet homme, qui n'avait occupé qu'une position médiocre, le symbole et l'enjeu d'un débat fondamental. Ainsi s'explique que Touvier soit devenu l'objet d'un phénomène d'opinion... »

Les historiens n'en sont pas quitte pour autant. Bien qu'ils aient pris grand soin de ne pas empiéter sur l'instruction d'une affaire en cours — et quelle affaire ! — ils sont à nouveau sollicités. Par la justice cette fois. René Rémond, François Bédarida, fondateur et directeur de l'Institut d'histoire du temps présent, Michel Chanal, spécialiste de la Milice, et Robert Paxton, universitaire américain de grand renom, auteur quelque vingt ans plus tôt d'une synthèse novatrice sur la France de Vichy, sont entendus en qualité de *témoins* par la cour d'assises appelée à se prononcer sur la culpabilité de Touvier dans un procès qui sort à tous égards de l'ordinaire. À procès exceptionnel, témoins exceptionnels. N'étant pas cités à la barre en tant qu'experts, les quatre historiens lèvent la main droite et jurent de dire toute la vérité. L'avocat de la défense enfoncera d'ailleurs scrupuleusement le coin, faisant valoir à Robert Paxton que « l'historien n'est pas un témoin ». Au moins, l'acharnement du défenseur de Paul Touvier à ôter toute légitimité aux historiens dans l'enceinte d'une cour d'assises pose-t-il une vraie question : d'où vient que les historiens aient été appelés à témoigner, ce qui était une première en France ?

Peut-être de ceci : en filigrane de l'affaire Touvier, il y a eu l'attitude cohérente d'un homme qui, toujours, s'est soustrait aux peines que lui avait valu son action criminelle, n'a jamais renié un pouce de ses convictions et de ses actes, tentant obstinément d'obtenir une nouvelle et entière honorabilité. Un bon serviteur qui entendait somme toute que justice lui soit rendue. Or, en ne laissant à la justice d'autre choix que de le poursuivre pour crime contre l'humanité, Paul Touvier lui a posé un problème épineux. La prescription empêche qu'on ne juge un prévenu longtemps après les faits, dans un contexte tellement différent de celui dans lequel il a agi qu'il est presque impossible aux jurés d'en saisir l'intelligibilité. La fonction des historiens, en l'occurrence, a été de restituer une époque évanouie, de poser jalons et points de repère. La vigueur des objections soulevées par la défense l'a bien montré : quelque insolite qu'ait pu être la présence d'historiens de métier dans le prétoire, elle a rempli une fonction sociale essentielle en comblant une lacune qui était dans la logique même de tout le parcours d'un ex-milicien non repenti, rattrapé *in extremis* par un passé qu'il croyait oublié. Or, parmi les quelques certitudes qui peuvent être celles de l'historien du temps présent, il en est une expérimentalement vérifiée : ce passé-là, celui de ces temps où les Français ne s'aimaient pas, est encore bien vivant. Les historiens ont dû manier le scalpel à chaud, au vu et au su de tous. Une situation inédite dont on n'a pas fini d'épuiser toutes les facettes et tous les enjeux.

Laurent Douzou

■ J.-P. Azéma, « La Milice », *Vingtième siècle, revue d'histoire*, octobre-décembre 1990. — É. Conan et H. Rousso, *Un passé qui ne passe pas*, Fayard, 1994. — J. Delperrie de Bayac, *L'Histoire de la Milice*, Fayard, 1969, rééd. 1994. — R. Rémond, J.-P. Azéma, F. Bédarida, G. Cholvy, B. Comte, J.-D. Durand et Y.-M. Hilaire, *Paul Touvier et l'Église*, Fayard, 1992.

TRIOLET (Elsa) [Ella Kagan]
1896-1970

Ayant vécu dans l'ombre d'Aragon*, Elsa Triolet n'est souvent perçue que comme l'inspiratrice du poète, alors qu'elle fut l'auteur d'une œuvre abondante, qu'elle joua un rôle important dans la vie intellectuelle française et dans les échanges culturels entre la France et l'Union soviétique.

Née le 12 septembre 1896 à Moscou, dans une famille d'intellectuels juifs, Ella Kagan est l'amie d'enfance du linguiste Roman Jakobson, avec qui elle garde des liens toute sa vie. Elle apprend le français très tôt, et obtient un diplôme d'architecte en 1918. En 1913, elle se lie avec le poète V. Maïakovski, qui deviendra par la suite le compagnon de sa sœur, Lili Brik. Jusqu'en 1917, Ella Kagan fréquente les milieux futuriste et formaliste russes. Ses premières œuvres en russe témoignent de leur influence, mais Elsa Triolet se refusera sa vie durant à toute théorisation littéraire, estimant que l'œuvre dépasse toujours la théorie.

En 1918, elle suit à Paris son futur mari, André Triolet. Cet exil est à l'origine de certaines caractéristiques de son œuvre : double culture, bilinguisme, importance de l'étrangéité. Après un voyage à Tahiti, séparée de son mari, elle séjourne à Londres et à Berlin (1922-1923), où elle retrouve ses amis russes. Installée à Montparnasse en 1924, elle fréquente des écrivains surréalistes et des artistes comme F. Léger*, M. Duchamp. En 1928, elle fait la connaissance d'Aragon et leur vie commune, très mouvementée, ne correspond pas à l'image idéale souvent évoquée. À partir de 1930, E. Triolet et Aragon voyagent en URSS à de nombreuses reprises, participant en particulier à des congrès d'écrivains. Contrairement à une idée répandue, elle ne fut jamais communiste et c'est plutôt Aragon qui eut une influence politique sur elle. Elle s'engage avant guerre en faveur de l'Espagne* républicaine, écrit des articles et des reportages. Pendant la Seconde Guerre mondiale, elle entre dans la Résistance, participe à la création et au fonctionnement du Comité national des écrivains* en zone Sud, contribue à publier des journaux clandestins. Son livre *Le premier accroc coûte deux cents francs* reçoit le prix Goncourt en 1945. Après la guerre, elle s'attache à développer les liens culturels entre la France et l'URSS, notamment par des traductions, des articles ; elle suit Aragon dans son itinéraire et apparaît comme un « compagnon de route » du PCF. Intimement atteinte par l'antisémitisme qui touche L. Brik en URSS, elle ne fait cependant jamais de déclaration publique sur le stalinisme, jusqu'à la publication du *Monument* (1957). Elle intervient en 1963 pour la publication en France d'*Une journée d'Ivan Denissovitch* de Soljenitsyne, et exprime son profond pessimisme historique dans *Le Grand Jamais* (1965). Son œuvre est atypique : auteur réaliste et fantastique, marquée par Tchekhov, proche de Colette* et parfois de Camus*, E. Triolet explore les possibilités du roman, croisant son œuvre avec celle d'Aragon. Une de ses originalités est d'avoir été un des premiers écrivains féministes du siècle, et d'avoir en ce domaine entraîné Aragon dans son sillage. Elle meurt à Paris, le 16 juin 1970.

Marianne Delranc-Gaudric

■ Scénario du film *Normandie-Niémen*, avec J. Dréville et C. Spaak, 1949-1960. — *Maïakovski. Vers et proses. Souvenirs*, EFR, 1957. — *Elsa Triolet choisie par Aragon*, Gallimard, 1960. — *Œuvres romanesques croisées* de L. Aragon et E. Triolet, Laffont, 1964-1974, 42 vol.

■ M. Debranc, « Elsa Triolet », in *DBMOF*. — D. Desanti, *Les Clés d'Elsa*, Ramsay, 1983. — « Elsa Triolet », *Europe*, n° 506, juin 1971. — *Recherches croisées Aragon / E. Triolet*, Besançon, GRELIS / Paris, CNRS, revue paraissant depuis 1988.

Tunisie : les intellectuels avant la décolonisation

Au cours du XIXe siècle, les contacts entre la régence de Tunis, province ottomane, l'Europe et la Méditerranée se multiplient. Avant l'établissement du protectorat (1881), l'enseignement officiel et privé connaîtra une série de réformes et de créations : la mosquée-université de la *Zitouna*, lieu de culte et de savoir depuis sa fondation à la fin du VIIe siècle, sera l'objet de réformes (en 1842 et 1875, puis en 1912 et 1933) visant à renouveler ses programmes, cursus et débouchés ; *l'École du Bardo*, créée en 1838 pour la formation du personnel administrativo-militaire, ferme en 1855, renaît sous l'appellation *École polytechnique* entre 1859 et 1869, pour être finalement remplacée par le *collège Sadiki* en 1875. Ces deux filières de formation et de gestation d'une élite intellectuelle au XIXe siècle verront un renforcement du courant moderniste à travers la création puis la multiplication d'écoles italiennes, françaises, privées et religieuses, qui joueront un grand rôle dans la transmission et la diffusion de l'instruction et des idées.

D'autres conditions matérielles et institutionnelles jetteront les bases de la *Nahda* (Renaissance) de la fin du XIXe siècle : la naissance de l'imprimerie (1838) va entraîner celle de la presse puis sa prolifération (1861, parution d'un journal officiel ; 1888, premier hebdomadaire). À la fois moyens d'expression, viviers culturels et noyaux de sociabilité, journaux et revues vont jouer un rôle fondamental dans la formation et l'évolution d'une vie intellectuelle moderne.

Une nouvelle catégorie d'hommes instruits se développe et transforme peu à peu la stratification traditionnelle des lettrés : à côté des *'ulâma* (pluriel de *'âlim*

= savant, *gâdîs* (juges), *muftîs* (jurisconsultes), *mudarris* (enseignants), *'udûls* (notaires), apparaissent d'autres profils, produits de l'enseignement franco-arabe généralisé sous le protectorat français et devenu dominant vers 1930 ; la multiplication des interprètes, avocats, médecins, journalistes, instituteurs témoigne d'une mutation dans la catégorie des intellectuels.

Sous le protectorat, une loi sur les associations (1888) institutionnalise et structure des sociétés savantes telles que *l'Alliance israélite* (1878), *l'Alliance française* (1883), l'association-académie *la Khaldounia* (créée en 1896 pour diffuser les sciences modernes), le cercle des *Anciens de Sadiki* (1905)... Cours, causeries, conférences disent les débuts d'un théâtre nourri des répertoires français et égyptien, d'une activité éditoriale entretenue par des libraires et imprimeurs locaux, d'une effervescence dans les revues littéraires et d'idées *(Revue tunisienne*, *Ibla*, *La Kahéna*, *Al 'Alam al-Adabî*, *Al-Mabâhit*, *At-Turayyâ...)*. À observer les langues en usage, on se rend compte que l'arabe et le français dominent — sans exclure l'italien et l'hébreu — et que le français acquiert, vers les années 30, une position hégémonique.

La première génération des intellectuels du XXe siècle (Salem Bouhajeb, Abdelaziz Thaalbi, Tahar Ben Achour, Tahar El-Haddad, Aboulqacim Chebbi) s'exprimera en arabe sur les thèmes du progrès de la femme, de la patrie, de la classe ouvrière... Une seconde, occidentalisée (Béchir Sfar, Ali Bach Hamba, Hassen Guellati), marquera, avec le journal *Le Tunisien* (1907), écrit en français, la naissance d'une opinion nationaliste autour de laquelle se cristallisera, jusqu'en 1956, l'essentiel de la vie intellectuelle. Pour la troisième génération, où se mêlent les deux courants, traditionnel et moderne, le degré et la nature de l'engagement politique conditionneront, à travers la vie des partis, des syndicats et de la presse politique une grande part de la production intellectuelle.

Kmar Mechri-Bendana

■ A. Demeerseman, « Soixante ans de pensée tunisienne à travers les revues de langue arabe », *IBLA*, Tunis, n° 62, 1953. — M. El-Aziz Ben Achour, *Catégories de la société tunisoise dans la deuxième moitié du XIXe siècle*, Tunis, Institut national d'archéologie et d'art, 1989. — K. Mechri-Bendana, « Revues culturelles françaises à Tunis pendant la Seconde Guerre mondiale » et « Ibla, la revue tunisienne des Pères Blancs », *La Revue des revues*, n° 12-13, 1992. — G. Meynier et J.-L. Planche (dir.), *Intelligentsias francisées au Maghreb colonial*, Paris VII, 1990. — N. Sraïeb, *Une institution scolaire : le collège Sadiki. Essai d'histoire sociale et culturelle*, Lille III, 1989. — En cours de publication par Beït Al-Hikma (Fondation tunisienne pour la traduction, l'établissement des textes et les études) et en langue arabe, une série de biographies d'intellectuels des XIXe et XXe siècles, accompagnées de l'édition (ou réédition) de leurs œuvres.

TZARA (Tristan) [Samuel Rosenstock]
1896-1963

Le nom de ce Français originaire de Roumanie est lié à l'avant-garde, à la provocation et à la contestation radicale.

Né à Moinesti en 1896, Tristan Tzara fait des études de mathématiques et de philosophie à Zurich, lorsque, après l'éphémère revue *Le Symbole*, il lance en février 1916, avec quelques amis, au café Terrasse, un mouvement subversif qu'il baptise « Dada », choix dû au hasard d'un coupe-papier glissé entre les pages d'un dictionnaire. Animé par Hans Arp et Marcel Janco, Dada est fondé sur le sentiment que l'homme est le centre de toutes les créations. Mouvement né de la guerre, il est dirigé contre la guerre, contre l'organisation sociale qui l'a enfantée, et contre le langage dont celle-ci se sert. Le *Manifeste Dada* et une revue du même nom sont lancés en 1918 ; un recueil regroupera en 1924 les *Sept Manifestes Dada*. C'est une véritable explosion. Picabia invite Tzara à Paris, où Aragon*, André Breton*, Philippe Soupault* et Paul Éluard* l'accueillent en avril 1919, alors que le groupe « Littérature » a déjà préparé l'opinion. En juin 1920, *La Nouvelle Revue française** publie un article favorable de Jacques Rivière*, « Reconnaissance à Dada ». À Berlin, Grosz, Hanna Höch et Franz Jung propagent le dadaïsme pour attaquer la République de Weimar.

Tzara collabore au mouvement surréaliste. Il est même à l'origine d'un Tribunal révolutionnaire en 1921 qui doit juger Maurice Barrès*. Mais, dès septembre 1922, *Littérature* passe à l'offensive contre Dada. Conscient de tout ce qu'il a apporté au surréalisme, avant même la publication du *Manifeste du surréalisme* (1924), et de ce qu'André Breton s'est approprié, Tzara s'éloigne. Il évolue. Dans *L'Homme apprenti* (1933), *L'Indicateur des chemins de cœur* (1928), *L'Homme approximatif* (1932) et *L'Antitête* (1933), qui sont autant de recueils, il a abandonné son ton frondeur et agressif. La guerre d'Espagne* marque son retrait définitif des provocations ; il dirige le comité de soutien aux intellectuels espagnols (1936-1939). Mais alors que, dès 1931, au retour du Congrès des écrivains révolutionnaires, le mouvement surréaliste avait marqué ses distances avec Moscou, c'est avec le Parti communiste français que Tzara agit dorénavant. Durant la guerre, il doit vivre dans la clandestinité ; il publie peu ; il organise le Comité national des écrivains* dans le Sud-Ouest. La guerre terminée, il retrouve sa véhémence pour reprocher aux surréalistes leur abandon de la lutte, dans sa conférence prononcée à la Sorbonne, *Le Surréalisme et l'après-guerre* (1947). Les surréalistes, de leur côté, distribuent un tract, « Rupture intégrale », dénonçant les méthodes nées de l'engagement communiste et stalinien de Tzara. Agrégé au comité des intellectuels du Parti, il fera de Sartre* et de sa notion d'art engagé une autre cible, poursuivant la démarche du PCF en faveur d'un engagement total de l'artiste dans le réalisme socialiste. Dada est bien loin. Il est des engagements qui sonnent le glas de toute démarche originale avant même celui de leur auteur. Les admirateurs de Dada pourront le retrouver dans ses *Œuvres complètes*, publiées de 1975 à 1982. Tristan Tzara est mort à Paris en 1963.

Françoise Werner

■ *Œuvres complètes*, Flammarion, 1975-1982, 5 vol.

▩ R. Lacôte, *Tristan Tzara*, Seghers, 1952. — M. Sanouillet, *Dada à Paris*, Pauvert, 1965.

ULMANN (André)
1912-1970

Connu, avant la Seconde Guerre mondiale, comme secrétaire de la rédaction d'*Esprit**, puis de *Vendredi**, animateur du Mouvement de résistance des prisonniers de guerre et déportés, André Ulmann devint, après la Libération, rédacteur en chef de la *Tribune des nations*.

Journaliste professionnel plus qu'intellectuel public, André Ulmann ne joua jamais aux premières places. Son rôle ne doit pas pour autant être négligé : il ne fut pas celui d'un inspirateur, il fut à tout le moins celui d'un facilitateur.

Né le 29 septembre 1912 à Paris, c'est au début des années 30 qu'André Ulmann fait ses premiers pas dans le monde intellectuel. Journaliste à l'*Information sociale* de Charles Dulot, collaborateur épisodique d'Édouard Daladier qui le chargera de rédiger certains des articles qu'il destine à *L'Œuvre*, il rencontre, en 1931, par l'intermédiaire de Georges Izard* et de Jacques Maritain*, Emmanuel Mounier*. En août de l'année suivante, il participe, à Font-Romeu, au congrès fondateur d'*Esprit*, dont il devient, dès la parution du premier numéro le 1er octobre, secrétaire de rédaction.

Collaborateur d'Emmanuel Mounier qu'il accompagne à Rome en mai 1935, André Ulmann est alors spécialisé dans les problèmes économiques et sociaux. Mais la manifestation du 6 février 1934 le conduit à élargir sa réflexion au champ politique et elle lui inspire un livre, *Le Quatrième Pouvoir : Police*, qui attire l'attention d'André Chamson*. Celui-ci s'apprête alors à lancer *Vendredi* et il recrute André Ulmann comme secrétaire de rédaction du nouveau journal. Titulaire de ce poste jusqu'à la disparition de l'hebdomadaire en 1938, André Ulmann sera également responsable de la page « Jeunes » de *Vendredi* ainsi qu'un des principaux animateurs, avec André Wurmser*, des groupes « Savoir » au sein desquels se retrouvent les « Amis de *Vendredi* ».

De la disparition de l'hebdomadaire à la guerre, André Ulmann poursuit sa carrière journalistique au sein de journaux mineurs (*La Nouvelle Saison*, *Le Courrier de Paris et de la province*, qu'il lance avec Armand Petitjean). Après une guerre héroïque (animateur d'un réseau de résistance, il a été déporté à Mauthausen, dont il a organisé la résistance et la libération) qui l'a conduit à l'Assemblée consultative provisoire, il revient au journalisme et devient, en 1946, rédacteur en chef de la *Tribune des nations*, dont la ligne est très fortement inspirée par celle de la diplomatie soviétique. Il occupera ce poste jusqu'à sa mort, le 5 septembre 1970, intervenant désormais peu dans le débat politique intérieur.

Bernard Laguerre

■ *Le Quatrième Pouvoir : Police*, Aubier-Montaigne, 1935. — *Synarchie et pouvoir* (avec H. Azeau), Julliard, 1968.
■ M. Goldschmidt et S. Tenand-Ulmann, *André Ulmann ou le Juste Combat*, SEI, 1982.

Union nationale des étudiants de France (UNEF)

L'UNEF, ou plus précisément l'UNAGEF (Union nationale des associations générales d'étudiants de France), est née en 1907, simple regroupement d'associations générales déjà constituées avec l'appui des autorités universitaires. Structures de sociabilité et d'entraide ouvertes à tous les étudiants d'une même ville, ces AGE sont précocement un enjeu politique en même temps qu'un baromètre sensible de la jeunesse intellectuelle : le président de l'AGE de Paris est un des « Jeunes gens d'aujourd'hui » présentés par l'enquête d'Agathon* (1912). Dix ans plus tard, c'est dans les locaux de la même association que Paul Langevin* fait une des premières conférences sur la relativité, en présence d'Albert Einstein. Peu après pourtant, l'AGE de Paris tombe entre les mains d'étudiants d'Action française* qui organisent le chahut de professeurs de gauche, tandis que les AGE de province restent teintées de républicanisme, acceptant dans l'UNEF l'association des étudiants musulmans que préside Ferhat Abbas (1930). Bientôt, la crise des années 30 provoque une crispation de l'UNEF, à composante xénophobe, sensible dans ses revendications. Le Front populaire, qui crée les Œuvres universitaires, conforte le statut officiel de l'UNEF sans en modifier le caractère corporatif étroit. De ce point de vue, le rôle du président par intérim de l'UNEF dans la manifestation étudiante du 11 novembre 1940 est une exception : l'UNEF se rallie à Vichy et se trouve même à l'initiative de la loi qui, en 1941, établit un *numerus clausus* pour les étudiants juifs.

La Libération change les données : adoptée au congrès de 1946, la « Charte de Grenoble » définit l'étudiant comme un « jeune travailleur intellectuel » et donne à l'UNEF une fonction syndicale en même temps que des exigences morales et intellectuelles. En outre, l'UNEF devient représentative de l'ensemble des étudiants par la reconnaissance de son monopole syndical de la part des mouvements catholiques, et du fait qu'elle assure, par sa Mutuelle, la gestion de la Sécurité sociale étudiante (1948). Du coup, les adhésions affluent, et l'UNEF groupe pour la première fois un étudiant sur deux au moment où la guerre d'Algérie la touche de plein fouet. C'est au nom de la responsabilité morale et sociale de l'intellectuel que les dirigeants « minos » (c'est-à-dire de gauche) engagent leur mouvement dans les premiers rangs de l'action contre la guerre, et deviennent à ce titre majoritaires à partir de 1956, notamment sous l'influence des élèves des Écoles normales supérieures* (J. Julliard) et plus encore des membres de la « Corpo » Paris-Lettres, présidée par Michel de La Fournière. Privée dès lors (1961) de tout appui officiel, éveillant l'inquiétude de l'épiscopat comme des Partis socialiste et communiste qui n'y reconnaissent plus leurs étudiants, l'UNEF acquiert alors un prestige moral qui compense son affaiblissement numérique et explique son rôle fédérateur en Mai 68, d'autant qu'elle est un des lieux de fermentation initiale du gauchisme, après avoir été un des foyers de la « deuxième gauche ».

Renonçant de fait au rôle syndical comme aux possibilités gestionnaires offertes par la loi E. Faure (1968), devenant un cartel d'organisations politiques, l'UNEF est en proie à la concurrence externe de nouveaux mouvements, et à la division interne qui aboutit (1971) à deux UNEF rivales. En dépit de tout, elle demeure, comme à ses origines, un drapeau et un lieu d'apprentissage politico-intellectuel sans équivalent.

Alain Monchablon

■ *Écrits de M. de La Fournière*, Orléans, Association des amis de Michel de La Fournière, 1991. — J. Belden Fields, *Student Politics in France*, New York, Basic Books, 1971. — F. Borella et M. de La Fournière, *Le Syndicalisme étudiant*, Seuil, 1957. — P. Gaudez, *Les Étudiants*, Julliard, 1961. — A. Monchablon, *Histoire de l'UNEF (1956-1968)*, PUF, 1983. — J.-F. Sirinelli, *Génération intellectuelle*, Fayard, 1988.

Universités

Quand débute le XXe siècle, les universités françaises, à la lettre, sortent tout juste de terre. La réforme des années 1880-1890 atteint alors ses pleins effets. La République, aidée par les municipalités, vient de reconstruire les « palais universitaires », et la loi recréant les universités à partir de la réunion des facultés napoléoniennes et leur conférant la personnalité civile a été votée en 1896. On a assisté aussi, depuis 1877, à la multiplication des postes d'enseignants, au rééquilibrage des filières (les lettres et les sciences sont en pleine croissance), à la diversification enfin des disciplines enseignées (les sciences humaines et les sciences appliquées entrent dans l'enseignement supérieur). De nouveaux publics se pressent dans les amphithéâtres : les femmes et les étrangers notamment. À la réforme institutionnelle a succédé la tempête politique avec les débats passionnés de l'affaire Dreyfus*, où nombre d'universitaires et d'étudiants ont pris parti au nom des droits des « intellectuels ». Le Bloc des gauches, au pouvoir après 1902, a voulu intégrer l'élite au sein de l'Université par la réforme de 1904 qui rattache l'École normale supérieure* à l'université de Paris.

Très vite cependant, dès la veille de la guerre, l'enseignement supérieur français est devenu l'enjeu de polémiques multiples, politiques aussi bien que pédagogiques, intellectuelles autant que sociales, selon un cycle immuable qui dure encore aujourd'hui. À peine établies, les universités françaises passent, alternativement ou concurremment, depuis près de cent ans, selon les camps idéologiques, pour le ferment de la décadence culturelle (cf. les critiques de Péguy* et d'Agathon* contre la nouvelle Sorbonne « germanisée »), pour le bastion de la tradition surannée (cf. la dénonciation des « mandarins » par les « gauchistes » des années 60-70), pour le foyer de l'agitation politique (voir la littérature torrentielle autour de Mai 68 et de la « Commune » vincennoise), et, plus récemment, pour un lieu du malaise social, le « campus blues » répondant au « blues » des banlieues.

Les universités seront entendues ici génériquement, malgré l'impropriété, comme l'ensemble des filières d'enseignement supérieur, à l'exclusion des « grands établissements » ou des établissements de recherche pure (voir les articles spécifiques qui leur sont consacrés).

La plupart des institutions d'État ont subi, au XXe siècle, des mutations profondes, mais les établissements d'enseignement supérieur sont certainement celles qui ont connu les plus rapides et les plus amples. On dénombrait, en 1902, 30 370 étudiants (jeunes filles et étrangers compris), 81 218 en 1935 (+ 167 % en 33 ans), 213 100 en 1959-1960 (+ 162 % en 24 ans). C'est alors que la croissance s'emballe : quadruplement en moins de vingt ans (837 776 étudiants en 1977-1978), plus que doublement depuis (le cap des 2 millions est proche). La mutation qualitative est peut-être encore plus importante. La population étudiante se féminise : représentant 3 % des inscrits en 1902, les jeunes filles sont majoritaires depuis 1975, avec des décalages sensibles des lettres, très féminisées, aux sciences et aux écoles d'ingénieurs, très masculines. Les centres d'enseignement se multiplient (24 en 1939, 40 en 1970, plus de 70 aujourd'hui), comme les nouvelles filières plus professionnelles (IUT, IUP, INSA, écoles de commerce et de gestion, etc.) et les nouveaux diplômes. Les modes de rapport à l'étude se différencient en conséquence de plus en plus : à côté des étudiants à temps plein, plus rares et souvent obligés de travailler partiellement, sont apparus les étudiants salariés, les adultes en formation permanente, les universités du troisième âge, l'enseignement à distance, etc.

Malgré ces changements considérables, certaines particularités de l'enseignement supérieur français ont tenu bon ou n'ont commencé à être corrigées que tardivement. En premier lieu, le déséquilibre Paris / province reste marqué : en 1914, les facultés parisiennes rassemblaient 43 % des étudiants français, plus encore si l'on ajoute les élèves des grandes écoles, presque toutes parisiennes à cette date ; en 1968-1969, on est revenu à 28,6 % grâce à la création des nouvelles universités de la couronne du Bassin parisien (Rouen, Amiens, Reims, Orléans, Tours). Le tiers du total est de nouveau dépassé dans les années 70 avec l'implantation des universités extra-muros (Paris VIII à XIII, ou plus récemment dans les villes nouvelles : Marne-la-Vallée, Saint-Quentin-en-Yvelines, Évry). La massification n'a pas été non plus synonyme de démocratisation au sens naïf qu'on donnait au mot dans les années 60. Absentes ou quasiment à la veille de la Seconde Guerre mondiale (on comptait 2 % d'enfants d'ouvriers en 1939 dans les facultés) ; les catégories les plus modestes forment 12 % du total au début des années 80. Le changement réel ou perçu par les acteurs de l'institution est à la fois beaucoup plus et beaucoup moins important que ne le disent ces moyennes : beaucoup plus, puisque le pourcentage porte en 1939 sur moins de 90 000 individus et, à la seconde date, sur près de dix fois plus. En fait, au début des années 80, le nombre d'étudiants d'origine ouvrière équivalait au nombre total des étudiants d'avant guerre. Le passage par l'Université, d'horizon quasi impossible, devient un horizon réel. Beaucoup moins aussi, si l'on raisonne en chances d'accès, car l'ouverture démographique n'a pas réduit sensiblement les écarts entre groupes sociaux. La diversification des filières et la concurrence entre filières sélectives et non sélectives, donc entre filières dont les diplômes assurent une véritable promotion et celles dont les débouchés et l'image sociale se dévaluent, aboutit à une hiérarchisation très claire en fonction des origines sociales, donc à un maintien des hiérarchies héritées, malgré l'allongement de la scolarisation de tous les groupes. Selon la part des étudiants issus des milieux privilégiés, on trouve, au milieu des années 70, à un pôle, les diverses écoles (de commerce, d'ingénieurs) et les filières sélectives ou à numerus clausus (IEP, ENS, médecine, etc.) ; à l'autre extrême, les filières ouvertes socialement rassemblent les IUT, les filières paramédicales, les sections de techniciens supérieurs. Les facultés de l'Université classique (droit, lettres et sciences) se trouvent en situation intermédiaire, car elles restent liées, en principe, aux cursus secondaires les plus traditionnels. Ce sont elles qui souffrent le plus des transformations générales du fait d'une double concurrence : celle des nouvelles filières professionnelles courtes, dont la pédagogie est plus adaptée à une population de bacheliers elle-même de plus en plus diverse, et celle des filières prestigieuses et sélectives qui les privent de leurs meilleurs éléments, surtout dans les premières années. C'est pourquoi les problèmes y prennent un tour explosif tant en 1968 qu'en 1976 ou en 1986 et dans les années les plus récentes (question des premiers cycles).

Jusqu'aux années 50, les structures mises en place par la IIIe République ont fait face tant bien que mal à la croissance. La division du travail était relativement claire entre écoles et facultés : les unes orientées vers les professions de cadres du secteur privé ou de l'administration, les autres vers les professions libérales, le professorat, les emplois de cadres moyens ; les premières sélectives et élitistes, les secondes ouvertes et promettant la promotion républicaine aux boursiers et la « vraie » culture aux individus inadaptés au bachotage des classes préparatoires. Les universités remplissent encore également à cette époque, conformément à l'idéal scientiste des réformateurs de la fin du XIXe siècle, la plus grande part de la fonction de recherche grâce à la fondation d'Instituts liés aux facultés qui ont pris leur essor des années 1900 aux années 1930 : la Sorbonne a ainsi ses annexes en sciences (par exemple l'Institut de biologie physico-chimique) et en lettres comme l'Institut d'art et d'archéologie. Les facultés de province ont fondé surtout des instituts de sciences appliquées, dont certains deviendront plus tard des écoles d'ingénieurs. Les facultés restent la véritable unité administrative, la conscience d'appartenance à une université étant plutôt faible dans cet univers individualiste, divisé par des modes de recrutement différents (concours en médecine, pharmacie et droit, thèses en sciences et lettres) et structuré par le découpage des chaires et le patronage des plus jeunes par les anciens, en l'occurrence les professeurs parisiens qui dirigent la plupart des thèses, siègent aux jurys des concours, animent les revues disciplinaires et contrôlent les instances consultatives.

Le gonflement des flux étudiants oblige à des solutions de fortune : le recrutement massif d'enseignants non titulaires, plus jeunes et se sentant plus proches des étudiants faute de participer au pouvoir de décision des conseils de faculté, et la création à la hâte de nouveaux campus souvent mal adaptés à des générations issues du *baby boom*. Le cas de Nanterre, première antenne de la Sorbonne en banlieue ouvrière, est ici idéal-typique. Orsay, campus scientifique à l'américaine dans la verdure, relié aux laboratoires du Centre national de la recherche scientifique*, sera plus réussi, par contraste avec les silos à étudiants de la nouvelle Faculté des sciences de la Halle-aux-Vins. Moins respectueuses des formes, du fait du recul des méthodes éducatives les plus autoritaires, ces générations étudiantes sont plus impatientes face à une société qui mêle contradictoirement l'éloge de la consommation et de la modernisation et un discours politique officiel dominé par le culte du héros et la geste de la lutte contre l'occupant, période où certains groupuscules puiseront, souvent à contresens, des références historiques plaquées (CRS = SS) qui prouvent l'imprégnation inconsciente par cette culture politique de la Résistance. La culture universitaire qu'on transmet dans des cadres surannés se trouve encore plus décalée par rapport au monde extérieur. Les auteurs favoris de la jeunesse intellectuelle, diffusés par le livre de poche, alors en plein essor, n'ont pas encore droit de cité en lettres. Les éléments scientifiquement novateurs ont souvent trouvé refuge dans des structures extra-universitaires : la recherche scientifique de pointe migre de plus en plus dans des laboratoires du CNRS ou des grands organismes de recherche (CEA, Institut Pasteur*) ; les nouvelles disciplines de sciences humaines s'y développent également, ainsi que dans de nouvelles institutions *ad hoc* comme la VIe Section de l'École pratique des hautes études.

Le séisme de 1968 débute, ce n'est pas un hasard, dans le maillon faible de l'Université en chantier, non à la vieille Sorbonne, mais à Nanterre, et chez des étudiants qui préfèrent aux humanités les apports critiques et politiques d'un savoir lié à la société (en psychologie et en sociologie par exemple). La crise universitaire est plus profonde que dans les autres pays d'Europe parce que les structures en place et les responsables de celles-ci s'avèrent incapables de trouver la solution des conflits sans recourir aux autorités externes (recteur, ministre, forces de l'ordre). En retour, cela politise, radicalise et élargit la base sociale de ces conflits dont les incidents déclencheurs, rétrospectivement, apparaissent, comme souvent en histoire, sans commune mesure avec le résultat.

L'originalité des réformes nées de Mai 68 par rapport aux crises universitaires précédentes est double. La loi d'orientation d'Edgar Faure a cherché à repenser les structures dans l'urgence et a répondu, plus que ne le demandait la majorité des professeurs, à certains mots d'ordre ou propositions du mouvement élaborés lors des innombrables « AG » et commissions tenues en mai et juin. Il en a résulté des flottements considérables et surtout des haines inexpiables entre partisans et adversaires des nouvelles structures, d'où la création de nouvelles universités plutôt en fonction de clivages politiques que de nécessités scientifiques raisonnées : l'ancienne Faculté des lettres de Paris (la Sorbonne) se brise ainsi en quatre morceaux : Paris I (lettres, sciences sociales, droit, économie), Paris III (lettres, langues), Paris IV (la « vieille » Sorbonne continuée) et Paris VII, la plus avant-gardiste. Deux annexes novatrices naissent aussi : l'une, dans les beaux quartiers (le centre Dauphine, plus tard Paris IX), université sélective et orientée vers l'économie et la gestion ; l'autre, le Centre expérimental universitaire de Vincennes, plus tard Paris VIII, est envoyée dans l'Est parisien, puis déménagée contre son gré à Saint-Denis, dix ans plus tard. S'y affrontent au début de manière inexpiable et suicidaire réformistes et gauchistes dans des locaux vite trop étroits. L'utopie généreuse de l'Université pour tous (ouverte aux salariés et non-bacheliers) mais aussi d'avant-garde au plan disciplinaire et organisationnel (avec l'introduction, par exemple, de la psychanalyse ou du cinéma et le souci de l'interdisciplinarité) se heurte à la mauvaise volonté du pouvoir, au découragement des pionniers face au comportement irresponsable de certains de leurs collègues qui confondent salles de cours et commune populaire et à un phénomène d'exode de ceux des enseignants qui ne supportent pas le climat passionnel des affrontements (M. Foucault* est le plus illustre de ces déçus de l'Université critique).

La fonction intellectuelle des universités s'en est trouvée inversée. Jusqu'alors caisse de résonance ou avant-garde des grands débats politiques nationaux de l'affaire Dreyfus* à la guerre d'Algérie, le milieu universitaire est devenu le lieu d'affrontement presque transparent des clivages externes, l'autonomie administrative conquise aboutissant à une politisation des questions proprement universitaires. Mais, en concentrant son énergie sur ces querelles internes, la communauté universitaire a perdu, au cours des dix années suivantes, l'essentiel de ses repères identitaires. Chaque tendance cherche à trouver une oreille complaisante au sommet de l'État pour régler ses comptes au gré des alternances politiques. La conjoncture budgétaire, de plus en plus restrictive après 1974, et le climat de revanche anti-soixante-huitard qui culmine sous le ministère Saunier-Séïté aboutissent à une dégradation accélérée, tant matérielle que morale, des universités. En 1982, la France dépensait seulement 2 600 dollars par étudiant, la Suède 3 300, les États-Unis 5 900, le Royaume-Uni 11 600. Le gros effort fourni depuis 1989 doit tout à la fois rattraper le retard pris et faire face à des effectifs sans cesse croissants, pari difficile à tenir face à la récession et aux déficits publics.

Le recul manque pour risquer un pronostic sur la période actuelle. La poussée des effectifs depuis six ans, analogue à celle des années 60, et l'impuissance relative des pouvoirs successifs à faire passer des réformes d'envergure (trop de réformes tuent la réforme) ne peuvent qu'aggraver les dysfonctionnements toujours évidents de l'enseignement supérieur français : tension entre le centralisme ministériel et l'effort d'autonomie et de décentralisation régionale, taux d'échec excessifs des premiers cycles non sélectifs, inégalité choquante d'encadrement et de budget selon les filières, localisme des carrières, démotivation et division des enseignants en multiples statuts rivaux, tandis que la crise de l'emploi pousse les étudiants à prolonger toujours plus les études.

L'identité sociale des universitaires qui a partie liée, depuis l'origine, avec le statut de l'intellectuel en France, se partage en deux options principales. La vision moderniste pousse à troquer la posture de l'intellectuel, conscience critique de la société et défenseur des valeurs académiques, pour la pluralité de rôles qu'implique la multifonctionnalité actuelle des universités : à la fois chercheur, pédagogue, conseiller d'orientation, gestionnaire, entrepreneur en quête de contrats de financement, consultant externe, etc. Toutes ces figures coexistent dans une communauté de plus en plus éclatée de par sa taille et ses multiples statuts. La seconde attitude, plus attentiste, domine chez un grand nombre d'enseignants des disciplines traditionnelles : ils cherchent à se prémunir contre les agressions extérieures en cultivant le souvenir de l'âge d'or de leur jeunesse, c'est-à-dire celui de leurs maîtres, et font deux parts dans leur vie : l'enseignement et leur « œuvre ». Ceux des universitaires ou assimilés qui conservent les signes extérieurs d'appartenance au groupe des intellectuels, guides de l'opinion, via la culture des médias, entretiennent, pour le public, l'illusion de la continuité avec l'Université d'autrefois, même si leurs collègues se reconnaissent rarement en eux. Les plus rusés, ce sont parfois les mêmes, tout dépend des conjonctures politiques, fréquentent les allées des pouvoirs quand ils ne font pas le grand saut dans l'administration ou la politique professionnelle : des juristes (R. Barre et L. Jospin sont les plus illustres) mais aussi des scientifiques rêvent des sommets de l'État (H. Curien et C. Allègre leur ont ouvert la voie).

La fonction première des universités, minoritaire mais fondatrice (la novation, la critique, la culture), dépend sans doute, à terme, de la renaissance d'un minimum de civisme identitaire, non plus dirigé vers les causes extérieures comme jadis, mais mis au service de leur propre cause, qui concernera bientôt, en même temps, l'avenir de la moitié de la jeunesse.

Christophe Charle

■ C. Baudelot (dir.), *Les Étudiants, l'emploi, la crise*, Maspero, 1981. — P. Bourdieu, *Homo academicus*, Minuit, 1984. — P. Bourdieu et J.-C. Passeron, *Les Héritiers*, Minuit, 1964 ; *La Reproduction*, Minuit, 1970. — C. Charle, *La République des universitaires (1870-1940)*, Seuil, 1994. — C. Charle et R. Ferré (dir.), *Le Personnel de l'enseignement supérieur en France aux XIXe et XXe siècles*, CNRS, 1985. — C. Charle et J. Verger, *Histoire des universités*, PUF, 1994. — D. Lapeyronnie et J.-L Marie, *Campus blues. Les étudiants face à leurs études*, Seuil, 1992. — M.-J. Nye, *Science in the Provinces. Scientific Communities and Provincial Leadership in France (1860-1930)*, Berkeley, University of California Press, 1986. — A. Prost, *Éducation, société et politiques. Une histoire de l'enseignement en France, de 1945 à nos jours*, Seuil, 1992 ; *Histoire générale de l'enseignement et de l'éducation en France*, t. 4 : *L'École et la famille dans une société en mutation*, Nouvelle Librairie de France, 1981. — A. Schnapp et P. Vidal-Naquet, *Journal de la commune étudiante*, Seuil, 1969. — J. Verger (dir.), *Histoire des universités en France*, Toulouse, Privat, 1986, notamment les contributions de V. Karady et de J.-C. Passeron, pp. 323-419. — G. Weisz, *The Emergence of Modern Universities in France (1863-1914)*, Princeton University Press, 1983.

UNIVERSITÉS POPULAIRES

Le mouvement des Universités populaires qui prend naissance à l'automne 1899 est inséparable de l'affaire Dreyfus*. Le projet des pères fondateurs — l'autodidacte Deherme (1867-1937), ancien sculpteur sur bois, typographe, employé de coopérative, et Gabriel Séailles (1852-1922), professeur de philosophie en Sorbonne — est antérieur au « J'accuse » de Zola* et à la mobilisation des intellectuels. Mais l'Affaire met au jour les menaces sur la République. Elle cristallise nombre d'inquiétudes fin de siècle sur la dégénérescence, le spectre de la décadence, la question sociale. L'Université populaire, « amitié » entre intellectuels et manuels, veut favoriser leur rencontre pour une éducation mutuelle. C'est une réponse aux volontés d'engagement des artistes férus d'art social (Bernard Lazare*) et des lettrés soucieux d'« aller au peuple » pour refaire l'esprit public.

« La Coopération des idées » de Georges Deherme reçoit des soutiens très variés : des nationalistes (Barrès* et Maurice Pujo) aux intellectuels libéraux (Daniel Halévy*, Paul Desjardins* président de l'Union pour l'action morale, Charles Gide*, Anatole Leroy-Beaulieu), du très catholique Henri Mazel fondateur de « l'Ermitage » au pasteur Charles Wagner, des journalistes modérés du *Temps* aux jeunes libertaires de « l'Enclos », une grande diversité d'opinions participe au lancement de la première Université populaire. L'inauguration très mondaine du 9 octobre 1899 libère les énergies, et ceux qui boudaient le projet Deherme — les intellectuels progressistes à l'image d'Anatole France*, les socialistes — vont prendre l'initiative. À Paris, l'École normale, berceau du dreyfusisme, préside aux destinées de « l'Union Mouffetard » au comité de patronage prestigieux : Anatole France, les historiens Lavisse*, Monod*, Seignobos*, Aulard*, le philosophe Bergson*, le biologiste Émile Duclaux*. Tout à côté, la Sorbonne rivalise avec « la Solidarité du XIIIe », et tous les arrondissements parisiens voient naître leur UP. Dans les départements, l'UP profite des initiatives des professeurs de lycée, et les anciens pensionnaires de la rue d'Ulm sont très actifs : René Litalien à Brest, Léon Rosenthal à Dijon, Célestin Bouglé* à Montpellier, Félicien Challaye* à Laval, Paul Crouzet à Toulouse. Quelques futurs grands noms du magistère intellectuel — le philosophe Alain* à « la Coopération des idées » de Rouen, le père des *Annales* Lucien Febvre* à « l'Enseignement pour tous » de Besançon — ou de la littérature — André Maurois à l'UP d'Elbeuf et Paul Léautaud* secrétaire de « la Coopération des idées du XIe » — sont passés par l'UP. Les « couches nouvelles » — médecins, avocats et publicistes — affirment leur place grandissante dans la société française par de multiples créations.

Ces initiatives prolongeant l'effort des militants ouvriers expliquent l'essor spectaculaire. Les années 1899-1902 représentent 80 % des 230 créations de la période 1899-1914. Taille et longévité sont variables : une cinquantaine d'adhérents à Calais, c'est peu comparé au millier de « l'Émancipation » du XVe arrondissement de Paris et les quelques mois de vie de « la Solidarité ouvrière du XIXe » relèvent de l'éphémère face aux quinze années d'existence de « la Semaille du XXe ». Au fort du mouvement, les UP comptent plus de 50 000 adhérents : d'abord des employés, puis des militants ouvriers et intellectuels. L'implantation est essentiellement urbaine. La répartition géographique combine des facteurs économiques, culturels et politiques. Elle fait apparaître des zones de fort développement : Paris et ses faubourgs — un tiers des créations —, le Sillon rhodanien, le Midi languedocien. À l'opposé, le Massif central, la Basse-Normandie sont peu réceptifs à l'Université populaire.

L'essor s'accompagne d'une crise permanente. La diversité des initiatives, promesse de réussite initiale, fait problème. Le militantisme pédagogique pour la défense républicaine sert de ralliement, mais l'unanimisme éclate rapidement. L'UP est vite un champ d'affrontement entre deux tendances. Georges Deherme, soutenu par les réformateurs sociaux (Charles Gide, Arthur Fontaine), est soucieux de promouvoir l'éducation dans un esprit d'apaisement. Il s'agit de désamorcer les passions sociales, de favoriser la concorde, d'intégrer la classe ouvrière au reste de la nation. L'engagement laïc est doublé d'un projet social solidariste cher à la République radicale. L'autre orientation est dominée par l'esprit lutte de classes. L'éducation est un outil d'émancipation, de combat pour l'établissement de la République sociale. Elle doit permettre à la classe ouvrière d'avoir prise sur son destin. « L'Idéal social » du Xe arrondissement à Paris, et « l'Union Mouffetard » du Ve, qui abrite l'École socialiste et ses orateurs Andler*, Blum*, Herr*, Lagardelle*, Mauss*, Longuet, affichent fièrement leur socialisme.

Ces divergences posent la question de la neutralité de l'UP. Quand Deherme invite un conférencier socialiste — Eugène Fournière —, les intellectuels libéraux qui l'ont soutenu crient à la trahison, et lorsqu'il offre tribune à l'abbé Denis, les intellectuels progressistes, *L'Aurore*, *La Petite République* dénoncent la mise en cause de la laïcité, principe fondateur de l'UP. Cette ambiguïté originelle explique la mise en place d'associations concurrentes tels les Instituts populaires catholiques de Marc Sangnier* et les UP nationalistes lancées par Jules Lemaître* et la Ligue de la patrie française.

La crise tient surtout au fonctionnement quotidien dominé par la présence des intellectuels. Ils occupent la scène lors de l'inauguration et jouent un rôle central dans la vie de l'association comme président ou secrétaire. Mais surtout ils donnent une orientation, une couleur par leur présence quasi exclusive comme conférenciers. L'enthousiasme des débuts fait vite place à l'amertume et au désenchantement. Les noces culturelles de la « jaquette » et du « bourgeron » n'ont pas engendré une culture commune et l'histoire de l'UP est celle d'un rendez-vous manqué. L'enseignement est marqué par la diversité des causeries, l'absence de méthode. Les conférences magistrales — « la poésie civique en France, les microbes, la patrie pacifique » —, les causeries trop mondaines sont loin des préoccupations immédiates d'« upistes » venus chercher un savoir utile au quotidien. L'UP propose un « luxe de l'esprit », une culture classique : « Comme d'ordinaire, le peuple demandait du pain, comme d'habitude on lui a offert de la brioche. » Les conférenciers se lassent de robustes auditoires, agités, prompts à la polémique, et le public ouvrier déserte ces « bureaux de bienfaisance intellectuelle », ces « savantasses ». Les intellectuels n'ont pas su répondre à la demande. Leur totale ignorance de la sensibilité ouvrière entraîne des problèmes de communication — le tutoiement familier aux ouvriers écorche les habitués des salons —, de comportement — les gros sabots de Daniel Halévy pour faire peuple font injure —, et suscite le mépris pour des pratiques culturelles différentes — le bal très prisé par le « populo » est rejeté par les administrateurs bourgeois de « la Coopération des idées » de Rouen.

L'incapacité à mettre en œuvre l'éducation mutuelle — « quel enseignement pour l'UP ? », demandait Charles Guieysse en 1904, « il est prudent de dire que nous n'en savons rien » —, le repli des intellectuels, la méfiance ouvrière, les difficultés quotidiennes vident rapidement le mouvement de ses forces vives. Après une période étale jusqu'en 1904, le déclin est perceptible dans la multiplication des disparitions et des crises internes, celle de « la Coopération des idées » en 1904 avec l'éviction de Deherme étant symbolique. Pour survivre, les UP s'adaptent : moins de conférences, place aux activités récréatives — bals et excursions, représentations théâtrales —, aux services sociaux — logement social, lutte contre l'alcoolisme, assistance médicale, juridique et financière. L'UP s'intéresse au sport, au cinéma, activités ignorées de la classe ouvrière. Cette orientation, au ras du quotidien, est porteuse d'une convivialité populaire où femmes et enfants trouvent leur place, mais elle n'empêche pas le déclin — plus tardif en province qu'à Paris — qui ne laisse qu'une dizaine d'UP à la veille de la Grande Guerre.

Lucien Mercier

■ P. Bourget, *L'Étape*, Plon, Nourrit & Cie, 1902. — P. Hamp, *Il faut que vous naissiez de nouveau*, Gallimard, 4e éd. 1935.
■ L. Mercier, *Les Universités populaires : 1899-1914. Éducation populaire et mouvement ouvrier au début du siècle*, Éditions ouvrières, 1986.

URIAGE (École des cadres d')

L'« École des chefs » créée en août 1940 à La Faulconnière près de Gannat par le capitaine Pierre Dunoyer de Segonzac avec l'aide de la nouvelle administration de la Jeunesse, s'installe au château d'Uriage près de Grenoble et devient l'École nationale des cadres de la jeunesse (loi du 7 décembre). Jusqu'à sa suppression par Laval le 1er janvier 1943, elle accueille environ 3 000 stagiaires et joue le rôle de lieu de retraite et d'entraînement pour les futures élites du pays, combattants de la revanche et artisans du redressement national.

Son chef, qui rêve d'en faire une France en réduction, l'ouvre aux intellectuels et au savoir, à la recherche de « valeurs communes » au-delà des clivages idéologiques. Ce disciple de Lyautey, inspiré d'abord par un catholicisme humaniste, moral et patriotique, se lie bientôt, guidé par l'aumônier René de Naurois, aux personnalistes Mounier* et Lacroix*, préférés à Massis*. Devenu en 1941 le mentor intellectuel et politique de l'équipe, Hubert Beuve-Méry* y développe l'information, la documentation et une réflexion nourrie par les sciences sociales, avec la collaboration de conférenciers experts — politologues, juristes et économistes tels Jean-Jacques Chevallier, Paul Reuter et Jean-Marcel Jeanneney, philosophes (Jean Lacroix*), historiens (Gilbert Gadoffre), théologiens (Mgr Bruno de Solages, les Pères de Lubac* et Maydieu*) — et en liaison avec des centres comme Économie et humanisme*. Sous son influence, l'équipe prend une distance croissante envers la politique du gouvernement, puis envers le régime et son chef. Elle comporte une aile laïque attachée à l'élan du Front populaire, avec Benigno Cacérès et surtout Joffre Dumazedier, qui expérimente une méthode de pédagogie active et travaille avec des syndicalistes. Paul-Henry Chombart de Lauwe* et Gilles Ferry sont instructeurs de l'École, Jean-Marie Domenach* et Paul Delouvrier y font un stage. En 1943, Gadoffre dirige à la « Thébaïde » de Murinais (Isère) le groupe de jeunes intellectuels qui rédige, entre deux tournées d'instruction dans les camps du Vercors, la « somme » publiée en 1945. L'École avait édité un bulletin bimensuel, *Jeunesse... France* (1940-1941), une collection de brochures, une revue mensuelle (*Cahiers d'Uriage*, 1942) et de nombreux textes ronéotypés à diffusion semi-clandestine.

Uriage n'a pas élaboré de doctrine, mais un « style de vie » liant l'action à la réforme intérieure, ainsi qu'une pédagogie globale. Les futurs dirigeants devaient mettre leur capacité intellectuelle et leur compétence technique au service d'objectifs éthiques et civiques : la Patrie et la communauté nationale, la « révolution du XXe siècle » inspirée de Péguy*, en liant les idéaux chrétien, républicain et socialiste. Si l'équipe se disperse après la Libération, Uriage reste une des matrices de l'esprit de modernisation.

Bernard Comte

■ G. Ferry, *Une expérience de formation de chefs. Le stage de six mois à Uriage*, Seuil, 1945. — G. Gadoffre et l'équipe d'Uriage, *Vers le style du XXe siècle*, Seuil, 1945.

■ P. Bitoun, *Les Hommes d'Uriage*, La Découverte, 1988. — B. Comte, *Une utopie combattante. L'École des cadres d'Uriage (1940-1942)*, Fayard, 1991.

Vacher de Lapouge (Georges)

1854-1936

Georges Vacher de Lapouge est né à Neuville-de-Poitou, le 12 décembre 1854. Il a douze ans lorsque son père meurt. Sa mère lui apprend à lire et à écrire, car il ne fréquente pas l'école primaire. Il devient élève du collège des jésuites, en octobre 1866, à Poitiers, puis entre au lycée (1868-1872), où son professeur de philosophie, Louis Liard, lui ouvre « un monde nouveau, Herbert Spencer, Darwin ». Étudiant en droit, il reçoit une médaille d'or le 29 novembre 1877 pour une étude de 750 pages, *De la pétition d'hérédité*, présentée au concours de doctorat de la Faculté de droit de Poitiers. En 1879, il obtient le titre de docteur en droit. De sa thèse, *Théorie du patrimoine en droit positif généralisé*, il dira plus tard qu'elle fut « la première apparition du droit biologique ». Il commence alors une carrière de magistrat : substitut à Niort (1879-1880), procureur de la République au Blanc (1880-1881) et à Chambon (1881-1883). Il lit Darwin, Galton, Haeckel, s'intéresse aux travaux d'anthropologie de Durand de Gros et de Topinard, avec lesquels il échange une importante correspondance. Son intérêt pour les sciences naturelles et la théorie de l'évolution n'empêche pas Lapouge de manifester un ferme attachement aux principes républicains, et de faire l'éloge du progrès des Lumières. Jugeant qu'il « n'était pas fait pour la magistrature », il démissionne en mai 1883 et s'installe à Paris, où il subsiste en donnant des cours particuliers. Il échoue à l'agrégation du droit (1884), mais ses intérêts véritables sont ailleurs : il est alors simultanément, de 1883 à 1886, élève de l'École des hautes études, section d'histoire et de philologie (assyrien, égyptien, hébreu), élève de l'École du Louvre (égyptologie) et de l'École des langues orientales (chinois, japonais), du Museum (laboratoire de zoologie, dirigé par Milne Edwards), de l'École d'anthropologie. À partir de 1885-1886, il commence à publier ses recherches dans des revues savantes : la *Revue générale du droit, de la législation et de la jurisprudence* (1885, 1886), la *Nouvelle revue historique de droit français et étranger* (1886), et la *Revue d'anthropologie* (1886), dirigée par Topinard, où il introduit en langue française le mot « eugénique » — créé par Francis Galton (1822-1911) en 1883 — dans une analyse critique des récents travaux du cousin de Darwin sur l'hérédité. Préparé par ses lectures de Broca, d'Alphonse de Candolle et de Clémence Royer, Lapouge devient l'un des premiers diffuseurs, en France, de l'eugénique galtonienne, qu'il marie à la doctrine aryaniste, refondue sur des bases anthropométriques, et plus particulièrement crâniométriques (la forme du crâne a pour lui plus d'importance que la couleur de la peau !). C'est également dans la *Revue d'anthropologie*, en 1887 et 1888, que Lapouge publie ses « leçons de Montpellier », où il expose les fondements de la théorie « sélectionniste », qu'il baptisera plus tard l'« anthroposociologie ».

Nommé en 1886 sous-bibliothécaire à l'université de Montpellier, il y donne aussitôt un « cours libre » d'anthropologie. La leçon d'ouverture est prononcée le 2 décembre 1886 à la Faculté des sciences, sur le thème « L'anthropologie et la science politique », qui annonce clairement son programme : « Exposer les conséquences établies des récentes conquêtes de la biologie. » Il s'agit en fait d'un projet de refonte des sciences sociales : « La nouvelle science sociale, la politique ou la sociologie, sait emprunter à la biologie des lois qu'elle fait siennes. » Ces lois sont celles de l'hérédité et de la sélection, qui « donnent les raisons de l'évolution de l'humanité ». La théorie des « sélections sociales » se propose d'« expliquer par des phénomènes de sélection toute l'évolution des sociétés ». En 1896, le cours de 1888-1889 sera publié en volume : *Les Sélections sociales*. En 1899, suivra le cours de 1889-1890 : *L'Aryen, son rôle social*. Mais son « cours libre » est supprimé en 1892 à la suite d'une cabale.

Lapouge a en effet la réputation d'être un « rouge », à plusieurs titres : candidat socialiste aux élections municipales depuis 1888, fondateur de la section de Montpellier du Parti ouvrier français en 1890, collaborateur du *Messager du Midi* puis de *La République du Midi*, animateur du Comité félibréen, aux côtés de Roque-Ferrier, et du Congrès d'études languedociennes, collaborateur du *Félibrige latin*, publié par l'Association languedocienne. Le 1er mars 1893, le laboratoire d'anthropologie de Montpellier est fermé, et Lapouge, à sa demande, est nommé bibliothécaire en chef à l'université de Rennes, où il reste en poste jusqu'en 1900. Puis, jusqu'à sa retraite en 1922, il dirige la bibliothèque de l'université de Poitiers.

La première thèse fondamentale de la théorie sélectionniste est que « l'évolution est presque tout entière le fait de la sélection », mais que, « chez l'homme, la sélection sociale prime la sélection naturelle ». Or, l'analyse des sélections sociales aboutit à mettre en évidence leur caractère dysgénique. C'est la seconde thèse de Lapouge, qui détruit la vision optimiste d'une évolution « orientée vers le mieux », et d'une sélection « favorable aux meilleurs » : les sélections sociales se font « le plus souvent dans le sens du plus mauvais », elles tendent à éliminer systématiquement les meilleurs éléments, les « eugéniques ». Au point que Lapouge croit pouvoir énoncer une « loi de plus rapide destruction des plus parfaits ».

Si Édouard Drumont*, dans *La Libre Parole*, célèbre *Les Sélections sociales*, « un des livres les plus remarquables de ce temps », dû à « un penseur absolument inconnu de la foule » (23 mai 1896), si Georges Sorel* félicite l'auteur « de son courage et de son originalité » dans *Le Devenir social* (juin 1896, article non signé), si Frédéric Paulhan salue ce « livre intéressant et de réelle valeur » (*Revue scientifique*, 4 juillet 1896), suivi par René Worms dans la *Revue internationale de sociologie* (avril 1897) et par D. Collineau dans la *Revue de l'École d'anthropologie* (15 janvier 1898), le premier livre de Lapouge est soumis à une critique sévère par Célestin Bouglé* dans la *Revue de métaphysique et de morale* (juillet 1897), à une réfutation en règle par Arsène Dumont en 1898, et provoque des réactions polémiques violentes des milieux militaires, catholiques et socialistes. Le coup de grâce est assené en 1899 par l'anthropologue Léonce Manouvrier, éminent disciple de Broca et titulaire de la chaire d'anthropologie physiologique à l'École d'anthropologie, qui procède à une critique dévastatrice des fondements de l'anthroposociologie dans la *Revue de l'École d'anthropologie* (août et septembre 1899). Cet article, « L'indice céphalique et la pseudo-sociologie », va définitivement illégitimer l'école lapougienne dans la communauté scientifique française.

C'est en tant que théoricien d'un « socialisme aristocratique » que Lapouge entre en relation avec son disciple Ludwig Woltmann (1871-1907), directeur de la *Politisch-Anthropologische Revue* fondée à Leipzig en 1902. Lapouge et Woltmann défendent l'idée d'un socialisme sélectionniste et aryaniste, impliquant une nouvelle morale — antichrétienne — et se proposant de remplacer les religions du passé. La religion de l'avenir sera panthéiste, elle ne pourra être qu'une religion civique du vital et du solaire, par-delà tous les idéaux ascétiques et individualistes dérivés du christianisme.

Lapouge s'éteint à Poitiers le 20 février 1936, à quatre-vingt-deux ans, dans une indifférence presque générale.

Pierre-André Taguieff

■ *Les Sélections sociales. Cours libre de science politique professé à l'université de Montpellier (1888-1889)*, Albert Fontemoing, 1896. — *L'Aryen, son rôle social. Cours libre de science politique professé à l'université de Montpellier (1889-1890)*, Albert Fontemoing, 1899. — *Race et milieu social. Essais d'anthroposociologie*, Marcel Rivière, 1909.

▒ A. Béjin, « Le sang, le sens et le travail : Georges Vacher de Lapouge, darwiniste social, fondateur de l'anthroposociologie », *Cahiers internationaux de sociologie*, vol. LXXIII, 1982. — P.-A. Taguieff, « Vacher de Lapouge, Georges (1854-1936) », *Dictionnaire des philosophes*, PUF, 1984, t. 2, pp. 2559-2565 ; « Eugénisme ou décadence ? L'exception française », *Ethnologie française*, t. 24, 1994-1, janvier-mars. — G. Thuillier, « Un anarchiste positiviste : Georges Vacher de Lapouge », in P. Guiral et É. Temime (dir.), *L'Idée de race dans la pensée politique française contemporaine*, CNRS, 1977, pp. 48-65.

VAILLAND (Roger)

1907-1965

Écrivain prolifique, journaliste, Roger Vailland a oscillé toute sa vie entre le régime des sorties nocturnes, drogues et alcools, éternel baume des périodes de doute, et la discipline du militantisme.

Issu d'une famille petite-bourgeoise, Vailland reçoit de son père, expert-géomètre, une vaste culture, et de sa mère, une éducation religieuse qu'il rejettera violemment. Ses études brillantes au lycée de Reims le mènent en khâgne* à Louis-le-Grand. Dès 1923, il avait fondé, à Reims, avec R. Patrice-Lecomte, R. Meyrat et R. Daumal, une société secrète, « Les Phrères simplistes », placée sous le signe du « dérèglement des sens ». Les thèmes « simplistes » constitueront la base d'une revue *Le Grand Jeu*, lancée en 1928, qui marque l'entrée de Vailland dans le monde littéraire. Après avoir collaboré avec les « simplistes », Breton* et Aragon* feront exclure Vailland du *Grand Jeu*.

Vailland entre alors à *Paris-Midi* (futur *Paris-Soir*). Devenu grand reporter, il couvre les événements déterminants des années 30, qui le font sortir de son indifférence à la politique. Pressenti à l'automne 1940 par M. Déat, qui s'apprête à lancer une nouvelle série de *L'Œuvre*, Vailland hésite un temps, mais rejoint en octobre la rédaction de *Paris-Soir* repliée à Lyon. La fréquentation des milieux favorables à la Résistance fixe sa volonté de s'engager dans l'action contre l'occupant. Sa demande d'adhésion au PC clandestin ayant été rejetée, il est recruté, en 1943, par le service de renseignement de De Gaulle, où il occupera des fonctions de responsabilité. Ces années inspirent son premier roman, *Drôle de jeu* (prix Interallié 1945).

Au sortir de la guerre, il collabore à la presse issue de la clandestinité, notamment *Libération* et *Action**, tout en multipliant les publications, essais politiques, théâtre, et en rédigeant un deuxième roman, *Les Mauvais Coups* (1948). Il s'engage alors publiquement aux côtés du PCF. Témoin enthousiaste du coup de force communiste à Prague, il affirme son adhésion totale au stalinisme à l'occasion de la guerre de Corée. Ce n'est qu'alors que le Parti l'accepte sans réserve. Il publie une pièce *(Le colonel Foster plaidera coupable)* dénonçant l'impérialisme américain. Agréée par la commission idéologique, elle est montée, en avril 1952, avec l'aide du Parti. La représentation en est rapidement interdite. L'arrestation de nombreux communistes, dont J. Duclos, lors des manifestations anti-américaines organisées par le Mouvement pour la paix, décide Vailland à adhérer au PCF. Il redouble alors d'activités pour promouvoir les conceptions communistes. La mort de Staline l'affecte profondément, il ne tolère aucune critique à l'endroit du Parti. Les premières révélations du XXe congrès sont pour lui le produit d'un complot international. Son engagement se fissure à la publication, le 6 juin 1956*, du rapport Khrouchtchev. À la demande de Sartre*, il signe un texte dénonçant les violences soviétiques à Budapest. Il regrettera cette signature ; dès lors, ses relations avec le Parti se détérioreront irrémédiablement. Il ne prononcera jamais de critique publique du PCF, qu'il quitte « sur la pointe des pieds » dès la fin 1956 (*Le Regard froid*, 1963).

En 1957, il publie *La Loi* (prix Goncourt), dont un protagoniste prône un désintérêt total pour le monde, attitude qui sera désormais la sienne. Jusqu'à sa mort sa production reste abondante : romans, essais, adaptations ou scénarios pour le cinéma, reportages pour la presse. Le succès de *La Truite* (1964) confirme sa place dans les lettres françaises.

Hervé Serry

■ *Le Surréalisme contre la Révolution*, Éditions sociales, 1948, rééd. Bruxelles, Complexe, 1988. — *325 000 francs*, Corréa, 1955. — *Écrits intimes*, Grasset, 1968.

▩ Y. Courrière, *Roger Vailland ou Un libertin au regard froid*, Plon, 1991.

VAILLANT-COUTURIER (Paul)

1892-1937

Né en janvier 1892 dans une famille d'artistes lyriques qui vivait à Paris fort bourgeoisement de rentes, docteur en droit de la faculté de Paris mais durant toute sa vie avocat sans causes, écrivain polygraphe et surtout permanent communiste, Paul Vaillant-Couturier incarne encore aujourd'hui un visage possible, apparemment peu propagandiste, de l'intellectuel communiste.

À l'instar de son ami Raymond Lefebvre* et d'autres intellectuels pacifistes anciens combattants, il est venu au communisme au cours de l'année 1919, hanté par ce qu'il considère comme l'échec du pacifisme wilsonien : l'impossibilité de fonder une paix durable sans une révolution violente. Il est le porte-parole du Comité de la IIIe Internationale au congrès de Tours, et peut à ce titre être considéré comme l'un des fondateurs du PCF. Mais alors que ses amis de la gauche évoluent en 1924 vers le trotskisme et sont exclus les uns après les autres, et en dépit des multiples vexations dont il fait l'objet à plusieurs reprises parce qu'il est perçu par les dirigeants en voie de promotion comme un intellectuel opportuniste, il reste fidèle durablement à l'organisation communiste. Durant toute sa vie militante, outre des fonctions électives de député de la Seine, il prend en charge l'ensemble des contacts avec les milieux intellectuels, utiles aussi bien dans les organisations amies telle le Secours rouge international que dans leurs organisations spécifiquement culturelles.

Au sein du mouvement Clarté*, dont il fut l'un des fondateurs, il tente initialement, sans grand succès, de rallier ces milieux aux théories littéraires révolutionnaires en vigueur en URSS. Puis, lorsqu'il est nommé une première fois rédacteur en chef de *L'Humanité** en 1926, il leur ouvre dans le journal quelques mois durant un espace de réflexion littéraire et scientifique. L'adoption de la ligne « classe contre classe » et les difficultés financières de *L'Humanité* ont rapidement raison de cette initiative. En 1932, après un long séjour en URSS rendu nécessaire par une disgrâce prolongée commencée en septembre 1929, il est appelé à fonder et à diriger l'Association des écrivains et artistes révolutionnaires* (AEAR), tardive section française de l'UIER. Quand celle-ci devient le fer de lance de la lutte antifasciste et commence à recruter en dehors des cercles communistes, Vaillant-Couturier est à l'origine en 1933 et 1934 du rassemblement des intellectuels et de la politique culturelle qui y est liée. On comprend dès lors comment il a pu devenir à partir de 1935, avec le soutien de Maurice Thorez qui impose sa nomination à la tête de *L'Humanité*, la figure de proue de la politique communiste du Front populaire, célébrée par l'ensemble de la gauche à sa mort prématurée le 10 octobre 1937.

Annie Burger-Roussennac

■ *La Guerre des soldats* (avec R. Lefebvre), Flammarion, 1919. — *Jean sans pain*, Clarté, 1921. — *Les Trains rouges* (poèmes), Clarté, 1922. — *Le Père Juillet* (tragi-farce) (avec L. Moussinac), Au Sans Pareil, 1927. — *Le Bal des aveugles*, Flammarion, 1927.

▒ A. Burger-Roussennac, « Paul Vaillant-Couturier », in *DBMOF*. — P. Ory, *La Belle Illusion. Culture et politique sous le signe du Front populaire (1935-1938)*, Plon, 1994.

VALÉRY (Paul)

1871-1945

Si la présence de Paul Valéry dans l'ensemble « intellectuel » se justifie, c'est moins en raison de l'exercice d'une fonction ou de la revendication d'un statut que de l'interrogation qu'il poursuivit toute sa vie sur la légitimité d'une figure à laquelle il fut enclin à substituer celle de l'esprit, de ses crises, de son fonctionnement et de ses pouvoirs.

Né en 1871 à Sète, fils d'un vérificateur de douanes d'origine corse et de la fille d'un consul de Sardaigne et d'Italie, Valéry fit ses études au collège de Sète et au lycée de Montpellier, avant d'entreprendre son droit. Il rencontra assez tôt en Mallarmé de quoi fonder un imaginaire de « la fuite en Soi » et de la maîtrise. Nourri de symbolisme et de « décadence », il allait s'en arracher en se constituant, dès 1896, dans la figure réflexive de Teste, sorte d'intellectuel en rupture avec les grandes légitimations du XIXe siècle et faisant du questionnement de cet héritage et de ses rôles le projet même d'une « conscience réduite à ses actes ».

L'affaire Dreyfus* incita pourtant cet homme « sans opinion » à prendre parti et à se situer parmi les « intellectuels ». Au moment de l'acquittement d'Esterhazy (janvier 1898), alors qu'il est rédacteur au ministère de la Guerre, poste qu'il quittera en 1900 pour devenir secrétaire et conseiller d'Édouard Lebey, administrateur de l'Agence Havas, Valéry se distingue des symbolistes à tendance anarchisante par son refus de figurer sur la liste des protestataires publiée dans *L'Aurore*. Au nom, semble-t-il, de Teste et de l'*ego scriptor* des *Cahiers*, commencés en 1894. Il a d'autre part publié en 1895 dans *New Review* une analyse de l'« action méthodique » allemande, où s'exprime sa répugnance à l'égard de toute entropie sociale. Mais, en décembre de la même année, il participe à la souscription de *La Libre Parole* en faveur de la veuve du lieutenant-colonel Henry.

Désormais guidé par l'analyse du « moi pensant » et la dialectique de l'ordre et du désordre, Valéry n'en poursuivit pas moins une carrière harassante d'homme de lettres, lié aux artistes (Degas, Ravel*, Redon, Rodin, Honegger), savants (Perrin*, Langevin*, Borel, Louis de Broglie*) et écrivains (Breton*, Rilke, Zweig) de son temps, donnant des conférences en Europe à partir de 1924 (année d'un premier entretien avec Mussolini, le second ayant lieu en 1933, qui lui laissèrent l'impression « d'un homme quelconque et vulgaire »), assurant la présidence du Pen Club français (1924-1934), participant de 1925 à 1930 aux travaux de la Commission internationale de coopération intellectuelle de la Société des Nations, dont il présidera le Comité permanent des arts et lettres de 1936 à 1939, s'engageant en faveur du suffrage des femmes (*Destin individuel de la femme*, 1928), publiant au *Mercure de France** ou à *La Nouvelle Revue française** les poèmes de *Charmes* (édition complète en 1922), *La Jeune Parque* (1917), des extraits aménagés des *Cahiers* (*Tel Quel*, *Mauvaises pensées et autres*, *Propos me concernant*, 1941-1944), et, çà et là, des études littéraires, philosophiques et politiques, notamment sur le rôle de la France et de l'Europe, qui seront reprises dans *Variété* (1924-1944).

Son élection à l'Académie française* en 1925 lui assure le statut d'« une espèce de poète d'État », qui culminera avec le poste d'administrateur du Centre universitaire méditerranéen (de 1933 jusqu'à son refus de poursuivre sa mission sous Vichy, puis à nouveau en 1945), le Collège de France* (de décembre 1937 à sa mort) et des obsèques nationales à l'initiative du général de Gaulle. En 1940, il s'oppose à Abel Bonnard*, qui veut que l'Académie française adresse à Pétain un message de félicitations pour Montoire. En janvier 1941, il prononce l'éloge de Bergson*, qui venait de mourir, texte qui fut salué à l'étranger comme un acte de courage. Sa rencontre avec le général de Gaulle, le 4 septembre 1944, précède de trois mois le discours dont il donne lecture à la Sorbonne à l'occasion du 250e anniversaire de la naissance de Voltaire, où il se demande, pessimiste sur le monde contemporain à la lumière de l'histoire récente : « Que peut un homme de l'esprit ? » Il meurt à Paris le 20 juillet 1945.

Daniel Oster

■ *Œuvres*, Gallimard, « Pléiade », 1957-1960, 2 vol. — *Cahiers* (anthologie), Gallimard, « Pléiade », 1973-1974, 2 vol. — *Cahiers (1894-1914)* (éd. intégrale), Gallimard, 1987-1992, 4 vol. parus. — *Les Principes d'anarchie pure et appliquée*, Gallimard, 1984.

▒ M. Jarrety, *Valéry devant la littérature. Mesure de la limite*, PUF, 1991 ; *Paul Valéry*, Hachette, 1992. — D. Oster, *Monsieur Valéry*, Seuil, 1981.

VALEURS ACTUELLES

« Il n'est de richesses que d'hommes. » Cette citation de Jean Bodin sert de devise à *Valeurs actuelles*, hebdomadaire qui s'est substitué à *Finance*, lui-même successeur de *Aux écoutes de la finance*, fondé avant la Seconde Guerre mondiale. On peut dater du 6 octobre 1966 l'aboutissement du processus qui transforme une publication financière en un news-magazine du lundi, sis au 14 rue d'Uzès. Pareille mutation est l'œuvre de Raymond Bourgine, dont la personnalité et les convictions, nettement orientées à droite, n'ont cessé de marquer les choix de l'hebdomadaire : libéral, redoutant l'emprise de la société sur l'individu — telle qu'elle s'exerce dans le monde soviétique —, il souhaite cependant un gouvernement suffisamment fort, appuyé sur les élites, pour éviter l'anarchie ; nationaliste et épris de spiritualité, il refuse de suivre Maurras*, « esprit sec », dans son rejet de la République.

Tout en menant une carrière politique qui le conduit au CNIP et fait de lui un sénateur apparenté au RPR, Raymond Bourgine préside la Compagnie française de journaux : outre *Valeurs actuelles*, celle-ci, depuis 1962, publie le mensuel *Spectacle du monde*. Les journalistes sont choisis pour leurs qualités et l'on respecte leur liberté de jugement, quoiqu'on attende d'eux l'adhésion à la ligne conservatrice qui convient à un lectorat composé, de façon stable, par une majorité d'hommes d'affaires, patrons, cadres moyens et supérieurs, abonnés pour 95 % d'entre eux. La publicité occupe environ le tiers de l'espace d'un périodique dont le reste est couvert, en parts presque égales, par trois rubriques : politique, finance et arts.

Dans l'histoire de la rédaction, le recrutement de certains ex-collaborateurs, tels Georges Hilaire ou Lucien Rebatet*, a finalement moins compté que celui, jugé trop militant, des journalistes issus du Groupement de recherche et d'études pour la civilisation européenne* (GRECE) naissant, comme Alain de Benoist*,

Michel Marmin, Jean-Claude Valla. Leur carrière dans le groupe Valmonde ne s'est guère prolongée au-delà de 1982-1983, les divergences portant avant tout sur le néo-paganisme des grécistes. L'émergence du *Figaro Magazine**, que plusieurs de ces derniers ont rejoint, n'est pas étrangère au recul qui affecte l'audience de *Valeurs actuelles*. Après la pointe de 137 000 exemplaires diffusés en 1977, commença, en effet, une baisse durable : la diffusion moyenne est passée de quelque 113 000 exemplaires en 1985 à moins de 95 000 en 1992.

La mort de Raymond Bourgine, survenue en 1990, ne modifia pas d'emblée l'esprit de l'hebdomadaire, dont la publication restait sous la conduite de François d'Orcival. En ira-t-il de même avec son rachat par le groupe Fimalac, à l'été 1993 ? Désormais installée à Clichy, la direction se flatte, en effet, d'amender une image par trop droitière.

Anne-Marie Duranton-Crabol

■ M. Jamet, *L'Alternative libérale. La droite paradoxale de Raymond Bourgine*, La Table ronde, 1986.

VALOIS (Georges) [Alfred-Georges Gressent]

1878-1945

Généralement connu pour son parcours politique atypique, de l'anarchisme au monarchisme, puis au fascisme, avant de « retrouver la République » et enfin les milieux d'extrême gauche à la fin de sa vie, Georges Valois n'en a pas moins développé une pensée originale dont il pouvait revendiquer l'unité. En outre, si ses propres ouvrages n'ont généralement trouvé qu'un écho limité, il a joué un grand rôle d'accoucheur d'idées, essentiellement par son activité d'éditeur.

Né le 7 octobre 1878 à Paris d'un père ouvrier de boucherie et d'une mère couturière, Alfred-Georges Gressent fut rapidement orphelin et recueilli par ses grands-parents. De 1893 à 1902, période coupée par un voyage à Singapour, il vit à Paris de petits métiers. C'est alors un jeune homme assoiffé de connaissances qui mène une vie de bohème au cours de laquelle il s'assure une solide formation d'autodidacte. À partir de 1897, il fréquente divers groupes anarchistes (l'Art social, les *Temps nouveaux*), et assure pendant un an le secrétariat de *L'Humanité nouvelle*. En 1902, il part en Russie comme précepteur. C'est là qu'il rencontre sa femme et prend ses distances avec l'anarchisme. De retour en France en 1903, il se convertit au catholicisme et entreprend d'écrire une synthèse théorique de la « philosophie de l'autorité » inspirée par Sorel*, Proudhon et Nietzsche. Le manuscrit est publié par l'Action française* en 1906 sous le titre de *L'homme qui vient* (pour lequel il choisit le pseudonyme de « Georges Valois » qu'il gardera toute sa vie).

Au sein du mouvement monarchiste, Valois joue d'abord le rôle de trait d'union entre Maurras* et les syndicalistes révolutionnaires que celui-ci veut gagner à sa cause (G. Sorel et É. Berth*, par exemple). De 1908 à 1911, il écrit dans la nouvelle *Revue critique des idées et des livres*, dans laquelle il lance une « enquête sur la monarchie et la classe ouvrière », avant de créer en décembre 1911 le « Cercle Proudhon », dont les *Cahiers* paraissent jusqu'à la guerre. Employé chez Armand

Colin depuis son retour de Russie, il prend en juillet 1912 la direction de la maison d'édition de l'Action française, la Nouvelle Librairie nationale (400 titres au catalogue en 1925).

Combattant à Verdun de 1914 à 1916, il devient au sortir de la guerre le spécialiste des questions économiques et sociales dans les colonnes de *L'Action française*. Farouchement opposé au « capitalisme individualiste », Valois est obsédé par la question de l'organisation de l'économie sur une base syndicaliste-corporative (*L'Économie nouvelle*, 1919). Il crée et préside ce qui deviendra l'Union des corporations françaises. Dans le domaine de l'édition, il met sur pied en 1920 avec Paul Gillon la Maison du livre français (qu'il administre jusqu'en 1925), cherche à élaborer un « contrat type » d'édition (« Semaine du livre », novembre 1920), et organise plus tard un Bureau de renseignement de la presse et de l'édition (1928). Outre ses activités à la NLN, il fonde et administre la Société française de publications périodiques qui édite *La Revue universelle** à partir de 1920.

Candidat d'Action française aux élections législatives de 1924, il se détache progressivement du mouvement monarchiste auquel il reproche son inertie. En février 1925, il crée un nouveau journal destiné à devenir quotidien *(Le Nouveau Siècle)*, puis organise des « Légions de combattants » avant de lancer le premier mouvement fasciste français, le Faisceau (11 novembre 1925). La rupture avec Maurras est alors définitive. Toujours attaché aux problèmes d'organisation de l'économie, de plus en plus virulent contre la « ploutocratie financière », il rejette désormais les arguments d'autorité (*Un nouvel âge de l'humanité*, 1929) et se rapproche de la gauche. Après la dissolution du Faisceau en 1928, il lance un nouveau parti, le Parti républicain syndicaliste, dont l'écho demeure très limité.

De 1928 à 1932, Valois qui publie un nouvel hebdomadaire, *Les Cahiers bleus*, et a conservé le contrôle de la NLN (qui devient la Librairie Valois*), déploie une débordante activité en faveur de l'élaboration des nouvelles doctrines que nécessite selon lui le monde moderne : sa « Bibliothèque syndicaliste » accueille tous les jeunes qui réclament la rénovation des partis de gauche (B. de Jouvenel*, J. Luchaire, P. Dominique, B. Montagnon...), et l'on trouve ensuite au catalogue de sa maison d'édition les *Perspectives socialistes* de M. Déat (1930), *La Banque internationale* de P. Mendès France (1930) ou encore *Révolution constructive** (1932). À la charnière des années 20 et 30, la Librairie Valois apparaît comme un laboratoire d'idées où s'expriment les revendications des « intellectuels » au sens large (du technicien à l'écrivain), à une époque où il n'est pas encore question de « planisme » ou de « non-conformistes ». Valois, qui se veut le promoteur d'une « nouvelle culture », est alors aussi l'éditeur des écrivains prolétariens groupés autour d'Henry Poulaille* (*Nouvel âge littéraire*, 1930), dont il édite la revue *Nouvel âge*. On doit encore citer à l'actif de la Librairie le soutien des antifascistes italiens (P. Nenni, S. Trentin, C. Rosselli) auxquels il consacre une collection.

Frappée par la crise, la Librairie Valois ralentit considérablement son activité à partir de 1932. Valois qui se déporte alors de plus en plus à gauche, lance cette année-là une grande campagne de signature d'un « manifeste des nouvelles équipes » où se côtoient encore ingénieurs, professeurs et gens de lettres. De plus en plus marginalisé au moment où s'avivent les tensions internationales et les clivages politiques, il se rapproche du mouvement coopératif et lance de nouvelles publications (*Chantiers coopératifs*, 1932-1934 ; *Nouvel âge*, 1934-1940) dans lesquelles il ne cesse de critiquer la dérive autoritaire des planistes et l'impuissance du Front populaire. Proche des milieux pacifistes de gauche, il réclame cependant une intervention en Espagne* et critique les accords de Munich*. Arrêté en 1944 pour des activités dans la Résistance, Georges Valois meurt du typhus à Bergen-Belsen en février 1945.

Philippe Olivera

■ *L'homme qui vient*, Nouvelle Librairie nationale, 1906. — *L'Économie nouvelle*, Nouvelle Librairie nationale, 1919. — *La Révolution nationale*, Nouvelle Librairie nationale, 1924. — *D'un siècle à l'autre*, Nouvelle Librairie nationale, 1924. — *L'Homme contre l'argent*, Librairie Valois, 1928. — *Un nouvel âge de l'humanité*, Librairie Valois, 1929. — *Guerre ou révolution*, Librairie Valois, 1931. — *Techniques de la révolution syndicale*, Liberté, 1935.

▒ J.-M. Duval, *Le Faisceau de Georges Valois*, La Librairie française, 1979. — Y. Guchet, *Georges Valois : l'Action française, le Faisceau, la république syndicale*, Albatros, 1975, rééd. Éditions européennes Érasme, 1990. — G. Mazières, *L'Œuvre économique de Georges Valois*, Castelnaudary, 1937.

Valois (Librairie)

À l'origine de la Librairie Valois, on trouve la Nouvelle Librairie nationale (NLN), fondée en 1906 pour éditer les travaux de l'Institut d'Action française*. Georges Valois* est pressenti pour la diriger en juillet 1912. Surtout connu pour son engagement politique, il y déploie une intense activité qui en fait un acteur essentiel de l'édition durant l'entre-deux-guerres. Selon tous les témoins, c'est lui qui fait de la NLN un centre majeur de la production intellectuelle de droite. Mais après sa rupture fracassante avec l'Action française en décembre 1925, Valois conserve le contrôle d'une maison d'édition sinistrée dont le catalogue est tout entier à reconstituer.

Absorbé par l'entreprise du Faisceau, Valois délaisse quelque peu sa Librairie de 1925 à 1926. Seule collection notable de cette période, « Les Écrivains du nouveau siècle » reprend le titre de l'organe du Faisceau. Après la dissolution de celui-ci (juin 1928), Valois se replie sur la Librairie et lance un programme « méthodique d'édition et de librairie » : il s'appuie sur un hebdomadaire, les *Cahiers bleus*, et sur une collection phare, la « Bibliothèque syndicaliste », conçus par l'éditeur comme le laboratoire des doctrines du « nouvel âge ». Valois cherche alors à fédérer la réflexion des « nouvelles équipes », au sein desquelles les jeunes radicaux forment le noyau dur. On trouve ainsi à la « Bibliothèque syndicaliste » des ouvrages de B. de Jouvenel*, J. Luchaire, P. Dominique… La proximité de Valois avec le Parti radical se traduit par la présence au conseil d'administration de la Librairie d'Henri Clerc et d'Émile Roche.

L'année 1930 est celle de l'intensification de la production éditoriale, avec le lancement d'une quinzaine de collections tous azimuts. Les réussites les plus marquantes sont celles de la « Suite politique italienne » qui publie des antifascistes comme S. Trentin (*Antidémocratie*, 1930) et C. Rosselli (*Socialisme libéral*, 1930), et de la « Bibliothèque économique universelle » où l'on trouve P. Mendès France, G. Boris et même le *Discours sur le plan quinquennal* de Staline (1930). Ouvert à tous les courants de la gauche, Valois publie notamment ceux qui souhaitent rénover le socialisme et dépasser le marxisme (B. Montagnon, M. Déat — *Perspectives socialistes*, 1930 —, le groupe Révolution constructive*, A. Philip*...). Entre 1928 et 1932, la Librairie Valois apparaît comme le point de convergence de ceux qui, dans les années 30, seront les « non-conformistes » ou les « planistes ».

En 1931, Valois aborde un nouveau domaine jusque-là plutôt délaissé, la littérature. Cela prend la forme d'une association avec les écrivains prolétariens groupés autour d'H. Poulaille*, dont, outre les romans, Valois publie le livre manifeste *Nouvel âge littéraire* (1930), puis la revue mensuelle *Nouvel âge* (de janvier à décembre 1931). Autant les ouvrages économiques et politiques semblent avoir rencontré un succès honorable, autant la littérature prolétarienne se révèle un gouffre financier d'autant plus mal venu qu'il s'ajoute à la crise générale de l'édition au début des années 30. La Librairie Valois cesse ses publications en septembre 1932, et les tentatives pour relancer la maison d'édition sous la forme coopérative (Maison coopérative du livre, Éditions Libertés) ne sont que le pâle reflet du faste de la période précédente. Le « laboratoire d'idées » qu'a été durant quatre ans la Librairie Valois tire avant tout son intérêt de l'extrême variété des auteurs réunis à son catalogue, unis par une même volonté de penser la modernité. Entre 1928 et 1932, l'éclectisme et l'atypisme de Georges Valois semblent s'être trouvés en phase avec l'esprit des « années tournantes » de l'entre-deux-guerres.

Philippe Olivera

■ A. Douglas, *From Fascism to Libertarian Communism. Georges Valois against the Third Republic*, Berkeley-Los Angeles-Oxford, University of California Press, 1992. — P. Olivera, *La Librairie Valois (1928-1932)*, mémoire, IEP de Paris, 1989. — V. Vier, *Georges Valois et les « jeunes équipes » (1928-1932)*, mémoire, IEP de Paris, 1993.

VAN GENNEP (Arnold)

1873-1957

L'influence de Van Gennep sur l'ethnologie française n'est pas celle d'un chef d'école comme le fut E. Durkheim*, ni celle d'un enseignant écouté comme le fut M. Mauss*, ni celle d'un théoricien éminent comme le fut plus tard C. Lévi-Strauss*. Sa passion de l'indépendance l'en aurait empêché. Et cependant il apporta à cette discipline naissante une inflexion originale dont on n'a pas toujours mesuré la portée. Les contours des théories contemporaines de l'anthropologie se lisent en filigrane dans son œuvre.

A. Van Gennep, né en 1873 à Ludwigsburg en Allemagne, est le fils d'un descendant d'émigrés huguenots et d'une Hollandaise. Celle-ci, ayant quitté son mari, revint en France avec son fils et épousa un médecin qui se comporta à l'égard de l'enfant en véritable père adoptif. Si Van Gennep, mort en 1957 à Épernay, est le contemporain de Marcel Mauss (1872-1950), leurs carrières furent bien différentes.

Alors que le neveu de Durkheim passait l'agrégation de philosophie, Van Gennep entreprenait des études atypiques, à l'École pratique des hautes études (sciences religieuses) et à l'École des langues orientales, soutenant enfin une thèse de doctorat ès lettres (1920). Il n'occupa jamais de poste d'enseignement, si ce n'est un bref passage entre 1912 et 1915 dans la chaire d'ethnographie de l'université de Neuchâtel en Suisse. Il aura cependant le temps d'y réorganiser le Musée d'ethnographie et de réunir le premier Congrès d'ethnographie (1914).

Jusque vers 1920, ses préoccupations dominantes sont celles de l'école sociologique française qui, néanmoins, ne lui accorde pas son aval. L'ouvrage le plus important de Van Gennep, *Les Rites de passage* (1909), est traité avec quelque dédain : « Portée à ce degré de généralité, la thèse devient un truisme », déclare M. Mauss dans *L'Année sociologique* (1906-1909). Ce « truisme » permet à Van Gennep d'assurer la transition entre les travaux folkloriques du XIXe siècle et l'ethnologie contemporaine de la France. Il impose non seulement le concept et le schéma de rite de passage, entrés depuis lors dans le vocabulaire et l'usage des ethnologues, mais aussi des méthodes étrangères aux folkloristes comme le travail rigoureux de terrain et la localisation précise des faits (*Manuel de folklore français contemporain*, 1937-1958). Incompris de l'école sociologique française, Van Gennep le fut aussi plus tard de l'école des *Annales* naissante. L. Febvre* attaque durement en 1939 les volumes de bibliographie du *Manuel*, parce que Van Gennep ne prend pas en considération l'histoire des « pays », ces petites entités sociogéographiques constituant des unités ethnographiques locales. C'est qu'en effet l'histoire n'intéresse pas Van Gennep, dont le point de vue est fondamentalement anthropologique. Seule trouve grâce à ses yeux la méthode régressive de Marc Bloch*, qui tente d'expliquer le passé par le présent.

La pensée originale de Van Gennep, ses convictions anarchistes, sa marginalité par rapport aux instances universitaires ne font cependant pas de lui une personnalité isolée. Il collabore de 1904 à 1949 au *Mercure de France**, nouant des liens d'amitié avec les responsables et les collaborateurs de la revue, dont P. Léautaud*, et y assurant une chronique trimestrielle intitulée « Ethnologie, folklore », où il dispose et use de la plus grande liberté. C'est en effet pour lui une exigence fondamentale, revendiquée clairement en 1914 (préface aux *Demi-savants*) : « Il nous faut la liberté de pensée complète, y compris celle de divaguer. »

Nicole Belmont

■ *Les Rites de passage*, 1909, rééd. Picard, 1981. — *Manuel de folklore français contemporain*, Picard, 1937-1958, 9 vol.

▒ N. Belmont, *Arnold Van Gennep, le créateur de l'ethnographie française*, Payot, 1974. — D. Fabre, « Le *Manuel de folklore français* d'Arnold Van Gennep », in P. Nora (dir.), *Les Lieux de mémoire*, vol. 3 : *Les France*, Gallimard, 1993, pp. 641-675. — R. Lévy-Zumvalt, *Arnold Van Gennep, the Hermit of Bourg-la-Reine*, Helsinki, Suomalainen Tiedeakatemia, 1988. — K. Van Gennep, *Bibliographie des œuvres d'Arnold Van Gennep*, Picard, 1964.

VENDREDI

C'est en novembre 1935 qu'André Chamson*, Jean Guéhenno* et Andrée Viollis* firent paraître le premier numéro de *Vendredi.* « Fondé par des écrivains et journalistes et rédigé par eux », cet hebdomadaire fut, jusqu'à sa disparition en 1938, le principal organe du Front populaire. Créé dans la perspective des élections de 1936, animé par une équipe dont la composition reflétait très exactement celle des forces politiques réunies dans le Rassemblement populaire, *Vendredi* s'engagea totalement dans le combat pour la victoire, fut le plus fidèle soutien de la politique de Léon Blum* avant de décliner puis de disparaître, victime des mêmes maux que ceux qui entraînèrent la chute du Front populaire.

L'aventure avait pourtant bien commencé. Autour des trois directeurs politiques déjà nommés et de l'équipe technique — Louis Martin-Chauffier*, André Ulmann*, André Wurmser* —, c'est toute la gauche, dans ce qu'elle avait de plus talentueux, qui se trouvait réunie : Paul Nizan*, Jean Giono*, Romain Rolland*, Julien Benda*, Alain*, André Malraux*, tant d'autres encore. Personne ne manquait à l'appel d'un journal qui tirait une juste fierté de rassembler tous ceux qui, d'André Gide* à Jacques Maritain*, pouvaient prétendre à incarner l'intelligence de gauche. Tous y étaient, des pacifistes aux planistes, des trotskistes aux syndicalistes, des chrétiens de gauche aux militants de la Ligue des droits de l'homme*.

Unie par son soutien au Rassemblement populaire, l'équipe de *Vendredi* fut la première touchée par les divisions qui, au fil des mois, s'instaurèrent au sein de celui-ci. Jusqu'en juillet 1936, c'est dans une atmosphère de communion et de ferveur qu'avaient travaillé les collaborateurs du journal. La guerre d'Espagne* mit définitivement fin à cette période. La décision de ne pas intervenir militairement aux côtés des Républicains espagnols, la pause, l'arrivée de Camille Chautemps à la présidence du Conseil, l'accord de Munich*, enfin, furent les principales étapes sur le chemin de l'éclatement. Lorsque, en novembre 1938, le journal annonce qu'il cesse de paraître, il le fait au nom des rêves disparus et du refus de l'équipe de « choisir entre les morceaux d'un Front populaire désormais brisé ». C'est le constat d'une situation devenue insupportable, dans laquelle, faute d'accord de la rédaction sur les sujets fondamentaux — guerre d'Espagne, attitude vis-à-vis de l'Allemagne, politique économique, procès de Moscou —, *Vendredi* s'est progressivement abstrait du débat politique et éloigné de son public.

Disparu, *Vendredi* n'en restera pas moins un symbole et un modèle. Symbole du Front populaire, modèle d'un journal libre dont s'inspirera, plus tard, *Le Nouvel Observateur** de Jean Daniel*.

Bernard Laguerre

■ A. Chamson, *Il faut vivre vieux*, Grasset, 1984. — J. Guéhenno, *La Foi difficile*, Grasset, 1957. — B. Laguerre, *« Vendredi »*, IEP, 1985. — A. Wurmser, *Fidèlement vôtre*, Grasset, 1979.

VERCORS [Jean Bruller]

1902-1991

Devenu écrivain et résistant par un même engagement, l'auteur du *Silence de la mer* fut aussi un éditeur clandestin. Compagnon de route, il a laissé de précieux témoignages sur la résistance littéraire et sur les intellectuels progressistes d'après guerre.

Né à Paris, Jean Bruller est le fils d'une institutrice et d'un éditeur d'origine juive hongroise qui fréquentait les milieux radicaux. Ancien élève de l'école alsacienne, diplômé de l'école d'ingénieurs Bréguet, il choisit une voie professionnelle originale : de 1926 à 1939, il est dessinateur, graveur, illustrateur, et collabore à ce titre à l'hebdomadaire *Vendredi** ; il acquiert aussi une certaine notoriété comme critique de « beaux livres ». Pacifiste jusqu'en 1938, il abandonne sous l'Occupation ses activités artistiques, se refusant à publier au grand jour, et écrit le récit qui le rendra célèbre, *Le Silence de la mer*, premier ouvrage paru, en 1942, sous le pseudonyme de « Vercors » aux Éditions de Minuit* clandestines qu'il fonde avec Pierre de Lescure. Tout en assurant, avec l'aide d'Yvonne Desvignes, la publication des manuscrits que lui fournissent Debû-Bridel, Paulhan* et Éluard*, il compose un deuxième récit, *La Marche à l'étoile*, où il met en scène un personnage inspiré de la figure de son père, et imagine cet amoureux de la France confronté aux mesures antisémites de 1940.

La reconnaissance littéraire lui étant acquise lorsque à la Libération il révèle son identité, il se consacre désormais à l'écriture. Devenu un symbole de la résistance intellectuelle, il est nommé, en sa qualité d'éditeur clandestin, à la commission d'épuration de l'édition, qu'il quitte dès janvier 1945 en raison de la complaisance manifestée envers de grandes maisons comme Grasset*. Indulgence qu'il met en regard avec la condamnation à mort d'écrivains dans un article intitulé « La gangrène » (recueilli dans *Le Sable du temps*). Membre de la commission du Comité national des écrivains* (CNE) chargée d'établir une « liste noire »* des auteurs « indésirables », il plaide, dans le débat déclenché par cette liste, pour la « responsabilité de l'écrivain ». En 1948, il quitte les Éditions de Minuit après un conflit avec J. Lindon, désormais actionnaire majoritaire. Les témoignages rapportés des camps lui inspirent une réflexion, exposée dans « La sédition humaine », sur la définition de l'homme, dont la spécificité est la rébellion contre sa condition. Réflexion qu'il transposera en fiction dans *Les Animaux dénaturés* et les contes philosophiques *Colères* et *Sylva*.

Compagnon de route, il témoigne en faveur des *Lettres françaises** — auxquelles il collabore — au procès que leur intente Kravchenko, et participe au mouvement des « Combattants de la paix ». Dans un recueil d'essais de sympathisants du Parti, *L'Heure du choix* (1947), il s'était interrogé sur les limites à imposer à la justification des moyens par la fin. En 1949, il se prononce, dans la revue *Esprit**, contre le caractère mensonger des affaires Rajk et Tito — tout en précisant que, dans le cas du procès Rajk, l'inculpé y a, selon lui, contribué par ses aveux. Il en déduit qu'on « trompe le peuple ».

Dans *La Voie libre* (1951), nouvel ouvrage collectif de compagnons de route en rupture, cette fois, avec le Parti, il s'en tient à une critique réservée, réitérant sa condamnation du mensonge. Peu désireux de se faire « l'auxiliaire, dans la presse bourgeoise, des ennemis du communisme », décidé à lutter « de l'intérieur », il accepte, en 1952, sous la pression d'Aragon*, la présidence du CNE laissée vacante par la démission de Martin-Chauffier*. Confronté à la dénonciation de l'antisémitisme des procès de Prague qui entraîne une vague de démissions au CNE, il défend le point de vue communiste. Démissionnaire de la présidence en 1956*, il publie *PPC* (Pour prendre congé) où il rend compte de ses rapports conflictuels avec le Parti.

La guerre d'Algérie le conduit à nouveau sur la scène publique : il signe le « Manifeste des 121 »*, écrit un texte dénonçant la torture (*Sur ce rivage*, 1958) et collabore à la revue *Partisans* qui paraît chez Maspero*. Après avoir rédigé des souvenirs de l'aventure éditoriale clandestine (*La Bataille du silence*, 1967), il s'est attaché à consigner les grands chapitres du siècle dans une trilogie où il allie histoire et témoignage, et dont le premier tome est une biographie d'Aristide Briand à la première personne.

Gisèle Sapiro

■ *Le Sable du temps*, Émile-Paul, 1945. — « La fin et les moyens », *L'Heure du choix*, Minuit, 1947. — « Points de suspension », *La Voie libre*, Flammarion, 1951. — *Le Silence de la mer et autres récits*, Albin Michel, 1951. — *PPC*, Albin Michel, 1957. — *Sur ce rivage*, Albin Michel, 1958. — *Cent ans d'histoire de France*, Plon, 1981-1984, 3 vol. — *À dire vrai* (entretiens avec G. Plazy), François Bourin, 1991.

▒ A. Simonin, *Les Éditions de Minuit (1942-1955)*, IMEC, 1994.

VERNANT (Jean-Pierre)

Né en 1914

Jean-Pierre Vernant est né le 4 janvier 1914 à Provins. Son père était directeur de journal. Il fait ses études secondaires à Paris, au lycée Carnot, puis à Louis-le-Grand, et ses études supérieures à la Sorbonne. Il est reçu à l'agrégation de philosophie en 1937. Étudiant, il milite au sein des Jeunesses communistes. Son activité militante s'interrompt avec le service militaire, puis la guerre. Marié depuis le 30 novembre 1939 à Lida Nahimovitch, il est démobilisé en juillet 1940 et nommé à la rentrée au lycée de Toulouse. Il entre presque immédiatement dans l'activité clandestine, et c'est à Toulouse que pendant quatre ans il va jouer un rôle important, d'abord au sein du mouvement Libération Sud, puis comme chef départemental de l'Armée secrète à partir de novembre 1942. Chef des FFI de Toulouse et de Haute-Garonne, puis chef régional de l'ensemble de la région (R4), le « colonel Berthier » est fait compagnon de la Libération.

La Résistance l'a rapproché du PCF, auquel il adhère alors. Mais il demeure un esprit critique, même lorsqu'il écrit dans la presse communiste (il tient la rubrique de politique étrangère à *Action** de 1946 à 1948). Il animera après 1956* l'opposition interne, avant de rompre définitivement avec le PC. Attaché puis chargé de recherches au Centre national de la recherche scientifique* depuis 1948, dans le même temps qu'il milite activement contre la guerre d'Indochine, puis contre la guerre d'Algérie, il poursuit, dans la voie ouverte par Ignace Meyerson et Louis Gernet, des recherches dans le domaine de la psychologie historique et de l'anthropologie qu'il applique à l'étude des Grecs anciens. Ces recherches vont le conduire d'abord à l'École pratique des hautes études (1958-1975), puis au Collège de France* où il est élu en 1975, et où son enseignement consacré aux divers aspects de la religion grecque lui vaut une notoriété internationale.

Dès 1962 *(Les Origines de la pensée grecque)*, il a montré que la pensée grecque était inséparable du cadre qui l'avait vu naître, cette cité caractérisée par le libre débat et par l'exercice commun du pouvoir placé « au milieu ». Il applique à l'étude de la religion grecque et de l'homme grec en général cette grille de lecture qui lui permet de montrer la spécificité de la civilisation grecque, de mettre en valeur également les aspects troubles ou marginaux d'une civilisation qu'on a trop souvent présentée comme « miraculeusement » parfaite. Parallèlement à son enseignement et à ses publications, il anime une équipe de jeunes chercheurs au sein du « Centre de recherches comparées sur les sociétés anciennes », devenu Centre Louis-Gernet, dont P. Vidal-Naquet*, avec lequel il a publié une série d'études sur la tragédie grecque, devient directeur. Retraité depuis 1984, il n'en poursuit pas moins ses recherches, en particulier dans le domaine de l'iconographie, et anime toujours, avec cette amicale intelligence qu'admirent tous ceux qui l'ont approché, les débats du Centre Louis-Gernet. Il est actuellement l'un des universitaires français dont l'influence internationale est la plus importante.

Claude Mossé

■ *Les Origines de la pensée grecque*, PUF, 1962, rééd. 1990. — *Mythe et pensée chez les Grecs. Études de psychologie historique*, Maspero, 1965, rééd. La Découverte, 1985. — *Mythe et tragédie en Grèce ancienne* (avec P. Vidal-Naquet), t. 1, Maspero, 1972 ; t. 1 et 2, La Découverte, 1986. — *Mythe et société en Grèce ancienne*, Maspero, 1974, rééd. Seuil, 1992. — *Les Ruses de l'intelligence. La « métis » des Grecs* (avec M. Detienne), Flammarion, 1974, rééd. 1978. — *L'Individu, la mort, l'amour. Soi-même et l'autre en Grèce ancienne*, Gallimard, 1989. — *Mythe et religion en Grèce ancienne*, Seuil, 1990.

VÉRONE (Maria)

1874-1938

« Madame Quand Même », telle était surnommée dans les années 20 Maria Vérone, la plus infatigable des avocates de la cause des femmes. Déçue par un vote négatif du Sénat sur la question des droits politiques féminins, elle s'était écriée avec amertume : « Vive la République, quand même ! »

Républicaine, Maria Vérone l'est depuis son plus jeune âge. Féministe aussi. Engagée dans le mouvement vers 1890, elle en est l'une des principales figures jusqu'à sa mort en 1938. Toutefois, c'est dans les rangs de la libre-pensée qu'elle fait ses premières armes de militante aux côtés de sa mère, fleuriste-plumassière à domicile et de son père, comptable. À la mort de celui-ci, obligée de gagner sa vie, elle est institutrice pendant trois ans avant d'être révoquée par la Ville de Paris pour ses opinions politiques. Choriste improvisée dans un petit théâtre, elle devient rapidement chroniqueuse politique et juridique à *La Fronde**, ce qui renforce ses convictions féministes et éveille en elle une vocation d'avocate.

Avec détermination, M. Vérone décide de reprendre ses études, apprend le grec et le latin, réussit son baccalauréat et obtient une licence de droit tout en élevant seule ses deux enfants. En 1907, elle est la huitième femme inscrite au barreau de Paris et la première à plaider aux assises. Préoccupée du sort des enfants et des adolescents délinquants, elle a grandement contribué à la création des tribunaux spécialisés. Sa réussite professionnelle conforte sa position au sein de la Ligue pour le droit des femmes (LFDF), dont elle est secrétaire générale en 1903 et présidente en 1919. Dans le bulletin de la LFDF comme dans *L'Œuvre* ou *La Paix*, elle défend le droit de vote et l'égalité des sexes. Inconditionnelle de l'autonomie du mouvement féministe, elle refuse de l'inféoder à toute autre cause, même celle du Parti socialiste, dont elle est membre. Indépendante après le congrès de Tours, elle soutient le Front populaire, regrettant sa timidité en matière d'égalité des sexes. Reconnue comme une personnalité de premier plan par le féminisme international, elle est membre de divers comités de la SDN consacrés à la condition féminine. Après sa mort en 1938, son second mari, l'avocat Georges Lhermitte, reprend la direction de la LFDF et poursuit son œuvre.

Laurence Klejman et Florence Rochefort

■ *Résultat du suffrage des femmes*, La Clairière, 1914. — *La Femme et la loi*, Larousse, 1920. — *La Situation juridique des enfants naturels*, LFDF, 1924. — *Cinquante ans de féminisme* (collectif), LFDF, 1925.

▒ S. Hause, *Women's Suffrage and Social Politics in the French Third Republic*, Princeton University Press, 1984. — L. Klejman et F. Rochefort, *L'Égalité en marche. Le féminisme sous la IIIe République*, Presses de la FNSP / Des femmes, 1989.

VEYNE (Paul)

Né en 1930

Paul Veyne, historien de l'Antiquité, né en 1930 à Aix-en-Provence, illustre l'une des formes les plus classiques de l'ascension sociale et universitaire françaises de l'après-guerre : petit-fils de paysans modestes de la Drôme venus se fixer dans le Comtat Venaissin et descendant par sa mère d'Italiens du Piémont, fils d'un négociant qui fit fortune dans le commerce des vins, il est le premier agrégé de sa famille. Entré à l'École normale supérieure* en 1951, il adhère un temps aux Étudiants communistes en compagnie de son ami Michel Foucault*. En 1955, il est admis à l'École française de Rome. Assistant à la Sorbonne, professeur à l'université d'Aix-en-Provence, il est titulaire de la chaire d'histoire de Rome au Collège de France* depuis 1975.

Grand travailleur, grand lecteur, animé d'une curiosité insatiable, marqué par sa formation plurielle de normalien, il tient peu compte des frontières académiques. Spécialiste d'histoire ancienne qui affirme que « les Grecs sont dans Rome et sont l'essentiel de Rome », il n'a jamais admis de séparer les études latines des études grecques. Auteur de très nombreux articles d'érudition, épigraphiste disciple de

Louis Robert, il n'a cependant pas voulu ni pu s'en tenir à ce domaine, fût-il double et élargi. Préparant, à l'époque du triomphe des sciences sociales, une thèse sur l'évergétisme dont le sujet lui est inspiré par l'*Essai sur le don* de Marcel Mauss* et qui paraît en 1976 sous le titre *Le Pain et le cirque*, il publie entre-temps un essai d'épistémologie, *Comment on écrit l'histoire* (1971), qui révèle l'une des ses préoccupations essentielles : les modes de la connaissance historienne. Le texte *Foucault révolutionne l'histoire*, joint en 1978 à une nouvelle édition de cet ouvrage, l'élargit dans le sens d'une réflexion philosophique sur le processus historique qui s'affirmera un peu plus dans un essai abrupt et fulgurant, *Les Grecs ont-ils cru à leurs mythes ?* (1983). Toujours à la recherche d'une conceptualisation qui respecte la pluralité, la mouvance et la complexité des phénomènes et qui, à défaut de les expliquer vraiment, les explicite, il trouve dans la linguistique et la sémiologie littéraire, ainsi que dans l'économie politique, ce mixte de rigueur, de souplesse et, par là, d'extrême difficulté qu'il affectionne. L'une lui inspirera *L'Élégie érotique romaine* (1983) et il puise dans l'autre des moyens puissants d'analyse du monde gréco-romain, en comparaison constante avec d'autres, notamment avec le monde contemporain, dont il est un observateur attentif. Son goût de la poésie et sa longue fréquentation de celle de René Char* le conduisent aussi à publier un ouvrage atypique, à mi-chemin de la paraphrase et du témoignage, où il s'applique à déchiffrer le code de « la langue Char » et, sur fond d'entretiens avec l'auteur, à restituer le sens que ce dernier a voulu donner à ses textes. Considérant, par ailleurs, que les systèmes de valeurs que proclament les sociétés et à travers lesquels elles se regardent et se statufient, font partie de « ces amples drapés » qui masquent plus qu'ils n'expliquent et à l'égard desquels il manifeste une réprobation à la fois intellectuelle, morale et esthétique, il met l'historien aux prises avec la banalité. Cette grisaille, qui constitue ce que chaque société, chaque époque, sont, sans plus s'en rendre compte que de l'air qu'elles respirent, est, à ses yeux, l'objet le plus difficile à saisir et historiquement le plus significatif. C'est dans cet esprit qu'il a conçu sa participation à l'ouvrage collectif *Histoire de la vie privée* (1985), dont il a dirigé le premier volume, *De l'Empire romain à l'an mil*, mais plus largement c'est celui qui préside à son activité professionnelle tout entière, et, au-delà, à son style de pensée et de vie.

Ceux-ci se nourrissent, à côté d'autres données d'une très vaste culture, de quelques références fondamentales qui s'interpénètrent et se renforcent : Voltaire pour sa lutte contre les superstitions et son goût de la contradiction (Paul Veyne ne reste jamais dans des courants constitués, comme en témoignent ses rapports difficiles avec l'école des *Annales* ou, plus tard, avec Raymond Aron*) ; Spinoza pour sa théorie émancipatrice de la connaissance ; Max Weber auquel P. Veyne emprunte ses idéal-types et sur lequel il s'appuie pour élaborer sa pratique d'une histoire conceptualisante et nier du même coup l'autonomie de la sociologie ; Nietzsche pour l'expérience libératoire qu'il lui a procurée ; Foucault dont il assimile la notion de discours à celle d'idéal-type et avec lequel il partage le refus d'une rationalité de l'histoire mue par des moteurs profonds, qu'ils soient l'inconscient ou la lutte des classes. Le discours est « le fait que » ; il est une configuration d'énoncés et de pratiques qui s'individualise un temps, par un jeu d'écarts et de différences, et qui se rompt un jour. Décrire ces agrégats, relever les disparités de rythme de leurs différents éléments, noter les ruptures, historiciser ainsi tout ce qui fait office d'universaux et d'invariants (la démocratie, le pouvoir, la vérité elle-même, etc.), tel est le travail d'explicitation qui revient à l'historien, comme au philosophe, l'un ne se distinguant plus vraiment de l'autre. Mais chez Foucault, un de ses amis les plus proches, Paul Veyne trouve plus que la conceptualisation qu'il souhaitait : une complicité fondée sur une formation et des expériences communes ainsi que sur des échanges intellectuels suivis qui marquent aussi bien l'édition qu'il a faite des œuvres de Sénèque (1993) que les deux derniers tomes de l'*Histoire de la sexualité* de Michel Foucault. De leurs références communes, on retiendra Montaigne, où Paul Veyne trouve un écho à son scepticisme et à la manière dont il a conduit son œuvre : un travail sur soi appliqué à dépouiller la conscience des illusions consolatrices et apaisantes.

Catherine Darbo-Peschanski

■ *Comment on écrit l'histoire. Essai d'épistémologie*, Seuil, 1971. — *Le Pain et le cirque*, Seuil, 1976. — *L'Inventaire des différences* (leçon inaugurale au Collège de France), 1976. — *Les Grecs ont-ils cru à leurs mythes ?*, Seuil, 1983. — *L'Élégie érotique romaine*, Seuil, 1983. — *Histoire de la vie privée*, Seuil, 1985. — *René Char en ses poèmes*, Gallimard, 1990. — *La Société romaine*, Seuil, 1990. — *Sénèque* (édition établie par P. Veyne, avant-propos et préfaces de P. Veyne), Laffont, 1993. — *Le Quotidien et l'intéressant* (entretiens avec C. Darbo-Peschanski), Les Belles Lettres, 1994.

VIAN (Boris)

1920-1959

De son vivant — il est né à Ville-d'Avray le 10 mars 1920 et mort à Paris le 23 juin 1959 —, Boris Vian pouvait se voir affecté de bien des qualificatifs : ingénieur (de l'École centrale), musicien (trompette de jazz), chanteur (professionnel sur le tard), critique (à *Jazz-Hot* et à *Combat**, en particulier), dramaturge, romancier, amuseur, provocateur, touche-à-tout... mais certainement pas « intellectuel ». Collaborateur des *Temps modernes** pour une savoureuse « Chronique du menteur » la bien nommée, il n'avait fait qu'y passer (1946-1947), confirmant, même dans ce milieu, sa marginalité et aggravant son image de fantaisiste.

Les choses ont commencé à changer peu de temps après sa mort. Soutenu par ses amis du Collège de pataphysique et découvert par la génération qui allait faire Mai 68, l'auteur de *L'Écume des jours* (1947), cas typique de succès posthume, prit, rétrospectivement, figure de penseur anticonformiste. Assurément, aucune des grandes fables vianesques (outre *L'Écume*, citons *L'Automne à Pékin*, 1947, *L'Herbe rouge*, 1950, *L'Arrache-cœur*, 1953) ne peut se présenter explicitement comme texte politique, même si la philosophie existentielle (mais pas « existentialiste ») qui s'en dégage fait peu de cas de la morale établie.

Sa fonction critique, et parfois très immédiate, Vian l'a exercée au travers de textes de « spectacle » : ses pièces de théâtre ou de cabaret et quelques-unes de ses innombrables chansons des années 50. *L'Équarrissage pour tous* (1947 ; représentée en 1950) est justement sous-titré « vaudeville paramilitaire », qui ose faire du débarquement d'Arromanches un sujet de pantalonnade, tout comme *Le Dernier des métiers* (1950) est sous-titré, par antiphrase, « saynète pour patronages ». *Le Goûter des généraux*, qui ne sera monté en français que sept ans après la mort de Vian, est, malgré des apparences moins loufoques, plus nettement antimilitariste et anticlérical et plein de résonances contemporaines à la Guerre froide* et aux guerres coloniales. Mais la plus forte pièce de Vian, *Les Bâtisseurs d'empire* (1957), s'éloigne de cette veine « anti ». Elle déplace le centre de « gravité » de son comique vers le constat, omniprésent dans ses romans, d'une absurdité triomphante, dont la fatalité anéantit l'homme.

C'est ce constat entre le doux-amer et le violemment grotesque qui fera le succès, mais là aussi principalement après sa mort, de chansons comme *La Java des bombes atomiques* ou *Le Déserteur*, devenues des classiques de la chanson gauchiste, surtout quand elles furent reprises par d'autres interprètes que leur auteur — et replacées dans un nouveau contexte. *Le Déserteur*, en particulier, écrite à l'époque de la guerre d'Indochine, prendra une signification toute différente quand surviendra la guerre d'Algérie. Boris Vian, ou l'intelligence décalée.

Pascal Ory

■ *L'Écume des jours*, 1947, rééd. UGE, 1979. — *L'Automne à Pékin*, 1947, rééd. Minuit, 1980. — *Théâtre*, UGE, 1971, 2 vol. — *Chroniques du menteur* (éd. par N. Arnaud), Bourgois, 1974. — *Manuel de Saint-Germain-des-Prés* (éd. par N. Arnaud), Le Chêne, 1974. — *Traité de civisme* (éd. par G. Laforêt), UGE, 1987.

▒ N. Arnaud, *Les Vies parallèles de Boris Vian*, Bourgois, 1981. — P. Boggio, *Boris Vian*, Flammarion, 1993. — M. Lapprand, *Boris Vian, la vie contre. Biographie critique*, Ottawa, Presses de l'université d'Ottawa / Paris, Nizet, 1993. — M. Rybalka, *Boris Vian. Essai d'interprétation et de documentation*, Minard, 1984. — « Boris Vian » (dir. J. Duchateau), *L'Arc*, 90, 1984.

VIDAL DE LA BLACHE (Paul)

1845-1918

Fondateur de l'École française de géographie, Paul Vidal de La Blache a su imprimer, de l'école publique à l'université, des conceptions et des pratiques nouvelles à la géographie. Cette influence est moins due à un corps de doctrine systématiquement exposé et imposé qu'au rayonnement personnel de Vidal qui a été émis depuis des positions institutionnelles solides, à l'École normale supérieure* de la rue d'Ulm, à l'École normale de Fontenay-aux-Roses, à la Sorbonne, qui a été soutenu par ses initiatives éditoriales et été relayé par le réseau de ses amis ou de ses élèves normaliens. La figure intellectuelle de Vidal est complexe : on y reconnaît les traits d'une certaine géographie de la République, les contributions aux sciences humaines, repérées par L. Febvre*, et l'intérêt pour une approche régionale des faits géographiques. Les géographes, et les autres, ont encore des découvertes à faire avant d'achever ou d'embaumer ce grand-père irréfutable.

Paul Vidal de La Blache est né à Pézenas le 23 janvier 1845. Son père étant professeur puis inspecteur d'académie, sa scolarité a suivi les différents postes occupés par celui-ci dans la France du Midi. Brillant élève, il prépare et réussit à Paris le concours d'entrée à l'École normale supérieure (1863). Il choisit, malgré les conseils de sa famille et de ses maîtres, les études d'histoire. Il est reçu premier à l'agrégation en 1866. En janvier 1867, il est nommé membre de l'École française d'Athènes. Pendant trois ans, tout en menant des recherches en épigraphie grecque, il voyage dans le bassin oriental de la Méditerranée (Italie, Grèce, Palestine, Égypte). Il prépare sa thèse durant le conflit franco-prussien et la Commune de Paris et la soutient en janvier 1872 (thèse principale : *Hérode Atticus. Étude critique sur sa vie*). Nommé chargé de cours d'histoire et de géographie à la faculté de Nancy, il obtient très vite le droit d'enseigner la seule géographie. Il est difficile de rendre compte de cette réorientation fondamentale de son enseignement et surtout de ses recherches mais la lecture et la rencontre entre 1873 et 1876 des géographes allemands, Richthofen à Berlin et Peschel à Leipzig, traduit un besoin d'information et de références que l'Université française ne satisfaisait pas. En novembre 1877, il est nommé maître de conférences à la rue d'Ulm, et c'est à ce poste que, durant une vingtaine d'années, il conçoit progressivement les principes d'une géographie nouvelle et y forme des élèves de l'École.

Ses ouvrages qui reprennent pour partie son enseignement à Ulm et à Fontenay, ses articles plus généraux publiés dans les *Annales de géographie* qu'il crée en 1891 expriment l'originalité de ses conceptions : priorité accordée à l'observation des faits dans leur extension et leur différenciation, mise en corrélation de ceux-ci avec les données du milieu naturel, attention à la variété des combinaisons réalisées par les sociétés humaines, prudence dans la recherche des lois et des causes. L'ouvrage qui fournit les clés de la méthode vidalienne est son *Atlas d'histoire et de géographie* dont la publication commence en 1894 : près de 250 cartes regroupées thématiquement et assorties de brefs commentaires permettent d'approcher ce qu'étaient les leçons de Vidal de La Blache, fondées sur l'analyse et la comparaison de documents cartographiques menant à une réflexion sur les causalités possibles.

Nommé professeur à la Sorbonne en décembre 1898, Vidal connaît les honneurs, les charges et les responsabilités académiques. En 1906, il succède à Albert Sorel à l'Académie des sciences morales et politiques. Il reçoit des distinctions d'institutions étrangères, pendant la guerre il est vice-président du Comité d'études* qui avait pour mission d'éclairer par des rapports la préparation des négociations de paix. Ce statut lui permet de prendre position en tant que géographe dans certains débats du temps. Il parvient à assurer une autonomie relative à la géographie vis à vis des sciences naturelles, de l'histoire ou de la sociologie. Il expose ses idées quant à une éventuelle réorganisation régionale de la France. Son *Tableau de la géographie de la France* (1903) propose une vision naturaliste et un peu passéiste de la France (mais c'était aussi le sens de la commande d'E. Lavisse*). Cependant, *La France de l'Est* (1917) le montre très attentif aux processus d'organisation et de dynamique de la vie régionale. Si, dans sa jeunesse, la proximité du milieu méditerranéen a pu contribuer à l'orientation géographique de Vidal de La Blache, sa réflexion a été constamment relancée par l'observation des aménagements, des équipements des continents en infrastructures, des migrations liées à la colonisation, au peuplement et à la mise en valeur des pays neufs. Singulier destin d'un universitaire si attentif aux transformations du monde et de la France qu'il paraît ignorer l'événement (l'affaire Dreyfus*) qui trouble l'École dont il est le sous-directeur, rue d'Ulm.

Jean-Louis Tissier

■ *États et nations de l'Europe autour de la France*, Delagrave, 1889. — *Atlas général, histoire et géographie*, Armand Colin, 1895. — *Tableau de la géographie de la France*, Hachette, 1903 (t. I de l'*Histoire de la France* dirigée par E. Lavisse), rééd. La Table ronde, 1993. — *La France de l'Est (Lorraine, Alsace)*, Armand Colin, 1917, rééd. La Découverte, 1994. — *Principes de géographie humaine* (publiés d'après les manuscrits de l'auteur par E. de Martonne), Armand Colin, 1921.

▩ V. Berdoulay, *La Formation de l'École française de géographie (1870-1914)*, Comité des travaux historiques et scientifiques, 1981. — P. Claval, « Préface et bibliographie », in P. Vidal de La Blache, *Tableau de la géographie de la France*, Tallandier, 1979. — P. Pinchemel, « Paul Vidal de La Blache (1845-1918) », *Les Géographes français*, Comité des travaux historiques et scientifiques, 1975.

VIDAL-NAQUET (Pierre)

Né en 1930

Pierre Vidal-Naquet est né à Paris le 23 juillet 1930. Son père était avocat et collaborateur d'Alexandre Millerand. La guerre et l'Occupation contraignirent ses parents à s'établir à Marseille, berceau d'une partie de leur famille, et c'est là qu'il commença ses études secondaires au lycée Perier. Lui-même a raconté comment il découvrit vraiment l'antisémitisme et prit conscience d'une origine juive que les traditions laïques et républicaines de sa famille avaient jusque-là reléguée au second plan. L'arrestation de ses parents le 15 mai 1944 et leur déportation devaient laisser dans l'esprit du jeune homme une trace indélébile. Rentré à Paris, il poursuivit ses études au lycée Carnot, puis à Henri-IV. Revenu à Marseille pour y suivre une année de khâgne* au lycée Thiers, il rencontra Geneviève Brilhac, qui allait devenir sa femme le 17 juillet 1952. Cependant, après avoir mené conjointement des études de lettres classiques et d'histoire, c'est l'histoire qu'il choisit, réussissant l'agrégation en 1955. Après un an passé au lycée de Caen, il fut nommé assistant à la Faculté des lettres de la même ville.

C'est alors que commence pour lui, parallèlement à une vie d'universitaire consacrée aux études grecques, une activité de militant qui allait le projeter au premier plan de l'actualité. En 1957, éclate l'affaire Audin*, ce jeune mathématicien, assistant à la Faculté des sciences d'Alger, enlevé dans la nuit du 11 au 12 juin par des parachutistes et dont on ne retrouva jamais la trace. Vidal-Naquet fut avec quelques autres universitaires, dont le mathématicien Laurent Schwartz*, à l'origine de la formation du Comité Audin qui allait s'efforcer de mobiliser l'opinion contre l'usage de la torture et les pratiques auxquelles se livrait l'armée française en Algérie*. Vidal-Naquet rappelait, dans un livre publié en 1989 *(Face à la raison d'État : un historien dans la guerre d'Algérie)* combien pour lui cette activité militante était inséparable de l'exercice de son métier d'historien, de « témoin de la vérité ». C'est cette volonté, née du drame que furent pour lui la déportation et la mort de ses parents, qui l'amena à prendre des positions, parfois mal comprises, sur le conflit israélo-arabe, et à préconiser au lendemain de la « guerre de Six Jours » le partage vers lequel on s'achemina plus tard, à dénoncer également avec vigueur à partir de 1978 les thèses négationnistes* sur les chambres à gaz.

Dans le même temps, sa carrière universitaire, interrompue un an lorsqu'il fut suspendu à la suite du « Manifeste des 121 »*, l'amenait à la Faculté des lettres de Lille (1961-1962), puis au Centre national de la recherche scientifique* (1962-1964), à la Faculté des lettres de Lyon (1964-1966), et enfin à l'École des hautes études en sciences sociales*, où il enseigne depuis 1966, et à la direction du Centre Louis-Gernet, où il a succédé à J.-P. Vernant, avec lequel il a publié plusieurs ouvrages. P. Vidal-Naquet occupe une place de premier plan dans le domaine des études grecques. On lui doit des travaux essentiels sur les systèmes de représentation dans le monde grec (*Le Chasseur noir*, 1981), sur la démocratie grecque, sur la tragédie. Son ouvrage : *Le Trait empoisonné. Réflexions sur l'affaire Jean Moulin* (1993), dans lequel il prend parti avec vigueur sur « l'affaire » Jean Moulin, témoigne une fois de plus de cet engagement inséparable pour lui de sa vocation d'historien et de cette rigueur d'analyse qui fait de lui une des consciences du monde intellectuel.

Claude Mossé

■ *L'Affaire Audin*, Minuit, 1958, rééd. 1989. — *Journal de la Commune étudiante* (avec A. Schnapp), Seuil, 1969, rééd. 1988. — *La Torture dans la République*, Minuit, 1972, rééd. La Découverte, 1985. — *Mythe et tragédie en Grèce ancienne* (avec J.-P. Vernant), t. 1, Maspero, 1976 ; t. 1 et 2, La Découverte, 1986. — *Le Chasseur noir*, Maspero, 1981, rééd. La Découverte, 1991. — *Les Juifs, la mémoire, le présent*, La Découverte, 1981, 1991, 2 vol. — *Les Assassins de la mémoire*, La Découverte, 1987, rééd. 1991. — *La Démocratie grecque vue d'ailleurs*, Flammarion, 1990. — *Mémoires*, t. 1, Seuil / La Découverte, 1995.

VIETNAM (guerre du)

1965-1975

Il est classique d'affirmer qu'une fois la guerre d'Algérie terminée, la France traverse une phase de dépolitisation. La gestion d'une croissance que rien ne semble devoir freiner et une politique étrangère gaullienne largement consensuelle démobilisent l'opinion et, chez les intellectuels, déplacent les préoccupations vers le champ structurel. Les clubs de gauche, qui fleurissent à l'époque, s'assignent une réflexion sur les transformations à long terme de la société française, tandis que la vogue des sciences humaines (et de leur avatar médiatique, le structuralisme) invite au dépassement des faits et de la contingence politique. Mais, dès 1965, les premiers bombardements sur le Nord-Vietnam opèrent une remobilisation qui culmine dans les années 1966-1968. Les « Six heures du monde pour le Vietnam » (novembre 1966), suivies par la création d'un Comité Vietnam national, la naissance des Comités Vietnam de base (février 1967), les États généraux de l'université de Paris pour la paix au Vietnam, la Journée des intellectuels pour le Vietnam (23 mars 1968), en sont les principaux jalons.

Il s'agit d'une mobilisation d'intellectuels de gauche, presque exclusivement, dans la mesure où les prises de position hostiles du général de Gaulle (discours de Phnom Penh du 31 août 1966) détournent les intellectuels de droite d'un soutien trop voyant à l'entreprise américaine. Les rares manifestes dénonçant l'agression communiste contre le Vietnam du Sud comptent plus de retraités de l'armée et de la politique que d'authentiques intellectuels. Parmi eux, le philosophe Armand Cuvilier.

À l'inverse, certaines personnalités de droite (F. Perroux*) ou gaullistes (F. Mauriac*, D. Rousset*, M. Clavel*) s'associent aux pétitionnaires de gauche. Ceux-ci sont en fait ceux de la guerre d'Algérie. Les citer tous reviendrait à décliner l'annuaire de l'intelligentsia française : universitaires, écrivains, avocats, journalistes, personnalités de la scène et de l'écran, auxquels il convient d'ajouter quelques noms nouveaux, tels ceux du professeur Milliez* ou d'Alfred Kastler*, récent prix Nobel de physique.

Homme orchestre de cette mobilisation, Jean-Paul Sartre* livre là son dernier grand combat politique. Délaissant provisoirement la composition de son *Flaubert*, il accepte de présider le « Tribunal international » fondé par Lord Russell, auquel participent aussi les Français Laurent Schwartz* comme assesseur et Gisèle Halimi* comme expert juridique. Le général de Gaulle ayant refusé que le Tribunal tienne ses assises à Paris, les séances se déroulent d'abord à Stockholm, puis à Copenhague, pour adopter, entre autres, la conclusion du génocide perpétré contre le peuple vietnamien.

Anti-américanisme, tiers-mondisme, philocommunisme cimentent par ailleurs les diverses sensibilités contestataires qui s'expriment et s'affrontent dans les mois qui précèdent Mai 68. Unanime dans la dénonciation, la mouvance gauchiste trouve dans la guerre du Vietnam la justification de son engagement révolutionnaire, mais aussi le prétexte à bien des règlements de comptes. Entre le très sage « Paix au Vietnam » du Parti communiste et le « FNL vaincra » des groupuscules, mille lectures sont possibles du programme de ce dernier, jugé trop, pas assez ou suffisamment réformiste ou tactique par les uns ou les autres.

Car, à côté des grands aînés retrempés dans un combat somme toute très classique de pétitions et de manifestes, la jeunesse intellectuelle, plus sensibilisée par la force de l'image télévisée, a souvent abordé la politique par le biais de la guerre du Vietnam. Le Comité Vietnam national, infiltré par les trotskistes, et les Comités Vietnam de base, tenus en main par les maoïstes, ont été une pépinière de jeunes et éphémères talents qui y ont appris les délices de la prise de parole, de la rédaction des motions et de la manipulation des mandats.

Plus tard viendra l'heure de la désillusion. Pas plus que le FLN en Algérie, les forces communistes n'ont apporté au Vietnam une véritable libération. Mais là encore les intellectuels se sont tus. La tragédie des *boat people** réveillera quelques consciences, mais les initiatives prises en leur faveur ne sont pas venues, sauf exception, des anciens pourfendeurs de la guerre du Vietnam.

Bernard Droz

■ D.L. Schalk, *War and the Ivory Tower : Algeria and Vietnam*, New York, Oxford University Press, 1991. — J.-F. Sirinelli, *Intellectuels et passions françaises : manifestes et pétitions du XX*[e] *siècle*, Fayard, 1990.

VIGNAUX (Paul)

1904-1987

Paul Vignaux, « intellectuel syndicaliste », est né le 18 décembre 1904 à Péronne (Somme). Sa famille, originaire des Hautes-Pyrénées, est à la fois catholique pratiquante et résolument républicaine. Son père milite, aux contributions indirectes, dans un syndicat autonome « entre CGT et CGTU ». Khâgneux à Bordeaux, il fréquente les milieux « avancés » de l'ACJF du Sud-Ouest. En 1923, il entre à la rue d'Ulm, où il est marqué par le rationalisme laïque de son maître C. Bouglé* autant que par la foi ouverte du Père Portal, aumônier du groupe « Tala ». Il entre à la direction nationale de l'ACJF, hostile au maurrassisme ambiant. Agrégé en 1927, répétiteur à l'École normale supérieure*, pensionnaire à la Fondation Thiers, puis enseignant en lycée, il poursuit ses recherches sur la philosophie médiévale. Il siège au comité de rédaction de la revue *Politique*, tout en refusant la voie démocrate-chrétienne, s'intéresse à la JOC, participe au démarrage de la JEC (Jeunesse étudiante chrétienne*), mais s'en éloigne lorsque le poids de la hiérarchie catholique se fait trop lourd.

En 1934, à trente ans, il succède à É. Gilson* à la Ve Section de l'École pratique des hautes études, où il enseigne jusqu'en 1976. Ses travaux sur le scotisme, qui font autorité, l'aident dans sa réflexion sur la distinction du spirituel et du temporel. Collaborateur occasionnel d'*Esprit**, il se distingue de Mounier* par son attachement à l'individualisme révolutionnaire. 1934 est aussi l'année de la rencontre décisive avec la CFTC, qui le charge, avec quelques proches (F. Henry, B. Vacheret...), de rénover sa formation. Il y sépare clairement enseignement moral et disciplines scientifiques. Dans la même optique, Vignaux et ses amis fondent en 1937 le SGEN, affilié à la CFTC mais statutairement laïque. Il s'agit aussi, en pleine guerre d'Espagne*, de préserver les enseignants des sirènes franquistes.

En 1941, Vignaux quitte la France occupée pour New York où il enseigne à l'École libre des hautes études et noue avec les syndicalistes américains des contacts précieux pour la résistance syndicale française. Sa réflexion militante s'enrichit : découverte du syndicalisme anglo-saxon, condamnation du « traditionalisme » menant à Vichy, vigilance démocratique à l'égard du gaullisme. Revenu à Paris en 1945, il mène de front travaux universitaires et engagement syndical. De 1948 à 1970, il est secrétaire général du SGEN. S'il n'occupe jamais de fonction de premier plan à la CFTC, son rôle est déterminant dans son évolution. Animateur avec des militants ouvriers du groupe et de la revue *Reconstruction* (1946-1972), il met à leur disposition ses compétences et ses relations parmi les universitaires, les experts et les politiques. « Bureau d'études » de la minorité « de gauche » de la CFTC, Reconstruction approfondit les thèmes de la laïcité et du socialisme démocratique, et contribue à la formation de militants-intellectuels. La guerre d'Algérie facilite l'accession des minoritaires à la direction de la centrale qui devient CFDT en 1964, aboutissement de la perspective laïque tracée par Vignaux. Celui-ci travaille parallèlement au renouveau de la gauche non communiste, participant notamment à la direction de la FGDS.

Mai 68 amorce pour lui une prise de distance avec une CFDT qu'il juge complaisante à l'égard du gauchisme. Six ans plus tard, il rompt publiquement avec le SGEN. À partir de 1976, il se rapproche à nouveau d'une CFDT plus réaliste, rédige à la demande d'E. Maire l'histoire de Reconstruction, avant de marquer une fois encore son désaccord lorsque la centrale lui semble renoncer à son option socialiste. Il meurt le 26 août 1987 à Saragosse en Espagne.

Frank Georgi

■ *Luther, commentateur des sentences*, Vrin, 1935. — *Traditionalisme et syndicalisme. Essai d'histoire sociale (1884-1941)*, New York, La Maison française, 1943. — *De la CFTC à la CFDT : syndicalisme et socialisme. « Reconstruction » (1946-1972)*, Éditions ouvrières, 1980. — *Justification et prédestination au XIV*e *siècle*, Vrin, 1981.

▒ H. Hamon et P. Rotman, *La Deuxième Gauche. Histoire politique et intellectuelle de la CFDT*, Ramsay, 1982. — M. Singer, *Le SGEN, des origines à nos jours*, Cerf, 1993 ; « Paul Vignaux », in *DBMOF*. — *Paul Vignaux, un intellectuel syndicaliste* (hommage collectif), Syros / Alternatives, 1988.

VILAR (Jean)

1912-1971

L'enfant de Sète, à Sète s'est éteint. Entre les deux dates, la plus grande aventure de théâtre de l'après-guerre : le Festival d'Avignon et le TNP, le « théâtre populaire »* à grande échelle.

Vilar est né le 25 mars 1912 de parents petits boutiquiers. Il vécut une enfance plutôt tranquille et une scolarité ordinaire s'achevant par le bac à dix-huit ans. À vingt ans, le vent se lève, Vilar se cabre et quitte le domicile familial, il lui faut tenter de vivre à Paris. Là, il s'évade souvent de son poste de pion pour suivre les cours de Dullin à l'Atelier : la large empreinte, la référence où l'éthique et l'esthétique de Vilar s'abreuvèrent. Puis la guerre arrive, la démobilisation, l'exode. Rentré à Paris, Vilar s'associe à l'aventure de Jeune France* (troublante mais belle expérience de large action culturelle aux marges de l'idéologie vichyste). Il rencontre André Clavé, le responsable de *La Roulotte*. Vilar, qui voulait exercer le « métier d'auteur », y découvrit ses talents de comédien. En 1942, il fait ses débuts de metteur en scène (toujours il préféra l'ancien nom de « régisseur » avec la Compagnie des 7). *Orage*, de Strindberg (1943), le fait remarquer. La guerre s'achève et le grand départ s'effectue avec *Meurtre dans la cathédrale*, de T.S. Eliot. En 1947, Christian Zervos, éditeur des *Cahiers d'art*, organise avec René Char* une exposition en Avignon. Ils demandent à Vilar une représentation de ce *Meurtre*. Vilar refuse (« On ne fait rien de valable, dira-t-il plus tard, sans avoir d'abord dit non »), puis revient trois jours après avec le projet fou de monter trois spectacles. L'aide de la municipalité communiste obtenue, se déroule « la Semaine d'art en

Avignon », premier épisode d'un festival appelé à devenir le plus prestigieux du monde.

C'est pour Avignon que Gérard Philipe, vedette de cinéma, rejoignit Vilar en 1951. Et c'est en Avignon que Jeanne Laurent, chargée du théâtre au ministère de l'Éducation nationale (il n'y avait pas alors de ministère de la Culture*), vint lui proposer la direction du Théâtre national populaire (TNP). Vilar dirigea le TNP pendant douze ans, de 1951 à 1963, date à laquelle, faute de soutien financier suffisant de l'État, il démissionna. L'aventure débuta non pas au palais du Trocadéro, occupé par l'ONU, mais en banlieue, à Suresnes, avec les premiers « week-ends du TNP » (spectacles, repas, bal).

Toucher un très large public, sans concession sur la qualité, avec un répertoire de haute culture, fut sa grande œuvre ; tout devait y concourir. Il refusait le théâtre à l'italienne, qui divise avec ses loges et son poulailler. « On accusait Vilar d'être communiste, *parce qu'*il avait supprimé la rampe et le rideau de scène. C'était ça le crime ! » disait Vitez*. Il organisa l'accueil du public à partir de 18 heures avec restauration, afin que les banlieusards puissent venir dès la sortie du travail, et supprima les pourboires. Éthique et esthétique (la sobriété, l'ascétisme du « style TNP » hérités de Copeau* à travers Dullin) se combinaient avec le farouche désir de porter le théâtre au plus grand nombre. En douze ans, cinquante-sept spectacles furent montés pour plus de 5 millions de spectateurs.

Pour Vilar, homme de gauche, le théâtre devait remplir une fonction civique, être un « service public », une école de la citoyenneté, de l'éducation et de l'émancipation sociale. Vers la fin de son mandat au TNP, ses spectacles prirent une tournure plus politique. Pendant la guerre d'Algérie, le TNP porta à la scène *La Paix*, d'Aristophane ; *La Résistible Ascension d'Arturo Ui*, de Brecht (sur la montée de Hitler) ; *L'Alcade de Zalaméa*, de Calderon (sur la justice militaire) ; *Antigone*, de Sophocle, et *La guerre de Troie n'aura pas lieu*, de Giraudoux. Vilar était, sans être membre d'aucun parti, engagé dans la vie de la Cité. Il anima, en 1965, l'appel pour une candidature unique de la gauche à l'élection présidentielle et on le vit, en 1966, aux côtés de F. Mitterrand, à la tribune d'un meeting.

En 1968, alors qu'il se sent en sympathie avec le mouvement de Mai et qu'il a abandonné toute fonction officielle, il est victime de la contestation gauchiste en plein Festival d'Avignon, où il a invité la troupe américaine du Living Theater. Les thèmes de la démocratisation culturelle et du théâtre populaire y sont dénoncés, et Vilar fait lui-même l'objet d'attaques personnelles.

Si l'on cherche aujourd'hui ce que fut l'influence et ce qu'est l'héritage de Vilar, et en dépit du caractère utopique du projet de « théâtre populaire », c'est bien à l'intersection de l'histoire de l'art dramatique et de l'histoire sociale qu'il nous faudra chercher.

Serge Added

■ *Chronique romanesque*, Grasset, 1971. — *Le Théâtre, service public*, Gallimard, 1975 (recueil posthume de textes). — *Mémento (1952-1955)*, Gallimard, 1981.

■ S. Added, *Le Théâtre dans les années-Vichy (1940-1944)*, Ramsay, 1992. — J.-C. Bardot, *Jean Vilar*, Armand Colin, 1991. — G. Leclerc, *Le TNP de Jean Vilar*, UGE, 1971. — C. Roy, *Jean Vilar*, Seghers, 1968. — P. Wehle, *Le Théâtre populaire selon Jean Vilar*, Actes Sud, 1981. — *Jean Vilar par lui-même*, Avignon, Maison Jean Vilar, 1991.

VILDRAC (Charles)

1882-1971

Poète, auteur dramatique, Charles Vildrac représente un type d'intellectuel caractéristique de la gauche française, celui du « compagnon de route » du socialisme et du communisme.

Par ses origines familiales — son père, Henri Messager, déporté comme communard en Nouvelle-Calédonie, sa mère, directrice d'école primaire —, il a été élevé dans le culte des idées de 1789 et de progrès. Passionné par la poésie, il est à l'origine, avec ses amis Georges Duhamel*, René Arcos, Albert Gleizes, de l'expérience de l'Abbaye de Créteil* (1906-1907), « phalanstère » de poètes et d'artistes ; c'est à l'Abbaye qu'il imprime un de ses premiers recueils de poèmes. À partir de 1910-1911, il se rapproche du socialisme, puis d'un groupe de l'avant-garde littéraire, « L'Effort libre » de Jean-Richard Bloch*, plus engagé politiquement.

Mobilisé en août 1914, il passe deux ans au front ; il accueille avec espoir les messages de paix de Romain Rolland* et lui fait connaître son admiration. Il traduit ses sentiments pacifistes dans les poèmes des *Chants du désespéré* (publiés à la NRF en 1920). Comme Romain Rolland, dont il signe la « Déclaration d'indépendance de l'esprit » en 1919, il exprime sa sympathie pour la révolution russe, mais refuse les méthodes violentes du communisme. À la fin des années 20, cependant, il fait figure de sympathisant de la Russie soviétique, où il se rend en 1928. Sympathisant mais non inconditionnel, il s'associe à la campagne pour le retour en France de Victor Serge* et adhère en 1933 au Comité pour sa libération ; en 1935 il s'associe à Gide* pour effectuer des démarches en sa faveur.

À partir de 1933-1934, il prend place dans le mouvement antifasciste, adhère à l'Association des écrivains et artistes révolutionnaires* ; il se rend en 1934 en Allemagne au nom du Comité international d'aide aux victimes du fascisme hitlérien et dénonce à son retour les camps nazis. À l'été 1935, il effectue un nouveau voyage en URSS, d'où il tire sa *Russie neuve* (1937), témoignage de son admiration pour les réalisations soviétiques, malgré quelques réserves quant au régime politique. Il condamne le pacte germano-soviétique. Auteur dramatique (sa plus célèbre pièce, *Le Paquebot Tenacity*, fut montée par Copeau* en 1920), il préside, au moment du Front populaire, l'Union des théâtres indépendants de France ou Théâtres de la liberté. Pendant l'Occupation, il devient membre du Comité national des écrivains* dès sa fondation en 1941 et collabore aux *Lettres françaises**.

À la Libération, il reprend son « compagnonnage de route », notamment au sein du Mouvement de la paix. Il le rompt en 1953, date à laquelle il démissionne du CNE pour protester contre l'antisémitisme dans les pays de l'Est. Il meurt à Saint-Tropez à l'âge de quatre-vingt-huit ans, le 25 juin 1971. En 1954, il a reçu le Grand Prix des poètes français et, en 1963, le Grand Prix de littérature de l'Académie française*.

Nicole Racine

■ *Russie neuve*, Émile-Paul Frères, 1937. — *Pages de journal (1922-1936)*, Gallimard, 1968. — Postface à H. Messager, *239 lettres d'un communard déporté...*, Le Sycomore, 1979.
▒ C. Prochasson, *Les Intellectuels, le socialisme et la guerre (1900-1938)*, Seuil, 1993. — N. Racine, « Charles Vildrac », in *DBMOF*. — C. Sénéchal, *L'Abbaye de Créteil*, Delpeuch, 1930. — *Charles Vildrac* (présentation par G. Bousquet et P. Menanteau), Seghers, 1959. — *Vildrac, Quaderni del Novecento Francese* (dir. P.A. Janneni et S. Zoppi), 7, 1983, Rome, Bulzoni, et Paris, Nizet.

VIOLLIS (Andrée)

1879-1950

Née en 1879, contemporaine d'Albert Londres*, Andrée Viollis fut l'une des grandes journalistes de l'entre-deux-guerres. Spécialisée dans l'étude des problèmes coloniaux, elle fut de ceux qui éveillèrent l'opinion sur les problèmes de l'Indochine française. Compagnon de route du Parti communiste et codirectrice de *Vendredi**, elle fut enfin une des figures hautes en couleur de la gauche française des années 30.

Ayant épousé en premières noces Gustave Téry, fondateur et directeur de *L'Œuvre* (son nom d'Andrée Viollis vient du pseudonyme d'écrivain de son second mari, Jean d'Ardenne de Tizac, dit « Jean Viollis »), Andrée Viollis, qui avait fait ses études à Oxford, commença sa carrière journalistique comme correspondante de journaux britanniques. Mais c'est au *Petit Parisien*, où elle fut engagée comme grand reporter, qu'elle acquit sa célébrité. Passant une large partie de son temps en Asie, elle rapporta de ce continent de multiples reportages dont certains furent ensuite publiés sous forme de livres. Le plus célèbre d'entre eux fut, en 1935, *Indochine SOS*, qui, préfacé par André Malraux*, constituait moins une attaque contre le colonialisme en général qu'une dénonciation des exactions commises par les Français.

Connue et appréciée pour son professionnalisme, sa simplicité et sa gentillesse, Andrée Viollis est alors une des grandes dames de la presse française. Habituée de la rue Visconti, où se trouvaient les locaux de l'Union pour la vérité de Jean Schlumberger, elle est également liée au milieu proprement intellectuel par le biais d'André Gide* et de Pierre Herbart*, ce dernier ayant été son compagnon de voyage en Indochine. Membre de l'Association des écrivains et artistes révolutionnaires*, elle est réputée proche du Parti communiste — qu'elle rejoindra effectivement après la guerre — et c'est à ce titre notamment qu'André Chamson* et Jean Guéhenno* l'invitent, en 1935, à devenir le troisième codirecteur de *Vendredi*. Elle occupera ce poste jusqu'à la disparition de l'hebdomadaire, en 1938, y publiant des reportages de politique étrangère et quelques souvenirs. Après la guerre — dont elle passera une bonne partie à Dieulefit, dans la Drôme, en compagnie d'autres intellectuels, parmi lesquels Emmanuel Mounier* —, elle publiera quelques reportages dans *L'Humanité**. Elle meurt en août 1950. De son premier mariage, elle avait eu une fille, Simone Téry, également journaliste.

Bernard Laguerre

■ *Indochine SOS*, Paris, 1935.
▒ P. Herbart, *La Ligne de force*, Gallimard, 1950. — A. Wurmser, *Fidèlement vôtre*, Grasset, 1979.

VIRILIO (Paul)

Né en 1932

Né à Paris en 1932, Paul Virilio est marqué par l'expérience de la guerre, la *Blitzkrieg* de 1940 et les bombardements de Nantes, où il dit avoir pour la première fois éprouvé ce qu'un jour il appellera l'« esthétique de la disparition ». Cette fascination fera de lui un philosophe de la technique et de la vitesse, de la désintégration des territoires, de l'apocalypse qui est peut-être à venir.

La paix rétablie, il découvre sur les plages de l'Atlantique les blockhaus de l'organisation Todt, ces puissantes architectures en attente face au vide et à l'horizon et, dès lors, il s'intéresse au paysage de la guerre, y compris dans sa dimension technique. Sa démarche est esthétique et philosophique. Esthétique, car il est d'abord captivé par la plasticité massive des bunkers qu'il photographie durant des années (travail qui aboutira, en 1975, à l'exposition « Bunker archéologie »). Dans la sensibilité de l'époque, la modernité de ces monolithes fait écho à cette nouvelle expressivité du béton armé, dite brutaliste, qui se développe dans le sillage de Le Corbusier*.

Un moment maître verrier, il crée en 1963 avec Claude Parent le groupe Architecture principe, qui décrète la fin de l'horizontale et de l'angle droit et défend la « fonction oblique » dans laquelle le corps se mouvrait dans l'instabilité et l'équilibre dynamique ; ils construisent ensemble l'église Sainte-Bernadette à Nevers (1963-1966), « répulsive » coque de béton inspirée des bunkers. L'engagement de Virilio dans le mouvement de 1968 mettra un terme à cette collaboration. Il enseigne à l'École spéciale d'architecture (qu'il dirigera puis présidera ensuite) et, de l'esthétique du bunker à celle de l'immatérialité, conserve une grande influence sur la réflexion architecturale, notamment celle de Jean Nouvel.

Du point de vue professionnel, c'est un marginal. Il se déclare urbaniste, ce qui pourrait sembler paradoxal de la part de celui qui annonce la dissolution de la métropole moderne et affirme que les sites ne sont plus qu'une persistance (comme la rétinienne). Philosophe et penseur de la ville, ou de sa fin, il est devenu une manière de prophète de la catastrophe. Analysant la guerre comme étant la mère de toute chose et notamment de l'urbanisme (qu'une autre tradition voit naître du commerce), il commente *L'Insécurité du territoire*, qui n'aurait d'existence que par la technologie et qu'il invite à bien distinguer du terroir.

Théoricien de la vitesse, du virtuel, de l'instantané, de l'immatérialité et de la délocalisation, il annonce une disparition de l'espace dont on ne sait si elle est un cauchemar ou une prémonition, si elle relève d'une poétique de visionnaire ou de la simple et lucide observation des tendances. Entre surveillance, téléachat, télétravail et cybersexe, il nous prédit un univers de science-fiction, un destin de citoyen-terminal (d'ordinateur), dans une ville virtuelle qui n'est nulle part, règne partout, « discrédite toutes les villes réelles, et en fait des banlieues ».

Il a notamment collaboré aux revues *Esprit**, *Cause commune*, *Critique**, *Traverses* et *Urbanisme*.

François Chaslin

■ *Bunker archéologie*, CCI, 1975. — *L'Insécurité du territoire*, Stock, 1976. — *Vitesse et politique*, Galilée, 1977. — *L'Espace critique*, Bourgois, 1984. — *Esthétique de la disparition*, Galilée, 1989. — *L'Inertie polaire*, Bourgois, 1990. — *La Vitesse de libération*, Galilée, 1995.

VITEZ (Antoine)

1930-1990

Antoine Vitez est né à Paris. Il a dit de son père qu'il était un réprouvé, quelqu'un qui n'a accès à aucune des richesses de la terre. Ce réprouvé trouva son université dans les milieux anarchistes. Il y acquit une culture et surtout un appétit de culture. Passionné de théâtre, il traîna son fils Antoine aux représentations du Cartel. Était donc inscrit dans les gènes du roman familial le goût de l'art et de la politique, se nourrissant l'un l'autre, goût qui fit d'Antoine Vitez l'un des plus intellectuels des metteurs en scène de son temps.

Bac en poche, Vitez décida à dix-huit ans de devenir comédien. Mais la voie était difficile. Sa formation en langues lui permit de faire des traductions (du russe et du grec ancien). Cette pratique, poursuivie sa vie durant, laissa une large empreinte : « Pour moi, traduction ou mise en scène, c'est le même travail, c'est l'art du choix dans la hiérarchie des signes. » L'une de ces traductions lui valut de rencontrer Aragon*, qui l'embaucha (1960-1962). Étudiant l'histoire du théâtre russe, il découvrit alors Meyerhold, qui devint la source de ce qu'il voulut faire au théâtre : l'affirmation de la convention, l'effet d'« estrangement » ou même ce qu'il appela le « réalisme symbolique » ou plus tard le « réalisme enchanté ». Pendant cette période, où il désespérait d'exercer son métier d'acteur, Vitez collabora à *Bref*, la revue du TNP de Vilar*, à *Théâtre populaire**, dont il devint membre du comité de rédaction, aux *Lettres françaises** et à la revue *Europe**.

Il accéda assez tard (à trente-six ans) à la mise en scène (*Électre*, à Caen, en 1966). Du Théâtre des Quartiers d'Ivry (1972-1981) à la Comédie-Française (1988-1990), en passant par le Théâtre national de Chaillot (1981-1988), il y déploya une abondante activité (soixante-sept spectacles en vingt-quatre ans) et s'y révéla d'une belle fécondité, déclarant vouloir « faire théâtre de tout » (l'expression devint un mot d'ordre), du théâtre-récit au théâtre-document (*La Rencontre de Georges Pompidou avec Mao Zedong*, 1979).

L'image d'un metteur en scène « cérébral » et élitiste le poursuivit jusqu'au bout, mais au prix d'un lourd contresens sur sa pratique. Ce « penseur » refusait les dramaturgies (au sens allemand) préalables au travail de la scène, ainsi que le « travail à la table » ; s'il voulait un théâtre des idées, il s'agissait de celles qui travaillent les corps et c'est pourquoi il mit les acteurs (« ces poètes qui écrivent sur du sable ») au centre de son œuvre. Et c'est peut-être cette tension permanente entre l'esprit et la chair qui, simultanément, définit le travail de Vitez et explique la rencontre de ce communiste avec l'œuvre de Claudel (*Partage de midi*, 1975, à la Comédie-Française ; *L'Échange*, 1986 ; l'intégrale du *Soulier de satin*, 1987). Quant à l'élitisme, il retournait l'accusation et déclarait vouloir faire un théâtre « élitaire pour tous ». Car c'est sans concession sur l'art qu'il allait faire du théâtre dans les quartiers d'Ivry, la « banlieue rouge » qui l'avait accueilli, jusque dans les bains-douches.

Antoine Vitez ne concevait pas le théâtre ailleurs qu'en prise avec la société. Loin de tout didactisme, considérant au contraire *politiquement* utile de placer le public devant plusieurs chemins, il interrogea l'homme et le monde. Certains spectacles furent plus spécifiquement « politiques » comme *Le Procès d'Émile Henry* (1966) sur l'anarchisme, *Les Bains* de Maïakovski (1968), *m = M* de Xavier Pommeret (1973), *Le Pique-nique de Claretta* de Kalisky (1974) sur le fascisme, ou encore *Tombeau pour cinq cent mille soldats* d'après le livre de Pierre Guyotat, sur la « honte nationale » que fut la guerre d'Algérie (1981 au Théâtre national de Chaillot). Vitez était « engagé » dans la vie de la Cité ; par son œuvre bien sûr, mais aussi par son adhésion au Parti communiste dès le début des années 60. Engagement hautement revendiqué. Sans renier sa démarche, voire ses erreurs, et après une longue prise de distance, il quitta le PCF en 1980 à la suite de l'intervention soviétique en Afghanistan.

L'histoire du théâtre est marquée par la « lutte » entre le texte et le spectacle, entre l'écriture qui dure et celle qui disparaît. Ce metteur en scène, qui était aussi poète (*La Tragédie c'est l'histoire des larmes*, EFR, 1976 ; et l'*Essai de solitude*, Hachette / POL, 1981), fut simultanément très attaché aux textes et passionnément épris du travail de plateau, du spectacle. Ce double trait, jumelé à une vigilante attention portée à la chose publique, est peut-être, lorsque le talent est au rendez-vous, la définition même du grand metteur en scène.

Serge Added

■ *De Chaillot à Chaillot* (avec É. Copferman), Hachette, 1981. — *Le Théâtre des idées* (anthologie posthume proposée par D. Sallenave et G. Banu), Gallimard, 1991. — *Écrits sur le théâtre*, t. 1 : *L'École*, POL, 1994.

▒ *Antoine Vitez : toutes les mises en scène* (collectif), Godefroy, 1981. — J.-P. Léonardini, *Profils perdus d'Antoine Vitez*, Messidor, 1990. — A. Worsfeld, *Antoine Vitez, metteur en scène et poète*, Éd. des Quatre Vents, 1994.

WAHL (François)

Né en 1925

Peu connu du grand public, François Wahl a surtout joué un rôle considérable dans l'édition. On lui doit d'avoir encouragé ou découvert de nombreux auteurs, tant français qu'étrangers (italiens, notamment). En philosophie, il se fera le mentor d'une nouvelle génération de penseurs post-structuralistes.

Né en 1925 dans une famille aisée de médecins cultivés, il fréquente très jeune le domaine musical de Boulez*, ou les galeries qui exposent l'avant-garde. Il entreprend des études de philosophie, et devient professeur dans le secondaire. En 1957, il rencontre François-Régis Bastide, qui le fait entrer au Seuil*. En charge des romans, il se consacre dans un premier temps à faire découvrir la littérature italienne, qu'il lui arrive de traduire (en particulier, Carlo Emilio Gadda et Italo Calvino). Puis au début des années 60, il se lie à l'avant-garde intellectuelle, et contribue grandement à l'introduire dans la maison de la rue Jacob, dont l'image est alors très marquée par le personnalisme et le catholicisme de gauche.

Éditeur scrupuleux et remarquable lecteur, c'est lui qui suggère à Jacques Lacan* de rassembler en volume ses *Écrits*, et qui le soutient et l'accompagne durant toute cette entreprise. Ami de Roland Barthes*, il sera aussi très lié à Philippe Sollers* et à la revue *Tel Quel**. Maître d'œuvre du manifeste collectif *Qu'est-ce que le structuralisme* ? (publié en 1968), il en rédige la partie consacrée à la philosophie, qui introduit aux œuvres de Foucault*, Althusser*, Lacan* et Derrida*, sur lequel il avait déjà attiré l'attention par des articles dans *La Quinzaine littéraire**.

En 1966, il fonde avec Paul Ricœur* la collection « L'Ordre philosophique », qui accueille des traductions (notamment J.L. Austin, N. Chomsky, G. Frege, H. Gadamer) et des études de philosophes français (J.-T. Desanti*, J. Granier, J.-M. Rey, B. Pautrat), puis, après que Ricœur eut pris quelque distance vis-à-vis de cette collection, une nouvelle génération de philosophes : Gianni Vattimo, François Récanati, Robert Misrahi, Guy Lardreau, Christian Jambet, Alain Badiou*. Les recherches de ce dernier, au carrefour de la psychanalyse, des mathématiques et de la pensée de Heidegger, lui apparaissent comme le point d'aboutissement de la rénovation engagée en philosophie depuis vingt ans, et il consacrera une préface enthousiaste à l'un de ses livres, avant de lui en confier la codirection (avec Barbara Cassin) lors de son départ à la retraite.

Parallèlement, dans les années 80, il fonde avec Michel Foucault tout d'abord, puis codirige avec Jean-Claude Milner* et Paul Veyne* la collection « Des travaux », destinée à accueillir des essais ambitieux dans le champ des sciences humaines. Mais il revient encore de temps en temps à ses plus anciennes passions, et publie, par exemple, un recueil de récits de Carlo Emilio Gadda en 1989 *(Les Colères du capitaine en congé libérable)*.

Joël Roman

■ *Qu'est-ce que le structuralisme ? Philosophie*, Seuil, 1968, rééd. 1973. — « Préface » à Alain Badiou, *Conditions*, Seuil, 1992.

WAHL (Jean)

1888-1974

Philosophe et poète, Jean Wahl a exercé une influence considérable, tant par ses écrits, que par son enseignement et son rôle dans les institutions philosophiques. Mais il se souciait peu de défendre des thèses, tant ce qui lui importait était de mettre en rapport des différences, voire des contraires.

Né en 1888 à Marseille où son père enseignait l'anglais, Jean Wahl le suivra bientôt à Paris, où il fera ses études. Brillant élève (il obtient le premier prix de philosophie au concours général), il entre à l'École normale supérieure* en 1907 et passe l'agrégation en 1910 (avec son ami Gabriel Marcel*). En 1920, il soutient sa thèse, consacrée aux *Philosophies pluralistes d'Angleterre et d'Amérique* (notamment à William James), puis sera nommé à la Sorbonne en 1936, après avoir enseigné à Besançon, Nancy et Lyon. Chassé de sa chaire par les lois antisémites de Vichy, il est arrêté en 1941 par la Gestapo et est enfermé à Drancy, d'où il parvient à s'enfuir. Avant de passer aux États-Unis, où il restera jusqu'en 1945, il est hébergé au Maroc dans la maison de son élève Pierre Boutang*.

Infatigable animateur du débat philosophique, il fonde la revue *Deucalion* et en 1946 le Collège philosophique, qu'il animera jusqu'en 1966. « Institution » originale, celui-ci propose jusqu'à trois conférences par semaine, et sert de banc d'essai à toutes les idées nouvelles de la philosophie d'après-guerre. Jean Wahl en est non seulement la cheville ouvrière, organisant les programmes, présidant les séances, mais le principal discutant. Il préside la Société française de philosophie et, de 1950 à sa mort, dirige la *Revue de métaphysique et de morale*.

Penseur sans doctrine, Jean Wahl n'a cessé dans ses ouvrages d'affirmer sa méfiance à l'égard des systèmes et son souci de la multiplicité du « concret ». S'il se rapproche en cela des existentialistes, il ne renonce cependant pas aux catégories de la métaphysique, mais cherche plutôt à construire une dialectique de l'un et du divers, sans jamais se résoudre à la conclure. « Pointillisme » selon Levinas*, « équivoque de la transcendance » pour Ricœur*, la pensée de Jean Wahl a sans cesse cherché à rejoindre, dans l'unité du verbe poétique, la multiplicité des expressions qu'en donne la philosophie. C'est ainsi qu'il sera tour à tour l'un des principaux commentateurs de Kierkegaard en France, mais aussi l'un des premiers à introduire la philosophie analytique et notamment Wittgenstein, retrouvant ainsi dans sa propre pensée le rôle qu'il joua au sein des institutions philosophiques.

Joël Roman

■ *Du rôle de l'idée de l'instant dans la philosophie de Descartes*, Alcan, 1920, rééd. Descartes et Cie, 1994. — *Vers le concret*, Vrin, 1932. — *Études kierkegaardiennes*, Aubier, 1938. — *Tableau de la philosophie française*, Fontaine, 1946, rééd. Gallimard, 1962. — *Poésie, pensée, perception*, Calmann-Lévy, 1948. — *L'Expérience métaphysique*, Flammarion, 1964.

▩ E. Levinas, X. Tilliette et P. Ricœur, *Jean Wahl et Gabriel Marcel*, Beauchesne, 1975. — « Jean Wahl le poète », *In'hui*, n° 39, Paris-Bruxelles, 1992.

WALLON (Henri)

1879-1962

Par ses origines familiales, Henri Wallon pouvait sembler prédisposé à une carrière universitaire, puisque son grand-père paternel, son exact homonyme et l'auteur de l'amendement qui a permis l'établissement de la République en 1875, fut professeur d'histoire moderne (successeur de Guizot) et le doyen de la Faculté des lettres de Paris. Les orientations politiques et religieuses des membres de sa famille de bourgeoisie libérale (son père était architecte du gouvernement) étaient diverses : le père était dreyfusard, la mère catholique pratiquante, Henri Wallon, l'aïeul, siégeait au centre gauche et était un catholique fervent mais libéral. Né au Quartier latin le 15 juin 1879, Henri Wallon suit le cursus classique de son milieu : élève à Louis-le-Grand où il se lie d'amitié avec Lucien Febvre*, il intègre l'École normale supérieure* en 1898. Reçu quatrième à l'agrégation de philosophie en 1902, il bénéficie, après une seule année d'enseignement secondaire à Bar-le-Duc, d'une place de pensionnaire à la Fondation Thiers (1903-1906), ce qui lui permet d'entreprendre des études de médecine couronnées par le doctorat en 1908.

En attendant de trouver un poste d'enseignant à l'Université, il devient l'assistant de Jean Nageotte à Bicêtre puis à la Salpêtrière. Cette orientation vers la psychiatrie apparaît dans sa thèse de médecine consacrée au *Délire de persécution : le délire chronique à base d'interprétation*. Ses thèses de lettres témoignent en revanche de son intérêt pour la psychologie de l'enfant. La complémentaire, qui deviendra un classique (elle a été encore rééditée en 1984), s'intitule *L'Enfant turbulent* (1925). La thèse principale lie également théorie et pathologie : *Stades et troubles du développement psychomoteur et mental chez l'enfant* (1925). Mobilisé comme médecin militaire jusqu'en 1919, il poursuit son activité de psychiatre au-delà de la période des hostilités auprès des grands blessés nerveux de guerre. Dès 1919, il adhère au mouvement des Compagnons de l'Université nouvelle, qui cherche à supprimer les barrières sociales internes au système scolaire du temps. Grâce au soutien de Georges Dumas, il obtient, en 1919, une charge de conférence de psychologie de l'enfant en Sorbonne et un enseignement dans le cadre du nouvel Institut de psychologie de la Faculté des lettres (1921). Ce pur chercheur fonde en 1922 un laboratoire de psychobiologie dans une école de Boulogne-Billancourt, rattaché en 1927, grâce à Henri Piéron, à la IIIe Section de l'EPHE, que ce dernier préside.

Cette officialisation lui permet d'accéder à une direction d'études. Une autre institution périphérique nouvelle fondée par Henri Piéron l'accueille, l'Institut national du travail et d'orientation professionnelle. Avec Piéron et Paul Langevin*, Henri Wallon avait lancé en 1927, toujours avec le souci de lier théorie et pratique, le Groupe français d'éducation nouvelle, qui cherche à élaborer une nouvelle pédagogie.

Dreyfusard et socialiste avant 1914, il peut être considéré comme un compagnon de route des communistes dans les années 30. Cette solidarité s'affirme par son appartenance au comité exécutif de l'Internationale des travailleurs de l'enseignement et dans la lutte antifasciste : il participe en 1933 au meeting de protestation de l'Association des écrivains et artistes révolutionnaires* contre le nazisme et adhère dès sa fondation en 1934 au Comité de vigilance des intellectuels antifascistes*. Il soutient activement l'Espagne* républicaine comme président du Comité d'aide aux enfants espagnols. En dépit d'une production scientifique importante et de premier ordre (sa bibliographie totale compte 264 références), la carrière universitaire de l'auteur des *Origines du caractère chez l'enfant* (1934) pâtit à la fois de la mauvaise conjoncture académique et d'une orientation disciplinaire difficile à intégrer dans les cadres universitaires officiels. Chargé de cours à la Faculté des lettres en 1932 (il a déjà cinquante-trois ans), il lui faut attendre encore cinq ans pour obtenir une chaire pleine, au Collège de France*, de « psychologie et éducation de l'enfance », créée sur mesure pour lui grâce toujours à l'aide d'Henri Piéron. En 1941, le régime de Vichy suspend le cours de cet universitaire trop marqué à gauche. Henri Wallon a notamment témoigné en mars 1940 au procès des députés communistes et s'engage de plus en plus dans la Résistance universitaire. Membre de la direction du Front national universitaire à partir de 1941, il adhère pendant la guerre au Parti communiste.

La Libération lui voit cumuler de multiples fonctions. Brièvement secrétaire général du ministère de l'Éducation nationale du 19 août au 10 septembre 1944 sur ordre du CNR, c'est lui qui nomme Frédéric Joliot* à la direction du Centre national de la recherche scientifique*. Remplacé à son poste par René Capitant, Henri Wallon occupe, en novembre 1944, la vice-présidence de la fameuse Commission de réforme de l'enseignement (Commission Langevin-Wallon), qu'il présidera après le décès de son ami Langevin en 1946. Il accède aussi à des fonctions politiques comme membre, au titre de son mouvement de résistance, de l'Assemblée consultative provisoire, puis comme élu de la Seine sur une liste communiste à la première Constituante. Ayant pris sa retraite au Collège de France en 1949, il cumule, dans les années 50, les présidences et les directions, celles liées à sa spécialité et celle tenant à ses sympathies politiques. Du premier ensemble relèvent sa présidence du GFEN et celles de la Société médico-psychologique, des Journées internationales de psychologie de l'enfant (1954) ou de la Commission de psychologie du CNRS. En 1948, il fonde la revue *Enfance*, qui existe aujourd'hui encore. Du registre politique relève son rôle directeur à la Fédération internationale des syndicats de l'enseignement, organisation dans la mouvance communiste. À la différence d'autres universitaires communistes, il conservera sa fidélité au Parti jusqu'à sa mort, malgré une période de doute face aux événements de Budapest. C'est Georges Cogniot* lui-même qui le convainc de retirer publiquement son adhésion à la « Lettre des 10 » qui, en octobre 1956*, demandait des explications au comité central sur les événements hongrois.

À la recherche de la vérité comme tous les dreyfusards, Henri Wallon est passé de la philosophie à la médecine et à la psychologie, conçues comme les approches les plus rationnelles de la personnalité humaine, elle-même saisie en formation à travers l'étude de l'enfant. Soucieux de justice intellectuelle et sociale, autre valeur dreyfusiste, Henri Wallon veut également fonder une pédagogie rationnelle et libérer l'enseignement des contraintes de la reproduction sociale qui bafoue la justice et l'épanouissement des individus. Ce rationalisme athée et positiviste repose ainsi sur un profond idéalisme à dimension utopique : pourvu que la société réforme son système scolaire, l'homme nouveau pourra naître. Tels sont les principes directeurs du plan Langevin-Wallon érigé par une partie de la gauche en table de la loi de la démocratisation.

Christophe Charle

■ *La Vie mentale*, t. 7 de l'*Encyclopédie française*, 1938, rééd. Éditions sociales, 1982. — *L'Évolution psychologique de l'enfant*, Armand Colin, 1941, rééd. 1974. — *De l'acte à la pensée. Essai de psychologie comparée*, Flammarion, 1942, rééd. 1972. — *Les Origines de la pensée chez l'enfant*, PUF, 1945, rééd. 1983.

▒ C. Charle et E. Telkes, « Henri Wallon », *Les Professeurs du Collège de France (1901-1939)*, CNRS-INRP, 1988. — N. Racine, « Henri Wallon », in *DBMOF* — Tran Tong, *La Pensée pédagogique d'Henri Wallon*, PUF, 1969. — R. Zazzo, bio-bibliographie dans *Psychologie et marxisme*, Éditions sociales, 1975. — *Hommage à Henri Wallon pour le centenaire de sa naissance*, université de Toulouse-Le Mirail, 1981. — Numéros spéciaux de la revue *Enfance*, 1968, 1979 et 1985.

WEIL (Simone)

1909-1943

Simone Weil est née le 3 février 1909 à Paris, d'un père médecin. André Weil, son frère aîné, né en 1906, sera pendant vingt ans un des membres les plus actifs du groupe des mathématiciens Nicolas Bourbaki.

À la fin d'études secondaires perturbées par la Première Guerre mondiale* et une santé fragile, elle passe l'année 1924-1925 au lycée Victor-Duruy pour suivre les cours de philosophie de René Le Senne. Elle y rencontre Suzanne Gauchon (qui épousera plus tard Raymond Aron*) et, par elle, Edwige Copeau, fille de Jacques Copeau*, qui deviendra, en religion, la supérieure générale des bénédictines missionnaires. Puis elle entre en première supérieure au lycée Henri-IV, où elle recevra l'enseignement d'Alain* pendant trois ans. Là aussi, elle noue de ces amitiés profondes dont elle avait un besoin vital, avec Simone Pétrement (qui sera sa biographe), avec René Chateau, et surtout Pierre Letellier, le fils de Léon Letellier. Entrée rue d'Ulm en 1928, lors de la brève période de l'entre-deux-guerres où les filles y furent admises, elle continue à assister aux cours d'Alain au collège Sévigné et à Henri-IV où elle se lie avec Maurice Schumann d'une amitié profonde et exigeante.

À l'École normale supérieure* (1928-1931) puis aux lycées du Puy (1931-

1932), d'Auxerre (1932-1933), de Roanne (1933-1934) où elle est nommée successivement après l'agrégation de philosophie, elle participe à des actions syndicales, adhère à la Fédération unitaire de l'enseignement (opposée à la CGT réformiste), collabore à l'École émancipée. Elle rencontre Trotski et Boris Souvarine* pour lequel elle collabore à *La Critique sociale**, tout en prenant une part active aux *Libres propos* d'Alain. En 1933, à la Conférence d'unification des groupes de l'opposition, elle prend parti contre l'URSS qu'elle accuse de dévoyer l'élan de 1917. Et au congrès de la FUE, à Reims, la même année, elle provoque les enseignants communistes sur le même thème. En 1934, elle rédige les *Réflexions sur les causes de la liberté et de l'oppression sociale*, qu'elle appelle son grand-œuvre (et qui figurera dans le recueil *Oppression et liberté*, paru en 1955). Elle y décrit les sociétés industrielles porteuses de totalitarisme et non d'émancipation.

Toute sa vie, Simone Weil a été écartelée entre une exigence qui radicalisait ses engagements personnels et une très grande méfiance à l'égard des appareils syndicaux et politiques, toujours à la merci de l'étatisme. Apôtre libertaire plutôt que militante de base, elle s'est ainsi engagée dans des expériences agricoles, et ouvrières chez Alsthom et Renault (son Journal et sa correspondance ont été réunis en 1951 sous le titre *La Condition ouvrière*), C'est ainsi également qu'en 1936 elle salue le Front populaire dans *La Révolution prolétarienne**, et qu'elle est vite déçue par la timidité des accords de Matignon. C'est ainsi encore qu'elle s'engage, pendant la guerre d'Espagne*, dans les rangs anarcho-syndicalistes, tout en craignant une intervention des États, où la France aurait été aux côtés de l'URSS. C'est ainsi enfin que son pacifisme lui fait signer un soutien à Chamberlain au moment de l'Anschluss, en 1938, pour reconnaître son erreur dès l'annexion de la Tchécoslovaquie, et abandonner bientôt le pacifisme lui-même. Elle vit avec le souci constant d'accorder son action à sa pensée, d'accéder à la vérité par l'expérimentation et de remédier à l'oppression par un engagement physique. Même si sa faiblesse et sa gaucherie naturelle l'empêchent souvent de réaliser tous ses projets.

Sa quête religieuse connaît les mêmes élans et les mêmes refus que son engagement politique. En 1937, elle fait le pèlerinage d'Assise, mais ne supporte pas les institutions du dogme et de l'Église... Pendant la guerre, à Marseille, au début de 1941, elle rencontre René Daumal, Lanza del Vasto, le Père Perrin, dominicain, et par ce dernier Gustave Thibon*. Surtout, à partir de 1941, elle rédige ses *Cahiers*, qu'elle continue aux États-Unis*, puis à Londres où elle arrive fin 1942. Déçue de ne pas pouvoir participer à des missions de la France libre sur le continent, elle se laisse mourir lentement par ce qu'elle a appelé un « suicide apparent » et s'éteint dans un sanatorium à Ashford le 24 août 1943. Attirée par le christianisme, elle n'adhérera jamais pleinement, à cause, entre autres, de son refus de l'Ancien Testament auquel elle préfère sa « source grecque », mais surtout en raison d'une volonté de mortification et de clarification à la fois qui la mènera aussi à la mort acceptée.

L'essentiel de l'œuvre de Simone Weil est posthume et a été publiée par le Père Joseph Marie Perrin *(Attente de Dieu)*, par Gustave Thibon (*La Pesanteur et la grâce*, anthologie de ses *Cahiers*, connaîtra un grand succès dès 1947) et surtout par Albert Camus*, dans la collection « Espoir » qu'il dirigeait chez Gallimard*.

Jean-Pie Lapierre

■ *L'Enracinement*, Gallimard, 1949. — *L'Attente de Dieu*, La Colombe, 1950. — *La Connaissance naturelle*, Gallimard, 1950. — *La Condition ouvrière*, Gallimard, 1951. — *La Source grecque*, Gallimard, 1953. — *Oppression et liberté*, Gallimard, 1955. — *Écrits de Londres et dernières lettres*, Gallimard, 1957. — *Cahiers*, Plon, 1970-1975, nouv. éd. 3 vol. — *Œuvres complètes* (dir. A. Devaux et F. de Lucy), Gallimard, depuis 1986, 16 vol. prévus.

■ S. Pétrement, *La Vie de Simone Weil*, Fayard, 1973, 2 vol. — *Cahiers Simone Weil*, revue publiée par l'Association pour l'étude de la pensée de Simone Weil depuis 1974.

WEISS (Louise)

1893-1983

Journaliste engagée, Louise Weiss s'est consacrée à la lutte pour la paix, le droit de vote des femmes et la construction d'une Europe unie. Née le 25 janvier 1893 au sein d'une famille de la bourgeoisie républicaine et dreyfusarde, Louise Weiss est élevée dans une laïcité austère. Brillante élève du lycée Molière à Paris, elle passe outre l'hostilité paternelle à ses ambitions intellectuelles et prépare l'agrégation de lettres. Reçue, elle s'oriente vers le journalisme quand éclate la Première Guerre mondiale*.

Après avoir organisé le secours des blessés, elle rédige pour son père des articles dans *Le Radical* et devient secrétaire d'un sénateur. Pacifiste convaincue, elle lance en 1918 *L'Europe nouvelle*, hebdomadaire de politique étrangère et fonde une Nouvelle école de la paix (1930-1936). Journaliste intrépide, elle réalise des reportages détaillés en Europe centrale et en Russie. En 1934, face au succès de Hitler en Allemagne, elle renonce provisoirement à son action pacifiste et quitte la direction de la revue. Louise Weiss rejoint alors la lutte suffragiste et fonde son groupe, « La Femme Nouvelle ». Ses actions de rue spectaculaires, ses campagnes électorales bruyantes lui assurent un succès médiatique mais sans résultat. En 1938, la conjoncture internationale la pousse une fois de plus à changer son fusil d'épaule.

Scandalisée par les accords de Munich*, elle croit la guerre inévitable. Avec l'aide de l'Union des Françaises décorées de la Légion d'honneur qu'elle vient de créer, elle recrute et forme des femmes volontaires pour le service militaire — qui ne sont pas acceptées par l'armée. Sensible au sort des réfugiés victimes du nazisme, elle est secrétaire d'un comité d'aide en leur faveur. En 1940, elle organise le ravitaillement de la Croix-Rouge à partir des États-Unis*. Rentrée en France, elle doit fuir la Gestapo et devient agent de liaison du réseau « Patriam Recuperare » dont elle rédige le journal clandestin.

Isolée à la Libération, elle décide de partir à la découverte des pays du tiers monde et réalise pendant près de vingt ans de grands reportages, notamment pour la télévision. Spoliée pendant la guerre de ses livres et de ses archives, elle se consacre à un long travail de reconstitution dans ses *Mémoires d'une Européenne*. Toujours pacifiste, elle fonde l'Institut français de polémologie puis l'Institut des sciences de la paix (1971) et codirige la revue *Guerre et paix* (1964-1970). Quatre avant sa mort, en 1979, elle obtient enfin une vraie consécration lors de son élection au Parlement européen.

Laurence Klejman et Florence Rochefort

■ *Mémoires d'une Européenne*, 6 vol. publiés chez Payot, de 1968 à 1976. — *Lettres à un embryon*, Julliard, 1973.

▩ J. Baudrier, « Louise Weiss », *Célébrations nationales*, Direction des archives nationales, 1993. — « Louise Weiss », *Cahier rouge*, Lausanne, Fondation Jean-Monnet pour l'Europe, 1989.

WURMSER (André)

1899-1984

Polémiste, romancier, critique, éditorialiste à *L'Humanité** pendant vingt-cinq ans, André Wurmser a incarné, toute sa vie, le modèle de l'« intellectuel organique » du Parti communiste.

Issu d'une famille de commis-voyageurs, fils d'un employé de banque, Wurmser est orienté, après une bourse pour le lycée, vers des études commerciales. Initié à la profession d'assureur-conseil par un parent, il exerce ce métier à contrecœur tout en cultivant des ambitions littéraires en compagnie de son futur beau-frère, J. Cassou*. Son premier roman, *Changement de propriétaire*, est publié chez Gallimard en 1928. Membre du secrétariat du Comité de vigilance des intellectuels antifascistes* (CVIA), partisan d'une politique unitaire, il œuvre à la réalisation du meeting de la Mutualité où est présenté un premier programme minimum du Front populaire. En 1935, il entre au comité directeur de l'Association des amis de l'Union soviétique et devient le rédacteur en chef de sa revue, *Russie aujourd'hui*. Alors qu'il compose ses *Variations sur le renégat* (1937) et les premiers tomes de son cycle romanesque autobiographique *Un homme vient au monde*, il s'associe à l'équipe de *Vendredi** et en préside le groupe de jeunes, « Savoir ». Encore officiellement non communiste (il prétend avoir donné son adhésion définitive au Parti en 1942), il fustige le *Retour de l'URSS* de Gide* dans *Commune**, publie à *L'Humanité* des contes signés Casimir Lecomte, défend les procès de Moscou. Les archives du Komintern de Moscou révèlent que son adhésion au PC remonte, en fait, à 1929 et qu'il a été élève à l'École léniniste internationale de Moscou de 1933 à 1934.

Collaborateur de la revue antimunichoise *Les Volontaires*, dirigée par Renaud de Jouvenel*, Wurmser rédige, après la défaite, un tract expliquant le pacte germano-soviétique. Il participe à la Résistance dans les rangs du PC, et dirige, à la fin de l'Occupation, *Le Patriote du Sud-Ouest*. Élu président du syndicat des quotidiens régionaux à la Libération, il rentre à Paris, collabore à *Front national*, puis à *Ce soir*, et se voit attribuer, en 1948, le feuilleton littéraire des *Lettres françaises**. Confronté, pendant la Guerre froide*, aux intellectuels progressistes qui s'élèvent contre les procès de l'Est, il publie une violente diatribe contre son beau-frère (*Réponse à Jean Cassou*, 1950). Assigné en diffamation dans le procès que Kravchenko intente aux *Lettres françaises*, il se familiarise dès lors avec le banc des accusés : il sera inquiété pour sa préface au livre de Renaud de Jouvenel *L'Interna-*

tionale des traîtres, puis pour « atteinte au moral de l'armée » pendant les guerres d'Indochine et d'Algérie (dans les billets quotidiens qu'il publie dans *Ce soir* et, à partir de 1954, dans l'*Humanité*, réunis dans les trois recueils de *Mais*...). Si, durant la Guerre froide, sa longue fresque autobiographique est ignorée par la critique, *La Comédie inhumaine*, première somme balzacienne marxiste, lui vaut, en 1964, une reconnaissance confirmée huit ans plus tard par le Grand Prix de la critique, qui couronne ses *Conseils de révision* 1972). En 1970, il éclaircit ses rapports avec son ascendance juive dans un ouvrage où il nie le « fait national juif » et appelle la nation israélienne à intégrer la réalité palestinienne (*L'Éternel, les juifs et moi*, 1970). Ses Mémoires, *Fidèlement vôtre*, sont autant le tableau vivant des luttes communistes du siècle qu'une illustration mi-glorificatrice mi-apologétique de l'histoire du PCF.

Gisèle Sapiro

■ *De Gaulle et les siens*, Raisons d'Être, 1947. — *Aux meilleurs Français et aux pires. Lettres de Budapest* (avec L. Mamiac), EFR, 1954. — *Mais... dit André Wurmser*, EFR, 1961. — *150 nouveaux mais...*, EFR, 1974. — *Fidèlement vôtre. Soixante ans de vie politique et littéraire*, Grasset et Fasquelle, 1979. — *Discours de réception fatalement imaginaire de mon successeur à l'Académie française, suivi de 290 mais... avec des réflexions autour*, Messidor / Temps actuels, 1981.

▒ N. Racine, « André Wurmser », in *DBMOF*.

X-Crise

Dans une lettre, publiée dans le bulletin *X-Information* de l'été 1931, un jeune ingénieur, Gérard Bardet, inquiet des « répercussions tant matérielles que morales » de la crise née en 1929 aux États-Unis, invite ses condisciples à réfléchir sur les moyens de la conjurer, de la comprendre et de la dépasser. John Nicoletis, seul, répond. Avec un troisième larron, André Loizillon, ils fondent à l'automne 1931 X-Crise (« X » voulant dire en argot estudiantin « a fait l'École polytechnique », et « Crise » pour marquer à la fois la période et les préoccupations), petit groupe de réflexion voulant rénover la politique dans l'intérêt général. Fréquenteront, très tôt et régulièrement, les soirées d'X-Crise, Roland Boris, Louis Vallon, Jules Moch, Jean Coutrot. Ce dernier, né en 1895, polytechnicien, patron d'une petite entreprise appartenant à son beau-père, mutilé de la Première Guerre, sera incontestablement la cheville ouvrière de ce groupe de décideurs, tant par son énergie organisationnelle que par ses idées. Quels furent ses liens avec Eugène Deloncle (1890-1943), polytechnicien, anticommuniste, animateur d'une formation clandestine, la Cagoule ? De quelles façons le régime de Vichy utilisa-t-il les conceptions et les réseaux de Jean Coutrot ? On ne le sait pas. Ce dernier est mort en 1941 : suicide ? accident ? mystère... En tout cas, il joua un rôle important dans la constitution du Centre polytechnicien d'études économiques et dans son rayonnement. En 1933, le Centre se dote d'une revue, intitulée *X-Crise*, qui en quelques mois peut se vanter d'avoir 500 abonnés et en quelques années un tirage de 2 500 exemplaires et 5 000 pour des numéros spéciaux.

Près de la moitié des adhérents sont des polytechniciens, les autres sont des directeurs de sociétés, des industriels, des banquiers, des négociants, des officiers supérieurs, des juristes et quelques hauts fonctionnaires. Politiquement, X-Crise admet toutes les tendances, des plus révolutionnaires (Raymond Abellio* par exemple) au libéralisme tranquillement conservateur (Jacques Rueff) en passant par le socialisme (Jules Moch) et le capitalisme « social » (Jean Coutrot) et sans oublier les planistes. C'est certainement cette diversité des approches qui permet à X-Crise de débattre et de promouvoir de nouveaux outils que le Front populaire (avec Charles Spinasse), et dans une moindre mesure le régime de Vichy (avec René Belin), pourront expérimenter. X-Crise, majoritairement, se veut critique du capitalisme « sauvage » et du marxisme autoritaire. Pourtant, certains de ses membres regardent avec intérêt ce qui se passe en URSS et n'hésitent pas à préconiser l'usage d'une planification « douce » et d'une économie « contrôlée ».

L'étude de l'économie est mise en avant par X-Crise, qui ne conçoit pas de politique (gestion de la Cité) sans une connaissance des mécanismes de l'économie et sans une anticipation (prévision) des effets d'une politique économique particulière. Cette priorité donnée à l'économie explique pourquoi de nombreux historiens considèrent X-Crise comme le berceau des technocrates et des experts. Ce n'est pas tout à fait faux. Jean Ullmo, Alfred Sauvy*, Pierre Massé, pour ne citer que ceux-là, appartiennent à X-Crise. Il suffit de lire les ouvrages du Centre pour percevoir ce langage « technique » — maintenant banal mais à l'époque neuf : *Socialisme expérimental* de Louis Vallon, *Impressions sur l'URSS* d'Ernest Mercier, *Économie rationnelle* de G. et D. Guillaume, *Essai sur la conjoncture et la prévision économique* d'Alfred Sauvy, *L'Humanisme économique* de Jean Coutrot. Celui-ci évoque une intéressante filiation avec les saint-simoniens (qui enrôlaient de nombreux polytechniciens...). Ceux-ci avaient montré la voie en repensant leur époque et en imaginant une société différente.

Jean Coutrot lance l'Humanisme économique (1936) puis le Centre d'étude des problèmes humains (1937) — dont Alexis Carrel s'inspira en 1941 — afin de rassembler des chercheurs et des praticiens de tous les domaines comme Le Corbusier*, Henri Focillon, Aldous Huxley, André Siegfried*, etc. Le dernier numéro du bulletin *X-Crise* est daté du mois d'août 1939. La guerre brisa cette dynamique intellectuelle et en dispersa les principaux acteurs.

Thierry Paquot

■ P. Bauchard, *Les Technocrates et le pouvoir*, Arthaud, 1966. — G. Brun, *Technocrates et technocratie en France (1914-1945)*, Albatros, 1985. — G. Desaunay, *X-Crise : contribution à l'étude des idéologies économiques d'un groupe de polytechniciens durant la crise économique (1931-1939)*, thèse, 1965. — G. Lefranc, *Essais sur les problèmes socialistes et syndicaux*, Payot, 1970. — J. Saunier, *La Synarchie*, CAL, 1971. — X-Crise, *De la récurrence des crises économiques*, Économica, 1981.

XENAKIS (Iannis)

Né en 1922

Compositeur internationalement connu, Iannis Xenakis est un musicien atypique à l'origine d'une œuvre très personnelle dans laquelle l'art et la science se côtoient.

Issu d'une prospère famille grecque établie en Roumanie, Xenakis est né à Brăila le 29 mai 1922, mais effectue ses études en Grèce. Entré au Parti communiste, il est un résistant actif à l'occupation allemande, puis à la domination anglaise et doit quitter la Grèce clandestinement. Arrivé en France en 1947 (il sera naturalisé en 1965), muni de son diplôme de l'École polytechnique d'Athènes, Xenakis travaille chez Le Corbusier* et prend une part essentielle dans la réalisation du couvent de La Tourette (1953) et du pavillon Philips à l'Exposition universelle* de Bruxelles (1958).

S'il suit les cours d'Olivier Messiaen*, c'est en solitaire que Xenakis forge un langage musical inouï qui doit plus à sa formation scientifique qu'à une réflexion sur l'évolution du langage musical occidental. Sa première œuvre, *Metastasis* (1954), et son opposition au sérialisme intégral naissant (1955) constituent les fondements de sa démarche et d'une carrière très indépendante. Il est aussi l'un des premiers à utiliser l'ordinateur pour ses compositions, et à ce titre, est invité à présenter ses travaux dans de nombreux pays. Il fonde à Paris (1965) le CEMAMU (Centre de mathématique et automatique musicales) et son équivalent américain, le Center for Mathematical and Automated Music à Bloomington (1967-1972). Indépendant, dépourvu de la formation traditionnelle des compositeurs français, auteur d'articles abscons et empreints de nombreuses références scientifiques, et malgré l'indéniable succès de ses compositions, c'est en dehors du champ musical et en particulier dans le domaine scientifique, qu'il trouve des appuis pour développer le CEMAMU qui s'installe au centre de physique nucléaire du Collège de France* grâce à Louis Leprince-Ringuet* (1972).

Iannis Xenakis écrit *Nuits* (1968) dédiée aux prisonniers politiques grecs, et signe un « appel des Grecs de France » après le putsch du 21 avril 1968. Il signe le manifeste fondateur du Comité des intellectuels pour l'Europe des libertés (1978), et participe à un rassemblement en faveur du syndicat polonais Solidarnosc* (1981). De nombreux titres et distinctions lui sont décernés tant en France qu'à l'étranger ; il est membre de l'Institut depuis 1984.

Yannick Simon

■ *Musique formelle*, 1963, rééd. Stock, 1981. — *Musique et architecture*, Castermann, 1971.

▒ N. Matossian, *Iannis Xenakis*, Fayard / SACEM, 1981. — *Regards sur Iannis Xenakis*, Stock, 1981.

Y

Yougoslavie : la guerre en Croatie et en Bosnie

1991-1996

À l'aune des enjeux de la guerre déclenchée en 1991 au cœur de l'Europe, la mobilisation intellectuelle qu'elle suscite est faible : seule une petite minorité s'engage vigoureusement, grossie toutefois au fil du pourrissement du conflit, jusqu'à faire de la France le pays où la question bosniaque a le retentissement le plus profond, à l'origine d'un reclassement intellectuel et politique. Parmi les intellectuels qui prennent position, une ligne de fracture très nette partage les attitudes, explicable par un désaccord essentiel sur l'interprétation de la guerre, de ses origines (guerre civile ou agression serbe) et de ses conséquences (conflit périphérique ou retour contagieux du fascisme en Europe). Aussi l'engagement intellectuel est-il animé de deux préoccupations majeures : d'une part, éclairer la nature du conflit, établir les responsabilités, restaurer le fil des événements perturbé par la propagande ; d'autre part, discuter l'opportunité de l'intervention militaire internationale et influer sur l'attitude que doit adopter la France dans le conflit. Le divorce entre les deux camps repose largement sur une incompréhension mutuelle. Les uns, convaincus d'être confrontés à une guerre mettant aux prises des nations et s'articulant, pour la première fois depuis 1945, autour d'une logique raciale, la « purification ethnique », y mettent en jeu les valeurs morales et politiques les plus fondamentales. Les autres, qui ne voient dans la question yougoslave qu'une crise parmi celles qu'a provoquées l'effondrement du système bipolaire, réduisent les enjeux du conflit et s'en tiennent à une attitude circonspecte.

Un profond clivage traverse ainsi la communauté intellectuelle, hors majorité silencieuse. D'un côté, un groupe hétérogène se fédère par son interprétation de la guerre et son hostilité à toute intervention militaire. Le refus de s'engager s'y explique par la crainte de défendre une cause injuste, sous-tendue par une première analyse politique du conflit : une guerre civile opposant des belligérants indistincts en proie à des haines séculaires, causée par l'éclatement de la fédération yougoslave, dont la responsabilité incombe aux nationalismes de « micro-États », la Slovénie et la Croatie, appuyés par l'Allemagne. Telle est la position idéologique de la « vieille gauche » (M. Féher), non convertie au nouvel ordre mondial, réunissant des intellectuels communistes et des socialistes proches de J.-P. Chevènement : articles de R. Debray*, M. Gallo, du journaliste P.-M. de La Gorce, des revues *Les Temps modernes** (éditorial collectif de juin 1993) ou *Politis*. L'hostilité politique à l'intervention s'appuie aussi sur la défense ou le regret de l'intégrité yougoslave (articles de M. Duverger*, éditoriaux du *Monde diplomatique** ou de B. Guetta), sur l'invocation de la complexité balkanique (E. Morin*, février 1992) ou sur des positions tiers-mondistes. Elle rencontre des engagements strictement pacifistes, défendus par les militants antiracistes, rejoints plus tard par ceux qui, dans l'espoir de mettre un terme à une guerre sans issue, soutiennent les plans de paix successifs, quitte à entériner le droit du plus fort, selon le mot d'ordre du président de la République : « Ne pas rajouter la guerre à la guerre » (1991). L'engagement intellectuel des défenseurs affichés de la Serbie est d'inspiration différente, mais partage *de facto* les conclusions précédentes. Il s'inscrit dans la tradition française de la politique serbophile, qui continue d'être la norme dans les plus hautes sphères de l'État (réception de Milosevic par F. Mitterrand, 11 mars 1993). La dénonciation de « l'hystérie anti-serbe » trouve place notamment dans les interventions d'Annie Kriegel* au *Figaro** (1992-1993), dans des pamphlets d'écrivains (P. Besson, *Coup de gueule contre les calomniateurs de la Serbie*, 1995) ou dans des écrits relayant la propagande officielle serbe, dont les Éditions L'Âge d'Homme se font une spécialité.

Le groupe adverse insiste au contraire sur l'idée d'une guerre nationale, occultée par l'idée de logique ethnique et de fatalité historique, dénonce l'agresseur serbe et sa pratique de la purification ethnique, prône une intervention militaire pour mettre la force au service du droit. Quelques intellectuels se mobilisent dès 1991 sur la cause de la Croatie, comme A. Finkielkraut*, J. Julliard, qui luttent pour la reconnaissance du fait national croate, dénoncent l'apathie des réactions européennes et refusent que les victimes soient traitées « comme si elles subissaient une catastrophe naturelle » (P. Garde). Annie Le Brun dresse en novembre 1991 un parallèle entre Guernica et Vukovar, ville martyre. Finkielkraut, très engagé, est alors isolé, accusé de choisir un nationalisme contre un autre, d'autant que la cause croate d'un peuple très catholique et au passé oustachi ne paraît guère attrayante à la majorité des intellectuels. L'intervention serbe en Bosnie et surtout le début du siège de Sarajevo en avril 1992 suscitent un engagement beaucoup plus massif et libèrent ceux qui répugnaient à servir une cause « nationaliste ». Selon eux, le caractère pluri-ethnique de la Bosnie, le microcosme culturel de Sarajavo, font de la cause bosniaque une idée et une valeur, le lieu de la défense de la morale et du combat contre le racisme et le nationalisme criminel.

Ainsi la variété de la chronologie des engagements recouvre un enjeu intellectuel. Les défenseurs précoces de la Croatie entendent distinguer du nationalisme xénophobe la revendication d'identité des petites nations démocratiques. Ils dénoncent le complexe de supériorité des grandes nations de l'Europe communautaire, à l'œuvre dans l'alternative posée entre « association ou barbarie » (E. Morin) ou entre « l'Europe ou les tribus » (selon le titre d'un colloque de février 1992, organisé par *Globe* et La Sept*), qui pousse à opposer le moment croate de la guerre, temps de la régression nationaliste et de la menace ethnocentrique, à la cause bosniaque d'un combat pour la société multiculturelle rêvée en Europe.

Malgré ces divergences, les « intellectuels engagés pour la Bosnie » se retrouvent tous sur des points essentiels, la dénonciation des menées serbes, la critique de la politique française, la condamnation de l'aboulie de l'ONU et l'opposition au dépeçage de la Bosnie ratifié par les plans de paix. Au stade minimal de la mobilisation, les signataires de pétitions forment un spectre intellectuel large et varié. Après un premier texte collectif d'octobre 1991, signé entre autres par F. Furet*, M. Ferro, J. Le Goff*, A. Finkielkraut, G. Canguilhem*, les premiers appels à manifester au Panthéon, en 1992, rassemblent P. Ricœur*, G. Martinet*, G. Canguilhem, P. Veyne*, C. Castoriadis*, J.-F. Revel*, T. Todorov*, A. Frossard*, E. Le Roy Ladurie*, M. Ferro, P. Vidal-Naquet*, J. Julliard, A. Touraine*, G. Hertzog, D. Rondeau. Au-delà de ce premier cercle de soutien se manifeste un engagement beaucoup plus militant, où les « philosophes médiatiques » sont aux avant-postes, autour de P. Bruckner*, A. Glucksmann* et A. Finkielkraut, rejoints en 1993 par B.-H. Lévy*. Ils mettent en mouvement leurs revues, *La Règle du jeu* et *Le Messager européen**. Le détournement de la mémoire pratiqué par la propagande serbe, la récurrence de la référence historique dans le débat (guerre d'Espagne*, Munich*, nazisme) justifient aussi l'intervention précoce d'historiens, qui se fixent pour devoir de rétablir la filiation des événements et de mettre en valeur leurs sources doctrinales : J. Julliard, F. Fejtö* ou le linguiste P. Garde. Le conflit suscite des engagements spécifiques : les intellectuels juifs sont très présents, pour lesquels les thèmes de la guerre raciale et de l'usage de la mémoire ne peuvent manquer de susciter des échos. La sensibilité intellectuelle chrétienne se manifeste également, par des articles dans le journal *La Croix*, mais surtout par l'engagement précoce de la rédaction d'*Esprit**, O. Mongin, P. Thibaud*, G. Coq, V. Nahoum-Grappe et P. Hassner.

Les intellectuels, pour activer la démocratie citoyenne, utilisent les médias, qui dans leur majorité, et à l'exception de leurs correspondants sur place, ne sont guère favorables à la cause bosniaque. Les campagnes sont menées par l'écriture : articles de presse, livres engagés (*Comment peut-on être croate ?* de Finkielkraut, *Ce fascisme qui vient* de Julliard), films (*Bosna !* de B.-H. Lévy). Elles passent aussi par la tribune. Les intellectuels renouent avec la vieille tradition des meetings à la Mutualité, où place est faite aux personnalités politiques (décembre 1992, avril et mai 1994). Des appels à manifester ponctuent par ailleurs les attaques contre les villes bosniaques (juin et novembre 1992, janvier et juin 1993, mars, avril, juin et novembre 1994). La manifestation du 21 novembre 1992, suscitée par le siège de Sarajevo et la diffusion des informations sur les camps serbes, est la première — et l'une des seules — à remporter quelque succès. Un véritable tissu associatif se constitue (300 collectifs contre la purification ethnique en 1994), mais échappe largement à l'influence des intellectuels. Le Comité Vukovar-Sarajevo, constitué en mai 1992 lors d'une réunion à la revue *Esprit* (A. Finkielkraut, A. Le Brun, P. Bruckner, rédaction d'*Esprit*) et le Comité Kosovo (décembre 1992) parviennent cependant à fonctionner comme des pôles de concertation et d'initiatives. Échouant à mobiliser l'opinion et considérant que la culture est la cible privilégiée du fascisme, une partie des intellectuels préfèrent exercer une action spécifique de leur « registre » professionnel : démarches en direction des intellectuels yougoslaves démocrates, soutien au journal bosniaque pluraliste *Oslobodenje*, défense du patrimoine historique de la Bosnie (J. d'Ormesson*) ou vaines tentatives pour faire de

Sarajevo la capitale culturelle de l'Europe en 1994. Des artistes s'associent, en s'engageant à l'été 1995, derrière A. Mnouchkine*, dans une grève de la faim au Théâtre de la Cartoucherie de Vincennes, « pour que cesse la barbarie en Bosnie » (O. Py, F. Tanguy, E. de Véricourt).

Le conflit en Yougoslavie redéfinit le rapport des intellectuels aux sphères politique et médiatique et approfondit les cassures nées de la guerre du Golfe*. Ainsi, « intellectuels de gauche » et personnalités de la droite libérale se côtoient sur les appels à manifester, alors qu'anciens combattants des mêmes causes (guerre d'Algérie) sont divisés. La question de l'intervention militaire, puis de la levée de l'embargo sur les armes, accusé de s'exercer au détriment de l'agressé, est au cœur de la dénonciation des hommes politiques, qui excluent la guerre de l'horizon des possibles et stigmatisent l'irresponsabilité des intellectuels va-t-en-guerre. Le fossé creusé entre intellectuels et hommes politiques s'élargit encore quand est lancée spectaculairement par B.-H. Lévy, à l'occasion des élections européennes de juin 1994, une « liste pour Sarajevo » composée d'intellectuels et de membres des associations (L. Schwartzenberg*, A. Glucksmann, F. Fejtö, P. Bruckner, R. Goupil, D. Rondeau, A. Touraine, C. Bourdet*, F. Jeanson*...) et destinée à placer la question bosniaque au cœur du débat politique. Elle marque l'aboutissement de la logique d'intervention des intellectuels dans le domaine propre aux politiques, considérés comme défaillants. Cette initiative, qui rencontre un premier succès d'estime dans l'opinion, finit par sombrer en divisant les intellectuels pro-bosniaques eux-mêmes, incertains du but à atteindre, et déclenche un tollé anti-intellectualiste dans le monde politique.

Dans la guerre de Bosnie, l'extrême médiatisation du conflit est devenue un élément central de la réflexion des intellectuels, qui s'interrogent sur l'exercice nouveau de la démocratie quand l'intervention humanitaire tient lieu de politique (contribution de R. Brauman à la cause bosniaque), quand la pitié télévisuelle se substitue à l'action. Eux-mêmes n'échappent pas aux effets pervers de l'usage des médias, nécessaire mais porteur du soupçon de dégrader en spectacle ou en opération d'auto-promotion une cause digne (B.-H. Lévy déclenche les anathèmes), mettant ainsi en question la légitimité des « intellectuels médiatiques ». Il est significatif qu'au fil de l'évolution tragique du conflit, au terme duquel pourtant, notamment après les massacres programmés de Srebrenica, il ne se trouve plus guère de contempteurs de la cause bosniaque, l'opposition entre les deux camps, loin de se dissoudre, se renforce. Déjà rétrospective, elle se fonde désormais sur l'accusation réciproque d'avoir fait régner une « pensée unique » (J.-F. Kahn*, « Bosnie, l'histoire d'une manipulation », 1995). Ainsi, au terme d'un paradoxal retournement, le camp initialement très minoritaire et peu écouté du pouvoir, se trouve accusé d'avoir exercé la tyrannie médiatique de la *political correctness*.

Anne Rasmussen

■ M. Feher, « La vieille et l'ancienne gauche face à la Bosnie », *Libération*, 20-21 juillet 1993. — A. Finkielkraut, *Comment peut-on être croate ?*, Gallimard, 1992. — J. Julliard, *Ce fascisme qui vient*, Seuil, 1994 ; *Pour la Bosnie*, Seuil, 1996. — J.-F. Kahn, « Bosnie, l'histoire d'une manipulation », *L'Événement du jeudi*, 24 août 1995. — A. Le Brun, *Les Assassins et leurs miroirs. Réflexion à propos de la catastrophe yougoslave*, Pauvert / Le Terrain vague, 1993. — F. Martel, « Pour servir à l'histoire de notre défaite », *Le Messager européen*, 1994. — V. Nahoum-Grappe (dir.), *Vukovar-Sarajevo. La guerre en ex-Yougoslavie*, Esprit, 1993.

YOURCENAR (Marguerite) [Marguerite de Crayencour]

1903-1987

Marguerite Yourcenar est née Marguerite de Crayencour le 8 juin 1903 à Bruxelles. Son père est issu d'une famille de notables du Nord de la France, et sa mère, qui meurt en couches, d'une vieille famille liégeoise.

Marguerite de Crayencour est élevée par son père qui lui fait lire ce qu'il goûte lui-même : éducation à la fois classique (elle apprend avec ce père qui lui fait découvrir l'Angleterre et l'Italie le grec, le latin, l'anglais) et individualiste. Dès quatorze ans, elle compose des poèmes que son père fait publier à compte d'auteur. C'est pour l'un de ces recueils qu'elle se choisit un pseudonyme, « Yourcenar », qui est le quasi-anagramme de son nom. La mort de son père coïncide avec la publication, cette fois-ci à compte d'éditeur, de son premier roman, un court texte d'inspiration gidienne, *Alexis ou le Traité du vain combat*. Il est remarqué par la critique tant pour son sujet — l'homosexualité, terme dont Marguerite Yourcenar par ailleurs réprouvait la technicité — que pour son style, abstrait et dépouillé. Suit une décennie marquée par de nombreux voyages, en Grèce notamment, par des événements amoureux qu'elle relatera de façon déguisée dans *Le Coup de grâce* et *Feux*, et par une activité littéraire diverse et dense — nouvelles, traductions, théâtre, articles pour de nombreuses revues — qui lui permet d'acquérir une réputation critique discrète.

Marguerite Yourcenar rencontre en 1937 une universitaire américaine de son âge, Grace Frick, avec laquelle elle partagera sa vie jusqu'à la mort de Grace, en 1979. Une visite aux États-Unis*, en 1939, se transforme de par la guerre en résidence permanente : un poste dans une université, la naturalisation américaine en 1947, l'achat enfin d'une maison dans le Maine font de Marguerite Yourcenar une Américaine de passeport, davantage que de cœur ou d'usages. Marguerite Yourcenar reprend une activité littéraire soutenue en 1949, avec la rédaction des *Mémoires d'Hadrien*, roman qui en fait enfin un écrivain célèbre et un personnage public. Sa vie désormais se partage entre les États-Unis et l'Europe, où elle voyage fréquemment et donne de nombreuses conférences. Son dernier grand travail d'écriture sera consacré à la biographie de sa famille. *Le Labyrinthe du monde*. Marguerite Yourcenar, qui n'aura finalement, dans sa longue vie, côtoyé que peu d'autres écrivains, s'empare de la chronique familiale comme elle s'est emparée du roman à clef (*Alexis*, *Le Coup de grâce*), de la traduction (Cavafy, Virginia Woolf, Mishima) ou du roman historique (*Les Mémoires d'Hadrien*, *L'Œuvre au noir*) pour en faire une réflexion sur le temps et les mensonges. Elle meurt à l'hôpital de Bar Harbor le 17 décembre 1987.

Elle apparaît comme un écrivain autre, et cependant profondément classique. Ses choix intimes, sa personnalité, autant que la teneur même de ses œuvres lui donnent une stature unique dans la littérature française, stature à l'élaboration de laquelle ont grandement contribué les journalistes littéraires qui l'ont rencontré dans les années 70 et 80. Cette exilée presque involontaire finit, après avoir retrouvé sa nationalité française, par être élue à l'Académie française* en 1980 : élection à la fois logique — qui mieux que Marguerite Yourcenar défend et perpétue la valeur et la vertu, au sens romain du terme, de la langue et du style français — et scandaleuse : cette femme qui vit avec une autre femme et écrit, au-delà des différences sexuelles, sur les choix physiques et métaphysiques des hommes, déconcerte.

Anne-Sylvie Homassel

■ *Alexis ou le Traité du vain combat*, Sans Pareil, 1932. — *Le Coup de grâce*, Gallimard, 1939. — *Mémoires d'Hadrien*, Plon, 1951. — *Nouvelles orientales*, Gallimard, 1963. — *L'Œuvre au noir*, Gallimard, 1968. — *Le Labyrinthe du monde*, t. 1 : *Souvenirs pieux*, 1974 ; t. 2 : *Archives du Nord*, 1977 ; t. 3 : *Quoi ? L'éternité*, 1988. — *Les Yeux ouverts* (entretiens avec M. Galey), Le Centurion, 1980.

▨ G. Jacquemin, *Marguerite Yourcenar*, Lyon, La Manufacture, 1985. — J. Savigneau, *Marguerite Yourcenar*, Gallimard, 1990.

Z

Zola (Émile)

1840-1902

Né à Paris, Émile Zola passa son enfance à Aix-en-Provence. La mort prématurée (1847) de son père, ingénieur d'origine vénitienne, plonge l'enfant et sa mère dans une grande gêne matérielle. Boursier, l'adolescent échoue au baccalauréat et connaît deux années (1860-1862) de bohème plus ou moins littéraire à Paris. Un moment employé à l'administration des docks, il se fait engager comme commis chez Hachette. Ses qualités reconnues l'amènent au poste de chef de publicité. Dans ce milieu il fait la connaissance de Taine, de Littré, et noue d'utiles relations littéraires et journalistiques. Très consciemment, il songe à utiliser la presse comme instrument de carrière : sa collaboration aux journaux de Paris, de province et même étrangers sera considérable. Il investit d'abord dans la critique littéraire au *Salut public* de Lyon puis en 1866, année où il quitte Hachette, à *L'Événement* de Villemessant. Fort de ses relations avec Cézanne connu à Aix, il écrit dans le même journal des chroniques d'art consacrées à défendre vigoureusement, contre les tenants de la peinture académique, les précurseurs de l'impressionnisme, en particulier Manet. Il devient leur ami et contribue à les imposer à l'attention du public. À partir de 1868, Zola se tourne vers la politique, conversion que facilite l'avènement de l'Empire libéral. Il collabore à des organes de l'opposition républicaine qui témoignent de son évolution personnelle vers la gauche. À *La Tribune*, au *Rappel*, à *La Cloche*, il lance des charges satiriques contre la société impériale. Pendant la guerre, on le retrouve chroniqueur parlementaire près l'Assemblée nationale à Bordeaux, tâche qu'il continuera à Versailles, après la défaite de la Commune. À l'égard de celle-ci, il manifestera, contrairement à la plupart de ses pairs, de la compréhension. Le gouvernement de l'Ordre moral l'obligeant à plus de circonspection, il reviendra aux chroniques théâtrales et littéraires. Mais en 1881 il interrompt toute collaboration régulière dans les journaux ; l'année précédente, il avait déjà mis fin aux « correspondances de Paris » qu'il donnait depuis cinq ans au *Messager de l'Europe* (Saint-Pétersbourg).

Il entend se consacrer désormais en priorité à sa production romanesque depuis le succès (et le scandale) de *L'Assommoir* publié en 1876 dans *Le Bien public*. Il est alors reconnu comme le maître du mouvement naturaliste et réunit autour de lui Alexis, Hennique, Céard, Huysmans et Maupassant. Il s'en est fait le théoricien dans *Le Roman expérimental* (1880). Il se propose de réagir contre l'idéalisme romantique en s'appuyant sur le déterminisme tainien qui postule l'influence décisive de la physiologie chez les individus. Il emprunte encore à Taine l'idée d'un autre déterminisme, celui du milieu. Les vingt volumes de la série des *Rougon-Macquart, histoire naturelle et sociale d'une famille sous le Second Empire* (1871-1893) seront en principe l'illustration de ces conceptions, Zola prétendant dans son domaine faire des expérimentations à la manière du Claude Bernard de l'*Introduction à la médecine expérimentale*. Dans le nouveau cycle des *Trois villes*, *Lourdes* (1894), *Rome* (1896), *Paris* (1897), l'écrivain racontera la perte de la foi chez un prêtre qui découvre l'incompatibilité de la religion de son temps avec les aspirations et le mouvement du monde moderne.

Président de la Société des gens de lettres, officier de la Légion d'honneur, Zola entrevoit l'Académie française*. Cette situation enviable sera irrémédiablement compromise par son engagement en faveur de Dreyfus*. Fin 1897, il consacre trois articles à l'Affaire dans *Le Figaro** ; deux brochures suivront, puis dans *L'Aurore*, le fameux « J'accuse » (13 janvier 1898). Cet acte et la présence de son nom en tête de la pétition du 14 appelant à la révision le constituent en figure emblématique de l'intellectuel. Condamné à la peine maximale, il est contraint de s'exiler en Angleterre pour éviter la prison. Revenu en France en juin 1899, il meurt asphyxié (crime ? accident ?) à son domicile parisien. Il n'avait pas eu le temps d'achever *Justice* qui, succédant à *Fécondité*, *Travail*, *Vérité*, aurait complété la série des utopies socialisantes des *Quatre Évangiles*. À sa mort, Anatole France* dira que son engagement dans l'affaire Dreyfus avait fait de lui « un moment de la conscience humaine. »

Géraldi Leroy

■ *Les Rougon-Macquart* (éd. A. Lanoux et H. Mitterand), Gallimard, « Pléiade », 1960-1967, 5 vol. — *Œuvres complètes* (éd. H. Mitterand), Cercle du livre précieux, 1966-1970, 15 vol.

■ C. Becker, *Zola et les critiques de notre temps*, Garnier Frères, 1972. — A. Lanoux, *Bonjour, Monsieur Zola*, Hachette, 1972. — H. Mitterand, *Zola journaliste*, Armand Colin, 1962.

Index des noms de personnes

A

C

D

E

G

H

I

J

K

L

N

S

T

X

Y

Z

Table thématique

LES PERSONNES

LES LIEUX

Les lieux de formation et de recherche

Les lieux de l'engagement : lieux de réflexion et de luttes politiques et culturelles

Lieux de l'engagement catholique

Lieux de l'engagement juif

Lieux de l'engagement protestant

Les lieux de la production et de la diffusion

L'édition

La presse : quotidiens, hebdomadaires et revues

L'audiovisuel

Les lieux de sociabilité

Les lieux de l'expertise des intellectuels

Les lieux de la reconnaissance

LES MOMENTS

Biographies des responsables du volume

Jacques Julliard, né en 1933, historien. Agrégé d'histoire en 1958. Directeur d'études à l'École des hautes études en sciences sociales. Il est l'auteur de nombreux ouvrages historiques et essais politiques, parmi lesquels *Fernand Pelloutier et les origines du syndicalisme d'action directe* (Seuil, 1971), *La Faute à Rousseau* (Seuil, 1985), *Ce fascisme qui vient* (Seuil, 1994), et *L'Année des dupes* (Seuil, 1996). Il est en outre directeur adjoint du *Nouvel Observateur,* auquel il donne depuis plus de dix ans une chronique hebdomadaire.

Michel Winock, né en 1937, agrégé d'histoire en 1961. Professeur à Sciences-Po et conseiller littéraire aux Éditions du Seuil. A participé à la fondation de *L'Histoire* en 1978. A publié, entre autres : *Histoire politique de la revue « Esprit » (1930-1950)* (Seuil, 1975), repris en « Points-Histoire » sous le titre : *« Esprit ». Des intellectuels dans la cité (1930-1950)* (Seuil, 1996) ; *La République se meurt (1956-1958)* (Seuil, 1978), repris dans « Folio-Histoire » (Gallimard, 1985) ; *La Fièvre hexagonale. Les grandes crises politiques (1871-1968)* (Calmann-Lévy, 1986) ; *Les Frontières vives. Journal de la fin du siècle (1991)* (Seuil, 1992) ; *Parlez-moi de la France* (Plon, 1995).

Pascal Balmand, né en 1960, ancien élève de l'École normale supérieure de Saint-Cloud, agrégé d'histoire en 1983. Professeur en classes préparatoires, maître de conférences à Sciences-Po et chargé de cours aux Langues-O. Outre divers articles parus notamment dans *Vingtième siècle, revue d'histoire*, a publié une *Histoire de la France* (Hatier, 1992) et a participé, entre autres, à l'ouvrage de J. Jennings, *Intellectuals in Twentieth-Century France. Mandarins and Samurais* (Macmillan, 1993).

Christophe Prochasson, né en 1959, agrégé d'histoire en 1983. Maître de conférences à l'École des hautes études en sciences sociales. A publié, entre autres : *Les Années électriques (1880-1910)* (La Découverte, 1991), *Les Intellectuels, le socialisme et la guerre, 1938* (Seuil, 1993), *Les Carnets de Marcel Cachin*, en collaboration avec Gilles Candar (CNRS, 1993), *Au nom de la patrie. Les intellectuels et la Première Guerre mondiale (1910-1919)*, en collaboration avec Anne Rasmussen (La Découverte, 1996).

Gilles Candar, né en 1954, agrégé d'histoire en 1976. Responsable du secteur pédagogique au Musée d'Orsay. Ancien secrétaire de la Société d'études jaurésiennes. A publié des articles sur l'histoire du socialisme et, entre autres livres : *Les Carnets de Marcel Cachin*, en collaboration avec Christophe Prochasson (CNRS, 1993), *Jaurès et les intellectuels*, en collaboration avec Madeleine Rebérioux (Éditions de l'Atelier, 1994).

Denis Pelletier, né en 1958, agrégé d'histoire en 1983. Maître de conférences à l'université Lumière Lyon 2, membre de la rédaction de la revue *Vingtième siècle, revue d'histoire*. Il codirige la collection « L'Espace de l'histoire » aux Éditions La Découverte. Outre divers articles parus dans des revues universitaires, il a publié *Économie et humanisme (1941-1966)*, Éditions du Cerf, 1996.

Nicolas Roussellier, né en 1963, agrégé d'histoire en 1986 et diplômé de l'IEP de Paris en 1987. Maître de conférences à Sciences-Po, rédacteur en chef adjoint de *Vingtième siècle, revue d'histoire*, a codirigé l'enquête « La France des années 1980 au miroir du Bicentenaire de la Révolution » (IHTP-CNRS). Il a publié plusieurs contributions dans des ouvrages collectifs tels que *Le Modèle républicain* (dir. S. Berstein et O. Rudelle) (PUF, 1992), *Le Dictionnaire historique de la vie politique française au XXe siècle* (dir. J.-F. Sirinelli) (PUF, 1995) et *L'Histoire et le métier d'historien en France (1945-1995)* (dir. F. Bédarida) (Maison des sciences de l'homme, 1995).

Gisèle Sapiro, née en 1965. Sociologue, chercheur au CNRS. Membre du comité de rédaction de *Mouvement social*. A publié des articles sur le champ littéraire français sous l'Occupation.

Danièle Voldman, née en 1946, agrégée d'histoire en 1970. Directrice de recherche au CNRS. Membre du comité de rédaction et de la rédaction de *Vingtième siècle, revue d'histoire*. A publié de nombreux articles sur l'histoire des villes au XXe siècle et sur l'histoire des femmes.

Table générale

MISE EN PAGES : IGS - Charente Photogravure, 16340 L'Isle-d'Espagnac
IMPRESSION : Normandie Roto SA, 61250 Lonrai
DÉPÔT LÉGAL : Octobre 1996. N° 18334 (96-1080)